GREAT
长城
中粮酒业有限公司
COFCO WINES & SPIRITS CO., LTD.
COFCO

WALL
萄酒
中消协授权使用 3·15 标志葡萄酒产品
2006年中国葡萄酒产销量继续遥遥领先

电话：0852-2386000
地址：贵州省仁怀市茅台镇
邮政编码：564501
网址：WWW.MOUTAICHINA.COM

中国贵州茅台酒

中国贵州茅台酒厂有限责任公司位于黔北赤水河畔的古镇茅台，占地面积200多万平方米，建筑面积97万平方米。截止2004年底，拥有总资产79亿元，员工8000余人，年销售收入近40亿元。公司是全国质量效益型先进企业之一，是全国白酒行业中唯一的国家一级企业和特大型企业，唯一荣获国家企业管理最高奖----金马奖的企业。公司以贵州茅台酒股份有限公司为核心，另拥有习酒有限责任公司、香港茅台贸易公司、茅台上海公司等9个全资子公司，贵州茅台酒股份有限公司、昌黎葡萄酒业公司、遵义啤酒公司、贵州久远物业公司等10个控股公司，技术开发公司、保健酒业公司、贵阳茅台装饰公司、交通银行、清华大学国际技术转移中心等10个参股公司。

公司主导产品贵州茅台酒从1915年获巴拿马万国博览会金奖以来，先后14次获国际金奖，蝉联历次国家名酒评比之冠。贵州茅台酒1991年名列全国“十大驰名商标”榜首，1994年通过ISO9000质量体系认证，1999年获得国家绿色食品证书，2001年列为原产地域产品，并通过有机食品认证且获有机食品证书。

贵州茅台酒历史悠久、源远流长，是世界三大蒸馏名酒之一，蝉联五次中国名酒称号，是我国大曲酱香型白酒的鼻祖和典型代表，不只拥有丰富的文化内涵，是中国文化酒的典范，也是白酒行业唯一集原产地域产品，绿色食品和有机食品为一身的白酒品牌。因此，贵州茅台酒被尊为国酒，还被誉为外交酒、政治酒、友谊酒。

有限责任公司

在全国白酒行业中，公司拥有品牌优势，环境优势，文化优势，工艺优势等核心竞争力。根据全国酿酒行业“十五”计划，公司按照铸造一流企业的企业愿景，提出了酿造高品位的生活的经营理念。公司的发展方向是走新型工业化道路，做好酒的文章，走出酒的天地。公司将坚持技术进步，加强技术改造，稳步提高产品质量，多品开发，满足市场消费需求，提高茅台酒在同类产品中的市场占有率。

在人与自然迈向21世纪的进程中，茅台酒将秉承文化酒，生态酒、健康酒的一贯品质，将产品定位于有机茅台，人文茅台，科技茅台，世界最好的蒸馏酒。茅台酒这种自然健康的饮品，必将在新世纪中受到更多消费者的青睐。公司将利用5—7年时间，实现销售收入上百亿元，非酒类收入占总收入的10%以上。公司力争在十至二十年内建设成拥有自主知识产权和核心竞争力的，在国内外具有重要影响的著名企业，创造国酒茅台更加辉煌的明天。

五粮液集团有限公司

五粮液集团有限公司是以五粮液及其系列酒的生产、销售为主，同时生产经营精密塑胶制品、大中小高精尖注射和冲压模具现代制造产业，以及生物工程为发展产业，药业工业、印刷业、电子器件产业、物流运输和相关服务业的具有深厚企业文化的现代化企业集团。

五粮液集团有限公司的成名产品“五粮液酒”，自1915年代表中国产品首获“巴拿马万国博览会”金奖以来，五粮液酒又相继在世界各地的博览会上共获38次金奖，1995年在“第十三届巴拿马国际食品博览会”上又再获金奖，铸造了五粮液“八十年金牌不倒”的辉煌业绩，并被第五十届世界统计大会评为“中国酒业大王”。数年来“五粮液”品牌连续在中国白酒制造业和食品行业“最有价值品牌”中排位第一。

公司系统研制开发了五粮春、五粮神、五粮醇、长三角、两湖春、现代人、金六福、浏阳河、老作坊、京酒等几十种不同档次、不同口味，满足不同区域、不同文化背景、不同层次消费者需求的系列产品。

以塑胶制品和现代模具制造为主的五粮液普什集团公司迅速地成长壮大起来。其在防伪瓶盖、PET原料及成型制品、塑胶管材管件等几大类产品的生产和销售上都取得了优异的业绩，特别是汽车模具、IT产业模具、家电产业模具等高、精模具的设计、制造正在高速发展，并处于国内领先水平。

五粮液集团公司下属的丽彩集团公司在近十年来的市场运作中为本集团和诸多著名品牌的企业提供了一流品质的包装印刷制品，业务已从酒包装扩展到烟包装、食品包装等为主，造纸原料等为辅的印刷产业链上。

以生产各种玻璃制品和包装材料为主的环球集团公司在通过了ISO9001:2000国际标准质量体系认证后，多类产品的质量已经达到四川省的最好水平。其业务也逐步从单一的玻璃制造向玻璃产业的其它领域探索，不断以新产品引导、创造新的消费，起步于为集团公司配套服务的安吉物流集团公司通过近年来不断加强对其基础管理和服务水平的提升，获得了中国质量认证中心的授牌认证，成为中国物流行业首家通过ISO9001质量、ISO14001环境、OHSAS18001职业健康安全三个国际管理标准认证的企业，被评为交通部道路物资运输二级企业，而且完成了由单一的运输企业向现代化物流企业的转化，成为四川省自建GPS全球卫星定位系统容量最大，入网车辆最多的物流企业。

以经营和代理各类商品及技术等进出口业务的五粮液进出口公司系五粮液集团公司下属全资子公司，该公司在合同的商订及履行等各环节都设置了完善的机构，建立了科学有效的运作和管理系统，并充分发挥“五粮液”的品牌优势，努力开拓国际市场，其出口的五粮液系列白酒、青梅果酒、纺织品、鞋类、化工、机电等产品，已远销港澳、美、英、南非等六十几个国家和地区。“五粮液”亦成为首个进入国际免税商场的中国酒类品牌。

五粮液集团下属子公司四川川橡集团有限公司是国家轮胎定点生产企业和四川省唯一生产轮胎的大型骨干企业。该公司以研发、设计、制造、经营轮胎为主营业务，产品包括全钢载重子午线轮胎，半钢子午线轮胎、斜交轮胎三大类，共计十五大系列300余个规格品种，覆盖国际、国内主要高、中、低档车型。

此外，以环保、保健、饮料、药业、精化、电子、家纺等为配套发展产业，以进出口贸易、投资咨询、维修服务等为配套服务产业，五粮液集团有限公司至今已经发展成为了包括17个全资或控股子公司的具有规模效益优势和巨大发展潜力的特大型企业集团。

热烈祝贺陕西省西凤酒厂建厂五十周年

Q I Y E J I A N J I E

西凤酒

中国四大名酒

中国驰名商标

企业简介

西凤酒始于殷商，盛于唐宋，距今已有3000多年的历史，是中国凤香型白酒的典型代表。曾四次荣获“国家名酒”称号，九次夺得国际金奖，是中华酒林中的一朵瑰丽奇葩。

陕西西凤酒股份有限公司的前身是陕西省西凤酒厂，于1956年在周恩来总理的亲切关怀下创建。经过半个世纪的艰苦创业，现已发展成为中国大型一档企业、 中华老字号企业、 中国饮料企业八强，是中国企业500强的全国质量效益型先进企业。

近年来，企业经过数万次实验，几百次的工艺改进，在坚持传统酿酒工艺的基础上吸取百家之长，又独创了“凤兼型”白酒，被酒界专家誉为“新西凤实现了中国白酒工艺革命性的突破”。现在，新西凤已形成了新口味、新感觉的系列产品，满足了不同地区、不同档次消费者的需求。

新世纪的西凤人正以与时俱进、开拓创新的精神，创造着更加辉煌的未来。

陕西西凤酒股份有限公司

电话：（0917）8612833 传真：（0917）8600999

酒鬼酒生态工业园

馥郁香型传奇酒鬼酒

酒鬼酒股份有限公司

酒鬼酒股份有限公司前身为始建于1956年的吉首酒厂，1997年7月，经湖南省人民政府批准，采取向社会公开募集股份的方式设立了湘西土家族苗族自治州第一家上市公司—酒鬼酒股份有限公司，公司股票上市地为深圳证券交易所，证券代码为000799，股票简称为“酒鬼酒”。从上市到1999年配股成功，生产经营规模不断扩大，酒鬼酒也成为中国白酒界“高品位、高附加值、高质量、高价位”三大著名品牌之一，“酒鬼”牌商标被列为“中国驰名商标”，公司为湘西自治州的经济发展、社会稳定、财政增收作出了重大贡献。公司曾先后成为全国500强企业和轻工业部200强企业，荣获“全国酒文化优秀企业”称号和“五一劳动奖状”。

酒鬼酒公司上市以来，先后荣获“全国轻工业系统先进集体”、“全国先进集体”、“中国公众形象优秀企业”、“全国质量效益企业”、“全国酿酒行业优秀企业”、“全国酒文化优秀企业”、“中国公众形象优良企业”、“全国食品行业质量效益型先进企业”、“全国食品工业科技进步优秀企业”等多项殊荣，全面通过了质量管理体系认证。

酒鬼酒公司总部设于湖南吉首市北郊酒鬼工业园区，旁依枝柳铁路和1828省道，为风景名胜区张家界、猛洞河、王村古镇至德夯苗寨、凤凰古城的必经之地，园区占地1200多亩，这里群山环抱，风景如画，酒鬼生态工业园已被国家旅游局列为全国首批工业旅游示范点，酒鬼酒被国家列为原产地域保护产品。

公司主营业务范围为生产、销售酒鬼酒、湘泉酒、内参酒等系列白酒产品，具有不同酒度 不同风格的高中低档产品结构，能够满足不同层次、不同需求的消费者，产品畅销全国30多个省、市、自治区，并远销美国、日本、俄罗斯、韩国、东南亚及港澳台等20多个国家和地区。

公司主导产品酒鬼酒传承湘西悠久的民间传统工艺，依托湘西独特的自然地理环境和地域文化资源，香型在中国白酒界独树一帜，独创中国白酒“馥郁香型”。其包装采用湘西籍著名艺术大师黄永玉设计的紫砂陶瓶，蕴涵浓郁的民族文化内涵，土中见雅，俗中显奇，深受国内外消费者亲睐。酒鬼酒 湘泉酒曾荣获法国波尔多世界酒类博览会金奖 比利时布鲁塞尔世界酒类博览会金奖、中国首届食品博览会金奖、全国轻工博览会金奖、北京国际经贸博览会金奖、中国国际新产品新技术博览会金奖和中国白酒典型风格金杯奖，曾荣获“中国十大文化名酒”、“国产精品”、“中国名牌消费品”、“世界名牌消费品”等称号。

多年来，党和国家领导人李瑞环、乔石、田纪云、布赫、尉建行、罗豪才、费孝通、程思远、钱伟长、王震、萧克、王首道、廖汉生等领导同志先后视察本公司，对企业发展和酒鬼酒都作了充分肯定，并提出了殷切希望。

地　址：湖南吉首市振武营　邮　编：416000
电　话：0743-8312079／8312239
传　真：0743-8312779／8312178
网　址：www.xiangjiugui.cn/
邮　箱：xjgzj@xjg.sina.net

无上妙品-酒鬼酒

无上妙品-酒鬼酒

神秘的洞藏文化酒

中国驰名商标
瀏陽河
珍品 30.
窖藏陈酿 年份好酒
瀏陽河·中国人的喜庆酒
中国·四川宜宾五粮液股份有限公司

中国白酒工业100强

——甘肃滨河食品工业（集团）有限责任公司

甘肃滨河食品工业（集团）有限责任公司成立于1984年，现为中国白酒工业100强(位居第40位），甘肃省60家重点企业之一。截止2005年底，总资产已达4.9亿元，员工1400多人。集团现拥有全资、控股和参股企业20余个，酿酒基地3处，白酒研发中心1个，工艺、产品研发实力雄厚。经过20多年的持续创业，现已形成了产、加、销一条龙、贸、工、农、科一体化的发展格局。

滨河牌商标为甘肃省著名商标。

滨河集团核心产业是白酒和葡萄酒，年生产能力分别达到2万吨和1万吨。集团在具有显著地域优势的甘肃张掖、四川蒲江和贵州茅台镇均建有优质原酒酿造基地。是目前全国唯一能够生产浓、酱、清等不同香型酒的企业，其生产工艺达到全国白酒行业领先水平。其中“九轮发酵工艺”的若干关键工艺已申报或获得国家专利。集团着力打造的战略性品牌主要有“九粮王”、“九粮液”、“九粮国风”（酱香型）、“陇派”系列及“国风”干红酒等。

滨河牌系列白酒为甘肃省“名牌产品”和“陇货精品”。

事业未竟，滨河集团将继续秉承“人至诚、酒至醇、业至远”的经营理念，立业为民，造福社会，工商联手，共谋发展，为陇酒走红大江南北，积极扮演好品牌研发的主角和攻城略地的主角。

产品大观

人至诚 酒至醇 业至远

【九粮王】

【九粮液】

【陇派五星】

【陇派四星】

【陇派三星】

【国风16年】

【国风12年】

国风解百纳精品干红葡萄酒

国风一九九九高级干红葡萄酒

甘肃滨河食品工业(集团)有限责任公司

GANSUBINHESHIPINGONGYEJITUANYOUXIANZERENGONGSI

销售服务热线：0931-4966060 4966036

厂址：甘肃省张掖市民乐县城东门105号 网址：www.binhe.com 传真：0936—4421299

贵州茅台酒厂技术开发公司

贵州茅台酒厂技术开发公司是中国贵州茅台酒厂（集团）的所属公司，成立于1992年，座落在驰名中外的国酒之都——贵州仁怀。主要生产经营"茅台醇"、"家常酒"、"贵州特醇"、贵州"福禄寿禧"、"茅仙酒"、"贵州液"等十多个浓香型茅台系列白酒品牌，拥有三条在国内比较先进的全自动生产线，年生产能力在5000吨以上。作为公司主导品牌的"茅台醇"，"家常酒"与响誉世界的茅台酒一脉相承，秉承了传统酿造技术，以传承国酒文化为己任，是茅台集团"一品为主，多品开发"的战略体现。"茅台醇"等系列产品以茅台镇优质高粱、小麦为原料，在传统酿造工艺的基础上，糅合现代勾兑技术精酿而成，独具醇香馥郁、清冽干爽、余味悠长之特点，能满足不同区域消费者的饮用。

1994年公司质量管理通过国际GB/TI9002— ISO9002质量体系认证，为与国际标准接轨，并于2003年进行了2000版质量体系认证的换版认证工作，1998年主导产品"茅台醇"荣获"贵州省消费者协会推荐产品"称号；1999年被评为"中国消费者协会推荐商品"、"国家质量达标食品"，同年又通过国家绿色食品认证，获准使用绿色食品标志；此后连续四年获"贵州省名牌产品"称号，是省级重合同守信用企业。产品畅销全国各省市，部分产品打入港、澳、台、东南亚市场。

近年来公司在茅台集团的统一领导下，进一步争强"服务及效益，用户的难题就是我们的课题，看不到问题就是问题"的观念；深化内部改革；加快产品开发及市场拓展步伐；整合企业软硬件经营资源；致力于与经销商诚信合作，共谋发展；为公司不断持续发展壮大而努力，把来自国酒之乡的问候和满意的产品带给所有喜爱、关注茅台品牌的人们。

贵州茅台酒厂技术开发公司

地址：贵州省仁怀市国酒南路

董事长、总经理：胡本均

电话：0852-2251998 2251111

传真：0852-2252345 2251998 2224983

邮箱：mtct_888@sina.com

贵州茅台酒厂（集团）习酒有限责任公司

■贵州茅台集团副总经理　　　　刘自力
茅台集团习酒公司董事长、总经理

联系人：徐强
地　址：贵州省遵义市习水县习酒镇
邮　编：564622
电　话：0852–2691188　2691296
　　　　0851–5828066
传　真：0852–2691017
　　　　0851–5820306

贵州茅台酒厂（集团）习酒有限责任公司（以下简称“习酒公司”），是中国贵州茅台酒厂有限责任公司的全资子公司，于1998年10月成立。其前身为贵州省习水酒厂、贵州习酒总公司，始建于1952年。

习酒公司位于习水县习酒镇，地处赤水河中游“四渡赤水”的二郎滩渡口，距茅台酒厂50公里。公司占地面积2755亩，建筑面积35万平方米，厂区方圆十里，故称“十里酒城”。公司现有职工1700余人，总资产48961万元，拥用各级各类专业技术人员500余人，具有年产浓香型、酱香型两种优质白酒上万吨的生产能力，是茅台集团的浓香白酒酿造基地，贵州浓香白酒的典型代表，在全国同行业中首家同步通过法国BVQI认证和中国方圆标志认证。主导品牌习酒系列、茅台液系列、习水系列曾先后被评为省优、部优、国优并获得国内外大奖50多次。

1998年10月，习酒加盟茅台，实现中国白酒业最大的资产重组，为盘活习酒公司存量资产，壮大茅台实力，重振习酒辉煌，带来历史性的发展机遇。习酒公司全体员工坚持“励精图治、求实创新、高效守信、服务社会”的企业精神，坚持“无情不商”经营理念和“诚信为本”经营原则，以做强做大为己任，树立和落实科学发展观，走科技兴企业和质量效益型发展之路，实现了企业增盈，税收增长，职工增收，企业发展步伐加快，正朝着做强做大习酒事业迈进。

赤水河是迄今未受现代工业污染的河流，享有“美酒河”的盛誉，这里独特的气候、土壤、水质为酿酒业提供了得天独厚的自然条件，加之公司精湛的酿酒技术，独特的酿酒工艺，过硬的质保体系，公司产品当之无愧地成为“绿色食品”。

近年来，习酒公司依托并发挥国酒茅台的品牌优势，主导品牌习酒稳步增长，业已成为贵州浓香白酒第一品牌，特许品牌日愈壮大，各领风骚。新时代的习酒人执着地贯彻“无情不商”的经营理念和“诚信为本”的经营原则，发扬“励精图治、求实创新、高效守信、服务社会”的企业精神，坚持“以诚取信，以质取胜，创新服务，追求卓越”的新的质量方针，在茅台旗舰的引领下，为打造百亿茅台、创造习酒更加美好的明天而努力奋斗。

广州珠江啤酒集团有限公司

GUANGZHOU ZHUJIANG BREWERY GROUP CO.,LTD.

广州珠江啤酒集团有限公司（以下简称珠啤集团）于1985年建成投产，是一家以啤酒业为主体、以啤酒配套和相关产业为辅助的大型国有企业，获得国家环境友好企业、全国五一劳动奖状、全国文明单位等荣誉。珠啤集团广州总部啤酒生产规模超150万吨，成为全球单厂最大的啤酒酿造中心。

珠啤集团注重技术创新，在全国啤酒同行中居技术领先地位，拥有国家级技术中心，纯生啤酒生产技术、错流膜过滤技术等20项技术填补国内空白，率先推出了珠江纯生啤酒、珠江白啤酒和珠江ALE啤酒，享有“南有珠江”的美誉。珠江啤酒是中国驰名商标、中国名牌产品和绿色食品。

珠啤集团与世界最大的啤酒集团--比利时英博啤酒集团联合其他五家发起人成立了广州珠江啤酒股份有限公司。在未来的发展中，珠啤集团将继续站在国际啤酒发展的最前沿，立足中国，放眼世界，致力于走国际化道路，加快企业发展步伐，努力实现珠江啤酒在我国啤酒行业的“五个领先”，即技术领先、质量领先、管理领先、规模领先和效益领先，将珠江啤酒培育成为国际品牌。

地　址：中国广东省广州市新港东路磨碟沙大街118号
电　话：86-20-84206636
传　真：86-20-84202502

珠江啤酒
PEARL RIVER
打 开 真 感 受
WWW.ZHUJIANGBEER.COM

中国驰名商标 CHINA FAMOUS BRAND　中国名牌 CHINA TOP BRAND　绿色食品 GreenFood

贵州茅台酒厂集团啤酒有限责任公司

我公司座落于历史文化名城遵义市汇川区，隶属中国贵州茅台酒厂有限责任公司控股企业。2003年元月通过ISO9000、ISO14000、OHSAS18000三项整合认证；2005年12月通过了HACCP食品安全管理体系认证。2000年11月，公司投资2.4亿元新建十万吨茅台啤酒生产线，该生产线是按照高起点、高标准先进技术的要求设计施工。主要设备分别采用德国克朗斯公司、斯坦尼克公司和意大利萨西布公司生产的世界一流啤酒生产设备，实现了从投料、糖化、发酵、过滤全过程的微机控制，为进一步稳定和提高产品质量、增进顾客满意奠定了坚实的基础。

目前，公司拥有三条现代化啤酒生产线。公司技术力量雄厚，有国家级酿酒专家和全国啤酒评酒委员。公司生产能力总体按50万吨规划，现已达到15万吨/年。

“茅台”牌系列啤酒是由优级澳大利亚麦芽和优质进口酒花，质地良好的优质糯米和具有喀斯特地貌的深山泉水，独特的配方和酿制工艺，精制而成。酒体清亮透明，色泽呈金黄，风味纯正爽口、口感谐调柔和，酒花芳香突出，泡沫洁白细腻，挂杯持久，口味独特，深受消费者喜爱。2003年10月在中国食品工业协会和中食协啤酒专业委员会联合举办的全国第五届啤酒评选活动中，经国家级啤酒评委品评和国家权威检测机构检测，“飞天”和“五星”牌茅台啤酒获得评比总分第一，并分别被授予“中国啤酒著名创新产品”和“中国啤酒优秀创新产品”的殊荣。2005年12月在北京钓鱼台国宾馆，由我公司自主创新研发的茅台低醇高浓（双歧因子）啤酒通过中国食品工业协会专家组鉴定，鉴定表明该产品填补了我国啤酒行业无低醇高浓（双歧因子）的空白。公司不断推陈出新，于2006年3月研制开发出茅台1098啤酒。

“高原”牌啤酒是长期以来深受消费者青睐的老牌产品，该产品以其独特的口感和上乘的质量，于1983年荣获“贵州名酒”称号，其“高原牌”商标曾两次被评为贵州省著名商标，并从1991年以来先后被评为省、市、区消费者信得过产品，两次被评为农业部优质产品。1997年6月，经国家权威机构检验，在全国啤酒品评会上，该产品被评为“全国食品行业名牌产品”，其商标也于1998年8月被评为“贵州省著名商标”，“高原”牌啤酒曾多次荣获“贵州省名牌产品”称号。

地址：贵州省遵义市汇川区　邮编：563003　电话：0852-8623961

准确把握市场脉搏 更加贴近当地消费者

保乐力加中国继续引领国内洋酒市场

作为国内进口葡萄酒和烈酒市场多年来的领头羊，保乐力加中国正凭借自己深入的市场触角和对中国市场脉搏的准确把握，不断巩固和加强自己在国内的领先地位。

近年来，中国市场洋酒销量不断上涨。而有数据显示，目前中国蒸馏酒市场99%由白酒占据，威士忌等洋烈酒只占1%，洋酒市场在中国有巨大的上升空间。嗅觉敏感的全球洋酒巨头都纷纷囤积“重兵”，争夺这一庞大而富有潜力的市场。

作为全球第二大、美国以外地区的第一大葡萄酒和烈酒集团，保乐力加拥有行业内最齐全的产品门类和实力雄厚的众多品牌。2005年7月，保乐力加成功收购联合多美，获得了百龄坛、甘露、马利宝、必富达、玛姆、巴黎之花等享有国际声誉的优质品牌，使保乐力加的业务在各大洲得以进一步巩固。而这些新品牌的加入也使保乐力加在芝华士、马爹利、皇家礼炮这“三驾马车”的基础上以更丰富而均衡的产品组合领跑中国洋酒市场。

保乐力加的成功并非一蹴而就。多年来对洋酒市场耐心培育的经验让保乐力加的品牌对中国市场、消费者有着更清晰的洞察和更深刻的理解。针对不同群体的消费、情感需求，制定相应的推广战略，有效增强品牌的渗透力和消费者对品牌的认同感，是保乐力加中国的制胜秘诀。秉承“生活”与“分享”人生理念的芝华士苏格兰威士忌是集团的“明星”品牌之一，行销全球200多个国家和地区。在中国，公司把芝华士12年的主要消费群锁定为追求丰富人生体验的年轻人群，推出了世界顶级DJ中国之行、芝华士未知2070大型派对等一系列不同主题的音乐、派对活动，为他们带来更多精彩的音乐和生活体验。如今，芝华士已成为国内第一威士忌品牌，在进口烈酒和葡萄酒市场上独占鳌头。

保乐力加对中国市场脉搏的准确把握，也得益于其独特的分权管理模式。“分权管理是集团今天和未来成功的基石”，保乐力加中国董事总经理齐德辉说：“它带来了自主和主动，同时决策是在更贴近消费者的本土层面做出的。”作为分销子公司的保乐力加中国立足分权管理，协同各品牌公司共同制定出既符合品牌全球框架，又贴近中国市场的策略。“鉴赏的艺术”是马爹利在全球推广的理念。在中国，除了举办马爹利精英俱乐部、马爹利非凡艺术人物等活动，公司还针对国内消费者，尤其是南方地区消费者喜欢在餐桌上品尝干邑的特点，举行了一系列美食品鉴活动，让他们能充分享受法国经典干邑与中国美食相得益彰的完美搭配。

作为中国市场无可争议的第一大进口酒类国际集团，保乐力加坚信，真正理解中国消费者需求的态度，不应该只是考虑如何让他们接受企业所推出的产品，同时也应该指导他们合理饮用自己的产品。一个杰出的行业领袖，不仅仅要为消费者提供最优秀的产品，更要为整个社会的可持续发展做出贡献。

认识到酒后驾车已成为目前中国一个较为普遍的社会问题，保乐力加决心把自己长期在全球范围内反对酒后驾车的经验介绍到中国。2005年4月，保乐力加中国携手中国道路交通安全协会，在全国范围内开展“向酒后驾车说‘不’公益教育活动”，向公众免费发放了逾150万份图文并茂的宣传手册或宣传页，还开通了公益教育网站，刊登公益广告，在媒体上刊登反对酒后驾车的专栏，并在公司品牌活动上向消费者传递反对酒后驾车的信息等，广邀社会各界，一同向酒后驾车说“不”。

“我们在中国地区的成功仅仅只是一个开始。我们相信，凭借着我们对中国市场、消费者的深刻理解，我们会继续巩固和加强我们在中国市场的领先地位”，保乐力加中国董事总经理齐德辉显得信心十足。

保乐力加（中国）贸易有限公司

分享精彩人生体验——苏格兰瑰宝芝华士威士忌

广受推崇的芝华士高级苏格兰威士忌，其成功正源自于始终如一的卓越品质。作为调和型威士忌的杰出代表，每一瓶芝华士12年苏格兰威士忌都是用多种在橡木桶中醇化了至少12年的威士忌调和而成，在苏格兰当地生产灌装。

凭借卓越品质和悠久传承，芝华士苏格兰威士忌享誉世界，成为全世界人们在举杯分享欢乐时光的不二之选。此外，它所代表的追求丰富生活，乐于分享的积极人生态度也正是世界选择芝华士的原因。在中国，芝华士不仅以出色的质量在国内进口威士忌中独占鳌头，也同样以其深入人心的品牌文化深受中国消费者的青睐。针对25岁以上的年轻消费者，芝华士通过一系列音乐、派对活动，完美诠释了芝华士人生的理念。继广受欢迎的全球顶尖DJ派对巡演、狂热1970派对、芝华士米兰主题派对等活动后，未来芝华士还将带给人们更多更精彩的人生体验。

2004年9月，又一款芝华士奉献给世人的经典威士忌佳酿芝华士18年被引进入中国市场。芝华士18年威士忌融合了芝华士的所有精髓，并拥有不同于芝华士12年的独到之处，完美、平衡和柔滑的独特风格，带给您一种深切而奢华的体验。

马爹利——三百年干邑传奇

作为历史最为悠久的干邑世家，马爹利的经典传承可以追溯到18世纪。1715年，泽西人尚·马爹利在干邑区开创了马爹利这个伟大的干邑家族。

作为独创的具有淡雅花香特质的干邑，马爹利口感柔滑、圆润、完美平衡、与众不同。独到的酿制调配艺术造就了独一无二的风格，马爹利家族中的成员无一不是将生活凝练为艺术、对完美口感和品质执着追求的产物：专为独具慧眼的鉴赏家而设的马爹利蓝带，融合了大香槟区的强劲力度和马爹利特有的优雅精致的口感享受的马爹利XO，独具时尚风格和令人愉悦的马爹利名士，高雅祥贵、荣耀不凡的马爹利金牌，马爹利家族最荣耀辉煌的马爹利金皇，以及至雅至柔、悠远珍贵的马爹利银尊……马爹利干邑作为“流动的艺术”，都为无数的干邑鉴赏家们所称颂和喜爱。

京酒
浓浓京酒情
滴滴暖人心
宜宾五粮液股份有限公司出品
北京二商集团
BEIJING ER SHANG
北京市糖业烟酒公司总经销　电话：67210309　67220022

京糖牌系列民用糖
JING TANG PAI XI LIE MIN YONG TANG
B S T W
吃糖要吃放心糖！
优级白砂糖
优级绵白糖
京岐糖
单晶冰糖
加铁绵白糖
加锌绵白糖
精制绵白糖
红糖
BROWN SUGAR
精制幼砂糖
方糖
北京二商集团
BEIJING ER SHANG
北京市糖业烟酒公司　地址：北京市崇文区永外安乐林路71号　电话：82134628

福建省著名商标
福建名牌产品
丹凤
亚洲酿酒（厦门）有限公司
位于台湾海峡西岸厦门经济特区，系菲律宾爱国侨领陈永栽财团的全资子公司。公司前身厦门酿酒厂，最早始建于1736年，至今已有260多年酿酒历史。现有产品“丹风”白酒、露酒两大类近百个品种规格，2005年实现产销量1.2万吨，销售总收入1.5亿元。产品畅销全省，并远销港、澳、台、新、马、泰、加拿大、美国等国家和地区。公司于98年成立以来，致力于现代科学技术与传统酿酒工艺的结合，企业经济效益连年回升。连年入榜“福建省500家最大工业企业”，并荣获“福建省300家最佳形象企业”，“福建省明星侨资企业”等荣誉称号。2001年三月，公司的主导品牌“丹风”荣获“福建省著名商标”称号，并通过ISO9001：2000国际标准质量体系认证。2003年五月，公司“丹风”系列产品再次荣获“福建名牌产品”称号，2003年起连年入榜“全国白酒工业百强企业”。公司正朝着产品多元化、管理现代化、经营国际化方向大步挺进。
法定代表人：陈永栽
总经理：许少白
邮政编码：361004
举杯邀月
天共此时
厦門高粱王
丹凤佳酿
亚洲酿酒（厦门）有限公司
ASIA BREWERY(XIAMEN)LTD.
地址：中国厦门市厦禾路823号 电话：0592-2203131
E-mail:asia6958@public.xm.fj.cn 传真：0592-2222371

WWW.GSMN.C

广西糖网食糖批发市场有限责任公司

广西食糖批发市场是1993年经广西壮族自治区人民政府批准、由柳州市人民政府开办的食糖专业批发市场。2002年柳州市政府授权柳州市商贸控股有限公司管理。2003年5月，在柳州市委市政府的大力支持和市领导的关怀下，批发市场成功实现改制，引进了国内农产品流通领域最具实力的深圳市农产品股份有限公司共同经营，重新组建了“广西糖网食糖批发市场有限责任公司”。

广西糖网主要立足电子商务发展食糖市场，采用国内最先进的电子商务平台，积极建设物流配套体系，整合社会仓储、运输、金融、质检等各种服务资源，创建了独具特色的流通模式，有效地促进了食糖流通现代化，实现了食糖商品有序流通。现在全国各地设立有20个指定交收仓、24个辅助交收仓、35个辅助交收点、6个销区配送仓，已经形成“网上即时交易，异地就近配送”的流通模式，广西90%以上的制糖企业及国内60%以上大中型食

WWW.GS

大户室

交易大厅

公司全名：广西糖网食糖批发市场有限责任公司
地址：广西柳州市北站路14号天三和大厦4楼
邮编：545001
公司网址：www.gsmn.com.cn，网络实名：广西糖网
电话：0772-2300666（客户部），2817450（办公室），2817448（信息部）
传真：0772-3987890（客户部），2817450（办公室），2831153（信息部）

糖经销商为广西糖网会员。近三年年均发展速度在60%左右，2004/05榨季食糖交易量4003万吨，食糖交收量93万吨，比上年榨季分别增长66%和12%，市场年实物交易额达28亿元，是国内糖业领域货物配送量最大的食糖交易中心，广西糖网的“柳州价”已成为国内食糖行业经营者进行购销决策的重要参考依据。

经过了十余年的培育成长，广西糖网现已发展成为国内糖业领域货物

MN.COM.CN

配送量最大的食糖交易中心，公司1000多名会员客户遍布全国20多个省、市、自治区，每年接待全国各地食糖客商近万人次。

秉持发展电子商务的理念，广西糖网将继续发挥广西食糖的区域优势，整合各股东资源，以优质服务为中心，以客户需求为导向，大力发展信息、质检、仓储、运输、保险、结算等第三方物流配套服务，致力于建立一个公正、公平、公开、高效的市场交易环境，促进食糖流通，充分发挥批发市场在食糖生产及流通领域范围的资源配置作用,把批发市场建设成为国内乃至国际上有影响力的食糖交易和物流中心。

LUCKY HORSE

吉馬集团

吉马集团创建于1988年。在总裁林建国的领导下，从单一酒类经营，发展成为一家以商贸为依托，涉及制造业，向科研进军的集“科、工、商、贸”为一体的跨行业、跨省市的大型集团公司。公司拥有酒业、彩印、大型连锁商场、房地产开发、广告策划等十几家全资和控股经济实体，正朝着管理规范化、产业多元化、营销网络化、产品品牌化、人才专业化迈进。

吉马集团本着“经营名牌、树立名牌、创立名牌”的经营理念，先后荣获省、市、区三级政府部门颁发的各种荣誉奖牌数十个。总裁林建国个人事迹入载《中国百名优秀企业家奋斗史》，并多次被评为“优秀企业家”称号。

吉马酒业与白酒、红酒、啤酒、黄酒、洋酒五大体系名牌厂商强强联合，依托吉马在北京、上海、成都、福建的四大营销中心，走统一策划，统一运营，统一配送，统一管理，统一结算的专业营销之路；销售网络覆盖华北、华东、华南、西南各省市地县。2005年销售额突破30亿元。近年来，为更好地与国际接轨，吉马集团先后投资吉马彩印有限公司，占地10万多平方米，总投资1.5亿；吉马国际商贸广场，占地28万平方米，总投资7亿多元，第一期投入2亿元；吉马国际酒文化中心，占地8.5万平方米，总投资2亿元；美国加州吉马葡萄种植园，占地150公顷，总投资300万美金；加路威国际有限公司等。

吉马将秉承“来源于社会、奉献于社会”的企业理念，在激烈的市场竞争中磨砺得更为强大，向您展现非凡的企业魅力。

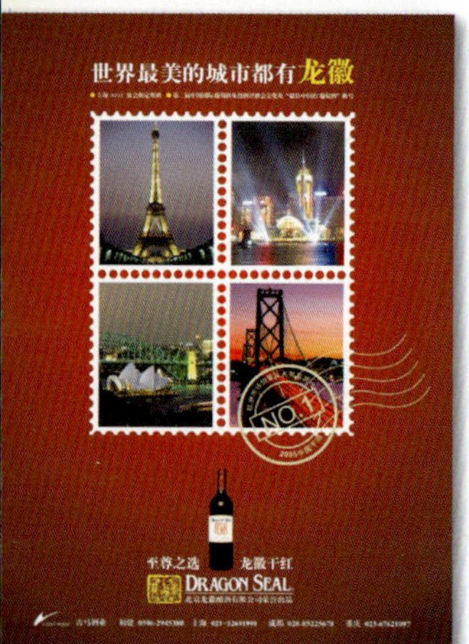

集团企业的成员单位：

福建吉马集团有限公司	漳州加路威酒业有限公司
福建吉马房地产开发有限公司	漳州吉马彩印有限公司
上海吉马酒业有限公司	秦皇岛吉马包装彩印有限公司
北京吉马酒业有限公司	漳州吉马购物连锁商场
成都吉马贸易有限公司	漳州吉马广告策划有限公司
重庆吉马贸易有限公司	英国伦敦加路威国际有限公司
福州吉马贸易有限公司	香港加路威国际有限公司
厦门吉马酒业有限公司	美国加州吉马葡萄种植园

浙江商源食品饮料有限公司

■朱跃明总经理

浙江商源食品饮料有限公司是一家发展迅速的专业酒水品牌营销公司，自1994年创立以来，已经发展成为一家拥有十几家关联公司、1000多名员工、年销售额逾10亿元的企业群。在中国经济最为活跃的浙江、上海、江苏、福建等省，商源500多个合作伙伴遍布各个城市、10000多个二级合作商户遍布城乡各地；在中心城市上海、杭州、宁波、金华等地，商源还直接和千余家酒店、商超、娱乐场所合作，加强网络的深度。商源已成功操作了多个酒水品牌，特别是将西部白酒“伊力特”成功地运作成为浙江市场的第一白酒品牌，创造了一个市场奇迹，赢得了全国同行业的认同。商源将继续依托自身的品牌运作平台、渠道运作平台、资本运作平台以及物流平台，为长三角地区的合作伙伴和消费者提供优质的产品和服务，立志成为中国长三角洲饮品的全程运营商！

地址：杭州市凤起东路
137号A座11楼
邮编：310020
电话：0571－28853666
传真：0571－26270066

武汉中百连锁仓储超市有限公司

武汉中百连锁仓储超市有限公司是中国上市公司武汉中百集团的全资公司，连续3年进入全国零售连锁经营30强，其连锁经营网点和销售增长幅度排名全国连锁经营前5位，业已成为民族超市的品牌象征，是国家商务部重点扶持的全国20家大型商业企业之一。

自1998年6月28日在唐家墩开设第一家卖场以来，中百仓储超市始终秉承“创造效益与规模同步增长”的经营理念，恪守“低价无假货”的承诺，围绕消费者息息相关的“饭桌子、米袋子、油瓶子、菜篮子”服务，潜心致力于连锁超市新业态的开拓和探索，尝试并创新地揉合了国际标准与本土化管理。目前，已在湖北地区如武汉、随州、仙桃、京山、天门、钟祥、孝感、安陆、汉川、红安、宜昌、应城、潜江、咸宁、浠水、荆州等地已开办了四十四家大卖场和一家生鲜超市，并成功在重庆开设了二十一家超市。目前，门店总数已达六十六家。

2005年4月25日，中百仓储加盟国际零售联盟组织IGA，成功地向国际化迈出了关键的一步。

展望未来，公司将坚持做强武汉、做大湖北、做好重庆、区域领先的长期发展战略，不断做强做大，推进连锁超市持续、稳定、健康发展。2006年，公司计划将门店发展到湖北省各地市，并尝试发展高级超市和农家店等新业种，门店总数可望达到80家，销售达百亿。

IGA 合作

中百仓储超市

水果湖菜市场

中百仓储超市

白山方大

吉林省白山方大集团是吉林省较具规模的商业流通企业，公司下设五个分公司，主要经营名优酒类、日用百货、家用电器等，生产领域包括葡萄、越桔、五味子等长白山野生植物果实的深加工。

白山方大糖酒站在巩固“东北酒王”的经营业绩的同时，充分利用“白山方大”企业品牌、销售网络和信誉优势，面向省内各大中城市发展了14家五粮液专卖连锁店和茅台、剑南春、国窖1573、水井坊等专卖店。

白山方大超市二十二家连锁店立足社区居民消费，不断调整经营格局和商品结构，努力提高服务质量和商业信誉，在全社会树起了方大人“诚实守信、文明经商”的良好形象。

白山方大家电超市作为白山地区规模最大的家电商品集散地，经营着国内外上百个品牌、千余种商品。并以“送到家、搬上楼、安装好”、“七日内不满意可退（换）”的一流信誉和优质服务，赢得了近70%的市内市场。同时，遍布各主要县区的2个直营店及6个加盟店，使“白山方大”品牌不断得到巩固和加强。

白山方大酒业公司以长白山野生葡萄、越桔、五味子为原料生产加工的果酒和饮料，远销上海、南京、深圳、广西等地，“白山方大”牌越桔酒被评为中国商业名牌，被吉林省政府命名为“吉林省名牌产品”称号。

企业曾荣获“全国精神文明建设工作先进单位”、“全国五一劳动奖状”、“全国商业星级信誉企业”、“全国消费者满意企业”、“全国酒类流通行业诚信企业”“全国守合同重信用企业”、“全国百城万店无假货活动示范店”、“全国青年文明号”等多项国家级称号。

吉林省白山方大集团

地址：吉林省白山市浑江大街118号
邮编：134300
电话：0439－3291086

石家庄市九鼎酒业有限公司

五粮液股份有限公司

石家庄市九鼎酒业有限公司成立于 1998 年，是经省酒类专卖局、石家庄市工商局批准注册的省级酒类企业。

公司成立八年之久，始终坚持主营五粮液及其系列酒，并取得了飞速发展，现代理的品牌有：河北、北京总代理：五粮醇系列酒；河北总代理：52 度五粮液（375ml），39 度五粮液（375ml），龙腾虎啸（龙虎酒）系列；特约经销：68 度、52 度、39 度、29 度五粮液，五粮液年份酒，贵宾五粮液，五粮液一马当先，五粮液尊酒，一帆风顺系列，金榜题名系列，紫光液，百鸟朝凤，五粮春，茅台、剑南春、长城干红葡萄酒等。

公司组织机构完善，设八部一室：河北经营部、财务部、市场部、储运部、业务部、商超部、终端部、外埠部、办公室；拥有两个专卖店、两个专卖柜、会议室、食堂、微机室、仓库等配套设施，总面积达 2000 余平方米。公司员工 120 余人，大专以上学历者在 80% 以上。公司坚持"以人为本"的发展理念，采用灵活的用人机制，不断培养、吸纳高素质优秀人才，努力打造九鼎酒业金牌服务团队。

经过多年的精心运作，石家庄市九鼎酒业规模不断扩大，2005 年"北京市九鼎酒业有限公司"、"石家庄市九鼎商贸有限公司"相继成立，市场网络覆盖北京、河北各销售渠道，仅石家庄市区拥有销售网络 1700 余家，其中终端销售网络（含酒店、商超）1500 余家、批发网络 200 多家。

自 2000 年以来，石家庄市九鼎酒业有限公司的五粮液系列酒的销售总额跃入全国前五强，并连续 6 年在全国排行榜上位居前列，连续被五粮液评为"优秀经销商"、"五粮液系列酒销售大户"、"三年来专销五粮液系列酒优秀公司"、"五粮液系列酒优秀专销公司"、"模范经销商"等荣誉称号。九鼎酒业在石家庄市酒类行业中首屈一指，地位举足轻重，多次荣获省市级荣誉称号"河北省首家放心酒展示厅"、"中国酒类流通诚信企业"、"河北省酒类流通协会第一届理事会副会长单位"、"无假冒酒经销单位"等。石家庄九鼎酒业有限公司在省会已享有崇高的声誉，"要喝放心酒，请到九鼎来"已深入人心，引起省会广大消费者的强烈共鸣。

石家庄市九鼎酒业有限公司以"信誉第一、客户至上"为服务宗旨，采用服务营销的模式，全力配合客户进行终端网络的建设与维护，努力实现"诚信合作、厂商双赢"的销售目标，与厂商携手共同铸就消费者心目中的第一品牌！

桥 西 店：石家庄市西二环南路 118 号

联系电话：0311-83021204

桥 东 店：石家庄市裕华东路与体育大街交叉口

联系电话：0311-86215599

山东兰陵美酒股份有限公司座落在山东省苍山县境内的兰陵古镇。这里土沃粮丰，地下高含锶型的优质矿泉水，为酿美酒提供了得天独厚的资源优势。

1995 年，在江苏徐州的狮子山西汉楚王墓，出土的沉埋了 2150 年的兰陵美酒。时光虽久远，幽香依旧在。诗人李白开元二十八年游历山东，途经兰陵古镇，写下了“兰陵美酒 郁金香，玉碗盛来琥珀光；但使主人能醉客，不知何处是他乡”的千古绝句。明代李时珍，在他《本草纲目》中给予兰陵美酒高度赞赏：“兰陵美酒，清香远达，色复金黄，饮之至醉，不头痛，不口干，不作泻。皆水土之美也，常饮入药俱良”。

山东兰陵企业（集团）总公司是以酒业为龙头，集科、工、贸为一体的国有大型一类企业，中国十大酿酒企业集团和山东省 136 家重点企业集团之一。总公司控股山东兰陵美酒股份有限公司、山东兰陵陈香酒业股份有限公司（上市公司）等多家企业。多年来，兰陵集团始终坚持实施品牌战略，培育了星级兰陵陈香、兰陵美酒、星级兰陵王、星级兰陵特曲、兰陵喜临门等著名品牌，其中，兰陵陈香、兰陵喜临门、兰陵特曲等系列产品始终保持了国家、省质量技术监督局免检产品称号。2001 年，兰陵陈香又荣获中国名优食品、中国白酒著名创新品牌称号，成为新时期的国家名酒。兰陵美酒具有悠久的历史，先后载入《齐民要术》、《本草纲目》和李白的传世之作《客中行》等文献史料，是齐鲁文化酒的代表之一。

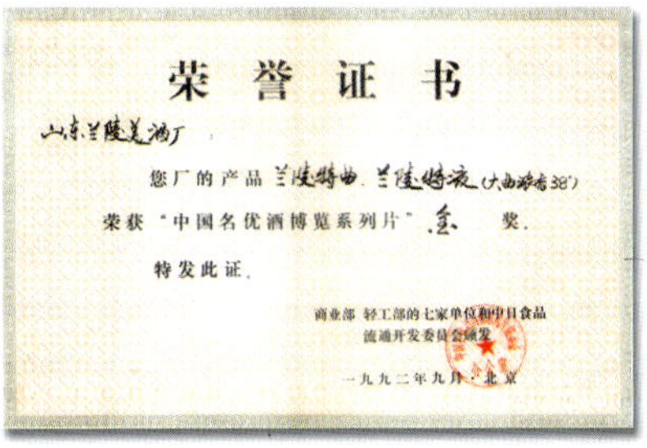
荣誉证书

山东兰陵美酒厂

您厂的产品 兰陵特曲、兰陵特液（大曲酱香38°）

荣获“中国名优酒博览系列片”金奖。

特发此证。

商业部 轻工部的七家单位和中日食品流通开发委员会颁发

一九九二年九月·北京

证书

根据国家食品质量权威部门检测数据和中国白酒创新品牌鉴评委员会感官质量品评，授予山东兰陵（企业）集团总公司生产的兰陵陈香牌兰陵陈香酒（39% V/V 浓香型）

中国白酒著名创新品牌

有效期：2001年10月—2003年10月

中国食品工业协会

二〇〇一年十月

2003 年以来，兰陵集团在以董事长、党委书记陈学荣同志为首的领导班子的带领下，坚持以经济建设为中心，以产品质量为生命，以深化内部改革为动力，以科技创新为先导，狠抓市场建设和结构调整，切实强化内部管理，集团上下团结一致，艰苦创业，锐意进取，奋力拼搏，取得了两个文明建设的新成就。企业保持了全国先进集体、全国先进基层党组织、省文明单位等荣誉称号。

兰陵集团拥有星级兰陵陈香、兰陵美酒、星级兰陵王、星级兰陵特曲、兰陵喜临门等知名产品，其中，兰陵陈香、兰陵喜临门、兰陵特曲等系列产品始终保持了国家、省质量技术监督局免检产品称号。主要产品在国际、国家及省部级历次质量评比中取得较好名次，先后荣获世界最高金奖 19 枚，国家级金奖 31 枚，省部级金银奖 39 枚。2002 年，兰陵陈香又荣获中国名优食品、中国白酒著名创新品牌称号。企业先后荣获了全国先进集体、全国先进基层党组织、省文明单位等荣誉称号。

兰陵，她散发着历史陈酿的芳香，流淌着历史文化的气息，包含着先民智慧的灵魂。同时，我们也看到了华彩绽放的兰陵酒文化，一杯兰陵酒，举杯浅酌，犹如与历史对话，思想越千年，或开怀畅饮，指点成功，与时代共饮，激情荡漾……

地址：山东省苍山县兰陵镇
邮编：277731
电话：0539-5597210

组织机构

本中心成立于1980年，隶属国家质检总局、中国轻工业联合会(原轻工业部)领导，是唯一的全国性糖业检测中心兼标准化中心，2003年12月国家质检总局、国家认监委发文授权中心升级成为国家糖业质量监督检验中心，中心同时还是：

- 国家轻工业甘蔗糖业质量监督检测中心
- 全国甘蔗糖业标准化中心
- 全国食品标准化委员会制糖分技术委员会秘书处
- 广东省制糖产品质量监督检验站
- 酒类生产企业生产许可证产品质量检验仲裁机构
- 酒精生产企业生产许可证产品质量检验仲裁机构
- 百事可乐公司亚太地区糖测试实验室
- 国家商检食糖认可实验室
- 全国食糖、酒精消费争议商品质量检验仲裁机构
- 中国保护消费者基金会商品检测服务站
- 白糖期货交易质量检验仲裁机构

资质与荣耀

中心自组建以来，在各级主管部门长期的领导和扶持下，历经多年发展壮大，渐成规模。中心有完整的各层次管理和技术人员队伍，中高级以上技术人员超过80%，其中有我国著名的食品类分析专家；中心有联合国资助建设的检测楼，有良好的实验室环境设施和配套的仪器设备，拥有高效液相、气相色谱、原子吸收、自动旋光仪、红外分析仪等大批先进进口仪器设备，其中不少是联合国资助的高级仪器；有完善的质量管理体系，顺利通过历次国家各级计量认证和实验室认可。中心以公正、优质、高效的检测服务而著称于中国糖制品生产行业和食品行业，得到了社会的广泛认同，是全国糖业界最权威、最悠久、最具规模、最具知名度、最具影响力的检测中心，多次被国家质检总局评为“全国质量监督先进集体”，连年获得国家轻工系统“先进检测中心”的称号，是轻工行业最著名的检测中心之一。

授权检验领域和企业送检

负责全国食糖、糖果、酒、饮料、饼干系列等食品质量监督抽查、检测和质量纠纷仲裁检验工作，授权检验的产品类别有：糖类、糖果类、饼干类、酒精、酒类、调味品类、饮料类、粮食类、植物油类和蜂蜜等80种产品。

根据国家质检总局、国家工商总局、中国轻工业联合会行业管理和质量监督部门关于加强食品质量管理有关规定的要求，我中心晋升国家级后仍继续负责食糖系列产品、糖果巧克力类、酒类及食用酒精、饮料和饼干等食品的监督抽查、质量仲裁、行业质量监督统检、生产许可证发放、市场准入、名牌及免检产品、食糖期货质量检验等质量监督检测工作。各有关食品企业均可按规定送检，送检细则可来电问询。

由中心的地位、性质、历史和权威、公正、准确的检测能力，决定了中心出具的企业送检产品的质量检验报告，成为其产品销售、企业升级、申报名牌、全国优秀产品、产品质量纠纷仲裁、市场准入、生产许可证、免检产品、企业认证等方面的质量依据。我中心将根据样本检测结果出具证书和协助企业办理相关事宜。

标准成果

承担了食糖国家标准及行业标准的制修订工作，是《白砂糖》、《食糖卫生标准》、《原糖》、《制糖工业术语》、《精制白砂糖》、《赤砂糖》、《甘蔗糖蜜》、《冰片糖》等国标行标的编制起草单位。编写了多版的糖和酒类化学分析方法工具书，成为行业的统一分析方法。是食品行业中颇有成绩和声誉的标准化中心之一。

科研工作

中心在致力于检测服务的同时，也在不断开展科研技术工作。如原糖中葡聚糖的分析方法研究，糖品中吊白块的分析方法研究，酒精中重金属的简便分析方法，酒精分析中气相色谱的应用研究，近红外旋光仪的研制，糖产品农残和工业助剂残留量的分析方法研究以及制糖、酿酒工业新技术的研究（如糖厂中和pH自控系统，新型糖外包装袋日期编号全自动喷码机）等。国家级科研项目“糖业共性技术开发项目”中的糖业标准化和质量控制部分由我中心作为主持单位负责项目起草和实施。作为我国糖业检测的龙头单位，与国际糖品统一分析方法委员会进行定期学术交流、互访，比对实验，合作研究等。

国家糖业质量监督检验中心

China Sugar Inspection Center

中国·广州

地址：广州市海珠区赤岗石榴岗路十号　邮编：510316
电话：020-84168056 84179675 84168351 33860510 传真：020-84168262
网址：www.csic315.com　邮箱：csictang@csic315.com　csictang@163.com
广州甘蔗糖业研究所副所长兼中心主任：戚荣
中心常务副主任：郭剑雄　13609019500　中心副主任：李海乔　13922154873

杭州新友贸易有限公司

杭州新友贸易有限公司成立于2001年，位于西湖大道的清波商厦，距西湖仅百米之遥，属杭州传统人文积淀至为深厚的吴山商圈。其前身杭州友贸贸易有限公司成立于1992年，“友贸”寓意为——朋友在先，生意在后。这也成了友贸公司10多年不变的经营宗旨，2001年，公司更名为杭州新友贸易有限公司，“新友”寓意为走出去，交更多的新朋友。公司成立以来，规模飞速发展，目前拥有3个分公司、10多个部门、300余员工、销售网络覆盖整个浙江并扩展至江苏、江西，代理了泰山白酒、张裕葡萄酒、长城葡萄酒、国窖1573、百威啤酒、新郎酒、汇源果汁、香格里拉藏秘葡萄酒8大国内外名牌、驰名产品，公司年营业额保持30％以上增长势头，现已成长为浙江著名酒饮品牌代理经销服务商。

应对挑战，创建营销新思维是新友不断发展壮大的根本；打造品牌，定位服务商，更好服务于客户是新友人永远不断的追求。

新友公司现已成长为资产过亿的大型商贸企业。公司形成了高档餐饮终端直销渠道、KA卖场直销渠道、二三级市场分销体系、批零客户销售体系和目标群体销售渠道等五大渠道并存的网络格局，在浙江拥有超过300家分销商的大型酒水经销商，2006年初，新友公司被国家有关部门评为《中国诚信示范企业》，隋俊华被“国务院发展研究中心信息中心、科技部火炬中心”评为“2005年度新经济十强人物”。

杭州新友贸易有限公司将继续立足杭州、辐射浙江、放眼华东，以“竞争求生存，合作共发展”为核心经营理念，恪守“诚实守信、群策群力、雷厉风行”的企业精神，勇于面对竞争并善于寻求合作，不断超越，不断发展、壮大！

隋俊华简介：

1981年毕业于杭州商学院（现浙江工商大学）企业管理系

1981－1993年　在机关从事商业营销管理

1993年下海创立杭州友贸贸易公司（现杭州新友贸易公司前身），开始代理泰山特曲

2005年，泰山特曲畅销杭州满12年，白酒界称“泰山现象”

2005年，因“创新贸易模式、改变了传统的贸易思维与贸易模式”，隋俊华被“国务院发展研究中心信息中心、科技部火炬中心”评为“2005年度新经济十强人物”。

2006年2月，中国企业家联合会授予杭州新友贸易有限公司“中国诚信示范企业”之殊荣。

荣誉证书

授予杭州新友贸易有限公司：

《中国诚信示范企业》

中国企业家联合会
二〇〇六年二月 北京

荣誉证书

隋俊华先生

荣获2005新经济人物奖，

特发此证。

广西柳州市中糖股份有限公司

■ 公司召开食糖仓储客户座谈会情景

■ 公司又一家酒类分店开业

2005年，公司实现总销售6.61亿元。其中食糖销售近20万吨，收储食糖15万吨。公司外贸已经形成稳定的进出口业务。特别是经国家商务部批准，公司2004年11月在南博会签约的朝鲜项目，2005年9月已顺利投产。公司酒类经营在“内联外盟”的的思路引领下，已形成较大的营销网络，并连续五年为市政府春节对老干部特供酒的供应单位。2006年3月，公司经中国商业企业管理协会审定，荣获“首届全国构建和谐商业杰出贡献企业”光荣称号。

■ 朝鲜项目开工庆典场景

公司地址：广西柳州市北站路18号
邮编：545001
传真电话：0772—2829243
办公电话：0772—2824797

中国商业企业管理协会糖酒副食品企业分会理事长单位

全国糖酒商品交易会广西区联络员单位

江西省糖酒副食品总公司

总经理：邹竹翚

江西省糖酒副食品总公司始创于建国初期，是江西省国有商业批发企业。公司以食糖、酒类等商品经营为主导，多种经营全面发展。目前公司下属企业有江西省商业酒类有限责任公司、江西省商业糖业食品有限责任公司、宏远烟酒销售部、南昌食糖储备库（国家级）等4家，拥有总资产8000余万元。

近几年来，公司通过积极探索，大胆实践，不断创新，开拓了一条以糖酒经营为本，综合利用、多种经营的发展道路，已形成仓储、物流配送多业并举，全面发展的新格局。公司作为国有糖、酒经营主渠道，始终坚持“诚实守信、优质服务”企业经营宗旨，主营商品居于江西省的主导地位，并在全省糖酒副食品商业流通领域发挥了极其重要的作用。现已与全国各名酒厂家和省内外厂家和省内外各地建立了良好的营销网络关系，公司热忱欢迎广大客商洽谈业务，共同发展。

地址：江西省南昌市省政府大院北一路

邮编：330046

总经理：邹竹翚

电话：(0)13870655273

传真：0791-6254976

江西省商业酒类有限责任公司

名酒名烟行

名茶行

江西省糖烟酒副食品总公司－宏远烟酒销售部

糖烟酒
中秋团圆 金六福酒
盛事共享
盛世天香

虹美包装

酒类节能包装的创造者

Energr conservation packing inventon

电话：0530-6412008　传真：0530-6410088

网站：www.jiaomao.com　QQ：285059866

酒类成套礼盒包装

酒瓶、酒瓶盖、酒标一步到位，配套齐全只需装酒

德国专家皮特先生与公司董事长李广德先生合影

德国专家皮特先生与虹美公司技术人员做技术交

只需壹角钱就能如此高档、和青花瓷相媲美

使用多功能酒类商标的五大优点

一、使用方便，有无设备都可，无技术含量。

二、成本低，为您省钱，是烤花价格的八分之一。

三、档次高，能和高档青花瓷相媲美，是目前烤花无法达到的效果

四、能印制各种花纹、烫金银、蒙砂从而解决了烤花成本高和损伤瓶的难题。

五、新瓶旧瓶有同样的档次，解决了利用旧瓶难的问题。

无所不能的多功能商标

简　介

郓城县虹美包装有限公司是酒类、饮料食品用包装材料的专业生产商，公司位于水浒故里—郓城，西邻京九铁路，南邻日东高速、济菏高速公路。

本公司始建于 1990 年，占地面积 8000 平方，厂房建筑面 3000 平方，2005 年又添置了国内先进的电脑凹印机、吹膜机等配套设备，集设计、制版、印刷、吹膜一条龙生产线。

主要产品：PVC 热收缩膜、PVC 标签膜、酒水类收缩标签、工艺品、玩具等收缩包装膜。

几年来，公司以极大的热情、以人为本、以一个创新与严谨的科技管理理念，全力以赴开发了一代又一代新产品，为用户提供了高档次、低价位、省时、环保的最新包装产品，其产品远销国内外，深受用户的青睐。

虹美公司全体员工以真诚和极大的热情广交四海朋友，以高科技管理的模式为您的产品锦上添花，快速提高您的竞争能力。竭诚为客户服务，为您的事业发展壮大而努力。

欢迎国内外客商的莅临指导。

伊川杜康实业有限公司

伊川杜康实业有限公司是以生产经营“杜康牌”系列白酒为主要产品的股份制企业，也是唯一一家拥有“杜康”商标专用权的企业。公司地处伊川城南酒祖杜康当年为酿好酒所选的“虎泉”遗址上，周围青山绿水，环境优美，具有得天独厚的地质、水文、气候等自然酿酒条件。公司占地21万平方米，建筑面积10余万平方米，拥有亚洲最大的酿酒车间，自动灌装流水线8条，年产曲酒10000吨。公司现有员工1200余人，专业技术人员168人，评酒员10人，其中国家级评酒员2人。

公司所产杜康酒属浓香型曲酒，以天然泉水和优质高粱、小麦为原料，经混蒸发酵蒸馏而成，具有“清冽透明，柔润芳香，纯正甘美，回味悠长”的独特风味，历史上曾有“进贡仙酒”之称，三国时，魏武帝曹操称赞“何以解忧，惟有杜康”，日本国首相田中角荣也赞誉“天下美酒，惟有杜康”。

公司成立以来，始终牢记“以质量求生存，向管理要效益”的原则，依靠过硬的产品质量和优质完善的售后服务，得到了广大消费者的充分肯定。1973至今，公司共获得国内各种奖项100余项。其中“杜康牌”商标1992—2005年连续四次荣获“河南省著名商标”称号，1991年获得首届“中国驰名商标”提名奖，2006年被认定为“中国驰名商标”。到2005年，公司连续21年被评为省市级“守合同重信用企业”。2006年，在全国首批“酒类质量等级认证”中，伊川杜康被认证为优级。

发展杜康事业，弘扬民族优秀文化，是杜康人责无旁贷的义务和使命，杜康人决心努力提高产品质量，不断满足顾客对杜康酒的需求，让杜康酒香飘五湖四海。

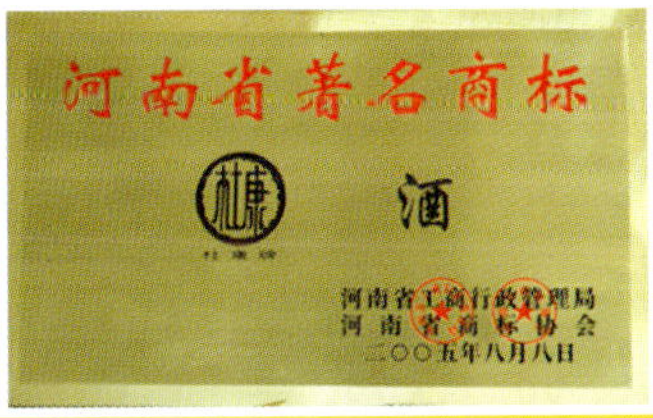

紫轩　源自戈壁的葡萄美酒

甘肃紫轩酒业有限公司是国内著名钢铁联合企业酒泉钢铁（集团）公司下属的，以葡萄酒酿造、纯净水、碳酸饮料、茶饮料、葡萄制品及副产品加工销售为主的农产品加工企业。葡萄酒厂总体规划规模5万吨，一期工程建设规模为年产优质高档葡萄酒1万吨，拥有全国唯一的戈壁葡萄庄园5万亩，全配套全球最先进的以色列肥水滴灌设施和亚洲最大的地下大酒窖，2006年我公司荣获“中国酒类流通诚信企业”称号。目前可生产干酒和冰酒两大系列，二十多个品种。“紫轩”牌葡萄酒被中国中轻质量保障中心评为“国家合格评定质量信得过产品（重点推广单位）”。

公司5万亩葡萄种植基地地处祁连山北麓，这里终年气候干燥，日照充足，昼夜温差大，典型的戈壁砂地土壤，极适合酿酒葡萄生长，辅以全球最先进的以色列肥水滴灌技术，保证葡萄生长必需的营养，形成国内罕有的酿酒葡萄种植的最优级产区。紫轩酒业严格按照国际葡萄酒组织（O.I.V）的标准，引进法国榨汁机、德国错流过滤机、意大利灌装线及法国橡木桶，结合顶级葡萄酒酿造技术，聘请国内著名葡萄酒酿造专家，精心酿造出中国典藏级水准的葡萄美酿。

公司以“做紫轩人，酿紫轩酒，建紫轩业，铸紫轩魂”为企业精神，以技术创新和管理创新为前提，推行全员质量管理、全员成本管理、全员安全管理、全员营销管理，通过锲而不舍的努力，力争打造紫轩品牌，开创广阔的市场前景。

紫轩 精品赤霞珠干红

紫轩 精品解百纳干红

紫轩 精品薏丝琳干白

紫轩 精品冰红葡萄酒

紫轩 精品冰白葡萄酒

甘肃紫轩酒业有限公司
地址：嘉峪关市机场路嘉东工业园区北侧
销售热线：0937-6393026 6393055 6393099

天津亚亿实业有限公司

天津亚亿实业有限公司是国内第一家专业开发品牌羊乳制品并率先投放市场的高科技企业。独家引进新西兰羊奶除膻技术，在中国率先推出羊奶制品，并取得多项专利，填补了中国奶制品市场的多项空白。公司采用全封闭进口“抽真空封罐机”做真空充氮保鲜技术处理，代表了国际先进的羊乳制品的制造技术。

公司主要以“美可高特”为主打品牌，产品分为功能配方、大众配方、孕产妇配方、婴幼儿配方、液态羊乳五大系列二十多个品种。美可高特专业羊奶以“新品味、高营养、全绿色、更健康”享誉大江南北，已经成为引领中国羊奶业的第一品牌。

公司现已通过了ISO9001国际质量管理体系认证、ISO14001国际环境管理体系认证、HACCP(危害分析关键控制点)认证、QS认证，所生产的羊奶制品已被中国食品工业协会评为“信得过食品”，被天津市奶业办公室认定为“无公害食品”，并获得中国绿色食品发展中心所颁发的“绿色食品”证书。董事长刘丽女士2006年荣获“2005中国经济女性年度突出成就奖”。

地址：天津市西青区中北工业园星光路7号　邮编：300380
电话：022-27984033　传真：022-27984358

金氏集团江苏无花果酒业（食品）有限公司

金氏集团江苏无花果酒业（食品）有限公司位于全国闻名的花木之乡—常州市嘉泽镇，现有无花果种植基地3500亩，签约无花果种植农户近1000家，拥有标准化厂房18000平方米。公司目前已开发出无花果全汁酿造果酒、白酒系列；无花果茶片、袋泡茶、功效茶系列；无花果汁饮料系列等。无花果年加工处理能力达1万吨以上，无花果系列产品年生产能力5万吨以上。公司拥有22项发明、实用新颖专利，并取得了13只绿色食品认证，填补了国内同类产品空白，处于世界领先地位，深受海内外消费者青睐。公司的目标是通过数十年或几代人的努力，企业规模将赶超“五粮液”集团和“张裕”公司。

董事长：金文宗
销售热线：0519-6591273　6321892
网址：www.figcn.net

广西丹泉酒业有限公司

地址：广西南丹县城民行北路
邮编：547200
电话：0778-7211866
传真：0778-7211508
邮箱：gxdanquan@126.com

双牌猕猴桃酒业有限公司

地址：湖南省双牌县永山路 12 号
邮编：425200
销售电话：0746-7729381

咸亨牌

中国驰名商标

绍兴县咸亨酒业有限公司

地址：绍兴县兰亭镇阮江
电话：0086-575-4012258　4011989
传真：0086-575-4010030
网址：www.chinaxianheng.com

平沙牌

珠海市粤侨实业股份有限公司

地址：广东省珠海市平沙镇平沙一路 2 号
邮编：519055
电话：0756-7752215
传真：0756-7751332

会稽山绍兴酒有限公司

地址：浙江省绍兴柯桥鉴湖路 1053 号
邮编：312030
电话：0575-4292851
传真：0575-4292799
邮箱：sales@dongfengwine.com
网址：www.kuaijishanwine.com

伊力牌

新疆伊力特实业股份有限公司

地址：新疆伊力特实业股份有限公司
邮编：835811
电话：0999-5266888
传真：0999-5266014
邮箱：jlb@yilispirit.com
网址：www.yilispirit.com

甘肃世纪金徽酒业有限公司

地址：甘肃兰州市城关区庆阳路 352 号 C 座 28-2 室
邮编：730000
电话：0931-8441576 8441726
传真：0931-8441120

广东长乐烧酒业有限公司

地址：广东省五华县岐岭镇太平山
邮编：514469
总经理：卓永泉
电话：0753-4802193 4803328
传真：0753-4802788

上海冠生园华光酿酒药业有限公司

地址：上海市宝山区江杨南路 880 号
邮编：200439
电话：021-56910077(总机)
传真：021-56889919

中国驰名商标

江苏双沟酒业股份有限公司

地址：江苏省泗洪县双沟镇中大街 173 号
邮编：223911
电话：0527 － 6713588
传真：0527 － 6713867
网址：www.shuanggou.com

浙江嘉善黄酒股份有限公司

公司地址：浙江省嘉善县西塘镇镇北路
邮　　编：314102
客服热线：0573-4563399
订单传真：0573-4563388
网　　址：www.jshjgf.com

广东顺德酒厂有限公司

厂址：广东省佛山市顺德区大良沙头
电话：0757-22291056
传真：0757-22292348
邮编：528333

2006 中国糖酒年鉴

CHINA SUGAR & LIQUOR YEARBOOK 2006

中国酒类流通协会
中国副食流通协会　编

中国糖酒年鉴

2006

主办：中国酒类流通协会，中国副食流通协会
承办：福文化（北京）有限公司
组织：北京科力创广告有限公司
邮箱：kelc2006@sina.com
出版：中国法制出版社
印刷：北京时捷印刷有限公司
主编：杨成刚　**副主编：**高福祥　周志军

开本：210mm × 285mm　**正文印张：**25
字数：500千字　2006年12月第一次印刷
定价：580元（人民币）

中国标准出版号:ISBN:7-80182-296-X

《中国糖酒年鉴》编辑委员会

编 辑 说 明

一、《中国糖酒年鉴》(2006)是由中国酒类流通协会和中国副食流通协会编纂，出版社出版发行，全面反映中国糖酒副食品行业发展历程的大型资料性工具书，具有权威性、史料性、珍藏性、实用性和可读性。

二、本年鉴特邀国家有关部委及行业协会有关领导、行业知名专家及权威人士组织编纂，为业界人士提供了权威的行业信息和市场发展趋势变化的决策参考。

三、《中国糖酒年鉴》（2006）收录资料时限以记述2005—2006年中国糖酒副食品行业发展状况为主，逐年编辑、连续出版。

四、本年鉴按内容分类编排，采用文章、条目、文选、名录、纪事、图表等多种形式，并通过框架组成一个完整的资料体系。

五、本年鉴由行业篇、统计篇、地区篇、企业篇、策划篇、市场篇、酒文化篇、法规篇等组成。

六、本年鉴的稿件、资料、数据都经有关单位审核。全国性的数据以国家统计局的数字为准；部门（协会）的数据以其提供的资料为准。

七、本年鉴在编辑、出版、发行过程中，得到国务院有关部委及有关行业协会、企业的大力支持和帮助，在此谨致谢忱。希望广大读者对本年鉴提出宝贵意见及建议，以改进我们的工作。

《中国糖酒年鉴》编辑部

2006年10月

目　录

行业篇

统计篇

地区篇

企业篇

策划篇

市场篇

法规篇

彩色版位

商标专栏

行业篇

中国酒类行业发展情况综述

2005年，是我国酿酒行业持续健康发展的一年，从产量看，去年规模以上企业饮料酒(不含黄酒、果露酒)总产量达到3822.46万千升，同比增长7.84%。其中啤酒3061.56万千升，同比增长10.30%；白酒349.34万千升，同比增长15.00%；葡萄酒43.43万千升，同比增长25.40%；酒精368.13万千升，同比增长35.60%。

从企业效益看，规模以上企业实现利润133.47亿元，同比增长33.35%。其中啤酒35.63亿元，同比增长24.98%；白酒73.19亿元，同比增长25.69%；葡萄酒12.56亿元，同比增长58.78%；酒精6.25亿元，同比增长141.31%；黄酒3.38亿元，同比增长18.60%；果露酒2.45亿元，同比增长11.36%。

从产品质量看，据国家质检总局产品质量监督司抽查，白酒产品抽样合格率为88.8%，啤酒产品抽样合格率为87.5%，黄酒产品抽样合格率为90.9%，葡萄酒产品抽样合格率为88.2%。

从对国家的贡献看，去年全行业上缴税金267.33亿元，同比增长14.51%。其中啤酒120.57亿元，同比增长11.38%；白酒117.58亿元，同比增长17.62%；葡萄酒12.07亿元，同比增长30.21%；酒精9.16亿元，同比增长47.29%；黄酒4.26亿元，同比增长12.70%；果露酒3.68亿元，同比增长6.23%。全年企业税利合计400.80亿元，同比增长20.17%。

上述各项分酒种的经济指标，除果露酒的税收增幅是一位数外，其它指标的增长全都达到了两位数。这充分说明，通过近几年的调整改革，我国酿酒行业大部分企业适应市场经济的能力愈来愈强，竞争水平明显提高，行业发展日趋健康合理，在产量、产品结构、产品质量、生产工艺装备、产品品牌等方面都得到健康发展。

让我们再分酒种来看，啤酒行业，去年面对啤酒进口零关税、原料和能源大幅提价、“甲醛”风波等等不利因素，但是经过努力，各种难题得到化解，产量稳步增长，销售收入稳中有升，质量、品种的影响力日见明显，装备国产化程度发展较快，营销逐渐步入现代化管理的轨道。虽然进口啤酒降为零关税，但是国内市场并未受到国外啤酒的冲击，相反，2005年1–12月共出口啤酒14.69万KL，比上年增长4.04%；进口啤酒2.1万KL，比上年降低了21.28%。

白酒行业经过几年的调整，首次呈现出速度效益同步增长的可喜局面。全行业产量净增34.64万千升，利润净增14.53亿元，税金净增117.58亿元，销售收入达722.65亿元，同比增长22.34%，净增110亿元。销售费用的增长率与销售收入增长率和利润、税金增长率基本同步。规模化经营的优势日益体现出来，从销售收入看，茅台、五粮液、剑南春、泸州老窖、汾酒前五家企业的销售收入达351.28亿元，占到全行业的48.60%，前26家企业的销售收入达485.83亿元，占到全行业的67.22%。在前26家企业中，老名酒企业、优质酒企业占到70%，估计产量和销售收入应该占到近90%。这说明，老名牌的品牌优势、装备优势、质量优势、管理优势、资金优势已经充分显现，并得到市场和消费者的认可。

黄酒行业自己讲，2005年的形势是：广告投入加大了，生产能力提升了，产品结构更新了，黄酒人才增多了，行业整合的力度加大了，获得奖项多了。去年一年，22家黄酒企业25个品牌的28个黄酒，获得了全国酒类产品安全诚信推荐品牌，有8家企业获得了国家质检总局授予的免检产品证书，古越龙山绍兴酒有限公司和东风绍兴酒有限公司投入中央电视台的广告费用，都有近亿元，获得了良好的回报。

葡萄酒延续了近年来市场消费明显上升的势头，成为饮料酒中增长速度最快的酒种，如果加上年报外企业的产量，预计去年产量接近50万千升。与2000年相比，2005年的利润总额增长了212.5%，税金总额增长了140% ，销售收入增长了140%，资产总计从70.6亿元提高到139亿元，增长了96%。葡萄酒行业总资产贡献率、流动资产周转率、产品销售利润率等主要经济指标，都高于其它酒种的平均水平，行业优势明显。果露酒的盈利能力也非常好。

酒精行业在上一年高速发展的基础上，2005年继续快速增长。去年11月份，国家发改委召集有关专家研讨生物能源生产代替品问题，建议全国生产车用乙醇150万吨，相信随着国际原油价格的大幅飙升以及国内燃料酒精的逐步推广，我国燃料酒精市场化进程会进一步加快。

葡萄酒行业主要经济指标好于其它酒种

中国酿酒工业协会秘书长王琦在中国酿酒工业协会葡萄酒分会第二届理事会上就自2000年分会换届五年来葡萄酒行业的发展做了工作报告。

报告指出，葡萄酒是酒精度较低的发酵酒种，品格高雅，营养丰富，是我国酒类产品结构调整，重点扶持发展的酒种之一。

过去的五年，正是我国加入世界贸易组织和国际接轨的过渡期，葡萄酒行业的发展面临了来自方方面面的影响。“十五”期间，葡萄酒消费明显上升，形成酒类消费热点，促进了葡萄酒行业的发展，葡萄酒行业近年来在产量、产品结构、产品质量、生产工艺装备、产品品牌等方面都得到健康发展。

葡萄酒产量得到快速发展，经济效益明显提高，促进了地方经济发展，为国家财政作出了贡献

从我国这五年饮料酒总产量的发展看，2005年我国饮料酒总产量约达3700万千升。低酒精度的啤酒、葡萄酒、黄酒及果露酒有大幅度增长，这是符合酿酒产业政策的发展方向。葡萄酒的发展是在饮料酒中增长速度最快的酒种。

从2000年–2005年从国家统计局对全国葡萄酒企业统计(全部国有及销售收入在500万元以上非国有企业)每年年报的数据来看，平均年增长在10%以上。从2000年产量20.19万千升增长至2005年43.43万千升，增长11.5%，如再加上年报外企业的产量，预计全年接近50万千升。葡萄酒行业在

"十五"期间较好地实现了"十五"规划目标。

葡萄酒行业在发展规模的同时注重效益的增长

利润总额从2000年的4亿元提高到2005年12.5亿元，增长212.5%；税金总额从2000年的 5亿元提高到2005年12亿元，增长140%；销售收入从2000年的42.5亿元提高到2005年102亿元，增长140%；资产总计从2000年的70.6亿元提高到2005年139亿元，增长96%。另外，葡萄酒行业总资产贡献率、流动资产周转率、产品销售利润率等主要经济指标高于其它酒种的平均水平，行业优势明显。

葡萄酒生产区域与生产企业集中度较高

2004年我国葡萄酒生产区域虽然分布较广，在有葡萄酒生产的26个省、市、自治区中，主要生产集中在山东、河北、天津、吉林、北京、河南、新疆、云南、甘肃、宁夏等10省、市、自治区。

以上10省市葡萄酒产量占总产量的93.8%，山东、河北两省是我国葡萄酒生产大省。这两省的葡萄酒产量占行业总产量一半以上，是我国葡萄酒主要生产地区。

目前，全国葡萄酒企业据不完全统计约400-500家，具有规模以上企业有150多家，主要分布在葡萄产区及沿海地区，生产规模不等，有万吨以上的大酒厂，有几百吨的葡萄酒庄及几千吨的具有中等规模的葡萄酒厂，大都以酿造厂为主，另有部分分装厂。

葡萄酒产量不大，但生产集中度较高，产量主要集中在名牌葡萄酒企业的大厂中，每年产量增长幅度很大。如张裕集团公司2005年产量达7万多千升；中法合营王朝葡萄酿酒公司2005年产量达3.5万多千升；中粮酒业2005 年产量达7万多千升；威龙葡萄酒股份公司2005年产量达3.4万多千升。这四家企业的销量约占全国销量的1/2左右，这几家经济效益也列于行业之首。

葡萄酒行业已拥有了一系列质量管理体系和规范，从葡萄原料栽培到葡萄酒生产都相继与国际葡萄酒业接轨

(1)酿酒葡萄基地的建立和原产地保护法规的实施，为国内葡萄酒向国际接轨迈出了第一步。

(2)废除了半汁葡萄酒，修订了葡萄酒国标，提升了葡萄酒质量。

目前，对国标又进行了修订，新修订的国标除了某些指标作了适当修订外，又将特种葡萄酒、年份酒、产地酒、品种酒的定义列入标准中。执行新标准后将使我国葡萄酒产品向规范化迈进了一大步，使葡萄酒产品尽快与国际接轨。

(3)根据"国际酿酒技术法规"与中国国情结合制定了"中国葡萄酿酒技术规范"。从葡萄原料到葡萄酒酿造，在生产工艺规定了必须遵守的内容与要求，在葡萄酒企业中得到实施，促使我国的葡萄酒酿造与国际上葡萄酒酿造接轨。

国家认监委将推行"中国食品质量认证实施细则－酒类"，这是我国第一部酿酒行业认证法规，对葡萄酒类产品进行分级质量评价，这是符合世界上主要葡萄酒生产国对葡萄酒产品实行分级管理方法。葡萄酒产品质量进行认证，可进一步规范企业行为，有利于提高我国葡萄酒行业的整体水平和葡萄酒质量，促进生产企业公平竞争，保护消费者权益，使品牌企业获得更大市场空间。

(4)我国葡萄酒行业的生产工艺、装备水平已接近国际水平，产品质量稳定提高。

(5)我国葡萄酒总体质量良好，尤其是大型企业、正规企业产品合格率高，市售的不同档次葡萄酒质量是可靠的。

(6)国外葡萄酒进口量增长很快，国内葡萄酒市场竞争日益剧烈。

在关税逐年下降的情况下，进口量一年比一年增加。2005年是2001年的1.72倍为5.36万千升。而中国葡萄酒出口量很小，主要原因是中国葡萄酒发展时期短，管理不规范，产品与国外还有一定差距，因此出口较为困难。2005年出口2700千升。

中国白酒2006行业发展分析

时间总是不等人，在觥筹交错举杯祝福的瞬间，又是一年过去了，迎来的又是一个新年头。作为中国传统消费品中销量紧次于烟草的中国白酒，始终是消费品领域中倍受关注的行业；但是，面临市场环境的快速发展，现在，每年都在有不断地变化。在辞旧迎新的鞭炮声中，2006年的中国白酒，又将香飘何处呢？

一、产量继续趋稳紧缩

据中国酿酒协会统计表明，中国白酒产量从1996年的801万吨到2001年的420万吨，再到2003年的331万吨，2004年的323万吨等，平均每年下降50万吨左右，平均幅度约为7.5%，且降幅率逐步减少，如2004年相比2003年下降了约2%。

虽然上述的数字不是百分百的精确且边际递减率渐小，但是至少我们可以看出这一递减的发展趋势。兼顾白酒总体环境影响的回落及各地方白酒的突围发展，白酒产量的紧缩趋势依旧难免。

二、厂家越来越重视产品的营销模式

经过几年的发展，以安徽口子窖酒而出名的白酒终端盘中盘营销理论大肆传播炒作的影响，在2005年达到峰顶，对中高端白酒品牌产生了较强的影响，一进间，成为了众多白酒厂家通过终端启动市场的典范。

面对中高端白酒趋势的发展，2006年，必将会有越来越多的中高端白酒品牌及厂家开始重视自己的营销模式，如同打仗要讲究兵法一样，而不再坚持以往传统的营销模式，也开始为自己寻找符合企业资源背景条件及品牌定位的营销理念及模式，以期待在竞争日益激烈的白酒市场上获得更大的消费认可和发展空间。

三、新型渠道模式的开发受到更高的重视

在产品和消费者之间的漫长的空间，成为厂家实现销售的必然渠道。在解决提供消费者接受机会方面以及以渠道影响并带动消费方面，渠道问题依然是酒类品牌市场推广的头等事宜。

2005年中，以五粮液金叶神酒为代表的烟草特通渠道的成功，带动了越来越多的白酒企业对新型（行业）渠道模式的研究，以探寻走向成功市场的通路捷径。此前虽有一些酒类通

过地方邮政渠道的合作模式渗透市场，以及定位军队酒等，但是没有象金叶神酒那样更具有新渠道模式的代表性和市场潜力；因为五粮液和中国烟草合作开发的金叶神酒不仅对烟草人来说具有与生俱来的荣誉感，而且具有中国烟草庞大的烟草配送网络为市场基础，即不仅有网络更有终端。更是跨越了传统渠道高通路费用的高门槛，在市场推广成本越来越高的酒业市场中，这一类渠道无疑会更加受到厂家的重视。

其次，酒类专营店的发展会继续受到重视。随着一些地方放心酒工程的实施及酒类专卖条例的开展，对酒类监管力度的加大是必在趋势，而酒类专营店的建立与发展正好适应了市场环境的需求，这其中，以广东的各类（金叶）名烟酒专营店和郑州的烟酒专营店的发展就是很好的典型。

四、行业马太效应的持续

首先，白酒品牌消费效应的马太效应依旧保持领先，强者越强的现象依然延续，即大品牌的名酒企业会继续成为市场的利润中心，如茅五剑等。

其次，高档白酒会越来越高，并将以商务形式诠释中华之礼的意义，且越来越成为外界资本进入的主题。

作为中国酒业中最传统的酒品，白酒业的高利润已是事实，但是高利润是在其有效规模销售的前提下，也因此吸引了越来越多的商业资本的注入，其中，由于高端白酒的单瓶利润率较高且投入人力物力相对较少，而使得高端白酒越来越集中于商业资本注入的OEM产品模式，其中以五粮液系最为代表。伴随着中国白酒作为高端礼品在传统与现代相结合的诸多用处，高端的趋势会越来越高，现在上千元上万元的白酒已不是什么奇闻异事了。

对于中低端的通路性产品，由于其所后续的市场推广所涉及的人力物力相对较多，仍旧是传统酒企的主流产品，就使得中低端的通路产品越来越集中于厂家。

五、品牌的资本性越发彰显

中国白酒市场上的总体上供大于求现象无形中增加了酒企的市场推广成本。企业要做的不仅在于解决消费者的消费理由，而且还要满足巨大的存在于渠道和终端的消费机会，而所有这些，都须是以资本为基础的。

有一个进入白酒业的认识误区至今为业外所不谙熟，即认为白酒业的进入门槛低，尤其是对于外行做酒的新手入门级。是的，从表面上看，找一个普通白酒厂家生产几吨酒就可以做一个属于自己的牌子是很容易，也许只要几十万资本就可以了；但是，想要把酒销售出去且做大做强做成品牌规模就没有那么简单了，因为，要在一个区域中把产品通过市场销售给消费者则可能还要至少一个几十万元甚至更多，这其中的招商费用、广告、市场促销推广费用、人员管理费用、各种渠道及终端的进场买断费用等等对于一个新品牌来说简直就是一个无底洞，很多的白酒品牌胎死腹中已是酒业常事，而要做到有口皆碑的大众所熟知的品牌则更是资本累积出来的。

品牌的市场推广最怕的就是资金链的断缺。诸多的人只看到了以金六福为代表的外行做酒的成功的表象，却往往忽略了金六福背后的上市公司的雄厚资本背景。同样，又有几家能象五粮液一样把系列广告在央视上长歌漫漫？

所以，2006年，资金链问题依然是中小白酒品牌的成长的重点问题。

六、高品质高度高端的“三高”白酒将会继续成为白酒主流

虽然以健康为主题的众说纷纭的白酒降度是一种趋势，但是，只要茅台、五粮液、剑南春等中国白酒的绝对领导品牌的高度酒不变，市场就不会有太大的质的改变。此外，“三高”白酒的目标消费群体即社会精英阶层对于酒类知识及好酒的认识和理解高于普通消费；而随着酒类企业对于高度白酒在媒体中的不断诠释与传播，也同样影响了越来越多的消费者对于高度白酒的正确认识。此外，不喜欢喝白酒的早就喝其它的酒了，如啤酒、果酒、葡萄酒等等，而高端白酒的主流消费群早已形成，而且是现代公务商务中的主流传统酒品，只要他们不变，高度白酒的地位就不会变。还有一点就是，度数降低时虽然酒量有所上升，但是喝酒的成本却上升，这对于目前以节约为主题的公务商务消费相违背，而这才是影响消费的真正原因，如同用一瓶52度的五粮液可以喝好的情况下何必要喝三瓶39度的呢？虽然一瓶之间相差几十元，但是总的消费量可就差别大了。

另外，对于高度白酒的品质感追求越来越高。受低度酒及其它类型酒的市场压力，对白酒的理性认识也更加清楚，所以，为降低高度酒对消费者感官的不良反应，在缺乏品牌优势的情况下，一般白酒企业对于高度白酒口感等的微调将成为取得市场的关键。

七、白酒所面临的市场压力将继续加大

面对国际贸易中因取消关税壁垒汹涌而至的各路洋酒大军，及国内的啤酒、黄酒、葡萄酒果酒、保健酒等酒品类的市场不断壮大，加之国家对于白酒发展的政策约束，都在不断地吞食白酒的市场份额。

其中，洋酒之于南方及内地的大中城市，对于中高端白酒的影响是越来越明显，不仅在于夜场的消费，而在传统的礼品类消费市场的影响同样在不断加大。而随着黄酒在以江浙为中心区域性的产业复兴与市场的扩张，也必将在区域市场内对白酒产生不可估量的影响。

此外，随着2005年国内众多啤酒巨头在珠三角市场近50亿的巨资投入与相继投产上市，啤酒，对于广东这一白酒消费占据中国白酒近十分之一的消费市场，尤其是对于中低端的白酒市场，同样必将产生一定的市场挤占。

八、区域地产白酒市场的突起成为主题

目前，白酒市场除了川酒能驰骋全国市场外，其它酒派系还只能是区域市场品牌。

在振兴地方传统白酒产业的前提下，以徽酒、苏酒、鲁酒、豫酒等为代表的区域酒派系的突围、崛起、复兴将会成为主题。在这一主题的旗帜下，一些白酒的市场拓展不再是孤军奋战，而是以区域酒系的力量去感召市场的地域情缘消费，如徽酒冲击江苏市场、华南市场，如豫酒的组团南下广东参加广东酒博会。因此，区域性市场拓展依然强劲，包括新疆、内蒙、东北等诸多的外地酒陆续进广东的势头依然强劲。

而就在外地酒大肆进军广东之时，同样，广东本地的酒如佛山的石湾米酒及豉香型的九江双蒸酒等地产酒也在以“振兴广东人自己的酒”为口号奋力直追。

九、新香型、多维度数等白酒创新不断

在浓香型白酒的基础上或在主体香型（如清香型市场区域等）的市场区域中以主体香型为基础开发新的香型，为吸引及满足更多的消费者。开发新的香型是一些白酒品牌尤其是白酒新品达到品类独占创新的差异化之路，如新的兼香型、三元香、芝麻香、凤兼浓香型、奇香、特香、淡雅香等等，以新的口味满足开发新的市场需求；或者以自己品牌定位新的香型，作为微观细分，如孔府家香型等。

在度数上，因为度数的空间表现很大，也将会继续成为白酒产品创新与传播创新的主题点之一，如41.8度、39.6度等个性化度数的设计创新，以扩大度数的空间满足更多的消费需求。

十、一些大型名酒厂的贴牌酒势头将趋减

在经过几年的沉沦风雨后，大型名酒厂诸多的贴牌酒品牌的生存状态并不如意，远没有想象的那么容易。一方面由于名酒厂出于对母品牌的保护，贴牌商要受到贴牌厂母品牌传播内涵与销量的管制约束，如五粮液对于贴牌买断品牌运营的严格的品牌管理；一方面又受到资本的压力，因为大多贴牌酒的资本方本没有白酒市场运作的在位优势，必将有一个“交学费的市场滞后期”影响公司的资金流，而象金叶神那样的烟草背景及金六福那样的以上市公司为背景的资本方极少。

因此，面对市场销售的压力，也将给予后来者警醒。面对许许多的贴牌产品短暂的市场生命周期，一些欲进入白酒业的中小资本不得不重新考虑自身的投资决策。

十一、品牌的细分化市场策略更加明显

战略的最高境界莫过于如入无人之境，不战而屈人之兵。正是在这种战略思想的指导下，鉴于传统白酒市场的竞争压力，白酒的细分化定位将是必然的趋势。细分化市场定位的目的就是通过细分获得进入市场的切入点，在细分市场获得市场的生存权及利润基础，从而达到通路产品满足市场的目的。

细分的方式也呈现出多种形式，有渠道方面、终端方面、品牌内涵等等通过细分消费群体达到细分一部分市场作为市场切入点。

如“中国烟草第一酒”的五粮液的金叶神酒通过烟草渠道细分市场作为进入市场的切入点；如针对特定终端的各种夜场酒；如打中秋第一酒的江西月潮酒，以及主打中国第一乡情酒的东北林乡人家酒，主打中国商界第一酒的陕西金皇台酒等等，还将有更多的新细分品牌将不断产生。

十二、商业资本进入酒业的资本并购将继续

大型的商业资本以股权式等方式涉入白酒业早已不是新鲜事，早前的深圳万基之于山东孔府家、深振业之于董酒、新华联之与金六福及中华玉泉和湖南邵阳酒等众多案例，虽然中国白酒界因2005年的酒鬼酒事件被抹上了一层阴影，但是，资本的脚步并没有因此而停止，作为一个有着巨大消费潜力及发展的传统产业，依然会有资本不断地涌入。

随着浙江宇宙集团对安徽老名酒——明光酒业的收购的圆满结束，另一安徽老牌名酒——古井集团也已10.8亿的规模资本等待合作，以及越来越多的地方酒企的产权改革将被陆续推向资本市场，必将会带动更多的资本市场向酒业的扩张。（朱玉增）

中国啤酒2006行业发展分析

世间万象新，寒尽春已来。2005年，中国啤酒业虽有三成多的企业处于亏损经营状态，但总产量仍然以10.3%的增长率和3061.56万吨的总产量再创新高的同时，提前五年实现2010年的发展规划目标，成为我国改革开放以来发展最好的产业之一。2006年啤酒业的发展情况如何，管中窥豹前瞻如下。

资产重组是主旋律

作为无国家行业保护、鼓励或限制的特殊政策，而靠市场自我调控的竞争性产业的中国啤酒工业，发展前景充满魅力。如果我国人均啤酒消费量达到国际水平的30升，即可形成近4000万吨的的生产规模和超过1000亿元的销售收入。而欧美等地的传统啤酒消费市场有的已经饱和，西欧市场的消费量正呈下降趋势，因此，嘉士伯等国外啤酒巨头纷纷关闭了在西欧的生产工厂，转向我国啤酒市场。

2003年以来，以燕京、青岛和华润为首的中资企业和以英博、AB、SAB、嘉士伯等为代表的外资军团，更是把“收购战”演绎至颠峰。AB50多亿港元收购哈啤，英博60多亿人民币首期仅收购福建雪津啤酒39.48%的股份，其收购价格让许多人膛目结舌，所以，追逐“规模竞争力”必将依然成为2006年最显著的特征。对于整个中国啤酒产业来说，相互竞争有可能两败俱伤，但更可能共同发展。因为二十多年来的实践证明，竞争多半是好事，啤酒业喊了多年的结构调整和规模生产通过竞争而实现。仅以青啤来说，1996年才31万吨的产量，如果不采取扩张重组，要达到2005年400多万吨是绝对做不到的。所以，2006年啤酒业的发展主旋律依然是资产重组，大的做强，小的退出。

外资收购持续加剧

截至2005年底，已进入中国啤酒业的外资啤酒巨头至少已控制了我国40%强的生产规模和超过80%的高端啤酒市场。

国外啤酒巨头之所以热衷娶中国“新娘”，看中的还是我国人口众多，消费潜力巨大，啤酒市场正呈现着飞速增长的态势。作为世界啤酒市场的最后一块蛋糕这一广阔前景，加上控股、参股可大大缩短项目建设周期或投资周期，同时还可获得被收购或参股企业的市场份额，成本低、见效快，对任何一家跨国公司来讲，尽快进入中国这个诱人的大市场，充分利用中国劳动力和中国企业的优势，实现快速见效的目的，是外资在中国投资战略所考虑的主要因素。另外，中国啤酒业大而不强的虚胖及管理、营销、技术等方面的滞后，尤其急需资金的迫在眉睫，更决定了中国啤酒市场的再次对外开放。正是在这种多重有利于外资的背景下，外资啤酒巨头才纷纷再次进入中国啤酒市场。虽然目前国际十大啤酒巨头都已进入中国啤市并都有巨大的斩获，但他们在中国啤市掀起的新一轮收购大战决不会就此罢手，只会愈演愈烈。所以，2006年外资对中国啤酒企业的收购不仅会进一步加剧，而且，由于中国啤酒集团普遍缺少资金而坐看人家在家门口大刀阔斧的“舞大刀”。

小、散、弱、差状况难从根本上改变

不说啤酒业是一个高耗能的产业，单就目前500多个生

产工厂来说，大多数“小、散、差、弱”，依然是诸侯割据，群龙乱舞，急需整合，还没有达到完全意义上的“已从春秋到战国”。目前，青岛啤酒公司虽然收购兼并了50多个不同规模的企业，华润的生产规模也超过了400万吨，但一些未资产重组的企业大多数连“十几个人，七八条枪”的规模也谈不上，近80%的小企业则是5万吨以下的产量，如此小而散、差又弱的经营格局，造成全国啤酒业的年产量也仅仅与美国两家啤酒公司的产量不相上下。与国外航空母舰般的啤酒企业相比，我们的啤酒企业充其量就象浅海中飘荡的一支支“小舢板”。因为国内排名第一的青岛啤酒公司去年的总产量才400来万吨，而美国百威啤酒公司的年产量就是1300多万吨，相当于近4个青啤公司的年产量。

另外，虽然我们的产量达到了世界第一位，但由于近年来啤酒业持续不断的价格战，使得啤酒业始终处于微利经营，旺丁不旺财在整个啤酒产业普遍存在，以至造成三成多的啤酒企业亏损经营。因此，2006年啤酒业想从根本上改变目前“小、散、弱、差”状况还很难实现。

进入品牌争霸时期

一是由于我国目前生产工厂依然众多，这些企业不仅仅为国内外啤酒巨头所垂涎，也同样为众多实力不小的地方诸侯提供了兼并扩张的机会。特别是在消费潜力巨大的市场形势面前，我国啤酒市场随着外资再次进入攻城掠地对我国啤酒企业的收购，啤酒商之间的竞争继2003年以来的市场战、收购战，将逐步演变为集团之间和品牌之间的竞争；二是随着我国经济形势的稳定发展和老百姓收入的不断增长，购买消费能力达到一定的程度后，品牌就决定着人们的选择，所以，如果说以前发生的啤酒大战都还只是停留在彼此寻找市场空白点上的话，那么，下一轮大规模啤酒战的特点将是形式上表现为遭遇战和肉搏战，实质上是以品牌为平台进行的资源整合的品牌战。综上所述，2006年，啤酒业的竞争将上升到更高层面的品牌竞争。

企业集团化、产量规模化、品牌集约化、新品系列化是竞争之本

就我国一线的啤酒企业来讲，与国外知名品牌相比，我们的产量还很低，规模还很小，根本不能与国外大的啤酒企业相提并论。特别是许多企业在价格战中微利或保本经营，无节制、无理性地只拼价格战，把利润空间打没了，更没有力量投入新品的研制和开发。目前，许多啤酒企业一方面大打价格战，又粗放经营盈利少的塑包、捆扎啤酒为主，一方面市场前景广阔盈利高的新产品象纯生啤、小瓶、异型瓶、易拉罐、PET瓶等盈利高的产品许多企业又无力生产，致使效益不高，发展不快，规模徘徊不前。从国际、国内啤酒业的发展趋势看，要想在竞争中占据主导地位，发展壮大企业规模，企业集团化、产量规模化，品牌集约化，抓紧研制并不断开发新产品是整个啤酒行业目前发展的当务之急和发展方向。

建设节约型企业成行业共识

季节性效益明显的中国啤酒业，由于市场竞争的加剧产品销售价格一路走低，中低档啤酒的市场销售价格甚至比5年前还要低，绝大部分市场的中低端产品竟低于矿泉水及一般碳酸饮料的销售价格。特别是自2003年以来，啤酒生产链条上的原料、辅料、能源、运输等四个环节成本均不同程度的宽幅上涨，导致啤酒生产成本一再攀升。据分析，目前，大麦、大米、水、瓶子、商标、纸箱等原辅材料及电、煤、油等能源和物流运输费大幅涨价及《公路法》的实施对超限车辆严查重罚等，导致每瓶啤酒的生产成本保守估计至少上升0.15元以上，而终端价格比拼和成本挤压双重压力引发的赢利空间的大压缩，成为整个啤酒行业的“坎”。另外，啤酒业目前以“高投入、高消耗、高排放、低效率”为主要特征的粗放式的增长方式，不仅成为企业持续健康发展的严重障碍，而且给企业的发展也带来了巨大的成本代价。因此，向内挖潜，抓好生产经营中的现场管理，减少跑冒滴漏，引导员工扎实推进原料、辅料、能源、销售等各个环节中的资源节约，最大限度的节能降耗，并以此提升盈利能力，是今后长期摆在整个啤酒业面前的主要工作。

进入微利时代

一是我国是发展中国家，目前正处于社会主义的初级阶段，虽然啤酒在城镇市场有稍好的销售业绩，但9亿农村消费者是啤酒业真正的消费主体，农村市场启动不起来，啤酒企业依然在狭窄的城镇区间去竞争，在供大于求的今天，只能是微利经营。

二是啤酒业目前产大于销，供给增长已远远超过需求增长，价格战成了企业在市场上竞争的重要手段。我国经济虽然得到了长足发展，但只要一进行人均分配，我们就落后到世界100多名以后。与经济发达、啤酒销量大的国家相比，我们的人均收入还是极为偏低，低价啤酒对城乡居民依然有极大的诱惑力。

三是2002年以来外资啤酒巨头再次进入我国啤酒业并带动国内啤酒集团对整个啤酒业的快速整合，行业集中度快速加强。目前，啤酒业虽然仍处于供大于求的市场格局，真正整合的大局尚未完全形成，巨头之间的圈地运动以及巨头与区域强势啤酒企业的市场之争远未停止。但从宏观层面来讲，整个行业的集中度加强了，管理水平提高了，品牌发挥的作用也越来越大，行业基本走出了价格战的低谷，无论是大集团还是小企业，都已认识到低价竞争的危害。从全行业来看，2004年以来，啤酒走出了利润徘徊不前的格局，整个啤酒市场都在进一步规范，企业纷纷以盈利为目标，这一转变直接导致了行业整体利润水平的提高，整个行业开始进入“微利经营”时代。但是，要想真正实现盈利，整个啤酒业要走的路依然很远。

产量继续稳步上升

自2002年我国成为世界啤酒第一产销大国以来，近4年的啤酒产销量每年都以超过6%的增长率把其它各国的竞争对手甩得越来越远，不说3年之内，就是5年之内甚至更长时间也难说有哪一个国家会超过我国，因为我们有人无我有的市场消费潜力和生产基础。以人均占有量来说，目前，我国人均啤酒消费量虽然已接近22升，但中西部地区却仅在10升左右，8亿多人口的农村人均连5升不到。而世界平均水平目前是30升，欧美国家人均年消费啤酒已超过80升，其中，啤酒消费大国的捷克、爱尔兰、德国人均消费分别已超过159、135和117升，而我国人均消费量仅相当于捷克的1/8、美国的1/4和日本的40%。所以，2006年，无论从宏观层面来讲还是从微观角度来说，我国啤酒业的产量依然会持续稳步上升。 （孙照广）

中国葡萄酒2006行业发展分析

2005年的中国葡萄酒产业发展是万众瞩目的。2005年我国葡萄酒产业经济保持了快速发展的局面。葡萄酒总产量达到43.43万千升，同比增长25.40%，实现利润12.56亿元，同比增长58.78%，上交税金12.07亿元，同比增长30.21%。我国葡萄酒行业的集中度、效益不断提高，葡萄酒生产、消费与市场不断扩大，我国葡萄酒市场继续保持着活跃的态势，葡萄酒产业与市场环境向理性发展，盲目投资有所遏制，低价竞争的情况得到改善，生产经营秩序井然。特别是高端市场发展较快，葡萄酒城乡消费继续保持增长。总之，在北纬40度至44度酿酒葡萄黄金生长带上自西向东分布着风格各异的九大产区，已经成为我国版图上的一道靓丽的风景线。

展望2006年，悬念太多，给我们的期待更多！2006年，是我国进入十一五的开局年，宏观经济运行仍然处于经济周期的上升阶段。在这样的经济形势下，葡萄酒产业发展环境良好，同时葡萄酒是世界公认的对人体有益的健康酒精饮品。葡萄酒作为具有突出健康功能并有深厚的国际性文化基础的果类酒精饮品，凭借独有的特定优势，以产业化的发展方式对中国现代化发展产生重要影响，近年来，随着人类对自身健康追求日益重视，在世界范围内的葡萄酒热方兴未艾，那么在中国也会形成热潮。笔者认为，2006年我国葡萄酒业发展趋势是：

一、葡萄酒产销量将稳步增长，价格稳定将成为葡萄酒市场的主旋律。进入2006年全国葡萄酒市场将呈现稳步增长态势，葡萄酒市场仍有潜在空间。进入春节后葡萄酒市场可能出现稳中有旺，蓄势向好，价格总水平基本保持稳定，但不排除个别产区的稳中有升。预计，葡萄酒销量将会增加，但进入6月后价格将呈现整体下降趋势。同时产业政策与有关标准将成为影响行业发展的重要因素。商务部关于酒类产品批发、零售两个标准的颁布实施、葡萄酒国家标准的出台、葡萄酒及果酒等食品类产品列入市场准入管理制度……这些政策、标准、规定等将对我国酒类产业的发展产生巨大的影响。葡萄酒产品由于历史的原因，一直定位在奢侈消费品，税收上与白酒等一样要多交纳10%的消费税，从客观上误导了消费者，影响了葡萄酒产业平民化、普及化发展。葡萄酒市场的扩大，成本因素和国家政策导向因素极其重要，如果国家调整葡萄酒产品税收政策将在成本构成和国家政策导向二个方面为葡萄酒产业带来不可估量的积极影响。

二、东西差距将会逐步缩小，但各有特色，葡萄酒将凸现“西部沙地”与“东部海岸”的主流风格。目前我国葡萄酒生产与消费的主要区域还是在东、南沿海发达地区，而东部地区海岸概念又在引导着我国整个葡萄酒市场的转变。而在上海、北京、广州、南京、厦门这些发达地区，东部干红葡萄酒已占据了人们生活消费的很大比重。在西部沙地概念的推动下，我国葡萄酒工业与市场将打破“东高西低”的生产增长和市场需求规律，将出现西部与东部增长速度并驾齐驱的局面，葡萄酒市场将出现大融合的趋势。目前，重庆、西安、兰州、成都、昆明和乌鲁木齐等葡萄酒消费出现了新的转折，西部葡萄酒市场消费升温趋势进一步明朗，促进了西部葡萄酒市场供需关系的改善。如，成都作为葡萄酒消费比较成熟的城市，各个国产品牌已经培育了一批忠诚度较高的消费群，其葡萄酒消费并不亚于东部城市。因此，我国葡萄酒市场不平衡性的矛盾将会缓解，东、西部地区的生产与消费将呈现出同步增长的格局。可以预测，2006年，东西差距将会逐步缩小，葡萄酒市场将出现多元化、大融合的趋势。

三、结构调整步伐加快，国际市场上流行的葡萄酒品将成为我国葡萄酒品种发展的主要方向。健康、安全、个性化是酒类企业产品调整的重要依据。随着人民生活水平的提高，保健意识的增强，低度、健康、卫生将成为消费者选购酒类产品的重要指导方针。据世界卫生组织多年的跟踪研究显示，经常饮用葡萄酒对减少心血管疾病有显著的效果，法国、意大利等经常饮用葡萄酒的欧美国家心血管的发病率大大低于世界平均水平；近年来，人们还发现葡萄酒对老年痴呆症有良好的预防作用，日本等国家已经采取措施，为60岁以上的老年人每月免费提供2瓶红葡萄酒。因此健康、安全、个性化的高级葡萄酒快速增长，市场逐渐向中高端发展，高端葡萄酒发展势头迅猛，估计2006年将占整个市场的40%，特别是冰酒成为高端葡萄酒消费的靓点，如目前辽宁亚洲红、通化的冰酒消费势头上升。随着葡萄酒市场高端化趋势的发展，高端市场将会成为争夺的焦点。

四、消费显露成熟，知名品牌仍将保持强大的竞争地位，但5维评判将改变品牌格局。在成熟的市场竞争环境中，品牌成为一个企业产品市场竞争力的重要表现。酿酒行业的品牌不仅反映出酿酒企业在当前市场竞争态势下的优势所在，还体现出其历史文化沉淀下来的无可比拟的优势，对企业具有超强的保护能力。以往，中国的消费者对红酒的流行评判指标只有一个，即品牌知信度。葡萄酒行业的张裕、长城、王朝、威龙等都是行业中的知名品牌。这些品牌都是从历史的风雨中逐渐积淀下的、获得了消费者较高的忠诚度。不管行业如何发展变幻，这些品牌都保持了较高的生命力和持久力。而2006年，葡萄酒开始流行5维评判：品牌知信度、品种基准口感、产区（最小产区）、年份、酿酒师。2006年，将有可能改变现有葡萄酒品牌格局。未来葡萄酒市场上张裕、长城、通化、王朝等主要品牌的提升度将会有不同程度的表现，张裕葡萄酒在市场上的解百纳高级干红、赤霞珠高级干红、金张裕高级干红、精品张裕干红、珍珠红葡萄酒、红宝石葡萄酒、万客乐红葡萄酒、玫瑰红白葡萄酒、味美思营养葡萄酒等品牌地位将会不断得到提升。长城、通化提升速度将会加快，稍高于其他品牌，如长城系列的“华夏长城”、“沙城长城”、“烟台长城”等品牌在消费者心目中的地位将不断提升。但并不排除其他葡萄酒产品的后来居上。

五、以自主知识产权为核心的技术创新是葡萄酒企业发展的主题。技术是第一生产力，是不容置辩的。我们的酿酒企业在竞争中应抓住企业发展中本质的东西。提高竞争力，不是靠价格，而是靠品牌、靠质量，解决这些问题的方法首先是进行技术创新。酒类必须根据自身的特点和优势，通过多渠道联合进行技术创新，依靠生物工程技术、信息工程技术来改造传统的生产技术。同时，资本运作将会愈演愈烈。国内酒业已经进入了行业整合并购期的时期，进一步做大做强是我国酒业一个必然的要求。葡萄酒行业现已进入改制阶段，2006年将会进一步加快。

六、终端竞争更加白热化。近年来，各产区葡萄酒投资项目的陆续投产和国外洋酒的进入，我国葡萄酒供大于求的矛盾将会突出，市场竞争将会不择手段。2006年葡萄酒市场竞争将更加激烈。随着酒业竞争的加剧，酒店、夜总会、卡拉OK厅、迪厅和酒吧、超市和购物中心等终端自然成为葡萄酒企业争夺的重点，终端市场酒店将成为厂家博弈的主战场，终端已经成为市场的高地。进店费、卖断费等不正当竞争依旧存在，但骨干企业的竞争将会趋向理性化。2006年，外资渗透的力度将会进一步加大，培育其品牌的认知度并加剧酒业竞争。对于葡萄酒行业来说，尽可能多地扩大市场，增强影响力，将更多的目光瞄向终端，关注消费者。

七、中国将成为国际葡萄酒竞争的主战场。进口葡萄酒已经全方位瞄准中国酒市场。外资渗透的力度正逐渐加大，跨国巨头的下一步棋将是渗透性地占领市场，培育其品牌的认知度。同时，随着我国人民生活水平的提高，越来越多的消费者会开始消费进口葡萄酒。2006年的主要进口国为智利、阿根廷、西班牙、法国等十余个国家。进口葡萄酒冲击市场，将会使2006年葡萄酒市场发生重大的变化，葡萄酒产品出口趋势不容乐观。但我国葡萄酒企业的竞争力在国内葡萄酒市场上大于进口葡萄酒，我国葡萄酒企业凭借其当地品牌、低成本、更适合的口味和强劲的产品广告和促销，在2006年激烈的竞争中，我国葡萄酒企业的竞争力将显著增强。(韩永奇)

中国保健酒2006行业发展分析

保健品市场的持续低迷和白酒行业多年的波澜不惊，不可抗拒的传递出新的信息，以往那种暴利时代一去不复返了，微利日子悄然而临，市场的规范考验着每个人的神经，要么调整适应，要么淘汰出局，过去那种粗放式运作手段幻想往昔暴利甜头的愿望不可能再有生存土壤了。

近年来，关于白酒与健康的言论不绝于耳，众多的不利事件和社会评论让传统的白酒正在失去越来越多的潜在消费者，“白酒多饮有害健康”的认识正在影响着越来越多的人，而会品酒、懂酒的人年龄结构日益偏大，新生代群体又是伴着饮料、洋酒、啤酒成长的，这也就意味着潜在消费人群正日益萎缩，面对着这个不争的事实，众多的白酒企业为了摆脱困境，寻求新的增长点和突破口，纷纷进入保健酒行业，希望能够在保健酒行业中找到举足轻重的一席之地。由于白酒行业的巨头们争相加入，一下子激活了保健酒市场。象五粮液集团在已经拥有龙虎酒等六个保健酒品牌的基础上，又陆续推出了新品牌，号称国酒的茅台酒自是不甘落后，茅台不老酒亦被摆上了柜台，再加上已在市场上占有绝对优势的古岭神、张裕至宝三鞭、椰岛鹿龟酒、劲酒等，种种迹象无一不昭示着一个属于“保健酒”的时代俨然已经来临，于是乎，业内业外无一不垂涎三尺，从做保健品的万基、昂立、人印象，到做房地产的展生集团，一股抢占市场份额的战争硝烟正在弥漫着。这不，各类打着保健、滋补、壮阳、强身等概念的保健酒充斥在各酒店商超的陈列柜上，品牌多达百数十种，这些包装精致，价位不菲的产品，多数只是在架上蒙尘，鲜少有人问津。即是如此，仍是有许多的厂家前赴后继的推出新品，大有你方唱罢我登场的态势。

然而，中国的保健酒市场真的有如那块看起来很甜美的蛋糕吗？

综观国内的保健酒市场，蓝哥智洋国际行销顾问机构专家指出：当前，中国保健酒的市场基础非常 薄弱，仍处于战国时期，规模品牌屈指可数。市场大多是以鹿龟酒、劲酒、致中和五加皮主打品牌为主，其它如张裕三鞭、茅台不老酒，尽管其母品牌都是行业类别的巨头，虽然有着品牌延伸效应和资金渠道优势，但其市场表现不尽人意，更别说其它不具备这种资源及优势的其它产品了。

市场的游戏规则在于你能给消费者他想要的东西，而不是你能给消费者你想给的东西，于是，消费者的消费观念、消费形态、消费认知才是市场的准绳。在大众的消费观念中，保健酒就是药酒。健康的人觉得不需补，亚健康的人不敢乱补，同时大多数消费者，都认为保健酒是一种滋补药酒，不适应四季饮用，这也给保健酒行业的发展带来致命打击。当前，中国保健酒市场上的一些主流品牌，其品牌战略及定位大多为保健、滋补、壮阳、强身等概念，甚少有自己独到的定位，这也是保健酒市场缺乏一个全国性领导品牌的原因之一。如何打破气候、季节观念的枷锁，长远性、规划性的引导市场、培育市场，是目前保健酒企业最当攻克的难题。

保健酒的消费是典型的个人功能性需求产品，它的消费形态应该以个人日常消费为主，功能价值的需求应高于情感价值的需求，是一种保健行为，它的消费场所也以家庭消费为主导，保健酒在一定程度上就是“保健+酒”的组合，“酒”仅仅是保健的载体，“保健”才是消费者最关注的，人们强调的是营养保健，是补身而不是治病。但是，放眼望去市场上诸多厂家无一不是在宣传上大放阙词，一味强调产品的药用效果，这种饮鸩止渴的行为同样也严重影响了整个保健酒行业的发展，最终导致消费者产生信任危机。

保健酒，作为具有药用价值的酒理应有广阔的发展空间，我国曾长时间流行过白酒文化，因其具有深厚的历史文化底蕴和传统的民族习俗而大行其道，但随着社会的进步与发展，白酒多饮伤身的现实不得不重新反思，而保健酒因其健脾开胃、滋补强身逐渐引发市场的追捧，份额也在迅速扩大，手段上一改往日的单调和被动，开始在强势媒体上发出自身应有的声音。

2005年，古越龙山、致中和为代表的保健酒企业在中央电视台投放黄金时段广告标志着他们正改变区域消费习惯开始进军全国市场，据蓝哥智洋行销顾问机构掌握到的数据显示，保健酒的市场容量：2001年约为20亿元、2002年为26亿元、2003年为33亿元，由此可见，每年递增速度预示着市场需求在同比例的扩张，这应该是个利好消息。但前景良好的同时，许多中小型企业不管条件是否成熟和具备正在虎视眈眈、不甘寂寞，也许在他们看来，保健酒领域没有高深的科技背景，无非是酒基加中药，工艺简单，仿制容易，于是仓促上马赶紧圈钱的情况形成了市场上许多无名杂牌产品，他们在诉求中也反复强调益寿、壮阳、抗疲劳、抗免疫，在口感、色泽、包装等诸多方面尽量傍品牌产品。这些都不可能撼动至今在消费心目中耕耘多年的诸如湖北劲酒和椰岛鹿龟酒，市场份额前两者加上浙江的致中和五加皮三大品牌约占10亿元左右。那是许多中小企业不可能实现的目标。

微利时代，许多行业都是如履薄冰、谨慎度日，保健酒市场也面临着激烈竞争的格局，如何在与对手拼抢中占据商机，赢得利润，寻求商业模式和营销模式的创新才是关键。通过我们的调研发现，市场上的保健酒其功能主要有以下几种：

(1) 滋阳壮阳，补肾强体

(2) 延缓衰老，补寿益气

(3) 腰酸腿疼、风湿舒筋

(4) 滋容养颜、活血美肤

这些品种基本上都覆盖了我们所能见到的众多同质化产品，为了求得生存和拓展，每家都在想方设法、绞尽脑汁，有的广告开道，有的体验促销，有的终端推广等等不一而足，屈指算来，保健酒发展至尽，经历了以下四个阶段：

第一阶段：自然生存阶段。主要是进入老龄社会以来，中老年群体身虚体弱引发市场上止痛、跌打损伤为主的传统意义上的药酒兴起，如二十世纪七、八十年代流行的壮骨酒、虎骨酒、鹿茸酒等。这一阶段主要是通过产品陈列自然销售实现利润，对应的症状比较简单。

第二阶段：市场炒作阶段。商业意识、广告意识在这一阶段得到唤醒，宣传造势、扩大疗效、广告轰炸、专柜销售开始了英雄用武之地。如九十年代风靡一时的贵州长寿长乐补酒、的确神、鸿茅药酒等，有的是药准字，有的是药健字，他们的共同特征是围绕症状有针对性的展开功效宣传，但由于过分的夸大炒作产品包治百病的神奇，最终因导致了透支市场资源，急功近利引来争议，而不得不偃旗息鼓。

第三阶段，品牌导入阶段。如何在千疮百孔中树立市场信心，充分激活潜在需求，随着生活节奏加快和健康意识的提高，喝白酒伤身的理念已是人所共知，保健酒以养生为宣传突破口，需求庞大，关键是要避免因过分炒作带来的负面影响。因此，传播品牌，树立企业良好的形象，打响情感牌、送礼牌、文化牌在这一阶段特别时髦。以劲酒、椰岛鹿龟酒为代表，他们讲究规模化和精细化运作，突出差异化和个性化，渠道策略上也不同，前者突出餐饮，后者凸现送礼，彼此都善于挖掘传统的文化底蕴融合现代的消费需求心理，注重品牌理念，因而迅速成为行业领军品牌。

第四阶段：群雄纷争阶段。2001年以来，保健酒市场每年30%速度递增的现实，引发了一些强势资本，跨行业资本相继进入，欲共同做大做强的理念引发惊心动魄的市场格局，一时间市场呈现出群雄逐鹿，狼烟四起的状况，双方你来我往，各不相让。这期间，五粮液推出的龙虎酒，茅台推出的不老酒系列以及昂立集团推出的养生酒等纷纷开始在市场上长袖善舞。据悉，万基集团、大印象集团等也在准备相 继推出保健酒系列。这一阶段最大特点是一些大企业跨越产业边界、跨越细分市场、针对消费需求有针对性的设计开发新思路、新方法、新策略，从而实现由产品创新到客户创新。但与其不和谐的是，一些中小企业厂家为迎合部分利益，推出了所谓"伟哥酒"、"金枪不倒酒"等，实在是哗众取宠。

四个阶段的划分中我们不难看出，发展的过程其实也就是创新的过程，既然保健酒市场容量如此巨大，又事关健康大事，不可能没有相关的标准给予强制和加强。据了解，中国保健协会曾在《保健食品注册管理办法》中有所规定：保健酒将和药品一样，在生产车间、成品库房、厂区环境等硬件设施方面有严格规定，厂家须通过GMP或GAP认证才能生产和销售。想必真正做到如此专业和规范的也就不多的几个巨头，但外来资本的强势进入还是会为这行业的发展带来一些曙光。

作为中国国际健康科学研究院首席营销专家的于斐先生一针见血的指出：一个快速发展并且发展空间巨大的行业，必然会受到嗅觉灵敏的资本的追逐，众多的行业外资本加入保健酒制造，并不意味着保健酒的春天就已经来到，中国的保健酒市场散发着血腥味，各企业厉兵秣马，一场大战即将上演。带着蓝帽子（卫生部批号），穿着白衣服（白酒类包装）的保健酒企业如何在竞争中胜出，是每一位业内人士当前急需破解的难题。蓝哥智洋国际行销顾问机构首席顾问于斐先生指出：保健酒营销并不是白酒营销或者保健品营销方法的简单移植。相反，保健酒的产品上市，是一个严谨的过程，它既不能等同于酒类，也不能完全按保健品的思路去操作，整个推广过程中，必须兼顾酒与保健品两者的特性，把持好两者的平衡，反之，保健酒则会沦入非驴非马的尴尬境地，步入保健品、酒行业的前车之辙，成为又一道迷失的风景。蓝哥智洋团队总结了自身运作健康产业十数年的丰富实战经验，总结出了保健品成功营销的四大步，以供众多的同行借鉴：

品牌定位准确，文化内涵是前提

中国酒文化源远流长，茅台会一直流传下去，五粮液最重要的资产也是其品牌的价值。保健酒的消费者同样也是酒文化的认同者，习惯了一种产品后会较为忠诚的延续下去。消费者看到市面上各种各样的"养生酒"、"鹿龟酒"、"枸杞酒"等，实在分不清谁是谁。这就是因为目前很多的保健酒企业盲目的跟风，只注重产品而不注重品牌。保健酒应该在宣传上强化"酒"的定位，明确了自己不是一般意义上的保健酒，而属于酒的范畴。其次，应强调自己是能起到保健作用的酒，使消费者在享受喝酒乐趣的同时，还能达到普遍意义上的保健效果，不至于在消费时产生心理忌讳。有厂家曾在餐饮渠道推出高价位的XX伟哥酒，结果以失败告终，试想谁会在公开场合暴露自己的不自信？而号称新一代营养黄酒的"和酒"，却依靠"和气生财"、"和为贵"等文化定位脱颖而出。"椰岛鹿龟酒"以亲情化、感性化作为产品与消费者的最高利益纽带，与其它产品的功能概念区别开来，降低了替代品竞争压力，扩大了消费面。蓝哥智洋团队专家指出，注重品牌建设，做好形象与品质的关系，同时提高消费者对品牌的认知度，才能够达到产品知名度的进一步提升和扩散。保健酒不应是保健品也不应是酒，营销方法上不是，成就上也不应是。一个产品要获得长久的发展，就必须建立起自己的品牌，这一点在保健酒的营销上尤为鲜明。致中和忠贞不渝地打"历史牌"，和酒独辟蹊径宣扬自己的"和文化"，而椰岛鹿龟酒则坚定不移地走在"亲情"道路上。"青出于蓝而胜于蓝"，我们相信随着市场的快速发展，保健酒、保健品、酒很快将可以相提并论，当然这需要我们的努力。

【概念细分到位，引领需求是根本】众所周知，劲酒的主要功效就是免疫调节、抗疲劳，辅助功效是补肾。椰岛鹿龟酒的主要功效也是免疫调节、抗疲劳，辅助功效是补肾、抗风湿。龟龄集的主要功效是强精固肾。无比养生酒的主要功效是增强肾活力。不久前推出的"张大宁酒"，打出"补肾第一酒"的旗号。还有四川的大丈夫酒、湖北的雄风酒等等，几乎所有的功效都是围绕"补肾""壮阳"做文章，都在争先恐后地打“壮阳牌”。诚然，强调功效是保健酒成功的因素之一。但是所有的保健酒都强调一种功效，就好比所有人挤在一条船上，你上得我也上得，最后的结果势必是船覆人亡。是否保健酒就是针对男人的呢？是否男人除了壮阳外就无其他任何需求呢？我们都知道，保健酒就是增加了药材原料使之具有药用价值的酒，古时的药酒有多种，除了我们熟知的壮阳之外，还有如抗风湿、抗关节疼痛、活血化淤、排毒除火等等。那么结合现代人的生理心理需求，保健酒应用的市场十分广阔。单从卫生部颁发的二十二条应用许可标准来说，还有改善睡眠、减肥、抗骨质疏松、健脑等等，蓝哥智洋团队专家指出：保健酒在今后的发展过程中，将必然会走向功能细分化，具体化的道路。因为人体需求将呈现多样化，保健酒同样会有以补肾的、抗风湿的、补血的、养颜排毒等功效诉求为主的各种类别产品出现在消费者眼中。人民生活水平在不断提高，对生活质量也提出了更高的要求。希望健康，渴望健康是现代社会每个人的需求，不仅仅是老年人需要，男人需要，女性、年轻人同样需要。保健品市场上，为女性开发的保健品几乎是整个消费市场的主力，保健酒企业也一样的可以开发以美容养颜、补血益气为功效的低度保健酒，紧紧抓住女性的消费心理，从而开创保健酒新的天地。

营销模式创新，差异路线是法宝

保健酒在这二十五年的发展中，销售渠道也一直沿袭着“商超＋餐饮”的模式在运作。在商超渠道上，椰岛鹿龟酒以“孝敬爸妈的酒”的合理定位、合适的价格获得消费者的青睐。在餐饮渠道上，中国劲酒以小瓶装、低价位的策略在排挡市场处于霸主地位。保健酒的两大巨头一个抢占了商超的礼品市场，一个占据了餐饮的排挡市场。这两巨头占据保健酒很大一块市场，哪个保健酒企业想在这两个细分渠道上抢占他们的市场份额都不是容易的事。蓝哥智洋国际行销顾问机构指出，在这个产品高度同质化的时代，差异化营销就是出路。保健酒市场除了现有的商超渠道中的礼品市场、餐饮的排挡市场之外，还有很大一块的细分市场有待企业开发，那就是药店渠道和专卖店渠道。众所周知，中国药店近几年的发展速度迅猛，大大小小的药店已是遍布各大街小巷，颇具规模化，保健品、日化用品也早就瞄准了这个市场，保健酒作为酒与保健品的综合体，走药店渠道必将是大势所趋。保健酒是长期少量饮用酒，如果用户能在正确的指导下，长期适量饮用，对人体会产生很大的效果，为此，以专卖店形式作为保健酒企业面向消费者的窗口，为消费者提供一个集销售与售后服务双重功能的场所，把产品与指导服务直接面对需要长期饮用保健酒的消费者，并给客户建立电子档案，指导如何饮用，当培养出一个忠实客户后，又会带来其他的不少新的客户，如此逐步形成良好口碑，也不失为避实就虚的好方法。

服务凸显人性，树站口碑是关键

虽然目前有众多的保健酒企业都已经意识到了社区营销这个渠道的重要性，纷纷把产品铺进了社区的便利店进行销售，也有一些保健酒企业进入社区做一些品牌推广活动，但是这样并不算是真正的社区营销。真正的社区营销是进入社区长期推广(或有计划的重复性间段性)组合推广过程，并不是一两次简单社区活动就可以完成的。其实社区活动对于保健酒的销售而言，只是一个无形的载体，“服务”才是真正让它充满生机的利器。深入细致的情感沟通，是扫除消费者信任障碍的最佳铺垫。消费者购买行为发生之后，深入细致的情感沟通，则是提高消费者满意度、维系忠诚度、促进美誉度的重要纽带。只有通过营销团队与消费者之间深入的情感沟通，才能成就保健酒服务营销无往不利的营销手段和最高追求。我们都知道，做为一种打有功效口号的保健类产品，企业对消费者的的关注应该在销售产生之后，而通常保健酒的销售，大多只是在商超或是门市店里发生，银货两讫之后，生产企业和消费者之间井水不犯河水，这种一锤子买卖的营销方式，无疑才是剪断企业与消费者之间纽带的罪魁。为此，有效的促进服务模式亲情化，人性化的进程，是解决保健酒企业与消费者之间隔膜的当务之急。象××酒，通过举办有奖征文征集人生格言、评选忠诚客户等活动，规定凡是参与者都可获得简装赠品品尝。通过这种与消费者互动的形式，既拉近了与消费者之间的距离，更提升了品牌的公益性与美誉度，我们的保健酒企业或许可以从中得到不少启示。象保健品运作模式中积分制、会员卡等真情为先、务实为上的服务形式，都是可以值得借鉴的，并可以从中摸索出一套具有保健酒独特风格的服务模式来。

可以预期，在不久的将来，保健酒这个品类将会成为中国白酒行业和中国保健品行业的增长主动力。如何在混乱乏力的市场中走出一条有具中国保健酒特色的成功之路，是众多的保健酒企业为行业的再次兴起而必须担负起的神圣使命。

然而，现实条件下保健酒行业相对的低门槛带来了一哄而上，国家也在严格规范这行业的发展，在我们看来，要真正做到长线经营，保健酒企业应争取通过国食健字审批或者绿色食品认证是其确定行业地位和开展市场营销的有力保证。国家统计局总经济师姚景源先生认为：中国像前6 年那样45%的工业利润率高增长时代恐怕要过去了，今后一段时间，恐怕是微利年景。微利年景或者微利时代的到来，预示着中国企业的管理热潮和创新热潮即将来临。现阶段，保健酒市场要真正实现跳跃式发展，三方面的功夫不能缺少：

一、产品创新。指在产品的口感、色泽、包装、促销等方式上要大胆突破、准确定位、形成差异化以区隔同类对手，据悉，五粮液保健品公司开发出了分男女性别的保健酒花酒，就如同饮料的“她”加“他”一样，倒不失是个吸引眼球的卖点。

二、技术创新。就如同经济学家魏杰认为的那样，能带来新价值的任何技术变革都是技术创新，如果我们在核心技术方面一时难有突破，非核心技术的创新也能带来许多价值。诸如除了现有的传统渠道外，可以考虑开发新渠道来增强竞争力。

三、服务创新。保健品的服务创新除了有形的针对购买欲望和需求的诸如优惠、折扣、送货上门、回访等方式外，更要注重消费者人性化、个性化需求，服务创新的前提首先是服务理念要创新，其次是服务质量、服务标准。在微利时代，除了通过传统的渠道通路与消费者进行交流沟通外，还可以整合现有资源优势，利用网络平台，电话销售、社区销售，建立数据库管理系统，强化服务链流程等为消费者提供最专业化的服务。

（于 斐）

中国糖业2006行业发展分析

一、生产

2005/2006榨季全国食糖产量为881.5万吨，比上榨季减产36万吨。其中，甘蔗糖800.8万吨，甜菜糖80.7万吨。截至2006年7月末，本制糖期全国累计销售食糖719.5万吨（上制糖期同期销售食糖789.5万吨），累计销糖率81.6%（上制糖期同期86.1%），其中，销售甘蔗糖641.6万吨（上制糖期同期730.9万吨），销糖率80.1%（上制糖期同期85.3%），销售甜菜糖77.9万吨（上制糖期同期58.6万吨），销糖率96.5%（上制糖期同期97.2%）。从库存量来看，06年7月末全国工业食糖库存量为162万吨，而前三年7月末的全国工业食糖库存量为193.59万吨、151.11万吨、127.9万吨。

二、糖料种植

伴随着国内糖价的不断上扬，糖料收购价格也逐步攀升，糖料种植的比较效益要超过许多农作物种植。如广西甘蔗种植的比较效益超过春玉米、春花生、木薯，农户最直接的反应就是缩减这些农作物的种植面积改种甘蔗。据广西农业部预计，由于广西蔗价达到历史最高，带动甘蔗面积可能突破历史记录，2006年广西甘蔗种植面积将在2005年1086万亩的基础上增加10%，达到1195万亩。由此可以预测，如果没有大的自然灾害出现，2006年我国糖料种植面积将增加150万亩以上，达到2183万亩。

三、消费

从2000/2001榨季到2005/2006榨季，我国食糖的总需求由850万吨上升至1150万吨，年复合增长率达到6.65%。中国食糖消费的需求来源于家庭需求和工业需求，两者占比分别为25%和75%。伴随着人民生活水平的提高和城市化进程的加快，中国食糖人均消费水平呈现逐步上升态势。事实上，我国食糖人均年消费量仅有8.6千克，而世界的平均水平是21千克，与我们有着相似饮食习惯的台湾和香港地区也分别达到23.90千克和31.00千克。

另一方面，制糖业最重要的下游产业是食品工业。近年来，食品制造和加工行业的销售收入保持平均15%以上的稳定增长，从而导致工业用糖迅速增加。具体细分，食品工业主要包括饮料制造业，饼干制造业，糖果、果冻制造业，罐头制造业和乳制品制造业。据了解2004、2005年，月饼的年生产量保持在20万吨，由于提倡低糖月饼和增加花色品种，果仁月饼糖含量从原来的52%下降到43%；广式月饼糖含量约35−40%，京式月饼糖含量约40%左右，苏式月饼糖含量约28−40%，地方口味糖含量高达45%。平均糖含量约40%。根据以上数据推算，月饼生产年消费食糖约8万吨左右。2006年月饼市场需求量与2005年基本持平，食糖用量应不小于8万吨。在食品工业用蔗糖量中属于中等成绩，加上进入月饼生产与订购期商务部再次强调对月饼生产原料、卫生标准、包装等加强监察力度，严格监督月饼厂家规范生产经营。

四、进出口

中国对食糖进口实行配额管理。截止06年6月末，海关数据统计，全国累计进口食糖47.50万吨，其中，一般贸易38.29万吨，来料加工1.91万吨，进料加工5.23万吨，保税仓库进出境货物2万吨；全国累计出口食糖8.80万吨，其中，一般贸易1.41万吨，来料加工1.47万吨，进料加工5.75万吨，其他0.16万吨。截至7月末，古巴糖已经到港10船，合计30万吨，此外还有4船未到，后期还有12万吨到港。

五、宏观调控

中国实行国家储备糖制度，通过国家与地方食糖储备，达到以丰补歉，调剂供求的目的。由于本榨季食糖减产，且食糖销售缓慢，为了保证市场供应，抑制可能出现的高糖价，继今年1月和4月份的两次国储糖投放后，5月又有两批近20万吨的国储糖通过竞拍进入市场。6月、7月、8月、9月份将每月拍卖9.2万吨食糖。全年国储糖总拍卖量达到110.4万吨，缓解了中国国内食糖市场供求紧张的局面。但由于近期食糖价格大幅下跌，国家有关部门已经缓拍8月份国储糖。

国储糖自竞拍起目的就是调控供应量，正确引导价格的，经过这半年来的一次次抛糖，总体表现的是对糖价的强大压制作用。年初以来，国储已经通过竞拍方式9次投放了大约81万吨储备糖(包括进口古巴糖)，根据相关披露的信息来看目前已将2004/05年以前的储备糖大量抛出，连今年进口的40万吨古巴糖也列入抛售计划(已经拍卖20万吨)之中，这样在新糖上市前国储手中存糖(包括尚未运到的部分古巴糖)还有40万吨左右。

六、国际糖价

中国食糖价格也受到国际糖价的影响。今年国内糖价大幅上涨，国际糖价的带动作用十分明显。国际糖业组织预测，尽管2006/07榨季欧盟将削减其食糖产量，但如果全球的食糖消费仍按预期的速度增长，在巴西和印度食糖产业的进一步扩张以及泰国和东欧国家的食糖产量可望出现恢复性增长。国际糖业组织ISO在其最新的公告中称，虽然欧盟已大幅减产，但2006/07榨季仍将从过去三年的供应缺口转为供应过剩。其中虽然巴西的干旱虽给中南部的甘蔗的增产带来了一定的影响，但甘蔗的含糖量的增加足以弥补这一影响。另外，印度下榨季的食糖产量有望从本榨季的1940万吨跃升至2270万吨，这都是下榨全球产量过剩的原因之一。

七、替代品

居高不下的糖价给食品、饮料、乳制品等众多涉糖企业带来巨大的成本压力，导致多家品牌涉糖企业价格上涨。据专家分析，糖价高涨的形势还将持续较长时间，一时涨价并不能真正缓解涉糖企业成本的压力。因此，各大饮料厂商纷纷将眼光转向白糖替代品市场。从有关人士处获悉，目前可口可乐、统一、康师傅等饮料大企业已经开始使用果葡糖浆代替白糖进行饮料生产。

在糖精产销方面，截止6月末，全国5家定点企业累计生产糖精10310.41吨，同比增加3.11%；其中出口8742.21吨，同比增加7.02%，内销1467.33吨，同比减少12.14%。

目前全国淀粉业共有厂家525家，近年来，我国年产3万吨以上的淀粉糖企业为34家，这34家的产能为433万吨。山东省近年来玉米产量为1200万吨以上，居全国第一位，淀粉糖产量占全国的40%，位于全国淀粉糖产量之首。预计今年淀粉糖产量将达到500万吨规模。

中国乳业2006行业发展分析

在一场场危机之后，消费者对乳品的选择更加谨慎，也更加挑剔，消费者开始不再像以前那样纯粹价格导向，他们开始关注产品的质量，开始关注乳品背后的价值。随着蒙牛特仑苏的上市，乳品的价格开始呈现逐渐拉开的趋势。同时，由于工业原材料、农产品价格在2006年都有不同程度的上涨，产品生产成本增加，乳品价格在经历一段时间下跌后已经开始回升，行业毛利率呈现出止跌回稳的迹象（见表）。

2005年9月26日，国务院办公厅下发了《关于加强液态奶生产经营管理的通知》，明确规定对于用乳粉或在生鲜乳中添加部分乳粉生产的酸牛乳、灭菌乳，其产品标签的标识内容除符合有关规定外，全部用乳粉生产的酸牛乳、灭菌乳应在产品名称紧邻部位标明“复原乳”或“复原奶”标志。为保证《通知》的贯彻，五部委对市场占有率位居全国前12名的液态奶企业重点抽取、驻厂监管，力度之大为近年罕见。监管力度的加强，直接使一批技术、质量、奶源不合格、不规范的企业出局，行业竞争环境得到净化。复原乳备案制度保护了消费者知情权和奶农的利益，有利于教育市场，引导消费者从单纯对价格敏感过渡到对不同种类乳品性价比有所认识。

在市场趋向冷静、国家加大监管的背景下，各家乳品企业也开始了理性的回归。2005年，中国乳品企业大约有1500家，其中亏损的已经占1/3左右，另有1/3挣扎在“贫困线”上，面对行业不到5%的利润压力，全国大品牌、区域大品牌、省际品牌以及区域小品牌都纷纷开始重新审视自己。分析战略优势和劣势、树立战略方向和目标，是乳品企业在2006年的当务之急和必然趋势。

作为资源驱动型企业，蒙牛和伊利等全国大品牌大规模占领全国市场后，面临战线过长，市场控制减弱的问题，2006年需稳定市场，加大市场管理。俗话说，打天下容易治天下难，这些企业一方面需要迎战外资品牌的不断冲击，另一方面还要面对区域品牌的顽强抵抗，营销方式的转变变得十分迫切。这些企业应该努力进行品牌营销，立足高端媒体，进行市场公关和品牌宣传，增加品牌的忠诚度和美誉度。通路方面则应更多的利用全国的代理商，加大对代理商的选择和培训。同时调整产品结构，采取长线液态奶，配以奶粉、酸奶和乳酪等高利润的产品，形成合理的产品结构，目前蒙牛联合丹麦的阿拉?福兹进军奶粉业，伊利携手芬兰的维利奥开发酸奶市场都是产品结构调整的有力信号。在区域战略上有选择的进入和退出，光明已经开始有选择退缩，以大华东市场作为主要经营区域，而蒙牛则在此时多线出击，成都投资奶源建设，马鞍山兴建亚洲最大的生产线。

2006年，区域企业面对蒙牛等长期的攻营扎寨之后压力暂缓，正是加强自身建设、增强防御力的时候，区域企业一定要有明确的战略思维，立足区域市场，挖掘区域优势，充分开发区域市场。特别是小型区域企业，面临三种可行的战略选择——退市、代工和差异化，退市和代工是无奈之选，差异化战略则是区域小型乳品企业的首选战略。区域乳企在产品结构上，应该利用区域优势挖掘产品优势，聚焦新鲜乳制品，以巴氏奶和酸奶在内的新鲜奶为核心业务；渠道上挖掘区域优势，精耕细作，大力发展送奶到户等封闭式渠道；促销上利用本地企业和消费者的感情，挖掘促销和广告亲和力。

2005年开始，外资开始了第二轮渗透中国乳业的步伐。2005年7月，RichKeen公司及统一中国投资公司认购完达山乳业公司50%股权，总金额达10亿元人民币；2005年8月，丹麦阿拉?福兹携手蒙牛进军中国奶粉业；2005年8月，伊利从芬兰维利奥公司手中签下了今后五年内益生菌LGG在中国的独家使用权；2005年10月，达能增持光明股份成为其第三大股东，持股比例达到11.55%；2005年12月，新西兰恒天然认购石家庄三鹿43%的股份。外资果断地在此时介入，由以往的直接经营转为资本参股，由以往单纯的对加工环节的投资转为对整条供应链的投资，分享中国乳业未来广阔的发展前景。外资的强项在于品牌管理、技术实力和产品结构上，可以预料，06年外资乳企依旧会立足高端产品，争夺利润金字塔的顶层。如何提升技术与管理水平，如何建立品牌的高端领域定位与影响力，从而获得较高的盈利与可持续发展能力，将是06年国内乳企应对外资挑战时必须解决的问题。

中国乳业从1990年起，经历了市场萌芽，也经历了飞速发展和惨烈竞争的水火两重天，三个阶段都是市场发展的必然，都有其合理性。在市场发展到今天，战略营销是一种必然趋势，各大企业应该树立品牌营销的观念，开始建设规范的企业战略营销，迎接乳品行业新的明天。（郑刚　崔明）

中国乳业近年利润率（单位：%）

年份	2001	2002	2003	2004	2005
利润率	6.3	6.8	6.1	5.4	5

中国糖果业2006行业发展分析

在2005年糖果行业作为中国传统的两大支柱零食产业之一，保持着10%的增长速度，成为中国食品工业中快速发展的行业。自2003年以来，中国糖果市场一直保持着8%-12%的增长速度，比全球糖果市场年均增长速度高出近6个百分点。从2004年以来有三个最为显著的变化：第一，糖果的产品结构表现出明显的改善趋势，企业开始重视功能性糖果的开发，比如雅客的功能糖果V9，以及众多针对口腔咽喉保健等功能糖果纷纷诞生；第二，糖果企业的广告投放策略也发生了较大变化，以雅客和金丝猴为代表的国内糖果企业展开了对央视“糖衣炮弹”的进攻。第三，进入2005年10月份以来“醇风”劲吹，木糖醇口香糖品牌呈现爆发式增长，济南糖酒会几乎成为木糖醇口香糖的专场演出，竞争格局也变得越来越不明朗。在2004年，国际资本又纷纷以木糖醇为切入点介入中国的口香糖市场。乐天、好丽友在木糖醇口香糖上撕开一道裂缝，使包括吉百利，不凡帝，雀巢、华纳（美国）和利夫（欧洲）在内的跨国公司对中国30亿的口香糖市场垂涎三尺。据传雀巢公司和著名牙膏生产商高露洁已在全球范围联手推出“高露洁护牙口香糖”，投放中国市场是迟早的事。真正影响口香糖格局变动的恐怕还是这些有实力的跨国公司。中国口香糖市场的市场份额将被重新调整，木糖醇洗牌倒计时一触即发！然而，二线品牌的集体涌入给功能口香糖带来哪些新的变化？跨国集团的介入会对原有竞争格局产生什么样的影响？谁将率先挑起木糖醇价格战。

种种迹象表明：山雨欲来，中国糖果市场营销“变天”已成定局，中国糖果行业已从过去的“传统的产品销售模式“向”品牌战略营销模式”进化。2006年，高糖价下的糖果市场，加速催化了糖果业的第三次洗牌，预计本年度，中国糖果市场将会出现十大营销大变局。

【变局一：传统的产品销售模式VS现代品牌营销模式】“央视广告＋美女帅哥代言人＋终端铺货”这种传统的简单整合营销模式在2006年的中国糖果市场营销模式已显落后。已经被太多的企业所运用毫无新意。

现代品牌营销模式中创新是重要的要素，糖果企业将不断挑起保领域的新一轮的竞争方式，竞争力是各企业新一轮洗牌过程中的核心元素。

产品力＋渠道力＋推广力＝品牌力

市场占有率＋终端表现力＋行销推广力＝营销竞争力

巨大的变局，让众多糖果企业不得不选择优势，扬已长避已短，更多的企业会在营销过程中精准营销，精确制导，集中优势，建立企业核心竞争力。

聚焦实效营销就是将市场策略聚焦；包括品项聚焦、战线聚焦、市场聚集、费用聚焦、渠道聚焦、客户聚焦、人员聚焦、陈列聚焦、传播聚焦等等，总之就是将所有的资源聚焦，发挥富集效应，集中火力将一个点无限扩大做透，由点成面，产生最大的原子核效能。让资源最大化集中，从而使销量最大化，产生效益最大化，最后形成利润最大化。这会是不少企业应对2006年大变局的一大法宝。

【变局二：蜻蜓点水式渠道战VS终端精细化深耕策略】在中国这个特定的市场内，市场是没有共性的。在北方市场有效的市场操作手法，在南方就不一定不管用。笔者认为糖果企业应该精耕一个，成功一个。通过逐步树立标杆市场，一步步扩大到全国市场。例如徐福记在广东一年就能销售3，5个亿，雅客在浙江也有一个亿的销售。以上例子表明与其蜻蜓点水，广撒网，不如挖深一口井，精耕细作特定区域市场。优化投入产出比。

【变局三：庞大产品链组合模式VS品类集中制式产品组合模式】从糖果的品种数量来分析，世界上糖果种类共有1500种，现时我国由于在原料，设备，工艺，研发技术等因素的制约下，目前只有1000种左右。我国绝大部份糖果企业没有自己的产品研发生产的专利技术，没有自己的核心生产技术及配方，多靠外国企业的引进或靠外国研发中心的技术支持．没有形成自已特有的企业产品核心竞争力．造成中国糖果企业产品同质化现象非常严重，产品的科技含量非常低。在者产品线偏长，什麼都想做，结果什麼都做不好。笔者个人认为糖果企业要建康可持续地发展就必须重点品类，重点经营。打造核心品类，优化产品线。形成拳头之势，无坚不摧。例如阿尔卑斯单一个焦香奶糖品类就可以销售3个亿，大白兔一个原味奶糖也可以销售3.2个亿。雅客的维生素糖果V9一年销售也超过2个亿。未来糖果行业将在奶糖，功能糖果，胶母糖，巧克力四大品项上展开竞争。综上所述，庞大产品链组合模式转变成品类集中制式产品组合模式是中国糖果发展的大势之趋。

【变局四：传统糖果物理属性VS创新糖果感性营销】在过去糖果只是在春节或特定节日的时候才能大量销售，主要以散装糖销售为主，定量包糖果的市场份额还很小，在平时糖果销售量非常少，淡旺季之分非常明显。为此各糖果企业主都头痛不已。都想去改变糖果的属性，让糖果能常年不间断地销售。在近年来随着消费者消费观念的进一步改变，各糖果企业更是不断地在糖果中加入了“休闲化”“零食化”健康化”“美味化”“营养化”的新元素，力求改变糖果以往固有的销售特性，做到让糖果可以常年不间断地销售。据雅客高层介绍，雅客正致力于颠覆糖果以往固有的销售属性，并取得了一定的实效。在2005年雅客大部分经销商的全年销售比例已不在是以往的二八比例（淡季占20，旺季占80）而是非常良性地变成四六比例，进一步优化了经销商的资金投向及经营风险。

【变局五：传统流通渠道VS现代零售多元化渠道】现代终端渠道在中国糖果市场的销售占比日益提高，正式代替流通渠道成为糖果企业最大的销售渠道的原因有以下几点（1)消费者对消费场所观点的改变（2)购物便利性的需要（3)产品品质的保障机制（4)现代终端能提供一站式的服务（5)购物的目的由必要性向休闲性转变.(6)零售业态及各生产厂家在日趋激烈的竞争下引发“价格屠夫”去终端卖场购物的性价比越来越高（7)跨国K/A的全国布局由重点省会城市下沉到二级省会城市及经济发展较好的地级市，国内K/A被迫由省会城市向二，三级城市下沉，区域K/A被迫向乡镇市场转移或转向24小时便利店的经营模式，由此引发的新一轮业态“洗牌”加剧了消费者对现代终端的热充与依赖，进一步提高了现代终端在糖果企业的销售占比.

现代渠道的多元化发展，极具挑战的是营销模式的升级，因有的传统通路散货式销售已经退化，取而代之的是现代终端的营销日益重要。

现代终端是糖果品牌竞争舞台，是品牌糖果必争的销售平台，随着零售业快速发展的主流趋势，现代的零售渠道已经成为一张高价的门票，2005年据AC尼尔森零售业调查报告分析结论：未来的10年，中国的零售业的60%份额，将由56家的国际零售巨头控制主流的卖场业态，由中国本土的全国性零售巨头控制零售业的中等购物店业态，而区域性的零售商将只控制40%的零售份额。

所以许多营销专家都说，得现代终端者得天下。

【变局六：粗放式的销售管理模式VS利润营销精准管理模式】2000年以后，糖果业的竞争愈加激烈，糖果行业在经历了质量、口味的竞争后。在2003年糖果业走向功能、外观等多方面的竞争。随着人们越来越注重健康，对糖果的消费也显示了健康营养方面的需求。因此，具备各种"功能"（如富含维生素、含牛奶成分、防止咳嗽、使口气清新、无糖等）的糖果品种正向休闲化和功能化食品发展。在2006年，糖果类食品的市场运作必然由产品竞争向市场营销策略竞争转变，糖果行业将进入品牌竞争时代。大部份有眼光的糖果企业开始从价格营销向品牌营销转变．品牌力＝（产品力＋渠道力＋推广力）决定利润力。

企业要进一步提高竞争力和品牌力。销售管理职能的升级及调整就势在必行。那何为关键业务呢？笔者通过实践证明总结出以下十个关键业务方向。一、重点市场，重点规划；二、重点市场，重点建设；三、重点品项，重点经营；四、重点系统，重点维护；五、重点门店，重点经营；六、重点渠道，重点打拓展；七、重点费用，重点管控；八、重点客户，重点服务；九、重点人才，重点培养；十、重点竞品，重点关注。

成功源于专业！！！

【变局七：外企垄断高端糖果品类VS内外合三资糖果企业三分天下】胶母糖市场本来是传统巨头箭牌一统天下的格局，但是自从"木糖醇"被引入胶母糖市场后，原来的格局开始被打破。据初步统计，2005年上半年箭牌在胶母糖市场中的占有率从2004年的43.4%下降到了38.2%，被抢夺的市场份额大部分是被益达、乐天、好丽友等木糖醇无糖口香糖所夺、益达是箭牌口香糖公司用来打击挑战者乐天和好丽友木糖醇的棋子。面对益达木糖醇的进入，乐天、好丽友迎头赶上进一步加快了对木糖醇市场份额抢夺的步伐。外资糖果公司形成了木糖醇的第一集团。与此同时，我们发现这个抢食集团的阵容正在扩大，在2005年下半年雅客推出隆重木糖醇，销售量直指外资木糖醇第一集团。在全国市场上除了雅客品牌外还出现了酷莎、港荣、华艾康、惠宜等众多区域二线品牌来搅局木糖醇市场，都想在烽烟四起的口香糖市场上分一杯羹。总而言之，整个中国口香糖市场正暗流涌动，山雨欲来风满楼。2006年，雅客木糖醇针对木糖醇市场的现状，竞品的市场策略，结和雅客自身的资源优势第一个提出了实效营销的营销新概念。"实效营销"就是减少媒体广告方面的投入，将节省下来的费用集中用于终端。据雅客高层介绍，雅客实施实效营销后仅媒体广告一项全年就可以节省下约3000万，雅客将这笔费用投入到终端重点门店这必将在糖果行业激起巨大反响。在终端行销方面，雅客在2006年将重点强化"终端媒体化和陈列生动化"。"终端媒体化"是指在全国各终端常年陈列100万包雅客V9（2元包），50万个益牙木糖醇终端陈列挂架，让雅客V9和益牙木糖醇全部、分段地在各城市的A、B类店进行展示。雅客希望通过这样的调整使投入产出比例增加，优化厂商的投入产出比。让所有渠道成员的利润最大化。籍此进入木糖醇市场第一集团，从而打破由外资糖果公司垄断木糖醇市场的现状。

【变局八：地市销售平台VS县区扁平销售平台】中国快速消费品市场的多层次性，多变性及差异性引发跨国K/A的全国布局在2004年就开始由重点省会城市下沉到二级省会城市及经济发展较好的地级市，国内K/A被迫由省会城市向二，三级城市下沉，区域K/A被迫向乡镇市场转移或转向24小时便利店的经营模式。

零售业态的市场下沉意味着以销售目标为导向的各糖果企业也必需将各种销售资源下沉，以配合零售业态的下沉，提高销售业绩及巩固提高原有的市场份额。

销售架构扁平化，区域精耕化是糖果企业在新形式下市场制胜的法宝，是企业长期战略得以实施和成功的保障。

【变局九：单一式糖果专业人才VS复合式职业化人才】人是社会经济的主体，任何一种经济模式都离不开人。人是企业的经营主体。如果企业要想进一步发展就更离不开人才。宝洁的CEO说过企业与企业之间的竞争其实就是人才与人才之间的竞争。

随着中国糖果行业竞争的进一步加剧，以往单一式糖果专业人才已明显不能适应和满足市场的高速化，渠道的多变化，产品的多元化，品牌的高端化，终端的复杂化，人才的专业化，复合化。

在糖果行业新一代复合式职业化人才必需具备以下能力：市场整体规划能力，市场费用管控能力，渠道拓展及整合能力，经销商水平沟通能力，KA系统谈判能力，门店经营管理能力，促销活动策划及管控能力，对团队成员培训的能力，抗高压的能力。

【变局十：区域市场独家经营VS多客户分渠道经营】随着糖果市场的竞争日趋白热化，各糖果企业都在想方设法提高本企业在市场上的销售份额，品牌美誉度，渠道话语权等方面。像以往那种区域市场独家代理的制度已明显不能满足企业对区域市场销量最大化的要求。所以说，对销售渠道的裂变与细分势在必行。

"一城多客，一客多品"是2006年糖果企业布局区域市场时对经销商结构进行调整的最新趋势。他可以让糖果企业在最短时间内运作全渠道，全品项从而实现区域销量的最大化，效益最大化，利润最大化。整体提高企业的核心竞争能力。

（林德殿）

中国淀粉糖2006行业发展分析

一、发展概况

淀粉糖是我国食品工业的重要原料，是人们日常消费食糖的有益补充。我国玉米资源丰富，1999年已达1．2亿吨，占世界第二位，玉米的增产为发展淀粉糖提供了物质基础。从市场看，淀粉糖发展形势看好，攀升很快。1999年蔗糖产量880万吨，而淀粉糖仅60多万吨。市场放开后，蔗糖连年亏损局面越来越重，全国糖业连续4年亏损累计人民币100亿元。1999年度，我国糖厂限产并将14个糖精生产厂关掉10个，使糖精等化学甜味剂从我国大约300万吨食糖市场大部分退了出来。国家制定一些措施，促使淀粉糖大幅度增长，我国淀粉糖2000年度约67万吨，主要是液体葡萄糖浆和麦芽糖占到60%以上，果葡糖浆产量很少，实际产量不到1万吨，而且产品都为淀粉糖的初级产品。

淀粉糖行业的快速发展，解决了农民增产不增收的制约瓶颈，由于玉米产区连年增产，市场供大于求，粮价下跌。玉米丰收后，国家粮库爆满，而且国家给予大量经济补贴。如何进一步发展农村经济、增加农民收入，必须发展粮食深加工，实现农业产业化，实行公司＋农户的发展经营模式。

按2000年淀粉糖60万吨计算，消耗玉米在108万吨左右，而且淀粉糖发展前景乐观。按常年用糖计算，我国糖果产量已达100多万吨，按硬糖的蔗糖与淀粉糖60：40计，淀粉糖消费量40多万吨，年产1250万吨饮料中碳酸饮料和果汁饮料占60%。用糖量按10%计，淀粉糖消费量75万吨。另外在糕点、焙烤业、乳业、肉类加工等需数量也在数十万吨。年产60万吨的淀粉糖远远不够，近年兴起的功能性食品、低聚糖、糖醇类又添淀粉糖新品。

以美国为例，1996年玉米深加工商品销售量2398万吨，在淀粉糖加工方面，其中果葡糖浆956．3万吨，占39．88%，葡萄糖浆、结晶葡萄糖、固体玉米糖浆412万吨，占17.18%，变性淀粉和糊糖250万吨，占10.42%，淀粉糖产品发展潜力巨大。

淀粉糖行业目前已经将现代生物技术广泛应用。由于酶制剂生产技术的发展，淀粉酶的生产水平和产品质量提高很快，品种日趋多样化，酸法葡萄糖逐步被酶法取代，针剂葡萄糖已能用酶法生产，β－淀粉酶、异淀粉酶、普鲁兰酶的应用，为高麦芽糖和麦芽糖醇生产提供新酶种，新型酶制剂的研究成功使功能性异麦芽低聚糖、低聚半乳糖的工业化生产技术更加成熟，高新技术的生产应用促使淀粉糖行业的发展一日千里，新品及产量不断增加，设备工艺也日趋由仿制到自主研制。

二、制约淀粉糖快速发展的因素

首先，我国淀粉糖价格（按干基计）高于蔗糖，而美国同期精炼蔗糖价为30美分／磅，果葡糖浆20美分／磅，葡萄糖浆13美分／磅。日本每公斤精制砂糖185日元，果葡糖浆80日元，结晶葡萄糖为120日元。到2001年，我国每吨食糖出厂价3900～4100元／吨，接近历史最高价格。2000年，每吨食糖出厂价3700～3800元／吨，而葡萄糖浆75%～80%浓度价格为2200元／吨，相对于干物质每吨2600余元，果葡糖浆71%浓度4000元／吨，相当于干物质每吨5500元。价格高的因素一是玉米价格因素，二是玉米深加工只停留在国内传统技术的生产基础，即使引进也拿不到人家一流技术，自己高新技术产品开发不够，应采用高新技术进一步提高产品质量，大幅度降低成本，才能使我国的淀粉糖在国内外有发展的余地。

其次，中国饮食习惯不同于西方发达国家，吃甜食少，如今国内人均消费食糖不到7公斤，而全世界平均是20公斤，而淀粉糖作为食糖的补充，关键是在怎样正确引导。

另外，目前我国玉米深加工还存在着发展不平衡，山东发展迅速，但是加工深度不够，综合利用低，缺乏竞争力。

三、政府宏观调控作用

近20多年来，我国玉米深加工已有很大发展，除了用于饲料工业外，年加工玉米量已超过1000万吨，玉米深加工产品产值约200多亿元，占食品工业总产值的3%左右，为玉米产值的3倍。作为玉米深加工之一的淀粉糖，政府应积极支持，发挥大企业的龙头带动作用，政策上予以优惠。以美国为例，我国玉米和糖料比价是4∶1，而美国是2∶1。而且，美国对蔗糖进口实行高税，保护国内的玉米加工业。在美国，果葡糖浆消费大于砂糖，在这方面与美国政府对农作物玉米加工的扶植政策是分不开的。

我国加入WTO后，国际食糖价格便宜，原糖每吨仅200多美元。所以，淀粉糖要获得持续发展，必须采用高新技术，发挥淀粉糖的特性，开发多品种以满足不同食品加工的需要。同时，降低成本，进行技术改造。由于企业自有资金有限，政策上应予以专项资金用于龙头企业技术改造，淀粉糖和玉米深加工产品逐步和国际接轨，以利于增强淀粉糖产品国际竞争力。

中国果冻2006行业发展分析

果冻，因其外观晶莹通透，色泽鲜艳多样，口感软滑爽脆，风味清甜滋润，1990年代以来风靡世界各地。果冻不但外观可爱，同时也是一种低热能高膳食纤维的健康食品。作为休闲食品，深受广大消费者特别是青少年朋友的喜爱。

果冻的分类

果冻产品是指用食用胶和食糖等为原料，经煮胶、调配、罐装、杀菌等工序加工而成的胶冻食品。根据果冻的形态，分为凝胶果冻和可吸果冻。凝胶果冻是指内容物从包装容器倒出后，能保持原有形态，呈凝胶状；可吸果冻是指内容物从包装容器倒出后，呈不定形状，凝胶不流散，无破裂，可用吸管直接吸食。根据果冻的内容物，分为果味型、果汁型、果肉型、含乳型和其它型果冻。果味型果冻是指果汁含量低于15%的果冻；果汁型果冻是指果汁含量不低于15%的果冻；果肉型果冻指含有不低于15%天然水果碎块或天然果粒的果冻；含乳型果冻指添加乳或乳制品等原料加工而成的果冻；其他型果冻指上述类型以外的果冻。

果冻的挑选方法

食用前，应先观察果冻，无肉眼可见的外来杂质，有正常的色泽，具有与其品种相一致的风味，无异味。凝胶果冻在脱离包装后能基本保持原有的形态，组织柔软适中，富有弹性，细腻、均匀，无明显絮状物，可吸果冻组织细腻、均匀，无明显絮状物；果冻中添加的果肉或其他食用固体原料应有正常的组织形态。

中国轻工业联合会于2001年11月颁布，2002年5月实施了新的行业标准，促进了果冻产品质量的稳步提高。但也有个别企业看中果冻产品的良好发展前景，不顾自身条件，盲目上马，甚至生产伪劣产品，有的使用劣质原料，有的超量使用食品添加剂，新闻媒体对这样的典型事件屡屡曝光。所以，消费者在购买果冻时，应到正规商家去，选购那些品牌知名度较高的产品。同时，要注意产品的标签标注是否规范。正规的果冻产品应标注食品名称、配料表、净含量、制造者、经销者名称和地址、生产日期、保质期、以及储藏指南等内容。

果冻的食用方法

果冻，用海藻胶等加工而成，含有较多的膳食纤维。膳食纤维是一种非常重要并为国际一致公认的功能性食品基料，对人体健康很有帮助。果冻属于休闲食品范畴，并非传统意义上的儿童食品。因为果冻是胶质物，滑软有弹性，不易被溶化，如果吸食或吞食，果冻容易进入气管，随气管扩张改变形状，不易排出而造成危险。所以消费者千万不要吸食凝胶果冻，最好不要让1周岁以下的小孩吃果冻。未成年人，特别是学龄前儿童，食用凝胶型果冻，一定要在监护人的指导下食用。

果冻行业发展趋势

果冻产品，自从1980年代中期进入中国市场以来，其丰富的口味和特殊的口感很快受到广大消费者，特别是青少年朋友的青睐。1990年代中后期，随着需求的迅速扩大，果冻行业逐步形成产业。发展至今天，果冻行业在我们国家已经成长为一个总销售额达70亿规模的产业，并超过日本成为世界上最大的果冻生产国和销售国。

果冻产品的未来主流趋向天然化、功能性。质地嫩滑的果冻，辅以天然果肉，形成了独特口感，并含有水果的营养成分。市场上有菠萝、柑橘、桃、梨等品种的果肉果冻产品，可供广大消费者选择。另外，应消费者对果冻保健功能的需求，市场上还出现了高钙果冻、芦荟果冻等品类。所有类型的果冻，其可溶性固形物含量要求在15.0%以上，即白糖添加量为15%，与糖果相比可称低热量食品。含乳型果冻蛋白质要求为1.0%以上，在食用果冻的同时也摄入了由乳制品带来的优质蛋白。营养健康型果冻，日益受到消费者的青睐。

由于与糖果食品有淡旺季调节和品类互动作用，使得大批企业纷纷进入果冻行业。目前，果冻行业已经形成了以喜之郎、蜡笔小新、亲亲、旺旺和金娃为首的领先品牌群。其中，喜之郎、蜡笔小新等品牌获得"中国名牌"荣誉称号，亲亲等品牌获得"中国驰名商标"荣誉称号。据统计，目前我国已有2000多家果冻生产企业（其中规模企业300多家），年直接用工20多万人（不包括销售人员及原铺材料用工人员）。果冻产品大量使用农产品原辅料，如白糖占果冻比例16%——25%，每亩甘蔗地产白砂糖600公斤；西部特产摩芋粉，占果冻比例5%，每亩农田产200公斤摩芋粉；卡拉胶占果冻比例8%，每15吨鲜海藻可提取1000公斤卡拉胶；以及大量使用水果等农产品。因应国家的三农政策，在农业产业化的背景下，果冻工业正在迎来快速发展的局面。（王海宁）

2006年秋季全国糖酒商品交易会总结报告

一、食糖市场情况

在供给方面，2005/2006榨季全国食糖产量为881.5万吨（其中，甘蔗糖800.8万吨，甜菜糖80.7万吨），比上榨季减产36万吨；综合上榨季工业结转、一般贸易进口糖以及国储糖等因素，2005/2006榨季食糖总供应量为1038万吨左右，供求形势偏紧。在销售方面，截至今年7月末，本榨季全国累计销售食糖719.5万吨，累计销糖率为81.6%，其中，销售甘蔗糖641.6万吨，销售甜菜糖77.9万吨。在价格方面，受食糖减产、开榨期推迟、制糖企业成本增加、国际糖价上扬等多方因素的影响，本榨季前期，国内糖价出现了历史罕见的上涨，上涨幅度与上涨速度均比上一榨季有大幅提高，糖价一度达到了5400元／吨，涨幅为1900元／吨。糖价的过快增长引起了政府的高度关注，春节过后，糖价开始回落，随着国储糖的分批投放，国内食糖价格进入了持续的下跌阶段，截止到6月底，糖价下跌至4700元／吨左右的水平。目前，食糖市场库存集中在产区，销区库存普遍薄弱，产销区资源分布不平衡的情况比较突出。

（2）酒类市场情况。

今年上半年，全国酿酒行业整体形势良好，速度、效益同步增长，产品质量稳步提高，产品结构不断升级，改组、改造继续深化，行业集中度也进一步提高。国家针对酒类行业生产与流通的一系列法规相继出台，酒类市场环境和竞争秩序得到进一步规范。上半年饮料酒行业完成工业总产值1000亿元，完成主营业务收入950亿元，实现利税总额超过110亿元，分别同比增长23.2%、24.4%和25.2%，同时行业总资产也以9.3%的增长幅度达到了2400多亿元。

白酒：今年上半年，全国白酒产量为183万千升，同比增长21.1%。工业总产值和主营业务收入分别为460多亿元和440多亿元，分别增长25.3%和24.4%，全行业实现利税总额116亿元，同比增长25.2%。白酒产量与销售仍向重点区域和骨干企业集中，产量最大的10个省份拥有全国76.2%的白酒生产份额，16家利税最大企业合计利税占白酒行业的比重达到67.6%。或许是新税制的影响，上半年白酒行业企业亏损率有所降低，盈利企业率达到了77%。上半年白酒行业最引人瞩目的就是由高端品牌引发的涨价风潮，不管其动因如何，必将对未来白酒行业的走势产生重大影响。

啤酒：今年上半年，全国啤酒总产量为1642万千升，比去年同期增长14.2%，工业总产值和产品销售收入均超过400亿元，分别增长19.7%和16.1%，利税总额超过80亿元，增幅为13%。啤酒企业集团化、规模化的速度继续加快，产量与利润进一步向龙头企业集中，利税总额超过亿元的13家企业，合计产量和产值占行业比重分别达到55.2%和53.9%，合计利润比重更是达到了86.1%。去年以来，国内的啤酒集团呈现了由低成本扩张并购向理性的资源共享和整合之路发展的趋势。众多跨国企业以各种形式介入中国啤酒产业，这也促使啤酒的中低端市场竞争更为激烈。从产品结构上看，淡爽型啤酒逐渐成为主流，企业不断改进产品包装，向多样化和小型化发展。

葡萄酒：今年上半年，全国葡萄酒完成产量22万千升，同比增长17.1%。完成工业总产值近60亿元、主营业务收入60多亿元，分别同比增长26.6%和28.7%。生产与消费进一步向骨干企业集中，7家产量最大企业，在葡萄酒行业合计产值和收入的比重分别达到58.6%和64.9%。而在上半年葡萄酒行业15亿元的利税总额中，7家企业合计利税就占了83.4%。上半年，葡萄酒高端市场发展迅猛，拉动了本行业生产与消费的稳定增长，改善了葡萄酒市场结构和消费结构，有利于我国葡萄酒产业的结构升级。虽然随着进口关税的降低，洋葡萄酒已经发起大规模进攻，但是由于洋葡萄酒品牌在国内知名度不够，加上国内酒庄酒等高端葡萄酒的大力发展，短时间内洋葡萄酒将无法撼动四大龙头的霸主地位。

黄酒：今年上半年，全国黄酒产量为40余万千升，同比增长12.5%，工业总产值和主营业务收入分别为27亿元和25亿元，同比增长了27%和28.3%。单从产量和行业资产比重来看，黄酒的增速似乎有所放缓，但其产值、收入等指标的增长均高于酒类行业的增幅。无论从生产还是消费的角度来说，黄酒的地域性特征正逐步被改变，产量最大企业由浙江换成了上海，更有北方企业加入到产量过万的行列。黄酒的消费区域逐渐北上和南移，进军全国市场，消费年龄结构有年轻化的态势，消费人群逐步由原本的低收入阶层向高收入阶层拓展。借白酒强势品牌涨价的东风，部分黄酒骨干企业纷纷推出高端品牌，注重产品创新与文化积淀，产品结构面临全面升级。

（3）饮料市场情况。

今年上半年，全国累计生产软饮料（不含酒精饮料）1982万吨，同比增长23.7%，主营业务收入为1818亿元，同比增长25.6%，实现利润53.72亿元，同比增长32%。食品饮料行业是“十一五”规划发展的重点行业之一，而软饮料制造业是食品行业中快速增长的子行业之一，随着人们消费水平和营养健康意识的提高，软饮料制造业得到迅速发展，而行业内竞争也日趋激烈，更多的资本不断介入。从软饮料种类上看，仍然是饮用水、碳酸饮料和果汁及果汁饮料占主导地位，这三类饮料产量在饮料总产量中就占到百分之八十以上，与往年基本持平，并且保持了较快的增长速度。其他种类的饮料虽然产量还很低，但是发展态势却很迅猛，尤其是茶饮料和功能饮料。茶饮料的攻势猛烈，推出了各种口味茶和概念茶，进行了铺天盖地的促销活动，销量迅速上升，在市场上开始走俏，成为上半年饮料市场的新宠。功能饮料进入较为理性的时期，不会出现井喷式的发展态势。

（4）乳品市场情况。

今年上半年，我国奶业生产形势良好，奶牛存栏数和奶类产量保持较快发展，增幅与上年相比有所下降。其中，奶类产量为1527万吨，比去年同期增长18.8%。城镇居民乳品消费止住下滑趋势，且有小幅回升。1至5月，全国城镇居民平均每人每月乳品消费量为2.14公斤，比去年同期增长了3.5%。从乳品消费结构看，鲜乳品和酸奶的消费均保持增长态势，其中酸奶的消费增幅较大，同比增长了19.5%，奶粉的消费则有下降。上半年全国各城市鲜乳品零售市场总体价格有小幅上扬，平均价格为2.24元/斤，比去年同期增长了2.3%。在进出口方面，总金额大幅增长，达到35941万美元，同比增长28.3%，其中，出口增幅大于进口增幅，进口量占出口量的84.1%。

（5）调味品市场情况。

今年上半年，我国调味品、发酵制品实现了较快发展，预计全年销售额将冲破千亿元大关。近年来，随着人民生活水平的提高，我国调味品业表现出强劲发展势头，成为食品行业中增幅最快的门类之一。伴随着市场销量的快速增加，调味品行业逐渐走出不饱和竞争，表现出集中度提高、大型企业主导性增强、销售重心转移的特点。随着产量的提高，生产工艺和生产条件也不断改进和完善，产品结构调整取得一定成绩，品种规格增加较快。通过推进名牌战略，一大批企业集团业已形成。

（6）罐头市场情况。

近几年，罐头出口连年增长，出口货单源源不断，新的品种层出不穷，产品竞争力保持旺盛，市场不断扩大巩固，我国已经成为罐头生产和出口的大国。与此相呼应的是，国内市场启动重现曙光，更多企业把未来发展定格国内，罐头产品日益增多，宣传力度不断加大，品牌影响迅速扩大，罐头消费群体逐渐形成。同时，我们也应该清醒地看到，罐头行业目前的出口增长靠的是量大价低，而国内市场的人均消费仍处于较低水平。因此，改变罐头行业成长方式，创新经营模式比任何时候都更加迫切和重要。

二、本届交易会的成交情况

本届交易会商品成交总额为140亿元，其中，糖及糖制品成交总额为38.85亿元，酒类成交总额为89.25亿元，罐头类成交总额为11.9亿元。另外，食品机械类成交总额为6723万元。

三、本届交易会的特点

1、各级领导高度重视，相关部门协调一致。

本届交易会得到了各级领导和有关部门的高度重视。中国商业联合会会长何济海、国务院国有资产监督管理委员会监事会主席韩锡正、中国华孚贸易发展集团公司总经理谷深、中国糖业酒类集团公司总经理王新国等主办单位领导，陕西省委副书记、代省长袁纯清、西安市市委书记孙清云、代市长陈宝根等省市领导出席了开幕式并剪彩。主办单位领导多次赴西安指导和考察工作，省、市两级政府也上下一致，针对西安市作为历史名城、文化古迹较多的特点，在相关政策、组织管理与配套措施等多个方面给予大力支持。为办好本届糖酒会，省、市主要领导多次召开会议，研究总结承办工作存在的问题和针对性措施，并成立了以陈宝根代市长为组长、董军副市长、韩松副市长、姚联盟副主任、乔征副市长、黄省身副市长为副组长，市商贸、公安、工商、物价、市容、市政、城管执法等22个相关职能部门领导组成的筹备工作领导小组及其办公室，领导小组与各成员单位密切配合，精心设计各项方案，使各项会务工作得以顺利开展。各级领导的高度重视，主办单位与承办城市的共同努力，使本届交易会达到了预期的效果，取得了圆满的成功。

2、营造公平交易秩序，综合治理有所收效。

规范大会交易秩序，营造公平、公正的交易环境，切实保护广大参展、参会客商的根本利益，是全国糖酒会一贯的办会宗旨。几年来，在这一办会宗旨的指导下，全国糖酒会的综合治理工作不断取得新的进展。本届交易会，西安市在认真总结往届办会经验的基础上，进一步加大了治理力度，在前期宣传、组织程序、工作部署、清理力度上都取得了积极的效果。今年6月，西安市政府专门下发了《关于糖酒会期间禁止会外展的通告》，各相关职能部门以及各区政府组成了执法检查组，按属地管理的原则，联合开展执法行动，有效规范了交易行为，切实保障了广大厂商的切身利益。

3、各路客商参展火爆，展台设计精彩纷呈。

本届交易会，将西安国际展览中心作为唯一展区。共设室内、室外七个展区，总面积8.8万平方米，展位3600多个。从实际招展情况来看，全部展位销售一空，参展、参会企业达6000家，参会人数超过15万人，海外参展企业来自法国、英国、韩国、日本、意大利、南非、土尔其、香港、澳门、台湾等二十多个国家和地区，产品门类涉及糖类、酒类、软饮料、乳品、调味品、食品包装与机械及其他相关领域，参展企业成份呈多元化趋势。广大食品企业对本届交易会表现出了极大的热情，充分利用糖酒会提供的平台竞展风采，洽谈、交易场面火爆。企业的展台设计异彩纷呈，精品多、档次高，更加注重宣传形式与营销策略的有机结合。值得一提的是，本届交易会的室外特装展区规模庞大，气势恢宏，令人耳目一新。西凤酒、绍兴黄酒、剑南春、泸州老窖、榆树钱、紫林老陈醋、太白酒等企业的展示设计均给与会客商留下了深刻的印象。会期中，主办单位组织专人在展场进行了全面、细致的走访工作，了解企业的心声，聆听企业对糖酒会的建议，解决企业的实际问题，从反馈的信息来看，广大代表对交易时间、交易环境和交易效果是满意的，履约率也达到了历史较好水平。

4、展场规划布局合理，专业展区受到欢迎。

本届交易会，除了体现了规模化、国际化的特点，在专业化方面也有所突破，全方位、多层次的服务功能不断强化。

为便于商家采购洽谈，满足食品企业产品市场越来越细分化的特点，大会继续采取了分区布展的方式，除设立酒类、食品饮料、调味品、食品机械与包装等展区外，首次增设了黄酒、食品防伪、食品添加剂、国外及港澳台等四个专区，受到广大厂商的热烈欢迎。另外，在本届交易会上，由各地政府或协会组团联合参展、参会的趋势更加明显，绍兴地区的“天下黄酒源绍兴”、河南地区的“豫满中国”，还有河北地区的“冀酒军团”遥相呼应，各自形成合力，成为本届交易会的一大亮点。展馆的配套服务也相对完善，组委会与专业公司合作，为参展企业提供专业服务，包括运输、产品配送、存储及基本框架搭建，力争将服务做细、做好。

5、广告发布隆重热烈，与古都风貌相得益彰。

有别于国内其他专业展会，每逢会期，规模宏大、制作精良的户外广告装点了整个城市。为了使糖酒会这一传统特色得以保持和发扬，满足参会企业的宣传需要，本届交易会继续采取了协议配置广告资源的办法，本着配合会务综合管理的原则，整体规划、科学布局，众多食品企业发布的户外广告隆重热烈、绚丽多彩，与西安厚重的古都文化交相辉映，极大地烘托了糖酒会的热烈氛围。本届交易会户外广告的发布区域涵盖市区18点15线28个路段，重点分布在火车站至会展中心的中轴线上，广告发布区域主线分明，整体性、连续性、规范性特征显著，广告形式近20种，发布数量达2.1万个，并包括特装造型18个，过街门楼22个。其规模之大、档次之高、创意之新、效果之好不仅开创了西安各类展会之最，也是糖酒会历史上户外广告工作最出色的一届之一。同时，结合西安市的特点，本届交易会的广告发布在城墙古迹的保护上也实行了严格的措施，充分论证、合理规划，真正做到广告的文明发布。

6、接待工作措施得力，各项工作井然有序。

本届交易会，本着“方便代表，确保保需求”的原则，根据糖酒会的特点和代表的实际需求，预定了足够的位置相对较好、条件相对优越的宾馆客房，切实保证代表舒适的住宿环境。同时，对参与接待的近百名工作人员进行全面的培训，熟悉工作流程，了解参会代表的所需所想，不断提高服务水平和服务质量。同时，为保证大会顺利进行，真正体现糖酒会的巨大引力与西安的良好风貌，本届交易会能够狠抓全市的服务质量，提前进行对各职能部门的总体部署和对广大市民的宣传动员，尤其是在商业，住宿，餐饮，娱乐，旅游、银行、通讯、交通运输等窗口单位开展优质服务活动，从各方面反馈来的信息看，达到了广大代表满意、广大市民拥戴的良好效果。

7、各类活动丰富多彩，众多媒体积极参与。

本届交易会，广大食品厂商表现出越来越注重营销策略，急于寻找企业突破发展移烤庇的办法这一普遍现象，大会组织了大量丰富多彩的主题活动，并在内容与形式上创新不断，体现了全国糖酒会除了展示交易外，其功能在向系统化、专业化的领域延伸。全国糖酒会办公室、中国副食流通协会与兄弟协会及媒体联合主办的“中国顶级酒商领袖联席会议”、“中国酒业渠道品牌化创新战略论坛”、大会组委会组织的“大唐芙蓉园文化主题公园观光系列活动”等都给与会客商留下了深刻印象，也为今后糖酒会的发展提供了新的启示。各路媒体也对本届糖酒会寄予了极大的热忱，配合大会主题进行积极详实的报道，一些著名的电视、广播、网络媒体还在开幕式当天进行了现场直播，引导厂商与社会关注、关爱糖酒会。另外值得一提的是，作为糖酒会的主流媒体，全国糖酒会官方网站与《全国糖酒会会刊》，积极顺应形势，不断摸索与改进，为广大客商提供时效、权威、实用的展示平台，得到与会代表和社会各届的好评。

四、本届交易会反映出的食品市场发展趋势

(1) 白酒高端产品市场竞争升级，且仍有涨价的空间和可能，产品结构呈二元化趋势，名优酒仍强势出击，老牌二线名酒表现活跃。本届糖酒会上，“川酒军团”以名酒为主力阵营，众多知名企业纷纷打造自身主导的子品牌，宣传力度不减；“冀酒”、“豫酒”借助组团参展的力量，表现出集体突围的决心；“东北酒”重点宣传纯粮酿造与优良酒质，努力提升企业与产品形象；陕西地区的老牌名酒借助天时地利，发动猛烈攻势，开拓复兴之路；苏酒、皖酒也均有不俗表现，鲁酒表现相对平淡，参展、参会企业不多。高端白酒的市场潜力巨大，仍存在涨价空间，预计年内可能还会有小幅上调。白酒产品结构向二元化方向发展，高度酒与低度酒并存，并有各自鲜明的市场策略和品牌体系。

(2) 啤酒开始新一轮整合，葡萄酒竞争模式升级，黄酒着力开发高档次、高附加值的新型产品。啤酒行业呈现了新一轮整合的态势，以国际国内大企业之间的并购整合和大型企业自身的全国布局调整为主。葡萄酒高端产品市场潜力巨大，冰酒越来越被市场看好，洋葡萄酒加快进军中国市场，国内葡萄酒市场竞争日趋激烈，行业的发展带动新的细分和各种果露酒的发展。黄酒发展空间广阔，高档次、高附加值的新型产品开始涌现，“贴牌”等新的资本进入模式增加。

(3) 饮料市场产业结构进一步提升和优化，新品不断，产品进一步细分，无糖型饮料渐受追捧，健康仍是企业营销诉求的主题。行业需求的不断提高，产能的不断扩大，使得产业结构将得到进一步提升和优化，在产销规模继续扩大的同时，饮品不断推陈出新，将衍生更加广阔细分市场空间。一些积极适应消费升级、注重品牌培育、渠道建设与管理绩效持续改进的优势企业将具备更好的发展机会，尤其是对品牌企业的发展更为重要。无糖型饮料渐成市场新宠，试图在产品同质化加剧的市场上寻找一条差异化的道路。

(4) 调味品参展规模大、档次高，新面孔、新门类增多，产品向高档化方向发展。消费者品牌意识的提高，也使行业内的分工趋向专业化，产品的市场定位愈发精细，调味汁、复合调味料的市场需求在不断增长，中式调味品、西式调味品开始分割市场。本土龙头企业整合市场的节奏加快，一些小企业逐渐退出。

(5) 糖制品、方便食品、休闲食品生产工艺和技术水平不断创新，竞争日益升级，时尚化、功能化、差异化趋势明显。糖果、膨化食品、干果类食品增长迅猛，果脯蜜饯类食品受卫生标准提高的影响，发展趋缓，在本届交易会上亮相不多。糖制品、方便食品、休闲食品不断推陈出新，产品向时尚化、功能化、差异化方向发展。

(6) 乳制品行业增长趋于理性，本土行业巨头纷纷发力高端奶粉市场，婴幼儿奶粉和高端液态奶规模扩大。乳制品行业继续保持增长态势，但增长速度将有所放慢。消费者对高端奶粉的不敏感性，使这一市场有进一步提价的可能。随

着国内行业巨头研发与生产能力的提升，将不断涉足高端领域，抢战婴幼儿奶粉与高端液态奶的市场份额。

(7) 以食品机械、食品包装为代表的相关行业与食品企业相辅相承，产品追求多样化、通用化和多功能集成化，发展趋势良好。在本届交易会上，庞大的食品机械队伍再次成为一道亮丽的风景线。近年来，食品机械与食品包装企业的参展热情不断提高，在为广大客商提供便利的同时，也大大促进了自身品牌形象的提升和产品技术的提高。机械生产商与食品生产商互动的形式越来越受到欢迎，据有关部门分析，糖酒会已逐渐成为国内食品机械、食品包装企业参与数量最多的行业展会。

(8) 食品行业品牌影响力将进一步凸显，高端产品愈加走俏，酒业市场区域化概念强化，差异化产品与差异化营销开始得到企业关注。从本届糖酒会上各食品门类的表现来看，白酒、葡萄酒领域夷支蕱朴、夷暌咕朴、疑涛甯朴的兴起，乳品企业产品结构的转变，纯果汁、果粒饮料市场份额的扩大、调味品包装档次的提升与产品的系列化发展，无不说明了这一点。同时，食品行业并购重组愈演愈烈，海外资本促使市场竞争白热化，如何进一步挖掘与提升品牌价值，寻找产品的差异化与个性化，是今后食品企业共同面临的课题。

全国糖酒商品交易会走到今天，已成功举办了75届。多年来，各级领导对糖酒会的关怀支持，社会各界对糖酒会的深情厚意，已成为糖酒会不断成长的动力之源。在此，我代表中国糖业酒类集团公司，向多年来关心、支持糖酒会的各界同仁再次表示最诚挚的谢意！近年来，主办单位不断改革和创新，与办会城市一道，在糖酒会的规模化、专业化、国际化的道路上，做了大量的工作，取得了积极的效果。今后，我们将在大家的厚爱下，继续走改革创新之路，继续走以广大客商利益为本的市场化之路。同时，我们也希望全国糖酒会的承办城市，在今后的承办工作中继续完善展览硬件设施，增强服务意识与管理水平，使我们的糖酒会更加规范繁荣。

2006我国酒业发展态势及报告分析

2006上半年我国酿酒行业工业生产总值突破1000亿元，同比增长23.2%；主营业务收入高达950亿，同比增长24.4%；行业利税总额在10亿元以上，同比增长25.2%；行业总资产达2400多亿元以上，同比增长9.3%。业内人士给出这样一个结论，今年我国酿酒行业发展态势良好，效益与产品质量同步上升，产业结构不断完善、升级，酒市管理进一步规范化。按照酒类分析，高端白酒涨价风暴，高端葡萄酒酒市场发展迅猛，保健清爽型啤酒成为主流，高端黄酒促使产业结构升级等形势。

高端白酒涨价风暴实现440亿元主营业务收入

今年初，五粮液首次发动高端酒涨价，从每瓶涨10元到上涨60元，先后经过三次提价。随后，贵州茅台也不甘罢休，也相应提价，实施每瓶上涨30—40元的策略，之后，剑南春、老窖也有提价的冲动。专家分析，这一行业风暴对白酒行业的赢利是件好事，将会改变我国整个白酒行业的结构及走势。

截止上半年，横向看，我国白酒呈现产量与销售量向区域品牌化集中，白酒主要生产区不到10个省份，却拥有全国76.2%白酒生产量，全国前16强白酒生产企业，占整个行业的67.6%，相对以前企业亏损率有所降低，盈利企业率达到了77%。纵向看，我国白酒产量达183万千升，同比增长21.1%；工业总产值为460多亿元，同比增长25.3%；主营业务收入实现440亿元，同比增长24.4%，全行业实现利税总额116亿元，同比增长25.2%。业内人士表示，我国今年白酒行业出现盛世原因与高端酒涨价有着相当关系。

高端葡萄酒市场发展迅猛主营业务收入突破60多亿

今年上半年，虽然我国进口葡萄酒比率增大，但由于国外葡萄酒品牌在我国知名度不够，加上国内高端葡萄酒的大力发展，短时期内洋葡萄酒无法影响我国龙头葡萄酒霸主地位。

据统计数据显示，横向看，我国葡萄酒多集中于7大家，占葡萄酒行业总产值的58.6%，占收入比重64.9%，利税占83.4%。纵向看，我国葡萄酒总产量达22万千升，同比增长17.1%；完成工业总产值近60亿元，同比增长26.6%；主营业务收入突破60多亿，同比增长28.7%。据悉，今年，国内高端葡萄酒市场发展迅猛，拉动了本行业生产与消费的稳定增长，改善了葡萄酒市场结构和消费结构，有利于我国葡萄酒产业的结构升级。

保健清爽型啤酒成为主流销售收入超过400亿元

上半年“饮料战争”异常激烈，饮料的发展日益趋向功能化、保健化等特征，这给国内啤酒业提供了再次挖掘啤酒市场的重要依据，此时，引发了一场保健清爽型的啤酒革命，其酒精度有所降低，口味多呈现清爽，深受消费者青睐。

上半年，横向看，啤酒企业集团化、规模化的速度继续加快，产量与利润进一步向龙头企业集中，利税总额超过亿元的13家企业，合计产量和产值占行业比重分别达到55.2%和53.9%，合计利润比重更是达到了86.1%。纵向看，全国啤酒总产量达1642万千升，同比增长14.2%，工业总产值和产品销售收入均超过400亿元，分别增长19.7%和16.1%，利税总额超过80亿元，同比增长13%。

专家做出分析，自去年以来，国内的啤酒业呈现扩张、收购、资源整合等特征，跨国企业也介入中国啤酒产业，促使啤酒中低端市场竞争更为激烈。而今年，啤酒行业为扩张市场，紧抓消费心理，加大对保健清爽型啤酒的研制生产，这一特征逐渐在中小型企业中呈现，这对我国上半年啤酒稳定增长起着重要的作用。

高端黄酒促使产业结构升级主营业务稳步收入25亿

据统计资料显示，上半年，全国黄酒产量40万千升以上，同比增长12.5%，工业总产值为27亿元，同比增长27%；主营业务收入25亿，同比增长28.3%。对此数据专家做出分析，从产量和行业资产比重来看，黄酒的增速似乎有所放缓，但其产值、收入等指标的增长均高于酒类行业的增幅。从生产角度来说，黄酒的地域性特征正逐步变化，由中心由浙江变向上海，在一些北方城市也建立了黄酒生产基地。从消费群体来看，黄酒逐渐由浙江、上海一带分别向南北扩散，消费人群由老年化向年轻化转移，由低收入向高收入转移。日益注重产品创新与文化底蕴的结合，注重黄酒品牌的打造，逐渐呈现高端品牌的上市，产业结构逐渐调整、升级。

统计篇

2006年上半年糖酒副食品行业数据

(1)食糖市场情况。

在供给方面，2005/2006榨季全国食糖产量为881.5万吨（其中，甘蔗糖800.8万吨，甜菜糖80.7万吨），比上榨季减产36万吨；综合上榨季工业结转、一般贸易进口糖以及国储糖等因素，2005/2006榨季食糖总供应量为1038万吨左右，供求形势偏紧。在销售方面，截至今年7月末，本榨季全国累计销售食糖719.5万吨，累计销糖率为81.6%，其中，销售甘蔗糖641.6万吨，销售甜菜糖77.9万吨。在价格方面，受食糖减产、开榨期推迟、制糖企业成本增加、国际糖价上扬等多方因素的影响，本榨季前期，国内糖价出现了历史罕见的上涨，上涨幅度与上涨速度均比上一榨季有大幅提高，糖价一度达到了5400元／吨，涨幅为1900元／吨。糖价的过快增长引起了政府的高度关注，春节过后，糖价开始回落，随着国储糖的分批投放，国内食糖价格进入了持续的下跌阶段，截止到6月底，糖价下跌至4700元／吨左右的水平。目前，食糖市场库存集中在产区，销区库存普遍薄弱，产销区资源分布不平衡的情况比较突出。

(2) 酒类市场情况。

今年上半年，全国酿酒行业整体形势良好，速度、效益同步增长，产品质量稳步提高，产品结构不断升级，改组、改造继续深化，行业集中度也进一步提高。国家针对酒类行业生产与流通的一系列法规相继出台，酒类市场环境和竞争秩序得到进一步规范。上半年饮料酒行业完成工业总产值1000亿元，完成主营业务收入950亿元，实现利税总额超过110亿元，分别同比增长23.2%、24.4%和25.2%，同时行业总资产也以9.3%的增长幅度达到了2400多亿元。

白酒：今年上半年，全国白酒产量为183万千升，同比增长21.1%，工业总产值和主营业务收入分别为460多亿元和440多亿元，分别增长25.3%和24.4%，全行业实现利税总额116亿元，同比增长25.2%。白酒产量与销售仍向重点区域和骨干企业集中，产量最大的10个省份拥有全国76.2%的白酒生产份额，16家利税最大企业合计利税占白酒行业的比重达到67.6%。或许是新税制的影响，上半年白酒行业企业亏损率有所降低，盈利企业率达到了77%。上半年白酒行业最引人瞩目的就是由高端品牌引发的涨价风潮，不管其动因如何，必将对未来白酒行业的走势产生重大影响。

啤酒：今年上半年，全国啤酒总产量为1642万千升，比去年同期增长14.2%，工业总产值和产品销售收入均超过400亿元，分别增长19.7%和16.1%，利税总额超过80亿元，增幅为13%。啤酒企业集团化、规模化的速度继续加快，产量与利润进一步向龙头企业集中，利税总额超过亿元的13家企业，合计产量和产值占行业比重分别达到55.2%和53.9%，合计利润比重更是达到了86.1%。去年以来，国内的啤酒集团呈现了由低成本扩张并购向理性的资源共享和整合之路发展的趋势。众多跨国企业以各种形式介入中国啤酒产业，这也促使啤酒的中低端市场竞争更为激烈。从产品结构上看，淡爽型啤酒逐渐成为主流，企业不断改进产品包装，向多样化和小型化发展。

葡萄酒：今年上半年，全国葡萄酒完成产量22万千升，同比增长17.1%。完成工业总产值近60亿元、主营业务收入60多亿元，分别同比增长26.6%和28.7%。生产与消费进一步向骨干企业集中，7家产量最大企业，在葡萄酒行业合计产值和收入的比重分别达到58.6%和64.9%。而在上半年葡萄酒行业15亿元的利税总额中，7家企业合计利税就占了83.4%。上半年，葡萄酒高端市场发展迅猛，拉动了本行业生产与消费的稳定增长，改善了葡萄酒市场结构和消费结构，有利于我国葡萄酒产业的结构升级。虽然随着进口关税的降低，洋葡萄酒已经发起大规模进攻，但是由于洋葡萄酒品牌在国内知名度不够，加上国内酒庄酒等高端葡萄酒的大力发展，短时间内洋葡萄酒将无法撼动四大龙头的霸主地位。

黄酒：今年上半年，全国黄酒产量为40余万千升，同比增长12.5%，工业总产值和主营业务收入分别为27亿元和25亿元，同比增长了27%和28.3%。单从产量和行业资产比重来看，黄酒的增速似乎有所放缓，但其产值、收入等指标的增长均高于酒类行业的增幅。无论从生产还是消费的角度来说，黄酒的地域性特征正逐步被改变，产量最大企业由浙江换成了上海，更有北方企业加入到产量过万的行列。黄酒的消费区域逐渐北上和南移，进军全国市场，消费年龄结构有年轻化的态势，消费人群逐步由原本的低收入阶层向高收入阶层拓展。借白酒强势品牌涨价的东风，部分黄酒骨干企业纷纷推出高端品牌，注重产品创新与文化积淀，产品结构面临全面升级。

(3) 饮料市场情况。

今年上半年，全国累计生产软饮料（不含酒精饮料）1982万吨，同比增长23.7%，主营业务收入为1818亿元，同比增长25.6%，实现利润53.72亿元，同比增长32%。食品饮料行业是“十一五”规划发展的重点行业之一，而软饮料制造业是食品行业中快速增长的子行业之一，随着人们消费水平和营养健康意识的提高，软饮料制造业得到迅速发展，而行业内竞争也日趋激烈，更多的资本不断介入。从软饮料种类上看，仍然是饮用水、碳酸饮料和果汁及果汁饮料占主导地位，这三类饮料产量在饮料总产量中就占到百分之八十以上，与往年基本持平，并且保持了较快的增长速度。其他种类的饮料虽然产量还很低，但是发展态势却很迅猛，尤其是茶饮料和功能饮料。茶饮料的攻势猛烈，推出了各种口味茶和概念茶，进行了铺天盖地的促销活动，销量迅速上升，在市场上开始走俏，成为上半年饮料市场的新宠。功能饮料进入较为理性的时期，不会出现井喷式的发展态势。

(4) 乳品市场情况。

今年上半年，我国奶业生产形势良好，奶牛存栏数和奶类产量保持较快发展，增幅与上年相比有所下降。其中，奶类产量为1527万吨，比去年同期增长18.8%。城镇居民乳品消费止住下滑趋势，且有小幅回升。1至5月，全国城镇居民平均每人每月乳品消费量为2.14公斤，比去年同期增长了3.5%。从乳品消费结构看，鲜乳品和酸奶的消费均保持增长态势，其中酸奶的消费增幅较大，同比增长了19.5%，奶粉的消费则有下降。上半年全国各城市鲜乳品零售市场总体价格有小幅上扬，平均价格为2.24元/斤，比去年同期增长了2.3%。在进出口方面，总金额大幅增长，达到35941万美元，同比增长28.3%，其中，出口增幅大于进口增幅，进口量占出口量的84.1%。

(5) 调味品市场情况。

今年上半年，我国调味品、发酵制品实现了较快发展，预计全年销售额将冲破千亿元大关。近年来，随着人民生活水平的提高，我国调味品业表现出强劲发展势头，成为食品行业中增幅最快的门类之一。伴随着市场销量的快速增加，调味品行业逐渐走出不饱和竞争，表现出集中度提高、大型企业主导性增强、销售重心转移的特点。随着产量的提高，生产工艺和生产条件也不断改进和完善，产品结构调整取得一定成绩，品种规格增加较快。通过推进名牌战略，一大批企业集团业已形成。

(6) 罐头市场情况。

近几年，罐头出口连年增长，出口货单源源不断，新的品种层出不穷，产品竞争力保持旺盛，市场不断扩大巩固，我国已经成为罐头生产和出口的大国。与此相呼应的是，国内市场启动重现曙光，更多企业把未来发展定格国内，罐头产品日益增多，宣传力度不断加大，品牌影响迅速扩大，罐头消费群体逐渐形成。同时，我们也应该清醒地看到，罐头行业目前的出口增长靠的是量大价低，而国内市场的人均消费仍处于较低水平。因此，改变罐头行业成长方式，创新经营模式比任何时候都更加迫切和重要。

综合数据

2006年上半年全国啤酒总产量1642.06万千升，比去年同期增长14.2%；白酒183.45万千升，同比增长21.10%；葡萄酒23万千升，同比增长16.9%；黄酒32.30万千升，同比增长11.03%。

1952—2005年全国食品工业总产值及比率

年　份	食品工业总产值（亿元）	占全国工业总产值的比例（%）
1952	82.8	24.1
1957	153.6	19.6
1962	126.9	14.9
1965	175.5	12.6
1970	197.9	8.2
1976	388.6	11.9
1977	435.7	11.7
1978	471.7	11.1
1979	518.7	11.3
1980	568.0	11.4
1981	690.1	13.3
1982	755.5	13.6
1983	794.3	12.9
1984	865.8	12.3
1985	940.6	11.3
1986	1018.1	11.3
1987	1134.0	11.0
1988	1305.7	10.8
1989	1348.3	10.4
1990	1360.0	10.4
1991	2665.1	11.9
1992	2980.0	11.0
1993	3428.7	10.1
1994	4039.9	9.9
1995	4496.1	10.1
1996	5146.5	10.1
1997	5842.1	10.3
1998	5517.3	9.6
1999	6020.3	9.3
2000	6672.1	8.8
2001	9244.64	8.9
2002	10759.30	9.74
2003	12913.54	9.2
2004	16079.14	8.63
2005	20344.83	8.15

2005年1—12月食品制造业主要经济效益指标（1）

	企业单位数	亏损企业单位数	亏损企业亏损总额	亏损总额比去年同期增长	应收帐款净额	应收帐款净额比去年同期增长	产成品	产成品比去年同期增长	流动资产平均余额
	个	个	千元	%	千元	%	千元	%	千元
全国	5428	1074	3175022	−4	32669059	16	20187786	19.2	148502334
北京市	206	69	341691	−29.81	1444415	5.14	621117	8.82	6581184
天津市	114	40	187926	10.67	1121515	19.57	244844	−36.42	3448480
河北省	230	53	54876	−14.62	786972	15.38	593978	18.07	5453000
山西省	73	18	28347	218.65	252237	9.13	338158	−3.96	1269102
内蒙	83	25	55948	40.16	629162	−20.8	1232885	65.43	7198278
辽宁省	217	50	76416	−22.19	711225	17.01	425602	0.29	4056848
吉林省	85	16	18289	−37.63	340050	60.56	261005	94.66	1312100
黑龙江省	141	31	113787	−31.31	1229849	2.72	819515	30.68	4704605
上海市	273	85	713108	−6.68	4623386	21.4	1128932	8.5	13142781
江苏省	300	59	278086	23.77	2573402	15.11	916185	5.58	11676750
浙江省	330	61	174302	17.15	2394873	29.41	1677874	13.09	8136196
安徽省	84	27	44193	266.75	797348	8.64	490256	76.4	5999517
福建省	350	75	117470	−8.25	1312427	16.52	1317621	34.19	5934232
江西省	95	14	14320	0.15	226698	17.95	142446	20.68	1082817
山东省	826	60	76609	0.58	3279168	39.46	2580327	19.6	19258034
河南省	323	11	14975	−89.67	2715155	18.06	1045632	19.52	11221900
湖北省	171	37	94323	−0.19	644346	8.94	476292	34	3211026
湖南省	198	24	11836	47.2	500882	8.63	317454	26.03	2596014
广东省	568	120	373512	30.46	4223944	1.39	2805255	26.76	18883642
广西	109	30	37199	−15.25	272332	9.3	261435	38.45	1280958
海南省	26	9	4346	−82.34	176852	19.91	168456	110.3	832812
重庆市	49	4	4438	−44.31	151247	13.93	73842	3.31	930362
四川省	217	34	53662	150.37	798957	25.25	466562	56.99	2790037
贵州省	51	20	11379	−49.61	83583	0.68	89093	2.4	630597
云南省	39	7	30052	4.96	82017	8.4	96283	42.31	769682
西藏	5	1	9	−97.9	9124	413.74	33904	940.96	61290
陕西省	102	39	37885	5.76	468195	52.38	328491	5.08	1896498
甘肃省	42	9	20109	−16.55	136622	31.53	184677	39.34	742371
青海省	13	3	725	−83.11	31059	44.13	17904	55.69	81732
宁夏	33	10	41316	240.78	179129	66.81	108340	22.03	686242
新疆	75	33	143888	23.26	472888	6.76	923421	−24.99	2633247

2005年1–12月食品制造业主要经济效益指标（2）

	流动资产平均余额比去年同期增长	固定资产净值平均余额	固定资产净值平均余额比去年同期增长	资产总计	资产总计比去年同期增长	负债合计	负债合计比去年同期增长	产品销售收入	产品销售收入比去年同期增长
	%	千元	%	千元	%	千元	%	千元	%
全国	20.19	106742152	17.06	313821519	18.77	177824384	18.2	359030532	32.38
北京市	12.65	4457342	−3.96	13068384	4.32	8268545	7.1	13104237	17.79
天津市	7.63	2883243	9.04	7685655	9.69	4461535	17.57	6791857	12.94
河北省	32.88	5541758	21.83	14487599	26.47	7798643	42.07	22854893	32.79
山西省	6.23	1181126	5.22	2931625	2	1710641	−0.83	3183861	11.98
内蒙	33.23	5260968	40.57	16095170	28.32	7799942	21.74	23183314	39.53
辽宁省	15.89	4304653	19.9	9872946	15.5	5578776	15.92	8543773	56.46
吉林省	32.61	1878117	42.16	4107607	46.33	2503254	36.3	3022692	23.13
黑龙江省	11.14	4105799	−5.71	9803478	2.71	5851815	0.18	12269706	18.88
上海市	9.89	5797215	4.42	24448884	6.67	13765716	6.7	25099451	15.33
江苏省	37.69	6333905	21.01	20801785	26.39	12117783	27	19134360	18.46
浙江省	24.26	4844653	22.11	16221558	22.52	9448487	23.82	16304133	21.8
安徽省	17.41	5256559	29.54	16180010	17.65	10638033	10.15	7387063	49.11
福建省	18.84	3940597	7.69	12131788	20.41	6078721	19.46	15729403	23
江西省	18.01	1077677	5.72	2831961	14.97	1438496	25.9	3494686	38.17
山东省	37.1	15347485	45.36	42421140	37.52	21983874	34.5	64045955	54.97
河南省	10.27	7863195	16.31	22710740	15.71	14154351	20.43	29253566	46.32
湖北省	25.77	3319971	18.26	7588600	19.18	4195477	17.86	8262840	25.21
湖南省	11.26	1735740	9.22	5860965	19.39	3252742	24.9	10611022	48.07
广东省	12.34	10126810	5.22	34451333	11.27	18378180	10.36	38336651	25.54
广西	11.98	768760	4.21	2457647	13.02	1559095	11.87	2260423	20.45
海南省	11.64	180364	−20.92	1221051	1.39	789062	3.79	1397581	10.72
重庆市	16.11	707880	11.66	1996371	20.96	1127663	28.8	2377513	12.1
四川省	29.28	2324495	7.13	7006922	37.73	3914931	36.67	8754814	58.87
贵州省	23.78	542030	−1.01	1455966	18.88	751764	9.51	1802911	14.64
云南省	26.63	652991	19.55	1623610	12.86	1053118	13.94	1418150	21.02
西藏	8.38	102196	−1.49	170723	0.7	11141	1.87	69885	427.83
陕西省	25.15	1937289	19.16	4380369	17.13	2475587	8.08	4784680	36.83
甘肃省	32.18	577408	7.22	1512934	18.69	952150	30.24	1223331	13.52
青海省	25.48	96067	60.81	284952	15.95	113915	14.65	198585	114.54
宁夏	33.97	682293	23.15	1701922	35.51	1107492	26.88	1553725	47.46
新疆	6.32	2913566	10.1	6307824	8.07	4543455	2.61	2575471	−5.11

2005年1–12月食品制造业主要经济效益指标（3）

	产品销售成本	产品销售成本比去年同期增长	产品销售费用	产品销售费用比去年同期增长	产品销售税金及附加	产品销售税金及附加比去年同期增长	管理费用	管理费用比去年同期增长	财务费用
	千元	%	千元	%	千元	%	千元	%	千元
全国	281901508	32.16	35174278	26.62	1993541	53.2	15450532	21.62	3929794
北京市	8417184	16.17	3064478	13.96	20044	43.22	1212631	8.82	80630
天津市	5226758	12.53	773613	4.01	70116	681.5	375110	26.31	50525
河北省	19099317	31.95	1741019	32.62	79576	−1.92	584824	21.32	112170
山西省	2490933	13.83	351006	5.91	14428	5.67	104665	−26.17	42818
内蒙	17641697	37.4	2807947	29	57062	55.45	572947	44.79	64963
辽宁省	6997229	64.25	598608	34.77	31163	44.49	385699	19.04	83189
吉林省	2514378	62.47	180705	68.79	17345	78.5	120999	39.9	33040
黑龙江省	9125483	21.97	1949048	28.6	48436	−53.46	539412	16.62	93609
上海市	18188576	14.21	4487967	12.11	22945	19.11	1608254	16.49	130972
江苏省	15289212	20.78	2070029	18.06	63143	4.51	821201	6.75	163212
浙江省	13316237	20.63	1224995	24.65	58831	22.76	810957	22.29	207566
安徽省	6491937	62.86	288035	14.01	26833	125.28	418519	66.65	220989
福建省	13342251	23.67	961466	21.57	66677	18.45	609369	18.14	196820
江西省	2794002	42.34	274409	14.49	28876	20	159732	20.17	41130
山东省	54019875	53.4	2281487	46.32	412619	52.74	1809157	41.97	683002
河南省	23708459	43.22	2019889	34.79	164381	63.85	947227	25.89	899929
湖北省	6370394	31.06	874609	17.51	146406	37.65	361103	13.57	77383
湖南省	8332105	43.27	984118	65.8	186992	320.55	387948	37.11	95772
广东省	25902669	17.65	5750440	46.71	339344	112.11	2378598	23.4	237397
广西	1772739	17.57	215180	23.51	11336	4.93	124216	14.05	31018
海南省	1014241	15.29	234559	5.11	6548	−48.94	43216	−37.46	1894
重庆市	1884201	10.67	222614	10.96	16026	40.22	96824	2.2	19626
四川省	7297150	61.32	585148	39.63	41563	25.29	363941	28.89	85017
贵州省	1259942	−20.99	74714	−39.09	17335	114.57	67788	−23.35	22548
云南省	1177877	17.63	123950	15.91	4940	11.14	90828	25.95	23357
西藏	36575	275.17	3496	547.41	3344	319.05	4009	144.3	698
陕西省	3778710	38.24	464688	38.22	8604	51.03	171867	26.26	32506
甘肃省	1025912	12.57	93096	12.06	1871	55.92	41290	31.05	24385
青海省	98733	38.79	15606	107.03	3205	119.97	13920	54.8	1291
宁夏	1279406	49.94	164010	16.83	9946	5.16	55070	52.74	24935
新疆	2007326	0.33	273349	−4.83	13606	24.18	169211	−16.36	147403

2005年1–12月食品制造业主要经济效益指标（4）

	财务费用比去年同期增长	利润总额	去年同期利润总额	全部从业人员平均人数	全部从业人员平均人数比去年同期增长	工业总产值（当年价格）	工业总产值（当年价格）比上年同期增长	工业总产值（不变价格）	工业总产值（不变价格）比上年同期增长
	%	千元	千元	人	人	千元	%	千元	%
全国	14.98	20523370	13580223	1165852	8	371117972	30.5	0	0
北京市	−19.5	422279	12833	38348	1.61	13616214	23.55	0	0
天津市	4.8	336249	313287	22069	−2.84	7794280	11.94	0	0
河北省	−7.16	1215368	827519	69939	11.23	23053662	28.57	0	0
山西省	7	81937	89059	15085	0.33	3272839	7.79	0	0
内蒙	−19.32	1625557	981749	30824	9.78	24334896	34.25	0	0
辽宁省	−6.02	345560	216068	36958	17.04	8811542	54.89	0	0
吉林省	52.9	117720	21190	13807	11.36	2655429	19.62	0	0
黑龙江省	−18.68	553572	644476	34168	1.82	13202220	17.2	0	0
上海市	−9.01	964710	775140	53788	5.07	21810255	12.12	0	0
江苏省	31.5	787064	830841	55184	4.7	19361534	19.22	0	0
浙江省	14.18	995290	593609	59178	5.57	16230060	18.96	0	0
安徽省	18.37	436213	279623	33227	9.06	7512842	56.14	0	0
福建省	8.96	511654	339565	62908	4.67	16809989	21.7	0	0
江西省	20.17	174984	122742	18154	4.8	3758743	33.85	0	0
山东省	51.19	4769932	2781482	163889	16.51	68252270	56.51	0	0
河南省	19.11	2251754	1009316	125420	12.16	31498238	41.1	0	0
湖北省	8.79	421757	277584	41956	11.1	8519646	23.72	0	0
湖南省	65.46	444202	341539	47955	28.61	11872319	34.83	0	0
广东省	12.27	2956026	2371814	111249	−5.31	37735723	20.34	0	0
广西	−0.98	100529	62919	18357	8.01	2665349	26.55	0	0
海南省	−19.09	23283	14055	3678	−2.39	1384061	8.89	0	0
重庆市	−21.46	152385	89150	10678	−0.16	2389521	13.04	0	0
四川省	54.37	280466	191319	38692	16.82	9335704	56.23	0	0
贵州省	−51.7	369415	203395	8527	−6.11	1848582	0.68	0	0
云南省	58.57	19781	8834	7995	9.3	1407409	21.48	0	0
西藏	1124.56	7291	−81	259	−7.5	65791	155.9	0	0
陕西省	−1.11	150429	79570	21636	7.43	5347408	40.14	0	0
甘肃省	55.09	3777	18115	5311	5.36	1547122	28.64	0	0
青海省	37.93	13663	6736	1326	2.08	207738	52.2	0	0
宁夏	30.94	2637	−8	5599	15.42	1604132	40.54	0	0
新疆	−7.77	−12114	76783	9688	−3.38	3212454	−10.75	0	0

2005年1–12月食品制造业主要经济效益指标（5）

	工业销售产值（当年价格）	工业销售产值（当年价格）比上年同期增长	出口交货值	出口交货值比上年同期增长	税金总额	税金总额比去年同期增长	资本保值增值率	资产负债率	产值利税率
	千元	%	千元	%	千元	%	%	%	%
全国	363379456	31.27	37890200	31.38	15097293	36.68	119.52	56.66	9.58
北京市	13285630	18.56	519446	29.71	833777	12.77	99.86	63.27	9.21
天津市	8059170	11.42	905370	47.43	342813	53.48	100.38	58.05	8.71
河北省	22644772	27.98	493197	32.2	650316	23.13	112.12	53.83	8.09
山西省	3178757	7.59	269865	33.9	86590	30.52	106.25	58.35	5.15
内蒙	23644713	34.61	959126	49.92	943618	78.23	135.2	48.46	10.56
辽宁省	8561435	53.64	757798	1.35	202359	13.3	114.96	56.51	6.18
吉林省	2567146	20.94	94888	108.16	97059	68.39	165.3	60.94	8.09
黑龙江省	12604785	18.5	409190	47.53	653527	−9.84	106.7	59.69	9.14
上海市	21560107	12.69	1618553	24.32	1298215	15.78	106.63	56.3	10.38
江苏省	19030136	16.25	1573077	34.99	785648	19.45	125.54	58.25	8.1
浙江省	15857685	18.42	3777358	16.71	657902	39.48	120.74	58.25	10.17
安徽省	7399062	61.66	1139067	−2.62	191984	63.99	135.33	65.75	8.36
福建省	15930920	18.65	3878975	2.23	421879	3.65	121.39	50.11	5.54
江西省	3873686	44.59	271641	101.89	159575	22.68	105.52	50.8	8.9
山东省	66478735	57.78	12109175	60.26	2246554	68.59	140.93	51.82	10.28
河南省	30896107	43.47	448947	83.3	1158537	112.36	108.66	62.32	10.83
湖北省	8342979	22.68	750765	44.64	436125	11.37	120.86	55.29	10
湖南省	11892742	33.33	1147102	10.03	513547	112.6	113.16	55.5	8.05
广东省	37399505	24.03	3918682	23.06	2353121	34.42	112.32	53.35	14.06
广西	2492404	29.36	444511	14.97	96249	6.47	115.08	63.44	7.38
海南省	1482500	14.33	25699	−20.63	84526	−5.77	97.27	64.62	7.79
重庆市	2388806	12.24	223639	19.91	118384	10.96	112.1	56.49	11.33
四川省	9176636	58.71	359618	4.68	269238	45.26	139.1	55.87	5.86
贵州省	1808944	1.49	66531	49.61	122372	57.58	130.84	51.63	26.6
云南省	1459547	26.23	163678	149.54	50469	14.97	110.9	64.86	4.8
西藏	63276	176.17	0	0	6741	411.07	100.62	6.53	21.33
陕西省	5155796	40.48	10836	284.39	152483	32.24	131.42	56.52	5.66
甘肃省	1503157	30.79	334382	24.3	13745	−12.95	103.15	62.93	1.13
青海省	164875	45.94	0	−100	5683	84.09	116.84	39.98	9.31
宁夏	1519327	38.09	0	0	58840	64.1	155.16	65.07	3.83
新疆	2956116	14.76	1219084	41.75	85417	28.28	125.26	72.03	1.54

2005年1–12月食品制造业主要经济效益指标（6）

	资金利润率	流动资产周转次数（次）	成本费用利润率%	人均销售率（元）	产成品资金占用率	分组代码	地区代码
	%	次	%	元	%		
全国	13.93	2.42	6.1	307955.5	13.59	00	00
北京市	11.36	1.99	3.31	341718.92	9.44	00	11
天津市	10.72	1.97	5.23	307755.54	7.1	00	12
河北省	16.95	4.19	5.64	326783.24	10.89	00	13
山西省	6.88	2.51	2.74	211061.39	26.65	00	14
内蒙	20.62	3.22	7.71	752118.93	17.13	00	15
辽宁省	6.51	2.11	4.28	231175.2	10.49	00	21
吉林省	6.73	2.3	4.13	218924.6	19.89	00	22
黑龙江省	13.7	2.61	4.73	359099.33	17.42	00	23
上海市	11.95	1.91	3.95	466636.63	8.59	00	31
江苏省	8.71	1.64	4.29	346737.46	7.85	00	32
浙江省	12.72	2	6.4	275510.04	20.62	00	33
安徽省	5.58	1.23	5.88	222321.09	8.17	00	34
福建省	9.43	2.65	3.39	250038.2	22.2	00	35
江西省	15.49	3.23	5.35	192502.26	13.16	00	36
山东省	20.27	3.33	8.11	390788.61	13.4	00	37
河南省	17.87	2.61	8.17	233244.83	9.32	00	41
湖北省	13.05	2.57	5.49	196940.6	14.83	00	42
湖南省	22.07	4.09	4.53	221270.4	12.23	00	43
广东省	18.29	2.03	8.63	344602.21	14.86	00	44
广西	9.6	1.76	4.69	123136.84	20.41	00	45
海南省	10.64	1.68	1.77	379983.96	20.23	00	46
重庆市	16.53	2.56	6.85	222655.27	7.94	00	50
四川省	10.69	3.14	3.37	226269.36	16.72	00	51
贵州省	41.94	2.86	25.92	211435.56	14.13	00	52
云南省	4.75	1.84	1.4	177379.61	12.51	00	53
西藏	8.58	1.14	16.28	269826.25	55.32	00	54
陕西省	7.89	2.52	3.38	221144.39	17.32	00	61
甘肃省	1.33	1.65	0.32	230339.11	24.88	00	62
青海省	10.88	2.43	10.55	149762.44	21.91	00	63
宁夏	4.49	2.26	0.17	277500.45	15.79	00	64
新疆	0.89	0.98	−0.47	265841.35	35.07	00	65

2006年1-8月食品制造业主要经济效益指标（1）

	企业单位数	亏损企业单位数	亏损企业亏损总额	亏损总额比去年同期增长	应收帐款净额	应收帐款净额比去年同期增长	产成品	产成品比去年同期增长	流动资产平均余额
	（个）	（个）	（千元）	（%）	（千元）	（%）	（千元）	（%）	（千元）
全国	5754	1306	2399348	4.11	36214084	14.15	23836995	23.7	163317184
北京市	202	106	475670	60.56	1692349	10.45	903695	28.8	7060969
天津市	139	45	166120	18.19	1114828	−7.54	316646	20.66	4088484
河北省	229	54	38259	−13.41	760733	−9.3	697785	21.46	6395750
山西省	71	20	17766	−4.8	251881	19.41	428621	3.52	1473180
内蒙	93	33	28778	−9.57	1226872	26.08	1312823	34.89	7082759
辽宁省	252	68	90958	35.03	845426	25.75	504970	20.79	4161869
吉林省	68	15	16618	65.53	288592	50.54	209100	9.92	1328244
黑龙江省	149	42	123996	4.95	1059194	−14.19	838326	−2.75	4773100
上海市	267	108	417406	−13.14	4382227	−0.22	1180025	13.5	13891990
江苏省	319	58	202637	0.09	2700186	10.91	1242427	26.08	11953318
浙江省	327	89	90263	0.88	2628508	20.22	1512648	12.26	9278706
安徽省	94	32	28949	48.24	872708	18.41	674167	34.95	5824349
福建省	350	77	77120	−22.16	1584241	25.44	1744074	29.53	6870939
江西省	106	17	24048	39.54	266838	26.47	199307	18.84	1205019
山东省	916	77	87921	22.32	4355374	38.36	3757014	36.57	23857510
河南省	354	23	16107	26.56	3189271	15.56	1072239	38.21	12663963
湖北省	199	39	40083	−16.64	902248	44.64	799183	69.81	3323226
湖南省	228	27	16529	−27.55	615682	57.25	391461	55.5	3152630
广东省	596	143	217379	−24.59	4533176	10.12	2836528	7.68	21084659
广西	109	34	22409	−14.17	364750	24.53	301845	20.14	1395579
海南省	24	10	11659	935.44	17588	0.21	124074	−3	769248
重庆市	48	6	3859	−23.95	179463	8.57	95652	6.79	1062706
四川省	254	50	36849	21.94	838087	35.91	712565	35.02	3249863
贵州省	47	26	28151	436.52	72837	1.25	90342	66.77	517253
云南省	41	14	37889	158.73	95902	−10.18	95134	7.97	819068
西藏	3	1	307	1295.45	7189	22.97	6516	−51.44	20372
陕西省	103	30	14300	−36.06	515929	16.24	439027	40.28	1828449
甘肃省	52	19	16571	12.9	203316	24.58	148149	−8.91	797388
青海省	10	0	0	−100	17526	−5.04	10208	19.52	50824
宁夏	35	15	9028	−49.13	199037	38.17	126071	0.47	682579
新疆	69	28	41719	−52.58	273828	−31.35	1066373	26.57	2653191

2006年1–8月食品制造业主要经济效益指标（2）

	流动资产平均余额比去年同期增长	固定资产净值平均余额	固定资产净值平均余额比去年同期增长	资产总计	资产总计比去年同期增长	负债合计	负债合计比去年同期增长	产品销售收入	产品销售收入比去年同期增长
	(%)	(千元)	(%)	(千元)	(%)	(千元)	(%)	(千元)	(%)
全国	14.28	121269051	17.58	349118502	17.29	194058651	14.37	283423878	28.84
北京市	10.01	4724603	5.59	14381554	6.05	9424359	10.74	9548312	21.27
天津市	3.92	3196956	−8.55	8833649	4.75	5308877	6.4	5263495	9.2
河北省	20.29	6497861	20.66	16916887	25.52	8374619	13.75	17626551	27.86
山西省	10.65	1201094	3.17	3216481	7.42	2054962	13.44	1616126	−22.09
内蒙	9.73	5120330	29.3	17981242	26.26	8971770	29.87	17658615	30.04
辽宁省	13.11	4690687	33.32	10681133	23	5660949	12.02	7317158	48.02
吉林省	23.18	2272133	−11.63	4196512	3.34	2585165	67.34	3098661	49.28
黑龙江省	5.23	4545857	10.36	10726600	8.12	5769164	2.58	8484279	16.08
上海市	5.32	7305994	22.31	26285369	11.36	14424856	9.01	16741543	8.62
江苏省	10.89	7318497	18.1	22867584	14.91	13354061	11.7	14051399	15.23
浙江省	23.37	5127711	16.97	16866541	15.64	9618795	16.64	11740321	13.8
安徽省	4.6	6286660	25.59	17570154	18.38	11247001	12.66	6163465	45.47
福建省	17.51	4284305	11.12	12568276	11.49	6345658	7.69	11719639	18.69
江西省	7.49	1217166	17.63	3482787	19.54	1851248	28.53	3249681	57.56
山东省	29.43	19611004	41.26	52592645	32.39	27086786	24.74	59800485	47.47
河南省	11.14	8949037	17.65	25530666	18.43	16045897	13.5	23344452	52.05
湖北省	29.23	2782529	5.71	7521402	16.19	3892001	6.71	6488114	25.97
湖南省	16.6	2334012	26.79	7181139	24.96	3600832	18.58	8531161	32.14
广东省	12.97	11137279	4.59	37157470	9.98	19239623	10.05	29990093	21.78
广西	19.27	775142	5.62	2646367	17.52	1704958	26.77	1732638	24.64
海南省	−9.59	166176	−13.13	1095613	−8.74	629336	−18.02	1052764	15.49
重庆市	16.46	716982	3.7	2233525	15.08	1337841	20.48	1645774	14.52
四川省	24.73	3393719	27.26	9020820	40.04	4749360	24.66	6835686	41.66
贵州省	−5.21	524742	5.39	1252071	2.6	689107	1.55	1178583	8.18
云南省	11.94	712557	12.53	1829875	12.71	1262337	19.46	896053	0.79
西藏	−66.59	102246	0.06	170235	−0.07	10264	−2.16	48566	74.35
陕西省	17.42	1767062	2.79	4168602	10.12	2137330	3.5	3555361	18.85
甘肃省	3.34	577284	−3.12	1628030	6.53	1002847	5.59	904075	9.47
青海省	2.84	52955	−27.46	109698	13.08	57543	−3.03	67520	7.2
宁夏	10.57	707422	18.92	1746605	14.37	1111692	9.25	1188299	25.3
新疆	6.33	3169049	9.67	6658970	9.57	4509413	6.61	1885009	0.23

2006年1-8月食品制造业主要经济效益指标（3）

	产品销售成本	产品销售成本比去年同期增长	产品销售费用	产品销售费用比去年同期增长	产品销售税金及附加	产品销售税金及附加比去年同期增长	管理费用	管理费用比去年同期增长	财务费用
	（千元）	（%）	（千元）	（%）	（千元）	（%）	（千元）	（%）	（千元）
全国	226805797	30.21	25687776	17.76	1381767	30.09	10989197	13.54	2860362
北京市	6434188	24.53	2211250	18.75	14571	39.22	838523	14.99	87264
天津市	4115822	10.77	685829	16.33	13580	51.6	290831	18.97	55638
河北省	14465897	25.16	1462258	35.24	48919	12.39	442887	32.49	109397
山西省	1347588	−18.61	122695	−49.23	5270	−34.09	69033	−2.35	29145
内蒙	13867385	28.36	2323950	44.14	43226	33.2	467039	37.29	52521
辽宁省	5961740	45.3	456746	28.88	25438	93.72	285572	19.13	54529
吉林省	2713728	58.82	139269	59.32	13431	73.5	70779	11.16	24838
黑龙江省	6583972	23.05	1198463	12.4	19331	−20.14	333769	−7.67	62155
上海市	11978456	8.02	3224810	17.2	10280	7.36	1064904	7.07	107027
江苏省	11359829	17.4	1328211	−17.05	63319	32.79	578897	6.43	175771
浙江省	9582093	13.19	927087	21.61	35045	−0.1	522224	14.17	155638
安徽省	5639026	56.57	264490	44.37	16186	29.67	236536	−20.33	169635
福建省	10047186	20.3	583693	−2.53	85750	8.95	424687	12.09	133095
江西省	2575900	59.01	207795	23.08	74963	273.99	140452	30.48	30866
山东省	51156476	47.53	1974517	23	417984	78.13	1523894	27.75	592006
河南省	19164065	51.32	1363052	49.95	135129	49.49	546765	25.2	449062
湖北省	5117652	29.14	638160	20.22	90648	22.37	246486	23.67	57242
湖南省	6856608	33.53	745244	27.95	65834	−36.89	297330	20.67	72712
广东省	21138075	23.02	4050958	9.23	80425	−26.26	1691767	7.32	166483
广西	1380722	22.99	117086	−7.79	8852	13.55	87632	20.63	22157
海南省	759680	15.74	215803	31.61	4779	63.38	64569	−3.48	−3298
重庆市	1287391	14.04	163282	15.41	12395	58.34	72242	17.39	17028
四川省	5535402	39.83	463608	38.34	37910	68.56	341776	16.63	62500
贵州省	851523	12.51	71291	34.38	6047	−43.38	58014	25.1	18300
云南省	735220	−0.85	80985	7.78	5141	28.11	57775	7.76	19425
西藏	25448	46.33	2339	35.59	2734	104.49	2924	22.7	436
陕西省	2879604	22.06	335630	23.21	6598	8.13	92388	−11.56	22484
甘肃省	737659	9.22	48957	1.96	22434	17.38	27003	6.54	18717
青海省	48481	27.41	4894	−33.46	1800	−12.02	3780	−26.01	267
宁夏	998511	25.96	94723	−8.14	4674	−9.54	33659	13.59	19018
新疆	1460470	1.13	180701	−3.99	9074	11.3	75060	−27.28	78304

2006年1-8月食品制造业主要经济效益指标（4）

	财务费用比去年同期增长	利润总额	去年同期利润总额	全部从业人员平均人数	全部从业人员平均人数比去年同期增长	工业总产值（当年价格）	工业总产值（当年价格）比上年同期增长	工业总产值（不变价格）	工业总产值（不变价格）比上年同期增长
	（%）	（千元）	（千元）	（人）	（人）	（千元）	（%）	（千元）	（%）
全国	24.15	15525973	11609564	1235412	7.98	295366538	28.93	0	0
北京市	66.6	-65719	91984	44342	16.51	9626532	16.6	0	0
天津市	59.27	109923	240672	25154	-2.32	5293580	9.52	0	0
河北省	48.42	933372	678980	71418	5.68	17818207	24.41	0	0
山西省	-3.8	44294	62456	14906	-0.58	1937637	-9.61	0	0
内蒙	33.54	941490	749154	34203	10.98	18532745	29.25	0	0
辽宁省	9.22	236211	175370	38562	7.14	7615864	39.14	0	0
吉林省	26.99	87014	54563	11294	9.57	3235543	52.3	0	0
黑龙江省	-0.87	315857	458250	35642	10.09	9262556	13.23	0	0
上海市	38.8	590456	580932	55115	4.27	14768584	9.67	0	0
江苏省	54.29	594807	410528	54977	3.38	14461346	15.92	0	0
浙江省	21.37	575159	536958	55708	1.49	11578695	12.23	0	0
安徽省	12.56	263221	269919	37272	18.97	6538003	47.87	0	0
福建省	5.07	415094	301218	66542	7.35	13064056	19.06	0	0
江西省	29.18	143618	76371	20110	7.56	3478501	43.98	0	0
山东省	43.19	4356060	2610675	203362	15.63	62583474	48.81	0	0
河南省	17.71	1780442	1066563	127316	8.09	25056495	43.89	0	0
湖北省	42.39	339117	290917	38752	8.44	6646842	29.69	0	0
湖南省	33.93	348565	255124	45558	3.62	10238427	37.03	0	0
广东省	4.81	2638593	2001569	119153	4.59	30426908	22.41	0	0
广西	31.68	130689	61420	18553	5.52	2081021	29.4	0	0
海南省	-393.42	13283	21022	3508	-3.57	952513	13.85	0	0
重庆市	10.42	83486	93517	10946	2.31	1593742	12.2	0	0
四川省	43.11	208222	132026	41414	18.15	7427413	38.47	0	0
贵州省	-13.39	193749	210189	9260	9.31	1320427	17.95	0	0
云南省	31	14498	23230	8522	-0.51	912215	6.31	0	0
西藏	23.86	4209	2409	259	0	46004	11.28	0	0
陕西省	-6.74	102269	106793	20665	-1.08	4290050	31.94	0	0
甘肃省	21.75	4297	11022	6342	7.93	1011208	15.57	0	0
青海省	7.23	5641	6325	791	3.26	125416	42.01	0	0
宁夏	23.29	39658	2945	5758	-1.15	1191866	19.67	0	0
新疆	-24.58	78398	26463	10008	-3.86	2250668	14	0	0

2006年1–8月食品制造业主要经济效益指标（5）

	工业销售产值（当年价格）	工业销售产值（当年价格）比上年同期增长	出口交货值	出口交货值比上年同期增长	税金总额	税金总额比去年同期增长	资本保值增值率	资产负债率	产值利税率
	（千元）	（%）	（千元）	（%）	（%）	（%）	（%）	（%）	（%）
全国	288255559	29.32	29968354	22.22	10841009	27.25	121.17	55.59	8.91
北京市	9413083	20.1	435966	25.65	535751	7.05	98.16	65.53	4.8
天津市	5209550	6.3	755580	22.15	236583	15.55	102.36	60.1	6.55
河北省	17514383	25.07	346182	28.13	524272	32.32	139.69	49.5	8.18
山西省	1681461	−16.87	183538	16.47	44849	−6.4	98.21	63.89	4.4
内蒙	17778987	28.73	644681	6.12	571119	20.74	122.85	49.9	8.15
辽宁省	7502689	45.72	635198	50.06	263230	107.27	138.3	53	6.56
吉林省	3108278	50.08	125639	117.39	58211	7.01	64.05	61.6	4.49
黑龙江省	8922226	18.53	312651	47.13	351832	−6.98	115.36	53.78	7.07
上海市	14660336	10.05	1003009	−2.77	596652	15.79	114.36	54.88	8.04
江苏省	14332872	18.19	1237033	18.99	539834	7.72	119.74	58.4	7.84
浙江省	11611784	12.84	2935552	15.37	449700	12.44	114.34	57.03	8.85
安徽省	6343132	44.8	741734	−6.4	152423	24.76	130.13	64.01	6.35
福建省	12101806	19.22	3018393	10.67	326161	16.92	115.65	50.49	5.62
江西省	3416094	47.5	274122	124.84	176186	85.28	110.75	53.15	9.19
山东省	60592274	48.17	10375387	30.96	2238141	71.05	141.61	51.5	10.54
河南省	25252792	51.83	1170635	419.73	774100	68.49	127.82	62.85	10.2
湖北省	6497022	28.39	651827	48.04	323793	12.88	128.42	51.75	9.96
湖南省	10120475	35.9	781532	16.18	289251	−0.09	132.11	50.14	6.23
广东省	29700510	19.4	2787742	11.94	1655078	14.75	109.9	51.78	14.1
广西	1918626	30.15	307078	−4	61709	8.87	103.8	64.43	9.25
海南省	1094068	13.98	15924	4.87	61801	41.39	107.71	57.44	7.88
重庆市	1630292	15.94	132180	8.07	77368	6.28	107.86	59.9	10.09
四川省	7250194	38.28	320991	31.82	197802	49.11	162.3	52.65	5.45
贵州省	1258095	13.5	54773	68.35	66750	−5.64	103.91	55.04	19.73
云南省	1039426	17.75	87837	37.83	33257	−3.13	100.13	68.98	5.23
西藏	43993	12.19	0	0	2772	0.29	100.07	6.03	15.17
陕西省	4043112	30.13	10950	179.48	91392	−8.74	118.06	51.27	4.51
甘肃省	1072811	21.5	222990	10.48	31410	22.97	108.07	61.6	3.53
青海省	100485	75.27	0	0	3543	15.6	138.46	52.46	7.32
宁夏	1146652	23.18	5930	0	40474	11.9	124.61	63.65	6.72
新疆	1898051	−4.25	393300	−51.61	65565	9.36	116.35	67.72	5.83

2006年1-8月食品制造业主要经济效益指标（6）

	资金利润率	流动资周转次数	成本费用利润率	人均销售率	产成品资金占用率	分组代码	地区代码
	(%)	(次)	(%)	(元)	(%)		
全国	13.87	2.6	5.83	344124.73	14.6	00	00
北京市	5.89	2.03	-0.69	323000.05	12.8	00	11
天津市	7.13	1.93	2.14	313876.22	7.74	00	12
河北省	16.96	4.13	5.66	370212.36	10.91	00	13
山西省	4.79	1.65	2.82	162631.76	29.09	00	14
内蒙	18.58	3.74	5.63	774432.73	18.54	00	15
辽宁省	8.46	2.64	3.49	284625.72	12.13	00	21
吉林省	6.05	3.5	2.95	411545.2	15.74	00	22
黑龙江省	10.55	2.67	3.86	357062.41	17.56	00	23
上海市	8.4	1.81	3.61	455634.85	8.49	00	31
江苏省	8.83	1.76	4.42	383380.3	10.39	00	32
浙江省	10.67	1.9	5.14	316121.23	16.3	00	33
安徽省	5.14	1.59	4.17	248046.72	11.57	00	34
福建省	9.87	2.56	3.71	264185.91	25.38	00	35
江西省	19.8	4.05	4.86	242392.91	16.54	00	36
山东省	22.75	3.76	7.88	441088.93	15.75	00	37
河南省	17.73	2.77	8.27	275037.53	8.47	00	41
湖北省	16.26	2.93	5.6	251139.84	24.05	00	42
湖南省	17.44	4.06	4.37	280889.01	12.42	00	43
广东省	19.97	2.13	9.76	377540.97	13.45	00	44
广西	13.29	1.86	8.13	140082.84	21.63	00	45
海南省	12.04	2.05	1.28	450155.64	16.13	00	46
重庆市	13.56	2.32	5.42	225530.88	9	00	50
四川省	9.14	3.16	3.25	247586.06	21.93	00	51
贵州省	37.5	3.42	19.39	190915.17	17.47	00	52
云南省	4.68	1.64	1.62	157718.79	11.61	00	53
西藏	8.54	3.58	13.51	281270.27	31.99	00	54
陕西省	8.07	2.92	3.07	258071.21	24.01	00	61
甘肃省	3.9	1.7	0.52	213830.42	18.58	00	62
青海省	13.27	1.99	9.82	128040.46	20.09	00	63
宁夏	8.65	2.61	3.46	309560.35	18.47	00	64
新疆	3.38	1.07	4.37	282525.33	40.19	00	65

2006年1–8月农副食品加工业主要经济效益指标（1）

	企业	亏损企业	亏损企业	亏损总额比	应收帐款	应收帐款净额	产成品	产成品比去	流动资产
	（个）	（个）	（千元）	（%）	（千元）	（%）	（千元）	（%）	（千元）
全国	15252	2702	3565856	15.87	52715377	17.61	57898455	14.92	315667889
北京市	211	107	86086	29.34	1234679	21.13	597244	9.98	4819470
天津市	158	51	163702	−20.14	1061558	41.81	487814	−7.63	6458039
河北省	580	102	86574	−6.59	1748137	−5	1941985	4.72	10006271
山西省	130	44	41457	47.52	446000	28.5	637960	10.48	2906656
内蒙	343	86	238945	456.26	957797	17.56	1202407	8.07	5842088
辽宁省	879	189	392436	25.94	3019446	21.01	3791795	0.77	14861438
吉林省	306	56	203913	54.35	1199863	10.55	2365082	65.08	7249933
黑龙江省	373	92	162183	44.54	1360649	18	2309125	16.54	11280609
上海市	179	64	126791	−29.68	1416338	9.85	922744	5.85	6455821
江苏省	1099	130	264441	77.44	3713156	8.74	2883593	−4.52	20852649
浙江省	787	178	145444	−10.09	3291425	14.88	3777271	9.91	15866100
安徽省	551	142	108605	63.35	862780	−4.33	1343639	4.61	7164707
福建省	636	139	222039	7.21	2798994	25.23	2544509	1.7	15547566
江西省	283	44	20091	−4.84	555726	40.13	572634	6.14	3101481
山东省	3314	232	311664	41.38	10152951	18.28	12126036	12.7	78996849
河南省	1288	77	120958	28.44	2441297	12.8	2353772	30.18	17781907
湖北省	665	110	97579	−8.8	1218375	46.58	2116802	39.51	7973388
湖南省	533	66	63725	20.94	1095439	45.86	988527	25.89	5585771
广东省	726	207	205257	−31.06	5572033	2.57	4195123	16.45	23986262
广西	340	75	49714	−22.21	2706288	27.4	3555303	46.18	16869071
海南省	66	14	42037	105.34	502280	32.05	351564	24.45	1861229
重庆市	144	32	19758	96.23	276863	46.11	322863	19.22	1956976
四川省	739	141	95759	25.77	1698801	24.56	2303226	22.12	9548441
贵州省	132	68	23356	−55.92	115557	17.94	217756	12.68	816676
云南省	161	57	125810	10.33	588716	37.53	1570933	12.6	5781509
西藏	12	4	416	235.48	14176	−54.4	3081	−36.66	90158
陕西省	188	60	32314	−31.1	333844	5.09	824027	70.15	2895706
甘肃省	181	39	27295	−1.68	974813	6.84	750950	12.07	4700857
青海省	33	9	6119	−9.21	60191	65.13	46153	−48.44	168561
宁夏	54	16	13638	0.59	138852	42.9	123956	33.6	608240
新疆	161	71	67750	−29.14	1158353	144.08	670581	1.83	3633460

2006年1-8月农副食品加工业主要经济效益指标（2）

	流动资产平均余额比去年同期增长	固定资产净值平均余额	固定资产净值平均余额比去年同期增长	资产总计	资产总计比去年同期增长	负债合计	负债合计比去年同期增长	产品销售收入	产品销售收入比去年同期增长
	（%）	（千元）	（%）	（千元）	（%）	（千元）	（%）	（千元）	（%）
全国	19.38	211653088	18.84	612598504	18.16	358410018	14.12	766647572	24.8
北京市	11.07	2656520	9.04	8687841	8.63	5050073	8.09	8896661	5.04
天津市	36.93	3054347	16.22	10427948	26.71	7676369	29.51	10158648	25.74
河北省	6.84	8062070	19.38	21421009	14.56	13189837	10.06	35154077	21.55
山西省	27.01	2714996	21.4	6324420	22.73	3779345	22.26	3231453	13.31
内蒙	15.55	5171991	23.81	14976105	11.43	7788943	13.59	12864288	39.84
辽宁省	6.49	13003069	27.97	33128374	15.59	18673599	4.58	39742746	28.65
吉林省	18.33	10221131	38.97	19630407	26.7	11631984	35.97	22911656	29.44
黑龙江省	22.61	9313479	30.55	22665334	17.7	15329029	15.29	20382098	17.69
上海市	28.16	2766509	29.09	10381653	6.65	5913527	−0.54	10163145	3.38
江苏省	22.81	10563136	13.06	35875421	16.82	23841487	14.86	55154045	29.76
浙江省	8.57	7956021	8.96	27800800	9.04	18116626	4.94	24825885	10.75
安徽省	22.73	4382160	25.95	13442479	22.41	7711422	11.78	13400638	12.77
福建省	23.81	6854701	13.02	25046401	19.44	15130681	22.17	25155914	15.75
江西省	21.52	2265877	15.08	6078556	17.34	3200486	20.03	9958543	34.22
山东省	27.12	50081534	24.62	146850248	26.9	80364651	19.05	227775462	31.08
河南省	21.01	13497343	18.02	36791086	20.62	19102549	10.72	66692592	33.86
湖北省	24.69	5520171	22.64	15500203	21.75	9331798	24.34	17031204	28.63
湖南省	14.78	5054858	26.44	14020006	22.5	7337295	21.91	18778533	15.87
广东省	6.52	11781920	−1.82	41090219	3.96	25577061	3.33	48931161	11.74
广西	28.97	12455530	13.08	33824876	19.76	18493261	16.02	26824749	30.15
海南省	26.29	1128710	−4.59	3512059	20.35	1795095	32.63	2568257	22.47
重庆市	11.06	1560584	31.75	4012821	11.69	2362899	−3.61	5611701	8.23
四川省	12.05	5751539	30.59	18549936	19.02	10728762	25.01	36473190	24.24
贵州省	19.71	676683	2.07	1717112	16.57	1127054	12.52	1578559	4.48
云南省	21.88	4941412	3.3	13311898	15.74	9464847	9.01	6560975	16.17
西藏	49.41	125283	−14.95	236114	−1.08	130872	−20.88	13244	−51.83
陕西省	30.68	2117662	12	5752709	20.06	3815831	19.28	5916624	16.49
甘肃省	3.95	4575507	4.68	12462419	2.74	6712443	1.78	3278387	−2.59
青海省	−30.51	191409	−36.75	494432	−20.22	226913	−31.75	272900	12.9
宁夏	35.15	699454	44.97	1763435	47.24	907042	25.97	1175879	42.68
新疆	6.08	2507482	6.25	6822183	9.67	3898237	1.06	5164358	19.11

2006年1–8月农副食品加工业主要经济效益指标（3）

	产品销售成本	产品销售成本比去年同期增长	产品销售费用	产品销售费用比去年同期增长	产品销售税金及附加	产品销售税金及附加比去年同期增长	管理费用	管理费用比去年同期增长	财务费用
	(千元)	(%)	(千元)	(%)	(千元)	(%)	(千元)	(%)	(千元)
全国	685427336	24.33	21632335	35.74	3104386	37.85	16782544	25.85	7402216
北京市	7900499	4.86	538755	15.39	5434	−19.66	322279	7.9	51638
天津市	9465480	28.32	367313	5.91	9295	−7.87	241039	17.54	105216
河北省	31693129	21.03	1025127	77.7	122653	26.64	526932	22.72	270294
山西省	2851396	15.41	82937	37.83	15760	31.36	102884	24.81	83977
内蒙	11790259	42.97	307772	−2.93	42505	89.16	336510	18.54	155357
辽宁省	35828446	29.45	871862	15.65	116185	68.47	711825	19.82	296343
吉林省	20655029	33.68	384655	36.7	44877	17.5	512932	41.07	277282
黑龙江省	18743970	18.51	523317	22.69	25291	−11.68	436885	23.75	321157
上海市	8879592	1.15	668459	39.05	12481	−31.28	333798	2.61	73552
江苏省	51101503	29.59	1277084	19.99	132557	26.82	971153	25.98	426095
浙江省	22613410	10.5	688199	5.48	60680	−21.89	715930	14.04	378098
安徽省	12163493	12.54	469230	18.43	45030	−12.74	299915	27.06	106577
福建省	23216693	15.96	562461	9.41	58658	19.85	625987	16.8	219979
江西省	9020642	35.79	242946	18.37	34807	52.27	185817	19.24	54826
山东省	203765182	29.66	6263570	78.38	1294045	59.57	4308670	39.53	2141313
河南省	58691079	31.44	2213682	38.8	352726	83.18	1002237	36.97	508006
湖北省	14928962	27.74	572430	49.89	143993	37.16	493685	31.46	217166
湖南省	16144012	29.44	720638	24.66	168304	−11.28	601293	48.28	184327
广东省	44383098	11.09	1040545	10.19	122633	−0.59	1133543	6.86	373505
广西	21153634	25.43	627506	7.85	95088	20.31	950836	19.25	439499
海南省	2287078	22.75	45854	2.66	4514	−24.21	96666	19.63	21745
重庆市	5086632	7.79	206899	16.67	12866	5.25	141230	7.09	38191
四川省	33277575	23.67	969464	23.77	92112	140.18	730283	36.67	220559
贵州省	1391165	1.69	58043	35.46	8833	1.02	55027	2.07	11423
云南省	4841588	5.97	300570	−4.65	42466	32.48	465511	19.2	165701
西藏	10216	−51.92	430	−69.99	32	−87.35	2382	6.24	367
陕西省	5275683	15.55	197515	31.62	7869	−44.71	126317	22.86	72231
甘肃省	2652054	−2.91	100597	16.87	16877	0.89	120609	13.04	71170
青海省	216593	−5.09	5273	−10.81	1756	−19.74	7657	−8.08	1268
宁夏	1064037	43.65	37582	22.4	2191	−22.66	34761	20.22	19752
新疆	4335207	11.45	261620	59.2	11868	16.58	187951	7.98	95602

2006年1-8月农副食品加工业主要经济效益指标（4）

	财务费用比去年同期增长	利润总额	去年同期利润总额	全部从业人员平均人数	全部从业人员平均人数比去年同期增长	工业总产值（当年价格）	工业总产值（当年价格）比上年同期增长	工业总产值（不变价格）	工业总产值（不变价格）比上年同期增长
	（%）	（千元）	（千元）	（人）	（人）	（千元）	（%）	（千元）	（%）
全国	25.41	30087856	20521497	2250677	10.29	802260441	26.63	0	0
北京市	-7.4	156467	189507	32712	3.18	8441809	3.22	0	0
天津市	50.83	98225	63899	20643	0.95	9962650	32.61	0	0
河北省	31.87	1499075	1071612	83666	11.76	36841507	24.99	0	0
山西省	5.59	76082	84571	20589	0.33	3708231	21.01	0	0
内蒙	32.21	155409	196478	45452	-1.31	13582611	42.01	0	0
辽宁省	8.75	743771	794848	120337	11.68	45872111	40.07	0	0
吉林省	30.78	891017	1034723	54691	12.08	24380340	25.6	0	0
黑龙江省	15.22	316535	338818	62360	7.09	19803707	14.66	0	0
上海市	12.64	281871	97999	19403	-17.71	9675089	4.07	0	0
江苏省	41.1	1027479	783339	109465	4.59	56520804	27.56	0	0
浙江省	22.36	535641	414509	76584	4.09	26124914	10.69	0	0
安徽省	6.31	283728	289958	59007	6.35	14306851	12.57	0	0
福建省	13.41	382210	310874	86370	5.29	26726342	15.55	0	0
江西省	25.91	222713	159118	26743	6.13	9871364	23.41	0	0
山东省	34.74	11544489	7584682	642367	16.98	236372380	31.04	0	0
河南省	30.54	4174627	2490494	196257	14.6	66845888	32.98	0	0
湖北省	30.3	373958	233723	69549	17.39	18838275	31.82	0	0
湖南省	31.99	404064	335122	50768	9.37	20999412	34.42	0	0
广东省	16.9	1027206	786026	117484	4.72	51135097	14.67	0	0
广西	24.29	3664082	2034359	86379	5.35	29252194	49.05	0	0
海南省	37.87	111081	101746	13794	12.58	2712796	26.54	0	0
重庆市	25.83	99933	116054	20387	7.88	5608510	8.8	0	0
四川省	34.75	782388	663662	96549	17.82	38643391	24.71	0	0
贵州省	-21.01	8207	-22262	9894	1.97	1845783	16.22	0	0
云南省	0.18	774853	199328	37409	0.19	8353305	21.32	0	0
西藏	312.36	3241	2450	564	87.38	45935	41.81	0	0
陕西省	31.84	85459	62963	27815	11.57	6495132	20.76	0	0
甘肃省	-22.32	72329	93937	39007	2.04	3935183	9.32	0	0
青海省	-51.4	-620	-272	1809	-15.47	285139	27.86	0	0
宁夏	19.06	29630	11447	4999	36.88	1109070	28.25	0	0
新疆	13.19	262706	-2215	17624	-2.98	3964621	8.4	0	0

2006年1-8月农副食品加工业主要经济效益指标（5）

	工业销售产值（当年价格）	工业销售产值（当年价格）比上年同期增长	出口交货值	出口交货值比上年同期增长	税金总额	税金总额比去年同期增长	资本保值增值率	资产负债率	产值利税率
	（千元）	（%）	（千元）	（%）	（%）	（%）	（%）	（%）	（%）
全国	785484285	26.59	79407513	23.58	13601452	40.87	124.38	58.51	5.38
北京市	8291885	3.17	551611	-18.47	124903	10.83	109.38	58.13	3.09
天津市	10198160	27.33	471450	-3.11	66851	5.49	119.48	73.61	1.66
河北省	36688586	26.4	1429331	-7.55	496550	25.43	122.6	61.57	5.27
山西省	3508270	17.03	48164	26.64	48313	12.35	123.43	59.76	3.32
内蒙	13255968	41.17	158768	22.37	211955	78.98	109.18	52.01	2.64
辽宁省	44748137	42.16	5997781	24.07	360495	28.96	133.78	56.37	2.38
吉林省	23860435	27.77	1526944	26.47	128434	-17.36	115.27	59.25	4.02
黑龙江省	19842097	18.97	809847	79.79	221944	8.02	123.07	67.63	1.96
上海市	9558371	3.25	964065	0.9	134592	8.36	117.93	56.96	4.3
江苏省	55451542	28.83	3367075	13.8	792403	45.4	120.91	66.46	3.21
浙江省	24898148	9.53	7794565	13.13	418281	17.92	117.65	65.17	3.63
安徽省	14023013	15.66	572355	33.67	188595	20.36	140.38	57.37	3.25
福建省	25683763	14.19	7323942	13.01	253123	53.71	115.5	60.41	2.25
江西省	9853041	24.05	829216	40.06	112522	29.98	114.48	52.65	3.4
山东省	233172264	31.77	36617983	33.7	4630539	56.7	137.89	54.73	6.84
河南省	66506850	38.62	1262144	7.66	1539449	70.39	133.5	51.92	8.55
湖北省	18184225	30.34	793635	34.65	330055	48.19	118.04	60.2	3.63
湖南省	20921532	33.08	466673	64.3	313687	-1.17	123.15	52.33	3.36
广东省	49106402	9.61	5863995	17.05	680595	16.05	105	62.25	3.32
广西	27205905	33.41	197792	9.75	1350939	29.23	124.6	51.67	17.14
海南省	2570361	29.22	712974	86.01	89271	-5.62	109.72	51.11	6.85
重庆市	5530799	8.29	251754	14.35	71430	11.6	144.58	58.88	2.93
四川省	37833894	24.51	773260	-9.73	390013	89.63	111.69	57.84	2.83
贵州省	1689484	6.64	13651	204.37	24977	0.85	125.18	65.64	1.62
云南省	6708509	15.24	280401	30.85	337078	47.52	136.46	71.1	13.19
西藏	26996	13.38	0	0	343	35.57	143.6	55.43	7.8
陕西省	6130233	18.01	2018	-33.29	40039	-6.75	121.64	66.33	1.59
甘肃省	3878238	7.19	173487	35.52	49644	-0.98	103.89	53.86	3.06
青海省	308730	26.2	0	0	2753	-4.18	93.13	45.89	0.4
宁夏	1083924	23.56	26481	-15.17	12130	42.61	179.3	51.44	3.38
新疆	4764523	20.3	126151	7.39	179549	85.74	123.71	57.14	10.61

2006年1–8月农副食品加工业主要经济效益指标（6）

	资金利润率	流动资周转次数	成本费用利润率	人均销售率	产成品资金占用率	分组代码	地区代码
	(%)	(次)	(%)	(元)	(%)		
全国	12.27	3.64	4.11	510944.64	18.34	00	00
北京市	5.24	2.77	1.78	407954.01	12.39	00	11
天津市	2.6	2.36	0.96	738166.55	7.55	00	12
河北省	16.13	5.27	4.47	630257.4	19.41	00	13
山西省	3.29	1.67	2.44	235425.69	21.95	00	14
内蒙	4.89	3.3	1.23	424545.28	20.58	00	15
辽宁省	5.87	4.01	1.97	495393.1	25.51	00	21
吉林省	8.41	4.74	4.08	628393.78	32.62	00	22
黑龙江省	2.83	2.71	1.58	490268.55	20.47	00	23
上海市	6.77	2.36	2.83	785688.68	14.29	00	31
江苏省	8.65	3.97	1.91	755776.44	13.83	00	32
浙江省	5.96	2.35	2.2	486248.14	23.81	00	33
安徽省	6.05	2.81	2.18	340653.77	18.75	00	34
福建省	4.02	2.43	1.55	436886.31	16.37	00	35
江西省	9.37	4.82	2.34	558569.14	18.46	00	36
山东省	18.79	4.33	5.33	531881.61	15.35	00	37
河南省	27.4	5.63	6.69	509734.11	13.24	00	41
湖北省	7.6	3.2	2.31	367320.97	26.55	00	42
湖南省	9.96	5.04	2.29	554833.74	17.7	00	43
广东省	7.12	3.06	2.19	624738.19	17.49	00	44
广西	25.65	2.39	15.81	465820.67	21.08	00	45
海南省	9.32	2.07	4.53	279279.8	18.89	00	46
重庆市	7	4.3	1.83	412888.19	16.5	00	50
四川省	10.71	5.73	2.22	566653.05	24.12	00	51
贵州省	3.01	2.9	0.54	239320.65	26.66	00	52
云南省	15.41	1.7	13.42	263077.4	27.17	00	53
西藏	2.5	0.22	24.2	35223.4	3.42	00	54
陕西省	3.1	3.06	1.51	319070.14	28.46	00	61
甘肃省	1.95	1.05	2.46	126069.18	15.97	00	62
青海省	0.47	2.43	−0.27	226285.24	27.38	00	63
宁夏	4.3	2.9	2.56	352834.27	20.38	00	64
新疆	10.28	2.13	5.38	439544.77	18.46	00	65

白酒数据

2006年一季度全国白酒数据

2006年一季度全国白酒产量总计115万吨，较去年同期下降6.2%，主要省份的产量依次为：山东21.4万吨，较去年同期下降9%；四川19.3万吨，较去年同期下降15%；安徽13万吨， 较去年同期下降9%；河南7.8万吨，较去年同期下降11%；江苏7.4万 吨，较去年同期下降11%。

从经济指标来看，税金总额较去年同期减少，而利润总额有所增加。税金总额25亿元，较去年同期下降8.9%，利润总额达到16.85亿元，比去年同 期增加1.85亿元。销售收入为147.7亿元，较去年同期下降4.37%， 销售收入利润率较去年同期下降1.7%。

2006年秋季全国糖酒商品交易会成交额十强单位

一、四川省代表团	14.1亿元
二、河南省代表团	11.44亿元
三、江苏省代表团	11.38亿元
四、河北省代表团	9.65亿元
五、上海市代表团	9.1亿元
六、山东省代表团	8.68亿元
七、浙江省代表团	7.61亿元
八、湖北省代表团	7.6亿元
九、广东代表团	7.35亿元
十、哈尔滨市代表团	6.35亿元

2005中国白酒工业百强企业和经济效益十佳企业

2005年度中国白酒工业百强企业名单和2005年度中国白酒工业经济效益十佳企业名单公布。这是中国食品工业协会和中国食协白酒专业委员会、国家统计局工业交通统计司在对2005年度全国白酒工业企业实际生产经营情况进行核实了解，并对企业综合实力作出评测后最终确定的。

十佳企业前三甲仍是四川宜宾五粮液集团有限公司、贵州茅台酒厂（集团）有限责任公司、四川剑南春集团有限责任公司。泸州老窖集团有限责任公司从2004年度全国白酒工业经济效益十佳企业名排第四位降到第六位，四川全兴股份有限公司在2004年度和2005年度十佳企业的排名中都是第五位。山西杏花村汾酒集团公司由2004年度中国白酒工业经济效益十佳企业排名第七位飚升至2005年度第四位。十佳企业排名中，新疆兵团农四师伊力特实业股份有限公司、安徽口子酒业股份有限公司、江苏洋河集团有限公司分别排名在第八、第九、第十位，与在2004年度的排序没有变化。

2005年度中国白酒百强企业为国家创造税收占全行业的80%，实现经济效益达到全行业90%，为国家经济和社会发展做出了重要贡献。

2005年度中国白酒工业百强企业名单

四川宜宾五粮液集团有限公司
贵州茅台酒厂（集团）有限责任公司
泸州老窖集团有限责任公司
四川剑南春集团有限责任公司
山西杏花村汾酒集团公司
安徽古井集团有限责任公司
四川沱牌集团有限公司
湖北枝江酒业股份有限公司
湖北稻花香集团
青岛琅岈台集团股份有限公司
安徽金种子集团有限公司
安徽口子酒业股份有限公司
江苏洋河集团有限公司
江西樟树四特酒业集团有限公司
北京红星股份有限公司
四川全兴股份有限公司
河南省宋河酒业有限公司
内蒙古河套酒业集团股份有限公司
四川郎酒集团有限责任公司
江苏双沟集团有限公司
安徽双轮酒业股份有限公司
陕西西凤酒股份有限公司
新疆兵团农四师伊力特实业股份公司
湖北白云边股份有限公司
四川省绵阳市丰谷酒业有限责任公司
江苏今世缘酒业有限公司
安徽迎驾酒业集团有限公司
山东省景阳岗酒业有限公司
山东泰山生力源集团股份有限公司
安徽井中集团
重庆市江津酒厂（集团）有限公司
四川省江口醇酒业集团
广东顺德酒厂有限公司
河北衡水老白干酿酒（集团）有限公司
北京顺鑫农业股份有限公司
牛栏山酒厂
安徽皖酒制造集团有限公司
山东大禹龙神酒业有限公司
重庆市太白酒厂
河南赊店酒业有限公司
四川小角楼酒业有限责任公司
四川省宜宾高洲酒业有限责任公司

山东古贝春有限公司
山东景芝集团有限公司
承德避暑山庄企业集团有限公司
广东省九江酒厂有限公司
山东扳倒井股份有限公司
内蒙古鸿茅实业股份有限公司
山东兰陵企业(集团)总公司
承德乾隆醉酒业有限公司
甘肃滨河九粮酒业有限责任公司
山东四君子集团有限公司
河南省张弓酒业有限公司
陕西省太白酒厂
江苏分金亭酒业有限公司
天津津酒集团有限公司
安徽文王酿酒股份有限公司
江苏汤沟两相和酒业有限公司
内蒙古鄂尔多斯集团公司
河北久久集团有限公司
济南趵突泉酿酒有限责任公司
山东省金贵酒业有限公司
赣南果业股份有限公司赣州酒业分公司
山东黄河龙集团有限公司
汝阳杜康（集团）总公司
河南林河集团有限公司
山东孔府家集团有限公司
内蒙古蒙古王酒业有限公司
山东高密市商羊神酒业有限公司
武汉天龙黄鹤楼酒业有限公司
河南省宝丰酒业有限公司
泸州华明酒业集团有限公司
湖南湘窖酒业有限公司
安徽省明光酒业有限公司
内蒙古骆驼酒业股份有限公司
江苏品王酒业有限公司
辽宁道光廿五集团满族酿酒有限责任公司
山东沂蒙老区酒业有限公司
甘肃皇台酿酒（集团）有限公司
河南仰韶酒业有限责任公司
黑龙江鹤城酒业有限公司
淮安古顺河酒业有限公司
亚洲酿酒（厦门）有限公司
河北刘伶醉酒厂
佛山市太吉酒厂有限公司
宁阳金彩山酒业有限公司
安徽金不换白酒集团
青海互助青稞酒有限公司
伊犁肖尔布拉克酒业有限责任公司
四川省文君酒厂有限责任公司
山东花冠酒业有限公司
内蒙古百年酒业有限责任公司
桂林三花股份有限公司
广西全州县湘山酒厂
江苏双沟酿酒厂
山东温河酒业集团股份公司
上海神仙酒厂
江西临川酒业有限公司
宜昌市关公坊酒业有限公司
长春榆树大曲（集团）有限公司
江苏五琼浆酒业有限公司

2005年度中国白酒工业经济效益十佳企业名单

四川省宜宾五粮液集团有限公司
贵州茅台酒厂（集团）有限责任公司
四川剑南春集团有限责任公司
山西省杏花村汾酒集团公司
四川全兴股份有限公司
泸州老窖集团有限责任公司
内蒙古河套酒业集团股份有限公司
新疆兵团农四师伊力特实业股份公司
安徽口子酒业股份有限公司
江苏洋河集团有限公司

2005年度中国主要省份白酒产量

2005年白酒总产量349.37万千升，同比增长15.03%，实现了自上世纪90年代中期以来最大的增长幅度。同时，全国白酒产量仍然集中在主要产区和骨干企业，白酒产量超过20万千升的有6个省，生产量累计为225.33万千升，占全国比重为64.50%，具体数据为：

地区	产量（万千升）	同比增长（%）
全国	349.37	15.03
山东省	66.34	11.44
四川省	57.83	11.62
河南省	27.71	31.20
辽宁省	26.16	46.80
江苏省	24.85	19.93
安徽省	22.43	11.43

2005年拥有市场知名品牌的白酒骨干企业生产量同比均有所增加，产量较大的10家知名企业完成产量53.29万千升，占全行业总产量15.27%，具体数据是：

2005年度中国白酒行业产量前10位的企业

企业名称	产量（万千升）	同比增长（%）
四川省宜宾五粮液集团有限公司	16.49	22.62%
四川剑南春集团有限责任公司	6.00	3.45
泸州老窖集团有限责任公司	5.32	12.77
北京红星股份有限公司	4.74	27.03
湖北枝江酒业股份有限公司	4.47	40.63
山西省杏花村汾酒集团公司	4.39	15.79
北京牛栏山酒厂	3.12	19.23
湖北稻花香集团	3.00	36.36
江苏双沟集团有限公司	2.97	26.92
江苏洋河集团有限公司	2.79	30.99

2005年度白酒行业销售收入前10位企业

企业名称	销售收入（亿元）	同比增长（%）
四川省宜宾五粮液集团有限公司	156.56	13.37
贵州茅台酒厂（集团）有限责任公司	41.90	28.26
泸州老窖集团有限责任公司	23.57	21.05
四川剑南春集团有限责任公司	22.27	9.95
山西省杏花村汾酒集团公司	18.90	23.30
安徽省古井集团有限责任公司	15.54	10.16
四川沱牌集团有限公司	9.90	7.29
湖北枝江酒业股份有限公司	9.32	29.85
湖北稻花香集团	7.48	43.14
安徽金种子集团有限公司	7.00	55.49

1996—2005全国白酒行业利税最大企业排行榜

1996年（利税）

企业名称	利税总额（万元）
四川五粮液酒厂	74704
安徽古井酒厂	55864
四川泸州老窖酒厂	55754
山东孔府宴酒厂	32068
四川全兴酒厂	31508
安徽高炉酒厂	29871
贵州茅台酒厂	28700
安徽种子酒厂	27179
山西杏花村酒厂	26231
四川剑南春酒厂	25241
山东孔府家酒厂	22688
山东兰陵酒厂	22516
山东秦池酒厂	22016
湖南湘泉酒厂	21839
四川沱牌曲酒厂	21457
江苏洋河酒厂	20605
山东景芝酒厂	19060
四川郎酒厂	15075
山东泰山酿酒公司	14408
江苏双沟酒厂	14075

1997年白酒行业前二十位企业利税

企业名称	利税总额（万元）
四川五粮液酒厂	114288
四川泸州老窖集团有限公司	63858
安徽古井贡酒股份有限公司	51576
四川全兴酒厂	45954
四川剑南春集团有限公司	41795
湖南湘泉集团有限公司	39969
贵州茅台酒厂（集团）有限公司	39418
安徽种子酒总厂	30802
安徽高炉酒厂	30001
四川沱牌曲酒股份有限公司	27863
山西省杏花村汾酒集团公司	27230
山东兰陵企业（集团）有限公司	24299
四川古蔺县郎酒厂	20001
山东景芝酒业股份有限公司	19360
江苏洋河集团有限公司	19014
安徽沙河酒厂	17445
江苏双沟酒业集团有限公司	16613
新疆伊犁酿酒总厂	16406
北京牛栏山酒厂	15656
山东秦池酒厂	15163

1998年白酒行业前二十位企业利税

企业名称	利税总额（万元）
四川五粮液酒集团有限公司	124377
湖南湘泉集团有限公司	54616
四川剑南春集团有限公司	47551
安徽古井贡酒股份有限公司	46374
四川成都全兴酒厂	46031
四川泸州老窖集团有限公司	42746
贵州茅台酒厂（集团）有限公司	41493
安徽种子酒总厂	30001
四川沱牌曲酒股份有限公司	24907
山东兰陵企业（集团）有限公司	21659
山东景芝酒业股份有限公司	19399
新疆伊犁酿酒总厂	17685
北京牛栏山酒厂	17336
江苏双沟酒业集团有限公司	16006
江苏洋河集团有限公司	15103
四川古蔺县郎酒有限责任公司	13727
山西省杏花村汾酒集团公司	13695
安徽高炉酒厂	13177
山东省金贵酒厂	12897
河南仰韶集团有限公司	12439

1999年白酒行业前二十位企业利税

企业名称	利税总额（万元）
四川五粮液酒集团有限公司	171403
贵州茅台酒厂（集团）有限公司	63425
湖南湘泉集团有限公司	58100
四川成都全兴酒厂	53376
四川剑南春集团有限公司	51917
四川泸州老窖集团有限公司	48875
安徽古井贡酒股份有限公司	44319
四川沱牌曲酒股份有限公司	21998
安徽种子酒总厂	21467
山东兰陵企业（集团）有限公司	20950
山东景芝酒业股份有限公司	20062
新疆伊力特实业股份有限公司	18546
四川古蔺县郎酒有限责任公司	18546
河南仰韶集团有限公司	17708
山西省杏花村汾酒集团公司	17066
安徽高炉酒厂	16100
北京牛栏山酒厂	15442
江苏双沟酒业集团有限公司	13964
江苏洋河集团有限公司、	13576
邯郸丛台酒业股份有限公司	13154

2001年白酒利税较好的部分企业

企业名称	利税总额（万元）
四川五粮液酒集团有限公司	280869
贵州茅台酒厂（集团）有限公司	128365
四川剑南春集团有限公司	53619
四川泸州老窖集团有限责任公司	41784
四川成都全兴酒厂	32030
安徽古井贡酒有限公司	29032
湖南湘泉集团有限公司	25566
山西省杏花村汾酒集团公司	24953
四川沱牌集团有限公司	20029
北京红星股份有限公司	19310
新疆兵团农四师伊犁酿酒总厂	18715
淄博中轩实业集团总公司	15822
山东兰陵企业（集团）有限公司	12569
广东省九江酒厂有限公司	11909
顺德酒厂有限公司	11793
江苏双沟酒业集团有限公司	11714
安徽迎架酒业股份有限公司	11700
四川绵阳丰谷酒业有限公司	11616
江苏洋河集团有限公司	10621
安徽金种子集团有限公司	10526

2003年实现利税最大的10家企业

企业名称	利税额（亿元）
五粮液	34.06
茅台	17.17
剑南春	6.95
泸州老窖	4.15
杏花村汾酒	3.78
古井	2.49
红星	2.34
沱牌	2.06
新疆伊犁	1.82
口子窖	1.79

2004年度全国白酒行业利税前10位的企业

企业名称	利润总额	同比增长（%）
四川省宜宾五粮液集团有限公司	38.16	12.04
中国贵州茅台酒厂（集团）有限责任公司	24.10	40.99
四川剑南春集团有限责任公司	8.76	25.97
山西省杏花村汾酒集团公司	4.32	11.88
泸州老窖集团有限责任公司	4.12	9.02
四川全兴股份有限公司	2.89	848.94
北京红星股份有限公司	2.33	-0.40
安徽省古井集团有限责任公司	2.18	-12.44
内蒙古河套酒业集团股份有限公司	2.07	28.15
四川沱牌集团有限公司	2.01	-2.49

2005年，白酒行业实现利税总额190.77亿元，同比增长20.59%。其中，完成税金117.57亿元，同比增加17.62%；实现利润73.19亿元，同比增加25.69%。

2005年度中国白酒行业利税总额前10位的企业

企业名称	利税总额（亿元）	同比增长（%）
四川省宜宾五粮液集团有限公司	41.86	9.68
贵州茅台酒厂（集团）有限责任公司	32.09	33.14
四川剑南春集团有限责任公司	9.38	15.65
山西省杏花村汾酒集团公司	6.54	25.32
泸州老窖集团有限责任公司	5.30	28.73
四川全兴股份有限公司	3.48	10.72
北京红星股份有限公司	2.78	19.63
安徽省古井集团有限责任公司	2.43	11.45
安徽口子酒业股份有限公司	2.36	25.31
内蒙古河套酒业集团股份有限公司	2.28	10.33

1992—2005年全国白酒产量（商品量）

单位：万吨

1992年	547.43
1993年	593.67
1994年	651
1995年	651.26
1996年	791.01
1997年	801.30
1998年	781.73
1999年	574.16
2000年	502.26
2001年	476.11
2002年	420.19
2003年	331.35
2004年	312
2005年	349.37

2005年1—12月份全国白酒制造业经济指标统计(1)

单位：千元、%

地区名称	利润总额		税金总额	
	本月止累计	去年同期	本月止累计	同比增长
全国	6322431	4993200	10285585	18.94
北京市	30955	34353	326478	20.6
天津市	10652	14656	80735	4.57
河北省	78083	35984	333063	44.14
山西省	289414	182893	486131	37.22
内蒙古	124700	115833	303246	16.89
辽宁省	39686	14352	100603	29.96
吉林省	11414	−5309	43672	−23.89
黑龙江	15044	11405	110270	7.74
上海市	245	−654	8177	−10.34
江苏省	107502	63845	480744	32.21
浙江省	48181	19634	10581	68.3
安徽省	157137	129477	694743	18.38
福建省	5426	5211	48535	16.88
江西省	35311	18701	224721	26.29
山东省	394774	225647	972205	23.73
河南省	159264	71819	280966	48.63
湖北省	86161	59650	268143	20.43
湖南省	−155001	52885	127288	−5.78
广东省	42779	31070	343649	11.04
广西区	30927	5863	71548	59.77
海南省	990	133	18290	26407.25
重庆市	23117	26499	53367	19.79
四川省	3113492	2855013	3349735	16
贵州省	1553963	960043	1165080	10.59
云南省	394	−20	5255	−2.05
陕西省	19327	11678	145428	32.4
甘肃省	8453	4005	80467	−19.08
青海省	−2827	−19405	34325	−31.89
宁夏区	28870	16337	16013	−1.95
新疆区	63998	51602	102127	30.52

2005年1—12月份全国白酒制造业经济指标统计(2)

单位：个、千元

地区名称	企业单位数	亏损企业单位数	亏损企业亏损总额	
	本月止累计.	本月止累计	本月止累计	同比增长
全国	934	173	507615	185842
北京市	8	3	8392	7531
天津市	7	1	2201	2201
河北省	54	15	47050	10903
山西省	14	3	16226	14609
内蒙古	39	9	10063	−8516
辽宁省	45	8	8508	599
吉林省	35	7	10755	−13250
黑龙江	37	13	8265	2606
上海市	2	1	411	−717
江苏省	61	2	847	−1861
浙江省	6	0	0	0
安徽省	50	17	57624	9657
福建省	10	3	686	111
江西省	21	4	6753	−5920
山东省	139	16	36187	8624
河南省	76	0	0	−1294
湖北省	30	8	20135	2514
湖南省	23	3	178312	177189
广东省	26	4	270	−950
广西区	8	2	302	179
海南省	2	0	0	0
重庆市	8	1	258	143
四川省	121	18	13787	−631
贵州省	50	10	34916	−14026
云南省	8	4	3251	919
陕西省	19	6	9420	3862
甘肃省	16	6	4452	−104
青海省	3	3	2827	−16588
宁夏区	6	2	1305	663
新疆区	10	4	24412	7389

2005年1—12月份全国白酒制造业经济指标统计(3)

单位：千元

地区名称	产成品		产品销售收入	
	本月止累计	去年同期	本月止累计	去年同期
全国	7136741	6681111	63397855	52237978
北京市	103591	64175	888596	716199
天津市	27050	26899	359364	352766
河北省	276081	269118	1394436	1097983
山西省	343878	310518	1903648	1525135
内蒙古	252484	242380	1600885	1235385
辽宁省	88166	98633	889305	636094
吉林省	230327	255796	454578	418473
黑龙江	109755	100189	828937	757227
上海市	44502	40481	61946	68427
江苏省	248636	225587	3013983	2349295
浙江省	11273	10603	165768	115987
安徽省	1061217	1010981	4561924	3857109
福建省	11446	4888	156465	127414
江西省	115219	178407	862852	762164
山东省	1026216	882513	7989046	6096508
河南省	213841	176209	3051205	2025924
湖北省	207817	186636	2199699	1645132
湖南省	212229	140660	702146	706380
广东省	55928	53877	910395	802564
广西区	31396	24185	202375	128595
海南省	8605	244	85849	4004
重庆市	24954	24496	645104	484995
四川省	1375320	1324173	24265573	21247776
贵州省	406728	396374	4089351	3270365
云南省	17421	15194	60089	60214
陕西省	356346	276785	798193	554712
甘肃省	95657	104796	452058	418910
青海省	22472	76633	82347	172661
宁夏区	32479	20323	176039	137487
新疆区	125707	139358	545699	462093

2005年1—12月份全国白酒制造业经济指标统计(4)

单位：%

地区名称	资本保值增值率	资产负债率	产值利税率	资金利润率
全国	105.88	48.81	9.97	7.53
北京市	97.9	56.94	3.48	3.17
天津市	111.3	66.52	2.96	3.05
河北省	106.7	65.15	5.6	3.17
山西省	112.35	52.81	15.2	11.32
内蒙古	107.2	57.25	7.79	7.45
辽宁省	90.41	75.49	4.46	6.52
吉林省	88.57	76.38	2.51	1.62
黑龙江	100.87	63.17	1.81	2.05
上海市	101.01	39.01	.4	.24
江苏省	108.4	66.29	3.57	3.32
浙江省	118.17	26.67	29.07	22.24
安徽省	100.1	61.73	3.44	1.79
福建省	117.15	34.05	3.47	4.4
江西省	80.72	66.84	4.09	4.58
山东省	104.26	65.27	4.94	4.51
河南省	97.86	60.09	5.22	6.22
湖北省	126.6	76.36	3.92	4.7
湖南省	103.4	52.71	−22.08	−7.89
广东省	89.25	44.44	4.7	6.95
广西区	127.08	41.81	15.28	13.89
海南省	41616.61	.31	1.15	.97
重庆市	126.5	56.96	3.58	5.11
四川省	104.65	32.12	12.83	10.17
贵州省	119.27	39.92	38	16.77
云南省	127.28	54.01	.66	.24
陕西省	112.89	85.96	2.42	2.32
甘肃省	101.45	61.6	1.87	.6
青海省	68.78	66.43	−3.43	−1.3
宁夏区	130.45	43.22	16.4	6.78
新疆区	100.42	41.7	11.73	5.51

黄酒数据

1992—2005 全国黄酒产量(商品量)

单位：万吨

年份	产量
1992 年	93.36
1993 年	103.61
1994 年	104.80
1995 年	132.72
1996 年	119.70
1997 年	121.58
1998 年	140.00
1999 年	140.00
2000 年	130.00
2001 年	130.00
2002 年	140.00
2003 年	160.00
2004 年	180 .00
2005 年	200.00

2005 年 1—12 月份全国黄酒制造业经济指标统计(1)

单位：千元

地区名称	产成品		产品销售收入	
	本月止累计	去年同期	本月止累计	去年同期
全国	1432062	1230220	3587382	3096372
北京市	5424	1313	32577	24828
内蒙古	1320	1464	8523	4786
吉林省	90	83	4412	5872
黑龙江	1921	0	4735	0
上海市	177342	107018	693805	543627
江苏省	45416	53800	129708	104245
浙江省	1093896	969887	2276155	2135736
安徽省	41820	26935	119895	77042
福建省	22522	18726	20133	30025
江西省	0	0	0	372
山东省	29408	35888	78583	21267
河南省	534	416	86864	32382
湖南省	210	200	12697	6350
广东省	7780	5359	37471	53398
广西区	2761	5945	10238	8202
海南省	0	0	0	0
四川省	516	678	69562	45053
贵州省	1102	2508	2024	3187

2005年1—12月份全国黄酒制造业经济指标统计(2)

单位：个、千元

地区名称	企业单位数	亏损企业单位数	亏损企业亏损总额	
	本月止累计	本月止累计	本月止累计	同比增长
全国	96	21	16481	6209
北京市	1	0	0	0
内蒙古	1	0	0	0
吉林省	1	0	0	0
黑龙江	1	1	71	71
上海市	5	0	0	0
江苏省	8	2	1264	932
浙江省	46	9	10287	6646
安徽省	4	1	252	252
福建省	6	3	2480	−1081
江西省	1	0	0	0
山东省	4	1	537	−1146
河南省	4	0	0	0
湖南省	1	0	0	0
广东省	4	0	0	0
广西区	2	2	1185	464
海南省	1	0	0	0
四川省	3	0	0	0
贵州省	3	2	405	71

2005年1—12月份全国黄酒制造业经济指标统计(3)

单位：千元、%

地区名称	利润总额		税金总额	
	本月止累计	去年同期	本月止累计	同比增长
全国	279170	234077	373783	11.34
北京市	1023	813	2608	−1.06
内蒙古	257	880	265	−25.56
吉林省	162	190	17	−91.9
黑龙江	−71	0	62	0
上海市	108803	77346	93225	18.01
江苏省	3805	5239	13519	12.33
浙江省	132207	134201	227947	9.97
安徽省	9082	5015	15768	38.51
福建省	−2009	−2869	1979	−80.67
江西省	0	0	0	−100
山东省	9163	−1422	3407	126.53
河南省	7949	2999	8063	173.51
湖南省	1026	557	590	168.18
广东省	7863	11010	2788	−41.72
广西区	−1185	−721	1214	17.07
海南省	0	0	0	0
四川省	1470	1171	2021	32.09
贵州省	−375	−332	310	−34.74

2005年1—12月份全国黄酒制造业经济指标统计(4)

单位：%

地区名称	资本保值增值率	资产负债率	产值利税率	资金利润率
全国	110.46	57.42	7.78	3.79
北京市	194.37	90.5	3.14	4.79
内蒙古	103.37	45	3.02	4.45
吉林省	100.19	10.27	3.67	2.52
黑龙江	108.97	.21	-1.5	-.74
上海市	121.27	54.79	15.68	15.4
江苏省	99.85	72.97	2.93	1.91
浙江省	113.91	55.79	5.81	2.41
安徽省	114.85	66.16	7.57	6.27
福建省	68.6	78.16	-9.98	-.45
江西省	100	102.06	0	0
山东省	174.92	53.34	11.66	5.6
河南省	113.4	32.56	9.15	46.03
湖南省	69.25	16.25	8.08	36.51
广东省	80.24	61.71	20.98	9.72
广西区	82.81	72.65	-11.57	-4.01
海南省	0	0	0	0
四川省	166.5	40	2.11	4.68
贵州省	96.3	136.05	-18.53	-2.58

葡萄酒数据

1980—2005全国葡萄酒产量（商品量）

单位：万吨

年份	产量	年份	产量	年份	产量
1992年	24.60	2001年	25.05	1986年	25.33
1993年	23.60	2002年	28.8	1987年	27.8
1994年	18.00	2003年	34.3	1988年	30.85
1995年	22.90	1980年	7.8	1989年	27.18
1996年	17.00	1981年	11.1	1990年	25.43
1997年	18.55	1982年	11.8	1991年	24.19
1998年	21.50	1983年	12.9	2004年	36.73
1999年	25	1984年	16	2005年	43.00
2000年	20	1985年	23.3		

2005年1—12月份全国葡萄酒制造业经济指标统计(1)

单位：个、千元

地区名称	企业单位数	亏损企业单位数	亏损企业亏损总额	
	本月止累计	本月止累计	本月止累计	同比增长
全国	120	31	127171	41003
北京市	3	1	2590	1401
天津市	7	0	0	0
河北省	21	10	10747	−1571
辽宁省	5	0	0	−428
吉林省	14	3	2777	−8625
上海市	2	1	1579	−111
江苏省	1	0	0	0
浙江省	1	0	0	−236
安徽省	1	1	2103	−1273
福建省	2	1	663	−524
山东省	34	3	3581	721
河南省	7	0	0	0
湖南省	1	0	0	0
广西区	4	4	2238	652
云南省	2	1	2387	2001
陕西省	3	0	0	0
甘肃省	5	0	0	−574
宁夏区	3	2	9178	1018
新疆区	4	4	89328	48552

2005年1—12月份全国葡萄酒制造业经济指标统计(2)

单位：千元

地区名称	产成品		产品销售收入	
	本月止累计	去年同期	本月止累计	去年同期
全国	1208158	1085709	9196488	6343631
北京市	41639	35549	169442	147573
天津市	151253	113297	1027863	867006
河北省	208543	209156	1289383	990477
辽宁省	5004	4279	65737	45821
吉林省	26433	18595	179662	108215
上海市	4763	6632	42502	39815
江苏省	0	16784	12509	10905
浙江省	1399	807	7026	6480
安徽省	14145	7486	13704	10790
福建省	417	263	5454	714
山东省	421664	486776	5662871	3572944
河南省	13040	11049	197013	164761
湖南省	0	764	10870	10040
广西区	12544	12663	16690	13188
云南省	36627	45246	70998	66137
陕西省	11318	7534	43600	23358
甘肃省	17472	18623	59638	54079
宁夏区	56053	56462	146126	123367
新疆区	185844	33744	175400	87961

2005年1—12月份全国葡萄酒制造业经济指标统计(3)

单位：千元、%

地区名称	利润总额		税金总额	
	本月止累计	去年同期	本月止累计	同比增长
全国	1119456	764914	1087308	31.31
北京市	9704	9755	29417	24.08
天津市	252429	242969	184376	11.38
河北省	131785	99774	192074	11.06
辽宁省	1833	382	4284	26.93
吉林省	1476	−8584	17548	33.94
上海市	3229	2209	7452	30.33
江苏省	764	40	558	−10.58
浙江省	361	−236	1758	36.92
安徽省	−2103	−3376	1987	26.4
福建省	165	−1187	696	880.28
山东省	784147	453081	562624	42.99
河南省	6728	4007	2692	−31.33
湖南省	100	90	1254	−22.21
广西区	−2238	−1586	2387	2.1
云南省	8274	1323	14023	19.97
陕西省	10870	4197	8594	122.87
甘肃省	2781	5419	5549	−27.91
宁夏区	−1521	−2587	7714	117.79
新疆区	−89328	−40776	42321	253.97

2005年1—12月份全国葡萄酒制造业经济指标统计(4)

单位：%

地区名称	资本保值增值率	资产负债率	产值利税率	资金利润率
全国	114.77	49.15	12.17	9.07
北京市	122.91	29.62	5.73	2.7
天津市	113.21	20.43	24.56	23.19
河北省	115.7	57.38	10.22	6.55
辽宁省	135.32	50.17	2.79	1.44
吉林省	97.42	30.43	.82	.18
上海市	107.64	70.49	7.6	6.08
江苏省	84.02	102.4	6.11	1.85
浙江省	113.55	11.1	5.14	6.7
安徽省	99.58	85.03	−15.35	−3.08
福建省	109	6.24	3.03	.44
山东省	116.29	39.61	13.85	18.66
河南省	104.1	23.09	3.42	4.6
湖南省	100	100	.92	.96
广西区	101.87	76.7	−13.41	−3.34
云南省	101.35	59.12	11.65	5.9
陕西省	107.69	40.49	24.93	15.44
甘肃省	98.35	39.28	4.66	.73
宁夏区	109.28	84.19	−1.04	−.32
新疆区	128.09	80.49	−50.93	−3.98

啤酒数据

1992—2005年全国啤酒产量（商品量）

单位：万吨

年份	产量	年份	产量	年份	产量
1992年	1020.7	1997年	1888.49	2002年	2386.83
1993年	1190.08	1998年	1987.67	2003年	2540
1994年	1414.24	1999年	2098.77	2004年	2910.05
1995年	1546	2000年	2300.76		
1996年	1681.91	2001年	2209.81		

2003－2004年全国各省啤酒产量（万kL）

省市名	04年产量总和	03年产量总和
北京	138.45	123.51
湖北	118.56	113.33
天津	17.17	17.33
湖南	43.96	42.21
河北	126.92	114.79
广东	253.68	213.79
山西	17.45	17.14
广西	46.76	40.33
内蒙古	51.29	43.54
海南	8.77	5.82
辽宁	171.58	149.38
重庆	46.21	45.10
吉林	86.65	81.54
四川	107.36	90.12
黑龙江	243.24	202.33
贵州	13.84	12.00
上海	59.16	43.40
云南	20.05	18.67
江苏	146.15	115.90
西藏	3.89	3.29
浙江	215.47	201.68
陕西	61.92	53.72
安徽	129.84	122.02
甘肃	29.58	23.85
福建	145.17	137.27
江西	48.41	45.31
宁夏	9.07	6.29
山东	374.73	321.70
新疆	24.59	22.38
河南	150.13	112.55
合计	2910.05	2540.48

2005年全国啤酒产量20（万kL）以上企业

序号	企业名称	2005年产量（kL）
1	青岛啤酒集团有限公司	4090386
2	华润雪花啤酒（中国）有限公司	3951236
3	北京燕京啤酒集团有限公司	3115570
4	河南金星啤酒集团有限公司	1577521
5	重庆啤酒（集团）有限责任公司	1435909
6	哈尔滨啤酒有限公司	1435909
7	广东珠江啤酒集团公司	1212126
8	福建雪津啤酒有限公司	838471
9	三得利啤酒（中国）投资有限公司	562962
10	深圳金威啤酒有限公司	523474
11	浙江金狮啤酒集团有限公司	507901
12	湖北金龙泉啤酒集团公司	427809
13	江苏大富豪啤酒有限公司	325500
14	河南月山啤酒股份有限公司	291460
15	河南维雪啤酒有限公司	281000
16	山东银麦啤酒有限公司	268268
17	新疆啤酒产业总公司	260649
18	百威（武汉）国际啤酒有限公司	259990
19	兰州黄河企业集团公司	250528
20	宁波英博啤酒酿造有限公司	246526
21	浙江石梁啤酒有限公司	244018
22	烟台啤酒朝日有限公司	239536
23	吉林四平金士百啤酒有限公司	229776
24	杭州西湖啤酒（朝日）有限公司	224980
25	河南奥克啤酒实业有限公司	212706

2005年1—12月份全国啤酒制造业经济指标(1)

单位：个、千元

地区名称	企业单位数	亏损企业单位数	亏损企业亏损总额	
	本月止累计	本月止累计	本月止累计	同比增长
全　国	560	200	1139606	-119098
北京市	8	6	90934	-34952
天津市	2	1	10940	-4899
河北省	27	20	163256	1018
山西省	7	3	14725	-371
内蒙古	17	2	1808	176
辽宁省	28	9	54990	18503
吉林省	15	8	120531	83011
黑龙江	44	16	38895	-5627
上海市	6	2	74720	-66238
江苏省	46	11	69113	-155489
浙江省	49	19	25430	298
安徽省	24	12	47539	17414
福建省	22	14	83845	11481
江西省	23	7	11405	10127
山东省	53	11	36837	6624
河南省	32	5	1769	-3688
湖北省	20	10	35562	-4723
湖南省	16	4	25924	464
广东省	23	7	116454	41479
广西区	4	1	17707	6900
海南省	1	1	5765	5765
重庆市	8	4	4320	428
四川省	23	3	3249	-10948
贵州省	7	1	11394	7548
云南省	10	6	32178	5139
西藏区	1	0	0	0
陕西省	5	1	8326	3844
甘肃省	24	9	7573	-55636
青海省	1	0	0	0
宁夏区	3	3	3098	3098
新疆区	11	4	21319	156

2005年1—12月份全国啤酒制造业经济指标(2)

单位：千元、%

地区名称	利润总额		税金总额	
	本月止累计	去年同期	本月止累计	同比增长
全国	3591349	2789691	11331372	11.63
北京市	173554	140550	594384	9.83
天津市	−2095	−15839	64095	5.75
河北省	−145187	−125168	472673	11.57
山西省	−5775	−6557	83569	12.91
内蒙古	94319	72894	246086	24.06
辽宁省	228044	223698	658155	9.99
吉林省	−95125	−12369	293882	.06
黑龙江	36761	13785	642716	11.87
上海市	−10805	−84368	219410	6.65
江苏省	120971	−59469	609314	6.76
浙江省	222631	188992	908658	10.83
安徽省	15634	13431	383663	7.67
福建省	270874	176203	637344	14.43
江西省	36433	52259	137357	11.11
山东省	636725	486474	1370376	11.19
河南省	163635	97878	440829	42.22
湖北省	289407	350579	544975	6.47
湖南省	17039	18096	134688	11.03
广东省	507064	509268	1101687	8.98
广西区	162328	133205	242532	21.17
海南省	−5765	204	68363	46.47
重庆市	89946	73965	235312	15.14
四川省	482177	329083	497603	16.75
贵州省	−8260	−3181	42372	7.16
云南省	8646	9135	81127	12.11
西藏区	50666	44242	15609	65.67
陕西省	122465	125117	287269	6.91
甘肃省	39683	−38640	142934	−2.38
青海省	393	0	4799	0
宁夏区	−3098	3962	36359	1.01
新疆区	98064	72262	133232	13.88

2005年1—12月份全国啤酒制造业经济指标(3)

单位：千元

地区名称	产成品		产品销售收入	
	本月止累计	去年同期	本月止累计	去年同期
全国	2334652	2310546	67149198	56945313
北京市	192714	150286	4151616	3424975
天津市	9862	5170	249926	222454
河北省	227295	162268	2163763	2034453
山西省	14740	13546	402751	347588
内蒙古	22591	23150	1059455	814161
辽宁省	69728	78074	3503229	3114666
吉林省	37722	36888	1205093	1149251
黑龙江	72866	66668	2819753	2514736
上海市	21854	37011	1365594	1121652
江苏省	139121	130010	3975556	3515060
浙江省	132966	209475	4539080	3873070
安徽省	65987	68546	1849982	1609280
福建省	44304	20983	2925059	2607329
江西省	82560	67278	863274	759563
山东省	224032	247639	9690446	7901014
河南省	111478	101179	3296707	2372358
湖北省	29881	30189	3430856	3190292
湖南省	28544	31399	1080859	870491
广东省	298378	331968	7869217	6470995
广西区	11389	6172	1391608	1138067
海南省	7504	69184	401976	228474
重庆市	7471	7409	997857	867483
四川省	90009	121063	3425716	2806758
贵州省	1289	4514	181035	183890
云南省	88446	73261	649895	615511
西藏区	18979	19223	156507	143216
陕西省	84300	83297	1457350	1353639
甘肃省	149104	91914	1325566	988594
青海省	931	0	39330	0
宁夏区	8037	5472	149087	143390
新疆区	40570	17310	531055	562903

2005年1—12月份全国啤酒制造业经济指标(4)

单位：%

地区名称	资本保值增值率	资产负债率	产值利税率	资金利润率
全国	105.05	54.46	5.35	4.43
北京市	105.68	42.45	4.18	3.12
天津市	97.63	90.35	−.84	−.55
河北省	103.82	95.14	−6.71	−3.05
山西省	101.96	69.78	−1.43	−1.54
内蒙古	116.43	46.95	8.9	6.99
辽宁省	101.9	53.26	6.51	4.36
吉林省	94	79.55	−7.89	−4.86
黑龙江	96.72	74.53	1.3	.87
上海市	102.78	65.99	−.79	−.58
江苏省	106.85	68.18	3.04	3.24
浙江省	107.21	57.49	4.9	4.58
安徽省	100.47	59.38	.85	.66
福建省	104.41	45.48	9.26	7.72
江西省	129.41	59.92	4.22	2.43
山东省	105.39	45.6	6.57	6.51
河南省	126.24	60.38	4.96	6.43
湖北省	99.21	35.87	8.44	7.58
湖南省	98.78	54.65	1.58	1.24
广东省	100.29	44.62	6.44	5.78
广西区	150.28	42.2	11.66	11.44
海南省	98.36	10.81	−1.43	.88
重庆市	96.26	58.95	9.01	6.8
四川省	106.25	50.87	14.08	12.43
贵州省	88.4	83.83	−4.56	−2.38
云南省	116.96	60.16	1.33	.57
西藏区	111.25	.36	32.37	14.73
陕西省	120.09	35.76	8.4	13.76
甘肃省	117.77	71.34	2.99	2.46
青海省	0	56.22	1	.46
宁夏区	125	51.04	−2.08	−1.22
新疆区	76.72	56.24	18.47	12.9

饮料数据

2005 年 1–12 月饮料制造业主要经济效益指标（1）

	企业单位数	亏损企业单位数	亏损企业亏损总额	亏损总额比去年同期增长	应收帐款净额	应收帐款净额比去年同期增长	产成品	产成品比去年同期增长	流动资产平均余额
	个	个	千元	%	千元	%	千元	%	千元
全国	3448	725	3323092	−6.68	22951395	8.9	21615543	19.9	167554140
北京市	71	30	130917	−25.23	695483	−7.09	815379	38.8	6794272
天津市	46	10	61582	−63.92	412048	6.01	477144	34.31	3525788
河北省	161	48	255698	15.96	862886	−1.93	959869	18.66	7867051
山西省	44	8	47930	206.44	203618	2.51	570613	5.25	2335143
内蒙	69	14	19378	72.65	255258	42.64	213536	−8.43	2155415
辽宁省	124	23	79299	48.95	398477	27.75	438229	5.83	4093096
吉林省	102	17	166609	−23.33	609484	8.81	420652	10.18	3122035
黑龙江省	120	32	61923	−62.79	418050	8.2	345757	−15.73	3348126
上海市	62	23	265421	−24.11	718810	7.45	529119	7.94	4975201
江苏省	193	34	166356	−40.52	1115722	−8.54	719031	−5.38	7749310
浙江省	288	47	84984	−33.54	1704570	19.38	1937851	11.58	12069341
安徽省	126	40	136681	−0.65	1496321	−4.16	1399964	−2.83	8157072
福建省	214	35	114837	−6.95	781514	32.34	432603	46.67	4184441
江西省	80	13	19477	0.06	215010	−3.28	264161	34.05	1760779
山东省	375	44	175787	−18.94	2423455	18.03	2931838	23.88	19678224
河南省	217	11	27780	142.13	1113497	−15.8	917614	30.53	6191079
湖北省	139	28	112565	−20.5	472192	29.93	447388	32.83	4882775
湖南省	115	18	279689	453.7	405389	−2.85	602731	60.98	2754921
广东省	202	62	536760	17.05	2500957	−4.69	1165050	8.93	15047860
广西	80	23	41040	33.94	247363	9.78	343725	106.33	1559320
海南省	19	8	19320	−73.88	400750	13.98	316643	10.27	2026470
重庆市	39	10	14790	−56.58	98345	5.84	142498	63.73	1456088
四川省	235	34	38215	−35.76	2291909	33.47	2040690	28.52	22544694
贵州省	84	25	60340	−7.67	1190100	32.09	431873	2.33	7644311
云南省	56	23	61005	14.82	331334	12.28	312705	29.98	1754209
西藏	2	0	0	0	4913	40.81	16298	−18.85	105278
陕西省	69	23	79164	30.52	788611	32.09	1340402	50.53	3618195
甘肃省	59	17	57847	−29.52	392636	−10.08	441521	27.05	2256558
青海省	7	5	27810	28.19	7911	228.39	28430	−63.31	151400
宁夏	19	7	21374	19.72	107638	174.95	136208	20.24	1176862
新疆	31	13	158514	37.65	287144	−0.77	476021	66.76	2568826

2005年1–12月饮料制造业主要经济效益指标（2）

	流动资产平均余额比去年同期增长	固定资产净值平均余额	固定资产净值平均余额比去年同期增长	资产总计	资产总计比去年同期增长	负债合计	负债合计比去年同期增长	产品销售收入	产品销售收入比去年同期增长
	%	千元	%	千元	%	千元	%	千元	%
全国	12.43	126781160	7.91	355543455	8.9	192098579	8.17	303643667	24.47
北京市	4.18	5203866	−1.25	17895097	5.13	8672317	4.54	10490982	16.4
天津市	16.62	2763645	5.22	7481646	12.09	4220392	5.84	6597070	25.47
河北省	11.81	5803553	1.69	15658511	2.13	12176069	10.64	13426983	19.92
山西省	8.92	1686266	4.45	4853182	13.46	2765206	10.16	3800896	26.15
内蒙	18.75	1354718	8.99	5070207	24.24	2779141	45.4	3583145	26.48
辽宁省	14.98	4327005	−4.06	9407854	−1.72	4999656	−5.85	7431393	26.58
吉林省	17.7	4111159	7.95	8058111	9.29	4731572	8.83	6015219	21.41
黑龙江省	12.83	4508188	1.14	8906096	4.9	6059112	7.77	7080570	7.49
上海市	3.72	3937575	6.63	10088209	3.7	5612266	11.27	10625918	10.44
江苏省	12.85	6196548	4.86	16760745	4.75	9391019	0.66	22487782	27.43
浙江省	23.18	8013670	0.24	23664653	6.48	14048755	8.01	27335866	18.09
安徽省	2.31	4900265	12.02	15051252	3.64	9563691	12.74	9356845	24.34
福建省	9.05	4329455	5.71	10012884	9.36	4818431	9.03	8983343	17.52
江西省	−2.01	1499158	7.48	4081259	−0.96	2418470	−4.37	3015691	23
山东省	15.95	12121168	11.26	38102948	9.18	20408648	0.3	38952723	40.86
河南省	18.4	4891328	10.07	13206665	19.57	8295463	14.57	16179466	55.01
湖北省	11.68	4616702	24.86	11198292	16.48	5865737	13.63	9826224	24.72
湖南省	6.62	2212469	2.31	6141231	6.75	3189614	10.9	4838661	33.76
广东省	3.13	10067341	1.07	31540124	7.54	16895123	8.68	30002048	18.19
广西	32.71	2200659	26.18	4570846	30.98	2274955	31.89	3556237	33.79
海南省	12.81	1195656	4.59	3494688	5.34	1371313	115.4	2534035	25.55
重庆市	12.72	1502819	12.53	3933754	14.47	2243451	21.12	3090886	31.49
四川省	11.66	16876417	15.96	46293459	8.52	17100780	2.5	35135761	18.1
贵州省	20.55	2644715	9.01	13885894	20.3	5974004	19.97	5251366	23.73
云南省	22	1524261	3.52	4211658	20.34	2662949	23.11	2341622	26.83
西藏	215.73	338503	196.49	474078	13.79	9239	−18.07	178358	9.97
陕西省	28.2	3454493	14.22	8783661	23.92	5784743	16.03	6057389	32.98
甘肃省	5.03	1725643	6.63	5003060	2.73	3071317	−5.79	2734924	26.74
青海省	−18.69	298842	83.77	492612	25.87	294563	−5.44	150833	−19.83
宁夏	28.14	485843	14.19	1982007	26.99	1177686	11.41	912393	17.1
新疆	19.22	1989230	23.45	5238772	5.07	3222897	9.01	1669038	10.57

2005年1—12月饮料制造业主要经济效益指标（3）

	产品销售成本	产品销售成本比去年同期增长	产品销售费用	产品销售费用比去年同期增长	产品销售税金及附加	产品销售税金及附加比去年同期增长	管理费用	管理费用比去年同期增长	财务费用
	千元	%	千元	%	千元	%	千元	%	千元
全国	212619083	26.87	33470633	16.29	15924867	15.28	16403911	11.5	3090068
北京市	7220552	16.54	1291071	13.12	671151	14.54	726343	6.85	125403
天津市	4267349	27.77	1157233	12.42	266087	23.48	305750	2.89	60360
河北省	10395882	18.83	892839	13.58	689312	15.89	528602	8.97	205034
山西省	2453346	25.66	300196	24.32	397019	9.93	273832	−7.64	62095
内蒙	2105881	24.68	252389	20.27	445500	38.62	270465	16.41	61358
辽宁省	5281807	34.67	613705	13.37	486320	12.03	530336	33.25	57282
吉林省	4430320	27.09	689364	23.43	334152	11.23	315287	−6.96	82116
黑龙江省	4907776	9.4	655860	−14.97	548223	4.04	579287	2.82	102528
上海市	5925085	8.6	2621587	19.8	208793	19.78	1133056	12.66	62801
江苏省	17742675	31.94	1949937	8.84	929069	9.6	756353	7.47	124202
浙江省	21451558	17.78	2772853	26.68	723699	10.29	990614	6.52	257539
安徽省	6468873	26.18	967735	6.3	799296	9.9	585381	13.11	166304
福建省	6678984	14.63	808275	13.85	485673	17.1	450233	25.07	79121
江西省	1901972	22.15	243931	39.33	244645	10.51	189944	−25.75	26419
山东省	29087809	45.76	2915024	30.91	1911902	15.52	1599513	10.54	407336
河南省	12842962	58.98	1029596	23.4	585057	37.95	522974	31.28	247305
湖北省	6068917	32.9	1632239	14.06	571016	18.93	516176	26.87	55254
湖南省	3494211	46.49	521754	17.23	256319	34.41	362881	24.54	75142
广东省	19767451	20.8	5116617	11.68	958726	12.54	1661059	12.53	140018
广西省	2540378	31.62	268409	31.18	226115	28.19	203245	20.92	38479
海南省	1764507	32.81	346051	−5.47	106734	6.79	228076	22.56	13210
重庆市	2076832	40.23	458982	18.85	166593	13.4	209610	20.67	52164
四川省	22909646	17.97	3867673	25.3	2356119	21.05	1990545	12.26	182713
贵州省	1216472	7.87	628017	−0.83	783722	3.21	520510	5.76	37367
云南省	1702185	23.49	229577	6.95	88524	22.09	171869	31.82	45509
西藏	100160	9.69	5232	10.05	572	−23.73	14442	15.01	592
陕西省	4165241	37.05	643915	8.37	280332	10.99	358883	44.08	108566
甘肃省	1975081	30.67	281872	35.08	169575	4.94	135047	−18.12	97229
青海省	82551	−26.95	4083	−79.01	36472	−4.15	29232	6.71	9268
宁夏	633257	25.01	75310	−35.18	49620	5.44	50317	−36.23	24025
新疆	959363	10.52	229307	24	148530	14.85	194049	12.94	83329

2005年1-12月饮料制造业主要经济效益指标（4）

	财务费用比去年同期增长	利润总额	去年同期利润总额	全部从业人员平均人数	全部从业人员平均人数比去年同期增长	工业总产值（当年价格）	工业总产值（当年价格）比上年同期增长	工业总产值（不变价格）	工业总产值（不变价格）比上年同期增长
	%	千元	千元	人	人	千元	%	千元	%
全国	2.9	21733156	16523668	875403	3.82	307351325	24.55	0	0
北京市	-27.36	828163	505399	26186	3.39	10428777	18	0	0
天津市	-28.21	523045	326856	12540	-0.55	6528430	21.37	0	0
河北省	10.74	555903	384730	41166	0.33	14638404	23.41	0	0
山西省	14.63	270587	185460	15376	-9.02	3534222	22.59	0	0
内蒙	2.11	331775	287229	19519	3.23	3851848	24.43	0	0
辽宁省	-26.84	401379	353456	24450	-0.63	7988524	24.07	0	0
吉林省	38.85	143766	47493	24896	-1.68	6782718	30.93	0	0
黑龙江省	-12.57	251286	78185	28636	-2.45	7319895	5.61	0	0
上海市	-21.06	601669	718758	14410	-2.63	10538471	8.4	0	0
江苏省	-7.81	1220736	817220	66702	11.56	23387796	29.78	0	0
浙江省	26.27	1305823	1177087	42747	5.69	20626456	19.88	0	0
安徽省	1.44	268343	139273	48211	-2.74	9090282	25.18	0	0
福建省	15.36	587170	400820	27213	7.07	9814409	19.38	0	0
江西省	-21.69	173817	139788	13840	-5.16	3322262	22.84	0	0
山东省	18.29	3086824	1988580	109808	4.53	37370695	32.91	0	0
河南省	43.5	1232303	586051	64260	10.99	17579152	53.92	0	0
湖北省	137.99	630646	559252	33259	13.21	11225995	28.72	0	0
湖南省	2.79	15243	174953	18947	3.29	5451942	40.83	0	0
广东省	-28.4	1819370	1822677	45140	5.26	29964751	17.69	0	0
广西	5.19	276096	198793	13848	14.01	3978683	37.93	0	0
海南省	40.55	89875	7800	3708	-6.51	2249292	9.85	0	0
重庆市	3.16	157033	114353	10020	8.98	3090498	31.4	0	0
四川省	-20.04	4142212	3691487	89522	1.69	36837257	20.31	0	0
贵州省	46.34	1984674	1308042	19894	-0.55	6408669	17.84	0	0
云南省	-5.17	141693	42000	12294	3.62	2549857	34.03	0	0
西藏	-50.58	60554	49062	617	1.65	222006	10.54	0	0
陕西省	7.11	402986	277495	19311	10.03	6307293	36.65	0	0
甘肃省	-6.4	21490	-19296	14517	11.12	2859013	19.37	0	0
青海省	-19.72	-23081	-21065	1311	-20.79	239310	-9.45	0	0
宁夏	12.48	98510	60967	5207	17.01	1200400	35.34	0	0
新疆	36.44	133266	120763	7848	-7.29	1964018	7.07	0	0

2005年1–12月饮料制造业主要经济效益指标（5）

	工业销售产值（当年价格）	工业销售产值（当年价格）比上年同期增长	出口交货值	出口交货值比上年同期增长	税金总额	税金总额比去年同期增长	资本保值增值率	资产负债率	产值利税率
	千元	%	千元	%	千元	%	千元	%	千元
全国	212619083	26.87	33470633	16.29	15924867	15.28	16403911	11.5	3090068
北京市	7220552	16.54	1291071	13.12	671151	14.54	726343	6.85	125403
天津市	4267349	27.77	1157233	12.42	266087	23.48	305750	2.89	60360
河北省	10395882	18.83	892839	13.58	689312	15.89	528602	8.97	205034
山西省	2453346	25.66	300196	24.32	397019	9.93	273832	−7.64	62095
内蒙	2105881	24.68	252389	20.27	445500	38.62	270465	16.41	61358
辽宁省	5281807	34.67	613705	13.37	486320	12.03	530336	33.25	57282
吉林省	4430320	27.09	689364	23.43	334152	11.23	315287	−6.96	82116
黑龙江省	4907776	9.4	655860	−14.97	548223	4.04	579287	2.82	102528
上海市	5925085	8.6	2621587	19.8	208793	19.78	1133056	12.66	62801
江苏省	17742675	31.94	1949937	8.84	929069	9.6	756353	7.47	124202
浙江省	21451558	17.78	2772853	26.68	723699	10.29	990614	6.52	257539
安徽省	6468873	26.18	967735	6.3	799296	9.9	585381	13.11	166304
福建省	6678984	14.63	808275	13.85	485673	17.1	450233	25.07	79121
江西省	1901972	22.15	243931	39.33	244645	10.51	189944	−25.75	26419
山东省	29087809	45.76	2915024	30.91	1911902	15.52	1599513	10.54	407336
河南省	12842962	58.98	1029596	23.4	585057	37.95	522974	31.28	247305
湖北省	6068917	32.9	1632239	14.06	571016	18.93	516176	26.87	55254
湖南省	3494211	46.49	521754	17.23	256319	34.41	362881	24.54	75142
广东省	19767451	20.8	5116617	11.68	958726	12.54	1661059	12.53	140018
广西省	2540378	31.62	268409	31.18	226115	28.19	203245	20.92	38479
海南省	1764507	32.81	346051	−5.47	106734	6.79	228076	22.56	13210
重庆市	2076832	40.23	458982	18.85	166593	13.4	209610	20.67	52164
四川省	22909646	17.97	3867673	25.3	2356119	21.05	1990545	12.26	182713
贵州省	1216472	7.87	628017	−0.83	783722	3.21	520510	5.76	37367
云南省	1702185	23.49	229577	6.95	88524	22.09	171869	31.82	45509
西藏	100160	9.69	5232	10.05	572	−23.73	14442	15.01	592
陕西省	4165241	37.05	643915	8.37	280332	10.99	358883	44.08	108566
甘肃省	1975081	30.67	281872	35.08	169575	4.94	135047	−18.12	97229
青海省	82551	−26.95	4083	−79.01	36472	−4.15	29232	6.71	9268
宁夏	633257	25.01	75310	−35.18	49620	5.44	50317	−36.23	24025
新疆	959363	10.52	229307	24	148530	14.85	194049	12.94	83329

2005年1–12月饮料制造业主要经济效益指标（6）

	资金利润率	流动资产周转次数（次）	成本费用利润率%	人均销售率（元）	产成品资金占用率	分组代码	地区代码
	%	次	%	元	%		
全国	18.29	1.81	8.18	346861.58	12.9	00	00
北京市	17.75	1.54	8.84	400633.24	12	00	11
天津市	18.46	1.87	9.03	526082.14	13.53	00	12
河北省	12.98	1.71	4.62	326166.81	12.2	00	13
山西省	23.11	1.63	8.76	247196.67	24.44	00	14
内蒙	28.8	1.66	12.33	183572.16	9.91	00	15
辽宁省	15.51	1.82	6.19	303942.45	10.71	00	21
吉林省	10.13	1.93	2.61	241613.87	13.47	00	22
黑龙江省	15.63	2.11	4.02	247261.14	10.33	00	23
上海市	18.07	2.14	6.18	737398.89	10.64	00	31
江苏省	21.98	2.9	5.93	337138.05	9.28	00	32
浙江省	15.63	2.26	5.13	639480.34	16.06	00	33
安徽省	11.82	1.15	3.28	194081.12	17.16	00	34
福建省	18.05	2.15	7.32	330112.19	10.34	00	35
江西省	19.17	1.71	7.36	217896.75	15	00	36
山东省	21.34	1.98	9.08	354734.84	14.9	00	37
河南省	22.39	2.61	8.42	251781.29	14.82	00	41
湖北省	18.69	2.01	7.62	295445.56	9.16	00	42
湖南省	9.95	1.76	0.34	255378.74	21.88	00	43
广东省	17.99	1.99	6.82	664644.4	7.74	00	44
广西	19.22	2.28	9.05	256805.1	22.01	00	45
海南省	9.72	1.25	3.82	683396.71	15.63	00	46
重庆市	17.06	2.12	5.61	308471.66	9.79	00	50
四川省	21.96	1.56	14.31	392481.86	9.05	00	51
贵州省	33.52	0.69	82.61	263967.33	5.65	00	52
云南省	10.13	1.33	6.59	190468.68	17.83	00	53
西藏	17.6	1.69	50.28	289072.93	15.48	00	54
陕西省	14.06	1.67	7.64	313675.57	37.05	00	61
甘肃省	7.17	1.21	0.86	188394.57	19.57	00	62
青海省	4.39	1	−18.45	115051.87	18.78	00	63
宁夏	11.5	0.78	12.58	175224.31	11.57	00	64
新疆	9.8	0.65	9.09	212670.49	18.53	00	65

2006年1–8月饮料制造业主要经济效益指标（1）

	企业单位数	亏损企业单位数	亏损企业亏损总额	亏损总额比去年同期增长	应收帐款净额	应收帐款净额比去年同期增长	产成品	产成品比去年同期增长	流动资产平均余额
	（个）	（个）	（千元）	（%）	（千元）	（%）	（千元）	（%）	（千元）
全国	3651	782	2398495	24.57	25409648	8.54	21571723	14.51	182328720
北京市	67	30	109594	44.35	898149	−3.05	560221	1.65	7743300
天津市	49	17	77023	107.69	616198	24.28	358957	14.92	3898416
河北省	148	49	191098	7.85	706512	8.52	836375	−2.53	6354219
山西省	46	18	57994	48.39	322705	50.45	404798	10.62	2872723
内蒙	74	14	14485	10.9	331388	16.16	304456	−2.34	2309682
辽宁省	138	30	61930	85.03	546821	53.15	348584	12.95	4065122
吉林省	115	22	77288	−12.84	704150	63.79	438505	−0.74	3763892
黑龙江省	116	28	52275	58.53	339344	35.9	443772	52.32	3332790
上海市	62	19	244277	35.18	1245315	17.5	509002	16.14	5875908
江苏省	205	25	96030	−10.14	1487013	8.08	849647	5.15	8413193
浙江省	282	65	162126	31.93	2219589	33.6	2276519	20.2	13551475
安徽省	139	46	68899	−19.08	1492300	2.8	1260631	1.89	8419050
福建省	220	40	57418	−20.55	865259	18.14	491099	28.59	4695431
江西省	93	19	28556	256.68	236304	−14.71	244646	55.39	1958524
山东省	410	40	121870	41.27	2538008	3.73	2970361	11.53	21346649
河南省	245	8	13064	−36.82	1181673	−12.05	777478	15.95	6384287
湖北省	157	28	68481	24.39	679838	11.59	493474	20.81	6415279
湖南省	137	21	142178	70.66	433372	−11.42	542846	15.02	2648031
广东省	193	48	299873	30.94	3178106	5.41	1413345	14.58	16298704
广西	91	32	43667	16.19	340205	19.99	491967	135.31	2092689
海南省	18	7	7532	−72.49	324642	0.69	244542	20.7	2054289
重庆市	38	9	8995	142.85	221925	36.23	110461	−1.6	1775013
四川省	256	40	26577	15.54	2232039	22.9	2168021	10.73	25230626
贵州省	79	22	44083	41.81	301794	−63.3	385298	−18.51	8166934
云南省	66	25	32330	−30.23	423196	34.41	423073	43.98	2337388
西藏	6	3	1375	34.28	16747	−59.8	22125	1491.73	165738
陕西省	72	28	105721	86.81	718988	−11.46	1057023	13.77	3849599
甘肃省	68	24	29497	44.4	401929	−8.13	399523	44.9	2521755
青海省	10	4	12801	1.74	6176	−23.25	62516	−0.59	177027
宁夏	16	6	30227	621.93	88741	124.99	166526	31.55	1195345
新疆	35	15	111231	−2.27	311222	12.01	515932	32.55	2415642

2006年1–8月饮料制造业主要经济效益指标（2）

	流动资产平均余额比去年同期增长	固定资产净值平均余额	固定资产净值平均余额比去年同期增长	资产总计	资产总计比去年同期增长	负债合计	负债合计比去年同期增长	产品销售收入	产品销售收入比去年同期增长
	（%）	（千元）	（%）	（千元）	（%）	（千元）	（%）	（千元）	（%）
全国	12.99	132795103	9.54	379475263	10.89	203518082	10.64	250329526	25.44
北京市	13.3	5125179	0.74	19260764	8.23	8874492	1.18	8382936	14.72
天津市	7.44	2927511	7.87	8329811	11.08	5014477	20.81	5392733	18.14
河北省	2.79	5447685	0.09	13917334	0.71	10532212	−2.01	7111614	14.45
山西省	21.21	1994413	14.76	5669455	17.04	3351360	18.7	2895184	21.59
内蒙	26.45	1869827	43.62	5812008	36.75	3156204	46.29	3057109	61.41
辽宁省	−5.31	4857791	12.37	10398169	7.17	5587666	12.45	6390816	31.63
吉林省	30.42	4612455	−0.13	9560679	11.05	5899442	13.13	5903360	49.16
黑龙江省	27.16	4150014	12.99	8441661	20.22	5332621	10.41	4854895	21.28
上海市	9.22	4194736	8.89	11238795	4.03	5671955	−6.99	8128340	9.84
江苏省	1.97	6378961	6.15	18525082	6.5	10752568	3.97	17302317	15.11
浙江省	15.19	8135940	5.31	25740678	9.99	15573917	11.34	24666178	28.35
安徽省	14.15	4913982	10.41	15175193	8.99	9020230	7.43	7091206	20.89
福建省	12.32	4420469	4.83	10729160	6.64	5162305	0.83	7592551	28.8
江西省	25.33	1708270	24.22	4328904	16.64	2366328	23.81	2813648	38.58
山东省	10.06	11821324	6.87	39917009	8.59	21513265	10.28	35522319	34.38
河南省	14.12	6231484	57.34	14569501	18.04	9075164	12.32	14454692	49.45
湖北省	28.02	5001890	12.64	13696066	19.3	7516457	18.39	8555146	29.42
湖南省	−1.51	2317843	5.85	6052753	−0.59	3234497	5.57	3745977	22.45
广东省	16.85	10583319	5.2	32596913	13.04	17083911	16.43	23945412	15.36
广西	31.03	2810460	36.84	5668935	20	2900283	13.11	3451322	53.83
海南省	1.46	1004763	−9.02	3482514	0.68	1274556	5.16	1587201	10.88
重庆市	23.19	1627928	24.14	4337606	21.05	2572881	27.72	2832945	35.52
四川省	13.95	17313563	5.1	49496435	11.34	18599487	11.31	29810842	23.57
贵州省	14.99	2841833	10.53	14351395	14.39	5741051	14.47	3855083	20
云南省	35.38	1804319	12.67	5239573	28.36	3310988	24.82	1862315	29.45
西藏	160.61	357829	32.98	546730	10.9	33683	36.21	131198	10.58
陕西省	1.28	3800592	17.29	9336908	12.75	6277345	17.49	4991972	20.57
甘肃省	14.1	1731171	−1.76	5354414	5.17	3368595	12.7	1981648	7.28
青海省	33.25	358070	133.11	639994	64.16	335632	70.91	221240	193.44
宁夏	38.5	443751	17.19	1837388	18.94	1027785	23.28	405462	−13.35
新疆	−2.23	2007731	−2.77	5223436	0.11	3356725	4.77	1391865	14.62

2006年1-8月饮料制造业主要经济效益指标（3）

	产品销售成本	产品销售成本比去年同期增长	产品销售费用	产品销售费用比去年同期增长	产品销售税金及附加	产品销售税金及附加比去年同期增长	管理费用	管理费用比去年同期增长	财务费用
	（千元）	(%)	（千元）	(%)	（千元）	(%)	（千元）	(%)	（千元）
全国	178489294	28.03	25764146	19.63	11802674	11.72	11550772	9.59	2260008
北京市	5713160	13.52	1127109	19.02	487115	9.1	499026	0.85	132133
天津市	3644222	25.61	887078	15.34	204043	12.06	238640	13.13	45843
河北省	5320544	16.42	587837	34.35	482945	11.96	349603	4.09	120157
山西省	1757121	16.26	218522	11.75	295710	19.12	192534	15.42	32469
内蒙	2063783	89.25	237435	17.46	306216	27.83	193810	15.41	46141
辽宁省	4627020	38.56	551318	27.8	348626	5.67	326055	9.48	65092
吉林省	4544955	58.93	480792	5.33	298528	36.69	261007	30.36	83931
黑龙江省	3469337	24.4	442036	22.02	312001	10.55	315347	24.35	67176
上海市	4542803	11.49	1837867	16.42	154340	10.85	794522	2.6	47695
江苏省	13613908	15.69	1410321	3.1	671527	18.4	582685	18.08	96691
浙江省	18944564	25.59	3113848	54.33	579119	19.28	731681	16.9	189428
安徽省	5150263	24.54	594892	−1.69	584150	13.94	447483	14.75	112110
福建省	5627961	28.24	674298	35.11	306525	−0.33	360437	28.7	52493
江西省	1881830	44.16	279094	61.31	211592	35.43	149958	16.93	25390
山东省	27472117	37.43	2418373	26.22	1390819	7.52	1217495	20.38	315300
河南省	11618838	49.17	821871	34.58	417835	17.88	393221	30.44	187626
湖北省	5454465	37.92	993381	28.44	795411	8.11	384410	19.58	6996
湖南省	2681307	28.23	371522	4.21	152115	−27.24	228043	17.54	53855
广东省	16268065	18.56	3382857	4.72	658376	2.6	1114582	4.45	79213
广西	2528526	58.65	216919	24.14	207211	34.95	183614	45.97	47502
海南省	1105885	11.43	193885	−6.15	64732	24.6	142950	24.64	5975
重庆市	1892649	37.63	407663	27.69	144533	20.48	148060	14.89	41018
四川省	20099942	25.79	2853204	17.31	1627742	14.06	1202486	−0.83	139905
贵州省	933104	24.52	553270	21.22	504668	2.69	391678	28.66	32042
云南省	1293132	28.1	169782	1.11	69842	15.16	103374	−75.79	32915
西藏	78570	19.8	5016	32.49	81	−82.08	14986	51.93	109
陕西省	3410979	22.87	510542	17	236844	17.64	306961	24.63	82792
甘肃省	1459324	4.71	203260	9.87	140575	19.54	86727	−1.78	54202
青海省	137330	214.8	573	−97.06	23459	1212.76	14982	18.62	4209
宁夏	315019	−3.18	39761	10.22	23263	−21.86	30533	−10.28	9411
新疆	838571	17.77	179820	7.16	102731	−19.32	143882	19.46	50189

2006年1–8月饮料制造业主要经济效益指标（4）

	财务费用比去年同期增长	利润总额	去年同期利润总额	全部从业人员平均人数	全部从业人员平均人数比去年同期增长	工业总产值（当年价格）	工业总产值（当年价格）比上年同期增长	工业总产值（不变价格）	工业总产值（不变价格）比上年同期增长
	(%)	(千元)	(千元)	(人)	(人)	(千元)	(%)	(千元)	(%)
全国	21.87	19783082	15702427	889681	4.7	250119780	24.52	0	0
北京市	90.82	692205	550895	26186	4.79	7922666	13.05	0	0
天津市	10.95	421834	467419	12420	−3.29	4637100	9.31	0	0
河北省	52.28	272691	208403	37088	−2.7	7927453	15.49	0	0
山西省	−5.57	390356	221932	15960	−0.03	2702237	26.43	0	0
内蒙	12.79	211464	147591	20015	6.74	3293105	55.83	0	0
辽宁省	62.66	370833	401078	24808	−0.86	6397161	19.86	0	0
吉林省	39.39	265993	164979	24196	3.27	6503051	46.3	0	0
黑龙江省	8.29	306186	253329	25167	4.03	5549869	19.52	0	0
上海市	−592.77	659951	670990	13760	−5.86	8508380	13.78	0	0
江苏省	−0.48	977677	746304	58846	12.28	18141742	14.56	0	0
浙江省	13.83	1162190	947885	47373	8.93	16375961	18.66	0	0
安徽省	2.77	234756	156939	48211	2.14	7177109	25.69	0	0
福建省	−15.73	605442	407761	28714	5.6	8479503	29.63	0	0
江西省	51.41	133187	151877	16053	8.33	3124001	38.3	0	0
山东省	16.77	2969226	2225453	113177	2	34333914	31.95	0	0
河南省	44.77	1007957	516265	66003	8.71	15219223	42.95	0	0
湖北省	−16.83	604931	432877	34721	12.64	10044015	35.13	0	0
湖南省	−2.51	102761	111148	19279	−0.17	4460420	25.89	0	0
广东省	69.02	1908873	1554628	48825	4.3	24086072	18.25	0	0
广西	110.9	277577	191154	16255	19.78	3779951	49.92	0	0
海南省	−7.23	87252	66492	3463	−2.7	1601745	17.89	0	0
重庆市	13.57	202490	125174	10798	11.38	2803304	34.88	0	0
四川省	−0.47	3824127	3237007	91084	2.88	30841885	24.16	0	0
贵州省	29.84	1364206	1163180	20469	6.04	4631453	20.15	0	0
云南省	−6.15	215116	76139	14865	14.79	2156116	27.84	0	0
西藏	−81.62	35876	37126	757	8.3	163807	11.85	0	0
陕西省	2.35	320329	297204	19527	5.96	4697356	16.42	0	0
甘肃省	−7.63	37672	45531	15788	0.43	2245186	26.67	0	0
青海省	46.96	−7650	−11443	1597	15.47	273546	91.44	0	0
宁夏	5.09	12409	41248	4556	−4.47	502544	−12.07	0	0
新疆	−13.19	115165	95862	9720	2.17	1539905	7.14	0	0

2006年1–8月饮料制造业主要经济效益指标（5）

	工业销售产值	工业销售产值（当年价格）比	出口交货值	出口交货值比上年	税金总额	税金总额比	资本保值	资产负债率	产值利税率
	（千元）	（%）	（千元）	（%）	（%）	（%）	（%）	（%）	（%）
全国	246519623	24.98	9089612	28.37	24510875	15.91	111.18	53.63	17.68
北京市	8016110	14.6	65422	−28.74	1016004	10.03	115.08	46.08	21.54
天津市	5092880	7.71	108540	3.64	511502	10.57	99.03	60.2	20.13
河北省	7452280	10.83	58129	−7.01	837745	12.17	110.21	75.68	14.01
山西省	2631908	32.65	5975	12.67	561796	35.9	114.73	59.11	35.02
内蒙	3105800	61.27	176837	1178.19	477904	23.45	126.91	54.3	20.93
辽宁省	6173909	17.02	70512	26.65	677374	12.06	101.63	53.74	16.37
吉林省	6198613	46.86	107221	4166.65	482443	−12.98	107.85	61.71	10.94
黑龙江省	5356443	20.09	28569	−7.69	557118	16.23	141.82	63.17	15.55
上海市	8569487	10.23	236140	−9.76	504278	31.72	118.31	50.47	13.68
江苏省	17795024	14.08	262327	117.66	1322274	20.58	110.22	58.04	12.66
浙江省	15927198	16.39	1718343	5.1	1653792	28.29	107.99	60.5	17.19
安徽省	6882733	26.42	138311	25.94	935095	11.39	111.36	59.44	16.3
福建省	8031521	28.37	275383	−7.28	686850	10.8	112.67	48.11	15.23
江西省	3085287	41.46	22820	27.59	407883	28.06	109.02	54.66	17.32
山东省	35154318	33.46	2535064	61.75	2962335	16.62	106.69	53.89	17.27
河南省	15055866	44.62	466926	25.74	841653	30.41	128.89	62.29	12.15
湖北省	9793225	37.12	59034	109.16	1288843	14.34	120.43	54.88	18.84
湖南省	4393797	24.65	201197	12.71	322824	−15.17	93.17	53.44	9.54
广东省	24202758	19.77	773040	11.16	2043972	7.26	109.52	52.41	16.41
广西	3642117	47.73	82066	196.02	391529	34.64	128.19	51.16	17.7
海南省	1549048	18.11	20750	−47.24	133586	18.77	98.26	36.6	13.77
重庆市	2750660	30.6	39595	3.47	318484	25.67	112.5	59.32	18.58
四川省	29955012	25.34	1178896	70.66	3420944	20.07	111.37	37.58	23.49
贵州省	4472696	33.09	0	0	991868	10.92	114.33	40	50.87
云南省	1936440	33.96	101833	51.26	148215	19.97	134.94	63.19	16.82
西藏	138818	15.72	0	0	11395	16.24	109.56	6.16	28.86
陕西省	4795643	19.66	270073	−43.95	477159	11.53	104.14	67.23	16.69
甘肃省	2150482	26.61	79219	−0.33	227541	22.75	94.46	62.91	11.81
青海省	245041	180.36	0	0	27314	331.64	157.3	52.44	7.19
宁夏	440321	−9.83	0	0	45024	−9.21	113.85	55.94	11.43
新疆	1524188	10.91	7390	22.49	226131	−0.69	92.7	64.26	21.89

2006年1-8月饮料制造业主要经济效益指标（6）

	资金利润率	流动资金周转次数	成本费用利润率	人均销售率	产成品资金占用率	分组代码	地区代码
	（%）	（次）	（%）	（元）	（%）		
全国	21.05	2.06	9.07	422054.97	11.83	00	00
北京市	19.89	1.62	9.26	480195.68	7.23	00	11
天津市	20.51	2.07	8.76	651296.26	9.21	00	12
河北省	14.11	1.68	4.28	287624.6	13.16	00	13
山西省	29.17	1.51	17.74	272103.76	14.09	00	14
内蒙	24.74	1.99	8.32	229111.34	13.18	00	15
辽宁省	17.6	2.36	6.66	386416.64	8.57	00	21
吉林省	12.74	2.35	4.95	365971.23	11.65	00	22
黑龙江省	17.29	2.19	7.13	289360.77	13.32	00	23
上海市	17.34	2.08	9.14	886083.58	8.66	00	31
江苏省	23.3	3.08	6.23	441040.61	10.1	00	32
浙江省	19.47	2.73	5.06	781020.14	16.8	00	33
安徽省	13.16	1.26	3.72	220630.33	14.97	00	34
福建省	21.25	2.43	9.02	396629.75	10.46	00	35
江西省	22.13	2.15	5.7	262908.62	12.49	00	36
山东省	26.82	2.5	9.45	470797.76	13.91	00	37
河南省	21.99	3.4	7.74	328500.8	12.18	00	41
湖北省	24.86	2	8.84	369595.32	7.69	00	42
湖南省	12.85	2.12	3.08	291455.24	20.5	00	43
广东省	22.06	2.2	9.16	735650.14	8.67	00	44
广西	20.47	2.47	9.33	318485.57	23.51	00	45
海南省	10.82	1.16	6.02	687496.82	11.9	00	46
重庆市	22.96	2.39	8.13	393537.46	6.22	00	50
四川省	25.54	1.77	15.74	490934.34	8.59	00	51
贵州省	32.1	0.71	71.42	282506.45	4.72	00	52
云南省	13.13	1.2	13.45	187922.81	18.1	00	53
西藏	13.54	1.19	36.36	259969.62	13.35	00	54
陕西省	15.37	1.95	7.43	383466.89	27.46	00	61
甘肃省	9.35	1.18	2.09	188274.13	15.84	00	62
青海省	5.51	1.87	-4.87	207802.13	35.31	00	63
宁夏	5.26	0.51	3.14	133492.76	13.93	00	64
新疆	11.43	0.86	9.5	214793.98	21.36	00	65

2005年1—12月份全国软饮料制造业经济指标(1)

单位：千元

地区名称	产成品		产品销售收入	
	本月止累计	去年同期	本月止累计	去年同期
全国	5416990	4530139	104856239	84750332
北京市	285770	229755	4375375	3633969
天津市	115629	66054	3223433	2575309
河北省	202004	170667	6803440	5613963
山西省	145554	175141	923782	692252
内蒙古	30769	10386	235889	42101
辽宁省	238182	207059	2078655	1371521
吉林省	63301	83470	1770091	1721229
黑龙江	89967	133020	1041445	1048367
上海市	205103	170307	7786757	7294021
江苏省	254405	239283	11618567	9010370
浙江省	231508	247708	15013914	12838950
安徽省	76799	59221	526532	423423
福建省	132151	131469	3548599	3050883
江西省	36072	27169	722997	632314
山东省	787587	588849	9096419	6166634
河南省	262213	196790	3976096	2872717
湖北省	113500	62244	2216968	1562385
湖南省	148693	90684	1096849	883538
广东省	629212	725353	18314101	15708909
广西区	63651	43063	927602	760576
海南省	42985	55480	650468	595600
重庆市	76390	33807	1137107	767269
四川省	87906	75894	2991893	2315792
贵州省	20090	16737	180714	158684
云南省	64331	32766	579091	397471
西藏区	0	0	5927	4875
陕西省	754503	455804	3123319	1949118
甘肃省	128833	97462	539960	440797
青海省	515	688	15251	7649
宁夏区	14833	12216	59158	17046
新疆区	114534	91593	275840	192600

2005年1—12月份全国软饮料制造业经济指标(2)

单位：个、千元

地区名称	企业单位数	亏损企业单位数	亏损企业亏损总额	
	本月止累计	本月止累计	本月止累计	同比增长
全国	970	242	970694	-241903
北京市	46	21	32595	14984
天津市	24	8	48395	-65154
河北省	54	9	22885	8950
山西省	20	2	14537	11519
内蒙古	6	2	323	323
辽宁省	42	9	15543	-11798
吉林省	25	5	21556	-2659
黑龙江	24	8	8016	3903
上海市	43	13	124611	-83866
江苏省	37	7	68082	-17839
浙江省	54	10	39958	-76650
安徽省	12	5	3229	-2005
福建省	50	10	12147	-18038
江西省	17	1	335	-1558
山东省	87	10	19863	-22789
河南省	68	6	21913	14913
湖北省	36	9	36420	-18363
湖南省	21	4	2227	-85
广东省	115	39	342877	28920
广西区	27	4	6983	-1242
海南省	10	3	6034	120
重庆市	16	5	5025	-27836
四川省	37	8	12107	-5722
贵州省	15	9	1463	-41
云南省	19	9	12118	-3174
西藏区	1	0	0	0
陕西省	37	13	44395	3556
甘肃省	13	4	9753	9022
青海省	3	2	800	-8
宁夏区	5	4	7010	6944
新疆区	6	3	29494	21576

2005年1—12月份全国软饮料制造业经济指标(3)

单位：千元、%

地区名称	利润总额		税金总额	
	本月止累计	去年同期	本月止累计	同比增长
全国	7637303	5565709	4161615	11
北京市	460421	303553	282049	15.99
天津市	241226	47993	196458	26.45
河北省	344282	315245	137357	11.94
山西省	57289	39025	31143	23.97
内蒙古	14739	2631	6356	635.65
辽宁省	102977	54621	66684	72.61
吉林省	148932	124971	66752	23.06
黑龙江	108562	83477	54918	19.23
上海市	635042	657352	256178	−51.64
江苏省	797173	628389	247153	5.86
浙江省	829383	565526	496571	25.49
安徽省	18139	18834	23898	34.3
福建省	194263	86206	125095	43.98
江西省	90504	64985	35058	24.3
山东省	918741	529702	390649	48.24
河南省	461157	183844	135393	66.32
湖北省	110941	51478	92078	17.88
湖南省	107358	92656	68546	43.19
广东省	1320895	1292261	996101	3.27
广西区	56283	37397	47650	14.56
海南省	54505	31996	29390	−8.17
重庆市	37354	5908	42932	26.79
四川省	251669	201203	142275	10.22
贵州省	52951	38507	15767	.1
云南省	36414	−8081	34680	60.03
西藏区	708	425	0	0
陕西省	186617	85423	122397	143.29
甘肃省	−1879	8711	8551	4.64
青海省	3270	−358	76	5.56
宁夏区	−7010	2556	843	57.87
新疆区	4397	19273	8617	203.63

2005年1—12月份全国软饮料制造业经济指标(4)

单位：%

地区名称	资本保值增值率	资产负债率	产值利税率	资金利润率
全国	108.32	54.53	7.28	9.11
北京市	103.55	55.21	10.52	9.03
天津市	117.86	51.19	7.48	6.78
河北省	92.74	67.57	5.06	7.87
山西省	112.27	65.65	6.2	6.29
内蒙古	103.6	29.2	6.25	14.38
辽宁省	92.58	49.26	4.95	4.16
吉林省	105.99	45.24	8.41	8.48
黑龙江	116.94	42.22	10.42	9.66
上海市	93.5	51.09	8.16	9.69
江苏省	103.4	44.4	6.86	13.94
浙江省	115.89	62.05	5.52	11.4
安徽省	107.63	44.08	3.44	3.58
福建省	120.72	50.45	5.47	6.2
江西省	94.18	48.76	12.52	12.04
山东省	119.68	50.7	10.1	12.96
河南省	124.11	56.15	11.6	16.53
湖北省	136.93	60.54	5	4.99
湖南省	93.43	42.43	9.79	14.03
广东省	102.9	57.58	7.21	9.3
广西区	122.46	45.82	6.07	7.34
海南省	113.16	33.72	8.38	4.96
重庆市	127.19	55.55	3.29	3.4
四川省	105.28	47.29	8.41	8.09
贵州省	108.02	55.34	29.3	16.98
云南省	114.76	72.78	6.29	5.4
西藏区	100.26	62.43	11.95	16.81
陕西省	129.86	67.11	5.97	3.71
甘肃省	100.81	49.33	-.35	-.27
青海省	176.09	21.32	21.44	4.24
宁夏区	212.55	94.97	-11.85	-6.16
新疆区	93.63	47.33	1.59	1.02

2005年1—12月份全国茶饮料及其他软饮料制造业经济指标(1)

单位：个、千元

地区名称	企业单位数	亏损企业单位数	亏损企业亏损总额	
	本月止累计	本月止累计	本月止累计	同比增长
全国	96	18	66269	-113243
北京市	6	2	3732	930
天津市	2	1	22538	-1675
河北省	9	0	0	0
山西省	1	0	0	0
辽宁省	2	1	2930	-5900
黑龙江	2	0	0	0
上海市	3	1	7433	-7789
江苏省	2	0	0	0
浙江省	8	3	14758	9785
安徽省	2	0	0	0
福建省	13	2	190	-550
江西省	4	0	0	0
山东省	9	1	1409	-17820
河南省	7	0	0	-617
湖北省	4	0	0	-43897
湖南省	2	1	1447	225
广东省	11	4	9091	-40580
广西区	1	0	0	0
海南省	1	0	0	0
四川省	4	1	2634	1482
贵州省	1	1	107	72
陕西省	1	0	0	0
新疆区	1	0	0	-6909

2005年1—12月份全国茶饮料及其他软饮料制造业经济指标(2)

单位：千元

地区名称	产成品		产品销售收入	
	本月止累计	去年同期	本月止累计	去年同期
全国	583353	582735	14501267	11693002
北京市	111323	79425	1586946	1232576
天津市	3280	1992	125285	117694
河北省	23779	25806	3231891	2853344
山西省	209	482	1932	4750
辽宁省	11990	8520	118431	48380
黑龙江	34942	80523	451857	552143
上海市	17721	9911	216001	187933
江苏省	4860	6220	105140	65370
浙江省	74592	69917	1720366	1347228
安徽省	5893	3810	18147	14966
福建省	24852	15068	395426	331810
江西省	3288	2497	185504	134248
山东省	156530	141523	1429855	840527
河南省	9498	7993	1441697	1060939
湖北省	9784	7440	333897	252401
湖南省	120	1745	27899	13000
广东省	71269	104883	2232254	2011402
广西区	7619	0	7256	0
海南省	1223	1613	62547	31794
四川省	266	1062	166740	182163
贵州省	200	275	2280	4693
陕西省	5200	5241	539912	341930
新疆区	4915	6789	100004	63711

2005年1—12月份全国茶饮料及其他软饮料制造业经济指标(3)

单位：千元、%

地区名称	利润总额		税金总额	
	本月止累计	去年同期	本月止累计	同比增长
全国	1647678	832017	610981	34.21
北京市	235962	152404	129893	22.82
天津市	12223	1642	11416	6.33
河北省	88359	80944	553	-76.19
山西省	178	250	127	-9.29
辽宁省	-771	-8746	3680	70.37
黑龙江	75698	56632	25245	26.83
上海市	-456	-4670	13606	17.9
江苏省	12350	310	910	-18.02
浙江省	265634	209687	103389	9.6
安徽省	1933	2160	68	-77.56
福建省	26602	25469	5010	-45.34
江西省	64534	48725	15525	20.17
山东省	207375	75740	85261	151.3
河南省	300976	73750	38053	140.78
湖北省	14284	-42343	15405	45.65
湖南省	-1407	-1172	619	1447.5
广东省	126942	53375	104103	-1.64
广西区	1288	0	189	0
海南省	32737	14885	6383	86.47
四川省	59839	59169	12985	-3.81
贵州省	-107	-35	145	-36.4
陕西省	112760	40750	38416	2461.07
新疆区	10745	-6909	0	0

2005年1—12月份全国茶饮料及其他软饮料制造业经济指标(4)

单位：%

地区名称	资本保值增值率	资产负债率	产值利税率	资金利润率
全国	106.65	53.12	11.36	16.93
北京市	110.44	63.54	14.87	13.83
天津市	102.59	41.7	9.76	7.26
河北省	100.82	66.83	2.73	6.58
山西省	238.48	5.28	9.21	2.27
辽宁省	117.06	64.04	-.65	-.37
黑龙江	117.94	34.51	16.75	21.44
上海市	116.37	50.61	-.21	-.15
江苏省	93.7	92.86	11.75	32.47
浙江省	97.94	38.44	15.44	19.78
安徽省	280.63	37.97	10.65	3.85
福建省	103.34	31.99	6.73	8.18
江西省	113.01	9.59	34.79	45.9
山东省	94.69	57.66	14.5	34.29
河南省	147.07	58.2	20.88	43.22
湖北省	101.35	125.69	4.28	4.75
湖南省	90.29	45.31	-5.04	-3.01
广东省	101.59	46.99	5.69	9.14
广西区	0	12.26	17.75	52.64
海南省	123.35	4.31	52.34	48.24
四川省	67.25	19.66	35.89	41.76
贵州省	99.75	34.55	-4.69	-.64
陕西省	127.56	24.93	20.88	30.66
新疆区	89.22	62.39	10.74	9.91

2005年1—12月份全国含乳饮料和植物蛋白饮料制造业经济指标(1)

单位：千元、%

地区名称	利润总额		税金总额	
	本月止累计	去年同期	本月止累计	同比增长
全国	303064	500108	394992	2.22
北京市	−17433	−5155	2115	−14.44
天津市	1740	1650	350	6.06
河北省	122047	117001	97551	12.81
辽宁省	−4770	−8748	997	39.25
吉林省	11312	12394	4690	−12.48
黑龙江	374	149	1118	63.93
上海市	−9509	−102623	3902	−58.03
江苏省	98594	75504	29881	68.86
浙江省	−6885	−5901	26768	19.9
福建省	12106	0	2229	0
江西省	9881	12309	3524	4.04
山东省	38153	22104	18603	37.89
河南省	15070	16030	20643	85.62
湖北省	4411	41887	16084	−33.14
湖南省	31420	37797	10473	−12.59
广东省	−45252	233156	134457	−13.95
重庆市	605	5228	327	50
四川省	41968	47675	19992	3.15
陕西省	48	80	18	−18.18
甘肃省	−816	−429	1270	9.58

2005年1—12月份全国含乳饮料和植物蛋白饮料制造业经济指标(2)

单位：个、千元

地区名称	企业单位数	亏损企业单位数	亏损企业亏损总额	
	本月止累计	本月止累计	本月止累计	同比增长
全国	115	28	208983	71294
北京市	4	4	17433	10649
天津市	2	0	0	0
河北省	18	2	1805	1581
辽宁省	7	3	5149	−3609
吉林省	1	0	0	0
黑龙江	1	0	0	0
上海市	7	3	16446	−86948
江苏省	4	1	250	−1404
浙江省	7	2	12601	2319
福建省	1	0	0	0
江西省	2	0	0	0
山东省	13	1	2994	2994
河南省	15	1	12388	12388
湖北省	7	4	22847	22291
湖南省	4	0	0	−511
广东省	13	4	116193	111398
重庆市	3	1	19	19
四川省	2	0	0	0
陕西省	1	0	0	0
甘肃省	3	2	858	127

2005年1—12月份全国含乳饮料和植物蛋白饮料制造业经济指标(3)

单位：%

地区名称	资本保值增值率	资产负债率	产值利税率	资金利润率
全国	90.38	59.58	3.45	4.41
北京市	110.84	54.19	−24.91	−8.67
天津市	100	70.81	7.03	6.23
河北省	83.88	75.85	5.3	5.54
辽宁省	129.15	53.78	−10.41	−2.75
吉林省	79.31	30.87	12.27	45.3
黑龙江	91.43	12.62	1	3.37
上海市	40.82	76.85	−6.71	−2
江苏省	100.64	61.58	18.77	23.88
浙江省	99.49	52.3	−.89	−1.66
福建省	0	27.51	25.91	15.73
江西省	92.65	30.87	12.89	19.35
山东省	149.72	64.01	7.86	12.78
河南省	104.28	51.31	2.88	4.96
湖北省	256.1	54.08	.81	1.41
湖南省	93.31	33.31	20.08	31.54
广东省	96.72	46.11	−1.8	−3.26
重庆市	127.93	46.96	2.2	1.54
四川省	110.78	48.85	12.64	16.54
陕西省	120.41	71.68	1.23	.88
甘肃省	101.78	46.49	−1.45	−.77

2005年1—12月份全国含乳饮料和植物蛋白饮料制造业经济指标(4)

单位：千元

地区名称	产成品		产品销售收入	
	本月止累计	去年同期	本月止累计	去年同期
全国	297961	236583	8785502	7472570
北京市	6001	6923	69997	65264
天津市	50	50	24740	22580
河北省	96351	69892	2304708	1668513
辽宁省	13243	12849	45842	19593
吉林省	6436	0	92211	81051
黑龙江	4878	942	37310	28601
上海市	10124	7924	141757	152128
江苏省	18214	13493	525414	431225
浙江省	22666	18938	775165	683346
福建省	543	0	46719	0
江西省	1863	2293	76669	66907
山东省	12941	11075	485579	298930
河南省	10950	9750	522621	379593
湖北省	18293	4528	543854	390344
湖南省	1962	2987	156439	164430
广东省	51671	58629	2516661	2599717
重庆市	5097	1641	27462	12385
四川省	7988	6821	332121	338852
陕西省	38	94	3888	6074
甘肃省	8652	7754	56345	63017

2005年1—12月份全国碳酸饮料制造业经济指标(1)

单位：个、千元

地区名称	企业单位数	亏损企业单位数	亏损企业亏损总额	
	本月止累计	本月止累计	本月止累计	同比增长
全国	142	33	199545	−61087
北京市	6	2	6377	3262
天津市	4	0	0	−10397
河北省	8	1	421	−260
山西省	3	0	0	0
内蒙古	1	0	0	0
辽宁省	7	1	2623	−2961
吉林省	4	1	1	−3973
黑龙江	5	4	7682	−2116
上海市	7	0	0	−862
江苏省	3	1	18451	11207
浙江省	4	0	0	0
安徽省	5	3	859	−144
福建省	7	1	142	−221
江西省	4	0	0	0
山东省	5	0	0	0
河南省	13	1	33	−233
湖北省	11	2	1776	−2198
湖南省	1	0	0	0
广东省	20	5	130198	−57723
广西区	3	1	4870	−905
海南省	1	0	0	0
重庆市	4	2	3732	−4094
四川省	6	2	848	−694
贵州省	2	0	0	0
云南省	3	2	3075	−173
陕西省	4	3	15491	8432
甘肃省	1	1	2966	2966

2005年1—12月份全国碳酸饮料制造业经济指标(2)

单位：千元

地区名称	产成品		产品销售收入	
	本月止累计	去年同期	本月止累计	去年同期
全国	995531	951174	29369856	24410790
北京市	23563	49475	1288591	1084087
天津市	54273	34409	1139637	961612
河北省	4490	4811	526762	414004
山西省	20790	27398	231426	170896
内蒙古	3800	3520	4362	7711
辽宁省	80699	59962	813322	682526
吉林省	21806	39531	840768	936488
黑龙江	14067	16348	212612	198732
上海市	136507	116039	5807823	5361376
江苏省	52195	37060	1209146	997136
浙江省	48076	23634	2087350	1800340
安徽省	11545	12914	307973	249123
福建省	24129	18292	1034708	840453
江西省	27857	16018	372467	323842
山东省	32407	29168	869723	584149
河南省	19559	11658	603651	451245
湖北省	33950	27192	871841	692534
湖南省	27659	21418	328226	256441
广东省	267889	342520	8559832	6685119
广西区	18533	12804	323224	205294
海南省	5352	6068	198433	219494
重庆市	26156	3177	334990	169179
四川省	7065	6710	579059	452034
贵州省	1315	152	144284	110929
云南省	3711	3427	185430	130164
陕西省	23330	27469	378431	351119
甘肃省	4808	0	115785	74763

2005年1—12月份全国碳酸饮料制造业经济指标(3)

单位：%

地区名称	资本保值增值率	资产负债率	产值利税率	资金利润率
全国	107.68	53	9.33	12.65
北京市	107.02	50.79	4.51	6.29
天津市	118.42	53.16	7.12	9.35
河北省	126	32.05	13.54	62.45
山西省	105.79	66.51	10.4	10.37
内蒙古	111.83	7.33	10.13	6.88
辽宁省	107.95	38.95	8.72	9.84
吉林省	105.92	46.6	5.84	6.8
黑龙江	96.5	65.18	−2.29	−1.46
上海市	110.31	37.17	11.31	16.42
江苏省	108.51	41.52	5.43	8.65
浙江省	101.98	16.85	17.43	33.99
安徽省	103.21	73.27	.86	1.51
福建省	106.8	24.92	7.05	11.68
江西省	102.3	65.1	3.78	3.49
山东省	103.29	33.93	6.43	9.98
河南省	144.67	31.47	5.05	6.84
湖北省	93.77	28.47	7.98	9.76
湖南省	117.4	68.73	2.74	4.19
广东省	105.43	69	11.06	14.48
广西区	1	38	66.75	1.42
海南省	90.36	42.42	5.14	9.25
重庆市	183.79	89.68	2.39	2.46
四川省	103.02	63.39	5.59	4.17
贵州省	107.82	8.7	37.12	52.58

2005年1—12月份全国碳酸饮料制造业经济指标(4)

单位：千元、%

地区名称	利润总额		税金总额	
	本月止累计	去年同期	本月止累计	同比增长
全国	2740616	2297766	1358085	2.45
北京市	58115	64119	64454	19.3
天津市	81172	46239	59002	35.76
河北省	71304	54551	24551	22.72
山西省	24060	10623	13795	90.57
内蒙古	442	452	167	22.79
辽宁省	70962	43389	47793	270.8
吉林省	49139	22662	31622	30.15
黑龙江	−4872	−6725	8150	61.32
上海市	656907	741327	163145	−61.77
江苏省	65649	54006	44927	14.21
浙江省	363812	377310	118646	9.4
安徽省	2643	1438	15987	65.09
福建省	72926	67304	49625	82.96
江西省	14065	3293	10320	55.09
山东省	55933	27442	41306	82.84
河南省	30459	7167	30754	70.45
湖北省	69572	40345	43746	23.6
湖南省	8997	2420	16096	28.25
广东省	946827	676095	480149	24.21
广西区	4535	−4532	12891	40.1
海南省	10207	16447	6454	−52.16
重庆市	8017	−126	9635	17.63
四川省	32362	5639	20699	37.38
贵州省	53553	38170	13336	51.05
云南省	9240	−3238	11795	106.21
陕西省	−12444	10849	17977	267.7
甘肃省	−2966	0	1063	0

2005年1—12月份全国瓶（罐）装饮用水制造业经济指标(1)

单位：个、千元

地区名称	企业单位数	亏损企业单位数	亏损企业亏损总额	
	本月止累计	本月止累计	本月止累计	同比增长
全国	280	74	123454	−137191
北京市	17	10	1176	−580
天津市	8	3	9437	−44512
河北省	3	0	0	0
内蒙古	3	1	260	260
辽宁省	15	2	1727	275
吉林省	16	3	20218	1983
黑龙江	8	3	249	−1818
上海市	15	6	11035	−31173
江苏省	10	1	11390	−8735
浙江省	18	1	2508	−74423
安徽省	2	0	0	−1540
福建省	9	3	1680	56
江西省	4	0	0	0
山东省	25	2	9416	−2811
河南省	16	1	34	20
湖北省	9	1	3598	1139
湖南省	11	2	356	−223
广东省	43	16	30410	23174
广西区	5	1	480	33
海南省	2	1	674	107
重庆市	6	1	854	−1469
四川省	12	4	7805	−1463
贵州省	9	6	1000	261
云南省	7	3	2418	−1673
西藏区	1	0	0	0
陕西省	1	0	0	0
甘肃省	3	1	5929	5929
青海省	2	2	800	−8

2005年1—12月份全国瓶（罐）装饮用水制造业经济指标(2)

单位：千元

地区名称	产成品		产品销售收入	
	本月止累计	去年同期	本月止累计	去年同期
全国	313413	276602	18911229	15364688
北京市	4230	3309	70486	64645
天津市	26192	20083	1249751	798503
河北省	1278	1763	217107	192930
内蒙古	310	322	5916	4506
辽宁省	29533	12469	818325	403287
吉林省	23511	27477	607223	482645
黑龙江	1121	1358	38516	39123
上海市	17608	5907	541893	541532
江苏省	3654	854	236049	205707
浙江省	14507	34323	9222428	7902563
安徽省	905	1043	112007	129423
福建省	10547	9291	138412	138156
江西省	1167	970	17861	23230
山东省	11208	10927	1143650	812785
河南省	4739	6228	519684	378559
湖北省	4829	1739	211874	171988
湖南省	3495	1802	516955	385966
广东省	98862	99162	1781017	1544158
广西区	11321	9293	189573	179672
海南省	690	2162	115436	91632
重庆市	9373	13355	423523	333983
四川省	5309	2519	351317	239510
贵州省	4554	3467	29008	38869
云南省	22128	4275	203253	116818
西藏区	0	0	5927	4875
陕西省	0	0	43038	31987
甘肃省	1827	1816	99699	106487
青海省	515	688	1301	1149

2005年1—12月份全国瓶（罐）装饮用水制造业经济指标(3)

单位：千元、%

地区名称	利润总额		税金总额	
	本月止累计	去年同期	本月止累计	同比增长
全国	697917	310451	619158	22.34
北京市	797	−2	5943	16.87
天津市	137332	−41041	77912	55.79
河北省	13920	20805	8581	8.07
内蒙古	−177	864	36	−56.1
辽宁省	18867	24117	11121	−19.31
吉林省	38534	19763	19273	91.11
黑龙江	987	349	1396	−7.06
上海市	16279	−15864	33105	−7.87
江苏省	−1571	−13164	7268	1.25
浙江省	103722	−1848	186416	43.44
安徽省	9260	17830	7053	−1.89
福建省	8764	6635	3818	3.72
江西省	879	1298	843	−20.32
山东省	78423	42948	40110	−16.21
河南省	39192	30072	9135	−28.41
湖北省	10743	13913	6434	8.92
湖南省	65372	50055	39964	76.32
广东省	63547	95654	88367	10
广西区	33456	27990	12616	34.07
海南省	8423	5903	9022	13.96
重庆市	24530	20563	18017	21.3
四川省	3398	−2644	12983	43.52
贵州省	−185	1035	1962	−68.89
云南省	23386	−408	13090	36.31
西藏区	708	425	0	0
陕西省	5850	3375	0	0
甘肃省	−3719	2636	4657	−20.96
青海省	−800	−808	36	0

2005年1—12月份全国瓶（罐）装饮用水制造业经济指标(4)

单位：%

地区名称	资本保值增值率	资产负债率	产值利税率	资金利润率
全国	117.02	58.21	3.69	5.75
北京市	106.09	98.46	1.13	.9
天津市	123.16	52.58	10.99	7.42
河北省	99.02	19.17	6.41	11.37
内蒙古	97.93	9.63	−2.99	−1.3
辽宁省	90.69	49.6	2.31	4.52
吉林省	110.45	48.26	6.35	5.47
黑龙江	106.6	26.48	2.56	1.06
上海市	105.83	87.16	3	2.38
江苏省	101.06	60.02	−.67	−.38
浙江省	143.62	78.95	1.12	3.74
安徽省	104.91	7.63	8.27	11.14
福建省	101.83	47.65	6.33	5.8
江西省	105.99	32.18	4.92	4.37
山东省	121.9	52.62	6.86	14.69
河南省	115.27	45.09	7.54	10.99
湖北省	111.75	35.08	5.07	4.32
湖南省	108.05	17.68	12.65	22
广东省	96.69	52.76	3.57	3.88
广西区	109.21	15.69	17.65	20.56
海南省	92.14	60.63	7.3	9.51
重庆市	118.65	38.78	5.79	5.79
四川省	101.47	35.37	.97	.67
贵州省	129.47	64.23	−.64	−.24
云南省	189.93	81.62	11.51	11.03
西藏区	100.26	62.43	11.95	16.81
陕西省	111.23	2.46	13.59	16.41
甘肃省	95.14	9.08	−5.74	−5.08
青海省	87.88	47.92	−61.49	−4.18

农副产品数据

2005年1-12月农副食品加工业主要经济效益指标（1）

	企业单位数	亏损企业单位数	亏损企业亏损总额	亏损总额比去年同期增长	应收帐款净额	应收帐款净额比去年同期增长	产成品	产成品比去年同期增长	流动资产平均余额
	个	个	千元	%	千元	%	千元	%	千元
全国	14177	2146	4188158	-16.67	48536633	16.42	55882887	23.94	284815613
北京市	223	76	62299	-4.31	964178	15.27	661827	29.08	4519718
天津市	135	44	234189	88.56	1042462	48.07	566486	20.87	5121435
河北省	578	99	130266	-36.9	1671892	3.4	2303143	23.49	10164202
山西省	131	29	44405	-20.46	274051	1.15	678097	34.33	2353136
内蒙	310	41	75577	30.1	768727	3.98	1412854	27.11	5836687
辽宁省	770	133	379478	-37.58	2463254	17.8	3932641	64.03	14810501
吉林省	266	43	158283	118.95	1080190	-2.24	1739946	12.87	6506510
黑龙江省	342	53	93676	25.14	2678623	135.83	2379189	52.27	12092068
上海市	179	44	362412	-22.43	1441953	8.42	675355	-24.7	6115786
江苏省	983	118	244338	29.2	3536381	11.5	2878437	6.53	18941103
浙江省	775	117	249761	-23.4	2890769	2.72	3671183	19.45	14671345
安徽省	479	107	89704	61.77	695321	-14.67	1630317	54.2	6142910
福建省	637	129	305436	-38.04	2676918	43.5	2356439	18.34	13402790
江西省	263	37	20231	-5.44	355119	14.42	553795	26.42	2500396
山东省	2962	201	343281	7.67	9374683	14.05	12873589	33.76	68800068
河南省	1233	50	134799	-46.2	2299215	12.06	2263970	29.02	16236225
湖北省	617	85	126472	41.22	1070670	40.01	1606216	22.17	6655534
湖南省	470	44	39328	-42.08	830179	26.93	825596	-0.4	5221241
广东省	704	181	486393	-38.56	5622541	6.43	3676793	1.08	22264192
广西	346	78	76355	-21.26	2132907	28.46	3093361	9.07	12829177
海南省	73	23	43034	-5.78	468471	2.54	337637	-13.63	1984432
重庆市	140	28	23860	-12.06	295870	67.06	260539	42.87	1682061
四川省	667	91	77855	41.97	1380940	17.51	1791581	61.44	8667192
贵州省	140	61	54564	55.92	134169	16.9	184068	-31.34	768478
云南省	148	48	52576	-66.51	380382	-27.7	596221	39.58	4242144
西藏	9	2	128	-46.22	14650	-20.89	2990	311.28	34760
陕西省	190	62	63615	-40.77	325309	13.69	599848	26.88	2599231
甘肃省	163	28	38637	31	916435	8.12	888044	11.91	4669847
青海省	39	14	24004	81.19	162694	276.89	121723	12.17	345449
宁夏	40	15	22363	113.55	85467	15.86	103914	-3.7	445211
新疆	165	65	130839	16.02	502213	-5.45	1217088	9.89	4191784

2005年1–12月农副食品加工业主要经济效益指标（2）

	流动资产平均余额比去年同期增长	固定资产净值平均余额	固定资产净值平均余额比去年同期增长	资产总计	资产总计比去年同期增长	负债合计	负债合计比去年同期增长	产品销售收入	产品销售收入比去年同期增长
	%	千元	%	千元	%	千元	%	千元	%
全国	17.44	195853318	21.18	566090708	15.84	340493108	12.74	1026596333	30.66
北京市	10.97	2433105	25.99	8462255	10.96	5075861	13.23	13306226	16.8
天津市	17.92	2400442	12.48	8197683	4.55	6247115	14.27	14235329	11.7
河北省	1.6	7685964	10.6	20773187	8.5	13498426	10.34	48479422	21.1
山西省	22.24	2223620	8	5659941	23.36	3393792	11.95	4639402	19.26
内蒙	25.18	4262707	18.41	14839141	14.09	8194615	17.32	21272574	51.82
辽宁省	10.98	10497068	15.79	29822877	14.98	17953194	10.82	50516667	40.71
吉林省	7.36	8924563	41.73	17847269	18.97	11057296	40.49	29339557	37.81
黑龙江省	40.89	11479697	74.36	23728168	25.23	16388830	22.98	29789385	37.38
上海市	23.1	2401545	0.01	10381050	21.03	6249840	18.1	16046934	6.86
江苏省	11.3	10626030	17.91	32705980	1.33	21579533	0.43	68628136	18.25
浙江省	12.47	7465927	23.12	26235103	11.31	17267708	11.36	37849127	13.7
安徽省	22.68	3720934	18.99	11879139	22.73	6951255	14.15	20767706	31.83
福建省	31.8	6337525	12.4	22262700	25.21	13033516	37.06	35504779	22.22
江西省	21.2	1980881	29.36	5190065	18.67	2825083	13.33	12317926	43.64
山东省	27.09	45362525	32.36	133985379	27.22	76552531	17.77	285508726	43.41
河南省	17.44	12357585	18.17	33736082	16.93	18222178	12.54	91375790	41.64
湖北省	10.4	4753433	20.73	13527293	24.13	7714132	9.73	23902989	24.61
湖南省	15.08	4349619	11.75	12407057	18.17	6614786	21.21	23873060	42.85
广东省	−1.49	12068269	8.34	39435404	−0.7	24596627	2.15	72182547	15.45
广西	21.05	11528169	12.87	30239770	10.79	17071012	4.63	34118424	24.75
海南省	12.83	1260371	3.64	3920172	1.33	2003513	−3.39	3493296	1.13
重庆市	31.58	1369342	28.97	3879129	28.65	2582626	23.92	8185489	34.79
四川省	31.72	4736058	18.23	16582651	28.27	9400037	30.49	47127787	34.13
贵州省	0.4	809303	13.01	1712160	−2.32	1152057	−11.22	2615228	21.61
云南省	3.93	4967055	4.61	10877812	1.04	7823392	−12.27	8466771	−2.15
西藏	−13.08	31698	−3.4	123994	−0.12	67997	30.87	14464	−22.07
陕西省	18.93	2057457	16	5424024	19.1	3610634	16.07	8564888	15.39
甘肃省	5.64	4433653	−0.12	12219194	0.53	6905743	2.63	5563384	9.84
青海省	18.21	381422	6.17	936552	20.34	471727	22.91	509453	−3.07
宁夏	22.78	496354	15.72	1236666	23.21	790394	26.84	1332409	28.02
新疆	11.34	2450997	18.01	7862811	15.25	5197658	16.83	7068458	14.37

2005年1—12月农副食品加工业主要经济效益指标（3）

	产品销售成本	产品销售成本比去年同期增长	产品销售费用	产品销售费用比去年同期增长	产品销售税金及附加	产品销售税金及附加比去年同期增长	管理费用	管理费用比去年同期增长	财务费用
	千元	%	千元	%	千元	%	千元	%	千元
全国	916880824	29.89	27927679	30.79	4136043	45.2	22682663	21.98	10126540
北京市	11847214	16.25	716119	21.71	10619	−5.03	483996	19.05	76817
天津市	12966523	11.3	541092	33.36	33674	−14.27	306957	7.35	109270
河北省	43625616	22.52	1545662	58.79	178360	44.85	756644	23.28	330148
山西省	4125155	19.52	114135	6.69	17128	−13.42	142006	14.14	107873
内蒙	17167227	46.29	495258	27.03	120512	148.86	587597	21.76	273261
辽宁省	44396388	39.06	1377969	69.18	101574	31.21	933447	19.6	435036
吉林省	26181944	42.91	522579	9.63	47383	10.89	608561	5.83	379097
黑龙江省	27232750	39.45	678873	5.93	53850	−5.95	626121	11.97	420522
上海市	14169989	4.43	945838	14.76	18361	−45.35	527938	−1.71	105510
江苏省	63868306	17.91	1768637	28.27	163414	14.26	1312785	16.27	457007
浙江省	34577208	12.81	1034059	20.04	124328	−6.85	1031587	13.11	539181
安徽省	18908485	31.95	637949	22.26	64389	63.1	404625	22.25	155834
福建省	32814509	21.09	820157	26.18	79689	35.2	879536	27.92	333648
江西省	11071943	42.47	345546	57.11	25273	19.14	237403	29.68	65959
山东省	254337650	42.33	6099139	39.75	1573953	51.48	5373771	41.48	2811209
河南省	80161816	38.42	3105739	47.83	511840	102.85	1405345	25.69	784777
湖北省	20887359	22.52	739833	33.13	162242	8.42	643408	20.76	268476
湖南省	20686471	41.08	989709	36.35	351131	254.09	720145	36.02	245352
广东省	66890302	16.14	1647797	−1.06	133424	3.59	1725979	20.62	557310
广西	28001683	23.88	859854	27.17	139696	24.82	1348687	6.72	541885
海南省	3078628	−0.08	76290	−1.38	12799	4.83	160971	−1.44	36289
重庆市	7466833	35.61	276565	61.42	24492	16.63	208801	27.13	59335
四川省	43201192	33.46	1303935	29.1	68386	2.42	861072	30.16	388935
贵州省	2390697	25.17	81541	22.18	11044	91.64	91969	−8.05	20935
云南省	6789611	−2.5	403576	−3.59	63237	−10.36	537300	−0.15	222641
西藏	10663	−15.65	186	22.37	−154	−132.02	3558	56.53	−66
陕西省	7664606	16.58	262707	15.61	14870	6.77	178314	3.03	102803
甘肃省	4472572	9.78	153530	3.08	12980	16.6	194645	12.06	139962
青海省	469274	−1.99	28516	94.56	2765	34.55	25867	17.98	3929
宁夏	1195559	25.95	53884	43.73	2520	196.47	40789	13.54	26888
新疆	6222651	13.51	301005	25.74	12264	−11.92	322839	15.43	126717

2005年1-12月农副食品加工业主要经济效益指标（4）

	财务费用比去年同期增长	利润总额	去年同期利润总额	全部从业人员平均人数	全部从业人员平均人数比去年同期增长	工业总产值（当年价格）	工业总产值（当年价格）比上年同期增长	工业总产值（不变价格）	工业总产值（不变价格）比上年同期增长
	%	千元	千元	人	人	千元	%	千元	%
全国	20.51	38006928	23519846	2190455	11.29	1056511902	31.61	0	0
北京市	36.85	351283	301496	33097	8.66	12644991	14.41	0	0
天津市	4.42	280119	331410	20847	4.54	12801410	8.83	0	0
河北省	-27.01	2000096	1407379	78761	9.59	49687105	22.95	0	0
山西省	30.03	170133	82356	20400	1.91	4972215	13.89	0	0
内蒙	58.9	1408464	426861	46262	7.79	22348981	43.89	0	0
辽宁省	24.63	1291664	264393	110484	16.52	53169470	42.25	0	0
吉林省	81.7	1126005	1427533	49159	1.12	29941947	40.77	0	0
黑龙江省	20.65	736371	565237	64718	6.41	30348783	40.21	0	0
上海市	8.26	302680	-9203	20229	-3.82	15034222	0.13	0	0
江苏省	-14.92	1277411	969070	105441	-0.81	70650327	21.77	0	0
浙江省	13.93	813748	545564	77943	7.18	39775512	16.24	0	0
安徽省	14.48	534874	354450	55900	5.56	21475058	31.73	0	0
福建省	11.07	502307	167505	88819	13.37	36920029	22.58	0	0
江西省	10.02	359546	209299	25864	10.62	12416866	34.8	0	0
山东省	39.13	13849184	8255381	610451	17.83	297078415	44.26	0	0
河南省	19.11	5272765	2754334	201909	25.38	89299523	44.05	0	0
湖北省	12.81	552108	449842	68873	20.58	24688965	27.63	0	0
湖南省	47.67	612185	341345	49726	9.49	25751708	38.55	0	0
广东省	7.39	1100928	614090	111014	5.15	75046918	18.58	0	0
广西	20.89	3225596	2256289	90887	1.51	34400498	17.97	0	0
海南省	22.88	134665	133178	15823	-1.33	3561515	-11.43	0	0
重庆市	41.38	182774	111885	19750	10.81	8272489	33.94	0	0
四川省	33.43	1042140	755373	84772	13.26	49999995	39.27	0	0
贵州省	-1.82	12201	1390	10756	-2.29	2904736	22.45	0	0
云南省	-11.69	490703	445648	34648	-4.21	8616666	1.93	0	0
西藏	24.53	1315	971	211	-8.66	15849	-19.93	0	0
陕西省	17.06	121803	8329	26716	2.39	9162408	16.55	0	0
甘肃省	15.49	147010	249913	40394	1.27	6281310	15.87	0	0
青海省	-9.39	-10387	5039	2863	1.89	559535	7.52	0	0
宁夏	34.15	19238	19963	3718	19.97	1398831	24.66	0	0
新疆	22.01	97999	73526	20020	3.76	7285625	16.6	0	0

2005年1-12月农副食品加工业主要经济效益指标（5）

	工业销售产值（当年价格）	工业销售产值（当年价格）比上年同期增长	出口交货值	出口交货值比上年同期增长	税金总额	税金总额比去年同期增长	资本保值增值率	资产负债率	产值利税率
	千元	%	千元	%	千元	%	%	%	%
全国	1037877335	31.93	106358895	20.19	18569020	40.71	120.86	60.15	5.31
北京市	12378493	14.95	1027096	17.22	106878	-8.96	107.72	59.98	3.38
天津市	13864120	12.8	566700	-10.22	144042	-9.57	82.16	76.21	3.31
河北省	49283520	22.93	2541709	6.51	713297	32.61	105.23	64.98	5.39
山西省	4751004	13.55	60917	-9.61	74759	-31.04	145.56	59.96	4.92
内蒙	21248192	42.85	263877	3.22	473232	111.3	110.35	55.22	8.36
辽宁省	51784512	41.84	8167402	43.27	528656	41.04	121.89	60.2	3.39
吉林省	29221648	41.73	1908800	9.73	161638	21.07	95.23	61.96	4.19
黑龙江省	29602616	38.82	564061	-25.76	464195	19.27	130.58	69.07	3.86
上海市	14997379	2.48	1794380	39.73	255813	21.78	125.74	60.2	3.71
江苏省	69297292	23.3	4591756	16.32	831919	16.62	103.13	65.98	2.95
浙江省	38529827	15.26	11434617	6.89	600076	0.63	111.2	65.82	3.55
安徽省	20814602	31.71	708719	26.24	224027	12.93	137.3	58.52	3.51
福建省	35941067	22.98	10627756	7.62	377247	52.1	111.58	58.54	2.28
江西省	12231607	36.4	859139	10.55	155082	37.47	125.75	54.43	4.14
山东省	292529112	45.04	45190550	32.67	6175784	56.18	142.45	57.13	6.74
河南省	88117911	44.54	1958809	11.32	2182886	84.3	122.56	54.01	8.35
湖北省	24138526	24.95	896144	20.34	394429	13.98	150.3	57.03	3.73
湖南省	25795798	38.32	599915	44.65	639071	168.44	114.89	53.31	4.86
广东省	73689619	16.25	8940719	2	855242	9.67	101.79	62.37	2.57
广西	34241544	25.73	303870	-4.79	1882200	39.19	119.96	56.45	14.85
海南省	3524304	-3.76	637754	26.15	160728	8.8	106.78	51.11	8.1
重庆市	8220459	32.41	349650	7.03	111836	40.16	139.22	66.58	3.24
四川省	48685068	36.26	1512700	22.19	278650	16.38	125.48	56.69	2.49
贵州省	2794072	25.49	11485	694.81	38272	32.17	123.01	67.29	1.50
云南省	8565298	2.49	328436	21.28	460760	-4.81	165.22	71.92	10.99
西藏	13366	-31.45	0	0	-154	-127.02	77.58	54.84	7.33
陕西省	8781376	16.45	5465	-35.13	60938	23.44	125.63	66.57	1.79
甘肃省	6169215	16.85	271739	-9.52	70506	-2.71	97.92	56.52	3.46
青海省	512049	2.62	22565	40.05	6983	31.78	117.85	50.37	-1.36
宁夏	1388644	29.3	6405	121.47	12638	160.95	117.27	63.91	2.28
新疆	6765095	13.94	205760	3.01	127390	20.51	112.28	66.1	2.62

2005年1–12月农副食品加工业主要经济效益指标（6）

	资金利润率	流动资产周转次数（次）	成本费用利润率%	人均销售率（元）	产成品资金占用率	分组代码	地区代码
	%	次	%	元	%		
全国	11.67	3.6	3.89	468668.08	19.62	00	00
北京市	6.14	2.94	2.68	402037.22	14.64	00	11
天津市	5.64	2.78	2.01	682847.84	11.06	00	12
河北省	15	4.77	4.32	615525.73	22.66	00	13
山西省	5.35	1.97	3.79	227421.67	28.82	00	14
内蒙	18.5	3.64	7.6	459828.24	21.21	00	15
辽宁省	7.12	3.41	2.74	457230.61	26.55	00	21
吉林省	8.13	4.51	4.07	596829.82	26.74	00	22
黑龙江省	4.96	2.46	2.54	460295.2	19.68	00	23
上海市	6.56	2.62	1.92	793263.83	11.04	00	31
江苏省	7.05	3.62	1.9	650867.65	15.2	00	32
浙江省	6.38	2.58	2.19	485600.08	25.02	00	33
安徽省	7.64	3.38	2.66	371515.31	26.54	00	34
福建省	4.26	2.65	1.44	399743.06	17.58	00	35
江西省	11.48	4.93	3.07	476257.58	22.15	00	36
山东省	17.53	4.15	5.16	467701.3	18.71	00	37
河南省	26.07	5.63	6.17	452559.27	13.94	00	41
湖北省	8.06	3.59	2.45	347058.92	24.13	00	42
湖南省	13.07	4.57	2.7	480092.1	15.81	00	43
广东省	5.61	3.24	1.55	650211.21	16.51	00	44
广西	20.97	2.66	10.49	375393.88	24.11	00	45
海南省	8.89	1.76	4.02	220773.3	17.01	00	46
重庆市	8.78	4.87	2.28	414455.14	15.49	00	50
四川省	9.29	5.44	2.28	555935.77	20.67	00	51
贵州省	2.91	3.4	0.47	243141.32	23.95	00	52
云南省	10.28	2	6.17	244365.36	14.05	00	53
西藏	1.75	0.42	9.17	68549.76	8.6	00	54
陕西省	3.52	3.3	1.48	320590.21	23.08	00	61
甘肃省	2.39	1.19	2.96	137727.98	19.02	00	62
青海省	−1.05	1.47	−1.97	177943.77	35.24	00	63
宁夏	3.39	2.99	1.46	358367.13	23.34	00	64
新疆	2.87	1.69	1.41	353069.83	29.04	00	65

食糖数据

1991—2006年我国食糖产量和消费量对比

单位：万吨

年份	产量	消费量	年份	产量	消费量
91/92	791.6	761.5	99/00	687	810
92/93	772.6	772	00/01	620	833
93/94	602	790	01/02	849.7	956
94/95	541	820	02/03	1063.7	1037
95/96	622.8	825	03/04	1002.3	1091
96/97	680	780	04/05	917.4	1151
97/98	811	830	05/06	881.5	1200
98/99	882	800			

我国进口糖配额统计的流通情况

我国进口糖主要以原糖为主，进口原糖中一部分为政府间贸易（即每年40多万吨的古巴糖），这部分直接进入国家储备库形成“国储糖”，国储糖中的原糖以竞卖形式投放市场，经精炼厂加工成成品糖后进入国内市场自由流通；进口原糖的另一部分为一般贸易进口糖，即获得进口配额的食糖加工企业在国际食糖市场进口原糖，经过精炼糖厂加工成成品糖进入国内市场自由流通；另外，我国一般贸易进口糖中还有一部分成品糖，这部分成品糖直接进入国内市场自由流通。我们对华商储备、部分国际食糖贸易商和精炼糖厂进行了调研，结论是，国家对符合配额管理政策的进口糖进入国内流通没有政策限制，即可以完全按照市场化原则进行流通。配额外进口糖的关税税率为50%，属自由贸易，企业完全按照市场化原则进口和销售。从近两年的情况来看，我国尽管每年发放了100多万吨的食糖进口配额，但除古巴糖外，真正进口的食糖并不多，配额没有被完全使用，这说明进口糖受国内市场价格和国际市场价格的影响较大，只有当国内价格高出国际价格，并有合理利润时一般贸易进口才会发生。

加入WTO后我国食糖进口情况统计

单位：万吨

时间	进口配额	一般贸易	古巴
2000	160	24.07	40
2001	168	79.87	40
2002	176.4	78.31	40
2003	185.2	32.51	45
2004	194.5	48.86	45

我国食糖消费构成情况统计

根据中国糖业协会统计，我国食糖消费总量中，工业约占60%，民用消费约占40%（如图十一所示）。工业消费包括食品工业、饮料、制药等，食糖是其重要的原料和原材料。近年来工业消费的稳定增长是我国食糖消费增长的主要动力。

近年来中国食糖消费需求情况统计

单位：万吨

	2000/2001	2001/2002	2002/2003	2003/2004	2004/2005
食品工业消费	615	694	788	833	882
家庭消费	208	220	237	251	261
国内总需求	823	913	1025	1085	1143
出口	10.6	43	11.8	6.2	8
总需求	833	956	1037	1091	1151

注：1.2004/2005年度指2004年10月1日到2005年9月31日为一个榨季

2.资料来源：中国糖业协会。

2000－2005年中国食糖消费需求情况统计

单位：万吨

	2000/2001	2001/2002	2002/2003	2003/2004	2004/2005
食品工业消费	615	694	788	833	882
家庭消费	208	220	237	251	261
国内总需求	823	913	1025	1085	1143
出口	10.6	43	11.8	6.2	8
总需求	833	956	1037	1091	1151

注：1.2004/2005年度指2004年10月1日到2005年9月31日为一个榨季

2.资料来源：中国糖业协会。

全国历年糖料生产情况统计(1949—2005)

1949～1980年

年份	面积：万亩			产量：万吨			单产：吨／亩	
	甘蔗	甜菜	合计	甘蔗	甜菜	合计	甘蔗	甜菜
1949	162.30	23.85	186.15	264.20	19.10	283.30	1.63	0.80
1952	273.90	52.65	326.55	711.60	47.90	759.50	2.60	0.91
1957	399.90	238.95	638.85	1039.20	150.10	1189.30	2.60	0.63
1962	230.70	124.95	355.65	344.30	33.90	378.20	1.49	0.27
1965	525.60	256.35	781.95	1339.10	198.40	1537.50	2.55	0.77
1970	581.25	298.35	879.60	1345.70	210.30	1556.00	2.32	0.70
1975	785.40	453.60	1239.00	1666.70	247.60	1914.30	2.12	0.55
1978	82275	496.35	1319.10	2111.70	270.20	2381.90	2.57	0.54
1979	767.55	487.50	1255.05	2150.80	310.60	2461.40	2.80	0.64
1980	719.25	664.05	1383.30	2280.70	630.50	2911.20	3.17	0.95

1981～1990年

年份	面积：万亩			产量：万吨			单产：吨／亩	
	甘蔗	甜菜	合计	甘蔗	甜菜	合计	甘蔗	甜菜
1981	826.95	653.70	1480.65	2966.20	636.00	3602.20	3.59	0.97
1982	979.95	693.45	1673.40	3688.20	671.20	4359.40	3.76	0.97
1983	981.15	815.70	1796.85	3114.10	918.20	4032.30	3.17	1.13
1984	1092.15	753.15	1845.30	3951.90	828.40	4780.30	3.62	1.10
1985	1447.20	839.25	2286.45	5154.90	891.90	6046.80	3.56	1.06
1986	1424.85	780.45	2205.30	5021.90	830.60	5852.50	3.52	1.06
1987	1288.35	746.55	2034.90	4766.30	814.00	5580.30	3.70	1.09
1988	1385.55	1117.35	2502.90	4906.40	1281.0	6187.40	3.54	1.15
1989	1439.85	853.65	2293.50	4879.50	934.30	5813.80	3.39	1.09
1990	1513.20	1005.45	2518.65	5762.00	1452.5	7214.50	3.81	1.44

1991～2000年

年份	面积：万亩			产量：万吨			单产：吨／亩	
	甘蔗	甜菜	合计	甘蔗	甜菜	合计	甘蔗	甜菜
1991	1746.00	1174.50	2920.50	6789.80	1628.90	8418.70	3.89	1.39
1992	1896.00	990.00	2530.50	7301.10	1506.90	8808.00	3.91	1.52
1993	1631.70	898.05	2529.75	6419.40	1204.80	7624.20	3.93	1.34
1994	1584.75	1047.60	2632.20	6092.70	1252.50	7345.20	3.84	1.20
1995	1687.98	1041.90	2729.85	6542.00	1398.40	7940.40	3.88	1.34
1996	1811.25	957.45	2768.70	6818.70	1541.50	8360.20	3.75	1.70
1997	1967.25	917.40	2884.65	7889.70	1496.80	9386.50	4.01	1.63
1998	2101.80	874.65	2976.45	8343.80	146.60	8490.40	3.97	1.65
1999	1954.20	511.50	2645.70	7470.27	863.90	8334.17	3.82	1.69
2000	1777.50	493.50	2271.00	6828.00	807.30	7635.30	3.84	1.64

2001～2005年

年份	面积：万亩			产量：万吨			单产：吨／亩	
	甘蔗	甜菜	合计	甘蔗	甜菜	合计	甘蔗	甜菜
2001	1881.20	610.08	2481.41	7566.30	1088.90	8655.20	4.00	1.79
2002	2090.60	636.00	2715.00	9010.70	1282.00	10292.70	4.31	2.02
2003	2113.50	372.00	2485.50	9023.50	618.20	9641.70	4.27	1.67
2004			2355.00	8985.00	586.00	9571.00		
2005								

2005年我国全年食糖进口情况

据海关部门的统计，2005年度截至12月末，全国累计进口食糖138.97万吨，其中，一般贸易85.04万吨，来料加工5.67万吨，进料加工41.29万吨，其他6.97万吨；全国累计出口食糖35.83万吨，其中，一般贸易2.21万吨，来料加工4.16万吨，进料加工29.11万吨，其他0.35万吨。

2005年全国生产糖精数据

根据全国糖精协作组统计，截止到2005年末，全国五家定点糖精生产企业共产糖精19330.1吨，同比减少14.29%；其中出口15557.12吨，同比减少13.08%；内销3683.34吨，同比减少20.64%；月末库存870.18吨，同比增加5.77%。

根据海关方面的数据显示：2005年12月份全国糖精出口量为1282.68吨，1～12月份糖精累计出口量为15105.68吨，成员企业自营出口量累计为13209.75吨，其中：开封市兴化精细化工厂为2340.43吨、天津北方食品有限公司为2062.44吨、苏州精细化工集团有限公司为5976.48吨、天津长捷化工有限公司为1929.8吨、上海福新化工有限公司为900.6吨。

2006年2月全国软饮料生产情况表

据从中国饮料工业协会了解，2006年度截至2月末，全国累计生产软饮料（不含酒精饮料）546万吨，同比增加26.2%，其中，含糖饮料362万吨，同比增加24.37%，罐装水184万吨，同比增加29.8%。

2005年1月至2006年2月，逐月生产情况如下：

全国软饮料逐月生产情况表

单位：万吨

月 份	合 计	含糖饮料	罐、瓶装水
2005年1月	210.51	144.06	66.45
*2月	197.26	127.5	69.76
3月	310.40	209.79	100.61
4月	205.69	96.39	109.3
5月	277.14	170.26	106.88
6月	346.6	201.6	145
7月	344.4	201.4	143
8月	333	192	141
9月	340	194	145
10月	289	152	137
11月	233	139	94
12月	293	166	127
2005年1～12月	3380	1994	1386
2006年1～2月	546	362	184

说明 *05年2月以后为修正后数；以前为原统计数。

近三个榨季产品质量优秀糖业企业名单及注册品牌

一、优级白砂糖

厂家	品牌
1．广西贵糖（集团）股份有限公司	桂花
2．南宁糖业股份有限公司制糖造纸厂	云鸥
3．福建糖业股份有限公司	白玉兰
4．广州市华侨糖厂	红棉

二、碳法一级白砂糖

厂家	品牌
1．南宁糖业股份有限公司制糖造纸厂	云鸥
2．广西贵糖（集团）股份有限公司	桂花
3．福建糖业股份有限公司	白玉兰
4．江门甘蔗化工厂（集团）股份有限公司	莲花
5．云南力量生物制品有限公司制糖二厂部	云龙
6．广西来宾东糖迁江有限公司	QT

三、亚法一级白砂糖

厂家	品牌
广东：	
1．东糖集团有限公司制糖厂	白莲
2．湛江华资农垦糖业发展有限责任公司广华分公司	三环
3．广州市双钱糖业有限公司	双钱
广西：	
1．南宁糖业股份有限公司明阳糖厂	明阳
2．广西凤糖业生化股份有限责任公司凤山糖厂	网山
3．南宁糖业股份有限公司伶俐糖厂	伶俐
4．广西驮芦东亚糖业有限公司	左江
5．广西隆安南华糖业有限责任公司那桐糖厂	蝶花
6．广西农垦糖业集团良圻制糖有限公司	涌泉
7．南宁糖业股份有限公司香山糖厂	大明山
8．广西田东南华糖业有限责任公司（二厂）	东星
9．广西田东南华糖业有限责任公司（一厂）	东星
云南：	
1．云南省元江县金珂集团糖业有限责任公司生产三厂	豪马
2．云南省元江县金珂集团糖业有限责任公司生产一厂	元冠
3．云南永德糖业集团有限责任公司永甸糖厂	晶莹
4．思茅景谷力量生物制品有限公司永平糖厂	云龙
5．思茅景谷力量生物制品有限公司江城糖厂	云龙
海南：	
1．海南八一糖业有限责任公司	椰威
2．海南定安茶根糖业有限责任公司	甘泉
3．儋州市那大糖业有限公司	洋浦
四川：	
1．四川省宁南金沙江糖业有限公司	金沙江

四、精制白砂糖

厂家	品牌
1．广州市华侨糖厂	红棉
2．云南陇川景罕糖业有限公司	英茂
3．福建糖业股份有限公司	白玉兰

（数据来源：国家糖业质量监督检验中心）

巴西2005/2006年度甘蔗、糖和酒精产量

根据巴西农业部直属国家供给公司（Conab）2006年1月4日公布的2005/2006年度甘蔗产量的报告称，截至目前，未收获面积仅剩2%，甘蔗收获季节已基本结束，本年度的甘蔗产量可确定为4.368亿吨，比上年度的4.157亿吨增产5.1%；种植面积588万公顷，比上年度的563万公顷扩大4.5%；每公顷单位面积产量74,318公斤，单产同比（73,897公斤）增加0.6%。

4.368亿吨甘蔗产量中的2.16亿吨用于糖的生产，预计可生产蔗糖2,670万吨；1.784亿吨用于生产酒精（包括无水酒精－与汽油混合用、含水酒精－单纯酒精燃料用、中性酒精－工业原料），估产170亿公升；其余的4,240万吨为制酒、糖果、动物饲料之用。甘蔗三种大项用途的比例分别是50：40：10。

2005年巴西糖的出口量为1750万吨，比上年增加11.4%；出口值39.19亿美元，同比增长48%。酒精的出口量为21亿公升，同比（19亿公升）增幅10.5%；出口值7.56亿美元，同比（4.98亿美元）增幅51.8%。

近三年我国含糖饮料总产量及耗糖率

年份	含糖饮料年产量	耗糖率%	耗糖量	同比年增%	年增用量	说明
2003年	1418.5	10	141.8	17.3	24.5	
2004年	1706.5	10	170.7	20	28.9	
2005年	1974	10	197.4	15	26.7	

数据来源：中国饮料工业协会

近三个榨季食糖平均价格与全国逐月产销量表

表1　近三个制糖期全国按月糖价变化情况

单位：元/吨，甘蔗一级白砂糖

月份	制糖期			
	广西自治区* 1996-2002年平均	**2002/03	**2003/04	**2004/05
10	3456	2730	2644	2750
11	3210	2560	2644	2733
12	3011	2341	2548	2611
1	3336	2308	2467	2620.4
2	3347	2331	2501	2890.28
3	3385	2376	2587	2978.23
4	3380	***2328	2688	2921.65
5	3324	***2326	2725	3039.84
6	3355	***2249	2769	3089.56
7	3419	***2196	2810	3262.36
8	3449	***2170	2889	3440.11
9	3442	2213	3103	3644.27

说明：*广西南宁市场价。**中国糖协重点糖厂销售价格统计数。

***受“非典”影响价格下降

表2 近三个制糖期全国食糖逐月产销量

单位：万吨

月份	2002/03年制糖期		2003/04年制糖期		2004/05年制糖期	
	月产量	月销量	月产量	月销量	月产量	月销量
10	14	9.8	12	8.4	13.5	6
11	79.22	58.15	65.95	40.69	60.37	17.44
12	189.89	115.65	204.55	130.51	221.03	115.36
1	214.92	148.58	180.5	116.2	216.1	129.9
2	162.1	106.84	226.76	110.6	195.5	125.9
3	195.87	134.08	181.5	118.04	181.3	102.4
4	137.61	**44.11	84.31	93.24	26.9	94.1
5	60.09	**57.8	32.63	83.78	2.7	67.7
6	10	84.1	0.83	77.49	0	67.3
7	0	111	0	72.24	0	63.4
8	0	99.1	0	78.82		60
9	0	61	0	34.42		38.6

说明：** 受"非典"影响；月销量中不包括，进口糖、储备糖和上期结余糖。

数字来源：中国糖业协会。

2005年糖料播种情况及2005/06年制糖期产量预计

2005年糖料播种情况及2005/06年制糖期产量预计			
单位：万亩、万吨、%			
省区	2005年糖料种植、2005/06年制糖期食糖产量预计		
	面积	收购糖料量	产糖量
全国合计	1914.3	7424	970
甘蔗糖小计	1621.3	6743	823-873
广东	196	941	107-112
其中：湛江	150	750	85
广西	960	4200	530-560
云南	363	1247	150-165
海南	60	160	19
福建	10.9	55	6
四川	9.4	42	4.6
湖南	8	32	3
其他	14	66	3.4
甜菜糖小计	293	681	84
黑龙江	110	160	20
新疆	110	380	45
内蒙古	52	95	12.5
河北	13	30	4.5
其他	8	16	2

数据来源：中糖协

05～06制糖年全球食糖产供销预测数据

年初库存	产量	进口	总供给	出口	国内消费	年末库存	全球
01/02	39,579	134,270	39,131	212,980	41,917	134,454	36,609
02/03	36,609	148,656	40,319	225,584	46,345	138,315	40,924
03/04	40,924	142,400	40,113	223,437	45,862	138,649	38,926
04/05	38,827	140,811	42,877	222,515	46,317	141,056	35,142
05/06	35,142	144,151	42,714	222,007	47,720	142,781	31,506

90/91-04/05榨季甜菜糖产量统计表

单位：万吨、%

榨季	全国总产量	甜菜糖产量	占全国总产量比例
1990-1991	633.00	153.85	24.30
1991-1992	791.64	166.55	21.04
1992-1993	722.60	144.60	18.72
1993-1994	602.30	100.20	16.64
1994-1995	541.80	94.90	17.52
1995-1996	622.00	129.10	20.73
1996-1997	680.00	142.09	20.90
1997-1998	811.20	134.00	16.52
1998-1999	882.60	125.80	14.25
1999-2000	686.89	66.16	9.63
2000-2001	587.18	69.40	11.82
2001-2002	849.70	102.70	12.09
2002-2003	1063.70	124.10	11.67
2003-2004	1002.30	58.73	5.86
2004-2005	917.40	60.30	6.57

2006年我国食糖进口税目、税率表

税则号列	货品名称	税率（%）		
		配额外		配额内
		最惠国	普通	
17011100	未加香料及着色剂的甘蔗原糖	50	125	15
17011200	未加香料及着色剂的甜菜原糖	50	125	15
17019100	加有香料或着色剂的原糖	50	125	15
17019910	砂糖	50	125	15
17019920	绵白糖	50	125	15
17019990	其他精制糖	50	125	15

全球食糖产供销（含进出口）和库存量总表

制糖年	开榨时库存	产量	进口量	总供给	出口量	国内消费量	收榨时库存
95-96	22,520	122,229	32,182	174,894	34,219	116,275	26,437
96-97	26,437	122,546	32,772	178,711	35,816	119,476	26,463
97-98	26,463	124,939	32,653	181,282	35,426	122,778	25,851
98-99	26,901	130,880	36,032	193,813	37,357	124,193	32,263
99-00	32,338	136,603	36,123	204,964	41,471	127,422	36,071
00-01	36,918	130,632	38,748	206,298	37,680	129,895	38,723
01-02	38,723	134,566	38,056	211,345	40,872	134,545	38,928
02-03(暂)	35,928	148,807	39,945	224,680	46,139	137,976	40,565
03-04	40,565	141,955	39,122	221,642	45,258	140,191	36,193
04-05	36,193	142,373	40,021	217,397	45,771	141,953	30,863

注：（单位：1000吨，按原糖测算）

05～06制糖年亚太食糖产供销预测数据

年初库存	产量	进口	总供给	出口	国内消费	年末库存	亚太地区印度
01/02	11,985	20,475	100	32,560	1,130	19,760	11,670
02/03	11,670	22,140	10	33,820	1,410	19,980	12,430
03/04	12,430	15,150	550	28,130	250	18,810	9,070
04/05	9,070	14,210	2,000	25,280	50	19,500	5,730
05/06	5,730	18,430	1,000	25,160	200	19,800	5,160
中国							
01/02	1,004	8,305	1,375	10,684	460	9,355	869
02/03	869	11,380	842	13,091	120	10,950	2,021
03/04	2,021	10,734	1,235	13,990	67	11,600	2,323
04/05	2,323	9,826	1,250	13,399	182	11,600	1,617
05/06	1,617	10,500	1,300	13,417	110	11,700	1,607
泰国							
01/02	571	6,397	0	6,968	4,157	1,832	979
02/03	979	7,286	0	8,265	5,280	1,940	1,045
03/04	1,045	7,010	0	8,055	4,860	1,980	1,215
04/05	1,215	5,187	0	6,402	3,620	2,050	732
05/06	732	4,330	0	5,062	2,700	2,100	262
澳大利亚							
01/02	634	4,662	5	5,301	3,594	1,200	507
02/03	507	5,461	8	5,976	4,114	1,200	662
03/04	662	5,178	10	5,850	4,157	1,150	543
04/05	543	5,388	10	5,941	4,388	1,150	403
05/06	403	5,200	10	5,613	4,240	1,150	223
巴基斯坦							
01/02	425	3,453	32	3,910	0	3,450	460
02/03	460	3,944	0	4,404	107	3,500	797
03/04	797	4,047	0	4,844	214	3,600	1,030
04/05	1,030	2,937	825	4,792	215	3,750	827
05/06	827	2,890	850	4,567	0	3,850	827
印度尼西亚							
01/02	1,415	1,725	1,600	4,740	5	3,350	1,385
02/03	1,385	1,755	1,600	4,740	0	3,400	1,340
03/04	1,340	1,730	1,500	4,570	0	3,400	1,170
04/05	1,170	2,050	1,450	4,670	0	3,550	1,120
05/06	1,120	1,800	1,800	4,720	0	3,800	920
菲律宾							
01/02	322	1,900	109	2,331	142	1,950	239
02/03	239	2,160	0	2,399	142	1,980	277
03/04	277	2,340	0	2,617	202	2,010	405
04/05	405	2,150	0	2,555	306	2,010	239
05/06	239	2,100	0	2,339	156	2,010	173

年初库存	产量	进口	总供给	出口	国内消费	年末库存	亚太地区印度
日本							
01/02	365	833	1,407	2,605	10	2,277	318
02/03	318	864	1,483	2,665	10	2,296	359
03/04	359	896	1,364	2,619	18	2,247	354
04/05	354	921	1,431	2,706	10	2,263	433
05/06	433	890	1,402	2,725	10	2,250	465
其他亚太国家							
01/02	1,838	2,448	7,343	11,629	1,617	8,039	1,973
02/03	1,973	2,563	7,328	11,864	1,623	8,177	2,064
03/04	2,064	2,552	8,000	12,616	1,532	8,530	2,554
04/05	2,554	2,348	7,940	12,842	1,540	8,765	2,537
05/06	2,537	2,278	8,131	12,946	1,601	8,888	2,457
亚太地区合计							
01/02	18,559	50,198	11,971	80,728	11,115	51,213	18,400
02/03	18,400	57,553	11,271	87,224	12,806	53,423	20,995
03/04	20,995	49,637	12,659	83,291	11,300	53,327	18,664
04/05	18,664	45,017	14,906	78,587	10,311	54,638	13,638

05～06 制糖年中东食糖产供销预测数据

年初库存	产量	进口	总供给	出口	国内消费	年末库存	中东地区埃及
01/02	282	1,408	1,102	2,792	52	2,290	450
02/03	450	1,295	869	2,614	0	2,381	233
03/04	233	1,335	1,215	2,783	0	2,420	363
04/05	363	1,360	1,220	2,943	0	2,484	459
05/06	459	1,370	1,230	3,059	0	2,539	520
土耳其							
01/02	865	1,796	1	2,662	378	1,850	434
02/03	434	2,345	1	2,780	150	1,900	730
03/04	730	1,915	1	2,646	232	1,930	484
04/05	484	2,109	0	2,593	50	1,960	583
05/06	583	2,175	0	2,758	50	2,000	708
其他中东国家							
01/02	977	1,022	6,311	8,310	1,553	5,574	1,183
02/03	1,183	1,267	6,858	9,308	1,737	5,653	1,918
03/04	1,918	1,433	6,660	10,013	2,308	5,785	1,920
04/05	1,920	1,520	6,705	10,145	2,330	5,870	1,945
05/06	1,945	1,570	6,780	10,295	2,310	5,978	2,007
中东地区合计							
01/02	2,124	4,226	7,414	13,764	1,983	9,714	2,067
02/03	2,067	4,907	7,728	14,702	1,887	9,934	2,881
03/04	2,881	4,685	7,876	15,442	2,540	10,135	2,767
04/05	2,767	4,989	7,925	15,681	2,380	10,314	2,987
05/06	2,987	5,115	8,010	16,112	2,360	10,517	3,235

【种植】广西历年糖料蔗生产情况统计(1950～2005)

单位：万亩、公斤、万吨

年份	播种面积	亩产	总产量	产糖量
1950	22.05	1900	42.75	0.0143
1951	26.80	1978	53.01	
1952	39.62	2209	87.53	
1953	43.42	1880	81.62	
1954	48.34	1811	87.56	
1955	43.61	1991	86.84	
1956	53.88	1232	66.40	
1957	58.68	1489	87.38	
1958	77.13	1935	149.22	
1959	81.77	1219	99.64	
1960	78.64	1374	108.03	3.0227
1961	44.35	885	39.25	
1962	34.61	667	23.08	
1963	34.00	998	33.93	
1964	58.21	1878	109.33	
1965	95.56	1613	154.17	
1966	100.69	1321	132.99	
1967	97.98	1762	172.65	
1968	93.45	1462	136.65	
1969	98.73	1560	153.98	
1970	121.19	1705	206.57	13.36
1971	122.76	1513	185.70	
1972	147.12	1759	258.84	
1973	159.09	1666	264.97	
1974	146.58	1435	210.40	
1975	158.89	1468	233.32	
1976	178.84	1472	263.33	
1977	173.90	1401	243.63	17.74
1978	213.27	1728	368.57	
1979	183.24	1954	358.01	
1980	155.88	2327	362.70	
1981	183.99	2739	504.00	
1982	220.43	3112	685.90	
1983	217.70	2915	634.60	
1984	221.34	2948	652.57	
1985	305.08	2805	855.72	
1986	322.84	3078	993.67	
1987	310.94	3434	1067.77	105.45
1988	418.31	3022	1264.06	
1989	448.55	2996	1344.00	
1990	462.61	3084	1426.57	136.50
1991	579.75	3269	1895.14	203.00
1992	642.15	3463	2224.08	226.50
1993	571.65	3849	2200.54	223.00
1994	583.80	3803	2220.01	175.00
1995	660.75	3725	2461.07	233.00
1996	736.14	3705	2727.43	235.00
1997	779.79	3915	3131.76	323.50
1998	895.91	3873	3470.00	379.50
1999	802.78	3862	3100.00	306.80
2000	732.84	3820	2798.50	276.00
2001	829.02	4211	3490.98	456.00
2002	1006.05	5327	5359.00	564.00
2003	1039.00	4162	4672.66	587.60
2004	1051.00	4583	4817.00	531.00
2005	1085.7	4607	4958.93	537.69

地区篇

华北地区糖酒市场

北京市糖酒市场

一、市情简介

北京市全市总面积16807.8平方公里，其中山区面积10417.5平方公里，占62%，平原面积6390.3平方公里，占38%。北京市划分为16个区、2个县：东城区、西城区、崇文区、宣武区、朝阳区、丰台区、石景山区、海淀区、门头沟区、房山区、通州区、顺义区；昌平区、大兴区、平谷区、怀柔区、密云县、延庆县。

二、市场格局

北京酿酒行业目前已形成由少数名牌企业控制市场的局面，其生产集中度之高，市场占有率之大，都在全国各省市名列前茅。红星、燕京、牛栏山、五星等品牌已成北京酿酒行业的拳头产品，且享誉全国。

1、白酒

北京市红星酿酒集团公司、北京市牛栏山酒厂、北京市华都酿酒食品工业公司3家企业产量都在万吨以上，是北京市产量最大的三家白酒生产企业，它们的产量占全市总量的98%左右。“红星”与“牛栏山”销售收入都在4亿元以上，“华都”也在亿元以上行列，其中，“牛栏山”和“红星”的利税在亿元以上，迈入全国白酒企业先进行列。这3种白酒在北京市场的占有率达60%以上，成为消费者喜爱的酒品。

2、啤酒

北京燕京啤酒集团公司、北京三环青岛啤酒公司、北京五星青岛啤酒公司、北京丽都亚洲啤酒公司4家规模较大企业产量占全市总量的95%左右。其中，全国啤酒行业龙头的燕京啤酒集团公司2003年生产啤酒266.1万吨，同比增长27.60%。“五星”每年出口啤酒4000余吨，成为仅次于“青啤”的全国第二大啤酒出口企业。

3、葡萄酒

北京市葡萄酒产量虽低，其品牌市场占有率却相当高。“夜光杯”、“龙徽”、“丰收”在北京市场占有率大约在30%以上，其质量均达国家优质酒水平。

4、饮料

北京汇源饮料食品集团是北京市最大的果汁饮料生产企业，它在全国果汁饮料市场上占据着重要地位。北京汇源饮料食品集团有限公司创建于1992年6月，是一家专门致力于各种果蔬汁饮料开发、生产、销售的大型民营企业，为中国饮料工业十强、中国驰名商标、国家农业产业化龙头企业、2002年中国最具影响力十大企业......销售收入、市场占有率均在同行业中名列第一。

作为北京乳品老大的三元乳品有北京地区80%的优质奶源，奶产品的日加工量已近1000余吨，同时还拥有全国最大的、设备最先进的奶牛中心，也是国内首家将抗生素和体细胞含量列入原料奶收购检测指标中，与现行欧洲标准接轨的企业，完全能跨过五大“门槛”。

三、知名企业

1、北京燕京啤酒股份有限公司
2、北京红星股份有限公司
3、北京二锅头酒厂
4、北京啤酒朝日有限公司
5、北京丰收葡萄酒有限公司
6、北京五星青岛啤酒有限公司
7、北京青岛啤酒三环有限公司
8、北京龙徽酿酒有限公司
9、北京市牛栏山酒厂
10、皇家京都酒业有限公司北京京都酒厂
11、北京市八达岭酿酒公司
12、北京圣皮尔金鹰食品饮料有限公司
13、北京优格乳品有限责任公司
14、北京汇源果汁饮料集团总公司
15、露露集团北京露露饮料有限责任公司
16、北京金果都果汁有限责任公司
17、北京海爵食品有限公司
18、北京牵手果蔬饮品有限责任公司
19、北京红牛维他命饮料有限公司
20、北京广东健力宝饮料有限公司
21、北京可口可乐饮料有限公司
22、北京双斯特天然饮料有限公司
23、北京市天赐矿泉饮料有限公司
24、北京百事可乐饮料有限公司
25、北京市九龙山矿泉饮料公司
26、北京稻香村食品集团
27、北京三元食品有限公司
28、北京红螺食品集团
29、北京市饴糖厂

四、市场概况

【北京白酒市场大写真】

北京白酒市场的特点及品牌现状

这里有80亿的市场容量，有巨大的销售渠道，令白酒商既惊又喜；这里有名酒、二名酒和地产酒诸多品牌，刀光剑影激烈交锋。

白酒是跟随着中国文化历史的发展应运而生的。北京有着悠久的文化历史，也有着悠久而传统的饮酒文化，但随着现代经济文化的发展人们的消费观念在改变，出现了开放式的格局，再加上红酒、洋酒、啤酒等新兴的酒饮全面介入，使得酒类市场百花齐放，白酒的消费总量有所下滑。尽管如此，北京仍然有一个相当惊人的消费量，据统计，2004年北京白酒零售总额达到80亿之巨。

北京白酒市场的特点：

第一，市场消费容量巨大。北京有着庞大的消费人群。由于企业众多，人员交往频繁，人们的应酬来往就很多，吃吃喝喝的事自然免不了，因而产生很大一块白酒消费，再加上人们的收入比较高，消费能力持续增强才出现了北京一个地区一年80多亿的白酒消费。

第二，白酒的销售渠道数量巨大。北京现在大约有A、B、C类近30000家餐饮酒店，其中B类店以上就有近万家，有1000多家大中型商超及4000家小型商超，有10000多家名烟名酒店，有四五家大型批发市场，当然还有400家左右的酒类经销商企业，这其中也包含了各郊区县的各类渠道。

第三，市场启动后受益巨大。一方面是来自直接的受益，如京酒、金六福年销售额都在一个多亿，地产的二锅头销售额更高。北京的消费者消费比较理性，一旦接受了你的品牌就会有一个相当长的消费期，另一方面品牌得到了很大的提升，为华北乃至全国的市场启动起到较强的辐射作用。

第四，市场开发难度高，市场投入费用大。北京白酒市场的开发难度之所以高，费用投入大，就是因为它的容量大，渠道多，人员广，接受慢。想进入北京就要解决很多费用。比如商超的进店费、促销费、海报费、堆端头费，一个单店从500～2000元不等，不少于500家的店要进，有的单店费用更高。餐饮酒店费用名目少点，但是单店也得从3000～20000元不等，想有一定市场影响力就要进入1000多家，促销人员及各种活动的费用也是相当大的一块儿。还有媒体宣传，北京的媒体费用之高是众所皆知的，加上北京消费者的消费相对理性，在没有了解你的产品之前打动他需要的时间也相对要长。

第五，品牌众多，竞争激烈，市场风险性大。目前北京市场差不多有200多个品牌，近1000个产品，许多产品都有销售就增加了许多的不确定性。竞争过于激烈就可能会有相当大的运作风险，曾经有几个还算是国内的知名品牌来北京运作，投入一二千万，最后还折戟沉沙，无声离去。

北京市场主要品牌的现状：

第一，地产的二锅头系列。二锅头系列一直是北京消费量最多的白酒产品，红星二锅头年销售额在3个多亿，牛栏山二锅头年销售在一个多亿。现在北京白酒市场竞争也给这些地产品牌很大的压力，这些企业纷纷改制，在产品结构上进行调整以应对外来品牌的冲击。二锅头在广大消费者的眼里一直是低档酒的代名词，为了改变这一局面，红星二锅头一方面用几元钱的低档二锅头占住市场份额，另一方面积极开发了一系列新品种，如精品红星二锅头，青花瓷珍品红星二锅头，北京特酿等5大系列20多个品种。新上市的这几个品种表现相当不错，每瓶300多元的珍品走势良好，正逐步提升二锅头的品牌形象。牛栏山酒厂也推出百年牛栏山的系列中高档品牌，企业也为打造品牌形象加大了市场的投入，在终端上加大了争夺消费者的投入。今年二锅头企业的中档以上的品种销售收入会有较大提升。

第二，五粮液、茅台、剑南春、水井坊、国窖·1573等高档酒。北京的高档酒市场可能是其他任何城市都无法比拟的，五粮液年销售近4个亿，茅台约有2个亿，剑南春有8000万，全兴集团的水井坊和泸州老窖的国窖·1573，销售都在8000万左右。五粮液、茅台的目前地位无人撼动。水井坊这几年在北京运作得不错，把品牌传播定位得很好，每年都有几千万入帐，不过现在市场势头有点下滑。国窖·1573经过在北京这几年的大投入，主要在终端上发力，让商家及推广服务人员赚足了钱，加上它的品牌效应，以及独特的包装文化，越来越成为高档消费的新宠，对五粮液，茅台造成了一定的冲击，经销商和消费者的提及率比较高，今年销售会突破亿元，并有持续增长势头。其他更高价位的酒也有相当不错的消费空间，北京几乎成为高档酒的乐园。

第三，金六福酒。金六福进入北京有五六年了，在一进入北京市场时就高举高打，以敢于投入著称。他有一整套的运作思路，第一年就在北京投下2000万元，当年没有收回成本，是亏损状态，但是它的终端酒店和商超已初具规模。第二年继续追加投入，差不多翻了一倍的投入，投入大量的业务、促销人员进行网络布局，第二年销售额就爬过6000万。然后酒店、商超、流通开始全面开花，市场份额在上升，市场投入也在增加，很快销售额就过亿元大关。几年前，北京的进店费是很少的，金六福的终端发力，对北京进店费的提高起到了催化作用。金六福为了北京市场的长足发展，在产品、渠道、营销策略上不断创新，使它保持了销售上的高增长，从一个多亿向二亿靠拢。在其他地区市场，金六福没有这样持续的高增长性。目前金六福的一星到三星走势最快。

第四，京酒。作为五粮液的系列酒，京酒进入北京时，竞争还没有那么激烈。京酒巧妙地结合了北京的文化特点，把京酒打造成了“北京人自己的酒”。已经在市场畅销八九年了，还有不少消费者把它当作北京的酒，北京市糖烟酒公司在运作中也有意淡化五粮液的概念，利用公司强大的分销网络，迅速使产品进入了北京的各级终端。京酒走势最好的就是15～25元价位的酒，避开了二锅头的竞争，有一定的档次又不贵，经过市糖烟酒公司几年的打造使京酒连续多年年销售额都在一个亿以上。它没有金六福的花哨却也在北京牢牢地把握了主动，当然，随着产品的老化，其市场也出现了下滑，利润率下降，但仍然有着较大的市场份额。

第五，安徽口子窖酒。口子窖酒四年前进入北京，它的目的非常明确，就是要在北京这个大市场中占有一席之地。初入北京的口子窖无一点优势可言，但厂家并不急功近利，而是自己成立了销售分公司，直接操盘市场，并且完全以终端酒店起步。此时的北京市场终端进店费已相当可观，口子窖没有退缩，组织了近百人的销售队伍开始了北京市的终端拉网式铺货，第一年进了约一千家店，销售了几百万还不够市场花费。第二年继续铺店，并展开系列促销活动，上了几百名促销人员。第三年，也就是2004年，口子窖的队伍还在扩大，继续增加铺店数，直接供应酒店就达2000多家。这时终端酒店的消费者开始逐步认识口子窖，开始了自己的点喝。口子窖继续加大终端酒店的促销活动，旺季派上600多名促销人员上阵，当年实现3000多万元的销售，才进入平衡点。2005年进一步加强市场投入，又进入了400多家大中型超市，并增加进入近千家酒店，据笔者了解今年有望突破八千万。从目前的北京白酒终端运作来看，口子窖是运作最稳最有潜力的，市场如果把握得好，随着时间的推移，其市场发展不可限量。

第六，浏阳河酒。浏阳河进入北京也有好几个年头了，一直紧跟金六福，但是总觉得慢半拍。它的销量一直在几千万徘徊，人员、活动、广告一样都不少，就是火不起来，可能是金六福的光芒遮挡住了它。2005年，浏阳河为了改变逐渐被淡忘的危险，加强了市场的宣传力度，同时更加强了业务和促销队伍的素质提升，提高了市场掌控能力，目前销量明显上升。浏阳河也是自己成立北京销售分公司进行运作的，这可以看出他们在北京争夺市场的决心。

第七，贵州醇酒。贵州醇在北京也运作了好几年，主打的是中低档消费，广告上以站牌、车体形式为主导辅以电视广告，经过几年的市场打拼，慢慢被北京市民有所接受。它2004年销售近4000万，今年有望突破6000万。贵州醇酒表现最抢眼的产品是商超零售每瓶25元的酒，贵州醇已经成为北京消费者的重要选择之一。

第八，金银剑南、小糊涂仙、板城烧锅酒、蒙古王、泸州老窖特曲等。这些都在北京市场运作了几年，年销售都在一千万元以上。

2005年又有不少新锐白酒品牌杀入北京市场，如五粮液自销品牌第三代五粮醇酒，4月份进入北京，短短半年市场销售就突破500万元，在商超表现抢眼，覆盖率较高，中秋出现过多家商超产品告急。现该产品正向北京各区县市场进入，终端酒店也打造了专门的专供酒，分渠道进入市场，现在走势尚可。还有王者风范酒、茅台国浆酒、宋河烧坊等都比较强势进入。

北京主销渠道分析：

30000家酒店，5000家商超，近10家大型批发市场，上万家烟酒店，10个潜力巨大的卫星县。一切都意味着巨大的资金投入……

餐饮酒店渠道的分析

北京市的餐饮也是相当发达，大小有3万多家，可以分成A、B、C、D四种级别，生意都还是不错的。2004年，据统计餐饮消费额在200多亿，在人均消费支出中占了很大的一块。当然各个酒店的消费层面是不一样的，每年也会有很多家酒店倒闭，给我们留下了不少的市场隐患。现从消费价格、地域及进店费用来分析这四类店的特点以及如何在酒店中找出运作白酒的思路。

从终端消费价格层面分析：

第一，对五粮液、茅台、水井坊、国窖·1573等高档白酒来说，一般单瓶消费价都在400元以上，这些是A类酒店的主流销售产品。这些店里中低价位的酒几乎没有多少销量，能进这些酒店消费的人几乎都是奢侈消费，对价格是不敏感的，甚至是越贵越好。这样类别的店，有大约300家。其中，有不少在四星、五星宾馆体系内的酒店往往是我们很多酒的伤心地，因为这里是高档酒的天下，很多酒达不到那个档次，进入这些A店名酒不用掏进店费，而不够层次的中档品牌们不得不拿出大量的进店费，一般单店都要在2~5万元，有的更高达十多万元。如果把握得不好，形象店是占据了，但资源却是浪费很大，这些酒店的占销比会严重超标。对于这样超高消费的A类店要审慎进入。

第二，300元以下和120元以上的消费档的酒店有3000多家，这就是我们所说的B类酒店。目前这一档的酒店白酒品牌的竞争是最激烈的，各类品牌众多，也是各厂家餐饮终端争夺的主战场之一。目前，在这一区间表现好的产品有口子窖、金六福、蒙古王、浏阳河、金剑南、小糊涂仙，还有一些新入品牌，如典藏五粮醇、王者风范、宋河粮液等。这些品牌都在这个价格区间里淘金，少的进入几百家，多的通过直销和分销商家进入2000多家。表现最抢眼的要数安徽的口子窖，进京3年多，目前已经在不少的终端消费出现较强反应，卖得最好的一款是158元的五年口子窖，270多元的十年口子也销售不错。

第三，50至100元的这一消费空间的酒店众多，是B类以下C类以上的酒店，也是白酒消费量最大的地方。这些酒店覆盖广，数量多，但是这一类的酒店的白酒竞争形式也较单一。因为在酒店终端消费不到一百元的酒，其进店价格是25~50元之间，这样的价格对于主做终端酒店，它的利润空间是远远不够的。因此，在这一层面消费上没有一个品牌独大的现象，主流品牌不明显，产生消费动力的主要因素是品牌力的拉动，如金六福三星、浏阳河三星、蒙古王、京酒、红星二锅头精品、口子酒中的老口子等。也有一部分中小品牌在这一价位空间运作，但还只是辅助型的。

第四，50元以下的消费档，也就是我们常说的C、D类店。这一档的酒店分布在大街小巷，几乎无处不在，消费的是几元到40元的酒，普通朋友小聚最多。在这个价格档，几乎没有哪个品牌有终端活动，几乎都是跟从消费，受品牌的大气候影响比较大。北京的地产二锅头系列占了最低端的大部分销量，时下流行的京酒、金六福、浏阳河、贵州醇等都表现不俗。

从酒店渠道的进店费等费用分析：

北京酒店的进店费不是全国最高的，其实也只能算是中上游水平，因为酒店数量比任何城市都多，要进入的酒店多了，自然总体费用还是会很大。一般的特A类酒店进店费在2~5万元，一般B类酒店的进店费在4000~8000元之间，连锁加盟类酒店就各有不等，主要看连锁加盟酒店的店数及质量。如眉州东坡酒楼15家店，生意很好，进店费要价8万，俏江南11家要价10万，九头鸟15家因生意原因相对低点要价3万。总体连锁加盟酒店企业的费用低些，但是在帐款结算、促销活动及客情维护方面比较麻烦一点，涉及利益链，有时不容易到位。B类以下C类偏上点的酒店也要1000~3000元不等的进店费，这些是特色店，规模未必很大，但生意状况不错。这些店的费用弹性很大，有时稍给点东西或酒就行，如果有人际关系可以不用进店费。北京的进店费是被金六福、浏阳河、蒙古王、口子窖等在争夺终端时抬起的。北京能做的终端酒店我们按6000家计算，如果一个品牌只进入其中的2000家，高中档次结合一年进店费用就要800万元左右。目前，尽管各品牌酒的促销人员在酒店中促销并不太受欢迎，但品牌在实际的运作中促销人员的作用还是比较明显的，所以各厂家在人员、活动上的投入比较大，象2000家左右的酒店规模，长年应该有200~300名专职促销人员在岗，按人均每月1200元算一年又是300多万元。

从各品牌在酒店的运作措施来分析：

北京酒店中运作着的各品牌酒，都在运用各自的品牌引导力，在终端中大显神通。高端酒方面，做得不错的当数国窖·1573，一方面注重品牌的塑造，另一方面又高举高打，以重利在酒店中通过口碑加上高额服务费，促进了服务人员的干劲，对于酒店的分销商们同样给予较大的利益。可以说国窖·1573前期不为挣钱，只为抢下高端市场的一杯羹，着远长期利益。从目前的发展势头看它的表现很强劲，超过了在北京表现一直不错的水井坊酒，并且在有些酒店形成了对五粮液，茅台的威胁，甚至超过了它们。五粮液、茅台、剑南春酒在终端的销售主要是消费者自点，几乎没有促销可言，而且很多人还有怕喝到假酒的顾虑。高端酒的酒店运作国窖·1573值得借鉴。中价位酒的品牌就多了，如口子窖、蒙古王、金六福、浏阳河、河套老窖、板城烧锅等。这些品牌酒中一个很大的特点就是自己直接设立销售分公司直面终端酒店，直接开发较多的酒店，保持相当大的开店率，并给予酒店相当大的投入。一般都组织了一支专业化的直销队伍和促销队伍，少则几十人的业务，一二百人的促销，多则一二百人的业务队伍，四五百人的促销队伍，这些人员遍布北京市，一个个进行终端拜访做足客情沟通。品牌酒自身也结合终端市场的消费需求推出系列的促销活动，有针对酒店的，如卖赠百分百活动，酒店在一定时间内每卖出一瓶厂家就赠同品牌酒一瓶；有针对服务员的，一方面有比较高额的开瓶费，另一方面开展一系列的二次兑奖活动以吸引酒店服务人员向消费者推销自己的品牌，主要形式是抽奖、积分、联谊活动等，其目的是拢住酒店的服务人员，争取在酒店终端的主动地位。还有针对消费者的，如口子窖的“买大的一瓶赠小的一瓶”，“喝一瓶有经典礼品相送”，还有的放美元、港币或“喝就奖，抽奖大惊喜”，奖品有电子数码类，体育用品类，可谓花样繁多，其目的就是引起消费者的消费注意力，吸引更多的眼球。总之一点，各品牌白酒都在不遗余力的在终端上翻新各种促销手段，使得北京餐饮酒店闹得沸沸扬扬，让消费者每进一家不错的酒店都能感受到一种酒在做促销活动，促销人员会给你献上满脸的热情！

北京商超渠道的分析

北京的商超渠道有几种业态：大型卖场、综合性商超、商超便利店。虽然说商超的总数不能和餐饮酒店的总数相比，但它的数量和质量却是可以和其他城市甚至一个省的数量和质量相比的，大中小有4000～5000家超市，其中有相当一批的国际性和全国性的连锁超市，如家乐福6家，易初莲花7家，沃尔玛2家，世纪联华10家，上海华联，北京华联，超市发，物美，美廉美等。每家几乎都有众多的连锁加盟店，其中物美目前就有7家大卖场，48家综超，500多家加盟便利店。北京这么庞大的商超体系也让白酒品牌们又惊又喜！惊的是如此多的商超要想进入费用是相当庞大的，喜的是如此集中的超市群一旦爆发出消费力又是非常巨大的。

第一，从产品价格方面来分析：

商超白酒价格体系不同于酒店的价格体系，消费上出现两头俏的局面。一方面，高档酒的走势相当好，五粮液、茅台、剑南春、国窖·1573、水井坊等都卖得很好，另一方面30元以下的酒走货量非常大，再有就是相对比较多且价格不是很高的礼品酒也有不少的销量。每个档次酒在各商超走的多少与各商超所处的位置、周围商圈的消费能力及商超的规模都有很大的关系。当你走进商超的酒水专柜就会发现，高档酒和一些洋酒都放在豪华的专用酒柜，而普通酒全部陈列在货架上或打着地堆头。目前商超里还是挤满了各种品牌的白酒，主要集中在中低价位上，如100元价位上下的金六福四五星、精品二锅头、精品五粮醇、五粮春、泸州老窖特曲、口子窖等；30多元一瓶的表现不明显有3D五粮醇、贵州醇、金六福三星、浏阳河三星、部分二锅头系列；20元以下的地产二锅头系列、金六福一星、浏阳河一星、京酒等。从购买消费量上还是20元以下的酒走得多。商超自身在酒的加价上很讲究，有的几乎是进什么价卖什么价，商超的价格战经常会波及到品牌的市场价格体系，造成价格的一路探底，进入商超体系的定价在一开始就必须很科学，你才有可能成为商场品牌的佼佼者。北京商超的消费拉动是很强的，一旦形成，其价格消费定式就不容易改变。

第二，从商超渠道发生的费用上分析：

商超和酒店产生费用有很大的不同。酒店主要就是进店费、促销费用、活动费用等，不是酒店要求的，而是品牌自身根据市场的发展进行投放。商超就大不相同了，它的费用名目是非常之多：进店费、条码费、店庆费、工装费、促销管理费、陈列费、堆头费……随便列举一下少的十多项多的几十项。我们以家乐福为例，首先单店单品进店费1000元，促销管理费每月500元，堆头、陈列每档一个月10000～30000元不等，海报每档2000元，还有定期培训费每次500元，工卡费，工服费……，就这么一个商超想运作好，一年下来就不少于50000元的投入。类似于家乐福这样的商超单店不少于100家，要想把北京超市这块蛋糕做大，舍不得投入是肯定不行的。前面那些费用是给商超的，还有品牌自身要出的促销人员费用、活动费用每部分都是相当不小的投入。商超的各项费用炙烤着品牌商的神经，考验着他们的耐力，费用投到了肯定有回报，但是它的回报是多少，不仅与投入有关，更与品牌在市场的运作角度有着相当大的关系。仅有费用投入是不够的，还涉及到品牌的一系列营销策略的推广。

第三，从品牌在商超中的运作策略分析：

目前，北京商超中的各品牌白酒，做得好的，销售量大的，都有一套商超运作策略。首先是占住主要商超体系，然后全面铺开，其次投放大量促销人员进入主流商超。另外，分阶段进行各种买赠活动。我们所知道的金六福、浏阳河、京酒、二锅头、贵州醇等的铺市率这几年都一直很高，象金六福更时刻根据商超季节性走货量大的特点，投入大量的促销人员及活动，特别是五一、中秋、十一、元旦、春节，在各大商超花钱做堆头，投放一二百名促销员开展特价、买赠等多样化活动吸引消费者的购买。其他品牌也是在这样的季节，投入到商超的市场争夺中。商超成就了不少品牌酒，老的品牌还在热卖，新的白酒品牌又加入进来。2005年，又有口子酒、五粮醇、泸州老酒坊、宋河烧坊等一些新锐品牌进入，使得商超的争夺更加白热化。五粮醇酒四月份进入北京市场，借助朝批商贸的较大商超网络优势，迅速进入700～800家大中型商超，五一开展“好酒送好伞”活动，拉升了销量，中秋十一投入近百名促销员，搭了几十家堆头，实施“买二赠一”活动，迅速起量引起一定的轰动，不少商超还卖断了货。其他的浏阳河、金六福、京酒、宋河烧坊等都在这些节假日展开促销活动，大部分品牌做的还是买赠和特价，把商超炒得风风火火。商超面的占有率和活动的可持续性成为众多品牌商超消费占有率的重要保证。

北京流通渠道的分析

由于白酒品牌在酒店、商超的大力投入，已经使得消费形态改变，批发的强大功能在逐步萎缩。当然对于即将成熟的品牌，它的强大的推力和延伸力还是毋庸置疑的。品牌在市场运作到一定的程度，就要发挥流通市场的推力作用，把产品的销售推上最高峰，当然，这个时候对于产品也是一个严峻的考验，那就是产品的利益链分配，以及产品的窜货、砸价、假货等问题，一步不留神就可能在流通上栽个大跟头，把辛辛苦苦做起的市场给毁了。北京的流通渠道还是比较大的，现在北京流通的主阵地是批发市场，目前大大小小有八九个，近千家批发商，上万家名烟酒点及散落全北京的小卖部，数量巨大。其中，比较大的有新发地批发市场，也是目前北京最大的批发市场，高中低档白酒全有，如茅五剑和水井坊、国窖·1573等高档酒；中档如金六福、浏阳河、贵州醇、京酒、蒙古王等；符合大众消费的低档酒有地产的二锅头系列，东北的和四川的一系列小品牌酒。本市场也对市区的酒店、商超供货，是功能和业务量最大的，整体经营状况还是相当不错的。这里也有不少的经销大户就不细说了。锦绣大地批发市场，地处西五环，主要经营中低档酒，除市场上流行的大众品牌，还有一些很少能见到的小杂牌酒，市场上的品牌全部都是看着大形势走，真正运作品牌的很少。目前锦绣大地市场正在积极改变形象，今年有一大型名酒大厦投入使用，有望拉动更多的品牌商进入。八里桥农贸市场，地处东五六环之间，这一市场主体还是低档酒，也相对针对农村市场。还有城北回龙观市场、太阳宫市场都以低档酒为主体，主要供应一些小型的超市、烟酒店，这样的市场辐射力有限。现在的各批发市场也在寻找新的发展途径，市场中的众多商家更是积极应对白酒市场渠道的变化，很多商家已经从坐商转为行商，积极向外延伸业务。批发市场的功能不会消亡只会转向，而大量的名烟酒店、小零售店却要倒下一批。它们是阶段性产物，随着小商超的兴起而消亡。

郊县独立渠道的分析

本来郊县的酒店、商超、流通各渠道，可以和前面北京的各渠道相融合，这里之所以单独分成独立渠道，是因为北京的十个郊区县在白酒消费上各有特点，每个县的消费水平各有不等，消费者认可的品牌也不同。北京的郊县消费力还是比较强大的，有一点可以说明，国窖·1573那么贵的酒在各郊县差的一年能销100多万，好的能销500多万，五粮液就不用说了。每个县都是个独立的市场，有独立的消费环境。

第一，餐饮酒店方面。中档以上酒能运作的饭店少的县区有30～40家，好的县区有60～70家。在餐饮酒店的进店费方面相比北京市区还是比较便宜的，如延庆大约3万多，怀柔5万元，昌平8万元，平谷5万元，门头沟4万元，房山10万元，通州10万元，大兴4万元，顺义5万元，密云5万元，有以上这些投入基本上各县的主体酒店就搞定了，而且不少酒店的进店费用可以用酒顶。郊县的进店费要得比较含糊，如果找的代理商社会关系良好还不用花那么多钱。两三年前，郊县酒店是不收进店费的，在金六福、浏阳河等酒的终端争夺中开始了进店费的收取。在郊县，餐饮酒店的白酒消费起着引导消费的主导作用。

第二，郊县的商超渠道数量不少。一方面来自市区的各连锁超市延伸到县里，如世纪联华、物美大卖场、京客隆的知名连锁都进入郊县，并形成相当大的影响力，另外不少县区还有本地的强势连锁商超，如房山的华冠超市、昌平的新世纪、怀柔的大星发等。超市体系形成了强大的购买力，在白酒销售上各商超的活动直接影响了一大批消费者的购买，尤其城区消费者，各品牌酒在郊县运作中不可小视这一渠道的引领作用。现在的金六福、浏阳河，还有其他的一些白酒在郊县的商超中动作还是比较大，尽管有时商超不能带来很直接的销量且费用较大，但它可以拉动流通市场的消费。

第三，批发流通方面。由于郊县市场的相对独立，且范围比较广大，它的批发流通的市场氛围要好些，基本每个城区都有批发市场，各乡镇街道的批发户、流通户还是要到市场拿货，大部分消费者也是在这些批发零售户处购买产品。批发零售户的推荐作用比较大。要想能够在郊县的批发零售走得好，一方面要产品对路，要有本地化的媒体广告宣传，还要让那些批发零售户们有相当的利润，他们才肯卖力推广。多头并举必能有效开发出郊县的市场，获得相应的回报。

【运作北京市场的要求及策略】

撬动京城白酒市场，需要充分准备，胆大心细。

前面我们对北京市场有了个总体了解，对于如此巨大的北京白酒市场如何去进入？笔者从全面大运作和局部启动方面来谈谈自己的看法。

一、从大的运作方面分析（要有长远的战略规划）

首先，要有品牌的准备及要求。第一，想全面运作北京市场，其品牌的出身要好，至少是行业知名品牌，如五粮液、茅台、剑南春、泸州老窖、洋河、古井等知名酒厂的系列品牌，或国内区域性强势品牌，如我们称之为“二名酒”系列的安徽口子酒、皖酒、河南宋河、仰韶、四川丰谷等一大批区域名酒；第二，品牌的价格及结构体系要符合北京市场的各渠道特点及消费特点，也就是说产品要有主体消费群体的定位，餐饮、商超、流通要用相当区隔的产品价位来调整，单一价格品牌无法支撑；第三，要挖掘品牌的内涵，找到更多与消费者产生共鸣的品牌消费理念，这是能够打动消费比较理性的北京消费者的一个重要环节及要求。

第二，要有充分的资金准备。北京市场的费用之大是众所皆知的，一方面要准备酒店餐饮、商超等渠道的进店费、促销费和各种活动费，如一千家酒店终端约500万，800家商超约400万，人员及促销活动约500万；另一方面还要准备约300万的品牌推广及宣传费用，用于塑造品牌在消费者心目中的品牌形象，有了以上的资金储备才能够使品牌达到一定的高度，才会较迅速地被消费者所认知。

第三，要建立一支高素质的专业销售队伍。北京市场需要精耕细作，仅靠商家的力量是做不起来的，一支专业化的业务及促销队伍，是品牌在市场上运作成功的重要保证。他们能有效地推动市场的前进，更好地把握市场的脉搏。大量的专业化促销人员能够在终端和更多的消费者直接面对，品牌的口碑和形象能达到相当直接的推广。专业销售队伍的进入，会把各渠道做得更加细化，使产品有更多直面终端的机会。

第四，渠道网络建设要多元化。在北京市场如果想把自己的品牌做好，仅靠商家的代理网络有着相当大的难度，必须成立自己的销售公司。自己的销售公司可以直接运作一部分终端，以加强与一线市场的接触。另外，找多家代理商合作，原则上可只找一家商超体系的大型代理商来运作整个市区商超，自己公司拾缺补遗一块。酒店终端开发中可不设总代理，实行多家直供分销制，由公司统一配合协销，打造酒店细化终端。对于郊县市场基本可实行每区一家大分销的代理格局，流通市场前期不可过度开发，适当开发几家质量好的大户限量上市，在品牌张力发展到全面启动时流通才能全面放开。否则就会出现短期品牌流失现象。网络建设的多元化使品牌的成功有了更大可能，各种资源也得到了更好的互补，也就是说要以品牌商为主导引领各合作商家，共赢北京。

第五，要有完整的启动北京市场的系列销售策略。从产品进入北京市场的导入期到发展期、高峰期，每期间都要有相应的行销手段和策略。前期的品牌形象怎么塑造，在不同渠道对不同的客户、消费者采用什么样的推广策略，无一不要求细分细化，包括行销策划的新颖度、可执行情况等。还有在执行中可能遇到的来自竞品的阻击。各阶段的营销策划方案越细越有可操作性，品牌成功的机会就越多，当然，一定要有自己的策略个性，如果跟在别的品牌后面人有我有地去做，那就无法跨越你的品牌障碍，获得成功的几率就会大大减小。

在白酒产品同质化非常严重的情况下，服务营销变得越来越重要。服务不是喊的口号，是实实在在体现在营销中的。一方面服务于客户网络，让更多的商家能够感受到品牌所带来的利益、责任心、以及延伸的价值。另一方面，直面消费者的服务，这些服务贯穿于品牌的整个营销活动中，让消费者能够融入你的服务中，感觉到你的真诚。服务体系的建立不是一朝一夕的事，它体现出的是品牌的人文内涵，使它的附加值增大,国内其他行业有不少的品牌服务营销值得借鉴。

二、从小的运作方面分析

所谓的小运作就是启动局部市场。因为不是所有品牌都是大品牌，也不是品牌商都有大量资金。在这样的情况下，只能局部运作，避其市场锋芒，实行以农村包围城市的做法，从北京周边的独立郊县市场起步，把有效资源充分运用好。当然小运作不代表产品就没有个性，一样要有合适的品牌文化及合理的价格体系，在局部市场的运作中要实行“小市场大运作”，也就是在小市场中加大投入形成小市场的强势品牌。如密云区，常规的市场运作，一个品牌的投入可能就是些普通广告，进店费促销活动一般每年不会超过15万元，如果是小市场大运作就要进行综合投入。简单计算一下，密云全年有效电视广告四个月、车体或户外全年，形成相应的轰动约需12万元，进店费40家约7万元，平均月8名促销人员，一年需10万元，促销活动约5万元。全年34万左右的投入，可以将密云做得风生水起，首年可以突破150万元大关。这就是小市场大运作。品牌商可以选以上区县重点投放，一百多万的投入，可以完成近500万的销售。当然，郊县的网络布局充分发挥好，要有一批会运作市场的专业销售队伍去配合代理商，才会有更理想的效果。每个县区又各自有着自己的特点，在实际的运作中不能一个方式，要本着市场的特点有效出击，以市场为导向。在这里笔者就不一一细分市场了，毕竟市场是千变万化的，你只有深入其中，方能把握住它的脉搏！才能有效实施你的行销策略。

没有不变的市场，没有无风险的操作。北京白酒市场如海，海阔凭鱼跃，希望每个进入北京市场的白酒品牌都能找到自己的位置，给北京白酒市场抹上精彩的一笔。

【黄酒抢滩北京】

“南广州、北京城”，在酒类行业，北京市场的战略地位不言而喻。对这个市场，正处于快速上升期的黄酒，显然也不会错过。京城里由此掀起了一轮激流涌动的黄酒“抢滩登陆”战。

去北京出差之前，有业内人士告之：“北京的黄酒现在很热啊，几大品牌都去了，你可以注意一下。”

记者在随后进行的调查采访中发现，随着古越龙山、女儿红、会稽山、和酒、石库门、即墨老酒等黄酒知名品牌纷纷在北京市场展开攻势，北京黄酒市场已迎来春天。

目前，北京黄酒市场的年消费总量在3000吨左右，销售额大约5000万元，虽然相较上海15000吨的销量而言，显得微不足道，但记者所采访的黄酒厂商都乐观地认为：北京黄酒市场的消费潜力是巨大的，在接下来的几年里，将出现群雄混战的局面。

北京黄酒市场激流涌动

黄酒品牌纷纷进入北京，一方面是黄酒企业发展壮大的需要，另一方面也与整个黄酒行业的繁荣紧密相关。

2005年，黄酒行业的整体销售量从2003年的130多万吨迅速增长到200万吨以上。在销量不断上升的过程中，古越龙山、会稽山、塔牌等黄酒品牌迅速崛起，并突破绍兴、杭州、上海等区域市场，不断向外围市场拓展，而黄酒企业选择的首战之地不约而同地集中在了“南广州、北京城”。

北京作为首都，有1400万左右的常住人口，400万左右流动人口，消费能力巨大，同时，北京市场也具有极强的战略意义。会稽山酒业有限公司董事长傅祖康对记者表示：“北京市场辐射能力极强，一般省会城市一个领袖消费者可以带动30个人左右消费，而在北京则可以达到100个人。因此，把北京市场做好，一方面将有利于品牌形象的传播；另一方面对进一步拓展东北、内蒙古、河北、山东等北方市场也具有重大的战略意义。”塔牌绍兴销售有限公司的金锁国也说：“北京是我们最早启动的外围市场之一，同广州等城市一起构成了我们的战略市场，意义重大。这一点显然已经被众多黄酒企业认识，这也是一年多时间里，一度波澜不惊的北京黄酒市场一下冒出来如此多黄酒品牌的重要原因。”

众多品牌的进入和相互间虎视眈眈，让原本平静的北京黄酒市场一下子激流涌动起来。

运作市场各展所长

古越龙山：把广告当作敲门砖

古越龙山是最早进入京城的黄酒企业之一，其进入时间可上溯到1983年，但是其真正意识到培养消费群体、宣传品牌还是在2004年。

从2004年古越龙山夺得了2005年中央电视台黄金段位播放权开始，古越龙山在北京市场乃至北方市场的动作逐渐大了起来。

尽管在此之前，古越龙山在中央电视台也零散地做过一些广告，但是没有形成强大的品牌宣传效应和销售拉力，因此，古越龙山在新的广告轰炸阶段，一方面利用广告塑造品牌形象，一方面对北京市场进行了深入翔实的调查，并开展了口味测试、新品开发、销售网络建设等项工作，通过与京城最大的经销商朝批合作，从主攻流通渠道入手，逐步加强外围市场餐饮渠道的直供销售和商超渠道的深度分销。目前，古越龙山发布的1800万左右的销售额数据表明，其已占据了北京黄酒市场35%的市场份额。

塔牌：快速抢占餐饮终端

2000年，塔牌进入北京市场，凭借自然走量，当年销售销售额达200多万元。在接下来的四年时间里，塔牌的市场运做力度不大，但是一直比较平稳。

在北京，杭帮菜、海鲜酒楼等南方菜系的中高档餐饮消费场所，集中了大量祖籍江南的消费者，因此这里是黄酒销量最大的地方。同时，一些追求时尚和新鲜感的年轻人也由白酒消费转向黄酒消费，一般来说，六七十元价位的黄酒是他们的最爱。

塔牌正是看准了这样的消费特征，一直将大量的资源投入到了北京的中高档酒楼，通过买店的方式迅速进入了约800家高档酒楼，同时通过服务员和促销员的推荐拉动消费，开展消费一个五年陈花雕酒瓶盖兑换5元人民币的活动，在北京中高档餐饮场所中占据了主动。

2005年，塔牌开始进入一些高档商场，包括友谊商店、燕莎、贵友等，但效果尚未显现。记者走访了上述卖场，据商场售货员介绍，一般年纪大一点的消费者选择塔牌，而年轻一点的消费者则会选择古越龙山或会稽山。这一方面是二者消费观念差异造成的，另一方面也是由于古越龙山、会稽山在包装方面比塔牌更为时尚。

目前，塔牌年销售额在1500万元左右，其中90%的销售都是在酒楼中完成的，占据了北京黄酒市场30%左右的份额。

会稽山：兵分两路出击市场

会稽山启动北京市场比较晚，但是其在酒楼、超市的铺货力度比较大，2005年销售额接近1000万元。

如果说古越龙山和塔牌作为先驱在取得了市场销售业绩的同时，积累了宝贵的销售经验的话，那么作为后来者的会稽山则巧妙的借助了古越龙山和塔牌在京城较成熟的运作经验，兵分两路出击餐饮和批发两条渠道。

通过与嘉万成、中创京浙、美丽华等知名的经销商合作，会稽山快速进入了300多家中高档酒楼；同时，与朝批联手进入商超和批发市场。目前，会稽山在酒楼、商超铺货率已经达到90%以上，可谓“后来居上”。

目前，会稽山有7个产品系列导入了北京市场，价位覆盖5至120元之间，其中酒楼主流零售价位60元左右的产品。会稽山的相关人士表示，会稽山将其目标消费群体锁定在白领以上的高层人士和时髦的年轻人，今年将会针对这一群体推出一些适合其口味和消费需求的产品。

其他品牌：各显神通，分食余额

在古越龙山、塔牌、会稽山三大巨头分食了北京黄酒市场的大部分份额之后，其他黄酒品牌也不甘示弱，纷纷依据各自的优势进入北京市场。如：和酒首先选择了婚庆市场作为其进入北京的切入点；上海金枫则选择了走高端路线，直接进入高档饭店；女儿红在北京设立办事处，直接进行销售；黄中皇与紫禁红合作，根据黄酒的保健和入药功效，将目标消费人群锁定为老年人，主攻商超；福建沉缸黄酒则瞄准了军队以及国家退休干部，通过口碑传播塑造品牌，并开始向商超进发；致中和在央视投入4500多万元的广告后，目前也开始加大了对北京市场的运作力度。

三个问题影响市场热度

尽管在众品牌的运作中，北京黄酒消费已经具备了良好的氛围，黄酒消费习惯正逐渐得以确立，品牌忠诚度也在逐步提升，但是，综合各方的看法，黄酒在北京要想真正“春暖花开”还需要解决好几个方面的问题。

一是加强文化宣传，塑造品牌优势。黄酒历史悠久，文化底蕴深厚，但是黄酒企业2004年才在北京市场有比较系统的品牌宣传，而真正大范围宣传的也只有古越龙山等少数几个品牌，多数企业虽然走出“井底”，但塑造品牌的力度依然不足。

二是形成合力，避免恶性竞争。北京终端的进场进店费和广告促销费用要高于其他地区，这也是经销商反映北京黄酒市场前景虽然好，但是运作起来很困难的一大原因。因此，黄酒品牌应依据自身品牌特点和渠道优势，对市场进行细分，避免了因为渠道冲突而抬高终端费用，造成不必要的资源浪费。

三是产品创新，适应消费需求。虽然诸如古越龙山、会稽山等都对自身产品进行了升级创新，使之具有时尚现代的感觉，迎合了年轻人的消费需求，但是从整体来看，很多黄酒产品从包装到内涵都还停留在相对落后的状态，这已经开始影响到其在北京市场的后续发展。因此对产品进行创新和升级换代，已是黄酒企业目前迫切需要解决的问题。(吴英)

【北京酒市经销商档案解密】

朝批：怎么让大象跳舞

孙文辉：北京朝批商贸有限公司常务副总经理

北京朝批商贸有限公司是由“北京市朝阳副食品批发总公司”改制而成的股份制企业，货币注册资本为9600万元人民币。

公司的销售渠道涵盖商超、便利店、餐饮及批发等各个层面，销售网络遍及北京、天津、河北及山东等省市。

主要代理酒类品牌有：五粮液、红星、金六福、牛栏山、茅台、剑南春、贵州醇、水井坊、长城、张裕、龙徽、板城烧锅酒、塔牌、会稽山、燕京啤酒、青岛啤酒等。

在酒圈里混的人都知道朝批，都知道他是北京酒水销售的巨无霸。但是，知道朝批具体情况的人并不是很多。最近，记者带着解众人之惑的态度来到朝批，采访了朝批的常务副总经理——孙文辉，以期把朝批完整的展现在读者面前。

股份制改造，打造多层次销售网络

北京朝批商贸有限公司货币注册资本为9600万元人民币。自2004年以来，朝批为适应经营品牌较多，销售管理难度较大的现状，实行了股份制改革，逐步取消原事业部制的管理模式，实行现代化的扁平化管理模式。朝批现有七个管理中心，一个销售分公司（天津），八个子公司……

朝批本部以及各子公司现有酒水、饮料、副食品……

朝批双隆子公司的销售额达到了3个亿。

朝批的销售渠道涵盖商超、便利店、餐饮及批发等各个层面，销售网络遍及北京、天津、河北及山东等省市。朝批在商超渠道具有明显优势，与北京及周边地区140多家零售企业，包括连锁超市、大卖场、百货商场等业态的1000余家分店，紧密合作，建立了通畅的销售渠道。主要零售客户有京客隆、家乐福、物美、万客隆、沃尔玛、易初莲花、欧尚、华联、世纪联华、7－11等。在餐饮方面，朝批通过二级代理商，与数百家小型餐饮企业建立合作，并渗透到远郊区县。同时，为开拓餐饮市场，朝批专门成立了负责餐饮渠道的子公司。

扩张战略，实现规模效应

朝批在网络、人才、规模、资金等方面的优势是一般经销商所无法比拟的。在做大做强北京市场的同时，从2004年开始，朝批依托现有优势开始对外扩张，首先在天津成立了销售分公司。经过一年多的努力，天津分公司的销售额已经达到了8000多万元，2006年准备做到1.5亿元，这个数字证明朝批在天津已经做到了最好。借鉴天津分公司的经验，2005年，朝批分别在石家庄、青岛成立了两个子公司，从而打造出了“批发连锁”的商业概念。朝批虽然是国营性质，但与其它的同类经营者相比，最大的不同就是朝批深谙厂家的经营目标，不断改进经营理念，加强对市场的操控力度，通过“批发连锁“的方式进一步加深品牌合作，得到了广大厂家的认可，这一点从朝批这几年的快速发展上也得到了印证。

在资金方面，孙文辉这样讲：“朝批的信誉一向良好，再加上国营背景（隶属于北京京客隆商业集团股份有限公司），在资金筹集方面有独到的优势。由于零售商资金拖欠现象比较严重，在销售旺季，比如春节，朝批在资金筹借方面可以得到多方面支持。而做批发主要在于资金运作，没有资金就不会吸引好的品牌，所以从资金使用方面来讲，朝批的优势是显而易见的。充足的资金使朝批能够更好地服务终端，得到厂家的充分信任，这是朝批的一个强项”。

加大投入，向现代物流企业转型

朝批有着强大的物流配送体系、先进的信息处理系统，从物流的软件和硬件两个方面来说，都已经达到了国内的先进水平：据孙文辉介绍，现在朝批的物流发展更加注重于服务，针对不同客户分别进行量身订做。例如7－11，要求零散商品配送到店，由于其店铺分散，商品零碎，以传统模式配送会加大配送成本，而朝批引入的电子标签拆零配送则最大程度地解决了这个难题，在降低配送成本的基础上，达到了便利店模式的配送要求。

现在，朝批的物流主要服务于两个方面，一是服务于北京的市场网络的需求，一是服务于厂家，向厂家提供第三方物流服务。孙文辉说：“朝批这两年在快速发展，同时也在适应市场的变化。随着市场的快速变化以及国外公司的大规模进入，我们清楚地认识到，厂家直接寻求与零售的合作是避免不了的。朝批通过发展物流，在某种意义上转换角色，通过第三方物流为厂家和零售服务，从而扩大我们的生存空间，提高市场竞争力。第三方物流是朝批未来的一个发展方向。“

深化管理，与时俱进

对一个公司的经营来讲，管理层的眼光及对市场的把握非常重要。朝批能够发展到今天，就是因为把握住了发展的方向，在关键时刻保持了清醒的头脑。原来的朝批只是一个分销商，买进来，卖出去，采用的是最原始的粗放型经营管理模式，已经不能适应市场的发展。现在，朝批领导层考虑更多的是，怎样顺应市场发展，与厂家联手，共同打造品牌，并把它推进市场。比如，代理某一个品牌，怎样通过朝批的网络优势对品牌进行推广策划，怎样拉动市场提高品牌知名度，实现厂家和代理商的合作共赢。现在朝批已经做到单品单店的精细化管理，对重点品牌分别做计划，逐店、逐月、逐人分解任务，清晰记录经营情况，做到考核到位。

在谈到市场变化时，孙文辉说：“我们经常在不断地反省，朝批怎样才能适应市场的变化，怎样才能比别人多迈半步，不被市场所淘汰。朝批至上而下都有一种服务客户的意识，对朝批的定位，对市场的预测，都有一个清醒的认识，并随时都有一种危机感。”

朝批能迅速适应市场的变化还有一个重要因素，那就是朝批的考核激励机制。朝批在近几年的发展中，充分挖掘人才，采取了适宜的考核激励机制，通过激励与责任挂钩，起到了非常积极的作用。员工的积极性调动起来了，企业的发展就会有加倍的生机和活力。

同时，朝批勇于承担社会责任，在多年以前的亚运会期间，在非典期间，都积极响应政府的号召，在保障市场供应方面做出了应有的贡献。而在2008年北京奥运会来临之际，朝批又配合北京市商务局的采购计划，积极参与，为奥运会供应商的确立出谋划策。

按照习惯性思维，作为一个国企性质的公司，朝批就像一头大象，身躯庞大，反应迟缓，不一定能适应现在市场的瞬息万变。但是，随着时间的推移，我们看到，这头大象不仅没有在市场经济的大潮中落伍，反而以灵敏的反应，快速的适应，庞大的身躯，成为京城商业企业的领军者，这不禁让我想起了IBM的前任CEO郭士纳写的那本自传－《谁说大象不能跳舞》。是的，郭士纳能让IBM这个巨人在世界舞台上自由舞动，那么朝批的团队也能让朝批这头大象在批发代理市场上继续翩翩起舞。

【市糖：不只是金字招牌】

赵康：北京市糖业烟酒公司酒类采购调拨中心，北京市剑南春销售有限公司经理

主营品牌：茅台、五粮液，剑南春、泸州老窖、郎酒、小糊涂仙、京酒等

渠道：商超，物流配送，批发

为了适应时代的发展市糖也适时做出调整，这个具体分为两块：一块是名酒的经销，我们代理了茅台等国家级的高端名酒，主要是终端网络建设，我们的销售渠道以商超为主，易初莲花、京客隆、沃尔玛等大型超市，还有传统的商场，像是燕莎、城乡、西单等，由原来的物流配送、批发转向终端配货；另一块则是新品开发，自行开发了白酒有京酒、33度茅台、8年陈郎酒等；黄酒则开发了会稽山的越龙系列。

作为国营企业，要在现在的大环境竞争中胜出，就要适

应现在的市场环境。多年来，市糖主要经营的是白酒，包括茅台、五粮液,剑南春、泸州老窖、郎酒、小糊涂仙等高端品牌，走的主要是北京市场，在外地市场主要是做京酒及其他总代理品牌，作为市糖买断的品牌，走流通批发。北京市糖业烟酒公司酒类采购调拨中心，北京时间南春酒销售有限公司赵康经理称：一直以来市糖的货源优势很强，但之前市糖主要是物资调配和终端供货，具体就是组织货源、物流配送、批发，还没有发展所谓的品牌经营。

现如今市场结构变化了，卖方市场向买方市场转变，买方市场又向社会公关转变，一系列的格局变化，导致经营模式也随之发生变化......

赵康经理在接受采访时称：为了适应时代的发展市糖也适时做出调整，这个具体分为两块：一块是名酒的经销，我们代理了茅台等国家级的高端名酒,主要是终端网络建设,我们的销售渠道以商超为主，易初莲花、京客隆、沃尔玛等大型超市，还有传统的商场，像是燕莎、城乡、西单等，由原来的物流配送、批发转向终端配货；另一块则是新品开发，自行开发了白酒有京酒、33度茅台、8年陈郎酒等；黄酒则开发了会稽山的越龙系列。

市糖终端商超渠道做得非常成功，但餐饮市场则几乎很难介入。市糖作为国字号的企业毕竟很多东西是比较模式化的，不可能像个人的企业来得灵活、多样，所以一直以来没能突破这一瓶颈......　　蒋磊／文

【高速公路已建好】

徐福声：海福鑫商贸有限公司总经理。

海福鑫商贸有限公司：1991年，注册成立于北京石景山，做酒水和饮料的批发，当时只有三个人和一辆板车。

1993年开始，与沙城长城合作，星级干红在华北地区的年销售额达1.1个亿。

到目前为止，海福鑫已经完成了整个华北地区的网络布局，包括山东、河北、山西、河南四个省以及北京、天津两个直辖市。

公司员工已经发展到400多人，酒店、商超直销终端2000多家，二、三级经销商500多家。2005年完成销售额1.2亿元。

经过十五年的奋斗，海福鑫已经从一辆板车三个伙计发展成为拥有几百家分销网络，数千家终端渠道，年销售过亿元，在行业内颇具影响力的经销商。正像一个婴孩从姗姗学步，逐渐成为一位健康、活泼的青少年。—— 徐福声

作为华北地区最大的酒类经销商之一，海福鑫已经走过了15年的的发展历程。十五年前，海福鑫注册成立于北京石景山，当时只有三个人和一辆板车，成立的目的也很简单，就是做酒水和饮料的批发。1991年的北京市场到处充满了商机，但是，由于当时人们对市场经济的模糊认识和意识方面的束缚，海福鑫的发展也同样遇到了很多困难。当时军人出身的徐福声意识到随着中国市场经济的不断发展，食品行业必然蕴藏着巨大商机，于是他放弃了稳定的工作，下海加入海福鑫。勤奋是一把打开成功之门的钥匙，徐福声通过自己的努力，很快就成为了酒水销售的专业人士，他敏锐地觉察到将来的终端将是决定成败的关键，所以，从那时起，海福鑫就大力加强北京及其周边的终端建设......

然而巨大的成功并未让他们骄傲。在采访过程中，徐福声和蔼的的笑脸，谦虚的作风给我留下了深刻印象。他如数家珍，给我讲述了海福鑫一步步地发展历程，其中有成功也有教训。

徐福声告诉记者，海福鑫从1991年注册到现在已经运作了15年，开始我们主要从事名烟名酒的批发和销售，后来就开始逐渐运作酒类品牌。海福鑫的发展紧跟北京市场的变化。

徐福声说：海福鑫从1993年就开始和长城合作，到现在已经有10几年了，中间不管是我们运作了多少种白酒和其他产品，我们和长城的合作一直没有停止过。长城也是我们公司的主要产品，星级干红在华北地区的年销售额达1.1个亿。

的确，徐福声对长城干红的坚持给他带来了丰厚回报。2002年在长城公司的大力支持下，海福鑫公司把长城星级干红成功导入北京市场，使星级干红成为北京地区餐饮、酒店渠道的领导品牌；与此同时公司大力拓展华北市场，海福鑫公司因此荣幸地被“中粮集团”评为“长城”全国销售十强。2003年北京及河北市场的实际销量就达9000余万元。2004年整个华北市场的实际销量已突破1.5亿元。

企业的快速发展往往与企业的管理出现脱节，尤其是规模较小，人才缺乏的酒类商贸公司。所以，我们看到的大部分都是规模比较小，管理混乱的经销商。徐福声非常清楚这一点。公司自02年大发展之后，在03年提出了“管理年”的口号，大力加强企业的专业管理，由原来的模糊分散的管理模式向专业，分工明确的方向发展。为此，公司在原来专业人员分工的基础上组建成立了餐饮直销分公司、商超分公司、商贸批发分公司、特殊渠道销售和物流配送五个分公司，从而达到专业分工，高效运作，快速发展的目标。在内部管理方面，

管理的提高和发展首先可以体现在公司的文化建设上面。这一点，记者在采访过程中有着深刻的体会。在乘电梯进入新起点嘉园的八层，首先一个精致的公司形象标牌进入视野，环绕一周，公司的各个部门和分公司井然有序的组合在一起，走廊两面的墙壁上面是各个部门策划的板报，这样的形式我只有在外企的办公楼里面见过。据一位职员介绍，他们的板报是要定期更新的，每一期的主题都不一样，各个部门还要比赛，看哪个部门做的有创意。人力部门这期的主题是“强化执行力”。我注意到，板报里面的漫画非常专业，画得非常形象，我心里面不得不佩服徐福声的领导力！那位职员还高兴地对我说，每次办板报的时候，大家都象过年一样的高兴！其实，我知道，这正体现了这种形式对员工的凝聚力！

对海福鑫整整一个下午的采访因为海福鑫5点的例会而终止。走进电梯，海福鑫的例会也开始了，“北京海福鑫商贸有限公司”几个烫金大字随着电梯门的关闭而从眼前消失，徐福声将在会上说什么呢？无从知道，但可以肯定地是，海福鑫的明天将会被这个团队所创造！　　崔林／文

【游走在轻松与费劲之间】

张文：诚实文祥商贸有限公司总经理。

诚实文祥商贸有限公司：成立于1995年。

主营渠道为高档酒楼。经营产品均为各酒种的知名品牌的高端产品。如：茅台、五粮液、五粮液·君临天下、国窖

1573、青花瓷二锅头、牛栏山二锅头、水井坊等高档白酒；华夏长城干红、王朝年份干红、张裕干红、法国波尔多干红；会稽山花雕酒；燕京纯生等。

自1984年，张文从业建筑工程行业，曾在北京宣武饮食公司基建科的管理下，走遍了宣武区中、高档基层酒楼装修、装饰长达6年之久。1994年涉足糖酒等食品的配送业务，95年开始成立团队。那时队伍虽然说不大，但大家全听老板的一句话，团队精神非常强。后来公司做业务越来越精细，逐步转变成一个以酒类销售为主业务的大型商贸公司。

张文有句口号："做事先做人，没有做不成，实实在在做人，扎扎实实做事"。现在诚实文祥公司和前五年大变样，有团结稳定的员工队伍60余人，有雄厚的资金基础和配送能力，有强硬的业务队伍，张总讲话："要做就做最好，要么就不做。"接了厂家的品牌就得给厂家做出个样子来，要有责任，才有结果。

假酒让经销商很费劲

张文告诉记者，他们公司卖茅台每年卖个一两千万，很轻松，但也很费劲。很轻松是因为公司的网络消化区区1000万的销量，很容易，利润薄一点也能走量；很费劲是因为假酒太多，让人防不胜防。由于公司长时间以来形成以"质量至上"的经营理念，在高档酒楼甚至一些消费者当中的口碑都非常好。

他曾经非常痛心地说，假酒不仅对企业造成伤害，也让规规矩矩做买卖的经销商很头疼，稍有不慎，招牌就砸了。所以公司非常重视对员工进行培训，让员工学会对高档名酒进行质量把关。所以一瓶高档名酒放到诚实文祥的员工面前，是真是假，一目了然。

厂商联盟有利于规范市场

张总曾经告诉记者，生意不好做，并不是生意本身不好做，而是现在的市场鱼龙混杂，大大小小上万家经销商，规模和实力参差不齐，搅得市场混乱不堪，促销费用一路飙升。

他建议，如果几大名酒厂家成立一个名酒管理公司，在指定酒商销售的基础上，强强联手统一管理市场，比如进场费厂商是可以控制的，几大厂家代表协商按正规价位销量给终端返点，或按规模和客流来评估半年返给终端酒楼一次，这样三方都够算出投入和产出比例。 程万松／文

【我要做洋葡萄酒】

刘继峰：北京江成阿继商贸有限公司总经理。

江成阿继商贸有限公司：是刘继峰与其大学同学郭晓明集商圈摸爬滚打10余年的资历，于2003年9月成立。

成立不久，被烟台长城老总陈云昌慧眼看中，彼此欣赏；

同年11月代理烟台长城，短短的两年多时间，烟台长城从零跃进2000万元；

现今，江成阿继终端网络遍布京城内外，有一呼百应之势。

鉴于此，产品外延势在必行；或白酒或黄酒，且在寻觅；而洋葡萄酒，也在其视线之内。

据了解，目前正与西班牙、意大利、法国、美国等国际知名品牌频繁接触。

没有人在不了解这个市场，控制不了这个市场的时候，会来投钱，他不敢。这也就是洋葡萄酒进入中国后畏葸不前的心结。把钱花在进店费、瓶盖费、促销上面他们觉得不可思议，不可理解。他们觉得不是靠进店费、上促销来竞争的，而是靠品质，靠品牌推广。我相信他们的葡萄酒品质，但是品质是第二位的。

进店费、瓶盖费等应该是最低级的操作手法。毋庸置疑，当一个产品名牌效应建立以后，有一个自然点击率，这是非常厉害的。比如说我喝可口可乐，我就喜欢喝，这凭的就是大品牌，靠广告打出来的名牌效应。包括肯德基，必胜客，这样的洋品牌，都是靠广告，不断推新，用创意的广告去拉动消费，成为名牌，俗一点就是时髦的东西。像国内的品牌长城，张裕，他们在老百姓眼里也是名牌，稳定性的大众名牌，给人的感觉很近。

当一个品牌真正的贴近中国消费者，在人们心里的时候，这个品牌就成功了。洋酒市场的大主流还是名牌，有三五十支产品就可以支撑了，杂牌产品永远不可能占据主导地位。

我觉得，洋葡萄酒在中国市场的空间非常大，不是一般的大；五年之内，洋酒会有一个高消费的时机。关键是有没有大的洋酒公司进入到中国市场，愿意做这种先期的投资。

可能是中国的市场太大了，外国公司不知道如何下手。据观察，想进入中国市场的洋酒公司持有两种态度，一种是，积极地进行大规摸的调查，分析；一种是观望。

做市调如果自己亲自来做，时间不允许，费用也高，不现实。这些外国公司往往会找国内的一些调查公司来做前期市调。但是，这些调研公司给的数字并不是很准确，原因是在中国市场销售的人员真正能对中国的市场有很深刻的、完整的认识的人不多，你又怎么能指望这些调研公司给你提供准确可靠的数字呢？专业人员都说不准这里面的情况，更别说那些非专业人员了。确实，如果说，能够清楚地了解现在中国的洋酒的消费群体的各种数据，那么，洋酒就很好做了。

调研公司往往从消费者入手，做一组数据对比。但是，消费者是不确定的，有几个消费者能准确的说出洋酒的名字？即使能说出来，又有几个是专业而准确的呢？而且数字到底能不能翔实？最终，调研公司交出去的数字往往缺乏深度。老外拿着这些数字左分析，右分析，分析的结果是中国的市场太复杂了。于是，心生疑虑，徘徊无计。

其实，老外就是想要了解中国市场的消费能力，中国市场是完全有这个消费能力的。

卡斯特是跟踪名牌策略这种方式，就是先借张裕上岸，弄清楚中国销售情况，然后"脱壳"，迅速进入现有渠道，让人产生合理的联想。比如现在，想到张裕卡斯特，就会想到进口的卡斯特，实际它已经建立这种品牌效应。它在短期的时间，短期的利润，短期的费用，建立起了高端品牌效应，从品牌上来讲，卡斯特是成功的，起码说卡斯特现在已经是一个有名气的产品了，我觉得他们这一步走的很聪明；能不能像张裕卖张裕卡斯特一样的卖产品，这就是经销商的问题了。

厂家大观念，经销商小观念，这两种观念能不能融合到一起，是产品能否做起来的关键。

只能我去适应市场，而不是让市场适应我。当我适应了市场以后，才有可能慢慢地影响改变市场。

在你无法改变市场的时候一定要适应市场；当你适应以后再慢慢改变市场。在中国市场的现阶段，不是靠品质卖酒，

而是靠品牌来卖酒。在中国能品出洋酒好与坏的真不多，包括中国的白酒，很多消费者根本都不懂，不过是喝了个热闹。很多洋酒，中国人都喝不惯。芝华士聪明在给了我们一个喝芝华士的理由，什么添加绿茶、兑雪碧，放可乐不过是为了竭力淡化它的原生口味，适应市场。

企业的误区就是，让市场适应我，而不是我去适应市场，尤其这些国外的洋酒品牌，应该说品牌是第一位的，品质是第二位的。因为你是名牌，所以消费者才觉得你的产品有质量保证，而不是你的产品质量有保证你的产品就是名牌。所以树立品牌一定要客观，准确。

当你在这个区域找到你的消费群体，并针对适应你产品的消费人群中的大部分客户宣传、推广时，才形成真正的销售。

外国葡萄酒进来，首先要考虑把红酒定位在一个什么样的消费人群，......。

外国公司认为，中国的红酒文化不够，所以洋酒一直在中国市场徘徊。在这一点上，他们盲目而固执，很多大公司都是在适应这个区域的大部分人群，现在国外的葡萄酒是一个笼统的销售，并没有确定你的客户群体，什么样的酒卖给什么样的人，现在都没有确定，销售很盲目。只有细分市场，贴近市场，准确定位，才会有效果。

真正的销售是在这个区域针对适应你产品的人群中大部分客户，去做宣传、推广。市场费用一定要和你的消费群体成比例，集中市场，集中群体来打造品牌，这样费用低，起效快。而且比较固定，对集中的群体要立体的进行品牌宣传，当有一百个人对你说好喝，那么这酒必然就是好酒，要大众化，而不要单一的面对。一般的家庭饮用，大部分选择40元的红酒；像白领呢，就选择80元以上的红酒。真正具有红酒消费的人群是在十五六岁到三十几岁的群体。　杨沐春／文

【我对进口葡萄酒很感兴趣】

鲍永强：北京金仁和商贸有限责任公司总经理。

北京金仁和商贸有限责任公司：以代理销售名牌酒类和饮料为主的批发企业。

该公司代理的主要国内产品包括燕京精品系列啤酒、塔牌黄酒、长城葡萄酒、牛栏山二锅头酒、板城烧锅酒、牵手果汁、汇源果汁等，代理的国外产品有新鲜粒粒橙汁和比利时发泡果汁等。

在北京市，公司以酒楼和饭店等终端客户为主要销售对象，以向二、三级批发销售为辅，公司拥有几百家终端客户，覆盖北京市各个区县；是燕京啤酒、塔牌黄酒、板城烧锅酒、牛栏山二锅头、国窖1573主要的经销商。

在外阜，公司和黑龙江省、辽宁省、山西省、河北省和天津市等地的经销商有着长期合作的基础，保持着良好的生意伙伴关系。

我们对中国红酒市场的特点认识：市场销售高度集中，竞争激烈，市场费用投入比例高，市场潜力巨大。

近些年来，......在激烈的竞争中，三大品牌的影响和销售不断扩大。

我觉得宣传和促销对于红酒非常重要，也就是说需要市场运作，现在是酒好也怕巷子深，必须进行宣传和推广！

北方人原来主要喝甜酒和干白，喝干红应该说是受南方的影响。九十年代后期，自外而内、由南而北地刮起了一股红酒风，仿佛一夜之间，全国上下都迷上了红酒。这期间不仅国产红酒畅销，许多洋葡萄酒漂洋过海来到中国，在这股潮流中，泥沙俱下、鱼目混珠，很多在国外非常低档的酒被拿来当中高档酒来卖，更有一些散装的进口红酒，在国内加工，打着原装酒来销售，结果后来给许多人流下的印象是外国的红酒也就那么回事。

经过2-3年的高潮，人们对红酒的热情逐步降温，但红酒在消费者脑海中留下了深刻的印象，也为国产红酒品牌发展提供了良好契机。从那时起，以华夏长城为首的三大品牌，积极进行市场投入与开发，因地制宜培养市场，推广产品，实施品牌推广战略，逐步壮大。可以说目前红酒在北京实行的各种促销方法和活动都是华夏长城率先做起的，是市场开拓和产品推广的必然结果。节日促销、赞助费、开瓶费、小姐促销等等方式方法时至今日依然在沿用。三大品牌取得今日骄人的成绩与其持续不断投入巨额财力进行市场宣传、引导和促销是分不开的。

与三大品牌相比，进口品牌却没有任何明显动作。10年来，虽然涌进了大量的进口葡萄酒品牌，但长期以来进口葡萄酒叫好不叫座，没有使进口酒应有的地位和魅力显示出来，与三大国产品牌的距离越来越远。我们认为到目前为止，在国内市场没有一个真正的进口名牌。葡萄酒本来就是一个舶来品，在欧洲具有悠久的历史，在中国时间较短，消费者对它的认识还很不够......

这些年来大多数进口葡萄酒多以简单买卖的贸易形式进入市场的，因而均没有在消费者心中形成品牌概念。所以，做了这么多年，没有什么起色。

我们一直很关注洋葡萄酒在中国的市场表现，如果可能我们也会选择一个品牌来经营。

我们做的产品，相对比较全，有啤酒、白酒、红酒、黄酒、饮料，并且这些酒都重点突出，啤酒是燕京，白酒是板城烧锅、国窖1573、牛栏山二锅头、金六福，红酒是华夏长城，还有烟台长城、张裕。华夏是1999年开始做的，做得较早，烟台长城是前年开始做的，张裕是刚刚接手。我们一直很关注洋葡萄酒在中国的市场表现，如果可能我们也会选择一个品牌来经营。

如果国外一款红酒，从品牌、品质、市场支持都到位的话，我们会与其合作。我们运作进口品牌具有较好的基础。首先，我们熟悉红酒，作为分销商，我们在北京销售三大品牌已有多年的历史，我们清楚市场状况，知道客户在想什么，

我们在国内，特别是在北方，我们已构建了行之有效的分销体系，拥有广泛的分销渠道和网络，产品销售迅速增长，目前在黑龙江和大连都设有办事处，管理和协调市场。另外，我们熟悉全套进口程序，诸如进口合同、报关、报检，标签审批等手续我们都是独立完成的。这些都为我们代理进口品牌提供了方便。　杨沐春／文

【没规则中找规律】

张有：洲友盛通商贸有限公司总经理，原烟台长城华北区总经理。

1998年，在南方做野力干红，有着近10年的红酒操作经验。

"我喜欢挑战，喜欢尝试新的东西，正因为这样，我脱去了华北区经理的外衣，束腰做了烟台长城北京市区的总代。这两年多运作下来，我得到了市场的实战经验，真正的认识了市场。现在再让我运做一个品牌，应该说成功率更高。如果有可长线操作的品牌，并且厂家也想把它做好的，我们会去合作。"

洲友盛通商贸有限公司：成立于2004年3月，烟台长城北京总代（市区）。

旗下有400来家A、B类终端店，年销售额1500万元。

北京，市场没有规则

北京市场体现在一个"乱"字，竞争是无序的.......

每个人有每个人运作市场的方式，华夏有华夏的做法，沙城有沙城的做法，烟台有烟台的做法。决定市场销量的是政策的灵活性和实效性。我们公司不大，但是在终端是很灵活的，今天刚定下的促销政策，明天觉得不合适，第三天就可以重新制定，这是我们能做到的。如果促销政策要一个月或者两个月再去落实，那个时候别的品牌可能已经早把你拒之门外。我们有我们的队伍，有我们的市场运作规则。我们开发的所有终端，是由经销商承担物流和资金流，真正销量的好与坏的决定权在我们掌控。

我公司的一线人员，主要负责终端的开发与维护。具体的工作流程都是按照公司的统一规定进行的。比如：每人负责多少家终端、每天要拜访多少家、具体的拜访环节是什么、需要了解的具体的内容是什么，我们都是有明确规定的。然后根据详细的市场信息及竞品的信息制定切实可行的促销政策，用以提升销量。

无序竞争，消费者受害

北京这个市场很大，每年都在上升，包括消费者对葡萄酒的认识越来越深刻，越来越理性，也越来越接受。什么时候中国的葡萄酒市场能跟国外一样成熟的话，用一两个美金买的酒就可以很好了，大家也都认可了，那么这个时候市场才真正成熟起来。实际上我们的生产成本是很低的，但是到了消费者的手中还是很高的，这主要是中间环节太多了。正因为市场不健全，才使得中间费用增大，最终真正受害的是消费者。我们可以不赚钱，但是亏本我们也不做。无端的产生进店费，无端的产生促销费，无端地产生瓶盖费，这个费用从哪儿来？不都是从消费者身上来吗？

烟台长城具有品牌优势，但是工厂对于市场的监管力度还有一定欠缺的地方。烟台长城在北京有3家公司在做，我认为，3家公司应该共同把烟台长城这个品牌的市场蛋糕做大以后，分蛋糕吃，不能说这个蛋糕还没有出炉，就争成一片。

我们现在应该是合作，共同把市场做好，大家不要把焦点放在一个店上，一个经销商上，比如说，这个店是我们两家看上的，大家来评估一下两家的经销商，哪个有优势就去做吧。你的经销商有优势，你就去做；我的经销商有优势，我就去做。互相谦让一下，你让给我这个店，下一个店我就让给你了。这样，就避免了不良竞争。但是，这个事情说说容易，做起来会比较难，因为涉及到利益。

个别品牌对部分终端的投入可以说是不遗余力的，可能有的销售额都达不到进店费用。主要是看经营者的思路了，工厂来讲，它是全国市场，我今年的整体投入是多少，我可能在一个市场赔了，但可能在其它市场找回来。但经销商就是局部的，弱势的！

新生品牌，慎入市场

往往有些品牌就是这样，第一年我先投入，投入500万元，产生800万元，甚至1000万元，企业在亏；第二年投入800万元就产生1200万元，企业还在亏；第三年他就不敢再继续投下去了。这个品牌也就出局了，哪怕它再坚持一年，或者仅仅是两个月，打个比方，这就像烧开水似的，你已经把它烧到80度了，再加一把柴可能就烧开了。但这时候你撤了柴火，那么，它就只能是一锅温吞吞的水，你前边所有的投入也就白投了。

坚持，才有希望成功

规范一个市场也不是那么容易，还是要市场规律来决策。

烟台长城2004年投入确实较大，来势汹汹。但要保持这样的势头完全靠经销商是撑不住的。如果去年厂家再能给我们添一把柴，烟台长城就不是今天这个样子，可能会比现在更好，可能出现另外一个局面。

目前市场的无序性，让我们这样的经销商进入终端店也非常谨慎了，我们的原则就是，只要我们真正能做出量的，我们就去做；如果我们认为进入之后很难产生销量的，我们采取的措施基本是回避，根本没有必要再去投。谁也不会不计成本地去做。进店是手段，销售才是目的。我们做好自己的事情，超过这个承受范围，我们宁肯放弃。

最后希望所有同仁共同来努力完善市场格局，使大家能在一个公平有序的规则下竞争，同行是伙伴，同行不是冤家！ 杨沐春／文

【真希望在中国可以看到全世界的酒】

柯鲁：名特公司总经理，首席代表。

美国名特食品葡萄酒公司：在中国市场推广优质的进口葡萄酒已近十五年，独家代理来自全世界十五个国家的逾七百种优质葡萄酒。它们分别精选自法国、意大利、加州、西班牙、新西兰、澳大利亚、智利、阿根廷、南非、葡萄牙、德国、美国、墨西哥、安圭拉、加拿大以及中国。

在北京、上海、广州、天津和香港等五个城市都建立了销售办事处，以更好地满足中国各个地区不断增长的市场需要。

在全国83个城市建立了批发和配送网络。

成立了全国知名的葡萄酒电子商务网站，为消费者和企业客户提供快捷方便的网上订货和个性化服务。

与中国免税集团和国内两大航空公司合作，将高品质的葡萄酒带到全国各地免税商店以及往来中国的国际航班，让更多的消费者享受上乘佳酿。

我们名特公司在经营酒以前，也做过其他项目，但是认真地做葡萄酒，是从1994年开始的，那时候的市场不像今天这么开放，那时候进葡萄酒，随便挑。还需要进口许可证，所以，许多公司，包括外国公司和中国公司不敢轻易涉足这个领域，当时，我们是找中粮，跟他们谈了一个协议，通过他们进口，我们致力于进口酒推销市场方面的一些工作，通过其他分销商去卖。起初只有两个国家的酒，一个是意大利系列，还有就是加州的葡萄酒，逐步发展到10年之后的今天，就有500多种葡萄酒。 杨沐春／文

【我专一我成功】

赵杨：百利名典经贸有限公司执行经理。

百利名典成立于1999年，是一家专门经营洋酒的企业。

经营品牌：德国沙德乐、法国塞昂、意大利多来利等洋酒。

早些年提到百利名典，很多业内人士都多多少少有些了解或耳闻，知道是一家经营洋酒的公司，但现在似乎再提及，市场知名度已大不如前了，但业内知名度却余音缭绕。记者也是循着痕迹找到了这家公司的负责人——赵杨经理。

百利名典成立于1999年，是一家专门经营洋酒的企业，起初也是做规模，但当年的洋酒市场是一种很大病态发展，甚至达到一瓶XO最终利润只有5块钱，说出来都令人不敢相信。针对这一状况，百利名典于2003年开始缩减规模，独家代理德国的品牌——沙德乐。这个品牌对于国内的酒行业还存在着相当程度的陌生成分，不像XO，白兰地等品牌让人知之甚详，但在德国却是如同中国茅台一样的产品。赵杨经理对于这个产品不无骄傲地说：这是一个非常好的品牌，我们既不走商超，也不走传统意义上的餐饮。(那会是一种怎样的经营渠道呢？）这款酒的消费人群针对性非常强，主要就是德国人以及与德国有关系的人。外界很少人了解德国人的性格，我们就是针对这个特性，瞄准市场，运作市场，五星级饭店凯宾斯基就是其主要代表。另外，德国人很有组织性，有个很类似于中国同乡会的联谊组织，这几乎汇聚了在京、沪的所有德国人，他们会定期举行各类活动，而我们就是他们专门的酒水供应商。北京、上海有一家台营的连锁德风酒吧——宝莱纳，因为风格的独特性聚集了众多的在华德国人，我们也为他们提供酒水。这是唯一走进的娱乐场所。另外相关德企的饭店，德国大使馆......也是我们的主要客户群。

百利名典除了代理德国的沙德乐，还有法国的塞昂，意大利的多来利。这两种品牌的运营模式与沙德乐大不相同之外，二者也不尽相同。前者走商超，而且只在家乐福有，后者走餐饮渠道，两者与百利名典的合作又和市面的洋酒代理大不相同，就是由百利名典出面办理市场的运营手续，但具体市场操作还是由厂家来完成，百利名典制作业务指导及国情说明，不干涉其中，这种合作模式相对来讲要比现在洋酒代理来得新颖的多，另外也能进一步保证酒的来源——纯正进口，而非打着外国的幌子，兜售国内罐装的产品。说到此，赵经理不无自豪地说：我们现在的规模虽远不如前，但这种运营模式却可以保证我们的稳步运作，确保我们的品牌的独家性以及质量的可靠性。

现而今，百利名典作为酒水经销来说年营运额仅数百万，但这种相对新颖的运营模式却是值得同行借鉴的，或许会有更好的经销模式产生也未可知。 蒋磊／文

【独特的生存】

亓明：萨拉莫世家葡萄酒(青岛)有限公司 全国销售总监。

意大利萨拉莫世家葡萄酒公司：欧洲最大的集葡萄种植与酿酒于一体的葡萄酒公司之一。

萨拉莫世家葡萄酒（青岛）有限公司：1998年，意大利萨拉莫世家葡萄酒公司控股94.6%合资组建的国内酿酒公司。

2000年，在中国市场推出了萨拉莫世家系列(进口)和凯泰系列葡萄酒(国产)。

其年生产能力20万箱(1*12瓶)。

产品定位“萨拉莫世家”系列葡萄酒，由意大利萨拉莫世家葡萄酒公司酿造，在萨拉莫世家葡萄酒（青岛）有限公司装瓶。

“凯泰”系列葡萄酒，萨拉莫世家葡萄酒（青岛）有限公司精心打造的国产品牌，从葡萄栽培到生产的全部过程都采用意大利的先进设备和传统的酿酒工艺，从而保证了葡萄酒的优异品质。等级包括：珍藏、窖藏系列高档产品，以及日常饮用型葡萄酒系列。

目前，萨拉莫世家葡萄酒（青岛）有限公司是在中国真正按照欧洲传统酿酒理念将葡萄酒庄建立在葡萄园中的外资控股管理的酿酒公司。

产品的主要销售渠道：国内的高级4，5星级宾馆、饭店。有葡萄酒销售氛围的零售场所，中、高档西餐厅，以及针对葡萄酒爱好者的直销服务。

产品推广

根据现阶段的市场情况和公司资源及产品的特点，我们的产品推广理念是，走专业化的道路。除了拥有自己的专业销售队伍以外，我们还和专业的代理商合作。共同服务于市场上的专业客户。

通过组织专业的产品品尝会，邀请餐饮、零售，相关媒体，葡萄酒爱好者等业内人士参加。集中对我们的产品进行了解和评价。尤其是在品尝会上与国内产品（同价位的，业内人士认可的国产产品）的盲评测试，我们的产品获得了很高的赞赏。

产品合作

2002年1月，萨拉莫世家在全球的葡萄酒公司继CINZANO、SKYY VODKA 等国际著名品牌之后正式加入到金巴利国际集团公司，成为这个意大利最大、全球第六的烈酒与葡萄酒集团中的一员。这也意味着公司的产品综合实力进一步加强了。

由于中国市场的特殊性，欧洲公司在中国市场的投入都相当谨慎。无法接受国内某些产品的大手笔做法。但作为已经在国内葡萄酒市场运营了将近6年的萨拉莫世家葡萄酒（青岛）有限公司，根据其实际的操作经验，总结了其独特的生存、合作及发展的理论。

我们愿和国内更多的经销商伙伴有机会交流，以更切合当地市场及合作双方实际情况的方式，共同开发市场，达成共赢。

我们坚信，中国葡萄酒市场的现阶段是其发展的必经之路。但葡萄酒作为传统文化的一部分，必然在一定的时期里回归其应有的理念。我们作为专业的葡萄酒公司，在这一过程当中，不但要保持葡萄酒文化的传统，而且要为葡萄酒文化在国内的健康发展做出应有的贡献。 杨沐春／文

【新一轮扩充】

田仲文：瀛寰宝奇商贸有限公司董事长。

瀛寰宝奇商贸有限公司：成立于1999年，渠道：商超。

经过6年的发展，现已有近600家连锁超市店铺纳入公司的网络系统中，在北京连锁超市的店铺占有率已达到90%以上。

主营品牌：银瀑、哈啤、银鹭、宁夏红、长城、茅台液等。

一个经销商能够做到终端认可，同行关注，厂家另眼相看不能不说是一个成功，能做到这点应该是很难得了，瀛寰宝奇就是这样一家酒水经销公司。

瀛寰宝奇成立于1999年，成立之初只是代理单品，但即使是刚刚开始，瀛寰宝奇就把"诚信"作为公司屹立不倒的一面旗帜。为了能够保证产品的质量，田老亲自两次到东北的吉林银瀑公司实地考察，到他的生产车间，去看他的流水线，整个工艺流程，田老称：不管你在外的名气有多亮，品牌有多大，说得天花乱坠，那都是感性认识，我只有亲眼看到了，我相信了，我才能把这种产品送到终端，送到北京的消费者手中，否则，宁可不赚钱。当年久久无法进入京畿市场，只能在吉林长春一地打转的银瀑，现而今北京各大超市均已铺货，且果啤销量甚至超越了地产的燕京，不可不说是一大成功。银瀑现在属于哈啤旗下的品牌了，去年哈啤的市场总监特意来到瀛寰宝奇对田老领导下的全体员工表示感谢。

与宁夏红的合作同样也是如此，田老亲自带队赴宁夏，看到了满地遍野生长的枸杞子，看到了车间的酿造过程，流水线生产工艺，看到宁夏红是地地道道的枸杞所酿造，而非勾兑而成，放心了，踏实了，合作也就如此达成了。就是这样一股子韧性，这样一股子的执拗，为瀛寰宝奇赢得了今日业界的良好口碑。

说到厂家的合作，就不能不提与终端的合作，超市押款、各种费用都很大，也存在很大的风险，在此之前，甚至在与某超市合作的过程中，商超突然的"人间蒸发"，导致瀛寰宝奇赔了数万之多。田老说到与终端超市的合作时称：不能因为我们上当吃亏，为了寻求心理平衡就去骗别人吧。很多经销商打不开市场都会找到瀛寰宝奇，原因就在于跟超市咱们讲的是信誉，首先咱们进入超市的产品绝对保证是真的，不搞假；其次与超市合作，履行合同，按合同规定兑现；这也是瀛寰宝奇在商超这块之所以做得成功的原因。

瀛寰宝奇从建立之初代理单一品牌产品，到现在成为银瀑、哈啤、银鹭、宁夏红、长城、茅台液......14个品牌近百种商品的北京地区总经销商或特约经销商。经过6年的发展，现已有近600家连锁超市店铺纳入公司的网络系统中，在北京连锁超市的店铺占有率已达到90%以上，在近二、三年来，北京商业零售业竞争异常激烈，大型连锁超市发展迅猛，众多国际零售企业进驻北京。这些卖场对供应商的选择非常挑剔，入店门槛太高，因此，很多中小型供应商都因为实力有限，望而生畏或经营管理不善等原因纷纷退市。在如此恶劣的市场环境中，瀛寰宝奇公司把住市场脉搏，对信誉良好、管理正规的连锁超市加大投入；按市场需要选择商品；与实力强大的产品厂家紧密合作，将产品的各项资源整合使用，以最少的投入力争达到最大的回报，实现共赢，因此，公司销售收入逐年以30−50%的速度递增。瀛寰宝奇公司现已成为北京商超酒水饮料行业中颇具实力的一家专业化公司。

根据市场发展的需求，为了节约成本，也为了更好的服务网络终端，把酒水经销做大、做深、做久远，瀛寰宝奇又开始操作仓储物流建设，新一轮的扩充规模大计现已如火如茶地展开。

蒋磊／文

【深挖直销潜力】

冯静：赢海特商贸有限公司总经理。带领30多人的团队完成3000多万元的销售额。

赢海特商贸有限公司：

1999年注册成立，2002年取得贵州青酒北京地区代理权；金六福系列、金剑南系列、牛栏山二锅头系列、星级长城干红系列、烟台长城系列、华夏长城干红系列一级代理。

麦金利苹果醋系列、明太郎牛初乳系列产品的北京地区代理。

从朋友圈里听到冯静这个文雅的名字，原以为是哪个帅哥的女朋友，后来得知她是在北京经销商圈中小有名气的北京赢海特商贸有限公司的老总，非常惊讶，心里琢磨着有机会一定要亲眼见见这位女中豪杰。但是，由于赶这期的稿子，时间太紧了，所以不能如愿，只能电话采访了。

虽然这次没能亲眼见到冯静，但是，电话里面流利而专业的回答、灵敏而迅速的反映让我感受到她的力量，不得不把她和"女强人"这个词联想到一起。

其实早在1999年冯静就注册成立了赢海特。但是，公司的真正发展还是在2000年取得贵州青酒北京地区的代理权之后。可以说，赢海特的发展与青酒在北京市场的发展息息相关。在赢海特进入快速发展期之后，拥有独特的产品定位和市场定位眼光的冯静希望迅速扩大自己网络，尽快完善自己的产品线，于是相继实现了金六福系列、金剑南系列、牛栏山二锅头系列、星级长城干红系列、烟台长城系列、华夏长城干红系列的一级代理权和麦金利苹果醋系列、明太郎牛初乳系列产品的北京地区的代理权。这在经销商大跃进的2002和2003年是不可想象的，尤其是作为女人的冯静，她的付出超乎想象。

经过2002、2003年公司的快速发展，原来粗放型的管理模式已经不能适应公司日益庞大的规模和市场的瞬息万变，从04年开始，冯静着手改进企业的管理方式。赢海特原来的主要销售渠道就是餐饮，但随着企业的发展，已经不能适应市场。于是，将原来的销售部一分为二，成立了直销部和商贸部，分别负责餐饮渠道和流通渠道，发展二级代理商，让他们直接面对终端。在公司内部，按照职能划分为办公室主任，销售部经理和财务总经理，明确分工的同时也明确了各自的任务，提高了效率。这些措施使得赢海特从一个普通的经销商脱胎换骨，逐步发展为正规的商贸公司。

一直坚持稳扎稳打作风的冯静手下有一支非常高效的团队，虽然这些业务员的学历不高，但是，30多人的团队完成3000多万元的销售额，这确实是一个了不起的成绩。后来得知，为了提高这些工作人员的素质和业务能力，冯静每年都花钱为这些员工作培训，并且在2005年公司引入了绩效考核系统，使得人力资源的管理更加正规化、科学化。

在谈到青酒这个产品时，冯静的话显得意味深长，她说，青酒是我们在2002年就开始做的一款酒，赢海特伴随着青酒的成长而成长。我们也曾经有60多人的促销队伍来操作青酒，但是，青酒作为在全国不是很出名的白酒品牌，厂家的力度肯定不如那些大品牌，和他们拼我们只能失败。到最后，我们营销队伍的费用太高，不得不采用其他的营销方式。现在青酒的表现一般，每年两三百万的量。毕竟，这款产品已经这么多年了，每个产品都有它的生命周期嘛！

冯静下一步的工作重点就是优化现有的产品结构，进一步挖掘直销的潜力。将销售额提升20%。我祝愿冯静能精彩的实现她的目标，而且从她坚定的话语中，我也能感受到她的自信！ 崔林／文

【我们别无选择】

李永生：瑞富泉商贸有限公司经理。

瑞富泉商贸有限公司：已经发展到一定规模，包括70多人的销售队伍，直供800多家酒店和400多家商超零售终端，下面还发展了10几个分销商。

负责10多个河套产品在北京城区和郊区的销售。

几年前，李永生只身来到北京，望着这个陌生的城市，面对这么多酒店，他的内心充满了希望，他要把河套的事业发展到北京。当时开拓北京市场时，只有他一个人，面对陌生的消费习惯，无从下手。而且河套作为外来的白酒品牌，当时根本无人知晓。然而，几经波折，河套却在竞争激烈的北京市场坚持了下来。也许只有蒙古人的勇敢和坚强才能说明这一点。

与李永生电话约好之后，我便来到河套酒业北京分公司。见到李永生，他和蔼的迎上来：“《中国酒》小崔，你好！”，寒暄之后，我们落座，一杯茶已经端了上来，我说明来意之后，我们便开始了聊天。

记者：您简单介绍一下河套在北京的发展情况。

李永生：河套在北京市场已经发展了一段时间，作为一个外来的不是很知名的白酒品牌，初期的困难是可想而知的，但是我们一直在坚持做，除了坚持，我们别无选择。河套在北京市场是没有任何品牌优势的，所以只有靠我们的勤奋和策略去争取我们的市场。北京的市场变幻莫测，可能很大的投入进去了，没有任何市场反应。我们在北京注册成立了瑞富泉商贸有限公司，专门来运作北京市场，这对河套这个外来品牌来讲更容易贴近北京市场，更适合操控终端。现在我们瑞富泉商贸已经发展到一定规模，包括70多人的销售队伍，直供800多家酒店和400多家商超零售终端，下面还发展了10几个分销商。瑞富泉商贸负责10几个河套产品在北京城区和郊区的销售。

记者：在渠道方面呢？

李永生：河套在北京市场没有寻找合作伙伴，基本上都是靠我们自己在做。我们控制着餐饮、商超和经销商三大渠道。餐饮方面我们都是自己的业务员在跑，一家一家的谈，然后进店。商超也一样，都是我们直接与商超终端谈。采用这样的方式我们可以更好的控制终端，对终端市场的信息反馈也很迅速。我们的业务员都很敬业，每天都在非常辛苦的工作。另外，因为北京市场的特殊地位，厂家给我们的支持也是很大的。河套在北京能发展到今天与总公司的大力支持也是分不开的。

记者：河套在北京有没有广告投入呢？

李永生：去年，我们在北京的公交车上投放了一些广告，从现在看还是有效果的。我们的广告也是很有针对性地，今年我们有一个主打产品“河套王”，也在你们《中国酒》杂志上面做了广告，河套王现在卖的很不错，在很多酒店，河套王走量非常大。

聊着聊着，他的手机突然响起，河套的领导来北京了，“没有办法，任务来了，我们以后有时间再聊。”我们起身告别，他匆忙赶工作任务去了！其实，在我看来，我的采访任务基本完成！

告别瑞富泉商贸，出来时正好看见北京的奥运场馆正在热火朝天的建设，想一想，李永生和他的团队又何尝不是呢？ 崔林／文

【想做不好，都难】

贾东军：富金樽（北京）商贸有限公司经理。

富金樽商贸有限公司：成立于2003年。

代理品牌：五粮液王者风范，半年销售额500万元。

经营品牌：茅五剑，水井坊、国窖、浏阳河、金六福等高档白酒，以及一级长城庄园系列及华夏系列葡萄酒。

渠道：餐饮，分销。

在北京说大不大说小不小的酒市场，偶尔哪天一夜间出现或消失了一家公司，恐怕没人会大惊小怪，可若是突然之间在业内跃出一匹黑马，则不得不令人啧啧称奇了，毕竟这不是天方夜谭，每天都会有神话上演。富金樽就是这样一匹黑马，名不转经传的一家酒水经销商，突然间签约了五粮液王者风范的北京总代，半年过去了，发展势头是节节攀高，不得不让业界为之好奇。

2003年，富金樽在北京的酒市场诞生了。甫一成立似乎就带了一股子的富贵气质，不仅仅是名字富贵，代理的品牌都贵气十足：茅五剑，水井坊、国窖、浏阳河、金六福等高档白酒，以及长城庄园系列的葡萄酒，尤其是五粮液王者风范的北京总代。这家富贵公司作为一家年轻的企业现而今在北京酒市场正已每年2–3倍速度发展，仅去年一年王者风范一项销售额达500万之多，今年计划缔造1500万，公司的远景计划为明年创3000万。去年作为磨合期，能取得如此骄人的业绩，那么今明两年的计划要完成可谓轻松至极。记者在走访该公司时，其年轻的贾东军经理以一种信心十足的口气吐出这些数字，可见，这家年轻的公司在酒市场中不可轻估的实力与地位。

富金樽作为集团企业，酒类经销只是其中的一部分，这是否可以理解为“太子”企业呢？贾总称：因为富金樽包含了很多产业，酒水代理只是一部分，资金实力强大。北京市场品牌多，市场复杂，对品牌的市场分析极为重要，一不留神就可能是大笔资金的投入换来血本无归。市场难做，与厂家打交道难：厂家做品牌，经销商做利润，与厂家的合作中，涉及到广告费用、人员广销、进店费——经常是自己提前垫付了，而厂家在承诺范围内却兑现不了，结果自己在市场中被悬空；餐饮作为富金樽的主要渠道，所面对的问题也存在类似押款、进店费、开瓶费等，弄不好就会被骗，一夜之间人去楼空，酒店老板卷款在逃，贾总不无感慨的说前不久就遇到一起这样的事，好在损失只是几万块，看来酒市场对人都是一视同仁的。当中也做分销、直销，为了能做好自己的品牌，贾总向记者透露了寻找合作代理商的考核标准：具有自己的渠道，品牌较少，能够把富金樽的品牌作为主推项目，并要制定完成份额……通过这一连串的要求，具有这样条

件的合作伙伴，要做好市场可谓信心百倍，现在与富金樽合作的分销商已达到十六家之多，五一后还有四家签约，或许这就是贾总信心十足的原因所在吧。

强大的资金实力，成熟的品牌，稳定的代理伙伴，充足的货源，超前的眼光，科学的管理——富金樽这家占尽天时地利人的太子企业，想要做不好似乎都很难。 蒋磊／文

【我就做黄酒】

早就听说成都聚垒商贸有限公司的曾英经理是个非常优秀的经销商，是把黄酒引入四川的第一人。这次成都春交会上得以一见，与想象中有点不一样，曾英说话不徐不疾，很内敛，很温柔，但柔中有刚。

四川第一个做黄酒的经销商

四川是个白酒生产、消费大省，六朵金花灿烂夺目。要想在这片有着深厚群众基础的白酒大省做好黄酒这篇文章，并不是件容易的事。

曾英是1981年起开始做黄酒。当时在四川的内迁厂比较多，这批人来自江南一带，爱喝家乡的绍兴黄酒，他们满城都寻找家乡酒。当时的成都，绍兴黄酒很少，商场都没有卖，为满足这部分人的需要，曾英就想找厂家经销黄酒。曾英对绍兴几家大的酒厂都作了一翻了解。当时四川有不少人来自上海和浙江，他们对沈永和比较喜欢，于是曾英决定做沈永和。

曾英至今清楚地记得当时的情景，她和王晓玲一起到浙江绍兴，寻找绍兴花雕酒，找到了姜水潮，第一年做了2个5吨箱。量不多，但毕竟开了个头。

从高端突破黄酒销售瓶颈

一开始做黄酒定位在普通百姓消费上，做的是简加饭、大坛酒等普通酒。销量一直徘徊不前，连续六年在50万-60万左右徘徊，10多年也没有突破100万。

销量上不去，曾英很着急。

有一年的冬天，从厂里进了一车大坛酒，路上下大雪，坛上的泥头压坏，进了水，结果导致酒酸，不能卖。也就是从那时起，曾英决定不再做普通酒，转而做五年、八年等中高档黄酒。那一年是1997年。

当时重点推的是八年陈花雕王，大家集思广益，提炼出一句广告语：健康饮酒新时尚，古越龙山花雕王。把黄酒定位在健康尊贵的时尚饮料酒，很吸引一些高端人群的眼球。配合做了不少软文、车体广告，感觉效果很不错。一些大酒店也开始接纳黄酒。

第一次总是最难忘的，曾英做的第一家大酒店是成都银杏大酒店。当时，银杏大酒店也有黄酒，但都是些杂牌，因为质量不稳定，遭客户投诉，采购部经理很恼火。当时有一个四川省政府会议在银杏大酒店举行，曾英去做采购部经理的工作，说古越龙山是黄酒中最好的品牌，质量很不错。采购部经理也听了一些去浙江、上海考察回来的政府官员说起，古越龙山高档酒很不错，在浙江、上海很有影响力。很顺利，古越龙山进了银杏大酒店。

做大黄酒须从高端着手，让高端人群喝高档黄酒。过去，四川人认为绍兴黄酒就是做菜的调味酒，根本不知道绍兴黄酒有高端酒。于是，曾英一直在思考：如何让绍兴黄酒能够在四川这个中国名白酒之乡生根发芽，想了很多办法进行推广：首先是在报纸上做软性文章，介绍绍兴黄酒的特点，保健价值，怎样饮用，并在各大商场内做试饮和发放宣传册等，使很多四川人开始对黄酒有了初步的认识；紧接着，第一个从终端酒店推广绍兴黄酒（主要针对A级大酒店推广），并做高端客户的攻关工作，让成都的各级官方在接待上海和浙江客人时就选古越龙山作为接待用酒，就这样，绍兴黄酒——古越龙山花雕酒在四川成为了黄酒的第一品牌，消费者对古越龙山的认知度非常高。

另一方面，做高档消费群的攻关工作。高端人群一般是成功人士，事业成功了，更要注重身体健康，因此，他们在消费时选择有益于健康的产品，而这批人一旦接受后便会形成一股强劲的力量，成为引领新时尚的领头人，带动起一大批人群饮用黄酒。

古越龙山销量在四川突破100万是在2001年，销量的突破性增长让曾英深受鼓舞。决定将绍兴黄酒做大，配合厂方做市场，做推广，做宣传等活动。当时曾英盛情邀请许总到成都来看市场，她预测三年后四川黄酒销量将达到800万。结果，2004年就突破了1000万。

对于黄酒、对于古越龙山，曾英充满了信心，这么好的品牌，这么好的品质，在注重健康、注重养生的今天，是到了该有所作为的时候了。

目前，古越龙山已在高端市场和高端消费人群心智中塑造起国粹黄酒的形象，相信在四川这个中国名白酒之乡，古越龙山一定能生根、发芽、成长、结果。 茹拥政／文

【还我“老大”地位】

汾酒，中国四大名酒之一。

汾酒，是通过两个渠道来运作北京市场的。传统的汾酒产品是由汾酒北京分公司来运作的，比如青花瓷系列，简装玻汾、老坛汾酒、杏花村、竹叶青、白玉玫瑰等产品；主要渠道是各级分销商，通过各级分销商的网络进入消费终端。

在商超渠道，汾酒与朝批合作，利用朝批商贸的庞大商超渠道进入到消费终端。

汾酒另一个销售渠道是厂家与北京世纪海州商贸有限公司合作，负责“国藏汾酒”和“中华汾酒”系列的销售；目前销售状况良好。

汾酒是中国四大名酒之一，名门出身注定了其高贵的身价。曾有网友这样评论汾酒，她们是中国古典女人的代表。秀外而慧中，或小家碧玉，或大家闺秀。柔弱的外表下有着坚贞的个性。汾酒高贵的身价也必然决定了汾酒在北京市场上的高端地位，虽然北京百姓消费以清香型白酒为主，但是，清香白酒的代表——汾酒高企的价格也让普通百姓望而却步。一瓶简装的普通玻璃瓶汾酒都在20元以上，高端的青花瓷汾酒和后来的国藏汾酒、中华汾酒的价格都和茅台五粮液价位相当。最近几年由于其他的高端白酒的相继高调推出，行动上慢半拍的汾酒高端地位受到挑战，从而使得汾酒在北京市场的表现不是很理想，与它应有的地位很不相称。一流的质量，二流的包装，三流的价格，这一直是外界对汾酒的评价。去年底汾酒集团的高档品牌“国藏汾酒”正式上市，最近又推出了“中华汾酒”（年汾酒），汾酒的用意很明显，即希望通过“国藏系列”和“中华汾系列”在风起云涌的高端白酒市

场分的一杯羹，这也是汾酒应该得到的，同时，也能迅速提高汾酒的整体高端形象。

现在来看，汾酒是通过两个渠道来运作北京市场的。传统的汾酒产品是由汾酒北京分公司来运作的，比如青花瓷系列，简装玻汾、老坛汾酒、杏花村、竹叶青、白玉玫瑰等产品，和口子窖大力运作餐饮终端不同的是，汾酒主要渠道是各级分销商，通过各级分销商的网络进入消费终端。在运作商超渠道方面，汾酒则与北京市最大的商业流通企业朝批商贸合作，利用朝批商贸的庞大商超渠道进入到消费终端。其实，汾酒在北京一直没有很大规模的宣传和促销活动，终端消费更多的是靠汾酒厚重的历史和完美的质量而赢得的消费者口碑拉动的，据汾酒北京分公司的人员讲，北京的消费者对汾酒非常有兴趣，但是不知道到哪里去买。有很多的消费者经常跑很远的路来汾酒专卖店来购买汾酒产品。鉴于汾酒的高端地位和良好的消费者口碑，汾酒北京分公司下一步的计划是在北京主城区新开若干家汾酒专卖店，让更多想喝汾酒的消费者能够买到汾酒产品。除此之外，汾酒北京分公司还负责其他的销售渠道。比如，常年向国家有关部门提供招待用酒，负责很多单位的团购业务。这些渠道每年也有很大的销量。汾酒北京分公司去年20多人的销售队伍完成了2000万元的销售指标，这在没有很大市场投入的情况下已经是了不起的成绩了，从中我们也能看出汾酒这个昔日的老大哥还有着巨大的市场增长空间。

汾酒另一个销售渠道就是世纪海州商贸有限公司，负责“国藏汾酒”和“中华汾酒”系列的销售。目前销售状况良好，据悉，“国藏和中华汾”产品已经铺货几百家终端酒店，近期准备在商朝渠道方面投入人员和大量资金。据传，2005年世纪海洲负责的汾酒销售额在3000万元左右。汾酒集团为了打造“国藏汾酒”和“中华汾酒”这两个高端品牌，对世纪海洲给予了强大支持，这也看出了汾酒力拓北京市场的决心。

汾酒与茅台非常相似，能耐得住寂寞，死死坚守，悠久的历史、独特的工艺和口味、完美的质量使得汾酒后劲十足。汾酒正在找回当年的感觉，正像那句话所说“还我英雄本色”。

崔林／文

【大家都喝这一口】

口子窖北京分分司，成立于2003年。

2005年，口子窖在全国最大的亮点就是北京市场，保守的估计2005年销售额在4000万以上。销售队伍150多人（不包括促销员），直供的餐饮终端在3000家左右，直供商超数量在400家以上，二级批发商数量15个左右。

2005年，口子窖在全国最大的亮点就是北京市场，保守的估计05年销售额在4000万以上，销售队伍150多人（不包括促销员），直供的餐饮终端在3000家左右，直供商超数量在400家以上，二级批发商数量15个左右。数字是枯燥的，感受是直接的，在北京很多的餐饮和商超里面，我们都能看到“口子”的影子，对于庞大而复杂的北京白酒市场而言，这本身就足以说明口子窖在北京的巨大成功。而就在三年前，口子窖北京分公司才刚刚成立。

口子窖缘何在刀光剑影的北京白酒市场取得如此战绩呢？最近记者走进口子窖北京分公司，亲自感受一下口子窖的战斗力。

最初熟悉口子窖是因为独特的“盘中盘”营销策略，但是，当我走进口子窖，我倒觉得，策略只是成功的基础，执行力才是成功最关键的因素。在口子窖北京分公司的走廊，挂着四个红底白字的四个牌子，分别写着：我们的组织战无不胜，攻无不克。我们共同的愿望：共铸口子辉煌。我们必须：忠诚于口子酒业，与客户保持良好沟通。我们是一个学习型的组织，具有：相互协作的团队精神，火热的工作热情，战无不胜的自信心。这给我的感觉就像在军营里，军人都有过硬的军事本领。

口子窖对业务和促销人员实行军事化管理，有共同的宿舍和食堂。大家一起吃饭，一起工作，一起就寝。早晨记者刚到时，大家正在集中用餐，有的员工一边用餐一边快速浏览着最新的报纸。早餐之后就是点名报到，这项工作是由专门的人员负责，没有及时报到的职员就记为缺勤。在这里，记者还看到有一个非常大的教室，这在北京的写字楼里面显得非常奢侈，前面有一块黑板，一排排桌椅板凳整齐的排列，让我想到了上大学时的自习室。据介绍，业务和促销人员经常要在这里接受培训，或者经验交流，以提高大家的营销能力。在这里，看不到懈怠的员工，每个人都有条不紊的忙碌着。虽然都是年轻人，但是，他们很有组织和纪律性，这一点也保证了每一个决策的彻底执行。

据这里的负责人讲，这是个很有激情的团队，而且，激情是建立在稳健基础上的。口子窖虽然这几年发展很快，但是，每一步都走得很稳健，理性的决策决定了不是很快就想见到市场效应，更多的是在塑造口子窖的品牌形象，一旦树立起很好的品牌形象，销售就会变得很容易。

口子窖目前在北京的销售主要是直供餐饮终端和商超终端，这就需要庞大人员、费用投入和强有力的物流支撑。口子窖北京分公司有自己的物流体系，拥有20多辆物流配送车，训练有素的营销人员150多名。并且，鉴于北京市场的重要性，北京分公司也得到了口子窖总公司的大力支持。据了解，新建成的口子窖北京分公司的办公楼正在装修中。看来，口子窖的力量还没有完全发挥出来，这个执行力很强的团队正在演绎时代的激情！

崔林／文

【每年创造一个百万富翁】

李文显：衡水老白干北京办事处经理。

其大学毕业后就来到老白干做销售，凭着六年多的销售经验，老白干北京分公司已经做到了3000多万元的销售规模，100多人公司团队。

分公司直供的酒店已经达到了1000多家，并且发展了10多家一级核心经销商。

第一次来到老白干北京分公司，给我的感觉好像是与老白干的名气很不相符。作为河北省最著名的白酒品牌，老白干北京分公司却非常的低调，河北省衡水市北京办事处和衡水几个企业在北京的分公司都在一个大院里办公，不仅感叹老白干勤俭节约的企业精神。用李文显的话说，就是少花钱多办事。初次见到李文显，心中一惊，这么年轻！而且表情非常严肃。但是，接触的时间长了，却能感受到他的和蔼，并且侃侃而谈，非常热心。

作为老白干北京分公司的决策者，李文显刚刚30几岁，我总感觉他不能挑起这个重担，毕竟北京市场不是一般的企业可以随便进来的，进来之后更不是随便就能拿出成绩的。但是年轻的李文显却做到了。大学毕业后就来到老白干做销售，凭着六年多的销售经验，老白干北京分公司已经做到了3000多万元的销售规模，100多人的公司团队。分公司直供的酒店已经达到了1000多家，并且发展了10多家一级核心经销商。

谈到老白干北京市场的运作情况，李显的非常兴奋。他说："其实，老白干运作北京市场已经有10年了。早在1996年，老白干就成立了北京办事处，凭借着老白干这个老字号，一直有着比较稳定的销量。"

李说：我们在北京做市场时，餐饮方面我们是直供，而在商超方面，我们更多的是与北京市的大经销商合作，因为他们在北京有着我们没有的资源和网络，而在餐饮方面我们就可以亲自去做。在低端产品的商贸流通领域，老白干则更多地将利润让给经销商去做，我们的目标就是每年创造出一个百万富翁，让利于经销商，事情就好办。在特渠方面，比如团购，我们也有专门的人负责。

采访过程中，带着眼镜，文质彬彬的李文显平和的外表给我留下深刻印象，但是从他的坚定的话语中，又可以推测出其深藏的老白干北京计划——稳健而势不可挡。崔 林／文

【苦心经营做品牌】

宋河，在北京市场主要走的是餐饮和商超两大渠道。

目前在北京已有数十家合作伙伴，并且发展态势良好，宋河用了不足一年的时间实现了厂家主动招揽代理发展到今天经销商主动上门寻求合作，这不能不说是品牌在京发展的一个奇迹。

这也正是对宋河经营理念的最好认可。

品牌是厂家的心血结晶，......

北京是个充满商机的大市场，太多人都想来这里淘一桶金，以期一夜暴富。这也是现今北京酒市场难以规范的一大原因，利益的诱惑使人忘了踏踏实实做事。这就难免会造成厂家与经销商之间不可调和的矛盾。宋河认清了北京市场的特点，用自已的一套经营理念来做市场。宋河的合作伙伴与其有着一样的态度走到一起，自然会摒弃掉这些弊端而愉快合作。方总称：和经销商之间相互配合协作，不要相互算计，实际上需要更多地考虑经销商的利益，不要和经销商之间比谁更聪明一些，计较谁占了便宜，谁吃了亏，我们有一个理念，就是要让经销商得到的更多，而不是要在经销商那获取多少，我们始终秉持着这种观点做事，二者相互协作，市场逐渐也就做成熟了。品牌就是要靠大家一起努力去做。现在经销商完全认可了宋河的运营理念。让人眼花缭乱的北京酒市场，越来越多的经销商从对宋河的陌生、逐步了解到跟着宋河一起做，就是看到了宋河是真的在做市场，让客户体会到厂家多做，客户多赚的诚恳合作态度。

在北京竞争激烈的白酒市场中能用一个客观的眼光去认识市场，去操作市场，更需要用一种变化的观点去竞争市场。方总称，宋河作为"中国名酒"、"中国驰名商标"、"纯粮固态发酵"企业，荣誉是国家给的，更是消费者给的。所以宋河的目标就是要尽力给消费者更大的价值让渡。

目前宋河有高端产品共赢天下、物超所值的中档宋河粮液、价格实惠的宋河酒，产品线丰富而清晰，厂商双方目标一致，共同努力，相信不久的将来宋河在北京市场会占有一片江山。

蒋 磊／文

【传播文化的典范】

金六福企业诞生于1996年，与中国白酒行业龙头五粮液集团强强联手，迅速走出一条从代理品牌、创造品牌，到拥有名牌的发展之路。并发展成为拥有18个大区、4个生产企业，近2000名营销人员、5000多人促销队伍的酒水营销专业企业。

自1999年至今销量连续六年在五粮液系列白酒品牌中名列第一。

据了解，对金六福企业来说：价格稳定是产品的生命线，因此对价格体系的控制十分严格。为此专门制定了管理条例，并成立专门的市场管理部门，在全国维护价格体系。对经销商和公司业务人员在这方面的奖罚也是很严明的。

金六福不是第一个打出文化营销口号的企业。却是一如既往坚持传播福文化的典范。

蒋 磊／文

【全国山河一片红】

"红星"始建于1949年5月，2000年8月29日在北京红星酿酒集团公司改制的基础上组建了北京红星股份有限公司。

中华美酒源远流长，群星璀璨。其中有一颗星格外耀眼，那就是"北京红星"。

"红星"始建于1949年5月，2000年8月在北京红星酿酒集团公司改制的基础上组建了北京红星股份有限公司。"红星"在半个多世纪的发展历程中，积累了丰富的文化底蕴，打造享誉中外的红星品牌。

"红星"红透京城。走进北京的大街小巷，无论是商场超市，还是饭店餐馆，处处可见红星的倩影：自斟自饮时、朋友聚会时、亲人团聚时、异国思乡时都少不了红星二锅头。红星二锅头如同北京烤鸭，已成为北京最具标志性的产品之一。

红星二锅头酒可以说是京城老少爷们的杯中宠物，小小的一杯酒，背后凝结着几百年的文化历史。它是由中国北方的烧酒（亦称烧刀子）发展而来，京师烧酒作坊（俗称烧锅）为纯净烧酒质量，逐步完善工艺：在用甑桶烧酒时，将甑桶上方的锡锅内第一次放入凉水冷却酒气流出的酒称为"酒头"，第三次放入凉水冷却流出的的酒称为"酒尾"，只有第二次换入锡锅里的凉水冷却酒气流出的酒，其口味最醇和、香甜，所以掐"头"去"尾"取中段，其产品俗称为"二锅头"。

"国无信不兴，人无信不立，企无信不存，商无信不成"。"红星"在经营实践中，对国家、股东、员工、客户、消费者都恪守"诚信"之道，"报效国家，服务社会，回报股东，关爱员工"的理念奠定了"红星"如今的地位。使其成为二锅头酒的代名词，成为京城酒饮的代名词！ 裴晗 育生／文

天津市糖酒市场

一、市情简介

天津简称津，中央直辖市。位于华北平原东部，地当海河水系五大支流汇合处。京哈、京沪两铁路交会于此。是中国北方重要的出海口之一和首都门户。行政辖13区5县。市区面积4276平方千米、人口870万(城区人口457万)。

天津交通发达，天津港是全国最大的人工港。初步形成了立体交通体系。天津是老商业城市、中国北方商品的流转集散中心。同国外150多个国家和地区有贸易往来。

天津是全国重要的工业基地。特点是工业门类多，在国家164个门类中，有154个。主要有化工、冶金、机械、仪表、电子、纺织、地毯、自行车、手表、造纸、服装、制药、食品等。有一批骨干企业及优质名牌产品。加工工业在工业总产值中比重大，产品技术水平居全国前列。

二、市场格局

截止2004年底，天津市食品工业企业956家，拥有职工86853人。固定资产原值145亿元，固定资产净值79亿元，当年新增固定资产6.6亿元。在956家企业中，规模以上的企业有414家，其中大中型企业85家，占总数的20.5%，国有企业90家，占总数的21.7%，集体企业103家，占总数的24.9%，三资企业126家，占总数的30.4%。

三、知名企业

1、天津市津酒集团有限公司
2、天津市挂月酿酒有限公司
3、中法合营王朝葡萄酿酒有限公
4、天津东盛酒业有限公司
5、天津市天尊酒业有限责任公司
6、天津哥哈特葡萄酒酿制有限公司
7、天津华润啤酒有限公司
8、天津吉阳酒业发展有限公司
9、天津市金鑫食品有限公司
10、天津市津鑫食品冷冻厂
11、天津市猫不闻速冻食品公司
12、天津顶益国际食品有限公司
13、天津食友食品有限公司
14、天津松达食品有限公司
15、天津市桂发祥麻花饮食集团
16、天津海河乳业有限公司
17、天津津河乳业有限公司
18、天津津美饮料有限公司
19、耳朵眼炸糕餐饮公司
20、天津天狮集团
21、天津市大海实业发展有限责任公司
22、天津市亚亿实业有限公司

四、市场概况

天津葡萄酒市场，王朝占据主导地位。但作为直辖市的天津，开放程度较高，受多元文化影响，消费需求也呈现出多元化，由此引发了新一轮竞争，给王朝带来很大挑战。

目前，王朝在天津市场上最为畅销的品种是王朝1号老干红，一批价格为34.8元／瓶，渠道价格为35.8元／瓶，在商超、餐饮渠道中的销售情况很好，并且从今年的销量来看，还呈现出了上升趋势。对此，王朝公司天津办事处的冷主任告诉记者，现阶段的王朝老干红在天津市场上还处于成长过程中，而成熟品牌的成长期越长，说明该品牌产品的生命力越旺盛。所以，老干红仍是王朝在天津市场上的一个主推品种。

王朝在天津市场上的促销，无外乎两种手段——人力和广告，但又略有不同。因为王朝在天津享有很高的知名度，所以它在这里的人力投入，不体现在派驻促销员、兑瓶盖等方面，而是体现在良好客情关系的建立和维护上，包括业务员与经销商、业务员与店方、业务员与零售商的沟通。这种沟通是经常性的，业务员会及时收集他们的一些建议、意见，解决他们在销售过程中遇到的问题，并以此为依托，保证王朝销售网络的稳固。

王朝在销售管理上，采取设立办事处的做法。根据天津的几个行政区域选择经销商，每个行政区划有两至三个一级商，基本上每个一级商都进行全品项销售。王朝在选择一级商时，一般会对经销商的渠道进行细化，比如家乐福、沃尔玛等大卖场，有家乐福的专供商，也有沃尔玛的专供商，彼此之间不能够倒货；在餐饮渠道上，这种划分就更为细致，在某些场合，对于经营品种也有划分。

商超：多样需求给其它品牌带来机会

在商超渠道，王朝老干红受到多数本土消费者的青睐，一方面它的市场价格适中，能够为顾客接受；另一方面，在许多天津人看来，王朝是最具影响力的本土品牌之一，是其招待客人、礼品馈赠等的首选。此外，王朝的半干白也是许多天津消费者喜爱的品种，它的价格略低一些，零售价在20多元／瓶，在口味上为一部分消费者所钟爱。

张裕在天津商超的销售以低端甜酒为主，比如张裕的全汁红葡萄酒、天然红葡萄酒等，多为1000ml的大容量包装，售价在8.5～12元／瓶不等，而且在流通渠道以及便利店中的销量较大。

威龙目前在天津市场上的销售主要集中在商超，可以达到10%～15%的市场份额，主销品种有威龙解百纳干红、96赤霞珠干红和蛇龙珠干红，市场售价分别为30元/瓶、56元/瓶和28元／瓶。

与张裕、威龙相比，王朝依靠的是自然走量，它在商超中几乎没有导购员，投入很少，拥有的是对品牌忠诚度很高的固定消费群；张裕占据低端甜酒市场，“百年张裕”的品牌吸引力，十元左右的零售价格，极大地满足了普通家庭消费群体的需求，这也是王朝的空白市场之一；威龙则是在“引导消费”上下功夫，曾以甜酒占据较多市场份额的威龙，目前在干酒领域更有作为，据天津地区威龙代理商王经理说，现在威龙的干酒可以占到其主营收入的60%左右，超过了甜酒，而发挥主要作用的就是在商超中派驻导购员，通过导购员对消费者的“引导消费”，包括导购员对产品的推介、对相关知识的解说等，再加上略低于王朝同类产品的价格，使未形成红酒固定消费习惯的消费者首次消费及至多次消费，逐步培养起新的消费群体，在商超领域中蚕食王朝的市场份额。

此外，长城在天津市场的发力进攻也始于今年10月份，从今年10月份开始，长城尤其是华夏长城开始在天津市场大范围的铺货，同时增加了宣传推广力度。增派导购员、在超市进行特价促销等。记者从侧面了解到，华夏长城在天津选择了王朝的玻瓶供应商，直接在天津生产酒瓶，并且在容器生产数量上增长幅度很大。

餐饮：王朝主导地位依然稳固

在终端餐饮渠道，王朝将其营销对象大致分为三类，包括一般餐饮店（即A类、B类店）、星级饭店和夜场，根据这三类对象选择经销商，在产品品种选择上，也依据不同类型店面的特点有所侧重。

目前王朝在餐饮渠道上还占有绝对优势，市场占有率能够达到70%～80%，这主要还是缘于天津消费者对王朝的地域情结。餐饮场合消费葡萄酒，一般比较追求档次，王朝是天津葡萄酒的代表，自然成为天津人招待外地宾客宴席上的必备酒品；王朝具有的中法合资背景和优良产品品质，使其在外宾较多的星级酒店中受到青睐；在品牌宣传上突出时尚，使得它成为夜店中的佼佼者。在主销品种上，除王朝老干红外，王朝勃根地型干白，96年份王朝干红和金王朝等品种的市场表现突出，其中，96年份干红的市场价在70多元／瓶，金王朝的零售价则在50多元／瓶。同时，王朝针对夜店开始推出夜场专供，现在主要有王朝经典干红夜店专供，批价约在30元／瓶左右。另据记者了解，在天津夜店中，葡萄酒一般论杯销售，王朝干红每杯的零售价在35～45元之间，一瓶容量为750ml的王朝干红可以保证6杯的销售，如此算来，王朝干红在夜场的售价可以达到百元以上。

王朝白兰地在近期也呈现出明显的上升趋势，在今年上半年甚至还出现了断货现象。白兰地的酒精度数较高，适合于在酒吧、聚会等场合中细斟慢饮，目前推出的有王朝V.S.O.P白兰地（陈酿五年左右）、王朝拿破仑白兰地（陈酿七年）、王朝X.O白兰地（陈酿十年）三个品种，其中V.S.O.P白兰地的批价在百元以下，拿破仑白兰地的批价为500元／瓶（1400ml）左右，X.O白兰地的批价为400元／瓶（700ml）左右。

河北省糖酒市场

一、省情简介

河北省辖11地级市、23县级市、109县、6自治县。全省面积19万平方千米，人口6437万。有汉、回、满、蒙古、朝鲜等民族。省会为石家庄。

河北省地处中国东部沿海，环绕北京、天津，区位优势独特，自然风光秀美，是全国唯一兼有海滨、平原、湖泊、丘陵、山地、高原的省份。

河北经济规模较大，发展态势良好，是中国的一个经济大省。总人口和GDP均居全国第六位。农业基础稳固，粮、棉、油、肉类、干鲜果品及蔬菜等农产品产量均居全国前列。工业门类齐全，已形成冶金、建材、化工(医药)、食品、机械等支柱产业和轻工、纺织等传统优势产业，生物技术、信息技术以及新医药、新材料等高新技术产业正在形成新的优势。交通、通信、商贸、旅游、信息、咨询等服务业发展迅猛。秦皇岛港、京唐港和黄骅港等3个海港连接海内外，铁路、公路货物周转量居全国第一位，高速公路通车里程居全国第二位。互联网普及程度居全国前列。

二、市场格局

1、白酒

河北各地市都有一种或两种酒，半数以上的县也有酒，但在全国略有名气的，只有衡水老白干；在省内较为活跃的可以再加上邯郸的丛台和承德坝。在河北排得上前10名的白酒企业是被河北省轻工企业联合会评的2003年度河北白酒行业十佳名牌产品的企业。这十家企业是：

（1） 衡水老白干酿酒(集团)有限公司，主要产品为“衡水牌老白干系列酒”；

（2） 承德乾隆醉酒业有限责任公司，主要产品为“板城牌板城烧锅酒”；

（3） 承德避暑山庄酒业有限责任公司，主要产品为“山庄老酒”；

（4） 张家口长城酿造(集团)有限责任公司，主要产品为“沙城老窖”；

（5） 河北刘伶醉酒厂，主要产品为“刘伶醉酒”；

（6） 河北祁州酒业有限责任公司，主要产品为“祁州酒”；

（7） 河北三井酿酒有限责任公司，主要产品为“十里香酒”；

（8） 河北省宁晋县制酒厂，主要产品为“泥坑酒”；

（9） 邯郸丛台酒业股份有限公司，主要产品为“丛台酒”；

（10） 河北大名府酒业有限责任公司，主要产品为“滴溜酒”。

这10家企业均是河北省建厂历史较早的重点酿造企业，具有较强的技术优势和发展潜力，其产品以不同的香型和特有的风格受到消费者的喜爱，具有稳定的消费群体、良好的信誉和认同度。10家企业的主导产品均是连续多届被河北省质量奖审定委员会评选出的河北名牌产品。

2、葡萄酒

河北是我国葡萄酒的主要产地之一。其葡萄酒企业因两大葡萄产区而分成两块：

一是以昌黎为中心。主要企业有：华夏葡萄酿酒有限公司、贵州茅台酒厂（集团）昌黎葡萄酒业有限公司、中化河北地王集团、秦皇岛野力葡萄酿酒有限公司、河北昌黎越千年葡萄酿酒有限公司、秦皇岛丘比特葡萄酿酒有限公司。

另一个是以河北沙城为中心。主要企业有：中国长城葡萄酒有限公司、河北马丁葡萄酿酒有限公司、怀来容辰葡萄酒有限公司、张家口华龙葡萄酒有限公司、怀来斯帕多内葡萄酒庄有限公司、龙泉葡萄发酵有限公司、河北夹河葡萄酒有限公司。

三、知名企业

【石家庄】

石家庄在河北省西南部，京广、石德、石太三铁路交点。河北省省会，为该省政治、经济、文化和交通中心，现辖辛集等5市和平山等12个县。

知名生产企业

1、石家庄三鹿乳业集团

2、石家庄珍极酿造集团

【衡水市】

衡水市位于河北省东南部，总面积8815平方公里，总人口407万，辖一区两市八县。北距首都北京和北方重要商埠天津各250公里南接邢台、邯郸煤炭钢铁基地；西离省会石家庄国际机场100公里；东去渤海之滨黄骅港、滨州港各180公里，属环渤海、环京津重要开发开放地带。辖桃城区冀州市、深州市、枣强县武邑县、武强县、饶阳县、安平县、故城县、景县、阜城县等一区二市八县。

知名生产企业

1、河北衡水老白干酿酒（集团）有限公司

2、河北旭日集团

【承德市】

承德属河北省省辖市，辖八县三区：承德县、隆化县、滦平县、兴隆县、平泉县、宽城满族自治县、丰宁满族自治县、围场满族蒙古族自治县和双桥区、双滦区、鹰手营子矿区。全市总人口340多万，其中满、蒙、回、朝鲜等少数民族25个，人口130万。承德毗邻京、津、西顾张家口、东接辽宁、北倚内蒙、南邻秦皇岛、唐山，是燕山腹地、渤海之滨重要的区域性城市。

知名生产企业

1、河北承德乾隆醉酒厂

2、避暑山庄实业集团公司

3、露露集团

【张家口市】

张家口市地处河北省西北部，跨东经113度50分至116度30分、北纬39度30分至42度10分，南北最大距离近300公里、东西最大距离约228公里，总面积36873平方公里。

张家口有优越的地理位置和区位优势。张家口地处京、晋、蒙交界处，东临首都北京、西连煤都大同、北靠内蒙古草原、南接华北腹地，面向沿海，背靠内陆，是沟通中原与北疆、连接中西部资源产区与东部经济带的重要纽带。

【保定市】

保定市位于河北省中西部，东邻白洋淀，西依太行山，南北为广阔富饶的冀中大平原，与京津两市呈三足鼎立之势，素有“南通九省、北控三关”、“京畿重地”、“首都南大门”之称。全市面积2.21万平方公里，总人口1012万人，有汉、满、蒙、回等19个民族，是全省人口最多的城市。

知名生产企业

1、河北长天集团公司

2、河北祁州酒业有限责任公司

3、河北宝硕股份有限公司糖醇分公司

【沧州】

沧州地处河北省东南，东临渤海，北靠京津，与山东半岛及辽东半岛隔海相望。现辖10县4市2区和2个县级国营农场，面积1.4万平方公里，人口663万，是河北省省辖市。1988年被国务院确定为环渤海经济开放城市，1995年被国家化工部批准建设全国第三座化工城。

知名生产企业

1、河北三井集团公司

【邯郸市】

邯郸市位于河北省南部，西依太行山，东临华北平原，北距省会石家庄150公里，离首都北京450公里。邯郸市总面积1.2万平方公里，其中市区面积457平方公里。

知名生产企业

1、邯郸丛台酒业股份有限公司

【邢台市】

邢台市位于河北省南部。辖2个县级市、15个县和2个区。190个乡镇办事处。总面积12486平方公里，全市人口634.33万人，地理环境优越，交通发达，全市形成了铁路公路纵横、航空运输立体交叉，连接全国各地的交通网络。

知名生产企业

1、华龙食品集团

四、市场概况

【河北地级城市白酒市场开发参考】

首要提示：河北省简称冀，地处华北、渤海之滨，首都北京周围，近临天津。现辖11个地级市、23个县级市，面积19万平方公里，人口6400多万。地级城市除省会石家庄以外还有承德、张家口、秦皇岛、唐山、廊坊、保定、衡水、沧州、邢台、邯郸。

本期调查重点目标是：张家口、唐山、保定、邯郸。

河北省向来是有名的白酒产销大省，白酒消费风气极其浓厚。本省出产的知名度比较高的白酒品牌主要有邯郸的丛台、衡水老白干和承德出的板城烧锅酒。该省白酒消费档次一般，酒店大部分以30～50元的白酒为主。当前在该省比较走俏的外地酒主要是东北酒和四川酒。

张家口：外来的和尚会念经

城市简介：张家口市位于河北省西北部，全市辖4区13县，总面积36947平方公里，总人口440多万。

张家口市具有优越的地理位置和明显的区位优势。地处京，晋，冀，蒙4省市交界处，东临首都北京，西连煤都大同，北靠内蒙古草原，南接华北腹地。是沟通中原与北疆，连接京津经济区，环渤海经济区与中西部资源产地的重要纽带。特殊的地理位置和常年气温偏低的气候形成了这里较为浓厚的白酒消费风气。

市场状况：从当前的市场形势来看，白酒的市场格局与前两年相比已经发生了明显的变化，前几年本地酒（主要是周围各县出的如康保老窖、张北老窖、尚义缘酒等）在这里一统江山，而现在外地酒在这里的优势已经出现，并且有的品牌已明显占据了上风，比如河套老窖，泸州老窖等。河套老窖主要在中低档市场表现喜人，不过最近该品牌明显加大了对中高档市场的进攻步伐，进入白酒旺季以来，河套老窖的四星和五星系列在促销奖品的力度上进一步加大，对消费者产生了较大的吸引力。泸州老窖以其优良的酒质和扎实的市场基础在该市的酒店等终端走势很好。当前地产酒中惟有张家口老窖形势看好。据经销商介绍说，张家口老窖的名字很好，给别人的感觉好象就是该市的形象酒，所以在接待外地客人时用量很大。此外该品牌在促销上下的力度很大，而且售后服务也很不错，受到众多商家和消费者的青睐。另外比较有名的沙城老窖在本地市场表现得不是太尽如人意，经销商反映市场销量相对比较有限，但在该市的周围郊县还有一定的走量。

外地酒在张家口日趋看好的原因有经销商分析说，地产酒在营销思路上放不开，创新意识不强，而当地的白酒容量又很大，在这种情况下早就盯上这块肥肉的外地品牌利用其网络优势和较为先进的营销思路一路冲杀过来。而且当地商家和消费者总感觉外地酒有一种神秘感，而且有些品牌论知名度和酒质也确实不错，所以更为外地酒开拓市场提供了有利环境。

唐山：省外酒大行其道

城市简介：唐山，北依燕山，南滨渤海，地处北京、天津、承德、秦皇岛诸城市之间，全市总面积13472平方公里，其中市区1090平方公里，人口684万，属河北省第二大城市。该市经济发展速度较快，白酒的消费水平相对高一些。由于本地品牌较少，而且近几年市场表现不是很好，所以外省酒在这里可谓大行其道。

市场状况：当前在唐山比较走红的主要是金六福、土老帽和新疆的白杨以及部分东北酒，特别是安徽土老帽酒的酒质和个性的包装很受商家和消费者的赞赏，市场形势看好。金六福目前在唐山的酒店和婚宴用酒中走量都较大，而流通市场上东北的众多品牌一直扮演着主要角色，不过其代表品牌黑土地酒当前市场已有下滑趋势。另外泸江老窖在唐山目前也正在日夜劳作，新锐品牌永盛烧坊也正在积极地开拓领地，估计不久新一轮白酒大战就要爆发。值得一提的是保健酒在唐山的市场潜力较大，很多送礼都愿意选用保健酒。当前保健酒强势品牌椰岛鹿龟酒在唐山的势头正猛，各种形式的广告狂轰烂炸，煞是热闹。

保定：外地品牌暗藏杀机

城市简介：保定位于河北省中部，兼有太行山高耸入云的巍峨雄壮和华北平原一望无际的开阔坦荡，北靠首都，东邻天津，南连石家庄，西壤山西，总面积2.2万平方公里，人口1054万。保定市区现辖新市区、北市区和南市区，人口共约80多万。

市场状况：保定本身也是一个白酒的产销大市，但和张家口的市场类似，地产酒在保定目前不象前几年那么走红了，相比之下东北等外地酒的发展势头比较看好。当前本地酒和外地酒的市场可谓平分秋色，不相上下。外地酒中来自新疆的白杨目前称得上一枝独秀，市场占有率很高，地产酒中五合窖和真酒表现非凡，其中五合窖在中高档市场上优势比较明显。有经销商表示，保定市白酒的消费风气比较浓厚，潜力较大，而当前许多地产品牌似乎对这一点认识不够，市场力度都不是很大，在促销等方面也显得比较单调，如不警惕，外地品牌暗藏杀机，将会后悔莫及。

邯郸：外来酒机会凸现

城市简介：邯郸是一座具有近三千年悠久历史的文明古城，战国时期是赵国的都城。该市地处河北省最南端，西依巍巍太行山，东依华北大平原，邻接晋鲁豫三省，北距省会石家庄150公里，首都北京450公里。邯郸市总面积1.2万平方公里，其中市区面积457平方公里。邯郸市现辖邯山区、丛台区、复兴区和峰峰矿区，市区人口130多万。

市场状况：邯郸市比较有名的地产酒应当数丛台酒，该品牌在邯郸乃至整个河北等地都有较大的名气，特别是在本地市场多年来一直排在销量的榜首，不过最近的调查表明，该品牌在邯郸的市场份额已不如以前，相比之下川酒和东北酒以及本省的板城烧锅酒增长势头比较明显。如郎酒在该市的公交车、电视等上面广告频繁，板城烧锅酒依靠其石家庄市场的影响在邯郸的市区和郊县的影响也日益加大。东北酒则显得比较乱，在中低档市场见长。不过据了解丛台今年加快了新品开发的步伐，想依靠新品来重新打造市场。当地商家分析说，丛台市场份额的缩小给外地品牌留下了一定的发展空间，市场机会也比以前大了一些，所以当前的市场看起来比以前更加复杂了，不过这个巨大的市场需要的是酒质稳定并且有一定知名度的品牌，小品牌酒顶多只能流行几个月。

河北重点县级白酒市场调查

随着城市市场运作费用的不断攀升，越来越多的经销商把目光转向了县级市场。相对于城市市场，县级市场的情况又怎样呢？县级经销商又都在想些什么呢？在本文及以后的文章里，我们将为您带来来自县级市场的声音。

霸州

霸州位于廊坊市南部，人口56万，位列2004年河北县域经济第8位。辖区内的益津批发市场有商户数百家，市场辐射河北、北京、天津、山东等区域。

市场概况：本区域内的白酒品牌可谓是多如牛毛。益津批发市场从事白酒销售的近百家商户都代理着一个或数个品牌。在高档领域，具有价格优势的名酒——剑南春一枝独秀，占据着当地高端消费的主流。在中低档领域，随着“黑土地”高潮的回落，市场上一直没有形成主流品牌。据经销商反映，竞争最激烈的就是价位在10 ～50元之间的产品，其中价位在10左右的衡水老白干和30元左右的泸州陈酿市场前景被普遍看好。地产品牌“燕南春”销量也比较不错。“五粮液”等名酒的系列产品在餐饮上点名率较高。在低档领域，打着各种“粮食”酒旗号的品牌在市场上混战。目前，一个名为“梅河口”大高粱的光瓶酒销量比较好，它的价格为36元／箱（1箱12瓶）。还有，3元左右的沱牌销量一直不错。

渠道费用：当地酒店的运作费用不高，主要是依客情关系和品牌知名度而定。一个A类店一年的全部费用大概也就需要3000 ～5000元（一个经销商可以同时进几个品牌）。酒店里的瓶盖费用一般在5～10元／个。商超方面，单品的进店费用大约在千元左右，旺季的堆头费用按平米收取，而且收取费用的超市主要是“明珠”等几家大型的连锁店。

经销商感言：“作为县级经销商，我拥有比较成熟的网络，假如厂家支持力度能跟上的话，我就能把品牌做起来。”“我们和下边的二批商是相互依存的关系，只有对二批的服务做好做细，我们才能做好品牌，才能赚钱”。

定州

定州位于保定南部，人口120万。位列2004年河北县域经济第27位。定州是一个典型的农业大县。本地消费水平虽然一般，但是由于人口数量多，白酒含量和增长潜力都比较大。

市场概况：定州虽然属于保定，可是由于交通方面的原因，在白酒消费方面受石家庄的影响比较大。主流度数41度、42度，畅销品牌也和石家庄相似。在餐饮渠道，价位在30元左右的板城烧系列和衡水老白干系列点名率较高。在高档消费方面，茅五剑的销量一般，板城烧和衡水老白干的高档产品受到青睐。有经销商认为，这主要是因为县级市场上名酒假货太多，消费者宁愿选择质量有保证的地产品牌。在流通

领域，40元～50元／箱（1箱6瓶）的板城烧销量较大。据经销商反映，道光系列在流通渠道上升得较快，不过该酒却一直没有运作终端。在低档市场上，一款零售价为3元的“古崖居”红高粱比较畅销。由于当地的农村人口比较多，很多品牌都是在餐饮渠道上建立起认知度之后，再将主要精力放到流通领域。

渠道费用：当地酒店没有进店费，只是有瓶盖费。零售价在20～50元的白酒，瓶盖费在2～10元。不过运作酒店时要注意赊销和防范跑店。有经销商就按酒店的效益和信誉将其分了几个等级，然后再具体运作。这样运作之后，使该经销商的损失降到了最低。目前当地的超市只有一些店庆费，而且成熟品牌基本上不需要任何费用。

经销商感言：“我越是到了夏天，越加大市场运作力度，因为在夏天仍喝白酒的都是行家，这样容易建立起品牌认知度，能更好地带动旺季销售。”“我现在困惑的是，怎么才能像黑土地那样迅速把市场运作起来呢？”

高碑店

高碑店位于保定北部，人口55万。位列2004年河北县域经济第25位。该市商业发达，境内的白沟是中国北方著名的商镇，白沟市场更是早已进入中国百强市场之列。

市场概况：由于流动人口较多，消费者容易接受新鲜事物。用经销商的话来说：“什么产品都能买。”在高端领域，除了传统名酒茅五剑之外，零售价在190 ～200元的地产酒“百年保定”点名率较高。在中档品牌方面，20 ～30元的品牌在酒店比较好销，其中地产的“刘伶醉”和“丛台”小红帅销量看好。“金六福”和“浏阳河”在双节的销量较大。在低档市场上，“老村长”和“小刀”比较受消费者的认可。据经销商反映，目前消费者在购买酒水时很少去商超，而是直接到批发部购买。这种消费习惯的形成虽然能为商家带来一定的利润，但商家也一定要掌握好给分销商和消费者的价格，避免出现“拣个芝麻丢个西瓜”的现象。

渠道费用：当地的酒店运作费用较高，A类店的单品进店费在500～2000元之间。在酒店里可以上促销员，买断促销权在4～5万元／年。瓶盖费用在5～10元。商超的运作费用则很低，只需要少部分费用便可以上架销售。

经销商感言：“做终端怎么不可能出现赊销和跑店呢？尤其是在我们这种县城里，所以平时我就让业务员跑勤点儿，别等店都关了再着急。”“我现在觉得太不好接品牌，厂家的承诺总不到位，我们这些小经销商又拿他们没办法。”

玉田

玉田位于唐山西南部，人口65万，农业和工业均发展良好，位列2004年河北县域经济第21位。该市经济虽然在唐山地区处于中游，可是因为人口多，在白酒市场上的地位还是比较重要的。

市场概况：据经销商反映，当地的市场比较混乱，一个品牌做起来之后，马上就会有杂牌酒跟进，或者是有假冒产品扰乱市场。目前在市场上，走量最大的是“金六福”和“浏阳河”，这些品牌的销量主要来源于流通渠道。在餐饮渠道，30～100元的品牌比较好销，其中塞罕坝、九龙醉、金沙湾等品牌的销量看好。尤其是塞罕坝前期的促销力度特别大，光花在品酒方面的费用就将近10万元。不过经销商认为该酒的酒质一般，在市场上不会长久。在低档酒水方面，二锅头比较受欢迎。

渠道费用：酒店的运作费用主要是依客情关系和品牌知名度而定。一般的话1万元便可在A类店运作一个系列品牌。当地的商超主要有玉田供销大厦超市和唐山华盛超市玉田店，其中玉田供销大厦超市只收取条码费，在200～500元。

经销商感言：“做为一个县级经销商，一定要学会两条腿走路。其一是自己做品牌，这样才能做长久。其二，做大众货，像燕京、金六福等，这种品牌平时走量大，可以带来短期利润，这样才能维持企业的日常开支。”“现在市场这么混乱，我想把品牌做长远，可是面对一些产品追求短期利益的行为，我该如何应对呢？”

市场分析

通过此次调查，我们可以发现：霸州、高碑店两市由于商业发达，流动人口较多，主流品牌的更换速度比较快，属于那种典型的“一年喝倒一个牌子”的市场，而且消费者都比较理性，市场操作的难度也比较大。定州则是一个相对“朴素”的市场，经销商的操作手法还比较传统，促销的作用不是很大，消费者对酒质要求更高 些。玉田则处于二者之间，属于“过渡期”市场，无论是品牌还是经销商都处于一个整合阶段。如果现在入市，则要做好打持久战的准备。

虽然上述市场情况各异，但我们也发现了一些共性。其一，二批商的作用至关重要，尤其是在农村地区，可以说谁掌握了网络，谁就拥有了市场。其二，商超的作用不是很明显，去超市购买酒水并没有成为一种消费习惯。笔者认为，经销商可以联合超市对消费者进行消费习惯引导，但同时要处理好和超市的关系。其三，酒店的促销作用都不是很明显，消费者往往自带酒水，经销商可以考虑在效益好的酒店附近开烟酒店。同时，商家要拿出相当的精力来预防跑店现象。

山西省糖酒市场

一、省情简介

山西省位于太行山以西，面积15万余平方公里。下辖太原市、大同市、阳泉市、长治市、晋城市、朔州市、忻州地区、晋中地区、吕梁地区、临汾地区、运城地区。总人口3141万，人口密度每平方公里209人。地处黄土高原的东部，习惯上叫山西高原，中部有一连串的盆地。

二、市场格局

1、白酒

山西最主要的白酒生产企业为山西省杏花村汾酒集团公司。在中国食品工业协会和中国食协白酒专业委员会，评定的2003年中国白酒工业百强企业中，山西省杏花村汾酒集团公司排在第5位。该集团被中国企业联合会和中国企业家协会评为2003年度中国最具影响力企业。

目前，山西省杏花村汾酒集团公司有19个所属及联营单位。2003年，汾酒集团围绕2002年制定的企业中长期发展战略，根据市场导向，从产品创新入手，合理调整产品结构和布局他们把调产思路定位为：名白酒高档化，配制酒保健化，系列酒多元化，初步构建起“高档产品创利润，中档产品保效益，低档产品占市场”的产品格局，初步扭转了汾酒“一流品质，二流包装，三流价格”的局面目前已开发和正在开发的潜力新品近50种，新产品收入已占到总销售额的30%，中高档产品所创营业利润占到总营业利润的80%以上。

汾酒现已在全国设立销售网点380个，产品出口60个国家和地区。他们在狠抓山西这一生命市场的同时，重点拓展了省外市场，21个省外市场销售额同比均有较大增长，北京、天津、浙江等市场增长幅度均超过50%，河北、广东、河南等市场销售额均超过千万元；他们还积极致力于构建全球范围内的营销网络：欧洲以意大利为中心、美洲以美国大中城市为中心、亚洲以韩国为中心，建立洲际总代理，不断推出最具中国特色的组合包装，在国际市场上树立中国第一文化名酒的形象。

除汾酒集团外，太原酒厂也是当地的知名白酒企业。拥有50多年历史的太原酒厂以生产“晋泉”这一普通百姓喝得起的中低档高粱白酒而闻名三晋大地，并荣获中国名优白酒信誉品牌等称号，年销量最高时达到1.3万吨。

2、啤酒

山西省的啤酒企业规模不大，生产能力小，加上近几年来外地啤酒的重重包围，现在省内已没有几家啤酒厂能满负荷生产了。据了解，山西省某啤酒厂生产能力为5万吨，但2003年全年仅生产了1.04万吨。该厂已连续两年亏损，亏损额超过了100万元。投资是制约山西啤酒企业发展的根本原因，连年亏损更是雪上加霜。现在，啤酒原料价格上涨更是雪上加霜，山西啤酒企业岌岌可危。

3、醋

山西老陈醋是我国四大名醋之一，历史悠久可追溯到2700年前，老陈醋占全国醋业市场10%的份额，然而山西醋在品牌上并不占优势，大的品牌有东湖、水塔等，小的品牌及私人醋厂则不计其数。

2003年 “东湖”牌、“水塔”牌两个牌子老陈醋的入选“中国名牌”成为山西醋业的亮点。

近两年，山西老陈醋集团为了将“东湖”醋打造成中国名牌，提出了老企业建立新体制、老产品树立新概念、老品牌打造新形象、老市场实行新运作的“四老四新”的应对之策。集团公司本着既要承启传统精湛工艺，又要保持产品高质量，实现健康理念的原则，认真继承祖先的传统工艺，从配料、发酵、熏醅、晒制到陈酿等各个工序，每一个环节都做到细、精。虽然花费的酿造时间较长，占用的资金也较多，但却有效地保持了传统风味。集团公司还注意采用新技术，增加产品的科技含量。为改变老而旧的小作坊式生产，公司先后投资近千万元，购制最先进的生产设备，改造了生产车间，在全国醋行业中实现了第一家拥有专业制醋科研所，专职食醋品评员，全自动空气净化、无菌罐装包装线等设施，保证了老陈醋品牌与时代同步，使产品走出国门，销往美国、日本、澳大利亚和东南亚等国家和地区。

三、知名企业

【太原市】

太原位于华北地区黄河流域中部，西、北、东三面环山，黄河的重要支流汾河，横贯全市，流经境内约100公里。市区东有太行山阻隔，西有吕梁山屏障，座落在两山间的河谷平原上。

太原现辖6区1市3县，全市共有51个街道办事处，493个社区居委会，54个乡、镇，1285个村民委员会，1805个自然 村。全市总人口为341.30万人，其中常住人口315.31万人。

2001年，全市国内生产总值达到384.40亿元，比上年增长10.3%，第二、第三产业增加值分别比上年增长11.0%和11.6%，增长速度均高于全国和全省平均水平。三次产业比例为3.7:49.5:46.8，全市人均GDP为12319元。

知名生产企业

1、太原酒厂

2、老陈醋集团有限公司

3、水塔老陈醋股份有限公司

4、西恒康乳业有限公司

【汾阳市】

汾阳市，位于太原盆地的西南部，吕梁山东麓，面积1168平方公里，现辖9镇3乡、2个街道办事处，318个行政村，人口39.02万。

汾阳市特产以杏花村汾酒为最，曾于1919年荣获“巴拿马万国博览会“一等优胜金奖，为我国传统出口产品。此外，汾阳核桃以其皮薄肉厚，色味俱佳等特色而著名，出口量居山西省首位。

知名生产企业

1、杏花村汾酒集团

【运城市】

运城市地处山西省的西南端，与陕西、河南隔河相望，东西长约201.87公里，南北宽约127.47公里，总面积为1.4万平方公里。 属暖温带大陆性季风气候。全区辖3市10县，3个省级开发区。

2003年，全市生产总值292.3亿元，同比增长15%；财政总收入34.2亿元。

知名生产企业

1、山西粟海集团有限公司

2、山西忠民集团有限公司

【朔州市】

朔州市是1988年3月经国务院批准设立的省辖市，为全国新兴的能源基地。现辖二区四县(即朔城区、平鲁区、山阴县、右玉县、怀仁县、应县)，69个乡镇，1832个行政村，总面积10639平方公里，总人口145万人。

朔州市位于山西省北部，西北毗邻内蒙高原，南扼雁门关隘。市区北距古城大同129公里，南至省府太原200公里，东到首都北京502公里。

知名生产企业

1、山西古城乳业集团公司

【长治市】

长治市地处山西省东南部，是连接晋、冀、豫三省的重要通道。全市总面积13896平方公里，其中市区面积334平方公里。平均海拔1000米，最高处2453米。由于居太行之巅，有“与天为党”之说，故又称“上党”。

长治1946年1月正式建市，现辖10县2区1个县级市，共有146个乡镇、3507个行政村，总人口312万人，其中农业人口251万人。

知名生产企业

1、山西振东集团有限公司

四、市场概况

【三分山西市场高端初露端倪葡萄酒市场暗流涌动】

精美的包装、诱人的色泽、柔和浓郁的口感……如今，葡萄酒正以其独具的优势逐渐走上消费者的餐桌，越来越受到人们的青睐。有数据表明，我国葡萄酒的产量正在逐年递增，随着国家对葡萄酒行业的整顿和新标准的出台，一些中小企业将难以维持，而知名品牌之间的竞争将日趋激烈，并有向高端市场发展的趋势。

新国标规范葡萄酒业

据悉，葡萄酒新的国家标准草案已经出台，并有望于年内颁布。新国标草案文本对葡萄酒的原料、原产地、年份、品种等方面均做了详细规定：山葡萄酒是采用鲜山葡萄或山葡萄汁经过全部或部分发酵酿制而成的葡萄酒；酒瓶上标注的年份必须是葡萄采摘酿造该酒的年份，所标注的年份的葡萄酒含量不能低于瓶内含量的80%；单品种葡萄酒用所标注的葡萄品种酿制的酒所占比例不能低于75%；产地葡萄酒用所标注的葡萄酿制的酒的比例不能低于80%，但必须由生产厂家申请，经有关部门认可才能标注；所有产品中均不得添加合成着色剂、甜味剂、香精、增稠剂等。

"其中，以新国标中对葡萄含糖度的要求为例，不管最终定在230克还是180克或者是其它数字，标准门槛肯定要提高。"一位专家称，葡萄含糖度要求提高意味着葡萄原产地产量要受到控制，在葡萄需求量不断上升的将来，原料将成为葡萄酒企业制胜的重要砝码。

据省质监局有关人士介绍，现行的葡萄酒国家标准是1994年制定的，这个标准基本与国际标准接轨。但当时考虑到大部分厂家的实际情况，中国酿酒工业协会又出台了一个允许半汁酒生产的行业标准QB／T1980－94，这样就使国标降为"推荐标准"，行标却成了"实际标准"。从此，许多小酒厂就打着半汁酒招牌纷纷进入行业争食，市场秩序被严重扰乱。2002年年底，国家经贸委公布了《中国葡萄酿酒技术规范》，明令废止了允许半汁酒存在的行业标准，国内所有的半汁葡萄酒一律被禁止销售；但此举只是杜绝了类似"三精一水"的产生，并未从根源上进行限定。

有数据表明，去年国内生产的葡萄酒大约30万吨，而进口了约9万吨散装葡萄酒，也就是说，有将近三分之一的国产葡萄酒使用的其实是国外的散装葡萄酒。业内人士普遍认为，新的国家标准实施后，将从很大程度上改变中国葡萄酒生产行业的混乱状态，促使这个行业健康发展，同时也使得品牌竞争更为激烈。

三大品牌争山西市场

在太原市各大超市，都能看到葡萄酒专柜，与以往相比，品种和品牌都丰富多了。一些国内知名品牌葡萄酒无论在品种上还是包装上都逐渐被人们所接受，一家大型超市的酒类主管耿先生告诉记者，10元到15元的葡萄酒销售最好，每个月都能卖几百瓶，而价格昂贵的200元以上的高档酒销量相对较少，每个月只能卖五六瓶。

据业内人士介绍，太原市场上基本上是通化、张裕和长城三分天下，在天津和南方一些地方非常畅销的王朝则难觅其踪。太原市恩利宇实业有限公司老板温天恩做葡萄酒生意已经7个年头了，他对葡萄酒市场的变化深有感触。"1998年我刚开始做通化的葡萄酒时，一年的销量只有30万，接下来越来越多，每年能翻好几倍。近两年基数大了，翻不了倍，但基本上是以10%的速度稳步增长。"

除了传统的葡萄酒生产厂家，许多白酒生产企业也纷纷利用自己的品牌优势抢滩葡萄酒市场。"汾酒"、"茅台"等知名企业都推出了自己的葡萄酒。

本地品牌形不成优势

山西本来是全国十大葡萄种植区之一，有着悠久的葡萄种植历史，但却没有一家在市场上叫得响的葡萄酒品牌。就拿清徐县来说，其葡萄酒加工企业以前主要生产半汁葡萄酒。国家有关部门废止半汁葡萄酒行业标准后，大多数葡萄酒生产企业面临尴尬的局面。在清徐县大大小小的8家葡萄酒加工企业中，有能力生产全汁葡萄酒的只是少数几家。一些不能销售的葡萄酒也改头换面以"果酒"的名义进行销售。如"大阿哥"、"柔丁香"等已在产品上标明"果酒"的标志。

在一家超市内，记者看到醒目的货架上摆放着一款本地生产的全汁葡萄酒正在搞促销，与其捆绑销售的是同品牌的"果酒"。销售人员告诉记者，即使如此，销量还是少得可怜。"本地品牌根本不占优势，每天卖得很少。"相比起外地品牌来，本地产品在口感和知名度上都远远不够，在"半汁葡萄酒"被禁之后，这些品牌虽然价格较低，但却难以得到消费者的认可。"以前人们喝葡萄酒不看什么半汁和全汁，今年由于国家出台相关政策，媒体宣传很多，消费者才开始注意原汁的含量了。"一位代理商分析，这样一来，"果酒"的销量受到很大的影响，原来的价格优势也显不出来了。

地处太谷的山西怡园酒庄以法国的酿酒工艺和纯种葡萄品种酿制的"怡园"葡萄酒已经在国际国内的许多比赛中多次获奖，是业界名副其实的"庄园"酒，品质极高，但市场上却很难见到。再加上市场知名度不高，生产规模较小，短时间内还不能与外地品牌相争。

高端市场渐露端倪

记者看到，虽然市场上十几元一瓶的低档酒非常走俏，但精品陈列柜中价格二三百元的高档葡萄酒也并非无人问津。通化有一款冰酒在商场内卖到328元，而最近在太原市场上崭露头角的莫高冰酒价格高达398元，另有一些普通洋酒售价也在二三百元左右。销售人员介绍，这些高价酒在过年过节的时候卖得特别好，平时也有少数的销售。

一位代理商透露，高价酒利润较大，在许多高档酒店里售价至少要500元以上。通化和张裕的代理商坦言，高档酒的主要目标人群就是企业老板。有人一次请客就曾要了3件高档红酒，按酒店的要价，仅酒钱就花去一万多元。虽然只是少部分人的消费品，但高端葡萄酒的竞争已渐露端倪。业内人士认为，"'新国标'的颁布将使国内葡萄酒市场得到规范，以次充好、标识混乱、进口洋葡萄酒灌瓶冒充地产酒等现象将有望得到遏制。而利润最丰厚的高端酒市场，即将迎来几大有实力、有优质原材料基地的葡萄酒品牌间的竞争。"

【太原：蚂蚁与大象的较量——山西地级城市白酒市场开发参考】

这又是一个汾酒一支独大的市场。太原，并没有因为是省会就出现了白酒消费多元化，相反的是，这里的人们似乎更加忠诚于自己的地产酒。

市场特点

太原人消费白酒以清香型为主导，浓香型只是一种补充——或者更准确地说，“是准备给外省人喝的”。尤其在中高档白酒市场上，汾酒消费占绝对主导，但在低档白酒市场上品牌状况相对活跃，众多小品牌跃跃欲试。从消费度数来看，中高档酒45～53度，中低档酒39～42度。

品牌格局

汾酒系列产品在太原形成了高中低档“一锅烩”的垄断局面，在20元以上价位尤其强势，产品情况见下表：（表一）

太原人的高档白酒消费除了很地产，还很传统。白酒新贵国窖·1573在太原几乎走不动，水井坊也只有很小的销量。究其原因，酒的香型不能为当地人所普遍接受是其一，而第二个也是最主要的原因是国窖和水井坊的超高端价格为当地消费者所不能承受。据当地经销商介绍，虽然太原是省会城市，但就目前的消费水平来看，国窖和水井坊的档次还是相对过高一些，曾经非常普遍的“公款吃喝”现象现在已经很少，“靠大众消费，这样的高价酒销量一定是很有限的”，一位当地经销商这样告诉记者。而老名酒茅五剑的市场比较稳定，但一直以来也没有什么大的突破。茅台、五粮液多在年节时的礼品酒市场有走量，“送礼多、收藏多”，但终端即时消费的不多。

蚂蚁是可以爬到大象的脚上咬一口的，这就是市场经济的商业原则——利润无禁区。在10～150元的价格区间上，如此强势的汾酒依然遇到了这样的“试图搅局者”。首先是汾阳王的市场表现非常值得圈点。目前汾阳王正积极运作拥有10～30张餐桌的C类酒店和连锁便利店，其酒店供价8元/瓶左右、终端价12～13元/瓶的汾阳王销售形势一片大好。据当地经销商介绍，这款终端价13元左右的汾阳王在上市后，就对18元/瓶左右的39度红盖玻汾产生了不小的市场冲击。另一款动作较大的产品是口子窖，口子窖在太原市场已经运作了三四年的时间，但市场反应一直不温不火。一位当地经销商告诉记者，温州某烟具制造企业买断了口子窖的山西经销权，然后再在太原找人代其运作。目前，口子窖共有六个产品在运作太原市场：流通渠道三个，价格分别是15、25、35元；酒店终端三个，供价分别是38、78、108元，酒店加价率在30%～40%之间。市场运作力度主要表现在两方面：首先是在各个渠道都有很高的铺市率，其次是打火机等烟具促销。虽然力度不小，但产品一直没有上量，据当地经销商介绍，根本原因在于当地人喝不惯口子窖的口味，喝口子窖的多为北京、河南等外地流动人口。“一个产品如果不能为当地人所普遍接受，无论如何也是火不起来的。”一位经销商向记者表示了他对口子窖市场前景的担忧。除以上两款正在积极运作太原市场的产品外，五粮系列的五粮春、五粮醇和金六福分别在高中低档三个价位上，拥有了广泛的认知度，尤其五粮春在110～150元的价位上占有一定市场份额。

在10元以下的低端白酒市场上，暂时没有领军品牌。5元左右的价位上，主要活跃着5个非汾酒的品牌：曾经创造过佳绩的古井纯粮液余威尤存；目前，市场占有率相对较高的是“晋泉”高粱白，这是老牌国企太原市酒厂的产品，酒质稳定、价格便宜，再加上多年的品牌基础，使得高粱白长期占据举足轻重的地位；玄中八两醉在太原郊县和城乡结合部等区域有一定市场；应县梨花春重点运作C、D类的小酒店和小型超市及便利店，市场投入比较大；原杏花镇酒厂出产的杏花系列酒，已经在太原一些城区打开了市场。外省市来太原务工的低收入者是低档白酒的主要消费群体。针对这块市场，小饭店普遍采用的是论杯卖酒的灵活方式，即打开一瓶酒后，论杯卖给不愿或者不能整瓶消费的食客；同时厂家也多推出一些225ml规格的产品，比如每瓶4元多的牛栏山二锅头、7～8元/瓶的金家酒、6～8元/瓶的汾阳王等。以上这些产品都在一定程度上蚕食着杏花村系列的低档酒市场。

渠道情况

1.酒店：太原市内的规模酒店有七八十家，进店费在5000～1万元之间，顶级酒店会更高一些。接受记者调查的经销商普遍反映，当地酒店在与酒水供应商的合作上，操作普遍不规范。在规模酒店比较突出的问题是，拖账压款情况严重，而且周期一般较长；而在小酒店虽然普遍没有进店费，但恶意欠账现象不少，这部分到最后往往成为死账。据当地商家介绍，这种情况是2004年之后开始出现的，并且逐步恶化，大部分经销商对此“叫苦连天”，目前敢做酒店的人已经不多。但对茅五剑等名优酒、老白汾年份酒、蓝花瓷汾酒等消费者自点率较高的产品，酒店的进店政策就宽松得多，结账也相对容易。

2.商超：用一位经销商的话说，“商超的运作就更加不规范了”。当地商超向供货商收取的费用也是名目繁多：大卖场的开户费一般在两万元以上，条码费在1000～2000元之间，堆头费在5000～8000元之间，还有管理费、店庆费、年节费等。除此以外，还普遍存在着商超长期占用供货商资金，用来开展自己其他业务的情况。即使这样，经销商还得“削尖脑袋”把商品往商超里挤，因为商超是太原市区酒水走量最大的渠道，太原市民习惯到商超去购物。

3.流通：太原市区没有很集中的规模批发市场，批发渠道在当地并不强势，一般以10元以下的酒水为主。在品牌总代理商普遍深入做市场的今天，批发商已经没有了价格上的优势。批零兼做的名烟名酒店在太原市区分布很广，处境要比批发商好得多。

4.团购：作为省会城市，太原的团购渠道有三：首先是省市两级政府招待和会务用酒；其次是企事业单位的年节福利用酒；第三是一些公私单位的集体公关礼品酒。在中间人的佣金上，按零售价供货，提成要比按厂家供货高得多。税务机关、银行等是传统的团购大户，也是酒水公关的主要对象。

5.自带酒水：太原市酒店消费距离“后备箱时代”还很遥远，自带酒水现象非常少见。这并非因为当地酒店酒水加价率低，而是因为酒店在对待消费者自带酒水问题上，非常强势甚至强硬。据当地经销商介绍，太原中高档酒店普遍拒绝自带酒水消费，如果消费者自带酒水进店，消费后酒店一样会按酒店价格记入账内，强行收取酒水费用，这样一来消费者不仅在酒水上花了双份钱，还惹了一肚子气。也许太原的自带酒水就是这样被扼杀在萌芽之中。

《糖烟酒周刊》王治华

内蒙古区糖酒市场

一、区情简介

内蒙古自治区地处中国北部边疆，简称内蒙古。内蒙古是中国跨占经、纬度最多的省区。南北直线距离约1700公里，东西直线距离2400公里。内蒙古毗邻省区最多与黑龙江、吉林、辽宁、河北、山西、陕西、宁夏、甘肃等八个省区接壤。全区面积118.3万平方公里，约占国土面积的12.3%。人口2284万，有蒙汉达斡尔、鄂伦春等民族，其中蒙古族人口占全区九分之一。

全区设呼和浩特、包头、乌海、赤峰、通辽、鄂尔多斯、呼伦贝尔7个市；兴安、锡林郭勒、乌兰察布、巴彦淖尔、阿拉善5个盟；另外有满洲里、二连浩特2个计划单列市；下辖16个县级市、17个县，52个旗，其中包括鄂伦春、鄂温克、莫力达瓦达斡尔3个少数民族自治旗。首府呼和浩特市。

“东林西铁，南粮北牧，遍地是煤”，是对内蒙古优势资源的生动写照。经过50多年的开发建设，内蒙古已经成为我国重要的农畜产品生产基地和能源原材料生产基地。

内蒙古有13亿亩草原，居全国五大草原之首；有1亿亩耕地，人均耕地是全国平均水平的四倍；有2.8亿亩森林，居全国第二位。毛、绒、皮、牛羊肉、牛奶等畜产品产量均居全国前列，其中：毛、绒产量居全国首位，人均粮食产量居全国第三位。依托丰富的农畜产品资源，内蒙古的农牧业产业化和农畜产品加工业有了突飞猛进的发展，培育出了伊利、鄂尔多斯、鹿王、仕奇、兴发等一批知名企业和驰名品牌。

二、市场格局

1、白酒

内蒙古不仅是酿酒大省，也是消费大省，酒厂可以说是遍地开花，县县都有。据不完全统计，内蒙古仅小酒厂就有1300多家，中低档白酒年产量占全区总酒量的70%~80%。可以说，内蒙古酒业的主力军是中小规模的低档酒生产企业。

大型的白酒生产企业主要为：内蒙古河套酒业集团股份有限公司、内蒙古凉城鸿茅集团有限责任公司、内蒙古骆驼酒业有限责任公司等。

进入2004年度中国白酒工业百强企业的内蒙古企业有：内蒙古河套酒业集团股份有限公司、内蒙古凉城鸿茅集团有限责任公司、内蒙古骆驼酒业有限责任公司、内蒙古鄂尔多斯酒业有限责任公司。

2、乳业

内蒙古作为中国最大的天然牧区之一，已成为乳品企业的必争之地。

伊利、蒙牛、光明、三元都已在此“圈地”。北京三元先后收购了呼伦贝尔盟海拉尔乳品厂，满洲里扎莱诺尔乳品厂，目前在呼伦贝尔盟已经拥有了27万头奶牛的奶源供应，是该地区占有收奶区域最优、加工基地规模最大的乳品企业。上市后募集资金部分也将继续投资建设呼伦贝尔奶源基地。光明已有呼伦贝尔光明有限公司，并且已公开表示今后的原奶采购策略是不断地向资源型奶源基地倾斜。

伊利集团作为中国第一家乳品上市企业，地处内蒙古，在奶业生产上似乎有着天然优势。然而伊利绝不仅仅是要做一个地区性品牌，而是要做“中国伊利”。伊利在我国加入WTO之前，就从源头抢占战略制高点入手，对我国最好的奶牛繁殖带进行了规划与控制，建成了5个奶源基地，控制优质奶牛头数达22万头之多，1.8亿元的资金投向基地为集团乳品加工的主业创造了一个无限广阔的发展空间。

三、知名企业

【呼和浩特市】

呼和浩特，蒙古语意为“青色的城”，位于内蒙古自治区中部的土默川，北枕巍巍阴山，南濒滔滔黄河，是内蒙古自治区的首府，是自治区政治、经济、科技、文化、教育的中心。1985年被国务院确定为全国历史文化名城。1992年被国家批准为沿边开放城市。

呼和浩特市现辖4区、4县、1旗。全市总面积17224平方公里，城区面积77.9平方公里，总人口为200.4万人。

呼和浩特市东接京、津、唐经济发达地区和渤海口岸，西连第二座欧亚大陆桥，北邻蒙古国和俄罗斯，附近还有准格尔煤田和包头重工业基地，是国家经济建设重点由沿海向内陆，由东向西转移的结合部。

呼和浩特市的农业生产具有城郊型经济的特征。主要农作物有小麦、玉米、高粱、谷子、莜麦、马铃薯、甜菜、胡麻、向日葵、枸杞等。乡镇企业已进入高速发展时期，初步形成了以城郊企业为主体、工业企业为龙头、建材企业为支柱、个体私营经济占多数的基本格局。

呼和浩特市是内蒙古自治区第二大工业城市，基本形成了毛纺、电子、机械、食品、石化、建材工业为支柱的门类比较齐全的加工工业体系。创出了一批具有国际、国内领先水平和竞争实力的名牌产品。

知名生产企业

1、内蒙古成吉思汗酒业集团

2、内蒙古伊利实业集团股份有限公司

3、蒙牛集团

4、内蒙古赛汉制酒工业有限责任公司

5、金河集团实业有限公司

【呼伦贝尔市】

呼伦贝尔市(原呼伦贝尔盟)位于内蒙古自治区的东北部。总面积25.3万平方公里，人口262万，市人民政府驻海拉尔区。

呼伦贝尔市现辖13个区市旗同，其中有1个区（海拉尔区）5个市7个旗（下辖海拉尔区 、满洲里市、扎兰屯市、牙克石市、根河市、额尔古纳市、阿荣旗、新巴尔虎右旗、新巴尔虎左旗、陈巴尔虎旗、鄂伦春自治旗、鄂温克族自治旗、莫力达瓦达斡尔族自治旗)。

自呼伦贝尔市试验区建设以来，呼伦贝尔工业经济呈现出协调快速发展的新局面，基本形成了门类比较齐全，生产结构逐步合理，并以森工、煤炭、电力、纺织、乳制品及建材等为骨干行业的具有地方民族特色的工业生产体系，初步建成了以海拉尔、满洲里、扎兰屯、牙克石等城市为中心的农畜产品加工、煤炭开采、森林采伐、木材加工、机械制造为主的工业生产格局，生产规模开始向集约化、集团化方向发展。经济类型呈现出国有、集体、个体、股份制、私营、联营等多元化格局。

知名生产企业

1、内蒙古牙克石兴安岭酒业有限公司

【包头市】

包头，蒙语“有鹿的地方”之意。位于内蒙古自治区中部偏西。气候少雨干旱，风沙很大。是我国重要的钢铁基地和稀土科研生产基地。辖6区1县1旗。市区面积131平方米，人口120万。自然资源丰富，以白云鄂博铁矿著名，储量达8亿吨以上，稀土储量占全国储量的97%。此外，煤、水晶、云母、宝石等矿藏也很丰富。工业还有机械、水泥、炼铝、制糖、皮革等。为华北牲畜、皮毛、药材重要集散地。名胜古迹有五当召、昆都仑召等。

知名生产企业

1、内蒙古恩格贝酒业有限公司

2、燕京啤酒（包头雪鹿）股份有限公司

3、内蒙古正北食品有限公司

4、包头华资实业股份有限公司

5、内蒙古包头市龙驹乳业有限责任公司

【乌海市】

乌海市地处内蒙古自治区的西南部，东邻鄂尔多斯高原，西接阿拉善草原，南连银川平原，北近河套沃野。南北长69公里，东西宽42公里。全市总面积约2350平方公里，总人口数约为38.28万人。境内多山地、丘陵，还有河谷平原、沙漠。在总面积中，山地占34.7%，丘陵占21.7%，河谷平原占32.8%。

截止到1997年底，全市辖3个区、3个乡、28个行政村。市辖区为：海南区、乌达区、海勃湾区。

知名生产企业

1、乌海市制酒厂

【乌兰察布盟】

乌兰察布盟系蒙古族语，意为“红山口”，简称乌盟。乌兰察布盟位于内蒙古自治区中部，北与蒙古人民共和国交界，国境线长190．81公里，东北与锡林郭勒盟相连，东南和南面分别与河北省、山西省接壤，西同巴彦淖尔盟、包头市、呼和浩特市、伊克昭盟毗邻。面积8．47万平方公里。人口317．13万，其中蒙古族8．43万人，其他少数民族2．68万人。辖2个市、5个旗和8个县。盟行政公署驻集宁市。

清初四子王、达尔罕茂明安和乌拉特前、中、后6个部落旗会盟于红山口，始有乌兰察布盟之称。乌兰察布盟辖有集宁市、丰镇市、四子王旗、察哈尔右翼前旗、察哈尔右翼中旗、察哈尔右翼后旗、凉城县、卓资县、兴和县、商都县、化德县共2市4旗5县，置有215个乡镇苏木，1878个村民委员会，8244个自然村(浩特)。乌兰察布盟行政公署驻集宁市。

知名生产企业

1、内蒙古鸿茅实业股份有限公司

【通辽市】

通辽市位于内蒙古自治区东部，松辽平原西端，科尔沁草原腹地，东临吉林省，南接辽宁省，属东北地区和华北地区交汇处。全市辖5旗1市1县1区和1个经济技术开发区，总土地面积6万平方公里。通辽市是以蒙古族为主体、汉族占多数的多民族聚居区，总人口310万，其中蒙古族138万，占全国蒙古族人口的1/4，是全国、全区蒙古族人口最集中的地区。

通辽市农牧业基础条件较好，年产粮食35亿公斤以上，商品量占50%多，主要农作物有玉米、高粱、小麦、水稻、蔬菜等，特产荞麦、红干椒、绿豆等。

通辽市的工业已形成了农畜产品加工、能源、医药化工、冶金建材四大支柱产业为骨干，具有一定基础、规模和地方特色的工业体系。中国五大露天煤矿之一的霍林河煤矿已形成年产1000万吨煤能力。通辽发电厂装机容量84.8万千瓦，年发电量53亿千瓦时，电力能源充足。蒙古王酒、通顺牌铝锭、通玻牌玻璃、通华牌蓖麻油、科尔沁乳品、科尔沁牛肉等品牌驰名国内外。

知名生产企业

1、通辽市一代天骄酒业有限公司

2、内蒙古蒙古王酒业有限公司

【赤峰市】

赤峰市（原昭乌达盟）位于内蒙古自治区东部，蒙古高原向辽河平原过渡的地带，具有高原、山地、平原、丘陵、盆地多种地形；气候属中纬度温带内陆季风气候。是一个以蒙古族为主体，汉族占多数的共有20多个民族聚居的地区。全市总面积9万平方公里，总人口433万。

赤峰市地域辽阔，矿产资源丰富，有铅、锌、煤、金、铜、银、铝、钨、萤石、叶腊石、大理石等。其中黄金储量占全自治区黄金储量的40%。

赤峰市工业发展迅速形成了煤炭、电力、冶金、建材、机械制造、纺织、皮毛皮革、食品、造纸、化工等工业门类比较齐全又具有地主特色的工业体系，而且公路、铁路都比较发达，京通铁路和叶赤铁路在此交汇。

知名生产企业

1、内蒙古宁城老窖集团

2、燕京啤酒（赤峰）有限责任公司

【伊克昭盟】

伊克昭盟位于内蒙古自治区西南部的鄂尔多斯高原上。伊克昭盟的西、北、东三面黄河环绕，西邻宁夏回族自治区及本自治区乌海市、阿拉善盟，北与本区巴彦淖尔盟、包头市隔河相望，东接呼和浩特市、乌兰察布盟及山西省，南隔古长城与陕西省毗邻。

全盟总面积8.7万平方公里，总人口126.58万。辖东胜市、达拉特旗、准格尔旗、鄂托克前旗、鄂托克旗、杭锦旗、乌审旗、伊金霍洛旗7个旗县市。东胜市是全盟政治、经济和文化的中心。

畜产品资源是伊克昭盟传统的资源优势。著名的地方良种阿尔巴斯山羊和鄂尔多斯细毛羊现已遍及全盟，丰富 的绒、毛、皮、肉产品，奠定了本盟作为畜产原料基地的地位，促进了以毛纺为主的地方基础产业的发展。

知名生产企业

1、鄂尔多斯酒业集团

【巴彦淖尔盟】

巴彦淖尔盟(简称巴盟)位于内蒙古自治区西部。东与包头市接壤，西与阿拉善盟毗邻，南隔黄河与伊克昭盟相望，北与蒙古国交界。全盟总面积6.4万平方公里。总人口173万。辖临河市、磴口县、杭锦后旗、五原县、乌拉特前旗、乌拉特中旗、乌拉特后旗。行署设在临河市。

阴山山脉呈东西向横贯中部，山北为广阔的天然牧场，面积400万公顷，牲畜有羊、牛、马、骆驼等，二狼山白山羊及其白羊绒驰名中外，享有盛誉。山南是著名的河套平原，素有“黄河百害，唯富一套”之说，总面积1万平方公里，耕地面积40万公顷，待开发面积27万公顷，是我国最大的一首制灌区，是国家的重要商品粮基地，也是内蒙古粮、油、糖、瓜果、畜产品的主要产区。

巴盟旅游资源独具特色，有塞外名珠乌梁素海，峰峦叠翠的大桦背，千姿百态的阴山岩画，古色古香的阿贵庙，雄伟壮观的黄河枢纽工程等。可令游人一饱眼福。

巴盟投资环境不断改善，以粮、油、糖、皮、毛、绒等农畜产品为主要原料的加工业已有一定基础，并形成相当规模。包兰铁路、110国道和京呼银兰光线通讯干线横穿境内，程控电话全盟开通，移动通讯全国漫游联网，电力供应充足。与蒙古国通商的两个陆路口岸正在发挥作用，临河市省级经济开发区六通一平已全面配套。为大开发、大开放提供了优越的条件。

知名生产企业

1、内蒙古河套酒业集团股份有限公司

2、内蒙古金川保健啤酒总厂

3、恒丰集团公司

【兴安盟】

兴安盟因地处大兴安岭中段而得名。“兴安”满语，汉语意为“丘陵”。因大兴安岭山势较缓，主脉山峰相对高度不甚大，故满语称之为“兴安”。兴安盟位于内蒙古自治区东部，大兴安岭中段。西北邻蒙古国，有126.084公里的国境线，东与黑龙江省齐齐哈尔市、吉林省白城市相邻，南与通辽市毗邻，西与锡林郭勒盟相接。总面积59806平方公里。

兴安盟辖乌兰浩特市、阿尔山市、科尔沁右翼前旗、科尔沁右翼中旗、扎赉特旗、突泉县2市3旗1县，共有20个苏木、19个乡、38个镇、10个街道办事处、1个管理区：有10个县级国营农牧场、2个国营林业局。境内居住着蒙古、汉、满、朝鲜、回、达斡尔等22个民族，总人口为1619470人

兴安盟地处大兴安岭中段，属中低山丘陵区。山地面积约占全盟总面积的90%，平原为嫩江西岸平原，约占总面积的10%。

兴安盟处于温带大陆性季风气候区，立体气候特征明显，四季分明，地区差异显著。春季十旱多风，气温回升快，日较差也人。

知名生产企业

1、内蒙古乌兰浩特市红云酒业有限公司

四、市场概况

【低档市场销量大 地产酒绝对强势——入市先锋内蒙古行】

呼和浩特、临河、包头、赤峰四个地区白酒市场普遍的特点是：白酒消费主要集中在低档市场，地产酒占据绝对强势。

【市场状况分析】

呼和浩特：据当地经销商介绍，10元左右的白酒销量几乎占据了60%的份额，而40元以上的中高档市场白酒销量有限。当地白酒消费水平不高，消费者购买能力有限，80元以上的高档酒走量极小，主要用于高档公关活动。

在当地，地产酒河套系列可称得上是绝对强势，是高、中、低档各类市场上的佼佼者。中高市场上，100元／瓶的河套王、60元／瓶的河套十年陈酿占据了大部分市场份额。中档市场上，地产酒奥淳礼宾是这两年凸起的新秀，其三星、四星几乎与河套系列的同类产品并驾齐驱。低档市场上，呼白系列、河套系列低档产品的市场份额最大，其中10元／瓶的呼白王尤为突出，较低的价位、良好的口碑是呼白王畅销市场数年的制胜法宝。

去年入市的黑土地、吉林酒老泥窖拓市力度很大，广告主要集中在路牌广告和当地电视台的媒体广告。据了解，这两种产品已经开始上量，尤其是黑土地在酒店终端的表现十分抢眼。黑土地定位中低市场，其大力开拓酒店终端是顺利打开市场的主要原因。

临河：

当地市场仍然是地产酒的天下。据经销商介绍，近两年临河市场一直很平静，既没有新品进入，老品牌市场状况又十分稳定。当地最强势的品牌当属河套系列。60～100元的中高档市场上，河套王、河套十年陈酿、河套四十年陈酿等产品占据着约70%的市场份额，大多用于请客送礼等公关活动，传统名酒茅五剑的销量相对很少。10元以下的低档市场上，河套系列依然强势，河套年年红等光瓶酒的销量最大。据了解，河套的成功与政府扶持密切相关，政府招待专用酒等措施为河套的发展提供了更广阔的空间。地产酒苁蓉王是这两年的新起之秀，28元／瓶的苁蓉王凭借地产优势和大力度促销，在流通市场的走量很大，一跃成为当地第二大品牌。

包头：

依然是地产酒强势，但不同的是河套系列的市场状况并不好。据了解，河套厂家在当地设有办事处，由于种种内部原因，河套系列没能顺利开启市场。另外一个地产酒——鄂尔多斯在包头已有多个年头，市场状况一直不错，但今年出现了急剧下滑。据当地经销商介绍，去年鄂尔多斯在包头地区的总销量达到了2700多万，而今年的市场状况始终不佳，旺季将至，仍然没有旺销势头。经销商认为这与产品厂家的支持力度密不可分，支持力度缩减是造成产品销量下滑的重要原因。

当地最强势的产品当数包头骆驼酒厂的金骆驼酒。金骆驼酒涵盖高中低档各类市场，从10元以下到百元左右的市场空间，它的销量几乎能达到70%。当地小酒厂生产的酒在低档市场上销量很人，这些杂牌酒的出厂价只有2～3元／瓶，在零售市场卖到10～15元／瓶，较多的中间利润备受当地经销商青睐。当地酒店消费量不大，酒店消费拉动流通市场上量的作用不明显，流通市场是产品销售的主要渠道。

赤峰：

赤峰市场与区内其他市场最大的区别是地产酒与外地酒共同繁荣。金六福是外地酒的代表，占据着当地30%的市场份额。它凭借五粮液品牌、福文化大旗的支持，加上铺天盖地的广告和大力度促销，顺利开启了市场。目前，金六福拥有着不错的销量和一批固定消费者，而且市场稳定，预期在未来半年中不会出现太大波动。四特在当地中低档市场情况

也不错，大力度促销是其打开市场最有利的武器。

地产酒河套系列在当地市场情况一直不错。低档市场上，河套系列的低档产品广受拥戴。农村市场上，5元以下的杂牌酒销量巨大，这部分市场潜力很大。

拓市分析

1.内蒙古自治区整个市场的情况大致相同，地产酒强势、消费能力有限等特点限制了更多新品进入。外来品牌的成功、低档市场消费量大等现状反映出当地市场具备开发潜力。当地市场有众多地产酒，河套系列堪称这个市场的领军品牌，它不但占据了全区大部分地区，而且涵盖着高中低档各个价位。一些区域品牌的势头也不弱，如呼和浩特的奥淳礼宾、呼白系列，临河的苁蓉王，包头的金骆驼等，地产品牌雄踞是更多外来品牌进入的阻力。

2.黑土地成功开启呼和浩特市场，金六福、四特在赤峰市场销量稳定，这些外来品牌的成功运作说明这个市场存在着机会。纵观这些成功产品，都是定位在大众消费的主流价位区间内，开发市场时，广告、促销等拓市活动很多，这说明当地消费者易受广告、促销活动的影响，新品进入应加大开发力度。

3.受当地经济发展水平的限制，中低档价位白酒消费量大，高档白酒销量极小。由于当地气候影响，白酒消费的旺季较长，销量较大，这为更多中低档产品进入提供了机会。

4.要进入此市场，首先产品定价要低，物美价廉的产品更易被消费者接受。其次，产品在入市之初的大力拓市必不可少，广告、促销活动能帮助产品迅速打开市场。最后，新品进入需注意：当地消费者喜欢清香型白酒，浓香型白酒也有一定市场，白酒度数在40度以上。

【评点内蒙古十大奶酒品牌】

一个虚妄的事实就是“内蒙古十大奶酒品牌”的提法，因为，在大多数人看来，是否存在这样一种品类都值得怀疑。作为一名行业中人，我不能在别人的一片质疑声中就此放弃我的观察和研究，我有理由确定我心目中的内蒙古十大奶酒品牌。至少在某种意义上来说，内蒙古地域的惟一性独占了奶酒这一具有悠久、神秘历史的民族特产概念。“内蒙古十大奶酒品牌”的提出我想应该具有标杆的作用，以振兴内蒙古的民族奶酒业，将无限的草原情怀献给广大消费者。

1、一代天骄。这是内蒙古克什克腾乳业的一个品牌，也是中国第一个瓶装奶酒的品牌，尽管关于“一代天骄”这个商标的归属、使用有众多争议，但克什克腾乳业是中国名副其实的最早的奶酒企业。某著名出版社在关于中国各种酒的介绍时，奶酒的工艺部分就是以克什克腾乳业的奶酒制作工艺为范例的，所有内蒙古后续奶酒企业对此都是予以学习和承认的，不过，在激烈的市场竞争中，该企业在品牌打造上稍欠火候，实为憾事。

2、龙驹。如果说克什克腾乳业开了中国奶酒商品化的先河，那中国奶酒业的发展之功当推包头龙驹乳业，自2000年开始，龙驹奶酒空降职业经理人后突然发力，重品质、强技术、塑品牌、广招商、建渠道、网终端，成为当时中国最大和效益最好的奶酒企业，其后尽管在内蒙古出现了众多规模大小不一的奶酒厂，但多数酒厂在创办过程中均有龙驹原企业中的业务骨干，可以说龙驹乳业是内蒙古奶酒业的“黄埔军校”。龙驹奶酒酒体是内蒙古奶酒的样本之一，龙驹企业标准是内蒙古自治区奶酒行业地方标准，所以说龙驹是内蒙古乃至中国奶酒行业的领导品牌基本属实。

3、乳香飘。事实上，与包头龙驹乳业几乎同时起步的另一家重要的奶酒企业就是呼和浩特的乳香飘酒业，同样，乳香飘奶酒的酒体也是内蒙古奶酒的样本之一，可以这么说，内蒙古的奶酒酒体基本上是以乳香飘和龙驹为参照的。乳香飘酒业比较早的尝试了奶酒营销的区域代理制，也比较早的注重品牌的打造，只是这两者它都做的不彻底，比如在乳香飘这个几乎天成的品牌后面又相继开发了大量的子品牌，使乳香飘这个主品牌被稀释了价值，着实可惜。

4、萨林。懂蒙古语的都知道，“萨林”即意为奶酒，来自内蒙古乌兰察布的萨林乳业在产品命名上的确体现了他们的非凡智慧。萨林在业内一直以稳健著称，同龙驹、乳香飘相比，萨林对行业的影响主要表现在包装上，内蒙古很多奶酒企业的包装在风格上有意模仿、借鉴、学习萨林，特别是磨沙瓶的使用，将内蒙古的奶酒提升了一个档次却又不水准，广受消费者的欢迎。

5、昂格丽玛。以品牌背书一炮走红，昂格丽玛是呼和浩特蒙牛酒业的一个品牌。蒙牛酒业目前是内蒙古乃至中国规模最大、销售额最高的奶酒企业，可以这么说，内蒙古奶酒在2002年之后的突然井喷这一现象主要是由于蒙牛酒业的示范效应所致。奶酒招商式营销始于龙驹，但发挥至极致却是蒙牛酒业，现在，内蒙古的各个奶酒企业基本都沿用了招商式营销手段。

6、蒙古狼。这是中国百年老字号大盛魁实业从2003年推出的一个新锐品牌，大盛魁实业的强项是白酒、黄酒、保健酒的原酒研发与生产，但营销是它的弱项，不过和奶酒业资深观察家、著名解构营销团队“蒙古狼群”建立产销同盟体以来，销量狂飙突进，短短一年即位列行业三甲，蒙古狼品牌也一举成为奶酒行业最具价值的新锐品牌。蒙古狼的营销模式不断被同行业模仿、学习，但从未被超越。可以这样讲，蒙古狼的解构营销思想、技战法一直成为业内争相研究的理论秘籍。

7、元朝。在内蒙古能和蒙牛酒业在产能规模、广告投放规模上一决高下的唯鄂尔多斯的元朝乳业，这在业内是不争的事实。和其它奶酒企业相比，元朝在产品的内涵上有所创新，并且，元朝的更具民族特色的包装一经投入市场便引领了行业潮流，成为许多奶酒小品牌纷纷模仿、抄袭的对象，一定程度几可乱真。此外，一段时间以来，内蒙古奶酒在全国市场上真正进行较量的也就是昂格丽玛和元朝而已。

8、蒙古舞步。这是一个深具游击作风的奶酒品种，产自呼和浩特的康庄酒业。为什么不说是品牌呢？因为蒙古舞步作为准商标已被国家商标局驳回。蒙古舞步是在包装上模仿元朝奶酒最到位的一个奶酒品种，但价格只是元朝奶酒的1/2都不到，蒙古舞步就是以低价格曾在一段时间内横扫内蒙古大小奶酒品牌，某种意义上说内蒙古的奶酒价格竞争就是由蒙古舞步引起的。

9、恩格尔。呼和浩特方兴酒业的主打品牌，因为深具技术背景，恩格尔奶酒在许多方面都与其他奶酒有意区隔，特别是在不断强调它的技术性。此外，恩格尔奶酒的老总曾为行业内佼佼者如龙驹乳业、蒙牛酒业的总工程师，自然为恩格尔这个品牌增加了资格砝码。对比整个奶酒行业，恩格尔是惟一以技术为理性诉求的奶酒品牌，在奶酒行业中独树一帜。

10、牧马人。这是包头牧马人保健酒业的一个品牌，和整个行业品牌比较，它的最大的不同点就是内蒙古第一个将奶酒做成了保健酒的概念，充分运用了稀土、磁、苁蓉、冬虫夏草等生化、植物学资源理论，在市场上与其他奶酒分庭抗礼，居然也取得了不俗业绩。可以这样预测，内蒙古奶酒的产业化道路最终必将走产品营养、保健的方向，牧马人在这方面已经做了可贵的探索。

除了以上十个品牌外，其实内蒙古还有许多表现不错企业品牌，如锡林郭勒的宇发；赤峰的宁城、草原骏马；呼和浩特的800牛、牧羊人、草原牧歌；包头的正北、恩格贝等等，特别是内蒙古酒业龙头河套酒业将白酒做成了名至实归的西北霸主之后，居然也觊觎奶酒的市场，腾格里塔拉奶酒便是试探之作，不过目前还看不出河套对这个新生品牌有什么明确的战略规划。不管怎样，内蒙古奶酒已经呈现勃发之势，各品牌在市场上此消彼长，大有分食天下酒世界之念，但话说回来，先天的游牧文化和不具普遍性的口感确实对奶酒的传播和品用造成了一定障碍，奶酒能否在市场上一领风骚还有待我们拭目。

华中地区糖酒市场

河南省糖酒市场

一、省情简介

河南位于我国中部偏东、黄河中下游，与冀、晋、陕、鄂、皖、鲁6省毗邻，东西长约580公里，南北跨约550公里。全省土地面积16.7万平方公里，在全国各省市区中居第17位。到2003年年末全省总人口9667万人。

全省辖17个省辖市，1个省直管市，21个县级市，48个市辖区，89个县，2123个乡镇，4.80万个行政村。省辖市为：郑州、开封、洛阳、平顶山、安阳、鹤壁、新乡、焦作、濮阳、许昌、漯河、三门峡、南阳、商丘，省辖地区为：周口、驻马店、信阳，省直管市为济源市。

河南在全国的版图上，从政区和交通地位来看，占着居中的地位。以河南为中心，北至黑龙江畔，南到珠江流域，西到天山脚下，东抵东海之滨，大都跨越两至三个省区。若以省会郑州为中心，北距京津唐，南下武汉三镇，西入关中平原，东至沪、宁、杭等经济发达地区，其直线距离大都在600~800公里之内。在历史上，河南一向是我国人民南来北往、西去东来的必经之地，也是各族人民频繁活动和密切交往的场所。现代的京广、京九、焦枝、陇海、新菏等铁路干线纵横交织于河南，这种优越的地理位置和方便的交通条件，更加密切了河南与全国各地的联系。因此，无论从与全国经济联系考虑，还是从相邻省区经济技术交流着想，河南均处于中心位置。在当前大力发展社会主义市场经济、开发中西部地区的形势下，对全国经济活动中的承东启西，通南达北的重要作用是其它省区不可比拟的。

河南经济总量连续7年在我国中西部地区雄居首位，人均GDP在12年间前移了10个位次。今日中原大地，遍响着加快发展的时代强音，展现着政通人和的繁荣景象。

二、市场格局

1、白酒

目前河南省白酒企业大约有370余家，从统计数据看，年总产量大约为31．39万吨，居全国第5位，但经济效益普遍不好。截至2000年底，河南省正式申报生产许可证的白酒企业有170多家，而处于正常运转的仅40余家，因此实际生产量估计只有21万吨；2000年全省白酒企业共亏损1700万元，大部分骨干企业仍处于停产或半停产状态。

2、啤酒

河南是全国的人口大省，也是全国啤酒产量超百万吨的大省。啤酒企业最多时达到70多家，到2004年初还有30余家。残酷的市场竞争促进了河南啤酒工业的快速发展，企业规模优势逐渐突出，市场范围从省内走向省外。金星啤酒集团在短短几年中从一个小型乡镇企业发展为跻身全国前5位的现代化大型企业，在河南啤酒市场上占有绝对优势地位。

三、知名企业

【郑州市】

郑州市是河南省省会，地处中华腹地，九州之中，十省通衢。北临黄河，西依嵩山，东、南接黄淮平原。全市总面积7446.2平方公里，其中市区面积1013.3平方公里，中心城区建成区面积147.7平方公里。现辖6区5市1县。2002年全市年末总人口为687.7万，其中城镇人口385.1万人；市辖区人口275.2万人。

郑州盛产小麦、玉米、大豆、水稻、花生棉花、经济林果等粮食作物和苹果、梨、红枣、柿饼、葡萄、西瓜、大蒜、金银花和黄河鲤鱼等农副土特产品。中牟、新郑、荥阳是全国重要的粮食基地县。

知名生产企业

1、河南金星啤酒集团
2、河南奥克啤酒实业有限公司
3、河南思念食品股份有限公司
4、郑州三全食品股份有限公司
5、河南花花牛实业股份有限公司

【商丘市】

商丘市位于河南省东部，豫、鲁、苏、皖四省结合处，辖夏邑、虞城、柘城、宁陵、睢县、民权、梁园区、睢阳区、永城市六县二区一市，面积10704平方公里，人口807万。

商丘地处黄淮海平原，自然条件得天独厚，物产丰富，农、林、牧、副、渔各业兴旺发达，是国家著名的农副产品生产基地。商丘还是全国著名的“泡桐之乡”，全市桐木蓄藏量达8000万立方米。2002年全市农林牧渔业总产值达到234.37亿元，年均递增7.1%。2002年全市粮食总产450万吨，棉花总产20万吨，果品总产111万吨，肉类总产55万吨。

全市工业发展迅速，目前已经基本形成了煤炭、制冷、轻纺、酿造、食品、医药、建材等为支柱产业的工业格局。组建了张弓、神火、皇沟、福源、商丘酒业等十大企业集团。创立了永煤、冰熊冷柜和冷藏车、张弓酒、蓝牌啤酒、民权葡萄酒、振华玻璃、科迪食品、万新肠衣等大批名牌产品，畅销全国并出口二十多个国家和地区。

知名生产企业

1、张弓酒业集团

2、民权宝玉葡萄酒业有限公司

3、民权五丰葡萄酒有限公司

4、河南蓝牌啤酒集团

5、科迪集团

6、河南皇沟酒业集团

【新乡市】

新乡市历史悠久，3050年前，曾是我国第一次大规模战争牧野大战的古战场。解放初期，曾为平原省省会。新乡市拥有悠久灿烂的文明，优良的革命传统，得天独厚的地理、区位和产业优势，更有550万勤劳智慧的人民。在革命和建设的各个历史时期，新乡市人民在党中央和省委省政府、市委市政府的正确领导下，创造出了不平凡的业绩，成为全省重要的工业基地和全国优质粮棉生产基地。

知名生产企业

1、河南新乡亚洲啤酒有限公司

2、新乡娃哈哈食品有限公司

【许昌市】

许昌市位于河南省中部，黄淮平原西侧，在省会郑州以南80公里处。现辖禹州市、长葛市、许昌县、鄢陵县、襄城县和魏都区。全境总面积4996平方公里，人口434万。

自然条件优越，属暖温带季风区，四季分明。境内较大的河流有北汝河、颖河、双洎河和清泥河，水资源总量年平均5.1亿立方米。

许昌资源丰富，主要矿产集中，储量大，易于开采，发展电力、建材、陶瓷等行业前景广阔。农产品资源主要有：小麦、玉米、红薯、大豆、花生、烟叶、棉花等。

知名生产企业

1、河南省许昌姚花春酒业集团

【平顶山市】

平顶山市属省辖市，位于河南省中部偏西。全市辖4个区、2个市和4个县，总面积8867平方公里，总人口467.89万人，其中市区面积1106平方公里，人口80多万。

平顶山地理条件优越。西倚伏牛群峰，东接黄淮平原，南临南阳盆地，北毗嵩箕山系。这里拥有丰富的矿产、水和动植物资源。耕地面积485.5万亩，盛产小麦、玉米、大豆、芝麻、蔬菜等。这里是全国著名的烟叶产区，被毛泽东主席誉为“烟叶王国”。

平顶山市的工业在发展中逐步形成了以能源、原材料工业为主体，煤炭、电子、钢铁、纺织工业为支柱，轻工、化工、建材、食品等综合发展的多门类工业经济体系。

平顶山市商贸活跃，市场繁荣。批零贸易业年产品销售总额达54.2亿元，改善和丰富了全市人民物质文化生活。

知名生产企业

1、宝丰酒业集团

【信阳市】

信阳市位于河南省南部、东与安徽为邻，南与湖北接壤，扼控江淮，屏蔽中原，素有鄂豫皖“三处通衢”之称，是东西南北经济、文化交流的通道。全市总面积1.83万平方公里，总人口760万，辖师河区、平桥区、罗山县、潢川县、固始县、光山县、息县、淮滨县、商城县、新县八县二区。

信阳盛产大米，并有茶叶，中华猕猴桃、板栗、元鱼、鳝鱼等丰富的土特产，信阳也由此被誉为“鱼米之乡”、河南的“小江南”。享有盛誉的信阳毛尖茶，为全国十大名茶之一，多次被评为国家金奖。

知名生产企业

1、河南信阳啤酒集团有限公司

【南阳市】

南阳市位于河南省西南部，东界河南省驻马店、信阳地区，南接湖北省襄樊市、郧阳地区，西与陕西省商州市连，北与河南省三门峡、洛阳、平顶山市毗邻。全市辖卧龙区、宛城区和方城县、南召县、镇平县、内乡县、西峡县、淅川县、唐河县、新野县、桐柏县、社旗县及邓州市13个县（市、区），是全省土地面积最大、人口最多的地级市。

南阳经济发展形势喜人。工业发展迅速，已逐步形成了以纺织、建材、机械电子、化工、医药、冶金、工艺美术、食品加工为支柱的门类比较齐全、布局比较合理的工业体系。现拥有乡以上工业企业2025家，工业产品3000多种，酒精、石油、胶片、中西药、纺织品、防爆电机、卷烟、水泥、汽车配件等在全省乃至全国都占有重要位置。正常年景，粮食总产约占全省11%，全国1%；棉花占全省13%、全国2%；油料占全省11%、全国1%。

知名生产企业

1、河南赊店酒业有限公司

2、河南省乐神饮品有限公司

【洛阳市】

洛阳市位于河南省西部，横跨黄河中游两岸，有近5000年历史，是中国首批公布的历史文化名城和七大古都之一，素称“九朝古都“之称，也是资源丰富、文化发达、交通便利、科技实力雄厚的新兴工业城市。现辖1市8县6区，总面积15208平方公里，市区面积544平方公里；总人口595万，市区人口125万。

物产资源丰富，开发前景广阔。丘陵山区面积大，有珍稀动物190余种，天然药物1480余种，老君山、龙池漫两个自然保护区总面积10万余亩。境内有黄河、洛河、伊河、廛河、涧河等河流和陆浑、故县两座大型水库。

工业实力雄厚，高科技力量较强。洛阳现已成为拥有机械电子、石油化工、冶金、建材、轻纺、食品等六大支柱产业、34个工业门类、1400多家工业企业的新兴工业基地。

知名生产企业

1、洛阳万山湖酒业有限公司

2、汝阳杜康（集团）总公司杜康酒厂

【周口市】

周口地区位于河南省东南部，辖8县2市(周口市、项城市、沈丘县、郸城县、鹿邑县、太康县、淮阳县、商水县、西华县、扶沟县),国土总面积1.19万平方公里，耕地面积1170万亩，总人口1006万人，耕地面积、总人口均居全省第2位。

周口历来是豫东的交通枢纽。漯河至阜阳铁路，东接京沪，西连京广，沿周口市而过。周口至淮阳的窄轨铁路也于1979年开通，并与许昌至郸城线衔接。加上多条公路干线，形成了以周口为中心放射状的、四通八达的交通网。

周口市是一个以轻工业为主的新兴工业城市。制革、制裘行业已有百余年的历史，一向被誉为“皮都”，皮毛工艺厂生产的各种裘皮服装及其他产品远销20多个国家和地区。

知名生产企业

1、河南宋河酒业股份有限公司

2、河南四五酒厂

3、河南莲花味精集团

4、河南邦杰实业集团

5、金丝猴集团有限公司

【漯河市】

漯河位于河南省中南部，为河南省直辖市，辖郾城县、临颍县、舞阳县和源汇区，市区内设有高新技术产业开发区、贸易区和双龙文景区，全市总面积2630平方公里，总人口260万。

早在400多年前的明代，漯河就已发展成为重要的商品集散地。漯河盛产小麦、玉米、大豆、棉花、芝麻、烟叶和瓜果、蔬菜，大量出产牛、羊、猪、鸡、兔等畜禽。这些资源优势为经济发展提供了广阔的开发前景。漯河工业走依托农副产品资源搞深加工的路子，形成了以轻工业为主导的产业结构，造就了双汇集团、银鸽公司、南街村集团等支柱企业，并有“银鸽”、“双汇”两支股票上市。

漯河交通四通八达，是中国中南地区重要的交通枢纽，可东连京九、西接焦枝、北上陇海、南下长江，具有联南贯北、承东启西的区位优势。

知名生产企业

1、双汇集团

2、南街村集团

【驻马店市】

驻马店市位于河南省中南部，淮河、汉水两大水系上游，古为汝宁府地，素有“豫州之腹地，天下之最中”之称，处于“长江”、“陇兰”两大横向经济带之间。全市辖确山、遂平、西平、上蔡、汝南、平舆、新蔡、正阳、泌阳九县和驿城区，总面积1.5万平方公里，总人口809万。

农业生产条件优越，盛产小麦、玉米、大豆、芝麻、花生、油菜、棉花、烟叶、香菇等农产品，素有“中原粮仓”、“油库”和“芝麻王国”之称。国家和省在这里建立粮、油、肉、蛋生产基地36个。常年粮食总产量40亿公斤左右，占河南省的十分之一，每年有15亿公斤左右的商品粮可供加工转化；油料总产7亿公斤左右，占河南省的四分之一，其中芝麻居全国第一位，设有国家级芝麻批发市场；肉类总产量5亿公斤左右，生猪、鲜蛋、蜂蜜、牛皮、羊皮、兔毛出口量相当可观。

知名生产企业

1、河南棠河酒业股份有限公司

2、河南省豫坡酒厂

【三门峡市】

三门峡市位于河南省西部边陲，豫晋陕三省交界处，东与洛阳市相连，南与南阳相接，北靠黄河与山西省相望，西依潼关与陕西省相邻，现辖灵宝市、义马市、陕县、渑池县、卢氏县和湖滨区，总面积10496平方公里，总人口220万。

三门峡市自然条件得天独厚，资源极为丰富。土特产种类多、品质好。灵宝苹果、大枣久负盛名；渑池的仰韶大杏、牛心柿饼独具特色；卢氏山区的各种干果、食用菌和中药材产量极多，崤山烟叶有“代云烟”之称。

改革开放以来，三门峡进入了经济建设快速发展的昌盛时期。目前，全市工业生产已形成了能源、冶金、建材、化工、医疗和农副产品加工六大支柱产业；农业生产已形成了以粮、果、烟、林、牧、菜和食用菌为主业的产业化生产体系。商业贸易繁荣昌盛，城市面貌涣然一新，社会事业全面进步，国民经济稳步增长。

知名生产企业

1、河南仰韶集团

四、市场概况

【机遇与挑战并存——河南地级城市 白酒市场入市参考之一】

*揭示：*本期入市先锋调查的是河南开封、商丘、安阳三个地级地市的白酒市场。通过调查发现，几个地市的白酒消费水平都不是很高，人们在白酒消费过程中，容易受到外来因素如广告宣传、促销活动的影响。河南跃然是白酒大海，但近几年地产酒在市场上的表现并不是很强势，外来的安徽酒、东北酒在当地市场的表现倒是可圈可点。另外，这些地级市场的经销商普遍反映市场比较混乱，较多的仿冒品牌对市场冲击很大，品牌更迭比较频繁。因此，对于欲开拓这些市场的白酒品牌来说，机遇与挑战并存。

市场动态与机会分析

开封：

在众多的白酒品牌中，安徽的古井系列在当地市场有着不错的表现。古井是六七年前开始进入当地市场的，经过对当地市场多年的培育，如今终于修成“正果”。据当地经销商反映，古井操作思路比较好， 直采取比较稳健的发展思路，在开拓市场的过程中，通过对市场大力度的投入，凭借良好的酒质以及品牌影响顺利打开了市场，在终端尤其是酒店表现出强劲的发展势头，其32元／瓶的古井淡雅、28元／瓶的白瓷瓶古井深受消费者的欢迎。4.5元／瓶的古井大曲在低档市场也有不错的走量，受到普通百姓和打工族的欢迎。除了古井，四特酒在当地市场也有不俗的表现。该品牌在当地运作了两三年时间了，虽然时间不是很长，但在开拓市场的前期，投入力度比较大，通过赊销、礼品促销、买赠等手段，有力拉动了消费，在流通领域发展态势良好，其12元／瓶的低档酒走量很大。另外，来自东北的黑土地在当地市场也是一个不能不提及的白酒品牌。黑土地两三年前开始开拓当地市场，通过对经销商的大力度支持， 充分调动了他们开拓市场的积极性，另外，屡试不爽的精美打促销再次显示了巨大威力，再加上买赠、兑奖等促销措施，一时间吸引了众多消费者目光，市场迅速出现了旺销局面，尤其是2003、2004两年在市场上火爆一时。但据一部分经销商反映，黑土地最近出现了下滑的趋势，主要是由于后期的市场维护不力，导致市场上假冒产品和窜货现象的出现。另外，内蒙的河套老窖从去年的六七月份开始也在当地市场铺货，目前处于市场的导入期，并展开了巨大的宣传攻势，除了堆头展示之外，还做了很多的车体、门头等户外广告，据经销商反映，该品牌在终端促销的力度也很大，跃然还没有形成热销局面，但上升势头很快，市场潜力不容小觑。此外，金六福在当地市场不如以前，主要是由于价格的透明度越来越高，经销商利润下滑，但个别地方的窜货现象使市场控制起来难度较大，导致了市场销量的下滑。

开封的经济水平一般，人们的白酒消费水平也不是很高。在白酒消费中，40～45度是人们消费的主流度数，浓香型最符合人们的口味。人们受广告宣传和促销的影响比较大，有一定的跟风心理。当地白酒宣传中，常见的形式有电视、车体、路牌等。当地酒店和商超的进店费较高，买断酒店的情况有，但不是很多，买断的费用一般大型的在10万元／年左右，跡的在2～5万／年。酒店的开瓶费是常见的促销手段之一，一般在2～5元，高的能够达到10～20元。

拓市建议：虽然当地市场品牌竞争比较激烈，但对于欲开拓当地白酒市场的品牌来说并不是没有机会。通过对当地市场的不难发现，凡是市场上比较突出的品牌都有比较大的市场投入，因此，要想跻身当地市场，大力度的投入是必不可少的。除了加大宣传以外，还应该加强对经销商和市场终端的支持力度，一来激发经销商开拓市场的积极性，二来可以吸引消费者， 有效拉动消费。另外，针对当地的白酒消费水平和特点，应该多开发一些价位适中、酒质良好的产品。最后，在做市场的过程中，应加强对市场的监控力度，避免产品出现热销时仿冒品牌的冲击以及窜货现象的发生。

商丘：商丘是河南省著名的，张弓和林河都是昔日当地著名的地产品牌，但随着市场的激烈竞争，两个品牌齐头并进，共同领跑市场的局面已经不复存在。张弓系列中，36～37元／瓶的内部酒在市场上还有一定的走量，但不是很大；林河基本已经退出了市场。在河南的地产酒中，宋河在商丘市场的表现一般，跃然在当地已经运作了很长时间，但市场一直没有出现所期待的热销局面，只是其低档产品-4元／瓶的鹿邑大曲和7元／瓶的宋河特曲在当地市场还差强人意，占据着一定的市场份额。在外来酒中，当首推来自东北的黑土地。黑土地是一年多前开始运作当地市场，从去年中秋节过后，市场发展态势迅猛，呈现出一片热销的局面，如今该品牌是商丘市场上最为流行的白酒品牌之一。黑土地火爆商后市场，其赠品打火机的作用功不可没，虽然现在许多的白酒都在用打火机来做赠品，但效果都没有黑土地明显，主要是黑土地所用的打火机式祥繁多，工艺精美，与其他一些普通赠品打火机相比新颖奇特，不落俗套，更能吸引消费者的眼球，有一部分消费者之所以选择黑土地就是看上了它的精美赠品。除了打火机促销之外，黑土地还加大了终端的投入力度，其兑奖促销力度很大，有盒盖和瓶盖兑奖2种，其中，90元／件(1X6)的三年陈黑土地每个盒盖可以兑换5元现金；而150元／件(1X6)的五年陈黑土地兑奖力度更大，除了每个盒盖可以兑换10元现金外，每个瓶盖上还有刮奖，消费者可以现场兑换1元、2元、5元、10元不等的现金。如此大力度的促销吸引了众多的消费者纷纷品尝，无论在酒店还是商超都呈现出火爆的局面，尤其是三年陈、五年陈黑土地两款产品走量很大。除了黑土地，来自东北的3元／瓶的巷子酒和来自北京的5元～7元／瓶的二锅头在低档市场也有不错的走量。商丘的白酒市场，品牌流行性比较厉害，前两年，仰韶酒和绵竹酒在当地低档市场占据了很大的市场份额，尤其是前年，两种酒市场走势良好，去年还勉强可以，但如今基本已经在市场上销声匿迹了。另外，据经销商反映，由于受到假酒和窜货的影响，前两年销售状况颇佳的川酒金六福近来市场已出现下滑，只是在商超还占有一部分市场。

商丘白酒市场，近些年的变化很大，过去人们有着较深的地产情结，对外来酒有较深的抵触情绪，但随着地产酒在市场上的日渐惨淡，市场开放了很多，人们开始逐渐的认可外来品牌。在当地，品牌的流行性比较厉害，产品的生命周期普遍较短，一般顶多能够支撑2～3年的时间。当地白酒的消费水平不是很高，在白酒消费中，受外力尤其是促销的影响比较大。喝酒的主流度数过去以38度低度酒为主，但这两年有所提高，喝42度～50度高度酒的人逐渐多起来。其中，浓香型最受人们的欢迎，清香有一部分市场，但不是很大，酱香型白酒基本没有人喝。

拓市建议：从以上市场分析我们不难发现，商丘的白酒市场有很大的机遇，对于欲开拓当地市场的白酒品牌来说，除了酒质优良以外，还要价位适中，因为当地的白酒消费水平不是很高，因此产品的主打品牌价位应该在15～25元之间。另外，开拓市场的初期应加大对市场的投入，除了广告宣传以外，还应该加大促销的力度，以便调动人们消费的积极性。最后，开拓市场时，应选择一个或两个有实力、网络健全并能够一心一意做市场的经销商，利用他的资源开拓市场，这样相对比较容易一些。

安阳：

安阳白酒市场，用当地经销商的一句话就是“假酒太多，品牌混乱”。目前市面上的白酒品牌林立，缺乏领军品牌，在销售方面没有突出的产品。造成这种局面有着深层次的历史原因。据经销商反映，1999年以前古井贡在当地卖的相当火爆，人们对于古井贡这一品牌的热衷度是很高的。当时的地产酒如仰韶、宝丰卖的也相当不错。一种品牌销售火爆听时候正是假酒泛滥的时候，随着古井销量的不断提高，假古井的现象，最后无论古井卖得贵还是便宜人们都不再买了。开始四特在酒盒里设置美元或港币的奖金，吸引人们的注意，在广告和营销方面积极拓展市场。一时间出现了四特风暴，2001年四特在当地的销量达到了1亿元，是近些年安阳白酒市场中最成功的一例。与此同时东北的黑土地在当地的销量有佳绩，但只火了一年，没有四特这样坚挺。然而，四特也没逃离假酒的冲击，2004年以来大量的假四特充斥了市场；另一方面当地人四年时间了也想换换口味。在这样的双重压力下四特销量急剧下降，现在已经大大不如从前了。

据调查，现在安阳的白酒市场上什么酒卖得都行，但没有哪个卖得特别好。就目前的销售情况和当地白酒的消费群体而言，泸州系列酒的还不错，如80元／件的泸州醇香和200元／件的特制醇香。但是在去年的中秋节后销量也大量下滑，由于当地的泸州酒很多是外地买的品牌，如泸州醇香就是由山东德州的一个经销商买断的。这些买断经销商不注重对市场的维护，同时还有小酒厂假酒的冲击，导致了泸州系列销量的下降。而假泸州的利润空间非常大，所以有的经销商更原意介绍假的泸州系列。另外，泸州系列酒中假酒充斥，因当地的白酒消费者热衷于带有“泸州”字样的酒，所以真的泸州系列酒受到了较大冲击。不少经销商打算更换品牌。其中有些经销商想代理杜康，另外也有想代理宋河的，这也都是因为这两种酒在当地的知名度较高，由此可见当地人对名牌白酒的热衷度很高。

根据做酒店和超市的经销商反映，安阳酒店和超市的押款现象很普遍也很严重，大多数酒店和超市把白酒的款项大部分用于自己的店面维护上。有的酒店压款1万多元，到还款时才结500元。在酒店的进店费上一般最多5000元左右；超市方面除个别的如卫亏待增需要交纳3000～4000元的商品保证金外其他的超市进场费为500元，但在超市中其他名目繁多的收费诸如条码费、专柜费以及促销费用等很多，给很多白酒品牌的进入带来了一定的困难。

拓市建议：安阳的白酒市场是期待整合和调整的市场。人们对于川酒偏爱有加。在进入该市场时经销商应该做好以下工作：其一，推出自己品牌特有的口感同时不断开发和研制新品种和新口感以满足白酒消费者对白酒口感不断变化的需求；其二，大力开发市场，通过广告、促销活动使人们认可自己的品牌，形成名牌效应；其三，要在技术上保护好产品，做好防伪商标，同时还要利用法律的武器加大打假力度，维护好品牌形象。只有做到以上三点，才能在安阳的白酒市场做大做强。

【打江山易 守江山难——河南地级城市白酒市场入市参考之二】

提示：本期入市先锋调查的是河南洛阳、新乡、许昌三个地级城市的白酒市场。通过调查发现，几个城市的白酒品牌更迭比较厉害，一个品牌进入市场并不难，但打开市场后，要想维护好市场，使自己 产品能够在激烈的竞争中长久保持活力，却不是很容易的事情，正如一位经销商所说，打江山容易，守江山难。对于欲开拓这些市场的白酒品牌来说，不要以为打开当地市场就万事大吉了，更重要的是如何做好后期市场的维护，使自己的品牌长盛不衰。对此，厂家和经销商应有清醒的认识。

市场动态与机会分析

洛阳：洛阳的白酒市场品牌众多，产品间的竞争格外激烈。在高档白酒市场，除了传统茅五剑之外，金、银剑南和地产酒杜康也有不错的表现。金银剑在当地已经运作了多年，市场表现颇佳。进入市场之初，由厂家来直接运作当地市场，对市场的投入力度很大，金银剑南凭借良好的酒质及品牌优势，很快打开了市场。随着品牌在当地市场的不断成熟，厂家由原先的自己直接运作逐步转为经销商和厂家共同运作，继续保持了品牌在市场上的持续、稳定发展。杜康作为地产酒，在当地市场有着不可替代的作用，据当地经销商说，杜康在洛阳市一年的销售额大概在2～3亿元，其中，伊川杜康推出的220～230元/瓶的财富杜康在当地酒店、名烟名酒店走势良好。另外永盛烧坊在当地已经运作一年多的时间，凭借泸州老窖的品牌优势以及大力度的广告支持，在市场上也打拼出了自己的一块儿天地。

在中低档白酒市场，诗仙太白的表现比较突出，该品牌去年开始进入洛阳市场，为了顺利打开局面，诗仙太白除了大力度的广告宣传外，不采取了大力度的促销手段，盒盖兑奖的奖品设置很是诱人，有数码相机、自行车，也有数额不等的现金，吸引了消费者的眼球。另外，诗仙太白在酒店的开瓶费很高，其中诗仙太白将军酒在酒店的开瓶费达到了120元；诗 仙太白花瓷瓶在酒店的开瓶费也达到了50元，如此大力度的投入，充分调动了酒店促销人员的积极性，使得诗仙太白在短时间内销量有了较大提高。不过，也有经销商反映，当前该品牌市场并不稳固，主要是市场的监管不是很到位，厂家的投入并没有完全用到市场开拓上，另外，经销商的频繁更换也对品牌的发展不利。除了诗仙太白，河套在当地市场也是一个不容忽视的品牌。河套老窖2002年开始进入当地市场打基础，2003年开始积极开拓当地市场，并于当年开始逐渐成熟，2004年进入成熟期，在当地市场销售状况一路看好，凭借良好的酒质以及适中的价位受到了大众消费者的欢迎，火爆一时。但今年该品牌已经出现了下滑的趋势，据说主要是由于在产品的转换时没有及时进行营销手段的创新，依然走老路子，靠一些打火机、返利卡等来做市场，没有能够有效调动经销商和消费者的积极性。另外，在低档酒中，来自新疆的平安酒走势不错，除了名字传达了一种美好的祝愿，让消费者比较原意从心理接受以外，适中的价位也是它受欢迎的一个重要原因。在市场上，15元/瓶左右的平安酒和21元/瓶左右的平安酒受到了普通大众的欢迎。

由于受经济发展水平的限制，洛阳的白酒消费水平一般，15～20元是大众消费的主流价位，浓香型是最符合人们口味的香型。近些年，当地消费者在白酒消费中变得越来越理性，不再像过去那样受广告和的影响，盲目跟风，而是更加注重酒的质量了。人们去酒店喜欢自带酒水。当地商超的进场费不是很高，但酒店进店费比较高，酒店买断费用在4～5万元，生意兴隆的大酒店的买断费用能达到20元左右。

拓市建议：洛阳市场品牌众多、竞争激烈的状况给外来品牌的进入带来了一定的困难，但对于欲开拓当地市场的产品来说，也并不是没有机会。要进入当地市场，首先应对当地的白酒消费水平和特点有一个清楚的认识，然后开发一些适销对路的产品。另外，开拓市场的初期，应加大对市场投入力度，通过对经销商和终端的大力投入来敲开市场的厦门。最后，在运作市场的过程中，营销方式应具有灵活性，不应拘泥于一种形式，而应根据市场的变化随时调整自己的营销策略，只有这样才能使自己的品牌在市场上长久保持活力，立于不败之地。

新乡：新乡是一个中等城市，当地消费者对浓香型白酒情有独钟。经济的发展程度以及当地白酒消费者的消费偏爱直接影响着各种白酒品牌在当地市场的销售情况。根据调查，当地高档品牌中新版五粮液独树一帜，销量在名酒中最大。它较高的品牌知名度以及良好的民为了当地礼品市场和高档宴请的首选品牌。剑南春的销量仅次于五粮液，其中终端售价160元/瓶的52度剑南春在当地的高档白酒市场上有着不可替代的作用。水井坊、国窖。1573在当地市场表现平平，主要是它们超高的价位与当地白酒消费水平有较大的差距。

限于这个城市的经济发展水平，当地销量最大的要属20～20元的中档白酒了。其中最具代表性的品牌就是洋河大曲。该品牌经过多年的运作，在当地市场打下了扎实的基础，再加上不断更换包装，从视觉角度吸引消费者的眼球。近两年，该品牌加大了公交、户外等广告的投放，无论是从品牌的知名度还适中的价位以及口感，洋河都满足了当地白酒消费者消费需求，迎合了消费者的消费心理，使得洋河大曲在新乡这样一个中等城市取得了不错的销售业绩，25元／瓶的42度蓝瓶洋河在当地销售火爆。但同时洋河在全面铺开的同时也面临着假酒的威胁，目前来看虽然不是很明显但仍需防患于未然。地产酒在新乡的市场份额约占20%，其中销量较好的品牌是50元/瓶左右的铁盒宋河粮液和批发价为380元/件(1X6)的水晶宋河。宋河在新乡一年的销售这2000万元以上，在当地的白酒市场上具有举足轻重的作用，但也有经销商反映，最近宋河整体出现了下滑趋势，所说主要是由于宋河对当地经销商管理不到位、打假和对分销渠道细化的指导力度不够造成的。

最近几年，由于洋河在当地市场的全面开花，致使原本销量较好的全兴大曲出现下滑。全兴大曲在当地市场的品牌比较单一，长期以来只有145元／件的38度精制全兴大曲，最近才推出八年陈全兴大曲。此外假酒对全兴的冲击也是相当大的，全兴的假酒在当地市场屡禁不止。

另据经销商反映，口子窖在当地市场已经很长时间了，厂家和代理都很重视新力，但销量一直没有什么大的起色，一些经销商认为，主要是由于口子窖不适当地人的口感，也有部分经销商认为口子窖在当地的政策不稳。

*拓市建议：*根据调查的结果显示，成为当地白酒市场的主导力量取决于如何更好迎合消费大众对品质的要求。因此，建议进入该市场时首先要考虑到当地人们喜爱喝浓香型的白酒。其次还要注意到人们对价格的接受程度一般在20～30元的中低档白酒。最后在市场运作和技巧上，一方面大力的宣传广告必不可少，另一方面在包装上下下功夫也不失为一个好办法。

许昌：许昌白酒市场上，白酒消费越来越趋于品牌化了，小酒厂生产的杂牌逐渐被人们所淡忘。在高档白酒市场中与其他城市五粮液称霸的局面有所不同，290元／瓶的53度茅台在当地销量很大，究其原因是当地的五粮液假酒较多。在浓香型消费主导的许昌市场，酱香型的茅台也有着其固定的消费群体。

在中低档白酒市场，古井从九十年代初开始称雄，一直到2003年，其中最为火爆的就是零售价为25元／瓶的45度红盒古井贡。2003年后四特凭借其强大的广告攻势以及港币和美元的促销赢得了大众的认可，10元／瓶的白瓷瓶四特销售最为火爆。2004年以后随着四特经销商的变更等因素，其销量开始下滑，这时宋河粮液趁要崛起，通过大量的广告和促销占领了大部分市场。宋河作为知名品牌，又是河南本地酒，人们从感情上和口感上都它偏爱有加，在市场上，零售25元／瓶46度的红盒、黄盒宋河粮液和50元／瓶的46度铁盒宋河粮液表现最为突出。

据记者调查，有的经销商认为下一步双沟大曲要在许昌市场兴起。最近两三年，双沟在当地市场的销量稳步上升，其25元～30元／瓶46度的铁盒双沟大曲和10元／瓶左右的双沟贡在当地的市场表现令人看好。由于双沟本身是全国知名品牌，这样迎合了当地人喜爱名牌的消费心理，同时在价位上也符合当地人们的消费水平。

当地经销商反映，酒店的终端销售作用要远远大于商超，尽管当地酒店的压款现象比较严重，但由于酒店的利润空间大，尤其是新品牌新产品的推广，在启动市场时酒店的作用是非常巨大的。当地主要的大型酒店有许昌迎宾馆、桃园国际大酒店等。进店费多数取决于经销商与酒店的客情关系，不过对外一般的酒店都在5000～8000元不等。

*拓市建议：*许昌的白酒市场处在变化的边缘，下一个庄家究竟是谁，经销商们都在根据自己的经验大胆预测。由于当地人们的白酒消费越来越趋于品牌化，故欲拓展此市场，应和促销上下大力，打造品牌知名度，树立品牌形象构建营销网络。在价格的定位上也要适应当地人们的消费心理，口味上迎合当地白酒消费者的需求。

【信阳猛虎拦截　南焦阳关大道——河南地级城市白酒市场入市参考之三】

市场动态与机会分析

信阳：金谷春“金牌不倒”

经销商介绍说，金谷春是当地一家酒厂和五粮液酒厂的“联营产品”。当地这家酒厂是政府重点扶持的企业，因此在市场上的优势非常明显，餐饮、流通等各种渠道都有很大的政策支持。并且金谷春作为当地政府招待指定用酒，“大会小会都喝”，对其他消费场合产生了很大的影响力。这是金谷春能多年雄据信阳的最主要原因。金谷春销量好的高档产品是70多元和100多元的，中低档产品以20元为主(该系列在乡镇市场也有很大走量)。在市区里，金谷春42度，价位40多元的中档酒销量最大。尽管金谷春是当地政策支持的品牌，消费基础较好，但该酒在终端营销上的力度一直没有减小，其中现金促销是很多商家提到的，比如5元、10元、20元比较常见。由于金谷春较大的支持和对终端促销的强大力度，预计该品牌在今后几年内不会有大的变化，这将成为新品遇到的最大阻力。

白云边在今年也将成为吸引市场眼球的一个品牌。虽然白云边从去年下半年才正式开始进入信阳，但市场力度并不小。满大街的宣传广告显得该品牌来势不凡，铺货速度之快为其迅速打开餐饮渠道奠定了基础。对酒店的精耕运作被人所称道。进入酒店后白云边上了大量的促销小姐，直接向消费者推销，并不是像现在比较流行的“服务员推销”。这些促销员不仅自身形象好，而且对产品知识的掌握和推销能力都很强。这成了白云边在酒店终端的一个明显优势。同时商家反映白云给消费者兑奖力度也很大。很多商家认为，白云边能否在信阳市场操作，不过还没有看见明显的市场动作。低档市场上同，枝江经过两年的运作后上升势头比较明显。据商家反映，枝江促销品、现金促销比较常见。老品牌绵竹大曲和沱牌依然在低档市场比较强势，相对来说沱牌略占上风。不过这两大品牌利润空间太小 是很多商家经常提到的。

拓市建议：金谷春在短期内的地位不可撼动。但中低档市场是金谷春的一个软肋。作为政府指定招待用酒，品牌形象将是金谷春下一步打造的重点，因此对低档酒的支持力度不太大。新品可以将10～20元之间的品种作为主推系列。同时，有奖促销是信阳市场屡试不爽的方法，无论高中低档都是如此。这一点应该引起新品的重视。

南阳：黑土地雄风已去

去年至今，南阳市场最引人关注的是黑土地。黑土地去年五月份进入南阳以后，重点打造三年陈、五年陈、十年陈。刚开始铺货时，给酒店的政策是"卖一箱赠一箱"，有效激发了酒店的积极性。在酒店，黑土地依然采用打火机等各种促销品来吸引消费者，并且黑土地促销品花样多、质量好是它的最大优势。由于黑土地走的都是大众消费的产品，很容易上量，加之市场上没有特别突出的品牌，因此很快形成了旺销态势。同时，黑土地市场成熟时及时推出了"多点幸福"(25元/瓶)、非常东北(38元/瓶)、真东北(98元/瓶)等系列，其中"非常东北"已经通过了"国家绿色食品"认证。此时黑土地在南阳的主要媒体上也加强了信誉和新品的宣传力度。但最终也没有逃过它"惯有"的命运。今年春交会过后，黑土地下滑迹象明显。据经销商反映说，其下滑的主要原因是假货的猖狂、价格的透明。酒店是黑土地的主要渠道，但酒店旺销以后虽然流通还没有重点做，许多批发市场和小店就已经充斥了很多低价的冒牌黑土地，不仅影响了黑土地的销量，而且还将黑土地的价格拉下了水。而这也反映了黑土地对市场的管控力度不严。很多商家反映，按照黑土地的惯有思路和当前南阳的情况，黑土地在南阳雄风已去将成定局。

与黑土地当前的走势有相似之处的是四特，只不过四特坚持的时间比较长。四特从2001年开始操作南阳并取得成功，2003年达到了顶峰。但是从2004年至今一直比较低迷。前段时间我刊报道了四特在河南遇到的厂商矛盾等诸多挫折也许是主要原因。近期四特在河南重新招商运作，此举能否改变其在南阳乃至河南的命运值得期待。

黑土地的下滑和四特的萎靡不振并没有市场显得萧条，相反倒更加热闹。首先是板城烧的宣传力度明显加大，车体、户外、店招、条幅等相当惹眼。促销方式采用了"喝板城烧赠避暑山庄游"活动。其次，安徽的土老帽酒开始发力。土老帽进入南阳后，采用地方戏曲文艺表演、车体广告、气模广告、宣传车彩旗、条幅、高音喇叭等不间断宣传，并在夜市上举行免费品尝活动。这些措施不仅有效扩大了土老帽的影响力和认知度，而且促进了销售，为今年旺季打下了良好的基础。再次是衡水老白干也进入南阳，准备"大干一番"。原来市场一般的丰谷也将卷土重来，宋河的共赢天下也要重点打造，取得了商标权的伊川杜康也不甘示弱。看来今年的南阳又将是一场肉搏战。这种情况给新品造成的压力可想而知。

拓市建议：南阳人口众多，是一个很有潜力的市场。但是该地消费者喜欢接受知名度较高的品牌，陌生品牌拓市难度较大。可以从周围县级市场做起，进而影响市区消费者。虽然黑土地和四特的逐渐衰退会给市场带来一些机会，但上面提到诸多强势品牌注定今年的竞争会更加激烈。我们注意到，南阳买断酒店的现象还不多(其他地方已经比较普遍)，因此在众品牌的兑中采用这种方式获胜的希望可能大些，但需要有强大的资金实力。此外，浓香型的茅台迎宾酒茅台一下子酒的消费群体明显增大，因些这类香型的白酒市场会更广。

焦作：群龙无首

焦作市场可以用"群龙无首"来形容、前两年丰谷销售最火，但由于市场的逐渐成熟以及产品更新慢、市场管理力度减小等原因，当年丰谷的利润空间减小了不少，价格体系有些不稳。

虽然市场上还有许多品牌，但形成强劲销售态势却很少见。不过老名酒倒开始受到了消费者的青睐。从今年春节开始，泸州老窖、汾酒等品牌的销售要明显好于往年。汾酒春节期间还趁机扒了一把，在商超、酒店搞了一些促销活动。部分商家认为老名酒很可能成为焦作市场上的亮点。除了老名酒以外，其他有影响力的品牌也将有大的作为。在焦作运作了四五年的口子窖一直对酒店精耕细作着，近期在酒店的力度也明显增大，比如开瓶费，各式各样的促销品在酒店的显眼位置，吸引了不少消费者。做了几年但一直不温不火的宋河也明显加大了宣传力度，电视、报纸广告时常露面，店招也做了不少。也许以上提到的几个品牌将是焦作白酒市场冠军的最佳侯选品牌。

拓市建议：也许群龙无首正是新品介入向崛起的最好电动机。除了没有强势品牌以外，缺乏地产品牌也是焦作给新品的一个最大机会。因为一般地方品牌不仅销量大，而且地方保护严重，这尤其不利于外地品牌的成长。

此外，焦作有著名的云台山旅游风景区。当前焦作正在大力发展旅游业，创建旅游文明城市，随之酒店餐饮业开始火爆起来，许多老的建筑都改成了酒店等服务场所，比如连锁酒店明显增多，新建的步行街上也酒店林立。这无疑给白酒提供了更多的机会。

【新品崛起需要——突破名酒藩篱——河南地级城市白酒市场入市参考之四】

濮阳：冠军品牌留下的市场空当。

当前，濮阳市场最明显的一个特点是：汾酒上升势头明显，已成为当地的主流品牌。经销商介绍说，去年开始汾酒销量明显上升。不过从营销方面来看，汾酒并没有太大举动。广告宣传、促销等常用拓市方法很少见。"汾酒是喝出来的，质量过硬晚，口感颇佳"，这是不少经销商比较认同的观点。据记者掌握的情况，现在濮阳做汾酒的经销商有两家，其中一家做得较早。该经销商王艰来自山西太原。据了解，汾酒在1998年之前在濮阳销售很好，后来受山西假酒事件影响汾酒在濮阳市场一度销声匿迹。王艰于2002年来到濮阳开酒店，顺便从山西带来了一些汾酒产品在自己的酒店里销售，结果很受欢迎。后来他在请客送礼等社会交往中也都用汾酒，"汾酒又回来了"就这样逐渐被濮阳这个并不算大的城市认可了。2003年，汾酒厂家与王艰正式签订了销售协议。汾酒开始在酒店、商超等渠道大面积铺货。也许这是汾酒做起来的主要原因。据王艰经理介绍，截至今年上半年，他代理的汾酒在濮阳的销售额达到了500多万，加上窜货和其他商家的产品销售额，估计能达到800万元。除了王艰经理代理的汾酒以外，另一家也代理着汾酒厂家的产品，不过市场力度并没有显出。从这两家代理商代理的产品来看，汾酒主要是在40元以上的价位中销量较好。

除了汾酒这个最强势的品牌以外，口子窖和黑土地也值得关注。这两个品牌都是以中低档产品为主，流通渠道最具优势。如黑土地主推的精品60元一件，三年陈80多一件。黑土地针对渠道也开展了一些激励措施，精品系列进十件送一件，提高了批发商的积极性。不过很多商家反映口子窖有下滑迹象，黑土地也达到了一个顶峰，受假酒冲击是黑土地的惯有特点，估计其生命力也不会太强。从这一点来看濮阳还是有一定市场机会的。

新品方面，来自贵州的毕节大曲开始在中低档市场铺货，广告宣传也时常可以看到，票汇和赖永初酒的经销商也刚刚敲定，准备强力运作，看来濮阳的白酒市场不久会有新的看点。

拓市建议：可以看出，虽然汾酒目前比较强势，但其主流消费价格均是中档以上的产品，主要销售渠道在餐饮。因此中低档市场还是有一定机会的，知情人士介绍，10～30元价位的销量其实还是最大的。此外，由于濮阳有很大数量的油田消费群体，这部分人不仅消费量大，而且消费水平较高，应引起注意。如“油田人家”酒就在濮阳取得了不小的战绩。最后，濮阳市名烟名酒店较多，如何利用这个特殊渠道将市场打开值得思考。

平顶山：宝丰独当一面，丰谷、宋河成潜在“杀手”。

宝丰作为平顶山的一个地产品牌，酒厂距市区仅几十公里。良好的区位优势成了宝丰占据平顶山市场的法宝。多年以来，宝丰在当地一直保持了领先姿态。据资料显示，宝丰去年销售收入共计1.2个亿，其中仅平顶山就贡献了7000多万。目前，宝丰在30～80多元的价位上销量最大，尤其是39度清香型产品。100元以上的产品在大酒店中也占有一定份额。由于宝丰良好的市场基础，中档市场差不多已被垄断。但当前宝丰除了自身区位等优势以外，以市场的激励措施并没有。虽然健力宝事件频发，但并没有给它在当地市场的销量带来太大影响。一个宝丰经销商告诉记者，宝丰在当地忆形成自然走量的状态，资金周转应该不是问题，影响的可能是其外埠市场的开拓和高档产品的推广。

除了宝丰以外，丰谷和宋河也应当引起新品的高度关注。丰谷进入该地市场已久，部分固定消费群体已经形成。不过，丰谷在中高档产品的推广上不是特别理想，目前主销的是中低价位的产品，如50多元一件的丰谷系列。丰谷对平顶山的攻势一直没有减小，虽然近期属于白酒淡季，但在气温不断跳高的情况下，丰谷针对渠道商进1.5万元的货送空调的奖励措施的确收到了一定效果。宋河则主要靠郑州等市场的影响力来扩大市场面，同时广告的密度也在不断加大。丰谷和宋河的力度不断加强无疑将成为新品的杀手。一个经销商告诉记者，能够在平顶山做成功的品牌几率很小，主要是丰谷、宋河等强势品牌的不断打压。

拓市建议：宝丰的市场虽然成熟，但利润空间不断减小，经销商信心开始，这将成为新品有效介入的有利机会，依靠给经销商足够大的利润支持显得尤为重要。当然，这种经销商必须在当地有较大的影响力。但总体来看新品成长的阻力还是比较大的。

驻马店：“铁宋河”来势凶猛，名牌酒将成气候。

宋河的“铁老大”开始热销了。一个经销商告诉记者，当地市场主流品牌虽不太明显，但铁盒装宋河的逐渐俏销开始引起了人们的关注。宋河的铁盒装产品批价约为200元一件，在酒店、商超等渠道销售很好。经销商告诉记者，铁盒宋河受欢迎的关键是其外包装的一次性撕毁，有效杜绝了假酒的出现。同时宋河的酒盒中也都有打等各种精致小礼品，很受年轻消费者的喜爱。据了解，宋河在当地的经销商开设了专卖店，不仅提升了宋河形象，而且也相当于一个配送中心。该经销商将下面的业务员分成酒店、流通等几个队伍，各负其责，主要是做好及时兑奖和兑开瓶费的工作，加强了对终端的服务。不过铁盒宋河在驻马店热销以后也出现了窜货等不良现象。

与宋河不断上升相对应的是四特市场的不断萎缩。四特在当地已有多年的消费基础，不过今年市场萎缩的迹象已很明显。四特的萎缩可能会另新品有些惊喜。其实，宋河的不断上升也与其影响力不断扩大有关系。驻马店的消费者对知名度较高的产品很容易接受。比如，泸州老窖多年来在当地一直保持着比较稳定的销量，今年市场又有抬头之势。当地知名商家分析认为，今后名牌产品在中档以上的市场会越来越大，成为市场主流，但低档市场杂牌军在一定时期内还会唱主角。

拓市建议：从消费趋势来看，名牌产品或名酒厂的开发产品拓市难度会有所减小，但也不要过于乐观，竞争形势肯定会日加严峻。在消费特点上，虽然当地经济水平并不高，但白酒消费档次却很高，销量也相当大。一个经销商告诉我们，当地酒店的消费档次绝不亚于省会郑州。因此，开发餐饮市场时，在档次上可以更加大胆一些。

豫酒：宋河远征

宋河是河南酒业中第一个成功复兴的品牌，也是第一个大张旗鼓向外扩张的品牌。几年前我们曾提出，品牌的区域化发展是白酒业的主要发展模式，但是最近两年，越来越多的区域强势品牌成长起来后开始谋求向外拓展。在这方面，宋河无疑是个极好的样本：在奠定河南白酒市场领导品牌的地位后，宋河开始向省外拓展。

布局

从2004年开始，宋河已经有意识地向外走了。2004年宋河在河北、山东、江苏以及福建等省的部分区域开始拓展。2005年，宋河明确了省外市场的布局，确定了四个重点市场，包括河北、湖南、山东以及江苏，这四个市场和河南省一起，被列为宋河的五大重点市场。其中，河北和湖南是省外市场的重中之重，宋河有全面的市场规划。而山东和江苏只是派出人员主动招商，以区域市场为主，建设网络。

河北和湖南之所以被列为重点，主要原因是，在宋河历史上，这两个地方的市场基础比较好，消费者对宋河还有一定的印象。当然，宋河还有战略上的考虑，选择邻近的河北主要是为了辐射京津，而跳过湖北选择湖南，也是为了辐射两广、江西这些南方市场，当然，也能辐射湖北市场。在这两个省，宋河都是全面开花，在省电视台都有电视广告投入，另外促销投入也比较大。而山东和江苏在广告宣传上投入较小，市场开拓先以区域市场开始。山东选择了近邻河南的鲁西南地区，包括菏泽、聊城、泰安、德州以及莱芜这些地市；江苏则是从中部的扬州开始拓展，宋河希望以扬州为纽带向南北辐射，目前江苏市场除了南京、无锡、镇江和苏州等市场外，宋河均有操作。另外，在天津和北京，宋河也有所动作。天津市区的多数超市宋河都有铺货。在北京，宋河从10月份开始进入不少超市，伴有人员促销，在一些超市还投放了液晶电视广告。

在向外拓展之初，宋河给自己的定位是“名酒里的中档产品”，要有百元价位的上量产品。在产品策略上，可以看出宋河希望重点突出“宋河”品牌，并没有一个很核心的主导产品。日前宋河在省外的产品可以分为粮液和系列酒两大类。粮液包括金卡（餐饮供价35元以上）、精品（餐饮价格在100元以上）、玉玺和鼎级等几个品种；系列酒包括陈酿、烧坊、陈酒、福酒以及特曲等。在河北一些地方，为了保障经销商的利润空间，宋河还在区域市场推出了专销的系列酒，比如针对石家庄推出了幸运星、在保定和张家口推出了老窖系列，在唐山推出了珍品等。目前，在宋河的产品线中，粮液定位在中高档，重点投放餐饮终端，零售价最低应该在30元以上；而系列酒档次较低，流通走量较多，价格多在50元以下。

河北地位凸显

老实说，过去的一年，宋河在省外市场收获并不是很大。湖南还没有产生亮点市场，2005年主要是做了招商一类的基础工作。另外，在长沙的餐饮终端，宋河的投入较大，但是进展缓慢。2006年宋河准备加大在湖南的宣传力度，并且选择2～3个地市做样板。在山东的目标市场上，目前在菏泽和聊城这两个地区宋河有一定的量，但产品价格上不去，低档产品比例较大。在江苏，宋河已经在扬州和泰州小有成就。不过山东和江苏两个省的销售额合计应该不会超过3000万元(2005年)。

较之于上述三省，河北业绩尚算不错。有人透露，宋河在河北的销售额将近3000万元，“2006年突破5000万元不在话下”。据了解，由于起步较早，保定和唐山目前形势良好，销量较大，为宋河河北分公司贡献了大部分销售额，而邢台目前也能看出已经进入良性循环期，明年起量应该不成问题。在省会石家庄市场，尽管在市区做得不是很理想，但在正定、辛集、赵县和无极这些县城，宋河还是引人注目的。

宋河能在河北有所收获，由多种因素决定。首先，河北的网络建设比较好，80%的地市都有经销商运作。其次，近邻河南，在通路上有优势，市场响应比较快。另外，在河北影视频道高频次的电视广告对市场拉动作用较大，尤其是对流通市场的拉动。

正是由于看好河北市场，宋河准备2006年加大对河北的投入。在宣传上，除了目前的电视广告外，宋河还准备投入车体、户外以及高速路牌广告。另外，宋河还准备上调产品结构，加大对省会的投入。

不过从调整产品结构和加大对省会市场投入可以看出宋河在河北市场的缺陷。首先是河北市场的产品结构偏低。流通价格126元／件的宋河烧坊比例较高，而粮液也多集中在30～40元的低端产品上。价位偏低主要是终端没有做起来，带动不了流通。高空的电视广告只能拉动一些低端产品走量。另外，作为河北市场的桥头堡——石家庄，宋河建树不大。由于调整产品度数，宋河在石家庄市区就先慢了一拍；接着8月份东北第四宝的半路杀出，又遏制了宋河在终端的拓展。

价格定位急待确定

2005年是宋河在省外市场第一次正式大规模亮相，在这次亮相中暴露出了不少问题。

首先，从目标市场的选择来看，宋河不免有贪大求全之嫌。宋河在省外一下子选择了4个省来操作，虽然2005年山东和江苏操作了部分区域市场，但是今年宋河准备扩大区域，尽量覆盖全省。这样的大撒网，宋河到底有多少财力和人力投放市场呢？再说，这样做，难免会顾此失彼。从区域强势品牌向外扩张来看，他们都有一个共性，即在自己的强势区域内市场总是呈现“面”状，比如宋河在河南、板城在河北。但是在强势区域外，这些品牌通常呈现出“点”状。在这种情况下，宋河这样大撒网值得思索。

其次，从这四个重点市场来看，无论是区域市场的选择还是产品结构，宋河都没有占领制高点。湖南刚开始起步，姑且不论。河北虽然有一定的量，但省会没有打好基础，产品结构偏低。在山东，济南只是北京经销商在运作，宋河把重心放在了消费能力偏低的鲁西南。在江苏，宋河也放弃了发达的苏南市场，包括省会南京。省会作为核心市场，宋河要么没有做好，要么放弃了。宋河想要走农村包围城市的路子吗？

从产品线来看，粮液和系列酒这样的产品分类尽管看起来较为清晰，但是由于终端工作尚没有打好基础，核心市场也没有树立起品牌形象，其结果必然导致低端的系列酒走量大、中高档的粮液难以上量。其实凭着宋河在央视以及省台的电视广告，肯定能拉动低端产品的走量，但是这个结果并不值得宋河期待。宋河目前的广告诉求是“分享宋河、共赢天下”。这对“宋河”品牌来说，是个很不错的诉求。如果把这个广告放在河南省倒是很符合宋河的市场现状，在河南，宋河是高中低档通吃。但在省外还用这个广告，笔者以为这并不利于宋河的品牌定位，无助于“粮液”这个中高档产品线的推广。其结果必然是挂着“宋河”招牌的低档系列酒走量。所以开拓省外，还不如用原来“宋河粮液，值得分享”的广告语。对于宋河来说，走向全国市场，首先要有一个明确的价格定位。这种定位应该符合宋河的长期规划，符合宋河的品牌形象，符合宋河的名酒身份，而不是服从于短期的市场。

另外，包装也是反映较多的问题。有不少受访者认为，较之于产品价格，宋河的包装档次偏低，也就是说，单从包装来看，宋河的定价偏高。比如在长沙，重点做餐饮的宋河面临的难题是：为了应对居高不下的终端运作成本，宋河加价率比较高，而价格高了，包装又显得没有竞争力。在河北，尽管烧坊给经销商的空间比较大，但有经销商认为，按照烧坊的包装，宋河的供价并不算低。山东同样有人反映宋河的包装问题，比如共赢系列，“从包装来看，并不值那个价儿”。

有人对宋河的业务人员也提出了批评。比如业务人员缺乏对区域市场整体的操作方案，尽管理论性很强；而且没有个性的营销思路。在一些区域市场上，由于宋河选择的是原来黑土地的经销商，但是相对于黑土地的人海战术（黑土地有大量的人员投入），宋河的人员支持跟不上，使得这些经销商做起来比较吃力。不过，经销商反映，宋河在市场费用的报批上还是干脆的，谈好的费用都能投入。

虽然存在着一些问题，但是宋河毕竟在省外大张旗鼓地亮相了，这首先就是一个值得肯定的勇敢动作。作为一个老名酒，宋河这次向外积极扩张无疑令人振奋，它和洋河、郎酒以及西凤等老名酒一起推动了名酒复兴浪潮的到来。同时，作为豫酒复兴的样板，宋河的扩张势必带动整个豫酒板块的走强。宋河这次远征无疑让业内充满了期待。　（高永）

【金星啤酒：柔性管理—管理新境界】

金星啤酒集团近年来保持着强劲的发展势头，在1998年以来先后新建的贵州、山西、周口、陕西分公司的基础上，2002年新建了安阳、信阳、漯河三个分公司，2003年新建了南阳和昆明两个分公司，2004年南京、成都分公司相继开工并于2005年2月份顺利投产，集团和世界第一大啤酒集团美国AB公司的战略合作正在紧张进行之中。目前集团已经成为下属14家啤酒分公司和玻璃、原料、化工等10余家配套的分公司，年啤酒生产能力150万吨，规模位居河南第一，连续四年进入全国四强的跨行业、跨地区经营的国家大一型企业，在继2001年获得钓鱼台国宾馆国宴特供酒的基础上，我们2002年又获得了“中国名牌”这一国家最高级别的质量荣誉。金星集团之所以能够保持健康、快速、高效的良好发展势头是与金星集团多年来积极推行“自我改善的柔性管理”分不开的。

一、什么是柔性管理

著名的马斯洛需求理论提出人的需求有五个层次：生理、安全、社交、尊重、自我实现，而且这五个层次是逐级渐进和同时存在的。随着人们文化素养不断提高和物质生活得到不断满足的情况下，人们的社交、尊重和自我实现的需求更加强烈，人们更加追求宽松、和谐的生活和工作氛围，更加看重成就感、尊重感、荣誉感和归属感，更加强调自我管理、自我改善和自我实现的人性化的生活和工作方式。金星啤酒集团的“自我改善的柔性管理”是以人性化管理理论为基础，从满足员工的现的五个需要层次出发，结合当前市场经济条件下的员工价值观念，整合管理各要素，为员工创造经济需求（生理、安全）及精神需求（社交、尊重、自我实现）“自我实现”的文化氛围和参与管理的“自我改善”机制，充分调动了员工积极性，增强了企业的活力和凝聚力。

自我改善的柔性管理不是放任自流，随心所欲，而是以严格规范管理为基础，以高素质的员工队伍为条件，突出员工自我管理的主体，通过顺势而人性化的管理，强化管理的应变能力。它以理性的管理思维，超越了传统的单纯制约管理模式，把刚性管理制度的强制性实施发展成为员工自觉行为准则和弹性的约束机制；把被动的事后检查考核管理方式转变成事前预防性的相互协作、互为监督的管理方式；把围绕生产的管理结构调整为适应发展的弹性管理机构；把员工在企业中自我价值的实现与企业的发展目标相融合。

二、柔性的员工管理

1、柔性管理的核心是“自我管理”

“自我管理”是员工参与管理的升华，是实现员工自我价值的有效形式，是新形势下合资企业中员工主体主人地位的具体体现。

金星啤酒集团在管理中始终，把严格管理放在首位，但在实施严格管理中，只是把它作为一种手段，而把实现员工自我管理作为一个目的。如：在质量管理中，提出的“质量是员工干出来的，不是检查人员检查出来的”的质量管理理念。在健全的质量管理制度及员工高度自觉的质量意识条件下，采用了独具了特色的质量“三确认”管理措施，使员工集制造加工者和质量检查者于一身，以质量“三确认”为基础的质量管理体系，依靠质量“三确认”和严格遵守操作规程，形成员工自我管理，自我约束的意识。

质量“三确认”的内容是：

①本工序确认上道工序的质量。即本工序作者必须对上道工序流下来的半成品进行检查和最终确认。

②确认本工序的质量。操作者必须严格按工艺要求操作。确认自己的操作过程是否符合技术要求，自己检查，确认质量合格后才能到下道工序。

③下道工序确认本工序的质量。下道工序操作者对本工序的产品质量予以确认，进入新的循环。这种质量“三确认”的方法重点强调了检查权利，明确了检查者的完全责任，避免了只挑人毛病，自己不负责任的倾向，防止了可能的漏检，有效地提高了产品质量，目前产品质量优级率达到98.2%。

质量本身是硬指标，它不依赖于事后被动的检查、管理，是靠员工自我管理的高度质量意识，依靠质量三确认从预防着手，形成人人参与事先预防的质量保证体系，发展提高了原有的质量管理模式及意识。

2、柔性管理贵在“自我改善”

“自我改善”，是一种观念，是一种精神，是“柔性”管理的灵魂。为了促使自我改善意识的形成，使员工成为改善活动的主体，公司从员工入厂开始，即进行企业文化教育，让企业精神、经营理念、价值观得到员工的充分认同。自我改善的前提是员工具备了不安于现状的问题意识和立足于岗位的改善意识。我们还开展员工行为准则教育和岗位技能教育，“创造无止境改善”的自我完善教育，“现场就是市场”的危机感教育。通过宣传教育有力地提高了员工的责任意识、团队意识、竞争意识、自我改善和发展意识。

我们的实践中总结出了自我改善的十条基本观念：

a.抛弃僵化固定的观念，摒弃经验主义和教条主义，勇于开拓和创新；b.过多地强调理由，是不求进取的表现；c.立即改正错误，是提高自身素质的必由之路；d.真正的原因，在“为什么”的反复追问中产生；e.从不可能中寻找解决问题的方法；f.只要你开动脑筋，就能打开创意的大门；g.改善的成功，来源于集体的智能和努力；h.更应重视不花大钱的改善；i.完美的追求，从点滴的改善开始；j.改善是无止境的。

这十条基本观念已成为员工自我改善的指导思想，极大地调动了员工的积极性和主动性，使员工成为改善的主体。

3.柔性管理的精髓是“爱人”

金星啤酒集团的柔性管理，是以人为本，以尊重人的价值，发挥人的才能，承认人的劳动为精髓，通过不断提高的员工高素质带来产品的高质量、生产的高次序、企业的同效益、员工的高收入为归宿的良性循环。

金星啤酒集团建设人性化的企业文化，创造“金星是我家，发展靠大家”、“金星发展我成长，金星壮大我受益”、“走进金星，走进家门”的人性化氛围；金星啤酒集团建立人性化的管理制度，如在考勤制度中没有单纯地“不准迟到”、“不准早退”的硬性规定，而是“当您由于身体不适、交通堵塞、家庭有困难，不能按时到公司时，请及时通知公司”；金星啤酒集团建立人性化的用人和激励机制，建立“能者上，平者让，庸者下”的用人机制，领导岗位一律实行公开竞聘制，每年都举行一次后备干部选拔，建立公司后备干部人才库，加强公司内部政工师、营销师、酿造师、工程师、机械师、培训师的培养和认证工作；新员工上岗后即办理“三金”保险手续，公司对产假、病假人员休假期间工资照发，并派人探望；公司不断完善后勤保障和福利待遇，累计投资3000多万元建设了40栋职工家属楼基本解决了员工的住房问题，办好公司幼儿园、医院免除了员工的后顾之忧。公司大力提倡互帮互助风尚，对困难员工进行帮扶，如公司每年都组织员工帮助农民工进行收种，对家庭困难的员工更是关心，公司领导、工会人员经常深入困难家庭了解情况，解决困难，一次公司一名员工家属患癌症前期，治病欠债数万元，已经达到无钱医治危及生命的地步，公司积极组织员工进行捐款活动，不到一周捐款5万多元，使患者得以及时医治挽回了生命。

“努力工作型”的员工必定受到公司尊重，公司每月都要评选质量先进、安全进行、销售先进单位和个人，挂流动红旗，每年都要评选“金星集团十大杰出青年”、“金星集团十大优秀女工”、“金星集团十大优秀农民工”、“金星集团十佳优秀营销人员”，对获奖者增加一级工资，并颁发证书和奖金；公司发展靠员工，公司鼓励员工为公司发展献计献策，公司各部门都设立员工意见箱，集团设立总经理信箱，鼓励员工提合理化提案，被采纳的有奖，未被采纳的也会受到鼓励。企业与劳动者共存，为员工提供舒适的工作环境，不断为员工提升更多的自我实现机会，不断提升员工的物质待遇和生活质量，不断提升员工的成就感和归属感，员工则以极大的热情关心公司的发展，立足岗位的自我改善成为公司发展的核心动力。

三、柔性分配制度的主要内容

柔性的分配制度，是适应市场经济及用工制度变革的需要，是企业人力资源管理的一个重要组成。金星啤酒集团在追求以人为本的良性循环时，把员工的高素质与高收入作为起点和汇合点，把企业效益与人本结合，在分配制度中主要表现为其较强的透明度和适应性，把它作为柔性管理的手段，用于激励员工和协调公司与员工的关系。

分配制度是一个敏感问题，最直接影响到员工的工作积极性和稳定性，关系到员工与企业的关系，是员工自我价值实现的一个直观标准。如何处理好员工与企业、长远利益与眼前效益、依附思想与雇用的关系以及个人价值观念与企业的经营理念的关系是企业生存和发展的大问题。

分配制度是公司管理的一个重要组成，金星啤酒集团在分配制度中坚持公开、公正、公平原则，在实施合同制、聘任制的用工制度中，实行基本工资、福利工资、岗位工资、绩效工资制度，前两者保证了员工的基本生活，沿袭了中国国有企业及日本企业的有关具体做法，而后者则是根据岗位标准、业绩考核而进行调整。绩效工资通过严格的业绩考核体系以奖励的形式发放，根据不同岗位实行质量奖、创新奖、安全奖、效益奖、销量奖，充分体现多劳多得的分配原则。

过去很多企业在有关工资与福利待遇方面，只做不谈，有其僵化的一面，也有其随机性，员工只有当触及具体问题时，才能从不同渠道获得一些不够完整的规定条文。由于对这方面规定缺乏了解，使员工与企业之间产生隔阂，影响了员工的积极性和忠诚度。金星啤酒集团在新员工入社培训教育中，就把公司的福利待遇、工资分配制度等规定和构成公布，把条文发给员工，使员工了解其工资的基本构成及本人在各阶段所能得的基本收入，把各岗位、各不同绩效工资的等级，合成一个虚拟的收入。同时，通过组织员工学习各岗位的工作标准及考核条例，在明确岗位职责和岗位考核方案的同时，也掌握了同岗位不同业绩的实际收入，这一公开，明确了员工自己的责、权、利及工作和发展目标，避免了员工心理的不平衡，摆正了个人与公司的眼前与长远利益，使员工对公司增长认同度，为与企业共存有了良好的开端。

公司在员工业绩评定中增加透明度，杜绝暗箱操作，使员工自我述职、部门讲评、业绩评定，都做到有章可循。在每一次业绩考核结束时，考核部门都与当事人进行交流，使其明白还有哪些不足需要不断改善，柔性运作，和谐关系，推动了员工立足岗位的不断改善。这种适应企业体制和发展，符合现代价值观念的分配制度，充分体现了“企业发展与国家和社会进步共存，经济发展与地球环境共存，企业发展与劳动者共存”的公司发展理念，将有效地调动员工的积极性，提高员工与公司的亲和力、凝聚力。

分配制度可以成为员工自我改善的推动力，但分配制度只是激励员工的一个方面，不是唯一的方式，更重要的是如何满足公司人力资源管理向更高层次发展的需要。从员工作为“经济人”的角度出发，从塑造企业和员工的价值观和精神入手，用启发和诱导的方式，最大限度地激励和释放员工的自主性、积极性和创造力，形成全员的“自我改善”精神和“创造无止境改善”的管理思想。通过塑造良好的企业文化和加强培训，使员工具有适应企业发展的自我改善意识和创新能力，为员工提供发展及实现个人价值的良好氛围和条件。

以上是金星啤酒集团“自我改善的柔性管理”在管理中的一些具体应用。在实施“自我改善的柔性管理”中，我们深深体会到：人企业的第一要素，人的因素决定了事的决定因素。企业管理就是管人理事，所谓管人，不是管束，是尊重、培养、考核、激励和制约，是自我管理的实施。企业的一切管理管理都要围绕“人”这个核心和公司自身的发展而改变。在公司的发展过程中，如何建立公司与员工的关系，是关系公司成败的关键，成事在人，败事也在于人。一个企业在自身的发展过程中，随着经营的变化，一些管理制度、方法和组织形式也要相应的发生改变，才能适应企业的发展，只有通过“创造无止境的改善”，才能增强公司在激烈市场竞争中的适应和应变能力，不断取得经营上的成功。

湖南省糖酒市场

一、省情简介

湖南位于我国东南腹地，长江中游，是连接东部沿海省与西部内陆省的桥梁地带。湖南是我国人口众多的省份之一，全省总人口6595.85万人，在全国31个省市中，仅低于河南、河北、山东、江苏、广东、四川，排名第7位。湖南又是人口密集的省份之一，平均每平方公里311人，比全国平均人口密度高1倍多。

二、市场格局

近年来，湖南省酒业不断深化改革，通过兼并联合，资产重组，为行业发展注入了新的活力。湖南目前已形成了良好的酒业格局，酒业产品的质量、数量、结构以及企业结构、经济效益等方面都发生了明显的变化。

白酒业进入新的发展时期，湖南成功集团入主湖南酒鬼酒股份有限公司，金六福集团收购邵阳酒厂，德山酒业、武陵酒业分别被洞庭水殖、金健米业两个上市公司兼并。湖南白酒行业通过一系列的兼并联合、资产重组，重新焕发了活力。

啤酒行业通过这两年的合资合作，大集团控股，生产格局正发生质的变化，湖南啤酒行业正逐步走向理性和成熟。

浙江古越龙山股份有限公司与岳阳楼台酒业公司合资建成的古越楼台酒业公司在2003年8月正式投产，年产黄酒2万吨，这标志着湖南黄酒行业将在全国争得一席之地。同时，近年来崛起的葡萄酒生产企业新天国际与湖南五江轻化集团正式宣布联手，共同成立湖南五江新天葡萄酒有限公司，布子华中地区，成为湖南境内唯一的葡萄酒生产企业。

三、知名企业

【长沙市】

长沙是总人口583万人，其中市区面积556平方公里，人口175万人。

长沙已进入全国综合经济实力一类城市行列，在全国219个地级市中排第19位。机械、电子、食品三大支柱产业，22家重点优势骨干企业和十大名牌产品正在形成、壮大。长沙高新技术产业开发区被国务院确定为国家级开发区；岳麓山大学科技园、计算机软件基地、新材料科研基地、高新技术成果转化基地已具雏形；银河百亿次计算机、远大空调在国内外颇具影响。交通发达，有京广铁路、石长铁路、长常高速公路经过。黄花国际机场已开通多条国内国际航线。内河航运便利，湘江穿城而过。形成了航空、铁路、公路、水运网络。

知名生产企业

1、中国浏阳河酒业有限公司

2、湖南华狮啤酒有限公司

3、湖南长沙白沙液酒厂

4、湖南长沙市三通酿品厂

5、湖南长沙千壶客酒业有限公司

6、湖南洞庭食品有限责任公司

7、湖南常回家食品有限公司

8、湖南长沙宾佳乐乳业有限公司

【株洲市】

株洲市位于湖南省东部。现辖醴陵市、炎陵县、茶陵县、攸县、株洲县和荷塘区、芦淞区、石峰区、天元区以及河西国家级高新技术产业开发区，总面积11272平方公里，人口365.51万人，其中市区面积542平方公里，人口74.85万人。

农产品以粮食、蔬菜、生猪、水产品为主。市区建成以重工业为主体的工业城市，拥有冶金、机械、化工、燃料、玻璃、建材、电力、电子仪表、纺织、机器制造、电力机车、机车车辆等工业。工业水平与生产能力在省内均居重要地位。是我国南方重要交通枢纽，有京广、湘黔、浙赣三条铁路干线交会，320国道、京珠高速公路经过市区。湘江全年通航。

知名生产企业

1、湖南太子奶生物科技股份有限公司

2、湖南华狮啤酒有限公司株洲分公司

【湘潭市】

湘潭市位于湖南省中部偏东地区，东接株洲，南靠衡阳，西邻娄底，北界长沙，土地总面积5015平方公里。现辖雨湖、岳塘两区，湘潭县和湘乡、韶山两市。

知名生产企业

1、湖南燕京啤酒有限公司

2、湖南韶山沁园春酒厂

【衡阳市】

衡阳市位于湖南省南部、湘江中游。东邻株洲，西接邵阳，南界郴州，北靠湘潭。土地总面积1.53万平方公里。现辖五区，衡阳、衡南、衡山、衡东、祁东五县和耒阳、常宁两市。

知名生产企业

1、衡阳迴雁峰酿酒总厂

2、燕京啤酒集团公司衡阳啤酒厂

3、湖南湘南酒厂

【邵阳市】

邵阳市位于湘中偏西南，东与衡阳市为邻，南与永州和广西桂林市接壤，西与怀化市交界，北与娄底市相连，总面积20830平方公里，位列全省第三。现辖邵东、新邵、邵阳、隆回、洞口、绥宁、新宁、城步八县和武冈市及双清、大祥、北塔三区。2000年末总人口726万，居全省市州首位。

知名生产企业

1、邵阳市酒厂

【岳阳市】

岳阳市位于湖南省东北部，西临洞庭、北通长江，与湖北、江西两省交界，是湖南省的北大门。现辖岳阳楼、云溪、君山三区，岳阳、华容、湘阴、平江四县和汨罗、临湘二市。总面积15019平方公里，现有耕地面积282.87千公顷，其中水田205.97千公顷。现有人口523万人，其中非农业总人口111万人。是一座历史文化名城，素有渔米之乡美称。

知名生产企业

1、岳阳楼台酒业有限公司

2、湖南乐邦实业股份有限公司

【常德市】

常德市位于湖南省西北部。东滨洞庭，南通长沙，西连川黔，北邻鄂西，史称“黔川咽喉，云贵门户”。总面积1.82

万平方公里，耕地面积44.7万公顷。现辖武陵、鼎城两区和安乡、汉寿、桃源、澧县、临澧、石门六县，代管省辖津市市，总人口595万。

知名生产企业

1、湖南国人啤酒股份有限公司

2、湖南德山酒业有限公司

3、常德武陵酒业有限公司

4、湖南阳光乳业股份有限公司

5、湖南金健米业股份有限公司

6、湖南省桃源县鲁洲糖业有限责任公司

【郴州市】

郴州市位于湖南省的东南部，南岭山脉北麓，东界江西，南邻广东，西接永州，北交衡阳、株洲。土地总面积19388平方公里。郴州处于湘、粤、赣三省交界处，它既是内地各省通往广东、港澳的通衢要塞，又是湖南向南开放，走向世界的南大门。全市辖北湖、苏仙两区、桂阳、宜章、永兴、嘉禾、临武、汝城、桂东、安仁八县和资兴市，总人口452.96万人，其中非农业人口118.31万人。

知名生产企业

1、青岛啤酒(郴州)有限公司

2、郴州南方药酒有限公司

3、湖南省嘉禾县南霸酒业股份有限公司

【永州市】

永州市位于湖南南部，东连郴州、衡阳，南接广东，西邻广西，北靠邵阳，是全国唯一同时与广东、广西两省相毗邻的地区。全市土地面积2.24万平方公里，居全省第二位。现辖芝山、冷水滩两区和祁阳、东安、双牌、道县、江永、宁远、蓝山、新田、江华九县。

知名生产企业

1、湖南熙可食品有限公司

【怀化市】

怀化市位于湖南的西南部。南连广西的桂林、柳州；西接贵州的铜仁、黔东南，与湖南的邵阳、娄底、益阳、常德、张家界等市和湘西苗族土家族自治州接壤，素有“黔滇门户”“全楚咽喉”之称，今有湖南“西大门”之美誉。现辖鹤城区、洪江市和中方、沅陵、辰溪、溆浦、麻阳、新晃、芷江、会同、靖州、通道十县。

知名生产企业

1、湖南锦江王酒业有限责任公司

【湘西土家族苗族自治州】

湘西州地处湖南省西北部，武陵山脉东南端，云贵高原余脉，地势由西北向东南倾斜。与张家界市、怀化市、贵州铜仁地区、重庆黔江地区、湖北恩施土家族自治州接壤。总面积15486平方公里，总人口260.82万人。现辖吉首市、泸溪、凤凰、花垣、保靖、古丈、永顺、龙山七县。

知名生产企业

1、湖南酒鬼酒股份有限公司

2、湖南湘泉集团有限公司

3、土家人有限责任公司

4、湖南老爹农业科技开发股份有限公司

四、市场概况

【白酒市场总体概况】

一、消费状况

湖南是个白酒消费大省，以2000年为例，湖南省酒类消费总量约135万吨。其中，白酒60万吨，人均消费白酒9.4公斤，接近全国人均的2倍；啤酒73万吨，占全国产量的3.3%，人均饮啤酒11.4公斤，是全国人均的2/3。由此可见，白酒消费在湖南有牢固的基础，啤酒消费在湖南有广阔的增长空间。

而同期，湖南省共生产酒类产品54万吨，其中，白酒26万吨，名优酒还不到5万吨。白酒26万吨，这个数字相当于全国同期白酒产量（640万吨）的4%，与白酒大省山东的91万吨相比，只占29%。

生产的弱势行业，消费的强势市场，这是一个很大的反差。这个反差表明一个事实：湖南人是在喝外省的酒，而且喝了大约 60%。

湖南省的省会长沙是白酒消费区。湖南省综合消费水平在全国占到前八位，而长沙的消费水平在全国城市排名第五。湖南每年白酒销售额约60亿，而长沙就占了1/4。长沙也自然成为了湖南省白酒竞争的主战场。

以省会长沙为代表，湖南省的白酒消费特点是：

1．档次高。虽然当地收入一般，但却很舍得消费，一般在酒店里都是以60元以上的价位居多，比如五粮液，五粮液在湖南的消费量是湖北省与江西省的总和，其中长沙占据了相当大的份额；

2．度数高。52度～60度之间的度数最为畅销；

3．热衷川酒。当地消费者对四川酒比较偏爱；

4．10元～30元之间价位的白酒销量不大。

湖南拥有6000多万人口，酒类消费空间很大。而且随着经济发展及中西部开发的深入实施，湖南的酒类消费市场将有长足的发展。

二、竞争状况

湖南白酒市场呈现了下面一些特点：

1、地产酒强势品牌不多

湘酒虽数量不少但现在真正能够在市场上呼风唤雨的品牌很少。浏阳河的优势依然比较明显，无论是省会长沙还是下面的地级市场，浏阳河在终端、流通以及婚宴市场中的提及率和销量依然很大。除此之外酒鬼酒在湖南的攻势也很强。它在内部进行了一些调整，想重新在湖南以及外省市场上一展其文化酒的风采。邵阳大曲依然在中低档市场上保持着一定的优势。

值得一提的是湖南邵阳市酒厂推出的中高档酒“开口笑”系列，该酒自上市以来一直以较为稳健的步伐一步一个脚印地向前迈进，商家普遍反映其做市场比较踏实、到位，营销策略新颖，善于引导消费者，尤其终端做得很好。该品牌在2000年获湖南省名牌产品称号，其不但在邵阳地区的市场占有率名列第一，在湖南、湖北、江苏等地区也取得了非常不错的业绩。许多商家对其市场前景很是看好。

2、 外地酒龙争虎斗，川酒、黔酒品牌占优湖南省是白酒消费大省，而湖南省的白酒生产企业虽多，产量却不高，湖南省白酒消费与生产之间大约有60%的缺口，外省市的品牌在湖南市场占了很大一块市场。

除了湘酒以外，许多川酒（如泸州老窖、剑南春等）和黔酒品牌（如小糊涂仙）在湖南市场上也表现出了较好的销售势头。

川酒在长沙白酒市场上占有绝对优势。如五粮液及其统领的系列酒（包括浏阳河和金六福）以其较强的品牌影响力、先进的营销策略和有效的终端投入，数年来一直位居前列，尤其是五粮液，其在高档市场上独领风骚。泸州老窖在长沙市场上也打了一场胜仗，剑南春依其强大的品牌感召力和合理价位也赢得了一片江山，尤其是其推出不久的金银剑南更是给湖南白酒市场带来了不小的冲击。

贵州酒表现最好的是小糊涂仙酒，其销量近几年一直居于前列。另据了解，小糊涂仙为继续保持良好的销售势头，2003年更是加大了促销等终端投入力度。小糊涂仙的成功得益于其灵活的营销机制和政策，小糊涂仙在深圳市场站住脚之后以非常快的速度向北延伸，逐渐渗透至长沙市场，努力维护市场，使销量稳定增长。

3、各个档次上的竞争状况

五粮液稳坐高档市场的头把交椅，销量占绝对优势；地产酒开口笑市场稳中有升；低档市场主要以地产酒邵阳大曲和尖庄等川酒为主；中低档市场目前没有较为突出的品牌。

4、替代品挤占部分市场

白酒的替代品红酒、果酒等对白酒市场的冲击日益加大，瓜分了一部分白酒市场份额，同时人们的健康意识也在增强，有些消费者对白酒甚至产生了一种抵触情绪。比如说，在湖南衡阳市，白酒整体销量处于下滑趋势，相对来说红酒的上升势头比较明显。

5、农村市场比较混乱

农村市场比较混乱，许多不知名的小品牌充斥着市场，同时还有许多冒牌的所谓的名优酒夹杂在市场当中，严重扰乱着正常的市场秩序。农村市场的这种混乱状况在一定程度上使一些大厂家的品牌对农村市场并不敢轻举妄动，因为一旦市场做起来以后，众多打擦边球的和冒牌的会马上跟过来，厂商的打假工作稍有一点疏忽原有的市场甚至就会毁于一旦。

长沙市白酒市场开发参考

长沙共辖5区、3县、1市，是湖南省的中心城市，人口众多，人均消费水平偏高，白酒消费量巨大，以中高档高度酒为主。

主流品牌分析

高档市场最显著的特点是：川酒占主导，地产酒市场疲软。其中，水井坊在各大小酒店、商超几乎不用进店费，而是协同终端客户做其品牌的推广，不仅节省了大笔的终端运作费用，而且提升了双方的价值，达成了双赢。茅台近年来销量在逐渐攀升，曾几何时，茅台由于其酱香味道不适合当地消费者口感而销量一直不是很好，近年来，厂家采取积极的应对措施，打出了绿色、健康、保健等招牌，使之销量逐渐攀升。据估计，2004年茅台的销量较上年增长了40%左右。

地产品牌酒鬼酒的状况就没有那么乐观了。据了解，酒鬼酒的市场宣传、铺货等工作做得相当不错，但除了200多元／瓶的酒鬼世纪星销量不错外，其他各单品销量欠佳。究其原因，大多数经销商认为是厂家自身问题和市场运作机制不完善造成的。邵阳大曲酒厂自2004年3月份被金六福收购以来，打出了湖南湘窖酒业的招牌，其酒质也有了明显改善。目前在酒店，该厂生产的160多元／瓶的10年陈和200多元／瓶的15年陈开口笑都比较畅销。据悉，除了大力度的广告宣传和打火机促销，开口笑的走俏也缘于经销商大力度的买店投入。

20～50元的大众消费仍是以浏阳河和金六福为主。浏阳河目前在湖南卫视、经视等电子媒体和店招、车体等户外的宣传力度仍很大。其140元／件的四星浏阳河和360元／件的五星浏阳河最为畅销。金六福则牢牢抓住婚庆、典礼等喜宴这块儿大“蛋糕”。在流通市场上20元以内的一星、二星金六福也很受欢迎，由于目前是白酒消费淡季，厂家和经销商都没有大的促销动作。泸州老窖的崛起是长沙市场的一大看点。泸州老窖在当地精耕细作已有五六个年头了，在逐渐树立起品牌形象后，近两年开始发力，加大了广告宣传力度，并由原来的以餐饮终端销售为主转到了流通上来。目前泸州老窖的销量仍是以酒店居多，推广力度最大的是188元／瓶左右的10年陈和268元／瓶左右的20年陈特曲酒。其中，80～90元／瓶的铁盒特曲在市场销量也很好，二曲、三曲等低价位酒在中高档酒品的拉动下，销量也不错。据了解，泸州老窖在长沙市场遭遇尴尬，原因是当地一代理商造假，致使品牌形象受损。不过由于厂家及时维护，并未造成太大损失，目前其市场状况良好。

长沙市民的白酒消费水平普遍偏高，所以众多酒商纷纷看中这块儿宝地。目前，豫酒宋河粮液和五粮液子品牌——王者风范的广告做得正凶。高档市场也杀出了个程咬金——琼坛世家，价格在280元／瓶左右。虽然在媒体上吵得沸沸扬扬，销量并不见大。皖酒口子窖也在当地红红火火。越来越多的外地酒想在激烈的市场竞争中分得一杯羹。地产酒主要集中在低档市场上，武陵大曲、德山大曲、邵阳大曲等酒都有各自的消费群体，这些酒很受低薪阶层和广大乡村消费者青睐。与中高档市场相比，低档市场无主流品牌，而且较为混乱。

渠道分析

商超渠道：目前，沃尔玛、家乐福、麦德龙等多家国际零售业巨头齐聚长沙，地方知名商家家润多、新一佳等大型连锁超市均已落户于此。超市的买进费用较高，主要由进店费、条码费、堆码费、店庆费、促销费等各种费用组成。据了解，在家乐福、家润多这样的大型超市，一个单品每年的全部费用需要5000元左右。其中，每个条码需要200元左右。付款形式多种多样，主要有抽成型，即抽取商品价格的5%左右作为全部费用；一次性付款型，即产品入驻之初即交纳一年的全部费用，一般费用较低；合约型，即将产品进场的全部费用以合约的形式分期付款给超市，一般费用较高。费用高低与产品品牌、客情关系等多方面因素直接相关，五粮液、茅台、水井坊这些高知名度产品一般不需进店费。

超市的促销活动主要有：买赠、降价、抽奖、文艺活动等多种形式。其中买赠、降价是常用的促销方法，效果较明显。

餐饮渠道：长沙酒店众多，餐饮业十分发达。星级酒店如华天大酒店、通程国际大酒店、金源大酒店、鑫都大酒店、富丽华大酒店等四星级、五星级大酒店有十几家之多。中档酒店、主营餐饮的连锁酒店约有3000家。中高档酒店消费的主流价位在100元以上，适合中高档产品入驻。中小型酒店以大众消费为主，价位在30～80元之间，泸州老窖系列、金六福、浏阳河、邵阳大曲都有一定的市场份额。

当地酒店买断现象严重，所需费用较高，大多数酒店都已被瓜分殆尽。高档星级酒店的全部费用高达10万元，中型酒店需要3万元左右，小型酒店的全部费用在3000～5000元之间。其中，产品品牌、客情关系也是决定费用多少的重要因素。促销员工资由基本工资和开瓶费构成，基本工资约为800元／月，开瓶费依酒价、酒店档次的不同而不同，几元到二十几元不等。

机会分析：

在长沙白酒市场，地产酒势头很弱，川酒势头强劲，占据主流。酒店、商超买断现象特别严重，流通渠道也构筑了一道坚固的壁垒。新品欲进入当地市场一定要做好充足的准备：

1.买断严重，甚至令某些名酒望而却步。如没有良好的客情关系，只是打通各种渠道，进入终端就需要近千万元的费用。

2.当地消费水平偏高，人们易受品牌影响。如要打破川酒“一统天下”的格局并在当地受到关注，离不开大力度的广告宣传和一个庞大的促销队伍。投入费用相当可观。

3.欲占领长沙市场，必须做长期攻坚准备，短期之内是不会收到效益的。所以，没有雄厚的资金实力和只想捞一把就走的商家切不可尝试。同时我们也注意到30元以下的产品无主流品牌，以流通为主渠道的名厂低档酒不妨一试。尽量避开大量的广告投入，以促销方式占领市场。

【湖南地级城市白酒市场开发参考之一】

市场动态与机会分析

岳阳：“枝江”南下，“浏阳河”火爆

有“洞庭天下水，岳阳天下楼”之美称的岳阳市是全国重点旅游城市之一，当地人热情火爆的性格养成了他们爱喝高度酒的习惯，招待贵宾、赠送礼品，少不了50多度的茅台和五粮液。宴请宾客、朋友取舍离不开52度浏阳河。湖南可谓是浏阳河的大本营，而此品牌在岳阳市场经久不衰的背后是厂家大力度的广告投入与市场运作。据悉，由于市场趋于成熟，今年浏阳河在当地媒体、店招和车体上的广告投入明显少于去年，但其对批发店推出的优惠措施却是有增无减。在新马泰游、港澳游等大将的诱惑下，各级批发商激情高涨，终端发力是浏阳河成功的原因之一。

近两年来，鄂酒枝江摄相头“越来越精，越来越好”的口号，逐渐打开了岳阳市场大门。其中流通价格在28元／瓶左右的铁盒枝江销量最好。自2004年下半年起，枝江在当地的广告宣传明显增多，各类电子媒体、报刊媒体和街头巷尾随处可感受到枝江的气息，渐渐树立起品牌形象。在终端促销上，通过赠打火机、现金(1–5元不等)、兑奖等并不新乡的方式也吸引了不少消费者的眼球。内部人士透露，枝江今年在岳阳市场的销量将不低于5000万。枝江之所以能在当地走俏，除了厂商精明的营销策略外，主要还源于其优良的酒质，而它的香型和较高的度数也深合当地人的口味。

据经销商反映，价格在38元左右的五粮醇也瞄准了岳阳市场，目前正在紧锣密鼓地制定攻市策略，预计其销量不久会在市场上凸显。多品牌的竞争必定给消费者带来更多实惠。谁能最终站稳市场，还要看其品质。

拓市建议：当地消费者较容易接受新鲜品牌，市场上中高档和10元左右的低档酒主流品牌不突出，有实力的外来品牌可以在此一展身手。当地酒店买断现象严重，从流通做起更容易，尽量避免高额的宣传费。高档酒中品牌不多，岳阳是个旅游城市，具有当地文化特色的高档酒不妨加大宣传力度，树立品牌形象，以满足旅游购买礼品的需要。此外，当地人青睐高度酒，口味偏重浓香型，外来品牌应注意。

郴州：品牌较多，各显其能

郴州地外湘、赣、粤、桂四省交汇之地，其市场呈多元化态势。当地消费者对产品品牌、口味没有地域依赖。此地大小经销商有1000多家，品牌众多，口味繁杂。高档市场上，茅台、五粮液仍是主流，国窖.1573销量也不错。其他高档酒品大多只是随行就市，有一些自然走量。中档市场上，泸州老窖系列是主流，占据了50%的市场份额。90元／件的三星浏阳河、120元／件的38度金六福销售情况颇佳。低档市场上，鄂酒枝江的销量可观。北京二锅头、红星二锅头也有一定市场。

买断终端的现象较严重。家润多、步步高这些大型连锁超市的进店费每年需要7000～10000元。中小型超市也要2000元左右。在大江南、帝都等星级酒店，专场销售每年需要6万元左右，混场销售要2万元左右。开瓶费依据酒价而下，几元到几十元不等。

当地的广告促销活动并不多，主要是由于居民消费更趋于理发，考虑现实。批发商不太注重奖品促销，而更注重关系。一般关系户、网络户走货较多。由于种类经销商进货渠道、市场操作善不尽相同，白酒价格也有所不同。消费者对价格较第三，相对较低的价位意味着强大的优势。当前，五粮液集团的春夏秋冬酒及贵州其他酒厂正在进行招商，情况如何，有待考察。

拓市建议：郴州酒市呈多元化势态，消费者对本地酒信赖性小，这为新品牌的入驻提供了机会。开发市场要考虑价格问题，价位合理、品质优秀加之适当的品牌宣传就能刺激消费，占据有利之势。终端销售中，不妨设置返现金的促销活动，如开盒有奖、酒盒兑博士学位等等。另外，城乡结合部市场潜力大，孕育着更大的商机。

湘潭：金六福、浏阳河“本是同根生，相煎何太急”

人均生产总值居湖南省第二位的湘潭市，其白酒销量也在全省名列前茅。高档市场中，茅五剑、水井坊、国窖.1573等名酒的竞争已经到了白势化程度，其中五粮液销量最佳。作为地产品牌代表的酒鬼酒，以其深厚的文化底蕴和特殊的兼香口味在高端占据着一席之地，其150元／的一斤装大酒鬼更畅销。名酒在人们心目中的形象已大大超出华丽的广告宣传，加之价格透明，使得高端品牌竞争并无新亮点。

小糊涂仙在当地销量一直不错，以80元／瓶的价位移居中档市场之首。浏阳河酒以其名字深刻的文化涵义而在当地颇受欢迎。其主推每瓶价格在20～30元左右的三星、四星浏阳河，以其价格适中、口感好而在流通环节中占有广阔的市场空间。五星浏阳河的价格不比小糊涂仙高，但其销量有限。原因可能是厂家将营销重心放在了低端市场上，忽略了中高档产品的运作，加之多年来低价位的品牌形象难免对其向高端延伸产生负面影响。据了解，经历了5年的热销后，2004年起浏阳河销量有下滑迹象。一些经销商认为，这是由一个品牌的自下而上周期所决定的，并未看出厂家运作出现问题。就在浏阳河稍有松动时，金六福仿佛洞察出了市场的缺口，大打促销牌，使得"福文化"又重新占领了20～30元的低端市场，回到婚宴、庆功宴的餐桌上，目前其销量并不比浏阳河逊色。

在湘潭酒迷心目中，"邵福子"——邵阳大曲是生活中不可或缺的。作为裸瓶酒，每瓶价钱只有七八元。便宜的价钱和浓郁的湘味使邵阳大曲牢牢套住了一批忠实的消费者。犹如辣椒在川菜中的地位一样，邵阳大曲已成为广大酒迷饭菜中的一道佐料。在十元左右的价位市场，56度的红星二锅头也被当地消费者认可，销量一直不错，但尚未有做大的迹象。

拓市建议：综观湘潭酒市，高档品牌中很难见缝插针，在30～80元的中高档市场缺乏"领头羊"，此价位的外来品牌可以趁虚而入。中低档产品也可趁此地主流品牌地位稍有松动之时打入市场，或是从郊县市场做起，降低风险。值得提醒的是，当地消费者偏爱50度以上的高度酒，低度酒要进入此市场难度很大。

常德："泸州"岿然不动，其他品牌激烈竞争

泸州老窖拥有不错的口碑，是当地消费的主流。它是当地的老品牌，占据着高中低档各类市场，自上市以来已有八九年的时间。经过长时间的精耕细作，凭借其优秀品质和原有品牌优势，在市场上拥有一此固定消费者，其市场地位不可撼动。中低档市场上，金六福、浏阳河、古井贡、五连冠均有一定走量。其中，金六福与浏阳河的争夺最为激烈。他们在广告、促销、买断终端的运作上一较高下。金六福打出了"福文化"的大旗，占据了婚宴市场的先机。浏阳河在总的营销战略上以"立足湖南"为根本，并为经销商提供了多项惠免政策，提高了经销商的积极性。双方为争夺中低市场这块大蛋糕忙得不亦乐乎。据了解，此地买断终端现象。常德市大部分酒店已经被各大小经销商瓜分殆尽了。开瓶费依酒价而定，5～30元不等。商场的销售情况不佳，居民购买主要集中于各大小超市、烟酒店及小商店，进店费依产品品牌、店面大小而定。

2004年，常德地产武陵系列酒隆重上市，经过一年来的市场运作，其销量并没有预料的那样出色，可见当地消费者对本地酒的信赖性较小。县级市场潜力较大，一些地方品牌的广告宣传主要是：商店的门头招牌、宣传画和印有酒名的赠品。促销活动并不多，产品价格较低，一般在20元以下，销售情况颇佳。

拓市建议：当地消费者对本地酒的信赖性较小，外来品牌的市场运作空间较大。消费者对品牌的选择要求较高，广告、促销活动不是打开市场的根本。经销商在市场运作中，不妨通过支援酯山区、赞助希望工程等公益活动来树立良好形象，以提升品牌知名度。另外，此地消费者对白酒度数要求较高，50度左右为宜。

湖南地级城市白酒市场开发参考之二

提示：本期入市先锋调查的是衡阳、怀化、永州、株洲四个湖南省地级城市的白酒市场。通过调查发现，四个城市市场上川酒占主流，地产酒优势不明显。终端买断现象严重，费用较高。有些老品牌销量下滑，市场孕育着商机。消费者普遍有品牌意识，新品拓市机遇与挑战并存。

市场动态与机会分析：

衡阳：品牌众多，泸州独尊

衡阳市又名雁城，位于巍峨秀丽的签名册南麓，漫江碧透的湘江之滨，是一座拥有两千多历史的城市，这里有着浓郁的酒文化气息。据经销商说，那些在整个湖南市场站不住脚的老牌子几乎都"退守"于此，占据这最后一块根据地，但也只维持些许销量。另外，也有许多新品崭露头角，豫酒宋河粮液、川酒小角楼目前正步步为营，拓展当地市场。带着西北人豪迈奔放的性情，新疆伊力特酒也来到雁城，在没有任何广告和促销的情况下，目前只靠自然走势和经销商的人情关系有些销量，还未见起色。卖到30元/瓶的皖酒王和40～50元/瓶的地产开口笑也都有一定销量。这些酒只能说是当地白酒市场的补充，真正的主流还得说是老牌名酒——泸州老窖。

泸州老窖在衡阳重点推出了特曲、二曲和陈曲等几个系列酒，以45度和52度的高度酒为主。其中价格在80元左右的泸州特曲和140～160元的精品特曲在高端销路较广，中档价位的精品二曲和陈曲在餐饮终端和商超销量也极为可观，二曲系列推出的二两装小瓶酒市场也不错。泸州老窖在当地的热卖多是由于其老品牌的影响力和厂家大力度的广告宣传，并且它的每个代理商只代理一个系列河口，有效地维护了市场价格的稳定，遏制了窜货现象的出现，使得泸州老窖酒在当地市场上经久不衰。

金六福和浏阳河犹如湖南市场上的姊妹酒，在衡阳也不例外。她们的酒质相似推出的星级系列酒的价格也几乎相同，因此两种酒在市场中竞争激烈。两个品牌在中层消费者以上中形象都很好，都有广泛的销售市场。在低档酒中，沱牌大曲和地产品牌邵阳大曲为争夺市场进行着"肉搏战"，两种裸瓶酒在没有任何广告和促销的形式下，靠酒迷们的口碑"攻城略地"，默默竞争着。

拓市建议：当地消费者品牌意识较强，也有跟风倾向。如果有良好的品牌知名度，并且没有做长期运作市场准备的厂家切勿轻易进入。新品可从中小酒店和商超做起，通过市面广告多做宣传。另外也可在局部区域精耕细作，再向全市蔓延。如刚开始就大面积投入，恐怕血本无归。

怀化：川酒遍地开花

怀化是湘西部中心城市，素有"黔滇门户，全楚咽喉"之称。当地少数民族约占总人口的33%，当地人爱喝高度酒。怀化的白酒市场用四个字描述最恰当不过，那就是"川酒当家"。在当地，上至酒店、商超，下至批发货场，川酒销量都

占主流。国酒五粮液早已深入人心；泸州老窖在中高层人群中有口皆碑；金六福深受大众青睐；裸瓶沱牌酒在寻常巷陌家喻户晓。如此态势使得当地酒成了“扶不起来的阿斗”，其他外来酒想进入市场更是难上加难。

泸州老窖在怀化可谓后起之秀，由于名气大，根基牢，使它在市场一露面就出现了遍地开花的好局面。另外厂家也很重视形象宣传，在电台、电视台和店招都有大力度的广告投入，使得泸州老窖系列酒延伸到了市场的每个角落，其高度铁盒装特曲酒和金牌特曲多用于酒店餐饮消费和馈赠礼品，每瓶60多元的二曲和160多元/件的陈曲在调上销量也很可观。

另外，多六福在怀化市场是一大亮点。作为老牌子的金六福酒，在当地旺销有五六个年头了，并且势头不减。目前多数电视台仍有其宣传广告。厂家除在节假日安排大型促销活动外，平时只靠经销商自己运作。据经销商透露，在白酒趋于低度化的大环境下，为了迎合湖南这个偏爱高度酒的消费群体，金六福每个系列都生产少量高度酒，平时只销售低度酒，只有在顾客要求时，才拿出高度酒，这也是金六福占领市场的一个招数。目前，金六福的低档一星、二星、三星福星高照酒最为热销。

与金六福上升趋势大相径庭的是浏阳河的下滑。金六福的挤压只是浏阳河不景气的外因，而更重要的原因是“祸起萧墙”。据悉，浏阳河的新旧两个品种在当地均有代理商，他们之间为了争市场而互相砸价，导致了窜货现象的出现和市场价格混乱。因此，品牌形象在消费者心中大打折扣，从而砸了自己的招牌。

低档酒要属酒迷们钟情的沱牌大曲，由于它的“低姿态”，中高档市场的风云变幻对它丝毫没有影响。多年来一直牢牢地钉在酒迷们的饭桌上，令许多杂牌酒望尘莫及。

拓市建议：川酒势头正强，中价位酒均有代表品牌，当地消费者品牌忠诚度较高，外地酒如没有做好打持久战的准备切勿轻易入市。建议从周边县市做起，做适量的广告投入，并且在酒品包装和促销上多下功夫，吸引城乡消费者，待销路打开后再慢慢进入城市市场。

永州：商机暗潜

永州市冷水滩区被湖南人戏谑为酒水滩。当地酒文化历史悠久，白酒的消费量较大，消费度数较高。据了解，当地无论男女都有一定酒量。较大的消费量为更多品牌的进驻提供了机会。

当地消费者对地产品牌的信赖性较高，地产品牌占据着绝对优势。中档市场上的小酒鬼尤为突出。小酒鬼不仅继承了酒鬼酒优良的品质，还以定位中低市场，价位合理等特点扣住了更多消费者的心弦。据了解，小酒鬼的销售量始终呈增长态势，其80元/瓶500ml装、45元/瓶250ml装的市场份额最大。另外，小酒鬼250ml装酒以酒量合适、价格合理、易于携带、减少浪费等多项优势为广大消费者所青睐。居民日常消费中，邵阳大曲、湘泉的销量较大，其中每瓶10元左右的100lml装、125ml装和20元左右250ml装的小瓶酒是中低市场的热销品。小包装酒不仅带来了销量，而且与同量大酒相比价格相对较高，无形之中节约了成本，增加了收入。

泸州老窖以其度数高、品牌老、酒质好在当地市场拥有良好的口碑。在中档市场上，外来品牌只有泸州老窖销量情况较好，尤其在餐饮终端，40～100元的各单品消费量最大。由于泸州老窖良好的品牌形象，强大的营销网络，终端赠品促销等活动为其保持住市场份额打下了基础，一直以来销量稳定，始终没有出现大起大落。

拓市建议：开发市场时需要注意：当地消费者受广告、促销活动影响不大，树立终端形象是打开市场的第一步。中低档市场空间较大，消费倾向于50度以上的高度酒，小包装酒备受青睐，要在包装上下些功夫。产品要符合当地消费者的口味，居民消费有跟风倾向，建立良好的关系必不可少。

株洲：群龙无首

株洲品牌众多，其分布比较分散，没有形成主流趋势，用“一盘散沙”形容当地市场最恰当不过了。主流品牌的缺失为更多品牌的入驻提供了无限商机，而市场状况欠佳又是不小的挑战。

泸州老窖以其良好的品牌形象和多年的精耕细作，在湖南大部分地区走势良好，然而在当地，只有每瓶100元左右的各单品的销售情况差强人意。高档市场仍是被传统名酒茅台、五粮液、剑南春所占据。几十元一瓶的中档产品销量一般，正如当地一个经销商说：“这个市场总是不温不火，让人看着着急。”

茅台小豹子在当地的运作已经有三年时间了。据了解，它去年的销量一直不错，直至今年出现了下滑，据当地经销商分析，是其市场运作出现了问题。茅台小豹子产品在热销之后找不到突破点，后续支持力量上不去，分销渠道不规范等种种问题导致了这样的结果。目前，厂家和经销商都在做着调整，结果如何，有待考证。浏阳河在市场运作之初始终以作为拓市大本营。经过多年的市场开发和运作，浏阳河已经在湖南站稳了脚跟，拥有着固定的消费群体和较宽的市场空间。但是市场状况一般，除了每瓶20元左右的蓝色浏阳河的走量还可以外，其他各单品销量平平。据当地经销商称，蓝色浏阳河销量不错的原因有三：一是酒质优秀、价位合理，为广大消费者所接受；二是经销商良好的客情关系，使其在流通中占据了有利形势；三是先走终端做品牌，再走流通找销量的市场操作方法得当。但是蓝色浏阳河的市场影响力和消费量有限，并不是市场的主流，起不到主导市场的作用。

拓市建议：此地中低档市场上主流品牌的缺失为更多品牌进驻提供了机会。厂家进行招商时，要选择综合实力较强的经销商。利用其强大的经销网络、良好的客情关系，打开市场相对容易。同时需要注意终端销售中形象宣传必不可少，当地消费偏好52度左右的高度酒，低度酒很难打开市场。

湖北省糖酒市场

一、省情简介

湖北省在中国经济地理位置中，处于承东启西、贯通南北、通江达海、得天独厚的战略地位。面积18.59万平方公里，占全国总面积的1.94%，，到2003年年末全省总人口为6001.7万人，其中：城镇人口为2574．7万人，占42．9%；农村人口为3427万人，占57．1%。

湖北东西北三面环山，中部低平。全省山地面积占56%，丘陵占24%，平原湖区占20%。水面面积约占全省总面积的1/10，素有“千湖之省”之称。

湖北是中国的农业大省，素有“鱼米之乡”的美誉；同时湖北也是中国内陆的工业强省，现已形成汽车、冶金、机电、化工、轻纺、建筑建材等六大支柱产业。

湖北有3个国家级开发区，24个省级开发区和38个地市级开发区，初步形成了一个沿江高新技术产业开发带。中国光电子信息产业基地－“武汉·中国光谷”正在中部特大中心城市武汉崛起。

二、市场格局

1、白酒

2003年湖北白酒、露酒行业之所以能有上述可喜的局面，虽然原因是多方面的，但主要是靠枝江、白云边、稻花香和劲酒这四个龙头企业的优势作用。这几个龙头企业当前的生产经营情况及优势具体如下：

(1) 白云边

白云边是全国兼香型白酒的代表，也是湖北省首家获国家质量奖的白酒企业。上个世纪90年代中期由于多方面的原因，企业一度严重滑坡。面对白酒行业激烈的市场竞争和全国浓香型白酒大有一统天下之势，他们高举兼香型旗帜不动摇，确保产品质量，加大市场开拓力度，特别是中高档白云边系列陈酿酒市场明显看好。2002年各项经济指标突破历史最高水平，2003年1～10月，完成产量6919千升，销售收入20012万元，利税总额8001万元，其中利润2565万元，分别比去年同期增长70%、55%、91%和185%，为湖北省白酒行业各项经济指标增幅最大的企业，预计全年产量0．8万千升，销售收入2．5亿元，利税总额将突破1亿元。

(2) 枝江酒业、稻花香酒业

枝江酒业是湖北省白酒行业近几年来发展势头最强劲的企业之一。继2001年实现利税总额1．02亿元后，2002年利税总额达1．2亿元，销售收入6．3亿元，跻身于全国白酒行业前10名和全国工业企业500强。今年1～10月已完成产量27560千升，销售收入47914万元，利税总额7596万元，其中利润2078万元，产量与去年持平，销售收入增长6%，利税总额增长3%，预计全年产量3．8万千升，销售收入6．8亿元。利税亦有新的增长。

由于不断深化企业改革，前几年得到了超常规的发展，由一个名不见经传的乡镇小酒厂一跃成为湖北白酒行业的龙头骨干企业之一。2003年1～10月白酒产量13747千升，销售收入33169万元，利税总额4504万元，其中利润1465万元，产量和销售收入分别比去年同期增长5%、11%。预计全年可完成白酒产量1．8万千升，销售收入3．8亿元，利税总额0．6亿元。

枝江酒业和稻花香集团各有各的优势，也有共同的优势。从共同优势来说，首先是规模相对较大，都是湖北白酒行业规模最大的两个企业，也是原全国白酒行业中36家年产2万吨以上的两个企业。其二是市场和开拓市场的力度大。枝江自1996年以来连续几年牢牢占领武汉市场，并以武汉为根据地，向全省辐射，同时还成功开发了河南、江西等省外市场；稻花香酒厂则把触角伸得更远，在产酒大省江苏占据了一席之地之后，又闯进了浙江、福建、广东、海南等沿海市场。其三是较好地坚持了优质、低度、多品种的方针，既适应了市场的需求，又为企业赢得了较好的效益，实现了向质量效益型的转变。其四是重视人才的引进和培养。近几年来培养和招聘了一批技术和经营管理人才，枝江酒业还引进了一些较为拔尖的技术人才，并为他们创造和提供了较为满意的工作条件和生活待遇。

(3) 劲牌公司

劲牌公司的优势是非常明显的，第一，它是湖北省酿酒行业首家改制的民营企业，由于改制早、改制彻底，具有机制灵活的优势；第二，劲牌公司在产品结构的调整上把滋补保健酒放在首位，适应了现代消费观念的转变和市场新的需求，有产品的优势；第三，人才济济，技术力量强；第四，改制几年来发展快、效益好，有资金的优势和发展后劲。现在他们的目标是要成为中国保健酒的第一品牌。我认为，他们应该成为中国保健酒的第一品牌，也能够成为中国保健酒第一品牌。

2、啤酒

党的十一届三中全会以后，湖北啤酒工业也得到了迅速发展。1978年湖北啤酒年产量只有0.5万吨，1980年发展到15万吨，1990年全省建成31家啤酒厂，全省啤酒产量达到30万吨，十年间增长了20倍，到1994年产量达到60万吨，四年又翻了一番。到2003年，湖北啤酒生产总量已超过100万吨，生产企业30多家，不少县市都建有啤酒企业。

随着改革开放的大潮，合资、合作和引进外资，为湖北省啤酒工业注人了强劲的活力。金龙泉通过与马来西亚金狮集团合资，东西湖与法国达能集团合资，啤酒生产能力都已达到年产30万吨以上。美国AB公司收购原中德武汉长江啤酒公司后，通过技术改造，使百威(武仅)啤酒的年生产能力达到25万吨。目前湖北啤酒工业已形成金龙泉、东西湖、百威三大啤酒集团为主体的啤酒工业发展格局。

三、知名企业

【武汉市】

武汉市是湖北省省会，全省政治、经济、文化中心，华中地区的最大都市。世界第三大河长江及其最大的支流汉水横贯市区，将武汉一分为三，形成了武昌、汉口、汉阳三镇隔江鼎立的格局，故武汉素有“江城”美誉。全市现辖9个城区、2个郊区和2个县，人口约700万人，其中市区人口480多万。土地面积8467平方公里。经过40多年的建设，武汉已成为我们祖国腹地一座多功能的综合型特大城市。

武汉工业经济发展迅速。武汉是我国的近代工业的发祥地之一，工业基础雄厚，随着改革开放的深入，武汉市的工业发展更加迅速。形成了以冶金、机械、汽车、纺织为支柱，食品、化工、电子、轻工、医药和建材均有较大规模的综合性在工业基地。

商业贸易日益兴旺。武汉历史上便是著名的大商埠，17世纪对外通商后，市场迅速扩大，沟通内外，援引南北，成为“楚中第一繁盛处”。在改革开放的大潮中，武汉市的商业贸易获得迅猛发展，市场日趋昌盛繁荣。

知名生产企业

1、湖北三五醇食品工业园公司

2、武汉欧联东西湖啤酒有限公司

3、百威（武汉）国际啤酒有限公司

4、武汉顶益食品有限公司

5、武汉统一企业食品有限公司

6、武汉可口可乐饮料有限公司

7、武汉味全食品有限公司

8、友芝友乳业

【襄樊市】

襄樊市位于湖北省西北部，是汉江南岸古城襄阳和汉江北岸古埠樊城的合称，地处鄂、豫、川、陕四省结合部。长江最大的支流汉江穿境而过，历来是四省毗邻地区政治经济文化中心。辖四县三市四个城区，市域面积1.97万平方公里，城区建成面积40平方公里。襄樊是全国甲类开放城市，是国务院公布的62座历史文化名城之一。

襄樊不仅具有优美的自然环境，更具有良好的投资环境。现代水陆空交通极为方便，城市功能配套齐全。焦作至柳州、武汉至丹江、襄樊至重庆三条铁路干线在市区交汇，并设有113股道的列车特级编组站，铁路运输通江达海，境内国道四通八达，成为湖北省第二大公路运输枢纽。

改革开放促进了襄樊社会经济的全面发展。全市逐步形成了以轻纺、汽车、建材为三大支柱产业、轻重工业比为52:48的工业经济结构布局，带动了全市工业的迅速发展。

知名生产企业

1、燕京啤酒（襄樊）有限公司

【鄂州市】

湖北省鄂州市地处长江中游南岸，总面积1504平方公里，总人口98.3万。

鄂州是我国三国时期仅存的唯一都址，现已成为闻名中外的游览胜地。鄂州市境内有战国、秦汉至六朝时期的古墓多座，共出土铜镜400多面，鄂州因此得“古铜镜之乡”的美誉。在市内的博物馆中，共珍藏有出土文物2万余件。

鄂州市还是湖北省一座新兴的工业城市，境内蕴藏有丰富的铁、铜、煤、膨润土、珍珠岩、玄武岩、花岗岩、无水硬石膏、瓷土等金属、非金属矿。主要工业产品有铁矿石、生铁、铜、钢材、水泥、化肥、机床、锻压机械以及一些纺织产品和食品等。

鄂州市的城市格局别具特色，鄂城、华容、梁子湖3个城区呈三角状分布市内，周围散布着20多个规模不一的城镇，其余是广大农村。城乡一体化是鄂州市的重要特征，也为城乡互补、共同发展提供了便利条件。

知名生产企业

1、湖北鄂州武昌鱼集团有限公司

【孝感市】

孝感因汉代孝子董永行孝感天而得名，是著名的孝廉之乡。现辖孝南区、汉川市、应城市、安陆市、云梦县、大悟县和孝昌县，国土面积8910平方公里，总人口500万。

孝感是楚文化重要发祥地之一。秦代竹简、秦汉漆器、东汉陶楼等国宝文物和楚王城、门板湾遗址展示了孝感绚丽多彩的古代文代；剪纸、皮影、膏塑等传统文化艺术源远流长。

目前，孝感市外商投资企业已达300多家，法国雷诺、德国西门子、日本松下、美国杜邦四家世界500强企业和中国三江航天集团、青岛啤酒集团、恒安集团、维达集团、爱仕达公司等一批国内外知名企业已到孝感安家落户。国内外客商参与孝感的经济建设，促进了孝感经济的快速发展，“九五”期间，国内生产总值年均增长13.9%。

知名生产企业

1、孝感麻糖米酒有限责任公司

【黄石市】

黄石市位于湖北省东南部，万里长江中游南岸，地处武汉、九江之间，是湖北省乃至全国重要的老工业基地和港口城市，为湖北省第二大城市，有江南明珠之称。全市现辖大冶市和四个城区，总面积1850平方公里，其中市区面积227平方公里。

黄石市区位条件优越，交通运输便利。黄石地处长江中游内陆腹地，紧邻鄂豫皖赣四省地区，是承东联西贯通南北的通衢之地。在交通运输方面，水路、公路、铁路交织成网，是鄂豫皖赣边区的交通枢纽和连接华中、华东的重要通道。

黄石市是我国著名的矿冶城市，经过四十多年的建设，已经形成了以原材料工业为主体，以大中型企业为骨干，冶金、建材、能源、机械、电子、化工、纺织、服装、轻工、食品、医疗等行业综合发展的工业体系，形成“以重带轻、以轻促重、轻重并举”的良性循环工业结构。近年来，黄石服装工业异军突起，使黄石又以其“服装新城”的面貌展示在世人面前。

在湖北省12个地市州中，经济实力仅次于武汉市。此外，黄石还是鄂东三角地带人口最多、经济实力最强的中心城市，对鄂豫皖赣四省边缘地区具有较强的辐射作用，正在日益成为鄂东南区域经济的中心，成为具有较强功能的辆射源。

知名生产企业

1、劲牌有限公司

【宜昌市】

宜昌市位于长江中上游交界处，地处长江三峡的西陵峡口。市域面积2.1万平方公里，其中城区330平方公里。全市总人口400万。现辖宜昌、枝江、远安、兴山、秭归、五峰、长阳七个县，当阳、枝城两个县级市，西陵、伍家、点军、啸亭四个城区和草埠湖管理区。是举世瞩目的三峡工程所在地。

宜昌土地广阔，农业发展很快，农业初步形成了粮食、棉花、生猪、鲜鱼、水果、蔬菜、木耳、药材等各类商品生产基地。

经过40多年的发展，特别是改革开放以来，宜昌市经济规模、经济实力不断增强，全市拥有乡及乡以上工业企业2300多家，工业固定资产原值达100多亿元，初步形成了机械、电力、纺织、医药、化工、轻工、冶金、电子、造船、建材等十大工业部门，生产6000多种工业产品，其中有670多种产品分别获得国家金牌、银牌和部省优质奖，优质产品产值率达到28%。

知名生产企业

1、湖北枝江酒业股份有限公司

2、湖北稻花香集团

【荆门市】

荆门市位于湖北中部，地处江汉平原与鄂西山区的过渡地带，东临汉水，西靠宜昌，南连荆沙，北接襄樊，素称“荆楚门户”。全市现辖东宝、沙洋两个县级区。全市总面积4412

平方公里，人口108万。

荆门交通发达。全国南北交通第二大动脉焦(作)柳(州)铁路贯穿市境，过境线长132公里，经十个车站。汉江、长湖、漳河三大水系既可供灌溉之利，又可供舟楫之便，通航里程达200多公里，荆门沙洋港是汉江中游重要的物资集散中心。湖北荆门通用联合航空公司已开通北京、广州、上海航班。

改革开放以来，荆门经济和社会、文化事业的发展取得了令人瞩目的成就。

工业经济快速发展。已形成了石化医药、机械电子、食品、建材、轻纺等五大支柱产业和企业群。农业基础不断增强。荆门是国家首批50个商品粮基地之一。被国务院誉为"南方水稻产区售粮之冠"。1994年又被国家列为全国优质棉生产基地，每年向国家提供优质棉25万担以上。油料、生猪、禽蛋、渔业生产也具优势。多种经济发展迅速，农业结构趋于合理。

知名生产企业

1、湖北文峰酒业股份有限公司

2、湖北金龙泉集团

四、市场概况

【谁能打破地方封锁 ——湖北地级城市白酒市场开发参考】

十堰：白云边独占鳌头，强势新品难见踪影。

白云边在十堰市场做得最成功，销量遥遥领先。据了解，有"汽车城"之称的十堰市消费水平相对较高，尤其在酒店中，50～100元的白酒消费量最大。白云边的定位正好符合这一消费档次，赊，重点在酒店中开展营销活动，大量的促销员、相对较高的瓶盖费、兑奖、买断酒店等为其迅速打开市场奠定了坚实的基础。目前，白云边已成为当地的大众品牌，除酒店以外，通路上的销量也可以，但主要依靠自然走量为主。也正因如此，当地白云边经销商反映，两岸三地厂家对经销商和终端消费者的支持力度在明显减小，这将不利于白云边的后市发展。

除白云边以外，枝江的销量也不错，但主要在流通和商超，价格以20元以下的中低档酒为主。经销商反映，由于厂家的服务工作细致，投入加大，枝江的市场势头可能会更好。

外地酒中并没有比较突出的，只有来自茅台镇的一个叫醉鬼酒的品牌销量在逐步攀升。据了解，该酒从2001年开始操作，2003年销售达到顶峰，但2004年开始表现一般，今年市场下滑迹象明显。知情人士指出，醉鬼酒销量上去以后，窜货等市场不良现象开始出现并愈演愈烈，导致价格滑坡很快，而厂家却睁一只眼闭一只眼，任其自然发展，市场也不再投入。笔者认为，这就是断线品牌惯有的操作手法，对该品牌操纵者来说，也许早就赚得盆满钵满，目的已经达到了。

新品方面，最近只有黄鹤楼刚刚进入，但只能在电视上看到一些宣传，其他措施并没有看到。商家认为也许是旺季还没有到来的缘故。其他强势新品难见踪影。

拓市建议：从价位上分析，10元到80多元的价位基本上都是白云边和枝江的天下，在这一价位想有所突破，无疑是"拿鸡蛋碰石头"，据调查，由于"汽车城"十堰的消费水平相对较高，百元以上的高档酒销量日益增大，因此，打高价位品牌的白酒不妨到此一试。但必须是大厂家的产品。

此外，当地酒店、高超较高的费用也需要引起新品的注意，没有足够的资金实力更需慎重(详细费用参看开发参考表)。

宜昌：枝江VS稻花香，市场门槛日益提高。

枝江与稻花香两大品牌都产自宜昌，本地市场是其市场重心之一，因此地盘争夺战日益升级。尤其在酒店的争夺上，买断酒店已成为枝江、稻花香品牌常用的竞争方式，大酒店的买断费用达到了二十万左右。目前稻花香在酒店主推珍品一号和珍品二号销量日益攀升，但枝江也不甘示弱。最近，面对包括稻花香在内的竞品日益强盛，枝江推出了一款"宜昌特供酒"。该款酒的包装酒盒以金黄色为主调，正反两面印有"枝江大曲.宜昌特供"的烫金字体，鲜艳夺目，美观大气，酒度为38度，零售价格在七八十元左右。在宜昌被枝江给予厚望的"特供酒"，自上市以后在短短一个月的时间，其终端市场的铺货率就已达到90%，在各大酒店超市也赢得了消费者的好评。

为提高经销商的积极性，稻花香采取了"低价格高返点"的措施，鼓励经销商上量，扩大市场有率。而枝江据说在返点上就略小了一些。除了终端上的直接交锋，宣传上也一直没有停过。当地经销商告诉记者，在当地的主流报纸媒体"三峡晚报"上，几乎每周都能看到枝江和稻花香的整版软性宣传。

值得一提的是，由于稻花香推出的关公坊市场操作细致到位，上升势头非常明显。据相关人士介绍说，前年关公坊的销量是3000万，去年达到8000万，今年将有望达到一亿。

由于地产品牌之间短兵相接的交锋，无形中加剧了外地品牌进入的难度。目前五粮液针对湖南湖北推出的"两湖春"虽从去年开始操作，店招等广告也做了不少，但并没有看到销量。有知情人士透露，关键是总经销在招商方面遇到了困难，由于合作条件比较苛刻，很多商家不原意操作。

拓市建议：对新吕来说，宜昌的进入难度可能经上面的十堰更大。特别是枝江、稻花香在对终端的争夺过程中，大大提高了进店的门槛。据反映枝江和稻花香都有自己的"地盘"，因此外地品牌可能连某些酒店的门槛都难以摸到。不过宜昌的交通十分发达，铁路、公路四通八达，利于产品的配送。此外，由于宜昌有著名的三峡工程，旅游将是该市重点发展的项目，由于将有效带动餐饮行业的发展，白酒的销量会随之增大，或许这将能给新品带来一些机遇。

荆门："枝、白"势头不减，"关公坊"迂回介入。

荆门市场虽然相对小一些，但鄂酒老将枝江等并没有懈怠。目前，枝江、白云边依然是表现最好的品牌，从中低档的十元左右的价位，到近百元的中高档价位几乎已经被他们垄断。尽管这两个品牌已经成熟，但对终端的攻势丝毫不减。据反映，白云边经销商经销商在酒店的开瓶费能达到10元甚至20多元，盒盖内的"货币"促销也经常见到，或放十元的人民币，或者放一美元。枝江在这方面的措施也时常不断。这些策略更加夯实了枝江和白云边的市场基础。此外，枝江和白云边在买断酒店上的“工作”也做得非常深入，各有自己的“一亩三分地”。

值得关注的是稻花香的强势进入。可以预见，稻花香的介入将更加增大新品进入的难度。

据经销商介绍，稻花香原来也有铺货，不过销售不好，今年才开始正式对荆门发起进攻。特别是稻花香主扒的关公坊，尽管最近属于淡季，但其铺货奖励的力度的确吸引了一大批经销商。比如，商家进198元/件的关公坊免费送一瓶同样价值的酒，进5件送名牌衬衣一件。据了解，关公坊主推三个品种，59元/件的关公宴，72元/件的三星关公坊，198元/件的五星关公坊。

稻花香采取的是迂回进入的方法，选择了荆门市区周围枝江、白云边比较薄弱的县级和乡镇市场重点操作，然后逐步影响荆门市的消费者。记者认为：稻花香这种战术显得比较理性，避免了与最强势成熟品牌的直接交锋，降低了市场投入。最近高考刚过，稻花香对一些地方的高考状元采取了的营销活动，受到了消费者的赞赏。

拓市建议：又是一块硬骨头。“打开荆门市场难于上青天”，这是本刊所持的观点。也许新品也可以采取稻花香的迂回策略，选取强势品牌比较薄弱的市场精耕细作。此外，低档市场也可以考虑，比如3元/瓶的沱牌销量就不错。

孝感：当前孝感白酒市场上最显著的特点是：定们于中低档白酒市场的枝江，在消费者以上中的地位已经根深蒂固了，目前枝江早已全线退出了激烈的广告战、促销战。在当地的各大商超，枝江系列酒已经不用付高额的入场费，而是稳坐中低档白酒市场的第一把交椅。不过从另外一个角度来看来仍存在一些问题。由于枝江在中低端市场上五星松花江也有一定的口碑，但是就企业的全线发展而言，枝江的运作是存在问题的，枝江品牌总是给人以高档市场开发欠火候的感觉。

而在中档市场上白云边的发展也颇受关注。白云边以及其他一些中档酒先后开始了大规模的广告、促销活动。在广告方面，商招、媒体、POP搞得有声有色。促销活动更是异彩纷呈，奖品、赠品活动比比皆是。例如：白云边针对婚宴推出买一赠一的大赠送活动，买一瓶白云边酒即赠送1.25L的百事可乐一瓶，借“百事可乐”喜庆的字面意义火爆地冲击了婚宴市场，从中夺取了枝江婚宴市场上不少的份额。另外一些中档品牌也在促销活动上大作奖品、赠品文章，使得中低档市场争夺战如火如荼地进行着。

而另外一个品牌的产品也“悄悄”地光临了孝感，孝感当地一家大的经销商正在全新的营销模式推广这一品牌——湖北宜昌的稻花香。他们避开了买断酒店终端的洪峰，而是另辟蹊径，颇有“柳暗又一村”的蕴意。他们将产品铺向了孝感的便利商店和小的连锁超市，并做一些简单的宣传和促销。用经销商的话来说，要将稻花香做成长线品牌，慢慢慎入消费者的心中。这样一来，经销商不仅省下了一大笔入场费，而且在消费者心跳树立起了“亲民”的营销方式将会在消费者心中树立起良好的品牌形象。

拓市建议：虽然枝江占据了中低档市场的制高点，但是白云边针对性促销活动的成功，说明了广告、促销活动在新产品入市之初必不可少，但是盲目的广告、促销只能是浪费时间和金钱。建议经销商在做产品的推广时注意：广告请诉求要符合目标消费者的消费偏好；奖品、赠品的使用要考虑消费者的需求，同时还要符合场合的需要。这就要求经销商要有强大的财力支持。

荆州：荆州市地处鄂中南，濒临长江，坐依江汉平原东连武汉，西接三峡，南与洞庭湖交界，北与襄樊毗邻，是贯通东西和南北的交通枢纽。古时的兵家必争之地，今日却成为商家望而却不之所，原因何在？

据悉，目前在荆州白酒市场，有着边缘优势的白云边和枝江的销量遥遥领先，其他品牌只能望其项背。每瓶30~60元的白云边以占据市场80%的份额优势在中高档白酒中独占鳌头，其中又以335元/箱的9年陈白云边最为畅销。在高档行列，15年陈白云边与五粮液，剑南春等名酒厮杀激烈，由于当地消费者对名酒品牌的高度认知，所以在高端市场上白云边并不占优势。而作为国家名酒的黄鹤楼，自去年在武汉复苏以来，已经开始慢慢到荆州市场。虽然黄鹤楼今年春在当地投入百万，通过电视、报纸和商超大作宣传，但是由于走高端路线，在大酒店和商超铺货量较大，还未被广大消费者接受，只能以其品牌影响力来挑起高价位和市场占有量。目前天龙黄鹤楼酒业已推出十几元的低档酒，但何时向市场推广我们将拭目以待。

在当地，大众消费人群都晓得“枝江、白云边，各占半边天”。20元以下的枝江酒一直是低档市场的霸主。虽然作为高档酒的五星枝江早已推出，可由于名酒的打压和人们的消费习惯，销路仍不看好 。看来枝江如果想突破低档代名词的藩篱，向中高档延伸，还需要下一番苦功。枝江虽然在当地深得人心，但也并非没有竞争对手。由宜昌稻花香酒厂推出的20元以下的关公坊已经在当地占据了一定市场份额，对枝江造成了不小压力。而且目前关公坊又在电视和车体广告上大树品牌形象，加之在终端采用展销、和馈赠印刷品等形式大搞促销，让利于民，目前已收到成效。当年关公大意失荆州，今日的“关公”必会谨小慎微，争取这唾手可得的巨大市场。

据了解，在当地市场上，金六福经历了由盛到衰的过程，目前在终端运作也加大了力度，有重整旗鼓之势。国窖.1573也开始了对觊觎已久的荆州市场发起了进攻，这场硝烟弥漫的战局如何发展，我们将继续关注。

拓市建议．虽然地产酒在荆州市场势头强劲，但当地市场也并非无懈可击。毕竟消费者有审美疲劳，总是喝一种酒未免乏味了。外来酒抓住机遇，以新乡的和促销方式来打动当地市民。再加上大力广告宣传，使品牌深入人心，占领市场并非无望。同时应该注意，浓香型酒比较适合当地市民口感。

黄石：黄石是一个中等城市，当地居民的平均消费指数较周边地区略高。据调查，当地白酒高端市场上，传统的三大名酒：茅台，五粮液，剑南春，仍是主流，尤其是五粮液的销售情况更好一些。湖北地产酒黄鹤楼的销售情况却不尽如人意。尽管黄鹤楼在市场运作之中或多或少地得到了地方各级政府的支持，但是由于消费者对黄鹤楼品质与价格之间的性价比不大认可，所以销量始终不佳。

而在中低端市场上，湖北地方品牌枝江、白云边的市场运作可圈可点。同湖北其他地区相似的是：定位于中低档市场的枝江，始终占据着中低档市场的大部分份额。枝江的运作已经是一个老生常谈的话题了。而中档产品白云边的崛起则为其他同类品牌产品的运作打了一剂强心针。据调查。60元钱一瓶的白云边卖得不错。白云边通过强势广告和促销打开了市场的厦门，它的成功运作为更多新产品的入驻增强了信心。值得一提的是黄石地产酒——大团圆，以其低价位、使得购买等特点占据了大部分低端市场。每瓶10元以下的大团圆在农村市场最为走俏。

自去年起，皖酒的销量在黄石地区也不错。据了解，湖北全省只有黄石地区有皖酒。去年皖酒的经销商在黄石地区开始了皖酒的推广，皖酒的广告做满了黄石的大街小巷，促销文章做得更加漂亮。这样区域性独特的市场运作使皖酒的销售异常火爆，18元、36元、72元的皖酒各个单品都十分畅销。这样的现象引发了经销商的思考：黄石的消费者买广告、促销的单，于是各大小酒商纷纷做起了促销文章。而同是去年开发黄石市场的金剑南为了打开市场不惜血本，重金砸开黄石各大酒店的门。这种大做买断酒店终端的文章，高抬进店费用的大力经销手笔，哄抬了当地的市价。直至现在，买断酒店终端的费用仍然居高不下。据了解，在555、玉锦轩、太子这些大酒店作专场销售的费用需要几万元。即使做混场销售，每个单品也需要3000～5000元的进店费。高的进店费让更多经销商望而生畏。

拓市建议：根据以上调查显示，此地的消费特点是：消费者的品牌忠诚度不高，易受广告、促销活动的影响。外来品牌的大规模促销，大手笔广告活动能起来开发市场的作用。但是进驻市场所需费用高，风险较大，因此大量资金的投入必不可少。经济实力强大的经销商，通过强势的广告、促销活动，并构建商超、酒店终端的市场网络建设，其产品的市场前景仍是被看好的。

襄樊：襄樊市位于湖北省西北部，是汉江南岸古城襄阳和汉江北岸古埠樊城的合称。地处鄂，豫，川，陕四省结合部，历来是四省毗邻地区的政治、经济和文化中心，按理说应该是四省白酒的汇集地。然而出乎记者意料，当地市民对地产酒情有独钟，使得外省酒只能眼巴巴瞅着这块大蛋糕，却不知刀从何处切入。

据悉，如今在襄樊市场除茅台、五粮液、剑南春等名酒外，鄂酒仍旧占主流。但由天龙黄鹤楼酒业推出的一系列高档酒自今春入市以来，形势却不理想。看来在高端市场上，消费者还是更信任名酒。而要在名酒中挑选，消费者还要信赖多年来养成的消费习惯。中高档品牌中以每瓶50多元的9年陈白云边最为畅销，大到酒店，商超，小到批发摊位都可寻到踪影。由于多年的苦心经营，白云边在当地市场的地位已经坚不可摧，所以厂家也减弱了宣传和促销力度。而与之形成鲜明对比的是，由当地酒厂推出的演义6号酒睚虎视眈眈地紧盯着白云边的市场份额。6号酒是该酒厂着和打造的中档品牌，价位在40元左右，由于其区位优势和香型适中，加上在当地大力度的广告宣传，已经树立了品牌形象，在当地市场销售正火。另外，厂家与当地经销商非常熟悉，省去了不省中间运转环节，且推出的先铺货，半年后结账的优惠措施，提高了商家推广6号的积极性，这也是该酒热销的一个原因。

而在低档市场，枝江的销售量一直遥遥领先。据经销商反映，自去年下半年开始，枝江在当地的市场略显下滑，主要是由于另一种当地品牌——襄阳人家的崛起。襄阳人家是由当地酒厂推出的另一品牌，由于走的也是低端路线，大有欲与枝江争天下的架势。在终端促销上，襄阳人家花样百出，通过采用精美包装、赠送扑克牌、在节假日大搞抽奖送家电等活动，深得大众的喜爱，使得该产品在当地市场的销量节节攀升。

其他酒中，红星二锅头，陈泥香和地产楚翁泉也都有市场，但销量平平，尚未形成气候。

拓市建议：鉴于襄阳人家在当地的成功经验，新品牌进入襄樊可以在促销上多出新招，对消费者投其所好，让利于民。先树品牌再创效益，通过薄利多销的方式进入当地市场。由于地产酒在当地的优势，新酒进入还要做好打持久战的准备。

武汉白酒市场开发

武汉是湖北的政治、经济、文化中心，是华中地区最大的城市和内外贸易商埠，也是长江中游最大的物资集散地。武汉市下辖7区、6个远城区、2个高新经济技术开发区，共有常驻人口800万，其中市区约为600万。最近几年，武汉经济发展迅速，人民的生活水平不断提高，白酒的消费量也在逐年提升。根据相关部门调查报告显示，全市每年的白酒消费总量在60000吨，按500克/瓶计算，总共要喝掉1.2亿瓶，人均1.2瓶/月。其对白酒品牌的吸引力之大可见一斑。

武汉白酒市场一直以来都是地产品牌在唱主角。自从几年前稻花香淡出市场以后，枝江大曲和白云边经过一段时间的精耕细作之后，逐渐成为市场上的领军品牌。两个品牌在武汉市场上龙争虎斗，各自使出浑身解数排挤对手，扩大自己的市场份额。目前，枝江大曲略占上风，2004年的销售额在3个亿左右，其销量和市场占在率均居市场首位。白云边则紧随其后，2004年的销售额也接近2个亿，它的年份酒系列在中档市场处于主流地位。本地名酒黄鹤楼从去年开始也重新焕发处理机，凭借天时、地利、人和，两岸三地已俨然成为市场上的第三品牌。目前这三大品牌之间的竞争逐渐趋向白热化，呈现出“三国鼎立”的局面。另一地产名酒稻花香则宣布，2005年要在武汉市场上重铸辉煌，目前正在强力拓市。其他的一些外来品牌则虎视眈眈，纷纷寻找着进入和扩大市场的机会。

渠道分析

商超渠道：武汉素有“九省通衢”之称，商业特别发达。目前武汉超市之间的竞争特别激烈，国际零售业获(沃尔玛、家乐福、麦德龙、易初莲花)和国内知名商家(新华联、好又多、新一佳、大福缘)均已落户武汉。最近几年，本地超市也在不断发展壮大，比较明显的有中百仓储、中百超市、武商量贩、中商平价、丽红超市等。其中中百仓储30家、中百超市200多家、武商量贩20家、中商平价16家。

在超市中，百元以上的白酒有五粮液、茅台、黄鹤楼、国窖.1573、水井坊、剑南春等，其中五粮液、黄鹤楼为主要品牌。30～80元价位的以白云边为代表品牌，其中28元/瓶的五年陈酿和62元/瓶的九年陈醋销量最好。郎酒、泸州老窖、茅台醇也有一定销量。20～30元/瓶的白酒在超市中销量最大，主要品牌以枝江大曲(12～13元／瓶的金枝江)和白云边为主。

武汉超市的进场费用比较高，目前在15000～30000元之间，新品费(条码费)在300～500元左右。当然进场费的高低也要根据超市的规模和产品的品牌影响力及市场销售状况来具体分析。一般说来像中百仓储、中百超市、武商量贩、中商平价这样规模和影响力都比较大的超市，进场费相对较高，但是销量也很大，能总量的40%左右。而一些外地商超以单体店为主，进场费则相对少些。就产品来说，新品的进场费要高于成长期和成熟期的产品，这不没有包括店庆费、新供应商开户费、促销费、物流费等。还有本地品牌(如黄鹤楼)在进场时也有一定的优势。另外，超市实行"末位淘汰制"，即在一定时期内考核新品进入后的销量，如果没有达到预想的销量，且在一定的促销活动后仍未奏效，那么该产品就要被撤下。

目前超市的促销活动主要有三种：买赠、降价、文艺活动，其中前两种促销方式较为常见，效果也是最为明显的。

餐饮渠道：武汉酒店林立，餐饮业发达，比较著名的高档酒店有东方大酒店、天安大酒店 、新大地酒店、中业大酒店、香格里拉大酒店、五洲大酒店等。以餐饮为主的连锁酒店有100多家，如小蓝鲸、艳阳天、三五醇、武汉三五、潭头鱼、太子轩等。中低档酒店有近5000家。在比较高档的酒店，除了传统的高档白酒五粮液、水井坊、茅台销量看好外，价位在300元以上的黄鹤楼高档特制销量也很大。另外，口子窖经过近六年在餐饮渠道的运作，目前销量也不错。消费者在高档酒店的消费价位一般在100～300元之间，一些高档的商务交际则在500元左右。在中小型酒店，枝江、白云边系列的中低档酒是人们饮用的首选，价位一般在25～60元之间。目前在餐饮渠道，黄鹤楼和口子窖的竞争比较激烈，枝江、白云边的自然走量比较大。

武汉酒店的进店费比较高，大型连锁酒店一般在10000～20000元之间，中型酒店一般在8000～10000元之间，中小型酒店在3000～5000元之间。酒店中觉的促销与其他城市基本相同，主要有陈列、人员促销、兑奖等。由于武汉的餐饮业比较发达，酒店往往成为一些高档白酒进军武汉的第一站，据经销商估计，一个新品假如有足够资金的话，在三个月的时间里使餐饮渠道的铺货率达到60%以上，那它足以立足武汉。

批发渠道：武汉的食品批发市场主要有六个，汉正街批发市场、香港路批发市场、火车站副食批发市场、徐家棚市场、保安街副食批发市场、额头湾农贸大市场。除了额头湾市场位于城郊结合部，其他向个市场均处于市区。汉正街批发市场可以说是其中知名度最高的，可是随着市场的竞争，各地市建立了自己的批发市场，汉正街市场正在逐渐萎缩，一部分经销商继续留守；另一部分则走出批发市场，走进写字楼，成立自己的营销公司。

和其他地区批发市场销售以杂牌酒为主不同的是，武汉批发市场普遍销售畅销白酒，并且以枝江、白云边、黄鹤楼、稻花香等地产品牌为主。这些产品特别好销，跃然利薄，但平时走量很大。一般情况下，新品很难在批发渠道做起来。

拓市建议：对于商家来说，武汉的白酒市场可是块难啃的"硬骨头"。一方面，以枝江、白云边、黄鹤楼为主的地产品牌在高、中、低档和餐饮、商超、流通渠道构筑了一道的壁垒。而且这些品牌都有一定政府扶持的背景，这也使它们在与外地品牌的竞争中具备了很大的优势。另一方面，众多外地名酒强势进入。内外夹击令武汉白酒市场显得空前壮观。但新品进入市场应该注意以下几点：

1、大部分品牌均以餐饮终端为突破口，致使买断酒店之风盛行。这些费用足以令一些品牌退缩。有经销商说，在别的城市拿下一个餐饮终端需3万元，在武汉就得30万元。另，当地对广告很认可，所以进入该地酒市首先需要大量的资本投入到前期宣传中去。

2、进入武汉市场需要一定的耐力，短期效应并不能代表长远。

3、调查过程中我们发现，10～20元左右的价位很好销，这一价位的畅销品牌很少做活动，新进品牌可以以此作为突破口。

在我们调查的过程中，几乎所有的被调查对象都认为："武汉现在的市场格局最近一两年不会产生大的变化，枝江、白云边等地产品牌的强势地位难以撼动"。所以对于外来品牌而言，进入武汉市场需"三思而后行"。

鄂酒势力

枝江，连续四年全国白酒企业销售收入前十强；稻花香，长途奔袭成为广东、江苏等白酒热点市场的外来强势品牌；白云边，2004年度中国白酒工业百强企业；黄鹤楼，重新焕发生机的老名酒……

湖北白酒，正在以前所未有的高昂姿态成为白酒市场中一个影响力剧增的板块。以上述四大品牌为代表的湖北白酒，不但在湖北市场"一家独大"，而且在众多外围市场成为其他板块白酒越来越难缠的强劲对手。那么，湖北白酒的整体面貌到底如何？各个强势品牌的特点又有哪些？在未来白酒市场竞争中它们将处于什么样的位置？如此种种，无不令人兴趣盎然。

鄂酒：一群不可忽视的对手

不同价格段 各领风骚

湖北白酒市场，几支地产白酒分别在不同的价格段占据了较多的市场份额。

枝江大曲的产品在40元以下的低档价格区间所占比例较大。其中，30多元的铁盒枝江王和15元左右的金枝江两个品种销量最多，市场的畅销程度远远超过了其他品种。

白云边主要在40元至100元价位表现强势，以白云边5年陈、9年陈、15年陈为主导产品。其中餐饮终端价约98元、商超价约60元的白云边9年陈可谓一枝独秀，销售额约占白云边在湖北市场销售收入的50%。

黄鹤楼100元至200元的产品则在武汉及周边地区白酒市场上占主导地位。黄鹤楼在2004年5月上市伊始，便确定了抢占湖北高端白酒市场的策略，其在武汉本土市场的绝大部分销售收入均来自这个价位的产品。

除了湖北宜昌，稻花香的主要市场大都不在湖北省内。不过从今年开始，稻花香重拳出击武汉市场，试图扩大其在湖北的市场份额。目前稻花香在武汉市场重点投入的产品多在30元左右，对武汉30元以下白酒市场造成了强烈冲击。

可以看出，虽然各强势品牌在产品档次上有部分重合，偶有相互渗透，但由于在不同价格区间形成了优势，市场格局已初步形成，因此表面竞争激烈的湖北市场，实际上并不如想象的那样残酷。

不同渠道 彰显个性

如果说，价格竞争层次分明是湖北市场的一个明显特点，那么，各品牌主力渠道的略有不同则是另一个鲜明的特点。

枝江大曲是湖北市场较早的成熟品牌之一，从上世纪80年代初的2元光瓶酒开始，便进入流通渠道。抢占了流通渠道先机是枝江优于其他品牌的显著特征。随着近年来枝江在营销方面的精耕细作，从2003年下半年开始，枝江利用流通渠道的优势渗入餐饮终端。不过，由于其产品结构的限制，枝江所占的终端大多是中低档餐饮店，与白云边相比略显劣势。

白云边在武汉乃至湖北市场，主要以餐饮终端见长，很小部分来自其他渠道，虽也推出适合流通渠道的产品，但仍无法打破枝江在流通渠道设置的壁垒。由于白云边从1998年起便与经销商一道强力进入餐饮渠道，而主要竞争对手（枝江）进入该渠道较晚，所以，白云边在餐饮渠道逐渐形成了明显的优势。

黄鹤楼酒在2005年重新崛起，在入市之初，便瞄准了枝江和白云边的市场空当，配以武汉市政府的支持，从团购入手，抢先在特殊渠道进入市场，取得了不俗的业绩。

激烈竞争引发的合力

由于湖北白酒企业在各销售渠道、各价格区间的激烈竞争，客观上导致了各企业精耕细作，宣传推广密集，从而也形成了一种整体的合力。

这种合力在市场上表现为，湖北白酒市场的现状，绝对是鄂酒天下，与上述四大品牌形成直接竞争的外来品牌，竞争力逐渐减弱。2004年，二线品牌中，销售额排在外来品牌首位的是安徽的口子窖，但其在湖北的销售收入也不过几千万元，而这还是建立在其巨大的市场投入上的。由此可见，金六福、浏阳河、金剑南、老伙计等进入湖北市场的外来白酒品牌，日子并不一定都好过。

湖北白酒企业形成的合力，与其他板块白酒企业相比，是相对独特的，与川酒的品牌逐鹿、徽酒的终端大战、豫酒的价格比拼等都略有不同。当然，湖北白酒企业表现出的还只是阶段性特征，在未来几年内，随着各企业的不断壮大和企业实力的逐渐增强，全方位的市场竞争在所难免。

攻守两不误

正当许多地产白酒谋求走出传统区域的时候，以稻花香、枝江大曲等为代表的鄂酒不仅早已走出本土，并在外省取得了不俗的市场业绩。2004年，枝江酒业约有35%的销售收入来自外省，主要在湖南、江苏等省；稻花香虽然在宜昌的销量只有6000多万，但在广东、江苏、安徽等地，销售收入均过亿元。湖北白酒能够在压制外地品牌进攻湖北市场的同时，“长途奔袭”获得广东等外省市场消费者的认可，是其区别于许多白酒板块的一个显著特点。

花开四朵 各表一枝

枝江大曲：织好一张网

2004年，枝江酒业以7.2亿元的销售收入，连续四年排在全国白酒企业的前十强之列，当之无愧地成为鄂酒的老大。而2005年截至5月25日，枝江已实现回笼货款4.2亿元，发展势头良好。对此，枝江酒业销售公司总经理曹生武一言概之：“细节决定成败”。而把这句话直接体现在营销活动中，关键的就是枝江组织经销商和业务人员共同织好一张网。那么，枝江大曲的网是如何织的呢？枝江酒业销售公司办公室主任夏险峰为记者做了介绍。

枝江在武汉有8家代理商，分别在产品的价格和渠道上进行了区隔，几家经销商在各自资源优势充足的渠道经营不同价格的产品，下设的多家二批商等则由厂方人员统一协调管理。因此，枝江在武汉市场的销售网络密集到几乎没有空白点的程度。2004年武汉市场2亿多元的销量表明，枝江酒业织网工程是切实有效的。

在枝江市，枝江采用的是直营式织网。在全市的13个乡、镇都设有经销处，而负责该片区的经理则按照地理位置将其分割成几条线，每条线都由专人负责送货、查看市场状况，并将经销处的各分销点（或酒店、超市）经营日报累计汇报。

夏险峰说：“枝江大曲如此密集的织网，其主要目的只有一个，就是无论哪支竞争品牌准备进入，我们便会加强在该价格段产品的促销力度，以抵御外来者的入侵。就算再强的品牌将这张网撕破，我们也会用几倍的力量将其补牢，所以，枝江在湖北的优势是非常巩固的。”

稻花香：墙内开花墙外香

稻花香在湖北省外市场的成功是业内有目共睹的。2004年，稻花香在广东市场2个多亿、安徽市场2个亿、江苏市场1个亿的业绩令人称奇。对于稻花香取得如此业绩的原因，稻花香销售公司总经理王心高说：“我们主要坚持两点：一，市场做一个活一个；二，加强对消费者的研究，将市场做深、做透。” 表现在市场操作中，则是既有想法又有办法地做到了“墙外香”。

稻花香与枝江酒业的操作模式有些相似，就是都在流通渠道采用了织网的方式。不同的是，枝江逐步将流通渠道获得的优势嫁接到了其他渠道，而稻花香则在两种模式之间进行了一种有效对接，即流通渠道的金网工程和餐饮终端的盘中盘模式之间的对接。

稻花香的金网并不是以密集著称，但其网络的目标性更强。枝江的网络除了销售功能以外，还有御敌的妙用，这就要求其网络是密集普遍的。而稻花香的主要操作市场是在远离湖北的广东、江苏等地，因此，就要求其网络以销售功能为主，当然，对网络的纵深发展要求更高。

在商超和餐饮渠道，特色促销是稻花香赢得消费者青睐的常用战术。例如在安徽，针对共饮长江水的相同人文情结，稻花香推出了“特色三峡游”活动，引起了许多消费者的共鸣；而在广东，稻花香也是率先开展有奖刮刮卡活动的品牌之一。诸如此类的终端促销，配合经销商的推广，形成了推拉结合的有利局面，为稻花香成功开辟省外市场找到了一条捷径。

不过，稻花香并不满足目前这种“墙外香”的局面，王心高说：“做白酒不是百米冲刺，而是万米赛跑，只有每一步都走好，才能成功。稻花香不能局限于墙内开花墙外香，2005年我们要不遗余力的做好本土市场。”

白云边：浓缩出精华

白云边是湖北的老牌白酒，但是从1993年起，企业的发展经历了一段波折，错过了市场机遇。1998年，白云边又重新回到了市场，瞄准终端，配合强力的促销和宣传攻势，避开了与枝江大曲的正面交锋，销售收入连年递增。

对于白云边的市场操作策略，白云边销售公司总经理吴忠亚认为："我们遵循企业定位、产品定位、价格定位这'三位统一'的原则，采取了浓缩式的市场策略来做市场。"

而所谓浓缩式的市场策略，即集中优势资源，攻占优势渠道和终端，以此获得稳固的市场基础，并在此基础上增强企业的优势。例如在湖北市场，白云边的经销商共有70多家，而厂方的业务人员只有100多人。从这个数字分析，白云边操作市场，主要是依托强势的经销商来完成。同时，对于优质渠道和终端，白云边在促销和宣传上的资金投入也相对其他竞争品牌要大很多，从而使得其在渠道和终端所遇阻力要小得多。

黄鹤楼：创新盘中盘模式

黄鹤楼酒2004年5月上市至今，销售收入已突破亿元大关，对于这个令同行颇为称奇的业绩，黄鹤楼酒业公司总经理陈佳说："黄鹤楼的重新崛起有很多原因，政府支持、品牌基础、酒质保证、优秀团队、企业定位等等，从营销层面来讲，是创新的采用了盘中盘模式。"

盘中盘的精髓是小盘带动大盘，用意见领袖带动追随者。黄鹤楼对武汉市场进行了认真的调查研究之后发现，这种办法并不十分适合自己。主要原因是，在餐饮终端投入费用较高，竞争品牌如口子窖等产品成本低于黄鹤楼酒，促销力度很大，再加上枝江大曲和白云边的强势，正面的交锋会使黄鹤楼遇到强大的阻力。于是，黄鹤楼采用只在重点终端铺货，而在团购渠道要销量的办法，大力运作团购渠道，在当地的主流领袖消费群体中打开一个缺口后，再启动商超渠道，最后大量介入餐饮终端。

明确了营销的战略和战术，黄鹤楼开始通过赞助大型政府会议入手，在高端白酒消费群体中进行品鉴、赠饮等推广活动，重新树立起了自己的品牌形象。

这种创新的盘中盘模式，与黄鹤楼的高端品牌定位和市场定位相得益彰，获得了良好的经济效益和社会效益。陈佳说："做高端白酒，就是要耐得住寂寞，不能盲目地只看眼前利益，要将企业发展的眼光放得更远，才有出路。"黄鹤楼也正是通过自己的方式，获得了企业的重生。

鄂酒新考验

从做好本土市场到逐步走向全国，鄂酒的发展已经进入了全新的阶段。但是，在前行的每一级台阶上，都会面临不同的考验。当前，鄂酒整体表现出的问题也是不容忽视的。

品牌亟待提升

无论是枝江大曲、白云边以及稻花香，都面临着品牌提升的问题。几家企业的主流销售产品价位多在10元至几十元不等，在消费者心目中均属中低档产品。白云边的情况虽略好，但其主流销售产品结构的单一，也在一定程度上阻碍了企业的进一步扩张。枝江大曲认识到了这种现状的不足，正积极推出三星、四星、五星等高端产品，试图通过"选择区域，重点突破"的战略来促进高端枝江酒的发展，并以此提升其品牌形象。稻花香的价格定位也主要是在中低端，从2002年开始通过拉动产品价格来提升品牌形象，在江苏等市场的主流产品价格已经从最初的70多元/件增长到了200多元/件。

然而，品牌提升不是拉起产品价格就可以实现的，而是需要企业核心竞争力的打造、品牌价值的提升等多方面平衡发展，这需要一个相当漫长的过程。

内外市场需兼顾

枝江、白云边都是湖北的成功品牌，而这种本土市场的成功者在走出去之后，能否将湖北的成功经验复制到其他市场，则是一个大问题。而像稻花香这样外围市场强于本土市场的品牌，也要解决内外市场兼顾的问题。

枝江在外省的销售状况并不十分乐观，主要是由于省内的操作模式在外省实施，存在一定程度的水土不服，因此还需要营销技术的创新和灵活运用。

白云边由于企业内部根本的体制问题没有得到解决，注定了其营销战术上的以守为攻，其当前的主要目标还是在湖北市场的纵向发展。

黄鹤楼虽发展势头迅猛，但其在本土获得的成功，天时、地利、人和的因素更重，而在开拓外省市场过程中，能否将武汉的经验对接到其他市场，还需要更扎实的市场基础和丰富的营销实践作为支撑，同时也需要经历更多的时间考验。

稻花香在外省市场虽然显得轻松一些，但是要扩大自己在湖北本土市场的地盘，还有很长的路要走。 （吴为）

华东地区糖酒市场

上海市糖酒市场

一、市情简介

上海，简称沪，别称"申"，1927年设市。现为我国四大直辖市之一，为我国对外开放城市之一。上海是我国最大的商业、金融中心，内外贸易总额均居全国各大贸易中心首位，同时也是国内、国际通信枢纽之一。

上海位于中国东部海岸长江出海口的南侧，东濒东海，南临杭州湾，西接江苏、浙江两省，正当我国南北海岸线的中部，交通便利，腹地广阔，地理位置优越，是一个良好的江海港口。境内除西南部有少数丘陵山脉外，全为坦荡低平的平原，是长江三角洲冲积平原的一部分，平均海拔高度为4米左右。

上海现有16个区、4个县，共204个镇，8个乡，99个街道办事处，3501个居民委员会和2904个村民委员会。全市总面积6340.5平方公里，人口1415万，其中城市人口约869万，是我国第一大城市，也是世界大都市之一。

二、市场格局

1、白酒

在上海市场上，高度数的系列白酒销势一落千丈，取而代之的是名牌、老牌，质量过得硬，知名度高，包装精美、新颖的低度型系列白酒，且牢牢占据了上海酒类市场的一大块领地。调查显示，2004年初白酒产品中处于第一梯队的五粮液、茅台和水井坊，处在第二、第三梯队的剑南春、泸州老窖、金六福、五粮醇等市场情况较好。2004年1月份，五粮液推出的“金榜提名”豪华精品酒率先在上海面市。“金榜提名”定位为高档精品白酒，据透露，该品牌希望通过创新和细分市场，来赢得竞争的主动权。

这些白酒都历史悠久、品质上乘，且又各具风味，因此备受上海消费者青睐。还有一定数量的上海市民选购白酒并不是为了饮用，而是作为家庭居室的摆设和点缀，并美其名曰：家有酒香，喜气洋洋。

2、啤酒

上海啤酒市场的头三把交椅分别是三得利、力波和青岛，其中三得利以10.6万吨的销售业绩领先，居于老大地位。2004年上海啤酒市场竞争异常激烈，青岛啤酒异军突起杀入上海，让市场销售多了几分火药味。尤其是力波啤酒所在的上海民乐啤酒有限公司，不仅把公司的名字改成亚太酿酒公司，而且增资1.5亿元，大幅度加强对市场投入，大有与三得利、青岛一决雌雄的架势。

3、葡萄酒

名牌葡萄酒上海市场扮主角。上海，正确品饮葡萄酒、欣赏名牌葡萄酒的人很多。为此，只要是名品、名牌葡萄酒没有不在上海市场占有一席之地的。能在上海市场站稳脚跟，获得消费者认可的葡萄酒品牌，必定具有“名”——品牌名气大，“特”——特别有效的通路与消费群，“优”——优越的品质与品牌特质。

上海的干红葡萄酒消费量领先于全国，约占全国消费总量的十分之一。最近几年，进口葡萄酒在申城市场节节败退，而国产名牌葡萄酒美誉度直线上升。据上海商情信息中心统计，在上海连续5年销售额遥遥领先的是王朝葡萄酒。王朝仍以37.3%的占有率为居业首，这就是知名品牌和品牌美誉度在消费者心目中长期积累的能量的释放。为此名牌效应仍将是上海葡萄酒市场上的主旋律。

4、黄酒

在上海红火的酒类市场竞争中，黄酒是一股不可忽视的重要力量。从市场上看，上海黄酒市场正在上演一场“三国演义”，分别是上海本地的金枫黄酒、和酒以及绍兴地区黄酒。黄酒市场的争夺战的激烈程度将更甚于白酒品牌间的竞争。

5、食品

上海食品本土品牌活跃。根据调查，截至2004年3月初上海食品市场上还是本地品牌占有优势，尤其是那些“国字号”食品集团的品牌在2003年表现出很强的活力。如冠生园集团旗下的大白兔糖果和冠生园蜂蜜、佛手味精，梅林正广和集团旗下的真的八宝粥、光明冷饮、申丰巧克力，大江集团的大江冷冻副食品，良友集团的海狮食用油、乐惠包装米。而一些生产地设在上海的跨国和合资食品品牌也有不凡表现，如太太乐调味品、龙凤速冻调理品、小辣椒休闲肉制品等也在上海广受欢迎。另外以非公经济和混合经济的品牌如天喔蜜饯、阿明炒货、高博特保健品、汪满田中国茶、百诺巧克力等也在各自的市场中占据重要一席。

据统计，冠生园集团的“大白兔奶糖”的市场占有率为24%，而第二位为17.6%，“和酒”的市场占有率达42.1%，而第二位仅为12．2%，“冠生园蜂蜜”的市场占有率达53.8%，更是其他品牌望尘莫及。冠生园集团之所以能创造如此良好的市场销售业绩，除了产品质量过硬外，有效的市场拓展起到了积极的作用。

此外，冠生园在产品宣传上也加大了力度，过去国企很少做产品宣传，新产品上市静悄悄。现在冠生园一年要出多个新品，每个新品上市前都要做精心筹划包装，广告大力配合，营造热烈气氛，推动销售上升。同时冠生园每年都要召开全国经销商大会，推出一批新产品。今年的全国经销商大会就推出了新口味的“大白兔条糖”、“大白兔棒糖”、“大白兔鲜乳喜糖”等糖果新产品，还推出黄酒新产品“金色年华”、500克鸡精等产品。为了调动经销商的积极性，冠生园对业绩优异者给予奖励，前两年对营业额超过千万元的经销商奖励汽车，今年将有效销售额的返利作为奖励，起到了积极作用。

6、乳业

上海人均消费牛奶一直位居全国首位，除了当地的“光明”等企业的乳品品牌倍受青睐以外，近年来还吸引了众多国内外乳品品牌的垂青，各路品牌纷至沓来，彼此之间竞争激烈。

三、知名企业

1、上海市糖业烟酒（集团）有限公司
2、上海神仙酒厂
3、三得利啤酒（上海）有限公司
4、上海民乐啤酒饮料有限公司
5、上海金枫酿酒公司
6、上海东基酒业有限公司
7、上海富仕达酿酒有限公司
8、上海东海啤酒有限公司
9、青岛啤酒上海松江有限公司
10、上海亚太酿酒有限公司
11、冠生园（集团）有限公司
12、上海光明乳业股份有限公司
13、上海（喔喔）集团有限公司
14、上海太太乐调味食品有限公司
15、上海立丰食品有限公司
16、上海川崎食品有限公司
17、上海梅林食品有限公司
18、上海鼎丰酿造食品有限公司
19、上海万有全集团
20、上海新侨食品有限公司
21、上海伊利爱贝食品有限公司
22、上海申美饮料食品有限公司
23、上海百事可乐饮料有限公司
24、上海三明食品公司

四、市场概况

【上海中高档干红走俏葡萄酒市场】

最近一段时期，上海的葡萄酒市场又火了起来，虽说品牌竞争激烈，但今年葡萄酒畅销，似乎已成了定局。

中高档干红俏销

随着上海消费者生活质量的提高，中高档干红今年成了葡萄酒市场的俏货。据了解，在市场畅销的华夏长城系列葡萄酒中，华夏长城９４圆筒干红、华夏长城９２木盒干红和华夏葡园A区干红的销售量，就占了总销量的50%以上，这些瓶酒的零售价在180元至700元之间。中高档干红日旺一日的走势，使不少酒商不顾自家的厂情厂况，争相效仿推出了木盒装、筒装的中高档干红，以期抢占市场份额。

进口葡萄酒风光不再

目前国内葡萄酒业主要是本土品牌长城、张裕、王朝三分天下，这3家品牌的市场占有率已高达52.1%，3家的资产合计拥有全行业的38.7%，销售收入更是占到了全行业的56.2%。而进口葡萄酒在整个国内葡萄酒市场的份额仅为1%。与国内葡萄酒形成鲜明反差的是，前几年，由于洋酒市场疏于管理，对市场控制渠道不严，造成走私货和假冒伪劣货屡见不鲜，由此对洋酒市场的信任度造成很大冲击。另外，从价格上来看，进口葡萄酒的价格远高于国产葡萄酒，昂贵价格的产品不会是消费者的首选商品。而目前进口葡萄酒的渠道面还是非常窄，单个代理商的运作能力比起国内企业的整体运作毕竟有限，而国产葡萄酒在渠道上经过多年的苦心经营，已建立一个全国性的覆盖面相当广的销售网络。应该说，渠道已成为进口葡萄酒最头痛的弱项。

上海黄酒市场加速品牌集中度

和酒独占鳌头

黄酒市场正在加速向少数品牌集中。根据上海商情提供的最新数据，对比2001年和2002年上半年的销售额，和酒在市场占有率上的领先优势已经从25%扩大到36.7%，继续独占鳌头。金枫的占有率也从8.2%提高到11.2%，超越古越龙山和女儿红，从第六名一举上升到第三名。

在黄酒市场上，来自浙江绍兴的品牌一直具有传统优势，而最近几年，沪产黄酒依靠差别化竞争迅速崛起。市场调查发现，上海市民对酒类消费开始注重营养保健及口味习惯，抓住这个变化，冠生园集团旗下的华光公司及时推出了低酒精度、口感清醇淡雅，符合现代都市风味的“和酒”，并凭借营养黄酒的概念一炮走红，截至去年年底，销售额已破亿元大关。今年夏天，他们又推出含汽超爽型低度黄酒“冰和”，一举填补冰黄酒市场的空白。

业内人士指出，黄酒是我国独有酒种，在国际市场上没有竞争对手，中国加入世贸后，将会有更多的出口商机，而无舶来品的竞争。然而与啤酒、葡萄酒、白酒行业相比，黄酒行业缺乏知名的全国性集团，如果不能迅速形成规模效应，也存在相当程度的隐忧。上海黄酒市场向少数品牌集中，将有助于本土黄酒行业的健康发展。

上海酒市场扫描

上海，全市面积达5800平方公里，常住人口1349万，流动人口600多万。因其地处长江三角洲，扼长江出口，是中国重要的门户，十七世纪已成为一个繁盛的港口。今日的上海更是中国最大的商业、金融中心，是全国消费的前沿，极具辐射作用。借用一新近力挺上海的某黄酒企业老板的话来说就是：“再艰苦，我也要撑住，如果我能在上海立稳脚跟，其它市场将顺势而起！”

此话足见上海诱惑力之大！这就不难理解，为什么林林总总会有那么多的品牌拥挤在上海；为什么会在一批批产品风光前去，灰头土脸归来之后，还会有那么多品牌挤拥而去了。

一个个誓死拿下的决然凛然，令人悚然心惊。唇在齿啮中悄然崩裂，血凝在唇角，是上海酒品牌市场上搏弈的缩影——我们无意坐观这些天天、时时、刻刻上演的盛大赛会，这一天，在走访吉马，探过海烟，拜会上海酒类专业协会，约见上海市酒类流通行业协会......，之后，我们像往常一样，随意走在上海的街头，偶尔驻足与这些奔波于酒市的铮铮男儿聊了聊，于是，有了这篇朴拙的文字，而上海酒市则一如海市蜃楼般浮现于字里行间。

上海酒市概况

2005年上海饮料酒行业具体情况为：啤酒继续领导消费潮流；葡萄酒消费优势突出；黄酒总量稳中有增，地产黄酒涨势强劲；白酒消费总量仍然趋降，包括名白酒。

2005年饮料酒消费趋势：啤酒向新鲜化、黄酒向营养化、葡萄酒向全汁化、白酒向低度化方向发展。

据上海市酒类专卖管理局统计，截至2005年底，上海注册的酿酒生产企业100家，批发酒类产品的企业894家，零售商38000家。

有名的大卖场是：麦德隆4家，乐购12家，欧尚4家，物美4家，世纪联华12家，大润发11家，易初莲花20家，时代购物1家，好宝钢1家，山姆士1家，沃尔玛1家，等等。

主要商超有：家乐福、农工商、联华、华联等，华联号称1000多家店，80—90%是加盟店，直控店100多家，进场费一家5万元，一般新品会被安排进50家店，采取末位淘汰制，如果销售额在后三位就被淘汰掉。这种苛刻的条例，限制了新品的进入。餐饮店2万多家。流通市场萎缩厉害，原因是上海终端店太发达了，大卖场的兴起，已经取代了批发市场的作用。超市（卖场）占70%，流通30%，中小型餐饮直接从大卖场进货。

海烟物流相当于北京的朝批，是上海终端的龙头老大，其它经销商都是辅助性的。所以条件也相当苛刻：单品进店费60万元，保证进4000家店，返12个点，厂家必须保证产品一年有500万元以上的销售额，如果销售额不足500万元，差的返点由厂家补齐，产品撤出海烟物流。

据上海酒类专业协会统计，截至2005年底，上海酿酒行业（按在沪区域的生产单位统计）全年生产各类饮料酒......

以上可以看出，上海酒类产品生产主要是啤酒和黄酒，啤酒产品除了青岛啤酒生产之外，其他都是国际啤酒巨头控股生产，由于产品质量、安全、可靠，口味适合上海海派消费习惯，市场的投入实力和营销手段的多样性，刺激了啤酒消费，驱动了啤酒产品生产规模的扩大。

而黄酒正相反，所有黄酒产品都由内资企业生产，其中主要是国资企业生产，占80%多，剩余的由民营企业酿造。2005年上海地产黄酒在营养、健康、品味、消闲的理念倡导和推动下，获得了空前的发展，其中金枫酿酒公司的产量更是达到了10万千升，跃居全行业之首，这也是黄酒行业第一家年产量过10万千升的企业。

据上海酒类专业协会不完全统计，截至2005年底，上海各类饮料酒总销量突破120万千升，达到125万千升，同比增长18%，这是连续第二年上海酒类产品销量增长达到两位数。

其中……

进口酒主销渠道在商超，餐饮属于渗透性阶段。短期内不会有太大的变化。主要原因是，中国葡萄酒消费市场成熟度不够，洋品牌关注多于行动。

黄酒：地产黄酒涨势强劲

（上海主要企业产品构成图略）

上海是黄酒传统消费市场，市场规模达21万千升，最近2年销量保持13%增长，6元以上的价格带增长，带动最近3年销售额增长率达到16%。KA的销售所占的比重大幅度上升（24%跃至32%），KA的销售数量非常大，特别是大卖场的销售数量约为一般超市的9倍。便利店的年平均增长率为12%，大卖场为47%。便利店持续增长，今后将更加成为重要销售渠道。杂货店销量持续略微减少（店铺数量减少为主要原因）。餐饮市场稳定增长，特别是中高档餐饮，销售数量约为普通餐饮的6倍。

由于金枫、和酒的增长，前3位销量达到总市场的70%，特别是6元以上产品占有压倒性的市场份额，绍兴产黄酒品种繁多，但是销量较少。

上海目前已成为全国黄酒消费量最大的城市之一，是众多黄酒品牌云集之地。"古越龙山"、"沈永和"、"女儿红"、"会稽山"、"和酒"、"金枫"、"塔牌"、"阿拉老酒"、"大越"、"白塔"、"君再来"、"富金"、"王宝和"、"沪牌"、"绍礼"、"嘉善"、"沙洲优黄"……，这里几乎囊括了所有的黄酒品牌。

上海，涌集了所有的黄酒品牌。原因是，上海的消费能力高于其它地区，在别的市场卖10多块的酒，在上海能卖30、40块；再者，上海本来就有喝黄酒的传统，以前，在饭店里一般是比较便宜的黄酒，现在黄酒档次上来以后，比五粮液还贵，这是身份、地位的象征，喝！它反过来也促进了餐饮的消费，这一块消费占总量中的比重不是很大，但是它带来的利润是非常可观的。

目前上海黄酒的主流品牌是"和酒"、"石库门"、"古越龙山"、"塔牌"、"会稽山"、"女儿红"。

2005年，上海黄酒销量21万千升，占总销量的16.8%，虽然所占比重上升不大，但沪产黄酒在黄酒总消费量中的比例继续上升，占到75%，其一年的增幅再次达到两位数的13%，这对上海黄酒行业的发展具有极强的刺激作用。

上海黄酒的主力是"金枫"，它的产销量要占到整个上海黄酒消费量的50%，其在上海的消费要占到产能的60%。上海还有华光的"和酒"，去年销量3.5万吨，上海黄酒市场，近80%是这两家企业做的，而不管是在当地的黄酒企业中，还是在全国、在整个黄酒本土行业来说，这两家企业的赢利水平最高。

在上海的大卖场中，以销量计算，嘉善占5%，金枫占14%，和酒占39%，其他占42%；

6元以上产品占卖场总销量的54%，其中，金枫占15%

按销售额计算，金枫占36%，和酒占42%，上海3%，其他19%。

6元以上产品，占整个卖场的81%，其中，金枫占30%

在上海可的便利店的上海地区555家店POS数据来看：

以数量计算，其所占市场份额分别为：金枫32%，和酒31%，上海19%，其他18%。

6元以上产品占整个便利店销量的47%，其中，金枫占15%

按销售额计算，金枫占36%，和酒占42%，上海3%，其他19%。

6元以上产品占整个便利店销售额的77%，其中，金枫28%……

上海超市情况则是：

按数量计算，嘉善占10%，金枫占21%，和酒11%，其他58%。

6元以上产品，占整个超市销量的24%，其中，金枫占33%，和酒占48%……

按销售额计算，嘉善占4%，金枫占36%，和酒占20%，其他占40%。

6元以上产品占整个便利店销售额的62%，其中，金枫48%，和酒32%……

金枫在所有的渠道，均占有一定的市场份额；和酒以商超、大卖场、中高档餐饮为主占有一定的市场份额。嘉善黄酒的批发流通（杂货店、普通餐饮）较强。金枫覆盖所有价格带，特别是2-4元价格带较强；和酒在6元以上价格带占有压倒的份额；嘉善黄酒以低价格（特别是2元以下）为中心。低价格带、大众价格带的产品中其它厂家所占比率较高（58%）。和酒、石库门的6元以上产品快速增长，4-6元价格带数量下降、呈减少趋势，2元以下及2-4元价格带，数量基本保持稳定。

上海这两家企业的营销带动了一种新的消费理念，也带动了黄酒消费的档次的提高。原先黄酒消费的档次比较低，都是比较便宜的，现在比较高，黄酒卖30、40、50块一瓶的，几百块的都有，甚至比五粮液、茅台卖得还贵。但是，有人喝，这是身份和地位的象征，而且在高档酒楼饭店一般都是商务用酒。

（上海黄酒主流品牌概况图略）

啤酒：继续领导消费潮流

上海消费量最大就是啤酒。据上海酒类专业协会不完全统计，截至2005年底，上海啤酒总销量95万千升，较2004年，增长17.2%，占上海全部饮料酒总销量的76%，可见其优势地位。

（上海啤酒主流品牌概况图略）

上海主要以地产啤酒为主。三得利，亚太，东海，富士达，青岛。这五家企业2005年产量约71.5万千升，占上海整个啤酒销量的75%强，其中，三得利以40万吨的销量稳居上海第一把交椅；上海地产啤酒90%是在家庭消费。

外来啤酒因价位相对较高，除青岛、百威这两个品牌做得较大外，剩下的品牌包括无名、雪花、燕京、雪津、惠泉、嘉士伯、哈啤、科罗娜、莱克等，在上海都有卖，但是量很小，多在餐饮消费。中小餐饮店，主流价位8-10元，走得俏的是青岛；稍好的酒店，主流价位15元，喜力增长较快；夜场消费，主流价位在30-35元间，科罗娜走势不错；夫妻店、路边店是三得利、力波啤酒销得不错的场所，消费者多为民工，为便宜计，此店主流价位3元左右。

预计到2010年，上海的啤酒可能会翻一番。

原因是：……

葡萄酒：消费优势突出

葡萄酒在上海的总消费量不是很大，但是它的增长速度非常快，每年以15%-30%的速度增长。据上海酒类专业协会不完全统计，截至2005年底，上海葡萄酒总销量5万千升，虽然仅占总销量的4%，但其增幅是各酒种中最大的，达到了25%，足见其未来市场潜力巨大。

上海是众多葡萄酒品牌云集之地，即使不说来自国外30多个国家的2000多种葡萄酒产品，也不说2005年底，上海葡萄酒市场突然间冒出的100多个洋品牌。单是国产葡萄酒就有：长城、张裕、王朝、龙徽、容辰、新天、威龙、丰收、通化、长白山、茅台、皇轩、云南红、白洋河、通天、香格里拉等20多家的300来种产品。虽然品牌众多，热闹异常，但上海市场的葡萄酒消费主要是王朝、张裕，长城，皇轩这四家。王朝以32%的市场占有率领先一步，居第一；华夏长城紧随其后，以接近30%的份额位居第二，张裕、皇轩、龙徽、威龙、烟台长城等瓜分剩余的市场份额，这其间包括进口葡萄酒，进口葡萄酒销量大概占到总量的10%。

国产葡萄酒，商超主流价位30-150元/瓶，消费者人群为葡萄酒爱好者；有一定经济收入的白领，餐饮主流价位在70-300元/瓶，其中50元、70元、90元更畅销一些。偶见一、二款800元以上的，如张裕·卡斯特庄园865元，主要用于商务活动。

进口葡萄酒主流价位则在70-300元间。

葡萄酒消费总量小，最重要的是价位问题。半汁葡萄酒淘汰出局后，全汁葡萄酒平均都在几十元一瓶，普通老百姓消费不起。如果葡萄酒价格在20元以下，现在肯定会超过20万吨。洋酒的市场主要在酒吧，上海外来的洋酒整个总量也在往上走，原因是，到酒吧消费的人越来越多，国外回来的人也越来越多，外国到中国来工作的人也越来越多。

上海吉马公司是目前上海酒类市场颇具规模的代理商，2001年是吉马进军上海酒类市场的一个切入年，因为吉马做酒不是从这一年才开始做的，它已经有二十多年做酒的历史，它首先已经在四川、福建，从白酒到红酒，已经有相当一定规模的发展。在这基础上，2000年年底，中粮高层与华夏高层力推吉马酒业来进军以上海市场为龙头的华东市场。吉马公司在对上海市场进行完充分调研后，于2001开始进入华东，进军上海。吉马公司刚进入上海时只有一个品牌，就是华夏长城干红，这也是中粮集团看到上海市场与华东市场的重要性后，力推吉马操刀华夏长城的华东市场运作。因为当时华夏长城在华东、上海市场的地位很低，量也很小，中粮集团迫切希望能由吉马来助其开拓这两大市场。而吉马能够操盘的基础就是成功运作了四川与福建市场。2001年正式成立上海吉马公司，从吉马的发展角度看，共经历了三个阶段，成长阶段，发展阶段，和壮大阶段。成长阶段是吉马在老家经营的一个酒类经营部，后来到白酒、红酒，尤其是四川和福建市场，经历了一个非常迅猛的成长期。经过了几年以后，也就是从2001年开始，吉马进入了一个快速发展期。这个发展期则以进入以上海市场为龙头的华东市场为标志，吉马集团从发展期开始已经颇具雏形，除了酒业以外，还包括包装产业、玻璃制品等，以及一些大型物流超市，但还是以酒业为龙头。到了今年，吉马已经开始进入了一个壮大时期，壮大期的标志就是除了走多品种经营以外，还涉足到房地产与现代农业、现代教育等等，在原来的基础上又扩大了几大领域。同时在四川、北京、上海等地筹备建立了一些大型物流中心，购买土地来建一些酒类博物馆等。吉马在刚刚进入华东市场的时候，业内几乎没几个知道，在上海就更不为人所知，不过正是这种忽略，以及吉马老板林建国为人处事低调的风格，以及吉马整体市场运作的手段和优势。使吉马在上海市场能够异军突起。一个是人家的忽略，二是自身的低调、务实，再加上团队的有效运作，这三方面的原因使得吉马自2001开始，不断的发展壮大。从2001年到2005年，产值增长了200倍，它运作的华夏长城品牌，也被评为近年来在单一区域里面强势崛起的一个典范。

华夏长城在与吉马合作之前，进入上海市场已经有不下五年的时间。但是每年的销售总额不超过600万，这个量还是在整个华东市场。吉马用了半年时间即实现了3000万左右，虽然说3000万对于现在来说，是一个很小的数字，但是在当时来讲，则是一个非常大的突破。原先的长城管理混乱，品牌多，假长城也多，不管王朝，还是张裕，可以说对长城都是不屑一顾，再加上来操作的人，又不是工厂，也不是中粮，是一个在其它地方小试牛刀，有点体会的一个经销商、代理商来进入上海市场，很难想像出它能成功的理由。但是吉马可以说这几年给了酒界或酒圈一个成功的理由，有一个很好的答案。

当初的上海，应该说似乎消费者认为酒就是单一的品牌，就是王朝，王朝便是葡萄酒的代名词。那时的老百姓几乎便是这么认为的，另外就是皇轩，这个品牌是同人头马合作的一个红酒品牌，它仗着自己是地产品牌，另外又是跟人头马合作的这种背景，进而大肆宣传，也抢得了一定的市场份额。但最主要的还是王朝跟张裕，但张裕一直在同王朝的竞争中处于弱势。当时王朝在上海的市场份额应该在35%左右，剩余的市场份额几乎被所有的小品牌所瓜分了，没有一个品牌可与之抗衡。也就是说没有第二品牌，只有第一品牌，上海市场已经被王朝一统天下。当时的王朝，放弃了2001年、2002年两年对吉马、对华夏长城的关注和存在价值的考虑，完全忽略了吉马和华夏长城的存在。直到2002年底才意识到市场的变化，2003年年初进行了全面的上海市场调查后，于下半年开始上市王朝新品。实际上，王朝给了吉马整整两年的时间进行充分的布署与发展。可以说，王朝与华夏这几年的较量，是旧模式与新模式、旧体制与新体制的较量。当时的王朝作为上海葡萄酒市场上的第一品牌，再没有第二个品牌可与之抗衡，也就没有竞争，同时也就谈不上提高。华夏长城进入上海的主要市场投入就是进店费用，在这方面的支出，吉马可说是这个行业内比较典型的。王朝对吉马的放弃，可以说是出于藐视对手，对自己市场占有率的充分信心。而吉马的成功，从工厂和品牌的角度来讲，也是相当重要的因素。长城这个品牌所已有的这种品牌认知度的基础，是一个全国性的品牌，另一点就是华夏长城的品质。它进入上海的时候，不像王朝只有一瓶酒或两瓶酒，它的产品体系比较完整，包括92木盒，94圆筒，98白标以及赤霞珠礼盒等多个品种系列，这些产品体系同时进入终端，让消费者能够有一个选择。以前，上海红酒市场最好的酒也就是48元/瓶的王朝，喝一箱也就几百元钱，还不如华夏的一瓶酒贵。人在经济交往过程中掠奇、高档消费的心理正好被红酒的代表华夏长城所逮住。虽然当然也有高档的一些红酒，如法国红酒，但法国红酒缺少很好的市场维护，基本上任何推广和促销都没有。多方面的环境成就了吉马，同时也造就了华夏长城，短短几年内，华夏长城迅速在华东市场打开局面，在近四年的时间内销售额翻了20倍。

现在吉马选择龙徽进行合作，主要是出于战略上的考虑。一个品牌最重要的就是品质和历史，这也是一个品牌是否能够长远的基础，而这两样又正是龙徽所具备的。相信，吉马同龙徽的合作，一定会成为龙徽的成就史，吉马的成功史。任何地方，任何领域都没有一花独放的市场，就像现在的龙徽葡萄酒，在高端葡萄酒领域，在商务酒领域都占有相当高的份额和优势。吉马公司在2003年9月接受龙徽华东区的代理权后，即对龙徽进行了有针对性的推广，2003年年底，吉马邀请华东区域优秀葡萄酒经销商，召开了龙徽新春品酒会，利用吉马固有的媒体资源，同样将龙徽的品牌形象通过大众物流车跑遍了上海的大街小巷。随后相继与海南博鳌论坛、世界遗产大会、商务部首届商务论坛、上海服装节、2005北京财富论坛、成龙上海慈善周末合作，使龙徽以指定用酒的形象出现在这些大型政界、商界及大众面前，既巩固了龙徽高端产品市场，又在大众消费者心中奠定了坚实的品牌基础。

王朝80年代中期（85年前后）进入上海，是“三大家”中最早在上海设立分公司的，建立了供货仓库，分两个部门进行渠道运作。因上海各类酒店有2万多家，因此在餐饮渠道王朝采取的是宽渠道运作，王朝直销部主要负责通过经销商向餐饮渠道供酒，30多名员工被分派到划定的五个区域，协助30余家经销商进行市场维护工作；而另一部门则专门负责与上海各大卖场打交道。以“我们卖的不仅仅是酒，更是一种生活方式”的理念为依托，信步于上海市场。

由于在上海市场的长期铺垫，王朝已经有固定的消费人群，其产品覆盖到了各个渠道，一些终端店甚至不要进店费也要上王朝的酒，但是，随着华夏长城等竞争对手在各个渠道的猛烈进攻，王朝也开始不断地进行自我调整。前年，王朝根据自身的资源条件和目标市场的需要，专门针对上海的餐饮店推出了五款区域定制产品，这些产品相对于老产品的价格有所提高，老产品正逐步退出餐饮渠道而主攻商超。

在王朝的新品中，92年份干红和霞多丽干白的价格完全与华夏长城92年份干红和霞多丽干白相同，分别为528元和88元；王朝96赤霞珠干红98元的价格和王朝94干红258元的价格，则比华夏长城的同类产品分别高出10元和60元，由此可见，王朝巧妙地利用了消费者对其品牌的认知度，在溢价的同时，已将这两款产品作为攻击对手的主要武器，以求拉开与对手的距离。

王朝在餐饮的铺货率达90%以上。商超则和海烟物流合作，家乐福、易初莲花、欧尚、大润发、好又多、沃尔玛、联华、华联、农工商、可的、好德、快客等全部进入，铺货率接近100%。而夜店则不被列为国产葡萄酒的重点范围，靠自然点击，销量一般。

华夏长城自与吉马集团合作之后，迅速借助后者完善的终端销售网络，实现了在上海市场铺货“全、快、多”的目标。短短3年时间，华夏长城已占有上海近30%的市场份额，对王朝形成了紧逼态势。

在商超渠道，华夏长城已进入家乐福、麦德龙、易初莲花等多家大卖场，在华联、联华、农工商等连锁超市遍布上海的近千个网点中，华夏长城的身影也随处可见。就连好德、可的这类24小时便利店，也不时可以看到华夏长城的身影。而在上海已经相当弱势的批发市场，华夏长城的“神州风情”也一样走势不错。

张裕从1994年进入上海市场以来，一直以商超为主，但是眼看着竞争对手在上海的餐饮渠道春光灿烂，张裕也开始在力保商超的同时，将战略重心转移到了酒店方面。出于长远考虑，张裕在上海选择了多家经销商，其中也包括像南浦这样的大型公司。

在酒店渠道，走量大的A类店会索要高达几十万元的进场费，要想在短时间内杀入“敌人”的所有阵营是不可能的事情。对此，张裕选择了600多家酒店作为重点培养对象。张裕以前是通过给代理商返利来推动销售，而现在则注重让利给消费者，注重消费者的拉力，以实现推拉结合，共同带动销售量的提升。

进口酒主要是通过葡萄酒展，品酒俱乐部等形式来推广。2005年，进口葡萄酒推广活动明显增多，展览会也更加频繁。这些由政府和商会出面组织的推广活动，有主题、有次第地推广不同产区的葡萄酒，以意大利、法国、西班牙等国居多，主要是官方性质。也有酒商做小范围的推广，这些洋品牌一般不找国内的经销商做，他们到国内的目的不仅仅是销酒，更主要是要了解上海酒类市场环境。

进口葡萄酒品牌较多，数不胜数，但销量有限。其销售的主要渠道是商超，如家乐福古北店因周边为洋人聚居之地，故上海进口酒的1/5都在此店销售掉了，主流价位70-200元/瓶；餐饮方面，进口酒还处于渗透阶段，在为数不多的老外开的餐馆里可以看到这些洋品牌。

随着近年进口酒的进入，消费者发生分流，虽然消费总量在增加，但消费者选择空间更大，对葡萄酒认识更加理性成熟，将来消费者会判断，品质是第一位的，所以推广是很重要的，葡萄酒文化、酿造、品饮，厂家终须通过多种方式来教育、引导消费者。王朝一直在渗透性地做，目前所有的厂商在这方面都有欠缺。现在，常用促销办法依旧是买赠、品尝、葡萄酒俱乐部、年节降价等方式，增加葡萄酒附加价值，给消费者一定经济实惠。

白酒：消费总量仍然趋降

上海非白酒传统消费市场，白酒消费本来就不是很大，随着生活水平的提高，消费观念的转变，人们追求健康、营养、卫生、安全，健康是第一位的，相对来讲，酒精度比较高的白酒，不是首选。这就导致了白酒消费下降，从上海整个消费趋势来看，白酒在上海不会消亡，但是量会越来越少。当然，往后它的下降速度会越来越慢，因为基数越来越小。

2005年，白酒消费量4万千升，白酒销量连年萎缩，至去年仅占饮料酒总消费量的3.2%左右，其比重进一步下滑，国家名优白酒五粮液、剑南春、茅台、双沟等名优白酒的销量亦有10%左右的下降。

但尽管如此，也汇集了诸如五粮液、剑南春、双沟、泸州老窖、茅台、五粮醇、金六福、浏阳河、上海老窖、古灶酒、伊川杜康、小福仙、小糊涂仙、金榜题名、种子酒、古井、串香、神仙、伊力特、金剑南、银剑南、水井坊、洋河等国内一大批白酒品牌。

2005年主要品牌销售额：......

市区喝的主要是名牌，五粮液、茅台、剑南春、泸州老窖；中低端走得好的是江苏的双沟，洋河，这两家大概有1万多吨。

山东酒、湖南酒在上海做得都不是太好。与这些酒在上海的投入不大有关；再者，白酒总量在萎缩。但孔府家是个例外。

孔府家从进入上海市场开始，定位非常准确，布道中低端市场，直走商超，普通老百姓是其消费目标人群。注重客户关系的维护，商超的宣传海报，每月参加一期，并不定期搞促销，如捆绑小礼品促销，陈列堆头等，据分公司的贺经理告诉记者，“这样做的效果非常明显，特别是海报，每次促销活动，销量总是翻番。”

孔府家餐饮尝试性地做了几家，现款现货，上海低度酒以孔府家、五粮醇为主，五粮醇借五粮液之势，终端货架上投入很大（买断货架，300-500元，大的货架一年几十万元，）不定期做，至少买一个月，DM海报等，但孔府家比五粮醇（同档次产品，差价为29.8%）更具价格优势。

果露酒整个情况表现不是太好，充其量1000千升。上海本地只有一家，华佗十全大补酒，但是它的主要消费量不在上海，而是在华东、江西、广东、福建，劲酒、椰岛鹿龟、梅酒都不好。虽然说养身、保健，但是在饭店里谁都不喝这样的酒，一般是到了冬季，买了作为礼品送人。

果露酒不构成消费的主力，所以，它的增量会有，但不会很大。 （杨沐春 刘辉）

山东省糖酒市场

一、省情简介

山东地处中国东部沿海，黄河下游，东临渤海、黄海，与朝鲜半岛、日本半岛隔海相望。全省陆地总面积15.67万平方公里，人口9079万。山东现辖济南、青岛、淄博、枣庄、东营、烟台、潍坊、济宁、泰安、威海、日照、莱芜、临沂、德州、聊城、滨州、菏泽17个地级市，139个县、市、区，是中国的一个经济大省，也是中国最早实行对外开放的地区之一，改革开放以来，山东经济发展跃居全国各省市前列，有着良好的发展基础和巨大的开发潜力。

山东是全国重要的对外贸易省份之一。山东的进出口格局发生很大变化，初步形成了省级外贸专业公司和市地县外贸公司、外商投资企业、自营进出口生产企业多渠道、全方位进出口经营的新格局。全省已与世界180多个国家和地区建立了贸易关系，主要贸易对象为日本、韩国、美国、香港、德国、新加坡、荷兰、英国、俄罗斯、意大利等国家和地区，以及东南亚、拉美、非洲等地区。出口产品中工业制成品占72.3%，主要商品有粮油、食品、纺织、服装、医药、轻工、机械、电子、技术、工艺品等。

二、市场格局

就山东的白酒行业来说，山东每一个行政县都基本有自己的酒厂和自己的地域文化品牌，坐地为王、落地生根，中、低端白酒市场依然是本地酒的天下。济南有趵突泉、聊城有东阿王、临沂有浮来春、淄博有三焦叶，甚至在每一个县级市场也有着自己的领导品牌，他们靠着自己的“地理”优势与外来的强势品牌在进行一场前所未有的持续市场战。尽管山东白酒行业已没有了在全国叫响的品牌，但一大批区域性白酒品牌却牢牢掌控了省内70%～80%的市场份额，成为拉动全省白酒行业经济增长的中坚力量。

与之形成较鲜明对比的是，在趵突泉、古贝春、中轩、沂蒙小调等新生白酒力量中，能够感觉到山东白酒卧薪尝胆之后的发展曙光。他们虽然不能够起到拯救鲁酒大业的重任，但是从他们的内部企业机制建设和市场运作手法上，可以感觉到新鲁酒的企业活力和生命力。其中，趵突泉在济南、琅琊台在青岛、禹王亭在德州、四君子在鲁西、景芝在潍坊、景阳冈在聊城市场占有率均超过了60%，成为最受当地欢迎的地方品牌。

就啤酒行业来说，山东的啤酒生产企业明显地呈现出三大集团军格局。青啤仍然是第一集团军；济啤、琥珀、克利策、烟台属于第二集团军；三孔、绿兰莎、汇泉、广寒宫、柳泉等属于第三集团军。

目前，山东省年产万吨以上乳品企业超过20家，济南佳宝乳业公司是山东省最大乳品生产企业，2002年液体乳产量超过10万吨，进入全国10强行列。

山东鲁洲集团年产淀粉糖系列产品50余万吨，是目前国内淀粉糖生产规模最大、市场占有率最高的企业集团。

三、知名企业

【济南市】

济南市南依泰山，北跨黄河，地处鲁中南低山丘陵与鲁西北冲积平原的交接带上，地势南高北低。济南市现辖历下、市中、槐荫、天桥、历城、长清6区，平阴、济阳、商河3县和章丘市。全市总面积8177平方公里，市区面积3257平方公里。截止2002年末，济南常住人口达到575万人。

知名生产企业

1、济南啤酒股份有限公司

2、济南趵突泉酿酒有限公司

3、济南卢堡啤酒有限公司

4、山东酒精集团有限公司

5、济南佳宝乳业有限公司

【青岛市】

青岛市地处山东半岛南部，东、南濒临黄海，东北与烟台市毗邻，西与潍坊市相连，西南与日照市接壤。全市总面积为10654平方公里，其中市区（市南、市北、四方、李沧、崂山、城阳、黄岛等七区）为1102平方公里。2002年底，全市共有715.65万人，全市登记暂住人口（1个月以上者）79.54万人，其中市内四区26.38万人。

现辖市南、市北、四方、李沧、崂山、城阳、黄岛等七区和即墨、胶州、胶南、平度、莱西等五市（县级）。

知名生产企业

1、青岛啤酒股份有限公司

2、青岛琅琊台酒业(集团)股份有限公司

3、青岛富狮王葡萄酒酿造有限公司
4、山东即墨黄酒厂
5、青岛兰宝石股份有限公司
6、青岛葡萄酒有限公司
7、青岛华东葡萄酿酒有限公司
8、青岛可口可乐饮料有限公司
9、青岛阿姆斯果汁有限公司
10、青岛万友制麦有限公司
11、青岛圣元乳业有限公司
12、青岛浩大实业有限公司

【烟台市】

烟台市地处山东半岛中部，东连威海，西接潍坊，西南与青岛毗邻，北濒渤海、黄海，与辽东半岛对峙，并与大连隔海相望，共同形成拱卫首都北京的海上门户。全市土地面积13739.9平方公里，其中市区面积2643.60平方公里，全市海岸线曲长909公里。2003 年，烟台市人口出现负增长。年末统计的户籍户数为222.99 万户，人口为645.82 万人，比去年下降 0.1%，其中非农业人口219.99 万人，增长0.8%。

知名生产企业
1、山东景阳岗酒业有限公司
2、蓬莱华鲁酒业有限公司
3、烟台张裕葡萄酿酒股份有限公司
4、烟台威龙葡萄酒股份有限公司
5、山东天府集团山东天府集团公司
6、山东省龙口市银河酒业有限公司
7、莱州三酒酿酒有限责任公司
8、烟台啤酒朝日有限公司
9、燕京啤酒(莱州)有限公司
10、烟台北方安德利果汁股份有限公司
11、山东力源集团公司
12、龙口鲁之北果脯有限公司
13、烟台绿色生物发展股份有限公司

【淄博市】

淄博位于山东半岛中部，南与列入世界自然文化遗产名单的泰山毗邻，北与被称为中华民族母亲河的黄河相依。现辖张店、淄川、博山、周村、临淄5区和桓台、高青、沂源3县，总面积5938平方公里，人口412万，其中市区人口271.84万。

知名生产企业
1、山东扳倒井股份有限公司
2、山东华狮啤酒有限公司
3、山东沂源酿酒总厂
4、山东天下第一店集团股份有限公司
5、山东黄河龙酒业集团股份有限公司
6、淄博得益乳业有限公司
7、淄博绿赛尔乳业有限公司

【聊城市】

聊城市居鲁西，临河南、河北，位于华东、华北、华中三大行政区交界处。总面积8715平方公里，总人口563.76万人，人口密度每平方公里644人，其中非农业人口135.79万人。女性279.17万人。其中，少数民族43个，汉族人口最多，约占全市总人口的99%。

知名生产企业
1、山东景阳冈酒业有限公司
2、山东省雁宾酒业有限公司
3、山东东阿酒有限责任公司

【潍坊市】

潍坊市位于山东半岛中部，直线距离西至省会济南183公里，西北至首都北京410公里。南依沂山，北濒渤海，扼山东内陆腹地通往半岛地区的咽喉，胶济铁路横贯市境东西。东连海港名城青岛、烟台，西接工矿重镇淄博、东营，南连临沂、日照。总面积15859平方公里，其中市区面积1472平方公里。

现辖奎文、潍城、坊子、寒亭4区，青州、诸城、安丘、昌邑、寿光、高密6市（县级），临朐、昌乐2县。2002年底全市总人口847.47万人，其中非农业人口217.53万人，男女性别比为108：100，人口自然增长率3.47‰。

知名生产企业
1、山东景芝集团公司
2、山东秦池集团
3、山东高密市商羊神酒业经销有限公司
4、山东省诸城酒业股份有限公司
5、山东青州云门酒业有限公司
6、齐民思酒业公司
7、山东坊子酒厂

【德州市】

德州市位于黄河下游北岸，山东省西北部。北依北京、天津，南邻省会济南，西接山西煤炭基地，东连胜利油田及胶东半岛，处于华北、华东两大经济区连结带和环渤海经济圈、黄河三角洲以及“大京九”经济开发带交汇区内，兼具沿海与内陆双重优势。

德州市辖德城区、乐陵市、禹城市和齐河、平原、夏津、武城、陵县、临邑、宁津、庆云一区二市八县，总面积10356平方公里，人口544万。

知名生产企业
1、山东省禹王亭集团酒业股份有限公司
2、山东省宁津惠元酒业集团总公司
3、山东省武成古贝春有限责任公司

【济宁市】

济宁市人口790 万，面积1.1 万平方公里，是鲁西南地区经济、文化和商品流通中心，也是全国知名的文化旅游城市。

历史文化悠久，是东方文明的重要发祥地。远古时期的“三皇五帝”在此留下活动踪迹。春秋战国时期，被后世尊称为中国历史上五大圣人的“至圣孔子、亚圣孟子、复圣颜子、宗圣曾子、述圣子思子”都诞生在这里。五大圣人开启了中国儒家思想文化的先河，对中国社会历史的发展产生了极其重大而深远的影响。

知名生产企业
1、山东孔府宴(集团)有限公司
2、山东金贵集团山东金贵酒厂
3、山东孔府家集团有限公司孔府家集团

4、山东钢山酒业集团有限公司

5、山东省微山县酿酒厂

6、山东泗水县泗河源酒业有限公司

7、山东省兖州市兴达酒业有限公司

8、燕京啤酒(山东无名)股份有限公司

【泰安市】

泰安位于山东省中部的泰山南麓,北依山东省会济南,南临儒家文化创始人孔子故里曲阜,东连瓷都淄博,西濒黄河。面积7762平方公里,总面积7762平方公里,人口543万人,辖泰山区、岱岳区、新泰市、肥城市、宁阳县、东平县6个县市区。

知名生产企业

1、山东泰山生力源集团股份有限公司

2、山东省新泰市酿酒总厂

3、山东省东平唐龙酒业有限公司

4、肥城康王酒业有限公司

【临沂市】

临沂市位于山东省的东南部,东部连接日照,地近黄海,西接枣庄、济宁、泰安,北靠淄博、潍坊。总面积17184平方公里,是山东省面积最大的市。

临沂市现辖兰山、罗庄、河东3个区和郯城、苍山、莒南、沂水、蒙阴、平邑、费县、沂南、临沭等9个县。临沂市共有994.2万人,其中农业人口821.9万,占82.7%,非农业人口172.3万,占17.3%。

知名生产企业

1、山东温河酒业集团

2、山东古春酒业集团有限公司

3、山东兰陵陈香酒业股份有限公司

4、山东蒙阴银麦啤酒有限公司

5、山东古泉春酒业集团

6、山东临沂洪福酒业有限公司

7、山东悦达葡萄酒有限公司

8、山东鲁洲集团(总部)

【威海市】

威海市位于山东半岛东端,北东南三面濒临黄海,北与辽东半岛相对,东及东南与朝鲜半岛和日本列岛隔海相望,西与烟台市接壤。总面积 5436平方公里,其中市区面积731平方公里。辖荣成、文登、乳山3市和环翠区。

威海市近年来国民经济快速发展。全市国内生产总值703.5亿元,按可比价格计算,比上年增长14.5%。其中第一产业增加值90.11亿元,增长4.6%,第二产业增加值388.71亿元,增长17.4%;第三产业增加值224.68亿元,增长14%;人均国内生产总值28433元,增长14.3%。三次产业占国内生产总值的比重分别为12.81%、55.25%和31.94%。

知名生产企业

1、威海啤酒集团

2、山东省乳山市曙光啤酒有限公司

3、威海昆嵛啤酒厂

4、文登市金洋乳品集团有限公司文登市金洋集团有限公司

5、乳山市黄海花生制品厂

6、山东省文登市昆嵛花生制品厂

【枣庄市】

枣庄市是山东省省辖市,现辖五区一市,东西宽约56公里,南北长约96公里,总面积4550平方公里,总人口354万,其中城市面积100平方公里,城市人口50万全市辖市中、薛城、山亭、峄城、台儿庄五区和滕州市,85个乡镇,5个办事处,3137个行政村。

知名生产企业

1、枣庄市檀香阁酒业有限公司

2、滕州市荆河酒业有限公司

3、枣庄市台儿庄忠仁酒业有限公司

4、枣庄市十里泉酒业有限公司

5、山东枣庄大立乳业集团

6、山东莺歌食品有限公司

7、山东省鲁南荆河酒水责任有限公司

【日照市】

日照地处中国黄海之滨,山东半岛南翼,隔海与日本,韩国相望。现辖东港区、莒县、五莲县、岚山办事处、日照经济技术开发区、山海天旅游度假区、市域面积5310平方公里,海岸线100公里,人口278万。优越的地理位置、良好的生态环境、丰富的物产资源、日臻完善的城市服务功能,使日照的发展充满着无限的生机与活力。

知名生产企业

1、三九企业集团山东浮来春酿酒有限公司

2、莒县谊缘春酒业有限公司

【莱芜市】

莱芜市位于泰山东麓,北邻济南,东邻淄博,西邻泰安。总面积2246.21平方公里。市委、市政府所在地莱城居市境中部,距省会济南112公里。2002年末,全市总户数40.01万户,总人口123.88万人。其中,非农业人口41.67万人。

知名生产企业

1、山东省广寒宫集团有限公司

【滨州市】

滨州位于山东省北部,渤海湾南岸,黄河三角洲腹地。早在原始社会晚期的新石器时代即有人类在此繁衍生息。

滨州境域横跨黄河下梢两岸,南有长白山,北有渤海滩,腹地为广袤无垠的黄河冲积平原,以黄河为骨干的十数条河流穿境入海,湖、坝、库、塘星罗棋布,自然环境秀丽多姿,物产资源丰富,气候宜人,为发展工农业生产提供了良好的自然条件,是山东省粮食、棉花、油料作物的主要产区之一,并历得盐渔、林果和畜牧之利,还是全国第二大油田胜利油田的重要产油区,发展潜力很大,前景广阔。

知名生产企业

1、山东省惠民孙武酒业有限责任公司

2、山东华中琥珀啤酒有限公司

【东营市】

东营市位于山东省北部黄河三角洲地区,中华民族的母亲河——黄河,在东营市境内流入渤海。东、北临渤海,西与滨州市毗邻,南与淄博市、潍坊市接壤。南北最大纵距123公里,东西最大横距74公里,总面积7923平方公里。

东营市域由广饶、利津、垦利3县全境和博兴、沾化2县的一部分乡镇组成。2002年底,全市总人口1753957人,其

中农业人口995476人，非农业人口758481人。

知名生产企业

1、山东省垦利县酒厂

2、山东大王乳业有限责任公司

【荷泽市】

菏泽市位于山东省西南部，与苏、豫、皖三省接壤，辖八县一区和一个省级经济开发区，158个乡镇（办事处），人口875万，面积12238.6平方公里。

知名生产企业

1、山东省花冠酒业有限公司

2、山东都庆股份有限公司

四、市场概况

【山东白酒市场分析及后期市场攻略】

——宋河酒业山东分公司山东白酒市场分析及后期市场攻略

一、白酒行业状况：

2003年～2004年是白酒行业一个压抑的、郁闷的时期，除了个别高档酒制造了几个热点外，白酒市场乏善可陈，真正的全国市场形成象金六福、浏阳河、小糊涂仙等具有相当影响力的品牌几乎没有。这种现象对于中国白酒来说虽然不是一个好现象，但从另一方面来说它也暗示中国白酒市场营销和竞争已经达到了一个尖峰时刻，正在孕育飞跃和突破的强烈愿望。

2004年–2005年中国白酒业已经从前一段低迷状态开始回暖，从市场的表现和各种统计数据可以看到，行业亏损面和亏损幅度都有减少。同时，新旧更替较为频繁的现象在白酒行业依然延续着，大量新品在市场中涌现。但在众多新品中，真正能征服市场的产品并不多见。经过不断的磨合与洗礼，无论是在整个酿酒行业中的比重，还是自身区域间、企业间、品牌间和门类间的重组再造，都已开始进入一个相对稳定的合理阶段。全国白酒销售收入大幅增加，行业利润大幅增长，说明企业进行产品结构调整已见成效。从白酒行业近年来骨干企业各项经济指标来看，我国白酒生产集中度向着大型企业集中。白酒行业虽然有很多企业仍然未走出低谷，但是白酒行业的整体经济效益却避免了滑坡，这主要归功于大型企业经济效益的提高，也说明重点企业是目前带动白酒发展的直接动力。另一方面，标志着白酒行业内部整合力度加大，白酒企业的改组改造已成为白酒行业的主流，同时，也反映了我国白酒企业两极分化程度进一步加大。虽然目前白酒行业仍以分散经营为主，但集中度不断提高。2004年～2005年间，白酒龙头企业销售收入占全行业的60%左右，实现利税占全行业的2/3，行业利润不断提高。如果白酒生产许可政策和税收得以严格执行，那么未来6～10年时间里白酒行业的利润和产量将集中在10家左右的大型企业中，强者愈强，弱者愈弱。

整体看来，白酒行业发展有喜有忧，虽然消费量随着人民生活水平的不断提高而继续增长，但是白酒占酒类消费比例逐渐下降，白酒行业面临重新洗牌的境地，竞争环境更加复杂，竞争形式更为严峻。

二、山东市场分析：

山东地处我国东部，下辖17个地市、139个县、市、区，人口9079万，仅次于河南，它不仅是中国的一个经济大省，也是中国最早实行对外开放的地区之一。改革开放以来，山东经济发展跃居全国各省市前矛，有着良好的发展基础和巨大的开发潜力。

就白酒市场而言，山东不但是全国有名的生产大省，更是消费大省之一。巨大的市场容量使得白酒厂商纷纷抢滩，由于山东经济水平的差异，消费观念也不尽相同，各地的竞争激烈程度也有差异。前几年由于秦池酒的标王效应，使得鲁酒受到很大伤害，给人一个鲁酒生产是无烟工厂的感觉，就连当地人也存在排斥当地酒的现象，白酒行业对此状况的总结是“名噪一时，兵败如山”。随着本地酒效益的下滑，外地酒恶性竞争的不断演进，山东市场也发生着潜移默化的变动。经历了近8年的整体销售额下滑之痛，山东白酒拖着沉重的历史透支包袱艰难的生存的。穷则思变，痛定思痛，为了拯救鲁酒，重振当年雄风，泰山、孔府家、景芝、兰陵通过苦练内功，狠抓质量与管理，建设企业内部机制，调整市场运作手法从当地做起，现已成长为鲁酒的四大家族。与此同时，趵突泉、古贝春、中轩、沂蒙小调等企业异军突起成为行业新秀，其他部分白酒企业也如雨后春笋般开始崭露头角。它们虽然还没有实现拯救鲁酒，重振鲁酒雄风的目标，但是，人们已经感受新鲁酒的企业活力和强大的生命力。

山东每一个行政县基本上都有自己的酒厂和自己的地域文化品牌，坐地为王、落地生根，中低端白酒市场依然是本地酒的天下。甚至每一个县级市场也有着自己的领导品牌，他们靠自己的“地理”优势与外来的强势品牌进行着一场前所未有的市场持续战。鹿死谁手现在还很难下定论，可以从浏阳河、金六福、黑土地等品牌的销售情况看出，似乎已经被本地酒占了上风，外来品牌被群狼夹击的滋味一定不好过，山东白酒触底反弹，为新生品牌的介入增添了许多扑朔迷离的未知数。

山东是闻名全国的白酒消费大省，也是出名的硬骨头市场，很多品牌气势汹汹而来，却一败涂地黯然而走。但是，一旦打开市场，前景却是很诱人的。由于品牌众多，过度的竞争导致了拓市费用飙升，市场风险性较大。

外来品牌的进入、本地品牌的突围都有一个核心瓶颈点，就是渠道的建设。中间渠道资源的竞争已经成为所有品牌的竞争焦点。进店费用、促销费用、终端生动化费用、广宣费用等相关终端花费随着市场“价格”竞争的增加也在相应的抬高；高额返利、强力品牌支持、大力度宣传支持等口若悬河的招商承诺飘满天空，从而形成了过度激烈的招商竞争格局。这就产生了许多招商成功、运作失败的不幸结局。单纯的价格竞争手段不但不会成就品牌而且还为整个山东白酒市场的发展增添了一层信誉阴影，同时为新生品牌的进入增加了更为强大的阻力。所以，品牌拥有者在招商或者市场启动之前，就一定要制订一套切实可行、有效针对的细分化市场终端启动策略，否则最终也难免被市场淘汰出局。市场是经销商的，更是生产厂家的，品牌拥有者只有从整个流通系统的价值整体提高出发，进行有层次、有步骤的细节运作，才能获得持续的发展动力。而且，随着消费者消费观念的成熟，单纯的依靠文化包装已经不能引起消费者的注意。这就要求品牌所有者必须整合整个品牌的价值体系的各个要素环节，从面出发，以点为本，在品牌定位的基础上，不断寻找定位的支撑点，这才是白酒产品最终的市场启动理念和品牌发展方向。

山东白酒市场现在正处于调整期，大部分鲁酒企业正处于低谷发展阶段，宋河如能把握此时山东白酒市场一片混乱一片低迷的最佳领土扩张时期，制订一套切实可行的市场操作方案，大刀阔斧的夺山拔寨，才可能迎来宋河酒在山东市场遍地开花的喜人局面。一旦等鲁酒得到了充分发展壮大，外地酒品牌再想进入再想发展，那无异于狮口夺食、虎头拍虱。

三、企业现状分析：

中国名酒——宋河粮液是豫酒中的突出代表，自辅仁托管宋河以来，以其先进的管理模式与和科学的营销理念，通过近三年的市场运作，强调资源的整合，明晰产品概念，规范市场操作，构筑企业发展战略框架，走稳步发展的道路，在省内迅速夺回了豫酒老大的地位。为了树立品牌形象，我们公司在央视、河南卫视、湖南卫视等收视率极高的卫星频道投放了大量的广告，进行大手笔的品牌建设。

目前宋河品牌的含金量已今非昔比，我们产品代言人张丰毅的健康男子汉形象已随着高效的广告投放深入人心，宋河品牌与张丰毅的巧妙换位更增强了消费者对宋河品牌的信任。企业的形象，品牌的美誉度得到了空前的提升，并被评为中国驰名商标。2005年宋河斥百万巨资全新制作出磅礴大气的《共赢天下》广告巨片，更丰富了宋河赢文化的内涵展现了宋河人的万丈豪情。赢文化宛如宋河品牌的翅膀，使其腾飞于九天之上。在全国范围内，以河南为据点，以河北、山东、江苏、湖南为战略阵地，精心绘制宋河雄霸天下的蓝图。

公司的经营理念和营销方针是非常创新超前的，提出虚拟企业是未来企业发展的方向。我们不提倡进行销售模式的创新，因为那不仅耗费大量的人力、物力、财力，而且存在着相当大的风险。我们只关注于先进营销模式的组合，资源的整合，不用企业有限的资源直接与市场抗争，这是非常高明的。宋河品牌是老子故里的品牌，宋河人是老子故里的人，我们汲取了老子思想文化的精髓，提出了“无为而治，师法自然”的营销方针，这也是我们企业的文化精髓。可是我们要达到这一目标还是一个漫长的过程，我们既然想到了组合他家营销模式之长，用人品牌、大服务去组合大市场、大网络、大队伍，然而一直没有出台一个清晰具体顺畅的操作方针、组合架构，没有实现对市场人员的方向指引。即使在企业耗费了大量的时间与金钱组织的培训，也没有系统的交给业务人员怎样去操作市场，怎样去体现大服务意识。我们可以没有自己的销售技能培训讲师，因为所有的培训讲师都可以为我所用。但是，在灌输企业文化方面，我们不能没有自己的讲师。现在市场上有好多人都摸不到方向，缺少了航标，这，难道就是“无为而治”的灵魂所在？果真如此，那么谈笑间做大做强市场，在市场的风口浪尖上长袖善舞，以变制变、以快制快、挥洒自如的境界只是镜中花、水中月！那可真要“无为”了。

四、竞争品牌分析

A、高档酒市场

1、五粮液、茅台

作为中国白酒行业的两大巨人，在品牌忠诚度和指定消费首选上都占有绝对市场优势。特别是五粮液品牌，通过一帆风顺等副品牌的配合运作，迎合了广大的市场认可，在山东高档白酒市场一直是第一消费品牌；茅台酒虽然与前两年相比，也有很大的起色，但是，与五粮液比起来还是一直存在着很大的差距。

2、水井坊

高档白酒的后起之秀，自2001年进入山东市场以来，通过其超前的价值营销模式和经销商财大气粗的终端压力，现在已经成为商务用酒和政府用酒的主导品牌，特别是其针对性的政府营销思路，为其高档酒品牌升空、市场落地打下坚实的基础，稳定在山东白酒市场第三大品牌的地位。

3、金剑南

金剑南进入山东市场时间并不长，暂时与其在湖南市场所取得的辉煌业绩无法比拟，而且在上市初期就投入了中高档三个产品品种，并且把整个华东市场的办事处设在了济南，气势可道。但是由于多产品系列的投放，可能会淡化其高档酒的品牌形象，弱化其品牌价值。

B、中低档酒市场

中档白酒市场是每一个市场的消费主流，在山东市场也是如此，成为很多新生品牌的落脚点。品牌多、促销力度大是山东白酒市场的最大特点。

在济南，趵突泉、景芝、兰陵、孔府家已经生根，被誉为山东白酒行业的四大家族。金六福、五粮春、五粮醇、泸州老窖、古井贡、郎酒、湘酒鬼、浏阳河、黑土地等外地酒占据了绝对优势。孔府家、孔府宴、金贵特曲、心酒等酒在济宁当地成为白酒的主流，外地品牌进入难度较大，除全国名酒外，外地品牌不敢轻举妄动；菏泽是梁山英雄的故乡，白酒市场容量很大，当地除花冠外，没有强势品牌，但是曹州老窖、四君子、水浒等品牌在产地具有绝对统治地位，外来低档酒难得糊涂也占据了一席之地；泰山生力源是泰安的主导品牌；聊城的东阿王、景阳冈、卫河王在当地占有较大优势；淄博的中轩、高清扳倒井、黄河龙等品牌均具有一定的实力；维坊是山东白酒竞争最为激烈的地区之一，当地的知名品牌众多。其中有鲁酒四大家族之一的景芝酒厂，曾经辉煌的秦池，云门春、齐民思，有一定历史基础的板桥宴等等，加上外地进入品牌，竞争异常激烈；莱芜较为平和，只有广寒宫较为强势，目前店小二、小糊涂仙、鲁源等占据较大市场份额；德州被评为全国白酒市场最难进入的城市，又是被誉为鲁酒新秀的古贝春的产地，且禹王亭、洛北春也逐步走强。胶东地区经济发达，消费水平较高，当地知名白酒品牌较少，因而，胶东成了白酒厂家的必争之地，也是省内厂家扩大市场份额，省外厂家登陆山东的一条捷径。

五、消费习惯分析

1、饮用习惯：大多数消费者通常饮用本地餐饮场所最为流行的白酒品牌，而且在不同的场所选择同一品牌的不同产品。所以就对进入的白酒品牌提出了细分市场，并开发相应的产品的要求。大部分消费者比较偏爱低度酒，一般在38度～42度之间。

2、消费者对好酒的描述：

清香、绵软、口味醇和

酒味不能太呛鼻，香味不能太重，不容易喝醉的 .

有别人难以效仿的防伪措施

名气大、广告打的响

3、购买习惯：酒瓶上的标签一定要精致，要和酒的形象搭配。特别是不熟悉的品牌，消费者会选择包装好看一些的。酒文化对购买也有一定的影响，大部分消费者喜欢喝有文化品位的酒，如家人团聚喝孔府家、朋友相聚喝青酒、庆功宴上喝浏阳河或者金六福、文化人和水井坊酒鬼、政府官员喝茅台、商界朋友聚会喝五粮液等等。

4、促销对购买的影响效果已经在下降，但是赠送打火机还是比较流行，因为烟酒不分家，这样比较方便，如果打火机制作精美一些，将会获得消费者的青睐。白酒抽奖也难引起消费者的兴趣，一般消费者见多了，认为是骗局。免费品尝，或者向社会上有影响的单位送一些产品，具有公益性质的，带动消费的群体会为你的品牌做口碑宣传。

六、促销分析

山东的白酒促销基本上经历了白酒广告时代和促销时代。广告时代是鲁酒兴盛时期的典型特征，孔府宴、孔府家、金贵、秦池都是在广告时代快速成长起来的。随着广告作用的下降，各式各样的促销品开始在酒包装中流行起来。现在的促销已经有了明显的变化，更注重品牌形象的塑造和酒店终端的推介，即促销的品牌时代已经来临。靠单纯的广告或促销品已经不能吸引消费者的眼球，消费者逐渐理性，现在更注重喝酒的感受，酒水的质量以及除酒品质以外所带来的附加价值认同，包括心理感受等。

七、宋河品牌的SWOT分析

A、优势

宋河酒是中国名酒，获得中国驰名商标

宋河酒曾在山东运作多年，已有相当的基础，拥有部分忠诚的消费者

质地优良，口感绵甜净爽，深受消费者喜爱

有深厚的文化底蕴，赢文化迎合了当地消费者的心理需求

管理架构扁平化，对市场反映快速

产品结构合理，价位分布科学

山东饮食习惯与河南相似，浓香型白酒是当地的主流香型

宋河酒产地与山东相邻，比其他进入品牌运作成本低

B、劣势

产品个性不清晰，未能与酒文化有力结合

产品包装缺乏针对性，没有进行市场细分

以前老宋河酒被假酒冲击过，阴影还没完全消除

没有广宣的有力支持，品牌形象没有完全树立

支持力度不够大，产品不能上量，部分客户对公司有怨言

经销商的质量不是很高，网络也不是很健全

没有树立一个样板市场，增加招商难度，市场难以全面开发

C、机会

目前鲁酒缺乏强势领导品牌，是介入的好时机

山东白酒市场进入难度过大，市场竞争相对有序

河南是宋河酒据点，高占有率对山东市场有带动辐射作用

山东消费者白酒消费逐步理性，我们的品牌强势得以发挥

今年秋季糖酒会在济南召开，我们已经开发了鲁西南，对进一步的发展提供了机会

D、威胁

地产酒过多，一进入即受围攻

其他品牌促销力度过大，竞争过于激烈残酷

恶性竞争造成运作成本升高

强势品牌过多，市场扩张相当不易

总部批示速度相对竞品较慢，市场瞬息万变，错失几多良机

经过以上的分析可以预见：做山东市场，机遇大于挑战！把市场做细做透是颠仆不破的真理，细分市场，查找切入点，“快、准、狠”的作出应对。通过总结，对市场提出三个转变：

1、 市场操作由随机性向计划性转变；

2、 市场支持由广义消费群向特定目标消费群转变；

3、 通路政策由一、二批分销商向常规终端及特殊终端转变。

【宋河酒业山东分公司 2005年后期市场攻略】

一、概述

白酒市场的发展轨迹是从单一的产品竞争到广告竞争、促销竞争、通路竞争直至品牌文化和资本的竞争，每个竞争时代都有一个主要的最具有杀伤力的竞争手段，也会随之诞生1～2个优秀的品牌和其卓越的市场表现。但是，随着市场竞争的加剧，营销手段的逐渐多样化，白酒企业渐渐失去了特定阶段所创造的竞争优势。

白酒行业的激烈无序竞争越来越残酷了，虽然没有硝烟弥漫，但你时时可以嗅到那浓烈的火药味。形式依旧严峻，市场也依旧混乱而低迷：价格战、广告战、品牌战、促销战、终端战五战并伐；行业洗牌尚未结束，新格局呼之不出：天力士、健力宝、力帆等外来资本迎着利润的光环不约而同跌入酒坛，圈地造酒，大张旗鼓的炒作市场，无疑又给本已无序的白酒行业雪上加霜。当伴随着消费者理性的回归，消费者已经愈来愈看重酒的核心价值和附加价值。即首先看好一个酒是否具备良好的口感以及饮酒的安全性；其次看好一个品牌是否具备满足消费者文化的、情感的、历史的和精神的一个方面或者多方面的价值需求。在以上诸多不利因素的冲击下，部分强势品牌为了提高市场占有率及市场占有份额则不惜牺牲利润来杀开一条血路，拿下市场的方寸空间。实力不济的中小型白酒企业只有在夹缝中求生存，短兵相接只有死路一条，如能避重就轻，独辟蹊径，从细分市场中智取蛋糕，这才是生存的需要，发展的妙法。虽然，我们宋河品牌是二线品牌的领跑者，也具有相当雄厚资金实力与资源整合能力，但是我们也不愿意拿有限的资源直接参与市场竞争，去拼勇斗狠，蛮打蛮干。在我们营销理念的指导下，我们要学会组合别人先进的营销模式，充分利用有限的资源参与大市场的竞争，我们建立的就是一个柔性的营销体系，是一个扁平化的、开放的学习型组织。合众人之力，攀高山之巅看风起云涌；汇百家之长，登市场之峰铸天地辉煌，我们是老子故里的人，就应于谈笑间看“强虏”灰飞湮灭，疲于奔命不是我

们的风格！

面对铺天盖地的广告宣传，消费者已头晕眼花无所适从；面对花样翻新的促销活动，消费者也司空见惯不以为奇；且需要投入的费用一路飙升，但效果并不理想。怎样才能让宋河名酒在山东安家落户遍地开花，怎样才能整合利用有限资源做强做大市场呢？通过一番思索现山东分公司为了全面有效的启动市场、树立宋河品牌形象；为了提高市场占有率与市场占有份额；为了配合公司全局发展战略部署，力争按时超量的完成公司下达的各项任务指标，特针对山东市场制订以下市场攻略方针：

二、市场攻略

A、市场动销：锁定培养目标消费领袖与消费终端企业，建立详尽档案，一对一沟通，实行VIP服务。投入少，但是他们的口碑拉动效果强于媒体广告。

1、市场动销的基本思路与要求：

(1) 锁定目标消费群：由于各城市大小、消费水平、经济状况不同，因此，可结合市场特点选定目标消费群如政府官员、企业家、社会名流等，建立目标消费群数据库（具体内容包括姓名、性别、年龄、工作单位、职务、爱好、社会活动范围、联系电话、消费习惯等）。

(2) 通过一段时间的调查了解和实际摸底，锁定出能培养成为消费领袖的消费者，通过这部分人的引导和口碑宣传，将起到很大的倡导和影响作用（每县不少于10人）。

(3) 针对目标消费群锁定终端企业（酒店、商超、宾馆），建立终端资料数据库（具体内容包括法人、注册资金、地址、联系电话、经营面积、年／月销售额、酒类年／月销售额、当地业内排名）。

(4) 在我们锁定的终端企业中，通过摸底调查，锁定其能培养成为旗舰店的终端企业，并建立数据库（酒店不少于5家，商超不少于2家）

(5) 动销期间必须严格执行公司的投入比例政策，回馈客户，少做或不做广告。

(6) 终端展示及户外宣传：锁定的终端企业消费群，应有展示画面，其他店面能上则上，尽量不做户外宣传。

(7) 创新的启动销售：以“文化使者”的概念取代传统的促销小姐现场促销的模式。(使者要突出气质．内涵．形象，也可软文炒作文化使者，在我们的目标店演绎宋河文化，绶带正面为“文化使者”背面为“宋河粮液”，以高雅服务，精神服务突出魅力，让消费者享受、体验、难忘、留连，也可参加高档会所、汽车沙龙、房产沙龙等公关活动)

(8) 严格执行价格体系：价格的执行情况直接影响市场的品牌形象和品牌价值，尤其是我们运作长线品牌，决不能破坏价格体系。

2、动销的六个步骤

(1) 锁定培养消费群

(2) 重点培养消费领袖

(3) 锁定消费终端企业

(4) 联合目标市场具有知名度和人气的会所、沙龙、俱乐部，共同策划，推出宋河品牌

(5) 充分利用目标市场的时政，策划服务与政府的公共关系活动

(6) 利用文化使者进行品牌的旋传、炒作及销售。

3、投入注意事项

(1) 广告点到为止，节省费用用于终端。如：做大型商超男士专卖楼层电梯口灯箱、公寓电梯液晶显示广告、高档社区画面宣传、旗舰店包房内宣传、旅游、杂志、饮食文化促销礼品等

(2) 相关审核程序：(略)

B、市场细分：市场细分是白酒市场发展的必然产物，率先进入消费者头脑的概念或产品，将占据该品类产品的最大份额，所以，谁先细分谁受益。可选市场：聚会、交友、谢师、庆功、政界、商务、婚丧嫁娶等等。(下面以婚庆为例)

(1) 品形象塑造：

a.品牌个性 开朗自信 、成熟、乐于助人、具有知识美和亲和力

b.品牌联想 女性、知音、品位不凡、热情、吉祥等

c.品牌与婚庆结合的广告语：畅饮宋河同心缘 婚后日子蜜又甜（同心缘待开发）

d.推广主题：喜宴伴侣 婚庆顾问

*说明：如想拓展婚庆渠道，消费者需要得到包含更多的利益承诺（精神与物质两方面）的商品服务。因此我们不是简单的卖喜酒，而是要结合婚庆服务做好文章——这就是真正吸引消费者，并有望在目标消费群中树立婚宴市场品牌“婚庆酒”地位的关键所在。

(2) 营销工具的选择与设计：

选择原则：美观实用，新颖别致，在终端布置，促销活动或婚庆场合经常使用，最好能长期保存，低价

设计原则：喜庆、高雅、醒目、淡化商业味道、产品标志明显但不生硬，人情味浓

工具举例：年历、海报、产品展示台、圆形与心型气球，喜字帖、来宾签到簿、请柬、座位安排表等（工具上印上广告语，但不宜张扬）

(3) 进特殊终端夺眼球，做到先声夺人，促进间接销售

特殊终端的选择要求：与婚庆有关，或是目标消费群办理结婚事宜的必经环节，允许进行白酒陈列或宣传，产品信息可直接传达的费用低耗场所。例如：

*各县、市、民政局的结婚登记处，广告宣传

*婚纱影楼

*婚庆服务公司

*当地著名的喜糖分销点或经营部

*原先已开发的酒楼、商超等常规终端

C、娱乐营销

随着人们的生活水平提高，人们越来越注重精神世界的充盈，能够含有趣味性质、娱乐性质的商品更加受消费者喜爱，精心选择100个趣味笑话，或智力游戏，经典对白等，印制成数以万计的卡片，规格：长10厘米、宽3.5厘米，带有宋河图案与产品介绍，可望被消费者喜爱与收集，从而可以有效宣传。卡片可以是挂在酒瓶上的说明卡，可以是终端酒店的意见反馈卡、积分卡、名片等等

三、

效果预测：已达到白热化的市场竞争，抬高了市场运作成本，且都是循规蹈矩的操作方式，消费者已经麻木，资源

过度浪费，效果也不理想。现在白酒市场开始进入一个相对稳定的合理阶段，两极分化进一步加大，如不能趁此机会攻城掠地，日后的每一点点进步都要比现在艰难的多，付出的代价也会大的多。如果以上三个运作市场的思路能够组合实施，再配以一些常规工作，有针对性、有层次、有目的的选择市场，着眼全局，大气运作，我坚信能够实现以最小的投入，获得最大效益的结果。

所有策划方案能够运作成功，都是与强大的执行力联合作用的结果，其中，执行力的作用最关键。接下来的时间我将会针对以上三个创意，制订出具体的操作流程，丰富每一个细节，每一个步骤都会有要求与评估。然后针对此组合方案绘一个总纲，如何连动实施，都将会有具体说明。现在我们已着手进行团队的建设，打造核心凝聚力，争取在实施此方案时，能够执行到位。

结束语：宋河品牌拥有中国名酒、驰名商标的荣誉称号，赢文化赋予了她灵魂。通过辅仁集团的对其接管、资源整合，宋河又迎来了她生命的第二个春天，现在她已经光芒四射的走向辅仁为她构筑的大舞台，在市场的风口浪尖上翩翩起舞。她是我们每一个宋河人心中的女神，我们愿以自己的身躯垫在女神的脚下，使她能够在世人的注视下，手托行业桂冠，光彩夺目的屹立于神州大地，让所有的竞争品牌臣服在她脚下！这是每一个宋河人都热切盼望的一刻！

【济南市场完全攻略2006——白酒篇】

山东酒水市场大扫描系列报道之一

山东是我国产酒第一大省，同时又是全国重要的酒类消费市场，无论是白酒、啤酒、红酒，还是其他酒种，几乎国内外的厂家都把山东作为自己产品的必争之地。地产品牌众多，市场难守难攻，就国内品牌来讲，白酒、啤酒、红酒全国各地的知名品牌在山东几乎都能找到。

我们从本期开始隆重推出《山东酒水市场大扫描系列报道》，系统地报道山东酒水市场的真实状况，针对山东不同城市的不同现状作一个真实地再现，给广大的厂商提供一份详实的山东市场最前沿报道。

今年公布的2005年鲁酒数据显示，去年我省规模以上白酒企业共完成商品酒66．34万千升，比上年增长11．4%，总产量继续保持全国首位。白酒销售收入和利税也前进到全国第二位和第三位，销售收入和利润增幅远远高于全国平均增长率，鲁酒生产和效益形势喜人。去年我省白酒喜讯不断，鲁酒9家企业的12个产品被评为全国白酒优秀产品。刚刚被评为“中国驰名商标”的古贝春、被誉为“真正达到低而不淡”的趵突泉等均成为全国优质白酒的标杆。全省白酒企业效益也出现了较大增长，全省每市斤白酒由1996年的3．73元，提升到2005年的每市斤7．12元。全省17地市都有1－4个当地的强势品牌，山东酒水市场85%的市场份额被鲁酒控制。作为孔孟故乡齐鲁大地的消费者有着较高的酒文化修养和较强的地域情结，对外来酒的进入增加了难度。但一旦拓开山东市场，外地品牌在山东的市场前景和可持续发展将会很诱人，川酒、黔酒等就是最好的佐证。

山东人豪爽热情的性格非常看重酒

量，因此，无论是低度酒还是高度酒在山东都受欢迎。在酒精度上面，消费者的消费观念呈两极化，要么喝低度酒如同饮水，要么喝高度酒显示豪气。据统计，以白酒来说，38度以下产品的销路占65%。主流香型是以川酒为代表的浓香型为主，占60%的市场份额，而山东当地众多品牌的芝麻香型白酒也差不多有10%左右的市场份额。

山东白酒市场消费有两大特点：

一、中低档酒家庭消费量大，金六福、孔府家、沱牌、兰陵、绵竹大曲、全兴等销量非常好；

二、中高档消费不理性，一般卖场促销员推销什么喝什么，哪个品牌名气大就喝哪个，即使没有名气，酒质不好的新品牌只要有卖，山东的消费者也会品尝。

山东白酒具有市场品牌多而乱，拓市费用高，竞争无序的特点。在山东，除了茅台、五粮液、剑南春等主流知名品牌外，其他品牌销量也都不算差，这主要得益于山东人饮酒如水的豪爽。在竞争层面上，低档酒以地产酒为主，中高档市场以外地品牌为主。其中，五粮液作为高档酒的领头羊销量最好，其它如茅台、水井坊、国窖1573也是高档酒市场的畅销品牌。

在地产白酒方面，市场表现好的有泰山特曲系列、兰陵系列、景芝系列、琅琊台系列、古贝春系列、黄河龙系列、扳倒井系列等。近年来，孔府家复苏较好，在流通领域表现活跃。外地酒方面，五粮液和剑南春的知名度和美誉度都很高，金剑南、银剑南、尖庄等市场比较平稳，此外，山西杏花村系列酒销量不错；湘泉集团的酒鬼酒、小酒鬼目前在山东也有一定市场。

啤酒方面

由于近年来啤酒价格战的影响，山东市场啤酒的整体价格在全国是最低的。因性格使然，山东人喝酒在公共场合是很少有讲价钱的，因此，在啤酒价格对消费者有利的今天，山东的消费者除了选品牌，喝啤酒是不讲价钱的。

由于山东市场的特殊优势，燕京、雪花、金星等啤酒也强行进入，洋啤酒对山东啤酒业更是虎视眈眈，强力出击山东市场。继燕京在山东收购企业后，华润啤酒集团把他的第37个分厂建在了山东，收购了离济南仅几十公里远的聊城东阿泉啤酒公司（原聊城市啤酒厂）。另外，洋啤酒百威、生力、虎牌、喜力、科罗娜、嘉士伯等品牌也相继攻入山东高端市场，它们主打星级酒店和酒吧，以占领高端市场为目标，每瓶啤酒普遍在15–20元上下。为了生存，山东众多啤酒企业在青啤统一鲁啤失败后，同省兄弟的内战异常激烈。山东啤酒市场正由“内战”转向“混战”，而且局势难收。

红酒方面

葡萄酒是目前世界畅销的酒种，也是世界上第二大饮料酒。山东是我国葡萄酒最大的生产基地。因而，山东的红酒消费始终走在我国葡萄酒消费的前列。

2005年，山东食品行业评出了十大葡萄酒品牌，其中前五名的企业都为居中国葡萄酒销量十强之列。山东葡萄酒的五大品牌是：百年张裕、烟台长城、威龙、华东和白洋河，其中前两者处于第一军团，后三者位列第二阵营。以烟台市场来说，它是中国葡萄酒业的发源地，葡萄酒文化已有一百多年的历史。这里汇聚了张裕、长城、威龙、新天等葡萄酒知名企业，现已成为中国最重要的葡萄酒产区，全国每三瓶葡萄酒中就有一瓶产自烟台。

黄酒方面

黄酒是继葡萄酒之后，将时尚化、高档化的概念融入到产品当中，改变了传统黄酒产品的保守、古板印象，吸引了一批跟随潮流、消费潜力较大的年轻消费群体。黄酒的消费群体也逐步由原本的低收入阶层向高收入阶层拓展。餐饮销售渠道方面，由于山东酒类品牌众多，造成渠道拥挤，大都有一二十个品牌。由于餐饮渠道的酒种多，除了高端产品外，就外地产品而言，经营状况比较好的一般都是知名品牌。

《齐鲁糖酒》贾蹇 向文

白酒篇

市场概况

济南是中国东部沿海经济大省——山东省的省会，全省政治、经济、文化、科技、教育和金融中心，也是国家批准的副省级城市和沿海开放城市。全市总面积8177平方公里，市区面积3257平方公里。济南市现辖历下、市中、槐荫、天桥、历城、长清6区，平阴、济阳、商河3县和章丘市。截止2005年末，济南常住人口达到597.4万人，其中市区人口350万，主城区人口220万，流动人口约100万。2005年人均收入达到了1.5万元，消费较理性.众多的流动人口，不同的风俗习惯，使济南白酒市场逐渐形成了开放性格局。

济南市场即是闻名全国的大型白酒消费市场之一，也是出名的硬骨头市场，很多品牌在此气势汹汹而来，一败涂地而走。受当地文化的影响，济南人的整体消费忠诚度很高，为很多新品牌的介入增加了难度，但是一旦打开济南市场，其市场前景和持续性发展动力将会很诱人。

白酒界，素有“得济南者得山东，得山东者得天下”的说法，济南历来是众多白酒厂家必争之地。与其它市场相比，济南白酒市场具有五大特点：

1、市场消费容量大

济南是山东的省会城市，机关企业多，人员交往频繁。人们的应酬往往离不开吃吃喝喝，因而白酒消费的市场需求旺盛。在消费能力持续增长的情况下，仅济南市一年的白酒消费份额大概是6个亿人民币。

2、白酒销售渠道数量大

济南现有A、B、C类近3000家餐饮酒店，其中以B类店居多。另外，济南还有100多家大中型商超以及1000家小型商超，有1000多家名烟名酒店，有1家大型批发市场，以及200家左右的酒类经销商企业。众多的分销渠道，营造了白酒消费的繁荣。

3、广告作用大

一方面，济南的消费者比较容易受广告的影响，经常跟着潮流走。许多白酒企业深谙此道，通过全方位的广告轰炸，收益不菲。另一方面，广告对提升品牌的作用大，这种作用直接表现在销量的增长上，如地产酒趵突泉在投放广告后，现在年销售额保持在一个多亿。

4、市场风险性大

目前济南市场存在品牌多而杂的状况。仅济南市就有100多个品牌，近1000个产品。鱼龙混杂的产品给销售增加了许多不确定性。因此，市场动作风险性很大。

5、市场投入费用大

济南白酒市场开发难度之所以大，就是费用投入大。济南白酒市场容量大，渠道多，人员广，接受慢。

想进入济南市场必须有充足的资金。比如商超的进店费、促销费、海报费、堆头费，一个单店从500-2000元不等，如果要在商超实现一定的铺货率，就算进100家店，也是一笔不小的费用。

目前济南市场上约有100多个品牌，上千多个品种，包括川酒、黔酒、皖酒等全国的各地的酒厂都把济南市场当作一块必取之地，全国各大品牌白酒在济南都有自己的消费群，一些没有知名度的品牌在济南也有销售。同时由于品牌之间的过渡竞争，为新品牌的拓市增加了很多的市场费用，市场风险性较大。近年随消费者对葡萄酒的认识加深及啤酒消费量的增大，白酒销量开始萎缩。

2005年济南白酒总销售额约6亿元，其中茅台、五粮液、趵突泉、黑土地、景阳春、金六福、剑南春、水井坊、国窖1573、口子窖、黄河龙等十几个品牌占据着大部分市场。其中75%低档市场被红星、尖庄、绵竹大曲、兰陵特酿、龙江家园、小刀等品牌占有。中档产品以趵突泉、口子窖、黑土地、景阳春、金六福等为代表；高档市场主要是茅台、五粮液、剑南春，另外水井坊、国窖1573业绩不俗。

2005年济南白酒市场的销售情况如下：趵突泉的销售额约为1.5亿元，五粮液8000万元，茅台7000万元，金六福2000万元，口子窖3000万元，水井坊、国窖1573销售额接近，约1000万，而浏阳河销量与金六福差距较大，浏阳河的销售额不足300万。销售额1000万以下的品牌较多，金银剑南、小糊涂仙系列销售额都在1000万以下。

动态：济南市场突出的品牌市场动作频繁

白酒主流香型为浓香型。主流产品：中档是34度趵突泉；高档是52度五粮液；低档是54度尖庄。主流度数：中档酒以低度酒为主；高档和低档酒以高度为主。

主流价位：中档酒销售价60-100元之间；大众化消费价位10元以内；高档在200元以上。

促销方式：以开瓶费、开箱费、人员促销、礼品为主。促销用品：以打火机、圆珠笔、茶具、小礼品等为主。公关方式：以返利、暗扣方式为主。

广告宣传方式，电视媒体多以山东卫视台、山东齐鲁台、山东影视台为主；平面媒体以《齐鲁晚报》为主。

高档酒市场

济南市是山东省机关驻地办事处、军区驻地、各大公司驻山东办事处的集中城市，其整体消费能力，特别是高档酒消费能力很大。而且受济南白酒市场介入台阶高的原因影响，在高档酒市场中品牌集中也很高。价格主空间：150元以上。消费场所主要集中在：中高档餐饮市场、大型商超市场和各品牌专卖店。

茅台、五粮液　作为中国白酒行业的两大“巨人”，在品牌忠诚度和指定消费首选上都占有绝对的市场优势。特别是五粮液品牌，通过一帆风顺、十五年等副品牌的配合运作，迎合了广大消费者的认可，在济南高档白酒市场一直是第一消费品牌；茅台酒虽然与前两年相比，也有很大的起色，但是，其与五粮液一直有着一定的销售差距。

水井坊　高档白酒的后起之秀，自进入济南市场以来，通过其超前的价值营销模式和宝真酒业财大气粗的终端压力，已经成为商务用酒和政府用酒主导品牌。特别是其针对性的政府营销思路，为其高档酒品牌升空、市场落地打下基础，稳定在济南高档酒市场第三大品牌的市场地位。

国窖1573　近年来，由山东国窖酒业销售有限公司销售的国窖1573，强势的广告拉动和积极的终端促销策略，其在济南一直处于上升状态，去年销售额达1000万，今年又加大了市场力度，为提升品牌形象还将举办一些公关活动。

中档酒市场

中档白酒市场是每一个市场的消费主流，在济南市场也是如此，成为很多新生白酒品牌的落脚点。品牌多、促销力度大、次集中品牌缺少是济南中档酒市场的最大特点。价格主空间20元～100元。消费场所中高档餐饮市场、商超市场。

趵突泉　"趵突泉"作为济南老企业，改制后彻底轻装上阵，在多个领域进行了创新尝试，战略经营方面，提出了一套比较完整的营销思路，趵突泉已经完全砍掉了自己的低档白酒，以中档白酒为主打，以高档白酒带名牌建设，其中一款"天价酒"，被业内称为"中华一绝"的白酒，最大卖点是它的芝麻香型。据济南唯一国家级白酒品酒师吕兴臣介绍，芝麻香型趵突泉白酒是经历17年的酿造工艺探索，融合了浓香、酱香以及清香型白酒的优点，窖存期都在十年以上，这种水平的芝麻香型在全国独一无二。当然，每瓶1598元的售价，也开创了鲁酒零售价的最贵纪录。在济南高端餐饮市场，趵突泉靠其"地方品牌优势"，也控制着大部分高端店的销售。

口子窖　安徽口子集团，在济南市场采用先进的遣讨信逃的销售模式，形成厂家同商家的优势互补效应，通过近几年的市场攻击战以及盘中盘模式的精耕细作，在济南白酒市场已经确立了畅销的外地酒品牌地位，特别是在中高档餐饮市场，口子窖通过细腻的市场操作手法和强大的终端支持力度，已经成为很多白酒品牌进入济南市场的主要竞争对象。

黑土地　以奇出名的黑土地的成功应该说是一个另类的个案，其在产品结构和包装风格上，基本上都有新的突破，市场的运作思路，在终端上采用超出积极的价格战和个性灵活的促销战技术手法，蚕食着济南终端的市场份额，成了近两年济南市场的一匹黑马，产品遍及济南主要商超及终端网络。

小糊涂仙　小糊涂仙酒自1998年进入济南市场以来，一直以稳扎稳打的品牌风格，以文化营销和差异化营销为市场切入点，通过其扎实的终端服务力量和针对老客户的营销思路，占领着整个济南中档白酒市场一定的市场份额，特别是商务用酒市场，小糊涂仙占有不错的市场份额。如今，小糊涂仙在济南市场的整体发展前景不是十分乐观。

金六福　金六福在济南市场上通过福文化的运作和济南中铁舜天采购供应站（金六福济南地区总经销商）的密集化终端运作，在济南市场一直是部分消费者的首选品牌，品牌忠诚度较高，在商超市场和婚庆市场占有很大的市场空间。通过促销拉动其销售在去年的"春节回家.金六福酒"的整合营销运动中，针对商超及指定的销售点，推出了"发短信中机票"的促销活动。积极拉动了其在广大市民中的向心力和亲和力。

浏阳河　浏阳河自2000进入济南市场，已经更换了三任以上经销商，其在渠道建设和终端操作上都不十分稳健。由于其经销商政策和品牌升空不落地的品牌现状影响，其在济南市场的销售状况正在逐步下滑。

全兴、古井贡、泰山、孔府家、黄河龙、酒鬼酒等品牌由于受各种市场原因的限制，在济南市场一直做得比较稳健，主要集中在一定的区域或者一定场所进行较聚焦化销售。

低档酒　济南低档酒市场，主要以北京二锅头、尖庄、兰陵为主导品牌，他们通过长时间的市场运作和品牌培育，已经拥有了很大一批忠实消费群体，品牌忠诚度较高，消费市场的品牌集中度也是很高。价格主空间：5元以下。消费场所主要集中在：商店、低档酒店、快餐店、商超市场。

北京二锅头　北京二锅头的主要销售场所，集中在大部分中低档餐饮终端和商超市场，受其品牌历史和密集化市场运作思路的影响，其市场份额一直很稳定。但是，在济南市场北京二锅头受前几年假酒泛滥和产品价位的影响，在小型商店的销售状况不容乐观。

尖庄　五粮液品牌增值和适度的消费购买价格，以及终端销售商较合理的利润空间，是尖庄酒在济南市场取得良好业绩的主要原因。消费者对尖庄酒品牌的口碑很好，消费认同率也很高。

兰陵　兰陵作为山东的地方名酒品牌，在济南市场的发展历史较长，特别是兰陵"四方"产品，在民工消费市场中占有绝大部分市场空间。

济南市共有大型商超级连锁店约20余家，如：大润发（四个分店）、

银座购物广场（两个分店）、贵和、易初莲花、新国道（两个分店）、家乐福、沃尔玛、华联等。

济南市场商超的品牌集中度高，主要以茅台、五粮液、趵突泉、黑土地、景阳春、金六福、剑南春、水井坊、国窖1573、红星、黄河龙等品牌为主，产品种类较多，商超销售主要以活动促销，广告、特价促销等都会对消费者产生影响。

目前济南商超市场主导品牌是：趵突泉、金六福。

商超市场进场费5000–20000元左右，而且受品牌种类繁多的影响，新品的进入难度很大，即使进入销售环境也很复杂。

城乡结合部多为近城区的郊县消费者，为郊区企事业单位、城内工作城外居住的人员，收入水平参差不齐，各档次产品均有消费。在城乡结合部，主流消费品与城区相比有所改变，茅台、五粮液、国窖1573、水井坊等高档产品成了稀有品种，而剑南春、金六福、趵突泉、黑土地、景阳春等成了畅销品牌，低价酒仍然是二锅头、尖庄、绵竹大曲、兰陵特酿、龙江家园等，

2005年在济南销售额有的已达到了1000万，城乡接合部主流价位与县城差不多，在5–20元左右。

在春节期间，济南的超市成了外地酒与本地酒交锋的主战场。比如，在大润发超市的白酒区，共有20多种白酒加入这场促销大战。这些酒主要以川酒、贵州酒和东北酒为主。本地酒中，有趵突泉、景阳春、黄河龙等鲁酒品牌，形成了鲁酒势力占外地群雄的局面。

在这种局面下白酒的消费呈现出"两头俏"的特点：

一方面，高档酒的走势好。五粮液、茅台、剑南春、国窖1573、水井坊等知名产品表现抢眼；另一方面，30元以下的酒走货量非常大，特别是一些价格不是很高的礼品酒，在春节期间大受欢迎。商超走量大的白酒主要集中在中低价位产品上，如价位在100元上下的金六福四五星、趵突泉、五粮醇、泸州老窖特曲、口子窖等；30多元一瓶的3D五粮醇、趵突泉、琅琊台、金六福三星、景阳春、二锅头系列等表现不俗；20元以下的主要以趵突泉、琅琊台系列、金六福一星、黑土地为主。

济南市拥有大小餐饮终端约2000余家，其中A类店100家左右，B类店1000家左右，C类店千多家。在餐饮渠道的竞争，主要体现在买店、促销上，几乎所有品牌都在搞促销活动，而白酒品牌的买店现象也在潜规则中进行。另一方面在酒店的促销手段上也非常多，除返利和扣点外，贿赂营销十分盛行，如给酒店送车，给主管送手机、送卡、送国内外的旅游等等，当然，开瓶费、开箱费也是少不了的。由于受济南白酒市场整体容量大、品牌多而杂、竞争无序等因素影响，在整个济南餐饮市场上，存在着进入台阶高、销售费用高、稳定销售难的市场特点。而且随着消费者消费观念的成熟，自带酒水的消费现象正在逐步的增多。

济南酒店进店费很高，一般有七八个包厢的C类店，单品进店费在1000–3000元；10–20个包间的B类店，单品进店费3000–8000元；A类店，最低也要10000元以上，最高则没有上限。餐饮终端整体加价率在100%左右。

终端促销费用高，一般来说，白酒零售价在100元以上的产品，开瓶费为8–15元（销售100元以内的产品）左右，餐饮市场主导价位：50元（餐饮市场供货价）左右。一个促销员一年的费用在1000–5000元，最高曾到几万元。想有一定市场影响力，至少要进入100多家酒店，再加上促销人员及各种活动的费用，这是需要大量资金做后盾的。

名优餐饮店推荐：

姜仔鸭、倪氏海鲜、净雅、金马、桃源、顺风肥牛、云亭等。

在高档酒店中，五粮液依然稳坐白酒大王的宝座，茅台和水井坊也表现不俗。五粮液、茅台、剑南春酒的销量主要是消费者自点，几乎没有什么促销活动。国窖·1573以泸州老窖优良的品质做保证，在运作方面重视品牌塑造。在酒店中，国窖·1573通过高额服务费刺激服务员，提高服务员的推广积极性，同时对酒店的分销商们给予较大的让利。甚至有人提出“国窖·1573前期不为挣钱，只为抢下高端市场这块阵地“的口号。从目前的情况来看，它的表现很强劲，在一些高档酒店形成了对五粮液、茅台的威胁，甚至在有些酒店销量超过了它们。

中档价位酒因为品牌多，促销做的更热闹。动作比较大的有趵突泉、琅琊台、口子窖、金六福、泰山特曲、黑土地、景阳春等。这些品牌有一个很大的特点就是厂家直接设立销售办事处和经销商一起直面终端酒店，占有了一部分优质酒店资源，并给予酒店较大的投入。

这些品牌一般都有一支专业化的直销队伍和促销队伍，这些人员遍布济南市的终端酒店，一个个进行终端拜访，做足客情沟通。同时，结合终端酒店的消费需求推出系列的促销活动。有针对酒店的，如开展“买赠百分百活动”，酒店在一定时间内每卖出一瓶酒，厂家就赠同品牌酒一瓶；有针对服务员的，一方面推出比较高额的开瓶费，另一方面，开展一系列的二次兑奖活动，以吸引酒店服务人员向消费者推销自己的品牌，主要形式是抽奖、积分、联谊活动等，其目的是提高酒店服务员的积极性，争取在酒店终端的主要地位；还有针对消费者的，如“买大瓶赠小瓶”、“喝一瓶有经典礼品相送”等活动。另外，一些品牌推出了“喝就奖，抽奖大惊喜”活动，奖品有家电数码类，体育用品类，可谓花样繁多，其目的就是吸引消费者的注意力。

口子窖在100元左右的价位上表现较好。金六福、趵突泉和黑土地酒在中档价位表现得较为突出。

总之，各品牌白酒都不遗余力的在终端上翻新各种促销手段，使得济南餐饮酒店闹的沸沸扬扬，餐饮终端竞争激烈，促销手段花样繁多。从某种角度上，也增大了市场运作的成本和难度。

白酒销售策略

由于济南的白酒市场在整个山东市场具有极为重要的战略地位，所以占领济南市场必定在白酒行业内产生积极而深远的影响。

第一、在战略层面：占领济南，可以影响山东，继而应向周边省份；

第二、在战术层面：占领济南，可以形成不错的销售力，意味着又一个强势品牌即将诞生，最起码的是想做山东；

第三，样板市场层面：济南市场具有复杂性，可以有针对性地复制到其他地方。正因为这些因素，行业内闯济南的企业数不胜数，但真正成功的寥寥无几，来去匆匆的企业也比比皆是，许多企业或品牌济南市场调查进行的比专业公司还详尽，但是一瓶酒也没卖。究其原因：自己不想做市场，又想找个有实力、有网络的经销商，代理条件又很高，所以没有对接口，高处不胜寒呀！

综合济南市场的现实，进入济南白酒市场需要许多厂家慎重。

首先，市场前期投入成本较大。

在终端铺货，需要投入巨额的广告费用为产品做宣传推广，而高额的进店费、店庆费和促销堆头费就已经令人望而却步，更不要说其它诸如办公场所、仓库、人员等的办公费用。

其次，济南市场终端的进店费门槛较高。

因为品牌不同，终端的地理位置，连锁店数目和厂商之间的亲疏关系不同，进店费也自然不同，主流品牌的进店费只需花上几千元，而一些鲜为人知的小品牌，则要上万甚至是几万，而茅、五、剑就根本不拿进店费。而且商场、超市施行末五位淘汰制，如果产品在商场长期滞销，三个月后商场、超市就会自动下架。

再次，市场需要不间断的高投入。

消费者在商超里消费是一种完全的主动消费行为，消费者也比较理性，商超里的操作透明，所以一些实力薄弱，没有很大力度推广的品牌难以在此立足，即使进得商超也未必能够坚持多久。

在媒体宣传方面，济南的媒体费用虽然不是特别高，但是需要持续、大幅度的宣传才能达到制造“流行现象”，影响消费的目的。

如何打开济南市场呢？

济南市场整体市场容量大、消费忠诚度高、品牌多、拓市费用高的市场特点，在引来了全国各地酒企的同时，也为新品牌拓市提高了进入台阶和运作风险。

在此警告所有白酒厂家：只有在充分的分析市场竞争环竞基础上，结合自己的企业、品牌和产品个性，通过聚焦化的市场针对战略实施，运用创新性的市场策略和细节化的市场服务，而且做好打持久战的心理准备才有可能分得一份“奶酪”，否则将很有可能市、财两空。

在综合调查济南市场状况后，笔者为经销商提供以下几点建议：

1、调研市场，选择适合自己产品定位的经销商。

选择经销商并不是越大得越好，实力较大的经销商往往依托自己的网络和实力，狮子大开口，这并不是每个厂家都能承受的，而且厂家都乐意去找大的经销商，但是大的经销商济南并不是很多，所以造成了许多厂家必须从务实的角度出发，选择合适的经销商，甚至可以选择多个有实战经验的小型经销商一起分销市场。

2、追求广泛的铺市率。

如果没有大的广告力度在济南市场出现，就应该让自己的产品增加和消费者见面的机会，所以产品的铺市率一定要达到一定的比例，商超的销售量和铺市率还是成正比的，只要和消费者又见面的机会，产品就有被选择的可能，尤其是一些二类的品牌或厂家。

3、一套切实可行的市场营销方案。

市场的调研对厂家特别重要，选多厂家都是在没有对济南市场有个准确了解的基础上盲目来到济南，而且是想当然的拿出自己认可的产品到济南销售，这种自我意思的市场思路注定在济南市场上仅仅是一个过客。所以要重视市场的调研，分析市场的机会点和雷区，选择合适的策略、产品、政策、运作方式等，制定一套其实可行的市场营销方案。

4、扩大品牌影响力，发挥自己品牌的价值。

济南的本地消费者的品牌忠诚度很高，但是随着外来品牌的不断冲击和外来流动人口的增多，外地品牌在济南的市场立足的机会点越来越多了，所以要深挖自己的品牌价值，从某种层面上讲，品牌价值具有很强的战略意义，满足某个群体受众的所需，就是最有力的价值体现。

5、建设一个强势的营销团队和服务体系。

对于做济南的新产品，其销售量的多少，促销员的促销的力度是一个很关键的因素，好的业务人员更是不可或却的资源，一个好的团队的建设对一个厂家来说是至关重要的，好的促销员在很大程度上影响着消费者的购买情绪。品牌的进店仅仅是一个槛，至于进入槛里以后的事情，全靠品牌自己的策略和服务，良好的售后服务是很关键的一环，毕竟现在是服务型的社会。

【济南市场完全攻略2006——啤酒篇】

济南具有极强的市场辐射能力，济南市场还有着其他市场所没有的强大影响力，做品牌形象，做山东市场的啤酒品牌不做济南市场那算不上大品牌。

市场概况

济南市啤酒年销量可达22万吨以上，消费量之大全国少见，并且济南是一个以中档酒为主的市场，利润较高，同时，济南作为省会城市的辐射作用也不可小视。以前，偌大的济南啤酒市场基本上都是济啤(趵突泉）的天下，随着不同品牌的强势进入和慢慢渗透，济南啤酒市场进入“战国时代”。

初春的天气乍暖还寒，但济南啤酒市场的竞争已是热火朝天，随着天气变热，啤酒的消费旺季已经到来。关键时刻，济啤、青啤同省兄弟爆发争端，虎牌、喜力、百威等啤酒洋品牌相继攻入济南，趁机抢占市场份额。济南是一个很大的扎啤消费市场，每年大约有五万吨的容量，所以济南啤酒业的竞争异常激烈，作为一个外地品牌，想有所建树并非易事。济南啤酒市场正由“内战”转向“混战”。前不久“啤酒暴力”在济南的上演，被打伤的青啤经销商头部被缝了十几针，目前正在医院接受治疗，更彰示着济南啤酒市场的混战局面。

许多洋品牌啤酒因销售渠道、口感、价格等因素，一直很难占据零售市场的份额。在青啤大举攻城掠地之前，烟台啤酒、燕京啤酒、泰山啤酒、克代尔啤酒、无名啤酒等也低调进入，欲分得“一杯羹”，此次争端爆发，让趵突泉啤酒在市场上“一股独大”的局面受到冲击。同时，洋品牌也对济南啤酒市场虎视眈眈，去年5月20日，荷兰喜力啤酒下属的“虎牌”啤酒在泉城广场举行盛大“入城式”，以赞助足球甲A联赛形式，强力出击济南市场。据称，其仅免费试饮推广活动就准备连续搞5个月，除虎牌外，目前进入济南市场的洋品牌啤酒已有百威、生力、科罗娜、喜力等七八种，它们主打星级酒店和酒吧，以占领高端市场为目标，在大商场、超市，洋品牌啤酒已经开始扎根。

品牌动态

在啤酒市场，业内人士都知道得济南者得山东。究其原因，一是因为济南的消费量很大、利润丰厚；同时，在以济南为中心的200公里区域内，市场消费潜力巨大，为啤酒企业的扩张提供了很好条件。二来是攻克济南啤酒市场的难度很大，而一旦得手，其他市场也就不在话下。而正是因为济南市场不可复制的天然优势，使其成为青啤、燕啤、华润等各路啤酒业巨头眼中的“兵家必争之地”。

对于济南攻坚战，如若控制济南啤酒集团，无疑将成为一条占领济南市场进而占领山东市场的便捷之路。但目前来看，这种可能性并不大。

济啤：　济南啤酒集团总公司是国家大一型企业，国内啤酒行业的骨干企业，济南市十八家重点企业集团之一。25年来，以“天下第一泉”趵突泉的名泉之水，精工酿制而成的“趵突泉”、“北冰洋”啤酒，其纯正悠远醉人心扉的酒香，细腻如玉、洁白似雪的泡沫，使人饮后清爽惬意，回味无穷。其“净、香、鲜、稳”的质量特色使“趵突泉”、“北冰洋”啤酒在品牌林立的啤酒市场上引领风骚，成为区域强势品牌。

在2002年之前，趵突泉啤酒还占据着济南市场85%以上的份额，是济南啤酒市场无可争议的老大。但是今天济啤在地理位置上的战略空间已经没有了，在济南市内，烟台啤酒、琥珀啤酒、三孔啤酒、青岛啤酒、燕京啤酒、克代尔啤酒随处可见，随处可买。

啤酒的消费主要集中在餐饮消费终端，因此趵突泉啤酒加强了对餐饮渠道的控制，从前几次青啤攻打济南市场看，都是从餐饮入手，例如在济南采取直供形式，进行大规模的买店和经销商建立排他性协议。可以说，这直取济南啤酒的命脉，因此遭到了济南啤酒的强烈反击。

面对青啤的轮番轰炸，由于品牌和资金等实力相差悬殊，济啤见招拆招，防守反击，并且势头呈现出下滑趋势。据悉，济啤在短时间内也曾推出了一系列产品对抗青啤，其中趵突泉“清爽”对青岛“优质”、趵突泉“纯生”对青岛“纯生”等新品济南啤酒一方面跟随买店，一方面利用媒体指责青啤的非正当竞争，结果青啤买店活动不得不终止。

不久前，青啤采取从社区突破的路线，这在一定程度上让趵突泉啤酒

“着了慌”，但同时也给济啤“提了醒”。济南啤酒在本地市场占有天时、地利、人和，这是青啤、燕京所不具备的，如何加强对社区的控制，济啤还是要面临着一场硬仗。目前济啤就针对青啤此次社区工程开展反击战，济啤原来只在济南历下区举行的趵突泉啤酒消夏晚会已扩展到天桥区，并同时推出有奖促销活动。不断调整营销模式，加强销售终端的建设，除了已经推出的趵突泉纯生、清爽两个品种与青啤针锋相对之外，济啤还将推出新黑趵、超干啤酒等新品种以更多地满足消费需求。同时，济啤还实施了“超新鲜度工程”，首先选择济南市多家名优酒店推出“进名优酒店、品当日超鲜”活动，并采取先品尝后消费、当日未售完新酒实施无偿“召回”制度，以发挥其地方强势品牌优势。

如何应对济南啤酒的反击，是摆在青啤面前的一个课题。青啤从社区切入，战略上找对了点，但最重要的还是如何执行。从济南市场看，有些经销商并不知道青啤的这次活动，作为重点突破市场，不能眉毛胡子一把抓，在社区打持久战还是短期战，青啤需要考虑。

青啤：　作为国内啤酒业老大，青啤一直有统一鲁啤的雄心，但三孔和无名先后投入燕京的怀抱，济啤近年发展态势良好又无合作意向，因此，从战略上来讲，济南市场不容青啤再放松一步，只能用“专卖”的办法“硬攻”。一场“专卖”大战却惊扰了趵突泉啤酒高高在上的美梦。

2002年4月，青啤率先挑起“专卖”大战，以花钱买店的方式同济南200多家中高档酒店签订苛刻的“买断协议”。协议规定：由青啤向酒店提供几千元到几十万元不等的资金或啤酒，被买断酒店则必须专卖青啤，青啤以外的其他等啤酒则实施不准进货、不准摆放、不准推荐、不准冰镇的“四不准”原则。趵突泉啤酒如受当头一棒，但随之，趵突泉啤酒就全力组织人员进行买店还击。

时隔3年之后，双方的交战仍在继续，并已进入僵持状态。而青啤也借此在济南站住了脚跟，并还在中高档酒店稍占优势。从总量上看，青啤已经占据济南市场的半壁江山。但是，为了挤占济南市场，青啤也付出了巨大代价。济南啤酒集团的一位高管告诉记者，自2002年，青啤每年在济南市场投入资金高达两三千万元，4年下来，各种花费不下1亿元。

在济南中低端市场青啤势头很猛，推出了价格与济啤销量最大的“黑趵”相同的“崂山啤酒”，主推的崂山啤酒市场价2–3元，几番艰辛的争夺之后，青岛啤酒才在济南市场上有所斩获，市场占有率达到14%左右。还针对济南人爱喝扎啤的习惯，青啤在济南西部上一条扎啤生产线，推出了“崂山”扎啤对抗趵突泉扎啤，并且在东部一条新生产线即将上马，对济啤形成东西夹击之势。更大的动作是，青啤已经有在济南设分厂的打算。记者了解的信息是，分厂将投资2亿元，一期生产能力10万吨，到2007年达到20万吨。

燕啤：　目标：抢占20%～30%的济南啤酒市场份额。

而就在青啤与济南啤酒激烈交战的时候，燕啤却在去年上半年乘虚杀入济南市场，悄无声息地攻城掠地。目前，燕啤在山东已有山东莱州啤酒有限公司、燕京啤酒三孔有限公司和燕京啤酒无名有限公司三家公司。由于3家公司都是地方品牌，其影响力和市场范围相对有限，并且产品面向中低端消费群体，为燕啤利润贡献有限。

燕京进入济南以来，主要走的就是酒店销售渠道，商超渠道目前还没有进入。在酒店则主要采取专卖的形式，并且销售的燕京啤酒也以中高档为主，还有专门为山东生产的特制“京8℃”。为了不搞乱酒店市场，燕京采取了统一售价的模式。燕啤开拓济南市场已经取得了显著成果，在中高档酒店中已经占到了8%～10%。燕啤希望在短期内成为济南市场的三强之一。

而面对青啤和趵突泉啤酒两大对手，燕京济南办事处经理刘际伟认为上述两家争夺时间越长，他们的精力耗费得越多，对燕京切入也越有利。燕京的专卖只强调酒店主要卖燕京，而不妨碍酒店卖其他品牌啤酒，根据酒店的销售量有不同的奖励方式，这样酒店的积极性更高。同时，青啤多年的“攻济战”已经改变了济南市民只喝济南趵突泉啤酒的习惯，接受燕啤，将会比当时接受青啤更容易一些。

进入济南市场半年以来，在没有任何广告支持和大规模促销的情况下，燕京已经悄然进入济南的200多家酒店，并且效果出乎意料的好，每月销量能达到1000多箱。一开始我们重点进攻大酒店，现在大酒店和小酒店我们都进，只要想跟我们合作的，我们都欢迎。

调查商超

啤酒方面则是青岛、燕京、蓝带、雪花、烟台、崂山及北冰洋啤酒等地产品牌，商超渠道的品牌虽然多一些，但销量都不是太大。很多产品进商超的意图是“混个脸熟”，主要是为展示产品形象起到宣传效应，

趵突泉啤酒在济南各大超市销售的主要为一些中低端品种，夏季在济南的各大超市均可见到济南啤酒促销活动在如火如荼的开展。热情的促销小姐，令人贴心的宣传策略，强力的市场终端网络，让趵突泉啤酒又从济南市场夺回了一部分的市场份额。但持续攀升的销量与前些年时相比已不可同日而语，不过我们对济南啤酒的势头还是不敢小窥。

青岛啤酒，在济南各大商超的铺货情况还不错，但总的来说销售状况不够理想。由于促销力度，商圈销售等诸多因素的影响，在济南的各大商超已经成为过去式。其他的一些济南周边地区的啤酒和洋啤分割剩下的市场份额。

啤酒在济南商超渠道的消费基本上是广告引导性消费，以家庭消费为主。消费者对品牌有一定的忠诚度，但商家的促销对消费者的购买行为影响较大。在商超的促销上，特价、捆绑销售、抽奖活动、奖励销售业绩高的终端分销商都是常

规手法。

在A类酒店，啤酒的进场费从几千到几万不等，视啤酒品牌的不同以及经销商客情关系的亲疏而定，也有部分大型酒店由厂家直供，这时就需要厂家前期投入几千元到几十万元不等的资金或啤酒及展示柜，促销品等。被买断酒店则必须专卖，其他啤酒则实施不准进货、不准摆放、不准推荐、不准冰镇的“四不准”原则。

餐饮渠道

在A类酒店中，产品的进场费、展示柜、促销品等由厂家全出，且产品还实行买一赠一的销售策略，厂家必须要给经销商及酒店很大的利润空间。

在B类店和C类店中销量较好的啤酒主要有崂山、黑趵等，B类店和C类店除部分由啤酒企业自己操作外，主要还是由经销商掌控，先期经销商会根据酒店的规模以及啤酒的营业额的不同而投入几千元至几万元不等的进场费用，以及展示柜、促销品等。

在B、C类店消费的消费者对品牌有一定的忠诚度，但受价格的影响也较大。如果哪家有促销相对来说哪家的销量就会更好，常规的有厂家回收瓶盖来调动服务员的热情，激励他们推销酒品。瓶盖费至少0.2元，最高可达2元。促销员现场推销、买赠活动、特价活动也是厂家在这类酒店经常用的。

流通渠道

目前济南啤酒已将合作对象放在了外资上。《第一财经日报》曾报道，济南啤酒正与美国的一家投资公司洽谈合作事宜。

趵突泉啤酒占领济南流通市场50%以上的份额，战略由过去走流通，做批发，调整为直接掌控终端。青啤的深度分销、自控终端已见成效，在济南地区已经拥有了稳定的消费者。济南啤酒利用高利引诱了大批经销商经销产品，通过强大的市场投入力度把产品铺到了济南各个社区的服务部、街边零售店和小餐馆，但铺货量和销量并不成正比。

流通市场是中低端啤酒的天下，约占整个市场份额的70%左右，这里也是各个啤酒厂家争夺最激烈的渠道之一。

在流通渠道，济南啤酒通过一系列的优惠政策寻找经销商。在济南的各大批发市场都有黑趵啤酒的销售，但大众市场崂山啤酒的存在，使得黑趵啤酒的销路一路下滑，虽通过强大的市场投入力度把产品铺到了济南各个社区的服务部、街边零售店和小餐馆，但铺货量和销量并不成正比。

另有一些周边知名的啤酒品牌（克代尔、银麦、琥珀、烟台黑生）默默立在市场一隅，凭借其低廉的价格或个性的主张来赢得一部分消费者的青睐。各大啤酒企业在流通市场的操作模式都是由自己的销售公司直接掌控。

在夜场渠道，有着与其他渠道不同的特点，终端不易管控，但产品加价率极高，一般都在200%以上，但坏账风险较大；品牌意识较强；进场费用惊人，最多可达到厂家产品年预计销售额的1/3，甚至更高；消费以放松、娱乐为主，受非理性因素影响较多。

夜场历来是高档啤酒售卖的天堂。在夜店中，以KTV的销量最大。

销售策略：

占领济南将在行业内产生深远的影响。

第一、体现在战略层面：占领济南，可以影响山东。第二、体现在品牌层面：能够实现品牌持续地、较长周期内的占领济南市场，实现区域王者路径。

广告策略对于任何一个啤酒品牌而言都是不可或缺的。在未来的市场竞争中，抗拒大资本、大资源、高强度市场攻击的保护层只有品牌，尤其在啤酒这样一个已经被外资逐步控制大局的产业环境里。

在山东市场，青啤、济啤、烟啤在城市中是知名品牌，而在农村市场克代尔和银麦市场份额不断扩大，农村知名品牌地位凸显，在这种情况下，谁首先重视品牌内涵的倡导谁就会在未来的市场竞争中处于领先地位。

1、在产品层面，广告策略必须反映出啤酒的特性与特色；

2、在消费者层面，广告策略将购买者或饮用者的实际感受得以呈现；

3、在品牌层面，广告策略可以激发大众对品牌的自然的、积极的联想。

啤酒本身具有很强的地方特性，中国的大多数啤酒品牌是因地方而得名，济南啤酒也是如此。因此，啤酒品牌名称区域性的强弱对于啤酒品牌的塑造是个不容忽视的重要因素。地方性的品牌名称必须有通用性的品牌诉求，通用性的品牌名称必须有个性化的产品；品牌核心价值、产品核心卖点（USP）必须与消费者价值保持一体贯通。

产品策略奉行优质优价策略，大众化啤酒在济南啤酒市场占有强大地位，依据人们对区域口味的偏好，定位啤酒产品的口味风格，可促使人们消费更多的啤酒。拿青岛啤酒来说，主打品牌是青岛啤酒，旗下几十个品牌林立，以青岛啤酒为“中军主将”。青岛啤酒保持中高定位价格策略，青岛啤酒家族系列酒采用大众化定位价格策略。

婚宴引发喜酒市场“地震”

今年恰逢狗年，又值“双春”，这让济南的婚庆市场“热翻了天”。而且随着啤酒销售旺季的到来，啤酒商们也把注意力瞄向了已排起长队的婚宴，以前所未有的促销力度争抢喜酒市场。

“买十赠五”刺激婚宴市场

昨天，正打算五一结婚的小张在街上收到了一张宣传彩页，上写“只要购买十箱燕京啤酒就可获赠五箱，同时还可参与抽奖，享受千元大奖”。记者了解到，随着五一黄金周的到来，今年新人“扎堆”结婚的现象将愈演愈烈。所以，婚宴市场的酒水大战自然比平日热闹了许多。

据介绍，今年济南将有11万对新人步入婚姻的殿堂，比去年增长近7万对。记者从各大酒店了解到，不仅是4月、5月的宴席爆满，就连11月、12月的婚宴也被预订一空。

“为的就是赚吆喝”

婚庆用酒一直都在婚庆经济中占有重要位置，济南市场的啤酒巨头们显然已早早备战，欲借婚庆市场抬高市场份额。燕啤济南分公司经理刘际伟表示，此番针对五一婚庆市场的促销活动，对于燕京这样一个后进入济南市场的品牌来讲，“为的就是赚吆喝”。他说，在今年这样一个特殊的婚庆年，婚宴市场对于启动区域市场或团购市场将是一柄利器。

婚庆用酒作为用量大、口碑传播较广泛、互动影响较强的一块大蛋糕，已被越来越多的白酒企业看重，但啤酒企业在这方面做得不够。一酒店负责人表示，啤酒企业除适当的促销手段外，可以考虑开发专门的婚宴用啤酒，以占领这块市场。

最终将上演“龙虎斗”

在啤酒业内一直流传着这样一句话：得山东者得天下，得济南者得山东。所以，济南啤酒市场的竞争多年来一直较激烈，还有逐步升级的态势。

刘际伟介绍，燕啤自去年发力济南市场以来就不停地“攻城略地”，目前已杀进300余家酒店。预计燕啤今年的市场份额将达20%，明年的目标是30%。

他认为，虽然目前济南市场上除青啤、燕京、趵突泉外，烟台、百威、生力、喜力、科罗娜、嘉士伯等众多品牌也虎视眈眈欲分一杯羹，但从目前的态势来看，济南啤酒市场最终将走向几大主要品牌之间的对决。

【山东啤酒市场营销调研素描】

产量多年第一，市场易守难攻，但差异化产品占有不可取代的市场份额

市场概况：地产品牌众多　市场易守难攻

山东是我国啤酒第一生产大省，同时又是全国重要的酒类消费市场，无论是国内还是国外的啤酒，几乎都把山东作为自己产品的必争之地。就国内品牌来讲，全国各地的知名啤酒品牌在山东都能找到，其中，三大巨头在山东厮杀的同时，国内许多的二线品牌在山东也能随处看到，但山东啤酒明显占有绝对优势。国外品牌的产品在竞争中靠自己的差异化生存的也很好。这一事实也表明了山东酒类市场易攻难守的特点。即使这样，国内外诸多品牌的酒类企业依然趋之若骛的直奔山东而来，即使有的是杀羽而归，他们依然觉得收获颇丰，因为山东啤酒市场的特殊状况，使他们即使卖不了酒，但也能从山东市场学到开拓啤酒市场的实战操作技能。

济南市场的销售状况大体就是整个山东酒类市场的缩影。特别是山东啤酒品牌繁多，据笔者的采访统计，目前，活跃在山东各地终端的国内外知名品牌不少于60个，在各地商超陈列的产品则更多的难以统计。由于品牌之间的过度竞争，导致拓市费用高，新品进入难度增加，风险增大。

除了是啤酒消费大省外，山东更是名闻中外的啤酒产销第一大省，2005年，山东以409万吨的产量继续名列全国第一。知名品牌除我国生产规模最大的啤酒公司青岛啤酒外，区域知名品牌生产规模超过30万吨的还有济南的趵突泉、济宁的三孔、无名、烟台的朝日、德州的克力策、临沂的银麦、绿兰莎、琥珀、泰安的泰山等，无论从生产规模还是从悠久历史和在国内外的知名度来说，山东均可称中国啤酒之最。

消费特点：鲁人自古善饮　市场潜力巨大

从历史上来讲，由于山东人从古至今历来有豪饮的美誉，山东人给人留下了能喝的印象，这也许是山东为什么多年来一直是我国第一啤酒大省的缘由。

消费层面是，作为孔孟故乡的消费者有着较高的酒文化修养和较强的地域情结，对地产啤酒的消费忠诚度相对较高，这为新品牌的进入增加了难度。但一旦拓开山东市场，外地品牌在山东的市场前景和可持续性发展将会很诱人，百威、燕京等就是最好的佐证。

以济南市场来说，仿佛一夜之间，啤酒消费重镇的山东省会济南面临“风雨欲来风满楼”的激烈竞争格局。青啤不仅在济南建有两条鲜啤生产线，而且，从2002—2005年，为占领济南市场，已先后投入超过一亿的资金。更为引人注目得是，继燕京在山东收购企业后，华润啤酒集团也于2005年5月把他的第37个分厂建在了山东，收购了离济南仅几十公里远的聊城东阿泉啤酒公司（原聊城市啤酒厂）。另外，洋啤酒百威、生力、虎牌、喜力、科罗娜、嘉士伯等品牌也相继攻入济南高端市场，国内诸多的知名啤酒品牌珠江、哈尔滨、金星等也都在济南有一定的市场份额。

济南市场缘何被这么多的啤酒品牌看中？一是缘自山东人自古豪饮的美誉，2005年，济南市场就喝掉近30万吨的啤酒，济南作为重要的啤酒产销市场，在业内有举足轻重的地位。虽然业内有“得山东者得天下”之说，但“得济南者得山东”更是业内方家的共识；二是省会济南是山东的政治、经济、文化中心，从文化背景来看，济南与整个山东省一样，首先是消费大市，同样，啤酒在济南既有传统的历史，又有消费者接受能力强的优势，加上济南是我国改革开放最早的东部城市之一，经济发达，人口密度面大，对周边有着强烈的辐射作用，所以，成为国内外众多啤酒品牌进攻的重地也就在情理之中了。

竞争态势：地产酒、外来酒鏖战分割市场

山东啤酒市场具有市场品牌多而乱，拓市费用高的特点。在山东，除了一线的主流知名啤酒品牌外，其他二线各地的品牌销量也都不算差。

在竞争层面上，低档酒以地产酒为主，中高档市场除青岛啤酒外，大都以国内外的知名品牌为主，其中，青岛啤酒作为高档酒的领头羊销量最好，其它如燕京、百威、生力、虎牌、喜力、科罗娜、嘉士伯等也是高档酒市场的畅销品牌。

在地产酒方面，全省范围市场表现最好的青岛啤酒系列产品有着天时地利人和的特殊优势和背景，是任何品牌都撼动不了在山东市场龙头老大地位。加上山东境内其他诸多地产品牌的拥挤，山东啤酒市场不仅价格低廉，为培养啤酒忠诚消费者创造了价格优势，而且，企业唯一的急噪就是只嫌山东啤酒消费者的肚子小了。

为了生存，山东众多啤酒企业在青啤统一鲁啤失败后，同省兄弟的内战异常激烈。由于山东市场的特殊优势，燕京、雪花、哈尔滨等啤酒品牌也强行进入，洋品牌对山东啤酒市场更是虎视眈眈，强力出击山东市场。虎牌、喜力、百威等啤酒洋品牌相继攻入济南、济宁、青岛、烟台等大中城市，趁机抢占市场份额。目前，进入山东城市市场的洋品牌啤酒已有百威、生力、虎牌、喜力、科罗娜、嘉士伯等。它们主打星级酒店和酒吧，以占领高端市场为目标，每只啤酒普遍在15—20元上下。像济南五星级的山东新闻大厦、索菲特大酒店等一些涉外酒店里面，消费档次较高，啤酒消费多元化更是明显。过去在这些高档星级酒店占有明显优势的趵突泉啤酒和青岛啤酒，目前的品牌比重明显呈下降趋势，而在大商场、超市，洋品牌啤酒也已经开始扎根，一般零售价在10元偏上。

渠道特点：销路相当拥挤　竞争非常激烈

在餐饮渠道方面：由于山东啤酒品牌众多，造成渠道拥挤。在常规状态下，一般的餐饮渠道大都有几个品牌。由于餐饮渠道的品种多，除了高端产品外，就外地产品而言，经营状况比较好的一般都是些知名品牌。

以省会济南为例，整个城市大小酒店2000多家，其中A类店100家左右，B类店200家左右，C类店1000多家。在餐饮渠道的竞争，主要体现在买店上，几乎所有品牌都在搞买店活动，而不知名的小品牌比名牌产品买店更疯狂。另一方面在酒店的促销手段上也非常多，除返利和扣点外，贿赂营销十分盛行，如给酒店送车，给主管送手机、送卡、送国内外的旅游等等，当然，开瓶费等促销费也是少不了的。

济南酒店进店费很高，一般有七八个包间的C类店，单品进店费在1000元以上；10-20个包间的B类店，单品进店费3000元以上；A类店，最低也要15000元以上，最高则没有上限。一个促销员一年的费用在5000元上下。

在商超渠道上：还是以济南为例，济南市共有大型商超级连锁店30余家，如大润发、银座购物广场、新国道等。商超市场进场费5000-20000元左右，而且受品牌种类繁多的影响，新品的进入难度很大，进入的销售环境也很复杂。商超销售主要以活动促销，广告、特价促销等都会对消费者产生影响。在批发渠道上：由于近几年消费结构的变化，批发市场的整体经营业绩在逐步下滑。流通领域的操作手法主要以优惠价格和奖励政策刺激二批商、三批商走量。在流通领域，有知名度的产品好卖，没知名度的产品一般没有人理会。

拓市建议：人才、品牌、质量、资金缺一不可

山东啤酒市场整体市场容量可以说比国内任何一个省市的容量都大，由于容量大，品牌也多，相应的带动了促销费的提高，尤其增加了新品牌拓市的进入门槛和运作风险。但是，如果一旦占领山东市场，将在行业内产生深远的影响。

第一，体现在战略层面：山东地理位置独特，从古至今，无论战争还是商业竞争，都把山东作为必争之地。占领山东，可以北上京、津、冀，南联苏、豫、皖，辐射华东、华北，影响全国；

第二、体现在品牌层面：意味着又一个大区域性甚至全国品牌的诞生；

第三，样板市场层面：山东由于经济发达，加上交通具有全国第一的高速公路网，具有城乡交融性，已规划并形成东有青岛、烟台、潍坊、威海沿海城市群，中有省会济南、旅游城市泰安、即是足球诞生地又是瓷都的淄博市和江北第一水上城市聊城市；西有孔孟文化旅游圣地济宁市、牡丹之乡荷泽市、铁道游击队的故乡枣庄市等，可以有针对性地复制到全国。正因为这些因素，行业内闯山东的企业数不胜数。

那么，如何打开山东市场呢？以笔者在山东啤酒市场多年的感受是：

第一，利用品牌、品质和资金实力，广泛铺货，打开山东市场。商超的销售量与铺货量成正比，不管你产品的品牌价值有多大，只要你肯与消费者见面，就会有被尝试的机会。商超渠道的品牌虽然多一些，但只要进入超市，即使不能一时取得良好的销售，至少一旄隽呈煊，起到展示产品形象的宣传效应，为以后的发展奠定好基础。

第二，扩大品牌影响力，充分发挥品牌价值。对于外埠品牌而言，品牌价值十分重要，甚至从某种角度上讲，具有决定性的意义。一是山东经济发达，与国内许多省市相比，人们普遍比较富裕；二是由于交通发达，又规划了以城市组群发展的模式，山东城乡差异越来越小；三是山东人观念开放，对外来品牌喜欢接受，因而，进军山东啤酒市场品牌起着至关重要的作用。所以，像燕京、雪花、珠江等这些知名品牌一直被消费者认为是身份的象征而走入山东的千家万户。特别是随着市场经济的日渐成熟，品牌效益在山东越来越突显出来，没有一个强有力的品牌，在山东主流市场赢利的可能性将越来越小。

第三，在充分分析市场竞争环境的基础上，结合品牌和产品个性，制定有针对性完美可行的营销战略。价格是撬动市场的主要因素，这是市场共性，但其他因素的比重也在不断提高，却是山东市场的个性。山东作为沿海经济发达地区，是一个典型的能接受外来品牌多元化的消费市场。如何运用多种手段，充分利用山东市场的各种资源，结合品牌和产品个性，制定有针对性完美可行的营销战略是每一个想进入山东市场啤酒品牌决胜的关键。

第四，建立一个强势的营销队伍，完善售后服务体系。目前，终端销售已成为产品决胜的关键。终端销售量的大小，终端销售人员的管理，促销员的促销力度等是十分关键的因素。以某品牌来说，前两年在山东市场很火，但由于对营销队伍的掌控不力，倒酒窜货砸价严重，致使厂家不得不技术性的暂时退出山东市场，所以，营销队伍的好坏在一定程度上除了影响消费者的购买欲望外，还关系到一个品牌的生死，因而，建立一个强势的营销队伍并管理好这只队伍，对拓展市场起着事半功倍的作用。另外，对于品牌来讲，进店费只是个敲门砖，真正重要的工作还在后头。厂家给了进店费，但能否销售，还要看厂家或经销商的促销、对促销员的培养、商场有关人员是否协助等。所以要做好对人的售后服务，让各方面的人员推销自己的品牌，至少不说坏话。

第五，进入山东市场应有整体策划。并且找到有远见的经销合作伙伴，用创新性的市场策略和细节化的市场服务指导销售，并做好打持久战的心理准备。任何一个品牌的企业进攻山东，要有一个系统的销售模式和激励政策。包括对经销商的支持、管理、培训等，变粗放式管理为现代营销，要有系统地策划和执行方案，包括品牌推广、促销的策划执行、产品的准确定位等，保障市场规范运转。笔者走访的经销商普遍认为，比较合适的合作伙伴是：第一是厂家的实力，这是运作市场的基础，第二是销售总经理，销售总经理的思路决定了市场的成功与否，最后才是产品，挂在经销商口头上的一句话就是：没有卖不出去的产品，只有不懂市场的人。特别是目前及今后山东消费者的品牌意识与日俱增，品牌不仅已成为各大餐饮终端不可或缺的关键，而且，也是几乎所有消费者的消费选择，所以，有了好的产品再加上厂商的精诚合作，进入山东并迎来春天，只是时间长短的问题。

第六，启用职业经理人拓展市场。分析某些啤酒品牌在山东做不大的原因，不是产品出了问题，而是缺乏真正懂市场的人。从某著名品牌在山东走麦城来讲，有一个懂销售，会做市场的领军人物至关重要。而国内另一著名啤酒品牌在山

东济南起死回生的例子也是最好的证明。该品牌在使用了了解市场的职业经理人后，从过去一年几千万的年销售额一下子就上升到年销售额一个多亿。所以，大凡运作市场不成功的品牌，大多是人才匮乏，因而，通过猎头公司帮助彝谟人或直接到同行业彝谟人，对拓展市场能起到事半功倍的效果。通过笔者走马山东啤酒市场，总的感觉啤酒在这个古老又现代的齐鲁大地的消费情况是与日俱增，无论是传统的通路走货还是被当今商人追捧终端走货的销售形式，走货量都在宽幅的日益飙升。它像一位风姿卓越的时尚女郎一样，占据着孔孟之乡的酒店、超市、夜场、酒吧等所有能打进的场所，填补着山东市场的点点缝隙，把整个山东市场填补的更加丰富，更加充实。（孙照广）

江苏省糖酒市场

一、省情简介

江苏省位于长江下游、黄海之滨。是中国开发历史较早的地区之一，现辖13地级市、31县级市、33县。10多个市对外开放。全省面积10.2万平方公里。全省土地面积10.26万平方公里，境内地势平坦，平原辽阔，无崇山峻岭，而多名山巨泽，河港交叉，水网密布，海陆相邻，湖泊众多。省境除北部边缘、西南边缘为丘陵山地，地势较高外，其余则自北而南为黄淮平原、江淮平原、滨江平原和长江三角洲所共同组成的坦荡大平原。

二、市场格局

1、白酒

江苏洋河集团和江苏双沟集团是江苏省最大的白酒生产企业。近年来，这两大企业在体制变革上取得重大突破，相继完成股份制改造，提高了企业的经营质量和盈利能力。他们在进一步巩固省内市场销售份额的同时，积极开拓外省市场。洋河集团成功进军华中、华南市场，西北市场份额与往年相比增幅明显，东北市场销售增幅70%。双沟在广西市场也取得了骄人业绩。洋河蓝色经典、双沟醉猿等高价位、高品位新产品，丰富了江苏白酒的品牌形象，提高了江苏白酒的市场核心竞争力和市场回报率。

洋河集团拥有国宾洋河、贵宾洋河、议事园、一品洋河、宿迁专供、“洋河大曲五十年陈酿”等中高产品50余种。特别洋河大曲曾经是我国浓香型白酒的标杆酒，与五粮液共同制定了中国浓香型白酒的标准。其中，针对高层次公务接待和商务活动而推出的高价位“洋河大曲五十年陈酿”，造型典雅，品质上乘，被第六届世界华商大会列为唯一指定用白酒，享誉国内外；“贵宾洋河”自被中国食品工业协会评为“中国白酒著名创新品牌”后，其销售量每年以50%以上的速度递增。如今的洋河大曲已 改过去中低档酒的传统形象，吨酒售价正从过去的1.2万元上升到2万多元。

双沟集团近年来投入近亿元，有针对性地开发了“苏酒”、现代经典、至尊系列、“牡丹系列”、“牡丹春”、“苏鸿”8大系列近百个新品，平均每4天就有一个新品问世，新品销售已占到销售总量的4／5，产品市场占有率3年上升了20个百分点。“苏酒”和“黑牡丹”分别获“全国著名白酒创新品牌”和“优秀创新品牌”称号。目前，“牡丹”已香飘全国，牡丹系列酒成为企业的主导支柱产品之一，其销售占销售总量的2／5。

2、啤酒

江苏省内有几十家啤酒企业，但没有特别强势的啤酒品牌。南京金陵，苏州狮王，常州天目湖，南通大富豪、宿迁凤凰泉等品牌都盘踞在某个地区，在省内没有形成广泛的渗透和覆盖。江苏省的啤酒生产企业主要有狮王（苏州）啤酒饮料公司、江苏华狮啤酒有限公司、南京金陵啤酒有限公司和三得利食品有限公司。

狮王（苏州）啤酒饮料公司是狮王集团是南半球最大的啤酒生产企业在江苏投资建立的，除生产在沪宁沿线畅销的莱克啤酒、太湖水啤酒外，还生产在全球最负盛名的世好啤酒。并从德国贝克啤酒公司手里取得了独家在中国内地生产和销售贝克啤酒的许可证。目前，狮王（苏州）啤酒饮料公司在苏南占据了大约20%左右的市场份额。其生产的太湖水啤酒已经成为当地的第一品牌，在苏州占据了50%的零售市场份额，在无锡则占据了70%的零售市场份额。在太湖流域以外的市场，狮王（苏州）啤酒饮料公司用莱克啤酒品牌来统一市场，它目前是南京销售量排名第二的啤酒品牌。

近几年来，江苏华狮啤酒有限公司不断求新求异求突破，相继推出了“玉米啤酒”“水晶啤酒”“金三泰”“小麦啤酒”“银杏啤酒”等一系列新产品。它生产的小麦啤酒结束了江苏省没有小麦啤酒的历史。2002年，“银杏啤酒”投放市场后，走势也相当好，已实现销售收入1000多万元。

江苏三得利食品有限公司是中国食品行业中合资最早、规模最大的合资企业之一。公司主要生产经营啤酒、麦芽、饮料等。现年实际生产能力为啤酒8.5万吨，正向12万吨发展，麦芽2万吨。公司生产麦芽、饮料和14个品种啤酒的“王子家庭”。王子啤酒被认定为江苏省名牌产品、著名商标，王子商标被江苏省工商局评为2001－2004年“江苏省名商标”。王子啤酒在苏北低档啤酒市场上占据了较大的市场份额。

南京金陵啤酒有限公司2004年已经获得了贝克啤酒在江苏地区的总经销权。南京金陵啤酒有限公司2004年的市场战略是：以贝克打高端市场，金陵干打中端市场，亚力打低端市场，对南京啤酒市场展开全方位的立体攻势。

3、葡萄酒

江苏省的葡萄酒生产企业主要是连云港王府酒业有限公司，但后来为江苏太平洋酒业有限公司收购。

王府酒业的前身为洪门生生泉槽坊，1910年开建，1919年投产，主要生产白酒。1958年增加果酒生产，后改名为连云港葡萄酒厂，是国内历史最久的葡萄酒厂之一，技术、设备曾在国内领先一时。然而，由于机制不新、产品落后，企业在激烈的市场中举步维艰。在此之前，该企业已经两易其主。

“太平洋”接手王府酒厂后仅 4个月，濒临倒闭的老酒厂焕发出了青春，一个崭新的品牌——“江苏红”系列葡萄酒也横空出世。“江苏红”的发展战略是首先走本地化的道路，并且开发出了十分切合江苏人口味的干红。他们计划化3-5年的时间，将太平洋酒业发展成为一家国内影响力位居前5位的著名企业，两年内占领江苏市场，两年后向外省进军。“江苏红”定位在中高档的红酒市场，它锁定的是中高档层次的人群，它瞄准的是政府机关的公务用酒，它酿造的是切合商务应酬口味的干红。

4、黄酒

江苏省的黄酒生产企业主要有江苏丹阳酒厂、江苏如皋水明楼酒业有限公司、张家港市酿酒有限公司、无锡市振太酒业有限公司等。

江苏丹阳酒厂是中国甜黄酒生产规模最大的企业之一，是国家二级计量合格单位、江苏省先进企业、中国500家最大食品工业企业之一。其生产的丹阳牌封缸酒是中国主要的五种黄酒之一。

江苏水明楼酒业有限公司如皋白蒲黄酒厂创建于1956年，目前年产黄酒2.5万吨，其产量、质量居江苏省同行业首位。

5、乳品饮料

江苏现有乳品龙头加工企业30多家，其中包括国家级农业产业化龙头企业维维集团和南京奶业（集团）公司。意大利的帕玛拉特公司和上海光明乳业公司看好江苏的乳品市场，都投巨资在江苏建立了生产基地。河北的天香乳业公司也投入巨资，在苏州相城区兴建一个乳品加工企业，主要生产高品质的乳酸菌奶，重点开拓江苏市场。

南京奶业集团公司现已发展成为日销液态奶100万瓶、销售半径在500公里以上、乳品销售额超4亿元、拥有多家合资公司、以乳品生产和销售为主体的综合性企业集团，是省级30家重点农业产业化龙头企业之一，也是全国15家重点奶业龙头企业之一。

江苏维维集团成立于1992年10月，是全国最大的豆奶食品生产基地。集团现有6个原料供应基地，30多个生产基地，100多条现代化生产线，生产5大系列20多个品种，其主产品“维维”牌豆奶粉为中国最畅销商品之一，市场占有率达80%，被誉为“中国豆奶大王”。产品国内市场占有率达80 %，省内市场占有率为90%，国内市场占有率在全国同行业中位居第一。

并且江苏维维集团已开始进军牛奶行业。据了解，维维集团已先后投资近亿元人民币，开发出几十种牛奶新品种，建成了年产2000万公斤的酸奶生产线、1000万公斤的塑料瓶保鲜奶生产线，365万公斤的袋装奶生产线。目前，该公司的牛奶系列产品已经进入到北京、上海、徐州等大中城市的市场。维维集团进军牛奶行业，不仅扩大企业的生产规模，而且带动了当地养牛业的发展，集团所在的江苏省铜山县决定用五年的时间，使奶牛的饲养量突破5万头，年产奶量达到20万吨。

三、知名企业

【南京市】

南京是江苏省省会，长江流域四大中心城市之一。总面积6598平方公里，总人口563.28万人，现辖2县11区。

南京处于沿海开放地带和长江流域的交汇处，是沪宁杭经济核心区的重要城市，在江苏沿海、沿江、沿线开放战略中处于枢纽位置。南京是华东地区重要的交通和通讯枢纽，交通便捷，铁路、公路、航空、水运、管道五种运输方式齐全，构成了立体化、大运量交通运输网络。

知名生产企业

1、南京金陵啤酒有限公司

2、南京百事可乐饮料有限公司

3、南京奶业(集团)有限公司

【苏州市】

苏州又称姑苏，素有“人间天堂”之美誉。地处长江下游，京杭大运河纵贯南北，沪宁铁路和高速公路横穿东西，拥有太仓、常熟、张家港等口岸港口。总面积8488平方公里，总人口583.86万人，现辖5县(市)7区。

苏州是著名的“鱼米之乡”、“丝绸之府”、“工艺之都”。改革开放以来，国民经济加速发展，成为全国经济发达地区之一。2002年全市国内生产总值2080亿元，财政收入290.8亿元，分列全国大中城市第五和第六位。外向型经济成为苏州经济的重要支柱，2003年新增合同利用外资101亿美元，实际利用外资48亿美元，均列全国第二位。私营个体经济发展迅猛，上缴税收占全市财政收入的19.5%，投资占全社会固定资产投资的27.2%。

知名生产企业

1、狮王啤酒饮料(苏州)有限公司

2、亚洲啤酒(苏州)有限公司

3、江苏张家港酿酒集团公司

4、江苏省苏州玉屏天然矿泉水有限公司

5、苏州市洞庭山天然矿泉水有限公司

6、苏州市牛奶公司乳品厂

【无锡市】

无锡市位于沪宁铁路和沪宁高速公路中段，依长江，抱太湖，京杭大运河穿城而过，是重要的经济中心城市、交通枢纽和著名的旅游胜地。交通发达，经济繁荣，历史上是全国四大米市之一，素有鱼米之乡和“小上海”之称。总面积4650平方公里，总人口438.58万人，现辖2县(市)7区。

知名生产企业

1、无锡狮王太湖水啤酒有限公司

2、无锡市振太酒业有限公司

3、无锡华晶飘之霖有限公司

4、无锡均瑶集团无锡乳品有限公司

5、无锡华新可可食品有限公司

6、无锡吉宝糖果有限公司

【常州市】

常州市位于经济发达的长江三角洲地区，与上海、南京等距相望，与苏州、无锡联成片。总面积4375平方公里，人口343.24万人，其中市区面积1864平方公里，人口210.5万人。现辖2县(市)5区。

知名生产企业

1、常州维达集团公司

2、重庆啤酒集团常州天目湖啤酒有限公司

3、金坛市酿酒有限公司

4、常州藤田酒业有限公司

5、金氏集团

6、常州红梅乳业有限公司

【扬州市】

扬州市南濒长江，西连南京，北依淮河，中贯京杭大运河，是一座工商繁荣、文教发达和风景优美的旅游城市。总面积

6638平方公里,总人口452.22万人,现辖4县(市)3区。

知名生产企业

1、江苏五琼浆集团有限公司

2、江苏亲亲集团股份有限公司

3、扬州市糖果二厂

【镇江市】

镇江市位于江苏省中部,长江下游南岸,扼长江和京杭大运河的交汇点。总面积3843平方公里,总人口267.13万人,现辖3县(市)3区。

近年来,镇江致力于争创一流、跨越发展,2000年底跻身"苏南经济板块",2002年国内生产总值超过560亿元。

知名生产企业

1、江苏省丹阳酒厂

2、镇江中泠啤酒有限公司

3、镇江市牛奶公司

4、泰兴隆食品有限公司

【南通市】

南通市位于江苏省东部、长江入海口北岸,濒江临海,三面环水,形同半岛。总面积8001平方公里,总人口780.26万人,现辖6县(市)2区。

知名生产企业

1、江苏大富豪啤酒有限公司

2、南通市五星啤酒有限公司

3、南通水明楼酒业有限责任公司

4、江苏水明楼酒业有限公司

5、南通颐生酿酒总厂

6、海安县品王酒厂南通市品王酒厂

7、启东长江酒业发展有限公司

8、江苏省如东啤酒厂

9、南通蓝星奶业有限公司

【徐州市】

徐州古称彭城,是中国历史文化名城、全国双拥模范城、中国优秀旅游城市和全国十佳造林绿化城市,是江苏省规划建设的四个特大城市和三大都市圈之一。总面积11258平方公里,总人口904.44万人,现辖2市4县5区。

知名生产企业

1、花厅集团酒业有限公司

2、徐州高祖酒厂

3、江苏房亭酒业有限责任公司

4、江苏省沛公酒业有限公司

5、徐州市黑猫食品集团

6、徐州天舜罐头食品有限公司

【淮安市】

淮安位于苏北平原中心地域，与宿迁、连云港、盐城、扬州4市及安徽省相临接。2001年区域调整后，辖清河、清浦、淮阴、楚州4区，涟水、洪泽、金湖、盱眙4县。总面积1.06万平方公里，总人口517.68万，其中淮安市区建成区面积75平方公里、市区人口73万。

知名生产企业

1、江苏今世缘酒业有限公司

2、江苏大明宫酒业有限公司

3、江苏淮安天农酒业有限公司

4、淮安煜垣啤酒有限公司

【盐城市】

盐城市地处江淮平原东部的黄海之滨,是苏北的古城。总面积14983平方公里,总人口795.61万人,现辖8县(市)1区。

知名生产企业

1、江苏震洲五醍浆酒业有限公司

2、江苏人酒业有限公司

3、江苏农垦中山河酒业有限公司

4、江苏新立达酒衣有限公司

【泰州市】

泰州市位于江苏中部,南濒长江,北临盐城,东邻南通,西接扬州。总面积5790平方公里,总人口504万人,现辖4县(市)2区。

知名生产企业

1、江苏华狮啤酒有限公司

【宿迁市】

宿迁地处江苏北部,是1996年7月新设立的地级市。全市总面积8555平方公里,总人口517万人,现辖沭阳县、泗阳县、泗洪县、宿豫区和宿城区。

知名生产企业

1、江苏洋河集团有限公司

2、江苏双沟酒业集团

3、江苏分金亭集团有限公司

4、江苏太平洋酒业有限公司

5、宿迁参煌保健酒有限公司

6、江苏省国营蔷薇酒厂

7、泗阳县众兴酒业有限公司

8、江苏双洪酒厂

【连云港市】

连云港市位于江苏省东北端,是新亚欧大陆桥东桥头堡,全国首批沿海开放城市,全国重点旅游城市。总面积7444平方公里,总人口465万人,现辖4县3区。

知名生产企业

1、江苏汤沟酒业有限公司

2、连云港工府葡萄酒业有限公司

3、江苏双宝乳业有限公司

4、江苏省连云港市罐头食品厂

四、市场概况

【白酒区域市场推广的文化选择】

——解析南京白酒市场的三维态势

文化，这一抽象的名词已是众人皆知，文化现象涉及到各行各业。文化的概念内涵为特定区域中的一定人群所共同认可的观念、现象或行为，比如中国的酒文化等。在现代市场经济中，文化是一股不可小觑的市场力量，更是一种特殊的竞争力。就中国的酒市场而言，文化同样是一种千金难得的推动力，只是要看企业去如何把握、如何借势。

中国的白酒市场竞争已是市场中的一大亮点。从南到北，从东到西，每一个区域市场都充满着浓浓的酒味。一般来说，对于一个产酒地区，市场主流的应该是本地酒，尤其是中低端的大众化酒，因为就全国来说，区域的高端白酒莫过于茅五剑之类包括其子副品牌及一些新兴高端品牌如水井坊等占据市场。比如产酒大省安徽，其辖内的各个地区基本以本地酒为主，省城合肥虽然没有地产白酒，但安徽省的各种地产酒，如高炉家、口子窖、文王贡、古井贡、迎驾贡、金种子、老明光、皖酒、沙河王等让外来酒在中低端白酒市场上是几乎没有了市场。

上述现象对于南京却有些意外，虽然南京所在的江苏省也是产酒大省，且是省会中心，但是，南京市场上的白酒却与众不同的是“三足鼎立”的三维态势，各种市场力量从不同角度切入并占据金陵城的一角。

作为有着非常深厚的文化底蕴的六朝古都，南京并没有为地产酒（江苏酒）一枝独秀，其传统的白酒消费市场却从中低端到中高端的不同价位空间，被川酒、徽酒、苏酒共同分享。这三维势力以各自的特点优势共同引导且相互影响着市场消费行为，给予南京市场一个三维态势的市场切割，形成中国白酒市场中一个独特的南京现象。而这一现象形成的同时，也为白酒的区域市场选择及运作提供了可参考的依据。

首先分析南京白酒市场的三维现象形成，不外乎以下几方面：

一、南京地产酒的弱势

南京有著名的南京烟，却没有南京酒。至今，没有几人能知道南京的地产酒是什么。如同广东的白酒市场一样，由于缺乏地产酒的强势及不能满足市场的需求，就形成了自然的市场流入现象，外地酒蜂涌而入；不仅是因为广东无强势的地产酒，主要原因在于广东强大的市场消费能力，每年近150亿的市场容量几乎占到了全国市场的1/10；而这背后的根本原因是由于广东经济高速发展带来的频繁交流往来所致。

南京所谓的地产酒则如同相邻的合肥一样，成为了省内其它地产酒的天下，如今世缘、双沟、汤沟、洋河等品牌，省内的地产酒又没有太多的强势品牌，在这种近乎真空的情况下，外地酒又怎能错失良机呢？

二、川酒全国霸业的市场覆盖

与其说是川酒全国霸业式的市场覆盖，不如说是五粮液的全国霸业式的市场覆盖，因为五粮液之于中国白酒及各地市场消费者来说，已不能说是一种酒，而应是一种文化，五粮液已经成为了一定意义上的中国浓香白酒高品质的代表。

对于南京地产酒弱势的现状，首先，作为中国第一产酒大省川酒的代表——白酒大王五粮液是不能座而无视的，从其一统天下的企业理念出发，其全国性的及地区性的子品牌对于酒类高消费区都将是全力以赴，加之江苏及南京的白酒市场也是浓香领地，这也就是如五粮神、五粮春等子品牌看中南京市场并全力以赴的原因所在，而随后的五粮液唯一一款专门针对大中城市的高档商务礼宾酒——金叶神酒也将加入以南京为中心的华东战局。

三、南京所处的经济地理位置

众所周知，南京是华东的经济重镇，是承接华北、华中等区域和大上海之间的必经之道，又是全国经济大省江苏省的省会，经济的发展状况可想而知。

对于这样一个经济的战略重地，川酒自然不言放弃，以此作为对于区域重点市场的加强和补充；作为宁沪经济带的起点，近于苏南，毗邻安徽，又因此形成了以南京为中心的南京经济圈，而这一经济圈则把安徽的马鞍山、芜湖、滁州及至省会合肥纳入圈中，如此经济圈所带动的经济交流商务往来涵盖的酒类消费量也是极其巨大的，而安徽又是产酒大省，这也是徽酒涌入南京及至江苏的原因之一。

正是和安徽地理位置如此的“长厢私守”及与徽文化的特殊接触，人员的频繁往来，经济的互动发展，因此而产生徽文化在江苏地区的自然渗透，从而在市场中对于徽酒的态度是热情大于冷漠。

四、徽酒的突围桥梁

从区域经济的角度来说，安徽酒业在安徽经济中的地位远比江苏酒业在江苏经济中的地位高，这也许是江苏经济整体发展水平较高的原因吧。

在中国的酒业中，徽酒的知名品牌远比苏酒的品牌多，这其中就有安徽酒业的生产企业多的原因，安徽现有国家正规大酒企上百家，且不包括一些围在大酒厂周围的众多小酒企。酒企多又加之本地市场的饱和，为赢得更大的市场生存空间，走出去成为了徽酒的一条重要发展之策。

既然要走出去，那么，离得近的且市场容量大的地区就成为首选，在徽酒周边的几个区域市场中，鲁酒、豫酒、鄂酒的区域文化氛围都较浓，不易强势进入；且徽酒的产地以皖北居多，在皖南的市场影响相对较小，而与皖南相接的浙江省又因为有地产黄酒文化且受上海影响较重，对于浓香型白酒的市场需求远没有江苏大，而江苏省的苏南和上海、浙江接近地区也受黄酒文化熏陶。此外，华东地区（苏沪浙）也是安徽人员外出流动的主要地区，因此，近邻的江苏省会南京成为了必争之地。

南京市场上的徽酒阵营包括口子窖、高炉家、百年皖酒、迎驾贡、古井贡、文王贡、金种子、老明光等品牌，虽然过度地竞争对于彼此都有一定程度的影响，但正是由于竞争，提高了徽酒的市场地位和消费认知度。

五、苏酒振兴力量的推动

如同徽酒齐集省会合肥一样，作为中国白酒的一支劲旅，在沉寂了几年之后，以苏源洋河、洋河蓝色经典等高端品牌为代表的江苏酒业从省会南京开始了振兴苏酒的大动作。

对于南京来说，苏酒的起动本身就具备了一个很好的理由，一个江苏消费者都认可的情感理由，那就是振兴发展江苏人自己的白酒产业——喝自己的酒，南京作为江苏省会，理当成为收复失地的首选，更是树立品牌形象的桥头堡。区域的自豪感、荣誉感、使命感等区域情缘文化加之苏酒企业的政府公关等对于江苏酒业在中高端白酒市场起到了非常积极的作用。

综上所述，在以上几种力量的夹击下，南京白酒市场三维力量形成的“三国演义”是很自然的事了。当然我们不能保证以后是否还会有“四国演义”、“五国演义”；从长远的角度来分析，进入南京市场也许比较容易，但是，要达到稳固地占据六朝古都这一方市场，就不只是以资本为创意的终端之战的事了，如何融入南京地区消费文化就是品牌运作的大事了。

小结

通过上述三种白酒势力的形成，其背后所深藏的除了资本运作外，文化是其得以成功的重要因素。不论是现在南京市场已占据一方的徽酒、川酒，还是土生土长的苏酒，都是在满足了一方区域市场的消费文化的认同而得以生存。这也就是为什么并非所有的白酒在进行异地大手笔的推广都是顺畅的原因，除了香型等基础原因外，消费者的消费文化意识决定了区域消费行为的成功与否。

徽酒所渲染的朴实的徽派文化渗透；川酒以五粮家族所倡导的品质文化的延伸覆盖；苏酒以区域情缘所代表的本地酒文化的情感吸引等等，三种文化势力因满足了南京市场三种不同的接受理由而得以成功。

再则，通过南京白酒市场三维态势的形成，我们不难发现，就中国的白酒消费市场而言，区域性的生活消费文化对于白酒市场的推广选择及影响是很重要的，形成所谓白酒的“区域性集结”现象，如同商业的“扎堆”现象一样形成所谓的气候氛围效应，也更是成为众多的中小品牌乘机获得分一杯羹的机会。

因此，如何创造并引导消费文化的认同，将成为白酒在区域性市场推广中获得生存发展的一个重要的研究课题，这也是南京白酒市场现象所涵盖的根本所在。

浙江省糖酒市场

一、省情简介

浙江省位于东海之滨，长江三角洲南翼，因境内最大的河流钱塘江（又称浙江）江流曲折而得名。沿海有2000多个岛屿，是我国岛屿最多的省份。浙江素有“鱼米之乡、丝茶之府、文物之邦、旅游胜地”之称。全省下辖2个副省级城市，9个地级市，36个县、22县级市和32个市属城区。全省常住人口4679.6万人，比上年增长0.7%。

浙江是全国最具经济发展活力的省份之一。国民经济保持快速增长。

二、市场格局

1、黄酒

浙江是黄酒的故乡。著名的大型黄酒生产企业有绍兴黄酒集团、浙江古越龙山绍兴酒股份有限公司、绍兴东风酒厂、嘉善黄酒股份有限公司等。

其中，古越龙山是我国最大的黄酒生产经营企业，主要从事黄酒、白酒、饮料、副食品及食品原辅料的开发、制造、销售，生产规模、产销量及经济效益均居全国黄酒行业首位，“古越龙山”商标已成为我国黄酒行业驰名商标，在业内具有良好的声誉和知名度。公司黄酒生产能力逐步提高，市场有序扩张。目前黄酒年产能力11万吨，占据了高档黄酒85%的市场份额。随着人民生活水平的逐步提高，营养、保健成了饮食起居的第一考虑，黄酒天然低度、营养而又传统的酒文化将会使越来越多的消费者所接受。公司通过发挥自身技术优势，开发出了“状元红”等一系列低度、高营养的新品种，进一步巩固了黄酒市场的龙头地位。目前5000吨纯生黄酒、5000吨无菌灌装生产线、3万吨绍兴黄酒后熟陈化及绍兴黄酒技术中心等多个技改项目正在加紧实施，投产之后将为公司增添新的利润增长点。

“古越龙山”黄酒储量全国第一。绍兴黄酒集团的黄酒生产能力在全国是最大的，在上世纪90年代，公司拥有的全国最大的黄酒单体生产装置就已通过国家验收，生产的黄酒是以传统酿制为主，机械化酿制为辅，每年都要有一定数量的储存。如果将每坛酒排起来，“古越龙山“储存的酒，可以从绍兴到北京排个来回。据了解，到2003年底“古越龙山“储酒量现在已多达20多万吨，高居全国黄酒业之首。

2、啤酒

浙江的啤酒年产量雄踞全国第二，各色品牌多达50多个，但上万吨产能的企业却只有五六家，小而散、各自为政的经营现状让国内外巨头纷纷开始对浙江啤酒业进行全面“围攻”：比利时英特布鲁收购宁波金狮，燕啤合资成立燕京啤酒浙江仙都有限责任公司，青啤与百威合作落户椒江。

作为国内三大啤酒巨头之一的燕京啤酒，2004年初刚刚以2760万元将浙江碧湖啤酒有限公司收入账下。2004年3月，在击败AB、SAB、英特布鲁、嘉士伯、青啤、燕啤等国内外啤酒竞争对手之后，华润啤酒有限公司出资3500万美元，又收购了浙江钱啤集团股份有限公司70%的股份。至此，华润在全国拥有的啤酒企业数量达到了36个，年啤酒生产能力也将达到456万吨，占有全国啤酒市场份额超过10%。

据介绍，已有25年历史的钱啤是浙江啤酒行业的龙头企业，也是杭州最大的啤酒企业，主导品牌产品是“中华啤酒”和“钱江啤酒”。上个世纪80年代初，钱啤曾步入全行业第四名。公司于2002年末转制，现为自然人控股企业，产能达到60万吨，2003年销售啤酒24万吨，在浙江市场拥有12%的份额，年增长超过26%。

3、饮料

16年前靠儿童营养液起家的杭州娃哈哈集团有限公司，已发展成为中国民族饮料工业第一品牌、世界瓶装水产销冠军，在市场占有率和品牌美誉度上真正实现了新飞跃。

如今不仅在杭州，而且通过销地产战略的实施，已在国内23个省区市建立了34个生产基地及60多家全资、控股子公司，拥有建筑面积90多万平方米的现代化厂房和价值4亿多美元的70余条具有世界一流水准生产线的产业规模，形成了年产各类饮料500万吨及与之相匹配的制罐、制瓶、制盖等辅助生产能力，其中瓶装水的生产能力已跃居世界首位。“娃哈哈”已跻身包括“可口可乐”、“百事可乐”等国际饮料业巨头在内的世界五大饮料生产企业的行列。

从1998年起娃哈哈一直在“中国饮料十强”中各项经济指标排名第一，为国务院批准的520家国家重点企业之一，“娃哈哈”商标为中国驰名商标，并早在1997年就已通过了ISO9001质量体系认证。

进军童装业，"试水"多元化经营，给“娃哈哈”带来了跨行业发展的新机遇。娃哈哈集团董事长宗庆后表示，今后“娃哈哈”在继续壮大主业、倾力打造“饮料王国”的同时，将充分利用品牌和资金优势，进军服装、日化等行业，打造一个多元化、规模化、国际化的“娃哈哈“。

三、知名企业

【杭州市】

杭州市位于中国东南沿海，浙江省中部偏北。东濒杭州湾、钱塘江，南与金华、衢州、绍兴三市相接，西与安徽省交界，北与湖州、嘉兴两市相邻。杭州市区地处长江三角洲南沿，京杭大运河南端。全市总面积16596平方公里，其中市区面积430平方公里（西湖风景区面积60.8平方公里）。杭州地处亚热带季风范围，气候温和湿润，四季分明，年平均气温为16.2℃。杭州市辖上城、下城、拱墅、江干、西湖5个区和萧山、余杭、富阳、建德4个县级市以及临安、桐庐、淳安3个县。

知名生产企业

1、浙江省临安市酒业有限公司

2、浙江钱啤集团股份有限公司

3、杭州娃哈哈集团有限公司

4、浙江致中和投资有限公司

5、杭州茶箭食品有限公司

6、祐康集团

7、杭州西湖啤酒朝日（股份）有限公司

8、农夫山泉股份有限公司

9、杭州旺旺食品有限公司

【湖州市】

湖州是中国环太湖地区唯一因湖而得名的城市。地处浙江省北部，东临上海，南接杭州，西近南京，北与苏州、无锡隔太湖相望，是江、浙、皖、沪三省一市毗邻地区重要的商品集散地和水陆运输要冲。湖州市辖城区、南浔区、菱湖区、德清县、长兴县和安吉县，总面积5817平方公里，人口254.81万。

湖州是长江三角洲地区重要的对外开放城市，是国务院确定的接轨浦东“先行规划、先行发展”的十四个重点城市之一。改革开放以来，全市经济快速、持续健康发展。农业、工业、交通、邮电、商贸、金融、科技等欣欣向荣，社会各项事业成绩显著。

湖州素有“丝绸之府、鱼米之乡、文物之邦”之称。市内名胜众多，古迹遍布。湖州是世界丝绸文化发祥地之一。在市郊钱山漾遗址出土的蚕丝织物，是迄今为止发现的世界上最悠久的蚕丝织物之一，有4700多年历史。湖州丝绸不仅早已“冠绝海内”，而且经丝绸之路获“湖丝衣天下”的美誉。历代被列为“文房四宝”之首的湖笔也产于湖州。

知名生产企业

1、浙江安吉乌毡帽酒业有限公司

【嘉兴市】

位于浙江东北部，地处富饶的长江三角洲杭嘉湖平原的嘉兴市，是一座具有悠久历史的江南水乡古城。东邻上海，西接杭州，南濒杭州湾，北连苏州，是浙江省省辖市，全市总面积3915平方公里，人口324万。

嘉兴地势由南向北略斜，北部河港纵横、湖荡众多，是著名的江南水乡。南部为苕溪、钱塘江冲积形成的高地。这里属于暖亚热带向冷亚热带的过渡地带，气候温和，土地肥沃，雨水充沛，日照充足，素以“鱼米之乡、丝绸之府”著称，是浙江省粮、油、茧重点产区。

南湖又称鸳鸯湖，是全国著名的革命纪念地之一，在嘉兴城南，湖平如境、景色绮丽，与杭州西湖、绍兴东湖合称浙江三大名湖。

知名生产企业

1、浙江嘉善黄酒股份有限公司

2、浙江五芳斋实业股份有限公司

3、浙江司必林糖果（食品）有限公司

【宁波市】

宁波市简称“甬”，位于浙江东部，地处东海之滨姚江、奉化江、甬江的交汇处，是一个古老而新兴的海港旅游城市，是14个对外开放的沿海港口城市之一。1986年被国务院批准为历史文化名城。

全市陆域面积9365平方公里，总人口523万。宁波在历史上就是中国对外交通贸易的一个重要港口，早在唐宋时期就被列为全国三大贸易口岸之一，是中国海上丝绸之路、陶瓷之路的起泊地。鸦片战争后，被辟为“五口通商”口岸之一。越窑青瓷，就通过明州（宁波）口岸远销朝鲜、日本、东南亚以及阿拉伯等国家和地区。

知名生产企业

1、浙江大梁山啤酒集团公司

2、宁波武岭泰新食品有限公司

3、浙江海通食品集团股份有限公司

4、宁波海龙罐头食品有限公司

【绍兴市】

绍兴市位于浙江省中北部，东接东方大港宁波，西邻旅游名城杭州，城内地势平坦，河道纵横，乡间田畴浮躺水中，众多石桥横跨河岸，浙东运河横贯城北，构成了一幅独特的江南水乡图画，是著名桥都水城。自古以来还有酒乡、书乡之称，兼上历史文化和山水风光之胜，是国务院批准的第一批历史文化名城之一。

绍兴市百业兴旺，经济繁荣。绍兴市下辖的县（市、区）有半数是全国综合实力百强县，其中绍兴县是全国10强之一。工业形成了以纺织、机械、酿造、食品为支柱，冶金、化工、电子、建材、塑料、皮革、医药等兼有的体系，绍兴黄酒在全国同行业中处于龙头地位。绍兴市是国务院确定的长江三角洲南翼先行规划、先行开发的重要城市之一。1992年绍兴市率先进入全国投资硬环境40优城市之一。

知名生产企业

1、浙江古越龙山绍兴酒股份有限公司

2、绍兴县酒厂

3、浙江省绍兴市东湖酒业有限公司

4、绍兴唐宋酒业有限公司

5、绍兴范师傅绿色食品有限公司

6、绍兴益泉饮料有限公司

【台州市】

台州市地处浙江省沿海中部，东濒东海，南邻温州，西连丽水、金华，北接绍兴、宁波。

台州历史悠久，源远流长，早在5000多年前就有先民在此生息繁衍。周朝为百越之地。唐武德四年（公元621年）更名为海州，次年改称台州。1949年以后，台州曾两度撤销专区建制，1962年又重建。1994年8月22日，经国务院批准撤地区设台州市。

台州山水神秀，名胜荟萃，唐朝诗人杜甫曾写下这样的诗句：“台州地阔海溟溟，云水长和岛屿青”赞美台州。台州拥有具有2100多年历史的中国历史文化名城临海市。城内的历朝遗址、博物有数十处，有风骨挺拔的北固山古城墙、城门鼓楼、巾山群塔等。

知名生产企业

1、浙江石梁酒业集团有限公司

2、临海市龙威食品有限公司

【温州市】

温州市位于浙江省东南沿海，是浙南的经济、文化和交通中心。东濒东海，南与福建毗邻，面积1.18万平方公里，总人口692.4万，除汉族外，有畲、回、满、苗等24个少数民族。

温州属于亚热带海洋性季风气候，全年温暖湿润，四季分明，冬无严寒，夏无酷暑，年平均气温约18℃。温州的地势是西南高、东北低，瓯江、飞云江、鳌江、靖江自西向东入海，海岸线长355公里。有洞头、大门、鹿西、南麂、北麂等大小岛屿150多个，山地面积占全市总面积的78.2%。

知名生产企业

1、温州快鹿集团公司

2、温州金狮啤酒有限公司

3、温州日旺食品有限公司

4、浙江熊猫乳品有限公司

5、平阳县南麂岛开发有限公司

【金华市】

金华东邻台州，南毗丽水，西连衢州，北与杭州、绍兴接壤，下辖婺城、金华、兰溪、义乌、东阳、永康、武义、浦江、磐安9县（市、区）。全市总面积1.09万平方公里。

水通南国三千里，气压江城十四洲"，独特的地理条件为金华奠定了经济优势。金华是浙江省农副产品的重要生产基地，有"浙江第二粮仓"、"水果城"、"山菜库"之称。著名的经济特产除"金华火腿"之外，还有"金华佛手"、"金华藕粉"；"义乌红枣"、"义乌红糖"；"蒲江桃形李"及东阳磐安的中药材。金华非金属矿产资源丰富，以莹石最为著名，储量占全省一半以上，占全国的五分之一。武义县是全国著名的莹石产地。

金华历史上就是一座风光秀丽的山木城市，古城面向婺江，背靠北山双龙风景区，依山傍水，环境幽雅。双龙风景区是国家级风景名胜区，是我国著名的游览避暑胜地。另外，市域内还有省级重点风景名胜4处，与双龙风景区相毗邻的兰溪六洞山风景区，曾是徐霞客遨游之地。

知名生产企业

1、金华市火腿厂

2、金华市皇中皇食品公司

3、东阳市雪舫实业有限公司

4、东阳市金华火腿有限公司

5、东阳市花园火腿食品有限公司

【舟山市】

舟山市位于浙江省东部，是全国最大经济中心上海市和新兴工业港口宁波市对外的咽喉，全市由1390个岛屿组成，位于长江、钱塘江、甬江的入海口，是沪、杭、甬和长江流域向海上的门户。舟山地处东海、拥有丰富的海洋资源，"舟山渔场"是中国最著名的渔场，盛产优质鱼、虾、贝藻和各类海珍品，是中国最大的海水产品生产、加工、销售基地，享有"东海渔仓"和"祖国渔都"之美称。

舟山市是中国唯一以群岛组成的地级市，海域辽阔，有大小岛屿1339个，是我国第一大群岛，总面积2.22万平方公里，其中海哉面积2.08万平方公里，岛屿陆地面积1371平方公里。全市人口98万，主要民族为汉族。

知名生产企业

1、万事达海洋食品有限公司

四、市场概况

【浙江白酒市场透析】

市场篇

一线品牌稳步前行 第二梯队紧追不舍

在目前的浙江市场上，伊力特和泰山特曲依然是酒市上的一线品牌，占据了市场上的大部分市场份额。据调查得知，这两个品牌在市场上运行了有长达6~10年之久。而他们依然能够牢牢占据着首要的位置，不但在杭州市场表现较好，在浙南、浙北等各个地级市场上也表现出了较强的实力，尤其是零售价位在55元左右的伊力老陈酒在各地的餐饮终端表现出较好的势头。

据行业内的知名人士分析，伊力特和泰山特曲在浙江白酒市场上这几年来一直稳步前行，其中最主要的原因应该有两点。首先，他们均有一个较好的入市时机。如杭州一位商家介绍，伊力特酒是在98年前后正式入市的，泰山特曲系列更要早一些。当时的杭州市场上均没有特别畅销的品牌，除了口子窖等产品在此有一定走量外，基本上是群雄混战，不分伯仲。而市场上也没有让消费者能够依赖的地产酒出现。因此，给泰山特曲和伊力特酒提供了一个较好的拓市时机。另外，当地的终端竞争也不太激烈，尤其是在餐饮终端的投入费用上不高，给了入市品牌较好的空间。其次，作为"常青树"的伊力特酒和泰山特曲虽然在白酒大军众多的品牌中称不上强势，但是在浙江市场上依靠自身优良的酒质和合适的价格成为消费者的首选。他们根据当地的市场情况制定出适合的营销策略，把餐饮终端作为了重点运作市场，然后稳扎稳打地实际运作并且进行有效地贯彻执行，终于逐渐培养起了消费者对这两个品牌的消费习惯及对其的依赖性，从而奠定了坚实的品牌消费基础。

而在浙江的市场上，泸州老窖系列、稻花香和古井贡酒等也均有不俗的表现，一直是锲而不舍地默默耕耘在白酒市场上。首先，来自湖南的稻花香在杭州市场上的表现是日趋成熟。大力度的宣传、促销投入是其运作市场的主要方式。有经销商告诉记者，已经进入杭州市场几年的稻花香一直处于市场开拓阶段，在经过了这些年的市场培育之后，今年有可能实现较大的突破。另外，在温州的古井贡系列酒也是运作多年，虽然没有掀起强势风暴，但是，一直是精耕细作，扎扎实实地稳步前行。而泸州老窖系列酒更是凭其品牌优势在浙江的市场上有着一批忠实的消费者，其中泸州老窖特曲在杭州市场上，以及借泸州老窖威名的泸州老窖古酒、泸州老窖醇酒等在金华、义务等市场上均有不错的走量。

现象篇

保健意识增强考验白酒品牌

浙江白酒市场的大容量向来是业内人士所公认的，而且浙江地区作为一个沿海开放城市拥有着较高的消费水平。也正是出于这样的原因，浙江也就成为一个白酒商家的必争之地，而且长期以来浙江的白酒市场也确实锻造出一批在本地极为强势的品牌，这些品牌在很长的一段时间里一直保持着较高的销量。不过，近期笔者在和浙江省各地市的经销商接触时，从他们那里了解到，目前浙江的白酒市场也面临着一个新的挑战。

随着经济的发展，消费者变得越来越理性，他们的消费观念已经从最初的实惠型转变为现在健康型。消费者已不再为了价格问题计较太多，更多的是要在消费的同时让自己深层潜在的需求得以满足，尤其是消费者保健意识的增强，对几个畅销白酒品牌的要求不只是价格上的优惠、促销手段的新颖，同时还要满足消费者健康需求。所以，这就要求目前在白酒市场的强势品牌在自身产品的质量、品牌信誉上有进一步提高。一句话，消费者的保健意识的增强可能会直接影响到现有白酒品牌销量的增长，浙江现在畅销的白酒品牌必须找到新的销量增长突破点。

据当地的经销商反映，浙江省黄酒的销量近期有很大提高，随着气温的不断降低，黄酒更是广泛地出现在消费者的餐桌上。浙江作为葡萄酒的消费大省是公认的，在温州、杭州、台州、宁波等市葡萄酒的消费量都迅速增加。所以会出现这样的现象，笔者认为消费者的保健意识是一个主要的推动力。黄酒和葡萄酒在价格上有着很大区别，但此时他们却表现出了极大的共性，那就是都具有保健的功效，消费者能够选择他们正是因为黄酒和葡萄酒能够满足自己的除了感观享受以外的深层需求———健康。还有一点也是值得注意的，目前在杭州、嘉兴、温州等众多的城市里，高度白酒越来越得到消费者的钟爱，尤其是在酒店终端，52度的白酒很受欢迎。浙江消费者在口味上的调整绝对不是因为高度酒适合他们的消费习惯，而且恰恰相反，他们是正在为了高度酒改变自己的习惯，而这一切的根本原因是消费者在潜意识中认为高度酒是粮食酒，酒质好有益于身体健康。

浙江酒类市场当前的表现不能不说明，保健意识已是左右白酒市场发展的一个因素，而作为白酒的商家也不得不注意到这样的现象。

终端竞争激烈，给新品牌的成长提高门槛

提起浙江白酒市场的时候，大部分的厂商首先会想到浙江在国内名列前茅的消费能力和消费水平，同时只要进一步的深入，又都会感到在浙江拓市时的举步维艰。当前，浙江的终端竞争是非常激烈的，高额的拓市费用给一大批企图进入浙江白酒市场的品牌提高了门槛，一个新的品牌想要在浙江崛起，有着相当大的阻力。

浙江省内众多的大型连锁超市、星级酒店为白酒创造了一个极大的卖场，但也是新品牌进入的第一道门槛，由于常年的终端竞争，这些费用已经攀升的很高。酒店，作为一个重要的卖场其费用也是高的惊人，动辄几十万、上百万的买店费用不是每个厂商都可以轻易迈过的门槛；商超也是同样，条码费、节日费、店庆费、海报费、堆头费等等诸多的费用也是足以让初窥门径的新品咋舌不已；在流通环节也是需要大力的投入，用于促销、返点、支持等不同的开销。新品面对这样的终端，发展怎能不受到阻碍。

浙江的白酒市场不同于其他省市，在这里众多品牌混战的局面倒是还没有出现，但却由几大强势品牌牢牢控制着。伊利特酒、泰山特曲、古井贡等品牌都在该省盘踞多年，这些老资格的品牌是不会轻易让后来的品牌追上的，终端费用的飙升虽然是这些品牌在终端竞争中无意间产生的结果，但却给后来者设下一个难以逾越的障碍。

将来的新品牌必须有着强大的品牌优势，而且有着充足的资金保障，否则新品想要在此成长着实不易。

价格透明度渐高，如何提高商家的积极性成为关键

如今，在白酒市场上能够畅销几年的品牌，大都会出现这样一种现象：就是随着品牌在市场上的越加成熟，产品的价格透明度就会越来越高，同时带来的效应就是经销商的利润在逐渐降低，而这时如何提高商家的积极性就会成为关键问题。

在浙江市场上这种情况也是毫无例外的，比如在杭州、丽水、衢州等的市场上很多商家都反映了市场上存在这种现象。如丽水市的张经理所说，他目前所代理的品牌虽然在销路上没有问题，但是，随着产品价格透明度的提高，利润已经是非常微薄了，甚至开玩笑说“代理这个品牌就像是这个产品的搬运工一样”。

对于市场中的这种现象，浙江商源的艾经理对此有自己的独到看法。他认为，在浙江市场上存在的这种现象也是行业内切切实实存在的问题，包括他们公司代理的伊力特酒目前同样有这种现象出现。不过，有问题并不是坏事，最重要的还是找到切实可行的解决方法。象商源公司目前就有这样的部门，专门针对市场上出现的问题进行协调和解决。比如针对产品价格透明度较高，提高商家积极性的问题上，他们就采取了一些具体的措施。第一，就是产品及时地进行更新换代，补充新鲜血液保证了品牌的产品线完善，并且在价格制定上有一定的利润空间。第二，就是市场监管力度较强。首先准确把握货物流向，对于产品的走向、落实进行严查细究。其次尽量保持市场上的价格平衡，从根本上给各地商家保证市场免于混乱的场面。然后，在市场稳定的基础之上再和商家进行协作发展，并且在市场运作力度上给予较大的支持。

预测篇

终端竞争趋于品牌打造，着眼于长线操作

终端烧钱的竞争模式早已是浙江省内几个强势品牌用久了的手段，对企图来浙江白酒市场分一杯羹的品牌来说无疑是一个有效的阻拦，而就对自己来说其实这也是一种削弱。如果自己的资本不是用来积累和发展，而是用来支持在一个区域内的终端比拼，那么这样的品牌很可能要大难临头，因为总会有一个在资本上更强的品牌出现，从而取代那些已经在成熟期挣扎的老品牌。事实上这些盘踞浙江多年的老品牌是不会轻易放弃自己根据地的，那么他们就必然会采用博弈的方式，在拦截对手的同时也发展自己。所以，着力于品牌打造、培养品牌的忠诚度和美誉度、提高自身的质量等一系列长线操作的发展路线将会成为下一轮竞争的主题。

首先，从消费者的角度出发，随着经济的发展消费者对健康需求就变得越发重要，这也是符合大众心理的，生活水平越高这样的需求就会变得越明显。浙江作为一个经济发达水平相对较高的省份，这样的需求也就会体现的较为突出。

近几年葡萄酒销量迅速发展、黄酒市场的逐步扩大，很大一部分原因应该归功于这样的商品可以满足消费者的健康需求。现有的白酒品牌要想在浙江市场依然保持强势，就不得不满足消费者的健康需求，而这个满足的方法就是完成自己品牌的进一步打造，培养品牌的忠诚度和美誉度，就算不能在保健功能上有太大的功效，也不能让消费者感到有损于健康。所以，从这个角度出发来看，以后各个品牌很大可能是努力于长线操作。

其次，从自身的利益出发，品牌打造、长线操作也会成为以后的发展主题。目前在浙江市场上占强势地位的品牌价格都是比较透明的，再加上高额的维护费用，每个品牌都会处在有市场空间而没利润增加的境地，稍有不慎还可能失掉仅有的利润。但如果拥有了更为强势的品牌支持，就有可能找到利润增加的突破口。退一步讲，就算没有新的利润增加，长线操作也可以保证已有的市场地位不被其他品牌轻易夺去，这样也可以保证长期的受益，不失为一个近可攻退可守的策略。

由此两点可见，终端的竞争趋于品牌打造、着眼于长线操作，很有可能成为以后白酒市场发展的新趋势。

不确定因素 将可能导致市场格局发生变化

从当前的市场情况来看，高档市场上五粮液、剑南春在终端销量较好，茅台作为礼品用酒较受消费者青睐。而中档市场上依然是伊力特酒和泰山特曲的天下，尤其是伊力特系列酒不但在杭州市场上较受欢迎，在丽水、金华等地同样呈现强势风暴。另外，泸州老窖系列、稻花香、古井等也有自己固有的市场份额。因此，浙江市场上的格局目前还是呈现出较为稳定的市场格局。

不过，据业内人士分析，现在的浙江市场上虽然看起来较为平稳，但是市场上已经隐现了影响市场格局的因素。首先就是渠道的更新和变化。浙江的终端竞争激烈是众所周知的，尤其是在拓市期间的投入费用方面，令很多的新品牌是望而却步。不过，现在也有一些品牌采取了"避重就轻"的办法，也就是在入市之后绕开终端的竞争，把主要精力放在了流通等渠道上，通过通路上量来逐渐地提高品牌的认知度。虽然，有的品牌目前看起来收效甚微，但是在经过时间的考验之后会呈现什么样的状态还是不可未知的。

其次，黄酒所表现出来的走向和趋势是不容忽视的。一方面，有当地消费者消费习惯的原因，比如浙江有很多商家反映，随着天气的变冷，在他们的各地市场上黄酒都呈现出了销量大幅上升的趋势。其次，黄酒具有几千年的历史，而且具有保健作用。因此，黄酒不但有悠久的历史文化所支撑，还符合现代消费者对于健康意识的需求。正如丽水市的吴经理所说，黄酒在以前给人的感觉就是口味上比较苦、涩，并且也没有认识到其好处。如今，随着更多渠道的开发和一些主打品牌的传播和影响，都有可能会使黄酒的价格和价值得到合理的回归。

另外，据悉现在还有部分产品在浙江市场上的操作力度较大，尤其在针对经销商方面，给欲代理这些产品的商家特别优厚的政策，并且由于价格的可操作性比较大，也引起了一些商家的注意。因此，随着诸多不可知因素的出现，也都可能会影响市场的格局发生变化。

绍兴酒，一部生动的历史

说及绍兴，很多人会联想到书有《钗头凤》的沈园，并吟颂放翁的"红酥手，黄藤酒，满城春色宫墙柳…"。唐琬儿的纤纤红酥手已被红尘湮灭，惟有黄藤酒飘香依旧。

关于黄藤酒的记载不多，而它却是真正的绍兴物产之魁——赫赫有名的绍兴黄酒。

在名菜"佛跳墙"的制作中，炖制原料所用的瓦罐必须是装过绍兴酒的陈年瓦罐，用此容器炖出的"佛跳墙"那可真的能让人垂涎三尺……

绍兴酒与历史同在

黄酒为世界三大古酒之一，也是陆游毕生最爱之一。

在如今的绍兴沈园，正南断垣上，陆游的千古绝唱《钗头凤》刻痕依旧。相传陆游与表妹唐琬儿婚后琴瑟甚和，只可惜陆母不喜欢唐琬儿，最终陆游迫于孝道而与唐琬儿分袂。但思念之情岂是说断就断的，10年后在沈园二人相遇，彼此怀念旧事，潸然泪下，陆游无限悲戚，饮罢几盏绍兴酒后，写下了饱含自己对唐琬儿一片深情的《钗头凤》。

其实在陆游之前，痛饮绍兴酒已蔚然成风，酒里融入的是精神，是斗志。

2500年前的《吕氏春秋.顺民篇》有载：越王有酒，流之江，与民同之。句践出师伐吴时，父老向他献酒，他把酒倒在河的上流，与将士们一起迎流共饮，于是士卒感奋，战气百倍，历史上称为"箪醪劳师"。

公元前492年，越王勾践被吴王夫差打败，句践为了雪耻想到了增加兵力和劳动力，于是颁昭奖励生育，并把酒作为生育子女的奖品。据《国语.越语》载："生丈夫(男孩)，二壶酒，一犬；生女子，二壶酒，一豚。"

西汉开始对酒类实行了专卖，这也是后来历代酒类专卖和征收酒税的起源。

魏晋之际，司马懿和曹操争权，氏族中很多人为了回避矛盾尖锐的现实，往往纵酒佯狂。当时会稽为大郡，名士云集，风气所及，酿酒、饮酒之风盛起。《晋书》中有载，有山阴人孔群，"性嗜酒，……尝与亲友书云：'今年田得七百石秫米，不足了曲蘖事。'"一年收了700石糯米，还不够他酿酒喝呢。这自然是比较突出的例子，但当时饮酒之风气可见一斑。

唐宋时期绍兴酒进入到全面发展的阶段。唐时，绍兴称越州，又是浙东道道治所在。经济的发展，山水的清秀使绍兴成为人们向往之地，文人好酒对绍兴酒的发展起了推波助澜的作用。

宋朝把酒税作为重要的财政收入，在官府的倡导下绍兴酿酒事业更上层楼，绍兴酿酒行业所缴税收也名列前矛。南宋建都临安(今杭州)，达官贵人云集西湖，"直把杭州作汴州"，酒的消费量大涨，卖酒成了一个十分挣钱的行业。绍兴离杭州尺尺之遥，城内也酒肆林立，正如陆游诗云，"城中酒垆千百家"，酿酒业达到了空前的繁荣。由于大量酿酒，原料糯米价格上涨，南宋初绍兴的糯米价格比粳米高出一倍。糯米贵了，农民就纷纷改种糯稻了。当时绍兴农田种糯米的竟占3／5，到了连吃饭的粮食都置于不顾的地步。这种情况几乎一直沿续到明朝，以致出现了"酿日行而炊日阻"的形势。

到了明洪武二十七年(1394年)，开始允许私营酿酒业的存在，绍兴因此 “春来无处不酒家”，可见当时的酒店之多。绍兴酒的花色品种也有了增加，有用绿豆为曲酿制的豆酒，还有地黄酒、鲫鱼酒等。明中叶以后大酿坊陆续出现，绍兴县东浦镇的“孝贞”，湖塘乡的“叶万源”、“田德润” 等酒坊，都创设于明代。“孝贞”所产的竹叶青酒，因着色较淡，色如竹叶而得名，其味甘鲜爽口。湖塘乡还有“章万润”酒坊很有名，坊主原是“叶万源”的开耙技工，以后设坊自酿，具有相当规模。入清以后，东浦的“王宝和”创设于清初，城内的 “沈永和”创设于康熙年间。

乾隆以后，东浦有“越明”、“贤良”、“诚实”、“汤元元”、“陈忠义”、“中山”、“云集”等，阮社乡有“章东明”、“高长兴”、“善元泰”、“茅万茂”等，双梅乡有“萧忠义”、“潘大兴”等，马山镇有“谦豫萃”，马安乡有“言茂元”等。这些都是比较有名的酒坊，资金雄厚，有宽大的作场，集中的技术力量，又有称为“水客”的推销人员，还通过水路向苏南丹阳、无锡等产粮区大批收购糯米作为原料，以扩大生产。因而无论从生产规模、生产能力以及经营方法等方面，都是过去一家一户的家酿和零星小作坊所望尘莫及的。在清朝初期，绍兴酒的行销范围已遍及全国各地。康熙《会稽县志》有“越酒行天下 ”之说。

绍兴酒的古法行销

大酿坊的陆续出现，使得绍兴酒产量递增销路扩大。在各酿坊的协商下，将绍兴酒的品种、规格和包装形式统一了起来。这时候的品种基本上是“状元红”、“加饭”和“善酿”三种。此外还有福桔酒、鲫鱼酒、花红酒等等，品种繁多，但只作为花色，并不大量生产。

在行销地区方面，大酿坊各占一隅。“孝贞”、“沈永和”通销北京、天津；“叶万源”所产18斤放样加饭专销福建以至南洋；“田德润”加饭运销天津、北京、烟台，远至俄国；“汤元元”、“善元泰”、“茅万茂”、“萧忠义”、“潘大兴”等销售杭州、上海；“云集”销福建、香港；“谦豫萃”、“沈永和墨记”的善酿则畅销于沪、杭和广州，以至东南亚各国。包装的名称也因销售的地区的不同而有所不同。销北方的，一般称为京装；销南方的称为建装或广装。

为了增进销售，很多大酿坊还在外地开设了酒店、酒馆或酒庄，经营零售批发业务。早在清乾隆年间，“王宝和”就在上海小东门开设酒店，接着“高长兴”在杭州、上海开设酒馆，“章东明”除在上海、杭州各处开设酒行外，又在天津侯家后开设“金城明记”酒庄，专营北方批发业务，并专门供应北京同仁堂药店制药用酒，年销近万坛以上。

此时绍兴酒已风靡全国，在1910年南京举办的南洋劝业会上，谦豫萃、沈永和酿制的绍兴酒获金奖。在1915年美国旧金山举行的美国巴拿马太平洋万国博览会上，绍兴云集信记酒坊的绍兴酒获金奖，在1929年杭州举办的西湖博览会上沈永和绍兴酒获金奖，1936年举办的浙赣特产展览会上绍兴酒又获金奖。建国后，绍兴酒在国家历届评酒会上都有金奖获得，先后荣登国家“八大”、“十八大”名酒之列。

绍兴酒不但在国内大放光彩，在日本也家喻户晓。由于日本人不喜欢喝烈性酒，而绍兴酒不仅原材料使用糯米，而且酒精含量低，口味清淡香醇，因而深受日本人欢迎，可以说男女老少，凡能喝酒（日本法律规定未成年者不准饮酒）者均能接受绍兴酒。经过十几年的市场开发，绍兴酒目前已成为日本酒水市场上的一个著名品牌。

绍兴酒的广告意识从众多的博览会屡获殊荣可见一斑，绍兴酒的历史之悠久岁无人能及，但绍兴酒产业并为因此裹足不前，各个时代的绍兴酒都有强烈的自我营销意识，这也使得“越酒行天下”成为现实。

工艺反璞归真

清代袁枚的《随园食单》写到：“绍兴酒如清官廉吏，不参一毫假，而其味方真又如名士耆英，长留人间，阅尽世故而其质愈厚”。《调鼎集》中把绍兴酒与其他地方酒相比认为：“像天下酒，有灰者甚多，饮之令人发渴，而绍酒独无；天下酒甜者居多，饮之令人体中满闷，而绍酒之性芳香醇烈，走而不守，故嗜之者为上品，非私评也”。并对绍兴酒的品质作了“味甘、色清、气香、力醇之上品唯陈绍兴酒为第一”的评价。

从春秋到南北朝的一千多年间，酿酒工艺的进步，使得绍兴地方所产的酒，已由越王句践时的“浊醪”演变成为“山阴甜酒”，如今的绍兴人称黄酒为“老酒”就是由“醪酒”传讹而来。今天的绍兴酒也略带甜味，尽管爱喝绍兴酒的人并不喜欢甜味太重，但就绍兴酒本身来说，确实是质愈厚则味愈甜，如加饭甜于元红，善酿又甜于加饭。

绍兴东风酒厂的张科长告诉笔者，由于制作工艺中的加饭，绍兴酒较之福建沉缸酒、江苏封缸酒更为柔和、饱满，不似其它黄酒品种含水份多，绍兴酒之香更为幽雅，酒色更加诱人。精白糯米是绍兴酒的主要原料。酿酒要求糯米的质量为精白度高，粘性大，颗粒饱满，含杂质、杂米、碎米少，气味良好的上等优质糯米；精白度高的糯米蛋白质、脂肪含量低，淀粉含量相对提高，这样可以达到产酒多、香气足、杂味少，在贮藏过程中不易变质等目的。对于糯米原料的选择从业者归纳为：精、新、糯、纯四个字。

水为酒之“血”。张科长介绍，永和五年(140年)会稽太守马臻发动民众围堤筑成鉴湖，把会稽山的山泉汇集于湖内，为绍兴地方的酿酒业提供了优质、丰沛的水源，这对于提高当地酒的质量起了重要作用。

小麦是制作麦曲的原料。麦曲是酿造绍兴酒的辅料，其质量好坏在酿造中占有极其重要的地位，故被形象地比喻为“酒之骨”。它的主要功用不仅是液化和糖化，而且是形成酒的独特香味和风格的主体之一。小麦应选用皮黄而薄、颗粒饱满、淀粉含量多、粘性好、杂质少、无霉变、无毒麦的当年产优质黄皮小麦，这是绍兴酒酿造无可替代的制曲原料。

张科长还告诉笔者，贮存条件也直接关系到绍兴酒的品质，古代绍兴酒中之极品往往采用地下贮存，而如今的绍兴酒一般采用简易的一层贮藏室，通风、气温合适稳定即可，在5℃−10℃之间为宜。精选来自浙江、江苏以及安徽的原料糯米，配以甘甜的鉴湖水加上绍兴酒传载千年的独特酿造工艺，使得绍兴酒在黄酒中出类拔萃，独树一帜。

酒中有真章，那就是真材实料，如袁枚所言，不掺一毫假。绍兴酒史上从为因酿坊忽视质量而使得黄酒行业蒙羞，在酿者看来，让绍兴酒生命欢腾的延续，是自己的毕生追求。

别具风格的酒香，千年的文化传载，绍兴酒至今仍魅力无穷。在酒厂仍可以看到这样的场景，一车车的黄酒被装车运往外地，还有一些车辆在耐心的排队等候。如今的绍兴酒，为了满足不同层次消费者的需求，价格从几元到几千元都有。纵使是几千元一瓶的几十年沉酿也是十分的畅销，无论是国内、日本、台湾、还是东南亚国家，消费者对绍兴酒总是情有独钟。

在位于绍兴柯桥镇的绍兴礼酒厂，工人们正将成品黄酒装车，据负责人介绍该厂每年销量达3000吨，主要市场为江、浙、沪。厂里的一位师傅介绍绍兴酒的制作有以下工艺：

泡米：选择较好的江米或大米，经过淘洗；用普通凉水浸泡8-10小时，沥干后备用。

蒸饭：将沥干的米上锅蒸至几成熟离火。要求米饭蒸到外硬内软，无夹心，疏松不糊，熟透均匀，熟后不要马上掀锅盖，在锅内把饭放至快凉时再出锅；出锅后将饭打散；再摊盘晾至28℃以下入缸。

前期发酵：把准备好的水、培养曲和酒药倒人缸内与蒸好的米饭搅拌均匀，盖好盖，夏季置于室温下，冬天放在暖气上或火炉前，经3天左右，米饭变软变甜，用筷子搅动，即可见到有酒渗出。此时缸里的温度达到23℃左右，即可停止前期发酵。

压榨：将经过前期发酵的物料装入一干净的布袋中，上面压上木板、重物，榨出酒液。

煎酒（加热杀菌）：把压榨出的酒液放入锅内蒸（各种蒸锅均可），当锅内温度升到85℃，即停止加热。

过滤：用豆包布做成一个布袋，把蒸过的酒液倒入袋中过滤，将滤液收存起来。

封存：把滤液装进一个干净的坛子里，用干净的荷叶把坛口包好，再用稻草或稻壳与上和成稀泥把坛口封严，然后把坛子放到适宜的地方，两个多月后即可开坛饮用。存放时间长，酒的质量好、味道香。

绍兴酒的土法酿制很讲究，例如包坛口一定要用干荷叶，因为这样可以增加酒的香味，而用稀泥封坛口既可是坦内黄酒氧化而又不致变质。在酒厂我们还看见有工人修补装酒的坛子，据工人介绍，黄酒的储藏对容器要求较高，陶制坛子是最好的，但如果坛子表面气眼太大就不利于黄酒的储藏了。

礼酒厂的师傅还告诉笔者，绍兴酒就是以酒药发酵制作淋饭酒醅作酒母，然后去生产摊饭酒。它是用极少量的酒药通过淋饭法在酿酒初期进行扩大培养，使霉菌、酵母逐步增殖，达到淀粉原料充分糖化的目的，同时还起到驯养酵母菌的作用。这也是绍兴酒生产工艺的独特之处。

反璞归真的酿酒工艺极大的保障了绍兴酒的独特品位，在酒类行业纷纷勾兑的今天，绍兴地区的大小酒坊仍是坚持生产力并不先进的手工酿造，或许这就是绍兴酒风靡千年兴盛不衰的秘诀吧。

酒馆也“营销”

在绍兴市直仓街140号的“黄酒馆”，可以更直接的了解到黄酒的起源、发展和生产工艺等。馆内的艺工正在聚精会神地为已经装坛准备出厂的花雕摊子绘制精美图案，一坛坛的绍兴花雕酒十分惹眼，仿佛工艺品一样让人喜爱。

酒馆内陈设着很多古法酿制绍兴酒的器具，包括穿络（挑酒用具）、泥头套（封坛口用具）、排印桶（制酒工具）、排印（酒坛印标用）、泥头水桶（封泥头用）、盘肠（煎酒杀菌用）、榨石、榨袋（榨酒用具）、朵柱（压榨机备用具）、畚斗（酿酒用具）、麻袋、风箱、筛眼埭（筛米工具）、草缸盖、蒸缸衣（保温用）、竹耙（开耙发酵用）、饭蒸（蒸饭用具）、竹席垫（摊饭用具）、地灶（蒸饭用具）、米抽（浸米用具）。

绍兴黄酒四大传统品种为加饭、元红、善酿、香雪。

加饭是以元红为酒基，在原料配比中减少配水量，增加饭量（与元红相比较），顾名思义是多加原料的意思。此酒由于饭多水少，发酵醪浓度大，制成的成品酒酒度高，含残糖量多，故酒质特纯，属半干型酒。此酒色泽橙黄，清澈透明，具有浓郁酒香，味醇厚爽口。

元红酒是绍兴酒的代表品种，元红酒名称的由来，是因旧时在坛壁外涂朱红色而得名，属干型酒。此酒发酵完全，含残糖量少，色泽橙黄清亮，具特有芳香，味甘爽微苦。

善酿酒名称中的“善”是良好之意，“酿”是酒娘或酒母，包含有母子之意，所以善酿就是品质优良的母子酒。此酒在清代有沈永和酿坊创造，该酿坊以酿制酱油而闻名。工人师傅在酿制酱油中得到启发，试以酱油代水的母子酱油原理来酿制绍兴酒，以提高酒的品质，获得了成功。善酿酒以贮存1-3年的元红酒代水酿成的双套酒，属半干型酒，深黄色，其香芳郁，质地特浓，口味甜美。

香雪酒在酿制时，不加促使酒色变深的麦曲，只用白色的酒药，所以糟粕色如白雪，故称香雪酒。该酒是以陈年糟烧代水酿成的双套酒，属半甜型酒，酒液淡黄清亮，芳香幽雅，味醇浓甜。

没有到过绍兴的人都知道咸亨酒店，鲁迅笔下的咸亨酒店里一碟茴香豆，一碗老酒的生活场景令人神往。如今的咸亨酒店生意火暴丝毫不减当年，店内仍然可见头戴旧毡帽的老者三五一群，几碟茴香豆惬意的品尝人生。咸亨酒店门口的包装黄酒也卖的很火，游人来绍兴咸亨酒店是必游之地，而咸亨酒店绍兴酒又是绍兴地产之魁，多则成箱，少则几瓶，几乎没有空手的。

2001年，咸亨酒店销售了绍兴太雕十六酒金额逾2500万元，下酒的茴香豆超过50万斤！可见绍兴酒风之盛比起先古毫不逊色。

市内仓桥一小酒店内，客人正吆喝老板娘烫一壶“老酒”，并嘱咐不要“过热”。绍兴人很少喝白酒，黄酒对于绍兴人而言不仅仅是一种饮品，闲来喝它几碗也是生活内容的一部分。绍兴人喝酒，重品而不过量，往往一碟茴香豆便有滋有味了，碰到客人光临，总要弄点咸货，类似咸鸭、咸肉、咸鱼下酒，正如诗里所说“丰年留客足鸡豚”。

在名菜“佛跳墙”的制作中，炖制原料所用的瓦罐必须是装过绍兴酒的陈年瓦罐，用此容器炖出的“佛跳墙”那可真的能让人垂涎三尺。佛跳墙之煨器，多年来一直选用绍兴酒坛，坛中有绍兴名酒与料调合。煨佛跳墙讲究储香保味，料装坛后先用荷叶密封坛口，然后加盖。这与绍兴酒酿制竟有异曲同工之处。

黄酒馆也好，咸亨酒店也好，总是专注向游客展示自我的风采，这种身临其境的现场营销氛围的塑造显然要比单纯的卖酒的泛同行要高明的多。

酒俗促发展

绍兴的酒文化的构成有两部分——酒史和酒俗，绍兴酒的酒俗可谓无处不在。据当地老人介绍，在绍兴，婚嫁有酒俗，生丧有酒俗，另外还有岁时、时节、农事、商业、生活等酒俗。

婚嫁酒俗：女儿红的由来就是绍兴酒俗的最好见证。女儿红原是加饭酒，因为装入花雕酒坛，因此也叫“花雕酒”。传说早年绍兴有张姓裁缝妇人有喜，裁缝望子心切遂在院内埋下一坛花雕酒，想等儿子出世后用做三朝招待亲朋用。孰料妇人产下一女，失望之余这深埋院中的酒也被忘却。后来其女长大成人，贤淑善良，嫁与张裁缝最为喜欢的徒弟，成婚之日院内喜气洋洋，裁缝忽想起十八年前深埋院中的老酒，连忙刨出，打开后酒香扑鼻，醉人心脾，女儿红由此而得名。此俗后来演化到生男孩时也酿酒，并在酒坛上涂以朱红，着意彩绘，谓之“状元红”。

生丧酒俗：在绍兴，人生的每个阶段都与酒发生了联系，酒作为表达情感的重要方式，寄托了人们的美好愿望。孩子满月有“剃头酒”，绍兴的“剃头酒”和其它地方略有不同，除用酒给婴儿润发外，在喝酒时，有的长辈还用筷头醮上一点酒，给孩子吮，希望孩子长大了能相长辈一样，有福分喝“福水”（酒）。另外还有孩子周岁时的“得周酒”，人生逢十而办的“寿酒”，以及“白事酒”，也称“丧酒”。

岁时酒俗：绍兴旧时有很多岁时酒俗，从农历腊月的“请菩萨”、“散福”开始到正月十九“落像”为止，因为都是在春节前后，所以叫“岁时酒”。腊月二十前后要把祖宗神像从柜内“请”出来祭祀一番，这叫“挂像酒”，到正月十八，年事完毕，再把神像请下来，这叫“落像酒”；除夕之夜的“分岁酒”要一直喝到新年来临，正月十五还要喝“元宵酒”。

时节酒俗：清明祭祖有“清明酒”，端午佳节家家门前挂着菖蒲、艾草辟邪，置备“五黄”，即黄鱼、黄鳝、黄瓜、黄梅和雄黄酒，在小孩面额上醮上雄黄酒写上个“王”字，以避邪祟，这是“端午酒”；农历七月十五又称中元鬼节，要演据说给“鬼”看的木莲戏，并喝“七月半酒”；冬至焚化纸做的寒衣供死者“御寒”，怀念亡者，要喝“冬至酒”。

农事酒俗：旧时绍兴人大多从事农业和手工业，为祈祷丰收和六畜兴旺，在农事关键时节，都要摆宴请客喝酒。春耕开始，农家视牛为宝，在农历二月初三“春牛节”，牵牛游街，并办酒席互请，称为“请春牛酒”。另外还有“插秧酒”、“麦收酒”以及秋季收成后的“庆丰酒”。

商业酒俗：商业酒俗没有农事酒俗那样固定，只有大中型上扑年终办“谢伙酒”是一致的。“谢伙酒”被雇工成为“包裹酒”，意即辞退员工的酒席。老板对将辞退者在酒席上格外客气，委婉讲出辞退理由。还有新店开张的“开业酒”，股东年底结帐的“分红酒”，拉拢关系的“利市酒”，以及由商会举办的“行会酒”。

生活酒俗：盖房子的“造屋酒”实际上是一系列的酒俗，包括“奠基酒”、“上梁酒”、“落成酒”，搬进新房还有“进屋酒”。宴宾的有“接风酒”、“饯行酒”、“赏灯酒”等等。调解纠纷有“和解酒”，财力不济时救急解难的有“会酒”，为息事宁人而由肇事方宴请被损害者和调解人的“罚酒”，答谢亲友和乡邻的“谢情酒”等。

无处不在的绍兴酒俗实际上为绍兴酒的发展推波助澜，从营销意义而言，它使得绍兴酒有一片稳定的市场。生活化的习俗看来对于商品的长治久安亦有影响。

千古酒事

著名诗人如贺知章、宋之问、李白、杜甫、崔颖、孟浩然、刘长卿、秦系、严维、白居易、元稹、方干、张乔等等，或者是绍兴人，或者在绍兴作过官，或曾慕名来游，他们和绍兴酒都有过不解之缘。张乔《越中赠别》一首有句云：“东越相逢几醉眠，满楼明月镜湖边。”“酒中八仙”之首的贺知章，晚年从长安回到故乡，寓居“鉴湖一曲”，饮酒作诗自娱。李白当时还是布衣诗人，贺知章览《蜀道难》后称赞李白是“太白星”下凡，两人相见恨晚，遂成莫逆。贺知章邀请李白对酒共饮，但不巧，这天身边没有带钱，于是便毫不犹豫地解下佩带的金龟（当时官员的佩饰物）换酒，与李白开怀畅饮。一醉方休。“金龟换酒”的由此而来。

历史上，文风和酒事总是相关联，因此在绍兴生发出不少千载传诵的佳话。永和九年(353年)三月初三日，王羲之与名士谢安、孙绰等共42人在会稽山阴兰亭举行“曲水流觞”的盛会，“一觞一咏”乘着酒兴写下了千古流传《兰亭集序》，可以说是绍兴酒史中熠熠生辉的一页。

王徽之，王羲之第五子，据《世语新说》载，有一日，夜里下大雪，王徽之睡醒后命家人开门酌酒。他边喝酒，边展视远处一片雪白，“四望皎然”，“因起彷徨”。于是咏起左思《招隐》诗，忽然想到了当世名贤戴逵。戴逵居会稽剡县（今嵊县），离王徽之所居山阴溯江而上有100多里，王徽之连夜乘小船而去，过了一天才到了戴逵家门。但这时他却突然停住了，不但不进门。反而折身转回。有人问他，你趁雪远道来访，为何临门而不入呢？王徽之坦然道：“我本是乘酒兴而来，现在酒兴尽了，没有兴致了，何必一定要见到戴逵呢？”这就是千秋传颂的“雪夜访戴”的故事。

历史上的骚人墨客总是特别青睐绍兴酒，这无疑也是绍兴酒的得天独厚的无形资产。在酒文化得到推崇的今天，绍兴酒更无须臆造，千古传承的美酒文化和纷纭酒事更使得绍兴酒凭添几分神秘色彩，绍兴酒因此而得以长存。

中国酒文化源远流长，而绍兴黄酒更是其中的一朵奇葩，无法复制的酒文化使绍兴酒在历史的长河中永生。最早可以追溯到距今7000余年的河姆渡文化时期的绍兴黄酒历久而不衰，芬芳隽永，回味无穷。

华东市场

机会型城市：临沂、泰安、扬州、常州。

从地产酒身上找市场

提示：这几个城市外地品牌较多，而且卖得好的品牌多为名酒。大多数市场的品牌已处于成熟期。地产酒表现一般，甚至有的出现下滑，给新品的进入留下了一定空间。

市场状况与机会分析：

临沂：在临沂的白酒市场上具有很高知名度的品牌市场看好，比如我们在调查中发现，全兴系列和金六福系列现在已成为当地白酒市场上的主流品牌。其中全兴系列中的金牌全兴和星级全兴今年的上升势头明显加快，在该市的各大酒店中点名消费率很高。金六福系列在流通和终端的走势都很好，在婚宴市场中也成为首选。地产酒中兰陵陈香前两年虽然销量不错，但今年已出现下滑的迹象，有经销商认为这主要是因为该品牌在旺季设了很多直销处，侵害了该品牌在当地的经销商的利益。随着兰陵陈香市场的下滑以及一些名酒市场的成熟，临沂白酒市场将会迎来新的机会，

机会指数：★★★

泰安：泰山特曲不仅在广东、浙江等地取得了很好的业绩，在泰安市场也拥有一大批忠实的消费者。不过，由于在本地投入逐渐减少，不免给外地品牌的进入创造了机会。在当地的中低档市场上，金六福和泸州老窖的市场空间日益扩大，销量稳步上升。特别是40元左右1瓶的金六福酒，在泰安的婚宴市场上尤其走俏。如今，当地的消费者品牌意识较强，打擦边球的产品往往效果不佳。

机会指数：★★

扬州：苏酒今世缘系列在扬州占据着不少的市场份额，尤其是120元左右的今世缘地球销量较好。不过，有商家反映，今世缘太阳、今世缘月亮的走势一般。在竞争最激烈的中低档市场上大都表现平平，只有浏阳河的表现还比较突出。浏阳河今年在当地广告宣传力度较大，包括电视黄金频道、报纸、以及户外广告上都能看见该酒的身影。几年前曾做得比较火的古川酒，由于宣传促销不太到位，如今在中低档市场上已经风头锐减，给新品的进入留下了一定的空间。地产酒洋河、双沟、分金亭等也分食着一些市场，不过，至今也没有特别有影响力的品牌出现。

机会指数：★★★

常州：常州的市场上没有显出某个品牌特别突出，相对来说知名度较高的品牌大多比较稳定，比如金六福、口子窖、剑南春等。值得注意的是，贵酒最近也有抬头之势。据一位经销金茅城酒的商家说，该品牌的厂家在运作市场方面把酒店作为主攻对象，各种促销一起进攻，现在70～80元的金茅城酒在酒店里销量看好。但商家指出，名酒品牌在常州将依然是个大趋势，但需要抓住一个很好的市场机会。

机会指数：★★

市场特点：

这几个城市的特点主要有：1.对外地酒的接受性较强，新品牌只要操作得当都能分得一部分市场。2.地产酒表现强劲的很少，甚至有的处于下滑趋势，特别是中档市场更是如此，这种局势给新品牌的进入创造了机会。3.知名度较高的酒一旦市场打开以后便会在较长一段时间内保持稳定，比如金六福、全兴等品牌。

拓市提示：

这几个城市均存在一定的市场机会，不过新品进入时还需要注意一些细节：1.没有打开知名度的品牌要慎重，这里的消费者一般认可市场比较成熟的品牌。2.该市场的消费者大多比较理性，大力度的促销对于打开市场效果可能不明显。3.20元左右的市场强势品牌比较少，新品进入可以从这一价位入手。

阻力型城市：济南、南京、苏州、金华。

新品将面临“内外夹击”

提示：这几个城市目前的市场阻力都比较大，突出地表现在地产酒不仅拥有强大的实力和相当一部分市场份额，已耕耘多年的川酒、皖酒等强势品牌也占据了半壁江山。“内外夹击“给新品的进入造成了巨大的压力。

市场状况与阻力分析：

济南：趵突泉作为济南的地产酒总算为济南人民挣足了面子，其在中档和低档市场的优势依然很明显，并且在营销上也不断创新，成为了外地品牌进入济南市场最大的障碍。但是趵突泉的强势并没有阻止外地酒的进攻步伐，四川酒、安徽酒、东北酒都在这里安营扎寨。比如泸州老窖和全兴在中档和中高档市场优势尽显，并且还处于增长的势头。口子窖的市场已经成熟，金口子在礼品市场也很叫座。今年刚进入的黑土地则采用了“农村包围城市”的策略，已在济南30元左右的市场打下了一片天地。而关东五粮也在积极拓市。总之，地产酒的稳固加上外地酒的强势给济南白酒市场筑起了一道高大的屏障。

阻力指数：★★★★

南京：同济南白酒市场类似，四川酒和安徽酒在南京占据了半壁江山。川酒中的五粮春在中高档市场的销量已经多年稳居榜首，但是从去年开始五粮春的不断提价使市场受到了一定影响。从今年下半年开始五粮春为了恢复市场采用了不断举行促销活动的方式变相地把价格降了一些，取得了较为理想的效果。在中高档市场中目前销量最好的当数口子窖和三星、四星的百年迎驾。刚进入不久的高炉家也明显加大了宣传等营销力度，古井贡在酒店等终端也开始了“喝古井，保护南京文物”的活动，这些都在一定程度上加剧了南京市场的竞争。地产酒中蓝色经典洋河也拥有一定的市场份额。

以上所有这些强势品牌均给新品的进入设置了不小的障碍。

阻力指数：★★★★

苏州：洋河在苏州的中低档市场依然是坚不可摧。高档市场中除茅五剑以外水井坊也开始引起了众多消费者和商家的关注。中档市场最活跃，尤其是许多名酒品牌对这里的攻势一直没有减小，比如五粮醇、古井贡以及剑南春系列的剑南珍品。这些品牌虽出身贵族但对市场却丝毫没有放松，促销等活动搞得如火如荼。业内分析这种竞争有可能会继续延续下去，新品牌进入这一市场的机会在当前也就显得比较渺茫。

阻力指数：★★★

金华：在金华市场上泸州酒占有很大的市场份额，比如有泸州陈香、泸州古酒、泸州三年陈、五年陈等，但消费者并没有对某个品牌产生特别高的忠诚度。在当地已经入市好几年的伊力特酒销售势头一直比较平稳，特别是38度的半斤装伊力老陈酒在酒店终端上升明显。当地的酒店终端竞争比较激烈，比如在酒店的婚宴席、宴请席等预定酒席中，酒席的价位里面都包括有酒店所推荐的酒水价格。当前，川酒小角楼推出的双喜小角楼正在主攻酒店终端。

阻力指数：★★

市场特点：

这几个城市的显著特点是：1.除金华以外其他城市均有非常强大的地产品牌，这些地产品牌的重点市场都放在了本地。2.这里的消费者比较注重酒的口感和品牌的口碑。3.白酒的消费水平都相对较高，特别是南京、苏州，百元左右的品牌销量相当大。

拓市提示：

虽然这几个城市的阻力都非常大，但不少品牌依然想在这里有所建树，毕竟华东的白酒消费潜力还是比较大的。对于新品来说有两点需要注意：一是高档市场前景比较广阔，目前进入这一市场的品牌还不是很多。二是进入这些市场的品牌不仅要有一定的知名度，还要有相当的经济实力做支持，因为面对的都是有实力的大品牌。

开放型城市：杭州、南通、徐州、温州。

餐饮终端成就了外地品牌

提示：经济相对比较发达的杭州等城市白酒消费也很开放，只要口感合适，营销到位，哪儿的酒都能卖。不过众多外来品牌几乎都是从餐饮终端起家的，可以说酒店终端成就了一大批来这里拓市的白酒品牌。

市场状况：

杭州：杭州市场比较开放，只要酒的口感适合当地消费者，操作得当，一般都能拥有自己的一片市场。不过就当前来说杭州主要被两个大的品牌所垄断。一个是伊力特曲，另一个是泰山特曲。这两个品牌都属于低度型的，比较符合杭州人民的口感。有人称其为杭州市场上的“长青树”。而且据了解操作这两个品牌的经销商都具有很大的实力，特别是操作伊力特的浙江商源公司，它在营销理念上不断创新，巩固了伊力特的市场。另外湖北的稻花香在杭州市场也开始成熟，大力度的宣传和促销投入是其运作市场的主要方式。黄酒的市场销量目前很有限。

开放指数：★★★

南通：川酒和皖酒在南通一直比较稳定，尤其是银剑南、老作坊、月池酒、口子窖系列等销量较好。在酒店里，今世缘和道光廿五都拥有一批忠实的消费者。如今消费者对广告促销特别重视，比如贵府酒曾实行18元一瓶买一赠一、30元左右的月池酒实行买二赠一的促销活动，都收到了很好的市场效果。而在江苏卫视广做宣传的大明古酒近来市场也比较看好，据了解其曾在48天里完成了30多万的销售任务

开放指数：★★

徐州：由于多种原因，在中档市场一直销量最好的安徽酒今年来市场出现下滑，乘机而入的黑土地抓住酒店终端不放松，采用打火机、关系营销等策略终于取得了成功。不过其主销价位停留在20多元。在50元左右的市场中百年迎驾销量稳定，老糟坊却出现了下滑。而在100元左右的市场中口子窖虽然一马当先，但高炉家也在奋起直追。原来在中低档市场销量相对看好的难得糊涂和几个江苏地产品牌由于种种原因市场下滑明显。

开放指数：★★

温州：温州地区消费水平较高，家庭消费也集中在80～150元之间，郊县作为低档市场其消费水平也集中在30～50元之间。80元左右的市场古井贡目前销量最大，50元左右的市场泸州老窖系列、古井系列为主导，伊力特酒、尖庄也有一定销量（伊力特酒有增长之势），但这一市场主要面对郊县市场。经销商还反映在该市竹叶青作为保健酒也具有一定市场。温州消费者的品牌意识较强，一个成功的品牌可以长时间获得优势，例如古井贡从1997年开始进入温州市场直到现在仍是相当稳定。

开放指数：★★★

市场特点：

首先，这些市场中外地品牌占据了大部分份额，地产酒销量极其有限。其次，这几个市场开发的费用相当高，比如酒店实行卖断的非常多，卖断费用少则几万多则几十万。再次，品牌识比较强，在市场上真正畅销的大多是知名度较高的酒。最后，品牌忠诚度相对较高，一旦一个品牌起来以后会在较长一段时间内保持旺销。

拓市提示：

开发这类市场需注意以下几点：一是营销策略要独到，但并不是要和别人去拼买断费，而是要有一定的技巧，比如伊力特在杭州就是个案。二是高档市场潜力相对较大，新品可以以此作为重点，但所需费用会比较高。三是做这类市场酒店终端依然是重点，应充分重视这一点。四是酒的度数要求以低度为主。

封闭型城市：潍坊、德州。

难以逾越的地产酒障碍

提示：地产酒的强势使这里的市场显得格外封闭，新品久攻不下，终端费用逐日攀高，地产酒正成为一道难以逾越的障碍。

市场状况：

潍坊：在潍坊市场上地产品牌云门春可谓一枝独秀，有经销商粗略估计说该品牌几乎占到了整个潍坊市场销量的60%之多，外地酒中除金六福走量还差不多以外其他品牌均走势一般。云门春在当地之所以一直位居老大当数其宣传工作做到了家，其充分利用了自己地理人和的优势，不放过一次展示自己品牌形象的机会，比如潍坊每年一届的风筝会，云门春都是承办单位。当地经销商这样说，云门春特别善于利用各种活动提升自己的形象，来吸引消费者的关注。此外山东的春开窖在当地的酒店中销量也开始攀升。不少经销商认为，有云门春等地产品牌在把关，同时当地消费者对地产酒又十分认可，当前新品牌进入这一市场的难度可想而知。

封闭指数：★★★★

德州：综观德州市场情况，地产酒古贝春和禹王亭比较受到当地消费者的喜爱。不过，由于古贝春买断品牌众多，良莠不齐的“古贝春”酒让消费者经常难以分辨，反而给了禹王亭以可乘之机。高中低档皆具的禹王亭重拳出击，虽然200元左右1瓶的大禹龙神表现一般，但是中低档市场份额迅速扩大。外地品牌中只有泸州老窖等名酒还有一些走量。当地的终端费用节节攀高，尤其是进店费上，至少1万元甚至3～5万元的进店费让欲攻本地市场的商家挠头不已。

封闭指数：★★★

市场特点：

1.地产酒在这里的白酒消费市场中占据主导，外地品牌的走量很有限。2.地产品牌一直很注重品牌的维护，市场得到了持续不断的巩固。

拓市提示：

开发这些市场需要注意两点：一是地产酒虽然强势但各级经销商的利润在变少，所以建议新品用较大的利润空间来取得当地经销商的支持。二是各种促销在这里非常奏效，新品可以采用灵活多样的促销活动来给市场制造一种轰动效应，这样可以达到速战速决的目的，避免遭到地产酒的包抄。

潜力型城市：济宁、连云港、宁波。

用激情来开发

提示：这几个城市不仅消费量大，而且市场潜力也需要进一步开发。虽然市场上有许多品牌在操作，但是总让人感觉这些品牌缺乏一种奋力向前的动力。就象某经销商所说的要把这些市场的消费潜力充分挖掘出来不仅需要品牌的知名度，商家的实力，还需要有一种做市场的激情。

市场状况：

济宁：该市白酒市场的消费能力吸引了全国各地的品牌，但是依然有很多商家对这里的市场表示看好。如今在该地市场上主领风骚的还是诸多的外地品牌，茅台系列和金六福冲锋在先，杜康、四特、西凤等紧随其后。当地消费者对知名度和品牌的包装比较在意，比如茅台系列大展鸿图、三羊开泰等就凭其精美的包装和吉祥喜庆的名字成为了当地礼品酒的首选。孔府宴、孔府家只是占据了很少的市场份额，心酒、金贵走量一般，而10元左右1瓶的岗山酒在农村的中低档市场上销量不错。

潜力指数：★★★

连云港：连云港的消费水平较高，但目前白酒市场却有些平淡，今世缘、汤沟在高、低档市场上凭借着自己的地利优势占据着半壁江山，店小二、浏阳河、稻花香等借助着自己原有的品牌形象和几年运作市场的网络优势，在中档市场上维持着自己的地位。其中除稻花香偶有促销搭赠外，其它均是顺势而为。但是稻花香采取的也是买酒赠饮料等比较单一的方式，有点缺乏新意。对于当地的消费者来说，好象已经缺少让他们心动的品牌。象一位商家所说的，连云港的白酒市场潜力更需要有激情的白酒品牌去开发。

潜力指数：★★

宁波：宁波市场是个比较宽容的市场，它的宽容也恰恰证明了它蕴涵着巨大的消费潜力，川酒、黔酒、皖酒、鲁酒、新疆酒等来这里互相拼杀。当前最抢眼的品牌主要有伊力特、泸州老窖等。伊力特酒在宁波市场耕耘了近五年，一直实行稳扎稳打的战术，同时以多种方式的促销做保护而在宁波站稳了脚跟。泸州老窖凭借其强硬的品牌优势在宁波的白酒市场稳坐第一把交椅。同时因泸州老窖系列酒的价格体系十分健全，它们在宁波的高中低档市场上都占有很大的份额。另外小糊涂仙、四川老酒坊、泰山特曲等也在宁波市场上有条不紊地运作着，并已开拓了郊县市场。

潜力指数：★★★

市场特点：

上述几个城市的特点可以归结为：一是品牌众多，但真正在市场上有“领导”能力的品牌较少，只有伊力特在宁波市场表现还不错。二是这类市场白酒的消费度数普遍较低，主要以38度甚至更低的度数为主。三是总体白酒的消费水平正在日益走高，同时礼品酒也拥有较大的市场。

拓市提示：

一是开发这类市场需要持续不断的广告和促销活动的支持，但还要掌握一个“度“。二是包装上一定要精美大气，切勿粗糙，特别是宁波和连云港市场。三是白酒的度数要保持低度，口感要淡一些。

安徽省糖酒市场

一、省情简介

安徽省简称皖，位于中国东南部，地处长江下游，东连江苏，南邻浙江、江西，西靠湖北、河南，北接山东，居华东地区腹地。安徽临江近海，襟江带淮，地理位置优越，既是沿海与中西部内陆腹地的过渡带，又是南北商旅的辐辏通衢，为中原的襟喉之地。

安徽省东西宽约450公里，南北长约570公里，土地面积13.96 万平方公里， 约占全国总面积的1.3%。安徽地形复杂，以平原为主。全省土地面积中，山地4.34万平方公里，占总面积的31.2%；丘陵4.1万平方公里，占29.4%；平原4.35 万平方公里，占31.3%； 湖泊和洼地1.11万平方公里，占8.0%。安徽境内长江、淮河横贯其间，将全省分为淮北、江淮、江南三大自然区。淮河以北地势坦荡辽阔，为华北大平原的一部分。中部江淮之间，山地岗丘逶迤曲折，丘波起伏，岗冲相间；长江两岸和巢湖周围地势低平，属于著名的长江中下游平原。南部以山地、丘陵为主。安徽地处暖温带向亚热带过渡两个气候带，季风明显，四季分明，气候温和，雨量适中。但气候条件分布差异明显，天气多变，降水年际变化大，常有旱涝等自然灾害发生。安徽省紧靠以上海为中心的长江三角洲经济区，是临江近海的内陆省份。安徽省在西部大开发战略中具有独特的承东启西、连南接北的区位优势。

安徽省周边省份人口稠密，市场广阔。安徽与江苏、山东、河南、湖北、江西、浙江六省接壤，以安徽为基地，向周边省份覆盖的人口约5亿，占全国人口的30%。安徽总人口6127万人，人口密度每平方公里439人。 全省共有53 个民族，汉族人口占99%以上，少数民族人口占全省人口的0.6%左右。在少数民族中，回族最多，回族人口占少数民族人口的93%。

全省共有16个地级行政单位，包括合肥、蚌埠、芜湖、淮南、淮北、铜陵、安庆、马鞍山、黄山、滁州、阜阳等11个省辖市和宿县、六安、宣城、巢湖、池州5个行政公署，105个县级单位，包括57个县、10个县级市和38个市辖区。省会设在合肥市。

二、市场格局

1、白酒

安徽口子集团公司、安徽金种子集团有限公司、安徽古井集团、安徽双轮集团以及安徽迎驾酒业集团是安徽省最著名的五家白酒生产厂商。这几家企业都位列2004年全国白酒工业企业100强。

安徽白酒多以中档白酒为主。目前处于全国市场占有率较高的是古井贡、口子窖两大品牌，特别是口子窖以中高价位的安徽白酒新贵族形象在全国迅速成功推广。其次是在安徽市场及周边区域市场的成功品牌，主要有高炉家、迎驾贡、皖酒。迎驾贡酒是于上世纪末在安徽市场以其成功的终端营销而迅速崛起的新品牌，其以有序的新产品开发和合适的价格定位在安徽的终端市场掘取了第一桶金，目前以安徽和江苏市场为主。皖酒以中低价位为主，皖酒王、百年皖酒在我国南方市场占有一定市场份额，如广东、海南、闽南等地。高炉家酒作为后起之秀，以其独特的徽文化背景及强有力的终端执行力，在短短的一年多时间迅速统一安徽中档白酒市场。另外文王贡、老明光、种子这几个品牌多以安徽省内局部市场做推广，目前正积极向周边市场进军。

安徽白酒的营销手段在行业内一直走在前面，特别是不显山不露水靠做终端做大做强的口子窖更是被许多企业视为样板。在现在的市场上，除了安徽这个安徽白酒的堡垒外，比如说江苏、比如说广东等沿海市场，安徽白酒都有不错的业绩。

2、啤酒

安徽华润啤酒有限公司是安徽省最大啤酒生产厂商，它是由原安徽圣泉、廉泉加盟香港华润啤酒集团组建而成的。自2000年正式成立以来，已投入技改资金近7000万元，并采用国际最新的技术和管理方式，率先引进了啤酒“全程新鲜度管理”，并严格按照ISO9002产品质量体系标准贯彻执行，从而使安徽华润的零点、喜宝、雪花等啤酒保持了更纯、更爽、口味更新鲜的优秀品质，得到了消费者的认可。

随着1999年金种子集团涉入啤酒产业，先后兼并了含山啤酒厂和庐江啤酒厂，成立了安徽金太阳啤酒有限责任公司；同年，青啤集团也入驻安徽，先后兼并了芜湖大江啤酒厂和马鞍山啤酒厂；2000年11月份，安徽两家规模较大的啤酒企业圣泉啤酒有限公司和廉泉啤酒有限责任公司又先后加盟香港华润集团，组建了安徽华润啤酒有限公司。至此，安徽华润啤酒有限公司成为安徽省最大的啤酒企业，与金太阳公司、青啤集团（安徽）公司以及皖啤后起之秀龙津啤酒厂形成四强竞争对垒格局。

3、葡萄酒

当红酒业的新兴力量致力于推动红酒的普及时，安徽省的一些白酒企业，也开始把握这一机遇，积极开辟葡萄酒这一“第二战场”。古井集团已经于1996年7月成立了安徽古井双喜葡萄酒有限责任公司，由此推出“古井”、“双喜”两大名牌系列产品。目前年加工原酒能力在1万吨左右，年生产能力可达2万吨，用于葡萄酒生产的总投资额已经从4亿元人民币追加到了9亿元人民币。

4、黄酒

作为生产黄酒的主要省份之一的安徽，拥有安青草湖酒酒业有限公司、安徽太湖酒厂、古南丰酒业有限公司、马鞍山市绿州酿酒有限公司等黄酒生产企业。

安徽省青草湖酒业有限公司系省直属国有控股公司，是安徽省最大的黄酒生产厂家、省唯一的黄酒出口基地，是一座新型的现代酿酒企业。建成于1981年底，占地60000平方米，拥有资产1350万人民币，职工120人。根据企业的发展规划，目前生产规模为年产黄酒7000吨，在此基础上经过二至三年的发展实现年产黄酒10000吨，产值0.5亿元，上交国家税收400万元，企业盈利400万元的目标。

5、饮料

益益乳业有限公司是安徽省最大的乳品生产加工企业，近几年，该公司积极推行奶牛扩群战略，大力发展家庭奶牛场和个体奶牛户，截至目前，扩群奶牛总数、鲜奶产量分别较扩群前增加1950头和410万公斤，为企业提供了更为充足的奶源。

奶牛扩群是益益乳业发展的重要战略举措之一。该公司首先凭借自身技术和种源优势，联合奶牛匮乏的地市和周边农村兴办家庭奶牛场，发展奶牛业，努力拓展产业化经营之路。其次，制定一系列优惠政策和扶持措施，鼓励和引导职工及周边农村发展奶牛饲养的积极性。为确保家庭奶牛场和个体奶牛户生产的顺利进行，该公司提供产前、产中、产后全方位综合服务，从而切实维护了奶牛饲养户的利益。据悉，2002年，家庭奶牛场年均增收超过2万元，个别养牛大户年收入超过20万元。

目前，益益乳品已经在安徽乳品市场上占据了最大的市场份额。

三、知名企业

【合肥市】

合肥市总面积7266平方公里，其中市区总面积596.01平方公里，城市建成区面积120平方公里。辖3县4区和三个开发区，市有109个乡镇，1997 个行政村， 总人口429.95万人，其中市区人口142.57万人。

知名生产企业

1、安徽合肥威震酒业有限责任公司

2、安徽华润啤酒有限公司合肥分公司

3、合肥廉泉白酒有限责任公司

4、安徽白帝乳业有限公司

【亳州市】

亳州市位于皖西北边陲，黄淮平源南端。其西部、北部与河南省接壤，西南部与阜阳市毗连，东部与淮北市、蚌埠市相倚，东南部与淮南市为邻。辖涡阳、蒙城、利辛三县和谯城区，国土面积8522.58平方公里，人口530.02万。

知名生产企业

1、安徽古井集团有限公司

安徽古井集团有限责任公司（以下简称“古井集团”）座落在曹操与华佗故里、药材之乡的安徽省亳州市。公司的前身为 1959年建厂、享誉国内外的亳县（州）古井酒厂。1992年，为适应新时期多元化发展的需要，古井集团应运组建成立。古井集团成立以来，在以董事长王效金为首的领导班子的带领下，经过十几年的快速发展，已经发展成为拥有员工八千余名、十多家直接投资或控股的子公司，集酒业、酒店业、房地产业、类金融业、制药业、高科技等产业为一体，跨行业、跨地区的国家大型一档企业。截至2005年12月底古井集团总资产已达人民币 384058万元 。其中，白酒业、酒店业、精品零售业在品牌忠诚度、综合竞争力和资产规模等方面已稳坐安徽省内同行第一把交椅，房地产业发展势头强劲，类金融业也呈现出良好的发展态势。

白酒业是目前古井集团的支柱产业，其主体安徽古井贡酒股份有限公司是中国酿酒界的知名企业，全国轻工行业的骨干企业，中国第一家白酒上市企业，自1989年以来该公司各项经营业绩一直稳居白酒界前列，连续多年进入中国企业500强行列，并位列中国白酒工业百强企业前十名和经济效益十佳企业名单。其拳头产品古井贡酒是中国老八大名酒之一，自曹操向汉献帝晋献九酝春酒，已有1800多年的历史，并先后获得中国驰名商标、 中国原产地域产品保护、国家首批“三绿工程”畅销品牌等重大荣誉称号。她以“色清如水晶、香纯如幽兰、入口甘美醇和、回味经久不息”的独特风格，四次蝉联全国白酒评比金奖，荣获轻工部质量大赛金奖和出口产品金奖，是巴黎第十三届国际食品博览会上唯一获金奖的中国名酒，被世人誉为“酒中牡丹”。2005年9月更被中国食品工业协会白酒专业委员会首批授予象征着中国高档白酒的“金字招牌”——“纯粮固态发酵白酒标志证书”。目前古井系列酒形成拥有以两大香型（浓香型、兼香型）为主、四大品牌（古井贡牌、古井牌、野太阳牌、老八大牌）、从 60度到30度不同酒精含量和高、中、低不同价格档次的完整产品体系，其中古井贡牌和古井牌系列产品是公司白酒类主导产品。1999年，经国家工商行政管理局认定，“古井贡”为中国驰名商标。2005年，“古井贡”品牌价值经权威机构认定，品牌价值为54亿元，企业的美誉度和忠诚度得到不断提升。

2、亳州市皖泉酒业有限责任公司

3、安徽魏王白酒集团

4、亳州市金徽酒业有限责任公司

5、亳州市井中企业集团总公司

【宿州市】

安徽的北大门宿州市，位于黄淮平原南端，与苏、鲁、豫3省11县接壤，北邻江苏徐州市和山东菏泽市，西接河南商丘市，东连江苏淮阴市。1999年春，撤地建市，设立省辖宿州市，辖砀山、萧县、灵璧、泗县和埇桥区，110个乡镇和8个街道办事处，2916个行政村，总人口582万人，总面积9787平方公里。

知名生产企业

1、安徽宿州华夏集团酒业有限公司

2、安徽古井双喜葡萄酒有限责任公司

3、安徽省泗州酒厂

4、安徽省岱河酒业有限公司

5、安徽省粮油食品进出口(集团)公司萧县罐头厂

【阜阳市】

阜阳市地处安徽省西北部，总人口900万人，面积9775平方公里，耕地58.5万公顷。辖界首市和太和、临泉、阜南、颍上四县及颍州、颍东、颍泉三区。是安徽省人口最多的城市，农村富余劳动力200多万人，是全国重要的劳务输出基地。

知名生产企业

1、安徽双轮酒业有限公司

2、安徽沙河王酿酒集团

3、安徽金种子集团

4、安徽省文王酒业股份有限公司

5、安徽省太和县酿酒有限公司

6、安徽古井雪地啤酒有限责任公司

【蚌埠市】

蚌埠市是安徽省直辖市。现辖龙子湖区、蚌山区、禹会区、淮上区四区和怀远、固镇、五河三县，总面积5917平方公里，总人口330万人，其中市区面积601.5平方公里，市区人口87.45万人。

知名生产企业

1、安徽皖酒集团

2、圣泉集团圣泉啤酒有限公司

3、安徽乳泉集团公司

4、安徽省蚌埠市和平乳业有限责任公司

5、蚌埠明星果糖有限责任公司

【淮南市】

淮南市位于淮河中游，安徽省中部偏北，全市总面积2121平方公里，其中市区面积1091平方公里，凤台县面积1030平方公里（含毛集），建成区面积78平方公里。市辖5区1县和1个社会发展综合实验区。2002年，全市居民总户数577945户，全市总人口数2101495人。其中市区1408407人，凤台县693088人。

知名生产企业

1、安徽省淮南市凤台县酿酒有限责任公司

2、安徽省国营淮南乳品厂

【滁州市】

滁州位于安徽省东部，地处江淮要冲，滨临长江，距省会合肥120公里，距江苏省会南京市59公里，距上海市300公里。滁州市是省辖市，下辖2区（琅琊区、南谯区）、2市(天长市、明光市)、4县(凤阳县、全椒县、来安县、定远县)，总面积13987平方公里，人口415万。

知名生产企业

1、 安徽省明光酿酒集团(安徽省明光酒厂)

2、安徽天岛啤酒股份有限公司

3、安徽省凤阳酿酒有限责任公司

4、安徽省明光啤酒厂

5、天长市东升饮品有限责任公司

【六安市】

六安距中国安徽省会合肥70公里，是大别山的门户。现辖金安、裕安两个区和霍邱、寿县、金寨、霍山、舒城五个县，设六安经济技术开发区和叶集改革发展实验区。全市面积17976平方公里，人口660万。

知名生产企业

1、安徽迎驾酒业集团

2、安徽龙津啤酒有限责任公司

3、安徽豪顿啤酒有限公司

4、安徽省六安市蜂蜜营养饮料酒厂

【巢湖市】

巢湖市位于安徽省中部，濒临长江，环抱全国五大淡水湖之一的巢湖，边与南京、合肥、安庆、芜湖等市相邻。。现辖庐江、无为、和县、含山四县和居巢区，全市总面积9423平方公里，总人口453万。

知名生产企业

1、金种子集团安徽庐江金太阳啤酒有限公司

2、安徽巢湖酒业有限责任公司

【芜湖市】

芜湖市位于安徽省东南部，地处长江下游南岸，南倚皖南山系，北望江淮平原，浩浩长江自城西南向东北缓缓流过，青弋江自东南向西北，穿城而过，汇入长江。她像一颗璀璨的明珠，镶嵌在皖江与青弋江的交汇口。

知名生产企业

1、青岛啤酒(芜湖)有限公司

2、南京奶业集团芜湖卫岗乳品有限公司

【马鞍山市】

马鞍山市位于长江下游南岸、安徽省东部，东临石臼湖与江苏溧水县和高淳县交界；西濒长江与和县相望；南与芜湖市郊、芜湖县、宣城县接壤。至芜湖市区30公里；北与江苏省南京市江宁区毗连，具有临江近海，紧靠经济发达的长江三角洲的优越地理位置。

全市土地总面积1686平方公里，其中市区301平方公里。境内辖1县3区，2002年年末户籍人口为122.12万人。

知名生产企业

1、马鞍山市太白酒厂

【淮北市】

淮北市地处苏、豫、皖三省之交，辖相山区、杜集区、烈山区和濉溪县。面积2725平方公里，人口180万。

知名生产企业

1、安徽口子酒集团公司

2、安徽省淮北啤酒厂

3、安徽强恒酿酒有限公司

【安庆市】

安庆市位于长江中下游北岸，皖鄂赣三省交界处，东与安徽省池州市、铜陵市隔江相望，南以长江与江西省九江市相连，西界湖北省黄梅、蕲春、英山三县，北接安徽省六安市、巢湖市。现辖一市七县三区，即桐城市，怀宁、枞阳、潜山、太湖、宿松、望江、岳西七个县和迎江、大观、郊区三个区，辖区面积1.54万平方公里，总人口604.3万人。其中市区面积550平方公里，人口58.5万人。

知名生产企业

1、安徽省安庆市天柱啤酒有限公司

【池州市】

池州市位于中国安徽省西南部，北临浩荡长江，南接雄奇黄山，是长江南岸重要的滨江港口城市和省级历史文化名城，也是安徽省“两山一湖”（黄山、九华山、太平湖）旅游区的重要组成部分。现辖贵池区、东至县、石台县、青阳县和九华山风景区，总面积8272平方公里，总人口154万。全市生态环境良好，经济与人口、环境协调发展，是中国第一个国家生态经济示范区。

知名生产企业

1、贵池市杏花村酒业有限公司

2、圣泉集团池州九华山啤酒有限公司

3、安徽省东至县尧香天然饮料厂

【铜陵市】

铜陵市位于安徽省南部、长江下游南岸，东距芜湖市80公里左右，东南与繁昌县接壤，西距安庆市90公里左右，南与青阳县、南陵县交界，西南与池州贵池区毗邻，西北一江之隔是无为县、枞阳县，距省会合肥市120公里，徐(州)黄(山)公路线在铜陵长江大桥过江。面积1113平方公里(其中市区面积227平方公里)。

知名生产企业

1、安徽古铜都啤酒有限公司

【宣城市】

宣城，东邻江浙，西连九华，南倚黄山，北通长江，是安徽的东南门户，辖宣州、郎溪、宁国、绩溪、旌德六县一市。宣州区是宣城市政府驻地，全区面12，340平方公里，人口272万。

知名生产企业

1、安徽省宣城市敬亭山酒业有限责任公司

2、安徽省古泉啤酒有限责任公司

3、安徽省青草湖酒业有限公司

【黄山市】

黄山市位于安徽省最南端，东北与宣城地区的绩溪县、旌德县、泾县相接；西北与池州地区的青阳县、石台县、东至县毗连；西南与江西省的景德镇市、婺源县为邻，东南与浙江省的开化县、淳安县、临安县交界。地处中亚热带北缘、常绿阔叶林、红壤黄壤地带。总面积9807平方公里。

黄山市所辖三区四县是闻名中外的茶叶之乡，近年恢复、开发的新老名茶有30多个品种，其中祁红、屯绿多次荣膺国际金、银奖；黄山毛峰、太平猴魁、顶谷大方均在中国十大极品名茶之列；黄山银钩、祁红功夫茶等四个品种，被选为国家外交名茶。歙县年产茶叶1万多吨，在全国各县名列前茅。

知名生产企业

1、黄山市绿泉酒厂

2、黄山市黄山太平酒业有限公司

四、市场概况

【来自徽酒大本营的观察】

可以说，白酒市场的竞争是一场永无休止的战役。从安徽当年的沙河、焦陂，到今天的高炉家、口子窖、九酝妙品，其省会合肥市场几度易帜，中国酒业的整合已经进入了另一个阶段：徽酒成为了中国白酒的主角之一。继“徽商”、“徽茶”、“徽文化”等词汇之后，“徽酒”随着皖系白酒企业作为一个整体的崛起，叫响了大江南北。

合肥市场是徽酒品牌的大本营。徽酒巨头们在外围征战的同时，无可避免地在这里展开了激烈的市场争夺。因为大本营本身的战略地位，徽酒企业们无所不用其极，殊死捍卫着自己的领地和尊严。激烈的竞争给合肥市场筑起了很高的壁垒，所以，才有了酒界那句俗话“西不入川，东不入皖”。另一方面，合肥市场对徽酒企业来说，关乎企业生命、品牌尊严，所以我们可以说，再没有哪一个市场能如此清晰地显现出徽酒企业的生命线。

近年来，合肥市场几易其主，出局者若干。目前硕果仅存的是徽酒六大骨干企业：古井、口子、高炉、迎驾、文王、皖酒。尽管种子、明光近年也曾风光无限，但声音终究是越来越小了……

务实文王贡稳居30～40元价格带

我们可以将合肥已经形成的白酒主流市场分为三个价格带，这三个价格带几乎囊括了合肥所有的主流白酒。首先是商超终端售价在30～40元，餐饮终端售价在40～50元的白酒。

该价格带上的主流品牌有铁盒正一品级文王贡、老高炉、古井淡雅、高炉窖、老口子、迎驾四星、皖国原酒、皖酒王等。

在这一价位上，正一品文王贡是当之无愧的大哥，老高炉、古井淡雅等品牌虽然占有一定的市场份额，但与文王贡正一品60万箱的年销量相比，终究难以企及。徽酒企业中，鲜有文王贡这样的务实一派。与其他徽酒企业大开大阖、一掷千金的终端操作不同的是，文王贡多年来在市场上精耕细作，用区域分销滚动开发市场。目前，98款铁盒文王贡正一品级已经是合肥市场上该价格带的垄断品牌。文王贡在合肥甚至没有总经销，厂家办事处直接掌控分销商。独立于销售之外的售后服务系统是徽酒营销中的另一创新。

但是，家家有本难念的经，文王贡这样的垄断品牌，面临的尴尬是：1.零售终端由于利润太低，积极性不高。2.假酒困扰。3.分销商窜货……文王贡用产品更新来应对这些困扰，近年来，文王酒厂不断推出新品，调整利润结构，欲取代98款正一品文王贡。然而，98款在合肥已经深入人心，要更新换代，谈何容易？

文王贡面临的苦恼是每一个领先者都会遇到的，但从广东市场衣锦还乡的皖酒王去年下半年卷土重来，文王贡不免要掂量一下自己屁股下这一价格带上的王座。皖酒王几年前在合肥市场上试水未成功，黯然淡出之后，却在徽酒企业们都没看好的广东闯出了一片天空。人常说，富贵不返乡，如衣锦夜行。皖酒王这次回皖，头上顶着广东市场的王冠，自然不是当年的吴下阿蒙了。皖酒王2005年下半年重新登陆合肥市场，商超定价为36.5元，这一价格上指高炉窖，下指文王贡，中指古井淡雅。

高炉去年下半年也推出了这一价位的新品腋呗　延，商超价定在了38元。高炉这几年从两款高炉家酒产品上回收了不少现金，夯实了其资本实力；高炉家的品牌拉力已经深入人心；经销商合肥爱家商贸公司实力雄厚，网络资源丰富。以上三点足以说明，高炉窖完全有实力冲击这一价位上的冠军。

接下来几年内，在这一价位上我们将会看到：文王贡死守阵地之余继续培养新品，这一阵地对文王酒厂来说意味着全部；高炉窖、皖酒王发力猛攻，皖酒在安徽市场上需要建立真正深入人心的品牌，而高炉也需要通过品牌多元化给市场带来新的冲击。这一价格带上的战争将伴随着我们走过2006。

酒店带动商超的价格带（40～60元）

第二个价格带是商超零售终端售价在40～60元，餐饮终端售价在50～70元的白酒。该价格带上的主流品牌有高炉家、口子天圆地方、迎驾2008、迎驾银星、42度百年迎驾、五年陈百年皖酒、老明光1980等。

高炉家独占鳌头，其与消费者沟通深度与餐饮终端的大手笔投入，给后来者设置了较高的门槛。徽酒一线企业们现在都已成骑虎之势，必须时刻保证资金链的牢固。但谁若是抽身而退的话，失去的将是合肥市场的战略位置。徽酒另一巨头种子酒从合肥市场的逐渐淡出，正是鲜活的案例，警示着硕果尚存的巨头们。

高炉家在这一价格带上的地位尤如上一价格带上的文王贡。高炉家的成功，在于其与消费者沟通的深度。现在高炉家无疑是合肥市场上徽酒单品品牌中最为夺目的一个。无论是产品包装设计、广告传播，还是通路运作、促销活动，高炉家都能够做到别具一格，引人注目。善于抢风头似乎是高炉家的一项特长。盘中盘式的终端投入，最先是口子窖在合肥市场应用的，但只是象征性地给点儿进场费，高炉家却将酒店进场费用推动到明码标价程度。美元促销，最先应用的是文王贡，但文王贡没做出影响力，却成就了高炉家。现在大家说到美元促销，首先想起的不是文王贡，而是高炉家。

在这一价格带上，单品销量第一非高炉家莫属。而企业产品整体销量，无疑迎驾最为生猛。迎驾多年来在合肥市场的投入，在近几年收到了巨大的回报。虽然没有口子窖的强劲风头，也没有高炉家那样单品英雄，但迎驾银星、2008、百年迎驾这几个在市场上不甚起眼的品牌放在一起，却拼成了该价格带上最为夺目的光环。笔者以为，迎驾是徽酒企业中产品线最为健康的一家企业，也许是两家代理商之间的良性竞争成就了迎驾的整体销量。

这一价格带上白酒的饮用场所绝大部分都在酒店，所以酒店操作的重要性就显而易见了。自从高炉家将进场费提到明码标价以来，酒店就成了一个穷品牌去不得的地方。酒店吧台上，徽酒中的二线品牌淡出，只剩下了高端的茅五剑和一线的徽酒品牌。伴随着品牌集中的是，各品牌之间的竞争也更为激烈。用酒店终端带动商超零售渠道的销售，是这一价格带产品的主流操作方式。古井贡、口子、迎驾、高炉、皖酒等一线徽酒，在合肥市场纷纷投入B、C类店，为的就是带动商超零售渠道。

徽酒产品线的灵魂（60～90元）

商超零售终端售价在60～90元，餐饮终端售价在80～110元的价格带是徽酒产品线的灵魂。该价格带历来是各白酒厂家必争之地，也是合肥白酒市场上竞争最为激烈的一个价格带。五年口子窖、御尊口子窖、高炉家传世经典、高炉家徽风皖韵、迎驾金星、古井贡九酝妙品、龙韵古井贡、皖酒皖国春秋、百年皖酒十年陈等各大厂家的形象品牌激战于此。

这一价格带上的产品，更多的时候是作为企业产品线的灵魂而存在，是企业的形象。企业对这一价格带的投入是不计成本的，君不见，合肥A、B类酒店的进场费水涨船高？！口子窖当年所谓的盘中盘就在这一价格带上启动，带动了口子窖其他价格带上产品的销售。所以说，AB类店内单品之间竞争的意义，远不止是单品销售上的竞争，更重要的是企业资本实力与魄力的竞争，是企业形象之间的竞争和品牌思想的竞争。

具言之，这是一个竞争较为全面的一个价格带，从品牌传播到促销执行，从资金链保证到成本控制，从进店谈判到零售渠道的拓展……企业的各种素质都对其市场业绩起着决定性作用。这也是竞争最为激烈的一个价格带，这一价格水平上的产品大多为企业的主要利润来源，寸厘的得失都关乎企业战略目标的实现。

目前在市场上表现比较强势的有：高炉家传世经典（俗称红家）、古井贡九韵妙品、五年口子窖、迎驾金星、百年皖酒十年陈等品牌。由于参与企业不计成本的投入，该价格带上呈现出品牌多元的繁荣景象，并未出现绝对优势品牌。而其中高炉家传世经典和五年口子窖略占优势。徽酒的崛起能够成为一个现象，也在于这一价格层次的竞争水平和力度。

徽酒企业们将在合肥市场竞争中形成的操作模式复制到其他市场，才成就了一场轰轰烈烈的徽酒运动。

劫后余生的皖系白酒企业越来越意识到：把握了思想营销，就把握了市场主动。虽然表面上徽酒是一场集体无意识的骚动，但内心里，徽酒营销人都怀着对市场深刻的理解，怀着对思想营销的无比敬畏。我们可以将徽酒军团近年来技巧上的创新连成一条线：迎驾的礼品促销、文王的美元促销、口子窖的买店操作、古井贡的幽香淡雅、高炉家的深度沟通……这个过程中，他们为什么总能走在行业前列？这些技巧营销的背后，酒界徽商们的思想营销正大行其道。

变化是唯一不变的东西，市场格局无时无刻不在变化着。徽酒在合肥市场筑起的壁垒真的就固若金汤吗？酒店费用的不断上涨，徽酒企业们会慷慨依旧吗？零售业态的不断整合，会对合肥白酒市场带来怎样的影响呢？徽酒企业们又会怎样应对呢？

这些问题，徽酒企业们将在下一回合里为我们解答。

【帕累托法则：打造地产白酒关键的20%】

中国的酒厂约3.7万家，品牌数十万个，新老接替，层出不穷。但是，赢利及发展顺畅的却不是个普遍现象，其中，地产白酒发展的困境越来越明显。

以2004年为例，全国白酒百强企业中，20家是全国品牌，13家是区域性品牌，地方品牌67家。而前20家企业所占的市场销售比重以近300亿的销量超过了全国总销售收入的50%。面对强势品牌集中度越来越高的市场压力，其它约3.5万家的地方品牌可谓都是在为生存而奋斗，在地方的泥潭中挣扎。

现代市场中，品牌营销、做品牌等等都几乎是现代企业商家做市场的必用手法，因为，让自己的品牌在消费者心理深藏也是为了让自己的品牌更好的生存、发展。但是，从生存的角度出发，品牌似乎要做的事有很多很多。因为一口吃个胖子成为全国品牌的梦想早已破没，留给这些地产白酒的只能是另辟蹊径、一步一个脚印地行进。

依据经济学的帕累托法则，即20/80法则——关键的少数决定普遍的多数。对于一个品牌来说，决定它生存与否的关键则是品牌背后所拥有的独特资源，而这个资源的概念则是多方面的，可以说是涵盖了整个营销价值链。一个企业或一个品牌的成功虽然说是系统营销工程的成功，但是，其中必有至少一个环节是驱动整个营销系统中的闪光点，是推动整个系统优化的催化剂。

企业涵盖在营销价值链中的独特资源优势有效地加以利用就有可能就成为企业成功树立品牌的根据地。所以，企业要去创造、发现、综合利用为自己的带来80%利润的20%品牌根据地——利润的源泉。

根据地之一：品牌定位要占位

先为自己制作一个自我保护的概念屏障。

定位的本质是找到一个可以立足的进入市场的切入点。品牌本身是个概念性的组合体，它的定位则是明确了它的目标。明确目标的本质即是通过何种概念性的传递从而进入目标消费者的大脑深处，影响消费决策。

有一个现象就是：但凡发展的好的地产酒，基本上都是定位鲜明；虽然说有个好的定位不一定能够有好的市场，但是，如果没有好的定位或定位模糊概泛却是很难有好的市场前景的。因为定位直接影响了品牌的传播推广的主题和方向。

所以，在现在这个物产丰富、同类产品形象概念包装等同质化严重的市场环境中要想快速吸引并进入消费者的大脑，就要让这个品牌定位的概念在同类产品中与众不同，创造差异化，成为同行中的稀有者，达到另辟蹊径进入消费者的大脑。

所以，我们说定位也可以说是占位，形成市场中的在位优势，成为同类产品概念中的“第一”。我们看到的依旧是普遍存在的是地产酒的“XX大曲、佳酿、陈酿、特曲”等大一统的、难以树立品牌个性化的品牌规划。还不如东北小烧、北京二锅头等更易于制造口碑传播。

当中国的白酒刚进入高端浪潮时，2003年白酒大王五粮液就意识到商务用酒的潜力空间，当其它的白酒还在悠抱琵琶半遮面打商务用酒的擦边球时，五粮液的第一款名为金叶神的商务礼宾酒，不仅仅是最先定位商务用酒，品名就叫金叶神商务礼宾酒，可谓是一步到位。

而现在依然很多的地产白酒受观念的局限，定位观念很弱，把市场目标集中在本地区的一亩三分地市场，最终导致的是市场越来越“集中”——越来越小。

品牌定位，一方面也是品牌信心的体现。

根据地之二：品牌规划的主力产品线

地产白酒（对于现在的市场环境）的一个致命弱点就是产品线的规划大而全，因为受到地区的消费水平影响而往往是一个牌子涵盖了所有的消费层次，严重影响了品牌的区域性扩张。

可以说没有一个酒企推出的酒品是一个单一的品种，有从香型上分出产品线，有从度数上，有从包装上，有从子副品牌的延伸上等等；但是，不管如何延伸产品线，对于一个酒企或是一个品牌来说，依然是遵行有趣的帕累托法则，即其大部分（80%）的利润来源于其中的一小部分（20%）的产品。

而对于一个品牌的主打产品而言，同样也是同类其它品牌攻击的主要目标，因此，必须有效地维护主力产品的市场地位。

以安徽的双轮酿酒集团来说，其近五年中每年的利润的80%以上来源于高炉家一个子品牌，而就高炉家这个品牌而言呢，它的主赢利点则在于其中的一款主打产品——43度高炉家，而其它的几款如高炉家传世经典系列、高炉家1988系列、高炉家徽酒王系列等等则从价格定位、市场定位上成为了维护高炉家进行市场打拼的助手；而高炉家则因此得以连续四年冠居安徽白酒销量之首。

根据地之三：中心渠道链

渠道，可以说是产品走上市场的必经之路。然而更多的人却容易受到传统的地区总经销商、分销商、批发、消费终端等渠道模式思维的影响，总以为传统的商超就是自己必走的渠道。其实是没有真正理解营销渠道的“渠道无形”的本质。

一个品牌进入市场的渠道可以有很多种，传统渠道只不过是其中的一种而已，此外，对于酒类产品而言还要看产品的定位，是超高端，高端，中高端，还是低端等等；还是礼盒装、单支装等等。假如你的产品是中高端以上的产品，那么你的销售范围就不要把小酒店、小超市、小卖部等低端零售点包括进去。

因此，一个品牌进入市场先用何种渠道要由企业的资源和品牌定位二方面综合考虑决定。可是，现实则是，众多的企业为了最大化的占据市场，提高销量，往往是多管其下，不管是什么渠道都上。当然了，如果企业有雄厚的资金和人才储备也是可以的，可惜满足这样条件的企业却是少之又少。

而往往即使是企业是多种渠道齐头并进，但是，企业依旧是摆脱不了经济学帕累托法则的圈圈——品牌的主要销售来源只有其中的一二个主渠道。

如五粮液的金叶神所依托的烟草渠道；五粮液国壮酒所依托的军队系统；西凤尊酒、宝丰酒、赊店老酒、张弓酒等依托的地方邮政渠道等特通渠道，虽然传统渠道上也有销售，但这些非传统的特通渠道对于品牌的生存发展可谓是功不可没。尽管我们都知道市场的发展都将是走上大流通化，但是，对于很多的品牌来说，眼前的生存是不可能依托大流通市场的漫长利润等待。

根据地之四：主传播推广路线

很多品牌对于传播的最基本理解就是多做广告宣传。不错，品牌的传播是需要广告，广告也是传播过程中的一个重要组成部分。但是，基于一个品牌的定位以及它的资源特性等因素，适合于一个品牌的传播策略总是有所差异。

一个品牌的传播策略的制定要考虑到以下几个因素：产品的市场周期、目标市场，直接影响目标市场的媒介而非传统的大众媒介，产品的定位等等，把握住“影响谁、给谁看”；因为直接最有效地影响目标群体的媒体及传播方式最多不过一二种；否则，大而全的投放策略就只能用“烧钱”来解释。

如对于上述的主要走邮政渠道的品牌，它需要影响的就是邮政系统内的各级员工，那么它首要的就是要在邮政系统内的媒介作为主投放，其它一些区域性的地方媒体则是辅助性的；而若是对于大众的市场进行区域性的招商，那么酒类行业内的杂志如《新食品》、《糖烟酒周刊》、《中国酒》以及一些财经类媒体如《中国经营报》、《销售与市场》等等就大有裨益。面而若是在某个区域市场铺货率达到一定量时，则可以通过本地的大众媒体如地方电视台、地方报纸、户外广告等。

根据地之五：发现利润区域

对于一个品牌来说，必有其最易生存发展的地方。没有任何一个全国品牌在全国的任何一个地方的销量都是第一。

这与品牌的内涵、个性、品质、品类（浓、酱、清等香型）、营销手法、地区消费水平及消费习惯等等综合因素密切联系，也即对于一个全国品牌来说也不是所有的地区都是其主赢利区域，必有强与弱之分。所以，对于一个急于走出去发展扩大的地产白酒来说，首先要先好一个落角点。

当然了，这个生存区域并非全是一个地理概念，也可能是一个行业或某类消费场所等等。

以安徽的皖酒王为例，其最重要的市场利润来源不是在家乡本地，而是在远隔千里之外的广东市场却可以每年带给它近4个亿的销售收入；同样安徽最大的全国性名酒古井贡的主赢利区也不在安徽，包括正在成长的口子窖等等。

而安徽销量最大的高炉家酒，虽然已相继不断地进入到其它几个市场，但是没有一个市场能够超越在安徽的市场销量。再比如重庆的诗仙太白酒，则以政府用酒为其开拓了巨大的市场空间。

等等。通过它们，我们发现，并非是所有的区域都是适合一个品牌成长的，尽管白酒文化已渗透到我们的骨子里。企业要因自身资源及优势利于生存发展的市场利润区。

同样，即使是白酒大王五粮液也不是一统天下，比如在云、贵地区，就是国酒茅台的重点市场。

综上所述，发现自身的根据地，才能更好地开展、规划营销推广的市场活动。如果一个品牌能够明确其生存的重要因素所在，通过发现并创造自身发展的根据地，并把它们有机地联系起来，其实就是把握了决定品牌生存的20%的核心竞争力，才能够创造更大的区域品牌，品牌的生命线才将会另有一番生机。

【终端背后的白酒徽商】

在业内，徽酒总是被认为终端做得不错，而徽酒在重视终端、拼杀终端的背后，系列的求索创新之路却鲜为人知。我们认为，应该让业内知道的是：徽酒在白酒营销方面，无论是品牌、渠道及终端、消费者都有一套值得行业探讨的营销模式。

从资源型、依附型到现在的自主创新型发展，中国企业的发展从总体上看是经历了这三个阶段，川酒就是在前两个阶段得到了最快速的发展，因为它们具有先天的资源优势。而徽酒只是在计划经济时代靠政府的支持得到一定的发展，随着计划经济的结束，徽酒面临的是既无资源优势，又无“大树”可依附的环境，模式上的自主创新是徽酒得以生存并向前再进一步的不二法门。

本刊记者长期关注徽酒，于2005年10月份采写的《徽酒底牌》也曾引起较大反响。现在回过头看，徽酒在白酒行业内的影响就像在漫长历史中存在了400多年的徽商一样，起着非常重要的推进作用。随着国家政策引导“中部崛起”，关于徽商的研究和发掘也越来越热，有知名学者已总结出了徽商的成功经验包括采取灵活的资本运作方式、善于开拓市场等诸多方面。放在白酒市场上，用这些内容来描述现在的徽酒也不为过。

在调研徽酒的过程中，记者有幸结识了安徽同乡侯林辉先生，他在高炉家一线市场工作多年，2004年3月份调到南京市场任高炉家营销总监，2006年3月份离开高炉家公司开始了新的征程。他告诉记者，现在跳出了徽酒这个圈子，猛然感觉到徽酒在白酒，甚至酒类营销当中仍然是其他阵营不可超越的。也许曾经鼎盛二百多年的徽商早已成为历史，但徽商流传至今的精神始终在安徽白酒营销人脑中。为了更好地研读“白酒徽商”，作为徽酒营销行家里手的侯林辉先生（下文以“笔者”代称）真诚配合本刊记者，“和盘托出”了从事徽酒营销工作两年来的实战手法与体会。限于篇幅，本文主要从高炉家酒的营销实战出发（因为高炉家在这几年堪称是徽酒营销的典型代表），期望与业内共同探讨“白酒徽商”求新求异的营销法门。

【上篇 “战略型”的价格定位博弈】

白酒价格定位的发展在中国要历经三个阶段。最早的是计划经济时期的“成本型”价格定位；第二阶段是上世纪90年代之后的“市场型”价格定位，这种价格定位策略分两种情况：一是企业随品牌发展，开发系列产品而制定的“自主型”市场价格定位；另一种是随着区域市场主导产品而定的“效仿型”市场价格定位。第二阶段的价格定位模式至今仍然被众多的白酒企业所采用。从目前看来，“战略型”的价格定位应是白酒企业发展到第三个阶段的主要特征，而徽酒营销在这一点上差不多是走在了市场的前列，当然其中也有成败得失。

我们知道，高炉家酒自2000年开始畅销安徽市场以来，已经连续多年位居安徽中档白酒销量龙头位置，这其中价格定位的战略性起到了至关重要的作用。2000年以前，安徽中高档白酒终端主导价位是88元／瓶，分别是口子窖、百年皖酒、百年迎驾三个品牌瓜分市场，他们的酒店供应价基本都是在68元／瓶左右。中低档白酒价位是在38元／瓶左右的迎驾贡酒和文王贡酒所主导。在如此的市场竞争格局下，高炉家酒本着要做就做安徽第一品牌的远景制定了高炉家酒的价格策略：两年内占领中高档消费群，三年内占领中档所有消费群；产品的终端价定位68～78元／瓶。

一次价格定位的反复

2003年高炉家酒挺进南京，高炉家酒在进入南京之前没有进行周密的市场调研，企业只是认为安徽的成功足以影响周边的南京市场。所以高炉家酒在南京市场仍然延续安徽省的价格策略，结果南京市场残酷的终端竞争使企业如梦初醒，2004年年初迅速将产品调价，主攻终端销售价为108元／瓶的市场。

针对这项决策，笔者对南京市场价格竞争格局做了如下的分析：(1) 108元／瓶的南京市场主导产品是口子窖、百年皖酒，其渠道和终端优势十分明显，消费群较为稳定；(2) 高炉家酒调整为108元／瓶主攻此主导消费群，虽然终端投入优势俱备，但安徽与南京的价格差太大，容易引起消费者反感；(3) 高炉家酒如此的价位调整并非“战略型”的，目标不明确，只是为了竞争而采取的一种价格调整，为了竞争而竞争的一种战术性打法；(4) 安徽市场成功经验没有吸取，有效的价格策略没有得到更好的利用。于是，笔者就产品结构及价格提出建议：(1) 高炉家酒保持原有价格体系，做长久的战略性产品预备，其目标消费群仍然如同安徽市场：两年之内占领向上的口子窖、向下的三星迎驾部分消费群。适时随市场发展来确定重点主攻向上或向下的消费群。(2) 为了保证高炉家酒在南京市场的终端竞争优势，在口子窖等108元／瓶的消费群中树立一定的形象；引进公司尚未畅销的新产品传世经典高炉家酒，将其价格定位在与口子窖、百年皖酒相同，与其竞争。

遗憾的是，集团领导一直相信高炉家酒省内影响省外的策略，未调整主攻产品。在此期间，时任高炉家南京销售公司总经理的徐南飞，为了考虑高炉家酒与安徽省内价格落差，同时兼顾集团领导的决定意见，重新开发了高炉家酒1988新产品，并且安徽省内主导销售的高炉家酒不在南京市场销售。可是高炉家酒1988的包装又不能完全更换包装色调，还是让消费者区别不开，结果在市场推广当中出现了困扰。当高炉家酒1988推广遇到一定的阻力时，南京销售公司于2005年6月份又引进原高炉家酒，再次将其价格回落到安徽省内的同等价位，而高炉家酒1988不再销售。

在南京市场，高炉家酒历经变迁，最后坚持继续走安徽市场的价格策略，是徽酒价格定位博弈的一个生动剪影。不过，两年已经过去，高炉家酒在南京市场历经了两次调价，最终回落安徽省内同样的价格，令人慨叹大好时机已经错过！而这也让我们看到了“战略型”价格定位，在不同市场上需要针对竞争对手因地制宜，灵活运用。但这种价格定位策略的可行性，为后来崛起的洋河蓝色经典所印证。洋河蓝色经典在江苏市场的成功，其价格定位同样起到了重要作用。蓝色经典中成功的产品是海之蓝，海之蓝的价格定位策略有着很重的徽酒营销痕迹，与高炉家酒在安徽市场上“战略型”的价格定位如出一辙。当时江苏市场有两个价位具有广大的消费群，一款是108元／瓶的口子窖，一款是158元／瓶的五粮春。海之蓝采取的是“取中间”价格定位，将其价格定位138元／瓶。向上既能争取五粮春消费群，向下也能获得口子窖消费群。同时企业将这款海之蓝定位为主导产品，在前期一年多时间进行品牌宣传积累，后一年内迅速地抢占市场。如今，海之蓝在南京可谓“喜笑颜开”了。

发挥渠道力量的“底价”策略

而在同一个市场上，百年皖酒发挥渠道力量的“底价”策略，则从另一个角度反映了徽酒对价格魔棒的理解和善用。2005年百年皖酒在南京市场整体出现了下滑，由于百年皖酒在南京市场属于专卖产品，其他市场没有这一款产品，这样百年皖酒调整价格策略就无需考虑市场窜货的隐患。当百年皖酒看到徽酒的厂家都在力拼终端进场费时，他们认为厂家做终端不如要商家做终端，反正网络最终应该属于渠道经销商。按照这种思路，百年皖酒在南京市场组建了代理商联盟，打破原来独家代理、独家投入的渠道运作模式；代理商联盟的组成基本是以前百年皖酒总代理的二级代理商，调整后每家二级代理商都享受厂家的“底价”政策，厂家只做少量投入。笔者认为，百年皖酒这种“底价”策略有以下几点好处：(1) 产品已经处于一定的畅销状态，突然提高渠道代理商利润，充分调动了终端网络强势的渠道商加盟积极性；(2) 面对竞品都将投入倾注在终端时，将投入转化到渠道，是一种很好的市场营销策略；(3) 这种底价策略的成功前提条件有两点：第一是产品在市场已形成一定的销量基础；第二是经销商相互价格管理、窜货管理要十分强硬，同时与厂家的其他区域市场不能冲突。

【中篇 竞争战术中营销“长处”】

2005年播放的电视连续剧《亮剑》，为很多人所关注。李云龙的独立团，没有武器的长处，没有优秀的战略战术安排，但他有一股其他部队不具备的“亮剑”精神即敢拼敢打，灵活应战，这就是他打胜仗的法宝。充分利用自己的长处与对手作战，其实我们做市场营销也是一样。徽酒企业给市场一线提供了良好的灵活策略，使市场一线能采取机动有效的方法参与市场竞争，这一点估计是众多白酒企业难以做到的。

而这也让徽酒在营销实战中具有长处，具备了适时“亮剑”的根基。

巧用经销商的长处

比如说，寻找渠道经销商的长处所在，并发挥到极致。笔者任南京市场营销总监时，高炉家对各区的负责人在寻找经销商和市场开发阶段有一个很明显的要求：并不要求每个区域的经销商是当地最强势的，但一定要求他们最少有一个长处。没有长处的经销商绝对不是合格的经销商，挖掘不出或利用不了经销商长处的业务经理绝对不是合格的营销人员。

A市场的区域经理向公司汇报，说A市场终端投入并不高，但终端酒店老板普遍不守信用，专场买断难以执行，他们私下经常以消费者需要为由售卖其他品牌；许多酒店不给进场费就不让进，给了进场费又不能帮着卖酒。面对这样的市场，酒店终端的投入产出很显然难以产生效果。区域经理还说，该地经销商老板很少去和酒店老板打交道，其他酒业公司和终端关系比我们好得多，说准备要调换经销商。

在对A市场的经销商有一定了解之后，笔者发现他最大的长处就是政府资源较好，原来他就属于“弃政从商”。对于这一点，笔者觉得这就是这位经销商最大的长处，充分发挥这个长处一定能在该区域市场取得胜利。于是笔者果断地采取了如下策略：第一，该经销商绝对不能换。因为他的政府资源较好，有相当部分属于领导型消费群，换后不仅市场遗留工作难解决，而且对高炉家在A市场后期推广十分不利。第二，A市场终端投入模式暂停；只做两到三家信誉较好、档次较高的酒店进场销售工作。第三，充分发挥经销商的长处，将终端投入的费用转化为经销商的公关拉动工作。签合同，将销售量与公关活动投入按比例定期支付给经销商。此策略执行后，市场效果相当明显，解决了经销商公关宴请的后顾之忧，充分地利用他的关系到各酒店去消费，利用政府各部门关系，在不花任何进场费的前提下完成了终端进场工作。年底A区最早完成既定的销售任务目标。

B市场的区域经理反映说：“我这个经销商真的什么长处也没有，要钱没钱，要人没人，要关系也没关系。如果非要我给他找个长处的话，那就是人好。”当笔者去B市场调研后，发现果真如此！看来真的要换经销商了，可是当地的强势经销商却是做竞品的，根本不可能做我们产品。换不了经销商，工作又要开展，看来还是要从长处下手呀！在交谈中发现该经销商对利润看得较淡，因为大家都属于创业阶段，针对这个“长处”，笔者对B市场执行了如下策略：(1) 发展多家代理，以补充该区资源不足；(2) B区总代理只留微薄的运输费用，其他全部让给合作商；(3) 迅速在B区建一户外广告牌，吸引渠道商注意；(4) 制定多家代理的合同，相互遵守市场规定制度。结果是，在B区高炉家酒有了4个经销商（其实B区只不过是个县级市场），到后来形成了三家做酒店终端和传统零售，一家专做部分商超和跑团购。

找准长处攻彼短处

在市场竞争中，找到竞争产品的弱处，针对性制定营销策略，也是徽酒营销中的一个强项。比如在终端及渠道营销策略上，徽酒的灵活策略体现了营销上的长处。仍以高炉家为例，C市场是高炉家的一个重点市场，经济十分发达，该区内有二十多个经济发达的乡镇，高炉家价位的白酒在该区域有年近3000万的消费额。该市场当时是这样的状况：(1) 市区中高档酒楼几乎被竞争对手口子窖或百年皖酒等全部独家买断，同时特别禁止高炉家酒进场销售；(2) 消费者比较倾向口子窖，该产品在当地是绝对的龙头老大；(3) 乡镇市场口子窖属于自然销售状态，但销量不错，每年两届的定货会是分销商拿货的高峰期；(4) 口子窖的渠道利润较为透明，特别是乡镇分销基本靠厂家促销才会吃货。

经过这种分析，我们可以看到，市区的强势进攻肯定很能奏效，但终端进场费的拼杀只能是双方都亏（刚进入市场时，高炉家酒才买断一家酒店，口子窖一口气买了5家）。综合这些因素，对手的短处是渠道利润不够，乡镇市场做得不细。于是笔者决定采取以下市场策略：(1) 在市区保持品牌的宣传声音，建立一户外广告牌，同时做一到两家大型酒店，重点放在对乡镇市场的开发上；(2) 调整终端投入方向，将乡镇的重点酒店做形象，其他的以进货量配比终端支持费，提高分销商产品利润率；(3) 安排人员细致化运作乡镇市场，市区造势，乡镇使劲。年底统计时，乡镇市场的销量达到全区销量的60%还多，而且还节省了大量的开瓶费和进场费。

在上面，我们提到了徽酒之间的较量，主要也是因为在那个时期徽酒在南京市场确实处于强势地位。其实，每个徽酒品牌在竞争中都在追求发挥自己的长处，比如说口子窖在终端营销上。曾有一段时间，行业内都在探讨口子窖的终端运作策略，并且总结出一套所谓的终端运作模式，其实简而言之，就是口子窖一直全力重视餐饮终端，并且将区域市场的成功全部压宝在终端上面。对终端的投入，口子窖完全就是“亮剑”精神：“无论对手多么强大，无论我们的市场处于什么状况，在目标消费者重点的消费酒店就一定要拼”；说白了就是比拼谁有胆识和魄力出更多的钱买终端。往往许多企业没有认识到这一点，而且没找准自己的“长处”在哪，所以不敢与别人拼或者瞎拼！这当中有两点值得注意：(1) 这种运作是经过长年的实践和训练中培养出来的一种行为。(2) 市场战术运用的模仿，并不是真正“亮剑”精神的所在，应该是运用在企业战略规划上的。

在探讨徽酒营销的模式时，我们还有必要看看现在洋河蓝色经典的营销模式，洋河在营销“长处”这一块儿也做得相当不错。洋河针对南京市场徽酒畅销的局面，在江苏政府大力宣传“振兴苏酒”的背景下，首先利用自己是江苏酒的身份，不断在区域市场扮演政府倡导喝江苏酒的角色。同时，洋河还利用区域优势，赢得了一些关注度较高的政治活动和社会活动招待会用酒，然后在市场大肆宣传，十分有效地启动了市场消费。

【下篇 践行“品牌价值创新”】

个人认为，当市场的基础营销体系完成，终端或渠道有一套强有力的战术系统进行启动，市场发展和成熟之后，徽酒必须要有一套品牌打造系统才能让品牌持续畅销，不断巩固原有消费者及让新消费者加入。

在徽酒中高炉家酒这个价位的品牌较多，主要有口子窖、皖国春秋、迎驾之星等。口子窖在品牌传播中虽然有不断的品牌要素提出，比如“成功自有道、真藏实窖”，但表现给消费者的可传达的元素却很单调，好几年只是使用同一个画面，不敢跳出品牌原有的要素，这难免会使品牌在消费者心目中形成“老化”的认识。而皖酒厂的皖国春秋和迎驾酒厂的迎驾贡，他们在品牌价值更新上却只是通过产品的更新来实现，这显然是最单调最无奈的一种品牌价值创新办法，所以说他们总是面临着一两年喝倒一个产品、如何推新品的困惑。而这种状况，也使得徽酒这个阵营一度背上了无品牌的骂名。

从市场上看，在高炉家之前，没有哪一种品牌的白酒在安徽市场持续畅销达6年之久，而且这种持续畅销是一种大众化产品，是一种不断面临新品牌进入的品类市场，只有高炉家做到了。可以说，这其中最主要的是品牌价值的更新起到了重大的作用，高炉家酒通过早期的“产品文化——徽派文化”到现在的“品牌文化——家文化”自然地过渡与发展，使得高炉家酒在市场上虽然产品老了，但品牌在消费者心目中却是积极的、流行的和时尚的。如在南京市场，高炉家酒当时的品牌打造动作是相当大的，仅仅平面媒体投入，在当地的党报“南京日报”一次性就签下了两年的合作协议，笔者也有幸肩负起高炉家酒在南京品牌打造总策划师的重任。

品牌打造之“南京样板”

当时的徽酒在南京市场无论是渠道还是消费者都有良好的口碑，相比来看，虽然高炉家酒在安徽已经形成畅销局面，但当时南京市场却是口子窖和百年皖酒的天下，它们不仅占领了大部分终端网络，而且在南京市场有着庞大的分销系统。高炉家酒对于南京消费者来说还是很陌生的，如果走高炉家酒当初在安徽开拓市场的徽文化路线，对于南京这种有深厚文化底蕴的城市，品牌接受周期必然很长，如果直接进入家文化主题，显然跨度太大，没有发挥产品方面具有的优势。在这种情况下，徐南飞总经理与我们共同商议，提出了“高炉家酒　真正的徽酒”这个口号。在“真正的徽酒”口号打造上，高炉家本着四个支撑点去宣传：一是安徽真正最大的酿酒生产基地，这一点突出产品质量和企业规模。二是真正的一斤酒，这一点主要瞄准其他徽酒不到一斤的容量，尊重消费者的一种企业责任感。三是真正感受经典徽派文化精神的白酒，宣传产品基础文化——徽文化。四是真正享受和谐温馨家文化的白酒，为下一步品牌打造家文化：“高炉家酒　感觉真好”做基础。

在平面广告传播方面，由于时间跨度较大，高炉家采用了“先破后立，核心不变”的视觉表现：前期通过各种不同的画面，完全打破原有白酒宣传统一格调，单一画面的短期宣传方式，每一个支撑点使用多种不同的画面，以吸引受众注意。半年之后，终端和渠道及领导型消费群基本成功建立时，再使用同一种画面，同一种格调，用四个支撑点强化宣传“真正的徽酒”。

在这个过程中，适时的品牌价值创新是必不可少的，相信这也是每个企业所求索的。比如2004年下半年主要以“真正的徽酒”宣传为主，到2005年春节之前，高炉家利用了“春节团圆喝家酒”的品牌口号，在南京日报大量宣传，同时配合地面促销活动，基本完成了为2005年重点推广家文化的过渡工作。高炉家酒在家文化宣传方面主要立足于亲情和友情两大块，为了使这种感情文化让消费者与产品之间形成直接的联系，在2005年中秋节来临之前，自6月份开始，高炉家酒与南京日报联合举办了“岁月流转　真情永恒”高炉家酒杯有奖真情故事及图片征文。为期三个多月的真情故事不断地在南京日报刊登，为高炉家酒打出情感文化这张牌提供了良好的品牌氛围。

一般来讲，中国传统节日应该说是品牌价值创新的最佳切入点，像国际性品牌可口可乐、肯德基等，他们大多数都会针对中国传统节日有的放矢地进行节日营销。A市场是笔者分管的一个重点市场，洋河蓝色经典在此市场的崛起对高炉家酒打击非常大，当时进入A市场主要干道两侧灯杆道旗，一侧是洋河蓝色经典，另一侧就是高炉家酒。在春节来临之前，为了做好节日营销，我们首先改变了高炉家酒在A市场原有的宣传画面，向公司申请了春节宣传时间，将安徽市场宣传的“最浓的亲情总在家里”的画面全部更换到A市场。一时间与洋河蓝色经典形成鲜明的对比，洋河仍然持续原有的宣传元素，而高炉家酒在一夜之间全部换上了春节色彩，有力地提升了高炉家酒在A市场的品牌形象。还有在中秋节时间的“合家团圆　高炉家酒”的推广，都使品牌价值得以创新和提升。

品牌推广“道具”需要创新

在这里笔者想提醒的是，目前酒业的品牌价值创新应该需要去寻找一种好的推广载体，它不仅能改变市场竞争环境，而且能让消费者得到一种新的价值体验。营销实战告诉我们，市场在发展，社会在进步，影响消费者的消费“道具”在改变。10年前，某品牌如果大力度地做电视广告，这个品牌一定会被消费者接受。可现在呢？电视这个“道具”已经影响不了消费者。不仅仅是电视，原来经常被品牌使用的常规性媒体，为品牌推广起到的作用也已经大打折扣了。最近有一篇文章说，美国许多企业营销的宣传投入，电视与报纸等常规媒体投入只占公关活动投入产出的一半以下。由此看来，压宝常规媒体用于品牌价值的打造并非上策。除了媒体之外，许多品牌强力争夺终端也是一种得不偿失的策略，因为消费者已经对终端里许多营销手段感到厌恶，“酒店”这种影响消费者的“道具”已经受到消费者质疑。笔者在离开高炉家酒之前，曾经做了2006年整体不以常规媒体投放为主的品牌价值创新方案。方案主要以消费者为主开展系列公关活动为路线，活动内容仍然以“家”的亲情为品牌核心；以深度影响消费者，以口碑传播点点扩散。让消费者从常规媒体被动接受转化为主动消化接受，从而达到品牌价值的传播。在其后的一段时间，高炉家在安徽、江苏两地局部市场将其付诸实践。应该说，这只是“品牌价值创新”落地的一个细节，但它在理念上代表着一种创新方向。

如果要完整地反映徽酒的营销实战，俨然如制作美国战争大片一样，不是那么轻松的。现在任职于深圳策动力营销顾问机构的侯林辉也坦言，我们在这里描述的内容在徽酒营销实战中如冰山一角，不过恰是白酒徽商进行市场博弈的精华所在。记者从业内了解到，现在从徽酒企业中走出来的营销人受到了不少外地企业的追捧，他们看重的或许就是白酒徽商身上那种特有的气质：在市场操作上的果敢、灵活和细致的手法。也许，这足以表明白酒徽商这个群体已经赢得了市场的肯定。本文以此为结尾吧，但对徽酒在营销上能否给白酒市场带来更多的冲击我们将继续关注。（侯林辉　黄佑成）

江西省糖酒市场

一、省情简介

江西省，简称赣。唐代称江南西道，故而得名。赣江由南向北流贯全省。全省总面积16.69万平方公里。江西省位于长江中下游南岸，东邻福建，浙江，南连广东，西接湖南，北毗湖北、安徽，北控长江，上接武汉三镇，下通南京、上海、南倚梅关、俯瞰岭南，沟通广州，是粤闽沪浙等沿海经济发达区的前沿腹地。

江西省设南昌、景德镇、萍乡、九江、新余、鹰潭、赣州、吉安、宜春、抚州、上饶11个设市区，共辖70县、10市、19区，789个村、719个别乡（其中7个民族乡）。省会南昌市。

二、市场格局

1、白酒

据了解，目前江西省已取得生产许可证的白酒企业有近百家，纳入统计规模以上的企业有30家，而销售收入在500万以上的有17家。仅四特集团、赣州酒业、临川酒业这三家骨干企业销售收入就在5000万以上。其中，江西樟树四特酒厂、赣南果业股份有限公司赣州酒业分公司已进入2004年度中国白酒工业百强企业。

2、啤酒

到2004年江西省有近30家啤酒生产企业，平均产量只有1万吨，不到全国平均产量的1/3。而江西最大的啤酒企业南昌亚洲啤酒有限公司2002年实际产销量只有11.5万吨，销售收入不到2亿元，分散在各地的10多家小啤酒厂年总产量只有5~6万吨。

三、知名企业

【南昌市】

南昌市是江西省的省会及政治、经济、科技和文化中心。市境总面积7402平方公里，辖四县（南昌、新建、进贤、安义）、五区（效区、湾里、东湖、西湖、青云谱），总人口388.77万。

南昌是一座历史文化古城，又是一座富有活力、正在发展的希望之城。如今，南昌市委、市政府正按照中央和省委、省政府的要求，决心进一步加大改革力度，加快开放步伐，尽快把南昌建设成为开放型、多功能、强辐射的现代化省会城市。

南昌工业门类齐全，是全省综合性工业生产基地，已经形成了包括机械、电子、冶金、航空、化工、纺织等30多个行业，150多个门类的工业体系。

南昌江河纵横，土地肥沃、田湖相依，素有“鱼米之乡”的美誉。1994年市委、市政府加大农村经济结构调整步伐，大力发展“三高”农业和乡镇企业，农村经济全面发展。棉花、蔬菜、油料、肉类、水产、禽蛋总产量较快增长。农业社会总产值211.63亿元，其中农村工业、建筑业、运输业、商业、饮食业产值占农村社会总产值的比重达76.7%。

知名生产企业

1、亚洲啤酒有限公司

2、江西阳光乳业有限公司

3、江西乳品厂

4、江西丰润(润田)食品饮料有限公司

5、江西绿叶集团

6、江西金牛企业集团公司

【九江市】

九江市地处江西省北部，赣、鄂、湘、皖四省交界处。北濒长江，南倚庐山，东含鄱阳湖，西接慕阜山，“途通五岭，势拒三江”，是长江黄金水道十大港口之一，江西唯一的沿江对外开放和外贸港口城市。全市总面积1.88万平方公里。

九江已建立起以石化、纺织、建材为主体、机械、冶金、电力、造船、电子、食品等为骨干，门类齐全的工业体系。一大批重点骨干企业已成为九江工业支柱。九江自古就是长江中下游的重要商埠，又是闻名全国的“四大米市”、“三大茶市”之一。

九江是江西粮食和经济作物的重要产地。水产资源十分丰富，鱼类有109种，名贵的有长江鲥鱼，中华鲟鱼，鄱阳湖银鱼，庐山石鱼等。中华绒鳌蟹更是九江一大特产，年出口近百吨，世界粮食计划署援建的2799工程，是国内最大的集中连片精养基地。茶叶是九江的传统经济作物，现有5大类116个品种，庐山“云雾茶”，修水“宁红茶”均获全国产品博览会金奖。

知名生产企业

1、江西美庐乳业有限公司

2、江西九江啤酒有限责任公司

【上饶市】

上饶市辖上饶、广丰、玉山、婺源、弋阳、横峰、波阳、余干、万年等10县和信州区，代管德兴市，面积22791平方公里，人口660万。上饶市位于江西省东北部。东邻浙江，西接安徽，南连福建，地理位置十分重要；素有“八省通衢”、“豫章第一门户”的称谓。浙赣铁路穿境而过，皖赣铁路，横南铁路纵横交错；320、206国道和311高速公路贯穿东西南北，百十里内有四个机场。交通通讯极其便利。

上饶凭借独特的区位优势，牵江浙、出沪宁、携八闽、达粤桂；货畅其流，人行其便，铸就了发展大商贸大流通的黄金宝地。

知名生产企业

1、江西省全良液集团

【抚州市】

抚州市地处江西省东部，东邻福建、靠近闽南“金三角”经济区，南邻石城、宁都，西连永丰、新干和丰城，北接进贤、余江和余干。下辖一区十县(临川区、南城县、黎川县、南丰县、崇仁县、乐安县、宜黄县、金溪县、资溪县、广昌县、东乡县)。

抚州的各项建设事业发生了翻天覆地的变化。特别是改革开放的20年，为抚州市历史上经济发展最快、增量最多的时期。1978年全市国内生产总值7.66亿元，1995年76.34亿元，年均递增 14.5%；“八五”时期发展速度更快。2000年国内生产总值125.14亿元，其中第一产业45.28亿元，第二产业 45.62亿元，第三产业34.24亿元。

知名生产企业

1、江西临川贡集团有限公司

2、飞环酒业股份有限公司

【宜春市】

宜春市位于江西省西北部，下辖三市六县一区，总面积1.87万平方公里，总人口520万。宜春景色秀美，气候宜人，是全国第一个生态试点城市。2004年将承办第五届全国农运会。

宜春市发展环境良好。交通便捷，浙赣铁路、京九铁路相互交汇，以320国道、105国道、赣粤高速公路、沪瑞高速公路为骨干，连接县乡的高等级公路网络基本形成；电力充沛，有装机容量120万千瓦的丰城电厂，可供开发的水电资源有38万千瓦，城乡电网改造工程基本完成；全市11个工业园区总体规划面积64.5平方公里，已开发面积14.6平方公里。

知名生产企业

1、江西七宝山酒业

2、江西四特集团

【吉安市】

吉安位处江西中部、赣江中游、东连江浙沪，南接闽粤港澳，西与湘桂接壤，北与长江三角洲为邻，境内有自北向南纵贯的京九铁路、105国道和由东向西的319国道及"三南"公路，是连接北京、西南、华南、福建、港澳地区的天然纽带。全市现辖2区10县和1县级市，总人口459.88万，面积2.5万平方公里，属亚热带季风湿润气候。吉安资源丰富，名胜荟萃，人文鼎盛，是举出闻名的革命摇篮井冈山所在地。

改革开入以来，吉安经济社会各项事业得到了长足的发展。全市已培植起优质粮油、名特果茶、蚕桑、烟叶、药材、笋竹两用林、特种养殖、反季节及高山蔬菜8大特色农业基地，形成了食品、药品、化工、电子、纺织、建材、冶金、煤炭、电力、机械、造纸等14个工业门类。

知名生产企业

1、江西堆花酒业有限责任公司

2、江西燕京啤酒有限责任公司

【赣州市】

赣州市地处江西省南部，素有"江西南大门"之称。市境总面积478.78平方公里，辖2市1区15县。赣州城区三面临水，章贡两江环绕左右，于城北汇合为赣江，环境优美，城廓壮观，是一座洋溢着南国风情的江城。

赣州市是江西省最大的行政区，面积3.94万平方公里，约占全省总面积的四分之一。全市耕地、山地、水面、道路、农舍的布局概称"八山半水一分田，半分道路和庄园"。

全市总人口755.62万人，约占全省人口的五分之一。其中农业人口为637.49万人，占84.37%。

赣州历来是江西南部政治、经济、文化中心。工业已建成有色冶金、造纸、机械、电子、化工、食品、纺织、服装、皮革、塑料、建材29个门类、上千种产品的工业体系，尤其是有色冶金、造纸、机械、食品、森林等工业在赣南乃至江西均占有重要位置。

知名生产企业

1、赣南果业赣州酒业分公司

2、燕京啤酒（赣州）有限责任公司

3、全南县酒厂

4、江西五丰食品有限公司

【景德镇市】

景德镇位于江西省东北部，市是中国古代四大名镇之一，也是国务院首批公布的历史文化名城。全市土地面积5248平方公里，城区面积124平方公里，辖一市一县两区（即乐平市、浮梁县、珠山区、昌江区）。

景德镇"集全国名窑之大成，汇各地良工之精华"，以盛产名瓷而饮誉中外。享有"白如玉、明如镜、薄如纸、声如磬"美誉的景德镇瓷器"行于九域，施及外洋"。唐末的中国海上贸易线路，被称之为"陶瓷之路"，与著名的"丝绸之路"一样，促进了我国和世界各国经济文化的往来和交流，赢得了海内外的广泛赞誉。

建国后，特别是党的十一届三中全会以来，景德镇市伴随着改革开放的大潮，发生了历史性的巨大变化。一个以"大陶瓷"工业为主体，以机械、电子、建材、医药、化工、食品等新兴产业为支柱的外向型经济格局已初具规模。

知名生产企业

1、江西景德酒业集团

2、江西德宇集团

【萍乡市】

萍乡市位于江西省西部，总面积3827平方公里，市中心城区面积35平方公里，辖上栗、芦溪、莲花三县和安源、湘东两区及省级安源经济开发区。

萍乡市是江西省重要工业城市，已形成以煤炭、机械、冶金、化工、建材、陶瓷等较为完备的工业体系，钢材、电瓷、工业瓷、烟花鞭炮等产品畅销国内外市场。民营企业蓬勃发展，腾飞塑料总厂生产的"腾飞"塑料制品和武冠集团生产的防水材料、精炼茶油、"红安源"白酒畅销国内市场。以农产品加工为重点的食品工业发展迅速，中华杜仲茶、"天天上"、"武功山"、"月池"矿泉水等日益走俏市场。

知名生产企业

1、萍乡福林食品有限公司

2、江西省银河杜仲开发有限公司

四、市场概况

【打破地产割据 机遇大于挑战】

——江西地级城市白酒市场开发参考

江西省的萍乡、赣州和宜春三个地级市的白酒市场，去年相比，此三地的市场发生了不同程度的变化，但地产酒作为主流消费的地位依然牢固。当地较为保守的消费观念，高昂的买店费用成为新品入市的"拦路虎"。与此同时，市场上的价格空位和消费多元化趋势对于新品又是不小的诱惑。目前，市场上已有新品打破坚冰，取得了良好业绩，一场"领地"保卫战已经拉开帷幕。

萍乡　萍乡市位于江西省西部，人口200万左右。此地高档酒市场上，五粮液一直遥遥领先，水井坊紧随其后，茅台和剑南春销量一般。

市场上的热销品是地产李渡酒和四特。李渡酒凭借天时、地利、人和已经称雄多年，并且逐渐培养起了当地人的口感偏好，其形象也已在人们心目中根深蒂固。由于当地人对地产酒忠诚度较高，使得外来品牌难以在此施展手脚，如金六福、泸州老窖、贵州醇等市场销量很小，终属强龙难压地头蛇。据悉，李渡各个系列酒在市场上均有突出表现：其福旺坊10年陈酿作为中高档酒较为畅销，酒店价格在100多元/瓶；市场价为20多元的李渡王特醇酒和40多元的李渡王龙盒酒在餐饮、商超及流通中都有不错的销量；10元以内的李渡高粱酒在流通中可谓最火爆。

四特酒主要集中在10多元的市场上，其零售价12元的仿古瓶四特酒在同档次产品中最为走俏。另外，一款价格为5元的莲花瓶四特酒在低档市场上也很抢手。据了解，这是四特唯一的一款光瓶酒。去年入市的泸州老窖"永盛烧坊"的销量正在呈现出日益增长的趋势，此酒从10多元到几百元不等，其一款名为"富生荣"永盛烧坊在酒店表现可圈可点，终端价格在100多元。在省外酒表现不景气的气候下，永盛烧坊能取得佳绩除在广告和促销方面力度大外，还要得益于永盛商行雄厚的资金基础和健全的营销网络。

拓市建议：萍乡酒市略显沉闷，地产酒"一夫当关"。当地经济水平不高，中高档酒市场不太景气。地产酒买店现象严重，加之消费者对地方酒忠诚度很高，使得外品进入有些难度。目前来看，地方酒的市场投入已经很少，新品首先应在广告和促销上占上峰。另外，面对地产称霸的局面，选择一个有实力的代理商是新品入市的上上策。

赣州　据赣州市白酒销售调查统计显示，截至9月底，高档酒占6.5%的市场份额，章贡系列酒占36.26%，四特占21.4%，其余市场被众多品牌所瓜分。从数据中不难看出，地产酒牢牢占据着市场主流。

调查显示，在高档酒中，五粮液和剑南春的销路一直比较稳定，茅台销量呈逐步上升的趋势。由于受到经济条件限制，中高档酒的消费量很小，市场缺乏有竞争力的外来品牌。章贡系列酒在餐饮、商超和流通各渠道有口皆碑。130元/瓶左右的珍藏章贡王在较为冷清的中高档市场上表现尚可，60多元/瓶的金品章贡王在酒店和商超里极为畅销。低档市场上，章贡有两款热销品，35度的精品章贡王和50度的光瓶章贡酒。前者主要的消费群体是工薪阶层和白领人士，价格为32元/瓶，而且其半斤装也十分抢手。后者则针对爱喝高度酒的城市打工人员和农村消费群体，价格为6元/瓶。四特酒品种繁多，从10多元到100多元各个系列和档次的单品在市场上都有不同程度的销量，其市场份额要比章贡酒逊色不少。但由于四特也是地方老酒，多年来的市场运作也培养了一批忠实的消费者，所以其市场表现仍旧东山不倒。

由于地产品牌强势，而且买店现象比较严重。外来酒很难铺市，运作成功的就更少了。金六福星级酒在低档市场的走势也较为一般，婚宴用酒中，金六福的数量也不占优势。地产酒很少在电视上投入，主要将广告做在车体、墙体和店招上。

拓市建议：不难看出，赣州白酒市场比较封闭，人们饮酒习惯也较保守，容易跟风消费。市场缺乏大型品牌注入，新品进入机会多多。随着产品多元化和市场开放的逐步深入，地产酒垄断的格局必将被打破，一些潜伏在市场中的实力派品牌也必会崭露头角。这就需要从现在开始做好网络建设和品牌维护，慢慢培养起自己忠实的消费群体。

宜春　宜春白酒市场与前两年相比有了较为明显的变化。地产老品牌七宝山、临川贡由于企业改制或经营不善等众多原因，市场份额逐年下滑，甚至有湮没市场的危险。据了解，临川贡目前有一款五年窖藏还比较走俏。

市场上的领军品牌是四特酒，其霸主地位一时间还难以撼动。目前，流通价格为23元的四特老窖和47元的五年四特把持着中低档市场。据悉，多年的精耕细作，使得四特酒在餐饮和通路各个渠道中都备受消费者青睐。但由于品牌成熟，价格透明等原因，许多经销商的销售热情大减，并且开始寻觅新的商机，于是新品牌应运而生了。

衡水老白干是闯入宜春市场的一匹"黑马"。据了解，衡水老白干两年前已经进入了当地市场，初期拓市无人问津，去年开始，商家瞅准时机，在外来品牌稀少，地产酒疲软之际，在当地的省、市电视台以及车体、店招上顿时加大了宣传力度，市场一时间被炒热了。由于其利润空间大，许多商家也愿意接手该产品，再加上一些优惠的招商政策和促销手段，使得该产品从2004年下半年开始销量猛增。目前，其20多元的老白干5年陈、10年陈以及12元的磨砂瓶酒都是市场上的热销品。

另外，当地消费者比较偏爱小瓶酒，三两装的四特老窖、七宝山和堆花酒都有不错的市场销量。

拓市建议：宜春市场上虽然四特酒强势，但由于衡水老白干的介入，其"一统天下"的局面已经开始动摇。精明的商家可以从老白干的成功运作中得到启示，当地的白酒消费存在跟风现象，口感、香型并不是最重要的，关键是酒质是否可靠，商家是否有积极性以及如何将气氛渲染起来。

【四特统领全局　酒市相对平静】

——江西地级城市白酒市场开发参考之二

提示：本期入市先锋调查的是江西省九江、上饶、景德镇三个地级城市。通过调查发现，这三个城市的白酒市场一直很稳定，较去年没有太大的变化。地产酒四特是这些城市普遍的强势品牌，市场地位牢固。除了个别地方酒厂的品牌外，川酒在此地拥有一定市场，但总体不敌地产酒。

九江　江西省九江市与湖北毗邻，是京九铁路中段最发达的交通枢纽，同时与长江相交，水陆空交通十分便利。九江市区人口在150万左右，全区总人口约700万，是江西地区白酒消费量仅次于省会南昌的第二大城市。九江白酒品牌众多，江西省地产酒以四特为代表，处于绝对统帅地位；川酒五粮液、金六福等品牌已雄踞多年，拥有稳定的市场份额；由于九江临近湖北，鄂酒在此地的势头不弱，主要以枝江、白云边为代表。

地产四特酒把持着10～100元之间大部分市场份额，从低档市场10元以下的莲花光瓶酒、10多元的仿古瓶四特，到中档市场20多元的四特老窖、50元左右的四特五年陈酿乃至

100左右的四特各单品都有固定的消费群体，且市场稳定。

金六福在当地市场状况较好。经过多年的运作，金六福的市场状况始终稳定。今年的新品中，金六福经典一星、二星在中低档市场表现良好，50元以下的市场中，金六福成为了四特最强劲的对手。

鄂酒在当地市场上不容忽视，由于地缘关系，鄂酒在当地拥有着一定的市场份额和较好的口碑。低档市场的枝江、中高档市场的白云边都是四特的竞争对手，但从目前情况来看，鄂酒的力量尚不及地产四特酒。

拓市建议：众多品牌汇聚的九江地区，白酒市场空间不大，但由于当地白酒消费量很大，新品进入仍有机会。由于终端费用较高、买店现象严重，新品进入要做好各方面准备。新品应借鉴五粮液、金六福等成功品牌的运作经验。

上饶　全区人口660万，拥有着亚洲第一大铜矿的上饶白酒市场最大的特点是：两个强势地产酒争夺激烈。现阶段，四特仍是上饶地区最强势品牌，其各类单品覆盖着高中低档全部市场，但当地消费者对全粮液的感情更加深厚。据了解，全粮液产自上饶地区，由于体制、经营等方面的问题，曾经辉煌的全粮液如今的状况远不及四特。当地消费者视全粮酒为真正的地产品牌，虽然全粮液在市场的表现不佳，但是消费者对全粮液的感情无法淡去，更多消费者期待着地产全粮酒的复兴。

金、银剑南是市场状况最佳的外地酒。宣传“高贵与生俱来”的金剑南稳居中高档白酒市场榜首。银剑南以口感佳、价位合理加上金剑南形象拉力等种种原因占据着一部分中档市场。目前金、银剑南销量稳定，预期在未来的半年中会稳中有升，且不会出现较大的波动。

拓市建议：当地消费者对地产酒情结浓厚，成为外品进入的无形樊篱，两大地产酒的相互争斗为外来新品提供了机会。在当地市场上，品牌影响力对消费者的影响较大，新品应是具有较高品牌知名度、美誉度产品。寻找当地较大、信誉较好、客情关系较广的经销商合作是新品进入的捷径。

景德镇　著名瓷都景德镇是国家首批文化古城之一，当地白酒市场最大的特点是外地酒尤其是川酒占据中高档市场、地产酒四特、景德镇地方酒厂品牌占据低档市场。

在中高档市场上，以五粮液、金六福为代表的浓香型白酒，以茅台为代表的酱香型白酒各占据一部分市场。茅台、五粮液分别用于高级公关活动，金六福的经典08、经典四星、经典五星等高档产品也是此类市场的主销品。金六福小烧酒系列中100ml、150ml、250ml三种规格酒品目前拓市顺利，预计将会掀起销售高潮。

中低档市场消费者对地产酒选择更多，由于地产酒雄踞，此类市场几乎没有外来酒的市场机会。四特在中低档市场表现依然强势。景德镇产的景德老窖、玉窖春是当地居民日常消费的首选，20元以下市场几乎是二者的天下。

拓市建议：当地中低档市场上，地产酒的绝对强势是外来新品的最大障碍，中、高档市场的机会相对较大。终端费用较低为新品进入降低了门槛，广告、促销加之终端强力攻势将能帮助新品迅速打开市场。寻找当地优秀经销商合作也是市场开发的重点。

华南地区糖酒市场

广东省糖酒市场

一、省情简介

广东位于中国大陆最南部。广东省常住人口达到7858.58万人，年递增0.97%，占全国的6.12%，继续居全国第三位。全省人口密度为每平方千米442人，比上年每平方千米增加4人。

电子信息、电器机械、石油化工、纺织服装、食品饮料、建筑材料、森工造纸、医药、汽车等九大产业总的规模和效益进一步提高。全年九大产业产品销售收入11100.22亿元，增长17.92%，占全省工业的比重为69.69%，提高0.82个百分点；九大产业利润额为484.44亿元，增长34.44%，占全省工业的比重为67.58%，提高4.61个百分点。

二、市场格局

目前广东有数千家酒厂，但只有673家有生产许可证。广东省白酒企业数量多、规模小，大部分酒厂基本上都是中小企业，上规模的只有10多家。广东九江酿酒厂是最大的白酒生产企业，年产也只有4.5万吨，利税1.4亿元左右。其他如顺德酒厂、佛山太吉酒厂、阳春酒厂等也是广东白酒企业中经济效益比较好的。

在广东省13家啤酒企业中，珠江、金威、蓝带三家企业规模较大，技术水平较高，经济效益较好，其人均创税利分别排在全国前三名。

在广东的啤酒生产企业中，老大的位置非珠江啤酒莫属。珠江在广东市场的占有率达到50%，在广州市场上更是高达80%以上，在广州宾馆酒家的覆盖率近100%。珠啤已形成超20万吨的纯生啤酒生产能力，成为我国最大的纯生啤酒生产厂家。紧随珠江之后的是金威啤酒。金威是深圳最大啤酒生产销售企业，其主要的市场在珠江三角洲。

广东乳业的老大则是燕塘乳业有限公司。广东乳品生产企业中日产300吨以上的只有燕塘乳业有限公司一家，燕塘在广州占有率达到了43.8%。创建于1956年的燕塘，很快就要迎来五十周年华诞。最近，广东宣布了“省食品药品放心奶工程示范基地”入选名单，在乳制品方面，广东仅燕塘一家榜上有名。而此前，这家公司刚刚拿到华南惟一的国家级学生奶奶源升级基地“经营牌照”。

三、知名企业

【广州市】

广州是广东省省会，全省政治、经济、科技、教育和文化中心。地处本省东南部，珠江三角洲北缘，濒临南海，毗邻香港和澳门，是华南地区区域性中心城市、交通通讯枢纽，是中国的“南大门”。

广州市辖十区和两个县级市，总面积7434.4平方公里，总人口720.62万人，共设117个街道办事处、64个镇。市区平均每天流动总人口约292万人。

与其他城市相比广州绝对是一个潜力巨大的白酒消费市场，川酒、皖酒等品牌都把这里作为了重要的战略基地。尽管这样许多商家认为这里依然还有很大的潜力可挖。广州对高档白酒的消化能力相当强，被业内称为是“高档白酒的试验田”，如水井坊、国窖·1573、小糊涂仙、百年老店等都在这里取得了很好的业绩。中档市场主要被“诸葛酿”、泰山特曲、皖酒王等品牌所瓜分。特别是“诸葛酿”的市场比较乱，自从江口醇诸葛酿在这里打开市场以后许多的“诸葛酿”相继跟进，使这里的中档市场显得乱了一些。不过今年下半年江口醇诸葛酿开始用换包装来净化市场。最近稻花香又开始对广州发起攻势，新一轮的竞争将重新开始。一直受广东人喜欢的米酒依然主要在低档市场占据主导。

知名生产企业

1、广州市珠江啤酒集团有限公司
2、广州生力啤酒有限公司
3、广东省广州市番禺酒业有限公司
4、广州市珠江华侨食品厂酿酒分厂
5、广东万家兴酒业有限公司
6、广东省燕塘企业总公司
7、广东国营燕塘牛奶公司
8、广州市牛奶公司
9、广州金鼎乳制品厂
10、百事(中国)有限公司
11、广州百事可乐饮料有限公司
12、广州长寿之星饮品有限公司
13、广州天露饮品有限公司
14、广东省食品实业有限公司
15、百事-亚洲饮料有限公司
16、广州市副食品公司
17、广东省广州市白云区岭南凉果厂
18、广州鹰金钱企业集团公司广东罐头厂

【珠海市】

珠海位于广东省珠江口的西南部，因位于珠江注入南海之处而得名。东与香港隔海相望，相距仅36海里，最近的牛头岛相距仅3海里；南与澳门相连，西邻新会、台山市，北与中山市接壤，距广州市约140公里。

珠海陆地面积1514平方公里，海域面积6135平方公里(1983年5月斗门县划入珠海市)，有大小岛屿146个，总人口60.2万人。珠海市行政管理范围包括香洲区、斗门县和三灶、万山、平沙、红旗、淇澳、珠梅港、横琴六个管理区。

珠海的白酒消费水平较高，多在50元以上，对品牌和酒质的要求也很高，以名酒消费为主。高端市场依然是传统的名酒为主，而50～100元之间的白酒消费量虽然最大但却没有一个领导性品牌，曾经比较辉煌的“诸葛酿”、泰山特曲、古绵纯等目前表现都极为平淡，由此便给新品牌的进入创造了比较宽松的环境。相对来说只有皖酒王在餐饮终端比较看好。稻花香虽然近期也加大了投入力度但总体效果还需要观察。

知名生产企业

1、珠海市麒麟统一啤酒有限公司
2、珠海市永隆加林山矿泉水厂
3、珠海市饼业食品有限公司
4、珠海市惠多罐头企业有限公司

【深圳市】

作为经济相当发达的一个城市，白酒在这里也大有用武之地，200元以上的高档酒在深圳有很大的走量，战略地位也绝不亚与广州。也正因如此吸引了国内许多有实力的品牌来跑马圈地，竞争也日益激烈。200元以上的市场上比如五粮液、茅台、国窖·1573、水井坊、酒鬼、舍得等。主流消费价位——70元左右的市场中比如皖酒王、稻花香、“诸葛酿”、泰山特曲等市场表现都相当突出。它们在酒店、商超、流通等领域已经很成熟，消费者对这些品牌也相当认可。这几个品牌的存在并且依靠旺盛的生命力在深圳筑起了一道坚强的防护墙。成为了新品进入的最大障碍。只有低档市场显得还平静一些，不过商家反映低档市场利润太薄。

【潮州市】

潮州地处广东省东部，西与福建接壤，是国家历史文化名城，著名侨乡，对外开放旅游城市，素有“海滨邹鲁”、“岭海名邦”之称。全市总面积3614平方公里，总人口247万人，旅居海外的潮籍侨胞、华人及港澳台同胞约230万人。

潮州悠久的历史文化浇灌出品种繁多的潮字号工艺品和土特产。近年全市贯彻农业稳市、工业立市的发展战略，建立起一批集科研、种植、加工、销售于一体的农业龙头企业，形成了一大批名、优、稀、特产品；陶瓷、服装、食品、电子四大支柱产业的名、优、特、新产品，更是流光溢彩，琳琅满目。

潮州：该市虽然不大（常住人口只有二百多万），但作为一个轻工业沿海城市，来这里打工的人比较多，成为了中低档白酒的主要消费群体。也正因如此潮州的白酒市场也显得极为开放，只要口感合适什么地方的酒都能卖。当前低档市场主要以尖庄等为主，中档市场金六福、浏阳河拥有相当一部分稳定的消费群体。但是尽管开放因为城市较小所以有些品牌对这里的兴趣并不大。

知名生产企业

1、广东汾煌集团股份有限公司
2、广东康辉集团公司
3、潮州市振园集团公司

【东莞市】

东莞市位于广东省中南部、珠江三角洲东北部，北距广州50公里，南离深圳90公里，水路至香港47海里，至澳门48海里，处于穗港经济走廊中间，是广州与香港之间水陆交通的必经之地。全市人口156.19万，常住人口640多万，此外，还有港澳台同胞70多万人，海外侨胞20多万人，是著名的侨乡。

东莞市三星级以上的酒店有80多家，中型以上的超市也有百余家，而在该地白酒又是社交场合必不可少的，所以白酒在该市还是有很大的消费量。品牌布局和广东类似，高档市场除了传统的名酒以外国窖·1573也占有一定的份额。中档市场上皖酒王和稻花香等品牌割据一方，而低档市场则被沱牌、尖庄和当地的米酒所瓜分。

知名生产企业

1、津威饮料食品有限公司

2、东莞东鹏食品饮料有限公司

【佛山市】

佛山位于广东省中南部，珠江三角洲腹地，东倚广州，西接肇庆，南连珠海，北通清远，毗邻港澳，地理位置十分优越。佛山现辖禅城区、南海区、顺德区、三水区、高明区五个区，总面积3848.49平方公里，目前市区(即禅城区)面积153.69平方公里；全市户籍人口338.98万人，常住人口560多万，目前市区(即禅城区)80.08万人，是著名的侨乡。

同深圳市场类似，佛山的白酒市场也都有非常顽强的品牌在把守。高档市场除了传统的老名酒以外国窖·1573也取得了累累战果，中档市场上泸州老窖特曲的生命力最为顽强，据说每月的销售额可达到600多万元。除此之外泰山特曲、皖酒王、百年糊涂等市场已经成熟，销量相当稳定。最近稻花香的市场升温很快，特别是其在当地的广告宣传、酒店展示、美元促销等方面做得很好。其他品牌如金六福等销售状况也不错。总之以上品牌使佛山的白酒市场显得已基本饱和，新品进入的难度较大。

知名生产企业

1、广东省九江酒厂有限公司

2、生力顺德啤酒有限公司

3、佛山市太吉酒厂有限公司

4、广东三水区酒厂

5、青岛啤酒(三水)有限公司

6、顺德酒厂有限公司

7、广东健力宝集团有限公司

8、广东省顺德市万士发饼业有限公司

【惠州市】

惠州市位于广东省东南部，珠江三角洲东北端，南临南海大亚湾，与深圳、香港毗邻，是中国大陆除深圳市外距离香港最近的城市。惠州市属珠三角经济区，现辖惠城、惠阳两区和博罗、惠东、龙门三县，设有大亚湾经济技术开发区和仲恺高新技术产业开发区两个国家级开发区。陆地面积1.12万平方公里，占珠三角经济区面积的1/4。海域面积4520平方公里，海岸线长223.6公里，是广东省的海洋大市之一。常住人口321万。

惠州：该地经济较为发达，消费势头强劲，不过消费的主力是外来务工人员，本地消费者的白酒消费量比较有限。高档市场上五粮液、水井坊基本上被大的经销商所垄断，消费状态成熟，商务用酒居多。中档市场上伊力特被许多外来务工消费者所推崇，其次双沟、泰山特曲等市场已经成熟。低档白酒市场不容乐观，消费者已多数改喝啤酒。

知名生产企业

1、嘉士伯啤酒(广东)有限公司

2、惠州市天然食品饮料厂

【江门市】

江门市位于广东省中南部，珠江三角洲西侧。陆域东邻顺德市、中山市、斗门县，西接阳江市的阳东县、阳春市，北与新兴县、高明市、南海市为邻。南濒南海，毗邻港澳。陆地总面积9541平方公里，约占全省陆地总面积的5.32%，其中海岛面积235.17平方公里。面积在500平方米以上的岛屿有97个，其中台山市上川岛面积最大，为137.16平方公里；下川岛次之，为81.73平方公里。属江门市水深200米以内的沿海大陆架，东起黄茅海，西至镇海湾，面积约2257平方公里。

2000年末，全市共有常住人口1107738户，3808505人，其中，男子1938996人；女1869505人。非农业人口1456368人。暂住人口413446人。江门市是广东省长寿人口较多的地级市之一。

知名生产企业

1、开平市酒厂

2、鹤山华山矿泉水厂有限公司

3、广东嘉士利集团股份有限公司

4、江门达能饼干有限公司

【梅州市】

梅州地处五岭山脉以南，全市面积1.5836万平方公里。截至2002年底，全市总人口约488.32万人，人口密度约为每平方公里307人，人口自然增长率约为4.9%。

知名生产企业

1、广东省客家酿酒总公司

2、广东明珠珍珠酒业有限公司

【清远市】

清远市现辖清新县、佛冈县、阳山县、连南瑶族自治县、连山壮族瑶族自治县和清城区5县1区，并代管英德、连州两个县级市。总面积1.9万平方公里，总人口387万人，是广东省地域最大的地级市和广东省少数民族主要聚居地。

知名生产企业

1、清远市飞霞酒业有限公司

【汕头市】

汕头市位于广东省东部，韩江三角洲南端，素有“华南要冲，岭东门户”之美称，是全国五大经济特区之一和沿海开放港口城市，也是全国著名侨乡。全市总面积2064平方公里，人口468万人；其中市区1950平方公里，人口454万人。现辖龙湖、金平、濠江、澄海、潮阳、潮南六个区和南澳县。

汕头：该地市场虽然红酒和啤酒在酒类市场占有很大分量，但白酒的消费量也很可观，并且还有增长之势。目前中档市场竞争最为激烈，尤以稻花香和皖酒王最为突出，不过这两个品牌在汕头运作了近五年，市场已经步入成熟期。需求不断变化的市场正需要新生品牌来满足，比如金六福在该地的婚宴等喜庆消费场合的生命力就越来越强。但市场正在扩大，新品牌也应抓住机会。与中档市场相比低档市场的机会可能更大，因为目前汕头的低档白酒市场还没有一个领军性品牌，谁先强势介入谁就有可能取得胜利。

知名生产企业

1、汕头经济特区汕头酿酒厂

2、深晖饮料(汕头)有限公司

3、地方国营汕头乳制品厂

4、澄海市玉蕾食品有限公司

5、汕头市龙山天然食品厂有限公司

6、广东潮丰企业(集团)有限公司

【汕尾市】

汕尾市位于广东省东南沿海，东邻揭阳市，同惠来县交界；西连惠州市，与惠东县接壤；北接河源市，和紫金县相连；南濒南海，与香港隔海相望。总面积5271平方公里（不含东沙群岛1.8平方公里），占全省总面积2.93%。辖内海域有93个岛屿、10个港口和3个海湖。本市所辖海洋国土面积2.38平方公里，占全省海洋国土的14%。

目前，全市管辖的区域（含代管）有陆丰市、海丰县、陆河县、市城区、红海湾经济开发试验区、华侨管理区等一市二县三区，辖区内设有47个镇，6个街道办事处、场，市政府驻汕尾市城区。

知名生产企业

1、汕尾市华帝山矿泉水厂

【韶关市】

韶关市地处粤北，西北面、北面和东北面与湖南郴州市、江西赣州市交界，东面与河源市接壤，西连清远市，南邻广州市、惠州市。被称为广东的北大门，从古至今是中国北方及长江流域与华南沿海之间最重要的陆路通道，战略地位历来重要。京广铁路大动脉、京珠高速公路和106国道南北向贯穿全市、323国道东西向贯穿全市，均经过韶关市区。我国南北公路运输干线107国道、105国道分别经过本市北部和东南部。

韶关是广东的重工业城市，工业基础雄厚，农业和第三产业也有相当的规模。近几年来，经济发展加快，增长速度高于全国水平。

知名生产企业

1、广东活力股份有限公司

【湛江市】

湛江市位于中国大陆的最南端，东出南海，西临北部湾，南与海南省相望，北靠大西南，居粤、琼、桂三省、区交汇点。是海南岛通往大陆的必经之地，是中国大西南主要出海通道，是我国大陆通往东南亚、非洲、欧洲、大洋洲和中东航程最短的对外贸易口岸，在亚太经济圈中具有极其重要的战略地位。

现辖雷州、廉江、吴川三个县级市和徐闻、遂溪两个县以及赤坎、霞山、坡头、麻章四个区，有一个国家级经济技术开发区和5省级开发试验区。全市总面积12471多平方公里，总人口707.17万人。

湛江，该地不仅安徽酒、四川酒、贵州酒、湖北酒大受欢迎，就连远道而来的东北酒也分得了一杯羹。湖北的稻花香和山东的泰山特曲等都有不错的走量，进入时间不长的东北酒目前只局限在低档市场上畅销。值得一提的是保健酒在这里很兴旺，主要原因是当地人的保健意识都比较强。此外湛江市场上公务和商务的用酒量比较大，但这一市场往往是高档酒的天下。

知名生产企业

1、广东省湛江珠江啤酒有限公司

2、湛江威力神酿酒集团公司

3、广东龙虎豹酒业公司

4、广东华威饼业股份有限公司

5、湛江华合饼业有限公司

6、雷州市英利健力菠萝食品有限公司

【肇庆市】

肇庆市位于广东省中西部，东北与清远市毗邻，西北与广西的梧州、贺州市接壤，南与云浮市相接，东南与佛山、江门市相邻，处于沿海与内陆的结合部。2002年总人口390.76万人。

1998-2002年，肇庆市国民经济持续快速增长。2002年实现国内生产总值443.88亿元（当年价），比1997年增长66.5%，年均增长10.7%；地方财政一般预算收入12.98亿元，按可比口径计算，比1997年增长97.1%，年均增长14.5%；城镇居民人均可支配收入7335元，比1997年增长31.5%；年均增长5.6%；农民人均纯收入3968元，比1997年增长13.25，年均增长2.5%。

知名生产企业

1、广东蓝带集团股份有限公司

2、肇庆蓝带啤酒卢堡有限公司

3、肇庆蓝带啤酒高利有限公司

4、康州御宝酒有限公司

5、怀集县燕岩酒果厂

6、广东无比养生酒业有限公司

7、肇庆蓝带矿泉水有限公司

【中山市】

中山市是广东省辖地级市，下设24个镇区，位于珠江三角洲中南部，北连广州，毗邻港澳，全市总面积1800平方公里，户籍人口135万。2002年全市实现国内生产总值415.53亿元，工业总产值1344.02亿元。

知名生产企业

1、中山市石岐酒厂有限公司

2、广东乐百氏集团有限公司

3、广东省中山市珠江饮料厂

四、市场概况

【广东黄酒“三国演义”】

“在广东，绍兴黄酒阵营古越龙山、塔牌、会稽山、女儿红、孔乙己等品牌年销量在8000万左右，加上海派黄酒、广东客家黄酒，广东黄酒市场总容量在1.5亿左右。”一位行业人士给出了这样的数据。

记者经过调查发现，2006年的广东黄酒市场呈现出“三国演义”的格局。绍兴系黄酒无论是从品牌影响力，还是在市场销量方面，都稳稳占据了第一阵营的位置。由品牌运营商深圳齐一品公司运作的“一品花雕”，广州龙程酒业公司运作的“江南老黄”，借网络之利来势凶猛，在市场中呈现出上升势头。而传统主要用于调味、保健祛寒的广东客家黄酒，仍然没有摆脱地产地销的困境，主要占据二三级城市的低端黄酒市场。

浙江黄酒：三剑客论剑

在广东，古越龙山占据了黄酒龙头老大的地位。记者注意到，古越龙山的终端铺货率较高，在KA卖场、商超、批发市场、便利店、士多店都可以看到其身影。广东成洪贸易公司刘峻总经理认为，古越龙山作为黄酒行业第一家上市公司，在消费者中拥有较高知名度，加之其在浙江黄酒中进入广东最早，流通渠道做得比较好，导致古越龙山占据了较高的市场份额。但是记者注意到，古越龙山销售较好的是其600毫升装3年陈花雕，商超终端价在7.5元左右，古越龙山经销商也表示，公司将加强对终端价28元、68元8年陈、15年陈的推广力度，以提升产品品牌档次。

塔牌在广东市场一直坚持走中高端路线，记者注意到其主推产品塔牌8年陈、10年陈在广州商超陈列较多，其价位分别在28元、58元左右。在广州部分餐饮A、B店也可以看到塔牌的身影，这样和古越龙山形成渠道错位。不过塔牌在流通、批发市场表现不如古越龙山，这也影响了其市场占有率。

"2005年11月28日，会稽山在央视2006年度招标中投放了7000万的广告，广东作为会稽山的重点市场之一，2006年的任务就是除广州、深圳、东莞外全面拓展广东市场。"会稽山广东区域经理沈国梁告诉记者。

记者在广州好又多、易初莲花、家乐福等KA卖场看到，会稽山在商超主推其5年陈、8年陈、10年陈。其价位分别为20元左右、60元左右、70～100元。沈国梁告诉记者，2006年会稽山在广东的目标是"做品牌、做终端"，为了提升品牌形象，会稽山推出了终端价200多元的20年陈，产品在广州销售不错，公司还储备了50年陈，100年陈等高端产品准备随时投放市场。

"做终端就是厂家要协助经销商运作餐饮、酒店"。沈经理告诉记者，目前会稽山已经将商超、餐饮、酒店分渠道运作，餐饮A、B店是推广的重点。为了加强对经销商的支持，会稽山厂家在广州、深圳投放了40辆以上的公交车广告，其"1743便是一坛好酒"的品牌诉求在消费者中得到广泛认可。

"2006年会稽山在广东的主要工作就是将销售网络从广州、深圳等中心城市延伸到广东二级城市、地级城市。惠州、汕头、汕尾、江门等城市是招商的重点。"沈经理表示，随着销售网络的健全，会稽山的品牌影响、销量将稳步提升。

新生势力：蓄势待发

记者在广州、深圳各大商超、卖场看到，由深圳齐一品公司、广州龙程酒业公司全国总经销的一品花雕和江南老黄已经登台亮相。齐一品推出了6年陈酿、12年陈酿、30年陈酿三个单品，有单支、礼盒两种包装。齐一品钟仁福总经理表示，黄酒是齐一品公司下一步重点运作的产品。齐一品依靠运作礼品酒在商超建立了良好的销售网络，今后会考虑用运作白酒的思路和方法运作黄酒。

在2006年成都春交会上，广州龙程酒业公司推出了全国总经销的江南老黄。龙程酒业徐欣净经理告诉记者，成功运作金装长城和金蝴蝶葡萄酒的龙程酒业拥有较多的商超、餐饮渠道资源，江南老黄已经利用上述渠道完成铺货。记者在广州部分商超、卖场看到，江南老黄产品定位中、高端，主推产品江南老黄10年陈酿商超价98元，主要在商超和餐饮渠道销售。为了打开市场，江南老黄还在商超进行了堆头展示和特价促销活动。

广东黄酒：占据低档市场

广东酒类行业协会黄酒、果露酒分会莫会长向记者介绍，广东有地产黄酒厂家20多家，主要分布在粤东梅州和珠三角区域，这些厂家普遍规模小、产量少，其中最大的一家珠海浙绍酿酒厂产量也只有1000吨左右，记者调查发现，在广州A类商超都很少见到广东黄酒的身影，在部分B、C类商超、便利店有广东黄酒销售，价格也就在几元钱左右。随着浙江黄酒的大举进入，广东黄酒处于一种尴尬的境地。

造成广东黄酒"地产地销"，主要占据低端市场的原因有两点：

第一，广东黄酒酿造工艺和浙江黄酒不同，而黄酒国家标准主要是由浙江黄酒企业参与制定的，这必然影响了广东黄酒的市场推广。

第二，广东人喜欢将黄酒用于产妇产后保健养生，还有的消费者主要将黄酒用于调味，广东黄酒企业的开发思维已经固定在这些方面，这都限制了广东黄酒向高端发展。

【广东啤酒市场扫描】

一、广东市场总括

1、广东啤酒市场容量大，发展潜力大，已成为啤酒兵家必争之地。

作为国内啤酒最富活力和潜力的市场，广东省以及珠三角地区的啤酒销量占到全国总量的近8%。其啤酒容量，从1992年的65万千升也增加到了2003年的175万千升。

2004年，广东省啤酒行业产量254万吨，利润近6个亿，占全国啤酒行业利润总额30亿元的19%，按照广东酒类专卖局的估计，3年后广东啤酒产量将突破500万吨。广东啤酒市场，以其巨大的容量和诱人的利润吸引了全国厂商。

综观广东啤酒，尽管有了近20年的快速发展，啤酒渗透率仍然只有48.41%，就啤酒的人均消费量而言，目前只有16升，与全国啤酒的人均消费量不相上下，与其他沿海省(市)的30多升比较相距较远，从市场的角度看，仍有很大的发展空间。可以预见，广东啤酒仍然有着诱人的发展前景。

a 广东已经成为兵家必争之地

珠江啤酒不断扩大产能

珠啤在东莞投入10亿元建生产基地，年产啤酒50万吨，投产后不但可主攻东莞这个年消费啤酒25万吨的重镇，还将辐射深圳和香港地区。同时，规划年产啤酒40万吨的湛江项目也即将开工，建成后可面向海南、广西及东盟地区国家。

目前珠啤在广东从化、阳江、新丰、梅州、海丰、汕头等地已建了多家啤酒分装企业，产能超过60万吨。其广州本部生产基地产能超过150万吨/年，跃升为全球最大啤酒酿造中心

该公司计划以"泛珠三角"为基地，采取收购、兼并、参股或建厂等形式，加快对周边省份以及华东、华中和西北地区的扩张步伐。

"金威"形成三足鼎立之势

金威在做好深圳市场的同时，又步步为营，开始在整个广东乃至全国布局，金威在华南市场的威胁性在日益加大。

继投资4亿元在汕头建设年产20万吨的啤酒厂之后，金威近期又在东莞投资8亿元着手建设一家年产能40万吨的啤酒厂。金威在东莞厂建好后，深圳厂产能压力过大的矛盾迎刃而解。

深圳、东莞两个市场基地的产品将会以不同的档次、不同的价位进入市场，形成分工明确，层次清晰，错位生产的经营格局，共同占领市场。同时，金威汕头建厂意在粤东和

临近的市场，而在东莞的工厂能加强其对南粤市场的开拓。至此，金威啤酒在汕头、东莞、深圳的三个生产基地，形成三足鼎立之势，金威在省内的布局已经完成。

燕京四面合围来势汹汹

燕京在华南市场的营销网络是最健全的，燕京在华南市场主要采取逐步渗透的方式。

燕啤对江西吉安啤酒、湖南衡阳啤酒、广西桂林漓泉啤酒和福建泉州惠源啤酒四家企业的销售市场区域的重新划分和组合，终于完成了对广东市场的四面合围。可以说燕京在华南市场的营销网络是最健全的，燕京在华南的将采取逐步渗透的方式。

同时燕京继在广东南海建立起广东首个啤酒分厂后，又在佛山设下10万吨生产线，对华南市场的进攻速度继续加猛。

青岛啤酒长驱直入珠三角

青岛啤酒一年之内在珠三角收购新建了三家啤酒厂，在深圳与日本朝日集团合资建一新的啤酒厂，先娶“皇妹”进攻珠海、再收“强力”觊觎佛山，珠三角的消费力对他们有强大吸引力，同时，它可作为青岛啤酒进入港澳和东南亚，打出中国名牌的跳板。

目前青岛啤酒已在粤形成深圳、佛山、珠海三个生产基地。

从1999到2002年，青啤在华南的市场份额年增长率达184%，稳稳占据了市场老二的地位。年产10万吨啤酒生产线长沙投产，使青岛啤酒在华南已形成了以京广线为主轴，以深圳、佛山、珠海、郴州、长沙为基地的连片战略局势。

从2002年起，华润雪花开始零星进入华南市场。

2003年5月，华润雪花在深圳成立了广东分公司，负责华南市场的业务。同时，雪花啤酒在东莞、深圳、中山一带还进行了小规模销售，实现了初步的铺货准备和网络搭建。

2004年，华润投资6.8亿元在东莞建新啤酒厂，设计产能30万吨。该啤酒新厂的产能将达到30万千升，将严格的按照国际标准建造，不仅能够生产高端的啤酒，还能生产纯生啤酒。主要用于生产华润雪花的全国性啤酒品牌----雪花啤酒。该厂建成后，华润雪花的年产能将达到520万千升，旗下啤酒厂将达到35家，并遍布全国的东北、华北、华中、华东、西南、华南。

东莞的建厂无疑是弥补了华润雪花在全国布局上的短板。至此华润雪花已经基本上实现了全国市场的初步布局，为雪花的全国战略和企业的大发展提供了强大的运作基础。

金星啤酒宣布：金星啤酒在广东中山市投资约9亿元，年产啤酒规模30万吨以上，产值超12亿元。

2、市场化程度高，市场规范，竞争最为激烈。

广东的啤酒市场化程度为全国最高，在广东市场上比较少出现价格战和地方保护主义。国内的产品、国外的品牌进入广东市场没有障碍，广东成了国内外啤酒竞争最激烈的市场之一。

经过多年的磨练，广东省内的啤酒业均具有一定的实力和竞争力特别是营销能力极强，其中珠江、金威、蓝带、生力、嘉士伯等在全国甚至是海外有一定的知名度。但近年来，随着洋啤和外省品牌的进入，省内一些啤酒企业不同程度地出现了问题，珠啤市场由70%以上降到60%左右，蓝带品牌明显老化，市场下滑得更为厉害。

3、消费市场复杂，市场差异性大，呈现出大家族消费类型。

广东市场分为几大范围：

(1) 珠江三角洲市场，占据绝大部分消费市场，其中以广州、深圳为龙头；外来人本地人并存。

(2) 粤东地区，以汕头、潮州、梅州为主；有部分外地人，主要是潮汕人和客家人。汕头一带的啤酒年消费量起码在30万吨以上，是一个不亚于深圳的市场。

(3) 粤北地区，韶关和清远为主，当地人居多，经济水平相对比较低，以农业生产为主。

(4) 粤西地区，以湛江、茂名为主，渔业、海运运输业发达。

广东是个移民省份，珠江三角洲每年都有众多的外来人群涌入，来自五湖四海，高中低阶层都有。消费人群的多样化决定了广东啤酒市场的差异性极大，市场复杂，从而也为新品进入提供可能。

4、消费周期长，无明显季节性差异

广东除粤北地区外，无明显的秋冬季节，一年四季温差不大，处于热带地区，比较炎热，消费周期长，无明显的消费淡旺季之分。因此几乎一年到头来各个啤酒商家神经都绷得紧紧的，生怕一不小心就丢了市场。

5、高消费

广东是个经济大省，珠江三角洲及附近地区具有明显的高消费特征。在珠江三角洲地区，高档酒价位市场零售价在10元以上甚至更高。

与其他地域相比，广东市场上的啤酒价格高利润丰厚。据广东省啤酒行业协会的有关统计：啤酒销量只占全国市场总量8%的广东，利润却占整个行业的近1／3。以珠啤、金威等为代表的广东啤酒行业吨酒利润一直高达300元－400元，为全国平均利润水平的5到6倍。

高消费特性意味着高端产品进入的可能性。

二、消费需求特征

1、消费者总体特征

1、消费者以男性居多（71.32%）。

2、年龄层次主要分布为中青年，特别是25-34岁，占据37.65%。

3、个人月收入主要分布为中等收入，在1000-3000元之间。

4、啤酒属于大众化消费，消费者的文化程度差异性不大，主要为中等偏上教育水平（中专到大学本科）。

5、在生活消费形态上，总的说来消费者比较善于交际，追赶潮流，喜欢和朋友在一起聊天、喝酒。同时这些消费者对未来充满了信心，对广告比较认可，受广告的影响比较大。

（资料来源：2005年广东群体调研）

2、消费人群的划分

◆本地消费者和外地消费者的划分

相对来说，本地消费者与外来消费者是两个不同的啤酒消费群体，在饮酒习惯上有所不同。

其中本地消费者对本地品牌的口味和品牌认同程度比较

高，而外来人群对品牌的认同程度并不高。

◆不同场合消费群体的划分

啤酒产品是与消费场合紧密相连的产品，在不同场合的购买群体也有所差异。

比如夜场（酒吧）就非常明确的指向年轻消费群体。

一些高档酒楼指向高收入群体等等。随着消费理念改变特别是受非典影响，广东啤酒消费有转向家庭消费的趋势，存在市场空间。

据我们了解，珠啤主要占据中餐市场（如一些酒楼，大排档），而生力喜力则主导夜场（酒吧、迪厅）。

◆不同消费习惯的划分

1、习惯性：属于嗜酒类型，习惯口味和品牌，同时价格也比较关注，饮用场合多样，如酒楼、大排档、酒吧，特别是在家中。

2、应酬性：生意场上的交往，啤酒逐渐代替了白酒，饮用场合集中于酒楼、饭店，品牌知名度和影响力比较关注。

3、休闲性：三两朋友相聚、自我休闲等等，饮用场合主要在酒吧或者大排档。品牌文化和气氛为主要关注。

（资料来源：2005年广东群体调研）

3、品牌选择习惯

广东消费者对啤酒品牌选择的态度是不限于某一品牌，但是比较固定于饮用几个品牌。而相比较而言，女性消费者对品牌选择的范围更大一些。

广东群体对啤酒品牌的选择并不特别固定，这给新进品牌带来机会。

4、消费者心理需求特征

广告宣传是针对不同的目标群体诉求不同的生活形态，而归根到底是为了满足消费者的心理需求。

根据与啤酒消费者座谈所述，我们对目标消费群的心理需求可以归纳为图中三个层次。

消费者语言：

—助兴，促进交流。

—啤酒是白酒的补充，夏天太热，不适合饮用白酒。

—交流，助兴，解闷。

—从自身需要出发，习惯，爱好，解暑，放松都成为喝啤酒的目的。

5、消费者购买考虑的因素

啤酒属于非理性消费、冲动型购买，同一档次的啤酒在价格上不具竞争优势，口味同质化更使得消费者对啤酒的选择以感性判断为主，更多的是集中在对品牌的选择上。

品牌竞争将成为啤酒业的主要竞争方式，名牌更受消费者青睐。

6、饮用场合

消费者饮用啤酒的场合主要是宴席、聚会、平时吃饭等，这说明他们喝酒较多的是为了沟通人际关系和休闲娱乐。

同时，啤酒消费的场合亦有转向家庭消费的趋势。

7、习惯口味

南方人群较偏爱低酒精度、清淡型的啤酒。据有关调查表明，广东大部分消费者最常饮用的口味是清淡型。

由于人群的多样性，纯厚型口味也有一定市场。

三、市场竞争格局

1、广东啤酒市场竞争格局的三个特征

第一、领导品牌不主导

珠江啤酒（珠啤、珠江纯生啤酒）在广东市场占据领导地位，除广州拥有主要份额外，在各地级市场都有一定地位。但是珠啤在广东也没有占据主导地位，在各地都有其他的品牌占据一定市场，同时洋啤在广东市场发展也不错。

第二、各路诸侯割据一方

众多的区域性品牌在各自市场占据主要位置。如深圳金威、肇庆蓝带、广州生力、惠州嘉士佰、珠海海珠、顺德龙啤、揭阳加丹、韶关活力等地产品牌。

青岛进入广东市场后，在深圳、顺德、珠海等地已经成功稳住阵脚。

而洋啤则主要集中在珠三角经济发达地区。

第三、品牌拉动终端促动双管齐下

啤酒品牌纷纷采用了品牌拉动和终端促动相结合的推广手法。

品牌：国产强势品牌采取品牌带动策略；区域啤酒在品牌塑造上与本地文化紧密相连；洋啤则是产品与品牌并重。

终端：啤酒厂商大量抢占零售终端，上促销员、中奖、赠品终端促销手法多样，为的都是要在终端抢客户。

2、广东啤酒市场的品牌格局

华南市场将出现青岛、华润、燕京与珠江四大啤酒巨头对决混战的局势，同时夹杂着深圳金威、广东生力、蓝带集团、嘉士伯、广西桂林漓泉和南宁万力、福建惠泉、雪津等众多强势品牌的市场对决。

珠江啤酒（珠啤、珠江纯生啤酒）在广东市场仍然处于领导地位，除占据广州主要份额外，在各地级市场都有一定地位。但是已经受到了来自金威、青岛以及洋品牌的威胁。

而其他品牌相对来说则是在某一市场占据主要位置。如深圳金威、肇庆蓝带、广州生力、惠州嘉士佰、珠海海珠、顺德龙啤、揭阳加丹、韶关活力等地产品牌。

3、市场分布

啤酒是大众化消费品，消费者需求层次决定了啤酒市场的相对金字塔型格局。广东市场的开放性和高消费能力使得各种档次产品并存，各个品牌同在的市场分布。

洋啤主要占据高端，区域品牌占据低端，而国产名牌则是高中低端三个市场都不放过。

4、品牌策略分析

珠江：珠江啤酒是广东啤酒市场的龙头老大，同时也是全国利润额最大的啤酒厂商。

对华南市场的拓展，珠啤的主要采取两种方式：产品的差异化和深度分销。珠啤在各地设立了销售办事处，不断加强业务员队伍和经销商队伍的建设，并试点开展深度分销，加大中高档消费场所以及夜场的开拓，随着近几年各大厂家开始追逐生产纯生啤酒，纯生啤酒也开始缺乏明显的竞争优势。珠啤逐步细分市场，走产品差异化的战略，在去年年底推出高档珠江白啤，使珠江产品结构不断完善，产品知名度和美誉度明显提高。

2005年举措：

1.珠江啤酒今年加强了对经销商提高铺货率和配送速度的要求。“原则上是所有的售点都要有珠江啤酒，在餐饮大力开展专场促销。”一位经销商说。

2.珠江啤酒在广州市场竞品销售较好的餐饮场所开展了大规模的专场促销活动。珠江啤酒以200件为起点，对经销商实行了达到一定的销量就赠酒的政策。如果经销商销量达到1200件，就可以得到30～40件珠江纯生，珠江纯生批发价为49元／件，40件赠酒的价值在2000元左右。目前珠江厂家除夜场外很少承担经销商的买场费，基本上都是‘以酒抵费’，加上珠江是一个老地产品牌，很多经销商已经在餐饮、酒楼交过专场费，珠江搞专场促销并没有花太多费用。珠江啤酒依靠对渠道的掌控能力和地利优势，牢牢的控制了广州市场的餐饮渠道。

3.针对小二批、微型超市、便利店、士多店等小型终端，经销商反映，珠江厂家会不时组织人员铺货、开店、客情维护等。这一方面是清除市场空白，另一方面厂家帮助经销商做好市场基础工作，有利于经销商配送，调动其经营珠江啤酒的积极性。

青岛：进入广东短短三四年，凭借其规模、资金、品牌、营销、管理方面等的优势，迅速在广东全境铺开。除其尚无法完全顾及的部分二线城市（茂名、云浮等）和大部分三线市场市场（主要为珠江占领），青岛在一线城市及部分重要二线城市（中山、佛山、东莞、湛江等），夺取了相当份额，销量直追珠江。

【2005年举措：品牌落地和大客户制】

1.主题促销活动。5月份起，由青岛啤酒主办的“第二届青岛啤酒狂欢节华南行”主题促销活动陆续在广东部分城市举行。该活动以“激情、惊喜、欢乐”为主题，以一系列现场趣味活动为载体，拉近青岛啤酒与消费者之间的距离，通过与消费者直接的接触，让其在喝啤酒之余更加真切地感受到青岛啤酒的品牌内涵。

2.加大渠道推力，实施大客户战略。除了品牌落地之外，为了和珠江注重终端拉力形成差异，青岛在广州市场采取了加大渠道推力的策略。据经销商介绍，在餐饮、商超，青岛少有搞专场促销，特价的力度也比较小。青岛主要是给予经销商更大的进货奖励和更高的返利，市场开发和销售工作更多的依靠经销商完成。

采取这种策略，一是因为珠江在某些区域已经成为大流通产品，价格透明，青岛以较高渠道利润攻击珠江渠道比较容易奏效；二是依靠经销商，依靠大客户，通过形成青岛和大客户的战略联盟来控制市场已经形成青岛啤酒的战略。

青岛啤酒在广东正在落实“以大客户政策为导向”的策略，同时，对部分表现较为优秀的大客户还会划给其更大的“大区域”，进一步发挥经销商的潜力。

金威：绿色的，走健康之路

第一步：2003年3月28日，“绿色工艺应用研究”通过国家级鉴定，金威啤酒率先淘汰甲醛，一举成为啤酒业第一家所有产品都不添加甲醛的企业。并进行海内外媒体争相报道，“甲醛风暴”席卷中国啤酒行业。

第二步：2004年6月，金威啤酒“绿色工艺应用研究”被列为国家科技部重点推广项目。7月21日，金威啤酒旗下所有产品同时通过国家绿色食品发展中心的绿色食品认证，成为国内啤酒唯一一家全部产品获得“绿色食品认证”的企业，引领了中国啤酒业走向原料绿色、工艺绿色、产品绿色的全面“绿化”之路。

第三步：今年初，金威啤酒联合1000多家供应商、经销商发布“诚信宣言”，向全社会公开承诺“绝不索要供应商经销商一分钱，绝不拖欠供应商经销商一分钱”，结果引爆“多米诺骨牌效应”，导致经销商纷纷哗变。4月28日，金威啤酒一举通过了ISO14001环境管理体系、OHSAS18001职业健康安全管理体系、HACCP食品卫生安全控制体系三项国际认证，成为中国啤酒行业唯一一家一次通过此三项认证的企业，又创造了一个行业奇迹。

2005年举措

1.大型促销公关。

第三届深圳购物节和2005金威国际超模大赛中国区决赛两大热点，对金威啤酒的旺销起到了推波助澜的作用。购物节消费奖券随着金威啤酒进入了各大酒楼食肆和商场超市。金威啤酒还借购物节东风走进社区，在社区便利店开展多种活动。喝啤酒有机会中千万大奖，大大刺激了消费者畅饮金威啤酒的胃口。

2.厂家回收瓶盖和酒瓶的力度比较大。

一箱30元（12瓶）的啤酒，回收瓶盖0.5元／个，酒瓶0.5元个，经销商只要将瓶盖、酒瓶全部回收交回厂家，就可以得到12元的返现。而据说回收珠江同类产品的现金返还只有6元。

3.把餐饮作为主推渠道。

在珠江的大本营广州，金威避开珠江、青岛等比较强势的大卖场、商超渠道，把餐饮作为产品主推渠道。金威瞄准了广州市场的大排挡、夜市、生蚝摊等，这些场所对价格比较敏感，中低档啤酒走量较好。金威一是在此进行“10元3支”的特价活动，另一方面还赠送大排挡摊主帐篷等用品。一顶帐篷价值上百元，生蚝摊、大排挡老板很喜欢。而在中高档餐饮、酒店，金威则控制了人员促销和专场力度，避免与珠江和青岛正面冲突。

百威　总则：采取稳扎稳打的扩张方式。

百威1995年进入广东，选取了成熟一个地区再做另一个，步步为营、稳扎稳打的扩张模式。百威选择在广州做切入点，多年内只在广州做好市场，等广州的消费群建立起来以后，再着重于深耕渠道，同时做好品牌形象等工作。这些基础工作有了一定的规模后，再打入其他市场。

1.保证品质口感的稳定性。

百威在品质上下了许多功夫，包括考虑饮用时的温度、新鲜度。举个例子，为了保证新鲜度，我们严格限制库存。一般啤酒的保鲜期是6个月，百威的是117天，并要求经销商只保持一周到二周的库存。在经销商的环节上，要求经销商不要再搞二级分销商。零售点保持一周库存，经销商二周，工厂最多一周。路途上近的三天，最慢的10天。这样，所有库存加一起也就1个月到1个半月。

2.“深度分销”有力控制价格。

百威不做直营，而是利用当地经销商的体系，进行小区代理制，这就是业界所称的“深度分销”。百威发展成熟的市场，90%以上是小区域独家代理。

要求经销商做直销，不要再找二级经销商，这种做法将厂与商捆在一起，只要厂家严格监控，避免低价窜货，对经销商的吸引力就很大，因为它的利润远远比批发高。

3. 给经销商有竞争力的利润

对经销商有明确的衡量标准，这些标准包括销量、销售市场、仓储、储运、职员管理、财务资金调动、内部协调系统等。

很多经销商愿意和百威合作，利润高只是一个门票，品牌有发展性，管理各方面比较合理、稳定，有安全感这些因素也很重要。品牌形象是产品生命力，但利润是生产体系中最重要的维护者。如果你的价格乱了，让经销商赚不了钱，那你的牌子也会做烂的。

燕京：直销加分销的办法进行市场管理

燕京在广东地区采用了在北京市场一样的市场管理方法，用直销加分销的办法进行市场管理。

将直接管到社区终端和中高档饭店，采用灵活的销售方式，打破了原来单一依靠批发的分销办法，有效地控制市场。

同时，由于消费方式的改变，中高档饭店成为重要的啤酒消费场所，燕京在广东将加大控制力度，改变管理方法，从产品线上丰富消费者需要，今年我们还将有纯生、精品、无醇、本生等新产品上市。

5、主要品牌形象分析

珠江啤酒

是广州的本地老品牌。其品牌形象认知主要是：品牌大众化、本土化、亲近感较强、物有所值，但显得“有点土”，品牌面临老化，创新性不强。其消费群体相对大众化，受广告影响程度高。市场进行细分，通过珠江纯生啤酒来吸引新生代：有个性，追求时尚和高科技的东西。珠江纯生啤酒曾经风云一时，只是已经时过境迁，现在多数的啤酒都是纯生。于是珠江啤酒开始推出新产品系列。同时受到竞争的压力，珠江啤酒也一改以往的土气，单纯做产品推广的作风，开始诉求品牌的精神层面。

品牌主要诉求：中国名牌产品，中国驰名商标

青岛啤酒

全国性品牌，在广东市场已经站稳脚跟。其品牌形象认知主要是：高品质、时尚、创新、有活力，带点洋气，发展潜力较大。青啤原属高档次品牌，但是青啤主品牌的产品线在不断扩展，同时由于区域低端品牌连带关系影响明显，影响了消费者对青啤的档次认知，青岛啤酒逐步向中下档覆盖。其群体对未来充满信心，接受新事物能力强，对广告容易接受。青岛今年的主要动作是推广青岛原生啤酒：好啤酒，原生态，纯净化酿造。

品牌主要诉求：品质之尊，激情成就梦想

金威啤酒

深圳区域强势品牌。其品牌形象认知主要是：科技创新能力强，产品品质高、绿色健康。消费者家庭观念比较重，有活力，对未来充满信心。金威的宣传重点也开始产生变化，由以往的“关注你的健康，喝啤酒就要喝不添加甲醛酿造的金威啤酒”产品宣传重点转向品牌层面的宣传，并推出金纯啤酒。

品牌主要诉求：中国驰名商标，中国名牌产品

百威啤酒　洋啤。其品牌形象认知主要是：高品质、高品位等。消费者比较有个性，关注广告，关注新鲜事物。百威目标群体消费个性描述：最有购买力，有更多时间去追求自己喜爱的事物，新奇而又昂贵的产品很能吸引他们，他们有自己的文字、表达方式和独特的语言，对运动与时装非常有兴趣，喜爱多姿多彩的休闲活动。

主要诉求点：

产品诉求：啤酒的品质和口味。

专业的啤酒制造商，要考虑消费饮用时的温度、新鲜度。等等方面展开诉求。

品牌提升：主轴用音乐和体育，和百威的消费者做一个生活形态上的沟通。

蚂蚁文化：团队精神。团结，奋进。

a 品牌推广特征

1 广告投放区域性明显。

啤酒企业的竞争集中于经济较发达的珠江三角地区，啤酒广告的投放也就显现了明显了区域性。从2005年1–7月的统计数据来看，平面广告投放量最大的经济活跃的地区。

1. 产品与品牌共存。

产品诉求：突出产品品质，如原料、制作工艺技术等等。品牌诉求：上升到一种生活方式或者生活情趣。时尚与活力并存，并通过音乐和体育来体现。

1. 品牌形象广告将逐渐取代产品形象广告成为主流。

随着人们消费水平和层次的提高，啤酒消费将日益走向精品化、个性化和品牌化，品牌将代替价格成为消费的首选因素，这要求啤酒广告不仅有量的保证之外，还对广告的品牌传讯功能提出了更高的要求。产品形象广告的传播力会逐渐淡化，而品牌形象广告的吸引力会越来越强，虽然产品形象广告不会消失，但品牌广告的比例会大幅增长，尤其是大型国啤企业和洋啤企业对品牌形象广告会更加重视，这使得品牌形象广告会逐渐取代产品形象广告而成为啤酒广告的主流。

四、广东市场思考

1、市场机会点分析：

市场容量大；

市场开放性程度高，没有地方保护障碍；

消费差异性大，容易细分进入；

消费包容性强，没有太多的地域观念；

威胁：

全面开放必然导致全面竞争；

高手林立，洋啤、国内强势品牌、区域

品牌全都虎视眈眈；

消费差异性大，意味着市场的复杂性也大；

消费观念成熟、理性，对进入者的产品

品质、营销能力要求也高；

2、群体定位的两个方向

1. 走家庭消费路线

· 随着消费理念改变，广东啤酒消费有转向家庭消费的趋势，存在市场空间。

· 目前中高档啤酒消费场合如酒吧、酒楼等地方已经为珠啤、青岛特别是洋啤占据。

·广东家庭消费场合完全具备中高档啤酒消费能力，关键是怎么顺应家庭消费趋势的同时提升他们消费的啤酒档次。

·走家庭路线也利于避开与目前广州啤酒品牌在高档终端的抢夺，通过贴近小区消费，以居民集中的住宅小区零售店及居民作为主要对象，把零售店建设成稳定的终端网络，使小区居民成为忠实消费者及品牌拥护者。

1.专打外来人群

·啤酒消费具有明显的区域性特征，所以许多啤酒品牌大打区域文化，通过各种宣传推广手段来拉近与当地消费者的距离，产生亲近感。

·广东是一个移民大省，有许多的外省人群，其中有一大批是精英、当代白领，他们来到广东为了实现自己心中的梦想，虽然在广东打拼多年，甚至已在广东定居，但是内心永不平息，永远都有一个在远方的家，根不在此。

·综观目前广东啤酒品牌，极少有对这部分人群展开诉求，但实质上由于他们内心的不安定和工作生活的关系，对啤酒的消费需要是极高的，当然他们的消费能力也是勿庸置疑。

·因此可以走外来人群路线，一反目前啤酒本土化策略，通过异地诉求，获得外地人的内心认同。

3、市场运作的两个方向

(1) 资本运营

通过购并广东本地二三线品牌，达到进入市场的目的。

但是应该看到购并重组并非一蹴而就，地方品牌或已被购并，或者自力更生，或不入法眼，一时也无法找到合适人选。

(2) 走高端之路

理由：

1、高端高利润，低端微利甚至无利，不利于持续性发展。

2、当地强势品牌主要定位低端市场，以价格促销为主。避开锋芒，避免直接竞争。

3、高端市场主要为洋啤占据，但并非占据绝对主导，还有空隙。

4、高端切入利于建立全国性品牌，有持续发展的可能。

5、广东市场的高消费能力，存在巨大的消费空间。

a 高端之路如何走？

第一、产品创新化

·通过产品的创新来突出产品个性从而达到提升品牌的作用。

·产品创新主要是指产品包装、产品原料（如金威宣传不添加甲醛的啤酒，走健康之路）、生产工艺、保鲜工艺甚至是啤酒新产品方面的创新。

·通过产品创新既可以提升品牌，同时又可以通过宣传产品创新来突出产品品质，给予消费者消费信心，说明为什么会值得这么高价格。

·产品创新化需要通过对自身啤酒的深入分析和挖掘，找到创新基点。

第二、品牌个性化

·啤酒消费趋向于生活情趣的消费，其实质就是品牌的个性消费，只有突出品牌的个性，才能获取高的附加价值。

·切合啤酒品牌的“文化营销”，传达给消费者一个个性化的品牌的同时还要传递给消费者一种文化和理念，在品牌的宣传与推广中形成自己的特色。

·例如通过各种体育赛事和各种音乐、文化盛事给消费者带来享受和体验等等。

第三、终端广告化

由于啤酒产品自身特点及消费特性，决定了终端表现是品牌传播的一大主要途径，这为众多啤酒品牌所重视。

终端表现包括终端营业推广和终端形象宣传，终端形式包括零售终端和使用终端。在终端推广过程中如果处理好品牌形象与产品销售的关系。能够促使啤酒使用终端既是产品销售的直接场所，又是树立口碑、表现形象、争取忠诚的重要场合。

终端推广可以采用“二重”策略。即重度消费者、重要消费场合策略。

集中有限资源如促销资源、人力资源、形象资源，针对性使用于重度消费群体和重要消费场合，避免由于“寸土必争”而造成推广成本的不划算和“不分场合”、“不择手段”而造成品牌形象的负面影响。

中高档酒店和宾馆、大型超市、高档娱乐场所是中高档啤酒的最主要销售终端，增强品牌的终端展示力和吸引力，达到传播的最大效果。

【广州市白酒市场开发参考】

广东市场历来是众多白酒商家的必争之地，作为中心城市的广州市场更是风起云涌，竞争激烈。在广州的中档市场上，老品牌下滑、中间力量涌起、新品进入，使得本来就不平静的市场更加喧闹。

主流品牌分析

广州白酒消费水平偏高，高档白酒消费的主流价位在200元以上，主要用于请客、送礼等高档公关活动。这部分市场的主销品大部分是名牌、高价位产品。传统名酒茅台、五粮液无疑成为市场的主角，它们的销量稳定，市场地位不可撼动。水井坊是继两大名酒之后的强势品牌。据了解，进军高档市场的品牌很多，但大多是无功而返。

中档市场主流价位为：30～60元之间的大众消费和100～200元之间的酒店消费。随着老品牌不同程度的衰退，新品源源不断地进入，中档市场一直未见平静，古绵纯可以称为广州市场真正的元老，自1997年入市以来古绵纯实现了历史性的突破，它开创了广州人喝曲酒的新纪元，主推产品30度、33度的古绵纯曾驰骋广州市场。时至今日，古绵纯的销量大大下滑了。据了解，古绵纯在去年推出的两个新品都没有做起来，品牌老化、营销资源老化等问题是制约其发展的重要因素。无独有偶，同是发展多年的小糊涂仙也出现了类似的问题。小糊涂仙以定位中高档酒店消费为主，主流价位在100元以上，一直以来拓市力度很大，在央视黄金时段做广告宣传，临近旺季开展了多项促销活动，其中不乏买酒赠饮料、月饼之类。然而在广州市场上小糊涂仙的销量出现了下滑，虽然有季节、天气等自然因素原因，但品牌老化问题仍是值得关注的。小糊涂仙在广州的市场运作已有8年时间了，怎样延续它的市场生命应该是厂商共同关注的问题。

同是老品牌的泰山特曲、江口醇诸葛酿就幸运多了。泰山特曲在广州市场已有多年，其市场销量和市场占有率一直很稳定，厂家和经销商对产品的发展很有信心。泰山特曲的价位较低，一直是以30多元的产品为主，近年又推出了60多元的新品泰山王和六年陈，这代表着泰山特曲向大众消费的中高市场扩张开始了。据了解，六年陈和泰山王的销售状况良好，新品的顺利拓市为老品牌注入了新的活力。江口醇诸葛酿也是广州市场的元老，近些年由于模仿者围攻而失去了不少市场份额。随着铁盒包装上市、品牌之争诉诸法律，江口醇诸葛酿的关注度越来越高。目前，由于广告宣传力度加大、新促销方案顺利实行，江口醇诸葛酿销量稳定，预计中秋节前后会出现销售高潮。

层出不穷的新品为广州市场增添了活力，也使各品牌的生存压力增大。自2004年11月起，大大小小的白酒新品不断地攻入广州市场，如四川郎酒、东北酒老龙口、豫酒赊店、皖酒店小二等。众多新品中有些只是过眼云烟，并未引起太大波澜，有些则影响较大，值得关注。

湖南的开口笑在众多新品中较为突出。据了解，开口笑的主打品种定位在大众消费的高端，主流价位60多元，其市场运作很有地域特点，广告、促销等活动的力度很大。广告方面，投入主要集中在电视和车体。开口笑针对酒店终端的广告很有特色，尤其是与各大小湘菜馆的联合广告。在广州，湘菜馆几乎占据了餐饮酒店的四分之一，开口笑在这些餐馆、酒店里做了大量店招和易拉宝，大力宣传吃湘菜喝湘酒。另外，还在一些大型酒店门外赞助投放了大量帆布、防雨布的停车棚和遮阳伞。这些酒店内外的反复诉求效果很好，大大地增强了开口笑的品牌形象。在促销方面，开口笑的赠品力度很大，产品采用双赠品促销模式，每瓶都有港币和打火机的双重礼品赠送。

来自茅台镇的百年糊涂一直以佛山地区为大本营，今年正在重点开发广州市场。百年糊涂的市场运作历来是稳扎稳打。它从广州的市郊做起，在通向市郊的农家乐、农庄等休闲娱乐场所的公路上做满了霓虹灯广告，并请香港著名主持人陈启泰担任产品的形象代言人。目前，业内人士对百年糊涂较为看好。

低档市场的主流价位在10～20元之间，这部分市场的主力消费者是外来务工人员，消费量巨大。这部分市场并没有出现强势主导品牌，大部分是名酒的买断品牌和贴牌产品。消费者购买的随机性很强，更注重产品价格。10元以下的光瓶酒销量巨大，但假酒现象严重。北京二锅头的市场份额较大，农村市场以地产米酒消费为主。

机会分析

广州白酒市场是个开放的市场，任何一个品牌都有发展机会，关键是定准位、走对路，做好推广活动。

1、中档市场空间较大，老品牌不同程度下滑为新品入市提供了机会，但大量品牌竞相涌入又增加了新品推广的难度。这类市场兼容并包，绝对强势品牌较少，高重复率的广告诉求十分有效。开发这类市场要借鉴成功品牌的经验，抢眼的广告活动能迅速树立产品形象，不断翻新的促销活动能直接拉动销量。

2、低档市场消费量巨大，但缺乏绝对强势品牌，新品的市场空间很大。这类市场的消费者对产品价格较为敏感，相对较低的定价能带来不错的销量。同时消费者易受促销活动影响，适当让利是打开这类市场最有效的方法。

3、广州市场上终端买断现象十分严重，所需费用高，新品推广要选择资金雄厚的经销商。新品可借鉴成功品牌的经验，避开高额投入的酒店终端，走迂回铺货的道路。新品铺货可锁定在酒店周围的便利店、烟酒店，将目标顾客锁定在自带酒水的消费者，树立起品牌形象之后，再走酒店终端较容易。

【广东省地级市白酒市场开发参考】

市场动态与机会分析

中山：中山市消费水平与内地相比偏高，高档酒的销路普遍很好。人们对五粮液和剑南春非常认可。酱香型的茅台由于不适合当地人的口味，销量稍差一些。水井坊和国窖.1573则遭受冷遇，原因可能在于这两种酒对当地市场重视不够。当地消费水平虽然高，但由于人们的开放意识和健康意识较强，所以一部分人爱喝红酒和葡萄酒，一部分人将眼光转向洋酒市场，如芝华士、人头马等进口酒在夜市喧闹的中山市消费量很大，一定程度上对国产白酒是个不小的冲击。许多年轻人对啤酒情有独钟，再加上如今是白酒淡季，广告和促销活动锐减，白酒市场更显得沉闷。

稻花香的出现给这个冷情的市场带来了不少生机。据悉，稻花香两年前进入中山市场，随之而来的是铺天盖地的广告，除在电视上做宣传外，车体上、建筑物的广告牌上，到处可见印有一个穿红袄，梳长辫，面带微笑的大姑娘的稻花香酒广告画。商家甚至将醒目的广告牌打在105国道中山段上，大大提升了其知名度。在促销上，稻花香也跳出了奖人民币、赠打火机的老套路。除了5元钱的退盖费外，每件(6瓶)酒中就有3瓶带1美元，中奖率高，加之人们对美元强烈的好奇心，使得此促销手段卓有成效。但市场红火的背后，经销商道出了他们的苦衷，当地人其实并不太喜欢稻花香的口感，更多是冲着美金去的，而且经营稻花香的利润很低，每瓶酒才赚几毛钱。所以很多经销商并不是很情愿。目前在流通市场上热卖的是稻花香珍品系列中的二号珍品和三号珍品，价格在每瓶43元左右。

泸州老窖在中高档市场占据一席之地，虽然目前并没有大的广告和促销投入，但部分酒品销量还是不错，如150元/瓶左右的百年泸州老窖，120元/瓶左右的精品特曲和紫砂陶大曲等。市场上50元左右的几个老牌子目前表现都不突出，古绵纯针对经销商采取了进五箱赠一箱的优惠措施。在终端，消费者购买一瓶古绵纯则获赠两瓶百事可乐。诸葛酿和皖酒王的广告投入力度明显少了，而且促销活动也不明显，这很可能是它们失去部分当地市场的主要原因。

拓市建议：中山市民爱喝低度酒，而且消费水平较高，中高档白酒市场有很大开发潜力。当地人健康意识很强，并且很注重品味。新品在宣传上应侧重和保健效应，而且在广告投入上不能吝啬。当地酒店和商超的维护费用都比较低，进入餐饮终端相对容易。但是消费者饮酒的氛围不浓，要想进入中山市场也产非易事。

茂名：　有南国油城之称的广东茂名，常驻人口680万，位列广东全省第四。居民消费水平偏高，白酒消费量巨大。据不完全统计，2004年全年白酒消费额高达5亿人民币，如此之大的市场空间孕育着无限的商机。

高档市场上，茅台、五粮液、剑南春拥有着良好的口碑，但是由于厂家监管力度不够，产品防伪工作做得不好，导致市场上流通的假酒太多，消费者对于这些名酒只好敬而远之。据了解，在送礼、请客这些高级公关活动中，原来茅五剑的消费者大部分转向消费洋酒了。1.4斤/瓶的高档酒不仅价格适宜，而且体现了品位。种种原因造成了国产名酒在茂名市场难以抬头，只维持原有的走量。

中档市场上，大众消费的价位在40～100元之间，由于当地市场品牌众多，名止繁杂，加上假酒事件的出现，消费者对白酒不知如何甄别，导致市场上主流品牌不突出。在去年，泰山特曲、皖酒王的市场表现不俗。皖酒王推出了铁罐防伪包装，加上不断促销、推广活动得到了消费者的青睐。皖酒王连续几次防伪包装的推出，为其在消费者心中树立起了诚信、打假的良好形象，它今年的销量稳定，没有大的波动。今年六月底，江苏洋河集团在茂名地区开市开设了专营店，主营洋河蓝色经典系列产品。其中主要产品有：160元/瓶的海之蓝、310元/瓶的天之蓝、500元/瓶的梦之蓝。为了做长线品牌，洋河通过防伪打假，树立起人们的消费信心，其在茂名市场前景如何，我们将继续关注。

低档市场主要地产酒所占据，20元左右的米酒日常消费的主流。茂名的米酒消费量堪称广东之首，米酒以低价位、低度数、米香型牢牢拴住了消费者的心。其余低档品牌几乎没有销量。

拓市建议：当地广告、促销活动较多，但是效果并不明显。酒店渠道较易开发，买断酒店现象较少，知名品牌进驻酒店几乎不需要费用，即使不知名的单品进驻酒店费用也不高，客情关系、营销网络是市场开发的重中之重。商超终端开发相对困难，商超疆土存在拖欠问题且费用名目繁多。开发市场要做长期准备，选择当地信誉较好的经销商，同时做好打假、防伪工作。

惠州：惠州当地经济发展水平较高，消费市场的空间很大。外来务工人员占城市人口的三分之二左右，是白酒消费的主力军，消费价位在20～80元之间。由于这些外来务工人员来自全国各地，其白酒需求口味、度数没有特定限制，呈多元化态势。据了解，当地市场上各地白酒均有一定销量。高档市场上，传统名酒茅台、五粮液在终端销售情况较好，但在一定程度上受到了高档洋酒、葡萄酒的冲击。剑南春在流通、终端各领域的市场表现都很好，这与其多年的市场运作和品牌推广密不可分。中档市场上，去年销量较大的皖酒王、稻花香、江口醇等市场表现依然不错，市场变化不大。这些白酒拥有着固定的消费群体，市场走量稳定，预期在未来的一年时间内变化不大。去年热卖的新疆酒伊力特，今年出现了下滑趋势，主要是到了热卖之后的冷静期，消费者产生了审美疲劳也是一个重要原因。红星二锅头的市场运作已有三四年时间了，去年底市场表现不俗，其中46度的古钟珍品二锅头销量最大。这一单品在流通市场的价位是19元/瓶左右，在零售市场能卖到26元/瓶左右，符合大众消费价位，且市场运作的利润丰厚。在红星二锅的市场运作中，二批商的利润能够得到保障，提高了他们进货和销售的积极性，良好的市场循环得以实现，是其市场走量较大的重要原因。

当地消费者酒店消费多是自带河水。据了解，一般白酒在酒店的价格要高出零售价格40%左右，自带酒水现象的普遍存在，使得白酒在餐饮终端无法发力，因此酒店买断现象很少。不知名的新品牌进驻酒店费用 不高，一般是几百元的上架费。商超终端所需费用也不高，单品进店只需300～500元。

拓市建议：新品入市首先要定好位，当地市场中低档酒品销量较大，消费能力突出。其次要选择好经销商，最好是当地营销网络完善、客情关系良好的经销商。最后要在做好铺货工作的基础上，通过广告、促销、终端维护等活动提高产品知名度。值得注意的是，当地市场上，种类产品形成了雄踞态势，新品进入挑战较大市场机会与动态分析：

汕头：汕头是粤东白酒消费量最大的城市，各钟品牌白酒经过多年的市场开发与运作，均已拥有固定消费群体。高档市场以低度酒为主，38度的五粮液、32度的茅台在流通市场和酒店终端销售状况良好，主要用于高档宴请和公关场合。

中档市场上，大众消费价位在40～100元之间，稻花香是这类市场的绝对主角。据了解，稻花香在当地的市场运作已有七个年头了，其销售网络、销售团队、消费群体在同类市场上首屈一指。其中终端价格70多元/瓶的十年陈香，60多元/瓶的珍品二号销量最大。大部分经销商预测，在未来一年的时间内，稻花香的市场地位不会动摇。近两年，婚宴市场等喜庆消费场合上走俏的金六福，目前销售状况不佳。在广东大部分地区，每年的5月份到11月份是结婚的低谷期。

由于时值广东气温最高时节，婚宴市场较为冷清，金六福的销量在这一地区有明显的时期性质。去年同期，古绵纯、皖酒王通过大量广告造势，赠售、返现、奖品等促销活动的拉动，市场走量极为可观，而今年尚未出现热销迹象。当地消费者的消费观念趋于理性使得促销活动效果不明显，二批商、零售商持观望态度，不轻易进货是造成市场较冷清的重要原因。

低档市场上，消费主流价位在30元以下，以地产米酒消费为主。这些产品不受品牌效应的影响，大部分厂家的糖酒销量都不错。这类市场上充斥着各种名牌白酒的买断品牌，由于白酒品牌多而杂，市场上并无主流，市场运作空间大。

啤酒对白酒市场造成了不小的冲击。由于天气炎热，冷藏后的啤酒在祛暑降温方面效果好，啤酒销量最大，在一定程度上替代了白酒的日常消费。

拓市建议：当地消费者的消费观念日趋理性，追求品牌保证，广告、促销等活动效果不明显，不宜大量投入。30元以下的低档市场消费量大，主流品牌的缺失为更多新品入驻提供了机会。进入此类市场壁垒小，所需费用少，市场操作相对容易。中高档市场主流品牌势头强劲，进入需慎重。

珠海：珠海是粤南著名的海滨旅游城市，其经济发达，人口流动较快，消费者受外来文化影响较大。当地白酒消费水平相对较高，大众消费的主流价位在50～150元之间，这类市场上品牌众多，大多是运作多年的优秀品牌占主导。前些年，稻花香和江口醇诸葛酿销量一直不错，他们通过大量广告造势，采用礼盒、赠品、奖金等促销活动牢牢抓住了消费者的心。50元左右的礼品型组合装是中档市场消费的首选，市场走量较大。而今年这种礼品型销售的却是不温不火，天气炎热，白酒消费受到了一定限制。二是经销商进货需要现金结算，市场运作费用增加，利润空间太小，挫伤了他们的积极性。三是市场上仿冒品、假货的出现，导致消费者更倾向于消费名品。目前，50多元的稻花香礼品促销装，60多元的江口醇诸葛酿促销礼盒的走量均不大。中档市场的其他产品，如古绵纯、泰山特曲、皖酒王销量一般，市场并无亮点。

低档市场消费的主流价位在20元以下，地产米酒是当地居民消费的主流，销量较大。外来务工人员是这类市场上白酒的消费主力，各类名酒的买断品牌是消费的主流，如五粮液集团的春夏秋冬酒销量不错。据了，购买10元/瓶左右的春夏秋冬酒即有赠品，促销活动是其热卖的重要原因。零售市场上，10元以下的绵竹大曲裸瓶酒，因其价位较低是外来务工人中的首选。

拓市建议：中档市场上强劲品牌的不同程度下滑，为同类品牌进驻提供了机会，当地消费者易受广告和促销活动的影响，因此各种促销组合活动必不可少，最好做到一步到位。厂家要给一级经销商、二批商、零售商足够的利润空间，才能提高他们进货的积极性，从而形成良好的市场循环。

湛江：湛江是广东最南端的城市，属于热带－亚热带气候区域，由于常年高温，白酒的消费受到了极大的限制。当地经济发达，是首批沿海开放城市之一，外来和工人员高达70万人，是白酒消费的主力。大众消费价位分为两个档次：40～100元之间和30元以下。高档酒市场主要以公务、商务形式为主，消费价位在200元以上，茅台、五粮液、剑南春、水井坊是此类市场消费的主流，尤其以酒店消费为主。

中档市场较为突出的品牌有：稻花香、皖酒王、泰山特曲。其中，泰山特曲、皖酒王较去年同期出现下滑。据了解，湛江并不是这些酒品的重点开发市场，厂家对经销商的支持力度一直不大，由于利益得不到保障，厂商之间的矛盾日益突出，造成流通市场上走量下降，最终影响了整个市场。近些年，稻花香对湛江市场进行了全面开发，广告和促销已经全面开花了。其中退盖费、赠美元等活动效果明显，40多元/瓶的珍品二号、珍品三号销量最大。

现阶段，中档市场上竞争较大，洋酒是最强劲的对手之一，由于天气炎热，洋酒的销量不断攀升。在商超终端，伏特加、威士忌销量较大，促销活动主要是与饮料捆绑销售。由于洋河可与冰块、饮料勾兑饮用，满足了消费者求新、求奇的心理。加入冰块、饮料后的洋酒，酒精度数大幅下降，而且冰凉解暑，目前洋酒销量很大，白酒销量则相对下降了。保健酒也是白酒的强劲对手，由于气温较高，当地人很注重保养，为了祛热除湿，增强体质，保健酒的饮用量较大。五粮液的龙虎酒、当地的威力神酒的销量不错，这为白酒的操作增加了难度。20元以下的白酒市场空间较大，消费主力是外来务工人员，目前尚未出现强势品牌。

拓市建议：由于当地消费主力是外来务工人员，消费的主流价位较低，这为低价位产品进驻提供了机会。在当地市场，中低档酒消费主要集中在中小酒店、商超和零售终端，开发市场应重点区域重点运作，减小不必要的财力浪费。流通市场上要维护好厂商关系，尽量多地让利于经销商，保持渠道的畅通。

东莞：改革开放以来，东莞以发外向型经济为主。近20年来，不断涌入当地的外来人口已经远远超出本市常驻人口。来自江浙一带的外来人口对黄酒情有独钟，来自内地的民工则偏爱白酒，还有相当部分消费才对洋酒宠爱有加，造成了东莞酒类市场“三足鼎立”现象的出现，即便如此，白酒仍是消费主流。

扣除季节因素，东莞的白酒市场仍不算很景气。高端市场被茅五剑牢牢占据。大众消费上，皖酒王以每年1个亿的销售额稳居榜首。江口醇诸葛酿和稻花香的销量紧随其后，年销售额都在6千万以上。这几种酒是当地的领军品牌，随着市场的成熟，广告渐少，促销手段也无新鲜之处。据悉，稻花香目前引人注目的美金促销越来越少了，以前每件6瓶中都放有美元，现在只有一两瓶中有，虽然在电视和路牌的广告还是那么火，但销量没有增长之势。另外据了解，金六福、五粮醇在当地销量也不错。

泸州老窖特曲酒在当地市场不被看好，其价位在60～70元/瓶，在当地来说是“高不成低不就”，销路一般。20元以下的泸州老窖头曲和64元/件(12瓶)的二曲在市场上倒是很走俏，消费者多以内地民工为主。

茅台镇一款“百年糊涂”酒今年在东莞的表现也值得关注。为了不引起竞争对手的注意，此酒上市并没有大量的广告和促销活动，主要靠人员推销。据商家介绍，此酒厂对经销商扶持力度很大，先提货后结账等一系列优惠措施大大提高了营销人员的积极性。目前“百年糊涂”酒铺货到位，步履稳健，可算当地一股新生力量。

拓市建议：中高档白酒市场一直是空白，主要是当地人的消费习惯所致。新品如要进入难度会很大，经销商对此价位的酒都避而远之。虽然餐饮终端费用不高，但是酒店对品牌要求较高，不知名的品牌很难进店。另外，选择有实力的分销商很关键，大量广告投入也是必要的。东莞夜场中的白酒消费量很大，这也是不可忽视的渠道。

潮州：潮州市位于广东省东北部，经济发展不能与沿海城市相比，这里的消费习惯受内地省份的影响较多。酒店和商超中除名酒外，多见人头马、芝华士等洋酒。受当地经济条件限制，高档市场相对冷清。

在潮州市场上，30～40元是白酒消费的主流价位。古绵纯在当地上市有六七年时间了，目前已到成熟期。其主推的一款33度铁盒酒最为畅销，市场零售价在35元/瓶。据了解，古绵纯目前广告投入很多，拉盖有奖、赠笔、打火机等促销力度也一直没减，正在积极应对的到来。金六福在流通渠道较为走俏，20元以下的一、二星酒深受农村消费者欢迎，30元左右的三星酒市场走量最大。浏阳河的市场情况与金六福相同，由于其酒质好、价格低廉，普遍受到消费者欢迎。浏阳河目前仍采用奖打火机、现金的促销手段，没有多少新意。稻花香自入市以来大打形象广告，其美誉度与日俱增，加之美元促销的拉动，使得此酒在当地颇有人缘，销量一度飙升。以上几种酒的销量目前已占据潮州市场的多半份额。

值得一提的还有泸州老窖，当地人对价格在27～28元的老泸州特曲酒情有独钟。虽然现在泸州老窖特曲、头曲等系列酒已经上市，可还是不能博得消费者的欢心，这可能与消费者的饮酒习惯和价格定位有关。

拓市建议：潮州市民消费趋于理性，更注重酒的品质和味道，而且对老酒品宠爱有加，因此造成了新品入市的艰难。当地餐饮终端的费用较高，新品最好依靠有资金实力和营销网络健全的经济商打开当地市场，同时配合适量的广告宣传，稳步进入市场。在价位上应尽量避开与成熟品牌的正面冲突。

深圳：深圳的经销商普遍反映，水井坊美誉度较高，国窖.1573也稳中有升，占据市场多年的皖酒五和江口醇诸葛酿仍风光无限，此两种酒占了中档价位市场的七成份额，江口醇诸葛酿目前的促销力度仍比较大，打火机等精美礼品还在吸引着不少消费者。稻花香在深圳的“低迷”与它在广东其他地市的风光形成鲜明的对比。稻花香攻城略地惯用“先做品牌，后做市场”的战术，而此招数在深圳却效果一般。据悉，主要是因为当地的经销商前期投入大，后期活动跟不上造成的，而且业务员少，终端铺货不到位，造成了“雷声大雨点小”的现象。估计稻花香近期会在深圳有大的调整以应对旺销时节的到来，我们会继续关注。

中秋将到，给打“家文化”牌的高炉家酒带来了无限商机。如今高炉家在电视和路牌上都投入了大量广告，“感觉真好”的广告词将家文化的内涵做到了极至，另外公司还派出了100多名促销员进驻餐饮终端。如此包装和推广，必定会在广大外来人口心中产生共鸣，也会大大提升酒的知名度。高炉家能否在深圳市场站稳脚跟，我们将给予特别报道。

拓市建议：主流消费市场格局稳定。老品牌已经雄踞多年。在这个经济发展一日千里的城市里，消费者需要新品跟进。低档和中高档酒没有市场潜力。当地人追求时尚，打文化牌可能效果不大，不如在促销上对消费者投其所好。大量的广告攻势必不可少，另外在流通和铺货环节上也要到位。

福建省糖酒市场

一、省情简介

福建地处中国东南沿海，与台湾隔海相望。陆地面积12万多平方公里，人口3470万。福建省是中国著名的侨乡，有海外华侨、华人1088万；台湾同胞中祖籍福建的占80%以上，港澳同胞中闽籍同胞有120多万。

二、市场格局

1、白酒

福建本地无名白酒，福建最大规模的白酒厂仅1万吨左右，也仅一两家。福建最大的酒业制造商是亚洲酿酒，其主打品牌“丹凤”在2003年获“福建名牌产品”称号，这是福建白酒业第一家获得此称号的品牌，也是继去年“丹凤”获得“福建省著名商标”后的又一殊荣。亚酿集团推出的主要是中低档白酒。主推品种“丹凤高粱”是清香型，长期在当地低档酒市场占据主导。该品牌推出的浓香型中档白酒“丹凤佳酿”以细致绵甜的口感见长，比较受当地消费者青睐。2003年该公司又陆续推出新厦门高粱、丹凤醇、枸杞红及金佳酿几个新品种，尤以目标消费群定位为台湾同胞的高档酒“厦门高粱王”市场反响最好。

2、啤酒

福建啤酒业发韧于上世纪80年代，当时全国啤酒业刚刚起步，福建啤酒企业也仅有几家。现在，福建啤酒企业达到45家，密度之大也居全国之首。全国啤酒十强，福建省就占有二强。2002年2月被收购的永定啤酒厂，在更名为闽港合资企业金德啤酒有限公司后，斥巨资进行了“5扩10”技改，并于同年5月实现投产，当年产能达到10万吨。随后，金德进行的“10扩20”技改，不断扩大生产规模。为了扩大市场占有率，福建啤酒企业纷纷扩大了各自的产能。惠泉啤酒的年产能将达80万吨，而雪津在收购三明日月星啤酒厂后，年产能也超过了50万吨。

福建啤酒格局不断发展变化。2002年7月1日，青啤以青岛啤酒福州公司、漳州公司、厦门公司和厦门青岛啤酒销售有限公司为基础组建东南事业部，三家企业产能已达40万吨，分别占据了福州、厦门等中心城市。2003年福建啤酒界的整合亦相当热闹。雪津收购了三明日月星啤酒厂，并对其进行了全面的技术改造。惠泉为了能够有效辐射闽东市场，收购了原福鼎啤酒厂。

2003年7月26日，更是爆出了燕京花3.6亿“喝”惠泉，成为惠泉啤酒第一大股东，执掌惠泉的消息。惠泉上市5月后，和燕京一起创造了发生在国内6家啤酒上市公司间的首起股权并购案。2004年3月25日，燕京发布公告称，燕京已开始整合惠泉和福建燕京啤酒的资源，联手反击中外啤酒对东南市场的进攻，被称为“中国啤酒史上最大并购”的燕京与惠泉的并购终于完成。

3、罐头

福建是我国罐头生产强省，其中厦门罐头厂、紫山罐头厂和厦门银鹭集团进入全国罐头行业十强。福建省漳州等地已成为全国最大的蘑菇罐头生产和外贸出口基地。

厦门罐头厂是厦门古龙集团有限公司的核心企业，创建于1954年。近50年来，厦门罐头厂由年产不足千吨的小厂，发展成为我国大型食品加工企业，是中国最大的红烧肉类罐头生产和出口厂家。

紫山罐头厂创建于1984年。经过十几年的不断扩建和改造，紫山罐头厂已拥有4000多平方米的标准厂房，10000多平方米的成品仓库，500多平方米的组合式原料保鲜库及具有成套设备的品管楼。自1990年出口以来，Q51罐头产品行销日本、德国、美国、巴西、澳大利亚等20多个国家和地区，年出口量2.5万吨，为国家创汇2500万美元。蘑菇罐头出口量占日本市场进口量的一半以上，芦笋罐头的生产量与出口量均居全国首位

厦门银鹭集团成立于2000年11月22日，位于国家农业部批准的首批全国乡镇企业科技园区——厦门银鹭高科技园区内。集团占地面积30万平方米，建筑面积21.8万平方米。现有员工3000多人，其中大中专以上学历600多人，各类专业技术人员350多名。集团拥有20世纪90年代中后期国际领先水平的现代化生产线30多条（套），具有较强的集约化、专业化、规模化生产能力；年可生产各种食品饮料、罐头60万吨，是福建省最大的罐头、饮料生产基地，福建省重点扶持成长型企业，省、市农业产业化重点龙头企业。2003年，厦门银鹭集团有限公司“银鹭”牌花生牛奶荣获年度中国名牌产品称号。

三、知名企业

【厦门市】

厦门位于中国东南沿海，全市总面积1565平方公里，人口为204万，是著名的侨乡和台胞祖籍地，是传统的对外通商口岸，是中国最早的四个经济特区城市之一，现已成为中国最主要的国际招商口岸之一。

知名生产企业

1、亚洲酿酒（厦门）有限公司

2、厦门罐头厂

3、厦门银鹭集团

【泉州市】

泉州市位于福建东南沿海，与台湾隔海相望。现辖鲤城区、丰泽区、洛江区、晋江市、石狮市、南安市、惠安县、安溪县、永春县、德化县及金门县(待统一)和泉港区、经济技术开发区。全市人口728．07万，土地面积11015平方公里。

知名生产企业

1、福建省惠泉啤酒集团股份有限公司

2、安溪自制茶厂

3、安溪鑫源名茶

4、福建雅客食品有限公司

5、福建达利食品有限公司

6、福建亲亲股份有限公司

7、福建福马食品集团公司

【莆田市】

莆田市地处福建沿海中部，整个地势背山面海，西北部山峦叠嶂，中部丘陵起伏，东南部平原广阔。著名的兴化平原与逶迤的木兰溪、延寿溪、秋芦溪构成了江南水乡的秀美景色。

莆田市史称兴化、兴安，自古是闽中的政治、经济、文化中心，现辖城厢区、荔城区、涵江区、秀屿区和仙游县。陆域面积4200平方公里，人口300.54万人，旅居在外的莆仙籍侨胞及台港澳同胞有60多万人。

知名生产企业

1、福建雪津啤酒有限公司

【龙岩市】

龙岩市位于福建省西部，通称“闽西”，现辖新罗区、漳平市和永定县、上杭县、武平县、长汀县、连城县一区一市五县。全市面积1.91万平方公里，人口286.51万人。龙岩东临厦门、漳州、泉州，西连江西赣州，南接广东梅州、汕头，北韋三明，既是闽南“金三角“腹地，又是内地经济区的前沿，也是闽粤赣三省的交通要冲和物资集散地，成为连接沿海与内地的过渡带和经济技术走廊。

知名生产企业

1、中外合资金德啤酒有限公司

【漳州市】

漳州市是闻名中外的花果之乡，地处福建西南部，介于厦门、汕头两个经济特区之间。全市辖二区一市八县，地域面积1.26万平方公里，海域面积1.86万平方公里，海岸线长680多公里，人口451.96万人。

知名生产企业

1、福建紫山集团

【宁德市】

宁德市位于福建省东北部，俗称闽东，现辖一区二市六县，即蕉城区、福安市、福鼎市、霞浦县、古田县、柘荣县、周宁县、屏南县、寿宁县，总人口324.69万人。全市土地面积1.34万平方公里，海域面积4.46万平方公里。

知名生产企业

1、福鼎市天湖茶业有限公司

四、市场概况

【福建地级城市：红酒兴起　白酒萎缩】

福建的泉州、莆田、龙岩三个地级城市地处沿海，受外来文化的影响较大，红酒在这些地区所占的市场份额越来越大，相比之下，白酒市场正呈现出逐年萎缩的态势。这些地区是老名酒的天下，茅、五、剑、泸等品牌是市场的主角，但整体销量远不及前些年；福建地产酒的实力不强，仅在中低档市场占有一定份额。相对冷清的白酒市场，红酒市场发展迅速，成为当地酒市的一大亮点，也成为白酒市场的一大障碍。

市场动态与机会分析

泉州：位于福建东南沿海的泉州历来是啤酒、红酒的主销区，今年更是达到了旺盛阶段，使得本来就不乐观的白酒市场雪上加霜。100元以上的高档市场上，三大名酒茅、五、剑的市场相对稳定，是当地政务、商务活动的主销品，由于价位高，又具有特殊的公关性质，红酒对它们的影响不大。泉州消费者品牌消费意识很强，对茅、五、剑的品牌忠诚度最高，高档新品运作当地市场的难度很大。泉州与台湾隔海相望，很多台商都来投资办厂，截至今年，台商投资已达到1000亿新台币。台商成为了这部分市场特殊的消费群体，台胞更多地接受传统名酒，对品牌的忠诚度很高，集中在茅、五、剑的消费。

中档市场上，去年流行起来的皖酒、洋河，凭借品牌知名度、经销商渠道、网络、客情关系支撑，今年仍是最有影响力的品牌。但在红酒冲击下，中档市场出现了全面萎缩，洋河、皖酒也不能幸免，出现数量上的下滑在所难免。中档市场其他品牌更迭严重，本世纪初最热卖的金六福、稻花香已经不能称作畅销品牌了，泸州老窖及系列品牌的兴起使金六福、稻花香的市场地位下滑，但这些品牌涨落不定，在当地市场没有绝对的影响力。

10元以下的低档市场上，绵竹、尖庄、古井佳酿及地产酒丹凤高粱是消费者最青睐的产品。低档市场主要消费群体由当地大众消费群和外来务工人员组成，外来务工人员是其中最稳定的消费者，市场需求量不可小觑，但这些低档白酒的利润率逐年下降，很多经销商更多是扮演着搬运工的角色，激烈的市场竞争为外来新品设置了重重障碍。

莆田：莆田与泉州毗邻，白酒市场的表现与泉州有很多相同之处，高档市场五粮液的销售情况最佳，茅台、剑南春紧随其后，构成了莆田高档消费市场基本形态。莆田消费者对老名酒的信任度、忠诚度很高，100元以上的高档白酒市场很难渗透。

中档市场与泉州有很大的不同，泸州老窖及其系列产品始终是这个市场最畅销的品牌。泸州老窖及其系列品牌在这个市场分布很广，几乎占据着20～100元之间的全部市场，由于覆盖了中档市场的全部价位空间，泸州老窖在这个市场的统帅地位显而易见。但同样由于红酒的影响，莆田的白酒销量也在下降，泸州老窖的销量较往年也萎缩了很多。在笔者调查过程中，很多白酒经销商都在以经营红酒、啤酒、饮料为主，兼做白酒，专门经销白酒的经销商越来越少，这从一个侧面反映出当地白酒市场，尤其是中档白酒市场正面临需求量、销售量方面的萎缩。

10元以下的低档市场比中档市场乐观一些，由于消费需求不同，低档白酒消费者更加注重白酒的口味、度数，他们已经形成了对白酒消费的需求，而中档白酒市场上，消费者更加注重健康、保健，红酒的繁荣正是体现出消费者消费意识的转变。低档市场上，地产酒丹凤高粱、流通价5元左右的光瓶酒古井佳酿及绵竹、尖庄等低档川酒销量很大，但市场竞争激烈。

龙岩：这里是受红酒冲击很大的市场，白酒市场同样面临着萎缩之势。中档市场上，泸州老窖及系列产品是当地的老品牌了，流通市场上20～30元、60～70元之间的泸州老窖相对稳定。据了解，泸州老窖在当地已经运作多年，拥有着牢固的市场基础，其品牌影响力、经销商客情关系、可控的价格体系等多方面原因使得产品成为萎缩市场上的稳固品牌。

当地终端市场也呈现出了新的变化，目前，酒店、超市终端白酒的销量同样出现了大幅下降，很多经销商认为，在当地流通市场才是运作白酒的最佳区域。白酒在酒店、商超的进入政策也发生了若干变化，白酒单品当作其它酒品的附加品或是只需要很少的费用连带进店。这从另外一个角度呈现出了白酒市场正在萎缩。

今年龙岩的婚宴市场也十分冷清，今年在当地风俗中称为“无春年”，俗称“寡妇年”，很多情侣的婚期都提前或拖后，受地方风俗的影响，今年的婚宴市场预计将减少60%的销量。很多做婚宴市场的经销商正在筹备明年销售活动，预计明年将会出现一个白酒消费的高峰期，明年婚宴市场的关注度也在增加。

当地也有新进入市场的品牌，如五粮醇、现代人等，这些品牌依据五粮液品牌的强大影响力，运作市场的力度较大，但受整个市场大风向影响，这些产品的走量一般。

拓市建议：通过以上对福建三个地级城市白酒市场基本概况的分析得出：受红酒影响，这些地区的中档白酒市场受到了严重冲击，中档白酒消费者保健、健康的消费观念日益增强，直接影响了白酒销量，中档白酒市场日趋萎缩已经是个不争的事实了，建议中档白酒慎入。

高档白酒市场受红酒影响相对较小，但这些地区对品牌的忠诚度很高，茅、五、剑已经成为不可替代的产品了，其他高档产品想要打开市场不是易事，需要长期不懈的拓市活动，树立品牌影响力才能站稳脚跟。

低档市场是这些地区白酒需求量最大、最稳定的区域，但由于成熟品牌众多，市场竞争十分激烈。来自全国各地的外来务工人员是这部分市场重要的消费群体，这是很多外来品牌应该重视的部分。

受当地风俗影响，今年的婚宴市场十分冷清。明年将迎来一个婚庆的高峰期，对于婚宴市场的品牌来说无疑是个机会，需要经销商提前准备，蓄势待发才能抢占到市场先机。当地终端市场也受到了严重冲击，大部分地区终端作用已经越来越小，流通渠道是这些地区的主销渠道，产品应重点运作流通渠道。在白酒市场萧条的状况下，经销商的客情关系显得尤为重要，靠客情走量已经是普遍现象，维护好经销商关系、抓住当地影响力大的经销商应是厂家工作的重点。

【福建白酒区域突破之路】

相对于啤酒强省——年产能130多万吨，两个啤酒企业进入全国啤酒10强，高达80%以上市场占有率，福建白酒却显得弱小，如同一个发育缓慢的孩子——年产白酒1.7万吨，规模以上(500吨以上)白酒企业不到6家，最大白酒企业亚洲酿酒厦门公司、产酒大厂厦门巷南酿酒公司以及雄居闽北的福建黄华山酿酒公司三大企业一年合计销售白酒一直在1.5万吨左右徘徊。目前几乎稍有名气、成规模的白酒品牌都拥入福建，席卷八闽，外地白酒在福建市场占有率高达93%，福建地产白酒只得分割不到7%微薄的分额。10多年前曾振臂高呼“振兴福建”，如今何以“涛声依旧”、“老大难”如故？福建难题与困境何在？福建白酒如何区域突破、做大做强？

闽酒企业在市场的运作观念上，无论是同川酒、黔酒企业相比，还是同邻近的粤酒、赣酒相比，均存在着“质”的落后，没有形成强势市场。

困难重重山

由于缺乏资本输入与运作，闽酒目前在广告、通路与终端营销中与外埠白酒竞争显得力不从心，无力竞争，除了自我积累性少量投入，象新天、金六福、小糊涂仙这种大手笔投入，几乎不可能，而这也使闽酒跨不出闽地，只能坚守本地。这样也导致外地经销商对闽酒的孤陋寡闻，无法参与。

闽酒企业在品牌或产品开发上，大多是在原有市场、原有消费群体、原有消费档次固定的基础上，进行的产品延续开发，新产品不能同老产品进行明确的市场消费区隔。过渡的同质化产品开发，动摇了原有品牌或者产品的市场定位，逐步在消费群体中形成模糊认识，弱化了消费者对企业的整体消费价值。

同时，闽酒企业缺乏把企业做大做强成全国性企业的雄心壮志，小富即安、安于现状的思想较为浓厚。以“川酒为何能如此辉煌”、“如何看待金六福”等话题询问有关人士时，得到的答案几乎相同：川酒政策好、税率低、金六福的资本人……从中我们可以看出，占据闽酒人市场观念的主题，还是“政策”与“资本”两大话题，不能深层次的看到对方的长处。“心太软”，还表明闽酒人缺乏对行业趋势与市场深层的思索。

近10年来，无论是当年闽酒的兴旺，还是黔酒、汾酒、川酒的强大，都有一个规律：一个龙头性的企业引领市场。但闽酒目前缺乏一呼百应、能与外敌抗争的强势企业。在每个酒业板块的起起落落的过程中，总有一两个企业会成为本地旗手式企业，如鲁酒中的孔府家、孔府宴，皖酒中的口子窖，东北酒中的黑土地、刘老根，川酒中的六朵金花和黔酒中的茅台。目前闽酒企业都有振兴的愿望，但除了亚洲酿酒有份量之外，始终未见再有企业站出来振臂一呼，没有龙头企业与产品吸纳消费者的目光，要创造出地产美誉度，恐怕是闽酒难以逾越的阻碍。

此外，政策性问题也是难题之一。国家政策向来对白酒采取限制措施，但在福建似乎更厉害些，由于福建最早沿海改革开放的省份之一，各行各业发展很快，特别是新兴行业更是远远把传统白酒业抛在一边，所以闽酒好似没人照管、吃不饱的孩子，纵观闽酒几个大企业，显然从来就得不到当地政府的关照恩惠。比起川酒、黔酒，闽酒是真正的“自力更生艰苦奋斗”。如何突破政策难关，对闽酒轻装上阵显然是重要意义。

闽酒的企业几乎都走的是低价、地缘之路，如今面临着共同的尴尬：产品从市场覆盖率、价格空间上都缺乏互补性，产品几乎低档，产品层次过分密集，也使产品竞争内讧越发激烈明显。虽然目前近些年闽酒也推出高档酒，但产销比例还极小，凤毛麟角。因此闽酒必须对产品进行融合，优化组合。

闽酒技术储备、开发与投入明显不足，产品科研与技术创新基础工作一向十分薄弱，硬件建设、技术水平落伍于全国，传统落后的小手工作坊仍然普遍存在，缺少科研人才与学科带路人，科技优势和人才优势至今仍未形成，工艺、香型、风格的研究匮乏，产品研发基本处于学习模仿型，与白酒强省川酒、黔酒差之甚大。

找到突破口

任何产品的竞争都是以产品实体竞争为基础的，白酒尤其如此，这一点上闽酒要抓住白酒消费观念的进步与回归的机遇。所谓进步，既白酒口味的多元化(如酒精度、香型、酒体颜色等)与白酒消费的功能需求(如保健、营养等)，集中体现为时尚和个性；所谓回归，是对传统工艺白酒的地道风格的再认识，接受工艺白酒，但更要求创新而不失本色。闽酒正因为在全国未曾成名，在公众中没有成型印象，所以更具有可塑性。

白酒产品消费价值的核心支撑是产品文化，整个闽酒在历史性传承文化方面很难形成强势的文化要素，不能够满足强势高端产品的需要，这也是闽酒为什么不能在100元以上市场有效开发的原因之一。文化的价值在于把握和再开发，孔府家的“家文化”、沂蒙酒的“沂蒙小调”、酒鬼酒的“湘泉文化”都是充分挖掘本地文化，让自身特色文化扎根全国消费者心中，使自己在整个中国白酒市场站稳中高档酒市场。但是文化因素不是导致整个闽酒衰败的最主要原因，闽酒企业完全可以在个性文化、情感文化方面得以弥补其在历史性文化和地域性文化方面的不足。

营造地产酒亲和力也不失为一条可行之路。看到“京酒”，人们很容易联想到有着厚重文化的首都北京，看到“石湾米酒”，人们仿佛回到黄飞鸿当年的时光--正是这些熟悉、亲切的品牌联想，使得地产酒品牌在当地获得了良好的心理支撑。人对自已的家乡总有一种依恋、信赖的情结。而这种强烈的家乡情结就构成了一个地产酒品牌生存的牢固根基，也是地产酒品牌的战略优势，是外来白酒所无法具备的独特的竞争力，因此闽酒一定要打起“闽南牌”、“对台牌”、“客家牌”，构筑产品的地域特色、口感风格，形成系列有强烈地域风格、强大卖点和亲和力的产品群体。

地产酒的销售半径相对较小，但是地产酒的销售渠道却十分紧密，客情关系良好，很容易形成强大、排它性的地方渠道力量。因为地产酒企业对当地市场的熟悉，因为都是当地企业，地产酒的企业和经销商之间知根知底，不少经销商与生产企业的内部人员之间有着千丝万缕的联系，这样，在平时的业务往来中出现极端不信任的可能性大大降低，这在很大程度上加深了销售网络的牢固性。因此，闽酒作为地产酒品牌可以充分地建立相对封闭的区域性销售渠道，从而形成对区域市场资源的强力占有，排除外埠酒鲸吞掠夺，达到“强龙难压地头蛇”之目的。

农村市场也存在着巨大的商机。目前全国白酒消费有所下滑，但农村以白酒为主的消费格局仍未动摇，随着农村生活水平的提高，且有向中、高档次白酒迈进的意向，因此农村是一个很大的消费市场，是闽酒有希望、有作为、有优势的剩余市场。加紧及早抢农村市场把营销重心下沉，是闽酒发挥地产之“天时、地利、人和”之优势，抗御外敌、扎实基地的未来必然战略之举。农村的市场潜力较大，很值得闽酒企业去研究、去深挖。业务人员必须深入农村，了解不同地区消费者的消费观念与消费习惯，洞察农民所想，用自己的努力去影响、去引导。农村的消费观念是长时间形成的，一般不易改变，但一经改变，他们便成了固定的、忠诚的消费群体，只有靠培养一个个这样的消费群体，闽酒企业才有新的市场，销售业绩才能有新的增长和突破。

福建具有酒类销售独特的区域优势，可以把台湾市场作为重点之一。厦门、福州等城市与台湾金门、马祖、澎湖诸岛隔海相望，与台湾邻近，语言相通习俗相同，具有明显对台的区域地理优势，是台商非常看重的风水宝地。由于在大陆的台商越来越多，他们在日常消费上对长年养成的一些习惯性口味一时难以放弃，包括台湾烟酒在内的商品，大陆台商中都有种类商品的固定消费群体。据悉，台湾一年销售白酒1000亿台币，市场容量非常大，对大陆白酒厂商而言是块巨大蛋糕。近年来，大陆一些名白酒茅、五、剑已经出口到台湾，并形成了一定的消费群体。随着三通在即，两岸包括酒类等商品互补性、融合性越来越强。但是相对有地利人和之优势闽酒而言，出口酒却是几乎空白点。因此着眼台湾市场，哪怕只要占有1000亿台币中的1～3%，福建白酒突破即在望，成功在望。

附：福建白酒市场上的产品情况详见如下：

主流品牌

泉州　五粮液稳居高档，皖酒系列和洋河系列是目前市场上的主导品牌，泸州老窖也是一个强势品牌，地产的丹凤高粱也有不错的市场。

厦门　高档市场上五粮液、剑南春占优势，中档市场上以丹凤佳酿、皖酒系列为主导品牌，低档市场上尖庄、绵竹大曲和地产酒丹凤高粱、米酒三分天下。

福州　茅、五、剑几乎占据高档市场，皖酒、泸州老窖、古井占很大的中档市场份额，低档市场上尖庄、绵竹大曲、德州高粱三分天下。

零售市场主流价位

城市中档酒消费集中在30～40元左右，低档酒和城郊的消费水平一般在10元左右。

主流香型

浓香有绝对优势

主流度数

泉州在28~30度左右，厦门、福州以38度为主。

备注

1.地产酒处于弱势，只有武夷系列和丹凤系列较有知名度，可仍没有发展成为强势品牌。2.消费度数较低，但近年来度数有提高的趋势。

海南省糖酒市场

一、省情简介

海南省位于中国最南端。北以琼州海峡与广东划界，西临北部湾与越南民主共和国相对，东濒南海与台湾省相望，东南和南面在南海中与菲律宾、文莱和马来西亚为邻。全省户籍人口769.5万人。其中，男性403.71万人，女性365.79万人；非农业人口202.31万人，农业人口567.19万人。

二、市场格局

1、酒类

海南省酒类以椰岛公司的鹿龟酒为主导产品。在2004年初于香港举行的"中国企业竞争力监测指数"发布交流会上，椰岛鹿龟酒被认为是中国保健酒第一品牌，而保健酒产业已经成长为可与白酒、葡萄酒行业并驾齐驱的又一新兴酒产业。会议发布的2003蓝皮书表明，在全国1200多家上市公司中，海南椰岛股份公司效益型综合指数进入全国100强，列第88位；效益、规模并重型综合指数列第99位。在全国酿酒行业上市公司中，椰岛公司在竞争力指数、人气指数、行业名次等均进入前五强。

啤酒生产企业亚太啤酒的最终规模是35万吨/年，现在基础和公共设施已按35万吨/年建成，部分生产设备已具备13.5万吨/年的生产能力，但2000年实际产量仅4.3万吨；南国食品公司生产的速溶椰子粉、椰奶咖啡、椰子糖、等系列旅游食品，很受游客欢迎，它将扩大生产规模，因为随着海南旅游业的快速发展，旅游食品的需求也会更大。

2、果汁饮料

海南拥有以椰树、椰风两家企业为代表的天然果汁饮料，这是海南省唯一在全国同行中名列第二的大宗产品。

椰树集团是全国最大的天然果汁罐头饮料生产企业、海南省农业产业化重点龙头。其椰树牌天然椰子汁、天然芒果汁和火山岩珍贵天然矿泉水等产品被定为国宴饮料；椰子汁更获得"世界首创、中国一绝"称号，获世界知识产权组织和中国专利局联合授予的"中国专利发明创造金奖"。

3、乳品饮料

80年代中期，海南出现了第一瓶液态奶，这是由海南澄迈县生产的"红岛牌"牛奶。它首开了海南乳制品市场的先河，但由于海南人喝奶意识太淡，企业势单力薄，在苦苦支撑了几年之后，"红岛"牛奶于1992年因经营亏损而倒闭。1994年，海南又一家地产乳制品企业罗牛山乳业有限公司建成投产。公司在海口附近的琼山县三江农场饲养160头黑白花奶牛，初时每天产奶不多，用以生产鲜牛奶、酸奶和果味酸奶等产品。经过几年的努力，"罗牛山"的销量上升到了近20万箱，代理商也发展到了130多家。

三、知名企业

【海口市】

海口市地处海南岛北部，北濒琼州海峡，隔18海里与广东省海安镇相望；西北面临海；东面隔南渡江与琼山市相望；南面、西南面分别与琼山市、澄迈县接壤。全市陆地面积236.44平方公里，海域面积530平方公里，现城市建成区面积33.64平方公里。规划城市陆地面积1127平方公里。全市辖四个管理区（秀英区、龙华区、琼山区、美兰区），6镇（永兴镇、灵山镇、云龙镇、甲子镇、大坡镇、大致坡镇），2乡（龙山、马鞍岭）。

知名生产企业

1、海南椰岛股份有限公司

2、海南亚洲太平洋酿酒有限公司

3、海南山兰玉液酒厂

4、海南香身酒业开发有限责任公司

5、椰树集团海南椰汁饮料有限公司

6、海口椰树矿泉水有限公司

7、海南六合饮料食品有限公司

8、海南椰风集团有限公司

9、海南艾森乳业有限公司

10、口市营养食品厂

四、市场概况

【海南的酒文化】

除黎族的米酒之外，琼岛历史上还有各种各样的酒：粮食酒类有木薯酒、番薯酒、浇酒和黄酒；果酒类有荔枝酒、椰子酒、甘蔗酒、山柑酒、龙眼酒、捻子酒和石榴酒；药酒有椒酒、桂酒、菖蒲酒、桑寄生酒、七香酒、鹿骨酒和金银花酒。粗略计算18种。

琼岛历史上曾有的酒，"是粮皆入酒"，但以糯米为主；而且果酒、药酒较多。这些特点一直延续至今———如现在的保亭山兰玉液，以糯米为主要原料，沿用黎族传统方法酿制而成；诚利集团生产的绿色"南派果酒"系列品种多达8种，如红毛丹酒、荔枝酒、番石榴酒、杨桃酒等，古今虽然都是果酒，但是果料有所不同；还有保健酒椰岛鹿龟酒等等，目前均是全国的知名品牌。

近日来，记者主要探访的是海南的古酒，因为，这些酒大部分已随历史长河的流逝而湮灭……然而，这份记忆应从一些发黄的书页中，或在村头巷尾中重新拾起。探寻中，你可以闻到那从远古传来的酒香，它们的制作就地取材，品种多样———

逝去的"椒酒""桂酒"

椒酒就是其中一种没有流传下来的佳酿。

琼岛居民很早就会用安石榴酿酒（即椒酒），宋乐史《太平寰宇记·岭南道十三》卷一六九载："琼、崖州有酒树似安石榴，其花著瓮中，即成美酒，醉人。"宋赵汝适《诸蕃志》卷下载："无曲蘖，以安石榴花酝酿为酒。"《宋史·蛮夷列传三》也载有"琼营黎峒又有椒酒，以安石榴花著瓮中即成酒。"到清代，椒酒仍大行其道，清道光年间《琼州府志》载"饮惟椒酒"。

传说中月宫玉兔和仙女的桂酒酿造法，不知何时传给黎民。宋杨万里《登载酒堂》诗“万里鲸波隔希吁，千年桂酒吊灵均”，述说的就是黎民以桂酒将东坡视为屈原来吊祭。至元代，虞集同题诗中仍有类似的说法：“甘辛熟桂酒，罗列杂薯芋。符黎多孙子，食饮祭先具。”如今，桂酒在哪里呢？

罕见的獐子酒

以动物肉酿酒极为少见，但历史上琼岛居民有以野獐子肉酿酒的习惯。苏轼《和劝农六首》中有“惊麇招射，猛豨夜逐”的诗句，描述当时儋州黎民狩猎獐子（即“麇”）的情景。

《儋县志·兽类》有记载：“獐，性善惊，饮水见影辄奔……以獐肉酿酒，甚佳。”这应该是古代儋人以獐酿酒的确证。

记者曾在儋州探访这种酒，回答是惊讶的反问：“还有这种酒？”不过獐子今天是国家保护动物，不见獐子酒，也就不遗憾了。

“天门冬”熟新年喜

天门冬也叫百部草，其根可供药，具滋阴润肺、除火止咳之功效。以天门冬汁液为酒曲，可以制出融合天门冬药性的米酒，叫天门冬酒。

天门冬酒据说是“坡仙”苏轼居儋期间的发明。《山居要录》中详细记载了东坡的天门冬酒酿法：“醇酒一斗，曲麦一升，好糯米五升，作饭，取天门冬汁浸，先将酒浸曲如常法，候炊饭适寒温，用煎和饮令相入酿之。春夏七日，秋冬十日熟。酒初熟味酸，久停则美香，余酒皆不及。”

苏东坡在其《东坡酒经》中也有类似的酿法记载。他还以诗句表达自酿自饮天门冬酒时的喜悦心情，诗云：“自拨床头一瓮云，幽人先已醉浓芬。天门冬熟新年喜，米曲春香并舍闻。”想来天门冬酒已为时人接受。据说苏东坡还曾以米、麦、水酿制“真一酒”，清道光年间的《琼州府志》有相关记载，只是酿法已随“坡仙”羽化而去。

百岁老人自酿自饮“五加皮”

《儋县志》中还有这样的记载：“五月端午日，饷角黍，诸粽相馈，男女系香袋，儿女彩索缠臂，涂雄黄，饮菖蒲酒，柳艾悬门。”端午节时所饮的菖蒲酒，不知是否就是一种黄酒。记者在儋州有一个意外的收获：南丰镇角要村有位老人，自酿五加皮酒，每天喝半斤左右，现在已经活到104岁。看来他的“土法”五加皮比工业酿造的要好得多，因此“酿法不能教给别人。”

古时盛饮“椰子酒”

椰子酒也是年数久远的“老酒”，经今人整理发掘，其酿法大致有两种：一是椰子树生长佛焰花苞时，割断花梗，取其椰浆，集中到瓶中，汁液自酿为低度椰子酒；另一种是取成熟椰果，将椰子水和椰肉共捣取浆，浆液自动发酵成酒。

苏东坡在儋州时有诗《椰子冠》，诗句“天教日饮欲全丝，美酒生林不待仪。自洒著疏邀醉客，更将空壳付冠师。”就是赞美椰子酒是天然之酒，无须仪狄（传说中中国古代酿酒始祖之一）教授酿法，酒成后椰壳还可制帽。其子苏过居儋期间也有“椰酒醍醐白”的诗句，这说明当时椰子酒至少在儋州比较盛行。可惜的是，现在很少有人酿制这种酒了，东坡当年啜饮吟韵的美酒，今人也就无缘品尝。

门外青帘尽酒家

酿酒成风，饮酒成习。历史上，琼岛饮酒之风兴盛，宋代时处处都有酒家。苏轼在《儋耳夜书》中有这样的记载：“步城西，入僧舍，历小巷……屠酤纷然。”《琼州府志》录宋代参政李光的诗句“门外青帘尽酒家。”其中，屠酤、青帘都是酒家的代称。

无酒不成礼，《儋县志》中记载历史上琼岛居民以酒祭灶的传统：“以竹叶扫屋尘，换炉灰，夜具酒果，送灶君朝帝。”这种以酒祭灶的传统至少在宋代就从中原传到海南，东坡居儋诗句“明日东家当祀灶，杀鸡斗酒定月番吾。”即是明证。《儋县志》中还记载：民间设有乡饮酒机构，专门主办“乡饮酒”仪式。届时，“乡备酒礼，市备糖圆”，雅士文人鱼列两旁，鸣钟鼓歌，饮酒唱和。“乡饮酒”仪式的庄重气氛之下，实际上是乡绅借以维持地方秩序和其利益的愿望。

琼岛古时的另一个酒俗是“插”。正月十五上元节（元宵节），家家户户在竹编的酒笼插上新鲜草叶，叫“挂青”或“插”，用以点缀新春，表示吉祥。这种习俗也是宋代时就有了，苏轼有这样的诗句：“典衣剩买河源米，屈指新作上元。”

不设店不注册找个酒楼就卖酒　海南酒市场一大怪

驻店酒 海南酒市场一大怪

有人说海南是酒的销售“天堂”：到海南市场销售白酒、红酒或是啤酒，几乎不存在门槛一说。不需要固定的经营场所，不需要到任何部门登记备案，只要拿着酒挨个酒楼去推销，许以高利就成；

有人却抱怨海南酒市场最乱：因为没有门槛，不少小厂以租仓库、进酒楼的方式，低成本运作，往往轻易打败那些投入巨资打市场的知名大厂。

监管空白生出驻店酒

早在几年前，海南一家知名酒厂负责人就向有关职能部门建议，要加强海南的酒类市场监管。这家酒厂在进入上海、深圳等地销售时，要提供各种各样的证照，而且在当地的销售公司要有固定经营场所，注册资金要达到100万等。所有的酒厂有一个规范的起跑线。

但在自己的家门口，这家酒厂非但没有享受到“地方保护”，反而受到各种各样外来酒的不正当竞争。

“的确是有这样的问题。”省商务厅市场处处长李龙生说，在商务部《酒类流通管理办法》出台前，我省对酒类市场的监管一直是个空白，是国内不多的几个没有制定酒类管理办法的省份。

这就给了不少小酒厂可乘之机。从事酒推销多年的刘先生，道出了不少酒厂在海南打市场的一个套路：由于不需要固定经营场所、注册资金等门槛，不少进入海南市场的酒只需在城郊结合部租上一个仓库堆放产品，然后再由推销人员到各大小酒楼进行推销。酒楼成为这些酒的主要销售场所。

因此，有人形象地将这类酒称为“驻店酒”。这些厂商往往会给这些酒楼酒店提供数量不等的促销酒，其余的酒也在售后才结款。这样的方式对酒楼来说，由于没有任何风险和资金压力，而且售酒的利润至少可以达到100%，当然就没有拒绝的道理。

在接受记者采访时，不少酒楼认为这已经是行规，酒楼并不认为由此获取的是不当利润。

成为假酒保护伞

一个众所周知的事实是，我国酒类市场存在着流通秩序混乱、假冒伪劣商品屡禁不止、税收流失严重等问题，而商务部的《酒类流通管理办法》，也正是在这样的背景下出台的。

"如果不设门槛，缺乏监督，消费者会成为最终的受害者。"李龙生说，因为一旦发生质量问题，一方面店方和厂方容易扯皮，一方面很难追溯到源头。因为相当部分"驻店酒"没有固定经营场所。

商务部门认为，"驻店酒"是海南酒类市场一个比较独特的现象，按照新的管理办法，显然也是不合法的。"驻店酒"现象给假冒伪劣酒类商品提供了一把保护伞，给海南的酒类市场监管带来了相当大的难度。

但由于"驻店酒"的隐藏性，仅仅依靠职能部门很难监管好这个市场。

广西区糖酒市场

一、区情简介

广西地处祖国南疆，南临北部湾，与海南省隔海相望，东连广东，东北接湖南，西北靠贵州，西邻云南，西南与越南毗邻，陆上疆界线长1020公里。

先秦时期，广西为百越之地。公元前214年，秦统一岭南，设置桂林、南海和象郡，广西大部分地区属于桂林郡，广西称"桂"由此而来。截至1999年，全自治区设9个地级市，5个地区，10个县级市，59个县，12个民族自治县，26个市辖区，3个市辖郊区，基层设703个镇，660个乡，62个民族乡（51个瑶族乡，8个苗族乡，瑶苗族乡、侗族乡、回族乡各1个），59个街道办事处，1233个居委会，14738个村委会。适 自治区土地面积23.6万平方公里，占全国土地总面积的2.5%，居全国各省、自治区、直辖市的第9位。全区总人口4857万人，增长0.73%。其中，城镇人口1411万人，占总人口29.06%；乡村人口3446万人，占总人口70.94%。

广西属亚热带湿润季风气候区域。主要特征是气温较高，热量丰富，雨量充沛，夏湿冬干，雨热同季。年平均气温在17–22℃。

二、市场格局

1、白酒

广西是产糖大区，大型的白酒生产企业相对较少。广西白酒的龙头企业主要为桂林三花股份有限公司。

桂林三花股份有限公司生产的桂林三花酒是广西的一个地产酒品牌，作为"桂林三宝"之一，它的产品特色十分鲜明，是国内米香型白酒的典范，在市场上一直享有广西白酒第一品牌之誉。

桂林三花酒的成功是地产酒突破瓶颈的典范。桂林三花酒立足广西市场，突破品牌瓶颈的主要手段是品质策略和品牌再造策略。近几年来，来自四川、贵州等地的白酒蜂拥而入，在促销和广告上急攻猛打，一度对桂林三花酒形成了合围之势。但在一阵似的"潮流"过后，回过味来的消费者，仍然举起了桂林三花酒。市场表明，尽管饱受风吹雨打，但桂林三花始终保持着当地市场第一品牌的本色，在中低档市场的地位更是稳如泰山。他们依赖本地消费习惯的延续性，坚持品质创新，市场创新，立足于企业对本地市场的熟悉，对消费者的了解，通过新产品开发，细分市场占有来谋求市场的发展。经过几年的耕耘，桂林三花酒不仅抵御了外来白酒品牌的进攻，稳稳地成为广西白酒市场的第一品牌，而且也肃清了本地一些仿冒品牌的骚扰，成为地产酒的强势品牌。

2、糖业

计划经济时期，广西发展糖业以县域为单位，几乎每个种蔗县都有糖厂，全区总计百余家。现在根据资源优势，全广西组建了15家大型企业集团，实现了跨市、跨县进行糖业的种植与加工互动，粗糖与精糖两步加工互补，县域经济转变为区域经济，糖业发展的格局出现了重大变化。制糖企业一头连着市场，一头连着田间，自主经营的意识和能力越来越强。

英国、泰国、台湾等国家和地区的资本、技术和先进管理进入了广西糖业。目前全广西已经组建起了15家大型企业集团，其总资产和日处理糖料的能力分别占全区的78%和86%，原有的95家糖厂已有61家分别纳入这15个集团。换句话说，15家糖业企业集团已经基本控制住了广西制糖业的生产经营。

至今，广西糖业已经形成了以这15家大型糖业企业集团为龙头，国有控股企业、外资控股企业、民营控股企业竞相争雄的格局。三类企业的产糖量分别占全广西年总产糖量的56%、23%、21%。

其中，海南洋浦南华糖业有限公司控股11家；深圳华强电子有限公司控股的柳州凤糖集团有限责任公司控股9家；广西农垦糖业集团有限责任公司控股8家；南宁振宁资产经营有限公司控股的南宁糖业集团控股6家；泰国东亚糖业集团控股5家；英国糖业有限公司控股4家；广西永鑫华糖业有限公司控股3家；广西冠桂糖业控股3家；贵糖（集团）有限公司控股2家；香港玮纯有限公司的欧亚糖业控股2家；南宁永凯实业集团控股2家；广西东星糖业有限责任公司控股2家。

近年来，广西糖业生产效率明显得到提升，日处理甘蔗能力由结构调整前的27万吨提高到现在的30万吨。全区年产糖量在10万吨以上的企业或企业集团有10家，规模大、效益高的特点得到充分显现。例如（香港）东亚置业有限公司与南宁地区5家糖厂合资成立了广西东亚糖业公司，东亚置业有限公司注入资金，引进国内外先进设备，兑现了历年拖欠农民上亿元的"白条"，使农民和企业都有了活力。2001/2002榨季，广西东亚糖业公司产糖64万多吨，占广西产糖总量的14%，年创税利3亿元。

3、乳业

在广西乳业中，广西皇氏生物工程乳业有限公司将成为广西乳业老大。2003年9月，广西最大的乳品加工生产线——广西皇氏生物工程乳业有限公司年产10万吨乳品工程，在南宁市高新区工业园内奠基。随着这一工程的建成投产，皇氏公司将成为广西年产量最高的乳品加工企业。

据了解，广西皇氏公司此次奠基的10万吨乳品加工工程，总投资7000多万元，占地112亩。工程竣工后，将新增8条国内外先进的生产线，建立起一座具有国际先进水平的现代化新厂房，形成日产300吨液态奶的生产规模。目前其乳品在广西市场上占有率达70%以上。

三、知名企业

【南宁市】

南宁地处广西南部偏西，北回归线以南，座落在四面环山的小盆地。属珠江水系的邕江贯穿市区，水资源非常丰富。南宁东邻粤、港、澳，南临北部湾。背靠云、贵、川大西南，毗邻越南。是大西南出海通道的重要咽喉，也是东南沿海和西南腹地经济区域的结合部，具有优越的地理环境。南宁属亚热带季风区，降雨量十分充沛。优越的气候条件，使得这里一年四季绿树成荫，繁华似锦，物产更是丰富。如此，"草经冬而不枯，花非春而常放"之说也是名符其实。

作为广西首府的南宁自然是欲开发华南市场品牌的重中之重，不过这里流行酒的现象也是异常突出，象伊川杜康、仰韶等都曾风光一时。当前贵州酒在这里的势头相当凶猛，主要以青酒和黄果树酒为代表，许多打"茅台镇"大旗的贵州酒在此地表现活跃。但以上品牌只在中低档市场看好，在50元左右的市场目前只有泸州老窖占据主流，原来比较畅销的皖酒王由于多种原因市场已经萎缩。当地商家认为皖酒王的下滑将会给新品牌的进入创造机会。同时中高档市场的消费能力在日益加强，这一市场需要更多的知名品牌来主导。

知名生产企业

1、南宁市多路宝酒业有限责任公司

2、南宁糖业股份有限公司

3、洋浦南华糖业

4、广西农垦集团糖业有限责任公司

5、广西宾阳永凯糖业有限责任公司

6、广西黑五类食品集团有限责任公司

【柳州市】

柳州，又称龙城，象一块翡翠，镶嵌在桂中腹地。柳州市区面积651平方公里(不含柳江、柳城两县)，市区人口179.10万人，杂居着汉、壮、侗、苗、瑶、仫佬等近30个民族，这个山环水绕、风景秀丽、具有浓郁民族风情的文化古城，是国家甲级旅游城市之一。

柳州市是广西最大的工业和商业基地，素有"桂中商埠"之称，机械、冶金、化工、建材、纺织、建筑安装等工业以及商业网点都相当有规模，是我国南方发展最快的新兴城市之一，土特产品尤为丰富。柳州地处亚热带，地形以岩溶地形为主，山青水秀，自古以来就是旅游胜地。"水作青罗带，山为碧玉簪"，这是柳州的真实写照。

柳州是广西最大的工业和商业基地，也是我国南方发展最快的新兴城市之一。城市的发展使这里的白酒消费市场进一步扩大。从去年开始红河依靠较大的促销力度终于撬开了柳州的大门，销量一路攀升。白酒新秀金、银剑南在许多终端的铺货也不错，今后一段时间该品牌起来的可能性较大。不过今年由于受广东毒酒案的影响这里的消费者开始理性起来，令他们放心的传统地产酒老桂林开始俏销。同时这里的保健酒也开始被重视。与其他城市相比柳州酒店的买店费较少，买断酒店的现象更是不多见，由此给进入这里的白酒新品创造了有利的环境。

知名生产企业

1、柳州凤山糖业集团有限责任公司

2、广西凤糖生化股份有限公司

3、广西象州县石龙糖业有限责任公司

4、广西金秀县大瑶山民族生态食品厂

【桂林市】

桂林市地处广西壮族自治区东北部，总面积2.78万平方公里，总人口484.73万人，其中城区面积565平方公里，人口66.83万人。境内聚居壮、瑶、苗、侗、回等36个少数民族，人口72万余人。

自然条件优越，物产丰富，盛产水稻、甘蔗、柑桔、马蹄、花生、油菜，是广西粮食及水果的主产基地之一。

辖秀峰、叠彩、象山、七星、雁山5个城区和临桂、阳朔、灵川、荔浦、永福、全州、兴安、灌阳、资源、平乐、龙胜、恭城12县。

桂林旅游资源十分丰富。桂林是世界著名的风景游览城市和历史文化名城，自古有山水甲天下的美誉，属世界上发育最完美的岩溶（喀斯特）地貌，加上宜人的气候等自然条件，形成了唯桂林独有的秀美的桂林山水。桂林山水集"山青、水秀、洞奇、石美"之四绝，汇"名园、古迹、烟雨、光影、植物、田园、村镇"之美景，形成"景在城中，城在景中、城景交融、相映成趣"的鲜明特色。

桂林：也许是地产酒的渊源历史，也许是外地酒的口感问题，地产品牌在这里的根基总是那么深厚。作为"桂林三宝"之一的桂林三花酒占据了当地白酒市场的半壁江山。以前三花酒主打的是桂林的低档市场，现在，三花酒厂推出了面向中高档消费市场的老桂林酒，在酒店的零售价一般在80～90元，使米香型的白酒价位更加齐全。而且三花酒、老桂林更多是作为旅游者的纪念酒或者礼品酒为消费者所接受。相对来说外地酒中只有一些老名酒如五粮液、剑南春等还有一定市场。

知名生产企业

1、燕京啤酒（桂林漓泉）股份有限公司

2、广西全州湘山酒厂

【玉林市】

玉林市位于广西东南部，紧靠广东，海南，前临香港，澳门，背靠大西南，是全国沿海经济开放区，是中国大西南出海的重要便捷通道。总人口540.6 万人。有海外华侨和港不澳同胞近80 万人，约占广西的40%是 广西最大的侨乡、全国最著名的侨乡。

玉林市属典型的亚热带季风气候，境内物产丰富，是广西主要粮食生产基地，以及荔枝、龙眼、沙田柚、香蕉的生产基地。

玉林市正在以玉林市城区为中心以高等级公路为纽带，以北流、容县、陆川、博白、福绵、兴业、玉州为卫星城，把玉林建设成为科技、运输、旅游、金融综合发展、区域性的交通枢纽、现代农业中心，工业基地、商贸中心、科技教育文化中心和旅游胜地，使玉林成为具有亚热带风光的园林式现代化城市。

知名生产企业

1、广西贵糖（集团）股份有限公司

【百色地区】

百色地区位于广西西部，总面积3.63万平方公里，全地区辖12个县（市），183个乡镇，1999年末总人口361.8万，是全国18个连片贫困地区之一，10个县为国务院定贫困县，2个县为自治区定贫困县。

全地区有三分之一属喀斯特地形地貌，山清水秀、溶洞多姿、飞流壮丽、古迹罗布，有“小桂林”之美誉的靖西山水，千奇百怪的凌云溶洞，水天相连的澄碧风光，神秘莫测的地下森林，吞云吐雾的通灵瀑布，威严屹立的十二道门。

百色属亚热带地区，除有丰富多彩，原汁原味的绿色食品外，还有各式各样，价格适宜的旅游商品恭候您，如芒果，大果山楂系列，香菇、云耳、八角、茴香精、壮锦、绣球、民族工艺首饰、凌云白毫 茶、田林八渡笋、靖西大香糯、德保蛤蚧雄睾酒、百色神鞭酒等等。

知名生产企业

1、广西东星糖业有限责任公司

【钦州市】

钦州市位于广西壮族自治区南部沿海，濒临北部湾，处于东南亚与大西南两个幅射扇面的轴心，是西南经济协作区最便捷的出海口，扼广西沿海三个地级市与广西内地及大西南交通联系的咽喉。

全市辖4区2县。全市总人口310多万，其中市区人口109.76万人，全市非农业人口占总人口9.45%，少数民族 人口占总人口10.7%。陆地海岸线长520.8公里，小岛屿303个。有海外华侨同胞38万人，分布在46个国家和地区。是广西主要侨乡之一。

钦州是广西沿海金三角上的一块宝地。这里气候温和宜人，河流水库众多，土壤肥沃，植物繁茂。自然资源丰富，依水临海，山川美丽，游览风景迷人，名优产品繁花似锦，有兴旺发达的农业。也有大有可为的海洋捕捞养殖业，城乡市场广阔，开发建设有着很大潜在优势。

钦州港是天然深水良港，是我国年轻而又充满希望的深水良港。钦州人民历经两年的艰苦奋斗，1994年建成两个万吨级起步码头和符合国家标准的万吨级航道。按规划的七个作业区近五十个万吨级以上码头泊位，年吞吐能力已达200万吨，在建的九个泊位，做可研、筹备动工建设的八个泊位，仅这20多个泊位建成，将使钦州港年吞吐能力达1500万吨以上。

知名生产企业

1、广西浦北县酒厂

【河池市】

河池位于广西西北部、云贵高原南缘，境内黔桂铁路、323国道纵横南北，是西南出海大通道的必经之地。现辖金城江区和罗城、环江、南丹、天峨、东兰、巴马、凤山、都安、大化9县(自治县)，代管宜州市。其中罗城仫佬族自治县，环江毛南族自治县是全国独一无二的自治县。全市面积3.35万平方公里，人口380万，少数民族占总人口的83%。

河池是广西重要的农副土特产品生产基地之一，蚕茧、蔗糖、烤烟、板栗、木材、油桐、茶油、香猪、山葡萄等产量名列广西前茅。

河池的消费水平较低，消费的主流价位集中在10元左右，而且，河池的低档市场以米香型为主，这给其它香型品牌的进入带来了巨大的阻力。但是今年以来当地市场发生了一些微妙的变化，中档市场上泸州老窖依靠良好的酒质和有影响力的品牌使其销量攀升很快。其他的外地酒虽然也在进入但由于香型、口感的原因市场效果不明显，地产酒的地位还是处于坚不可破的地位。

知名生产企业

1、广西驮卢东亚糖业有限公司

2、广西皇氏生物乳业有限公司

3、广西都安县野生山葡萄酒厂

【梧州市】

梧州所处的位置气温比较高，所以这里消费的白酒度数就相对较低，多在38度以下；而且消费白酒的香型也由以前的浓香型向米香型在转变。红河酒在这里曾经靠促销轰炸过，但今年却没有大的动作。当地消费者的观念有些转变，由重视促销转而注重白酒的饮用感受。广西地产酒桂林三花酒借助去年“非典”成功造势，满足了梧州人的消费需求。中档酒市场相对来说外地品牌常见一些。低档市场则以地产酒为主，而且还有一种情况值得注意：当地的散装米酒也有一定的消费市场。

四、市场概况

【南宁市白酒市场开发参考】

本期入市先锋调查的是广西南宁白酒市场，南宁是广西壮族自治区的首府，是全区经济发展水平最高、市场容量最大的地区。当地白酒市场上，传统老牌名酒在消费者心目中的地位不可替代，地产米香型白酒受到当地政府的扶持，被列为政府招待专用酒。中低市场上，各种名酒买断品牌、贴牌产品以及部分杂牌酒竞争激烈，广告、促销的拓市活动此起彼伏，市场较为活跃。

主流品牌分析

高档市场仍旧被传统名酒茅五剑占据。由于南宁地处热带亚热带地区，气温较高，这些名酒的低度产品销量最大。受当地经济发展水平限制，这些名酒的市场销量小于全国市场平均水平。消费者对这些老牌名酒十分崇拜，老牌名酒是逢年过节、请客送礼的首选，消费的主流价位在100元以上。

中档市场消费的主流价位在30～80元之间，这部分市场最大的特点是各类酒品均有一定市场，主导品牌不明显。

泸州老窖系列是当地消费者崇拜的名酒之一，自上市以来已有多年，但近两年的市场状况欠佳。

地产酒老桂林在当地市场的销量十分可观。据了解，当地各级政府予以地产酒大力支持，老桂林酒被列为政府招待专用酒。老桂林米香型口味深受当地消费者喜爱，再加上政府大力支持等种种原因，老桂林的市场状况良好。今年，70～80元之间的老桂林酒市场走量有明显上升。

晋酒杏花村在当地市场也是老品牌，占据着一定的市场份额。在终端市场上，25～50元之间的杏花村特酿以其合理的价位、兰花香型口味虏获了部分消费者。目前，杏花村特酿在终端市场口碑不错，销量稳定。但汾酒在当地市场的情况并不乐观。1998年假酒案过后，汾酒并没有重启当地市场，致使消费者对汾酒品牌的信任度不高，这是其销量始终上不去的重要原因。

南宁中低市场的主流价位在10～30元之间，这部分市场品牌众多，竞争激烈。临近旺季，各大小品牌市场推广活动纷纷启动，运作多年的老品牌也不例外。20元左右的金六福在此类市场较为抢眼，依靠名酒企业支持，广告宣传定位在喜事、喜宴消费的金六福销量较大。中秋将至，随着“中秋团圆·金六福酒”的广告全面铺开，南宁部分市场已有热销迹象。

20元左右的青酒近两年市场状况良好，其中青酒新一代、珍藏30度、珍藏38度拥有着部分固定消费者。但经过了2～3年的热销，青酒今年出现了下滑。与其同一时代的黄果树、双沟的命运相同，今年黄果树、双沟的市场动作不大，销量也出现了大幅度下滑。

10元以下的低档市场以地产三花酒、汝阳杜康、名酒的贴牌产品为主，其中光瓶酒的市场份额较大。这部分市场白酒消费度数较低，在30度左右，农村市场的销量最大。

机会分析

受当地经济发展水平的制约，南宁白酒市场容量低于全国平均水平，主流品牌不明显、名牌产品占优势等市场特点给新品进入带来了机会，同时也存在着阻力。

1.由于当地消费者对名酒较信任，名酒子品牌和买断品牌的市场空间相对较大。高档市场上，传统名酒地位不可动摇且占据着大部分市场份额，此类市场的机会较小。受经济发展水平限制，高档酒品中超高价位酒品应慎入。中档市场容量相对较大，主流品牌不明显等现状说明此类市场的操作空间较大。进入这部分市场首先应有一定的品牌效应，依靠多年的品牌影响力打开市场较容易。中低档市场上，品牌众多竞争激烈，相对市场投入较大，新品进入须谨慎。

2.广告、促销等拓市活动必不可少。从成功品牌的经验来看，大力度广告、促销能顺利开启市场，当地消费者易受广告、促销的影响。促销花样应不断翻新，消费者已经厌倦了传统的买赠。奖金、外币的效果优于买赠，促销力度的大小应与产品价格相宜。

3.开发终端是开启市场的重要环节，当地市场酒店、商超的影响力很大，做好终端能直接拉动流通市场上量。进入当地终端的费用相对较高，需要雄厚的经济实力作后盾，这有赖于厂家提供大力支持。

【广西地级白酒市场开发参考】

提示：本期入市先锋调查的是广西的桂林、玉林和来宾三个地级城市，这三个城市的白酒市场有许多相似之处。地产“老桂林”和三花酒仍是当地的主流品牌。外来酒不少，但运作成功的不多，市场缺乏领军品牌。另外，三个城市的酒类促销活动很少，户外广告牌和公交车体上多是饮料、药品、房地产等广告，白酒广告不多见。当地的经济状况和人们的消费习惯可能是造成目前白酒市场较为冷清的原因。

市场动态与机会分析

桂林　目前稳居桂林市场榜首的仍是地产三花酒，其价格在9～10元间，也有的5～6元，这些光瓶酒的销量甚至能占据桂林市场的“半壁江山”。而且在广西其他地市三花酒都能做到主流地位，不能不说它的影响力巨大。与其他品牌不同，三花酒并没有许多的广告宣传和促销品，它能做到如此规模，除了价格、酒质和口感因素外，与当地人的地产情结是分不开的。

与前些年情况相似，同样是由三花股份有限公司推出的中高档“老桂林”系列酒目前在中高档市场销售火爆，令其他酒品望尘莫及。游人也多愿意购买代表地区特色的“老桂林”作为纪念品或赠送亲朋。价格80元左右的“老桂林”酒在商超和酒店最为畅销。

外来酒中，除了茅五剑占据高档市场外，其他酒都表现平平，市场上缺乏主力军。许多外地酒都来此攻过市，但多数无功而返，既便留下来也表现欠佳。金六福在中低档市场占居一席之地，其125～130元／件的三星酒和58元／件的一星酒销量较好。前两年在低档市场上表现不错的尖庄酒，目前表现也很平常了。大量的视觉广告似乎对消费者不起作用，所以街头巷尾和流动车体上很少见到白酒的宣传画。这种现象的出现与当地人理性的消费习惯分不开。

拓市建议：桂林是新品入市阻力较大的一个城市。当地的酒店费用偏高，这可能与它是旅游城市有关。既然本地人的饮酒习惯较为保守，新品可以做游客的生意，多进一些中小酒店，以礼品酒为主推对象。另外，在促销上多下功夫，进市可能会相对容易些。

玉林　玉林市场上的白酒品牌繁杂，除了地产“老桂林”和三花酒牢牢占据市场的主导外，其他酒品主流不突出。卖到65元／瓶的泸州老窖特曲这几年走势还算不错，一直与“老桂林”并驾齐驱，但目前需要打击假货。

当地人消费趋于理性，比较看重品牌，一般广告和促销的作用不明显，所以一些名酒的子品牌较受欢迎，比如高档市场中52度金剑南，销路一直不错。金六福福星酒在低档市场上较为走俏。除此之外，酱香口味的郎酒在玉林也有一定的市场份额。其价位在每瓶70元左右的53度郎酒销路较好。

在低档市场上，米酒和米香型白酒“一统天下”。来自广东的米酒“九江双蒸”和地产三花酒是这个市场的领导者，价格都在10元左右。据了解，三花酒除了可以饮用外，还可用于制作腌肉和月饼的辅料，可谓用途广泛，看来就连家庭主妇也是三花酒的忠实消费者。

拓市建议：看似平常的玉林市场其实并不好进，由于消费者的理性和消费习惯等原因，使得这个市场较为保守。当地的酒店和商超费用低廉，在广告拉动效果不大的情况下，新品可以多在终端开展推销和促销活动。另外，厂家可以与当地有实力的经销商联合，这样拓市阻力较小。

来宾　素有“桂中”之称的来宾市以前隶属于柳州地区，自2002年12月立市以来经济发展迅速。在对其市场进行调查过程中，我们发现当地白酒消费潜力很大，但有影响力的品牌并不多，白酒厂商应当多予以重视。

高档市场上，较之五粮液和剑南春，茅台更为畅销。地产酒中百元以上的品牌在市场上没有销量。52度金、银剑南在当地的销量较为可观，多用于送礼和酒店宴请之用，价格在108元／瓶。这两种酒并无广告，主要是在同价位酒中，口感和酒质更受青睐，而且有品牌拉动力，另外辅以雨伞、小刀等促销礼品。在中档酒品中，桂林三花股份有限公司的米香型“老桂林”酒销路一直很好。来自北京的古钟二锅头市场销量也不错，价格在30多元／瓶。值得一提的还有贵州珍酒厂推出的“包黑子”酒，目前的市场走势不容忽视，此酒的公关活动比较到位，机关和单位团购量很大。据了解，“包黑子”推出的是30度和38度两款酒，价格分别为38元和48

元。三花股份有限公司推出的磨砂瓶装“三花醇”占据了10～20元市场上不少份额，此酒有32度和38度两种度数，销售状况都比较好。

相对于其他地市，来宾这个新兴城市大有潜力可挖，许多酒品还未曾涉及此地。可以预计，未来几年随着经济的发展，必将有更多的白酒进入来宾市，给此地市场注入新鲜活力。

拓市建议：对白酒消费来说，来宾是个较具潜力的城市。因其刚立市不久，市场运作的许多方面还与县级市场相似，如终端费用低，广告宣传少，品牌不多等。所以此时进入来宾市场应该说时机较好。新品进入餐饮终端难度不大，同时辅以广告宣传和促销推动，投入不会太多。

西南地区糖酒市场

四川省糖酒市场

一、省情简介

四川省简称川或蜀。位于我国西南地区，面积48万多平方公里，人口8430万，全省辖13地级市，3自治州；在5个地区设立行政公署；其下又辖18县级市、124县、3自治县。省会成都。绵阳、乐山、自贡、攀枝花、西昌、泸州、宜宾、内江等为省内主要城市。

本省名土特产十分丰富，以五粮液、泸州老窖特曲等“六朵金花”为代表的川酒享誉海内外。川菜以“一菜一格，百菜百味”著称，成都小吃素负盛名。蜀绣、竹制工艺品为地方特色鲜明的工艺美术品。

二十年多来，四川经济平均递增9.3%，在中国尤其是在西部舞台上占有举足轻重 的地位，经济总量居国内省、市、区的第10位，占西部10省、市、区总和的1/3，全省提前实现了翻两番的目标。

二、市场格局

1、白酒

在四川几乎见不到省外酒，有些销量的只有茅台和北京二锅头，全省各地都是省内酒一统天下。川酒的产量约占全国总产量的1/5，“六朵金花”的产量约占川酒产量的1/3，销往外省的占总销量的60%左右。散酒销往省外的占总销量的70%左右。白酒主产地主要集中在两个呈三角形的区域，一是成都、绵竹和射洪。成都有全兴酒厂，成都附近的邛崃、大邑、崇州以散酒闻名全国；绵竹有剑南春酒厂；射洪有沱牌酒厂。另一区域是宜宾、泸州和古蔺。宜宾有五粮液酒厂；泸州有泸州老窖酒厂；古蔺有郎酒厂。成都的经济福射力较强，但从白酒消费来看，成都市的影响力较弱。全省各地的区域小品牌与“六朵金花”的低档品牌在区域低档市场共存，而中高档市场全省各地相差无几。四川原酒产销量大，是我国最大的原酒生产基地。由于生产原酒是四川天时、地利、人和的自然产物，大家纷纷上马逐鹿四川原酒这片疆土，短短几年时间，四川已有1000余家以原酒生产销售为主的酒厂，使原本就不是很大的中国原酒市场发生了质的变化，四川原酒企业在企盼中艰难挣扎。2003年，四川酒类专卖管理局首次遴选出了第一批规模较大，质量过硬，信誉良好的优质原酒生产企业。包括：成都川兴酒厂，成都临邛集团，四川省东圣酒业有限公司，四川大邑新庆酒厂，四川生春集团，泸州古蔺仙潭曲酒厂，宜宾华夏酒业有限公司，泸州王氏集团等八家企业。

2、啤酒

四川有20多家年产不足万吨的小厂，曾经在高峰时期，更是达到了平均一个地市便有一个厂的“壮观”场面。现在，四川啤酒企业格局逐渐在发生很大变化。蓝剑、华润、青啤和重啤四大啤酒集团在进行激烈的争夺，大肆收购兼并各个中小啤酒厂形成各自鼎立的格局，在激烈的市场竞争中，四川啤酒业充满了变数。

三、知名企业

【成都市】

成都市是四川省省会，位于四川省中部，川西平原腹地，东界龙泉山脉，南临云贵高原，西靠邛崃山，北依秦岭山脉，辖区总面积1.26万平方公里，人口1100多万，是我国西南地区最大的现代化城市。

知名生产企业

1、四川全兴股份有限公司
2、 四川金盆地（集团）有限公司
3、四川省崇州市华龙酒业有限公司
4、四川华西乳业有限责任公司
5、成都市天味食品有限公司
6、四川省郫县豆瓣股份有限公司
7、成都八号花生食品厂
8、四川省崇阳酒业
9、四川省邛崃市川谷酒厂
10、四川省春泉集团有限公司
11、成都川岛食品有限公司
12、成都飞龙酒业有限公司
13、四川省琨宇集团实业公司

【宜宾市】

宜宾，位于长江、金沙江、岷江三江交汇处，被誉为“万里长江第一城”。全市国内生产总值已从1997 年时的150多亿元上升到现在的200多亿元，并力争在2005 年达到361亿元；蜀南竹海、人悬棺、石海洞乡这“蜀南三绝”使宜宾有理由把旅游作为“黄金产业”。宜宾的城市化进程步伐矫健：该市特邀了同济大学规划设计专家对宜宾老城区、南岸、江北新区等统一进行城市组团发展规划，为打造未来的“外滩”、“陆家嘴”提供了可靠保障。

知名生产企业

1、五粮液集团有限公司
2、宜宾叙府酒业
3、四川省南溪县庶人食品有限责任公司

4、四川宜宾高洲酒业

【泸州】

泸州市四川规划发展的9个大城市之一，位于四川省南部沱江与长江的汇合处，西南与云南省相邻，东南与贵州省接壤，北与重庆市毗邻。

泸州是中国名酒最多的酒城、中国最大的氮肥生产基地、在建的中国三个化工城之一、四川省粮、油、猪、林、果、烟的主要生产基地、中国九大工程机械基地之一。

知名生产企业

1、泸州老窖股份有限公司

2、四川郎酒集团有限责任公司

【遂宁】

遂宁市地处四川盆地中部，涪江中游，辖三县一区：遂宁市中区、射洪县、蓬溪县和大英县。幅员面积5300平方公里，人口375万。自古以来，为川中政治、经济、文化中心，素有“东川巨邑”、“川中重镇”和“小成都”之美誉。

遂宁市区人口已达24万人，城市面积19.1平方公里，城市绿化率达25%，为全省第一个绿化达标城市。市内公共交通、环保以及水、电、气等生活基础设施完善，城市生活质量和水平不断提高，而今正放射出夺目的光彩。

知名生产企业

1、四川沱牌集团有限公司

【绵阳】

绵阳市位于四川盆地西北，下辖涪城区、游仙区、江油市、安县、梓潼县、平武县、北川县、三台县、盐亭县。面积20249平方公里，人口511.99万。

绵阳市名优土特产：有木雕漆器、仿古家具、壁挂、扎染、黄麻地毯、水磨漆器、玻璃画、扇子、竹禽等工艺品，有平武套枣和梅线、江油的中坝酱油等名优特产。

知名生产企业

1、四川省大禹野生食品有限公司

2、四川清香园调味品股份有限公司

3、四川光友薯业有限公司

4、绵阳市丰谷酒业有限责任公司

【德阳】

德阳市位于成都平原北部边缘地带，下辖旌阳区、广汉市、什邡市、绵竹市、中江县、罗江县。面积5953.75平方公里，人口370.3万。

德阳主要有德阳酱油、天府花生、中江银丝挂面、什邡卷烟、绵竹剑南春、广汉连山回锅肉等。

知名生产企业

1、剑南春集团

2、四川林德肉类食品有限公司

3、四川省德阳市旌晶食品有限公司

4、蓝剑集团

【乐山】

乐山古称嘉州，位于四川省西南部，是一座有近3000年历史的国家历史文化名城，以拥有世界文化和自然遗产峨眉山－乐山大佛而享誉中外。乐山市辖市市中区、五通桥区、沙湾区、金口河区、峨眉山市、犍为县、井研县、夹江县、沐川县、峨边彝族自治县、马边彝族自治县。幅员面积1.2826万平方公里，总人口342.44万。

知名生产企业

1、四川乐山天成实业有限公司

2、四川省峨眉山竹叶青茶业有限公司

【雅安】

雅安地处四川西部，全市幅员面积1.53万平方公里，辖雨城、名山、荥经、汉源、石棉、天全、芦山、宝兴一区七县，总人口153万，其中农业人口占80%。有着优越的自然环境、丰富的物产资源、悠远的人文历史。

雅安是世界茶文化发祥地。“扬子江心水，蒙山顶上茶”。雅安是世界上有文字记载人工栽培茶树最早的地区之一，这里人工栽培茶树已有两千多年历史。

知名生产企业

1、四川茗山茶业有限公司

【巴中】

巴中市地处四川东北部，是1993年10月建立的新市，辖巴中市、通江县、南江县、平昌县，有284个乡镇、2355个村、14688个社，幅员面积12325平方公里，总人口339万，是当年中国革命第二大苏区川陕革命根据地的腹心地带，全区4个县(市)。

巴中工业以三大传统企业为支柱产业。1、食品饮料。2、建材。近年，建材工业战线按照“抓国有、带集体、放手发展非公有企业”的发展思路，坚持控制总量、调整结构、转换经营机制，积极推进技术进步和产业升级，促进了建材工业的快速稳步发展。3、丝绸纺织。

知名生产企业

1、四川江口醇酒业（集团）有限公司

2、四川小角楼酒业有限责任公司

四、市场概况

【啤酒势力抢占四川】

消费量的逐步攀升、利润回报的丰厚、一元独大的市场格局，使得四川正成为各方啤酒势力继华南市场之后竞相抢夺的热点市场。

2006年2月23日，金威啤酒集团与成都高新技术产业开发区正式签订落户协议。按照金威的计划，将总投资1亿美元在成都高新区兴建一个年产能40万吨、首期20万吨的啤酒工厂。该项目于4月正式动工，预计2007年春节正式投产。

事实上，金威早已不是“入川”的第一批探险者了。如今在整个四川啤酒市场上，随处可见外来者的痕迹。一方面，自2002年起，青岛啤酒、金星啤酒、重庆山城啤酒等国内排名靠前的几大啤酒企业纷纷先后杀入四川，另一方面，国产啤酒背后的外资也开始蠢蠢欲动。而记者也从各种渠道了解到，燕京、珠江等企业也开始将目光瞄准了四川。

参与者的不断增加，让四川啤酒市场逐渐升温。可以预见的是，未来四川将成为继华南市场后，下一轮啤酒企业竞相争抢的热点。

一只老虎和一群狼的选择

四川一直是华润雪花的核心市场，也是目前华润雪花啤酒集团重要的利润来源区域之一。有资料显示，四川啤酒市场的容量为100余万吨，其中省会城市成都，与南京、广州等大城市一样，啤酒日销量都在300吨左右。作为本地强势品牌，华润蓝剑占据了80%的市场份额，当地人对集团旗下的雪花、蓝剑、绿叶三大品牌有着极高的品牌认知度和忠诚度。

面对这样的一个市场，2005年杀入四川市场的金星啤酒集团成都分公司总经理刘平告诉记者，不可否认，无论是从企业实力、品牌影响力，还是营销团队、渠道构建上，华润蓝剑在四川市场都具有绝对领先的优势。从竞争层面来说，一元独大的市场格局是不会稳定的。对于四川，华润蓝剑就像一只猛虎，然而它再强这个市场也就这一家，相比其它区域市场，比如福建、广东、北京、上海等地，到处都有几大啤酒巨头的身影，甚至包括外资啤酒的势力。按照日常的规律，老虎比狼凶猛得多，但对付一只老虎显然比对付一群狼相对愉快一些。

事实上，抛开市场对手不谈，四川啤酒市场的特殊性才是各方啤酒势力纷纷入川的根本原因。

市场利润丰厚

一直以来，在许多人心目中，广东地区乃至整个华南啤酒市场，是国内啤酒利润的一个制高点，因此，近年来国内外啤酒巨头纷纷抢滩华南。然而，随着竞争的逐步加剧，广东啤市的利润开始逐年下滑。有数据显示，2005年广东啤酒产量为253.69万千升，排名全国第二；吨啤酒平均利润为200元/吨，排名全国第五，较2004年下降了20%。而同样是2005年，四川啤酒产量尽管只有126.22万千升，排名全国第11位，但吨酒利润接近300元/吨，排名全国第三。

随着啤酒微利时代的到来，巨头们都在纷纷通过各种方式寻找新的利润增长点，因此同2005年血拼华南一样，巨头们入川的主要目的是冲着丰厚的利润。

战略位置重要

在前几年啤酒业的圈地运动中，无论国内啤酒巨头，还是国外的知名啤酒品牌，几乎都将自己的主要精力和重兵放在了经济较为发达的东南沿海一带，而整个西部地区的啤酒市场相对较为平静，获得了难得平静的生存发展空间。2005年，除四川外，西藏、新疆、湖北的吨酒利润都已经排到了广东的前面，其他西部市场的啤酒利润也相对较高。中国酿酒工业协会副理事长肖德润在接受记者采访时提到："全世界每人年消费啤酒的平均值是30升，国内目前最大啤酒消费城市是北京，平均每人80升/年，而西部市场平均仅有10升的水平。未来西部消费市场上升空间非常大。"

而在西部，自古以来，四川便是兵家必争的要地。随着西部大开发的推进，四川以及其省会成都，已经逐渐成为了西部的标志和枢纽，战略位置越来越重要。对于国内排名靠前的几大啤酒品牌来说，要想实现全国化品牌战略，进军西部市场无疑是他们全国性布局必走的一步，而四川就是其中最为关键的一枚棋子。

孤独的守城者：华润蓝剑

日前，记者从华润雪花啤酒集团有关负责人处了解到，2005年华润蓝剑完成啤酒销量90余万吨，其中雪花销量为36万吨，是四川市场当之无愧的第一品牌。但是，面对众多外来品牌的进攻，作为防守方的华润蓝剑还是难免有些"孤军奋战"的味道。

战火换来的和平

华润蓝剑在四川的今天也是经过一场"血腥战争"换来的。

华润啤酒有限公司成立于1993年，由香港华润创业有限公司和世界第二大酿造集团SAB公司合资组建。1997年10月，华润收购绵阳亚太啤酒，正式杀入四川市场，与当时四川最大的啤酒企业蓝剑啤酒展开了正面交锋。在四年的激烈交战中，双方都为此付出了惨重的代价。2001年10月，华润与蓝剑停止了战争，双方合资组建四川华润蓝剑啤酒有限公司，涉及金额达20亿元。这一次的合资，在华润雪花的整个发展史上具有重要的意义。自此次合资后，华润蓝剑一直占据着四川啤酒80%以上的市场份额，而华润雪花啤酒也由此跃升进入中国啤酒市场的第一集团军。

此后，华润蓝剑迅速在四川范围内陆续建立起了13个啤酒厂，初步完成在川的布点。

整合加速度

短短12年的时间里，华润从"零"开始，通过一系列的购并、整合，迅速成为拥有41家啤酒企业的全国性啤酒巨头。目前，华润雪花占全国约12%的份额，销量平均每年增长30%。

不过，由于华润收购的对象大多是区域强势品牌，这虽然使华润能够在一定时间内保持利润率优势，然而这些区域内的销售渠道主要是由被购企业原有网络构成，因而在收购后相当长时间内，区域网络主要还是在围绕着原厂商运转，因此，华润必然面临着如何有效整合的难题。四川也不例外。

为此，华润与蓝剑合资后，开始了为期三年的整合，整合的效果是显而易见的。有数据显示，截至2004年，华润蓝剑三年内向国家上缴的税收超过10亿元。

构建品牌陈列

很长一段时间内，华润蓝剑旗下的"蓝剑"、"绿叶"是集团的两面大旗，在成都乃至整个四川市场拥有极高的品牌忠诚度。

2003年8月，出于战略考虑，华润啤酒开始力推"雪花"作为集团唯一的全国性强势品牌，同时华润啤酒（中国）有限公司也正式更名为"华润雪花啤酒（中国）有限公司。与其他许多区域面临的问题一样，华润雪花在四川也同样面临着一个问题：如何利用现有渠道，尽快让消费者接受当时对于他们来说尚属于新面孔的雪花啤酒。

为了尽快解决这一问题，"雪花"品牌被放到华润蓝剑的重要地位加以强化，其中最明显的一点是，在四川重要的一二级市场，几乎是一夜之间，雪花的路牌、灯箱、公交站牌广告就遍布大街小巷，许多由"雪花啤酒"命名的主题啤酒广场也纷纷亮相。2005年，集团正式将雪花确定为华润蓝剑主要的盈利产品，并针对中高档市场，推出了更高质量的"雪花纯生"和"雪花特纯"，通过一系列的公关、推广活动，全方面提升雪花在四川市场的品牌形象。而在中低端市场，华润蓝剑又特别为四川消费者量身订做了一款"成都雪花"，并通过自身的渠道加大市场铺货力度。截至2005年8月，"成都雪花"的铺货率已经达到了80%，市场占有率达20%。

如今，在华润蓝剑，形成了这样一个品牌架构，在高档产品里，有"雪花纯生"和"蓝剑纯生"；在中档产品里，有"雪花特纯"和"蓝剑528"；在市场主流啤酒档次，有新开发的“成都雪花”和“绿叶”相互支撑。此外，有消息称，2006年，华润蓝剑还将在继续加大雪花推广力度的基础上，加大对四川夜场的投入和开发力度，这其中包括推出专门针对夜场的小瓶酒。

在以如此阵列呈现的华润雪花面前，外来啤酒势力能不能“虎口拔牙”呢？

跃跃欲试的攻城者：重啤、金星、青岛、金威

面对四川市场，国内啤酒巨头们怀着各自不同的目的，有着各自不同的战术。

重啤：“新账旧账”一起算

重庆啤酒与华润蓝剑，可谓是一对宿敌。

一直以来，成都与重庆之间总存在着一种纠缠不清的微妙关系，这种关系，在2004年两者争夺“中国第四城”时更是发展到了白热化阶段。重庆啤酒与华润蓝剑的关系也是如此，华润蓝剑拥有四川80%的市场，重啤拥有重庆65%的市场，华润蓝剑一直希望能将重庆纳入自己的版图内，而重啤也希望侵入四川市场。然而两者都是当地的第一强势品牌，拥有绝对数量的忠实消费者，而且阵营分明，谁也无法轻易说服谁。但相对于华润蓝剑来说，重啤仍属于一个区域品牌，双方斗争最激烈的时候，业内一度传出了华润蓝剑有意收购重啤的消息。2003年12月，重啤最终选择了与世界第六大啤酒商英国苏格兰－纽卡斯尔啤酒联手，以此来证明自己对抗华润蓝剑的决心。

联手后的重啤，确立了跻身“第一军团”的目标，不断地通过各种方式扩大自己的势力。截至2005年9月，重啤集团在国内设立了25家子公司，分布于重庆、四川、贵州、江苏、湖南、广西、山东等地，啤酒年生产能力已突破210万吨。

对于大本营西南市场，重啤显得尤为重视，仅在四川就拥有3家工厂。2005年起，重啤开始调整对西南市场的作战计划。一方面，在重庆主城区市场，设置面积在20—30平方米的“真正小超市”，位于居民小区附近，价格上享受一级批发商的待遇，以稳定终端。另一方面，尝试酒吧直营。按照集团的意图，重啤将采用收购或参股方式，快速进入酒吧行业，建立以成都为中心的川西酒吧产业经济带，利用这一举动构筑另一道和华润相抗衡的前沿阵地，阻止其东进和南下的步伐，最终把重庆啤酒的影响延伸到上海。有消息透露，专门负责此计划的重啤纽卡斯尔，是重啤集团和纽卡斯尔共同出资建立的，集团准备在巩固直营店的同时，大力发展加盟店，按照集团的规划，2008年重啤纽卡斯尔在全国的店将达到100家。

青啤：看重战略意义

2001年，青岛啤酒成为第一批进入四川的探险者。2003年，青啤在四川二级城市泸州市收购了原泸菊啤酒厂，作为青岛啤酒西南联合公司的生产基地。

对于四川市场，青啤最初的策略是由成都辐射到二级市场，采取高促销、高回扣的手法，先后推出了“山水啤酒”、“新一百啤酒”等产品攻打成都，然而效果一直不甚理想。此后，青啤开始调整自己的策略，转向由二级市场包围成都，甚至一度推出针对农村市场1.35元／瓶的天府啤酒，希望以错位竞争的方式切入成都市场。

青岛啤酒成都区经理王靓在接受记者采访时承认，几年来，青啤在四川的总投入已经超过千万元，然而直到2004年才略有盈利。有数据显示，目前青啤在四川省内的销量为1万吨左右。然而，有业内人士指出，对于青啤来说，杀入四川市场并非为了单纯地扩大市场份额，“牵制华润雪花”是其暗藏的一个更为主要的目标。而从青啤全国化战略布局来说，像四川这类重点市场、重点区域，青啤必然是不可轻易放过的。

金星：“我们是来分蛋糕的”

2005年3月，金星啤酒斥资4亿元、年生产能力达30万吨的啤酒基地在成都温江区正式竣工。

不可否认，金星是2005年里国内啤酒行业第二集团军里最为活跃的企业之一。有数据显示，2005年，金星仅在南京、成都、上海、广州四地的总投资就达到了19亿元。目前，金星在全国有17家分公司，而位于成都的工厂是集团目前实力、产能、设备最强的一个。按照金星集团的说法，成都金星的建成投产，是金星正式进军大城市的起点，是金星战略由农村、中小城市转向大城市的标志。

对于金星的入川，业内普遍的说法是金星会采取一贯的“低价策略”，以价格战的方式作为切入点。然而金星却表示“在四川绝不会主动挑起价格战”。按照金星的说法，河南啤酒市场一直是国内啤酒价格战最激烈的市场之一，金星一直深受其害，如今跳出河南进入四川正是看中了这块市场丰厚的利润，“我们就是来分蛋糕的”。目前，金星主要的产品分布在成都周边的区市县。据金星集团提供的数据显示，2005年成都金星的销量为5万吨。

在金星的眼中，四川市场在华润蓝剑的布局下尚有30%的市场空间，这主要分布在二、三级农村市场和中心城市的夜场。有消息称，2006年，金星将在四川推出一至两款中高档啤酒，重点进攻成都市场。

金威：两大优势志在必得

严格意义上说，金威的全国性布局始于2005年，在此之前，金威一直是偏居广东的一个区域性品牌。

随着与喜力的牵手，金威开始逐渐走出华南市场。从金威目前布局全国的三个地方来看，除了天津，西安和成都，都是瞄准了西部啤酒市场，由此可见其对西部市场的重视程度。

2006年2月，金威啤酒的掌门人叶旭全在接受本刊记者采访时曾坦言，进军四川市场，金威有两大重要的优势：其一，金威的进攻背后有深圳乃至整个华南市场的高额利润作为保障，有数据显示，目前金威啤酒吨酒的利润是业内平均水平的3倍；其二，有战略伙伴喜力的大力支持。

按照金威集团的构想，到2009年，金威年产量将达到135万吨、年销量120万吨，跻身中国啤酒前5名。叶旭全不止一次地在公开场合表示，“我不是最大的，但我是最强的。”因此，尽管照目前看来，金威啤酒要在2007年才能在四川投产，然而金威对四川啤酒市场同样表现出志在必得的决心。(岳蕾)

【地产雄踞，拓市需慎思】

——四川省地级城市白酒市场开发参考

宜宾：　作为目前白酒行业龙头企业五粮液集团公司的根据地，宜宾市场上五粮液系列产品的盛行自然是在情理之中。在这里，仅五粮液各类子品牌的销售公司就有近百个，有一定规模的也在数十家以上，由此可见五粮液在此悍然难动

的霸主地位。

五粮液的系列产品中，五粮春的销售情况可称最优。一般整体消费在300～400元一桌的酒席中，酒水的首选品牌就是价格在140～150元左右的五粮春。金六福、浏阳河等买断品牌也占有一定的市场份额。外来品牌中表现较好的也依然是川酒六朵金花中的剑南春和泸州老窖特曲。虽然剑南春在提价之后留出了一定的市场空间，但因其消费者对品牌的忠诚度，使这种影响的表现并不明显。目前价位在60～70元之间的泸州特曲在去年五粮春提价之后销量迅速扩大，甚至在一定程度上对五粮春形成了冲击。中低档市场上，地产的叙府大曲，终端售价在18～20元左右，在普通的聚会或小饭店中受到青睐。

总之，由于固有口味和饮酒习惯等因素影响，使这里近乎形成了川外白酒的真空地带，偶有大胆开拓者如蒙古狼奶酒也只能利用其独具的特色稍有表现。要想在这块土地上立足，除去产品品质要符合当地消费者的传统喜好之外，借助名酒的招牌进行运作也是必不可少的环节之一。此外，由于人们健康消费观念的逐步加深，清淡口感的低度白酒越来越受到关注，因此，开发低度酒的市场前景较为看好。

德阳： 德阳白酒市场是一个中档萎缩的局面，即价格在80～90元之间的酒品在这里的销售情况很不理想。消费者购买时，中高档产品会选择价格在140～150元左右的五粮春，而中低档产品会选择价格在60多元的金六福（三星）或者20～40元左右的小角楼系列，由此也形成了一定的市场空档。此外，丰谷系列酒的销售情况也可圈可点，尤其是零售价在10元／瓶的丰谷头曲，占据了低端市场上的多数份额，其口感和价位都为普通消费者所接受。在商超方面，一般采用收取单品进场费和按照销量提成的方式，每个单品的费用在50元左右，提成则是每瓶酒提取固定数额，视产品品牌而定，名酒的提取费用要低于杂牌酒。消费者在购买时也渐趋理性，不仅听取商家的推荐介绍，还要考虑酒品的价格、促销方式、酒水质量等因素，这也与近年来各种品牌产品竞相促销、宣传等密不可分。

由于气候条件的关系，火锅店、酒楼等在这里比较盛行，在产品推广之初，将有限的投入用于规模较大且有一定影响力的酒楼有望收到事半功倍的效果。

泸州： 泸州酿酒工业历史悠久，以盛产国家名酒“泸州老窖酒”和“古蔺郎酒”驰名中外，是国家名优酒生产基地，举世闻名的酒城。

泸州市的白酒销售没有淡季，但是当地人对白酒的选择是很挑剔的。地产酒和贵州茅台镇的酒占据了市场主导地位，几乎没有留给其它外地酒生存的空间。在高档酒领域，国窖·1573、茅台、五粮液是市场主角，剑南春在此几乎没有立足之地。中档酒方面，100多元的精品泸州特曲是这一市场段的王者。30元左右的酒是市场的消费主流，茅台的小豹子、地产的古蔺郎、泸州大曲、三溪等的销售状况都不错，外来的金六福、干一杯等也有销售，但是销量不好。在当地人眼里，只有茅台集团出产的酒价格、质量才能引起他们的消费兴趣。地产酒竞争激烈，这给当地的商超和酒店的进店收费造成了困难，为数众多的商超和酒店方面，多数是没有进店费用的，只有大型的商超和酒店才收取几千元不等的费用；买断的情况很少见，十万元左右的费用较为高昂。

新品入市，外地的低档酒没有进入的机会，名酒集团的酒情况可能稍好一点，但是阻力也是相当大的。要开拓这里的市场，必须小心谨慎，在进行全方位的调查之后，再做出最后的入市决定。

30～50元的中档价位受到了当地消费者的认可和热捧，消费状况看好。低档酒的消费以当地小酒厂的产品为主，当地人非常相信地产酒的品质以及饮用口感，所以这个领域里地产白酒唱了主角。当地的商超和酒店很多，作为销售渠道，这里面的收费还是需要一些的，但是往往根据所销售白酒的品牌、知名度等因素有所差别。

这个独具个性的市场不是不欢迎其它白酒的进入，但是在这里促销活动是没有什么效果的。这里的消费者更看中的是酒的价格、口感和质量，因为他们对酒文化的认识告诉他们，质量才是酒的灵魂！

贵州省糖酒市场

一、省情简介

贵州辖9个市（州、地），即贵阳、六盘水、遵义、安顺4个市，黔东南、黔南、黔西南3个民族自治州，毕节、铜仁2个地区；共有87个县（市、区），包括9个县级市、56个县、11个自治县、2个特区、9个市辖区。全省国土面积17.61万平方公里。2001年末总人口3798.51万。

二、市场格局

1、白酒

贵州是我国的产酒大省。贵州酿酒工业是该省的支柱产业，贵州则因拥有茅台等名优品牌而被誉为“国酒之乡，白酒之都”。全省酿酒企业300余家，其中规模以上企业64家，重点企业20余家。2003年全国规模以上白酒企业实现销售收入545.32亿元，贵州是33.13亿元，同比增长19.68%，排在第4位。2003年贵州白酒产量15.04万吨，同比增长14.08%。茅台、董酒、小糊涂仙、珍酒、青酒、习酒、贵州醇、平坝窖和鸭溪窖酒是贵州比较知名的品牌。在众多的白酒企业中，茅台是当之无愧老大，是贵州白酒业的支柱。根据贵州茅台上周五公布的2003年年报，2003年茅台系列酒的产量约11794吨，实现收入约24亿元，净利润约6亿元，同比增长56%。

2、啤酒

在金星未进入贵州之前，贵州啤酒市场由瀑布、高原、山城啤酒三强各据一方，彼此相安无事。当时3家的年销量共计约近9万吨。由于企业之间竞争不激烈和消费者对当地啤酒的认同度较高等原因，瀑布、高原、山城啤酒在各自的大本营贵阳、遵义和六盘水的市场占有率均达到85%以上。1998年，河南金星集团就捷足先登西部贵州，在安顺经济技术开发区投资1.2亿建立了一座设计生产能力为10万吨的现代化啤酒企业。金星进入贵州改变了这种均衡态势，并掀起贵州啤酒大战。贵州金星年10万吨的设计生产能力，多多少少影响了其它厂家的上马改扩建工程。目前，全省啤酒生产企业的设计生产规模已经达到45万吨左右。另外，在啤酒价格上，贵州金星也采取了价格比对手低0.1元的销售策略，从而引发其他品牌降价。

贵州金星加快产品升级换代步伐，开发了不同档次不同规格的冰啤、雪啤、金澳麦等10余种啤酒，进行密集的广告轰炸和活动推广，仅仅在2001年就投入了300万元的推广费用，不断对消费者进行消费引导。2003年，贵州金星啤酒公司(下称贵州金星)年销量达到4万多吨，超过了贵州瀑布啤酒、遵义茅台啤酒和重庆啤酒集团六盘水啤酒公司等传统三强，跃升至行业龙头地位。由于贵州金星啤酒公司发展良好，原来的一条5万吨生产线已不能满足市场需求，2003年2月，公司又增加了一条5万吨生产线。此外，公司还拟在云南投资修建一个年生产5万吨的啤酒企业，实现其图谋大西南市场的构想。

茅台啤酒的发展也引人注目。2003年末，茅台集团旗下贵州茅台啤酒有限责任公司生产的"茅台"牌茅台啤酒在100多个品牌中脱颖而出，被中国食品工业协会认定为"中国啤酒著名优秀创新产品"。业内人士分析，国酒茅台的进入，给白热化的啤酒市场带来了悬念。茅台啤酒虽然产量不大，但却直入高档啤酒消费领域

三、知名企业

【贵阳市】

贵阳简称"筑"，是贵州省省会，全省政治、经济、科技、教育、文化中心，我国西南地区重要交通通讯枢纽，是一座新兴的具有一定现代化水平的综合型工业城市。一九九二年七月，国务院决定贵阳市实行沿海开放政策，是全省目前唯一内陆开放城市。

贵阳于1941年设市。现辖清镇市、开阳县、息烽县、修文县、云岩区、南明区、花溪区、乌当区、白云区、小河区。县（市）区以下设53个乡（其中少数民族自治乡19个）、30个镇、34个街道办事处。

2000年末，全市总人口331.57万人。其中非农业人口152.41万人。在总人口中，市区人口186.91万人。其中非农业人口130.49万人。

知名生产企业

1、南明老干妈风味食品有限责任公司

2、贵阳三联乳业有限公司

【遵义市】

遵义古称播州，位于贵州省北部，南临省城贵阳市，西与四川接壤，北面紧靠重庆，是大西南通江达海的重要通道。全市面积30762平方公里，人口684万人，海拔一般在1000～1500米。

遵义是中国名酒之乡。国酒茅台"风来隔壁三家醉，雨后开瓶十里香"；董酒品质超凡，位居老八大名酒之列；习酒、珍酒、鸭溪窖酒、怀酒……，群星璀灿，多彩多姿，名酒辉映，众星拱月，使遵义赢得了"中国酒文化名城"的美称。

遵义是大西南新兴的工业城市，一批企业在国内、省内已有较高的知名度。目前遵义已形成了以锰、铝、钛为重点的冶金工业体系；以汽车及配件、高低压电器产品为重点的机械工业体系；以化肥、精细化工为重点的化学工业体系；以卷烟、酿酒、建材、食品、造纸等为重点的轻工业体系。

知名生产企业

1、贵州茅台酒厂集团

2、贵州振业董酒股份有限公司

3、贵州鸭溪酒业有限公司

【黔东南苗族侗族自治州】

黔东南苗族侗族自治州地处苗岭山区，境内峰峦起伏，江河纵横，山青水秀，景象万千。自然风光绮丽多姿，古迹胜景绚烂古朴，民族风情浓郁独特，是祖国的一颗摧探明珠。

黔东南苗族侗族自治州有三万零三百多平方公里，辖一市十五县，人口近四百万。这里世居着苗、侗、汉、布依、僮、土家、水、瑶等二十多个民族，其中苗族侗族人口占61.5%，是全国聚居最多的地方。

知名生产企业

1、贵州青酒集团有限责任公司

【安顺市】

安顺市现辖平坝、普定、关岭、镇宁、紫云、西秀5县1区、全区面积9268平方公里， 占全省总面积的5.3%。周边分别与贵阳市、黔南自治州、黔西南自治州、六盘水市接壤； 人口240万人，其中苗、布依、回、仡佬等39个少数民族人口95万人，约占全市总人口的39.1%，是一个多民族的地区。

知名生产企业

1、贵州省平坝酒厂

2、贵州牛来香实业有限公司

【黔西南布依族苗族自治州】

贵州省黔西南布依族苗族自治州地处黔滇桂三省区结合部，面积16804平方公里，人口294万人，是珠江上游南盘江和北盘江拥抱着的一块正在开发的宝地。

知名生产企业

1、中国贵州醇酒厂

四、市场概况

【谁能打破酱香垄断贵阳市白酒市场开发参考】

本期入市先锋调查的是贵州省省会贵阳。贵阳地处，当地白酒消费以地产酒为主，消费者喜好酱香型高度酒，除了川酒的个别品牌能分得市场一杯羹，其他外来品牌几乎无立足之地。虽然贵州省的经济发展水平相对于全国大部分地区落后，但当地酒风浓烈，白酒的市场容量较大。

主流品牌分析

茅台，高档市场的绝对主角。国酒茅台在贵阳高档市场占据着绝对优势。当地消费者视茅台为骄傲，无论政务活动、商务交流还是节日期间馈赠消费，茅台都是首选。同是一流名酒的五粮液、剑南春在此地的市场状况远不及国内其他地区。据了解，当地消费者对酱香型白酒情有独钟，五粮液的浓香型口味不为当地消费者所接受，只是在节庆期间有些走量。剑南春的市场状况略好于五粮液，但整体销量无法与茅台比肩。

竞争激烈的中档市场。贵阳的中档市场可分为两部分，一是60～150元之间的中高档市场，以地产酒习酒、珍酒、小糊涂仙、川酒全兴、泸州老窖、郎酒为代表；另外是30～60元之间的中低档市场，以地产酒双回沙、青酒为代表。

中高档市场上，习酒的市场状况最佳。据了解，习酒在

贵阳市场已有多年，市场状况一直不错，在终端市场上，习酒常居沃尔玛超市销售榜首。其三星、四星、五星各单品覆盖了60～150元之间的全部市场，拥有着固定消费群体。今年习酒推出了一款新品，酱香型白酒——汉酱。习酒公司将这款新品的香型定位为茅香型进行概念炒作，市场反响较好。珍酒市场状况一直不错，堪称习酒最强劲的竞争对手，据其经销商反映，珍酒今年的市场状况不佳，较去年同期出现了下滑，主要原因是市场操作方面出现了一些问题，目前厂家正在积极应对。同是出自茅台镇的小糊涂仙的市场状况并不乐观。目前，小糊涂仙在贵阳市场出现了大幅度下滑，当地很多经销商认为厂家支持力度减小是其大幅度下滑的重要原因。

前些年，外来酒全兴、泸州老窖、郎酒在当地市场都占有一席之地。随着市场竞争日趋激烈，这三个品牌出现了各自不同的命运。郎酒在当地已运作多年，在最近三年的市场状况最好。郎酒凭借其酱香型口味拥有着一部分固定消费者，但整体市场状况不及习酒、珍酒。泸州老窖在当地的市场状况不佳，60元以上的中高档产品下滑严重，20～40元之间的中低档产品还占据着不小的市场份额。全兴的市场状况就没有那么乐观了。目前，全兴在贵阳大部分地区销量不佳，市场地位急剧下滑。

中低档市场上，40～60元之间的地产酒双回沙销量最大。双回沙酒的市场定位、产品定价都在中低档市场，巧妙地避开了习酒的强大势头。在外地消费者眼中，双回沙酒绝对是一个名不见经传的品牌，而当地经销商对双回沙的提及率却是最高。目前双回沙的市场走势良好右低档市场榜首。青酒的市场状况就没有那么乐观了，同上糊涂仙一样，青酒厂家对经销商的支持率逐年降低，市场也在逐年减小。

低档市场两大品牌平分秋色。低档市场最大的特点是地产平坝酒和北京红星二锅头旗鼓相当，各占据着部分市场。20元以下的平坝酒在低档市场已有多年，市场状况始终稳固，其酱香口味，较高度数赢利了大众消费群体的青睐。平坝酒在当地市场的铺货率几乎是100%，是大部分消费者日常消费的首选。来自北京的红星二锅头是当地市场较为稳定的外来酒，10元以下的光瓶二锅头、小瓶装二锅头是其主销品，其中56度二锅头更为当地消费者喜爱。

新进品牌寥寥，董酒成为“新军”。贵阳白酒市场一向很平静，今年几乎没有外地品牌进入。董酒在前些年由于体制改革、市场操作及一些自然原因而倒闭。今年，董酒的全新上市成为了贵阳白酒蜀的一大焦点。今年9月初，董酒召开了重新上市的新闻发布会，随后又召开了秋季品鉴会，这些活动标志着董酒正式上市。目前，董酒的市场活动很显眼，在广告方面的投入力度很大。在电视广告方面，董酒与当地媒体协同举办了娱乐节目，并在地方电视台各个时段都有广告投放。市内车体、路牌、报纸等媒体都有董酒的身影。如此之多的广告活动使董酒成为焦点，但董酒的市场状况将会如何，还有待市场考验。

拓市建议：贵阳消费者对地产酒有着特殊情结，喜好酱香型、高度数白酒，其他香型及低度酒应慎入。当地高档、中高档市场都有强势品牌把守，新品进入相当困难。在中低档、低档市场上，白酒消费能力较强，市场容量大，且只有一两个强势品牌，市场空间相对较大。红星二锅头的成功有力地证明了中低档市场有外来品牌的运作空间。当地酒店终端，尤其是中小酒店自带河水现象普遍，在流通市场和零售终端广泛铺货十分重要。建立好厂、商、店之间的客情关系是开拓市场的重要环节。

贵州酒：走出“第二桎梏”的“营销企图”

贵州酒：游离于NO：1与NO：2之间的“游戏”

贵州酒，中国白酒业的重要标本！

历史上的贵州酒，曾经辉煌过，亦失意过。“茅台酒”，一举夺得1915巴拿马万国博览会金奖而扬名世界！国酒，不仅仅是“茅台酒”的荣誉，而且是“茅台酒”的品质的见证。直到今天，“茅台酒”始终以“国酒的文化价值”，而领导高端白酒市场的发展，并成为高品质白酒的绝对标准。

今天的贵州酒，也有辉煌的，亦有失意的。仍然是“茅台酒”经过1994年左由短暂的“失意”之后的10年创新和回归，茅台酒站在中国白酒领航的标准上，继续领导整个贵州酒、整个酱香酒、整个高品位白酒市场的健康成长！连续3年的高增长、连续3年全国白酒市场利润率第一————————让“贵州茅台”竞争力倍增。因为“茅台酒”的领导地位，贵州酒近3年在利润率，始终排在全国全行业第二位！处于中国白酒行业第一集团军位置！

但除了“茅台酒”之外，贵州酒整体并未走出“困惑”。“鸭溪”的“改制并非改变”的“尴尬”、“董酒”2005年才起步重来，以及珍酒、贵州醇、青酒、习酒等全国知名品牌，或低沉，或不振，或偏守一方，导致了贵州酒在全国白酒市场总量上，被四川酒、山东酒、江苏酒、安徽酒———————远远摔在身后！

理性认识，才能有更明晰的方向！

贵州茅台，永远的“NO：1”！为什么这样说？因为“茅台”始终代表着中国高档白酒品牌发展的方向。当四川剑南春集团以“高档酒”，必定是高品位酒的逻辑思维，彻底粉碎了“高价酒等于高档酒”的机会主义，还原了高档酒的本来面目。“茅台”，一直以传统纯粮固态发酵工艺，酿酒高品质酒，无意是高档酒理性回归的“最得利者”；茅台酒，是中国酒品牌走向世界的“名片”。不管您承认与否，全球的消费者认识中国品牌，不能少了“MOUTAI”的份。因为从1915年怒掷酒瓶振国威的那一天开始，一个酒香弥漫的故事就流传于人们的记忆和谈笑间，它用一流的品质和超群的香味征服了世界各国的消费者——！茅台酒，因为成功打破中国与世界各国的外交坚冰而名副其实的被尊为“国酒”。正是“国酒”的文化特征和高贵身份，“茅台酒”才如此的高雅和尊贵！

贵州酒，永远的“NO：1”！为什么这样说？笔者以为，不要以流逝的视觉看贵州酒，而要以辩证和与时俱进的观点来看贵州酒。“贵州酒”，因开创中国白酒业多个“第一“而闻名！“茅台酒”，是第一个获得“1915巴拿马万国博览会金奖”的“中国品牌”！“贵州醇”、第一个开创“中国低度白酒先河”！“董酒”，第一个获得以品牌名命名香型的中国白酒？“小糊涂仙”，中国新生代白酒品牌的成长典范，它开创了多个第一，即“第一个执业外资本进入白酒市场之牛耳”、“第一执白酒终端营销之牛耳”、“第一执茅台镇地域品牌之牛耳”——！“小糊涂仙”的成功，让愈来愈多的酒厂跑马进入终端市场，说明了贵州酒并非夜郎思维决定论，超前的终端营销，不就是由“小糊涂仙”掀起的吗？

但，这些不应该是贵州酒制胜未来白酒市场竞争的“唯一”。假如我们以“历史为荣”，而缺乏“与时俱进”的态度和观点，超越贵州酒的不仅仅是四川酒，还应该看到紧跟而来的江苏酒、山东酒以及安徽酒。

贵州酒，必须看到自己的“短视”！

规模小，难抵“海啸”，这是贵州酒当前面临的最大问题。除了“茅台集团”外，销售额超过10亿元的白酒企业寥寥无几。

品牌分散，缺乏强势品牌扎堆效应，是贵州酒面临的第二大问题。“四川酒”的最大影响力，在于名酒品牌和强势品牌的“扎堆效应”。“五粮液”、“剑南春”、“郎酒”、“泸州老窖”、“沱牌”、“全兴”这“六朵金化”以及每一朵“金花”的“演化品牌群”，构筑起“四川酒”的“品牌航空母舰”，驰骋于整个白酒市场，形成一个牢不可破的“品牌包围圈”。从目前白酒市场竞争的整体情况，每一个消费市场都有四川酒的领导品牌。高端白酒市场的“五粮液”、“剑南春”以及新成长的系出名门之“水井坊”、“国窖·1573”、“舍得”等等；中档白酒市场更是品牌云集，“剑南春集团”家族、“泸州老窖”、“郎酒”、“金牌全兴”、“金六福”、“浏阳河”、“金剑南”、“银剑南”等等；低档酒市场，更是没有太多的酒厂敢与四川酒一比“成本之高低”，况且一直在低档酒市场拥有霸主地位的“沱牌”，还是“中国名酒”，其品牌影响力家喻户晓。而出自剑南春集团的“金绵竹”、“小绵竹”以一贯的质量领先战略，纵横于中低档酒市场，具有相当的规模竞争力优势，以河南市场为例，“金绵竹”的市场份额遥遥领先于其它低档名酒品牌。

就贵州酒的品牌竞争力看，唯有“贵州茅台”具备了参与全国白酒市场竞争的实力和品牌影响力。其他的目前仍以区域性品牌为主。

缺乏“傍大款”的环境，亦是贵州酒难以形成规模效应的关键之一。亚洲博鳌论坛秘书长龙永图近日在贵州的一场演讲中谈到：“贵州经济发展，必须树立傍大款的意识，只有将具有资本和规模优势的大款吸引进入，贵州经济发展的步伐才会加快——”！想来亦是，贵州酒应该建立“傍大款”的意识。同时，笔者以为，仅仅有“傍大款”的意识还永远不够，还须建立起“傍大款”的“环境”和“平台”。贵州酒的“傍大款行为”，我以为应该解决三个实质层面的问题。

第一、意识和观念上的“开放意识”。

从贵州酒当前整体情况看，规模以上的酒类企业大部分是国有及国有控股企业，受机制和体制的困扰多年。这是制约贵州酒做大做强的关键所在，亦是贵州酒难以走出“严冬”的关键因素。从“傍大款”的境界出发，我以为要解决贵州酒突围瓶颈问题，首先就要解决思维和意识上的问题，即一定要具备吸引强势资本进入贵州酒行业的环境和平台。只要有利于贵州酒的做大做强，行业主管职能部门要以“营造健康产业环境”为基础，积极开放观念，从“监管”的“神坛”走到“服务”的“境界”；同时，作为国有酒厂及酒厂所在地政府，要敢于放弃“控制权”。

2005年8月26日的“国密工艺--董酒开坛”，意味着“贵州酒”开放意识的重起。新的董酒，已经从过去的国有控股完全转变为一个民营酒厂，转制后的“董酒”有了新的产业环境和平台，为“董酒”全新启航和轻松上阵，奠定了体制和机制上的优势基因。“董酒”的全新走来，应该引起包括“珍酒”、“鸭溪”、“贵州醇酒厂”----等等国有及国有控股酒厂的思考，转变机制是解决一切问题的基础。

就机制转变，笔者在与贵州酒很多国有酒厂的负责人以及省外很多国有酒厂交流时，他们都不约而同的表达这样一个观点，即“机制老化，制约了国有酒厂的做大做强”。贵州茅台、五粮液这些卓越领导企业，毕竟是典型示范。但它们也或多或少受到了体制的制约。举一个很简单的例，经理人团队的建立，在民营酒厂来说，是件很平常的事，凡是有利于企业发展的人才都可以引进。但国有酒厂不可能随便做到，其中最大的问题，如何打破国有酒厂固有的人才和经营体系，尤其是涉及到激励机制等敏感性问题。如果要建立起适应市场竞争需要的人力激励体系，就必然要改变传统的用人机制，这就涉及到了企业整体机制的创新和变革。没有整体机制的转变，任何局部的创新和变革，对国有酒厂来说都无济于事。

第二、健康的“傍大款环境”。

“小糊涂仙”，为什么要把灌装厂设在贵阳，而不在基酒所在地--中国酒都仁怀？我想，这暴露出了产业环境存在的不利于酒厂发展的问题。“资本的眼光就是逐利”。如果明明看不到利润的期望值，只有“傻瓜”才会将“资本”塞在“亏损的窟窿”里。

以白酒业近5年来的OEM热为例，不难看出贵州酒缺乏“傍大款”的环境。为什么与四川酒同样有着悠久酿酒历史传统和文化的贵州酒，缺乏像“金六福”——“新华联集团”、“红太阳”——“湖南中商集团”、“水井坊”——“广东鸿森集团”等等这样的“OEM大款”？原因就在于，首先是贵州酒一直低沉的整体状态，让愈来愈多的资本寒冷；其次是贵州酒整体产业环境的制约，让愈来愈多的资本被挡在“黔酒OEM的门外”。

谈到“贵州酒产业环境”，不得不谈“高税收政策”对“黔酒发展”的“桎梏”。我国调整白酒消费税征收办法如下：对白酒实行从价和从量相结合的复合计税方法：对粮食白酒和薯类白酒在仍维持现行按出厂价依25%和15%的税率从价征收消费税办法不变的前提下，再对每斤白酒按0.5元从量征收一道消费税；取消现行的以外购酒勾兑生产酒的企业可以扣除其购进酒已纳消费税的抵扣政策。

国家税务总局对此的解释是：调整前的白酒消费税办法是从价计征的，并且只在生产环节征收，这样导致白酒企业采用转移定价的方法来规避纳税；在实际操作中白酒企业常通过设立自己的销售公司，关联公司以及加大包装物的价格等手段调低白酒在出厂环节的价格，从而达到减少缴纳消费税的目的。新复合计税方法将在一定程度上减少这一现象的发生。

但这种税制环境下，有些地方在执行时，采取了比较灵活的方式，比如说“定额税”、“返税”以及通过设立销售公司的形式，来达到降低地方酒厂税收负担的目的。而贵州酒在这些优惠税收政策方面，则明显地不如其他省，尤其是像四川酒实施比较早的“定额税”，很好地支持了当地的一些中小型酒厂的做大做强。

就贵州酒当前整个税收环境而言，笔者认为应该结合贵州酒具体情况，制定一些切实可行的分级实施办法，为企业进一步做大做强尽可能创造比较宽松的产业环境。

第三、要建立产业群优势。

如何建立“贵州酒的产业群优势”？笔者8月26日在参加完“董酒”的开坛仪式后，与贵州鸭溪酒业有限公司总经理何邦荣先生进行了很好的交流。他认为：当前贵州白酒业的发展，面临规模小、竞争力整体趋弱的局面。要走出这种尴尬，需要建立产业群竞争优势。一方面要进一步加快以茅台为龙头的领导型企业培育和发展，并依靠净化市场竞争环境，为茅台打造世界品牌提供健康有利的市场竞争条件，进一步提高贵州茅台集团在整个白酒业市场竞争中的地位和优势竞争力；另一方面要加快贵州酒第二梯队品牌和企业的培育，包括“习酒”、“董酒”、“贵州醇”、“鸭溪”、“珍酒”等在内的酒厂，应该尽快解决机制和体制上的束缚，顺应当前名酒集中趋势，让这些酒厂尽快走出困境，加大自身竞争力的培育和发展；另外，还需要加快“贵州酒名酒产业带“的建设，包括“中国酒都”、“习酒城”以及“遵义——中国名酒文化长廊”等等，最终形成一种“名酒聚合效应”！

贵州酒，需要建立产业群，才能走出困境。笔者以为，“贵州酒”已经具备了很好的“产业群竞争优势基础”。比如说，“名酒品牌”——“中国老八大名酒”，包括“贵州茅台”和“董酒”；“中国优质白酒品牌”，包括“习酒”、“珍酒”、“鸭溪”、“贵州醇”等等；以及“名酒品牌基因”——比如说，根植于贵州酒文化而近十年才在白酒业崭露头角的“贵州青酒”、“小糊涂仙”、“双回沙”等等。纵观这些“品牌”，不难看出“地域”上的“集合效应”。以遵义为核心的“黔北酿酒地域”，几乎集中了贵州酒最知名的品牌。尤其是有“国酒茅台”为核心的“国酒文化地域”，这在全国都是稀少的资源。如何建立这些地域产业集群效应和规模效应，是贵州酒走出“规模制约”的“关键所在”。包括“中国酒都——国酒文化地域保护和品牌再造”、“习酒城的建设与保护”、“贵州——中国名酒文化长廊的规划和建设”等等。

没有沉没的贵州酒，开始了新的“超级追求”！

排在“第二位”（盈利能力）的“贵州酒”，掀开了颠覆、创新、回归之举？

茅台，首开“年份酒”，为企业创建了核心竞争力优势。2005年1—6月实现主营业务收入168614.43万元，比去年同期增长28.31%，实现净利润48078.69万元，比去年同期增长37.73%。陈年茅台酒在公司产品中的地位相当重要，陈年茅台酒销售量虽然仅占公司销售量的3%左右。但是其利润比例却达到了10%以上。

习酒，自加盟贵州茅台集团以来，呈现出史无前例的“颠覆运动”，并重新“回归”到核心上来。“茅台集团浓香战略品牌”和“茅台集团浓香战略基地”的提出，以“颠覆”性的思维告诉全国白酒行业，有着“酱香鼻祖”的“贵州茅台”，凭借强大的技术优势发力浓香酒市场，是“颠覆”，更是“创新”；“习酒五星、液体黄金”的提出，让首开星级先河的习酒，有重新“回归”到贵州白酒市场领导者品牌的地位上来；“全员营销战略”，为习酒创新建立了战略基础。这是战略上的“创新举措”，亦是战术上“创新尝试”，这一切“颠覆”、“回归”和“创新”背后，是“习酒”高幅度的回复性增长态势！

董酒，2005年8月26日的“国密工艺、董酒开坛“仪式正式出笼，标志着贵州酒第二张”中国老八大名酒“栅栅来迟。新的董酒，新的体制（深圳振业集团的民营全资子公司）、新的形象（国密工艺）和新的战略（品牌战略：中高档白酒市场；产品战略：回归到独一无二的董香型技术和产品优势；营销战略：区域分割、核心建立和陈年老酒担纲主角），必然会掀开董酒的新篇章！

珍酒，酱香型的追赶者！作为“茅台易地试验厂”的珍酒，其核心是酱香型白酒。在追随浓香白酒潮流后的珍酒，以“小将军”、“大元帅”为核心，回归到酱香酒的核心上来，其效果十分明显！

鸭溪，“酒中美人”。有着贵州强势地域品牌的鸭溪，经过2004年改制以来的整合和创新，2005年提出了“回复与创新战略”，将早受贵州人钟爱的“鸭溪窖”作为复兴的突破口，全新包装上市鸭溪窖！

贵州醇，低度白酒的“开创者”，至今保留着最传统的“纯粮固态发酵白酒工艺”酿造“贵州醇”。当2005年中国食品工业协会白酒专业委员会推出“纯粮固态发酵白酒标识认证”时，曾对率先提出“白酒复兴工程”的贵州醇酒厂及厂长鄢文松发起的“一边倒批判声”不攻而破。“好酒，需要纯粮酿”，这是贵州醇白酒复兴工程的关键。迎着“纯粮固态发酵白酒标识”的出台，一向善于营销的贵州醇，找到了新的突破点！

青酒，小糊涂仙——以及“中国酒都“等等，不失为贵州酒的优势品牌和资源！

如何基于贵州酒优势资源的基础上，进一步做大做强贵州酒？贵州茅台酒厂集团习酒有限责任公司董事长兼总经理刘自力的“五点主张”是根本。

第一，充分张扬黔酒个性，凸显黔酒特色。国酒茅台之所以长期保持白酒行业排头兵的位置，其中最关键的一点就是茅台品牌的开发，无论从工艺流程，产品品质，包装装潢，品牌定位，文化内涵等等，都具有唯一性、排他性和难以复制性，无论在中国还是在世界，没有任何品牌能与之媲美。

第二，在品牌定位上，要坚持黔酒是“绿色食品”、“环保食品”这两面旗帜。贵州是典型的高原气候，自然植被丰富，生态环境幽美，山青水秀，风景如画，气候温和独特，有利于微生物的繁殖，是酿造美酒的理想环境。

贵州要把“绿色”、“环保”的个性特色向消费张扬，要让消费者认识和体会“绿色即自然，环保即健康”的消费观念，从而把贵州酒独有的特色推向市场、推向消费者，进而提升贵州酒的品牌形象和品牌价值。

第三，产品的包装设计要有鲜明的个性化特征，要具有典型的、深厚的文化品味，既要体现传统文化、民族文化，又要体现现代文化，要做到传统和现代相结合，使两者相互映衬，相得益彰。一个产品包装的个性，文化品味，综合反映一个企业的形象和实力，也直接体现产品的价值和含金量。因此，企业要改进和提高黔酒品牌的包装品位，突出自己的特色；要充分发掘自身产品传统的、民族的特色，并作为自己的特色予以张扬。

第四，在白酒香型风格上要有创新。贵州酒在香型上有酱香（以茅台为代表）、浓香（以习酒为代表）和兼香（以董酒为代表）型，其风格各有特点，消费各有群体。在总量上，浓香白酒产量大，目前市场基本趋于饱和。在这种情况下，贵州酒要敢于突破传统白酒香型划分的禁锢，要根据市场和消费者的个性化需求，研制开发适合不同消费者需求的个性化香型白酒，以适应市场竞争的需要。习酒厂并入茅台集团后，成功研制、开发了兼浓香与酱香特点的新习酒，投放市场后，受到消费者广泛的认可。“小试牛刀”的成功，使贵州白酒行业相信，避免产品同质化的努力，应该成为黔酒创新的重要着力点。

第五，在营销理念上要突出个性化，黔酒一定要打破过去那种“好酒不怕巷子深”、“皇帝女儿不愁嫁”的传统营销理念，要大力倡导和推行“无情不商”的经营理念和“诚信为本”的经营原则。随着市场竞争的日益激烈，黔酒必须解放思想，创新观念，用诚挚的感情、友情、真情来引导和对待消费者，要真正做到情系市场，情系经销商，情系消费者。有情是基础，诚信是根本，黔酒企业必须树立诚信意识，开展诚信经营，打造诚信品牌，铸造诚信贵州。（万兴贵）

西藏区糖酒市场

一、区情简介

西藏是藏民族的发祥地和居聚区，藏族遍布西藏各地，成为西藏自治区人口最多的民族。全区总人口为2512341人，其中藏族人口为2421856人，占全西藏人口总数的96.4%。除藏族外，西藏还有汉族、回族、门巴族、珞巴族、怒族、纳西族、蒙古族、傈僳族、土族、独龙族、满族等民族以及登人、夏尔巴人。

二、市场格局

西藏酿造的高端白酒

西藏香巴拉工布江达酒业有限公司座落在西藏五大圣湖之一的林芝错高湖畔，平均海拔数千多米，该地区冬天平均气温在零摄氏度以上，夏天平均气温为二十摄氏度，冬暖夏凉，气候宜人，作为世界第三极地也是最后一块净土的地方拥有洁净，丰富的水力资源，而林芝地区的水力资源就占了西藏的 70% 以上。这里的水源主要为雨水，冰雪融水和地下水组成，流量丰富，水质好。

“西藏白酒第一坊”的藏羚羊高档白酒以独特的品质，藏民族的文化，神奇的藏秘，向世人展现出雪域高原的独特魅力。

优良的酒质：取自西藏林芝地区被誉为西藏五大圣湖之一的错高湖的水为“骨”，以青稞、糯米、高粱、大米、小麦、玉米六种粮食为“肌”，并且提取西藏特有的冬虫夏草，藏茶等植物精华液，结合神奇藏秘的制作工艺进行提取、投料、陈酿、窖存、以其浓中带陈，陈中带香的特色，生产出不同于中国其他名酒特有的复合香型藏羚羊藏秘白酒，通过公司的首席技术顾问中国白酒酿造大师，复合型香型鼻祖，国家白酒评审委员会专家组组长沈怡芳先生挂帅，使“藏羚羊酒”成为名副其实的“西藏白酒第一坊”。因其产于海拔数千米的雪域高原特殊的地理环境，故酒的产量极小。

独特的包装：西藏特色的木质酒盒，贵气大方；圆柱型的瓶身，形似西藏特有的转经筒，传递着藏语“扎西德勒”——吉祥的心意。瓶身烫真金，体现了皇族的高贵；瓶身烤花极富西藏特色，又不失现代气息；高档的藏羚羊礼宾佳酿以千年江宁织造的云锦为包装面料，千年雪域的藏羚羊佳酿礼宾酒以千年景德镇的官窑青花瓶盛装，烘托出千年光彩，手绘的青花瓷藏羚羊酒瓶具收藏价值。

品牌价值：藏羚羊是国家一级保护动物，栖息在 4000——5300 米“生命禁区”的高原荒漠， 冰原冻土地带，现存种群不到 3 万只，如不有效保护，预计不到 3 年时间，该种群就会灭绝。公司秉承保护藏羚羊，爱护人类生存的家园这一宗旨，开发了该品牌，并得到了社会各界人士的大力支持。 2003 年厦门酒博览会上受到原人大常委会副委员长布赫，国家轻工业部部长陈士能等的关注。在去年平安夜之际，公司与金陵饭店联手举办了“藏羚羊之夜”，宴会上用酒选用藏羚羊白酒，各界到会人士品尝后，都对该酒给予了高度的评价。

2003年，青海可可西里国家级自然保护区管理局已将象征着和平、速度、力量的藏羚羊推举为2008年北京奥运会的吉祥物并受到奥组委的大力支持。

藏羚羊酒吸天地之精华，集中华文化之英气，积聚了独特的文化理念，西藏地区广泛流传着这样一句话“烟中之王”大熊猫，酒中精品“藏羚羊”。 藏羚羊白酒现已成为西藏最高档白酒的象征，并已荣登内地五星级酒店， 而高品质，高价位的藏羚羊酒已名副其实的成为“西藏白酒第一坊”。藏羚羊酒将走出西藏，走出西部，融入中华民族的大家庭。目前，公司已在拉萨，格尔木，南京设立中转站，为藏羚羊酒奔向四面八方做好可靠的保障。

“藏羚羊”酒则是一款无论酒体风格还是包装设计都充满了西藏独特个性色彩和少数民族文化深厚底蕴的经典之作。它以青稞等粮食作为原料，秉承西藏传统酿酒工艺并与现代生物技术有机结合，在我国著名白酒权威专家的悉心指导下精酿而成，其神奇而独特的风格特质受到业界专家们的一致赞誉。展会期间，“物稀而贵”的“藏羚羊”酒在众多创新品牌中脱颖而出，其声望不胫而走，再一次印证了如下道理：独到的品质，风格和文化，是一个创新酒品走向成功的根本，舍此别无他途可寻.

三、知名企业

1、西藏香巴拉工布江达酒业有限公司

2、西藏金田青稞酒业有限公司

3、西藏林芝大峡谷酿酒有限公司

4、西藏藏酒酒业公司

四、市场概况

藏民族有着悠久的历史和灿烂的文化，早在1000多年前就已开始酿酒，在漫长的历史进程中，形成了独特的藏民族酒文化。

古代藏族饮的酒种类较多。据敦煌出土的古藏文写卷《苯教丧葬仪轨》载，吐蕃早期所饮的酒有米酒、小麦酒、葡萄酒、蜂蜜酒和青稞酒等。随着唐蕃联姻而发展起来的汉藏文化交流，使藏族掌握了内地传入的复式发酵酿酒法，仿内地黄酒酿制的青稞酒得到了藏族的普遍喜爱，从而成为了藏族的传统饮料。

在大多数藏区，平时倘有客至，敬茶不敬酒。但逢年过节和喜庆时，如果客人来家，则必须敬酒。敬酒时，主人先斟满一碗（或杯），捧献于客前，客双手接过后，必须要先喝三口，但不要喝干，等主人再斟满，这时客人才一口喝干。此后，客人有酒量的继续喝，无酒量的可不再喝，主人也不强劝。倘若客人不完成上述之饮，那就是严重的失礼行为，主人会很不高兴。致于客人酒醉，主人绝不会讥笑，反而认为是坦诚的表现。四川嘉绒的藏族较特别，平时对进屋的客人先敬一壶酒，随即将食物用盘奉上，一客一份。阿坝黑水地区的藏族，凡见熟人从门前经过，必请进屋内敬一碗酒。如客人坚持不进屋，主人要把酒拿到路边请客人喝，以示慰劳。藏族人民热情好客、和善睦友的风尚，在这些酒俗中得以充分展现。

酒在藏族婚仪中有重要的作用。在青海安多藏区，提亲时必带去“雅叙酉仓”（提亲酒）。女方如若允婚，则须邀请村里长者和媒人一起喝“订婚酒”。一旦饮了此酒，便算正式订婚，不能再许嫁他人。结婚之时，更要准备大量的青稞酒以宴飨送亲者和来宾。迎亲者则要在途中设“迎亲酒”，新娘离娘家前要喝“辞家酒”；婚宴中主客尽兴同饮“庆婚酒”，高唱酒歌、跳舞，欢腾通宵达旦，一直要热闹三天，其间新娘要向宾客轮流敬酒。其他藏区的婚礼仪式有的与此不尽相同，但酒在其中的作用却大致一样。

藏历新年，藏族家家都要喝青稞酒以示庆祝。初一天刚亮，家庭主妇就把八宝青稞酒“观颠”（一种加有红糖、奶渣子、糌粑、核桃仁等煮物的青稞酒）端到家中每个人的被窝前，让他们喝了才起床，以示新年一开始就丰衣足食，步步吉祥。初一这天藏族一般不拜客，一家人闭门欢聚，品青稞酒，喝酥油茶，漫话家常。初二起才挨家去拜访，互道“扎西德勒”，互敬青稞酒。嘉绒地区的党坝人过年，喜欢全寨人各凑一些酒，团聚在一起，从初一喝到初五，夜则烧篝火，昼则浴太阳，伴随欢歌劲舞，共庆新年。藏族节庆日较多，如元宵“灯节”、六月“雪顿节”、七月“望果节”和“沐浴节”。在这些日“逛林卡”了。那时人们扶老携幼，或全家一起，或情侣朋友，三五成群，在绿茵上、溪流旁搭起白色帐篷，一边喝着新酿的青稞酒和酥油茶，一边弹着六弦琴或拉着胡琴，或引吭放歌，或浅斟低吟，怡然自得。藏族最豪放的饮酒，则是在跳锅庄的时候。村寨的青年男女围成一圈，圈中设小桌，放上几坛青稞酒；男女两队轮流领唱，翩翩起舞，并不时去圈中喝上一碗酒，跳到高兴处，饮酒者更是纷至沓来。酒助舞兴，歌借酒力，通宵达旦，尽兴方休。

藏族中一般是以茶作为日常生活中必不可少的饮食。但在阿坝黑水的藏民中却用酒代茶。他们吃糌粑不用茶，而是用青稞酒拌合着吃；吃干馍不喝开水或茶，是以酒解渴；吃烤土豆，也是泡在酒碗里吃。

藏区东部许多地方都盛行液冗凭朴，尤以黑水人液冗凭朴最讲究。每遇年节和家中有大事要请人液冗凭朴时，先由主人烧开一大铜锅水，放在火塘边保温；再将一坛酿好的未加过水的酒放在客位的火塘边，插入两根细竹管。客人到齐后，先请其中最年长的坐于酒坛前，领头诵经，用手指蘸拨点酒洒向四方；然后，请另一位年长者与他同坐在一起，各含一根竹管吸饮。这时主人在旁边慢慢地将一瓢开水从上渗入酒坛。开水经过发酵的酒糟渗到坛底，便成了酒。竹管插在坛底，故能只饮到酒而不会吸进糟。二人饮完后，按年龄顺序另请二人到坛边吸饮，主人继续向坛内冲开水。一般情况下，每二人饮完一瓢水即离开，换上别人。这样依次轮流下去，最后连两三岁的小孩也要去喝上几口。轮完一遍，又从头开始；直至一坛酒淡而无味后，才又换上一坛。每个与会的人不论有无急事，都必须喝过三次后才能离去，否则就是很不礼貌的行为。这种轮流喝咂酒的宴饮，一般规模都较大，小则三五十人，多则100多人，夜以继日方能饮过一巡。三巡下来，往往要两三天，在饮酒过程中，未轮到的和已喝过的便围着火跳锅庄。跳累了，唱渴了，也该轮到喝咂酒了。喝完咂酒疲累尽消，又有精神跳锅庄了。饮酒与歌舞紧密相连的藏族酒文化这一特色，在这里展现无余。

在康区藏族中也有只插一根麦管或竹管在坛内喝咂酒的，人们依次将酒坛传递给相邻者轮流吸饮。也有在坛中插上多根麦管，好几个人围着酒坛同饮的。

唱酒歌是藏族饮酒一大特点。每逢重人场合（如婚宴、村寨聚饮等）敬客人酒时，要先擎着酒杯唱酒歌，歌词多为即兴之作，内容都是赞颂、祝福之词。唱酒歌时，身子要伴着节奏舞蹈，杯中的酒却绝不许洒出。客人有时也要唱酒歌回敬，此唱彼和，气氛十分热闹，把宴会推向高潮。

藏族酒具有壶、杯、碗。西藏仁玉县生产的绿玉酒壶和酒杯、酒碗，晶莹剔透，最受藏族喜爱。江西景德镇生产的小龙碗，上绘“八吉祥”图案或“六字真言”，也是藏族群众珍爱的酒具。旧时藏区贵族、土司家的酒具十分讲究，多为金银镶嵌绿松石、珊瑚珠，工艺十分精湛

在每年的秋末，辛勤的农人将满眼金色的麦子颗粒归仓后，精心挑选出丰满、水灵的青稞谷子，酿制出一桶桶甘冽、醇美、低度的远比爷爷奶奶还要老迈的高原第一酒——青稞酒。

每一家的主妇都是极稔熟、高超的酿酒师。她们将精心挑选出来的青稞装进麻袋，运至清澈得足以作镜子的河旁，用簸箕细细地淘，将似乎肉眼也极难见到的杂质也一一地捡出来。这时，洗过的青稞酒便如一块块刚被春雨沐浴过的，光滑圆润的鹅卵石似的。之后的工作便是备足木柴，起灶生火，将淘洗过的青稞连同适量的水倒入大的铝锅用猛火煮开。不一会儿，农家小院便被煮熟的青稞沁人心脾的芬芳弥漫。这时谁要从这家的门前经过，只要是个好饮的人，便会估摸出这确切成酒的日子，到了那天便貌似有事要办似地唐突地走进这一家。主人也深知其来意，好客的主人便会端出香甜的美酒。青稞煮熟后就摊在专用的布或毯子上让温度慢慢地降下来。主妇在这时盘腿坐在一处，用石制的臼将小饼状的白色酒捣成粉末后均匀地撒在还冒着热气的青稞上，且用特色制的扇形木板不断地来回拌匀。而后，将其装入陶罐密密地将口封实，且用暖和的棉被等物，象在冬日里怕婴儿冻着似地细心地将陶罐包裹起来，最后，将裹着的陶罐搬至存储冬季牲畜食料的干草棚里，深深地埋进干草堆中让其发酵。男人们在这两天便显得焦躁不安，收工回到家，没等手中的农具落地便问成酒了没有？主妇在这时也颇觉自己的重要，发脾气、卖关子之类的事情则是难免的。三天左右后，发酵已

然停当，陶罐里的青稞才真正飘出陶醉、诱惑人的酒香。主妇就将陶罐从草堆中提出来，放置在阴凉透风的仓库里。孩子们就趁大们们走神时溜进仓库，将手伸并陶罐攥满一手粘乎乎的青稞（这时称作“巴农”），左顾右盼着慌张地吃。那种甜里透出酸的诱人的零食在多大的商店里也是寻不到的。男人们也装出很专业的样子，很优雅地将粗壮的手伸进去，吝啬地抓出几粒放进嘴里仔细地嚼，猜测酒的优劣。在仓库内停放了半天后，主妇就往陶罐里加入清水，不到半天的功夫，第一道酒便出来了。如果酒味甘甜醇厚，酒色暗黄，主妇便顿觉脸上光彩，逢人都要细述和炫耀，以引出别人对自己手艺的啧啧赞叹。如果酿出的酒苦涩难饮，面对男人的厉言责备也只有低头不语。

青稞酒分一道、二道、三道等。第一道酒是最可口、珍贵的。只有在家中来了显贵的客人或逢上隆重的节日，人们才肯端出来，而且，在敬给对方时也要反复地说这是第一道酒，唯恐别人品不出来似的。自家的男人也不敢多饮，收工回家后，在瓷碗里倒入少许后，陶醉了似地倚在叠着的藏被上不住地咂嘴、赞叹。每一道大致都有二十余磅左右，喝完第一道后，主妇便在陶罐里续水。便成了第二道酒。第二道酒比第一道稍显逊色，甜味减少酸味加大，但喝起来仍是有滋有味，全村人聚在一起过节或开会时拿出来敬给别人也并不失面子。但是，谁要把第三道，乃至第四道酒也在隆重的场合端出来，就会被认作小气和失礼。从而背上吝啬鬼之类很长一段时间都无法摆脱的浑名是极正常的。因此，第三、四道酒只是留在家中供自家人渴极了的时候喝，几道过后，陶罐里的青稞便再也浸不出一点味道，主妇科将其倒入牲畜的饲料中，又成为它们的佳肴。

作为高原第一酒，青稞酒有着酥油茶、甜茶之类常见的饮品难以企及的重要地位。特别是在农区，只要家里请了外人帮忙，抑或在宗教节日里要出门朝拜之类并不很重要的时候，青稞酒也是必不可少的。更何况退上节日、红白喜事、送人去远方、为人接风洗尘之类在农人眼中很要紧的事情。没有了青稞酒，男人们干起活来也不卖力，歇下来的时候，对眼前油渍渍的酥酒茶也了无兴趣，而是叫娃们到附近的泉边打来冰凉的水。仰着脖子猛喝，但这样的时候并不常见。即便自家的酒还未发酵，主妇也会在男人出工前到邻家借。借酒在农区是极寻常的事情，就象在城里正好做饭时发现忘打了醋，便拎着醋瓶去敲邻家的门似的。然而还酒时却需十分地谨慎，如果借来的是第一道酒而还给人家的是二道，或者还给人家的也是一道，味道却相去甚远，那么，对方的脸色便不会太好，下次再去借时便会显出十分的不情愿来。

青稞酒的饮用者在农区是挺普通的，不喝酒的人倒是寥若晨星。特别是在藏历年，主妇在节日将临的时候要同时用几个陶罐来酿酒。从初一到十五似乎每一个男人和女人，甚至那些还未成年的孩子们都被各家各异的酒弄得醉醺醺的，整片村庄也弥漫着一种甜里透着酸的气息。人们穿着节日的盛装，围坐在阳光充足的一隅一边仰着脖子喝酒，一边掷骰子高声谈笑。由酒引发的婉转的歌声更是整天整夜都不愿停下来。

青稞酒是最天然、最廉价的酒类之一，即便各式各样的酒从四面八方蜂涌而至，令人目不暇接，但在这雪域高原，青稞酒却是最具诱惑力的一个。

改革开放以来，藏族人民生活提高很快，藏族饮的酒种类又趋向多样化。在城市的藏族青年中，啤酒受到特别的喜爱，这可能与啤酒的特性、味道均与青稞酒极近似，但却比青稞酒饮用方便，随时都可以买到有关。面临啤酒等工业化生产饮料的挑战，青稞酒也势必会打破家庭酿造的传统，转为工业化生产，方能满足藏族人民日益增长的物质文化的需要。

云南省糖酒市场

一、省情简介

云南简称“云”或“滇”，地处中国西南边陲，北回归线横贯南部。总面积39.4万平方公里，占全国总面积的4.1%。东与广西壮族自治区和贵州省毗邻，北以金沙江为界，与四川省隔江相望，西北隅与西藏自治区相连，西部与缅甸唇齿相依，南部和东南部分别与老挝，越南接壤，共有陆地边境线4060公里。

云南的支柱产业 是烟草业，生物业，矿产业，旅游业。

二、市场格局

三、知名企业

【昆明市】

昆明是云南省的省会，全省的政治、经济、文化中心和交通通信枢纽，西南地区的中心城市之一，国家历史文化名城，我国重要的旅游商贸城市。昆明市辖5区1市8县，国土总面积21111平方公里，总人口488万。

知名生产企业

1、云南香格里拉酒业股份有限公司

2、昆明雪兰牛奶有限责任公司

3、云南红葡萄产业集团

4、云南大山糖酒副食有限公司

5、昆明酿造总厂

6、昆明裕泰商贸有限公司

7、国营昆明跑马山实业总公司

【大理】

大理历史悠久、山川秀丽，苍山洱海珠联璧合，文明古都极具神韵，自然风光秀丽迷人，民族风情多姿多彩。大理位于云南省中部偏西，总面积 29459平方公里，地域辽阔，资源丰富，山川秀丽，四季如春，是一块宝地。

大理全州辖一市十一县，是一个居住着汉、白、彝、回、傈僳、藏、纳西等26个民族的地区，少数民族人口约占50%，其中白族人口占总人口的三分之一，是一个以白族为自治民族的自治州，是闻名于世的电影“五朵金花”的故乡。

知名生产企业

1、云南下关茶厂沱茶（集团）股份有限公司

2、云南大理啤酒股份有限公司

【思茅市】

思茅市地处云南省西南部，市境面积3927.9平方公里，

处于澜沧江下游的腹心地带。全市辖七乡一镇51个行政村，聚居着汉、彝、哈尼、白、拉祜、瓦等25个民族，占总人口的23%，非农业人中占总人口的38.7%，是一个聚南亚热带特色，边疆民族风情为一体、绿色企业基地、建筑建材、林产品工业、商贸旅游、第三产业等四大主导产业综合发展的新兴城市。

思茅是驰名中外"普洱茶"的主产区，以茶叶、咖啡、橡胶、水果为主的绿色企业基地达5.7万亩，欧洲人视普洱茶为减肥茶、健美茶。现思茅所产茶叶已远销日本、新加坡等国。茶叶生产带动了茶叶机械生产的发展，思茅市的云南茶机总厂是国家和省厅的茶叶机械专业定点生产厂，产品畅销国内，跻身于国际市场。思茅市大开河小粒咖啡米数称世界一流，产品供不应求。

知名生产企业

1、云南龙生绿色产业（集团）有限公司

【临沧】

临沧，因濒临澜沧江而得名，是中国西南边陲待开发的一块宝地。北回归线横贯南部，东邻思茅，北连大理，西接保山，西南与缅甸交界。全区辖临沧、凤庆、云县、双江、永德、镇康、耿马、沧源8县。土地总面积2.4万平方公里，总人口约227.6万人。

临沧是世界种茶的原生地之一，有500余年的种茶制茶历史。1938年，"滇红"在凤庆试制成功，成为中国的出口名茶，年出口量均占全省茶叶出口量的40%以上，创汇占全省茶叶出口量的50%以上，云南凤庆滇红茶叶集团股份有限公司是云南目前最大的茶叶生产企业。全区茶叶面积达65万亩，年产量达2万多吨，面积和产量均为云南第一。

临沧是昆明通往缅甸仰光的陆上捷径。全区有沧源、耿马、镇康三个县与缅甸接壤，国境线长290.8公里。昆明经临沧出境至缅甸仰光公路里程仅1893公里，临沧被誉为"南方丝绸之路"，西南丝茶古道，孙中山先生曾规划在临沧建立"欧亚第三大陆桥"。

知名生产企业

1、云南澜沧江啤酒企业（集团）有限公司

2、云南滇红集团股份有限公司

【瑞丽市】

一坝两国三省邦，四开发区五座城——在绿色盎然、生机无限的瑞丽坝，中缅两国人民互市通婚、和睦相处，云南省以及缅甸克钦邦、掸邦三省邦在此交汇，瑞丽边境经济合作区、畹町经济开发区、畹町经济合作区、姐告经济贸易区四个开发区齐头并进，中国瑞丽、畹町以及缅甸的木姐、南坎、九谷五座城市咫尺相应。

全市总面积1020平方千米，三缅与缅甸接壤，国境线长169.8公里，有界碑62座，是我国边境线上界碑最密集的地段。边境线无天然屏障，两国阡陌相连、山水相依。瑞丽市总人口11万，其中傣、景颇、德昂、傈僳、阿昌等少数民族占61%。

2003年，瑞丽在国家工商总局成功注册了"东方珠宝城"商标，集加工、仓储、销售为一体的珠宝产业日臻形成。

瑞丽是中国西南地区最大的内陆口岸，拥有瑞丽口岸、畹町口岸两个国家级口岸，边贸进出口总值占全省50%以上，是中国连接南亚、东南亚国际大通道的重要窗口、桥头堡。2000年4月，国务院批准设立姐告边境贸易区，这是我国目前唯一按照"境内关外"模式实行特殊管理的边境贸易区。

知名生产企业

1、云南瑞丽糖业有限公司

【西双版纳】

西双版纳位于中国云南省南端，与老挝、缅甸山水相连，与泰国、越南近邻，土地面积近2万平方公里，国境线长966公里。澜沧江纵贯南北，出境后称湄公河，流经缅、老、泰、柬、越5国出海汇入太平洋，誉称为"东方的多瑙河"，因此，西双版纳既是面向东南亚、南亚的重要通道和基地，也是云南对外开放的窗口。西双版纳辖景洪市、勐海县、勐腊县和11个国营农场，总人口近84万人，这里聚居着傣、哈尼、拉祜、布朗、基诺等13个少数民族，占全州人口的74%。

知名生产企业

1、云南省勐海县景真糖厂

四、市场概况

【民族酒品，中流砥柱蜒云南省地级城市白酒市场开发参】

春城昆明是云南省的政治、经济、文化中心和、通信枢纽，是一座历史文化名城和优秀旅游城市，也是面向东南亚、南亚的国际性商贸城市。全市居住着25个少数民族，人口400万。

市场主流品牌分析

云南省毗邻四川和贵州这两个有名的产酒大省，似乎在地理位置上给其他省外酒入滇制造了天然屏障。作为省会的昆明市是白酒商家的必争之地，宋河、稻花香、洋河和重庆和诗仙太白等各自为王的区域性品牌在昆明市场上徘徊了多年，在川酒和贵酒的强大阵营口里感到力不从心，都相继淡出了市场。目前除了北京红星二锅头等几个全国性品牌在市场上趋势可以外，区域性品牌几乎没有市场，基本上形成了川酒和贵酒两个对峙的局面。

川酒领衔市场

作为川酒老人的五粮液在昆明表现不俗，始终稳坐高档市场头把交椅。它旗下的五粮醇和五粮春在市场上也较为走俏。商家将重点放在了流通渠道，终端投入并不大。中秋来临之际，在众多白酒频繁促销的情况下，商家并未做大的促销活动，只是在超市安排了导购小姐。泸州老窖特曲和市场零售价在70元左右，在酒店和商超的销量都很好。金剑南和银剑南在昆明有几个代理商，都有各自的单品。有的走流通，有的走终端，当前表现都不凡。据经销商介绍，金、银剑南在昆明酒店的铺货率占到60%～70%，其中52度的五星银剑南最畅销，终端价格为80多元/瓶。另外，200多元的方盒金剑南和300多元的圆筒金剑南在酒店的销量也可以。在中低档市场上，金六福系列酒炙手可热。流通价10元和28元的一星和三星金六福销量最大。80元左右的"六福人家"和368元左右的"经典

08”在酒店销量也不错。中秋前夕，金六福几十个系列酒普遍在超市搞买一赠一的促销活动，消费者强烈。

贵酒毫不示弱

在川酒势头强劲的形势下，以国酒茅台为主帅的阵营也不甘示弱。茅台酒仍是当地迎宾、送礼的首选酒品，在高档市场上占据重要地位。其“国色天香”系列酒在昆明运作有一年时间了，在流通和商超所占份额较大。以销售100元以内的五年陈、十年陈等酒为主。“国色天香”在酒店铺货不多，销量有限。而且在宣传和促销投入上都不大，可能还未真正运作市场。另外，小糊涂仙在中高档市场一直备受消费者青睐，在酒店自点率很高。经销商普遍反映，小糊涂仙的良好表现与它多年来在见面礼的广告宣传是分不开的。同时，它酒质稳定，价格适中，这些都是它在市场上表现不俗的原因。在中低档市场上，贵州青酒的趋势与金六福也不相上下，其中有五星青酒、五年洞藏、十年洞藏等多个系列，分52度和38度两种度数。受高档酒的影响，昆明市场低档白酒也多以高度酒好销。

地产酒占据低端

昆明市场上的地产酒种类繁多，占据着一、二十元的低档市场。其中，能挑大梁的是澜沧江小白酒，紧随其后的是茅粮酒。此两种酒都是清香型，流通价分别为85元／件和57元／件(一件12瓶)。近些年来，地产酒不甘于只做低档品牌，也在逐渐向中高档市场发展，而且还推出了一些高价酒。但由于多年的低档产品形象和高档名酒的强大影响力，使得地产酒难成气候，其高价酒也很可能会夭折。

外来酒机会分析

昆明市外来人口居多，消费观念开放，品牌意识较强。然而云南当地人消费观念则较为保守，所以川酒和贵酒在市区畅销，在地、州并不占优势。目前昆明市场壁垒森严，终端操作困难，不宜贸然进入。不过，市区以外的消费市场潜力巨大。泸州醇、古井贡等酒正在大力拓展县级市场，外来新品可以效仿。一来避免与名酒正面交锋，二用较少的投入慢慢做大市场。另外，拓市之初在做必要的广告同时应侧重促销，让消费者感到物美价廉。

玉溪：在玉溪白酒市场上影响力最大的是来自玉溪峨山的玉林泉白酒，它在这里可谓家喻户晓，占据了玉溪白酒市场80%以上的份额，仅仅留给了其他品牌很小的发展空间。这一方面与当地消费者的口味认可有关，另一方面也得益于玉林泉酒厂在此市场上的成功操作。玉林泉白酒的批价在63元／件（112瓶），每月走量可达到8000～10000件。云南省内的知名品牌澜沧江小白酒在此虽略逊于玉林泉，但也有不俗的销售情况，在各大酒店推出了促销活动，并以店招形式进行辅助宣传，其30度和50度两个品种的批价分别为76元／件（112瓶）和88元／件（112瓶），在铺货和市场管理上表现也很突出。此外，当地一些具有民族特色的白酒在一定区域内仍有一定的销量，如哈尼族的闷歌酒，还有福泉酒、扁担酒、幸福村酒等也受到一部分消费者的喜爱。

促销方面，这里的终端投入费用相对来说不高。在商超中，对于较知名或入场较早的品牌一般不收取进店费，但是在店庆或连锁店开业之时会要求企业提供一定的政策支持，比如特价促销、捆绑礼品、店内广告宣传等，有的店还会收取200～500元的店庆费。在酒店中，较常采用的形式是买断促销专场，即只允许买断品牌进行人员促销，其他品牌的产品仅可以在该酒店中进行柜台销售，而酒店的全权买断是没有的。6000～8000元／年的专场买断费用可能会给厂商带来不小的收益。以出产烟草著称的玉溪，其人均收入水平虽然相对较高，但消费观念和习惯还比较传统，能够接受30元以上价位白酒的人群比较少，而对于纯粮酒和口感清醇的白酒认可程度却很高，由此，以纯粮酿造为诉求点，并具有良好口感的白酒将有可能在玉溪白酒市场有所作为。

曲靖：相对于另外三个地区来说，曲靖的情况有些特殊，外地白酒在此也占有一定的空间。在高端市场上，依然是茅台、五粮液、剑南春的天下，刚刚进入的国窖　573销售情况不错，高档白酒多为商务用酒。在中档酒领域里面，泸州老窖系列酒的销售情况较好，金银剑南则与其不分上下，这些酒占据了中档白酒市场，地产白酒在这个价位段上不占优势。低档酒市场可以说是地产酒的天下，曾经火爆的茅粮现在的销售形势依然很好，澜沧江小白酒以及当地私人烤制的小麦酒、玉米酒是市场的主流，外来白酒只有五粮液集团的火爆酒现在销售形势较好。这里中档酒的价位在30～40元／瓶；低档市场的主流价位集中在4～10元／瓶左右；市场消费主要集中在浓香型和清香型，酱香型的市场比较小。

曲靖的商超比较多，金玛特、诺玛特、家家旺等大型超市的经营状况比较好，白酒进店费用也较高，基本保持在4000元左右。曲靖市的大型酒店有十几家，进店费用也是很高的，基本上保持在5000～6000元左右；买断现象时有发生，买断费用大概在1万元／年。酒店促销费用中开瓶费是不可缺少的，一般根据酒的利润收取，大概在5～10元／瓶，有的更高。新酒入市，首先要处理好与当地的经销商的关系，从而降低各种进店费用，减少成本支出，扩大利润空间；另外，进行较大规模的促销活动也是占领市场的必要手段。

丽江：刚刚撤地设市的丽江，旅游资源非常丰富，风景宜人，游客往来如织，但是这里的白酒市场不是外来酒的天下，地产酒才是这个市场的主宰。

丽江的白酒市场不是很发达，市场偏向很重，高档酒在这里基本没有生存的市场空间，商超酒店的高档酒往往成为陈列摆设，销售乏力。中档酒在这里还有一定市场，泸州老窖系列、小糊涂仙的销售情况较好，但是这个层次的市场多为本地人选用，市场消费能力有限。低档酒是这里白酒市场的主宰，地方品牌竞争激烈，茅粮酒的优势已经基本被澜沧江小白酒占据；价格在13～15元／瓶左右的丽江醇、藏香醇，还有每瓶价格在7、8元左右的小麦酒、大麦酒的销售情况也很好。

这里的商超、酒店情况比较好，进店费基本上没有，也无买断现象，酒店所收的开瓶费仅仅是针对自带酒水的顾客。当地商家解释其原因为：当地经济不是很好，外地酒在这里也不好销售。

丽江地区民风淳朴，习惯于地产白酒的口味；游客也多是选择地域风情浓厚的自酿白酒或啤酒、红酒，外来白酒在这里的阻力较大。不过，新品入市可先在商超、酒家进行试销，并可根据试销情况制定有针对性的销售政策，增强在这里的生存适应能力。

大理：同样拥有较为发达的旅游业的大理，目前销售较好的品牌有澜沧江小白、鹤庆干酒、鹤庆大麦酒以及茅粮酒，而外地酒则是更多地占领着这里的高端市场。五粮液、剑南春是外地名酒中的代表品牌，其销售也多集中在星级酒店的高级宴请活动中及用于年节时的礼品馈赠。此外，鹤庆干酒在酒店中的销售品种主要有三种，分别为价格在60多元／瓶的精品干酒、价格在28元／瓶的普通干酒和价格在18元／瓶的小包装（350ml）干酒。

大理的消费者在白酒饮用上也有自己的特点，他们往往喜欢衡量某个人的饮酒量并进行攀比，由此低度酒便成为了他们的首选，而高度酒只是在一些比较正式的场合才有用武之地。大理的烧烤摊是这里白酒销售的又一领域，特色的烧烤加上价格低廉、颇具特色的地产白酒，也吸引了众多的消费者。由此，结合当地特色，利用旅游优势，进行有效的促销，将会在充满机会的大理市场上获取不错的收益。

重庆市糖酒市场

一、重庆市简介

重庆市位于我国中西部结合带，长江上游三峡库区及四川盆地东南部，由原四川省的重庆市、万县市、涪陵市和黔江地区组成，辖40个区县（自治县、市），与湖北、湖南、贵州、四川、陕西等省接壤，总面积82400平方公里。全市户籍人口为3130万人。

二、市场格局

1、白酒

重庆现有17户知名白酒骨干生产企业，23个知名产品。其中，太白酒厂产的诗仙太白酒依然在整个重庆市场上占有很大的份额，从几元一瓶的光瓶酒到几百元的高档酒都很受重庆消费者认可。尤其是其上市不久的高档品种“盛世唐朝“结束了重庆一直很少有地产的高档酒历史，该酒在重庆的很多大酒店和政府的大型招待宴会上占有一定的市场份额。

2、啤酒

在重庆，重庆啤酒集团是当地的大型啤酒企业，也是我国几个大啤酒集团之一，重庆啤酒集团在西南地区有不俗的表现。2002年斥资6000万元与江苏天目湖啤酒饮料公司组建了重啤集团常州天目湖啤酒有限公司。同年重啤股份也斥资对湖南国人环保材料股份有限公司、浙江人梁山集团股份公司两家年产能力达10万吨的啤酒企业，进行了战略重组。至此，重啤集团也拥有23家子公司，总资产达30亿元，年生产能力突破130万吨。

3、食品

重庆的食品产业是该市五大支柱产业之一。食品工业比较发达，发展前景广阔。以下是重庆食品行业的骨干企业。

三、知名企业

1、诗仙太白集团

2、重庆市江津酒厂有限责任公司

3、重庆啤酒(集团)

4、重庆市天友乳业有限公司

5、重庆市涪陵榨菜（集团）有限公司

6、重庆索特股份有限公司

7、重庆飞亚实业公司

8、重庆市鱼泉产业（集团）有限公司

9、重庆茂源实业公司

10、重庆钰鑫实业集团有限责任公司

四、市场概况

【重庆葡萄酒市场调查】

被誉为火锅城市的重庆，啤酒消费经久不衰，啤酒消费市场竞争几乎进入白热化状态。相比之下，乍眼看去葡萄酒的市场却显得温文尔雅，与重庆人率直、爽朗的个性形成了鲜明对比。

自古以来，中国传统节日总与酒结下不解之缘，正所谓“葡萄美酒夜光杯”。喝啤酒，大杯也可，大碗也可，其饮用的器皿似乎没有那么严格。而说起葡萄酒，人们总会自然而然地想到葡萄酒杯，可见，葡萄酒的消费文化个性与啤酒的消费文化个性存在较大的差异。那么，从市场角度看，重庆人与葡萄酒文化之源存在怎样的动力特性呢？当前表现形式又是怎样的呢？

借新春佳节之际，就葡萄酒消费心理与消费行为对市民进行了随机抽样，定点访问。

调查范围：我市渝中，江北、南岸、沙坪坝、九龙坡、大渡口等主城六区；样本：1000个；对象：20至60岁具有酒消费特征的重庆常住人口。

葡萄酒市场潜力大

较往年相比，葡萄酒消费率出现上扬趋势。2000年末，26.5%购买过葡萄酒， 73.5%的消费者未购买过。本次调查显示，葡萄酒购买率达32.8%，尚有67.2%的消费者还未购买过葡萄酒。

干红葡萄酒唱主角

绝大多数葡萄酒消费者倾向购买干红葡萄酒。在各年龄消费群中，青年消费者对干红葡萄酒的偏好高于其他各年龄群的消费者，而干白葡萄酒则主要集中在中年消费群中。从消费者的经济收入状况分析看，干红葡萄酒消费主要集中在较高收入的消费群体，干白与甜型的葡萄酒则主要集中在中低消费群。其中，葡萄酒的重度消费者主要集中在25至35岁的消费群体。

节假日聚生消费欲

一瓶葡萄酒的价格往往在二三十元甚至更高，仅从该因素分析，葡萄酒难以促成大多数市民成为重度消费者。那么，消费者喝葡萄酒的主要时机是什么时候呢？调查显示，节假日团聚是消费者购买葡萄酒最主要的时机，其次是请客。可见，葡萄酒对于消费者而言，其习惯性特征不明显，来自社会文化因素的作用是消费者购买葡萄酒的主要消费动力。

除葡萄酒的饮用特性，传统的消费习惯还包括送礼。虽然今天少数消费者选择葡萄酒作为礼品加以馈赠，但相当一部分消费者认为，在节假日的礼品大包装中备有一瓶葡萄酒不仅可以提升送礼价值，更能增添节日气氛，此类消费倾向占本次调查的37.2%。葡萄酒在国人的消费行为中存在较浓厚的文化特征，随着商品经济发展与市场竞争愈演愈烈，企业打造葡萄酒的文化特征无疑是带动市场消费的一个重要因素。

品质是选购的要素

口味好是消费者选择红酒首先考虑的因素，其次主要包括是否是有名的牌子、价格是否适中、生产日期等。对消费者选择红酒产生影响的因素还包括朋友推荐、广告影响、购买方便等等。调查表明，红酒的产品客观条件较消费购买的社会影响因素对消费者的心理所产生的影响作用更大。无论是口味好还是品牌、价格及生产日期，其关键要素均为产品的品质，显示出消费者的消费理性特征。

品牌消费特征显著

多年来，我国葡萄酒生产以长城、张裕、通化、王朝等见著，较啤酒市场而言，知名品牌较少。然而，消费者在选择葡萄酒时对品牌的注重程度远远超过对价格的关注。可见，创名牌产品是葡萄酒生产厂商赢得优势消费市场的重要营销策略。老品牌长城葡萄酒是重庆葡萄酒消费市场的第一消费品牌，其次是张裕。

重庆葡萄酒消费者对于品牌消费具有较稳定的行为特征，通常情况下消费者基本固定饮用一个牌子或比较固定地饮用两个或三个牌子，而这部分品牌忠诚消费者往往集中年龄在25至35岁的消费群体。

【重庆白酒市场调查】

1. 重庆市简称渝，位于我国西南地区东部，长江上游，是我国面积最大、行政辖区最广、人口最多的中央直辖市。全市面积8.3万平方千米，人口3002万，有汉、回、苗、土家等民族。2.重庆是一个饮用白酒历史较长的地区，白酒消费量较大。据重庆市酒类协会介绍，重庆每年白酒需求总量为30万吨左右。但近几年重庆的白酒消费量呈逐年下降的趋势，商家粗略估计说，近三年来，重庆白酒市场以平均7%左右的幅度缩小。3. 白酒市场呈淡季增长，旺季缩短的趋势。多年来，重庆白酒市场淡旺季时间相对较为平衡。从1997年、1998年开始，淡旺季时间发生了明显变化，淡季时间明显拉长，平均达7个月以上

1.重庆市区和郊县对白酒的消费度数略有差异。一般市区内对白酒的度数要求偏高，以52度为主，郊县偏低，以45度为主。但总的来说度数都偏高于其他地方，尤其是南方地区。2.对白酒的消费需求呈两极分化的趋势，一是10元及其以下价位的销量逐年增大，另外80元以上价位的白酒日渐受宠。主要因为很多的老酒民和一些打工的依然钟情于10元左右的白酒，而酒店消费档次日益提高，80元及以上价位的白酒已算不上什么高档的。3.礼品酒在重庆的白酒市场中走量很大。据当地商家介绍，一般重庆人过年过节都喜欢用酒类产品作为礼物，所以礼盒式包装的名酒走量很大。4.对白酒的品质和品牌认同感较强。重庆人对白酒的口感和质量比较挑剔，所以很多质量没有保证、名气较小的杂牌酒很难找到

重庆主要白酒生产企业和产品

企业名称	注册商标	产品名称	香型
重庆市酒厂	诗仙牌	52度诗仙太白特曲	浓香型
重庆市太白酒厂	诗仙牌	38度诗仙太白特曲	浓香型
重庆市江津酒厂有限责任公司	几江牌	45度金江津酒	清香型
重庆市笛女酒业有限责任公司	笛女牌	52度笛女酒（世纪珍品）	浓香型
重庆市露华浓酿酒有限公司	露华浓牌	39度露华浓酒（三星）	浓香型
重庆市露华浓酿酒有限公司	露华浓牌	35度露华浓酒	浓香型
重庆市涪江酒业有限公司	涪江牌	35度涪江大曲	浓香型
重庆石松酒业有限公司	百年好合牌	48度百年好合酒	浓香型
重庆石松酒业有限公司	百年好合牌	36度百年好合酒	浓香型
重庆市忠州酒业有限公司	忠州牌	38度白公特曲	浓香型
重庆市忠州酒业有限公司	忠州牌	50度乌杨白酒	清香型
重庆市忠州酒业有限公司	忠州牌	52度烧老二酒	清香型
重庆力帆有限公司	力帆牌	52度力帆（五星）酒	浓香型
重庆力帆有限公司	力帆牌	38度力帆（顺星）酒	浓香型
江津市驴溪酒厂	驴溪牌	42度金白沙酒	清香型
重庆三峡酒业有限公司	巴渝牌	50度巴渝人家酒	浓香型
重庆江津市峡溪酒厂	峡溪牌	35度江津明珠酒	清香型
重庆市双石鑫酒厂	永结同心牌	35度永结同心酒	浓香型
江津市德天酒业有限公司	巴渔牌	38度巴渔人家	浓香型
重庆巴渝民俗文化村酿酒厂	红毛牌	38度红毛烧酒（珍品）	露酒型
重庆九年酒业有限公司	九年牌	52度九年酒	浓香型
重庆金刀峡酒业有限公司	金刀峡牌	50度金刀峡 喜酒	浓香型

市场。

虽然重庆的白酒销量在逐年下降，但还是引来了不少白酒大腕对重庆市场的围攻，很多厂家在渝设立了办事处。特别是中高端市场上，诗仙太白、国窖·1573、水井坊，再加上五粮液等老名酒，使重庆的高档白酒市场显得很是壮观。中高档市场上金六福、浏阳河等都在拼命地抢地盘。低档市场上似乎依然是诗仙太白和江津白酒在唱主角，但随着其他品牌如江口醇等对重庆低档市场和农村市场力度的加大，这种格局似乎正在面临着被打破的危险。

重庆人向来比较豪放，喜好白酒，加之重庆作为四大直辖市之一，经济地位相对比较重要，所以重庆的白酒市场潜力还是比较大的，特别是中高端市场被众商家所看好。

1.目前礼品装的白酒市场缺口较大，尤其在一些重大节日的市场上，所以进入该地市场的白酒可以在礼品装的白酒上加大一些开发力度。2.商家对中小酒店价位在20～30元之间的白酒市场潜力持乐观态度，同时也可以以此为突破口，进一步打开其他的消费市场。3.低档市场目前比较难攻一些，因为毕竟地产酒的市场根基还是比较牢固的，而目消费者也比较认可，尤其在农村市场，据业内人士粗略估计说，诗仙太白和江津白酒瓜分了近70%的份额。4.进入重庆市场的白酒口味应当重一些，一般度数不应低于45度，而且还要具有一定的品牌影响力，否则的话开拓市场将会非常吃力。

西北地区糖酒市场

甘肃省糖酒市场

一、省情简介

甘肃简称甘或陇，是取古甘州（今张掖）和古肃州（今酒泉）两地首字而得名。甘肃地处青藏，内蒙古，黄土三大高原交汇处，地域辽阔，资源丰富，自然条件复杂多样。

全省辖兰州、嘉峪关、金昌、白银、天水、武威、张掖、酒泉、平凉、庆阳、定西、陇南地区、临夏回族自治州、甘南藏族自治州等14个地州市。国土总面积45.4万平方公里，居全国第七位。总人口为2556.89万人，包括汉、回、藏、蒙古、裕固、东乡、保安等45个民族，其中东乡、裕固、保安族为甘肃特有民族。

粮食实现了省内基本自给，在工业上已初步形成了以有色金属，石油化工，机械制造和电力煤炭为主体，结构比较合理，门类比较齐全，拥有较雄厚物质技术基础的工业基地。铁路、公路、民航四通八达。兰州市已成为西北交通，邮电通讯枢纽和商贸中心。全省文化、教育、体育、卫生和科学研究事业有着较大的发展，人民生活水平得到了显著提高。

二、市场格局

目前，甘肃地产酒已经开始形成具有相当知名度的著名品牌，品牌的生命周期也越来越长，开始打破“一年喝倒一个牌子”的历史怪圈。如白酒领域里白酒有滨河、丝路春、汉武御、皇台、武酒等龙头企业；在啤酒领域形成了区域市场内的强势品牌如黄河、西凉、五泉等；在葡萄酒领域形成了引领市场潮流、阻隔外来强势品牌进入的莫高干红、国风干红品牌等。

其中，甘肃滨河食品工业集团进入了2003年度中国白酒工业百强企业和经济效益十佳企业名单，荣获双奖。甘肃滨河食品工业集团是一家拥有甘肃滨河九粮酒业有限责任公司、甘肃国风葡萄酒业有限责任公司、甘肃天脉酒业等14个经济实体和1400余名员工的大型工业集团。其中，甘肃滨河九粮酒业有限责任公司是目前国内唯一同时生产三大香型白酒的企业，年生产能力达到2万吨。目前，该企业已被甘肃省人民政府确定为全省60家重点企业之一。

三、知名企业

【兰州市】

兰州是甘肃省省会，在大西北处于“座中四联“的位置。建国五十多年特是改革开放以来，兰州经济和社会各项事业蓬勃发展，综合经济实力进入全国大中城市50强，成为黄河上游重要的经济中心，西陇海兰新线经济带的重要支撑点和辐射源，为甘肃和我国的现代化建设做出了重要贡献。

兰州现辖城关、七里河、西固、安宁、红古5个区和永登、榆中、皋兰3个县，市域总面积1.31万平方公里，其中市区面积1631.6平方公里。境内居住着汉、回、满、东乡、裕固等38个民族，全市总人口314万人，其中城市人口207万人。

知名生产企业

1、兰州黄河企业集团

2、中华秦汉酒业(集团)有限公司

3、兰州豪麦酒业有限责任公司

4、甘肃农垦啤酒股份有限公司兰州公司

5、甘肃蜂皇酒业有限公司

6、兰州好为尔乳品有限公司

7、兰州乳品厂

8、兰州乐赛特食品饮料公司

【酒泉市】

酒泉是古丝绸之路上的咽喉重镇，位于美丽富饶的河西走廊西端。全市辖肃州区，玉门、敦煌两市，金塔、安西、肃北、阿克塞四县；与“一国三省两地区”相邻，东望兰州、南连青海、西邻新疆、北接内蒙古和蒙古人民共和国。

全市土地面积19.39万平方公里，占全省总面积的42%。其中，耕地总面积14.15万公顷，林地12.78万公顷，牧草地43.90万公顷，还有宜农宜林宜荒地478万亩。境内聚居着汉、回、蒙、哈萨克、裕固、维吾尔、藏、东乡等多个民族，总人口近100万，其中城镇人口约50万人。

知名生产企业

1、酒泉汉武酒业集团有限责任公司

2、甘肃酒泉酒厂

3、黄河企业集团公司酒泉啤酒有限责任公司

4、甘肃省天虹糖业有限公司

5、甘肃金塔鑫农有限责任公司

【嘉峪关市】

嘉峪关地处古“丝绸之路”的交通要冲，又是明代万里长城的西端起点。在这里丝路文化和长城文化融为一体、交相辉映，素有“河西重镇”、“边陲锁钥”之称，旅游资源非常丰富。

嘉峪关市经济质量较高，人民生活水平在全省处于领先地位。从1990年起，全市综合经济实力一直位居全省14个地州市的第二位，人均国内生产总值、人均大口径财政收入、城镇居民人均可支配收入多年名列全省各地州市之首

知名生产企业

1、甘肃豪杰酒业酿造有限责任公司

【张掖市】

张掖位于河西走廊中部，东邻武威地区和金昌市，西连酒泉地区。张掖有黑河水灌溉，地势平坦，土壤肥沃，为全国重点建设的12个商品粮基地之一，物产丰饶，以乌江米为最，古称“金张掖”，后改名甘州，有“不望祁连山上雪，错将甘州当江南”之佳句。张掖属温带干旱气候，年均降水量198毫米，年均气温7℃。市域总面积4240平方公里，总人口45万，其中城市常住人口10万。

知名生产企业

1、甘肃滨河食品工业（集团）有限责任公司

2、甘肃祁连葡萄酒业公司

3、甘肃丝路春酒业集团公司

【武威市】

西部大开发战略实施以来，武威市旅游业呈现出突飞猛进的态势，并逐渐形成了“特色文化旅游”产业链，使武威旅游经济驶上快车道。目前已在项目建设上形成了以天祝“小三峡”为代表的南部自然风光和民族风情游，以及以“五凉文化”为代表的中部历史文化、大漠风光、自然生态为特色的北部生态旅游大格局。

知名生产企业

1、甘肃武威酒业（集团）

2、甘肃皇台酒业股份有限公司

3、甘肃莫高实业发展股份有限公司莫高葡萄酒业分公司

4、甘肃武威西凉啤酒有限责任公司

5、甘肃荣华实业(集团)股份有限公司

【白银市】

白银市是甘肃省省辖市，位于黄河上游、甘肃省中部，现辖白银区、平川区、靖远县、景泰县、会宁县。全市总面积2.12万平方公里，其中市区面积为50.5平方公里，全市总人口171.56万人，其中城镇人口39.3万人。

白银市又称“铜城”，是一座新兴的工业城市。与甘肃省的省会兰州相毗邻。境内矿产资源丰富，种类多，储量大。白银市是全国最大的有色金属工业基地和甘肃省重要的能源化工基地。

知名生产企业

1、甘肃省条山酒厂

【临夏回族自治州】

临夏是一个回、汉、东乡、保安、撒拉、土族等多民族聚居的地区，不同的文化背景、生活习俗、宗教礼仪等，共同构成了五彩纷呈的民族风情画卷。清真小吃风味独特，手抓羊肉、黄酒、酿皮等闻名遐迩。

全州有耕地223.9万亩，荒地285万亩，林地252.8万亩，水面108.6万亩。农村人均占地5亩，其中耕地1.4亩，分为川原，山阴，干旱三类地区川原山阴地区降水多，雨热同季，利于农作物牧草和林木生长；干旱地区光照丰富，雨量稀少。粮食作物主要有小麦、青稞、玉米、洋芋、蚕豆5大类，经济作物主要有大麻、甜菜、瓜果、花椒、药材类。蚕豆是临夏的传统优势作物，粒大味美，营养丰富，是外贸出口的主要粮食品种之一，临夏大麻色白质柔，称为陇上名产。唐汪大接杏久负盛名，远销香港等地。

知名生产企业

1、甘肃五山池黄酒厂

2、甘肃华夏乳品有限责任公司

3、临夏州华安生物制品有限责任公司

【甘南藏族自治州】

甘南藏族自治州地处青藏高原的黄土高原接壤带，位于甘、青、川三省交界处，总面积4.5万平方公里，占全省总面积的7.93%，人口66万，是以藏族为主体，藏、汉、回等24个民族共同生活的多民族聚居地。自治州成立于1953年10月1日，辖七县一市，首府合作市，距省会兰州市260多公里。

知名生产企业

1、甘南州卓尼县青稞酒厂

2、甘肃华羚乳品集团

【定西】

定西地区位于甘肃省中部，北与兰州、白银市相连，东与平凉地区、天水市毗邻，南与陇南地区接壤，西与甘南藏族自治州、临夏回族自治州交界，面积20330平方公里，辖定西、通渭、陇西、临洮、渭源、漳县、岷县7县，总人口285.78万人。

知名生产企业

甘肃陇南春酒业（集团）公司

定西陇海乳品有限公司

【天水市】

天水市，位于甘肃省东南部，地处陕、甘、川三省交界处。现辖秦城、北道两区和甘谷、武山、秦安、清水、张家川回族自治县等五县，总面积1.43万平方公里，总人口332万。

知名生产企业

甘肃天河酒业集团天水公司

【陇南】

陇南地区位于甘肃东南部，东靠陕西省，西邻甘南州和定西地区，南接四川，北毗天水市。现辖成县、徽县、两当、西和、礼县、康县、武都、文县、右昌等9县，地区行署驻武都县城关镇。占地面积2．79万平方公里、有人口250多万。汉代时设武都郡，1969年改为武都地区，1985年更名陇南地区。

知名生产企业

1、甘肃陇南春酒业（集团）公司

2、甘肃红川酒业有限责任公司

【平凉市】

平凉市位于甘肃省东部，陕、甘、宁三省（区）交汇处，

横跨陇山(关山)，东邻陕西咸阳，西连甘肃定西、白银，南接陕西宝鸡和甘肃天水，北与宁夏固原、甘肃庆阳毗邻，是古“丝绸之路”必经重镇，素有陇上“旱码头”之称。全市辖泾川、灵台、崇信、华亭、庄浪、静宁六县和崆峒一区，总土地面积1.1万平方公里。全市总人口221万人，其中非农业人口27.3万人，占总人口的12.3%。崆峒区城镇人口18万人，约占全区总人口的40%。

知名生产企业

1、甘肃省玉粮春酒业有限责任公司

2、平凉市柳湖春酒业有限责任公司

3、甘肃省瑞华食品有限公司

【庆阳地区】

庆阳市位于中国大西北，坐落于黄土高原之上，因地处甘肃省东部，习称“陇东”。北部与宁夏回族自治区银南地区和陕西省榆林地区接壤，南部与陕西省咸阳市、铜川市和甘肃省平凉地区接界，东部与陕西省延安地区相逢西部与宁夏回族自治区固原地区毗邻。全市辖西峰区、庆城县、镇原县、宁县、正宁县、合水县、华池县、环县8县(市)，146个乡(镇)，1487个行政村，11066个自然村。庆阳市委、市政府所在地——西峰区，坐落在平坦宽阔的董志原中部，是全市政治、经济、文化的中心。

知名生产企业

1、甘肃彭阳春酒业有限责任公司

2、甘肃省镇原县西街蜜饯厂

四、市场概况

【西部白酒市场透视】

随着西部大开发步伐加快，西部市场特别是西北部市场的潜力日益突显，也越来越受到重视。从白酒市场运作的角度看，西北部板块主要包括甘肃、宁夏、内蒙中西部、新疆，为了便于研究分析，我们把青海、西藏放入这一板块中，上述六个区域。这一地区人数少，人均收入低，比全国平均低了近10个百分点。随着西部开发步伐的加快，生活水平的改善，交通便捷性的提高，白酒消费在西部市场无论是档次还是饮用量都会有大幅提高。这给西部酒业和全国的同行都提供了一个较大的机会市场。

为了更好地拓展西部市场，我们有必要了解西部白酒市场的目前情况。西部六区域2000年的白酒产量占全国不到6%，而且2000年的产量除宁夏有小幅增长之外，其它皆有不同程度下降，平均下降近8个百分点。但从其人均消费水平来看，并不比全国其它地区少多少。由于人数总量比较少，白酒的消费总量上来看不大，属于低产低耗地区，但白酒仍然是今天西北部地区人们沟通、交流、表达思想感情的重要媒介，在人们的日常生活中占有重要位置，果酒和啤酒对白酒的冲击不明显。

随着西部市场开放程度的加强，其白酒的消费总量在外来人口的带动下会有所提高，当然这些外来人口也会带来外面的口味和消费习性，给东部白酒市场营造一个较大的需求空间，所以诸多白酒生产厂家的“东酒西进”策略会从计划步入实施阶段，谁占有先机，谁就会赢得市场主动权，同时，在西部大开发战略部署下，在国家政策的扶植下，西北部地区必将获得较快的发展，经济的繁荣也必将带来消费水平、消费观念、消费方式的重大变化，这一市场消费者对酒产品的需求不会停留在满足其调节气氛、御寒等需要，而更多的是追求一种心理感受、情感体验，会更加重视质量、包装等因素。

这个板块的白酒市场属于较为典型的“诸侯割据”型，各自为政，相互激烈交锋的不多，每个省省会（首府）的辐射能力比较有限，由于属于多民族地区，加上西部地形复杂，所以民族风情和复杂地形成为市场区隔的主要原因。每个小区域之间存在较为明显的差异，不同民族之间存在不同的饮用习惯和风俗。

这一板块的白酒市场又具有封闭性市场的典型特征，除川酒外，中原和东北等产酒区域的白酒品牌都无法在此立足。本区域内，新疆、甘肃之间的品牌渗透呈单面性即新疆品牌（伊力、三台、白杨等）对甘肃市场的渗透。宁夏和内蒙中西部呈品牌相互渗透态势。

这一板块各区域之间的差异性在于新疆白酒生产领域发展最完备，甘肃省白酒消费量最多。各区域之间的共性在于在高档酒中，川酒仍是饮用的主流对象，中低档酒基本是本区域地产酒，每个独立的市场区域皆有自己的地产品牌，交互渗透的现象不是十分突出。从全区来看，除高档川酒在高档市场上享有主角的待遇以外，中档和中低档品牌皆没有统揽全省的渗透能力。中档和低档品牌繁多，各有区域，各谋生路，都还活得不错。

从产品的层面来看，一般业务应酬主要选择酒店价位30元左右的白酒；在重要客人来的时候会选择价位在120元左右的品牌酒；一般朋友聚会的时候会选择10元左右的酒。在度数的选择中比较注重高度数的白酒，低度很难销售。在业务应酬中，尤其是高档品牌白酒，广告对市场的拓展起着非常重要的作用。对低档白酒这一块则比较注重价格和度数，香型在高档酒中以浓香型为主，低档酒中浓、清二香兼可。总体上可接受的价格水平比中部和东部明显偏低。在中低档市场，皆以用本区域产的白酒招待外地朋友为荣，似乎有“让朋友尝尝我乡酒”的心理。从通路运作上来看，较为传统，经营方式粗放，促销手段较为单一。价格、度数、品牌和广告仍是消费者关注的主要要素，广告和通路的运作虽不及东部市场运作力度，但为新品拓展起到比较重要的作用。

值得注意的是民族风情的差异和地形区隔对市场的影响，这一点不容忽视，尤其是中档品牌进军西部要做好这方面的文章，方能在市场拓展中求得一个“顺”字。

葡萄酒

在甘肃葡萄酒市场上，地产品牌与外来品牌对峙的现象特别明显。地产葡萄酒莫高、国风、祁连以及苏武庄园的当然干红占据地利、人和，外来品牌长城、张裕、新天、宁夏红也各有自己的优势，它们在甘肃葡萄酒市场展开争夺。

长城：不是猛龙不过江

莫高：雄心勃勃争第一

长城在甘肃葡萄酒市场占有的份额最大，同时也是客情关系维护得最好的品牌。在兰州市场上，沙城长城的老干红批价在22元/瓶，而售价每瓶可以达到25～26元，它的龙眼干白每瓶售价15～25元，依靠老干红的知名度和销量，沙城长城成为三家长城的老大。华夏长城在兰州比较活跃，通过搞买赠以及其它促销活动，提高了品牌知名度。烟台中粮长城也占有一定的市场份额，但它基本是靠品牌知名度自然走货。与西宁市场有些类似的是，陕西中粮买断经营的出口型长城干红在这里也十分畅销。分析其原因，业内人士认为，出口型长城干红的产品梯队建设较好，产品从20～100元之间都能看到。它的低价位干酒再加上长城品牌的知名度，走货量自然很大。

天水市场上，长城的品牌比较杂，许多买断经营的长城品牌充斥市场，消费者对长城混乱的局面非常不理解，对长城品牌的信任度也正在减弱。长城必须尽快结束品牌混乱的局面，否则将给它的销量带来巨大的负面影响。

张掖市没有长城的代理商，经销商还得去兰州总经销那里拿货，进货渠道不畅成为长城在张掖市发展的瓶颈。即便如此，老标长城干红在消费者中口碑较好，它的销量还是不错的。

长城坐上甘肃市场的头把交椅，有着深刻的原因：其一，得益于长城在甘肃葡萄酒市场的大力度宣传。长城在地方电视台投入广告，使消费者受到潜移默化的影响，而潜在的消费群体的扩大使得长城在未来发展中占得先机。其二，得益于它多种促销活动的开展。葡萄酒相对于白酒市场还是相对比较沉闷的，而长城正是依靠丰富多彩的促销活动，打破了沉闷，提升了销量。其三，长城特别注重和经销商的沟通。经销商反馈的问题，总能得到及时地答复，他们销售热情很高，在客情关系维护上，长城做得最好。

莫高在甘肃葡萄酒市场上占有率仅次于长城，依靠强势的终端促销以及给商家的丰厚利润，在兰州、天水等重点城市取得了不错的成绩。许多经销商在接受调查时自豪地称莫高是甘肃的品牌，也是自己的品牌。看来莫高借地域优势能轻而易举地完成其他品牌花费很大力气才能完成的任务。

莫高干红市场售价24元／瓶，在甘肃铺货比较全，在各个市场都可以看到。莫高葡萄酒曾经开展过进货送电脑的大型活动。进200件莫高干红送一台价值在4500元左右的电脑。莫高给经销商返利，每瓶一元钱左右，每半年或一年进行一次结算；在酒店和夜场，莫高给服务员兑瓶塞，普通莫高干红每瓶可兑二三元，冰白可兑七八元，国宴瓶塞则更惊人，可以达到12元／个。强势的终端促销结合给商家丰厚利润，直接提升了莫高的销量。另外，莫高还在买店上和其他品牌展开了激烈竞争，买店费从5000元到50000元不等。

莫高针对市场进行了细分，2002年推出了莫高冰酒系列。莫高普通冰酒每瓶售价在32元左右，精品冰白50元／瓶；国宴冰酒是莫高最高档的冰酒，能卖到100元／瓶。可能是莫高冰酒把重点市场放在南方，莫高在甘肃的宣传力度不大，直接影响了它在市场上的销量。

莫高红葡萄酒在甜酒市场占有的份额很大，它的售价8元／瓶，虽然没有什么广告宣传，但是依靠莫高品牌的知名度和亲和力，在甜酒市场上取得了不俗的成绩。

张裕：“传奇品质”也需叫卖

国风：市场投入有待加强

张裕和国风在甘肃市场的表现给人的印象是投入不大，但原因却不大相同。张裕是缺乏和经销商有效沟通，在客情关系处理上，有待改善。另外它的广告力度太小，无法引起消费者的共鸣。国风是滨河集团的产品，而滨河集团是以白酒闻名的，在葡萄酒上投入相对较少，缺乏对国风干红的有效宣传。

张裕高档酒在甘肃葡萄酒市场销量尚可，拥有一部分固定的消费群体。这部分消费者对品牌的忠诚度很高，他们只认品牌，并不一定要进行广告宣传。张裕的中低档产品则因为缺乏大面积广告宣传而损失了部分市场。

国风是滨河集团的产品，是极具地方特色的葡萄酒，它的销售范围局限在甘肃，周边省份葡萄酒市场上很少看到。国风在甘肃市场上有普通干红、精品干红和极品干红三个档次的产品。普通干红的价位在20多元1瓶，它的销售渠道集中在大的批发市场和超市，在批发市场走货量很大。精品干红每瓶价位在40多元，主要用于政府采购。国风干红和当地政府的关系很好，一些政府宴请指定国风干红。这条销售渠道不但提高了国风干红的销量，同时也借政府行为提高了品牌在普通消费者心目中的位置。如果国风干红能针对此点加大宣传，相信销量会有很大提升。极品干红是国风的高档产品，价位在80元／瓶，走货渠道集中在酒店和夜场，消费群体界定为时尚、新潮的年轻人和高档次宴会宴请的嘉宾。

宁夏红：用枸杞宣传保健性

祁 连：以冰酒营造差异化

宁夏红和祁连在甘肃市场的诉求点放在差异化上。宁夏红宣传枸杞的保健功能，在肆虐全国的非典过去后叫得更响。祁连避开干酒市场的激烈竞争，打出冰酒的旗号，以冰酒抢占市场。

依靠企业和经销商的大力度宣传，果酒保健的功能已经深入人心。宁夏红做果酒较早，突出枸杞保健的功效，以健康打动消费者，不失为广告宣传的一个好的诉求点。

宁夏红在兰州市场售价大概每瓶40元，销售的重点集中在礼品市场。宁夏红礼盒装在“送礼送健康”的口号下成为酒类礼品的首选。它的高级礼盒装在市场上能卖到120元／盒。

祁连冰红的宣传攻势很猛，广告投放力度很大，不但在电视台有祁连冰红的广告，而且在公交车上也有车体广告，在超市另有许多POP张贴画，祁连冰酒利用广告宣传打造出了清晰的冰酒品牌。在兰州，许多经销商在提起冰酒时，都认为祁连冰红打开了冰酒市场，莫高是沾了祁连冰酒的光。

另外，祁连冰酒利用地域优势在甘肃直接做终端，绕开了经销商，降低了祁连冰酒在流通领域的费用，能够迅速把握终端情况。

祁连冰白作为新产品，已完成铺货，市场反映不错。祁连冰酒走差异化道路，市场前景广阔。（糖烟酒周刊）

地产轮流坐庄 外品力不从心

入市先锋甘肃行

提示：甘肃高档白酒市场上，茅台、五粮液、剑南春稳坐江山。地产酒在中低档市场上你方唱罢我登场。这些地产酒名目繁多，品牌各异，占据着餐饮、商超和流通的各个销售渠道。他们有的上市一两年后，在广告失效、促销玩尽的情况下，“摘下”牌子，“脱下”包装，换上另一套“行头”重新粉墨登场，犹如在玩变脸戏法儿。外来品牌难以冲破当地严密的壁封锁，地产酒通过买断经营、终端肉搏等手段相互拼杀，不知此现状还能持续多久……

市场状况分析

酒泉　酒泉市位于甘肃西北部，毗邻青海、新疆。312国道和兰新铁路横贯全境，是丝绸之路河西之旅的重要一站，人口85万。

在酒泉白酒市场上称霸一方的是当地酒厂生产的汉武玉和张掖丝路春酒厂的丝路春系列酒。汉武玉有3年陈、5年陈和8年陈等不同年份酒，价格约在10元、20元和50～60元不等。丝路春主要推出40度左右的系列酒，价格在10～50元之间。据经销商介绍，当地一些小酒厂的品牌为抢市场竞相降价，造成市场混乱、竞争无序的局面。这些地产酒主要是在户外的车体、路牌和广告牌上做宣传，媒体广告很少。

外来酒在酒泉运作成功得很少。泸州老窖在当地许多年市场一直不见起色。金六福低档酒的销量时好时差，去年金六福推出的铝盒酒销路不错，今年表现也一般。据悉，浏阳河前几年曾在当地火过一把，但不知为何又悄无声息了市场。

10元以下市场上品牌更加繁多，有来自新疆的三台酒、四川沱牌大曲以及一些地产杂牌酒，可谓数不胜数。

嘉峪关　嘉峪关市是伴随着酒泉钢铁公司的发展而建立起来的一座新兴工业城市，也是国家二级旅游开放城市。

目前嘉峪关白酒市场的领军品牌是张掖滨河酒厂生产的飞天花雨、天脉和陇派等系列酒。价格从10～100多元不等。武威的腾格里酒在当地销路也不错，主销价格在20～30元/瓶的星级酒。外来品牌中，金六福10～30元的星级酒和30～60元的"为甘肃干杯"系列在流通渠道较为走俏。伊力特曾在嘉峪关"试水"，由于运作费用高等原因了当地市场。其他外来酒目前在市场上都很冷清。

据经销商透露，当地有些酒厂并不直接生产酒，而是从四川一些小酒厂拉酒到自己厂内出售，谁也说不清是什么香型。当地消费者长期饮用这些酒逐渐有了信赖感，进而对外来酒产生了排斥心理。

天水　天水市位于甘肃东南部，距今2000多年历史，是一座国家级历史文化名城，如今是陇东南政治、经济、文化中心。相传人文始祖伏羲诞生于此。当前这里白酒市场的霸主是天河酒厂的系列产品，中高档有天河、伏羲故里、年轮等系列酒，低档酒有充国系列。这些酒从10元到100多元各个价位都有，占据着酒店和商超的柜台。另外，张掖滨河酒厂的丝路花雨、天脉等系列酒在当地的销量也不亚于天河酒。由于滨河酒在天水已经运作了多年，在流通和终端的铺货率都已基本饱和，消费者认可度很高。

外来酒中泸州老窖中低档系列在两三年前一直比较畅销，目前销量一般，流通环节上，金六福和全兴也有一些走量，但总的来看，外品在市场上表现较平淡。

兰州　兰州市位于甘肃省中部，是黄河上游最大的工业基地和物资集散地，为甘肃省省会，全省政治、经济、文化中心。在调查时我们了解到，兰州的白酒市场在慢慢由封闭转向开放。目前，虽然这里仍是地产酒"当家"，但外来品牌在逐渐进入，有的已经取得了不错的业绩。

当前，在兰州市场的地产酒很多，几乎甘肃几个大酒厂的产品都能在当地市场上寻到踪影。域酒在热销了一阵后平静下来，目前在多数酒店都有铺货，销量保持稳定。临夏的古河州酒在终端势头有所上升，除了大量铺货以外，在30多个酒店都安排了促销员，丝路春和皇台酒在兰州有不少年头了，目前多走流通和团购渠道，也都有不错的销量。滨河酒厂新推出的"金土地"和"陇派"今年7月也登陆兰州市场，现在正处于拓市阶段。当下在中低档市场上销售最为火爆的是陇南春酒厂的世纪金辉酒。这些地产酒在户外的车体和牌匾上大做广告，炒作激烈。每个酒厂都针对不同阶层消费群体推出了不同价位的酒，恨不得整个市场都归自己一家所有。据经销商透露，很多酒都想靠利润微薄的流通来带动终端的消费，因此大搞户外宣传和促销，结果只是赔本赚吆喝。

外来品牌不少，目前在市场上表现不错的有68元/瓶的泸州老窖特曲和40元/瓶的五粮醇(三代)，金六福也比较受欢迎。外来酒中川酒居多，另外也有内蒙古的河套老窖，东北的老村长等。据悉，外来品牌在兰州市场能占到4成，目前还有上升之势。只是由于本地酒的大肆炒作而显得暗淡无光。

机会分析

兰州市场竞争激烈，多是地产酒互相比拼，品牌杂乱，需待整合。市场缺乏进入，但新品入市会有很大困难。首先，由于地产酒的无序竞争，使得市场较为混乱，终端费用高昂。这就需要由厂家出资协助经销商共同开拓市场，仅靠商家运作很难站稳脚跟。另外，要转变当地人对地产酒的依赖性需用较长时间，要做好打持久战的准备。再者，当地消费者品牌意识不强，容易跟风消费，而且对价格比较关注，所以大量的广告和促销必不可少。

甘肃白酒市场特点归纳

1.地产酒是市场的霸主，地位难以撼动。

2.许多地产品牌有高、中、低档不同的产品，在市场上"大小通吃"。

3.地产酒无长久品牌，一两年就喝倒一个牌子。

4.外来品牌川酒居多，其他酒很难立足。

5.消费者对本地酒信赖程度较高。

6.外来品牌在终端自点率高，地产酒多靠推销。

7.买店现象严重，终端费用较高。

甘肃酒市需求浅析

7月6日至9日，在兰州举办了为期四天的第十三届中国兰州投资贸易洽谈会。展销会上，不论是参展酒厂数量和酒的品牌，还是酒的品质和包装，都能很好反映出近几年来陇酒发展水平、变化趋势。观看吧展会，最明显的特点是陇酒由白酒多层次正在向保健酒、果饮酒方向汹涌漫衍。

甘肃省一年对于酒的需求量有多少吨？甘肃省全部大大小小的酒厂中产量累加在一起，年产能力有多大呢？许多人很想了解这方面情况，原因之一是许多人弄不明白陇酒的生存空间为何越来越小？陇酒为啥多年还是没有走出甘肃家门口呢？我趁着这几天展示会，看能不能解开这个迷惑。展览馆内，粗略数一数，有三十多家酒厂的近百十种酒品登台亮相。这次甘肃部分酒厂趁此机会，展品显露或者是想进一步摸清楚兰州市场需求量和想准确掌握消费动向，或许可以看作是一次投石问路吧。因为兰州酒市风云变幻可以说是整个甘肃省及周边省区酒市场的晴雨表。甘肃酒类市场消费趋势能够从兰州酒市场上得到淋漓尽致反映。

我带着这些个不解之谜，徘徊在兰洽会展览馆。会期短短的四天里，我与远道而来参展的甘肃各地大小三十几家酒厂主要负责人曾经交谈过。展馆正门前，两个直径3米粗的圆形气柱矗立两边，写着“陇派”酒广告语粘贴在上面。这是甘肃滨河食品工业有限公司新近推出的酒品，其核心产业是白酒和葡萄酒，年生产能力有3万吨，在甘肃酒业数老大。在展览馆里，我有时很留意收集各个酒厂的资料；我再回头来走马观花地观看彼此之间酒类展品。站在陇南地区展厅里，“世纪金徽”酒整齐有序摆在面前，它是甘肃金徽酒业（原甘肃陇南春酒厂）展品，年产量白酒有2万吨之内，甘肃酒业数老二。安照年产量排在第三位应是甘肃省条山酒厂了。连续三四年从甘肃酒界销声匿迹 “皇台酒”陈列设计独具一格、显示豪华大气，看得出要在甘肃市场卷土重来端倪是不言而喻。皇台酒业股份公司主营白酒和葡萄酒，现有年生产能力1万吨。年产量不足万吨的甘肃丝路春酒业集团这边展览了今年秋冬季主打新款“汉唐”名家系列酒，包装和口碑俱佳，风光无限好。牡丹园中的古河州酒“古河州”展示亭布置美观大方，从观赏那挂着的反映酒厂管理和生产等情况一幅幅照片，就会使参观者领略到正在讯速崛起的甘肃古河州酒业，是一家集白酒、保健黄酒厂，年产量2000吨。同类型还有甘肃彭阳春酒厂。上述几家在甘肃省已经属大酒厂了。

甘肃陇东地区的平凉市和庆阳市，几十家酒厂没有参展。只见不多几家酒厂参展，一是优秀私营企业董事长时立峰先生，于2001年9月创办的甘肃陇香源实业发展有限公司，“陇香源”和“陇东”系统酒年产量3000千吨浓香型大曲酒。另一家是来自庆阳正宁县的甘肃真粮液酒业有限公司，展销其“真粮液”、“真粮春”系列酒产品，出自于由四川客商曾详礼董事长，在甘肃正宁县投资兴办白酒企业，初步形成年产1500吨白酒生产能力。

位于甘肃省河西地区的武威市、张掖市和酒泉市等周围方圆延绵数十公里的大漠戈壁，这便是闻名遐尔的古丝绸之路横穿“河西走廊”一带。有大多数酒厂分布在这一地方，甘肃人俗称此为“河西酒廊”。古往今来，此地盛产美酒的迷人传说流传至今，甘肃境内飘香美酒多产于此。这次多数参展酒厂，足够有二十几家来源此地。规模大一点的酒厂也只见其有产品陈设，不多见其独摆摊点，经询问才知好多家酒厂是来初次展露酒品。年产量1000吨生产能力的甘肃武威金路酒业有限公司展台前，林海棠总经理等人员热情地向来宾介绍“天马御酒”，由仿照中国旅游标志“马踏飞燕”为构想的一款瓶装酒，因别具一格包装和兼艺术风格吸引不少客户驻足观摩。酒厂摊位零乱地夹杂在鞋和工艺术品等摊点其间，看了一会，接过促销员递来一杯酒，一饮而尽，啊！口感真不错！两位女促销员在身边说：你品味的是甘肃敦煌酒业有限责任公司，选集冬虫夏草等七八种植物，精心秘制而成的“敦煌牌”力酒。敦煌酒业年产量1000吨“敦煌酒”系列和“敦煌牌”力保健酒。

在陇酒界一直崇尚“酒质如人品，做酒先做人”的名人魏玉庆董事长，会场未见其人，只不过是其玉门关酒业“飞天酒”摆在酒泉市形象展厅显眼首位。玉门关酒业年产能力1500吨“玉门关”、“玉粮春”、“天地之盅”三大系列白酒。有“油城”之称的玉门市另一酒企业，玉门敬酒食品有限公司展销其“铁人故乡”酒与“敬酒”。总经理刘磊去年通过技术改造，企业年产量达到1000吨白酒。虽说坐拥玉门和吐哈油田职工消费者群体，也 探着兰州酒市场风云变幻。甘肃省金塔航天酒业有限公司，董事长王云龙先生主要向宾客推广“航天系列”“鸳鸯系列”等酒品牌，白酒年产能力1000吨。“甘肃义顺名酒公司”是这次最大和唯一酒类参展经销商，董事长兼总经理张秉庆先生，兴致勃勃地向来来往往人流散发自编彩报《义顺商情》，邀请宾客留步，观看其陈列品。义顺公司是四川省多家名酒在甘肃省级总代理商，从甘肃市场上，每年要给“五粮液”“剑南春”“泸州老窖”等多家酒厂赚回数千万元利润。

我往来穿梭在会场中，收集了好多酒商名片，东瞧瞧，西望望，稀少的人群，依旧觉得往昔兰洽会热闹场景暗退去，风光不在；在记忆深处，我尽量搜寻着往届兰洽会期间数家酒厂广告遍城开花，嗬！那真是场馆内外人头窜动，五彩缤纷的气球牵挂着条幅把街道装扮簇新，争夺霸主的酒厂啊让整个金城都醉倒了，那样激动人心美好印象只能留存在记忆之中；酒厂唱主角美酒风流竟难觅，随后广告引导市民消费的影响力也日见消退去。

陇酒年产能力到底有多少？为什么外埠酒厂连年不断进攻甘肃酒市场，数不胜数外地酒品涌进甘肃市场淘金，直到钵满盆丰也不愿离去呢？

据估计，截止6月底，甘肃省已经有大大小小酒厂近二百家，目前取得酒类生产许可证的酒厂就有一百二三十余家。甘肃众多酒厂一年酒生产量累加起来，还是不能满足甘肃酒市场需要量，即显露出巨大消费量空白点，两者形成了明显的供需数量上矛盾。可以说，陇酒企业在今后几年，由于生产能力受到限制，酒厂年产量有限，导致陇酒企业还是不能拓展甘肃地域以外市场，更不用说与川酒等强劲品牌酒形成对峙局面了。甘肃部分酒厂，设陇酒生产车间于在四川，或者说招商引资引进四川客商来甘肃办厂。种种迹象表明，“陇酒川化”不仅仅是个新概念，实际上演变步伐正在显现加快趋势。甘肃花雨酒业有限公司与五粮液集团为何只在甘肃市场主推的“丝路花雨”酒呢？兰州飞天酒业有限公司与四川泸州老池酒业眼下如火如荼在广告造势，为何只向甘肃市场推广“驰名天下”酒？彼此两家共同梦想以此酒来驰骋甘肃酒天下。啊！川酒波涛汹涌澎湃！试图淹没整个陇原大地，其核心在于甘肃人观念退化而引起陇酒溃败。

正值这炎热夏天，驻兰州部分酒厂和代理商登报正在招兵买马，显而易见是在积极备战秋冬季终端和渠道市场。虽说甘肃市场表面化看来，陇酒看似显露出了市场激烈竞争态势。表象化似激烈竞争背后，陇酒消费却显露出了一个有着巨大需求量的酒市场空白，需要外省区的强者酒品牌来填补这个空白。面对甘肃酒类需求巨大的消费群体，如何去满足陇酒不足余下的市场空白呢？这对于欲望称雄甘肃酒市场的强势品牌酒厂来说，对于甘肃酒饮一年的消费量，据称是20万吨（也有大部分人说15万吨，少部分人认可有10万吨）就似一座贮藏量巨大金矿，而且那属于智慧超群者才能拥有的金库。来吧！酒市甘肃是冒险者乐园！淘金者乐园！梦想者乐园！你若灵感如泉水涌流，你的财富积累如山丘。

据初步统计，兰州市的金港城糖酒市场，土门墩省糖酒市场和拱星墩糖酒市场聚集了内蒙古、贵州、四川、新疆、宁夏等二十几个省市区三百多家大小酒厂达八百多酒品牌。强手如林，围攻陇酒，陇酒生存空间越来越小。贵州茅台酒厂、四川五粮液集团数中酒品牌、内蒙古河套酒业西北分公司、淮北市口子名酒总公司甘肃分公司等数十中酒品牌，一直畅销陇原大地而久盛不衰，有些酒品广告词甚至于妇孺皆知。几年不懈拼搏陇酒市场，从地市到乡亲们红白事宴席上，喜欢喝口外地人酿成的酒成了自然而然。

观吧看吧叹吧！让事实说话吧！让人不由自主地产生共鸣吧！几乎没有人不无感慨万分地说：陇酒市场自相竞争实在是太激烈了，市场营销确实太难做到事与愿相符。让人更感到十分痛心疾首的是陇酒还会继续上演：兄弟"同室操戈，自相残杀"陇酒啊，酒厂数量太多而各家酒极小数量，难以满足大市场大需求量。譬如说，好比生存于小市场里夹层和缝隙之内的乡办村办私营酒厂，其酒年产量也难满足本县内市场的需要量，这不仅仅是甘肃省少数地区才会出现的现象。假若一个地方里，冒出数家这样的酒厂，在小范围内的几家酒厂由于互相争利的现象存在，其结果是"窝里争斗"场景不可避免。甘肃酒厂与代理商们，这类地域内竞赛活动必然要持续进行下去，必将演义越来越多生生死死的故事。

虽说前几年，商家常夸耀兰州市民"是一年喝倒一个品牌"，现今酒商们普遍埋怨和感慨他们越来越不知市民"喜欢喝什么酒、喝哪个牌子"等声中；回想起以往陇酒界硝烟弥漫场面，比如说兰州去年激烈品牌争斗尤为惨烈，数家厂商陷于市场争夺战之中，其结果是哪个都没有占便宜，财务亏损，甚至于经营者难以为继。数千种酒品围攻甘肃，其激励竞争程度，由此可见一斑。

酒海观潮，陇酒的希望在明天！体制改革、观念更新后的甘肃酒业，为何不能选择强势联合成大集团公司呢？这方面甘肃啤酒业已经开辟了成功之路，如兰州"黄河"与"嘉士伯"联合，"西凉"与青岛啤酒结盟。若是想在甘肃白酒业来延续这类结盟，我猜想这点恐怕是没有发生的可能性了。习惯于单打独斗的陇酒厂，其酒生产量近几年看来，也许是不会有大幅度攀升，陇酒要想走出甘肃地域限制去拓展市场，是成了大部分人的梦想。近期甘肃陇南春酒厂，甘肃天河酒业等企业相继完成整体拍卖或转让，对内在整治品牌过多、人员分散；对外结合自身优势资源构筑市场合理布局，以往零乱等弊端。甘肃市场也好，兰州市场也罢，现在表象上看似风平浪静，实际上炎热夏天遮掩着酒界拼杀和争夺的场面。我觉察与以往相比，盲目性少了，理性运筹市场的厂商多了，在终端和渠道等合理占据资源，突出重点消费群体和有目标的厂家逐渐多了起来。　　（亢岐林）

陕西省糖酒市场

一、省情简介

陕西地处中国内陆腹地，南北长870公里，东 西宽200～510公里，土地总面积20.58万平方公里。区内地形比较复杂，自南至北依次为陕西秦巴山区、关中平原区、陕北黄土高原区。

陕西省总人口数量为3644万人，人口密度180人／平方公里。其中汉族人口占总人口的99.4%；男女人口比例为108.5:100；其中0～14岁占25.02%；15～64岁占49.04%；65岁以上占5.94%。

陕西省内设西安、宝鸡、咸阳、铜川、渭南、汉中、延安、榆林、安康9个省辖市及商洛地区和杨凌农业高新技术产业示范区，107个县(市、区)。

二、市场格局

1、白酒

陕西地产酒主要品牌有西凤酒、太白酒、城古酒、西安特曲、秦川特曲、隋唐玉液、泸康酒、秦洋特曲、三粮液、杜康酒等共200多个系列品种。地产酒的主要销售区域在陕西，西风、太白、秦川酒以关中地区为主市场，城古酒以陕西南部为主市场，隋唐玉液以陕北地区为主市场，泸康酒以安康地区为主市场。

现在，陕西地产酒不断萎缩。在产量上，目前陕西地产白酒年总产量还不到10万吨，还不如四川沱牌的年产量。

在西安的中、高端白酒市场绝大部分都为外地白酒品牌所占领，陕西地产白酒连一些酒楼、饭店都进不了，大部分长期被压在中小城市及广大农村难以翻身，而且近几年来外地许多品牌已逐渐开始向陕西中小城市及广大农村市场这类低端市场挺进。

西凤酒股份有限公司2004年上半年在市场上另一战略性的动作，是通过西凤副品牌打造出一款超高档的礼品酒——"盛世经典"，从而进军高端白酒市场。

2、啤酒

在陕西啤酒企业格局中，目前可以说是青啤公司统一陕西。在陕西的大部分地区，汉斯啤酒通过广泛的铺货对市场已形成覆盖态势，低端市场占有率逾八成，而对甘肃、新疆、山西等周边省份的强力渗透也使其欲做中国啤酒市场"西北王"的野心凸现。青啤总公司对汉斯进行品牌规划、确立重点发展品牌、打造区域性强势副品牌的市场战略，其西北市场确定的主打副品牌是汉斯啤酒。但燕京啤酒购并包头雪鹿后自内蒙南下，华润旗下的蓝剑、雪花也已于2003年北上入陕，深圳金威也在西安大力度做市场，西北啤市一时群雄并起，变数大增。

1996年青啤成功兼并了西安汉斯啤酒，在注入了青啤的资金、管理、技术后，汉斯系列啤酒在短短几年内发展迅猛，西安汉斯也成长为陕西啤酒业的老大。2000年，青啤吹响了全面进军陕西啤酒市场的号角，一举收购渭南、汉中啤酒厂，并在两厂相继推出汉斯啤酒，汉斯在席卷陕西的同时，开始对甘肃、新疆、山西、宁夏等周边省份进行渗透。2002年，青啤西安公司年啤酒产销量达到35万吨，2003年1月青啤租赁宝鸡啤酒后，宝啤35万吨产能也收入青啤囊中，再加上汉中、渭南的两个分厂，青啤在西北的产能已逾80万吨。西北市场原来兰州黄河、宝鸡啤酒、西安汉斯三强鼎立之势遂告瓦解。2003年，汉斯啤酒公司完成啤酒产销量48.3万千升，同比增长41%；实现销售收入11.1亿元，同比增长36%；实现利税总额3.55亿元，同比增长18%

目前，青啤公司基本扼住了西起宝鸡、东至潼关的"八百里秦川"这一战略咽喉要地，将沿渭河流域一线摆开的宝鸡、西安、渭南等啤酒公司，首尾衔接，与南侧由秦岭相隔的汉中公司，遥相呼应，形成西北经济发达地带最大的生产基地。

三、知名企业

【西安市】

西安是陕西省省会城市和中国十大城市之一，现辖九区四县，总面积9983平方公里，总人口670万人。2000年全市国内生产总值689亿元，比上年同期增长13.1%。西安拥有全国第三位的科技优势，是中国机械、电子、航天航空、仪器仪表和国防科技工业的重要研究开发和生产基地，是中国中西部地区最大的交通、通讯、信息、金融中心之一。

知名生产企业

1、青岛啤酒西安有限责任公司

2、西安银桥乳业集团

3、陕西海升果业发展股份有限公司

4、海星现代饮品有限公司

【宝鸡】

宝鸡位于陕西关中西部，辖十县两区，总面积1.8万平方公里，总人口367万，其中市区面积555平方公里，人口55万。

知名生产企业

1、陕西西凤酒股份有限公司

2、陕西省太白酒厂

3、宝鸡惠民乳品（集团）有限公司

4、陕西毅武（集团）股份有限公司

5、陕西关山乳业有限责任公司

【铜川】

铜川位于陕西省中部，是关中经济带的重要组成部分，是陕西省省辖市。铜川市总人口数为86万，其中工业人口占53%，面积3882平方公里。全市下辖王益、印台、耀州三区及宜君县。

知名生产企业

1、陕西绿想集团

【汉中市】

汉中市位于陕西省西南部，辖汉台区、南郑、城固、洋县、西乡、勉县、宁强、略阳、镇巴、留坝、佛坪县，幅员2.7万平方公里，人口368.9万人，素有“西北小江南”之称。

知名生产企业

1、省城固酒业有限责任公司

【安康市】

安康市位于陕西省东南部，与鄂、渝、川接壤，北依秦岭、南靠巴山，汉江自西向东横贯全境自古为川陕鄂渝毗邻地区重要的物资集散地，襄渝、西康、阳安三条铁路在这里交汇，是沟通我国西北、西南和中南的重要交通枢纽。全市辖9县1区，200个乡镇（办），总人口293万人，国土面积23529平方公里。

改革开放以来，安康经济社会有了长足的发展。截止2002年底，全市国内生产总值达90.36亿元，当年完成全社会固定资产投资36.8亿元，地方财政收入3.76亿元，农民人均纯收入1417元，城镇居民人均可支配收入5302元。

知名生产企业

1、泸康酒业（集团）股份有限公司

【商洛】

商洛位于陕西省东南部秦岭南麓，界于鄂、豫、陕三省交接处，与陕西省的西安市、安康市、渭南市，河南省的洛阳市、南阳市，湖北省的十堰市毗邻。商洛，因境内的“商山”、“洛水”而得名。

全市辖商州区、洛南、丹凤、商南、山阳、镇安、柞水六县一区，共设镇92个、乡67个、办事处4个，有2791个村民委员会和53个居民委员会，2000年末全市总人口为236.72万，其中农业人口204.8万人，占全市总人口的86.5%。全市总面积为19292平方公里，占陕西省总面积的9.4%，居第五位。

知名生产企业

1、陕西丹凤葡萄发展有限公司

【延安市】

延安市位于陕西省北部，地处黄河中游。延安的旅游业从知名度和开发利用价值方面的综合分析，其优势可概括为“二黄二圣”。即革命圣地、民族圣地：黄河壶口瀑布、黄土风情文化。

延安在历史上一向是陕北地区的政治、经济、文化和军事中心，是中华民族的发祥地之一，几千年历史的演变、经久不衰，留下了珍贵的历史文化遗产。目前共发现各类文物遗址5808处，其中国家级文物4处，省级文物26处，县市级文物183处。最为著名的有黄帝陵、乔山山麓的轩辕庙；子长钟山寺石窟；延安清凉山；延安宝塔山；秦直道等。

知名生产企业

1、延安甘泉美水酒厂

【咸阳市】

咸阳市位于陕西省关中平原中部，距省会西安25公里。全市辖2区10县1个县级市，总面积10196平方公里，总人口480万，市区人口43万。

知名生产企业

1、陕西神果股份有限公司

四、市场概况

【陕酒“亮剑”奋起直追消费者】

如今走进西安大小餐馆酒店，要喝酒，服务员一般会向你推荐西凤、太白等陕西本地名酒，良好的品质和适中的价格，也得到消费者的认同和喜爱。这是近几年陕西酒业在市场激烈竞争中发生的可喜变化。

曾一度陷入市场困境

陕西酒业在计划经济时期是全国比较发达的省份之一，当时西凤酒被称为中国四大名酒，在全国享有一定盛誉。“那时候陕西人基本不喝外地酒。”西安东郊的张先生说：“不论城市农村、红白喜事、宾馆宴请，大都喝陕西酒。”事实上，当时关中地区酒厂也很多，除了西凤酒外，太白酒、杜康酒、西安大曲、长安老窖等也都是各据一方的区域名牌，在陕西名气很大，市场也不小。

可是进入市场经济，尤其是改革开放后十年，陕酒开始逐渐落伍。外地酒趁势出击，迅速抢占了陕西市场。五粮液、茅台等高档酒且不说，即使是中低档酒，也都成了川酒、安徽酒、湖南酒的天下，甚至同属西北地区的新疆酒也一度在西安大出风头。而陕酒在本地市场激烈竞争中难出新招，节节败退，更无力出击外域市场，一时陷入困境。

业内人士分析，陕酒失去市场的主要原因有二，一是缺乏创新，竞争意识不强。在外来品牌酒不断创新——包装创新、酒质创新、工艺创新、观念创新的态势下，陕西酒业还是老面孔、老样子、老调子。二是营销观念滞后，市场开拓能力差。在营销和广告上不敢或不愿投入，使陕酒在竞争激烈的市场上处于被动。

市场“亮剑”奋起直追

近年来，陕酒在市场低谷中开始觉醒复苏，并走出长期徘徊低迷的状态。先是太白酒厂走出重围，在中低档酒上做文章，实施“农村包围城市”的经营战略，取得良好效益。接着是西凤酒的重新崛起，长安酒厂的强势出击……陕酒纷纷在市场中“亮剑”，逐渐收复失地，重振昔日雄风。据有关部门调查，如今陕酒不论是城市和农村，都卖得很好，尤其是西安的大饭店、大酒楼，陕酒销量正在迅速提升。

陕酒觉醒付出了沉痛的代价，而市场的回归同样有章可循。有专家指出，陕酒要重铸辉煌，首先要做好“家门口”的市场。西安是陕酒的主要消费市场，西凤酒曾经很长时间没有建立西安销售公司，而是按照原来的老做法由总公司直接控制西安市场，结果由于力度不够，目标不集中，导致西安市场很快被外地酒占领。太白酒原来以农村市场为主，后来主攻西安市场，迅速改变了局面。长安老窖原先也只做地方市场，但毕竟市场份额小，转入西安市场后才有了较大的突破。有关专家强调，陕酒只有做好家门口的市场，同时敢与外地酒在西安市场打擂台争市场，巩固好自己的根据地、大本营，最终才能冲出陕西，走向全国，挺进海外。

其次是要敢于投入，加大广告宣传力度。“酒香不怕巷子深”，如今在市场经济下早已不适用。有20年酒龄的西安市民李先生，对2002年在西安举办的春季糖酒会记忆犹新，“铺天盖地的广告都是外地酒，糖酒会开在自家门口，而广告却大都是外地的，陕西人真不会推销宣传”。事实上，不会宣传、不敢宣传，正是陕西酒业难以振兴的主要原因之一。当然，这种状况正在逐渐改变。陕西酒业广告也开始有所作为，且力度增大，创意有新。许多酒厂还打起了文化牌。一位业内资深人士指出，陕西是文化大省，文化底蕴十分深厚，太白酒、长安老窖、西凤酒不但历史悠久，而且处于中国文化的发祥地，若打好文化品牌，必将为陕酒的振兴“助力”。近几年，陕酒虽然在文化发掘和文化概念的运用上进步不少，但还有不足之处。比如太白酒就没有在酒圣李太白身上做文章，西安大曲、长安老窖也没有做足盛唐长安这块大文章。

三是要在餐饮上下功夫。近几年里，全国大多数品牌酒都在酒店、饭店营销上下足了功夫。西安的餐饮业和酒店业在全国颇有名气，饭店有3万家之多，餐饮市场的红火让知名或不知名的酒品牌趋之若骛。谁进入餐饮业、宾馆酒店业快，谁就先占领终端市场已是行业内公开的秘密。“陕西酒业在这方面下手较晚，让别人占了先机，但近几年奋起直追，赶超力度也相当大。”一位餐饮业策划人告诉记者。

消费者乐见其成

对于陕酒的揖晓林乩从，消费者纷纷表示欢迎，并予以支持。西安市民张先生表示，陕酒品质、价格都有优势，并能在竞争激烈的市场上敢于伊两S，奋起直追，令人振奋，衷心祝愿陕西酒业能尽快迎头赶上。

当然也有消费者认为，陕酒在包装和广告宣传上还需要多下功夫，要舍得投入，更上一层楼。西安某高校的王老师是陕酒忠实的拥护者，以前在饭店看到本地人、外地人都不喝陕西酒，打心眼里着急。如今，令他欣慰的是陕酒在全省的大小饭店、宾馆随处可见，销量大增。

“其实陕酒在西安市场已有了一个良好开端，相信今后能够做得更好。”王老师说：“西安是全世界的旅游名城，外地人、海外友人到西安品尝当地美食、美酒是顺理成章的事。让更多的人都能吃陕菜，品陕酒，欣赏陕西古老而现代的饮食文化，是一件多么美好的事情。陕西具有天时、地利、人和的条件，这种美好的愿望终会实现的。”

【西安白酒市场调查】

古都西安是欧亚大陆桥陇海线上的中心城市，以其辐射西北五省的交通网络和首屈一指的政治经济文化的影响力，成为西北市场的中心。得西安者得西北，西安成为白酒品牌进军西北市场的“桥头堡”。以商业的眼光来看，桥头堡的战略地位相当重要。白酒生产厂家要在全国称雄，必不可舍弃西部，而要挺进西部，必先攻克西安。而西安的消费者除了地产酒，对白酒品牌的忠诚度不高，地产酒在一段时期又表现得比较低迷，这就更加导致了白酒市场竞争的激烈程度。

曾几何时，西安的白酒市场上硝烟弥漫、杀声四起：广告战、促销战、终端战，轮番上演；皖酒、川酒、新疆酒，争相登场；知名的、不知名的品牌，轮流坐庄。几乎在一夜之间，某个新品牌就会空降全城，而当消费者刚刚有所认识，它又会消失得无影无踪；促销品也是无奇不有，赠品比酒贵；酒店买断走在了全国的前列，挥拳卖酒的丑剧时有耳闻，在无序和混乱的竞争中，西安市场把“你方唱罢我登场、城头变化大王旗”这一中国白酒市场特定时期的特有景观演绎到了极致。

始乱终平，白酒市场的竞争，最终将是品牌、质量和文化的竞争，经过多年的混乱局面之后，西安市场开始洗牌，品牌整合初现端倪，这就是：以名酒西凤为代表的地产酒强势崛起，以徽酒口子窖为代表的外地酒迅速衰落。

地产酒强势崛起

地产酒的领军品牌是西凤酒。西凤酒是陕西省乃至西北五省唯一的国家名酒，而在国家名酒之中，西凤是中国白酒五大香型之一凤香型白酒的典型代表和“老牌四大名酒”之一，就是这样一个几乎与“茅五剑”齐名的白酒品牌，一度在西安市场上的表现并不尽人意：价位较低，使得名酒品牌拉力无法实现；包装过时，使得与现代消费潮流无法合拍；品牌单一，无法构筑不同的市场区隔。但是近两年来，西凤酒已经发生了明显的变化，这种变化已经被市场所感知：

一是口感上的变化。消费者普遍反映，西凤酒一改过去“爆、烈”形象，变得“柔顺绵甜”，符合了当今主流消费潮流，而其在口感上所保持的“醇厚挺爽”的西凤酒特有品质，又特别适合北方地区消费者的独特偏好。因此有善饮者称，西凤酒的品质，已经和当今中国当今一流顶尖白酒品牌相差无异。口感上的变化，奠定了西凤酒重新雄起的产品质量基础。

二是在高端产品上的成功突破。白酒产品向高端发展，是当今白酒行业的潮流，而西凤无疑是做得比较成功的一个。西凤系列产品之中，以陈酿西凤、柔西凤和珍品西凤等为代表的品牌，已经成为陕西人心目中高档酒的代名词。而其中西凤十五年陈酿表现得尤为强悍，2004年销量1.2亿，占据了西安白酒高端市场的大半江山。西凤十五年陈酿和柔西凤二百多元的价位和国酒茅台相当，这个价位是西安市场高档酒的主流消费价位，价格定位的成功，从而使得西凤十五年陈酿和柔西凤成为西安市场高档宴饮和请客送礼的首选。而西凤六年陈酿和珍品西凤一百元左右的价位和剑南春、口子窖相当，自去年以来，销量上升势头非常明显，时常发生断货。高端产品上的成功突破，实现了西凤名酒品牌价值的回归，实现了名酒价格和价值的统一。

三是品牌的多元化。借助名酒效应，采用副品牌策略，实现品牌多元化是西凤长期奉行的战略。而红西凤、西凤家乐、精品西凤、珍品西凤、西凤华山论剑、西凤陈酿、西凤尊酒等品牌在西安市场上全线飘红，构筑了其他品牌在相同价位段难以逾越的壁垒。

四是企业战略上凸现出了豪气和霸气。西凤以往在市场上表现得比较保守和低调：品牌宣传不分重点；促销品毫无特色；终端上不见动作。但近两年来发生的变化有目共睹，特别是2005年西凤旗舰换帅以后，对市场支持的力度进一步加大："冲八工程"（西凤酒要在3～5年内冲进白酒行业前八强）的实施；糖酒会上大手笔投入；"2005年中国十大最具增长潜力白酒品牌"第一名荣誉的获取；"秦之声"的独家冠名权等等。另外，营销公司总部搬迁中心城市，更加有利于服务客户；一口气32个新产品的推出，以确保商家有足够的利润，据说西凤在品牌塑造和文化传播方面还将有巨额的投入。西凤酒目前人气很旺，经销商普遍反映经销西凤既可上量、又能挣钱，他们对西凤越来越有信心。

除了西凤，另一个 在西安市场上表现得比较强势的品牌就是来自关中的地产品牌太白。与西凤占领高端市场不同，太白在低端市场取得了不俗的业绩。四、五元的"普太"成为c类酒店和普通家饮的首选。太白以"普太"占领市场，逐步扩展品牌种类，仅买断品牌就在100个以上，其中太白家宴、太白人家、洞藏太白、太白一壶藏等都是很走量的产品，这些品牌在市场上的铺货率可达到70%以上。太白的成功很大程度上源于地缘优势，太白酒厂地处陕西关中，关中（包括西安在内）的白酒消费呈现明显的两极分化——低档酒的需求量最大，高档酒次之，中档酒市场空间狭小。而高档酒市场竞争激烈，低档酒市场无人顾及。太白酒由于有运输上的便利，产品成本较低，实行价格竞争，凭此优势太白一乡一镇地逐步拓展市场，最后渗透进西安，并且促销力度相对较大、软体广告相对较多，抓住了部分消费者的心。太白在快速扩张的同时，隐忧也在显现：企业规模不能支撑销量的快速增加，产品质量堪忧；买断品牌鱼龙混杂，相互竞争异常激烈，并且造成了自身营销能力的弱化；太白品牌在消费者心目中已经形成了低档酒的思维定势。

在西安市场上，来自陕北"老榆林"的促销员在酒楼、饭庄唱起了"信天游"；陕南"开缸酒"的歌声也是气势如虹，三粮液的广告更是不时扑入眼帘。这些陕西地产品牌在西安市场的开疆拓土，虽然到目前为止还未奏效，但至少说明他们在各自的区域市场已经站稳了脚跟，挟资本和地域文化的优势，试图把战略重心转移到西安，如果在战略上不能够成功，仅仅从战术层面考虑，也是有着非常积极的意义。在西安郊区的长安酒厂，其主品牌长安老窖在西安南郊也有一部分忠诚的消费者，并不断有新的品牌在市场上闪亮登场。

外地酒迅速衰落

物竞天择、适者生存的自然规律在西安市场上屡试不爽，曾经有太多的外地白酒品牌犹如流星般带着耀眼的光芒在这里一闪而过，成为西安消费者和商家脑海中永远的记忆。远的如鲁酒，近的如全兴大曲、老作坊、伊力特、小白杨、金力士、衡水老白干、稻花香、浏阳河等，而其中的佼佼者，当属徽酒口子窖。2002年，在激烈的白酒市场竞争中，口子窖的代理商天驹公司在西安买断终端酒店700余家，占领商场超市1000多家，年销售额直逼9位数，销售额几乎占到了口子集团总销量的五分之一。

口子窖有产品方面的优势，它搞铁盒包装比较早，当时在西安这种包装还很新鲜，显得档次高；二是在包装盒里放一个酒瓶形状的打火机，这个对消费者很有吸引力；三是情感营销：你去酒楼吃饭，点一瓶70元的口子窖，促销员说要做市场调查，询问你的单位、姓名、电话，第二天她专程再送给你一瓶酒。她不是当场送，当场送就完了，客人肯定会认为你一瓶酒只值35元，她是在你已经忘了这件事的时候，送酒上门，让你有个意外惊喜，一下子就把你的感情拉近了。

业内人士更是总结天驹代理口子窖的实战经验，称之为"盘中盘"操作模式：先把酒楼作为"小盘"，不惜血本，大举买店，在这里投入巨资，等到在酒楼这个平台做起来后，广告哗啦一下全上来，超市、商场全面铺开，市场全面启动，这种"小盘"带动"大盘"的操作模式被人惊呼为终端时代的到来，它演绎了口子窖在西安市场上的极度辉煌。但是无论天驹公司对渠道如何地精耕细作，都无法遏制住口子窖销量迅速下滑的势头。因为"盘中盘"操作模式实质是"产品＋渠道"的优势，产品进入成熟期以后，不再具有进行"盘中盘"操作所必需的利润空间，渠道优势会随着酒店买断费用的提高而丧失殆尽。随着口子窖在西安市场的衰落，天驹公司也开始移情别恋。

口子窖 衰落以后，进入西安市场的是剑南春新秀金剑南和银剑南。金、银剑南拔剑出鞘、逐鹿三秦，凭着其强大的品牌拉动力和全新的包装形式，使其刚一上市便引起众人的关注，曾经有过的火爆销售势头也曾给西安市场注入了新的活力。在金、银剑南中，尤其是银剑南的市场表现最为抢眼，它在相同的价位上几乎无人匹敌。然而好景不长，今年以来，银剑南的价格出现明显的下滑。去年，银剑南的市场零售价是25元／瓶，今年在不少零售商店，银剑南的市场零售价降到了20元／瓶以下。

银剑南的价格之所以跌落，一是缺乏必要的市场维护；二是质量不够稳定，部分消费者反映，银剑南的口感有些爆和燥；三是西安的消费者对外地酒普遍忠诚度不高，越是流行的酒衰落地会越快。银剑南的今非昔比成为经销商心中的伤痛，使他们的血汗钱由此付之东流。

“茅五剑”由于有品牌方面的优势，在西安市场上能够维持一定的销量，但迄今为止未成为经销商的主要利润来源。2004年，经销五粮液的商家称没有赚到钱，经销68度五粮液的庆华酒业忍痛割爱，将陕西总经销权让给其他商家。与五粮液类似，经销剑南春的商家也称利润很薄。一位经销剑南春的零售商说：150元的进价剑南春，只能卖到152元，这样的生意还能做吗？商家还反映茅五剑的假冒产品也比较多，销量在逐年下滑，消费者在选购酒品时开始转向西凤的高档产品。

外地酒中另一个值得关注的品牌就是金六福。“金六福”商标牢牢抓住了‘福’文化这个卖点，迎合中国人几千年的“福”文化心理，并且依靠大幅度的品牌宣传，凸现出了自己的福文化特征，营销资源上集中使用在婚宴市场上，从而牢牢占据了西安市场婚宴用酒第一品牌的地位，2004年销售额大概是3000万元，此业绩当属外地品牌中的佼佼者。

总之，在西安市场上，以西凤、太白为代表的本地酒以小区域、多品牌、高占有的竞争方式主导消费潮流的市场格局已经形成，他们有着牢固的根基，无人能撼，并且形成了牢固的品牌壁垒。外地酒虽然不乏金六福那样表现较佳的品牌，但总体来说，他们在西安做市场越来越难，风险性进一步加大，这些因素导致原先做外地酒的商家纷纷更换品牌，由此造成了市场资源迅速向领导品牌的集中。（赵桂林 张保乾）

【西安葡萄酒市场消费者调查报告】

一、调查方法

采用街头现场拦截面访

二、抽样方法

样本设计实行随机抽样和非随机抽样结合的原则，即采用分群多阶段随机抽样和配额抽样法。

样本特征：满足以下条件：

西安市常住人口或居住五年以上 年龄在18—60岁之间

知晓或购买过葡萄酒产品

无市场研究／广告／策划公司、电台、电视台、报社等媒介机构、葡萄酒的生产、销售等单位工作经历

在过去六个月内没有接受过任何市场研究访问

样本执行区域： 西安六城区

具体访问地点：小寨商业圈、钟楼商业圈、土门商业圈、交大商业圈等

实际完成样本数量：192份

三、现场执行情况

现场执行严格按照督导负责制；

在现场执行过程中，所有人员严格按照培训的督导职责和访员职责进行；

公司对调查问卷进行了审核、复核，基本达到预想的有效率。

四、数据录入与处理

对调查回收问卷，进行编码；Foxpro6.0设计计算机录入程序；用Foxpro6.0进行有效调查问卷的录入；采用专业统计处理软件SPSS10.0对有效问卷进行分析处理；分析结果包括：频数分析、频率分析、均值分析、相关系数分析、交叉分析等。

五、背景资料

……

七、数据分析

本次调查结果主要有几个特点：

（一）西安目前葡萄酒的主要消费群体以收入较高的中青年人为主，葡萄酒的消费者主要是公司职员，其所占比例占本次调查总人数的37.9%，其次为个体经营者和商业职工分别为13.7%；文教科体卫工作者为8.4%；另外，西安市葡萄酒的消费者一般是收入较高的工薪阶层。对葡萄酒消费最多的为收入在1001-1500元之间的消费者。

（二）消费葡萄酒场合中有近一半在家里，三成左右在夜场，餐饮只占了一成.

（三）干红在葡萄酒市场中所占份额很大。由于受固有的消费习惯的影响，干红占到71.6%，果酒占12.6%，这跟葡萄酒消费引导有直接关系。

（四）西安市的葡萄酒消费市场中，品牌消费集中，长城、张裕、西夏王是在无提示情况下，西安人的三大首选知晓品牌，比例各占69.6%、20.9%和5.2%。长城市场反映如此之好，跟长城实施的多品项战略和终端深耕策略分不开。

（五）从价位来看，消费者主要选择价位在30 50元的人占到50%。在本次调查所列的酒品中，干红最受欢迎，调查中54%的人认可干红。这充分说明了中档干红葡萄酒是目前的一大卖点，同时葡萄酒市场在品种档次上有待进一步延伸。

（六）影响消费者选择葡萄酒品牌的主要因素：

1、调查结果表明，消费者选择葡萄酒时普遍最关注的是酒的口感，调查中24.7%的人持此观点，其次为品牌，选择此项的被访者占总人数的21.3%，调查中表示注重价格的均占17.4%。综合起来，这些很看重口味的人主要以收入较高的中青年人为主，这也是葡萄酒市场的主要消费群体。

2、有近一半的消费者选择葡萄酒时价位在21-50元之间；25.7%的消费者选择20元以下的葡萄酒产品，由于他们收入偏低，因而价格成了购物时一个很重要的考虑因素。

3、调查资料普遍反应一个问题，消费者选择葡萄酒时都很注重品牌，并且大部分人都选择当今最流行的葡萄酒品牌。这说明了消费者对葡萄酒的消费尚未成熟，从众心理严重。

（七）葡萄酒的价位选择特点

本次调查结果显示，价位在21-50元的中档葡萄酒目前最受西安市民欢迎，选择这一价位的人占总调查人数的42.4%，选择20元以下的葡萄酒，选择人数达25.7%。

调查中选择价格在50元以上的人占总人数的30%，这说明高档葡萄酒的市场潜力有待很好的挖掘。

（八）葡萄酒的品牌选择排序

西安的葡萄酒消费市场中，品牌消费集中，长城、张裕、王朝是西安人的三大首选品牌。长城是西安市最信赖的品牌，调查中41.3%的人选择长城，其次为张裕，选择人数占40.2%，再次为王朝，选择人数为4.5%。

（九）葡萄酒低端市场较为混乱，市场上充斥着10元以下的低档葡萄酒，售价每支5～8元之间，在大部分超市占据货架近一半的空间。有的产品直接打出了干红的旗号，欺骗消费者，牟取暴利。

八、总结与建议

市场调查结果可以看出，目前葡萄酒在西安酒类市场中所占市场份额很小；消费者在选择葡萄酒时盲目从众，消费心理尚未成熟；品牌文化底蕴不足，长期战略匮乏等等，这充分说明目前葡萄酒市场的运作还未真正成熟完善起来，为葡萄酒制定新的的营销方略势在必行。以下是根据本次调查所建议的几点葡萄酒营销宣传策略：

1、从本次调查结果看，目前葡萄酒的主要消费群体是中青年人，这部分人的消费心理已基本成熟，因此广告诉求应以理性为主，即注重产品的品质及其所蕴含的文化底蕴。

2、葡萄酒的消费者大多是高收入层及工薪阶层，他们选购葡萄酒最关注的是口感、品牌、价格。而这一主体消费群受促销人员影响的比率达到了九成，因此，要赢得消费者，关键是建立葡萄酒品牌的专业营销体系，培养一支精锐销售队伍。

3、调查中反应目前在西安市葡萄酒市场中销量最高的是长城、张裕和王朝。面对日益激烈的市场竞争，葡萄酒品牌应发挥自己的优势，将自己的品牌做大、做好，探寻发掘更多的消费群。

4、随着人们生活方式和消费方式的日益多样化，各种酒都会因文化的因素存在和发展。红酒是人们“尊贵”“时尚”的文化载体，如果从葡萄酒是一种高雅的艺术品，是一种文化象征入手，把品质融入结构美、个性美、风味美、意境美之中，从而产生一系列的物质、精神、习俗、心理、形象等作用，对酒的品牌传播非常有利。

5、目前葡萄酒市场沿袭传统的产品结构，靠高、中、低三个档次产品打市场，真正名优的葡萄酒空缺，因此主推高品质的葡萄酒也是市场的赢利点之一。

6、葡萄酒文化推广

(1) 西安是一个文化城市；西北人性情淳朴，本土情结厚重，直接面向消费者做大唐文化推广，引导体验型仿唐文化消费。

(2) 西安是一个科技城市；对于新的购买方式，消费者的态度非常乐于尝试的。在中国率先推出网上购酒和电话购酒的会员服务项目。

(3) 西安是一个旅游城市；酒吧、咖啡厅是人气最旺的休闲场所，有较高收入的人每星期甚至每天都要到酒吧、咖啡厅喝茶，这部分人是葡萄酒目标消费群的主体。

(4) 西安是一个教育城市；40多所高校60多万大学生是凯维需要品牌培育的未来主消费群。研发青少年喜好的葡萄酒，使品牌真正走入家庭，深入人心。

7、打西安市场，首先要打餐饮。

具体的操作上，将80%的精力及资源用在数量上只占20%，却起着领导80%消费潮流的餐饮身上，将20%的精力与资源用在其余80%的餐饮上。在拿下了这20%的重要渠道之后，也创造了另外80%的目标餐饮的进入条件。攻克餐饮这一领导渠道，对成功抢占西安市场作用巨大。

8、探索新型品牌推广、营销手段

对于新的购买方式，消费者的态度非常乐于尝试的。积极开展电话购酒、网上购酒、手机短信购酒、电信168平台购酒、电视导购、会议营销、健康咨询讲座等新型营销手段。

9、研究品牌延伸拓展策略，积极探寻战略合作伙伴，加强与其它行业产品的结盟、联盟，签署永久“捆绑”合作协议，在意识上、行动上领先同行业竞争对手。（丁一）

【白酒陕西攻略】

编者按：陕西是西北5省门户，地理位置十分重要。关注陕西，做好陕西市场，不仅是因为陕西白酒是中国白酒重要组成部分，它更是拓展西北市场的前站。陕西白酒结构怎样？陕西的白酒消费特点是什么？关中、陕南、陕北的白酒消费情况怎样，在西安、宝鸡、汉中、安康、延安、咸阳等城市，白酒的情况又怎样？现在到陕西去做白酒还有希望吗？陕西市场如何做？

管窥陕西市场

陕西省位于中国西北地区东部的黄河中游，与山西、河南、湖北、重庆、四川、甘肃、宁夏等省接壤。地域南北长、东西窄，土地总面积20.58万平方公里，全省人口为3618万。

陕西省可以分为三个区域：陕北高原区、关中平原区和秦岭以南区。陕北高原地区约占全省总面积的45%。以榆林和延安为中心，是中低档系列白酒的主要产区，其中以延安的泸河酒，榆林地区的隋唐玉液最为有名。关中平原西起宝鸡，东至潼关，约占全省总面积的19%，是全省的精华之地，号称“八百里秦川”，中心为西安，关中地区的中低档酒以红西凤、绿瓶普通太白、秦川酒为主。秦岭以南以安康、汉中为中心，约占全省面积的36%，这一地区风俗与饮食都与四川相近，低档系列酒以地产秦阳、城固、泸康为主。从度数上看，陕北地区和关中地区52&＃176;的白酒很畅销，秦岭以南地区46&＃176;左右的白酒相对好销。从香型来看，汉中地区凤香型所占份额较多，陕北和秦岭以南地区浓香型居主导地位。从全省来看浓香型能占到70%—80%，凤香型占20%左右。关中地区是陕西省白酒消费的主要地区。陕西人传统上以地产酒和川酒消费为主。

陕西是白酒消费大省，据陕西省糖酒副食流通协会有关人士介绍，仅白酒消费一项，年消费量就达16万吨。从市场占有率来看，地产酒只占总量的25%-30%左右，大部分市场被外地品牌占领。无论从销售量和销售额讲，地产酒消费只占了1/3，国家级名酒的销售占到全省的1/3，另外1/3被其他四川酒、以及以新疆贡为代表的新疆酒、以口子窖为代表的安徽酒所占领。

高端市场竞争白热化

在西安，高端白酒的竞争进入了白热化阶段，高档酒目标消费群在酒店里消费的价位一般在超过150一瓶。优势品牌集中在五粮液、剑南春、水井坊、国窖1573、西凤15年陈酿、金剑南、金六福等知名品牌之间。从发展趋势看，高端白酒市场主流品牌集中向国家名优品牌及其衍生品牌靠拢。

日前，记者通过对西安等地的酒店消费调查得知，地产酒与外来品牌之间的争夺，各品牌争相推陈出新成了陕西白酒市场竞争的重点。整体陕西市场，地产品牌以西凤、太白两大品牌为主，外来品牌以口子窖、新疆贡、金六福、泸州老窖、古井贡等为主。

中低档酒内外参半

在西安，一般业务应酬的主流价位在40元—150元一瓶。产品竞争格局呈现多头并存的状态。主流品牌有：口子窖、古井贡、新疆贡、金六福、泸州老窖、金剑南、老作坊、伊力特曲、伊力老窖、墨瓶西凤、秦洋特曲、太白家宴。

一般的普通老百姓、朋友聚会消费的白酒价位在5元—30元一瓶。主流品牌是太白、三粮液、新疆贡、五斗粮、绵竹大曲、二锅头、沱牌和尖庄。

消费者习惯

西北人爱喝白酒。俗话说“无酒不成席”，这个“酒”指的是白酒，啤酒不算酒，红酒又有些超前，凡是去酒楼消费的人，都要喝白酒。他们的消费习惯大致为：

A、陕北、陕南人差别较大。陕北人一般比较豪放、耿直、不拘小节。陕南人性格相对温和有跟风消费的习惯；

B、喝酒以实惠型居多；

C、喝高度酒是当地人喝酒的典型特征，喜欢的口感为：入口绵、下喉顺、后味带点苦味或带点甜味，不上头。

D、消费者主要关注要素依次为口感、香型、度数、价格、包装。

在汉中，地产酒品牌的数量在全省占绝对优势，包括三粮液、秦洋、城固等品牌，汉中白酒消费以浓香型为主，度数在40度~50度之间，连陕西老大西凤、太白都很难在那里打开市场，主要是消费习惯和度数的影响。宝鸡是陕西主流品牌的主要产区，西凤和太白销量占整个地产酒的60%以上。总体来说，口子窖、伊力特、泸州老窖在陕西省的中高档白酒中占有优势。

不容忽视的地产酒

陕西酒业在历史上有过许多辉煌。在盛唐时期西凤、太白、洋县黑米酒、黄酒、长安老窖、西安特曲盛极一时，外地统称之为秦酒。时至今日，以老四大名酒之一的西凤酒为代表的秦酒仍然风光不减。

西凤酒：占陕西省白酒销售总量的8%，2003年销售金额达2.8亿（省内占2个亿，外埠8千万），其中，好猫酒业在终端的销售占到了1.2亿。今年，西凤酒在山东省全面开花，西凤十五年陈酿在深圳市场也获得较大的成功，其运营商好猫酒业准备借深圳全面启动珠三角的销售。

太白酒：占陕西省白酒销售总量的8.9%，2003年实现销售金额为1.98亿。省内市场完成其销售额的80%，省外市场已开拓山东德州、菏泽、甘肃兰州、天水、平凉、庆阳等，另外山西运城、河南三门峡、深圳等地的市场也在逐步启动。现在，太白酒发展方向为逐步减少低档产品的开发，向中高档发展。

白水杜康：在2002年被陕西喜登辉集团收购变为民营企业后，竞争力有所加强，产品以中高档为主，全面提升杜康酒形象。本省市场年销售收入3-4千万，该酒的市场重点在外埠，在文化酒畅销省份走势较好。

秦川酒业：该酒的市场仅限省内，年销售收入3-4千万。

城固酒业：2003年的销售收入4-5千万。曾经一度辉煌，现已没落，已失关东市场，在陕南、陕北、河南有零星市场，但在汉中地区几乎处于垄断地位。

三粮液：汉中的地产品牌，由于去年成功改制，其发展势头十分迅猛，大有后来居上的架势。

酒市竞争参差不齐

地产酒举步维艰

尽管陕西白酒厂家不少，牌子不少，但是有规模有知名度的企业寥寥无几，除了西凤和太白两个品牌有一些知名度外，其它品牌的白酒大都被困在自身所在的狭小区域内，始终难有突破。在产量上，目前陕西地产白酒年总产量不到10万吨。

目前西安的中、高端白酒市场绝大部分都被外地白酒品牌所占领，其他一些地产白酒连一些酒楼、饭店都进不了，大部分长期被压在中小城市及广大农村难以翻身，而且近几年，外地许多品牌已逐渐开始向陕西中小城市及广大农村市场这类低端市场挺进。

在省外市场上，也只有西凤酒的情况好一点，但近年来，西凤酒在外省市场已经持续收缩，稍有不慎，就有完全被挤出外省市场的可能。据陕西省糖酒副食流通协会的调查，陕西地产酒的产销总量这几年一直持续下降，近年除了太白等个别酒厂略有增长外，其余皆呈下降趋势。有业内人士认为，在现在白酒市场需求总量下降的情况下，加上啤酒、葡萄酒、外地白酒的攻击，陕西很可能还有一批白酒品牌要倒掉。

这给外来品牌进军陕西市场提供了机会。

外地品牌群雄逐鹿

陕西太白酒厂的“二当家”张智斌接受记者采访时指出，市场混乱，让外地品牌有了可乘之机，1999年以前，陕西市场是老作坊、浏阳河、小糊涂仙、金六福的天下。目前，陕西市场是群雄逐鹿，市场上的川酒、皖酒、新疆酒表现十分活跃，如五粮液、国窖1573、水井坊、口子窖、古井贡、新疆贡、伊力特、金剑南、金六福等销量不错。

外地酒品进入陕西一方面繁荣了市场，使消费者有了更多的选择余地，另一方面由于个别经销商采取了一些非正当竞争手段，部分低劣产品低价倾销，或者是抱着“捞一把就走”的心态，将市场搅乱后又退出陕西市场，使得市场更加混乱。特别是一些假冒伪劣产品，由于缺乏管理而肆虐横行，有的厂商为了迅速打开市场，采用了多种促销手段，从价格上、回扣上、广告力度上大大优于地产酒品，使市场竞争更加激烈。

由于外地白酒不断入侵陕西市场，激烈的市场竞争迫使经销商不得不采用占领消费终端的办法来占领市场，陕西省内许多中高档酒店、大超市、团体购买单位是酒类产品最主要的销售终端。

但是市场上激烈的竞争促使许多白酒厂商不断以比竞争对手更加优惠的条件争夺终端，导致终端营销竞争加剧。各种进店费、促销费、终端买断费等一系列终端费用的发生与滋长，使得企业营销成本越来越高，对实力本就不强的陕西白酒企业来说，无疑是雪上加霜。有些白酒厂商为了控制终端采用全部买断销售权或促销权的方式进行终端垄断，据透露有些高档酒楼全年的买断费用高达二三十万元。

西安某大型商场费用情况一览表：

进店开户费：4-6万元

单品进店费：500元/个

节庆费：1000元/一个节日

堆头费：1500-2500元/15天.·平方米

胸卡费：15元/个

促销管理费：6000元/人一个分店

DM费：1000元/次

物损费：千分之三扣除

宣传费：3000-5000元/年

展示费：1500元/一个分店一次

新店开业庆祝费：10000元／一个店一次

图谋陕西白酒

陕西地理位置决定了其在区域市场中举足轻重的地位，古人云“得中原者得天下”，今天是“得陕西者得西部乃至全国市场”。抛开陕西地产的西凤、太白不说，除了茅五剑，陕西的白酒市场是皖酒、新疆酒、川酒轮番唱主角，其陕西攻略可谓花样百出。

口子窖实战案例

陕西是中国西部的桥头堡，以商业眼光来看，桥头堡的战略地位相当重要。白酒生产厂家要在全国称雄，必不可舍弃西部，而要挺进西部，必先攻克陕西市场。在20世纪90年代中期，山东白酒占据了陕西主流消费市场，但山东酒迅速成名的背后是迅速没落的现实。自90年代后期以来，厂家调整了吞食市场的胃口，将“全面进攻”改为“重点进攻”。

2000年以来，口子窖在陕西的热销，证明了“重点投入”的市场攻略在白酒营销中的重要性。

2000年，陕西天驹公司代理“口子窖”，先在酒楼里投入巨资，等客人喝出口碑后，一举占领了西安同类、同档酒市场的60%份额。

业内人士总结天驹代理口子窖的实战经验是：一是搞铁盒包装比较早，当时在西安这种包装还很新鲜，显得档次高；二是在包装盒里放一个酒瓶形状的打火机，这个对消费者很有吸引力，许多人都是因为想要打火机才点口子窖的；三是情感营销：你去酒楼吃饭，点一瓶70元的口子窖，促销员说要做市场调查，询问你的单位、姓名、电话，第二天她专程再送给你一瓶酒。她不是当场送，当场送就完了，客人肯定会认为你一瓶酒只值35元，她是在你已经忘了这件事的时候，送酒上门，让你有个意外惊喜，一下子就把你的感情拉近了；四是开始他只做酒楼这个终端。进一家酒楼，必须做起来。让人感觉想喝口子窖，只能进酒楼里喝。他在初期打市场时，广告很少，等到在酒楼这个平台做起来后，广告哗啦一下上来了，超市、商场全面铺开，迅速占领了西安市场。

据该公司一份业绩报告显示：2001年，在激烈的白酒市场竞争中，天驹公司创下了可能是全国迄今为止同类同档白酒销售的奇迹，在西安占领终端酒店700余家，商场超市1000多家，年销售额直逼9位数，销售额几乎占到口子集团总销量的五分之一。

外来品牌机会与风险共存

陕西省白酒市场一年的消费量是12—16万吨，其中西安市占总消费额的1/3，而该省白酒生产能力每年不是10万吨，远远满足不了需求，市场缺口大，所以许多外地品牌都将西安市场视作一块肥肉，在这里展开激烈的争夺。

西安的饮食业非常兴旺，以面食为主的地方名小吃遍布大街小巷，近年来经营四川、上海、北京、广州、云南等地的高中档风味酒楼又不断开张，为外地白酒的进入创造了很大的商机。西安人喝酒的机会大多在请客吃饭中，自己买酒喝的人非常少。因此，酒楼就成为各个白酒品牌丛林式角逐的场所。

西安市的重点A类酒楼一共100来家。无论哪个单位开会、庆典以及搞其他活动，都要来这100家酒楼。这些酒楼就成为了外地品牌争夺西安市场的重中之重。正因为重点酒楼的稀缺性，酒楼向经销商收取形形色色的费用也是不难理解的事情。

据一位不愿透露姓名的经销商介绍，西安酒楼向经销商收取的最常见费用是“进店费”，标准从10000元到10万元不等。除进店费外，还有“赞助费”、“进场促销费”、给管理人员的“好处费”、给服务员的“开瓶费”。此外，如果酒楼有多个楼层，你可以买断某个楼层的促销权，也可以买断整个酒楼同档次白酒的促销权，价钱是每季3万-10万元。

高额的费用也给白酒经销商带来很大的压力，在付出几十万甚至上百万的费用之后，还有各种费用需要经销商承担，面临着资金压力等风险。

开拓陕西市场建议：

1、选择诚信综合实力强的经销商，且产品理念到位，了解陕西白酒市场，寻求厂商强强联合，进行有效、高品位的投入，在陕西成功运作的品牌可资借鉴，如口子窖、老作坊、西凤15年、6年陈酿、太白一壶藏等。

2、陕西虽是文化大省，但是整体经济、消费水平较为落后，人们平时喝酒不讲品牌，价位在30元以下的比较好卖，对促销礼品十分感兴趣。商务用酒以“茅五剑”、西凤、口子窖为主，高档酒看重品牌和质量。同学朋友聚会，以太白系列、伊力特、新疆贡为主，主要讲究口感、价位，消费趋于理性。

3、单凭广告狂轰滥炸大量投入的做法已经过时，现在这样做只会是“陪了夫人又折兵”。

陕西主要渠道参考：

1、西安商超：主要有家世纪、好又多、人人乐、爱家、海星、家乐、大家润、开元、民生等连锁超市等。

2、西安批发市场：主要有丰庆路批发市场、国亨批发市场、劳动南路综合批发市场、自强路批发市场、胡家庙综合市场、吉祥村、白家市场、玉林市场、炭市街市场、土门市场等，其中丰庆路、国亨和劳动南路批发市场在西北地区影响最大。

3、宝鸡商场：宝鸡经二路宝鸡商场、巨峰时代广场、新世纪购物中心、银座购物中心四大商场。

【漠漠榆林酒飘香榆林白酒市场一瞥】

榆林：　塞上的明珠

榆林市位于陕西省最北部，地处陕甘宁蒙晋五省(区)交界接壤地带，东临黄河与山西相望，西连宁夏、甘肃，北邻内蒙，南接本省延安市。榆林总面积43578平方公里，风沙草滩区占总面积的42%，黄土丘陵沟壑区占总面积的58%。榆林全市辖榆阳、神木、府谷、定边、靖边、横山、佳县、米脂、吴堡、绥德、清涧、子洲共1区11县，222个乡镇，5625个行政村。全市总人口337万，其中城镇人口50.5万人，农业人口286.5万。建国后，榆林为地区建制，先后设有专员公署、行政公署，2000年7月改为地级市。

一提起榆林，人们的脑海中就会浮现边塞荒漠、黄土秃岭、贫瘠蛮野之映像。其实，榆林却是一块富饶的土地，以其丰富的能源矿产资源，被美誉为中国的“科威特”和“能源硅谷”。全市已发现8大类48种矿产。煤、气、油储量丰富。神府煤田是世界七大煤田之一。天然气，预测储量5万亿立方米，探明储量7474亿立方米，是迄今我国陆上探明的最大整装气田。石油，预测储量6亿吨，探明储量3亿吨，也是我国石油储量较大的油田。

榆林的经济发展迅速,国民人均收入居陕西地级市前列。榆林人富了，生活水平有了很大提高，吃、住、行与西安等大城市不相上下，洋楼一栋一栋拔地而起，豪华车辆随处可见。据当地人讲，榆林市平均每两小时新增一辆汽车。在榆林榆阳区街道上，车比人多确是事实。

榆林：白酒的海洋

榆林是块财富宝地，四面八方的寻宝者蜂拥而至，各种酒水也倾潮涌来，汇成了酒的海洋。在数以千计的白酒品牌中，陕酒、川酒居多，还有晋酒、皖酒、蒙古酒等挤满榆林市场。

调查中得知，榆林白酒主导产品是西凤酒，太白酒，汾酒，其次是老榆林、芦河、茅台、五粮液、古井贡、五粮春，蒙古王、河套老窖等。榆林市是老榆林酒的根据地，由于倾力向外发展而失去了榆林的霸主地位。西凤酒在榆林是主销区，2004年下半年以来，由于西凤放松了对陕北市场的调控和加强，市场出现空档，智者勇往直前。太白酒、汾酒、河套系列酒等大打陕北文化旗帜，迎合陕北人的脾气，占据了相当的市场份额。

榆林做酒的经销商众多，比较大的公司有顺昌隆、富源、秦丰、新飞、茂丰、家和等公司，他们在当地都具有一定经营规模。

榆林没有集中的酒饮食品批发市场，但在大街小巷随处可见中小超市、名酒专卖店、卖酒的小商店等，一个挨着一个，到处都有酒卖。说榆林的酒比水多一点不为过。

榆林的酒水消费在我省乃至全国也是数一数二的地市，各种酒都能有一定的市场。从消费情况看，表现出三大特点：

其一、名贵酒走俏。榆林是我国的能源基地，国内外公务人员、大款商人等纷纷到榆林洽谈项目、寻求商机。而在请客送礼、迎来送往中，酒成为必不可少的消费品。在榆林一些大的酒店前，笔者目睹了来自上海、北京、广东、海南、浙江、福建、江苏等地的众多豪华车辆。高档餐饮酒店的生意十分火爆，自然而然酒水的消费也十分旺盛。在餐饮酒店了解到，当地人普遍爱喝45度白酒，浓香型白酒受欢迎程度相对高一点，凤兼浓、凤浓酱、清香型白酒都有一定的消费群体。公费宴请，一般都是中高档名酒，讲的是档次、排场。因而，西凤15年、6年陈酿酒、汾酒、茅台、五粮液等名贵酒成为首选品牌。

其二、中低档酒是大众消费主流。榆林普通百姓消费水平不低，20～100元的酒成为消费主流。榆林人喝酒选择随意，没有养成一定要喝那种酒的习惯，也许是因为外来人口较多的缘故。中、低档次酒店饭馆及普通消费者平时喝的都是100元以下的西凤、太白、老榆林、河套老窖酒等，30－50元的酒销得最快。榆林人有钱，他们说高档酒也喝不起，是因为他们喝酒很厉害，玩的是：“X+1”喝酒法，即3个人要喝4斤酒，4个要喝5斤酒，依次类推。兴头来了，用骰子撒点或摇点论输赢，往往输多赢少，到头来个个都是酩酊大醉。我在一个小饭店里，亲眼看见3个小伙喝了三瓶（1斤装）白酒，还不言醉。

其三、县城及农村钟爱当地酒。榆林有九家酒类产品生产企业，规模较大的只有普惠酒业一家。笔者在靖边县、横山县、府谷县等地了解到，当地人还是十分喜爱榆林当地出品的酒，如普惠酒业出品的老榆林、普惠醇系列酒；泸河酒厂出品的泸河系列酒；榆林醉乡酒业出品的金榆林酒；府谷西汾酒厂的州府系列酒；神木酒业“麟州”牌特曲系列白酒等，这些品牌的白酒因其价位低，占有相当的市场份额。

西凤、太白、五粮春等酒在榆林各县城有一定的销量，但远不及当地酒销量大。在横山县城，西凤酒的宣传气氛很浓，大幅广告、路牌灯箱、中巴汽车上都是西凤广告，西凤酒横山县代理商顺意商行的生意也做得十分出色，投入与收益成正比。在靖边县城，上档次的餐饮酒店比比皆是，据餐厅吧台的服务员讲：100元左右的西凤酒、汾酒是顾客的首选。

从榆林榆阳区及几个县城的酒店、超市、商店白酒上柜情况看，品种多达上千种。商家告诉笔者：凡上柜的酒品都能卖，只是销量多与少、销售快与慢的问题。总体来看：西凤6年陈酿、凤香型五年陈酿西凤、窖藏西凤、一品西凤、西凤人家、中华西凤、长脖西凤、铁盒西凤、百年盛世三星 五星太白、五年陈酿太白、老白汾酒、老榆林等酒品相对好销一些。西凤1956等产品在榆林地区也有一定的销量，而且呈上升趋势。

当越来越多的白酒厂商看好榆林市场，当越来越多的外来酒水充斥榆林市场时，未来榆林白酒市场将形成你争我夺、鱼蚌相争的混战局面，你死我活血腥的战斗将愈演愈烈。只有那些牢固掌握市场主动权，注重品牌影响力的商家才有可能在榆林白酒的海洋中扬帆。

【延安白酒市场调查】

一、圣地延安与酒市延安

延安位于我省黄土高原中部，是一座历史悠久的古城，它既是塞北咽喉，又是革命圣地，总面积3.7万平方公里，人口近200万，辖延安市和吴旗、志丹、安塞、延川、子长、甘泉、延长、富县、黄陵、洛川、宜川、黄龙等计1市12县。其中以子长县人口最多，约40万，黄龙县面积与子长县相当，而人口只有4万余人。延安市城区又称宝塔区，面积3600平方公里，人口33万余人。城区依山傍水，形成如同两个“Y”字对接起来的特殊形态。

延安在我国历史上有两个重要标志。它既是中华民族“人文始祖”轩辕皇帝的陵寝地，是炎黄子孙寻根祭祖的民族圣地，又是中国革命的 重要根据地，是尽人皆知的革命圣地。在经济上，延安不仅有养殖业、林果业等传统产业，又有石油和煤炭等新兴工业。改革开放后，延安依托特有的资源优势，经济发展十分迅猛，人民生活水平显著提高，其中不乏腰缠万贯的富裕人群。所有这些，都为白酒的消费提供了一个理想的经济环境，使延安白酒市场成为省内商家的必争之地，竞争之激烈，完全不亚于西安、宝鸡等发达城市。

二、延安酒市格局：省外、省内和延安地产品牌三分天下

目前的延安白酒市场多种品牌林立杂陈，作为一个区域市场，延安呈现出省外品牌、省内品牌和延安地产品牌三分天下的局面。

省外品牌主要为茅台和五粮液等高端白酒。在中档酒中，

四特酒的表现突出，在销售终端上柜率极高；在低端，四川的沱牌酒在一般店铺可以说是比比皆是。

省内白酒：西凤与太白两大品牌，以西凤为主导。十五年、六年陈酿西凤酒为西凤在延安的中流砥柱，几年来长盛不衰。此外，铁盒西凤、十年、五年西凤、柔西凤等品牌近年来也创下较好业绩。太白酒中的五福酒和柔太白较为强势。除了西凤两大品牌外，老榆林酒也占有一定份额，其他省内白酒在延安较少看到，但笔者曾目睹到开缸酒和三粮液酒的车体广告。

延安地产白酒：延安地产白酒在低端市场几乎处于垄断地位，在纷纭杂乱的中低端市场，地产酒中的太华牌隋唐玉液系列酒占尽风骚。

延安地产酒厂家及主要品牌有：

延安美水酒厂：太华牌隋唐玉液系列酒等几十品种。

延安金盆湾酒厂：南泥弯牌系列酒

延安市酒厂：延河牌系列酒

子丹县酒厂：红都牌系列酒

黄陵县酒厂：轩辕特曲系列酒

安塞县酒厂：安塞腰鼓酒

富县酒厂：延安玉液酒

据悉在新世纪之初，延安的酒厂达十一个之多，由于种种原因，其中也曾风光一隅的几个县办酒厂如今已停止生产，如瓦窖堡酒厂、延川县酒厂及九龙泉酒厂等。

在市场竞争高度发展的环境下，品牌的竞争也在区域市场中时有表现，如南泥湾、隋唐两个品牌被不同的生产厂采用，使品牌名称之争成为市场竞争中的一个特殊的现象提上日程。

三、延安高、低端市场简析

延安的白酒市场具有两大层面：以高档消费为主的餐饮终端市场和以中低档为主的县以下乡、镇、农村市场。

高端市场主要集中在餐饮酒店。由于延安的旅游资源十分丰富，旅游热在每年春秋两季席卷延安，极大地拉动了高档白酒的消费。站在宝塔山下眺望，拔地而起的亚圣、东圣、银海、旅游、金圣等星级饭店十分显眼，凡此种种的近三十家大饭店，构成高档白酒的主要消费场所。据延安银河商贸有限公司的同志介绍，仅他们公司每天茅台、五粮液的销量就达20-30件。延安市高端市场容量之大由此可见。

以中低价位为主的县以下广大农村乡镇市场，则主要从宝塔、兴延两大综合批发市场上货。宝塔市场建于改革开放之初，有各类商户近百家，半数以上专营或兼营白酒批发业务，从这个市场上货的西凤、太白及其他地产白酒，源源不断地流向延安广大地区。笔者曾两次早8时左右去该市场，在延安百得信酒业和延安和平商贸设在市场的经营部看到门前大车小车忙着上货，室内电话不断，开票员手不停挥，一派繁忙景象，用应接不洽来形容毫不过份。市场内空间的狭小与进出车辆的频繁，加剧了市场的拥挤。超负荷的运转成为市场的难以承受之重。

相比宝塔市场，后起的兴延综合市场则仿佛清淡了一些。市场规模与白酒商户也逊于前者。这个市场的繁忙，要在一年的元旦、春节前后才会有充分的表现。

挂有名烟名酒牌子的白酒零售终端在延安的二道街、中心街等商业街区时有所见，在丽融商场、延安百货大楼等大型零售卖场，也都设有白酒专柜，如果加上遍布大街小巷的小型商店，延安的大小白酒零售点当在百家以上。

四、主要商家及其品牌

一个区域白酒市场的活跃，除了当地消费能力外，主要归于白酒流通企业的运作。延安白酒商家的主体是省内一些主要品牌的包销商或区域代理商，他们中的佼佼者不仅在当地声誉卓著，有的还名满全省，然而与他们一接触，发现他们的突出特点是为人低调，对宣传个人存有忌讳。因此，本文尊重商家意愿，在不得已的情况下，一般不提其尊性大名。

如果就实力和市场占有率等情况而论，延安最大的白酒企业为百得信酒业。不过在公开场合，百得信的名字只是西凤酒延安销售处，其主要经营品种为绵西凤、铁盒西凤、西凤玉液、精品西凤、西凤金尊、西凤银尊、55° 高脖西凤等，其西凤酒的销售居全省前三名。

延安和平商贸有限公司，为太白系列吉祥五福酒、十年珍品太白酒、16年珍藏太白酒总经销商，并曾作为延安代理商，在十年陈酿、五年陈酿西凤酒的推广中作出了贡献。

宝鸡市好猫酒业延安专营店，为15年、6年陈酿西凤酒延安代理商，其15年、6年陈酿西凤酒的销售居好猫公司各区域代理商前列。

延安银河商贸有限公司，为国窖1573延安代理商，同时也是延安茅台、五粮液的最大销售商之一。

此外还有：张世毛先生，为金西凤、银西凤延安代理商；刘振君先生为大唐雄风、大唐盛世西凤酒延安代理商，同时也是老西凤总经销之一；刘振玉先生为友缘西凤酒、西凤1952和西凤情延安代理商。以上商家都在业界享有较高的知名度。

据了解，备受关注的西凤1956代理商同时也是怡康医药的延安总经销。该品牌的三大品种在延安终端有较高的上柜率，但除了零售价138元/瓶的玉石西凤1956还能卖外，“钻石”、“宝石”表现平平。

五、商家的困惑与无奈

与延安白酒商家朋友交谈，得知其所面临的困惑与其他商家有诸多相似之处。

一是进店费、开瓶费居高不下。一个单品进入延安A类酒店每年须支付不下于3000元的费用，用于酒店服务员的兑盖费最高可达50元。

二是假酒猖獗，有禁无止。一种最畅销的白酒，一个可再次利用的外包装盒可卖到30元。有人惊呼，由于这种利益的拉动，不仅为假酒提供了现成的包装，也从另一个侧面促进了真酒的畅销。真假李逵在此找到了共同的利益结合点，如果这个理论发现成立，那么，一切的打假活动都将无济于事，打假与假打，便演变为一种同意语，这种悲剧色彩无疑为整个白酒业涂上了一道难以抹去的阴影。

三是品牌杂乱、繁多，趋于饱合。太多的相似品牌，拥挤在一个容量有限的市场，大大压缩了白酒的利润空间，让商家无利可图，让消费者无所适从。与因环境恶化导致的日渐枯竭的延河流水相比，说延安的酒水比延水更多当不为过。

六、制约延安白酒市场发展的瓶颈与建议

几日来的市场调查印象是：延安白酒市场还不是一个高

度成熟的市场。这主要表现在：一是市场设施陈旧，亟待更新。作为主要商品集散地的宝塔综合市场，场内秩序混乱不堪，不仅使货流不畅，还留有不安全隐患。二是经销商队伍的整体水平有待提高。一些主要商家文化水平较低，知识化是摆在他面前的重要课题。三是营销手段雷同，缺乏创新，地产酒的个性不够突出。

为此建议：在产品上，打造一个最能体现延安特征的系列白酒，使之成为延安的标志，牢牢占据延安的旅游纪念品市场；在市场建设上，进行必要的投入，使之与新延安的形象契合；在队伍建设上，商家应向职业经理人的方向迈进，以适应未来市场竞争的需要。

顺祝：延安的商家朋友前程无量，再上层楼。

【宝鸡地区县级食品市场现状】

陇县　陇县位于宝鸡地区西北部，西临甘肃，北面和宁夏交界，地处陕西的金三角地带。陇县畜牧业发达，著名的关山牧场就在陇县的北部，还有陕西关山乳业公司和陕西和氏乳业公司，县区厂矿企业较多。所以，陇县在宝鸡地区经济发展较快。

陇县的市场很繁荣，县城南有河滨市场，北有北关市场，县中心有陇州商厦、百姓购物商场、家和超市等中型超市4家，大型酒店有关山饭店、京都酒店、陇州宾馆等多家。产品方面与宝鸡市基本相同，白酒就是西凤、太白的天下。西凤酒还是以十五年、六年为主导，柔西凤在终端超市饭店占很大比例，西凤十年窖藏等在陇县销售不错。最近，在县城西凤酒专卖店的开业表明西凤酒在陇县又增大了市场。太白酒在陇县以天香太白酒，太白金版、银版，洞藏太白，太白小王子等为主，三粮液也启动陇县市场，从铺货情况来看能占10%左右，陇县酒厂生产的关山魂酒和神韵五味子酒在低端市场有一些份额，但由于面临改制，现厂里停产，市场不是很好。在宣传方面也是三家地产酒在争鸣，户外门头、挂灯、招贴画、X展架应有尽有。在陇县几乎没有外地酒，就连金六福的门头广告都是前几年做的，显得很陈旧。

在陇县，乳品还是和氏乳业和关山乳业的产品，关山的乳酸菌利乐包在县城销得最好。葡萄酒除了长城、古道，还能见到张裕、通化、新天和一些外地的杂牌子，饮料也是低价位的汇源果汁和一些大品牌，这些产品销量都很一般。

凤翔县　走到凤翔县，就走进了西凤酒的故乡，从低价位的西凤家宴、西凤家乐，到中高档的西凤二十年、西凤五十年，所有的西凤酒在凤翔县都能销售，而且做批发经销商的店名都离不开"西凤"。有西凤名酒城、凤太烟酒行等，在凤翔县做得最好的就属位于凤翔县雍兴路口的西凤酒专卖店，西凤酒系列在凤翔县一半左右都是这个店销售出去的。笔者想了解一下西凤酒在本县的情况，没有联络到其负责人王晓银，跟店员了解到一些情况，西凤酒在凤翔县还是以十五年、六年为主导，二代精品西凤和西凤家乐酒次之。由于西凤酒的销售势头很好，准备在凤翔县另开一家专卖店，现在凤翔县的西凤酒专卖店名将改为西凤酒专卖连锁店，由于西凤酒在凤翔县的强势占领，太白酒在凤翔县显得不多，除了太白一壶藏和千禧太白外，其他太白品牌很少

不过在凤翔县的大超市能见到很多品牌产品。从凤翔县的超市情况来看，凤翔县的消费水平在宝鸡地区县属于前列。宝商的家美家超市、宝鸡的三友超市、新合作超市、邮政超市、聚隆超市等规模都很大，而且还有美家乐超市、东湖口超市等中小型超市也很多，所以凤翔县的市场格局比较复杂，各家超市经营的特色产品也各不相同。

到了凤翔，还得尝尝凤翔的地方特色小吃，锅盔炒肉、豆花泡馍等都别有一番风味，再来一杯西凤酒，那才叫真正到了凤翔。要记住，凤翔县代表的餐饮有凤凰宾馆、东湖宾馆、天香楼酒楼等。

眉县　宝鸡隆泰老实人2005年5月28日在眉县县城的开业标志着眉县的市场也进入激烈竞争状态。眉县的宝商家美家超市、邮政超市和一些中小超市已不能满足人们的需要，除了批发市场外，在眉县城区还有十几户批发商坐落在繁华的平阳街和南大街一带。这些商户中，比较有实力的为方圆批发部、城西批发部、亨通批发部，品牌的县级代理基本上都在这几家经销商手中。

同样，到了眉县也就到了太白酒的故乡，"一滴太白酒，十里草木香"的气氛在眉县十分浓郁，门头广告、户外灯箱、出租车身，太白酒的宣传到处都是，太白一壶藏的悬挂条幅在眉县也很多。除了在这些批发部看到很多太白酒外，两个太白酒专卖店的品种最为全面，一个是位于平阳街德胜长商贸有限公司的专卖店，另一个是位于南大街的永旭名酒商行。太白一壶藏、千禧太白、太白老字号、洞藏太白酒、太白人家、太白雪花浆、太白老窖、太白家宴等在这些店都很畅销。就连本地人送礼，也会选择售价180元的鼎酒礼盒包装，而不去选择别的品牌。可以说太白酒在眉县占到整个白酒份额的70%以上。西凤酒除了十五年、六年占主导外，其他西凤酒品牌在眉县销量平平。三粮液酒在眉县市场算是宝鸡地区最好的，从铺市程度来看，占到10%左右。

眉县的葡市还是以长城为主，低价位的杂牌子也很多，但销量不大。啤酒蓝马、汉斯、宝鸡啤酒平分秋色。在眉县红星软香酥、咸阳心特软食品、达利食品等都销售较好。眉县好的乡镇市场有常兴镇、金渠镇、齐镇等。

千阳县　千阳县位于宝鸡市北部，距宝鸡市45公里，千阳县为山区县，市场格局和陇县基本相同，经济水平相对稍低一些，县城区分布着中小型超市几家，千河宾馆、千河饭店为当地代表性餐饮，当地批发商分布在宝平路一带，这些规模不大而且大多是综合经营。

麟游县　麟游县是宝鸡地区的山区县，人口和经济水平很低，在麟游县的县城，只有几户小型批发商，终端卖场也只有邮政超市和新开的一家连锁超市，终端规模酒店只有九成宫酒店一家，由于麟游县的销售市场不是很大，一些品牌产品没有总经销，而是从岐山县和凤翔县分销过去的，所以，做麟游县市场的厂商一般在该县投入较少。

【咸阳地区县级食品市场现状】

长武县　长武县位于咸阳市西北角，泾河上游右岸，三面与甘肃接壤，人口约16.94万人，面积583平方公里，西兰公路斜贯全县，另有312国道穿过境内，地势属黄土高原沟壑区，是陕北高原的一部分。这里土层深厚，地处山区，海拔高，地表温差大，日照长，自然条件特别适宜小麦、高粱、

玉米等粮食作物的生长。这里煤藏较多，资源丰富。

目前，在咸阳地区走俏的金醇古酒就出自这人杰地灵的长武县。县醇古街座落着金醇古酒的生产基地，此地远离工业城市，无公害，无污染，利用当地适合生产优质白酒的酿酒原料及具有富含多种有益于人体健康的矿物质山泉水，结合传统工艺精心研制出的金醇古系列酒其酒质清亮透明，口感醇香锦甜，窖香浓郁，回味悠长，受到消费者的高度认可。并于2004年11月26日被陕西省人民政府授予“陕西名牌产品”称号。在此，也祝愿金醇古酒走出咸阳，再创佳绩。

走进长武县，该县主要街道为南大街、北大街、东大街、西中街，其中糖酒副食批发的经销商主要集中在北大街口的北中街上。在这里见到了代理太白酒系列的长武县世愿批发部的崔世元经理；代理金醇古老窖、太白雪花浆的恒利达批发部的尚雪芹经理；代理醇古娇子、太白小王子、洞藏太白、十五年六年西凤的昌盛祥批发部的高治昌经理等，他们对本刊这次的调研活动给予了积极配合支持，并显得很热情，同时也谈到本刊对他们平日在经商生涯中起了很大的作用表示感谢，已成为他们不可缺少的一部分。这个市场中经销糖酒、副食类的商户大约有35家，其中以超市形式出现的永德宏商贸有限责任公司在长武县分布有三个超市，北中街两个，南大街中段一个，其中北中街中段的店规模较大，人流量较多，其余两个次之。

这里的酒店大多集中在南大街上，较大的有万事达酒楼、小蒙羊火锅城、毛公湘菜、颐香园火锅城等。经调查发现，该县的餐饮业中以金醇古（精品）、金醇古老窖、太白小王子好销，啤酒以汉斯为主。

总体上说，金醇古由于为本地品牌，自然销量也就不言而喻了，其次为太白系列。

彬县　彬县是中华民族早期农业发祥地之一，历史悠久，文化古老。境内东北和西南是黄土区，中部是泾河谷地，矿藏主要有煤、陶土等，资源丰富，靠近310国道，交通比较便利。

彬县的糖酒副食经销商绝大部分集中在中山街糖酒副食批发市场内，代理方便面、啤酒、饮料、白酒等品牌的占到近一半，如：彬县俊杰批发部李新平（代理：太白五谷粮、金醇古老窖、太白文豪酒、三粮液、蓝马啤酒等）；秋林批发部王智礼（代理：太白五年、十年、乌古斯汉等）；新颖商行哈高峰（代理：太白雪花浆、西凤福等）；鑫盛商店景忠民（代理：十五年、六年西凤、口子窖、娃哈哈水等）以及金醇古酒的直销处等，大小商户共聚集约有40余家。

据经销商讲，在中山街糖酒副食批发市场外，有代理太白小王子、太白开坛香、洞藏太白、汇源果汁、西凤老窖五年、十年等品牌的影院批发部孙亚芳经理；代理一壶藏太白酒、西凤家乐酒的洪宇批发部杨春平经理等，随后笔者分别作了一一拜访。在与孙亚芳经理见面时，通过《陕西食品快讯》使我这初到彬县的人一下子与孙经理拉近了距离，虽然第一次与孙经理见面，但是《陕西食品快讯》这本刊物可以说是孙经理再熟悉不过的了，热情好客的她谈到本刊这几年带给她的产品信息、营销理念等滔滔不绝，我感到莫大的欣慰。据旁人讲她经营品牌在当地销得很不错。到经销一壶藏太白酒的杨春平经理府上，与之谈了彬县的白酒销量情况，在谈话中，杨经理也提到了目前他所代理的一壶藏太白酒，对陕西一诺商贸公司的服务比较满意，现在他除给彬县供货外，还给旬邑县（临县）也供货，产品走势较好。由于时间关系，笔者只好与这位热情健谈的杨经理告别。

彬县的主要街道为西大街、北大街、东大街，两大超市：家福乐超市和海星超市（70分店）就集中在西大街上，这条街较为繁华，人流量较大。在家福乐超市的正对面是彬州宾馆，在彬州宾馆作调研时发现，该宾馆内的红柔西凤、金柔西凤、普柔西凤占据几乎全部柜台，经询问彬州宾馆内的柔西凤系列酒为其自供货，直接与西安的柔西凤经销商签订有协议，柔西凤在此处销量特别大。随后又到位于彬县北大街什字口的益鼎楼酒店、彬县一品鲜饭店等酒店作了铺货率及销售情况的调查，经调查普遍反映，太白小王子系列、洞藏太白系列、太白一壶藏系列及金醇古系列、十五年、六年西凤在酒店中的铺货销售情况较好。

总体上看，太白系列、金醇古系列在该县销售情况较好。另外，在彬县，也遇到了陕西一诺商贸公司及咸阳易诚商贸有限公司的业务代表，经互相介绍，通过《陕西食品快讯》刊物使我们很快相识、相知。

旬邑县　从彬县汽车站出发，大约近两个小时，来到旬邑县。该县城较小，主要街道为北大街、南大街、西大街、东大街、中山街。其中做糖酒类的经销商主要分布在北大街，如广民批发部(代理金醇古老窖系列、太白五谷粮、三粮液、开坛香太白酒等)；旬邑县购物中心糖酒副食批发部(代理太白五年、普太白等太白系列酒)；旬邑迎宾名酒经销部(代理洞藏金醇古、柔西凤、口子窖等)；金醇古直销处、虹源超市(代理太白小王子系列、醇古娇子等)。

据经销商讲，该县主要的酒楼为虹桥宾馆，位于县西大街；川香火锅城位于县东大街；民政大酒店位于县翠屏路；文艺大酒店、好望角大酒店位于县中山街，分别对其走访调查。在这些酒店中，较好销的品牌有：金醇古系列、太白小王子系列、精品一壶藏、洞藏太白系列、柔西凤、十五年六年西凤、太白开坛香，啤酒类以汉斯为主。

随后又分别对位于县北大街上的天添乐超市和县中山街上的燎原超级市场进行了解，总体上讲在该县太白系列、金醇古系列产品销售情况较好。

淳化县　淳化县位于咸阳市东北部，面积965平方公里，人口18.24万人，地处陕北黄土高原南缘，地势向南倾斜，县城总体面貌较小。

这里的批发糖酒类较集中的分部在城建路，聚集有七、八户，但主要以零售为主，几乎都没有代理品牌，而在县城的其它地方分散着做酒大户，如在淳化县大治洞的益众商店，代理太白系列、西凤系列酒等；在淳化县南新街的尧尧批发部（代理太白小王子、金醇古系列等）；淳化县糖酒公司（代理河套老窖、太白老窖、十五年六年西凤等）；高档烟酒门市（代理金醇古系列、珍品猴王太白酒等）。在这个县城有两个小酒厂分别为淳化县甘泉酒厂(主要经销甘泉醇系列)和御醇酒厂(主要经销御醇酒)，其规模很小，所生产的酒水仅在该县有销量。随后走访了当地较大的酒楼，如：又一春酒楼、淳化县电力宾馆等，这里普遍以太白系列产品金醇古系列优为好销，其中太白王子酒金醇古系列酒的反映较好。

总体来讲，淳化县属于山区县，县与镇相距较远，运输等条件不太便利，经济较落后。

泾阳县　从淳化县驱车来到泾阳县，这里的糖酒批发市场主要为北极宫商城和三门角批发市场。

在北极宫商城，这个市场内大约有15家，代理品牌的经销商只有5家，如：刘霞烟酒副食综合经销部（代理十五年、六年西凤、汉斯啤酒等）；张英商店（代理太白王子酒等）、汇丰批发部（代理金醇古老窖、好好吃干吃面等）等商户。

从北极宫商城往南行，到达三门角批发市场，这个市场从整体上讲，主要以批发零售各种日用品、小食品为主，其中经销糖酒副食类的商户大约只占该市场的1/3，其中生意做的较好的有：王帅批发部（代理太白五谷粮、普太白等太白系列酒及梅花味精、华龙方便面等）；杨师批发部（以经营配送各种小食品为主）。经询问，他们进货直接到西安来，由于西安距泾阳交通便利，也便于选择产品。

另外，在这两个市场外，还有穆景全批发部（代理可口可乐、汇源等）；张裕葡萄酒在泾阳分公司；光明乳业的分厂以及泾阳县酒厂的直销处，对此都——走访，进行了解。

随后又对位于县中心街东段的泾阳人家、阳光美食城王、旦娃私家菜等多家酒店进行调查，目前虽为白酒淡季，但通过各酒店的酒水负责人普遍反映，太白系列如：太白王子酒、洞藏太白及金醇古系列酒销量较好，啤酒以汉斯系列为主，饮品以果汁类如酷儿、统一鲜橙多等名牌较好销。通过此次走访，使《陕西食品快讯》不断扩大发行网络，让更多的人与之成为他们生意上的一部分。

三原县　提到三原县，这里云集着众多品牌代理商（糖酒饮料类），他们主要分布在池阳路、丰源路、东环路及南关正街上。此地可以说是商家的必争之地，由于距西安较近，送货运输等费用相对较低，另外该县近年来的发展较快，已适合各种高中低产品的运作。下面分别对其代理的品牌情况作一简单介绍：

王锋批发部：代理长安古酿、金醇古八年陈酿及福仙酒；三原综合贸易部：代理种子酒、城古特曲等；平均名酒商行：代理太白十年老窖、洞藏金醇古、金醇古福满堂等；兴旺批发部：代理太白猴寿酒、康师傅系列茶等；三原县中外名酒：代理太白小王子系列、金剑南、珍品猴王太白酒、柔西凤、青稞酒、雪花啤酒、汉宝啤酒；吉祥商店：代理十五年、六年西凤、西凤友缘酒；金醇古好日子经销处：代理金醇古好日子、千家福、十五年老窖、家宴等；一分利商行：代理一壶藏太白酒、开缸酒、百氏可乐等；华原商店：代理康师傅系列方便面、洞藏太白等；铜川飞龙三原分公司：代理西凤老窖、特制精品西凤、珍品西凤、太白雪花浆等；三原池阳食品商行：代理太白人家、毛府酒、牵手果汁、雪莲酒等；三原新义商贸有限公司：代理金醇古恭贺新禧、金醇古人人乐等；三原县诚信酒行：代理太白福酒系列，紫晨醋爽、嘉百利苹果醋等；国顺酒行：代理千禧太白、太白家宴、衡水老白干等；唐刚批发部：代理汉斯啤酒、三粮液等；河套老窖三原总经销：代理河套老窖系列等；华洲商店：代理太白五年、十年、太白御宴等。

由此可见该县的白酒品种较为齐全，商户竞争如火如荼。随后又对位于三原县池阳路的秦宴厅大酒楼、秦宝楼及位于县东环路的怡香园等酒店进行调查，在这里销售仍以太白系列、金醇古系列产品为主。从目前的趋势看，竞争是必然的，但从另一角度来讲，又为该县的经济繁荣起了促进作用。

【2005年陕西白酒市场大盘点】

一.陕西地产白酒强势崛起

2005年陕西白酒市场的重要特征，是地产品牌的成功突围和强势崛起，其主要标志是：

1.龙头产品西凤酒强势发力，大放异彩，极大的提升了陕酒的地位和形象。

2005年，西凤以调整企业领导班子为挈机，相继出台了一系列发展西凤事业的举措，制定了五年发展规划，并启动了在三到五年内跻身于全国白酒八强的“冲八”工程。通过机制创新，调整产业结构及营销创新等办法，使西凤在2005年里实现了腾飞。全年销售额由04年的3.8亿提升到5个亿，各项经济指标增幅较大。良好的开局为“冲八”工程的实现奠定了坚实的基础。

西凤为了保证“冲八”工程这一战略目标，提出了三阶段市场攻略和品牌结构上的“369”方针。三阶段市场功略：第一阶段、立足陕西，做深做细，做精做透，强化其陕西第一品牌的地位。第二阶段、通过宣传和政策支持，成为中原、山东、东北等重点外埠市场的强势品牌；第三阶段、实现在全国范围内各区域市场的逐步突破。品牌结构上的“369”方针：即打造三款全国性品牌，主推六款个性化品牌，畅销九款区域性品牌。为了实现以上目标，西凤进行了规模宏大、有声有色的宣传造势和一系列艰苦细致的工作，收到了明显的效果。

2.以太白为首的地产名酒建立了稳固的市场基础，金醇古、老榆林、三粮液、开缸酒、杜康酒等地产酒表现强劲。

太白酒是近几年来公认的陕酒第二品牌。05年太白酒表现稳健，在稳中求进中迈出了坚实的步伐，以其货真价实的形象强化了在中低端市场的地位，在激烈的市场竞争中稳扎稳打，成为陕西老百姓心目中自己的酒，为太白酒赢来了良好的口碑。其品牌在竞争中得到了锻造、升华，市场地位进一步提升。金醇古咸阳称雄；老榆林陕北走俏、开缸酒巩固安康市场后拓展到关中、铜川等地，并开始提升销量；三粮液、杜康酒在巩固本地市场的同时，强化了向全省地县乡镇辐射的力度。这些地产酒无论在宣传推广和销售促进方面，均显示出一派咄咄逼人的气势。其中有的已占据一定的区域市场，并在一个区域市场独领风骚。

3.县办中小酒厂进一步活跃，在本地市场的地位不断强化，有的在某一区域市场有不俗表现。

城固酒、秦洋特曲、秦川酒等都曾有过历史上的辉煌，经过改制后已显示出再度复兴的势头；其它中小酒厂生产的系列酒，如西安特曲、长安老窖、关中系列酒、隋唐玉液酒、凤酒，邠州王酒等，都大大强化了其在本地市场的地位，并在此基础上向周边渗透，这些区域品牌依靠消费者的区域情节和当地政府的支持，多年来经久不衰，不仅为当地经济做出了贡献，而且以其价格优势和粮食酒的品质满足了普通消费者的需求。

陕西地产酒的崛起极大的改变了陕酒市场的竞争格局，

几年前，外地品牌主导陕酒市场的局面已经改观。目前，陕西地产酒已拥有超过50%的市场份额，形成了地产白酒主导市场的良好局面。形成这一局面的最终缘由是改革开放以来陕西经济的迅猛发展和人民生活水平的提高。同时也是广大白酒生产、经销企业与时俱进、不断开拓创新的结果，这一良好势头目前正在继续，并将不断提升到新的阶段。

二.高端市场成为争夺焦点

05年陕酒市场上另一个突出现象，是高端产品的频频亮相，极大地牵动着市场的注意力。这些高端产品，有的是市场新锐，有的则是原高端品牌的升级版。新产品如陕西银达公司开发的西凤1956、陕西泽通酒业开发的西凤大唐盛世和大唐雄风、陕西龙翔酒业有限公司开发的西凤二十年陈酿酒，陕西顺隆商贸有限公司开发的金藏、银藏西凤酒。升级产品如陕西好猫酒业的西凤十五年珍藏版，陕西大唐盛世酒业有限公司的五十年西凤酒，昌盛糖酒西安分公司的十年陈酿西凤酒，陕西恒丰酒业的华山论剑。这些高端新秀和升级产品，主要集中在西凤这个品牌上。省内其它酒厂，其产品线向高端延伸的倾向也十分明显，但远不如西凤这样能够引领高端市场。

陕酒高端产品的走高、走俏反映了陕西地产白酒的高档化倾向，这些高档产品酒质上乘，包装上往往别出新意，文化、艺术色彩浓厚，标志着陕酒总体水平的提高。其中有的产品已打破多年来茅、五、剑等全国大品牌形成的价格屏障，有的质量足可与茅、五、剑媲美。

三.产业集中度出现加速趋势

市场经济的加速发展，必然造成产业集中度的提高，市场资源向优势行业、优势企业集中，成为一条不可抗拒的规律。目前，白酒行业的高利高税使得业外资本频频染指白酒行业，而高税赋的依据来自高的利润空间。05年我们看到，相当多的业外资本将大量资金投向名、优白酒企业，增强了这些白酒企业的市场竞争力，而名优企业竞争力的提高又会对社会资金产生更大的吸引力，形成一种连锁反应，使得名优白酒生产企业较其它酒厂在资源占用上取得明显优势。在我省，西凤为国家级名酒，获得了中国驰名商标，太白为国家优质酒。目前，西凤、太白的品牌已增加到百种左右，反映了我省两大名、优白酒生产厂家市场比重的上升。

四.终端大、小卖场发展迅猛

05年，各类商业大型零售企业发展势头强劲，在西安及其它中小城市，陆续建立了为数可观的连锁店、加盟店，仅西安市这类店的总数已达近30家，绝大多数为国内民营企业，也有少数为国际驰名的零售商。

在大卖场迅猛发展的同时，各种名烟名酒、名酒专卖店、糖酒铺如雨后春笋，加速蔓延，遍布于大小城镇的角角落落。

大小型零售商业的勃兴，不仅为白酒销售提供了理想的场地，同时也提供了一个展示产品形象的平台。因而几乎被所有白酒商家看好，但令白酒供应商不无忧虑的是，大型商超进入门槛高、投入大，并常以搞活动为由，大肆杀价，不仅使供应商利益受损，而且危及到品牌形象；小型零售门点良莠不齐，时有假货出现，并伴有“跑单”风险。

五.品牌建设取得明显成效

白酒经销商理念的提升和消费者观念的变化，使得白酒品牌营销大行其道，这在过去的一年表现得十分明显，白酒业的竞争已从质量、包装、广告提升到品牌竞争的阶段，做酒最终是做品牌已成为商家的共识。

在陕酒中，有两个久经考验的品牌已被人们公认，一是普太白，一是高颈西凤，这两个品牌不用宣传，但却长盛不衰，充分显示出品牌的价值。

除了以上两个品牌，还有两个品牌表现得相当突出：西凤15年，6年陈酿酒和太白家宴系列酒，前者在销售额上列陕酒第一，后者在销量上占据上风，这两款酒与普太白、高颈西凤酒在不同价位上成为陕西白酒的杰出代表，其地位十分稳固。

在品牌建设方面我们还看到，西凤系列的柔西凤，凤香型十年、五年陈酿酒、西凤家乐酒。太白系列的一壶藏、洞藏、金版、银版、千禧太白酒；外埠品牌中的新疆贡酒在品牌打造上都取得有目共睹的好成绩，其品牌价值日益显现，成为陕西省内的热销品牌。

特别是洞藏太白酒，2005年表现不俗，在A、B类终端酒店顾客点击率列西凤十五年、六年陈酿酒之后排名第二。

综观全省数百种白酒品牌，还有不少表现强劲，他们是：五十年西凤酒、将军情酒、开缸酒、太白王子酒等。

在区域市场上，各类大小酒厂也相当活跃，金醇古、城古酒、秦洋酒、西安酒、美水酒、关中酒、凤酒、邠州王酒都力争成为当地的主导品牌，有的被定为当地政府接待用酒，有的向外拓展，谋求更大的发展空间。

白酒经销商在品牌建设上所取得的巨大成功不仅标志着其营销理念的成熟，在客观上也起到净化市场，引导消费的作用，在一定意义上讲，白酒商家的品牌营销力度提升了陕西白酒市场的总体运营水平。

六.销售渠道进一步趋向扁平

05年陕西白酒市场的一个显著变化，是白酒经销商在市场操作方面重心下移，使销售渠道趋向扁平。市场竞争的焦点是对二批商、终端商的争取。白酒品牌运营商的营销工作更加复杂，他们对二批商不仅是商品供应者，更是服务，促销人员以至相关附加品的提供者，帮助下线经销商做市场成为上线商家的主要工作。在各县城召开订货会成为最流行的销售形式，上线、下线商家日益成为休戚与共的利益共同体。

在品牌商与线商的关系上，二批商终端商地位不断上升，其对上线商家的要价也不断提高，处理好网络内部关系，显得更加重要。

七.拓展外埠市场成为新的发展契机

随着陕酒地位的提升和地产白酒品牌的密集化，向外省拓展市场的必要性、可能性被越来越多的商家认同。目前，陕酒操作外埠市场大体有三种类型，一是厂方在外省设办事机构，开发外埠市场，二是品牌买断商在外省建立销售网络，主要品牌如西凤15年、6年陈酿酒、将军情酒、大唐雄风、华山论剑酒等；三是省外经销商开发西凤品牌，并在有关区域销售，（不进入陕西）如西凤国宾酒、西凤宝典酒等。05年，西凤外埠市场销售约占总销售的20%，太白酒为10%，杜康酒的大部分市场都在省外。

八.文化营销渐成时尚

在过去的一年，白酒文化营销取得明显进展，找准自已的文化卖点，并着力加以宣传，被经销商视为品牌传播的重中之重，金银文化、福寿文化、吉祥文化、皇家文化、缘分文化、陈藏文化组成了浩浩荡荡的文化营销阵列，使消费者大饱眼福，许多流行品牌，都在这些文化理念上沾光不少，他们既是这些文化的传播者，也是受益者。除了以上流行的文化理念，在白酒命名上冠以年份或在某一方面找到自己品牌元素的"第一"优势，也被精明的商家孜孜以求，力求以深入的"卖点挖掘"，换来白酒营销的效益。在文化营销方面，呈现出独创与跟风两种现象，但独创者少，跟风者众，而效益总是向独创者倾斜。

九.酒度淡雅化趋势显现

传统白酒是烈酒的同意语，饮酒的一个重要目的是追求强烈的刺激。随着人们生活水平的提高，对酒的口感要求发生了变化，绵软、柔和的酒体风格越来越受欢迎。于是，淡雅化的白酒应运而生，不断分割着烈性酒的市场。酒的淡雅化主要反映在酒精度上，优质、低度的酒于是大行其道。从全省情况来看，相对低度白酒在陕南已经流行，在陕北也有一定市场，只有关中地区仍然喜好50度以上的白酒。

其次，酒度与价位也有一定关联，中低价位的酒一般为高度酒，而高价位的酒则多为低度酒，并以45度的居多。05年，许多新开发的高档酒也以低度酒为主。

随着经济社会的高速发展，淡雅化的白酒将被更多人宠爱，必将成为引领白酒市场的主导产品。

十.行业协会的功能得到进一步发挥

2005年，作为陕西酒类经销商自己的组织：陕西省糖酒副食流通协会的工作越来越受到政府的重视，并得到广大经销商的认同，行业协会的功能得到进一步发挥。

一年来，协会较好的发挥了桥梁、纽带作用：及时向行业传达了国家对酒类管理的有关规章、行业标准及有关指导性文件，协助政府进行了深入细致的行业调查，参与了我省酒类管理条例的起草；组织实施了全国糖酒会食品机械展；调查认定了04年度陕西酒类十大热销品牌；通过会刊--《陕西糖酒食品指南》和《糖酒食品》网站及时交流发布了有关信息，为广大经销商提供了一个交流、共享信息资源的平台。

以上工作，对引导、规范我省的酒类市场秩序，起到了积极作用。

回溯2005年陕西白酒市场，蓬勃发展是主旋律，但市场竞争无序、混乱无章问题尤为突出，主要是：

1.市场秩序混乱。由于酒类市场多年失控，无章可循，加之工商、质检、卫生等部门人力有限，管理缺失等原因，其假酒泛滥，以次充好的现象未能受到有效遏制，使真酒蒙受损失；还有不少低档白酒存在质量问题，危及食品安全，不利于消费者的健康。

2.行业内部无序竞争。同行之间不能和谐相处，相互厮杀，竞争过度，未形成竞、合关系，其表现是相互不服、串货、砸价，缺乏诚信，竞相提高返利、瓶盖费等，有的促销品价值还高于酒。

3.品牌开发失控、过滥。同质性严重，相同价位区间的产品密度过大，使内部竞争加剧，导致整个行业利润摊薄，也使消费者无所适从。

4、部分经销商急功近利，心理浮躁，在市场操作上表现为短期行为，缺乏打造长线品牌的恒心和毅力，缩短了产品的生命周期。

5、产品包装过于奢华，不符合构建节约型社会的要求。

综合来看，陕酒白酒市场总体上是上升的，所存在问题也是发展过程中的问题，相信在新的一年里，由于国家政策调控力度的加大和有关规定的实施，陕酒市场定会走向规范有序、健康运行的轨道，从而掀开陕西白酒市场崭新的一页。

【西安葡萄酒市场消费者调查报告】

一、调查方法

采用街头现场拦截面访

二、抽样方法

样本设计实行随机抽样和非随机抽样结合的原则，即采用分群多阶段随机抽样和配额抽样法。

样本特征：满足以下条件：西安市常住人口或居住五年以上，年龄在18—60岁之间，知晓或购买过葡萄酒产品

无市场研究／广告／策划公司、电台、电视台、报社等媒介机构、葡萄酒的生产、销售等单位工作经历

在过去六个月内没有接受过任何市场研究访问

样本执行区域：西安六城区

具体访问地点：小寨商业圈、钟楼商业圈、土门商业圈、交大商业圈等实际完成样本数量：192份

三、现场执行情况

现场执行严格按照督导负责制；在现场执行过程中，所有人员严格按照培训的督导职责和访员职责进行；公司对调查问卷进行了审核、复核，基本达到预想的有效率。

四、数据分析

本次调查结果主要有几个特点：

(一)西安目前葡萄酒的主要消费群体以收入较高的中青年人为主，葡萄酒的消费者主要是公司职员，其所占比例占本次调查总人数的37.9%，其次为个体经营者和商业职工分别为13.7%；文教科体卫工作者为8.4%；另外，西安市葡萄酒的消费者一般是收入较高的工薪阶层。对葡萄酒消费最多的为收入在1001-1500元之间的消费者。

(二)消费葡萄酒场合中有近一半在家里，三成左右在夜场，餐饮只占了一成.

(三)干红在葡萄酒市场中所占份额很大。由于受固有的消费习惯的影响，干红占到71.6%、果酒占12.6%，这跟葡萄酒消费引导有直接关系。

(四)西安市的葡萄酒消费市场中，品牌消费集中，长城、张裕、西夏王是在无提示情况下，西安人的三大首选知晓品牌，比例各占69.6%、20.9%和5.2%。长城市场反映如此之好，跟长城实施的多品项战略和终端深耕策略分不开。

(五) 从价位来看，消费者主要选择价位在30-50元的人占到50%。在本次调查所列的酒品中，干红最受欢迎，调查中54%的人认可干红。这充分说明了中档干红葡萄酒是目前的一大卖点，同时葡萄酒市场在品种档次上有待进一步延伸。

(六)影响消费者选择葡萄酒品牌的主要因素：

1、调查结果表明，消费者选择葡萄酒时普遍最关注的是酒的口感，调查中24.7%的人持此观点，其次为品牌，选择

此项的被访者占总人数的21.3%，调查中表示注重价格的均占17.4%。综合起来，这些很看重口味的人主要以收入较高的中青年人为主，这也是葡萄酒市场的主要消费群体。

2、有近一半的消费者选择葡萄酒时价位在21-50元之间；25.7%的消费者选择20元以下的葡萄酒产品，由于他们收入偏低，因而价格成了购物时一个很重要的考虑因素。

3、调查资料普遍反应一个问题，消费者选择葡萄酒时都很注重品牌，并且大部分人都选择当今最流行的葡萄酒品牌。这说明了消费者对葡萄酒的消费尚未成熟，从众心理严重。

（七）葡萄酒的价位选择特点

本次调查结果显示，价位在21-50元的中档葡萄酒目前最受西安市民欢迎，选择这一价位的人占总调查人数的42.4%，选择20元以下的葡萄酒，选择人数达25.7%。

调查中选择价格在50元以上的人占总人数的30%，这说明高档葡萄酒的市场潜力有待很好的挖掘。

（八）葡萄酒的品牌选择排序

西安的葡萄酒消费市场中，品牌消费集中，长城、张裕、王朝是西安人的三大首选品牌。长城是西安市最信赖的品牌，调查中41.3%的人选择长城，其次为张裕，选择人数占40.2%，再次为王朝，选择人数为4.5%。

（九）葡萄酒低端市场较为混乱，市场上充斥着10元以下的低档葡萄酒，售价每支5~8元之间，在大部分超市占据货架近一半的空间。有的产品直接打出了干红的旗号，欺骗消费者，牟取暴利。

五、总结与建议

市场调查结果可以看出，目前葡萄酒在西安酒类市场中所占市场份额很小；消费者在选择葡萄酒时盲目从众，消费心理尚未成熟；品牌文化底蕴不足，长期战略匮乏等等，这充分说明目前葡萄酒市场的运作还未真正成熟完善起来，为葡萄酒制定新的的营销方略势在必行。以下是根据本次调查所建议的几点葡萄酒营销宣传策略：

1、从本次调查结果看，目前葡萄酒的主要消费群体是中青年人，这部分人的消费心理已基本成熟，因此广告诉求应以理性为主，即注重产品的品质及其所蕴含的文化底蕴。

2、葡萄酒的消费者大多是高收入层及工薪阶层，他们选购葡萄酒最关注的是口感、品牌、价格。而这一主体消费群受促销人员影响的比率达到了九成，因此，要赢得消费者，关键是建立葡萄酒品牌的专业营销体系，培养一支精锐销售队伍。

3、调查中反应目前在西安市葡萄酒市场中销量最高的是长城、张裕和王朝。面对日益激烈的市场竞争，葡萄酒品牌应发挥自己的优势，将自己的品牌做大、做好，探寻发掘更多的消费群。

4、随着人们生活方式和消费方式的日益多样化，各种酒都会因文化的因素存在和发展。红酒是人们“尊贵”“时尚”的文化载体，如果从葡萄酒是一种高雅的艺术品，是一种文化象征入手，把品质融入结构美、个性美、风味美、意境美之中，从而产生一系列的物质、精神、习俗、心理、形象等作用，对酒的品牌传播非常有利。

5．目前葡萄酒市场沿袭传统的产品结构，靠高、中、低三个档次产品打市场，真正名优的葡萄酒空缺，因此主推高品质的葡萄酒也是市场的赢利点之一。

6、葡萄酒文化推广

（1）西安是一个文化城市；西北人性情淳朴，本土情结厚重，直接面向消费者做大唐文化推广，引导体验型仿唐文化消费。

（2）西安是一个科技城市；对于新的购买方式，消费者的态度非常乐于尝试的。在中国率先推出网上购酒和电话购酒的会员服务项目。

（3）西安是一个旅游城市；酒吧、咖啡厅是人气最旺的休闲场所，有较高收入的人每星期甚至每天都要到酒吧、咖啡厅喝茶，这部分人是葡萄酒目标消费群的主体。

（4）西安是一个教育城市；40多所高校60多万大学生是凯维需要品牌培育的未来主消费群。研发青少年喜好的葡萄酒，使品牌真正走入家庭，深入人心。

7、打西安市场，首先要打餐饮。

具体的操作上，将80%的精力及资源用在数量上只占20%，却起着领导80%消费潮流的餐饮身上，将20%的精力与资源用在其余80%的餐饮上。在拿下了这20%的重要渠道之后，也创造了另外80%的目标餐饮的进入条件。攻克餐饮这一领导渠道，对成功抢占西安市场作用巨大。

8、探索新型品牌推广、营销手段

对于新的购买方式，消费者的态度非常乐于尝试的。积极开展电话购酒、网上购酒、手机短信购酒、电信168平台购酒、电视导购、会议营销、健康咨询讲座等新型营销手段。

9、研究品牌延伸拓展策略，积极探寻战略合作伙伴，加强与其它行业产品的结盟、联盟，签署永久“捆绑”合作协议，在意识上、行动上领先同行业竞争对手。（丁一）

新疆区糖酒市场

一、区情简介

新疆维吾尔自治区，简称新，位于中国西北部，到2003年全区末总人口1933.95万人，面积166万平方公里，占全国总面积的六分之一，是中国面积最大的省级行政区。新疆地处亚欧大陆腹地，与俄罗斯、哈萨克斯坦、吉尔吉斯斯坦、塔吉克斯坦、巴基斯坦、蒙古、印度、阿富汗等八国接壤，在历史上是沟通东西方、闻名于世的“丝绸之路”的要冲，现在又成为第二座“亚欧大陆桥”的必经之地，战略位置十分重要。

新疆，古称西域，自古以来就是中国不可分割的一部分。公元前60年，西汉中央政权设立西域都护府，新疆正式成为中国领土的一部分。1884年清政府在新疆设省。1949年新疆和平解放，1955年10月1日成立新疆维吾尔自治区。

新疆深居亚洲内陆，西跨帕米尔高原，北有阿尔泰山，南有昆仑山和阿尔金山。天山横贯中部分别为塔里木和准噶尔两大盆地。新疆有我国最大的沙漠塔克拉玛干沙漠和我国最低的盆的吐鲁番盆地，还有我国最长的内陆河塔里木河。温带大陆性干旱气候。南疆较干旱、年降水量100-500毫米。吐鲁番夏季有三、四十天最高气温。自古有“火洲”之称。

新疆现有14个地、州、市，85个县（市），其中33个为边境县（市）。新疆生产建设兵团是新疆的重要组成部分，有

174个团场。境内维吾尔族占一半，另有汉、哈萨克、回、柯尔克孜、蒙古、俄罗斯、锡伯、塔吉克、乌孜别克、塔塔尔、达斡尔、满等民族。自治区首府乌鲁木齐。

新疆土地资源丰富，农产以小麦、水稻和棉花、蚕茧为主，盛产瓜果，南疆长绒棉、和田。新疆的桑蚕、吐鲁番葡萄、鄯善哈蜜瓜、伊宁苹果、库尔勒香梨很有名。畜牧业发达，新疆细毛羊，伊犁、巴里坤马，塔城牛驰名全国。新疆甘草，雪莲等药材和花也很有名。

新疆是我国煤、铁、石油资源都很丰富的少数几个省区之一，盛产云母、玉石、宝石。太阳能、风力资源都比较丰富。

新疆的工业主要有石油、煤炭、冶金、建材、毛纺、棉纺、轻工等。

二、市场格局

1、白酒

新疆大型的白酒生产企业有：新疆兵团农四师伊犁酿酒总厂、犁肖尔布拉克酒业有限责任公司、新疆伊力特实业股份有限公司、新疆石河子新安酒业有限责任公司、新疆石河子新安酒业有限责任公司、新疆三台酒业有限责任公司、新疆第一窖古城酒业有限公司等。其中，伊力特的年产量在16000吨左右，三台年产量在13000吨左右，白杨、新安年产量在8000吨左右。

新疆伊力特实业股份有限公司(简称:伊力特)是新疆最大的白酒生产企业。公司不断提高管理水平，通过高新技术提高产品质量，打造精品工程，使企业稳居新疆白酒业霸主地位。

新疆肖尔布拉克酒业近年来有了飞跃性发展，成为新疆酒业中一匹黑马。

新疆石河子新安酒业有限责任公司年产值近2亿元，销售收入1.8亿元，利税2650万元，是新疆白酒行业的龙头企业之一。

新安酒业经过四十多年的发展，产品已形成了大曲、特曲、老窖、老酒、白酒等五大系列40多个品种，早在60年代起，产品就多次获得过地方和国家级大奖，是新疆消费者公认的新疆地方名酒。1999年，新安系列产品荣获“中国名牌”产品殊荣，2002年，新安系列酒被评为“中国优质白酒”。为适应激烈的市场竞争，公司始终把“树立市场第一，销售第一”作为我们的营销理念。并实施了“依托新疆，占领西北，挺进中原，辐射周边，带动全国”的大市场营销战略。产品畅销新疆南北疆地区和西北五省区，远销疆外各省。目前，公司在疆内设有南、北疆办事处、东疆办事处，拥有12个地区级市场；疆外设有西安办事处、徐州办事处。北京、河南、河北、天津、江苏、浙江、湖北均设有经销商。

2、葡萄酒

新疆大型的葡萄酒企业有：新天国际葡萄酒业有限公司、新疆楼兰酒业有限公司、新疆西域酒业有限公司等，新疆的葡萄酒市场几乎被三家企业所占领，其中，新天与西域联姻以后，其市场份额已占新疆的90%以上。但是新天并不满足于做“新疆王”，其真正目的是以新疆为起点，利用不断完善的市场网络，渐渐向中部和东部地区辐射，打出“新疆葡萄酒”的原产地概念，与张裕、王朝和长城争切市场蛋糕。

新天国际葡萄酒业有限公司成立于1998年注册成立，抓住西部大开发的机遇，依托新疆地源与资源优势、发展以酿酒葡萄为中心的特色产业，大力调整新疆农业种植结构。新天酒业拥有全国一流的酿酒葡萄基地，用世界最优质的葡萄、最先进的工艺与设备，生产最优质的葡萄酒。目前，新天酒业不仅是新疆和新疆建设兵团葡萄产业化的龙头企业，而且已经成为中国西部最大的葡萄产业化企业。

三、知名企业

【乌鲁木齐市】

鲁木齐位于天山北麓，准噶尔盆地南端，准噶尔蒙古语意为“优美的牧场”。

乌鲁木齐是新疆维吾尔自治区的首府，是新疆政治、经济、文化、科技、信息、交通的中心，下辖七区一县及八个农牧团场。七区一县是天山区、沙依巴克区、头屯河区、水磨沟区、新市区、达坂城区、东山区、乌鲁木齐县。全市总面积12000多平方公里，人口200余万，建立了钢铁、煤炭、机械、电力、石油化工、棉毛纺织、皮革制造等现代化的企业。科学文化事业也迅速发展。乌鲁木齐已成为一座新兴的现代化的工业城市。

乌鲁木齐，这座古老而又年轻的城市，以其绮丽多彩的湖光山色，及浓郁清新的西部边城的独特风韵，真正闪射出了光芒，吸引着来自远方的游客们。

知名生产企业

1、新天国际葡萄酒业有限公司

2、新疆楼兰酒业有限公司

3、新疆英雄本色酒业公司

4、新疆乌苏啤酒有限责任公司

【石河子市】

石河子垦区(兵团八师、石河子市)地处天山北麓中段，古尔班通古特大沙漠南缘，面积7529平方公里，人口72万人，常住人口60万人，其中少数民族占5.4%。石河子市位于垦区中部，行政区域面积460平方公里，人口29万人。石河子市辖5个街道办事处和一镇、一乡。

农业是石河子市的基础产业，机械化程度达85%以上。精准种子、精准播种、精准管理、精准灌溉、精准收获和精准田间生态监测“六大精准技术”的应用逐步推广，农业现代化、集约化水平较高。作物以棉花、小麦、玉米为主，同时蕃茄、蔬菜、瓜果、酿酒葡萄、花卉等特色作物种植蓬勃兴起。畜牧业发展势头强劲，已经开始走上快车道。农业产业化发展步伐加快，市场化水平稳步提高。

工业依托农业发展，已形成塑化、电力、造纸、纺织四大支柱产业，培育了天业、天宏、天富三家上市公司。

石河子垦区经过军垦三代人50年的艰苦创业，开发建设，已形成以石河子市为中心，以国有农牧团场为依托，以大中型企业为主体，农林牧副渔全面发展、工交建商服综合经营、工农结合、城乡结合、农工商一体化的新型经济联合体。石河子是新疆军垦事业的“窗口”和“缩影”，被人们誉为“戈壁明珠”。

知名生产企业

1、新疆西域酒业有限公司

2、新疆石河子新安酒业有限责任公司

3、新疆生产建设兵团石河子白杨酒厂

【昌吉回族自治州】

昌吉回族自治州地处天山北麓，准噶尔盆地南缘，东邻乌鲁木齐和哈密地区，西与石河子市相接，南与吐鲁番、巴音郭楞蒙古自治州相连，北与阿尔泰、塔城地区接壤，东北与蒙古国交界，总面积9.39万平方公里，是古代举世闻名的“丝绸之路”新北道通往中亚、欧洲诸国的必经之路。

全州辖昌吉市、阜康市、米泉市、玛纳斯县、呼图壁县、吉木萨尔县、奇台县、木垒哈萨克自治县等5县3市。境内还有新疆生产建设兵团的24个团场。

昌吉州野生动物资源十分丰富，诸如野马、野驴、鹅喉羚、北山羊、雪豹、马鹿、雪鸡、哈熊等。

知名生产企业

1、新疆第一窖古城酒业有限公司

2、新疆屯河投资股份有限公司

【巴音郭楞蒙古自治州】

巴音郭楞蒙古自治州（简称巴州）位于新疆维吾尔自治区东南部。东邻甘肃、青海；南倚昆仑山与西藏相接；西连和田、阿克苏地区；北以天山为界与伊犁、塔城、昌吉、乌鲁木齐、吐鲁番、哈密等地、州、市相连。全州行政面积为482665平方公里，占新疆总面积的四分之一，是中国面积最大的自治州。“巴音郭楞”系蒙古语，意为“美丽富饶的流域”。

巴州辖八县一市，即轮台、尉犁、若羌、且末、焉耆、和静、和硕、博湖县和库尔勒市。自治州首府设在库尔勒市。截止2001年末，全州总人口为106.25万人。

巴州地域辽阔，动植物资源非常丰富，尤其是许多地方自古以来人迹罕至，一直保持着原始的生态系统和自然景观，为野生动植物的生存繁衍提供了良好的环境。

巴州油气资源丰富，开发潜力巨大。据勘探表明，塔里木盆地是我国石油资源储量超过100亿吨的三大盆地之一，约二分之一的面积在巴州境内。

旅游资源独具特色。天山、昆仑山区、大漠、大湖、大草原、大戈壁之中孕育出众多自然景观，具有良好的开发前景。同时，巴州还拥有众多的历史遗迹和著名的人文景观，如铁门关、楼兰古城遗址、锡克沁千佛洞、米兰遗址等。随着旅游资源的进一步开发，旅游业将成为巴州新的经济增长点和重要的支柱产业之一。

巴州属典型大陆性气候，十分适宜粮食、棉花、瓜果等农林作物生长，孕育出许多独具特色的农产品。驰名中外的新疆特色名牌产品美誉的“库尔勒香梨”的主要产地就在巴州的库尔勒。巴州是新疆棉花的生产区之一，已形成15万吨棉花的生产能力。工业用番茄红色素含量高，浓度大，是国内最大的蕃茄酱生产基地。

知名生产企业

1、新疆天河罐头食品总厂

【喀什地区】

喀什地区位于祖国西陲、新疆维吾尔自治区西南部。东临塔克拉玛干大沙漠，东北与阿克苏地区柯坪县、阿瓦提县相连，西北与克孜勒苏柯尔克孜自治州的阿图什、乌恰、阿克陶县相连，东南与和田地区皮山县相连。喀什地区的西南部与三个国家接壤：西部与塔吉克斯坦相连、西南与阿富汗、巴基斯坦接壤；三国边境线长388公里。用边邻近国家还有吉尔吉斯斯坦、乌兹别克斯坦、印度等。

全地区而积14.16万平方公里，地势是西、南、北三面环山，东面朝塔里木盆地开口。地形可分为平原、高山高原区。地势出西南向东北倾斜，略有起伏。

喀什地区辖1个市11个县，即喀什市、疏附县、疏勒县、英吉沙县、岳普湖县、伽师县、莎车县、泽普县、叶城县、麦盖提县、巴楚县和塔什库尔干塔吉克自治县。

知名生产企业

1、新疆喀什昆仑酒业有限公司

【伊犁哈萨克自治州】

伊犁哈萨克自治州位于祖国的西北边陲，是我国向西开放的门户和21世纪开发建设的重点地区之一。自治州成立于1954年11月，管辖塔城、阿勒泰两个地区和10个直属县市，首府设在伊宁市，是全国唯一的既辖地区、又辖县市的自治州。全州总面积35万平方公里，人口395.03万，有哈、汉、维、蒙、锡伯等47个民族，其中哈萨克族占25.52%，汉族占44.98%。自治州境内驻有新疆生产建设兵团农业第四、七、八、九、十师和新疆矿冶局、天西林业局、阿山林业局、新疆卷烟厂、阿希金矿等一批中央和自治区直属企业。

伊犁州幅员辽阔，资源丰富，自然条件得天独厚。适宜种植小麦、玉米、水稻、花芸豆、啤酒花、亚麻、烟草、红花、油料、棉花、甜菜、瓜果等多种农作物和经济作物。森林面积88万公顷，森林覆盖率3.29%，活立木总蓄积量1.6亿立方米，占新疆的74.4%。

伊犁州地缘优势突出，对外开放条件优越，是新疆和全国向西开放的重要商埠和国际大通道。全州边境线长达2000多公里，与哈萨克斯坦、俄罗斯、蒙古国接壤。

农业产业化实现重大突破，伊犁河谷红地球葡萄、“伊犁红”苹果和禽蛋生产迅速扩大，形成了一定规模。塔城、阿勒泰地区成为新疆重要的优质棉、花芸豆、绒山羊生产基地。

伊犁州的工业主要是以农牧矿产品为原料的加工企业，主要有纺织、制革、乳品、制糖、煤炭、电力、炼铁、黄金、建材、食品、卷烟等50个行业，门类比较齐全，并具有一定规模，形成乌苏啤酒、四方糖业等一批有知名度的品牌和企。

知名生产企业

1、新疆伊力特实业股份有限公司

2、新疆四方糖业集团

四、市场概况

【乌市：外地白酒进军需谨慎】

编者按：在乌鲁木齐，由于特殊的文化和消费习惯，地产白酒独霸一方，经销商和消费者对外地白酒的认同度不高。因此，白酒进军乌市需谨慎行事。

市场概况：本地酒一统天下

新疆维吾尔自治区虽然人口较少，只有1900多万人，但白酒的消费量很大。据新疆酒类专卖局的统计数据显示，去年全区白酒销售额达7个多亿。同时，新疆又是产酒大区，全区大大小小的白酒生产企业有600多家，成为当地市场的主力军。

乌鲁木齐（乌市）是新疆的首府，伊力特、肖尔布拉克、伊犁河是乌鲁木齐白酒的三大主流品牌。此外，三台、古城、新安等二三线品牌也在该市占有一定的市场份额。乌市白酒市场主要以地产品牌为主，高档市场除五粮液、茅台外，其他外地品牌表现并不理想。

消费特点：地方品牌忠诚度高

在消费方面，新疆人花钱大方，喜欢集中消费；他们热情好客，不把客人灌醉不足以体现他们的热情；他们善饮，平均每人的酒量在半斤以上。这些特征都为白酒销售打下了良好的基础，据有关数据显示，乌市的白酒消费水平居西北五大省会城市之首。

乌市人对地产酒的忠诚度很高，普遍认为外地酒不如本地酒品质好。外地酒进入新疆难度非常大，主要受区域文化、民族文化、消费意识等因素影响。近两年，乌市人民在消费时，开始接受促销员的推销。但在中高档餐饮场所，人们喜欢消费名酒，在请客吃饭时，喝一瓶伊力特十五年是一件很有面子的事情。另外，在节假日，五粮液是消费的主角，常常供不应求。

浓香型是乌市白酒的主流香型，50—55度的酒最好销，低度酒几乎没市场。据调查，影响乌市人消费白酒的因素依次是：价格、度数、广告、促销手段等。但真正能博得人们认可的还是口感。因此地产酒广告投入一般都不大，厂家和经销商把主要精力放在培养消费者的忠诚度上，在售后服务和促销手段上下功夫。

竞争态势：跟风严重

伊力特是乌市的第一品牌，统治了半壁江山。该品牌产品结构齐全，价格从几千元到七八元都有；品类极其丰富，各种包装、度数的产品都有，占据着中高档市场的主要份额。高档酒方面有售价高达二三千元的伊力王，酒店终端有价位在150—300元的伊力老窖系列，流通渠道则有18元左右的伊力特系列。

本地酒中，肖尔布拉克和伊犁河是伊力特的主要竞争对手。肖尔布拉克酒的产地和酒质都和伊力特十分接近，加上品牌维护到位，很有市场竞争力。伊犁河则大力发展OEM，利用贴牌商的力量抢占市场，势头十分迅猛。

乌市的竞争主要体现在两个方面：一、伊力特和肖尔布拉克之间的竞争，二、其它中小企业跟风伊力特，在包装风格，品牌名称上效仿，让消费者难辨真伪。

和外地白酒相比，乌市白酒企业热衷于塑造企业形象。在乌市很少看到伊力特的户外广告，但该品牌却出巨资赞助中国极地科考队，赞助大型纪录片《走天山的女人》等。肖尔布拉克、伊犁河相对比较注重品牌宣传，对赞助大型活动也很重视。

乌市白酒市场比较混乱，许多小酒厂在包装、品牌名称上打“擦边球”。当地白酒品牌多而杂乱，据不完全统计，大大小小各种白酒品牌多达几千个，一年内诞生数百个品牌，也会倒下数百品牌，因此，白酒市场亟待规范。

渠道特征：流通市场相对发达

乌市白酒渠道与外地市场相比有个显著的特点——白酒流通市场活跃。但是，由于地广人稀，物流成本偏高，因此乌市的餐饮渠道相对发达。

餐饮渠道：乌市餐饮业发达，本地人都有在外就餐的习惯，尤其是节假日，家人、朋友聚会都在酒店进行，因此餐饮渠道非常受经销商重视。

乌市基本上没有买店的。酒店信誉较差，跑单、欠账现象严重，一般来说，品牌产品进店相对容易，一般产品轻易不敢进店。

零售渠道：乌市的零售业比较发达，除了商超外，还有很多名烟名酒店。零售渠道有上百个品牌，以中档产品居多。伊力老窖是此渠道的畅销产品之一。在零售渠道上，洋河蓝色经典、金六福、剑南春、泸州老窖等都有陈列。高档酒除国窖1573外，其他产品销量不理想，外来品牌更多的是把零售渠道当作形象展示的窗口。

流通渠道：乌市流通渠道十分发达，活跃在流通领域的白酒品牌多达几千个，且都是新疆本地品牌。乌市是新疆白酒的中转站，影响着南北疆的白酒消费潮流。受地广人稀，市县之间距离远等因素制约，白酒流通速度慢，产品运输成本高，导致二级市场白酒售价偏高。

乌鲁木齐白酒主要流向北疆、南疆和东疆，而南北疆和中疆品牌特色和消费差异很大。总体而言，是以县级品牌为辅，全区品牌为主。

乌市周边市场特点

克拉玛依：气候寒冷，人口少，消费量比南疆少一倍。由于盛产石油，居民收入高，品牌以伊力特为主，其他品牌为辅。

库尔勒：面积大，经济发达，消费高。库尔勒有七八个地方酒厂，每年在县内能销售几百万。伊力特、肖尔布拉克依然是主要品牌，地方品牌也有很大的消费量。

哈密：是进入新疆的门户，人员来自四面八方，受内陆影响大，消费呈多元化特点。该市活跃着上千个白酒品牌，内地品牌几乎都能在此找到，而新疆本地品牌反而不突出。哈密白酒竞争手段原始，不同的人群有不同的消费圈，依靠经销商网络销售。

哈密白酒的销售业绩取决于经销商的网络，没有主导品牌，也没有业绩特别差的品牌，品牌之间上下差距不过一两个百分点。

拓市建议：有白酒界人士称，随着国家西部大开发的深入，新疆自然资源源源不断的开发，乌鲁木齐白酒市场容量将有很大的上升空间，白酒进入了高速发展的黄金时期。但是，白酒的繁荣对本地酒是利好，同时也阻碍了外地白酒进军的步伐，主要原因在于消费者和经销商对内地品牌的不认同。

但是，品牌的多元化是大势所趋，外地酒进军乌市需注意以下事宜：

一、外地品牌一定要把市场摸透，要对地域文化、民族文化作深入透彻的研究；

二、根据调查得出的结论，在酒的文化、风格、包装、口感上力求与本地相融合；

三、建议首先启动餐饮市场，然后通过餐饮辐射全疆，培育市场是一个长期的过程，一定要有耐心。如果盲目进入，一旦遇阻，抽身就难了。

乌鲁木齐白酒市场调查

乌鲁木齐市作为我国西北重要城市，成为众多白酒厂商关注的重点。尤其是近些年，随着当地经济日新月异的变化，人们的消费水平有了很大提高，市场潜力也进一步扩大，许多白酒品牌更是对其虎视眈眈，个个摩拳擦掌，希望能够在此划得一块属于自己的“势力范围”。

不过，乌市的白酒市场却不是人们想象的那样唾手可得。笔者近期的调查发现，在当地的白酒市场上，伊力特和肖尔布拉克两大品牌占据了绝对优势，对外来品牌的进入形成了很大阻击。用当地一位经销商的话说“只要伊力特和肖尔布拉克在一天，其他品牌就别想进来。即使能够进来，也要付出很大代价。”

乌市白酒市场概况

乌市白酒消费水平较高。大众消费一般在20～30元之间，婚宴用酒在20元左右，酒店消费在30～40元，高档宴请则在100元以上。当地消费者比较喜欢高度酒，一般喝酒都在46度以上，高档酒则喜欢50度以上的产品，42度以下的酒很少有人喝。浓香型最适合人们的口味。

当地商超和酒店的进店费都比较高。一般A类酒店进店费在5000～8000元之间，地段和效益较好的甚至能够达到10000～20000元，B类店一般在3000～5000元；A类商超的进场费也在5000元左右。当地市场买断酒店的情况不是很多，主要是买断促销权。据经销商介绍，在2003年前后，当地曾掀起一段时间的买店热潮，但由于买断之后只能上一个品牌的产品，这与消费者追求口味多样化的趋势产生了冲突，造成消费者和酒店之间的纠纷越来越多。另外，当地酒店跑单和拖欠账款的问题比较严重，酒店动不动就找各种借口要厂家掏赞助费，厂家压力巨大，苦不堪言。以上两点原因使得一些产品逐渐抛弃了买店的做法，转而做买断促销。在当地买断促销的价格不是很高，一般A类店在3000～5000元之间。

谁能突破两大强势品牌的防线

乌市白酒市场的竞争基本上在新疆本省产品之间展开，尤其是伊力特和肖尔布拉克。

对于外来品牌而言，唯一在当地能够得到认可的就是五粮液。尽管伊力特也有高档产品，但五粮液凭借优良的酒质还是赢得了当地消费者的青睐，在高档宴请和礼品市场有着不错的走量。茅台的酱香型与当地消费口味有一定差别，因此销量要小一些。

对于其他外来品牌，当地经销商普遍反映没有能在当地形成气候的。口子窖先前曾在当地开拓市场，下了很大力气，共投入了300多万，大有不拿下乌市誓不罢休的态势。结果，买了很多店，酒是进去了，但消费者不认可，销量平平，据说最近已经开始退出，仅留下了一个办事机构，负责处理遗留问题。另外，金六福酒也曾一度开拓当地市场，但遭遇两大强势品牌的阻击，表现平平。来自贵州的青酒也在2001年对当地市场发动了进攻，据说投入的力度比口子窖还要大。在当时乌市白酒市场竞争还不太激烈的情况下，青酒头年的销量还不错，但后来随着伊力特和肖尔布拉克的崛起，青酒在当地销量迅速下滑，如今已基本销声匿迹。对于甘肃、内蒙等邻省的一些白酒品牌，当地经销商反映，在市场根本看不到。

总之，在伊力特和肖尔布拉克两大强势品牌的阻击之下，乌市白酒市场成为一座难以攻破的城堡，使得众多对此虎视眈眈并来此“淘金”的白酒品牌遭遇了不小挫折。

两大强势品牌现状分析

伊力特和肖尔布拉克两个品牌各具特点。

伊力特：多年以来，乌市一直是伊力特其省内市场的重中之重。乌市消费者的地产情结比较重，对伊力特情有独钟。据说在当地只要带有“伊力”字样的酒就不愁卖。

近些年，伊力特开发了许多买断品牌。据当地经销商介绍，目前伊力特的买断品牌大概有20～30个（也有人说要远远超过这个数字），主要是被当地一些实力较强，网络健全的经销商所买断。在伊力特众多买断品牌中，伊力特十年老窖（俗称树根老窖）、金牌伊力特、英雄本色卖得比较火爆。据知情人士透露，伊力特十年老窖在当地已经运作三年了，去年该产品在全疆销售约13万件，其中60%～70%在乌市消化。笔者粗略地估计了一下，伊力特十年老窖一个单品在乌市的销量就达到了5000万左右。

买断品牌的推出，对增强企业实力、扩大影响起到了积极作用，但也有人对此表示了担心。有经销商反映，伊力特大面积开发买断品牌，长此下去，买断品牌之间竞争必然加剧，造成企业的利润下降，另外，操作失败的买断品牌还会影响伊力特品牌的整体形象，成为企业的包袱。

其实，伊力特对于这个问题也一直在关注。两年前伊力特就开始加强了对买断品牌的控制。在选择买断商的时候，除了要看其实力和网络以外，还要给企业一个三年的发展期，规定第一年的销量达到100吨，第二年达到200吨，第三年必须要达到300吨，达不到这个销量的就要被砍掉。尽管如此，伊力特的买断品牌还是有增无减（除非一些买断商由于经营不力自己退出）。探究其中的原因，经销商道出了其中原委：一、伊力特在乌市的强势地位比较突出，其老大位置无人能够撼动，自身优越感比较强。无论是品牌的影响力还是产品的认知度都比较高，产品都不愁卖，买断品牌造成的深层次矛盾还没有爆发出来。二、买断品牌的经销商社会资源比较复杂，凡买断商基本都与厂家有着千丝万缕的关系，在这种情况下砍任何一个都会遇到一定的阻力。因此，尽管伊力特也在喊着要砍掉那些不良的买断品牌，但效果却一直不怎么明显。

肖尔布拉克：肖尔布拉克是乌市市场上继伊力特之后的第二强势品牌。其主要以低档产品为主，在30元以下价位的产品中优势地位比较明显。其中，8元左右的肖尔布拉克大曲、15元左右的肖尔布拉克特曲、25元左右的肖尔布拉克老窖在低档市场走势良好。

肖尔布拉克与伊力特不同，它的买断品牌比较少（有4～5个），主要靠自己以及下级经销商的网络来打市场。在开拓市场过程中，以商超、流通为主，酒店也有一定的销量。肖尔布拉克虽然是当地低档市场的霸主，但也不是没有竞争对手。伊力特的低档产品，比如20多元的精品伊力特曲就一直在和肖尔布拉克老窖争夺市场。

肖尔布拉克在先前开发市场的过程中，曾采取了一定的跟进策略。2002年，伊力特曾推出了一款名为黑骏马的产品，在当地市场销售火爆，肖尔布拉克随即采取了跟进，虽然迫于黑骏马的强势没有把乌市作为主打市场，而将目光转向了兰州市场，但依然取得了不错的销售业绩。另外，在伊力特推出伊力老窖之后，肖尔布拉克也推出了自己的老窖产品，包装近似，却更显精美，价格也稍低。跟进策略为肖尔布拉克在激烈的市场竞争中站稳脚跟并不断扩大自己的市场份额起到了一定的作用。最近，肖尔布拉克也逐渐加强了对品牌的培育，一直以低档市场为主的肖尔布拉克也在积极谋求高档市场的发言权，欲借高档产品来提升自己品牌的价值。据悉，在今年的9月份，肖尔布拉克将推出高、中、低价位齐全的产品——"绿色风暴"系列，并欲借此增加其美誉度和知名度。

总之，乌市白酒市场虽然潜力巨大，但伊力特和肖尔布拉克霸主地位在短时间内不会有大的动摇，外来品牌进入要费一番功夫。

【地产酒表现"亚克西"——入市先锋新疆行】

新疆维吾尔自治区是我国面积最大的一个省区，约占全国总面积的1/6。这里地域辽阔，人口相对稀少，但城市中人们的消费水平普遍较高。少数民族爱好饮酒，所以白酒市场大有潜力。我刊34期曾对乌鲁木齐市场进行了专门关注，本期我们选择了库尔勒、克拉玛依和阿克苏三个城市进行市场调查。

市场动态及品牌分析

库尔勒　库尔勒市是华夏第一大州——巴音郭楞蒙古自治州的首府，是新疆维吾尔自治区党委确定的两个重点发展城市之一，总人口38万。这里盛产香梨，又称梨城。

库尔勒白酒市场上，地产酒伊力特和肖尔布拉克占据绝大部分市场份额。伊力特的子品牌众多，是30～100元的市场上的主流，因此许多经销商都代理着不同系列的伊力特酒。其40元以下的铁盒精品五年窖藏、朋友、伊力美酒、黑骏马等系列酒在流通、商超和酒店中走势都很好。伊力老窖和伊力王等100元左右的酒则主要在酒店消费。另外，特制伊力特、至尊经典伊力特等许多系列酒都有其一定的市场份额。由于伊力特的许多酒包装都十分精致，所以当地人请客、送礼、团购等公关活动一般都用它。肖尔布拉克在低价位市场上更占优势，其20～30元的红骏马、精肖特，以及10元左右的光瓶肖尔布拉克一直在低档市场上畅销。由于市场已经进入成熟期，所以伊力特和肖尔布拉克的宣传和促销活动已经少多了，只是针对销售情况对经销商给予不同程度的赠货奖励。

目前，来自当地和硕县的驼仙酒在市场上表现也很好。其推出的驼仙老窖、驼仙特曲和老陈酒在10～20元的市场上与肖尔布拉克竞争激烈。另外，在寥寥无几的外来酒中，来自东北的"一斤二两"酒凭借其扎实的市场功底和不错的酒质敲开了当地市场的大门，而且销量还可以。据悉，"一斤二两"酒为54度，价格在7～8元。金六福在库尔勒以销售50元左右的礼品酒为主。

高档市场上五粮液的销量首屈一指。金、银剑南当前的宣传力度很大，在车体和广告牌上做了不少广告。促销上也不惜重金，大搞赠礼、抽奖等活动，投入不下30万元，效果也比较明显。

克拉玛依

克拉玛依市是伴随着油田的开发而建立起来的新兴城市，它就像一颗"黑色的宝石"，镶嵌在浩瀚无垠的戈壁沙漠上。克拉玛依虽然人口不多，但人们的消费水平较高，市场不容忽视。这里也是一个地产酒的大舞台。当地最为活跃的品牌仍是伊力特和肖尔布拉克。伊力特众多买断系列酒覆盖了整个白酒市场，其优势主要集中在30～50元的产品。20多元的老伊力，30多元的金伊力等酒在流通和小酒店中销售状况最好。伊力王、伊力老窖等在终端售价100多元，是酒店消费的主流。伊力特子品牌众多，当地经销商也很难统计其具体数量。消费者普遍认可"伊力"字样的酒，凡名字中带"伊力"二字的酒在市场上就不愁没有销路。因此，许多小酒厂的产品都打擦边球，使得市场上的伊力特酒更显得混乱。

肖尔布拉克的光瓶酒一直稳居低档市场榜首，近期推出的25元左右/瓶的"红色风暴"和"绿色风暴"在克拉玛依市场上掀起了狂潮，目前肖尔布拉克的刮刮奖促销正在火爆进行中，刮奖卡中设有手机、MP3、电饭煲等各类诱人奖品，大大提高了消费者的购买热情。据悉，伊力特和肖尔布拉克在当地电视媒体上都已投入了巨额广告费，产品的更新换代也非常及时，时常会有一些诱人的促销活动出现，以此来作为保鲜方法延长产品在市场上的生命周期。

来自伊宁伊犁河酒厂的伊犁河系列酒在克拉玛依也有出色的表现，其价格在15～20元的老陈酒和精品老窖在市场上较为好销。伊犁河也推出了几款中高档酒，但市场表现不尽如人意。外来酒主要是高档酒，五粮液销量稳居榜首，茅台、水井坊等销量很少，剑南春系列酒在市场上不多见。五粮醇在当地的销量稳中有升，形势看好。

阿克苏　阿克苏市位于新疆天山主峰——托木尔峰南麓、塔里木盆地北缘，是一个以维吾尔族为主体、36个民族聚居的地区，素有"塞外江南"和"瓜果之乡"的美誉。

在阿克苏，地产托木尔峰酒在中低档市场上一枝独秀。令人称奇的是，新疆人以喝高度酒闻名，无论是伊力特还是肖尔布拉克，其主流度数均在50度以上，然而托木尔峰却是38度的低度酒备受当地消费者青睐。目前在在市场上，卖到10元左右的半斤装小老窖和20元左右的托木尔峰八年陈最抢手，占据大部分市场份额。中高档系列中，市场价在30元左右的"三五九旅"和36元的经典老窖在流通和酒店中都有不错的销量。肖尔布拉克在阿克苏表现平平，只有卖到9元左右的特曲销路较好。6元/瓶的五粮液火爆酒在当地市场的销量也不容忽视。其他外来酒在阿克苏均无市场。

在中高档市场上，100元左右的伊力王是消费主流，除此之外，五粮醇和五粮春走势很好。剑南春稍逊一筹，每个月销到80件左右。五粮液占据高档市场80%多的份额，令其他名酒望尘莫及。

目前当地的户外广告以伊力特的买断品牌为主，但宣传效果一般。托木尔峰正在酒店的推销和开瓶费上大力投入，有向中高档市场发展的趋势。

市场特点总结和机会分析：

通过对库尔勒、克拉玛依和阿克苏三个城市的白酒市场调查，我们不难发现，当地人对地产酒有着浓厚的情结。中低档市场上几乎很难看到外来品牌。在分析原因时，许多经销商都提到，多数消费者认为新疆地大物博，是个大粮仓，根本不用消费外来酒，地产酒喝着口感更适中。而且大多数消费者相信地产酒是纯粮酿造的，外来酒则多是勾兑的，所以他们对地产酒情有独钟。这种消费心理无形中给外酒进入新疆带来了巨大障碍。据了解，以前有许多外品入疆，绝大多数都无功而返。即便如此，许多经销商还是瞄准了这个潜力巨大的市场。目前，伊力特和肖尔布拉克虽然畅销，但随着其买断品牌和OEM产品的日益增多，消费者也会产生反感情绪，为新品开拓市场提供了契机。一些有远见的经销商对新品给予了厚望：

1.新品一定要保证良好的酒质。新疆是个多民族聚居的地方，西北少数民族爱饮酒，对酒质的要求自然很高。所以外来酒不能只宣传自己的文化，要把品质放在第一位。

2.找准价位。地产酒覆盖了高、中、低档市场，但不是每个价位都好销，需要新品寻找地产酒薄弱的价位作为入市突破口，减少与强势的交锋。

3.要有耐心，肯下功夫。扭转当地人独爱地产酒的意识不是朝夕的事，要从细节上慢慢培养起人们对外来酒的感情。曾有经销商在阿克苏运作沱牌酒，短期不见效便匆忙退出了。

4.拓市前期免不了大力投入，而且要对经销商足够的支持和鼓励，树立起他们推广新品的信心，做好打持久战的准备。

5.伊力特的经销商很多，而且营销网络也较为健全。不妨寻找曾经做过伊力特的经销商来代理新品，充分利用其有利资源迅速打通各个渠道。

宁夏区糖酒市场

一、区情简介

宁夏回族自治区简称宁，地处黄河中上游，是中国五个少数民族自治区之一。东邻陕西，北接内蒙古，南与甘肃相连。总面积为5.18万平方公里，其中引黄灌区占41%，南部山区占59%。宁夏回族自治区下辖银川、石嘴山、吴忠、固原4个地级市；16个县及县级市：青铜峡市、灵武市、永宁县、贺兰县、陶乐县、平罗县、惠农县、中卫市、中宁县、盐池县、同心县、泾源县、隆德县、西吉县、海原县、彭阳县；8个市辖区：银川兴庆区、银川金凤区、银川西夏区、石嘴山区、大武口区、惠农区、利通区、原洲区。

二、市场格局

1、酒业

(1) 宁夏香山酒业（集团）有限公司

宁夏香山酒业(集团)有限公司是1996年11月在原宁夏中卫酒厂的基础上改制重组成立的民营企业，公司实施科技兴企、质量立业战略，经过四年的发展，现已形成集白酒、葡萄酒、枸杞系列制品，饮料、面粉为一体的集团化经营格局。其旗下的宁夏红虽然面世仅仅两年多的时间，但如今已经成为中国枸杞产业的第一品牌。

宁夏香山酒业（集团）有限公司以市场为先导，以科技创新为支撑，以提升品牌优势为突破口，有效整合枸杞之乡资源优势，上项目、扩规模，依托“宁夏红”品牌优势，不断扩大市场占有份额，企业的产业化龙头优势凸显。该企业把依托资源优势上项目、扩规模作为增强企业竞争实力，实现可持续发展的重点，完成了10000吨“宁夏红”生产项目的建设后，准确把握市场导向，又开始项目了20000吨“宁夏红”发酵酒扩建改造项目和20000吨枸杞资料的建设，这两个项目国家确定为“双高一优”和“农业产业化示范”项目，为企业积畜了后发优势。目前企业完成生产量2443吨。

为了把“宁夏红”培育成国内外的知名品牌，香山集团实施了全方位、立体化的品牌塑造战略，提高产品知名度，拓展市场领域，开辟消费空间。并在原有全国28个省、市200多个中心城市建立营销网络地基础上，还建立了1040个县级营销部，形成了以省、市办事处为管理中心的县、市、区三级营销体系，使县级市场得到了全面开发，启动了产品的市场终端消费。

公司的发展战略规划是进一步发展枸杞酒产业，全力打造世界枸杞之都，做枸杞产业之望，并开发饮料产业。

(2) 宁夏贡酒业实业有限公司

西夏贡酒业实业有限公司，原名宁夏银川西夏酿酒总厂，属宁夏回族自治区农垦集团直属企业。于1993年元月组建，并于1995年进行了大规模的扩建。现已发展成为自治区最大的集酿造、贮存、成品灌装，经营销售一体化的中型白酒生产企业。企业目前拥有国内外最先进的生产灌装线、质量检测设备和一座全区自动化程度最高，发酵技术最为科学的浓香型白酒酿造车间。年生产能力达8000多吨。

主要生产的是白酒系列，其中包括西夏贡酒系列、大夏贡酒系列，宁习王酒系列，产量在3000多万左右，主打产品是大夏贡、西夏贡酒，这两个品牌已经连续3年获得省优产品称号。

(3) 西夏王葡萄酒业有限公司

西夏王葡萄酒业有限公司成立于1984年，2001年在中国500多家葡萄酒生产企业中，市场综合占有率排名第7，被自治区政府确定为葡萄产业化的龙头企业，2002年3月西夏王干红、干白葡萄酒获国家质量免检产品。

(4) 广夏葡萄酒有限公司

广夏葡萄酒有限公司酒厂2000年建成生产，规模大、标准高，拥有31吨发酵罐225个，68吨贮酒罐170个，建成的葡萄基地生态效益、社会效益显著，其生产的贺兰山干红、干白葡萄酒已在国内市场上暂露头角，2001年一次性通过了ISO9002质量认证和ISO14001环境认证，是宁夏首家获得“双认证”的企业。

2、乳品饮料

夏进和北塔是宁夏两家乳业的两家龙头企业。2002年以来，两家企业先后同宁夏新华百货股份有限公司和江苏维维集团进行联合，实现强强联合的目标。

宁夏新华百货夏进乳业股份有限公司是目前宁夏最大的液态奶生产企业。1994年始建以来，先后引进了具有世界先进水平的二次超高温灭菌奶生产线和工艺技术、软包装生产线、塑杯灌装生产线，共20条，总资产2.29亿元。液态奶年生产能力已达16万吨以上。通过资本运营，在宁夏平吉堡奶牛场和山西大同市建有两个分公司。公司先后被自治区政府列为自治区肉奶产业“龙头企业”，被农业部列为“国家百家产业化龙头企业”和“中国学生奶定点生产试点企业”。

宁夏新华百货夏进乳业股份有限公司的产品销售网络遍及全国26个省区，各项综合指标名列全国乳品行业前列，其中液态奶产量跻身全国十强。有关资料表明，宁夏畜牧业总产值（现价）达到32.24亿元，占到农业总产值的34.64%，而乳品业已占据了宁夏畜牧业的半壁江山。

三、知名企业

【银川市】

银川市位于黄河上游宁夏平原中部，东以黄河和明长城为界，与陶乐县和内蒙古鄂托克前旗毗邻；西依贺兰山，与内蒙古阿拉善盟为邻；南接吴忠市；北连平罗县。

银川市行政区划面积7080平方公里，2002年年末耕地总面积14.37万公顷。目前银川市市区面积1482平方公里，辖兴庆区、金凤区、西夏区三区以及灵武市、永宁县、贺兰县。2002年银川市年末总人口132.96万人，其中回族35.76万人；非农业人口70.06万人。

知名生产企业

1、西夏贡酒业实业有限公司

2、银川昊都酒业有限公司

3、广夏(银川)贺兰山葡萄酿酒有限公司

4、宁夏汇香源枸杞咖啡食品有限公司

5、宁夏绿潮实业发展有限公司

6、银川维维北塔乳业股份有限公司

7、宁夏香吉(集团)有限公司

【吴忠市】

吴忠市位于宁夏回族自治区中部，东邻陕西定边县，西北和东北与内蒙古自治区阿拉善左旗、鄂托克前期接壤，西南和东南与甘肃靖远县、环县毗邻，北连永宁、陶乐两县，南接海原、固原两县，面积33994平方公里，约占自治区种面积的52%。吴忠市辖利通区、中卫县、中宁县、同心县、盐池县、代管青铜峡市、灵武市。利通区是吴忠市市政府所在地，是全市政治、经济、文化中心，是有悠久历史的塞上古城。人口约181.1万人，其中回族人口60.4万人，占全市总人口的33.4%，是中国回族的主要聚居地之一。

知名生产企业

1、宁夏香山酒业(集团)有限公司

2、西夏集团灵武啤酒厂

3、吴忠市茂源天然果汁有限责任公司

4、宁夏吴忠市雪泉清真乳品厂

5、宁夏新华百货夏进乳业股份有限公司

6、宁夏早安豆奶有限责任公司

【固原市】

固原市地处宁夏南部，1997年末总人口187.6万其中回族人口89.3万，占47.6%；非农人口16.8万。现辖固原、海原、西吉、隆德、泾原、彭阳六县，总面积1.68万平方公里。

知名生产企业

1、宁夏固原金麋子酒业有限责任公司

四、市场概况

【一棵枸杞树，两瓶并蒂酒】

——宁夏红与杞浓市场策略对比

枸杞酒兴盛源于2002年宁夏红的全国招商！在接下来的三年中，宁夏红的销售额达到了3个多亿。随着市场的逐步成熟，枸杞酒的蓬勃发展，宁夏的很多企业都推出了枸杞酒，江中集团西夏王酒业推出的杞浓就是其中的佼佼者。虽然杞浓的销售额仅有几千万，但是其品牌知名度较高，而且其运作模式、市场定位都已经成了行业内所津津乐道的话题。现在，宁夏红和杞浓成了枸杞果酒的代表。

我们对宁夏红和杞浓做了大量的市场调查，从产品策略到渠道策略，再到市场定位策略进行了对比。

宁夏红VS杞浓

在我们对宁夏红和杞浓的全国经销商调查过程中发现，宁夏红和杞浓的经销商并不象外界想象的那样，他们相互之间更愿意把对方看作是朋友，而不是敌人。引用宁夏红河北省销售经理的话就是："对方的出现加速了自身的完善！"

二者相互之间不把对方当作竞争对手，原因在于两个产品之间存在着本质的区别。

产品策略：多样性VS专一性

从产品体系上来看，二者存在着很大区别。宁夏红的产品多而全，遍布高中低档市场，价位从30元、40元、60元到100多元不等，其老产品12度宁夏红枸杞酒商超价位在50～60元/瓶。与此相对，宁夏红推出了不同酒精度数的产品，12度宁夏红枸杞酒是其主打产品，也是最早推向市场的产品之一。18、28度枸杞姑娘和红宝姑娘是其在2004年春交会上推出的新品，目前市场运作力度较大。12度红宝干邑是其精华产品，是面向12度这个拥有最广大消费群的高端产品。产品结构的多样性使得各个区间的不同产品满足了不同需求的消费者。

此外，宁夏红的产品口味普遍发甜，即使是28度的产品，喝起来也有种甜丝丝的感觉。据了解，发甜的口感在我国目前阶段拥有着最广泛的消费群体，宁夏红这种产品特点迎合了最广泛的大众消费者的需求。

而杞浓的产品定位在高端市场，价格普遍较高，从60元、100元到200多元不等，最高的精品礼盒在商超中售价可以达到220多元/盒。相对于宁夏红各个阶段酒精度数齐全的产品来看，杞浓更多的是酒精度在12度左右的产品。应该说，杞浓是枸杞酒中的干酒，它的口感并不太甜，可以依托葡萄酒干酒的销售渠道，具有现成的消费群体。

渠道策略：商超VS餐饮

宁夏红和杞浓虽然在各个渠道中都有走量，但从目前市场情况来看，宁夏红的产品更多还是集中在商超，而杞浓从上市之初就把餐饮终端作为主要渠道。

因为产品结构和前期招商的原因，宁夏红更适合商超渠道的运作。宁夏红礼盒产品因为广告的大力宣传，已经成为礼品酒市场上的佼佼者，"送礼就是送健康，送健康就要送宁夏红"的观念已经根深蒂固。因此，宁夏红的礼盒装产品是其商超销售大军中的主力。

与此相对，杞浓从一上市就把更多的精力投入到了餐饮终端。杞浓背后有江中集团的资金支持，本身又有西夏王葡萄酒比较成熟的走货渠道，因此，终端开发比较理想。而且从它的产品"高价、高档"的定位上来看，也更加适合在酒店等餐饮终端运作。

市场定位策略："大招商、招小商"VS"小招商、招大商"

对于市场来说，经销商的运作成功与否起到很直接的作用。从招商政策上看，宁夏红更多的是"大招商、招小商"的策略。宁夏红为了实现迅速铺货，同时也为了缓解企业推出新品之初的资金压力，在几乎遍及全国范围内广泛招商。这种做法既实现了快速铺货，同时也解决了资金流动慢带来的负面影响，迅速把市场做大。如今，宁夏红在全国二级城市的销售额高达70～80%。可以说，宁夏红的这种策略适应了当时企业发展的需求，迅速做开了市场。

宁夏红的宣传策略也是围绕这个定位开展的。宁夏红从做市场之初，就瞄准了央视，希望借此来形成面上的吸引力。然后，它把央视广告作为对经销商的支持力度之一，从2002年春季西安糖酒会上正式招商，接下来将总部培养的一些营销精英迅速派往各地市场，协助经销商完成前期市场的开发。在全国布局基本稳定之后，宁夏红确立了10个重点市场，然后在这些重点市场的卫视频道投放大力度的广告，实现点的突破，很快就完成了全国市场的布局，而且既有点，又有面，同时在很大程度上带动了消费者的消费热情。

杞浓因为江中集团的背景，没有流动资金的顾虑，而且上市之初，宁夏红已经做开了枸杞酒的市场。因此，杞浓更多的是采取"小招商、招大商"的策略。把全国市场分为六个大区，首先招大区代理商，然后由他们负责来发展下线经销商。同时，确立重点城市市场，政策向重点城市市场倾斜，寻找在该重点城市运作比较成熟而且又具有一定实力的经销商来做，以形成点的突围，获得区域市场的强势地位。这从杞浓的宣传策略上就可以看出。杞浓最初面市更多是把广告投放在各地卫视频道，从最基础的市场抓起，实现在区域市场上的强势，然后转而在央视投放广告，希望借此来完成面上的铺垫，以实现品牌的提升。这种清晰的市场定位适应了杞浓的发展思路。

优势对比

从宁夏红和杞浓的市场现状来看，他们都有自身的一些优势。

枸杞酒作为一个产业，逐渐兴盛起来源自于2002年宁夏红的全国招商。也正是这个时候，在消费者头脑中才形成这样的一种意识，那就是还有一种叫做枸杞酒的产品。

随着宁夏红宣传活动的开展，央视广告、地方台广告、业内媒体广告等，使得人们对于宁夏红耳熟能详。它的品牌积累已经达到一定程度，再加上人们先入为主的意识，宁夏红成为消费者中影响最大的枸杞酒品牌。

此外，在前面我们也提到了，宁夏红在产品结构、定价、礼品酒市场和商超渠道中有着很大优势，这里不再赘述。

杞浓的优势也很明显。江中集团的背景使得杞浓没有资金方面的顾虑，同时也给经销商更大的吸引力。许多杞浓的经销商都提到，自己代理杞浓一方面是看好今后枸杞酒市场的发展潜力，另一方面江中集团的背景也象是给自己吃了一颗"定心丸"，因此，对于做好市场很有信心。

而江中集团西夏王酒业长期以来从事葡萄酒产业的开发，旗下的西夏王葡萄酒通过长期的市场运作已经形成比较稳定的销售网络和渠道，杞浓完全可以利用西夏王葡萄酒现有的网络实现产品的铺货。同时，西夏王在西北、东南市场的餐饮终端比较成熟，杞浓在进入这些地区的餐饮终端可以利用西夏王的网络，具有先天的优势。

此外，很多经销商还提到了杞浓的产品特色，琥珀色酒体加上别致的瓶型，给人一种前卫、时尚的感觉，突破了保健酒一般都比较"老土"的形象，对年轻人的吸引力也很大。

他山之石，可以攻玉

虽然宁夏红成为枸杞酒市场上的领军人物，杞浓的增长势头也非常抢眼，但是他们都存在着一些不足。两者之间应该相互学习，取长补短。

宁夏红的产品很丰富，而且总有新品推出，但是，它应该尽快树立拳头产品，找到重心，用产品提升形象而不仅仅是靠宣传。在我们对山东、河北、内蒙古、福建、重庆等省市调查中了解到，消费者更加青睐的是12度宁夏红枸杞酒。因此，宁夏红应该尽快把12度枸杞酒作为主打产品，同时也要把宣传重心和经销商大力推广的产品放在该酒上，其他产品可以作为对该产品的一个补充，既可以逐步完善产品结构，还可以给经销商更大的利润空间，解决成熟产品利润空间不大的顽疾。

在一些区域应该注意政策的长期性和稳定性，比如在河北承德、山东潍坊等地。承德经销商反映，宁夏红要开发这里的餐饮终端市场，但厂家以前答应的支持策略很晚才落实，而且发生了很大变动，比如促销力度的减弱、进店费的降低等。这些都让经销商在对终端谈判中处于一个很被动的局面，总体来看不利于市场的开发，对产品也造成了一定伤害。

山东潍坊的经销商说，自己代理宁夏红已经二三年了，一直做12度和18度的产品，市场情况不错。但是随着宁夏红推出枸杞姑娘和红宝姑娘，宁夏红又在潍坊找了三家经销商，而且各个经销商之间都有相同产品。这就不可避免造成相互砸价，市场逐渐混乱，不利于宁夏红的长期发展。

确实，宁夏红存在着这样的问题。由于当初"大招商，招小商"的策略，宁夏红的一些经销商已经适应不了市场的发展，经销商的更新换代问题也就摆在了桌面上。但是，宁夏红应该对此形成一套科学的办法。否则，不但会伤害一些老经销商的感情，同时还可能出现经销商恶意砸价的现象。

虽然从产品结构、市场表现来看，杞浓都把自己定位一个高端市场的高档产品，以餐饮终端作为主要走货渠道，但是在餐饮终端竞争逐渐恶化的今天，在除了与同类产品，还要和葡萄酒争夺渠道的现实面前，杞浓应该加大开发力度，拓宽渠道。

让我们欣喜的是，杞浓也正在这样做。在今年中秋、国庆"双节"期间，杞浓加大了对商超渠道的运作力度。在石家庄全市22家A类商超中，杞浓几乎都派驻了促销员，加强在旺季中对消费者的引导；买断端架，把电视摆上货架，一遍一遍地播放自己的宣传片。这样做既避免了竞品对市场的争夺，同时也起到了很好的产品展示作用；此外还开展了广泛的买赠活动，例如，杞浓200多元的精品礼盒赠送食用油一桶；100多元的礼盒赠送一只保温杯；90多元礼盒酒赠送精美的开瓶器一个。这些活动的开展，有效地调动了商超顾客的消费热情，使得杞浓仅在双节期间石家庄商超中的销售额就高达40多万元。

杞浓的下线经销商情况不太理想，尤其是在一些非重点市场。笔者在调查中了解到，在很多地区，都没有杞浓的经销商，比如在潍坊、莱州、福清、内蒙古除呼和浩特以外的城市等。本来这些二级城市是非常有潜力的市场，只要经销商运作得法，市场份额就会节节攀升。现在杞浓在这些地区连经销商都没有，就更谈不上市场开发了。因此，杞浓应该下大力气，加强经销商队伍建设，改善下线经销商招商不利的局面。

<table>
<tr><td rowspan="7">品牌</td><td rowspan="4">主流品牌</td><td>100元以上</td><td>茅台、五粮液、剑南春、“十年陈酿”口子窖</td><td rowspan="4">主流价位</td><td rowspan="4">高档宴请一般在80～110元左右，大众市民酒店消费多在20～40元，而家庭用酒分两个区间，16～18元和3～5元；婚宴用酒以16元左右为主。</td></tr>
<tr><td>30～100元</td><td>“精典”大夏贡、古井贡</td></tr>
<tr><td>10元～30元</td><td>“普瓶”大夏贡、宁西王、金六福“福星一星”</td></tr>
<tr><td>10元以下</td><td>银川白酒</td></tr>
<tr><td>主流香型</td><td colspan="2">浓香型</td><td>主流度数</td><td>42°、45°</td></tr>
<tr><td>主流包装</td><td colspan="3">淡雅的黄色调或青色调的包装在当地较为多见。</td><td></td></tr>
<tr><td>备注</td><td colspan="4">大夏贡、宁西王、银川白酒均为地产品牌。</td></tr>
<tr><td rowspan="8">市场</td><td>商超</td><td colspan="4">中小型商超在当地较为普遍，影响较大的有新华百货集团下属的利华连锁超市，现有12家分店，还有宁夏糖酒副食品连锁超市，也有大约10余家分店。大型商超在当地数量较少，只有北京华联超市的规模较大。
当前在超市表现比较活跃的品牌有金六福福星一星（12.9元／瓶）、古井贡“富贵双喜”（34元／瓶）、单礼盒郎酒（42元／瓶）等。</td></tr>
<tr><td>酒店</td><td colspan="4">本地高档酒店大概20–30家左右，中档酒店约100余家，低档酒店300家左右，比较知名的有宁丰宾馆、雪花大酒店、影都大酒店、虹桥宾馆、红宝酒店等。当前表现活跃的品牌有大夏贡“宁夏精典”（88～118元／瓶）、口子窖十年陈酿（298元／瓶）、古井原浆（80～90元／瓶）等。
口子窖在当地推行买一瓶赠小瓶装的活动，效果较好。</td></tr>
<tr><td>批发市场</td><td colspan="4">在当地影响最大的市场是东环批发市场，辐射全区，现有商户300多家，其中约有100家经营白酒，一批商居多，本市场受西安和兰州的影响较大。另有位于市区中心的小吃街批发市场，30～40家商户，以二批商居多。当前销路较好的品牌有大夏贡、宁西王和银川白酒。
☆畅销品牌通路政策
大夏贡分为两个品种，“普瓶”16.5元／瓶和“宁夏精典”58元／瓶；银川白酒，进价为40元／件，整批是40.5元／件，零批为41元／件。</td></tr>
<tr><td rowspan="5">经销商推荐</td><td colspan="2">公司名称</td><td colspan="2">主营品牌</td></tr>
<tr><td colspan="2">宁夏回族自治区糖酒经营公司</td><td colspan="2">茅台、剑南春、郎酒、大夏贡</td></tr>
<tr><td colspan="2">银川市宏利公司</td><td colspan="2">古井贡</td></tr>
<tr><td colspan="2">银川市泰盛公司</td><td colspan="2">金六福</td></tr>
<tr><td colspan="2">银川市俊达公司</td><td colspan="2">酒鬼、郎酒</td></tr>
<tr><td rowspan="3">广告与促销</td><td rowspan="2">进店费</td><td colspan="2" rowspan="2">酒店一般不低于5000元；大型超市也在5000元左右，单品上架费在300～1000元不等。</td><td>开瓶费</td><td>2元的开瓶费在中低档酒中较为常见，而在中档酒中，则以10～20元的效果较好。</td></tr>
<tr><td>促销员工资</td><td>基本工资300～400之间，加提成约达800～900元左右。</td></tr>
<tr><td>常见促销品及形式</td><td colspan="2">打火机较常见。女性日用品（如化妆盒），还有小玩具和精巧工艺品等比较受欢迎。</td><td>主要广告形式及媒体</td><td>宁夏电视台公共频道的收视率较高，电台宣传和店铺宣传的效果也不错。</td></tr>
</table>

续表

拓展分析

消费与市场

仿佛被人遗忘的一个角落，偏隅西北的银川市场多少有些落寂，品牌少了，竞争也淡了。就消费习惯与市场表现而言，它具有两个特点： 特点一：市场小，波动大，品牌生命力短。 与4万吨消费量的西安和5万吨消费量的兰州相比，只有1万吨左右消费量的银川市场着实有些令人瞧不上眼。无论是名优品牌，还是杂军小牌，均在该地市场鲜有光顾，有商家这样形容银川，它就象难以调教的小赖皮，纵然花费许多的功夫，也难见起色，难见回报。乙诐ㄊ谐〔簧狭坑，仿佛已然成为业界不争的共识。据粗略计算，大大小小的外地品牌算起来也不过只有10余种，并且多数表现不佳。除了茅、五、剑尚存一席之地以外，其它品牌也鲜有表现。曾有许多在全国市场叱诧风云的新锐品牌，也在银川遭遇挫折。

当地消费以地产酒为主，主走中低档价位。据有关资料了解，该地的地产酒企是在1998年之后刚刚兴起的，当前较有实力的企业有西夏贡酒厂，年生产能力约为6000吨，主产品牌是大夏贡、宁西王等；香山酒业，年生产力约为7000～8000吨，主产品牌是宁酒和宁夏宴，还有枸杞酒宁夏红；沙湖酒业，年生产能力约为2000吨，主产品牌是塞上春。与外地品牌相比，地产品牌的经营理念尚欠成熟，营销手法比较单一，但其酒质比较适合当地消费者的口感，再加上较强的模仿学习能力，近几年一直活跃在本地市场，并占据着较大的份额。同全国其它地区一样，当地市场的主导品牌也是频频更替，但以地产酒之间的争夺为主，推陈出新成了厂家的本能，喜新厌旧也成了商家的习惯。

特点二：收入低，消费高，市场潜力可挖。“两头大，中间小”，银川的白酒市场仿佛一个哑铃，除了16元左右的中低档酒在当地销量较大以外，80元以上的中高档酒在当地的销量也比较可观。当地消费者品牌意识较浓，酒质要求较高。 另外，顾及少数民族的饮酒习惯，外界对银川这个“回民之城”往往持有偏见，这或许也是外地酒来宁数量较少的原因之一。据本刊调查，银川的市民现在90%均为外地人，以“移民城市”作为定位可能更加恰当。就整个宁夏地区而言，回族人数也仅占30%左右，更多的是汉族人。而且，回族人中的青年人也有忽略族忌，主动饮酒的趋势。

品牌点评与竞争分析

银川白酒　在低档酒市场，该品牌的市场份额最大，无论口感还是价位均颇得人心。2003年3月份，该品牌小幅提价，原零售价在3.9元左右，提价后为4.5元，当前市场出现短期断货。春节前，当地沙湖酒业推出一款新品“塞上粮仓”，简装，零售价4元左右，该品牌对银川白酒的霸主地位颇具威胁。其终端工作扎实细腻，几乎在每一家零售店铺均可见其广告招贴。

大夏贡　大夏贡是宁夏回族自治区糖酒经营公司和当地子昆商贸公司联手运作的，2002年7月份启动，10月份左右在当地开始走销，战绩不俗。据了解，该品牌计划在今年7月份推出另一款大夏系列新品。同档次的竞争品牌还有当地西夏贡酒厂出品的“宁西王”走势也不错，其以福利彩票作促销效果较好，但遗憾的是，与合作单位的协调工作处理不够理想，兑奖出现问题，宣传效果大打折扣。

口子窖　该品牌是由厂家直销处运作的，是外地酒中在当地市场表现不错的一个品牌，主推渠道是酒店。其五年陈酿和十年陈酿两个品种均走势不错，其酒店价分别为180元左右和290元左右。消费者反映酒质较好。据粗略估计，其月销售额在10万元左右。

郎酒　其礼盒装在当地走势较好。另外当地香山酒业出品的枸杞酒“宁夏红”在礼品酒市场颇为流行，占据着主导。

拓市提示 不来也可

品牌少，竞争淡，这就是银川。银川市场仿佛是一个泥潭，走进去容易，但走好难。

开发建议一：市场没有大小，只要适合，就是最好。这是选择银川的理由。与其全国撒网，泛泛投入，不如选择市场空白，精耕细作。口子窖的作法就是最好的范例。

开发建议二：投入与产出的比例是衡量市场最客观的标准，放弃也是拥有。 笔者以为，在银川市场，还是要讲究一下打法，对付“嘴刁”的银川人，常规的广告拉动是必须的，但酒质同样也要放在首位。当地消费者的口感是入口绵甜，不冲头。

（糖烟酒周刊）

青海省糖酒市场

一、青海概况

青海省面积72.23万平方公里，东西长1200多公里，南北宽800多公里，辖6州、1地、1市、51个县级行政单位，总人口518万人。青海是一个多民族聚居的地区，主要少数民族有藏族、回族、蒙古族、撒拉族、土族，少数民族人口占全省人口的42.76%。周边与西藏、新疆、甘肃、四川四省区接壤。青海省气候属典型的高原大陆性气候，日照时间长。省会西宁市及海东地区夏无酷暑，冬无严寒。

二、市场格局

1、白酒

青海省现有白酒生产企业30多家，其中17家企业取得了白酒生产许可证。这些企业除青海青稞酒集团白酒生产能力达到1.8万吨以上外，其他企业生产规模均在千吨左右。从生产工艺、设备、产品质量来看，除规模较大的白酒生产企业可以保证质量外，其他企业生产条件较差，有些企业特别是州县自办的小酒厂，无检测手段，产品质量无法保证。加上屡捣屡筑的制假窝点，影响了青海白酒的信誉和销售。现在，外地白酒在青海销售的攻势一年强似一年，不光广告铺天盖地，营销手段之强之新也使青海人惊叹，由此招来一贯喜欢喝青海酒的青海人纷纷想换个口味，将“彩球”抛向了“他人”。

青海省白酒市场的年消费能力为5万吨，其中青稞酒集团占2万吨，金塔集团占4600吨，西宁酒业是老三，其他小酒厂份额都不大。近年来，各个厂家的销售量逐年下降。青稞酒是青海酒的代名词，也是青海特色产业之一。

2、啤酒

曾经风靡一时的青海自酿啤酒在一阵狂飙之后一度消沉了下去。早在1983年就尝试并得到成功的青海雁鸣牌啤酒，当属青海啤酒行业的“先祖”。然而，好景不长，火爆一时之后的雁鸣便开始长久沉默。

如今，正当甘肃“西凉”和西安“汉斯”系列啤酒稳居青海啤酒市场之鳌头，并仍在不断地“磨刀嚯嚯”之时，后续上市并冠以“省宴用酒”之雅称的圣雪牌啤酒却“门前冷落鞍马稀”。在西宁新宁广场上扎堆的圣雪啤酒，最高纪录一天100扎（即900瓶）的销售量，在青海这个日销千余扎的大市场中已是憋足了劲儿才得来的。

三、知名企业

【西宁】

西宁是青海省省会和全省政治、经济、科技、文化、教育及交通通讯中心。西宁迄今有着2100多年的悠久历史，现辖城东、城中、城西、城北四个区和大通(回族土族自治县)、湟中、湟源三县，总面积7665平方公里，市区350平方公里。常住人口174.47万人，其中市区人口73.17万人，市区人口密度2091人/平方公里。现有汉、回、藏、蒙、满、土、撒拉等37个民族，是黄河上游第一个百万以上人口的中心城市。

知名生产企业

1、青海金塔青稞酒业有限责任公司

【互助土族自治县】

互助土族自治县位于青海省东北部，北倚祁连山脉达坂山，东与甘肃省毗邻，西南与西宁市接壤，东西长86公里，南北宽64公里，总面积3423.9平方公里。县城威远镇距省会西宁31公里，县城面积8平方公里。县辖21个乡镇294个行政村，总人口36.9万，有汉、土、藏、回等12个民族，其中土族6.9万人，是全国唯一的土族自治县。

知名生产企业

1、青海青稞酒业（集团）有限责任公司

四、市场概况

【川酒“闹”青海，地产“临”危机】

青海省人口不多，但当地人擅饮，白酒市场容量很大，经销商估计青海每年的白酒销售额可以达到六七亿元。西宁作为青海的中心城市，成为白酒品牌逐鹿青海的主战场。

五粮液系列品牌畅销

川酒在青海市场表现活跃，当地经销商反映，上世纪八九十年代，由于“五粮液”的带动，川酒在当地就很畅销，后因青稞酒的崛起，川酒逐渐淡出市场。本世纪初，以“五粮液”系列品牌为代表的川酒卷土重来，市场份额逐年增长，覆盖了高、中、低各个层次。

作为“五粮液”重点运作的全国性品牌，五粮春在餐饮渠道百元左右价位的酒水中自点率最高，五粮醇则在50元左右价位的白酒中销量排名前三甲。

金六福在青海畅销已经有一段时间了。据经销商反映，金六福进入市场较早，前期铺市率更是达到了80%以上，再加上宣传与促销的力度较大，使它占据了中档市场的主流地位。也有经销商对成熟期的金六福提出了格外注意防范窜货的建议。

春夏秋冬定位于中档，前期促销力度较大，每瓶酒都赠送有精美的打火机，口感也得到了消费者的认可，购买率较高。2004年，该品牌在青海市场的销售达到了一个高峰，在同等价位的产品中销量仅次于金六福。不过，该酒今年市场下滑迅速，这与厂家支持力度减小有关。

火爆酒是五粮液酒系列中的低档产品，2003年开始进入青海酒市，主销零售价2～3元的光瓶酒，该酒在低档领域比较畅销，市场呈现上升态势。

目前青海市场上可以看到“金泸州”、“永盛烧坊”、“一桶天下”、“泸州老窖头曲”、“国窖.1573”等泸州老窖的系列产品，当地商家对中等价位的“金泸州”、“永盛烧坊”的市场前景看好。

青海市场上活跃着数十个“五粮液”系列品牌，今年春交会以后，又有多个“五粮液”子品牌进入，就连主打华北的现代人也不远千里来到西宁开起了专卖店。众多品牌的蜂拥而入丰富了当地市场，但是因为一些品牌大肆买店、零售店赊销等行为，也在一定程度上打乱了当地市场的固有秩序。

“互助”青稞显露疲态

在外来品牌大举拓市之时，曾经强势的地产名酒——“互助”青稞却显露了疲态。该酒市场价格混乱、透明度高，经营利润低，很多经销商都放弃了该品牌。2003年下半年，厂家曾经对销售体系进行了调整，重点推出了“青稞纯净酒”、“天佑德”几个中档价位的产品，并在2004年达到了一个小高潮。可是到了今年，厂家力度明显减弱，该品牌市场占有率急速下滑，除了在效县市场较高占有率之外，目前在西宁等主要城市的商超中已经很难再看到该酒了。2004年年底，互助青稞被认定为中国驰名商标，经销商希望厂家利用好这块资源，重振往日雄风。

除了互助青稞之外，青海市场还有很多地产的青稞酒以很低的价格自相残杀，严重影响了青稞酒的整体品牌形象。经销商对于它们又爱又恨，一方面这些品牌的不正当竞争行为严重干扰了市场秩序，造成经销商利益下降，另一方面，经销商又不原意看到作为当地特产的青稞酒走出青海，以自己独特的卖点去开拓全国市场。

市场正在整合　目前在青海酒市，川酒的市场占有率能达到50%左右，并且正处于上升态势，地产品牌的市场占有在30%左右，主要集中在低档价位和流通领域，剩余部分则被其他外来酒瓜分。但是，目前市场上不没有形成强势品牌，正处于“诸侯混战”的整合阶段。当地商家分析，这种状况不会持续很长时间，市场洗牌者将会在川酒或地产酒中产生。

对即将进入青海市场的咱，应注意以下几个问题：首先，当地的消费者对名牌产品比较认可，而且容易受广告与促销活动的影响。其次，青海气候凉爽，白酒消费淡旺季不明显，拓市品牌应该做好全年营销的准备。

【西宁白酒市场：侧重家庭消费】

市场概述来自中国茶酒信息网

在西宁，家庭消费占白酒总体消费的比重较大。因此，白酒产品应该侧重开拓家庭消费市场。目前，家庭消费主流产品集中在中档和中低档，主流价格在20元～30元。主流产品有：清香型“互助”青稞酒、永盛烧坊“伍壹捌”和金六福及银剑南。而中高档白酒市场空间狭小，甚至青海省总体消费空间仅5000万，而且提升空间不大，主流产品是零售价为100多元的五粮春。目前，主流消费香型正在由清香型向浓香型过渡，但消费者对地产清香型白酒的需求依然很强。

来自中国茶酒信息网

【来自中国茶酒信息网】

酒质要保持稳定来自中国茶酒信息网

西宁市人口较少，但白酒消费量很大。其中，家庭日常消费占很大比例。因此，当地消费者比较懂酒，对酒质很在意。所以，进入西宁市场的前提条件就是品质的保证，切忌酒质不稳。另外，西宁消费者在当地清香型和川酒浓香型白酒之间摇摆不定。新进白酒产品还要做好对口味的引导。比如，伊力特和肖尔布拉克曾经在西宁市场销量不错，但后来买断品牌和OEM产品增多，质量不稳定，影响了其品牌声誉，最终受到了消费者的抵制。还有一个影响就是，普通消费者对买断品牌的信任度降低了。因此，在市场开拓中，买断品牌应尽量淡化买断概念，以降低市场风险。来自中国茶酒信息网

【大中型商超是最重要的渠道来】

在选择白酒产品时，西宁普通消费者最在意的是品牌，而进入大型商超本身就是对产品品牌的最有力支持。西宁家庭消费白酒的最重要的渠道是大中型商超，大型商超主要有华联、大百和万通。进入西宁市场之初，银剑南代理公司麟凤经贸有限公司并未将人力和物力重点投放于餐饮终端，而是选择在大中型商超和分销渠道。主要原因就是，餐饮渠道受众面有限，品牌传播速度有限。在进入大型商超的带动下，分销商积极性提高了。于是，麟凤经贸有限公司集中精力进行分销渠道的铺货，加大对分销商的支持。这样保证了银剑南的铺货密度，甚至在社区中小型商超的铺货率达到了50%以上。同时，中小型商超或便利店假酒开始出现，给品牌造成了一定的负面影响。因此，麟凤经贸加大了对渠道和经销商的管理。　来自中国茶酒信息网

【来自中国茶酒信息网】

公交车体和报纸是最佳广告投放媒体来自中国茶酒信息网

消费者对媒体的接受程度依次为户外街牌、公交车体、报纸、电视广告。酒类户外广告存在时间比较长，对消费者的影响也是经常性的。因此，户外广告的形象展示作用是最明显的。但是，街牌、楼顶等户外广告违规现象较多。目前，西宁城管机构对户外广告管理力度加大，户外广告的审批难度也加大了。而且，原来很多街边、楼顶和其他位置的广告牌被清除。因此，经销商与厂家应规范操作户外广告，还要做好政府公关。但这其中牵扯敏感问题，最好不要介入。至于电视媒体方面，西宁当地电视节目制作水平有限，很难受到消费者的喜欢。而且，中央电视台和其他地方电视台使普通观众严重分流。因此，投放当地电视广告往往得不偿失。来自中国茶酒信息网

目前，公交车体广告是最受经销商欢迎的。其一，由于很多消费者上班和回家都会乘坐公交车。因此，车体广告对消费者的辐射传播作用是显而易见的。其二，从性价比上来说，公交车体广告价格便宜，时间控制灵活，流动性高。车体位置分为全车身、车侧、车前和车后，广告面积可以分为1/3、1/2和全部等，比较灵活。其三，西宁城市分布以东西向为主，因此，最好选择东西向路线的公交车投放广告。其四，普通家庭消费者一般从大中型商超、社区便利店购买白酒。所以，被选择投放的公交车的行车路线附近应有大中型商超、居民聚集区。　来自中国茶酒信息网

西宁主流报纸有《西宁都市报》和《西宁晚报》。报纸广告种类比较多，包括各种分类广告、不同版面的广告等。一般酒类广告应该侧重于大版面广告，有利于提升品牌形象，最好不要做小版面分类广告，但大版面意味着较大的投入。因此，报纸广告应集中投放于特殊时间，如春节、元旦、中秋等。

东北地区糖酒市场

辽宁省糖酒市场

一、省情简介

辽宁省是中国东北地区南部的沿海省份，是中国东北经

济区和环渤海经济区的重要结合部，南临渤海、黄海，隔鸭绿江与朝鲜为邻，东南隔海与日本相望，东、北、西三面与吉林、内蒙古、河北等省区接壤，靠近俄罗斯，是连接欧亚大陆桥的要冲，是中国东北地区进行对外贸易和国际交往的重要通道。辽宁省总面积14.59万平方公里，总人口4171万，有汉、满、蒙 古、回、朝鲜、锡伯等民族。全省有14个省辖市，44个县(市)。省会设在沈阳市。

二、市场格局

1、白酒

在辽宁地产酒中，道光廿五集团和辽宁龙口酒业的影响比较大。其中，辽宁道光廿五集团被辽宁省省长薄熙来誉为辽宁的一张名片，并被称为辽宁省 “十个国家名牌产品”之一，它是全中国唯一的满族工艺的酿酒企业。2003年，道光廿五集团完成产成品产量1万吨，其中高档占70%，完成现价产值9173万元，实现销售收入1.5亿元，税金3200万元，人均年收入1.2万元，各项经济指标均居全省白酒行业前列。它在全国三万家年产500吨以上的酿酒企业评选出的知名品牌效益56强中位列第54名。

龙口酒业生产的老龙口酒在沈阳及周边地区的影响比较大。而道光廿五在辽宁省的几个地市级市场上位于“辽老大”的位置，不过在不同区域内的表现差异很大，市场未能获得均衡发展，仅在锦州、鞍山等地比较畅销。

2、啤酒

辽宁是华润啤酒的发祥地，华润啤酒的第一家企业就在辽宁——沈阳华润雪花啤酒有限公司。从1994年沈阳开始到2002年底成立盘锦华润啤酒有限公司，辽宁公司近十年时间的成长壮大，见证了华润啤酒飞速发展的平凡与神奇。华润啤酒的历史和未来始终都叙述着两件事：一个是人，创造华润啤酒发展奇迹的主要领导者及各大区域总经理全在辽宁留下过工作的足迹；一个是品牌，一个清清爽爽、响响亮亮的名字——“雪花”，是从辽宁最先飞起，飘向全国各地的。目前，除沈阳华润雪花啤酒有限公司外，华润在辽宁的下属公司还有大连华润啤酒有限公司、大连华润棒棰岛啤酒有限公司、鞍山华润啤酒有限公司、辽阳华润美月啤酒有限公司、盘锦华润啤酒有限公司。

沈阳雪花啤酒是雪花啤酒是中国啤酒业中的老名牌，很长时间里，雪花啤酒主要用于出口，20世纪80年代后期才开始对涉外宾馆和部分重要机构限量特供。1994年，雪花啤酒被华润啤酒收入旗下后，经过打造，荣获“中国市场1998～2001年度同类产品五大畅销品牌”称号，2002年，雪花啤酒又被认定为“中国名牌产品”。

除此之外，辽宁本地啤酒生产企业中，大连大雪啤酒股份公司也占据着重要的地位。近年来，大雪啤酒股份有限公司先后投资3.5亿元，引进了世界上先进的生产设备和工艺技术，提高产量，保证质量，站稳市场，赢得效益。

3、乳品

沈阳辉山乳品有限公司是辽宁乳品企业的老大。对于全国的消费者来说，辉山的品牌并不被更多的人所了解，但是，在沈阳地区，辉山就是乳品的代名词。央视调查公司数据显示，2001年，辉山乳业获乳品市场区域品牌全国第一，市场占有率90%以上，这个成绩甚至好于光明、伊利、蒙牛、三元在企业所在地的市场表现。“辉山”牛奶就是沈阳市政府大力支持的一个品牌，“辉山”奶占据了沈阳袋装奶市场的大部分市场份额，每日的销量相当大。

三、知名企业

【沈阳市】

沈阳市地处中国东北地区的南部，辽宁省的中部。沈阳地区以平原为主，地势平坦，山地丘陵集中在东南部，属辽东山地丘陵的延伸部分。

沈阳市下设辖1市3县9区，设有四个开发区。有和平、沈河、大东、皇姑、铁西、东陵、新城子、于洪、苏家屯9个区，新民1个县级市，辽中、康平、法库3个县。下设113个行政街道，85个乡，55个镇。沈阳市总人口685.1万(市区485万)。

地处辽东半岛的沈阳市，地产酒的产量较低与这个特大城市白酒消费量大形成了鲜明的对比，于是沈阳便成了全国众多白酒厂商的必争之地。走进沈阳市场给人的第一感觉就是品牌繁杂、整体混乱，尤其是在中档市场上，道光廿五、泸州老窖、剑南春系列、古井贡、金六福、鹤乡王、老龙口系列等都在竭尽全力地扩大自己的市场份额。高、低档市场和中档比较虽然相对稳定，但是水井坊的发力已经给高档市场造成了一股冲击波，而在低档市场上具有一定优势的老龙口也正在遭遇着外来品牌的威胁。因此，沈阳白酒市场相对开放的特点使其显得更加混乱。

知名生产企业

1、沈阳华润雪花啤酒有限公司
2、沈阳市天江老龙口酿造有限公司
3、沈阳桃山酿酒集团总公司
4、沈阳市金驰集团酒业有限公司
5、沈阳红梅企业集团有限公司
6、沈阳麦金利食品制造有限公司
7、沈阳乳业有限责任公司
8、辽宁东北虎饮品集团有限公司
9、沈阳可口可乐饮料有限公司
10、辽宁省沈阳八王寺食品饮料有限公司

【铁岭市】

铁岭市系辽宁省省辖市之一，位于辽宁省北部，松辽平原中段。南与沈阳市、抚顺市毗邻，北与吉林省四平市相连，东与抚顺市清原满族自治县、吉林省辽源市接壤，西与沈阳市法库县、康平县及内蒙古自治区科尔沁左翼后旗和通辽市为邻。铁岭市有二个辖区：银州区、清河区；二个县级市：开原市、铁法市；三个县：铁岭县、昌图县、西丰县。首府设在银州区。

知名生产企业：

1、北方绿色食品股份有限公司墨尼啤酒分公司

【大连市】

大连市地处欧亚大陆东岸，中国东北辽东半岛最南端，东濒黄海，西临渤海，南与山东半岛隔海相望，北依辽阔的东北平原。是东北、华北、华东以及世界各地的海上门户，是重要的港口、贸易、工业、旅游城市。全市总面积12574平方公里，

其中老市区面积2415平方公里。现辖3个县级市(瓦房店市、普兰店市、庄河市)、1个县(长海县)和6个区(中山区、西岗区、沙河口区、甘井子区、旅顺口区、金州区)。另外,还有4个国家级对外开放先导区(开发区、保税区、高新技术产业园区、金石滩国家旅游度假区)。

知名生产企业

1、大连大雪企业集团啤酒有限公司
2、大连华润啤酒有限公司
3、大连星海啤酒有限公司
4、大连长兴实业股份有限公司
5、大连金州华泰酒业有限公司
6、大连市金州酒业有限公司
7、华润棒棰岛啤酒有限公司
8、大连酒厂
9、大连川连酒厂
10、大连真爱果汁有限公司
11、大连桑地天然品有限责任公司
12、大连华农豆业集团股份有限公司
13、大连乳制品厂
14、大连理想食品有限公司

【鞍山市】

鞍山市位于辽宁省中部,东北与辽阳县毗邻,西与大洼县相连,南与大石桥市、庄河市、凤城县接壤,是我国重要的钢铁生产基地,素称"钢都"。现辖海城市、台安县、岫岩满族自治县和铁东、铁西、立山、千山四个城区。全市总面积9252平方公里,总人口344.2万人。其中市区面积624平方公里,人口173.7万人,是我国拥有百万以上人口的大城市之一。

在鞍山市场上古井贡经过几年的运作之后表现得一直很稳健,此外泸州老窖和四特在此也占有部分市场份额。据了解,该地消费者相对比较理性,对大搞促销的产品不太感兴趣,对白酒的口感和质量比较重视,所以上述品牌在该地拥有部分消费群体也许正得益于此。值得关注的是曾经热销的西凤酒近年来市场份额有所下滑,据其代理商表示,主要是厂家的维护力度有些不够。西凤的下滑也许会给市场留下相对宽松的环境。不过,综观鞍山市场,新品上市较少,反而给了各路厂商以更多的机会,尤其是在中低档市场上。

知名生产企业

1、青岛啤酒(鞍山)有限公司
2、鞍山市龙星酿酒有限公司
3、鞍山华润啤酒有限公司
4、鞍山市金洋饮食有限公司

【本溪市】

本溪是一个以钢铁、煤炭、医药、化工、 机械为主要特色的工业城市。本溪地处辽东半岛东南部,北界沈阳、抚顺,南连丹东,西接辽阳,东与吉林通化毗邻。本溪市管辖两县四区。即本溪满族自治县、桓仁满族自治县和平山区、明山区、溪湖区、南芬区。全市总面积8348平方公里,其中城区面积140平方公里。全市总人口155.6万人(96年统计)其中城市人口95万人。本溪是多民族聚居区,共有汉、满、回、朝鲜、蒙古等20多个民族,其中满族人口42万人。

在本溪市的白酒市场中,中档酒市场最为活跃,争夺也最为激烈,特别是金六福、浏阳河、泸州老窖、全兴等品牌,使这里的白酒市场硝烟弥漫,充满了刺鼻的战火味儿。地产酒中华丰和其他几个不知名的品牌也在积极拓市,但由于当地消费者对外地知名品牌日加青睐,所以地产酒的前进步伐也是比较艰难。

知名生产企业

1、辽宁铁刹山酒厂
2、本溪市啤酒厂
3、本溪县粮食酒厂
4、辽宁本溪万事达野果加工公司
5、本溪市木兰花乳业有限公司

【丹东市】

丹东市是辽宁省辖市,是中国最大的边境城市,位于辽东半岛经济开放区东南部鸭绿江与黄海的汇合处,处于东北亚经济圈的中心地带,东与朝鲜民主主义人民共和国的新义洲市隔江相望,南临黄海,西界鞍山、营口,西南与大连市毗邻,北与本溪市接壤。总面积14981.4平方公里,其中市区面积563平方公里。丹东大陆海岸线长120公里,沿海有大鹿岛、小麦岛等岛屿。

丹东地产白酒品牌凤城老窖已有多年历史,在白酒竞争如此激烈的形势下依然在丹东白酒市场中占有大约50%的市场份额,其中10元和30元一瓶的凤城老窖销量最好。与许多品牌的操作方式一样,凤城老窖在丹东也是主要走餐饮终端,在酒店里十分重视品牌形象的维护。当前该品牌已成为外地酒杀入丹东市场的一个最大障碍。外地酒中只有川酒的表现形势还比较乐观,比如金六福、郎酒以及金、银剑南等,但总体份额上升的可能性不是很大,毕竟当地消费者对地产酒的口感、价位已经习惯,况且地产品牌的运作方式也并不比省外差。

知名生产企业

1、丹东市安民酒厂
2、辽宁凤城老窑酒厂
3、丹东元隆有限责任公司
4、丹东鸭绿江啤酒有限责任公司
5、丹东罐头食品总厂

【朝阳市】

朝阳市位于辽宁西部,冀蒙辽三省交界地带。辖2市3县2区,总面积1.97分平方公里,总人口334万。

知名生产企业

1、朝阳天江老龙口酿造有限责任公司
2、辽宁省凌源市天元酿酒有限责任公司
3、辽宁建平松林集团公司
4、建平神兴沙棘有限公司

【抚顺市】

抚顺位于辽宁省东部,东与吉林省接壤,西距省会沈阳市45公里,北与铁岭毗邻,南与本溪相望。辖3县4区和2个经济开发区,即:抚顺县、新宾满族自治县,清原满族自治县,新抚区、望花区、东洲区、顺城区、抚顺经济开发区和抚顺胜利经济开发区,全市总面积10816平方公里。总人口231万人,是全国特大城市之一。

抚顺是全国百万人口大城市之一，东北的工业重镇，素有煤都之称，当今又是著名的石化之城，经济水平较高，所以这里的白酒不仅消费量大，消费水平也决不亚于省会城市，比如在酒店里百元左右的白酒有相当大的销量。就当前的品牌状况来说本地酒千台春占有很大的市场份额，该酒在当地已有多年历史，市场根基深厚，特别是190多元一件（1×6）的品种销量最好。在低档市场中本地的抚顺白占据主流。而外地酒中金六福和江西的四特有上佳表现，特别是金六福，有经销商告诉记者金六福在抚顺仅宣传费用一年就能花200万元左右。尽管如此该地依然存在不小的市场空缺，但是这个巨大的消费市场似乎已经被人意识到，泸州老窖、酒鬼、湘泉等近年来也明显加大了对抚顺市场的进攻步伐。

知名生产企业

1、抚顺天湖啤酒有限公司

2、抚顺千台村酿酒有限公司

3、抚顺德力啤酒有限公司

4、新宾满族自治县东星葡萄酒有限公司

5、天湖饮品有限公司

【阜新市】

阜新位于辽宁的西北部，是一座新兴的工业城市。东邻省会沈阳市，南靠渤海辽东湾，与大连港南北相望，西与锦州港、京津地区相连。近海的北温带大陆性季风气候使这里光照充足，雨热同季，四季分明，寒暑宜人。总面积10355平方公里，辖两县五区。193万人口中，城市人口78万。

知名生产企业

1、阜新三沟酒业有限责任公司

2、阜新市啤酒厂

【葫芦岛市】

葫芦岛市位于辽宁省西部沿海，是东北地区进入关内的重要门户。葫芦岛东与锦州为邻，西与山海关毗连，南临渤海湾，北与朝阳市接壤土地面积1.04万平方公里，耕地22.5万公顷。辖3区、2县、1市，总人口270.9万人，其中非农人口78.5万人。

知名生产企业

1、辽宁省葫芦岛市松年酒业有限公司

2、辽宁葫芦岛市鹿王春酒厂

3、辽宁兴城市啤酒有限公司

4、绥中县酒厂

【锦州市】

锦州市位于辽宁省西南部，东与盘锦、鞍山、沈阳市相连，西与葫芦岛市毗邻，南濒渤海辽东湾，北依松岭山脉与朝阳、阜新市接壤，下辖凌海市、北宁市、义县、黑山4个县（市）和古塔区、太和区、凌河区、经济技术开发区、高新技术产业开发区和南站新区6个区。全市总面积10301平方公里，其中市区面积440平方公里，建成区面积52平方公里。总人口307.1万，其中城市人口84.5万。

当地人对本地酒似乎有一种特殊的感情，最具代表性的当属道光廿五。该品牌在锦州市场上占尽了地利、人和的优势，销量遥遥领先。同时，这几年道光廿五对本地的终端抓得很紧，以终端来拉动整个白酒市场的销量，取得了不错的效果。而凌川和大连金州酒在低档市场互相较量，不分上下。外地酒中只有金六福还好一点，尤其是该品牌在婚宴市场上经常搞一些搭赠促销措施，受到不少消费者的喜爱。对于当前的市场来说中档市场格局发生变化的可能性最大，尤其是包装上适当出奇一些或礼盒式的包装更具有较大的潜力，但总体来说当地消费者对地产酒依然情有独钟。

知名生产企业

1、辽宁锦州道光廿五满族酿酒有限公司

2、黑山县酒厂

3、锦州净瓶泉啤酒有限公司

4、锦州凌川酒业有限责任公司

【辽阳市】

辽阳地处辽宁省中部，东临本溪、凤城、岫岩，南界鞍山、海城，西接辽中、台安，北依沈阳。辽阳是一个多民族地区，全市共有27个民族，其中汉族占93%。千人以上少数民族有满、回、朝鲜、蒙古、锡伯族，有3个少数民族乡、19个少数民族村。总人口179.2万人，其中，非农业人口75.2万人，建城区人口60万人。

在辽阳市场上地产酒顶多只能在低档市场上称雄称霸，中高档市场上大部分都是外地酒的身影，但是许多品牌中并没有表现特别突出的，当前基本处于一种混战的局面，相对来说只有泸州老窖的市场还是一直比较平稳，特别是它的头曲和特曲多年来一直很受市场欢迎。此外高档市场上水井坊、金剑南等上升势头比较明显，尤其在许多高档酒店，所以当地业内人士认为，高档市场的机会目前来说不是很大，相对来说处于混战局面的中档市场上也许正需要一个领导性品牌。

知名生产企业

1、辽阳华润美月啤酒有限公司辽阳美月啤酒股份有限公司

2、辽阳千山酒厂

【盘锦市】

辽宁省盘锦市是1984年经国务院批准建立的省辖市。位于辽河冲积平原的最南端，西、北邻锦州，东界鞍山，南临渤海辽东湾。辖兴隆台、双台子两区和大洼、盘山两县。区域面积4071平方公里，总人口120.8万。

知名生产企业

1、盘锦大米王酒业有限公司

2、盘锦鹤乡酒业有限公司

3、盘锦市盘山酒业有限责任公司

4、盘锦辽河啤酒有限公司

5、盘锦莲花酒厂

6、辽宁源源绿色乳业集团

【营口市】

营口市位于辽东半岛西北部，大辽河入海口左岸。西临渤海辽东湾，与锦州、葫芦岛隔海相望；北与大洼、海城为邻；东与岫岩、庄河接壤；南与瓦房店、新金相连。现辖四区(站前区、西市区、老边区、鲅鱼圈区)，两市(大石桥市、盖州市)。市域总面积5365平方公里，占辽宁省总面积的4.88%。营口港(包括鲅鱼圈港区和老港区)为全国19个主枢纽港之一。市域内有两条跨市输油管道通向营口港(鲅鱼圈区)，有一条跨省输油管道经过境内。

营口白酒市场上基本是地产品牌和外地品牌平分秋色，这一内一外给该地白酒市场构筑了一道铜墙铁壁。其中，地

产酒凌川、燕王和老龙口在中低档市场上占有绝对优势，中高档市场上泸州老窖、洋河和道光廿五拥有一批忠实的消费者。据了解，金剑南在进入营口市以来，流通、终端双管齐下，并且通路上的利润也使商家对金剑南做强做大充满了信心。而水井坊在高档市场上夺有一部分市场份额也给了更多厂商以信心。总之，对于欲进入营口市场的白酒品牌来说应当格外小心，否则很有可能被撞得头破血流。

知名生产企业

1、营口市瑞雪啤酒有限责任公司

2、营口市啤酒有限公司

3、营口名香矿泉酒厂

4、鲁冰花集团辽宁鲁冰花集团有限公司

5、辽宁省熊岳维力佳酒业公司

【铁岭市】

“铁岭市每年白酒总的消费额有1500万元左右”，这是该市一位做白酒的业内人士告诉我们的，“1500万”，可见该市的白酒消费量有多大。但是在铁岭市的白酒市场上基本是外地酒在唱主角，金六福、泸州老窖以及黑龙江的清老白酒基本上占据着该市白酒市场的主流。一位商家向我们透露，金六福去年在铁岭卖了340万，清老白酒卖了300万，而从去年开始市场明显看好的泸州老窖也卖了200多万。但尽管如此当地商家对这里的市场潜力依然比较看好，“再多出几个大几百万的也不稀罕”！

四、市场概况

【“华润雪花”的全国化品牌战略】

经过“圈地运动”式的企业并购，中国啤酒企业的规模得到了空前的提高。自1993年香港华润创业携手国际啤酒巨头SAB介入啤酒业务以来，华润雪花旗下的啤酒企业已近40家，总产能达560万吨。这个产能甚至超过了青岛啤酒和燕京啤酒，但问题是，华润雪花怎么“消化”好这些被并购的啤酒企业，将这些企业生产、销售、管理、财务、市场等环节纳入自己的体系，并为之注入新的活力？

并购大战的高潮结束后，中国啤酒进入了品牌竞争时代。从2002年开始，华润雪花将雪花啤酒定位为全国性品牌来推广，2004年雪花啤酒单品牌销量已达107万吨，进入全国啤酒单品牌前三名。2005年，雪花啤酒的品牌价值达88亿，成为中国成长速度最快的全国性啤酒品牌；2005年，雪花啤酒销量达158万吨，单品牌销量行业第一。

在竞争激烈的行业环境中，华润雪花为何能快速成长？华润雪花点中了行业的哪个要穴？雪花啤酒的广告口号是“畅享成长”，华润雪花用什么秘密武器来驾驭这种成长快速，畅享自己的成长？在年终繁忙的时节，华润雪花啤酒市场总监侯孝海接受了《销售与管理》的采访。

全国性品牌的“三维”

全国性品牌意味着企业的全国生产布局，也直接告白了企业将打造一个全国品牌。但中国的啤酒市场这么大，区域差异大，相对美国AB公司在美国啤酒市场近50%的占有率，中国的啤酒品牌怎样才够得上一个全国品牌呢？如果品牌全国化是个梦想，那么就给这个梦来个尺度。

《销售与管理》：青岛和燕京起步都比华润雪花早，华润雪花作为后起之秀，把雪花啤酒作为全国性品牌来推广，有哪些优势？

侯孝海：实际上，目前中国啤酒业，我觉得还没有一个真正意义上的、真正称得上的全国品牌。为什么没有？我们先对全国品牌下个定义，理解这个定义，对我们今后品牌推广的目标和发展的战略方向都是非常有益的。

第一，在中国整个啤酒市场，占有相对大的份额，有较大的优势。大到什么程度？我个人认为，在中国3000万吨的市场中至少占到10%以上，也就是至少300万吨。中国啤酒业品牌众多，比较分散，各自的市场份额又都不大，区域市场差异大，致使全国啤酒品牌都很难做到一个很大的份额。因此，至少做到10%的份额，才起码称得上是全国品牌。

第二，啤酒品牌的市场分布，应该是全国性的。即在全国大部分市场都能看到产品，至少在中国的大城市、二三级市场都能看到品牌。如果只在一个地方卖，能叫全国品牌吗？就像国际品牌，国外一半以上的国家都没有，能叫国际品牌吗？这也是成为全国品牌一个重要的指标。

第三，在啤酒品牌中，有较高的知名度、品牌价值、美誉度。知名度、美誉度和品牌价值应该是比较高的、领先的。尽管有很多啤酒到处都有，但其品牌价值不高，知名度也不是很强，甚至做成很低档的品牌，我认为这不能叫真正的全国品牌。

《销售与管理》：青岛与燕京的市场占有率都达到了10%，品牌价值也超过了百亿，能说得上是全国品牌吧？现在雪花够得上全国品牌吗？

侯孝海：你说的数字实际上是啤酒企业的全部销量规模，不是主品牌的销量。在销量规模的排名上，按照青岛和燕京高层对外的说法，青岛2005年预计在400万吨左右，华润雪花接近400万吨，燕京预计在310万吨左右。但从啤酒品牌来看，目前在中国啤酒市场，按前面对全国品牌的定义框架来分析，有望做得上全国啤酒品牌的，我认为至少应该有这么几类：

第一类是青岛、燕京和雪花。

相对来讲，这三个品牌的市场份额在中国啤酒业是比较领先的，但并没有达到我们说的很大的份额；在全国的分布也是相对比较好的。这三个品牌都有望成为全国性品牌。但这三个品牌，又都有差异。青岛在全国的分布，在中高档的分布，应该是这三个品牌中最好的；燕京在全国的分布比较弱，但它在销售量的规模、市场份额上，也是不错的。在知名度上，青岛和燕京都做得不错。雪花虽然在全国的分布和青岛还有一定的差距，但雪花的分布有两个特点：一是在雪花做得好的地区，雪花的分布率远远高于青岛；二是雪花在全国的分布和发展都比较迅速。这两个特点，都是青岛和燕京没有的。

从份额上来讲，2004年单品牌销量的排名是燕京第一(126—130万吨)，青岛第二(116万吨)，雪花第三；(107万吨)，燕京单品牌占到了中国啤酒市场4.3%的份额，青岛占到3.9%，雪花占到3.6%。从品牌知名度的角度来看，青岛第一、燕京第二、雪花第三。从全国分布上看，青岛第一、雪花第二、燕京第三。因此，青岛、燕京和雪花都有望做到全国品牌。

第二类就是现在有做全国品牌的想法，并开始逐步打造全国品牌的品牌。

比如金星、重啤、珠江、金威、哈啤。为什么说这类品牌有迹象要做全国品牌呢？第一，从它的布局上来讲，已经开始了它的全国性布局，这是实现全国品牌的重要部分。第二个迹象是它在成为区域强势品牌后，也开始在其它省份、其它城市或其它的区域销售它的产品。这类品牌，其全国品牌战略还不够完整，不够成熟，但已经有了这种动向。

综上所述，能够实现全国品牌的，不止一个，但最有希望的还是雪花。因为雪花是成长速度最快的。

品牌聚焦：专注才显个性

相对于青岛和燕京，后起步的雪花在全国性推广上的优势在哪？

中国有庞大的消费人群，生产的啤酒好象不愁没有人喝，也就是说，生产出来的啤酒是给所有的人喝的。华润雪花将消费人群选定在20–35岁，将雪花啤酒的个性定位为年轻化，讲述“畅享成长”的故事。雪花将怎样坚持这一定位？

雪花要全国化，雪花又怎么处理与被收购企业原有的区域品牌的关系？这个问题也关系到雪花怎么突破啤酒的区域消费习惯。

《销售与管理》：为什么说雪花最有希望成为全国性品牌呢？

侯孝海：鉴于如下几个条件的发展：

第一，我们是近几年啤酒品牌里发展速度最快的品牌。

首先是我们的分布率发展最快。比如三年之前在浙江、江苏、湖北、安徽、四川、天津，还有北京周边和广东市场，这些地方过去雪花是没有销售的，但现在做得非常好，有的已经是我们的“红区”了。这是中国其它啤酒品牌没有做到的。

其次是雪花本身销量的增长最快。近年雪花的销量增长超过30%，相对中国啤酒每年百分之十几的增长，这个速度是比较惊人的。青岛、燕京在过去几年单品牌的增长速度还达不到这个幅度。2005年雪花销量达到了158万吨，增长速度接近50%，基本上建立了雪花单品牌销量规模最大的地位。从2002年到2005年，只四年时间，雪花从一个区域品牌，变成现在全国销量最大的品牌，即使跳出啤酒行业，放眼全国，这也是比较罕见的！

第二，雪花的品牌定位相对清晰。

我们的品牌核心定位是围绕年轻的、有活力的、现代的、积极的、成长的消费群体，我们所有的包装、广告、活动都围绕这个核心定位来做。雪花的品牌定位相对青岛、燕京更清晰，这也是雪花能够成为全国性品牌的一个很重要的因素。青岛、燕京的先天优势较好，有不可模仿性，青岛是百年青啤，最早走向全国；燕京的优势是在首都，强调国宴特供，知名度会迅速提高。从品牌发展角度讲，我个人认为定位于年轻、成长的雪花更容易打动消费者。

第三、雪花的知名度提升和品牌价值增长很大。

2005年雪花啤酒品牌价值评估达到88亿，知名度近年在全国13个重要城市的调研中提升比例比较大。尽管雪花目前在分布上和知名度上同青岛还有一定差距，但这些数字都很生动的说明雪花的发展潜力和增长势头。

第四、雪花的行业品牌影响力逐步增强。

雪花四年的全国品牌之路，引领了啤酒行业很多的先进管理思维。渠道改造是一个，过去啤酒企业不重视，现在都逐步开始规划了；品牌定位是一个，我们通过雪花的“成长”定位，也引发了主要竞争对手在品牌上面的定位；更换标识和包装也是对行业啤酒品牌的一个启示；2005年我们原创性地组织了“雪花啤酒勇闯天涯”的雅鲁藏布大峡谷旅游探险，实现了行业内啤酒品牌最大规模、最大范围的全国性雪花推广活动，改变了过去啤酒品牌以区域活动为主，以简单的赞助为主的公关活动形式。这些都会对行业有很大的影响力。

《销售与管理》：青岛啤酒、燕京啤酒都牵手奥运，对于2008北京奥运，雪花是否会有某些方面的参与？

侯孝海：雪花面对的是年轻人这一消费群体，雪花在打造自己的传播平台。音乐、足球、奥运会都是好多人共用的平台，我们也可能会做些与奥运有关的活动。雪花的品牌主张是“积极向上，年轻活力，勇于进取，畅享成长”，雪花鼓励年轻人“在紧张工作之余，走出去，去放松、休闲、旅游，去享受一下生活的快乐、成长的快乐”，雪花要找这样的平台。我们的想法，就是未来三至五年，提起雪花的时候，消费者清晰地知道雪花是干什么的，是谁的啤酒？

《销售与管理》：相对一些国外品牌，比如百威和嘉仕佰，定位高端，侧重于走夜场，雪花啤酒会有渠道侧重吗？

侯孝海：雪花暂时没有将渠道主要侧重到夜场，虽然夜场也有雪花。我们不放弃高档市场。但要说明的是，高档啤酒不一定利润高，因为高档啤酒投入大，进入门槛高。

《销售与管理》：雪花作为全国性品牌来推广，在包装和价位上表现全面，高中低各档次都有。区域品牌是区域内销售表现强势的主流价位品牌，怎样来处理雪花与区域品牌的组合？在价格和渠道上，怎样来避免雪花啤酒与区域品牌的冲突？

侯孝海：我们有个“1+N”战略，同过去提出的“全国品牌＋区域强势品牌＋区域战术品牌”的组合战略基本是一致的。“1”就是一个主品牌——雪花，“N”指N个区域品牌，N可以是1，可以是2，可以是3，也可以是0。具体品牌组合，根据各地市场情况而定。雪花必须占领消费主流以上的位置，价格是主流以上的细分。区域品牌强调地方情感、地方文化，是主流价格以下的细分。品牌组合战略也是华润雪花在行业内最早明确提出的，现在有些分析文章建议说中国啤酒行业的并购发展，在品牌组合上可以采用“1+1+1”战略，实际上就是华润雪花第一个公开提出的。

企业整合：小鱼怎么长成快鱼、大鱼？

囫囵吞枣式的并购能迅速壮大企业的规模，更容易让企业“因噎废食”。并购为啤酒业燃起烽烟后，“整合”就成了啤酒集团们休养生息的重点战略思考。如何“消化”这些被并购的企业，将新纳入的生产、管理、人才、渠道等等方面的资源整而合一，成了啤酒集团们抢占下一步战略制高点的关键。

在许多人看来，香港华创相对于啤酒行业算是外行，SAB虽然是国际啤酒巨头，但洋啤在中国水土不服是已经被很多事例证明的事实，两家共同组建的华润雪花，对中国啤酒企业的大规模并购也充满着风险和悬念。被并购的企业多数是经营状况不佳的，技术移植容易，新起步的华润雪花拿什么去整合这些企业？

在快鱼吃慢鱼的竞争时代，从沈阳起步，华润雪花怎么成为快鱼和大鱼？

《销售与管理》：华润现在并购或控股的啤酒企业已将近有40家，产能达560万吨，随着在东莞建厂，雪花的全国布局是不是已经完成？

侯孝海：华润雪花现在已经有一个较为完整的全国布局，在全国相对比较大的城市雪花都有分布，除了西部某些区域偏弱，其它都比较好。但雪花的全国布局还未完成，在还没有“点”的地方，雪花还可能继续进入一些区域。最近，我们刚收购了河北秦皇岛的一家啤酒厂。

《销售与管理》：华创是从其它行业进入啤酒的，一直被认为是啤酒外行，在对被收购和控股啤酒企业的整合中，华润雪花碰到了一些什么难题？这些企业现在都被整合好了吗？

侯孝海：华创其实也不算是啤酒外行，华创有许多业务，也有涉及啤酒的，华润雪花的另一个股东SAB更是国际啤酒巨头。华润雪花内部很少谈到“整合”这个词，我们一般谈企业经营，谈企业管理。如果非得谈整合这个概念，好象我们很难给一个准确的回答。如果谈经营和管理，每个企业都会遇到一些难题。

华润雪花收购了这么多企业，能够快速成长，有赖于几个因素：

第一，有一套成熟的管理模式。收购一个企业后，我们有一套成熟的管理模式迅速进入，最快一个月就能与雪花接轨。这套模式包括生产管理、质量管理、采购管理、营销管理、人力资源管理、财务管理。财务预算管理方法是我们华润雪花自创的，每一分钱花出去都会有记录，每一分多花的钱都会影响整体业务。比如在分销方面，我们有个275行的预算管理体系。这个275行的预算管理体系，一直延伸到雪花啤酒进入一个餐厅能卖多少箱，包括税、管理成本、进店的费用、盈利，如果增加瓶盖费，销量能增加多少，是盈利还是亏损，最后决定是否进这个店。

第二，我们还有一套成型的战略。首先，进入一个市场以后我们有很明确的战略目标；第二，强调主市场。主市场带来大份额，大份额带来对市场的控制，对渠道的控制，带来盈利，带来品牌知名度的提高，带来成本的降低，带来产品质量的提升。华润雪花啤酒的“蘑菇战略”就是这么来的，蘑菇战略的背后，就是强调主市场，追求大份额。它在营销上的操作，有大量的管理模型和方法，这些模式和方法都是比较容易在华润雪花各个市场复制的，适合在新市场上去做，比如怎么寻找细分市场，怎么选择分销的模式，怎么使用销售费用，怎么更好的进行品牌的组合。

第三，核心因素是背后勤奋、专业的管理团队。实际上，企业能够快速发展，背后一定有一个成熟的团队。华润雪花这个管理团队是比较能吃苦的，踏实，不张扬，很善于学习。我们从不强调个人，都是强调集体和团队。实际上是一群人影响了华润雪花，华润雪花影响了整个中国啤酒行业。

《销售与管理》：在对各区域品牌的整合中，华润雪花怎样来整合区域品牌的销售队伍？品牌定位和功能不同，雪花啤酒和区域品牌啤酒会让同一支销售队伍来销售吗？

侯孝海：华润雪花的销售队伍只有一支，以营销公司的形式在各区域担负华润雪花全部产品的销售。我们共有12个销售公司。在收购一个企业或进入一个区域，我们销售队伍的人基本来源于四个方面：一是原雪花其他红区派出援助的人，这部分人比较少；二是被收购企业的人；三是内部成长起来的人；四是向社会招聘的人。我们的销售队伍基本上能实现全国的人员调动，管理人员更是这样。我们考核人的标准只有一个，看是不是合适，看业绩如何。雪花的销售人员配置，是按区域内的主流酒、精制酒来分的。我们内部有个说法：不分出身、不分学历、一视同仁。

《销售与管理》：在华润雪花并购一些区域品牌之前，竞争会导致双方加大对渠道的投入，特别是对经销商的奖励政策。收购或控股之后，随着对立关系的消除，一些奖励政策会被取消，奖励程度也会降低，雪花如何来激励经销商，确保经销商的利润？

侯孝海：雪花正进行渠道改造，渠道改造工作已经启动实施三年多了，是啤酒行业中最早全面启动渠道改造的。改造的关键是节减中间环节，向终端倾斜。渠道改造可能会减少一些经销商的“表面”盈利，但实际到手的利润不会减少，经销商利润比较稳定。大部分的经销商利润会比以前高，因为雪花终端的走量增大了。雪花会保持合理的经销商数量，这里边有很多的分销模型来指导。不同的分销模式对经销商的要求和数量都有差异。市场不同，模式会不同，而且每一个模式都有完整的管理体系来支持。

辽宁作为连接东三省和关内市场的交通要道，历来是白酒商家的必争之地。最近几年辽宁白酒的发展可谓阻力重重。从内部看，辽宁的市场开放程度较高，地产酒的优势不是很明显，尤其是省会沈阳的白酒市场长期以来“诸侯混战”。

道光廿五这几年良好的发展势头使其成为辽宁乃至整个东北地区最引人关注的品牌之一。道光廿五酒业集团的前身锦州凌川酒厂生产的凌川贡酒在当地市场销售情况一直不错。那时的凌川贡只是一个在本省有知名度的品牌，当时它也面临着地产酒发展过程中的瓶颈——品牌和资金问题。幸运的是，1996年在进行老厂搬迁时，发掘出土了道光廿五贡酒，厂家紧紧抓住这一时机，通过对被世界吉尼斯记录、百斤贡酒拍出350万元天价、被中国历史博物馆收藏等关键事件的炒作，为品牌传播带来了轰动性的效应。又经过厂家一段时间的精耕细作，道光廿五一跃进入国家二名酒的行列。

在辽宁白酒市场上，道光廿五在其家门口锦州占尽了优势，其中低档产品占据了很大的市场份额，百元左右的黄袍系列在高档领域也很畅销。不过在省内其他市场上，道光则没有这么风光了。据经销商反映，在沈阳市场，该酒进入较早，形成了一定的品牌效应，其中的星级产品销量不错，消费者自点的情况比较多。可是现在由于厂家宣传力度的下降和其他产品拓市带来的冲击，该酒的市场呈现出萎缩的趋势。在离锦州比较近的葫芦岛，道光廿五在2002年还是市场的第一品牌，可是黑土地酒进入后，开始逐渐蚕食它的市场，目前该酒在当地只是保持着自然走量。在省内其他市场上由于受地产和外来品牌的夹击，道光廿五的销售情况也一般。

谈到道光廿五的外埠市场，就必须说说其在石家庄的情况（据经销商反映该酒在石家庄的销量占其销售总量的很大份额，石家庄市场对厂家的重要作用可见一斑）。该酒是从2000年左右进入石家庄市场的，厂家联合经销商在终端上进行了一系列的公关活动，并在酒店、商超派驻促销人员来向消费者推荐产品，经过2002年的中秋、国庆、春节等旺季的成功运作，到了2003年，道光廿五已成为石家庄白酒市场的第一品牌。目前在市场上的道光系列中，道光廿五贡酒（包括49元／瓶的纸盒贡酒和136元／瓶的铁盒贡酒）在酒店、商超走势良好，另外，23元左右／瓶的道光廿五宴酒和14元／瓶的道光廿五御液已经成为大众日常消费的首选。调查中我们还发现进入成熟期的道光廿五存在着一些问题。比如对假酒的打击力度不够、过多的品种给市场带来的负面影响以及品牌宣传力度下降等。这在一定程度上影响了其市场前景。如果解决不好这些问题，道光廿五的老大地位很快就会被取代。在其他外埠市场，该酒在无锡销得不错，其他市场则鲜有亮点。

老龙口　作为当地历史最悠久和最具知名度的品牌之一，老龙口酒一直以来都是沈阳低档白酒市场上的老大。其主销品种在10元以下，它的酒质和品牌在消费者心中已经根深蒂固，自然走量可观。老龙口曾经利用给社区小店做招牌，赢得了小型零售商的广泛支持，巩固了它在低档市场的份额。中高端市场上，其青花瓶系列在终端的销量也不错。在省内其他市场如朝阳、鞍山等地，该酒低端产品的销量也不错。目前该酒在当地的促销活动和广告宣传的动作比较少，这也为其他品牌进入低档领域带来了机会，这些厂家可以通过一定的政策来吸引经销商。

在开拓外埠市场方面，老龙口酒前段时间高调宣布进入华南市场，据称将投入5000万元的产品，此举也改变了华南地区没有东北酒一席之地的尴尬局面。该酒在广东省的总经销"广州永利丰贸易有限公司"通过赞助华语电影传媒大奖为其品牌进行宣传。该经销商向媒体透露，老龙口这次在华南将主攻广州、顺德、佛山、东莞、珠海等几大城市。不过在笔者的调查过程中，众多辽宁当地的经销商均对其市场前景持观望态度，他们认为广东白酒市场竞争过于激烈，终端运作费用较高，厂家要作好打持久战的准备。

三沟、铁刹山、凤城老窖

这三个品牌无论是知名度还是销量都略逊于上述两个品牌，它们有很多相似的地方，均在产地保持着强势地位。

三沟作为阜新本地的品牌，销售情况一直不错。尤其是企业经过了1998年和2003年两次改制后，目前正处于上升阶段。据经销商反映该酒在当地从几元一瓶的低档品种到百元左右的中高档酒均有销售，市场占有率在50%以上，尤其是10元左右的品种已经成为消费者日常饮用的首选。在省内其他市场上该酒也根据消费者的需求开发了一些新品，不过销量都比较一般。在开拓省外市场的过程中，三沟可以说是走在其他两个品牌的前面，它在内蒙古建造了分厂，并已经开拓了河北、黑龙江、吉林、内蒙等外省市场。尤其在河北市场上，厂家目前的宣传力度比较大。

铁刹山可以算是这个三品牌中最低调的了。它在本溪的市场占有率在一半以上，其中一款价位在4元左右的铁刹山精品酒长期占据着低端市场，这款酒的销量占其总额的很大一部分。在终端渠道，价位在33元左右的百年窖销量也不错。厂家负责销售的人员告诉笔者，目前该酒的销售重点主要是在省内，尤其是稳固在本溪的市场份额，最近没有开拓外埠市场的打算。

在丹东的白酒市场上，面对外地酒的猛烈攻势，地产的凤城老窖沉着应对，占据了半壁江山。用经销商的话说，凤城老窖的市场根基太深厚了，外地品牌很难对它的市场形成太大的威胁。该酒在丹东主要走餐饮终端，在酒店里十分重视品牌形象的维护，其中10元和30元一瓶的凤城老窖销量最好。该品牌已成为外地酒进入丹东市场的最大障碍。该酒目前在省外市场上没什么大的动作，只是在某些地方有一定的自然销量。

辽宁拥有上千家白酒企业，产量很大，可是在2004全国白酒工业百强中只占了两席。一些品牌虽然在当地有知名度，可是在国内白酒圈叫得响的不过两三个，尚无法与国内的知名白酒一争高低。面临着内外多重压力的辽宁白酒必须加快做大做强的步伐。

目前辽酒存在着规模小、投入小、资产负债率高、经济效益低、市场观念差、企业结构不合理等诸多问题。尤其是在管理上比较粗放，营销手段相对落后。还有当地很多小酒厂开发新产品，搞技术攻关的能力较低，许多酒厂从南方采购基酒，增加了生产成本。

辽酒要改变目前产品结构中中低档占很大比例的局面，多开发一些中高档品种，以质量为优势带动品牌的升华，全面提升品牌价值，塑造更多的知名品牌，特别是全国性品牌。另外，还要牢牢巩固和扩大省内市场，并向省外扩张，通过有效的宣传叫响品牌，提升市场占有率，重塑辽酒的群体形象。

目前国家振兴东北老工业基地的政策，也为辽酒振兴带来了历史机遇，国家及各级政府的优惠政策，将为辽酒发展带来良好的客观环境。

大连葡市"内销"特点突出

大连，位于辽东半岛的入海口处，从地理位置上看，向东南延伸为渤海，向北延伸进入东北市场，因此，有经销商说，大连实际是一个"死角"，产品只能向北走，不能往南去，形成了一个"只进不出"的市场。所以，与沈阳相比，大连的批市流通系统要弱化得多，葡萄酒产品多为大连内部消化，对外界流通少，但整体消费环境和消费量却是东北地区的前沿代表，具有引导葡萄酒消费的典型意义。

【三大品牌引领干酒消费】

据粗略估计，大连当前的葡萄酒消费量在6000万以上，且上升趋势明显。中粮长城依然占据大连干酒市场的头把交椅，王朝依靠长期的品牌和产品积淀具有一批忠诚的消费者，张裕借助其高端产品张裕·卡斯特系列迅速提升影响力，通化股份、香格里拉·藏秘等则在不同领域占有一定市场份额。

沙城长城是进入大连市场最早的品牌之一，其销售网络主要依靠最初的国营糖酒公司，以流通为主，目前大概有20多家代理商。一方面是代理商的运作思路相对老化；另一方面是缺乏对新型终端网络的有效控制，沙城长城在大连市场的销售近几年有一定的下滑趋势。2006年春节期间，沙城长城加大了商超促销力度。在大连家乐福一店，沙城长城占据了葡萄酒专柜的大部分陈列面积，主推沙城长城特制系列。其中，1997年份特制干红由原价79元／瓶降到了68元／瓶，买一瓶赠送价值8元的500ml生力啤酒一瓶，买四瓶赠送价值49元的沙城龙眼干白一瓶；沙城长城的干红、干白礼盒装产品也由原来的每套105元降到了每套85元；2001年份的特制干红则由38元／瓶降至29元／瓶，买两瓶赠送农夫果园或生力啤酒一瓶。

烟台长城2005年的销售额达到了1000多万，是目前大连干酒市场上表现最为突出的品牌之一，市场占有率在20%以上。烟台长城从2001年开始进入大连市场，选择了大连餐饮领域最具实力的经销商大连金易饮品公司作为其代理商，依靠金易的强势终端网络，在大连市场迅速打开了销路。金易饮品公司最初从代理百威啤酒开始进行直销网络建设，是大连最早也是最具规模的直销型经销商，因此，烟台长城进驻大连市场也从直销入手，在酒店领域的消费带动下，逐步实现全渠道销售。目前，烟台长城在大连的主销品种为高级解百纳系列，商超零售价为80～90元／瓶，酒店售价可达到150～160元／瓶。此外，零售价在30～40元／瓶的烟台长城1号普通干红在大众消费领域也颇受欢迎。

华夏长城从2004年开始加大了在大连市场的运作力度，2005年表现出强劲的上升势头。华夏长城针对酒店进行的提前"高投入"促使其在短期内实现了销量的大幅增长。据了解，由于大连的葡萄酒尤其是干酒消费基础较弱，许多经销商都对主动出击进行市场投入和运作较为懈怠，不愿承担过多的经营风险。华夏长城针对东北经销商的此种心理，给予其较大幅度的买店支持，承担大部分买店费用，经销商本身则只需承担一小部分甚至不用承担，从而大大降低了商家的操作风险，提高了其销售积极性，实现其对销售网络的有效控制和对市场蛋糕的成功分割。产品方面，华夏长城在酒店仍以年份酒为主打，92华夏借助买店策略和其在高端领域的影响力取得了不非的成绩；在商超，则推出了2002年份干红买一赠一活动，零售价为68元／瓶，实际合每瓶34元，向大众消费层次靠拢。

王朝在大连市场的销售一直比较稳定，曾一度是大连市场上的领军品牌。虽然近年来由于长城对终端网络的买断控制，王朝的市场份额有所减少，但其仍然拥有一批忠诚的消费群体。王朝的主销产品为经典王朝系列和金王朝系列，在酒店的自然点购率很高。因此，即使是在一些被买断的店面中，王朝仍有一定的销售空间。其中，经典王朝系列中商超零售价为36～37元／瓶的产品最为畅销。

张裕是大连市场上甜酒消费的代表品牌，张裕干红、利口红、天然红、天然白以及金奖白兰地等在商超的占有率很高。价格方面，张裕干红的零售价原为20元／瓶左右，近期有所上涨，达到22元／瓶左右；天然红、天然白的零售价分别为9元／瓶和9.5元／瓶。干酒是张裕2005年以来的推广重点，中高档价位的张裕解百纳系列，以1996年份解百纳最为畅销，市场价在65～68元／瓶；高端方面，张裕·卡斯特上升迅速，几乎占据了高端葡萄酒30%左右的份额，知名度和影响力颇高，在酒店具有一定的自然点购率。张裕也借助卡斯特销售的拉动作用，在干酒领域实现了较大幅度的销量提升。此外，据记者了解，张裕从2005年开始，开发了许多县级市场的一级代理商，将一些业绩突出的县级分销商升级成为一批商，给予供货价格方面的优惠，从而使其客户量迅速增加，在整体销量上大幅提升，进一步拓展了其在大连以至整个东北市场的分销网络。

此外，通化股份、香格里拉·藏秘等产品，也都有各自的销售空间。通化股份在新华联入主之后，加大了对品牌的保护和宣传力度，一方面在商超等领域保持原有基础，加大促销力度，提升品牌影响力，如在今年春节期间随产品赠送2006年台历等；另一方面走差异化路线，结合特殊领域用酒推广其干酒系列产品。目前，通化股份的主销产品仍为其售价在20～30元／瓶的通化普通干红以及老红梅等。记者还了解到，消费者现在对通化股份品牌的认可度和辨别能力已经大幅提高，一般消费者在超市购物时可以指名购买通化股份的产品，并会优先选择甚至唯一选择。香格里拉·藏秘主要在大连的夜场领域销售，主推品种为青稞干红和冰红。终端售价为150～160元／瓶的香格里拉·藏秘青稞干红具有一批习惯于其特殊口感的忠诚消费者，售价在120～130元／瓶的香格里拉冰红葡萄酒也颇受青睐。

总体来看，大连市场的干酒升温速度明显加快，甜酒则在一些周边市场、区域市场有一定销售。一般结婚办喜事，人们都会摆上红酒，最初时甜酒、干酒都有涉及，根据当事者喜好略有差异。后来，红酒逐渐成为婚宴上的一种增添喜庆气氛的饮品，但在婚宴上的真正饮用量则相对较少，故而选择婚宴用葡萄酒时，产品的包装便成了首要考虑的因素，只要好看，能够满足结婚时的喜庆气氛即可。

"内销"市场抬升运作费用

大连的产品向外辐射度较小，但其本身却拥有多家大卖场，国际性大卖场如家乐福、沃尔玛、乐购等均在大连建有3个以上的分店，再加上大连本土的超市，20家以上的大卖场为数众多的中小型超市，在增加消费者选择机会的同时也给供应商带来了不小的负担。

由于大卖场较多，各个大卖场之间的竞争非常激烈，于是，每家卖场为吸引消费者都会不间断地推出一些促销活动，而这些活动的风险和费用基本都摊派到了供应商身上。首先，从供货政策来看，各个卖场虽然略有差异，但也都是"羊毛出在羊身上"。比如家乐福实行"进店费"制，一般品牌进店需先交纳一定数额的进店费，一般每年在几千元～上万元左右，根据品牌知名度而定；扣点要求为15～18%，陈列费用根据档期调整，有时高达万元；再加上各种促销费、赞助费、条码费等，供应商每年除产品外的支出最少在2万～3万元左右。沃尔玛相对家乐福的表面费用较低，其原则上不收进店费，但要求供应商给予的供货价格略低于市内平均价格，并要求产品有20%的扣点，平时每个月的销售额返利在5%左右。年节促销时会与经销商再洽谈各种促销条件。各大商超的新开业店面则要求更高。首先是账期压后，一般较正常账期压后3个月左右，然后是产品的供货价格要在原供应价的基础上打九折。

中小型商超虽然进店费、条码费较低，进店费最初可以减免，条码费一般也只有200～300元／个，但其往往是用这些优惠条件先吸引供应商供货，一旦商家与其履行合作之后，他们就会采用压后结款、账期等方式在续签合同时向经销商要求原合同之外的服务与费用。

此外，一些大卖场对许多知名品牌采用全国联采的方式，具体业务洽谈都由生产方与卖场总部进行协调，当地供货商只需充当物流运输的责任。此种方式对经销商来说除账期风险外减轻了许多其他的负担，因此，代理知名品牌成为经销商的主要选择方向之一。而一些二线品牌企业对商超支持力度的大小和其在运作方面的总体思路则是商家决定是否代理其产品的关键因素。

葡萄酒的热销，使许多经销商开始选择代理葡萄酒，尤其是原白酒、啤酒的商 家，为丰富产品结构，创造更有利的进店条件纷纷引进新的葡萄酒品牌。但是，这些经销商虽然有一定的酒水市场操作经验，却对葡萄酒市场、品牌的了解程度不够，只是感觉到了上升趋势而代理，对细节考察较少，对如何选择品牌并进行市场操作缺乏相应的经验。因而，他们往往从短期利益着手，随意选择了一些品牌知名度低、质量一般或打擦边球的葡萄酒产品便开始运作。代理之后，一方面是厂家的支持力度和大众宣传力度无法跟上；另一方面是消费者对品牌的认可度低，而产品质量又不能满足消费者长期购买的忠诚度。因此，这些产品往往不能长期操作，进入超市一段时间后就会面临被清场的危险，经销商也不得不放弃而重新选择品牌。所以，大连的葡萄酒消费还要从内部培育入手，先增加经销商对品牌的深入了解，慎重选择代理品牌，再实现对终端、对消费者的渗透。现在，许多经销商也已经在代理选择上更加注重品牌效应。 （吴迪）

【沈阳酒市场调查报告】

沈阳是辽宁省省会，具有悠久的历史和灿烂的文化，现辖九区一市三县，总面积1.3万平方公里，总人口736.9万人，是全省的政治、经济、文化教育中心；是省、市政府机构、国家机关驻地办事处、东北军区及各军分区所在地、也是各行业销售公司办事处、总代理驻地比较集中的城市。由于流动人口数量增加，居住分散，使沈阳市白酒市场逐步形成开放格局，年消费酒近40亿元，沈阳市场上有200多个酒品牌，上千个品种，一些没有知名度的酒在沈阳也有自己的消费群体和销量。

在旺季到来前为让读者了解沈阳市场，本刊驻辽宁记者范文龙对市场进行了深入调查，由于白酒市场较复杂，葡萄酒、黄酒品牌数量较少，所以调查中白酒占据了较大篇幅。

调查发现沈阳市场除啤酒外（见2005年8月刊）白酒仍占据主导地位，2004年沈阳白酒总销售额 14.3亿元。茅、五、剑等名牌市场畅销。其他地方名牌及新名牌也都有自己的市场地位。

葡萄酒年消费达到3亿元以上，其中张裕、长城、王朝、新天四大家产品占据着80%以上的市场。

黄酒解放前曾是当地主要消费产品，近几年消费量又有上升趋势，去年总销售额近亿元，其中女儿红、古越龙山、会稽山、塔牌、上海老酒、山东即墨老酒等知名品牌在沈阳都能见到身影，并有都有自己的消费人群。

白酒：中低消费为主

沈阳市内有五大行政区，因为环境不同消费层次各有千秋，和平区、沈和区是党政军机关所在地，也是经济比较发达的商业圈。商业街多，宾馆酒楼分布密集，夜场集中活跃。茅五剑等高档酒俏销；大东区半工半商，大型宾馆、酒店相对较少中低档酒走势较好；皇姑区、 铁西区是城乡结合区，酒店、饭店分布疏散，以消费中低档酒为主流。

市场概况

沈阳是东北的门户，东北看辽宁，辽宁看沈阳。沈阳是东北地区物资贸易中心，商品交易辐射东北三省及整个东北亚地区，也是东北最大的酒类商集散地，是我国酒类生产和消费重要地区之一。全年生产、销售各种酒类商品67万吨，销售额达25亿多元。到目前为止，批发零售企业15800家；宾馆、酒店、饭店、小吃部、小卖部3.2万余家，其中夜场KTV、酒吧、迪吧400多家。沈阳零售业有大型百货15家，5000平米以上大型超市40多家，便利店2680多家。

随着市场格局的改变，消费者的消费认识和消费习惯发生了巨大的变化，人们对啤酒、葡萄酒的消费需求日趋攀升，白酒销量逐年下降，这是一个不争的事实。2004年沈阳白酒总销售额 14.3亿元。其中茅台、茅台不老酒、五粮液、剑南春、剑南礼、水井坊、泸洲、老龙口、金六福、道光、草原马王、金绵竹、黑土地等十几个品牌占据大部分高端市场。其中65%低档市场被老龙口450ml42度大白龙、150ml42度小扁瓶、250ml42度小方瓶牢牢占稳，中档品牌市场由泸洲、金六福、道光、草原马王、黑土地、老龙口白、黄金御酒、古井贡、董酒、西风、郎酒等瓜分；高档酒基本由茅、五、剑、水井坊、金银剑南、老龙口大青花、小青花、洋河蓝色经典业绩表现不俗。

具权威部门统计数字表明，2004年没有一个品牌销售额过亿元的，老龙口是沈阳地产品牌，340多年的历史文化，市场做的很扎实也没有突破亿元大关。在上面提到的品牌中水井坊由北京锦豪京川商贸有限公司沈阳分公司主营、金银剑南由沈阳蓝源商贸有限公司代理、草原马王为沈阳绿野企业集团代理、金六福、剑南礼、金绵竹、茅台不老酒为辽宁享逸实业有限公司代理或买断，董酒由辽宁诚顺达酒业有限公司代理、沈阳满山红实业有限公司自己开发了满山红白酒、古井贡由沈阳国兴商贸有限公司代理、百年老龙口被沈阳英民糖酒有限公司买断。

类品种齐全，知名或不知名或地方名牌应有尽有，这里经营有一个规矩“经营者之间相互窜货卖（熟称叫对缝）”，无论到哪一家都可一站购齐，价格合理公道。另外九路批发市场、南塔批发市场、长客西站批发市场、十二线批发市场、小东门批发市场、张士批发市场，几个市场经营上千种酒，价格从3元到30元左右的为多。

中国小食品城（称南二批发市场）

东北酒水批发基地，坐落于和平区太原街商业街附近，辐射范围半径在300公里以上，辽宁益丰商贸公司，辽宁享逸实业公司，英民糖酒有限公司在市场有销售处，高档酒为主茅五剑、茅台王子、金六福、金银剑南、水井坊等。还有沃尔旺酒水批发、盖影商贸、振华酒水批发等一些大户多以经营中低档产品为主的商户，他们面向二级、三级批发零售，也有供应酒店的，红星二锅头、北大仓、茅乡、茅河窖、茅台镇十年小窖、丰谷、绵竹、杜康、衡水老白干、贵州醇、西凤酒、泸洲老窖、金泸洲等品牌集中于市场。盖影商贸盖总经理介绍：市场上价位在5元到20元包装好的产品走量比较好。享逸公司的刘女士说：“什么品牌的酒都有走量，知名厂家的品牌销量看好，金绵竹、剑南礼、茅台不老、双沟、洋河、董酒销量趋于稳定。在这里销售的酒渠道很宽很广，有酒店、小卖店、小吃部、二批、三批商、也有大酒店避开经销商到这来拿货，如果市场支持力度大，我们做得还会更好”。另据一位黄先生讲：“只要价格合理，质量有保证，政策好，就没问题”。

【小东门食品批发市场】

是继南二中国小食品城第二大酒水批发市场，在沈河区中街北侧与大东区接壤，来这里的客商有辽宁北部的铁岭、东部的抚顺、丹东、本溪、吉林临近的地区，这里的商户规模不大，以二、三批商为主，以宁城老窖、北大仓、中华酒、龙江家园、老东家、老龙口、黑土人家、天下粮仓等中低价位酒为主。一般在5元左右到20元销售为好。中华酒销售部的周经理讲：十几块钱的酒走的最好，旺季一天能走十几箱，淡季也能走5–6箱，一箱六盒不到100元。另据薛女士说：“到这来的多是一些城郊低收入人群，多为给儿女办婚礼用，小东门卖的最好的就是金六福一星福星高照，办事情图个吉利。淡旺季平均一天十箱左右”。

辽宁的丹东凤城老窖、本溪的铁刹山、阜新的三沟、抚顺的千台春、道光等，销量有上升的趋势。刚刚上市的辽河人家最吸引眼球，搭赠赠品是盘锦大米，同时还有礼品，有人预测辽河人家可能成为辽酒一只劲军。高档酒在这里很少有人问津，两块钱的袋酒很受建筑工地的工人欢迎。

酒店不再是人们为了吃饭而吃饭的场所，成为人们聚会娱乐、商务洽谈之所。在沈阳市有规模的酒店1000多家，分布在大街小巷，带动了沈阳餐饮业。恰恰如此，厂商瞧准这块大蛋糕，而你争我夺中把酒店养肥了，如果你的品牌知名度高，走量好，不用投入也可以销售，如果没名，对不起，请先准备好进店费、店庆费、返点、瓶盖费等费用。

沈河区、和平区沈阳市中心消费区，酒店饭庄集中在彩电塔、领事馆附近，到这里消费的人群都是高收入人群，家庭消费或商务谈判，高档酒五粮液是首选、茅台、水井坊、在500元以上，中档的泸州老窖、满山红白酒、200元左右老龙口青花龙销量比较好。到店里吃的人虽各有千秋，但饮用的酒水品牌差不太多，本地人喜欢老龙口，因本地人习惯它的口味，价格又实惠。口子窖、古井贡、泸州国粹、泸洲筐酒、五粮液的红火爆、董酒，百元左右销量不错。

皇姑区位于城西北，是近年来房地产热区之一，富人的眼光纷纷投向这里并买下豪宅，开风味各异的酒店、餐馆，鲜族的烧烤、蒙古全羊、江南老菜馆、川菜馆、海鲜等应有尽有，引无数食客掏腰包。在这里白酒的市场无法想象，高档酒有人要，中低档酒好于高档酒，单店中低档白酒一天能卖10多瓶，老龙口大白龙平均一天卖两箱多，只有老龙口占有一席之地。

据工商部门统计，沈阳夜场数量400多家，具规模的有50多家，有KTV百帝园、麦乐迪、金碧辉煌、百汇偃宫等。酒吧集中在青年大街五里河地区，有盛马呵、唐宁吧、2008、凯旋门等。在夜场啤酒、洋酒、葡萄酒均有销售，很少见到白酒，这里以啤酒消费为主，科罗娜、喜力、百威、青岛、燕京、哈啤，其中哈啤250ML可卖到30元。

沈阳最具影响力商超有家乐福四家店、乐购四家店，哥俩形影不离在皇姑、沈河、和平、铁西、选址都在市民居住密集购买力强，辐射半径基本在4公里左右都有免费接送车；沃尔玛建址在五爱市场附近；新玛特坐落沈河区中街商业街附近，北京华联在皇姑区北行商业街城乡结合部。还有世纪联华，麦德龙以批发为主。中兴—沈阳商业大厦以百货为主的大型商厦在和平区的商业街太原街、还有大福源在省政府附近。以四川的五粮液、水井坊、剑南春、金六福、金银剑南、泸洲等较知名的品牌；贵州的茅台、茅台液、茅台醇、茅台不老、茅台王子\茅仙、茅乡等；安徽古井、口子窖等；内蒙的草原马王、蒙古王、以及奶酒；沈阳以老龙口的青花龙、黄白金御酒、百年老龙口十年陈酿为主导产品；大连的雄蚕蛾。

北站地区中低档酒不愁卖

沈阳北站的沈河区，是沈阳经济贸易比较发达的地区之一，沈阳火车北站星级宾馆林立、长途客运站、手机通讯器材批发市场、曼哈顿高档公寓，属于高消费区之一，家乐福沈阳第一家店家乐福北站店在此。据家乐福负责人高峰介召：高档酒走势比较好，300元——1000元左右的茅台、五粮液、水井坊、剑南春等在节假日卖的好，主要是用于走亲访友送礼，一般家庭消费在50元——100元左右做礼品有泸洲老窖、郎酒古井贡、董酒等，自己消费在20元以下金六福一星、二锅头、老龙口大白龙。老龙口青花龙86元，金六福系列酒自然走量淡季不淡，青花龙降价促销75元500ml卖的不错。大都是本地人买送给外地人或是外地人来沈办事代回礼品送人。而其他品牌如金银剑南、剑南国宝、黑土地、西风或一些贴牌产品走的一般；来自于内蒙古大草原瓶型独特抢眼的草原马王在节假日期间实行39元买一赠一的促销，销量不错。

（范文龙）

黑龙江省糖酒市场

一、省情简介

黑龙江省位于东经121° 11′ －135° 05′，北纬43° 25′ －53° 33′，是我国最东北部。北部、东部以黑龙江、乌苏里江为界，与俄罗斯相望；西部与内蒙古自治区毗邻；南部与吉林省接壤。面积为46万多平方公里。地形复杂，西北部有大兴安岭山地，北部有小兴安岭山地，东南部有张广才岭、老爷岭、太平岭和完达山等山地，西南有嫩江，松花江南北斜贯穿本省，形成东北部三江平原、西南部松嫩平原。东南还有兴凯湖。丘陵山地海拔在300－1780米左右，约占全省总面积的70%，平原海拔在50－250米左右，约占全省面积的30%。山地和平原的分布，构成了本省西北部、北部和东南部高，东北部、西南部低的地势。

黑龙江省现辖13个地级行政单位，市下辖19个县级市、47个县、64个区、464个镇、480个乡、9157个村。全省总人口3811万人，拥有少数民族51 个。

经过五十多年的建设，黑龙江省发展成为以煤炭、石油、木材为重点的国家重要工业基地。全省全部国有和年销售收入在500万元以上规模的非国有工业企业有2500户，其中大中型企业589户。累计向国家提供石油16.5亿吨，占全国产量的50.1%，向国家提供木材6.3亿立方米，占全国产量的40.3%；提供原煤20.5亿吨，占全国产量的8.3%，此外，还向国家提供占全国产量1/2以上的铁路货车和1/3以上的大重型机械和电站成套设备。黑龙江省土质肥沃，地势平坦，耕地连片，水源充足，具有发展农业生产的良好自然条件。全省耕地面积960.1万公顷，是全国耕地最多的省份，人均占有耕地7.7亩。黑龙江省国营农场最多，103个大型国营农场拥有耕地206.8万公顷，占全省的21.5%，占全国国营农场的4.3%。粮食总产量2651.7万吨，其中豆类产量537.5万吨。

目前黑龙江省年产啤酒170万吨，白酒32万吨，酒精30万吨。到2010年通过粮食深加工，将实现年产啤酒250万吨，白酒50万吨，酒精50万吨。这样只玉米一个品种，年加工能力就达到700万吨，形成一批粮食深加工企业群，建成位居全国前列的玉米深加工基地。同时也将培育出一批我省大型知名酿酒企业。像哈尔滨啤酒有限公司、华润金玉的酒精以及此次推出的文化名酒龙江龙、北大仓、玉泉方瓶和科技名酒富裕老窖、嫩江春等大型白酒骨干企业。

二、市场格局

1、白酒

曾一度全行业陷入亏损的黑龙江省酿酒业，在加大改革步伐、转换机制的同时，提高产品的档次，升级换代，重点推出系列精品特色白酒，使黑龙江玉泉酒业有限公司、阿城酒业有限公司、富裕酿酒公司等一批骨干龙头企业迅速走出困境。

以产粮大省也以酿酒大省而著称的黑龙江，有大中小几百家酿酒企业，主要生产中低档粮食酒。由于国家酒类税收政策调整，全省酒类生产全行业陷入亏损境地，2002年全省行业亏损4000多万元。

为走出困境，在黑龙江省酒业协会倡议指导下，各龙头企业联手推出以“玉泉方瓶”、“龙江龙”、“北大仓 ”为主的中高档“龙酒”系列。东北三省最大的酿酒基地玉泉酒业有限公司由国有改制为民营，使老企业重新焕发了青春活力。2003年7 月，玉泉酒厂通过了ISO9001：2000质量认证。为了加强技术改造，玉泉酒厂投入巨资引进国内最先进的酿酒设备，建立了优质酒车间，专门生产高中档产品。玉泉方瓶酒是部优、省优产品，也是全国浓酱兼香型酒的代表产品，他们不满足已有的成绩，在原有的基础上升级换代，推出三星级、四星级、五星级“玉泉方瓶”，增加了产品附加值，在2003年全省酒类行业评比中，获得总分第一名。新产品迅速打入辽、吉、黑、京、津以及河北、河南、湖南、广东等地市场，成为企业主打产品，迅速扭转了企业的被动局面。

另一龙头企业阿城酒厂瞄准当地市场，摒弃了低档产品“阿城白酒”，重点推出“龙江龙”、“龙江春”等中档酒，并占领了当地市场，成为哈尔滨、大庆等地饭店主打产品。而以生产“古泉酒”等中档产品为主的哈尔滨拉林酒厂，产品畅销哈尔滨周边各县市，2003年，这家中型酒厂人均经济效益达到3万元，名列全省行业之首。产品结构调整、升级换代给黑龙江酒业带来了勃勃生机，目前其他行业龙头企业北大仓酒厂、富裕酿酒公司等都彻底摆脱了亏损。

2、啤酒

哈尔滨啤酒集团是东北最大的啤酒企业。

近年来，哈尔滨啤酒集团通过招商引资、并购扩张、壮大规模、以“哈尔滨啤酒“的品牌优势和技术优势为依托，在解决发展资金和规模扩张上实行了“三步走“战略，取得了良好的效果，目前，该集团已拥有大中型啤酒生产企业十一家，年产销量近百万吨，在全国已是位居第四位的啤酒制造商。

哈尔滨啤酒诞生于1900年，是中国最早的啤酒品牌，它的最前身是乌卢布列夫斯基啤酒厂。经过100多年的衍变、发展，哈啤由小到大、由弱到强，现在已是枝繁叶茂、名扬天下。哈尔滨啤酒不但在东北三省占有较高的市场份额，而且销往除台湾、西藏以外的其他省区，同时还远销英国、俄罗斯、新加坡、香港等20多个国家和地区。

目前，该集团生产能力已达到150万吨，2003年销量预计完成118万吨，销售收入预计实现17亿元。2004年，哈啤集团实现产销量143万吨，增长23.2%，实现销售收入超过22亿元。

现在，哈啤已拥有13个子公司（其中6个子公司在外埠建厂），成为东北三省啤酒市场的“区域领导者”，成为全国啤酒行业的“航母级”企业。

3、乳业

黑龙江是中国乳业大省。几年来，黑龙江省通过实施“绿色生态乳品产业链工程”，使乳品行业有了一定程度的发展。奶牛存栏、鲜奶产量均列全国首位。

黑龙江省在2002年乳品行业没有整合前有大小乳品厂100多家，经2002年市场整合，收购、兼并、控股后，黑龙江省现有一定规模，销售收入过亿元的中资、外资乳品企业10余家，即光明、伊利、蒙牛、完达山、龙丹、雀巢、帕玛拉特、纽迪西亚、惠而康、圣元、美登高、森永等企业。其中完达山、龙丹等品牌是黑龙江本土著名商标企业，完达山则跨入到中国驰名商标的行业中。

黑龙江虽然是乳业大省，但是黑龙江省的乳品加工行业中“龙头企业”还比较少，乳品加工企业还存在着生产规模小、技术装备差、产品质量低、品牌杂、生产成本高等影响产业竞争力的问题。而且在生产工艺、包装、清洗及管理水平上都与先进的乳品生产企业存在着很大的差距。在奶粉品种细化度、产品档次上难以和国外大型乳业集团抗衡。黑龙江省是乳业人才大省，东北农大有全国惟一的乳品加工博士点，黑乳集团有国内首家乳品博士后科研流动工作站。但是近几年乳业人才外流严重，特别是拔尖的乳业人才外流。东北农业大学培养的２１位乳品方面的博士，除了留校３位，其余都流向了省外、国外，由于科技人才严重不足，研制与开发高附加值产品十分困难，给黑龙江省乳品行业长远发展带来了很大影响。

三、知名企业

【哈尔滨】

哈尔滨是中国北方历史文化名城，是中国东北北部最大的政治、经济、文化中心城市，是黑龙江省省会。辖七区、十二县(市)，市区面积1637平方千米，人口329.86万人。市域面积53068平方千米，总人口946万人。

哈尔滨 该地白酒市场地产酒与外地酒几乎是平分秋色，但这两年地产酒似乎更强一些，特别是龙江龙，无论酒的质量还是企业实力都具有很大的优势，其市场的重点就是哈尔滨市。其次是富裕老窖和玉泉方瓶也拥有一大批忠实的消费者。在哈市的中档酒市场主要是泸州老窖、郎酒、古井贡等。该市消费者消费中档产品主要倾向于老品牌，但四川的好一些，主要是口味原因，象西凤、汾酒等就卖得很一般。但整体来看哈市白酒市场目前存在一些机会。一是当地流行酒现象突出，地产酒最强势的龙江龙已热销多年，所以新品可能较容易进入。二是中档酒市场比较分散，目前还没有一个领军性品牌出现。

知名生产企业

1、哈尔滨啤酒集团

2、哈尔滨龙江龙有限公司

3、玉泉酒业集团

4、黑龙江省完达山乳业股份有限公司

5、黑龙江九三油脂（集团）有限公司

6、哈高科大豆食品有限责任公司

7、黑龙江北大荒酿酒集团

黑龙江北大荒酿酒集团，隶属农垦总局，坐落于美丽富饶的北大荒松花江畔，毗邻哈尔滨市太平国际机场，是集生产、开发、销售、技术服务于一体的酿酒企业。

黑龙江北大荒酿酒集团现下属有崇州有限责任公司、佳木斯有限责任公司、松花江有限责任公司、哈尔滨有限责任公司，共四个子公司，集团占地总面积为20万平方米，拥有固定资产1.8亿元，现有员工近千名，其中拥有国家级白酒评委、省级白酒评委、各类高级技术人员等多名，拥有高标准的酿酒车间，发酵容积为3万立方米，拥有大型的不锈钢储存设备，符合年生产能力6万吨的要求。北大荒酿酒集团以年利润超千万元进入全国白酒400强大型酿造企业行列。

北大荒牌白酒作为黑龙江北大荒酿酒集团的主导产品，她是农垦总局第一个用垦区的代名在国家注册并使用的商品，从诞生至今已走过了近50年的风雨历程，她倾注了十万转业官兵的心血和百万知识青年的汗水，她是北大荒人战天斗地，无私奉献的结晶。

北大荒牌白酒以北大荒洁净无污染的自然生态环境和得天独厚的粮食资源为优势，采用传统酿造工艺，结合现代先进的勾调技术，其全部过程运用微机程控系统，目前已开发出清香、浓香、兼香三大系列，高、中、低档，高、中、低度70多个品种，其酒质稳定，清亮透明，绵甜柔顺，回味悠长，不上头，不口干，优雅细腻，色香味俱臻上乘，实乃酒中珍品。

北大荒牌白酒以其醇厚的品位，独特的风格，合理的价位，精美的包装，畅销全国23个省、直辖市，近150个城镇中，销售市场日臻稳定并受到广大消费者青睐。北大荒牌白酒曾荣获"中国首届大众名白酒"称号;"黑龙江省名优产品"称号；"省消费者信得过产品"称号；"全国北大荒十大杰出知名品牌"等多项荣誉称号，2001年，北大荒酿酒集团被黑龙江省工商行政管理局评为"重合同，守信用"企业，2003年，北大荒牌白酒又通过了国家绿色食品质量评审，进入绿色食品行列。

黑龙江北大荒酿酒集团全体员工将以北大荒人的精神，本着"以质量为根本，以信誉求发展"的经营理念，以"求实、创新、诚信、奉献"的企业精神，与世界各地的新老客户紧密合作，携手发展，为广大消费者献上更新、更醇、更美的玉液琼浆。

8、黑龙江北大仓酒类销售有限公司

黑龙江北大仓企业集团位于被中外友人誉称为"鹤城"的东北黑龙江省第二大城市——齐齐哈尔。企业经过多年的发展已成为黑龙江省国有大中型骨干企业和东北地区白酒行业大型企业之一,并被评为齐齐哈尔十五户利税大户之一,成为地方财政的支柱企业。北大仓酒为黑龙江北大仓企业集团的主导产品。该酒是以东北"大蛇眼"红高梁为原料,以小麦高温大曲为糖化发酵剂,采用茅台酒工艺和自家传统工艺精心酿制,酒液经三年以上贮存,再精心勾兑而成。北大仓酒为酱香型白酒,具有独特的茅香,酒液清澈透明,香气柔和优雅,入口醇香馥郁,饮后空杯留香持久。北大仓酒的问事世,具有特定的自然条件和特定的历史条件,它是伴随着"北大荒"变成"北大仓"这一亘古奇迹的出现而同时诞生的"自立更生,艰苦奋斗"的创业精神,是北大仓的酒魂。北大仓酒巨大的无形资产中蕴含着深邃的中华民族酒文化的精髓。因此北大仓酒先后被评为黑龙江省优质产品,轻工业部优质产品,消费者最喜爱产品,名牌产品,并且两次荣获国际金奖,成为中国优质白酒精品,同时,一九九五年被省授予白酒类全省用户满意产品,确认为全省白酒类唯一黑龙江特产,确定为一九九五年———一九九八年黑龙江省免检产品。尤其是让北大仓人永远自豪的是一九六二年敬爱的周恩来总理视察黑龙江时，曾品尝北大仓酒，并赞扬鼓励说:"北大仓酒确有茅台风格,有发展前途。"周总理的话成为了"北大仓"事业日益兴旺发达的无穷动力。因此企业多年来积极推动科技进步,实施名牌战略,不断进行技术改造,不断调整产品结构研制、开发新品种,以适应不断变化的市场需求,现已形成了高、中、低度系列,大、中、小包装系列产品,而且企业一贯坚持"以质量求生存,以信誉求发展"的管理方针,产品始终保持久盛不衰的势头。目前北大仓酒在酒类市场已经占有重要的地位,销售市场以东三省为本,南进河北、山东、河南、甘肃、江苏、安徽、广东、福建、北上内蒙、遍至十五省,八十多个城市,并且正在与日本、南韩、俄罗斯等国洽谈,我们深信在不久的将来美酒北大仓将畅销国内,饮誉海外。

9、黑龙江哈尔滨啤酒集团

哈尔滨啤酒集团是以哈尔滨啤酒有限公司为核心企业，以哈尔滨牌啤酒啤酒为核心品牌组建的大型啤酒集团，现拥有大中型啤酒生产企业十三家，是中国大陆地区最大的专业啤酒制造商之一。

哈尔滨啤酒，诞生于1900年，是中国最早的啤酒品牌，2002年，被国家权威机构评为"中国名牌产品"。哈尔滨啤酒有限公司，其前身乌卢布列夫斯基啤酒厂，始建于1900年，是中国最早的啤酒生产企业。近年来，哈尔滨啤酒集团通过实施品牌战略和逐渐建立起完善的、可伸展的立体营销网络，以及可扩张推广的商业经营模式，使企业始终处于良性的高速发展状态，其强劲发展态势和品牌 渗透力一直令同行刮目。

优质的产品来源于对内严格的科学管理、对外高效的全方位服务。"让每一瓶啤酒都使顾客满意"是每一个"哈啤人"心中的质 量准绳和服务承诺。几年来，哈尔滨啤酒集团斥巨资引进当今世界上最先进的啤酒生产和检测设备，并率先在国内实行生产管理微机 化和生产过程全自动化的生产体系，还建立起了ISO9000和ISO14000二位一体的复合管理体系，提高了管理标准，实现了绿色和环保型生产。在加强质量管理的同时，哈尔滨啤酒集团更加注重对产品市场的全方位服务体系的建立，导入全新的营销观念以及营销方式，通过一系列科学化营销手段，不断对产品推陈出新，以满足不同偏好消费者的需求。

目前,哈尔滨啤酒不但在东北三省占有绝对的市场份额，而且销往除西藏以外的全国其他省区，更远销英国、美国、俄罗斯、日本、韩国、新加坡、香港、台湾等10多个国家和地区,哈尔滨啤酒正以其纯正清爽的口味、干净利落的口感、高品位高档次的形象赢得愈来愈多的消费者的赞誉和喜爱。

【黑河】

黑河，是中国首批沿边开放城市，地处中国东北边陲，以黑龙江主航道中心为界，与俄罗斯阿穆尔州隔江相望，是一个幅员辽阔、区位优越、资源富集、美丽神奇的边境地区。黑河辖2市3县1区(北安市、五大连池市、嫩江县、逊克县、孙吴县、爱辉区)，幅员68726平方公里，人口172.9万。

知名生产企业

1、嫩江春酒厂

【齐齐哈尔市】

齐齐哈尔市是黑龙江省第二大城市和省直辖市，是黑龙江省西部地区的政治、经济、科技、文化教育、商贸中心和重要的交通枢纽，全市辖七个区、一个市、八个县，人口561.1万（市区143.9万）。齐齐哈尔是被国务院批准的全国十三个较大城市之一。

齐齐哈尔市位于黑龙江省西北部的嫩江平原。东与本省绥化地区、南与吉林省白城地区、西与内蒙古自治区呼伦贝尔盟、北与本省黑河地区接壤。距省会哈尔滨市359公里。

知名生产企业

1、黑龙江富裕酿酒有限责任公司

2、北大仓集团有限公司

【大庆市】

大庆市场最强势的品牌应该是富裕老窖，特别是其零售价18元左右的“绿马车”系列，在当地的超市和中小型饭店里销量一直很好，其高档一些的“黑马车”系列品种也争得了一定的市场。当地的一位经销商说，富裕老窖的“绿马车”等系列品种已成为许多中档酒店必进的品牌，因为其已经在当地培养了一大批忠诚的消费群体，已成为新品进入不可逾越的障碍。其次泸州老窖在这里的市场也一直比较稳定。相对于富裕老窖来说，其他的东北品牌如龙江娇子、大庆老窖等品牌市场表现得均不太理想。这也许使这类城市的阻力指数变得小了几分。

【齐齐哈尔市】

齐齐哈尔这里盘踞着一个实力无比的品牌——富裕老窖，其所有系列品牌在高中低档市场可谓全面开花，占到了该市整体市场份额的七成左右。有商家分析，该品牌之所以在当地具有如此大的优势主要是因为其在当地较早地实行了买断经营，由于这些买断商在当地大都拥有完善的销售网络，加之这些商家都比较财大气粗，同时酒的口感等方面确实比较受青睐，所以富裕老窖在该市成为强势品牌也就成为了自然的事情。由此看来目前新品进入这个城市的机会并不大。

四、市场概况

【黑龙江“白酒”市场的两大“突破点”】

在东北白酒圈中，黑龙江的地产割据现象十分明显，市场的封闭性最强。在哈尔滨、齐齐哈尔、牡丹江等主要城市均盘踞着实力雄厚的地产品牌，它们在当地有着其他品牌难以企及的地缘优势，给外来品牌拓市带来了不小的障碍。虽然进军黑龙江市场的难度系数很高，可并没有阻挡住众多白酒厂商的脚步。各外来品牌纷纷使出浑身解数，希望分得黑龙江酒市的一杯羹。

“主攻省会城市”是很多白酒品牌进军外埠市场的策略，不过对于黑龙江市场来说，哈尔滨的玉泉、龙江龙等几大地产品牌几乎是难以逾越的障碍，当地的经销商也因饱受终端恶性竞争之苦而缺乏运作市场的积极性（本刊2005年第47期曾做过详细报道）。综合本刊的市场调查来看，外来品牌在开拓黑龙江市场时可以先避开哈尔滨，从以下两个地区寻找突破点。

一块诱人的大蛋糕——大庆

“大庆白酒市场是目前黑龙江最好的”，这是数位在当地运作市场的职业经理人的一致看法。同省内其他城市相比，大庆市场的消费水平高，市场容量大。据了解，大庆的经济总量约占黑龙江的1/4强，人均消费水平很高（大庆白酒市场的主流价位在40～80元之间，普遍高于省内其他城市），与此同时大庆总人口中有将近1/2位于市区，白酒的宴请和商务消费量大，消费潜力也很惊人。另据经销商反映，大庆还是省内少数几个地产情结较低的城市，消费者比较容易接受外来品牌，支出同样的财力和人力，大庆市场的回报率会比哈尔滨高很多。

综上所述，大庆市场同省内其他城市相比的确有着很大的空间，不过要想在这有所建树，还需防范目前市场上的两大“集团军”。

其一，以黑土地、富裕老窖为首的“地产军团”。在大庆市场上本地的地产酒虽然起色不大，可来自省内其他地区的地产酒却做得有声有色。据经销商反映，黑土地大概于3年前进入大庆市场，它的铺货率极高，并采取了一贯的打法——把运作重点放在中小型饭店，依靠花样翻新的各种打火机作为促销品。该酒主销品种价位在30元／瓶，2004年卖得最好，现在则有所下滑，2005年的销售额在一千万左右。

富裕老窖盘踞在大庆已经有些年头。据经销商反映，该酒在2003年还是大庆市场第一品牌，最近两年略有下滑，不过仍然不可小觑。富裕老窖在大庆采取的是“多品牌战略”，目前在市场上有将近20个品种，其中大庆特酿（48元／瓶）、绿马车（38元／瓶）走势较好。但也有当地业内人士认为，该酒的开发品牌太多，各个品牌之间难免会出现冲突，厂家应该在经销商管理上多下功夫。

除了这两大品牌之外，玉泉方瓶、龙江龙、龙江家园等地产品牌在大庆均有一定走量。

其二，以五粮液、金六福等为主的“川酒军团”。川酒在大庆市场一直有着良好的基础，消费者比较认可其中的大品牌。据了解，五粮液等高档酒在商务、政务消费中的比例很高。金六福则在中低档领域占有一定的份额。另据经销商反映，金六福进入大庆市场已有八九年了，运作力度一直很大，尤其在传统节日期间的活动特别频繁。现在该酒销量也主要来源于节庆消费。

从2005年反馈的信息来看，大庆市场上几大主流品牌均有不同程度下滑，已经没有绝对强势的品牌，这对于新品来说是个较佳的进入时机。谈到新品入市当地经销商普遍认为，开发大庆需要雄厚的资金做后盾，必须进行全方位的投入。在餐饮方面，大庆市场比较流行买店且费用较高。酒店的促销很激烈，一般情况下促销人员的月工资是800元加提成，开瓶费是8元到20元不等。另外，当地消费者容易受广告宣传的影响，所以这方面的开销也很大。新进品牌可以选择在大庆电视台、大庆有线电视台、大庆教育电视台、大庆晚报、读者新报、石油报等强势媒体投放，与此同时还需投放灯箱、车身等户外广告（由于大庆的市区比较分散，所以户外广告费用较高）。

中小品牌的福地——佳双鹤三角地带

分食大庆这块蛋糕需要很强的实力，那么对于实力较弱的中小品牌来说则需另辟蹊径。从本刊的调查结果来看，哈尔滨东北方向的佳双鹤（佳木斯、双鸭山、鹤岗）三角地带可以说是中小品牌征战黑龙江市场的最佳战场。佳木斯、双鸭山、鹤岗三市境域相连，在白酒消费方面也有着相似的特点：

第一，它们均为资源型城市，消费者收入有限，白酒消费水平不高，市场主流价位在20元左右。

第二，三地的市场运作成本都很低，例如在佳木斯市场，商超的条码费为50元左右，酒店则一般不收取进店费，但需要做好平时的客情维护工作。

第三，三地除了北方佳宾在佳木斯有一定的市场份额之外，地产酒对外来品牌的阻力较小。另外，目前三地市场也活跃着部分外来品牌，它们在消费理念方面为后进者奠定了一定的基础。

在如何开拓三地市场方面，当地一业内人士认为，中小品牌一般没有实力同时来做三个城市，最好选择先运作佳木斯。该市无论是在城市规模，还是在市场影响力上都是这三地的老大，产品一旦在佳木斯上量之后会对双鸭山和鹤岗市场产生辐射作用，从而带动这两地的销量。新品在当地最大的对手就是地产品牌——北方佳宾。该酒在佳木斯精耕细作了很多年，产品结构也随着市场变化在不断调整。目前该酒主销“世纪醇”、“老铁”等品种，市场价位在15～30元之间。另外，各个品牌在佳木斯的促销活动比较单调，力度也很有限，新品可以选择以此为拓市的突破口。

大庆　大庆白酒市场上的流行色彩很浓，消费者的品牌消费意识较强，地产情结则不甚浓厚。当地的消费水平也比较高。由于大庆市场上跟风消费现象比较严重，因此抓住核心消费者和加大广告投放力度，是开发大庆白酒市场的不二法门。有经销商估计大庆的市场容量在1.5亿左右，中档酒市场容量在6000万～7000万元，另外散装酒的销量也比较大。

茅台、五粮液、水井坊在高端市场走势稳定。泸州老窖在大庆市场有上佳表现。2005年下半年五粮液的王者风范也开始进入大庆市场，正在操作中。金六福年销售额在500万～600万元，销售渠道在不断的收缩，现在主走商超。除了泸州老窖、金六福这两大品牌之外，哈尔滨玉泉方瓶、龙江娇子、龙江家园等地产品牌在大庆均有一定走量。

黑土地是在2004年进入大庆市场的，在2005年达到了顶峰，几乎垄断了中低档市场。黑土地价格定位在25～30元之间，给同一价位的龙江龙和富裕老窖的市场带来不小的冲击。在市场开拓上，黑土地采取了其惯有的打法——把中小型饭店作为运作的重点，依靠极高铺货率和促销品（打火机）花样的不断翻新来营造消费的氛围。不过黑土地市场在下滑，下滑幅度在30%左右。

富裕老窖盘踞在大庆已经有些年头。据经销商反映，该酒在2003年还是大庆市场第一品牌，由于黑土地的进入，市场下滑比较严重。富裕老窖在大庆采取的是“多品牌战略”，目前在市场上有将近20个品种。由于该酒的开发品牌太多，各个品牌之间难免会出现冲突，导致价格体系比较混乱。有经销商分析到：富裕老窖的定位在中低档市场，受黑土地的冲击较之定位在中档市场的龙江龙更加严重。该酒的品牌太多，在重启市场时，如果不重新理顺产品线，就容易导致主推品牌不是很清晰，造成消费者在品牌认识上的困难。

龙江龙的市场销售在2004年最好，有1000万元左右的销量。2005年的市场则存在一定程度的下滑。今年龙江龙准备推出新品，老产品已经停产，厂家梳理了原来的产品线，有399元的高端产品和198元的五钻龙江龙，精品龙江龙和佳品龙江龙价格分别是50元和26元，另外还有一款价格在16元的产品。目前，厂家加强政府公关方面的投入，还通过设立见义勇为基金等活动，来树立企业的社会形象。

宁城老窖来自内蒙古。在1998～1999年，宁城老窖曾是大庆市场的霸主，以后一直在大庆市场精耕细作，有较好的市场基础。宁城老窖在促销上也比较有特色，如让内蒙古小姑娘在促销现场唱蒙古族歌曲，以此来强化产品的卖点。有当地业内人士分析，宁城老窖有可能成为今年大庆白酒市场第一品牌。

拓市建议：打造一个新品还是要从酒店终端入手，虽然很难，但无他法。大庆市场上的酒店终端竞争前两年是很激烈的。目前对酒店的争夺有趋缓之势，主要原因在于酒店与厂商的关系不好处理，回款不是很及时导致厂商资金压力增大。终端包店的方式能否有效，取决于是否有充足的现金流。

佳木斯“佳木斯的消费水平比较低！”一位经销商介绍道，“北方佳宾是地产品牌，政府在招待用酒方面是不会用其他酒的。”北方佳宾占据了大部分市场份额，其市场最辉煌的时候有6500万元的销售额，现在一年的销售额有2500万元左右，主要的销售收入来源于光瓶低档酒，在中档盒装酒市场大约有600万～800万元的销售额。

龙江龙也在做佳木斯市场，主要的走量在中档的盒装酒，可以占到三分之一的市场，年销售额200万～300万元。

黑龙江的清老酒在市场上的铺货比较到位，只是市场上的销量不大。另外牡丹江酒厂的大曲和哈尔滨的玉泉方瓶销量也不大。

齐齐哈尔　从整体上看，有知名度、信誉度的地产白酒，已牢牢控制了当地市场，外来产品很难进入。市场上中高档主流价位在40～65元之间，中档价位在10～30元，大众消费则在5元左右，这一部分的走量很大。

通过调查发现，富裕老窖在当地的根基绝对牢固。"富裕老窖起码占有齐市7成份额"，当地一位经销商估测，"其在10～30元的中小酒店消费中绝对占主导"。目前，富裕老窖有30～50个品种，其中买断品牌占了其中很大一部分，每个品种有几十万不等的买断费用。在销售模式上，富裕老窖在齐市开了部分直营店，主要经营自有品种和低端买断产品。厂家和买断商非常重视对市场价格的维护，目前富裕老窖的产品链完整、价格体系稳定，能有效防止外来品牌的进入。有经销商告诉记者，"哪个产品不新鲜了，换个包装照样畅销，老百姓就是爱喝。"多年来富裕老窖稳定的酒质，让消费者形成了稳定的消费心理和饮酒习惯。很多经销商都告诉记者，当地人往往不适应外来酒的口感。

在富裕老窖的系列产品中，32元/件（1×6）的小笼装，主打工薪阶层家庭消费市场，已持续畅销5年；二两半装、售价3元/瓶的黑珍珠，主走烧烤店和中小酒店，已畅销5～6年；二批价在13～18元/瓶的瓷瓶，20多元/瓶的绿瓷、纯净、风花雪月，30元/瓶左右的猎人、老酒坊等产品，每月的走量均在千件以上；值得一提的是，富裕老窖三星、五星，批价140～150元的东方巨龙等，在中高端走势很好。

另外，值得一提的是吉林德惠市的庄稼院酒。该酒于2005年6、7月份上市，由于宣传到位且力度很大，在市区范围内，正逐步上量。经销商批价4元/瓶的普通装，9～10元/瓶的瓷瓶装，18～20元/瓶的产品，市场表现都不错。一位熟知当地市场的经销商认为，厂家在市场操作上存在一定的问题：为了上量而放开二批，导致二批之间相互砸价，这种情况使消费者产生了不信任感。

在哈尔滨走红的玉泉大曲，只在低档家庭消费中有一定走量。北大仓的市场表现一般，有经销商说，消费者多反映其度数太高，口味太呛。

金六福的市场表现稳定。目前厂商已不再大力运作，但品牌影响依旧，年节婚庆时，点名率颇高。一星到岸价53元/箱，55～58元/箱的售价受到消费者欢迎。消费者对西凤的酒质、口感都能接受，但走量集中在年节。另外，劲酒、百年真龙等保健酒在当地市场也有一定的销量。

牡丹江　目前在该市的白酒市场中，地产品牌牡丹江大曲占有较大的市场份额，其主销价位在10～40元之间，此外其开发的精制20年大曲等品种在高档市场上也开始崭露头角。除了牡丹江大曲以外其他品牌基本处于一种混战的局面，强势品牌孕育得异常艰难。但据当地业内人士介绍说，白酒在牡丹江具有很大的消费潜力，而除了地产酒所占有的市场以外其他市场还有很大的机会。群雄混战的格局中谁先突破谁就有可能成为黑马。

牡丹江白酒市场中高档主流价位在15～40元之间，仅1×12的简装酒市场容量估计就在40万～50万箱之间，市场容量可见一斑。从市场份额来看，地产牡丹江大曲占据主导地位，外来酒也有一定的发展空间。

在中高档市场，五粮液地位稳固，金剑南自运作当地市场以来，市场销量保持稳定。由于市场操作力度比较大，金六福市场表现基本保持稳定，在高中低档价位均保持走量。外省低端产品基本没有市场。

富裕老窖在当地表现一般，哈尔滨的玉泉有一定销量，目前二者都不足以撼动牡丹江大曲的市场地位。

【哈尔滨市白酒市场概要】

一、白酒销量和消费特点

目前，哈尔滨市民每年至少要消费酒类商品50万吨，其中白酒约3万吨，属国内酒类消费量较大的城市。

哈尔滨市酒类专卖管理局相关负责人介绍，目前，哈尔滨市酒类市场商品年销售量已达到100万吨，成为东北地区最大的酒类商品集散中心，全国知名品牌酒类商品和地方名优酒类商品市场占有率不断增加，地产品牌酒类商品外埠销售也保持了良好的势头。同时，45度至52度高度白酒的消费量近两年呈现明显增加的趋势。

哈尔滨人青睐白酒，与北方寒冷气候和地域文化有密切关系。许多人有喝白酒暖胃的习惯，相当数量的人认为能喝白酒是性格豪爽的表现，推崇"感情深、一口闷"。一些人还习惯于在喝白酒时吃解酒药、护肝药，推崇喝高度酒，认为这样喝白酒危害小。但不容乐观的是，该市百姓啤酒消费偏好明显，就在白酒主销区火锅店里，该市百姓多数仍会选择啤酒作为辅助饮品。据调查，该市啤酒消费约为40-50万吨。可以说哈尔滨人爱白酒，更爱啤酒。

二、产品

1、主流品牌：

高档：五粮液、茅台

中档：泸州老窖、郎酒、古井贡

中低档：龙江龙（该酒是市场最抢眼的品牌，阿城酿酒厂出品，38°，兼香，超市零售价22元左右，批发价19元左右，原通路利润4～5元/件，现仅为0.5～1元/件。当前约占市场份额60%～70%。）

2、主流价位：

高档：100元以上

中档：50-60元

中低档：10-25元

3、主流香型：兼香、浓香

4、主流度数：38°、50°

5、主流包装：红黄主色调的包装较受欢迎

三、广告与促销

1、进店费：A级酒店 2-4万比较普遍，少部分要价10万

B级酒店 2000-5000元，单品价约300-400元

C级酒店 2000-5000元，单品价一般150元

2、开瓶费：高档则在20元以上

中低档一般5-10元

3、常见促销品：以小饰品和日常用品最受欢迎，如打火机、钥匙链、笔等，为酒店服务员定做服装、帽子，和赠送杯子、洗衣粉等形式也比较普遍。

4、促销员工资：通常700-800元为基本工资，加上提成一般可达1000-1300元。

5、主流媒体：黑龙江省一台《新闻夜航》栏目收视率较高；《新晚报》在本市影响最好，但广告价位较高；《生活报》全省发行，影响较广。

一向以"能喝"闻名全国的哈尔滨人，随着消费观念的

变化、保健意识的增强，对饮料酒类的选择，出现了由高度酒向低度酒、蒸馏酒向发酵酒、粮食酒向水果酒、低档酒向高档酒的转变趋势。

白酒不再是霸主

白酒是中国特有的酒种，一向以味香醇厚、回味绵长深受消费者的喜爱，加之地域、气候的因素，白酒一直是哈尔滨酒类市场的霸主。但近一二年，红火热闹的白酒市场却在不断萎缩，这除了人们的消费观念越来越理性，更主要的是由于酒饮料的多元化打破了过去白酒一统天下的局面。还有一个不容忽略的原因是：前几年出现的山西假酒案和近年来不断发现的造假酒窝点被端，让消费者心有余悸，不敢饮用白酒。

葡萄酒受青睐

葡萄酒又称红酒，一向以酒度低、口感好、营养丰富、有助于消化而被消费者所喜爱，过去一直被国人誉为“女士酒”。近年来，各类葡萄酒正以强劲的态势冲上一部分家庭的餐桌。随着葡萄酒市场逐步走向成熟，葡萄酒消费越来越被消费者认可，其实质是一种文化上的消费需求。

在调查中了解到，几乎所有被调查者都喜欢或喝过葡萄酒。经常喝的为3%左右，饭店、酒吧的消费量是17%左右，节假日的消费量为20%左右，以中、低价位产品消费为主，哈市人均消费量不到西方国家的0．5%。另外，哈市葡萄酒市场充斥着大量的“三精一水”的低档甜型葡萄酒，由于大多数消费者对葡萄酒了解甚少，还不会品尝葡萄酒，所以较喜欢这种低价葡萄酒。看来人们的消费观念还有待培养。

啤酒永远的长青树

啤酒因营养丰富、含有多种维生素、健脾胃、祛油腻、防暑降温、解渴等功效成为“大众情人”。哈市许多家庭不是像西方人那样用葡萄酒作佐餐酒，而是将啤酒作佐餐酒，甚至到了“无啤不成席”的地步。在哈市，消费者喝的啤酒大多是地产品，如“哈啤”、“新三星”和外埠的“青岛”、“五星”等品牌，喝进口洋啤酒属高消费阶层。由于啤酒行业生产能力过剩，进入了微利时代，现在啤酒的价格比水都便宜，更让爱喝啤酒的人笑口常开、常饮不断。今后，无论饮料酒市场如何变化，啤酒永远是消费者的最爱。

洋酒“洋”不起来

洋酒自1994年成系列地进入哈市后，一直是“身份”的象征，受到追赶时尚的富裕阶层所青睐。由于洋酒包装精美、瓶体造型独特，加之有“讲究”的喝法，深得一些人喜爱。

据调查，在哈市喝过洋酒的人占66%，经常喝的人仅占0．4%，还形成不了气候，这其中的原因除了价格昂贵之外，洋酒的口感也使得一些国人接受不了。曾几何时，洋酒在哈市便大起大落，现今已进入了正常的销售状态，说明市场已趋于成熟。

业内人士介绍，随着社会的进步，生活观念的改变，对于饮料酒，更多的人们将不限于在餐桌上、酒吧里喝喝而已，而是讲究科学饮用，喝出文化、增添情趣。

【啤酒：哈尔滨的特色名片】

啤酒与城市的百年好合

哈尔滨人能喝酒，爱喝啤酒。这个习俗主要是受流亡到哈尔滨的欧洲国家的侨民，尤其是受俄国人的熏陶。应该说，当时欧洲的啤酒文化对哈尔滨人的饮食文化和人生情趣的影响是深远的。早在1 900年俄国人就在哈尔滨建了中国第一座啤酒厂，自此这座城市便与啤酒结下了不解之缘。

几个朋友坐在街头，喝上几瓶啤酒，在哈尔滨已是一桩很平常的事。如今，许多哈尔滨人像王先生一样有着特别的啤酒情结，长期的环境影响使哈尔滨人养成了以啤酒释怀，以啤酒会友的习惯。

华灯初上，夜色迷人的哈尔滨，人们手擎酒杯，散落在大街小巷，为自己的节日干杯！啤酒女郎们将新鲜的啤酒用容积达一升的单耳大杯盛好并送到饮客面前，这些貌似娇弱的女服务员，每只手各持四五个酒杯，健步如飞地穿梭在人群之中。广场里人声鼎沸，人们开怀痛饮，载歌载舞，热闹非凡。据了解，目前哈尔滨的啤酒消费量已经突破百万吨，成为全世界第二大啤酒消费城市。

在哈尔滨，喝啤酒既是一种文化，又是一次新的感受——或豪饮，或浅呷，从中人们可以把生活的乐趣和啤酒放在一块进行品咂，许多外地的游客在哈尔滨这个啤酒的城市里，都找到了一种特有的感觉。

哈尔滨人在啤酒“灌溉”中愉悦

各地都有各地的特色，曾经有人编出“哈尔滨八大怪”，与“大面包像锅盖”齐名的是“喝啤酒像灌溉”。

哈尔滨人喝啤酒与经济状况无关，只与心情相关。即使在改革开放前生活十分拮据年代，人们找几家关系不错的旧交“组团”，带着家中拌制的凉菜，坐渡船到太阳岛上，席地“开喝”。那个因一曲《太阳岛上》而闻名的纪录片里就记录着这样的镜头。那时哈尔滨盛啤酒的容器有暖水瓶、大盆、塑料桶、水壶、罐头瓶子等，带有独特的时代烙印。在炎炎夏日，打上一大盆散装啤酒，与朋友、家人围坐一起小酌，那份惬意和心情是旁人无法理解的。许许多多的啤酒故事，在哈尔滨人的身上上演：如哈尔滨啤酒厂曾有一位职工练就一手绝活，6秒钟内将一箱24瓶啤酒瓶盖全部启开；万人同时喝同一种啤酒曾创吉尼斯纪录等。

在这个酒吧广场上，男男女女悠闲惬意，人们手拿生啤大杯，在遮阳伞下、在吧台商椅上或窃窃私语，或独享安宁，人们喝冰啤解渴，喝黑啤品味，这里的诗情画意胜过啤酒节的叫卖与喧闹，这里才是哈尔滨人可以天天享受的“啤酒文化”。

哈尔滨人爱喝啤酒，更爱喝地产啤酒。每到夏天，可以看到或独饮或三五成群的哈尔滨人在酒肆、排档里畅饮。而哈尔滨人对自己的产品更是青睐有加。哈尔滨人就是用这样直接的表达方式来诠释自己的对百年哈啤的深深情怀。

酒能给人带来欢乐是无可否认的，世界各地都有名目繁多的酒节。国内许多城市也都举办过各种名目的啤酒节，尽管形式各异，主题大多雷同，都是秉承一脉的啤酒文化。早在上个世纪80年代末哈尔滨就举办过一次啤酒节，非常成功，青岛啤酒节的主办者曾亲临哈市取经。结果，哈尔滨啤酒节昙花一现，而青岛却取来“他山之石”，将啤酒节红红火火地办成了全国第一。新世纪的哈尔滨眼看其他城市纷纷举办啤酒节，自然也不甘寂寞，在闻名全国的中央大街上举办了“哈尔滨之夏国际啤酒文化节”，如今已是第四届了。许多国内的啤酒巨头都参加了啤酒节。除了哈啤外，哈尔滨市华润啤酒公司组织38个品牌参加啤酒节，哈尔滨市世纪星图公司专门组织了碧特伯格、普拉娜、酷者黑啤等40多个欧洲啤酒品牌，并在主会场上使用德国使馆专用的世外花园家具做布置，加上中央大街蓝带、克罗娜、朝日等啤酒，现在有90多个世界知名啤酒品牌参加啤酒节。啤酒节熟食和特色食品也精彩纷呈，各商家对啤酒节抱有极大的信心，这些无疑壮大了哈尔滨啤酒文化的外延。

啤酒文化是与哈尔滨的城市文化同步、同龄的，而且喝啤酒能让人在精神上产生一种愉悦。

吉林省糖酒市场

一、省情简介

吉林省位于中国东北地区中部，因省会最初设在吉林市而得名。东与俄罗斯接壤，东南以图们江、鸭绿江为界河与朝鲜相望，西南界辽宁省，西接内蒙古自治区，北邻黑龙江省。面积18.74万平方公里。人口2574万。有35个少数民族，约占总人口的7.2%，主要有朝鲜、满、蒙古、回、锡伯、达斡尔族等。全省辖8地级市，17县级市，20县，3自治县。省会长春市。

吉林省属温带大陆性季风气候，夏季日照时间长，高温多雨，雨热同季，为作物生长提供了良好条件；秋季光照充足，多晴少雨，昼夜温差大，利于作物的营养积累。全省地势由东南向西北沉降，形成了山地、丘陵、平原三大地貌类型。东部是长白山区，森林茂密，林木资源丰富，现已查明的药用植物1000多种，是国家重要木材和特产基地。中部是平原，土质肥沃、集中连片，是世界三大黄金玉米带之一，是国家重点商品粮基地和玉米出口基地。西部是半农半牧区，草原面积大，宜于发展畜牧业和水产业，也是油料、糖料和细毛羊商品基地。

二、市场格局

吉林省白酒酿造企业46家，其中达到万吨以上生产规模的有9家，固体白酒产量约有8.5万吨左右，而液体白酒产量仅酒精就达16.3万吨，实际产量约15万吨。

吉林省较大的白酒生产企业主要有：吉林省长白山酒业集团公司、长春榆树大曲集团股份有限公司、辽源龙泉春酒业股份有限公司、吉林省金福酒业有限公司、王洮南市馨蜀源制酒厂等。

吉林全省销售收入500万元以上食品企业共428户。

附：吉林省十大名酒企业及其产品

三、知名企业

【长春市】

长春市位于中国东北，吉林省中部，是吉林省省会，是全省的政治、经济、科技和文化中心。市辖朝阳、南关、宽城、二道、绿园、双阳六个区和榆树、德惠、九台三个县级市及农安县。全市面积为18881平方公里，总人口为667.3万人，1992年和1994年分别被国家批准为享受沿边开放政策的中心城市和副省级城市。

全市共有汉、满、回、朝鲜、蒙古、锡伯、壮等37个民族，是一座年轻而美丽的城市。长春冬长夏短，春、秋不长。夏天满眼葱翠，气候清爽宜人；深秋色彩斑谰，美不胜收；冬天则银装素裹，玉树琼花，四季风光旖旎。

长春的主要景点有伪满州国皇宫、净月潭国家森林公园、长春电影制片厂、长春电影城、滑雪场、般若寺等。

作为吉林省省会的长春，在白酒消费方面依然显得比较保守，地产酒的消费量非常大。当前地产酒中最走红的当数榆树王和榆树钱，主销价位在50~100元之间。该酒除了口感适合当地人以外市场操作也做得很好，酒店、商超的营销力度丝毫不逊色于外地品牌。在中低档市场洮南香和洮儿河的销量位居榜首，特别是洮儿河的成长比较快。与地产酒相比较来说外地酒之间的竞争就更加激烈，特别是名酒，比如金六福、古井、泸州老窖等等。但是对于当地消费者来说他们对地产酒的感情好像更深，这也筑成了长春白酒市场比较封闭的特点。

知名生产企业

1、吉林省长白山酒业集团公司

2、吉林省广泽乳业有限公司

3、长春百事可乐饮料有限公司

4、长春榆树大曲集团股份有限公司

5、吉林德大有限公司

6、吉林亚泰集团保健饮品有限公司

7、吉林省长春皓月清真肉业股份有限公司

8、通化葡萄酒股份有限公司

通化葡萄酒股份有限公司，地处美丽纯净、山青水秀的长白山脉西麓，始建于1937年，有着近70年珍贵的葡萄酒酿造经验。通化牌系列葡萄酒被评为“中国名牌”和“中国驰名商标”，并曾多次作为国宴用酒和国家“两会”用酒，党和国家领导人江泽民、朱德、董必武、胡耀邦、彭真、杨尚昆等同志曾到厂视察、并题词给予高度赞扬。公司葡萄原酒总加工贮藏能力五万余吨，年生产能力三万吨。产品远销36个国家和地区。

通化葡萄酒从1960年开始先后被评为省、部、国家名酒和优质酒，荣获各种奖项50余次，其中：金奖15次、银奖9次及其他奖励和荣誉称号。

2001年1月15日，通化葡萄酒股份有限公司股票正式挂牌上市。2004年9月新华联集团收购通化葡萄酒股份有限公司29.07%的股权。新华联集团与东宝集团分别为通化第一、第二大股东。新华联和东宝集团雄厚的实力资源，为通化葡萄酒注入了全新的活力。

通化牌葡萄酒将全新设计产品，保持甜酒竞争优势、并全新构建干酒体系必须坚持质量导向、顾客导向、效益导向，适应集团战略发展的需要、适应整个产业发展的需要、适应现代企业发展的需要。

2005年3月通化牌葡萄酒在成都成功推出14款全新产品，获得市场的热烈认同，一个古老葡萄酒的新传奇，正在春天上演。

焕然一新的通化牌葡萄酒将日新月异，精彩纷呈。

9、吉林省洮南市洮南香酒业有限公司

洮南市洮南香酒业有限公司，位于吉林省西部的科尔泌草原腹地。这是一块古老而神奇的土地，不仅物华天宝，人杰地灵。更是美在原始、贵在自然。洮蛟两河，松嫩二江在这里飘然流去。丰富的水资源不但水质清澈纯净而甘润甜美。黑土地盛产的红高粮更是子粒饱满。誉满关东大地的“洮南香酒”就在这里酿出，她宛如开在千里草原的一朵奇葩，迎风绽放，香飘四海。

洮南市洮南香酒业有限公司始建于十九世纪初，几经风雨，历尽苍桑。至今已有百年历史。经过几代洮南香人的努力进取，使这当年名为“东海涌”的小烧锅，发展成为今天一个拥有职工600人，占地面积5.6万平方米，两个酿酒车间、四条大规模灌装生产线，每年可生产万吨浓香型白酒的现代企业。

企业不仅有优秀传统酿造工艺。更有先进的高科技术、完备的质量检测设备、一批专业技术人才。多年来企业一直视产品质量为生命，是市场竞争和企业生存发展的唯一条件。科学而又规范的质量管理和标准化定量管理，完全覆盖了整个生产酿制、经营管理的全过程。为形成“洮南香酒”的独特风格，企业又在被授予“四川省名优酒生产科研基地”的四川大邑蜀源酒厂建立了原酒生产基地。从而使洮南香酒质量又上了一个新的台阶。于二00三年通过了ISO9001-2000质量体系认证。

洮南香酒以其高贵的品质、精美的装潢、合理的价格覆盖了东北的大片市场，赢得了一大批消费者。结交了一大批忠诚的客户和各界朋友。市场逐年扩大，产品不断更新。现在洮南香酒已有高、中、低档三大系列近百个品种。

洮南香酒自一九六三年被命名为：“吉林名酒”以来，多次评为省优、部优，在轻工部酒类大赛中被评为优质白酒，获银杯奖，还获“吉林省名牌”，近期再获“吉林省名酒”；国家、省、地、市重合同守信誉单位；中国食品协会白酒产品检测中授予国家质量检测合格——全国质量信得过食品等30多项名优产品称号。

展望未来，希望与困难同在。日趋加剧的市场竞争，不单是产品的竞争，而是更高层次的观念之争、品牌之争、人才之争和市场战略之争。我们坚信拥有庞大完善的销售网络的洮南香人会更新观念转换机制、掌握并有效运用现代市场营销理念，指导市场战略的实施。我们深知热爱白酒营销事业，有实力和诚信的经销商是我们最好的朋友，是我们企业最宝贵的财富。我们将真诚与您合作。给您最优惠的政策，最有力的支持，最完美的产品。让您获得最大的利益和我们携手并肩、共创辉煌。

10、吉林省白酒集团

吉林省白酒集团是全国唯一以省命名的企业集团。2000年正式成立。集团是以吉林省林家铺子酒业有限公司为母体，其他四个具备各方面优势的子公司组建起来的。

集团下设二个生产分厂，其中之一：座落在吉林省榆树市五棵树经济开发区（全国著名的产粮大县），生产瓶装酒；之二：设在开府之国、酒业之乡的四川崇州，生产原酒、调味酒。

集团占地面积为16万平方米，建筑面积2.6万平方米，固定资产3000万元，年生产能力达5万吨，产值10亿元。集团采用五粮液工艺与泸州老窖工艺融为一体而形成的独特工艺，并拥有古老的酿造设备、现代化的包装流水线和先进的化验检测仪器，产品质量始终处于国内先进水平。集团的人才优势和技术优势非常明显。董事长林长友先生是国内著名的国家白酒评酒员、法国国际评酒员；总经理吴家保先生是国内著名的白酒营销专家；总工程师张武举先生是国内连续三届国家级老评酒员。同时，集团还聚积着一批懂管理、精技术、通业务的人才，为企业的发展和壮大奠定了坚实可靠的基础。

集团主要生产、经营白酒。而集团生产的“林家铺子酒”系列、“吉酒”系列、“滋补酒”系列共十六个品种，沿袭了“林家铺子酒”独特的酿造方法。通过家传秘方，经过以林长友先生为代表的酿酒专家们的精心酿制，“林家铺子酒”、“吉酒”、“滋补酒”系列酒，具有窖香浓郁、绵甜爽口、香味协调、余味爽净、回味悠长、风格独特之优点。曾多次荣获国家或省级名优产品称号。目前集团生产的三大系列酒已成功地进入了15个省的各大、中城市的白酒市场，并深受广大消费者的好评。企业本着扎实、高效、精细、创新的原则，积极推行大市场战略，建立了稳固的经销网络，形成了区域带动的营销策略，与市场上的几十家大区域的经销商建立了一种长期合作、利益与共、风险同连的新型厂商关系，为进一步开拓销售市场，营造良好的销售环境打下良好的基础。集团始终坚持“质量第一、顾客至上”的服务宗旨，以“用心做事，真心待人”为企业精神，使广大消费者在饮用醇香美酒的同时，品位悠远而又神秘的关东文化。集团的发展目标是用三年左右的时间，把“林家铺子酒”、“吉酒”等系列酒作成全国一流品牌，跨入全国白酒强当行列。作为吉林省白酒的龙头企业，将为吉林省白酒的龙头企业，将为吉林省白酒事业的发展和经济的腾飞做出更大的贡献。

【吉林市】

吉林市是吉林省的第二大城市，位于祖国的东北腹地，远迎长白山，近绕松花江，是国务院批准的甲级开放城市，和我国较大的中心城市。1994年吉林市被国务院命名为中国历史文化名城。

自然资源得天独厚，物产富饶，工农业飞速发展。现在，吉林市已发展成为一个以化学工业、电力工业、机械制造为主的工业城市，有“化工城”的美称，同时也是北方的交通枢纽。

吉林市，以其荟萃的文化古迹，独秀的自然风光，方兴未艾的旅游事业，著名的冰雪体育运动基地，日新月异的现代工业，而成为塞外北国的一颗璀灿明珠。

虽然洮南香和洮儿河在吉林市白酒市场上拥有相当一部分固定的消费群体，但这两个品牌也只局限在10元以下的低档市场上，在消费量最大的中档和高档市场上外省酒只要具有一定的知名度也同样会受到消费者的青睐，比如当前金、银剑南、金六福等品牌在吉林市都有不错的走量。尤其是金剑南和银剑南在酒店里的销量日益攀升，商家对该品牌的市场前景比较看好。

【延吉市】

延吉市地处吉林省东部，长白山脉北麓，它北靠敦化市、汪清县，西接安图县，南连龙井市，东面与图们市接壤。在东北亚经济圈中，延吉市是图们江流域“大三角”多国开发中方的一个支撑点，东直距中俄边境60公里，直距日本海80公里，南直距中朝边境仅10余公里，有着较好的通海条件。

延吉全市面积1350平方公里，占自治州总面积的3.16%，南北长约64公里，东西宽约56公里，其中城区31.7平方公里。在全市总面积中，山区林地约占78%，耕地仅占9%左右。

川酒在延吉市比较受到当地消费者的喜爱，尤其是五粮液系列酒在高、中、低档市场上是全面开花，其中五粮神、六百岁、金六福以及38度的火爆酒等都有不错的走量，特别是12元左右1瓶的火爆酒更是拥有一批忠实的消费者。不过，当地市场上消费者的跟风意识较浓，因此市场形势依然存在很大变数。在中低档市场上，玉米酒等一些地产酒鱼龙混杂，一直没有特别突出的产品，也许需要的是更有实力的品牌出现。

【四平市】

四平市位于东北大平原中部吉林省西南部，辽吉两省交界处。现辖铁东区、铁西区、公主岭市、双辽市、梨树县、伊通满族自治县，总面积1.4万平方公里，市区面积407平方公里，总人口330万，市区人口45万。

四平区位优越，交通便捷。好是东北铁路的重要枢纽，哈大、平齐、四梅铁路在市区交汇；长大高速公路和京哈、集锡、沈明、四洋四条国省道贯穿东西南北。

四平工业基础雄厚，体系完备，门类齐全。机械、化工、纺织、食品加工、医药、电子、冶金、建材均在吉林省占有重要位置；谷物联合收割机、轮式装载机、专用汽车、高温风机、热交换设备则在国内享有盛 誉。

四平农业发达，素有东弱三大粮仓之一的美誉，大豆、水稻、玉米、高粱及杂粮始终保持稳产高产，是全国重点商品粮基地和畜产品生产加工基地。

知名生产企业

1、四平宏宝莱饮品股份有限公司

2、四平市中体十佳运动健身饮品有限公司

【通化市】

通化市位于吉林省东南部长白山区，南与朝鲜民主主义人民共和国以鸭绿江为界，是我国对朝三大口岸之一。辖七个县（市、区），全市幅员面积15195平方公里，人口226万。

通化有“四乡”之称。是“中国中药之乡”、“中国葡萄酒之乡”、“中国人参之乡”、“优质大米之乡”。以长白山野生山葡萄为主要原料，采用独特的传统工艺精制而成的通化葡萄酒，至今已有66年的酿造历史，是中国唯一一个以地名命名和注册的葡萄酒商标，远销5大洲30多个国家和地区。

通化山清水秀，景色宜人。是通往长白山天池的两条旅游线路之一，有许多自然、人文、历史景观。

知名生产企业

1、通化葡萄酒股份有限公司

2、吉林克菲尔饮品股份有限公司

【辽源市】

辽源市位于吉林省中南部，地处长白山余脉与松辽平原的过渡地带。东南部与梅河口市接壤，东北部与磐石县隔大沙河相望，北部与四平市伊通县相连，西部与辽宁省的西丰、清源县毗邻。南北长105公里，东西宽82.2公里，幅员面积5123平方公里，总人口数为 124.64万人。东辽县为西流水，属东辽河水系；东丰县为东流水，属第二松花江水系。辽源市辖东丰、东辽两县和龙山、西安两区。

辽源地区虽开发的年代较晚，但自然景观及近代史迹较多，可开发利用的旅游资源较丰富。其中，有国家级和省级重点文物保护单位2处，市级20处。自然和人文景观有东辽河源头碑亭、寿山、龟山、龙首山公园、南照山公园、杨木湖度假区、八一湖旅游区、石驿古栈道、东丰皇家鹿苑、东丰龟岛旅游度假区等。

知名生产企业

1、辽源龙泉酒业股份有限公司

四、市场概况

【吉林白酒　优势产业为何做不强】

吉林省是我国名副其实的产粮大省，而白酒的主要原料便是粮食（玉米、高粱等），吉林省的白酒企业依此资源优势，结合自身特点来发展企业，生产出了许多酒体丰满、口味纯正的好酒。虽然吉林省现有获得生产许可证的白酒企业300余家，品牌众多，但在业界却流传着这样一种说法，“吉林白酒只是墙内开花墙内香”，真正走向省外市场的为数不多。据了解，全省目前没有一户企业年销售额过亿元。那么，吉林白酒在本地到底繁荣到何种程度？它不能“香飘四海”的症结又何在？如何才能突出重围去大打天下呢？就此系列问题，记者走访了相关人士。

消费终端——本地酒唱主角

在长春市的各大商超和酒店里，本地（即吉林省）酒都有自己的一席之地。记者在恒客隆仓储超市及其所属40多家迷你店、沃尔玛万达购物广场、欧亚商都等商超看到，本地酒品种都比较全，榆树钱、洮南香、洮儿河、龙泉春、德惠大曲等地产名酒应有尽有，琳琅满目。据这些店的销售人员介绍，地产名优酒走货情况十分火爆。

在长春市刚记海鲜、灶王爷、东方饺子王等知名酒店，“榆树钱”、“洮南香”、“龙泉春”、成为本地酒的代表。一些不知名的小店更是以本地酒为主打。甚至在香格里拉、紫荆花、名门、乐府这类星级酒店中，本地酒也都有的卖。

记者当街随机采访采访了几位消费者。一位工人师傅说，多少年了，就认准了本地酒，口味合适，价钱还便宜。外地的酒再好，可喝不惯那种“曲子味”。在某电脑公司工作的一位“白领”张先生则说，平时大家聚会，都喝本地酒，口味挺不错的。很是凑巧，一位40岁左右的男子是长春市某酒类批发公司的老板。提到当地酒，他热情地对记者讲到，他是洮南某酒厂在长春的代理商，他经营的“洮南香”卖的特别好，单就“洮南香老虎头”一种，有时一天就能走货上千箱。

生产厂家——质量、宣传是关键

针对吉林白酒没能“大打天下”的现状，长春榆树大曲集团销售公司总经理杨国赋提出了“质量＋宣传＋营销”的模式，颇值得人思索。杨国赋说，好的质量是产品能够占领市场的决定性因素，也是最基本的因素，只有产品有了过硬的质量才能谈及其它。作为一种饮品，酒与食物一样，同人们的性命息息相关。所以，酒的质量尤为重要。但是，光有了好的质量还远远不够，在市场经济条件下，宣传的功效同样不可忽视。“好酒不怕巷子深”、“皇帝的女儿不愁嫁”，这些观念早已过时了。在同质化的商品越来越多的情况下，产品需要宣传，要求用宣传来引导消费。只有这样，才能在消费者中建立对产品的认知度、信赖度乃至忠诚度。就以五粮液集团为例，酒好是勿庸置疑的，他的广告以及宣传的投放攻势对于树立品牌同样功不可没。相形之下，吉林省白酒企业的宣传力度显然不够大，这便是症结之所在。

吉林省头道酒业有限公司总经理叶树民则从饮食文化角度入手来诠释症结之所在。叶树民认为，北方和南方存在着巨大的饮食文化差异，北方人性格豪爽，喜欢喝烈酒，南方人性格之中则突出一个柔字，习惯喝米酒。吉林白酒多以度数高、性烈见长，“南方人当然是受不了的”。

吉林省某酒业公司一位不愿透露姓名的负责人则认为，吉林白酒行业现状和很多行业一样：窝里横。本来很好的产品却无法打造更广阔的市场，原因是多方面的。“首当其冲的是产品结构不合理”。吉林省的白酒生产企业现在只是占领了本地市场，想要继续扩大市场份额就要根据不同市场、不同文化背景、饮食习惯、消费水平等来调整产品结构，只有生产出适合当地需要的产品，才能谈及其他。就现有产品而言，可改善其低档次的包装来提升竞争力。另外，企业的品牌意识也亟待增强。“市场运作方面表现出营销手段的落后，只是单纯模仿别人的做法，很少有一定价值的创新之举。每个企业都用打火机做促销品、瓶盖换钱的方式搞宣传，真是有点让人啼笑皆非，究其原因是营销人才的缺乏。吉林省的白酒企业多是小作坊式的家族企业，弊端很多，有的企业经营者根本不懂经营管理，多数企业缺乏真正懂得市场的人才，宣传意识自是不太强了。这都是一系列的连锁反应。”

据这位资深人士介绍，针对吉林省白酒行业小企业众多、规模企业少的现状，有关部门应加强引导和加大扶持力度，同时相关部门应对行业的不公平竞争加以规范。

专家：发展中提档次，以档次创品牌

吉林省酿酒协会会长周玉山坦言，吉林省是全国的产粮大省，具有生产、酿造白酒的天然优势。很多高附加值的白酒用的原料都是吉林的粮食。但是，吉林省的白酒酿造只有百余年的历史，而人所共知的川酒则达数千年之久。“酒越陈越好，这是需要时间的。现在，无论花多大的力气兴建、改建、扩建酒厂都不可能立即见效，这是一个让人很无奈的历史积弊。”周会长接着说道，吉林白酒行业目前以生产中、低档酒为主，其原因是多方面的。市场经济的价格杠杆起着不可替代的作用。在没有品牌效应的前提下，只能先靠低价、高质来占领市场。这也使得吉林白酒能够在很短的时间里就走入了百姓的日常消费。事实证明，这种策略是符合吉林省当地实际情况的。但是，要想打入全国市场，单靠这种中、低档次是不可能的。“吉林省有好酒，没有名酒”，这也正是许多白酒企业亟待解决的难题。

周会长认为，在当前“川酒挺立、皖酒崛起、黔酒改组与名酒品牌化”的局面下，吉林白酒走鲁酒的广告路子和五粮液集团的帖牌政策都是不可行的。因地制宜，可以借鉴吉林市场上发展比较好的几家白酒企业的成功经验。榆树钱，榆树王，百年榆树，这些都是榆树大曲集团生产的系列酒，他们在吉林市场上占有相当的份额，并且开拓了部分省外市场，目前已有相对高档的酒被消费者认可。白城市几家酒厂的发展势头迅猛，洮南香、洮儿河等市场销量越来越好。“可以从中推理一下，找出吉林白酒的定位和发展方向”。同时，周会长强调，市场经济条件下，引资永远是真理。2003年辽源龙泉酒业股份吸纳新的资本注入，今年长春榆树大曲集团和梅河口酿酒厂的成功改制，给吉林白酒行业的发展带来了新的活力，也为吉林白酒走向全国提供了一个可借鉴的经验。

对于吉林白酒的明天，周会长认为有很大的发展潜力，而且政府十分关注。最近几年开展的评选吉林省酒业十大名牌就是在为企业“加油”。另外，在不违背政策的前提下，政府还会给企业适当的帮助。再者，地方保护政策在经济全球化的大潮中日渐淡薄，这使得吉林白酒机遇与挑战并存。一方面，自己走向外省市的市场阻碍变小了；另一方面，这也使得靠质量坚守住自己家门口变得更为迫切。最后，周会长有些动情地说道：“现在，吉林白酒已经在吉林省内‘遍地开花’，但吉林白酒并不局囿于此，他将在稳步发展中提高档次，再以档次来创新品牌。只有有了具有竞争力的品牌，吉林白酒走向全国市场便指日可待。”

【吉林白酒地产诸侯排兵布阵割据市场】

行业巨头主宰行业的发展方向，这几乎是每个行业的公理。随着跨地域竞争的加剧，原本地域性非常强的白酒品牌正在逐步走向全国，真正的白酒区域性品牌大鳄开始浮出水面。记者在吉林省选择了一些很有分量的白酒企业，重点关注长春榆树大曲集团、白城洮儿河酒厂、洮南馨蜀源制酒厂这三个近年来取得辉煌销售业绩的企业；以及颇有潜力的吉林德大德惠大曲酒厂和德惠小村外酒业。

榆树大曲：高端称王

在吉林省酒类市场群雄争霸图中，榆树大曲属于手中心中皆有剑的那一类。长春榆树大曲（集团）股份有限公司是百年老字号企业，多年来一直非常重视品牌建设，公司倾力打造的“榆树钱”系列白酒，现已成为吉林省酒类市场地产高端白酒的代表。

榆树之“俞”者即平安 、吉祥也，而 “吉祥 、平安”再与“钱”有机结合。长春榆树大曲集团以喝“榆树钱酒，前途无量”为主要诉求点，使榆树钱品牌于新世纪之始便应孕而生，并在三年的市场运作中逐渐发展壮大，一路飚升。2005年春节前期，榆树钱系列酒出现抢购风潮，产品供不应求，几度断货，在长春高端品牌中雄居首位，占市场份额的80%。2005年销售8500多万元，回款率达100%的突出业绩，使公司成就一方霸主之业，成为吉林省酒类行业巨头。

吉林白酒多年来给人的印象是低档，不注重企业和产品形象。而今以榆树钱酒为代表的吉林白酒，正在改变这一形象。从榆树钱酒成功的事实来看，观念和营销手段起了决定性作用。公司副总经理杨国赋透露，2005年，公司将继续以“转变观念，营销战略转移”为指针，以“诚为本，信为先、客情为贵”为服务宗旨，以“卖出去才是硬道理”为营销理念，深入贯彻“八字”方针，突破传统的营销模式，打破习惯的思维方式，因地制宜地实施差异化营销，贯彻“八字”方针进行市场再细分，缩短销售渠道，渠道扁平化，销售重心下移。继续采用一地一策，一户一策，一时一策的灵活战术，在市场无常规的情况下，针对各市场的实际情况采取相应措施。注重“三重、三精、五策略”，即：重点市场，重点倾斜；重点客户，重点扶持；重点产品，重点投入；作市场精耕细作，投入精打细算，做事情精益求精，注重实际工作成效；从产品策略、价格策略、分销策略、促销策略、广告策略，进行有机结合，打整合、打特色、标新立异。

同时加强对经销商的指导工作，以产品战略选择经销商，针对不同类型市场、不同产品、不同通路选择不同的经销商，通过产品差异，形成产品的竞争合力。

继续加强市场的拓展能力，加强终端拓展，主要强化二级批发商流通网络分销功能，规范通路环节，注重餐店及商超的建议，利用终端营销树立品牌，利用终端营销推广新品，利用终端营销提高市场占有率。建立应对市场的危机机制，面对危机七分防三分治，七分防：洞察先机，找出不足，防患于未然；三分治：冷静分析，积极应对，对症下药。严格执行力，加大考核力度。增加五力：形象力、产品力、销售力、传播力、管理力。

自2003年开始，榆树大曲展开全省攻势，目前已经完成了全省的市场布局。尽管酒类市场竞争日趋激烈，但榆数大曲却志存高远，记者了解到：榆数钱酒的目标是成为吉林省高端白酒领军品牌。

洮南香：稳住低端

在吉林省酒类市场争夺战中，中低端产品竞争的激烈程度是最为明显的。然而，吉林省洮南市馨蜀源制酒厂的洮南香酒却连续六年畅销不衰，看来“三两年喝倒一个牌子”也不尽言。洮南香1999年进入长春市场，当时长春酒类市场黑龙江酒、川酒、吉林酒三分天下，在当时的喧嚣气氛之中，来自吉林白城地区的洮南香，堪称是一个另类。

2000年，洮南香在长春一炮打响。四年之后，当市场若干品牌纷纷退出长春的同时，本来就已经单品销量达到3000万的洮南香（消费者亲切地称之为“老虎头”，却还又影响到了吉林市。精耕细作的结果是，洮南香在吉林市也成为低端市场上的一批黑马，实现了良好的销售业绩，2004年公司销售额超过6000万元。

洮儿河：两翼并进

近几年，在其他行业看好白酒产业，纷纷进入白酒行业时，也有部分企业从酒业迈进了其他产业，开始了自己的多元化进程。吉林省洮儿河酒业就是其中之一。“一业为主、两翼齐飞”，经过多年的创业，洮儿河酒业多元化产业投资集团的雏形已经形成，实行多元化后，洮儿河酒业将提高企业的综合实力，紧紧抓住国家振兴东北老工业基地这一历史机遇，使洮儿河这一吉林名酒迅速成长为全国知名品牌。

小村外：虎口夺食

两年前，小村外这个在河南白酒市场占有很大市场份额、但在吉林鲜为人知的企业，斜刺里杀将出来，在长春建立了营销总公司，在长春大规模开发中低断市场。旋即又在河北、山东、辽宁、黑龙江、青海、甘肃等地开辟若干新的战场，成为吉林省白酒行业一匹引人注目的“黑马”。

小村外能取得如此骄人战绩，与他们抓住了市场机遇有关，更得益于他们把握住了行业转折尤其是地产白酒合力支撑吉林市场的契机，也可以说是抓住了最后一个以小博大的机会，实现了鲤鱼跳龙门。未来的市场增长能否保持这样的速度，省外市场渠道能否顺利打通对小村外而言都是未知数。但小村外人似乎不在乎，他们相信的是：有梦想就能创造奇迹。

德惠大曲：重振雄风

德惠大曲酒厂始建于1917年，“德惠牌”大曲酒1988年获国家优质奖，1989年晋升国家二级企业，1992年获法国巴黎国际博览会特别金奖，1994年通过国家方圆委方圆认证。产品远销法国、韩国、香港等国家和地区，同时做为国宴酒进入中南海、人民大会堂。企业拥有五个生产车间，五条包装流水线，两个辅助车间。德惠大曲酒厂是一户老字号企业，曾是一块光闪闪的金字招牌。

德大公司于2004年2月重组收购了大曲酒厂，形成了年加工白酒1万吨的生产能力。德惠大曲酒厂，被吉林省德大公司整体收购以来，依靠公司振兴老名牌，不断提升工艺技术含量，引入先进管理理念的经营策略，投产3个月就创下了6百多万元的销售业绩，产品迅速销往全国，重现往日的生机和活力。

德惠大曲酒是吉林省传统名牌产品，上个世纪50年代以来，以其香淳浓郁的酒质，深受人们的喜爱，赢得了众多的荣誉，但是近年来，由于市场等多种原因，使这个曾经久负盛名的名牌白酒陷入低谷。2003年德惠大曲酒厂，被吉林德大公司收购后，立即着手进行资源整合，对生产工艺发酵、勾兑等关键环节，进行全面升级改造。

同时，公司选聘高级品酒和勾兑技术人员，参与产品生产，全面提高品质，现在公司酒厂采用国内最先进的饮用水，净化杀菌、消毒和过滤设备，确保酿造用水质量。同时，采用气象测普仪，分光光度计等尖端设备，进行分析和检验，确保酒中各项成分和理化指标达到国家标准和成分均匀稳定。

目前，酒厂的几个检验员全部持有国家级职业检验资格证书。勾兑人员4人全部是吉林省白酒评委，1人是国家级评委。现在德惠大曲酒已经开发出三大系列，17个品种产品已经销往长春、哈尔滨、沈阳、深圳等20多个大中城市，灌装3个月以来，累计销售额达到600多万元，热销势头强势。

吉林曾经拥有许多优秀的白酒企业，其盛产粮食的优势让许多外地的白酒企业眼红不已。但历史终究是历史，今天的白酒市场竞争异常激烈，能不能在激烈的竞争中立于不败之地，并且迅速崛起是摆在吉林白酒企业面前一个重要课题。

如果我们更深层次地去关注吉林白酒这几十年的发展状况，就会发现影响其发展的诸多因素。比如体制原因，过去缓慢的转型改制速度形成的制约因素；比如同质化严重、没有形成品牌等的制约因素；比如产品卖点提炼层次不够，品牌策划不规范等形成的制约因素；比如对市场把握不足，对营销重视程度不够，营销人才匮乏等制约因素；……

而在清醒地认识到“落后就要挨打”后，吉林白酒已不再是“深在闺中无人识”了。全行业基本完成了改制，同时越来越多的企业更加注重品牌建设和营销队伍建设，吉林白酒的竞争力有了明显提高，近两年省内外的销售形势就是最好的证明。难怪有外地到吉开发市场的某企业老总感言：东北酒要崛起了！（赵禹）

四川沱牌集团有限公司董事长、总经理李家顺先生系全国劳模、九届、十届全国人大代表、遂宁市政协副主席。

总裁寄语

沱，长江之源：
沱，汇集吸纳，天呼地应，
以浑然质朴，以磅礴气势，
蕴积着生生不息的浩荡，
展示着百折不挠的坚韧——
奔流在天地之间润泽生命无限！
沱牌，沱中甘霖：
汇聚唐时"射洪春酒"，
明代"谢酒"的精髓与
现代酿酒生态工业的先进科技，
以甘美香醇，以卓越品质，
经历了悠悠岁月的锤炼，
获得了不同凡响的声誉——
中国名酒 沱牌曲酒。
光彩夺目的沱牌，
正是源于
长江文化生生不息的一次次升腾！
当晨曦再次点燃天际，
当高山流水的韵致，
轻轻回荡在奔流的江面，
我们憬然醒悟——
路在脚下：不进则退勇往直前！
我们从源头走来，带着沱牌的情怀；
我们已走出盆地，跨越重山；
我们正扬起风帆，乘风破浪
驶向成功的彼岸……

——李家顺

四川沱牌集团有限公司简介

Introduce of Sichuan tuopai group co., ltd.

四川沱牌集团有限公司坐落在川中射洪子昂故里，系国家大型一档企业。拥有子（分）公司20个，总资产28亿元，员工5000余人，占地5平方公里；已形成以酒业为支柱，集科技、工业、贸易为一体，跨地区、跨行业、多元化的大型企业集团，被国务院列为全国100户建立现代企业制度试点企业，四川省重点发展的大型扩张企业，集团核心企业四川沱牌曲酒股份有限公司股票1996年在上海证券交易所上市交易。

改革开放以来，沱牌在全国劳模、九届、十届全国人大代表、知名企业家李家顺先生的带领下，自力更生、艰苦创业，以独特的经营理念和高瞻远瞩的超凡气魄在市场经济大潮中开拓进取，探索出"微机配方"、"双轮底发酵"、"低温入窖"等一整套生产工艺。1988年，公司主导产品"沱牌曲酒"便荣获"中国名酒"称号；现已具备年产销20万吨沱牌曲酒及其系列酒的生产能力，并已形成了高、中、低档兼有，高、中、低度结合的产品结构新格局，是中国最大的优质白酒制造企业之一；其营销网络遍布全国并正努力开拓国际市场。

从1995年起，沱牌大力推进现代企业制度试点工作，坚持以市场为导向，深化企业内部改革，依靠科技和人才，不断调整、优化产品结构和产业结构，开拓后续支柱产业；并模拟生态系统功能，创建沱牌酿酒工业生态园，努力提高规模经济效益和科技进步效益。在"十五"期间，沱牌继续以白酒产业为基础，依靠科技进步，加快工业化进程，巩固强化竞争优势，并带动相关产业发展，实现传统酒业的产业升级和市场拓展；同高校和科研单位合作，发展生物制药业，加快向高新技术产业转型；与国际著名大公司合作，发展农产品精深加工产业，培育新的利润增长点；依靠区位调整，聚合资源，吸纳人才，整合渠道，提升企业核心竞争力。与时俱进，按照省委、省政府提出的追赶型、跨越式发展的总要求，实现沱牌"二次创业"，把沱牌建成科技开发力强、市场竞争力强、经济效益好的大型企业集团。

纵横多元世界，创造国际名牌。新千年的沱牌，必将抓住西部大开发的良好机遇，继续深化企业内部改革，做好国内国际两个市场，以她更加坚定的信念、更加昂扬的斗志谱写二十一世纪新的发展篇章。

沱牌酿酒工业生态园鸟瞰图

10万吨金属粮仓

万吨陶坛储酒库

网址：http://www.chinatuopai.com.cn　电话：0825-6618888

企业篇

贵州茅台酒股份有限公司

一、公司基本情况

1999年，由贵州茅台酒厂有限责任公司联合中国食品发酵研究所发起的贵州茅台酒股份有限公司正式成立，2001年8月，贵州茅台股票在上交所挂牌上市。

公司主导产品贵州茅台酒是中国民族工商业率先走向世界的代表，1915年荣获美国巴拿马万国博览会金奖，与法国科涅克白兰地、英国苏格兰威士忌并称世界三大（蒸馏）名酒，是我国大曲酱香型白酒的鼻祖和典型代表，近一个世纪以来，已先后14次荣获各种国际金奖，并蝉联历次国内名酒评比之冠，被公认为中国国酒。

国酒茅台在全国白酒行业拥有独一无二的工艺技术、企业标准和特殊功能：

一年一个生产周期，从原料进厂到成品出厂，至少需要五年时间。

制酒过程需经九次蒸煮（馏），八次发酵，七次取酒。

高温制曲、高温发酵、高温接酒是其独特工艺，其中高温制曲和高温接酒对中国白酒工艺变革产生了重大影响。

长期储存是茅台酒风格形成的关键因素之一，在白酒行业独具特色。

精妙绝伦的勾兑技术和理论由茅台率先提出，是对中国白酒行业的重大贡献之一。

酱香、窖底、醇甜三种典型体的划分和总结，对中国白酒香型划分和浓香型白酒的发展作出了划时代的贡献。

GB18356-2001《茅台酒（贵州茅台酒）》既是国家标准，也是企业标准和国际标准，在白酒行业绝无仅有。

独特的空气、气候、地理、水文环境，使茅台酒不能异地生产，在全国白酒行业也是绝无仅有。

茅台酒已通过了绿色食品和有机食品认证，并被确定为原产地域保护产品，在全国白酒行业，迄今只有茅台酒集此二者于一身。

中国加入WTO，全国经济一体化，给贵州茅台酒股份有限公司带来了挑战和机遇。国酒茅台将以铸造一流企业为愿景、以走新型工业化道路，做好酒的文章，走出酒的天地为发展方向，向着更快、更高、更强迈进。

二、经营状况

2005年整体经营情况的讨论与分析

1、报告期内总体经营情况

报告期内，公司精心组织生产，加强内部管理，积极开拓市场，充分发挥贵州茅台酒“有机茅台，人文茅台，科技茅台，世界最好的蒸馏酒”的独特优势，全体员工团结协作，开拓创新，管理体制进一步完善，研发新产品力度继续加大，公司竞争力得到了进一步的巩固和提高，主营业务收入和净利润均较上年同期增长，顺利完成了全年经营计划和目标，显示了良好的发展态势。报告期内，公司共生产茅台酒及系列产品15,953.55吨；实现主营业务收入393,051.52万元，比去年同期相比增长了30.59%，主营业务利润271,316.34万元，比去年同期增长了26.20%；实现净利润111,854.16万元，比去年同期增长了36.32%。2005年，公司本着“酿造高品位生活”的经营理念，以挖掘和宣传国酒文化为主线，以顾客为中心、市场为重点，加强终端建设，搞好营销工作，使公司主导产品贵州茅台酒销量大幅增加，全年共实现销售收入379,159.68万元，较上年增长31.71%。企业和产品信誉度、美誉度、忠诚度得到进一步提高。

2、公司主营业务的范围及其经营情况

公司主营业务范围：贵州茅台酒系列产品的生产与销售；饮料、食品、包装材料的生产与销售；防伪技术开发；信息产业相关产品的研制、开发。

公司生产的贵州茅台酒是我国酱香型白酒的典型代表，驰名中外。独特的风格、上乘的品质及国酒的地位，使茅台在多年的市场竞争中树立了良好的品牌形象和赢得了信誉。作为国内白酒市场唯一集“绿色食品”、“有机食品”和“原产地域产品”称号于一身的天然优质白酒产品，贵州茅台酒系列产品深受消费者青睐。

报告期内，公司进一步搞好贵州茅台酒及其系列产品的生产和销售等各项工作，并按照2004年度股东大会决议组织实施了新增2000吨茅台酒生产及辅助配套设施的建设，在保证质量的前提下，加快项目实施进度，已经实现了部分投产。

3、在经营中出现的问题与困难及解决方案

市场假冒侵权和行业的无序竞争，给公司产品销售和形象造成一定的影响。对此，公司一是依靠执法部门，继续加大打击假冒侵权酒的力度；二是继续坚持做好专卖店、专卖柜等营销网络的建设，实行严格的管理和保护办法，对茅台酒系列部分产品实行专卖店专供，增强经销商的防范及打击假冒的意识，增强消费者的正确识别、正确对待意识；三是培养、充实公司打假人员，搞好市场服务。

4、对公司未来发展的展望

（1）公司所处行业发展趋势及公司面临的市场竞争格局

近年来，消费者饮酒习惯的变化、替代产品的不断增加、国内啤酒和葡萄酒产销量的逐年上升、洋酒关税全面放开后国外品牌纷纷抢滩中国市场，加剧了酒类高端市场的竞争。另一方面，随着居民收入水平的不断增长、生活质量的不断提高，高端白酒的市场份额呈现出了不断增长的趋势，白酒企业在中高端市场的竞争将会越来越集中。因此，对拥有竞争优势的白酒企业而言，机遇与挑战并存。

（2）公司的竞争优势与挑战

贵州茅台酒作为“国酒”，有着由“著名的品牌、卓越的品质、悠久的文化、独有的环境、特殊的工艺”等五大优势所组成的核心竞争力，凭借良好的品牌形象和消费基础，在白酒市场有着极高的市场认可。

面对目前的市场竞争格局，尽管公司有着很强的竞争优势，但也面临一定的挑战，主要表现在以下几个方面：第一、地方保护主义与地区封锁依然严重，各地区自产白酒在当地市场上仍然在渠道、价格、消费习惯及感情等方面拥有一定的优势；第二、行业准入门槛较低、伪劣以及假冒产品的屡禁不止，将可能会给公司产品造成一定的负面影响。为此，我们将进一步做好工程营销、文化营销、服务营销、感情营销、个性营销、诚信营销、网络营销、事件营销，大力宣传茅台酒的健康理念，宣传、巩固并扩大细分市场优势，在有限的市场总量中争取最大的市场份额。

5、公司未来的发展战略以及2006年度经营计划

公司希望通过五至十年的努力，实现贵州茅台酒产量两万吨的目标。

2006年，公司将力争实现销售收入比上年增长12%。为此，公司拟采取以下措施：

（1）进一步加强内部管理，提高经营效率。

（2）加强市场营销建设，继续完善市场服务体系；巩固和拓展国内外市场，巩固和提升茅台酒及系列产品的市场占有率。

（3）大力开展节能降耗工作，加强能耗物耗管理，制定和实行能耗物耗标准，降低资源消耗水平。

（4）搞好公司“十一五”万吨茅台酒工程一期新增2000吨茅台酒技改项目的建设和投产工作。

6、资金需求及使用计划

为实现公司2006年经营计划目标和茅台酒相关技改建设项目的顺利进行，公司一方面将通过进一步搞好贵州茅台酒及其系列产品的销售，努力增加主营业务收入，另一方面，将可能通过自筹、适度贷款或其它方式来解决。

（二）公司主营业务及其经营状况

1、主营业务分行业、分产品情况表（占主营业务收入10%以上品种）（见表一）

2、主营业务分地区情况表(见表二)

3、主要供应商、客户情况

前五名供应商采购金额合计	248,103,449.31
占采购总额比重	44.97%
前五名销售客户销售金额合计	286,877,819.49
占销售总额比重	7.30%

三、解读国酒茅台核心竞争力

世界上最好的蒸馏酒闻熙

贵州茅台酒被公认为与苏格兰威士忌、法国科涅克白兰地比肩鼎足的世界上最好的三大蒸馏酒之一。

茅台酒永恒不变的高品质是国酒茅台核心竞争力的生命根基，也是茅台酒畅行国内市场和海外150多个国家和地区的“绿色通行证”。

茅台酒从初始形态的“枸酱”、清代的“回沙窖”演化而来，及至在上世纪初叶定型为“茅台酒”，迄今已跨越了两千多年漫长的历史时空。岁月的流逝与时代的变迁已使整个中国发生了翻天覆地的变化，茅台酒历经千锤百炼，也修成了超凡脱俗的大气，出落得到更加美轮美奂！

“风来隔壁三家醉，雨过开瓶十里香。”前人审美茅台酒发出的赞叹，惟妙惟肖，形象地刻画出了茅台酒“幽雅细腻，协调丰满，酱香突出，回味悠长，空杯留香”的内在高品质神态。

“酱香型酒是很好的酒种，含有许多对人体有益的、待认识的成分，这些已日趋被世界和消费者认可”。我国著名白酒专家、中国白酒专业委员会副会长沈怡方如是评价茅台酒的高品质，“在大曲酱香里头，国酒茅台最好，这是毫无疑问的。品质，没有人能赶上茅台！”

感觉经验是第一的东西。只要人们留心品鉴，就能从嗅觉和味觉的审美中体验和可感知到茅台酒卓尔不群的高品质外化特征———“复合型”香味香气：开瓶斟酒，顿觉一股幽雅浓郁的芳香扑面而来；饮酒入喉，在畅快间又感受到有种夹带着醇甜的酱香冲鼻而出；酒尽怀空，依然闻到飘逸在空气中的类似香兰素的“复合”香味香气……

在世界蒸馏酒中，茅台酒蕴涵的成分最多、最丰富、最协调、最具层次感，微量成分多达1000多种，其中最为丰富的芳香族化合物成分，就来源于茅台酒的酿造原料高粱和小麦。

“纯粮酿造”——这是当今许多白酒品牌对其品质属性的宣传广告诉求语。殊不知，这“纯粮”二字的含义是有区别的。一般说来，其他白酒酿造所谓“纯粮”，即指除高粱、小麦以外，还有玉米、荞麦、大麦、大米及薯类、豆类；而茅台酒采用的纯粮，则仅指优质地产糯高粱和小麦，且小麦用量占52%，质量完全符合国家绿色食品、有机食品的严格标准。

茅台酒高品质形成的又一个要素是，严格执行“5：1的投粮产出比率”，即投入5公斤粮食，只生产1公斤酒；而其他白酒酿造的投粮产出比，最高者也仅为3：1。茅台酒酿造的原料成本高，也是业内之最。

将茅台酒与其他白酒相比较物一个重要的品质区别在于，茅台酒中易挥发物质相对较少，不易挥发物质相对较多。给人最直观的感受是：饮时不刺喉，酒后不烧心、不上头，即使有时过点量，不会使人产生头昏脑胀、身心疲乏的生理反应。茅台酒中含有的有益人体健康的酸类、酚类物质，相当于其他白酒的三至四倍；此外，还含有18种氨基酸、多种维生素以及具有抗肿瘤活性的天然酱油酮、具有改善胃肠功能的并呋喃等，这些都已为科学分析所验证。

“即使将茅台酒与白兰地、威士忌、伏特加等外国名牌蒸馏白酒作比较，茅台酒也是技胜一筹、质高一等”——茅台集团董事长、总工程师、中外著名酿酒大师季克良说：“茅台酒的接酒浓度在52%～56%(V／V)，而其他蒸馏酒接酒浓度高达67%(V／V)以上，然后加水加浆稀释到所需要浓度。茅台酒的酒精度在53%(V／V)左右，这在世界上所有蒸馏中是最科学、合理的，加之要经过三年以上的长期陈酿，所以茅台酒较柔和，酒度高而不烈，对人体的刺激小，有利健康可想而知。”

人们常说，一个人做件好事并不难，难的是一辈子都做好事。与此同理，一种白酒的质量，要说它好，不能只仅凭一时或一批来定论，而要看能否做到恒久不变地保持其稳定性。

国酒茅台之所以堪称世界上最好的蒸馏酒，一个极其重要的表征，即是其卓越的内在品质及品味风格做到了始终如一！曾有一位国家负责白酒质量的权威人士感叹道：“我跟踪茅台酒的质量20多年了，它一直非常稳定。这实在太难得了！”

茅台酒的勾兑是最难掌握，也最能体现茅台酒质量控制

的工艺技能，整个操作过程，就是一个“动态体系”。要勾调出符合茅台酒质量标准和独特香味香气风格的成品茅台酒，既要依据文字标准，又要参照实物标准；而最终，两者的有机融合，则全凭调酒师的视觉、嗅觉、味觉审美及心灵感应来掌握和体现。要在如此极其复杂的过程中周而复始地进行“动态体系”操作，并保证茅台酒的质量及品味风格做到前后一致和稳定，足见其难度之大。

如果从消费者最为关心的“食品安全”视角来审视国酒茅台高品质可信任度的话，那么最令人感到放心的是：迄今为止，在整个国内酿酒食品企业中，惟一只有国酒茅台同时拥有国家颁发的“绿色食品”、“有机食品”和“原产地域保护产品”三项认证。此外，在2006年1月18日，国酒茅台又首批获得了商务部、国家认证认可监督管理委员会赋予的“中国酒类质量认证证书”。

毫无疑问，无论任何时候，消费者和市场都在真情呼唤着高质量的产品。一个企业，一个品牌，要赢得消费者和市场的认同和拥戴，只能像国酒茅台这样依靠货真价实的高质量产品，而不是弄虚作假的品牌炒作。

茅台集团党委书记袁仁国经常这样说：“国酒茅台坚持质量第一的方针和成本服从质量、效益服从质量、速度服从质量的原则，虽然与许多垂手可得的吹糠见米之利擦肩而过，但是，却获得了实现快速发展的生命根基——强劲的高品质核心竞争力。”

四、贵州茅台入选《财富》“中国最有价值品牌”

近日，最新一期美国《财富》杂志(中文版)评选出了“中国最有价值的品牌”，贵州茅台上榜。在这份排行榜的前25名企业中，共有6家中国公司入选，其中贵州茅台名列第三，贵州省唯一上榜企业，在总排名中贵州茅台为第十名。

《财富》杂志(中文版)评选出的“中国最有价值的品牌”，其调查方式仍然延续了去年的标准，250个入选品牌必须在所属企业(以该品牌产品为主)销售收入达到一定的标准，或者在全国性媒体上的广告投入达到一定的数量。销售收入应达到以下四个排行榜中的任意一个：《财富》500强、《财富》(中文版)“中国上市公司100强”、商业部发布的“中国外商投资企业500强”以及中国企业联合会发布的“中国企业500强”。

国酒茅台是世界三大蒸馏名酒之一，在国内外有着很高的地位，是我国走向世界的第一个具有自主知识产权的民族品牌，其品牌已经和几千年的中华酒文化融为一体。自1915年荣获美国万国博览会金奖暨世界名酒以来，到二十世纪九十年代末，茅台酒已连续14次荣获国际金奖。作为中国自主品牌里的佼佼者，茅台酒在岁月长河和国际市场上历史弥新，长盛不衰，已成为中国白酒传统品牌的经典。国酒茅台凭借良好的业绩，品牌价值不断得到提升，2003年成为中国500强企业，国内上市公司100强第一名，2004年和2005年在全国1400多家上市企业中被评为中国10家最具价值上市公司前四名、2005年荣获“中国制造行业内最具成长力的自主品牌企业”称号、“2005年中国最具影响力财富企业”和中国

主营业务分行业、分产品情况表（占主营业务收入10%以上品种）

表一　　单位:元　　币种:人民币

分行业或分产品	主营业务收入	主营业务成本	主营业务利润率(%)
高度茅台酒	3,345,658,444.76	552,701,199.37	70.34
低度茅台酒	445,938,365.97	83,317,049.06	67.13
合计	3,791,596,810.73	636,018,248.43	69.96
分行业或分产品	主营业务收入比上年增减（%）	主营业务成本比上年增减（%）	主营业务利润率比上年增减（%）
高度茅台酒	36.41	35.68	减少2.33个百分点
低度茅台酒	4.66	5.72	减少3.55个百分点
合计	31.71	30.83	减少2.41个百分点

主营业务分地区情况表

表二　　单位:元　　币种:人民币

地区	主营业务收入	主营业务收入比上年增减(%)
国内	3,853,790,698.51	33.58
国外	76,724,539.10	-38.46
合计	3,930,515,237.61	30.59

上市公司纳税百强企业等荣誉，今年上半年的业绩又居上交所挂牌公司之冠，成为中国上市公司第一高价股，以绝对优势高居沪市股价排行榜榜首，被业内人士认定为是最有投资价值的蓝筹股。

宜宾五粮液股份有限公司

一、公司基本情况

宜宾五粮液股份有限公司是1997年8月19日经四川省人民政府以川府发(1997)295号文批准，由四川省宜宾五粮液酒厂独家发起，采取募集方式设立的股份有限公司，预先核准的企业名称为“宜宾五粮液股份有限公司”。主要从事“五粮液”及其系列白酒的生产和销售。

五粮液股份有限公司位于“万里长江第一城”——中国西南腹地的四川省宜宾市北面的岷江之滨。其前身为50年代初由几家古传酿酒作坊联合组建而成的“中国专卖公司四川省宜宾酒厂”，1959年因其产品五粮液酒的优秀品质和声誉而正式命名为“宜宾五粮液酒厂”，从1985年起，原五粮液酒厂创造性地将历史文化承传与现代的科学运作相结合从而取得了高速发展的巨大成就，于1998年改制为“五粮液集团有限公司”。从九五期间到2004年，公司创下了销售收入平均增长40%的神奇速度，2004年，实现销售收入138亿元。

五粮液股份有限公司的成名产品“五粮液酒”是浓香型白酒的杰出代表，她以高粱、大米、糯米、小麦和玉米五种粮食为原料，以“包包曲”为动力，经陈年老窖发酵，长年陈酿，精心勾兑而成。她以“香气悠久、味醇厚、入口甘美、入喉净爽、各味谐调、恰到好处、酒味全面”的独特风格闻名于世，是当今酒类产品中出类拔萃的珍品。自1915年代表中国产品首获“巴拿马万国博览会”金奖以来，五粮液酒又相继在世界各地的博览会上共获38次金奖，1995年在“第十三届巴拿马国际食品博览会”上又再获金奖，铸造了五粮液“八十年金牌不倒”的辉煌业绩，并被第五十届世界统计大会评为“中国酒业大王”。2002年6月，在巴拿马“第20届国际商展”上，再次荣获白酒类唯一金奖，续写了五粮液百年荣誉。同时，五粮液酒还四次蝉联“国家名酒”称号；四度荣获国家优质产品金质奖章；其商标“五粮液”1991年被评为首届中国“十大驰名商标”；数年来“五粮液”品牌连续在中国白酒制造业和食品行业“最有价值品牌”中排位第一，2004年其品牌价值达306.82亿元，具有领导市场的影响力。五粮液股份有限公司于2003年再度获得“全国质量管理奖”，成为我国酒类行业唯一两度获得国家级质量管理奖的企业。 五粮液人通过以质量、规模、效益为工作重心实施了成功的阶段性战略突破和高速发展，使五粮液股份有限公司已经具备了年酿造五粮液及其系列酒40多万吨的生产能力，以及年包装各类成品酒40多。

二、2005年的经营情况

1、报告期内总体经营情况综述

本公司属白酒类食品制造行业，主要从事五粮液及其系列酒产品的生产和销售。2005年度，公司共销售五粮液系列酒14.09万吨、实现主营业务收入64.19亿元、主营业务利润24.14亿元、净利润7.91亿元，分别比上年同期增长10.51%、1.92%、−2.11%、−4.42%。

2005年，因市场原辅材料、水电油运煤上涨等多种因素致公司生产成本和税负有所增加，公司营销政策调整、品牌打造等致费用有所上升，从而使本年度的净利润出现了小幅下降。但是，公司在生产、销售、品牌形象、无形资产等多个方面取得了非常好的成绩，为下一年的发展奠定了坚实的基础。

(1) 2005年的生产势头强劲，优质品率大幅度提升。

生产方面，公司生产系统认真总结和查找近几年优质品率徘徊不前的症结，适时提出“举旗帜、抓班子、带队伍、促好转”的管理思路，并提出“一切管理、体系运转都要围绕工规去落实”的具体要求，果断采取了一系列有效的管理措施和技术措施，进一步完善生产管理机制，实行扁平化管理，上下互动，齐心协力，集思广益，统一思想和认识，统一行动，解决了公司生产多年来的一些深层次问题，使传统工艺得到全面落实，基础酒内在质量和风格不断提升，优质品率大幅提高，一级基酒较上年增长32.28%，为后续的持续发展打下了良好基础。

(2) 市场营销方面，五粮液系列酒产品的销售展现前所未有的好形势。

①市场营销方面，面对白热化的市场竞争，公司在“三个转变，四个贴近”方针的引导下，不断调整营销体系和架构，成立品牌事务部来整合内部管理机制适应市场变化，实现品牌管理专业化和销售渠道的扁平化，同时对品牌运营商队伍作了进一步的优化整合，整合资源、渠道，规范销售商的行为。进一步加大市场的投入，不断加大公关广告宣传和促销力度，拉力和推力双手齐下，集中精力全力推进“1＋9＋8”品牌战略，强势运作品牌，并取得了明显效果，2005年实现了销售淡季不淡、旺季更旺的大好局面，创造了旺季时一周产销上万吨的历史新高。

②精心运作五粮液品牌，保证了五粮液价格稳中有升。在网络方面，通过新客户开发和“利益的有序分配”，控制了营销渠道中的价差、区域、品种等几个关键点，减少了市场层级，扶植有市场维护和品牌打造力的经销商，进一步优化、完善五粮液的销售渠道平台。为此，公司第一次提出了“五粮液新型品牌运营商”的概念和标准，建立了全新的五粮液品牌运营商标准和考核体系，构建五粮液品牌运营商平台，取缔了一批不合格的经销商和专卖店，逐步引导普通经销商向品牌运营商转变。在终端方面，公司首次与终端深入接触和跟进，并建立了密切关系，改变了过去的被动局面，收回市场主动权。同时，公司始终关注五粮液主品牌的产品开发改进，新设计推出的五粮液老酒和一马当先（彩马）五粮液、人民大会堂国宴五粮液、年份酒等高价位产品，多层面丰富了五粮液，增加了公司的销售额，为2006年高端产品的销售打下了坚实基础。

③在总经销品牌的运作上，公司与有理念、有实力、有网络的经销商结成战略合作关系，通过充分整合总经销商及各级分销商的资源，利用不同品牌的不同市场定位，突出各品牌相应的卖点，精心做终端，做团购，做直销网络，培育各品牌忠实的消费者群体，提高了公司系列酒品牌的市场占有率，全年仅“五粮春”、“金六福”、“浏阳河”、三大

重点品牌共完成销量5.76万吨，为公司的生产及全年销售目标任务的完成起到了良好的支撑作用。此外，公司还积极支持总经销品牌的包装改进换代和新品牌的开发设计，比如新开发了王者风范、丝路花雨等畅销品牌，并淘汰无市场潜力或市场开拓不力的品牌，既拓宽了市场的覆盖面和市场占有率，又保证了品牌的竞争力。

④在自销品牌的运作上，公司为加强渠道建设，有针对性地制定品牌打造方案，实施一地一策，有步骤地开展促销活动，加强了对市场的精耕细作，收到了良好的效果，部份中价位品牌的销量和销额都有了较大突破，其中五粮醇2005年实现销额较上年增长38.78%。

⑤加强专卖店的管理，在同行业中率先推出“五粮液旗舰店”模式，使五粮液的形象进一步提升，市场反响极好。2005年，公司再次对专卖店进行了全面的清理检查和整顿，并对专卖店管理制度和流程进行了全面修订，对严重违规透支五粮液品牌的专卖店，坚决予以取缔。这一举措使五粮液专卖店的整体素质和竞争力得以全面提高，为以后构建更完善的专卖店管理体系奠定了基础。

(3) 打假保真，净化市场，努力维护消费者权益。

打假保真是公司的一项持续工作，为了营造良好的营销环境，为公司的产品销售保驾护航，全力维护消费者利益，维护公司形象和品牌形象，公司不断加大打假力度。2005年，公司打假人员积极主动地配合全国的工商、质检、酒类专卖等执法部门，查假冒酒终端，打假冒酒源头，采取了一系列强有力的措施，重创了制、售假冒者的嚣张气焰，净化了市场，维护了消费者权益，促进了公司的健康发展。

(4) 积极开展灵活新颖的公关宣传活动，彰显五粮液公司独有的六大优势，富积无形资产，推动终端市场。

2005年，公司不断强化在央视和地方强势媒体的宣传力度，注重重大公关活动的宣传力度，增强企业的凝聚力和社会影响力，不断提升企业形象、品牌形象，彰显公司独有的六大优势（即：独有的自然生态环境；独有的638年明代古窖；独有的五种粮食配方；独有的酿造工艺；独有的中庸品质；独有的“十里酒城”规模）。2005年5月，在由中央电视台、国家统计局联合举办的权威大型品牌评比活动中，五粮液以最高得票和最高得分在众多国际国内知名品牌中脱颖而出，荣膺“2005CCTV我最喜爱的中国品牌”称号，6月，五粮液637年古窖泥被国家博物馆永久收藏，成为活文物，9月，西藏成立40周年大庆，作为中国著名白酒品牌的五粮液在西藏庆典活动期间可谓抢尽风头，奇迹般被接连指定为“西藏自治区成立四十周年大庆宴用白酒、甄选为大昭寺永久供奉酒、纳木措祈福大会的专用祭祀用酒”三项重大活动指定用品，受到了各级领导和国内外来宾的广泛关注，再次彰显出五粮液强大的民族凝聚力。在世界之巅，在圣洁之地，五粮液圣酒被宗教界高度认可，为五粮液的荣誉史续写了新的华章。一系列公关宣传活动的开展，极大地提升了企业的知名度和美誉度，为企业富积了无形资产。

(5) 品牌价值大幅升值，企业形象、品牌形象的知名度和美誉度不断深入人心。

公司坚持走技术创新、产品创新的道路，精心打造企业形象和品牌形象，公司的知名度和美誉度不断深入人心。

2005年12月6日，经北京名牌资产评估有限公司评估，“五粮液”品牌在2005年中国最有价值品牌评价中，品牌价值338.03亿元。居全国白酒制造业第一位。居全国最有价值品牌第四位。在中国最有价值品牌行列中，继续稳居中国食品行业第一名，成为行业的领头品牌。深厚的无形资产撬动了公司的有形市场，五粮液系列酒产品的市场占有率不断扩大，推动了公司永续发展。

(6) 循环经济形成一定规模，经济效益、社会效益和环保效益协调发展。

2005年，公司紧紧围绕“依法经营，创新推动，多元推进，合理协调，不断改进，努力节约资源，充分利用资源，无害化、效益化利用资源”的环境方针，全力推进“重点污染源”治理工作和循环经济工作，进一步增强了公司的治污能力。经过多年的不断努力，公司三废治理早就已经走在了同行业的前列，从粮食购进来酿酒，到废糟最后生产白碳黑，已经形成了完整的循环生产产业链（即：“五种粮食→发酵→酿酒→酒糟→再次发酵→酿酒→丢糟→烘干作燃料→烧锅炉（生产蒸汽）→糟灰→白碳黑”；“酿酒底锅水→生产乳酸、乳酸钙→废水→处理排放”）。公司以资源综合利用为特色的循环经济早已形成规模，被国家六部委确定为全国首批循环经济试点单位。公司于年初编制了《五粮液公司循环经济实施方案》，对公司“十一五”期间的循环经济工作进行了中长期规划。全年较大环境污染与破坏事故、重大环境污染与破坏事故及特大环境污染与破坏事故均为零，取得了良好的环境效益、经济效益和社会效益，受到了中央、省级媒体的多次报道和各级领导的表扬，盛赞五粮液公司无害化、效益化利用的循环经济模式。

(7) 2005年度净利润较上年同期下降4.42%的主要原因。

2005年，公司系列酒销量、收入较上年同期增长，但是净利润却下降4.42%，其主要原因是：

①主营业务税金增加。由于粮、煤、油主要原辅材料价格较大幅度上涨，新增固定资产折旧增加，安全、环保投入逐年增长，保持共产党员先进性教育活动要求“党员受教育，群众得实惠”而增加职工收入等主要因素致公司生产成本上升。因生产成本上升从而相应地调高了生产环节的结算价格，生产环节的结算价格调高致使主营业务税金随之增加。

②营业费用增加。白酒市场竞争处于白热化状态，广告宣传、品牌打造、市场终端建设与培育，成为了公司营销工作的重中之重，公司投入了大量的人力、物力和财力，致使营业费用相应增加。

③产品销售结构调整因素。面对残酷的市场竞争，公司将积极寻求对策，调整产品结构，压缩低价位酒的销量并适时提高其价格，多销中价位毛利率较高的品种，使整体毛利率水平略有提高，从而消化和抵减了部分因主营业务税金和营业费用增加的不利因素。

2、公司主营业务及其经营状况

(1) 按行业划分的业务构成情况（表一）

(2) 按主要产品列示的经营情况（表二）

(3) 主营业务按地区构成情况（表三）

（4）主要供应商、客户情况

①向前5名供应商采购材料情况

全年主要原材料（粮食）采购总金额为5.81亿元，其中向前5名供应商合计的采购金额为1.45亿元，占年度采购总额的24.96%。

全年包装材料及防伪防震材料采购总金额为18.16亿元，其中向前5名供应商合计的采购金额为11.44亿元，占年度采购总额的62.99%。

②向前5名经销商销售额情况

公司全年销售总额为64.19亿元，其中向前5名经销商的销售总额合计为45.24亿元，占公司销售总额的70.49%。

3、现金流量表中“经营活动产生的现金流量净额“同比大幅增长的主要因素

本报告期的现金净流入较上年同期较大幅度增长，增幅为52.46%，其主要原因如下：

（1）本报告期购建固定资产所支付现金较前两年大幅度减少。

（2）上年“支付筹资活动产生的现金流出——分配股利支付的现金”，在本报告年度内未发生。

（3）在开源的同时注意节流，使经营活动现金净流量增加。

三、对公司未来发展的展望

1、行业发展趋势及竞争格局

中国轻工业联合会、中国轻工业信息中心《全国酿酒行业信息》2005年行业册显示，经过多年的持续下滑后，2005年全国白酒产品市场总产量为349.37万千升（约为345.06万吨）、较上年增长15.04%。但是，整个白酒市场竞争仍然十分激烈，同时还出现了一些新的情况，一是白酒市场仍然明显地受到其它酒种对市场的挤压和瓜分的威胁，二是行业内企业间的竞争仍在不断加剧，处于白热化状态，三是各企业越来越重视市场营销建设，广告宣传、公关推广、文化营销是各公司在市场建设方面的常用手段，四是白酒行业发展已经开始呈现品牌化经营的趋势，消费者“指名消费”的现象也愈发普遍，因此，有着驰名品牌的大企业从中得到了显著的市场优势和收益回报，五是白酒市场的需求更趋理性，随着人们健康消费意识的形成和消费水平的提升，白酒消费正逐渐回归理性，向着讲究健康、品质和品位方面发展，具有知名度、美誉度和品质度的名优白酒渐成消费者的首选。

2、管理层所关注的未来公司发展机遇和挑战，2006年度的经营计划。

（1）发展机遇和前景：公司具有诸多独有优势，未来发展前景广阔。一是独有六大优势：独有的自然生态环境；独有的638年明代古窖；独有的五种粮食配方；独有的酿造工艺；独有的中庸品质；独有的“十里酒城”规模。二是完美的风格和品质：五粮液沿袭百年《陈氏秘方》的特殊工艺，萃取五种粮食之精华，集杂成醇，恰到好处地融合了各种香味，形成了独特的酒体风格和完美的品质。三是“五粮液”品牌价值巨大，2005年已达338.03亿元，居全国白酒制造业第一位，居全国最有价值品牌第四位。四是市场运作能力强，经过多年的市场锤炼，公司积累了丰富的市场经验。

（2）挑战和竞争：公司管理层重点关注三个层面的挑战和竞争，一是行业内同酒种间的竞争，二是行业内其它酒种对白酒的挤压竞争，三是国际化竞争。随着中国经济的发展和国内市场的不断开放，中华文化和世界文化正在交融，经济全球化必然带来我国人民生活的世界化，啤酒、红酒、洋酒等进入中国市场是伴随着强势经济和西方文化而来，接受和吸收世界文化和事物是正常而必然的事情，这将给中国白酒带来较大的压力和挑战，甚至成为白酒最强有力的竞争对手。但是，白酒在中国有着几千年的悠久历史和饮食习惯，是中华传统文化的一部分，伴随着中华民族的不断崛起和中国的日益强大，有着深厚历史底蕴、精湛酿酒工艺、高知名度和美誉度的五粮液公司及其系列白酒必将作为行业中的胜利者之一，代表着中国高品质白酒与世界同行业竞争，迎接全球化的挑战，将中华白酒文化带向世界，走向世界。

（3）2006年度经营计划：销售量、收入、净利润10%左右增长。

3、为实现未来发展战略所需的资金需求及使用计划

经过多年的自身积累投入，持续的产能扩张，公司现已形成年产45万吨（商品酒）的能力，是世界上最大的酿酒生产基地，同时，在13年的高速发展过程中，公司已形成了自身独有的六大优势。目前，公司已形成了70余个品牌，千余种规格的系列酒产品，2002年度公司既提出了品牌打造，实施1+9+8战略（即1个世界性品牌，9个全国性品牌，8个区域性品牌），在70余个品牌中打造出18个重点品牌来承载45万吨左右（商品酒）的销售规模。

公司具有行业第一的品牌资源，独有的六大优势，从近两年的系列酒销售量来看，公司产能尚未充分发挥出来，市场占有率也与公司338.03亿元的品牌价值不相适应，品牌资源和独有优势尚未产生最大化的经济效益和社会效益。因此，公司目前最大的资金需求和使用计划，就是销售渠道建设和市场建设，加大资金投入，加大品牌打造力度和市场建设力度，按照投入产出原则，投资市场建设和品牌维护，集中人力、物力、财力、智力来实施品牌打造和市场建设，从而拉动和推动五粮液系列酒的销售量进一步增长，使公司的产能规模发挥出来，创造最大化的经济效益和社会效益。公司近期可预测的大额资金需求，主要是渠道建设、品牌打造，购建设立办事处等所需资金，其来源主要依靠自身积累来解决。

四、王国春详解五粮液六大优势

2004年度“中国最有价值品牌”评估日前揭晓。五粮液的品牌价值从2003年的269亿元，跃升到今年的306.82亿元，一举突破300亿元大关，在中国食品行列的排名继续遥遥领先，成为酒类行业领导品牌。

联想到五粮液集团近十年来创造的一系列辉煌业绩，人们不禁问，他们为什么能在品牌种类争奇斗艳，市场竞争日趋激烈的酒类产品中，逆势而上，独树一帜，近十年来，改集团发生如此巨大嬗变的原因究竟何在。

五粮液集团总裁王国春，近日在接受人民网记者采访时，一语道破。他说，“这最根本的原因是五粮液集团始终坚持以质量为中心，全力打造中国酒业第一品牌，走出一条质量兴企之路。同时，五粮液的发展还得益于企业所独有的自然生态环境、酿造工艺以及悠久的酿酒历史等六大独有优

势。”

或许正是从这“六大优势”，可让人们渐渐明白，五粮液长盛不衰，高速发展的种种缘由，从而一窥这成就世界名酒的道道玄机。

独有的自然生态环境

这位从1984年开始便担任五粮液酒厂厂长的“酒业巨擘”平静地解释说，宜宾属南亚热带到暖湿带的立体气候，山水交错，地跨北纬27° 50′－29° 16′，东经130° 36′－105° 20′，年平均气温在15℃－18.3℃间，全年降雨量高达1200毫米/年·平均，年平均相对湿度81－85%，年平均日照950－1180小时，常年温差和昼夜温差小，湿度大，土壤丰富，有水稻土、新积土、紫色土等六大类优质土壤，非常适合种植糯、稻、玉米、小麦、高粱等作物。而这些正是酿造五粮液配方中的主要原料。特别是宜宾紫色土上种植的高粱，属糯高粱种，所含淀粉大多为支链淀粉，是五粮液独有的酿酒原料。而五粮液筑窖和喷窖用的弱酸性黄粘土，粘性强，富含磷、铁、镍、钴等多种矿物质，尤其是镍、钴这两种矿物质只有五粮液培养泥中才有微弱量，其他酒厂的培养泥中都没有。这个生态环境非常有利于酿酒微生物的生存。五粮液的生产需要150多种空气和土壤中的微生物参与发酵，因此，必须要有能适应150多种微生物共生共存的自然生态环境。

“这样的环境只有在万里长江第一城的宜宾才能找到”，王国春不禁略显兴奋。他说，“如果缺了这些环境，五粮液的酒味就没有这么全面，可以说，自然的天成给予了五粮液独一无二的天时地利之美。”

独有的637年明代古窖

王国春介绍，五粮液的酿酒历史已经有3000多年。五粮液现存明代地穴式曲酒发酵窖，其历史已达637年之久。正是这些窖池，奠定了五粮液辉煌史的基础。

记者走进酒都宜宾的一条悠然老街，醉人的芳香扑面而来，循香望去，古色古香、历史悠久的一处明代风貌的古典式五粮液糟坊映入眼帘。进入糟房，便能看见那历经风雨沧桑后，气质却依然高贵的古窖神韵。

据了解，20世纪60年代，国家文物部门的考古专家从窖中出土的碎墙砖分析，这些窖池属明代成化，至今已有637年的历史。这16口明代古窖池经几百年的连续使用和不断维护，成为我国唯一现存最早的地穴式曲酒发酵窖池，五粮液一直使用至今。

“其他酒厂所宣称的古窖只是一个遗址而已”，王国春说，“越是陈窖，就越能提高对人体有利物质的含量，降低酒精给人体带来的损害。故评判酒质的高下，很大程度上决

按行业划分的业务构成情况

表一

行业	主营业务收入	主营业务利润
酒类	6,128,223,441.07	3,206,591,384.10
印刷	9,534,650.27	2,754,560.46
化工	21,646,113.88	-202,841.40
防伪防震材料	259,347,273.10	60,652.82
合计	6,418,751,478.32	3,209,203,755.98

按主要产品列示的经营情况

表二

类别	主营业务收入	主营业务成本	毛利率（%）
高价位酒	3,131,076,674.76	1,081,666,922.28	65.45
中低价位酒	2,997,146,766.31	1,839,965,134.69	38.61
合计	6,128,223,441.07	2,921,632,056.97	52.32

注：高价位酒，指公司销售价格在70元（含70元）以上的产品。

主营业务按地区构成情况

表三

地区	主营业务收入	主营业务收入比上年同期增减（%）
国内	6,181,049,385.94	0.63
售进出口公司（出口）	237,702,092.38	52.95

定于窖池的时间。”

难怪有酒业谚语如此道来：“千年老窖万年糟，酒好全凭窖池老”。

独有的五种粮食配方

说到五粮配方，王国春显然烂熟于胸，他介绍，100多年前，宜宾有一陈氏家族的作坊叫“温得丰”，陈氏家族第10代子孙陈三，继承祖业，在原有酿造基础上，提炼出小麦、大米、糯米、高粱、玉米5种粮食作为酿制五粮液的原料，其配方是糯米、大米各20%，小麦15%，玉米5%，川南高粱40%。这就是五粮液历史上的“陈氏秘方”。他说，五粮液一直沿用“陈氏秘方”的特殊工艺，采用五种粮食作为酿酒的原料，从而规避了其他白酒用单一的红粮或两三种粮食为原料酿酒风味单一，口感欠佳的不足，所以味觉物质比其他白酒丰富得多。

据记者了解，当年，献出“陈氏秘方“，并用一生智慧与心血，奠基五粮液这座大厦的人叫邓子均，他至今被称谓“五粮液的传人”。

独有的酿造工艺

“五粮液的工艺技术是独有的”，王国春说，“采用独有的'包包曲'作为空气和泥土中的微生物结合的载体，非常适合酿造五粮液的150多种微生物的均匀生长和繁殖”，其他白酒只利用了空气中的微生物，所以酒味不全面。他说，五粮液独有的传统工艺，采用“跑窖循环”、“固态续糟”、“双轮底发酵”等发酵技术；采用“分层起糟”、“分层蒸馏”、“按质并坛”等国内酒行业中独特的酿造工艺。“陈酿勾兑”是按照一定原理的配置，利用物理、化学、心理学原理，利用原酒的不同风格，有针对性地实施组合和调味。其独特之处是：实现分级入库、陈酿、优选、组合、勾兑、调味的精细化控制。

面对目前食品行业高科技大量运用的竞争，王自信地说：“现在，五粮液在传统工艺上已升起高科技风帆，形成了以计算机勾兑专家系统和人工尝评相结合的独具特色的'勾兑双绝'”。他说，这些都使五粮液集团上空形成了一个独有的微生物圈。

独有的中庸品质

最早评价五粮液的人是宋代著名的诗人黄庭坚，他称赞早期的五粮液（姚子雪曲）时说：“杯色争玉，白云生谷”、“清而不浊，甘而不哕，辛而不蜇”，浓缩了古人对五粮液美酒的审美感受。而科学的评价，早在1963年计划经济时代的第二届全国评酒会上，严谨认真的评酒专家们就给予了五粮液香气悠久，味醇厚，入口甘美，入喉净爽，各味谐调，恰到好处，尤以酒味全面而著称。

王国春解释说，王集大米、糯米、小麦、玉米、高粱五种粮食之精华的五粮液，绿色、天然，味觉层次全面而丰富，谐调地调动了人的视觉、嗅觉、味觉三种美感的最佳享受，充分体现其中所蕴涵的中国传统“中庸“境界。

独有的“十里酒城”规模

王国春回忆说，1984年，他在赴日本、北美考察后提出：“总目标是在尽可能短的时间内，把五粮液酒厂建成中国第一流的现代化企业，使五粮液人成为无愧于新中国第一流的现代职工。”从那以后，他团结的伙伴们用无穷的干劲、勇气和智慧，经过20余年的艰苦发展，让20世纪80年代初的生产能力只有3000多吨的五粮液，发展为今天占地7平方公里的“十里酒城”，成为了“千年酒都”宜宾的象征。

十里酒城，无边春色。五粮液集团在。这里，拥有全国最大的窖房和世界最大的酿酒车间，行业内最先进的全自动包装生产线，比国家专业检测部门更先进的质量分析检测仪器，这些先进的硬件设施有力地保障了公司产品质量的稳定提升，保证了不同批次产品质量的稳定。现在，五粮液集团的生产能力已达45万吨，是世界最大的酿酒生产基地，也是其他白酒厂家的几倍，甚至几十倍。

在成就与困难面前保持高度冷静，深入思考，是这个商业巨人成功的不二法则。在王国春的坚持下，尽管规模不断扩大，但五粮液集团公司始终坚持只选取最好的8000吨作为五粮液酒。他说，“我们要用规模提升质量，为消费者奉献品质最完美的五粮液酒。”

据悉，目前，五粮液集团公司的经济效益已相当于1986年前的160个五粮液酒厂，连续13年高速增长，并连续11年稳坐全国酒类行业的头把交椅，继续保持中国食品行业领跑地位。

四川剑南春（集团）有限责任公司

一、公司基本情况

四川剑南春（集团）有限责任公司系大型知名民营股份制酿酒企业。公司现有总资产近30亿元，拥有员工6600余人 。

公司以酒类经营为主业，主营业务具有年生产销售7万吨名优白酒能力。公司主导产品中国名酒剑南春曾多次荣获国家级和国际质量金奖。“剑南春”被认定为中国驰名商标，产品知名度、美誉度节节攀升，市场占有份额不断扩大，始终保持了畅销的强势势头。

公司坚持“高质创新作先导，顾客需求为中心”的经营理念，秉承传统工艺，不断改进和创新，其生产工艺代表着当今中国白酒酿造技术的最高水准。剑南春酒类科研独领风骚，引领中国酒业在世界上率先进入纳米时代，使中国白酒的酒体风味研究切入到当代科学技术的最前沿。公司始终坚持诚信经营，追求卓越，其独特的“135质量管理体系”保障企业在质量规模效益型道路上实现了可持续的跨越式发展。公司通过了ISO9001质量管理体系和ISO14001环境管理体系认证，剑南春酒（剑南春牌）、绵竹大曲酒（绵竹牌）取得了国家及原产地标记注册。公司围绕企业核心竞争力，不断优化产业结构，基本形成了以集团为核心，以资产为纽带，以母子体系为脉络的规模经营和发展格局。2003年，公司荣膺“中国白酒工业经济效益十佳企业”、“全国守合同重信用企业”等荣誉，企业的总体经营实力、投入产出效率、盈利能力、营运能力和发展能力等名列同行业前茅，被誉为中国白酒行业的三巨头之一。

二、乔天明：稳健发展　以优取胜

在中国白酒行业素以稳健著称的四川剑南春集团公司，已经连续多年以不凡的销售业绩和市场占有率而稳居中国十大名酒第三位。谈起四川剑南春集团公司的发展，集团公司“掌门人”、公司董事长兼总经理乔天明露出一脸自信的微笑，这位在中国白酒行业的重量级人物，其以敏锐的思维和对中国白酒行业发展趋势的准确把握，把剑南春集团这艘巨大的航空母舰不断推向前进。

回顾白酒业20年发展，以质量赢得市场最为关键

谈起白酒业的发展，乔总兴致浓厚。中国白酒业作为我国一个重要的民族工业，其发展可追溯到5000多年前。由于白酒生产是以粮食作为原料的，因此在改革开放前粮食供应比较紧张的那段时期其发展一直受到限制。改革开放后，人们在解决了温饱问题以后，白酒业开始有了发展，但当时整个白酒行业管理混乱、竞争无序。随着改革开放的进一步深入，人民生活水平有了进一步的提高以及频繁增多的商业活动以及人们交往的不断增多刺激了白酒业的发展。可以这样说，改革开放的20年是白酒业飞速发展的20年。在这20年间，由于白酒市场管理的不规范，整个行业竞争变得异常残酷激烈。在竞争中出现了两种情况：一种是一些企业因产品质量过硬，市场营销方法得当，有了快速发展，如茅台、五粮液、剑南春等。但也有因产品质量和市场营销的问题，一些过去曾经是很大的企业也倒闭了。另外一种情况是，以前不是名酒的企业，在这20年的发展过程中逐渐发展壮大了，对于这样的情况应该是很正常的。酒是一个物质的东西，人们消费它，消费的就是它的质量。因此，这给一些规规矩矩老老实实、生产技术一流、营销水平一流的企业有了一个很好的发展机会。同时，在这个过程中也出现了一些问题，首先是因为一些统计数据方面的失真，带来了国家某些政策对白酒业发展的一些不适当限制，最明显的是两个事情：一是广告受到了非常大的限制；二是对白酒实行从量计征消费税。从量计征消费税的目的就是扶优限劣，但是由于白酒市场管理混乱，却恰恰起到了相反的作用，使一些管理规范的大企业受到了影响，给白酒业的正常发展带来了一些问题。但随着我国经济状况的好转和加入ＷＴＯ，我相信这种状况也会逐步地得到好转，原因是白酒市场管理的混乱国家已经开始在治理了，白酒行业朝着规范化、正常化的方向发展的春天即将到来。只要国家对白酒管理规范了，那么那些优秀的企业发展的机会和空间也就会更大，而这些优秀企业为广大消费者提供的东西也必然是质量好、价格廉的产品。这些优秀企业在税收上对国家的贡献也就更大。如果说白酒行业能够尽快地实现规范化、良性化的发展，秩序能够正常起来，这不但会对国家有利，而且对企业和消费者也有利。这20年来，剑南春的发展速度也十分迅速，目前在白酒行业中，不管是销售量、销售收入包括实现税利水平，主导品牌剑南春的市场销售量、价位也处于中国白酒行业第三位的水平。由于剑南春产品质量过硬，市场销售运作符合现实实际，因此发展比较快，尤其是在近三年时间，剑南春这个品牌在广大消费者心目中的印象越来越好，剑南春的市场范围也越来越大，企业的效益也越来越好。今年我们主要抓了对员工的质量意识教育，对生产工人实行按质取酬的办法进行考核，极大地提高了员工的生产积极性。白酒是手工生产，人的因素是第一位的，现在我们将工人的报酬与质量挂起钩来，职工就会从关心自己切身利益出发主动关心企业，如果我们酒的质量好，价位又不高，市场必然就会更好。目前剑南春的销售形势十分喜人，今年春节产品供不应求，货源显得特别紧张，与去年同期相比，销售增幅达２５％。今年集团公司领导班子统一了思想，理清了一个思路，就是集中我们的优势，继续扩大酒业生产规模，把酒业做大做优做强。

条件成熟，剑南春集团也会开发高价位白酒

2000年水井坊在广州首次公开上市以来，迅速拓展了华南市场，并成功导入北京、上海、山东等重量级市场，进一步拓展了海南、湖南、广西、云南、河南等区域市场，并成功登陆港、澳、台和东南亚市场。当记者问到“有中国第一坊”之称的水井坊的成功将给剑南春的发展带来怎样的启示时，乔总认为，近几年白酒市场出现的高价位白酒，应该算是一种正常现象，但高价位酒并不等于高档酒，高价位酒由于价高必然在消费层次上受到许多限制。剑南春的基础酒在全国的白酒中应该算是最好的。剑南春的销售思想是：产品质量一流，既能上宴席，又能让一般消费者喝得起。通过剑南春人多年的努力，这个目标基本上是达到了。因此，在条件成熟的时候，剑南春集团公司也会开发高价位酒，但不会是现在。

没有实践经验运作白酒企业很难成功

近年来，许多外来资本进入白酒行业，导致整个白酒行业竞争更加激烈，如影坛巨鳄——广东巨星影业公司“金盆洗手”转行酒业推出赤水河；天津天上力在茅台镇圈地造酒；长安汽车宣布斥资1亿元请五粮液集团贴牌生产“长安之星酒”等等，对于中国白酒行业出现的这一现象，乔总认为这是一种正常现象，这些外来资本看中的是白酒产品的高额毛利率。这也符合资本流动的基本规律。但是，乔总毫不客气地指出“外行做白酒是很难成功的，至少现在还没有发现有成功的例子”。他认为，中国白酒是中国特有的东西，其中包含的东西十分深奥。（杨茂源）

四川全兴股份有限公司

一、公司基本情况

四川全兴股份有限公司是以两个原国有大一型企业——四川省成都全兴酒厂和四川制药厂的优质资产为基础，通过改制、重组、整合构建的一个新型上市公司。公司依照现代企业制度要求，完善法人治理结构，构筑形成了符合国际惯例的母子公司组织管理体制，建立了坚实的资本运作平台和畅通的融资渠道，加大了产品结构调整和主导产品升级换代的步伐，极大地提升了公司的核心竞争能力，为公司的长远发展奠定了基础。公司总体规划的战略目标是：三至五年内实现产业升级，在规模、效益有较大增长幅度的同时，构筑“二次创业”的发展平台。

公司拥有完整、独立的生产经营、科技开发、质量监控体系，拥有省级科研技术中心和最先进的科技研发设备、配套的专有技术、一流的技术队伍；名优品牌商誉突出，主导产品多次荣获“国家质量金奖”。其中酒业“全兴”品牌荣获中国驰名商标，“全兴大曲”多次获得“中国名酒”称号。“水井坊”被列入全国重点文物保护单位，国家原产地域保护产品，堪称“中国白酒第一坊”。公司利用西部资源优势和专有技术新开发上市的“梅馨千代”青梅酒，通过独特工艺全果发酵陈酿而成，香雅味醇，深得国内外市场好

评。

二、经营状况

(一)2005年整体经营情况的讨论与分析

一、报告期内经营情况的回顾

1．公司报告期内总体经营情况：

本公司属饮料制造业 饮用酒制造业，主营酒类产品的生产和销售。目前，公司生产的白酒类产品形成了以“水井坊”、“天号陈”、“全兴”品牌的高、中档产品为主，以“成都大曲”、全兴系列产品为辅的产品结构模式。

报告期内，公司按照“资源整合、品牌创新、抓好市场、加强管理”的工作方针，创新观念，创新思路，精心组织生产，积极开拓市场，加大了产品结构的调整力度，通过营销网络资源的整合和营销体系的创新，拓展了全国性和区域性相结合的市场网络体系，形成了较好的品牌知名度和美誉度，进一步巩固和提升了酒业品牌的整体影响力和公司的经济效益。

2005年，公司实现主营业务收入60,404万元，实现主营业务利润36,229万元，实现净利润7,781万元，分别较2004年下降23.90%、1.05%，净利润较2004年增长10.47%。扣除合并范围减少四川制药有限公司及成都九兴包装印刷有限公司的影响因素，实际公司酒业主营业务收入比上年增长9.2%，主营业务利润比上年增长10.04%。

报告期内，公司在生产经营管理、技术创新、品牌形象建设、市场销售等方面取得了较好的成绩，为未来的发展奠定了坚实的基础。

(1) 2005年，公司按照市政府东郊工业区经济结构调整的要求，妥善做好了牛王庙老厂区的搬迁工作，保质保量完成了富集优质酿酒菌群宝贵窖泥的异地置入、培育和优化工作。

(2) 公司不断追求技术创新，确保酿酒技术的先进性，以市场消费需求为导向，在保持产品独特风格的基础上有序展开了对水井坊、全兴等酒品品质的优化、提升工作。

(3) 严格细化生产各个环节质量管理措施，将质量责任具体落实到各车间、部门，确保产品质量零缺陷。

(4) 继续抓好企业内部挖潜、降耗、增效工作，使企业运行成本得到有效控制。

(5) 在销售管理方面，加强了销售与生产、质检、包装各个环节的沟通与衔接，生产有计划、销售有目标，对市场的信息反馈及时予以处理。

(6) 公司进一步加大了市场网络结构调整和创新的力度，建立、健全各级分销网络，强化了终端市场建设，通过不断细分市场，有效巩固了目标消费群体，从而使产品销售面得以扩大、销量得到增长。

(7) 成功借助“中国白酒第一坊“这个消费价值支撑点，把个性化的营销和传播策略，包括“文化营销”、“事件营销”、“广告营销”，以及成功人士所追求的高品位消费氛围，包括“高品位的”、“体现身份价值的”等元素进行有机组合，进而触动掩藏在消费者内心深处的“消费激情”。例如，公司2005年的“带一瓶酒去法兰西”活动、“月上风雅--水井坊礼颂”活动、“水井坊--情迷法兰西爱乐”新年音乐会活动、“冠名新疆自治区成立50周年大庆系列报道活动、参与“千秋蜀汉风，武侯海峡诗歌楹联会”活动等都取得了不俗的成绩。

水井坊女子乐队及酒道表演也受到了终端酒店客户的广泛欢迎，既传播了水井坊源远流长的酒文化，丰富了产品的文化内涵，搏得了目标消费群的喜爱，又拉近了和终端的客情关系，为公司产品的销售创造了良好的氛围。

(8) 针对酒类行业高档白酒的发展趋势，结合公司实际适时推出了差异化、个性化的产品。例如，水井坊典藏系列、礼品装系列一上市即以其卓越的品质、典雅的包装受到了消费者的欢迎。

(9) 针对目标市场需求，紧密围绕“承接历史与现代、沟通传统与时尚”这一品牌内涵，完成了水井坊品牌于各区域内的活动策划、媒介投放工作，同时结合“见证文明与传统、演绎现代与时尚”的传播方式，为水井坊走进高端消费者奠定了坚实的基础。

(10) 全兴品牌围绕“集中资源、突出重点、以点带面、稳步扩张”的工作思路，从产品定型、产品线梳理、经销商选择以及市场布局、细分、净化等方面入手，加快了全兴品牌在新模式下的整合力度。2005年，全兴大曲系列产品市场价格体系相对稳固并有所提升，市场放量迹象明显。

2．主要供应商、客户情况：

单位:万元　　币种:人民币

前五名供应商采购金额合计　11069.24

占采购总额比重 57.42%

前五名销售客户销售金额合计　43944.31

占销售总额比重 72.75%

3．报告期内公司财务状况经营成果分析：

(1) 公司资产和利润构成变动情况（表一）

①资产增加的主要原因系其他应收款、存货及净利润的增加。

②其他应收款增加的主要原因系公司本期与郫县土地储备中心签订了两份土地开发整理合作协议，根据协议公司分别与郫县土地储备中心和郫县交通局合作开发整理约255亩建设用地，截至2005年末郫县土地储备中心公司尚欠付本公司8,570万元的土地整理项目投资款及应分得的土地整理收益。

③存货增加主要原因是2005年公司牛王庙老厂区土地用于房地产开发，所以将牛王庙土地使用权的摊余价值113,245,737.25元从无形资产转入存货所致。

④长期股权投资增加的主要原因系本期公司以360万元收购成都永发印务有限公司20%股权，并于2005年增资600万元所致，增资后持股比例不变。

⑤固定资产减少的主要原因系公司2005年开始对原牛王庙老厂区土地进行房地产开发，所以将牛王庙地面房屋及构筑物等资产转入开发成本所致。

⑥无形资产减少的原因主要系公司2005年将牛王庙老厂区的土地用于房地产开发，本期转出的土地使用权113,245,737.25元系将摊余的牛王庙老厂区的土地使用权金额转入存货。（表二）

①主营业务收入、主营业务利润、管理费用下降的主要原因均系本年合并范围减少了四川制药股份有限公司及成都九兴印刷有限公司所致。

②投资收益增加的主要原因系公司本期根据土地开发整

理合作协议确认了与郫县土地储备中心合作开发整理土地应分得的收益所致。

③净利润增加的主要原因系本期公司酒业销售收入增加所致。

（2）公司现金流量情况分析　　（表三）

①经营活动产生的现金流量净额减少主要原因系本年合并范围减少了四川制药股份有限公司及成都九兴印刷有限公司所致，上期两家公司经营活动产生的现金流量净额为4,946万元。

②投资活动产生的现金流量净额减少的原因主要系上年公司出售所持四川制药股份有限公司及成都九兴印刷有限公司股权取得出售股权现金流入13,680万元所致。

③筹资活动产生的现金流量净额增加的原因主要系本年合并范围减少了四川制药股份有限公司及成都九兴印刷有限公司所致，上期两家公司偿还债务支付的现金为14,159万元。

④现金及现金等价物净增加额增加主要是由于上述合并范围减少导致的各项明细项目的变动所致。

三、对公司未来发展的展望

1. 所处行业发展趋势及公司面临的市场竞争格局：

（1）公司所处白酒行业的发展趋势：

中国白酒有着几千年的发展历史，但是直到上世纪90年代才真正发挥出其产品的市场效能，白酒总量也在此时达到顶峰。其后随着消费者消费习惯的变化以及啤酒、葡萄酒等替代产品的冲击，市场总量持续下滑，行业整体盈利能力大幅滑坡。但中国白酒是蕴涵着浓厚中国文化的产品，在人们日常消费中具有不可替代的功能。近年来特别是随着居民收入水平不断提高、社会经济活动更加活跃，中高档白酒的份额不断增长，行业总体销售收入稳中有升，行业整体盈利能力也有所增强，并预计在未来几年内保持稳定增长势头。从近三年的高档白酒消费量来看，全国高档白酒的市场容量估计为2~3万吨左右，尚未达到白酒总消费量约400万吨左右的

公司资产和利润构成变动情况

表一　　单位：元

资产负债表项目	期末数	期初数	变动比率
资产总计	1,722,242,493.79	1,586,785,112.75	8.54%
其他应收款	176,643,505.47	94,586,757.82	86.75%
存货	650,096,949.30	498,524,951.06	30.40%
长期股权投资	73,293,953.04	66,620,998.75	10.02%
固定资产净额	183,550,846.74	209,283,722.75	−12.30%
无形资产	61,401,206.16	178,672,064.11	−65.63%

表二　　单位：元

利润表项目	2005年度	2004年度	变动比率
主营业务收入	604,044,940.44	793,718,067.96	−23.90%
主营业务利润	362,290,460.68	366,150,002.98	−1.05%
管理费用	75,696,608.79	100,313,572.63	−24.54%
投资收益	17,570,424.80	−7,481,464.05	334.85%
净利润	77,807,051.75	70,434,425.22	10.47%

公司现金流量情况分析

表三　　单位：元

现金流量表项目	2005年度	2004年度	变动比率
经营活动产生的现金流量净额	86,984,270.56	149,570,827.13	−41.84%
投资活动产生的现金流量净额	−70,774,749.73	5,279,193.38	−1440.64%
筹资活动产生的现金流量净额	12,451,516.48	−152,907,104.36	108.14%
现金及现金等价物净增加额	28,661,037.31	1,940,601.21	1376.92%

1%（资料来源：《全国酿酒行业信息》）。在“小康”政策的指引下，随着人们消费水平的提高和生活方式的改变，高档白酒市场还有较大的上升空间，超高端市场有较大的发掘潜力，国际市场的逐步开放也为中国白酒的代表性产品提供了良好的发展机遇。

随着人们健康消费意识的逐渐形成和消费水平的提升，白酒消费更趋理性，向着讲究健康、品质和品位方面发展，具有知名度、美誉度和品质度的名优白酒渐成消费者的首选。

（2）公司面临的市场竞争格局：

一是白酒市场仍然明显地受到其它酒种对市场挤压和瓜分的威胁。啤酒、葡萄酒、洋酒在国内市场增长势头较猛，对传统白酒市场构成了很大的威胁。特别是国外烈性酒品牌，随着关税逐步降低，在国内市场的竞争能力不断增强，近年来一直处于高速发展阶段。

二是白酒行业由于进入门槛较低，业内企业数量庞大，行业内企业间的竞争不断加剧，特别是围绕终端的争夺更是进入白热化阶段，市场费用因之逐年增长。

三是白酒行业的发展已经开始呈现出品牌化经营的趋势，名优酒企业因其产品品质和品牌优势而继续增长，行业集中度进一步提高，行业领先集团和其他企业的距离加大，高端市场的竞争也必将更加激烈。

四是区域品牌白酒由于受地方保护主义的影响，并在渠道、价格、消费习惯及感情因素等方面拥有一定的优势，使其仍然表现出强大的生命力。

2．公司未来发展机遇和挑战、发展战略和新年度的经营计划：

（1）公司未来发展的优势与机遇：

公司具有诸多独有的优势，存在着较大的发展机遇，未来发展前景广阔，主要表现在：

①白酒税收政策的调整，将会使白酒业迎来新的发展机遇；国家对白酒市场专项整治力度的加大和《酒类流通管理办法》的出台，将给名优白酒企业整体竞争力的提升带来积极作用。

②由于我国经济的高速发展，消费者逐渐摒弃了弱国心态，对外来酒品不再盲目迷恋；并随着物质文化生活水平的大幅提高，商务交往的日益频繁，有足够经济能力用高档酒款待客人和亲朋好友的人士逐渐增多。因此，有着丰富品牌内涵的水井坊高档白酒，其市场空间越来越大。

③根据国家“国有资本有序退出一般竞争性行业”的原则，目前部分名酒企业的国有资本已经开始逐步退出，而对于已完成国有资本退出的全兴股份，其市场竞争力将大大加强。

④公司独有的元末明初水井坊遗址是公司重要的生产资源和品牌基础。水井坊遗址是1999年“中国10大考古发现之一”，被国家文物局认定为“中国白酒第一坊”，经国务院批准列为全国重点文物保护单位，当选为上海大世界基尼斯之最－“最古老的酿酒作坊”，是不可复制的、极为珍贵的历史文化遗产和极高利用价值的“活文物”。

⑤经国家质检总局批准和国际认证的、受国际法保护的水井坊产品原产地域是公司独享的重要生产资源。限定的保护区域内生产资源极其珍贵，对中国传统民族工业代表性产品的保护和发展具有十分重要的意义，为“中国白酒第一坊”历史文化资源的开发利用奠定了坚实的基础、开拓了远大的前景，十分有利于水井坊高档精品酒在法律保护下的限制性、持续性地生产与发展，也是对国内外高端消费者消费权利的切实保障；对享誉世界的民族精品品牌和公司现在与未来的经济效益有着直接的、极大的支撑作用。

⑥公司拥有酿酒世家历代传承的固态发酵蒸馏白酒酿造的独特工艺和现代微生物技术等独立的知识产权，在酿酒生物发酵菌方面获得多项重大成果。近几年，随着人们健康消费意识的形成和消费水平的提升，白酒消费正逐渐回归理性，向着讲究健康、品质和品位方面发展，低度酒将成为未来发展的趋势之一，而我公司在低度白酒酿制方面有着很强的技术优势。

⑦公司在产品创新战略中培育的“水井坊”品牌已由导入期成功的进入了成长期，得到了消费者的广泛认同。近期，作为中国白酒的代表性产品，入选了“国际顶级私人物品展”，并当选了“21世纪奢华品牌榜中国顶级品牌”（唯一白酒品牌）。

⑧公司所产“全兴大曲”多次荣获国家质量金奖和中国名酒称号，2000年被国家工商行政管理局认定为“中国驰名商标”。根据国家酒类税收政策调整的新情况，公司在全面提升“全兴大曲”品质的基础上，成功地推出了“全兴大曲虹彩装”、“全兴大曲祥云装”两款优质产品，上市后受到广大消费者的喜爱，有望迅速扩大规模，形成新的利润增长点。

⑨公司拥有适应市场竞争环境和现代流通配送体系的、以国内市场为主的营销网络和市场维护体系；拥有国内一流的科技队伍、经营管理和营销人才；拥有良好的资信、商誉和社会声誉，多年以来坚持质量第一、诚信为本，服务于社会大众，热诚赞助社会公益、尽力支持足球、网球、乒乓球等项体育事业和音乐、舞蹈、报刊等项文化事业的发展，社会公共关系和大众口碑良好。

⑩公司的存量土地资源增值潜力巨大。在中国名酒企业中，唯有全兴股份地处省会都市，得天独厚的区域优势和地租级差效应为其资产的大幅增值提供了可靠保障。位于成都市中心区域东大街旁的牛王庙街35号全兴酒厂老厂厂区60余亩的土地，其增值效应和开发价值巨大，目前已进入房地产项目的开发建设阶段。

（2）公司未来发展面临的困难与挑战：

面对目前白酒市场的竞争格局，尽管公司有许多竞争优势，但也面临一定的挑战，主要表现在以下几个方面：白酒市场竞争日趋激烈，公司与行业龙头企业在经营实力、品牌竞争力等方面仍有一定差距；地方保护主义与地区封锁依然严重，各地区自产白酒仍然在渠道、价格、消费习惯及感情等方面在当地市场上拥有一定的优势，其在各自主营区域的市场竞争能力仍然是公司深化拓展市场的较大障碍；白酒关税下调，进口酒对中国白酒市场将会造成一定冲击；行业准入门槛较低、伪劣以及假冒产品的屡禁不止，将可能会给公司产品造成一定的负面影响。

（3）公司未来的发展战略：

公司将集中主要优势资源和资金，做实、做大、做强白酒产业；以水井坊酒为高端标志性产品，使其成长为享誉全球的白酒顶级品牌。

(4) 公司2006年度的经营计划及拟采取的保障措施：

公司2006年将全面贯彻“总量控制、结构调整、稳中求进”的经营方针，稳步发展公司酒业，适当兼顾其他业务，力争实现主营业务收入增长10%以上，净利润增长不低于20%。

为完成上述经营目标，公司拟采取以下措施：

①以科学发展观总揽全局，继续深化各项创新举措；

②进一步加强内部管理，提高经营效率；

③加强市场营销建设，继续完善市场服务体系；

④继续深化水井坊品牌的文化内涵，塑造其感性、个性鲜明和具有独特差异性的特点；

⑤进一步做好“水井坊”品牌延伸工作，培育形成新的增长点。

⑥大力开展节能降耗工作，加强能耗物耗管理，降低资源消耗水平。

3. 资金需求和使用计划、资金来源：

为实现2006年经营目标，公司资金需求也将增大。为此，公司将通过以下三方面来保障资金的来源：

(1) 通过进一步搞好水井坊、大号陈、全兴及其系列产品的销售，努力增加主营业务收入；

(2) 通过加大应收帐款的回收力度，加强流动资金的管理，提高资金的使用效率；

(3) 将可能通过自筹、适度贷款或其它方式来解决。

4. 公司未来发展面临的风险因素及所采取的措施：

(1) 国家酒类消费税政策从2001年5月1日起进行了重大调整，对全行业产销总量、经济效益和市场竞争情况形成重大影响，这种调整带来的影响至今还在持续和深化。公司按规定纳税后酒类中档产品经营基本无利，低档产品亏损。目前酒类税收政策虽已进行了微调，但与预期差距较大，而酒类企业的经营业绩又对税负水平的变化较为敏感，政策的不确定性将带来一定的业绩波动风险。

(2) 在实际市场竞争中，由于地方税负不均，各地小酒厂对市场价格的冲击力很大，新消费税政策的影响使酒类市场出现了更为复杂的局面，依法纳税的大型酒厂中低档产品经营受到很大冲击。

(3) 各大名酒厂纷纷推出高档品种，使本公司“水井坊”等高档产品处于日益严峻的市场竞争态势之下，广告宣传、渠道建设等市场投入加大，经营成本大幅增加。加之按国家现行规定酒类企业广告费支出须计征33%所得税，故公司在品牌创新、培育市场的过程中负担较重。

(4) 白酒行业的竞争十分激烈，营销费用支出较大，而按照现行税法，大部分费用不能从应纳所得税额中扣除。某一时期集中投入的营销费用和相关所得税的增长可能影响到公司的经营业绩出现波动。

(5) “水井坊”、“天号陈”、“全兴”品牌在国内外市场已有较高的知名度，但目前由于白酒行业的无序竞争，市场经营秩序比较混乱，尤其是假冒伪劣产品的冲击较为严重，加重了公司市场维护和打假防伪的费用负担。

(6) 尽管公司目前利用存量土地资源进行房地产开发，开发经营成本较低，但目前国家的房地产政策正处于调整期。因此，公司的房地产经营业务存在着一定的不确定性。

(7) 公司针对国家酒类税收政策的调整和市场竞争态势的变化，对产品结构实施主动、有序的调整，优化了产品结构。产品结构的及时调整使公司的市场竞争能力和盈利能力将进一步增强。

(8) 在加快产品结构调整的同时，公司进一步降低生产成本、提高运营效率。

(9) 公司进一步抓好名酒投资项目，对适应政策变化、加快结构调整、培育效益增长点将起到重要的作用。

(10) 公司积极致力于维护正当竞争和市场秩序，配合国家有关部门打击假冒伪劣产品，维护商标权益和品牌形象。

四、全兴股份未来发展目标

1、品牌优势

全兴股份作为国内最著名的白酒生产企业之一，品牌价值和行业垄断优势相当突出。公司的主导产品均多次获得“国家质量金奖”，其中“全兴”品牌荣获中国驰名商标，“全兴大曲”多次荣获“中国名酒”。尤其值得一提的是，公司的“水井街酒坊遗址”是全国重点文物保护单位，有“中国白酒第一坊”的美誉，其“水井坊”酒已成为国酒一线品牌，并获得国家质检总局颁布的“国家原产地域保护产品”称号，成为我国第一个获得“国际身份证”的浓香型白酒类产品，其巨大的品牌价值完全可以媲美于五粮液、贵州茅台。公司05年一季报酒业销售收入同比增长50%，净利润同比增长了290%，产品毛利率更是高达79.55%，其强劲的赢利能力，充分显示了公司已进入了高速成长的黄金时期。而随着我国酒类消费正逐步向高档酒转移，早已抢占高档白酒先机的全兴股份将迎来更大的发展机遇，特别是白酒价格的持续上涨，更直接提升公司的业绩，其“钱程”可谓似锦。

2、基因药物，世界第一

其实，全兴股份所拥有的基因药物题材也极具震撼力。公司参股18%的深圳赛百诺公司拥有世界上首个基因治疗药物“今又生”的自主知识产权，目前该产品已在我国获准正式上市，预计每支定价为2000元，而赛百诺的产能可达100万支，由于该药物是世界上首个获得新药证书的基因药物产品，在目前尚无竞争者的情况下，其销售将不成问题，而其巨额的垄断利润，必将为公司带来高额的回报。据预测，该公司今年有望产生10亿元以上的利润，全兴股份作为其股东之一，将尽享着丰厚的投资回报。

3、土地储备，巨额增值

全兴股份的老厂位于成都市区牛王庙35号，老厂区与待征土地共75.9亩，该地块毗邻锦江、红星路商业区，极具商业投资价值。目前，该地块已按城建规划和相关程序变更为商住用地，而公司正拟自筹资金对其进行房地产项目的开发经营。可以预见，在寸土寸金的大都市繁华商业中心，拥有如此大面积的土地储备，其未来的增值潜力，将是何等令人垂涎。而其巨额的增值，又必将使全兴股份的业绩锦上添花，公司的发展前景更加诱人。

泸州老窖股份有限公司

一、公司基本情况

泸州老窖股份有限公司位于四川泸州国窖广场，是具有400多年酿酒历史的国有控股上市公司。公司总资产近30亿元，生产建筑面积36万多平方米。公司拥有我国建造最早（始建于公元1573年）、连续使用时间最长、保护最完整的老窖池群，1996年经国务院批准为全国重点文物保护单位，被誉为“中国第一窖”，以其独一无二的社会、经济、历史、文化价值成为世界酿酒史上的奇迹。

公司主导产品有国窖·1573、百年泸州老窖及泸州老窖特曲等。国窖·1573经国家白酒专家组鉴定，具有：“无色透明、窖香优雅、绵甜爽净、柔和协调、尾净香长、风格典型”的特点。泸州老窖特曲（大曲）是中国最古老的四大名酒，蝉联历届中国名酒称号，被誉为“浓香鼻祖”、“酒中泰斗”。1915年在美国旧金山获巴拿马太平洋万国博览会金奖以来，屡获重大国际金牌17枚。其“泸州”牌注册商标是中国首届十大驰名商标之一。经国家权威无形资产评估机构认定，泸州老窖品牌价值高达102亿元。近年来，企业还先后荣获“全国质量效益型先进企业”、“中国企业最佳综合经济效益500强”等荣誉称号。

泸州老窖以“天地同酿、人间共生”为企业经营理念，追求“在中国灿烂名酒文化熏陶中，全人类共享幸福美满的生活”，致力于与社会同行、与环境相依、与人类共存。目前，公司按照现代企业制度的要求，加快市场化的改革步伐，实施品牌发展战略和可持续发展战略，形成以酒业生产经营为主，相关多元化，发展大食品的现代企业。

主营业务分行业、产品情况

表一　　　　单位：万元

行业	主营业务收入	主营业务成本	毛利率	(%)
白酒	144308.56	66443.85	53.9	6
酒店业务	577.00	172.54	70.1	0
玻璃业务	6.07	4.77	21.4	3
房地产	772.80	740.18	4.2	2
合计	145664.43	67361.35	53.7	6
其中：关联交易				

行业	主营业务收入同比增减(%)	主营业务成本同比增减(%)	毛利率同比增减(%)
白酒	15.81	16.83	-0.40
酒店业务	4.86	2.83	0.64
玻璃业务	-96.83	-97.07	7.74
房地产	-70.59	-67.87	-8.07
合计	13.77	13.19	0.24
其中：关联交易			

产品	主营业务收入	主营业务成本	毛利率(%)
高档酒	81467.35	19603.77	75.94
中低档酒	59564.69	45304.58	23.94
合计	141032.04	64908.35	53.98

产品	主营业务收入同比增减(%)	主营业务成本同比增减(%)	毛利率同比增减(%)
高档酒	33.78	27.50	1.69
中低档酒	7.84	10.17	-1.60
合计	21.44	14.89	2.63

二、经营状况

一、报告期内公司经营情况分析与回顾

本公司属饮料制造业，主营泸州老窖系列酒的生产和销售。

2005年，公司共销售泸州老窖系列酒53215吨，较2004年增长7%；实现主营业务收入145664.44万元，实现主营业务利润64225.26万元，实现净利润4618.13万元，分别较2004年增长13.77%、10.17%及16.79%。

2005年，公司主营业务收入之所以较上年有较大幅度的增长，主要得益于高端产品国窖·1573系列酒销量的增加，全年共销售国窖·1573系列酒820吨，较上年增长72%。

但是，由于受报告期内公司根据相关会计准则对两家参股公司(国泰君安证券股份有限公司、华西证券有限责任公司)计提投资减值准备3038.00万元，处理对外担保损失892.82万元等因素的影响，公司净利润增长幅度明显低于预期。

1、主营业务及其经营状况分析

①主营业务分行业、产品情况（表一）

②主营业务分地区情况

单位：万元

地区	主营业务收入	主营业务收入比上年增减(%)
川渝地区	29213.88	−29.97
其他地区	116450.56	34.61

2、主要供应商、客户情况

报告期内，公司向前五名供应商累计采购金额为22955.15万元，占采购总金额的35.55%。

报告期内，公司向前五名客户累计销售白酒24245.13万元，占酒类销售收入的15.41%。

3、资产构成变动情况(表二)

存货占总资产比例较上年增加6.88%，主要是孙公司重庆国窖房地产公司商品房开发增加和子公司泸州老窖酿酒责任有限公司基酒库存增加所致。

长期股权投资占总资产比例较上年减少3.67%，主要是公司计提国泰君安华西证券减值准备3038万元和终止受让南方高速公路股权冲减该笔长期股权投资所致。

长期债权投资占总资产比例较上年减少2.47%，主要是公司售出“04光大债券”所致。

4、期间费用、所得税情况（表三）

销售费用增长主要是公司报告期内加大宣传力度，加大对广告费用的投入以及片区费用等增加所致。

管理费用下降主要是公司2005年大力推行全面预算管理，挖掘节约潜力，使得各项费用均有所下降；同时由于2004年6月公司将泸州老窖时代酒业有限公司、泸州老窖滋补酒业有限公司转出对外承包经营，2005年未纳入合并报表，同比减少管理费用1109万元。

财务费用减少主要是公司现金流充足多还贷以及对下属公司各单位采取资金集中管理，收支两条线等多种有效方法节约;资金利息所致。

所得税增加主要是公司本年度利润总额增加2602万元和计提国泰君安股份有限公司、华西证券有限责任公司减值准备3038万元增加纳税调整所致。

5、现金流量分析（表四）

流量净额

投资活动产生的现金流量净额同比增加主要是本年度售出上年同期购买的“04光大债券”，终止受让南方高速公路股份有限公司股权使投资活动产生的现金流入量增加；同时因购建固定资产支付的现金减少所致。

筹资活动产生的现金流量净额比上年同期减少主要是本年度进行了现金股利分配所致。

二、公司未来发展展望

1、公司所处行业发展趋势

自上个世纪末白酒总量达到顶峰后，随着消费者消费习惯的变化以及啤酒、葡萄酒等替代产品的冲击，市场总量持续下滑，行业整体盈利能力大幅滑坡。但近年来，白酒行业规模已趋于平稳，特别是随着居民收入水平不断提高、社会经济活动更加活跃，中高档白酒份额不断增长，传统名酒已改变在消费者心目中“奢侈品”的定位，演变为日常快速消费品，传统名酒企业顺应市场需求演变趋势，持续小幅上调产品价格，行业总体销售收入稳中有升，行业整体盈利能力也有所增强，并预计在未来几年内保持稳定增长势头。

2、公司面临的市场竞争格局

⑴行业内竞争格局

①品牌化经营趋势明显，行业集中度加大，行业领先集团和其他企业的距离加大

白酒行业的进入壁垒较低，业内企业数量庞大。但白酒作为感性消费品，品牌是产品竞争力的核心。近年来随着消费者的日趋成熟，行业向名牌企业集中的趋势更加明显，并呈加速的态势。在总量持续微幅下降的背景下，行业领先集团在产量、销量和利润等几个方面持续增长，特别是利润总额占据了行业利润总额的主体，行业集中度趋势十分明显。

②中低档白酒地域化优势更加巩固

地产名酒持续性对区域市场进行集中性投入，并在渠道、价格、消费习惯及感情因素等方面占据优势，使其在中低档酒细分市场取得了良好表现。加之行业准入的低门槛、市场竞争的高门槛、白酒企业的传统贡献以及税收体制的不完善等几大因素使区域品牌仍然表现出强大的生命力。

③竞争日趋激烈，行业面临洗牌

由于行业企业数量众多，市场竞争手段区域同质化，市场费用逐年增长，特别是围绕终端的争夺进入白热化阶段。在持续的高投入背景下，行业格局随时面临重大调整。

⑵相关行业：

随着我国加入WTO，国外文化对我国消费者行为的影响持续深入，国外品牌及资本也加大对国内酒类市场的渗透，啤酒、葡萄酒、洋酒在国内市场增长势头较猛，对传统白酒市场构成了很大的威胁。特别是国外烈性酒品牌，随着关税逐步降低，在国内市场的竞争能力不断增强，近年来一直处于高速发展。

⑶宏观政策影响：

白酒行业是高税负行业。国家对白酒企业采取了一系列的特殊税收政策，主要有：

①财政部、国家税务总局财税[1998] 45号文“关于粮食类白酒广告宣传费不予在税前扣除问题的通知”规定：粮食

资产构成变动情况

表二

单位：万元

项目	本年数金额	占总资产比例%
应收帐款	2905.95	1.10
其他应收款	5684.87	2.15
存货	116627.20	44.01
长期股权投资	7282.57	2.75
长期债权投资	0.00	0.00
固定资产	110184.81	41.58
在建工程	409.22	0.15
资产总额	265022.63	100.00

项目	上年数金额	本年占总资产比例较占总资产比例%	上年增减
应收帐款	5119.21	2.04	−0.95
其他应收款	4085.97	1.63	0.51
存货	93053.33	37.13	6.88
长期股权投资	16096.28	6.42	−3.67
长期债权投资	6200.00	2.47	−2.47
固定资产	99644.25	39.76	1.82
在建工程	4790.19	1.91	−1.76
资产总额	250625.36	100.00	

期间费用、所得税情况

表三

单位：万元

项目	本年数	上年同期数
营业费用	34886.58	32118.82
管理费用	12978.36	14427.07
财务费用	2207.21	3369.59
所得税	7350.12	5831.44

项目	增减额	增减变动%
营业费用	2767.75	8.62
管理费用	−1448.71	−10.04
财务费用	−1162.38	−34.50
所得税	1518.67	26.04

现金流量分析

表四

单位：万元

项目	本期数	上期数	增减变化(%)
经营活动产生的现金流量净额	22534.97	22617.57	减少0.37%
投资活动产生的现金流量净额	6550.89	−17338.25	增加137.78%
筹资活动产生的现金	−25156.87	−24609.59	增加2.22%

类白酒(含薯类白酒)的广告宣传费一律不得在税前扣除。

②财政部、国家税务总局财税[2001]84号文“关于调整酒类产品消费税政策的通知”规定：对白酒从价计税方法调整为从价从量相结合的计税方法；粮食白酒、薯类白酒在维持现行出厂价25%和15%的税率从价征收消费税办法不变的前提下，再对每斤白酒按0.5元从量征收一道消费税；并取消现行的以外购酒勾兑生产酒的企业可以扣除其购进酒已纳消费税的抵扣政策。

3、公司未来发展的机遇与挑战

公司未来的发展面临较大的挑战，这主要表现在两个方面：一是白酒行业市场竞争日趋激烈，公司与行业龙头企业在经营实力、品牌竞争力等方面仍有一定差距；二是白酒市场区域化竞争仍将长期影响公司市场发展，特别是各区域地产白酒，在各自主营区域的市场竞争能力仍然是公司深化拓展市场的较大障碍。

但是，在面临挑战的同时，公司也存在着较大的发展机遇：第一，泸州老窖作为中国浓香白酒的“鼻祖”，在大规模行业变革整合、优势资源和市场份额向知名白酒企业集中这一过程中，已经具备了相当的竞争实力和优势；第二，公司品牌竞争力逐渐加强，特别是国窖·1573超高档白酒品牌优势日益明显，呈逐年上升的发展态势；第三，公司在市场控制、内部管理等方面有了长足的进步，这有助于公司在激烈的市场竞争中抢得先机。

4、公司战略发展规划

公司将对旗下的非酒类经营项目进行战略收缩和调整，集中主要优势资源和资金实力，做大做强做实白酒产业。

5、2006年经营计划及保障措施

2006年，公司将力争实现销售收入17亿元，为达成该目标，公司将拟采取以下保障措施：

⑴精耕市场营销，提升公司形象，强化市场建设，控制销售费用增长

①以泸州老窖酒传统技艺申报世界非物质文化遗产为契机，全面提升国窖·1573形象，加强品牌亲和力建设；着力推进精品特曲产品系列的换代和宣传元素统一。

②改革销售渠道，培养终端大户、区域性大客户、重心财务客户，对二级渠道进行监控型掌控，重点区域完成二级渠道改造，实施经销商整体考核政策。

③减少常规费用投入比例，压缩经销商支持比例，配置一定的机动费用，对各级战略市场进行重点攻击，保证战略市场有效突破；建立费用稽核机制，对促销费用实施更加严密的过程管理；配合SAP项目的进行，实施科学管理和流程再造，对销售公司组织结构和业务流程进行梳理和优化。

⑵深化“五化”(考核数字化、用人专业化、管理扁平化、内部市场化、执行效率化)管理，实施管理转型。

①完成母子公司管理体系的构建，并从战略的角度对母子公司进行科学的定位。将股份公司定位为管理中心和形象中心，将销售公司定位为品牌塑造中心和利润创造中心，将酿酒公司定位为质量生产中心和成本控制中心。

②完善“母子公司”管理模式。强化子公司的市场主体地位，在充分授权的同时，加大其“生存与发展”压力，进行有效管控，实施“年度计划审批、全面预算管理、过程跟踪监控、严格数字化考核”的管理模式，促进子公司理清经营战略、收缩非盈利产品和项目，主动拓展市场、加强内部管理、朝着“规范化、专业化”方向发展，以实现总公司“管理重心有效下移”和增强“整体盈利能力”，促进“管理扁平化”。

③增强“考核体系”执行力度。以《生产经营计划》和《全面预算方案》为依托，考核触角深入到每个“最小核算单元”；充分强调计划和预算的权威性；确保各子公司考核指标体系的科学性，加大能落实的考核指标在分配中的权重，促使被考核部门真正实现“责、权、利”的有机统一，促进考核“数字化”的深入。

④夯实人力资源管理机制。建设对管理、技术、营销三条线上专业骨干的培养机制及再教育机制；制定青年骨干选拔制度完善人才发现机制；修订完善员工岗位竞聘流动方案、逐步实现用人的“市场化“。

⑶严控质量成本，强化后勤保障

①制订针对国窖基酒的生产规划和技术保障措施，确保国窖·1573在2006－2010年的市场需求。06年将以国窖酒生产为核心，从散酒生产、成品酒源勾兑及包装各环节，集中优势资源，增大优质基酒的生产量和包装能力，确保市场对国窖1573在未来的持续需求。

②调整基酒生产结构和验收方式，确保优质资源(窖池、母糟、勾调)的充分利用。通过酿酒生产计划调整来实现基酒库存的优化。

③健全基础管理。一是对所有的物资进行集中采购，堵塞管理上存在的漏洞，发挥集中采购在价格和质量上的优势，降低采购成本；二是对技改、购置、维修项目集中实施，对预算内的项目采取集中实施的管理方式，实行派工单制和现场负责人制，有效控制工程施工质量。

④以质量保证体系为车轮，全面带动公司树立大质量观念。通过创新质量检验与管理人员的培训与考核机制，打造一支“责任型”的队伍；通过售后服务端口铺就一张与销售片区联动的网络。

6、公司未来资金需求、使用计划及来源

公司实现未来发展战略所需资金仍将以自有资金及银行贷款为主，同时，也不排除在适当时机在证券市场再融资的可能。

三、泸州老窖未来发展目标

泸州老窖作为浓香型白酒的鼻祖，具有悠久的历史和深厚的文化底蕴。拥有4口400年以上的老窖和175口100年以上的老窖。但由于公司错误的战略导向，使得这些资源的价值没有在产品上得到真实地体现。公司在上世纪90年代后期奉行市场占有率政策，要做老百姓能喝得起的名酒。销量虽然节节攀升，但仅仅是以中低档酒的增长为主。

奋起直追：发展高档酒

在经历了低档酒扩张带来的业绩下滑之后，泸州老窖也投入到了中高档酒的开发和培育上来。随着人民收入水平的提高和对品质的追求意识加强，中高档白酒的市场有望开辟一片新天地。特别是高档酒市场，各大名优酒已经陆续登场，呈现一片兴旺。目前我国白酒销量中，50元/瓶以上的占2%，100元/瓶以上的也占2%。也就是说高档酒共占我国白酒总产量的4%，大约30 万吨。而前二十大企业大约占到50%的

份额。但前二十大企业的总产量仅占全国总产量的11%。由此可见，高档酒市场是名优企业大展鸿图的有利空间。

在经历了连续几年的业绩滑坡之后，公司领导层也开始意识到前期战略的失误。从2001年7月开始，公司推出了“国窖·1573”系列，宣告高档酒市场的再次启动。泸州老窖的发展策略是，以老窖特曲和国窖系列作为公司两大龙头产品，特曲的主要目标是提升盈利能力，国窖·1573的主要目标是提高销量。从2005年开始，将是泸州老窖高档酒出效益的一年，预计特曲和国窖1573共实现收入9.9亿元，同比增长67%，贡献毛利7.35亿元。

泸州老窖特曲销售将再次增长

泸州老窖特曲是公司历史最悠久的高档酒品种，但多年来该产品的价格没有真正体现其价值。因此，对于泸州老窖，公司的主要目标是提高该产品的价格，使其获得价值回归。2003和2004年，泸州老窖特曲两次提价，累计提价幅度达到32%。目前出厂价达到8.98万/吨。2005年估计特曲销量6000吨，2006年6600吨。

在经过几次价格调整和重新定位之后，我们看好泸州老窖特曲今后的发展。特曲目前的市场零售价格在70元/瓶左右，属于中档产品。而在50-100元这个价格区间的白酒主要有泸州老窖特曲、小糊涂仙和郎酒。而泸州老窖特曲凭借悠久的历史和较高的品牌知名度无疑将成为这一档次的佼佼者。我们认为经过两年的价格调整和产品销售策略调整，泸州老窖特曲的销售将在2006年实现再次增长，贡献收入达到5.9亿元。

国窖·1573高档白酒的领军者

2001年7月，泸州老窖推出了国窖·1573系列，大约比全兴推出水井坊的时间晚一年。国窖主要指的是公司拥有四口四百年以上的老窖，目前国窖·1573主打品种52度酒市场价大约在480元左右，略低于水井坊。国窖·1573和水井坊通过不同的概念创新一举在价格上超过五粮液和茅台，成为市场上超高档的主导者。对公司来说，国窖·1573将是未来重点的发展品种。从市场上看，目前市场上超高档白酒的领军者是水井坊和国窖·1573，国窖·1573的生产者泸州老窖是浓香型白酒的鼻祖，在酿造技术上具有自己的特点和优势。水井坊比1573早打入市场一年，2004年销量已经可以达到1000吨左右，增长速度十分迅猛。这也从一个侧面反映了市场对超高档白酒的需求。国窖·1573是2001年面向市场，预计到2006年销售规模能够超过1000吨，贡献收入6.6亿元。

基酒储备十分丰富

白酒生产中，基酒的储备十分重要，这是决定企业未来持续发展的根本，也是发展中高档酒的基础。泸州老窖的基酒储备十分丰富，截止到2004年半年报数据，存货中有6.2亿元的半成品（基酒）。以2003年吨成本1.25万作为账面价值计算的话，相当于公司基酒储备达5万吨。而公司目前的年销量也只在5万吨左右。

假设基酒的产品结构和泸州老窖2003年高档酒的构成相同。按市场价格重新评估后，5万吨基酒应值38.8亿元。假设包装成本占总成本的30%，那么2004年吨包装成本为3746元，5万吨对应为18730万元。扣除包装成本之后，最终计算得出基酒价值为20.1亿元，增值13.9亿元。对应增加每股净资产1.65元，市净率为1.1倍。

费用率有望从2006年开始下降

从历史的费用率情况来看，泸州老窖的费用控制能力在行业中处于中下水平。营业费用率居高不下也是公司业绩下滑的重要原因之一。

营业费用率从2001年开始攀上20%的高峰，四年来始终维持在这个水平上。主要原因是国窖·1573在培育和推广阶段所需的广告、宣传费用开支数目庞大。光是一年的广告费用就要占到收入的10%，而我们知道白酒广告费的税前列支是受到严格限制的。从时间上看，国窖·1573已经历了将近4年的发展，如果参照水井坊的发展历程，那么到2005或者2006年，国窖·1573应该进入稳定的增长阶段了。我们保守估计这一时间在2006年。我们发现全兴股份在2003年投入大笔营业费用之后，2004年水井坊就取得了突飞猛进，同时费用率也开始下降。以此类推，泸州老窖在经过这几年大额的费用投入之后，2006年除了销量会有较大增长外，营业费用也会出现一定程度的下降。

管理费用率到2006年也有下降的可能。公司正在进行员工改制，改制期间发生了一些一次性买断职工“国有身份”的费用，分别在2003、2004、2005年摊销。前两年每年大约摊销3000万元，2005年略少。那么到2006年费用摊销将直接比2003或者2004年减少3000万。从我们对毛利率和费用率的分析来看，公司未来的盈利能力将是稳步提升的。

税收政策调整对公司影响属正面

市场上关于白酒税收政策要调整的传言时有风闻。在此我们将分析税收政策如果调整对泸州老窖将产生何种影响。对白酒企业来说比较特殊的一个是消费税，一个是所得税。消费税实行从价从量双重征收，所得税征收中广告费用超过收入2%以上部分不得在税前列支。

消费税：白酒公司的主营业务税金绝大部分是消费税，泸州老窖的主营业务税金率是最低的，下降的空间已经很小。也就是说即使调整消费税的征收政策，泸州老窖决不是受益最大的。如果政府宣布取消从量税或者将从价税从25%下调到15%，泸州老窖的消费税中，从量税应该占15%，从价税占85%，按照这个比例对2003年泸州老窖8641万元的消费税进行拆分，其中1296万元为从量税，7345万元为从价税。如果取消从量税，泸州老窖少缴税金1296万元，影响当期业绩0.01元/股。如果从价税从25%下调到15%，泸州老窖少缴税金2938万元，影响当期业绩0.023元/股。

所得税：白酒企业的实际所得税率都普遍较高，其中泸州老窖的实际所得税率更是达到了60%，名列第一，远远高于33%的所得税率主要是因为白酒企业的广告费税前列支受到严格限制，而泸州老窖一年的广告费投放就要达到1亿多元。如果放开对广告费的限制，那么对于泸州老窖这种正处于新品推广阶段的企业来说是十分有利的。据悉政府对白酒消费税改革的议题十分重视，决定在年内解决这个困扰行业发展的问题。

山西杏花村汾酒厂股份有限公司

一、公司基本情况

公司以生产经营中国名酒--汾酒、竹叶青酒为主营业务，同时拥有我国驰名品牌“杏花村”，是久负盛名的大型综合性国营企业，也是国家520户重点企业和山西省12户授权经营企业之一。

公司所在地--山西汾阳杏花村是中国酒与酒文化的发祥地。杏花村酿酒历史悠久，地理条件独特，具有优良的地下水资源和特有的酿酒微生物群，人杰地灵，酒香味美，其酿酒历史至少可以追溯到3000年以前的商周时期。得天独厚的自然地理条件，无与伦比的传统酿造工艺，精益求精的品牌文化理念，造就了千年传世佳酿--汾酒。

汾酒是我国清香型白酒的典型代表，工艺精湛，源远流长，素以入口绵、落口甜、饮后余香、回味悠长特色而著称，在国内外消费者中享有较高的知名度、美誉度和忠诚度。历史上，汾酒曾经过了三次辉煌：1500年前的南北朝时期，汾酒作为宫廷御酒受到北齐武成帝的极力推崇，被载入廿四史，使汾酒一举成名；晚唐时期，大诗人杜牧一首《清明》诗吟出千古绝唱：“借问酒家何处有？牧童遥指杏花村。”这是汾酒的二次成名；1915年，汾酒在巴拿马万国博览会上荣获甲等金质大奖章，为国争光，成为中国酿酒行业的佼佼者。

二、经营状况

(一)2005年整体经营情况的讨论与分析

1、公司主营业务的范围及其经营情况

1)公司主营业务经营情况的说明

公司所处食品酿酒行业，经营范围包括：汾酒、竹叶青酒及其系列酒的生产、销售；酒类高新技术及产品研究、开发、生产、应用；投资办企业及相关咨询服务。

2005年，公司积极实施品牌创新战略发展规划，不断优化产品结构，锁定目标市场，加大中高档产品的市场开发力度，形成了以国藏汾酒、青花瓷汾酒为高端、中华汾酒、老白汾酒为中端、普通玻汾为低端的产品结构体系。

公司在坚持“巩固省内市场，拓展省外重点市场”的经营思路下，山西市场主抓重点品牌和经营大户的工作，实现主市场平稳发展。立足山西生命市场，发展省外市场，中原、华北两大市场进展突出。

年初，公司对竹叶青酒市场价格做出战略性调整，但因提价因素，竹叶青酒销量受到影响，为此，公司积极应对，对竹叶青酒重度策划，加快区域定制竹叶青步伐，开辟竹叶青省外市场。

公司加大技术创新力度，把加快产品结构调整和解决生产环节的技术问题作为工作重点，以“规范整顿、夯实基础、全面提升，全面建立大质量概念”为工作目标，创造性地开展技术开发和技术管理工作。在持续抓好影响产品质量源头的基础上，加强生产过程中产品理化、卫生及感官指标的控制力度，保证了名酒的质量稳定性。

结合白酒行业发展状况及企业管理的不断深化，公司开始推行细节化管理，以强化执行力为突破口，重点抓好各项工作的落实和执行到位，加强了信息化管理、品牌管理等综合管理工作，提高了工作效率。

(2)报告期内公司财务状况经营成果分析（表一）

1、总资产变化主要系利润增长所致；

2、其他应收款变化主要系报告期公司及时收回关联公司往来款项所致；

3、预付账款变化主要是预付材料款和广告费增加所致；

4、在建工程增加主要系公司原已开工项目持续投入以及本期开工项目前期投入较大所致；

5、经营活动产生的现金流量净额增加主要系销售收入增加所致；

6、投资活动产生的现金流量净额增加主要系在建工程增长所致；

7、筹资活动产生的现金流量净额增加主要系分配股利所致；

8、现金及现金等价物净增加额变化主要系销售收入增长及货款回收增长所致；

9、主营业务利润的变化主要系产品结构调整及销售收入增长所致；

10、营业费用增加系酒类产品销售增加，市场开发费、综合服务费、进场堆头费、宣传费及工资等费用相应增加所致；

11、管理费用增长系报告期内坏账准备、维修费、工资及附加等费用增加所致；

12、营业外支出减少系捐赠支出减少所致。

(3) 主营业务分行业、分产品情况表（表二）

(4) 主营业务分地区情况表

单位:元　币种:人民币

地区	主营业务收入	主营业务收入比上年增减(%)
省内	584,604,797.62	2.06
省外	486,988,328.87	84.16

2、主要控股公司的经营情况及业绩

单位:元　币种:人民币

公司名称	主要产品或服务	注册资本
杏花村汾酒销售有限责任公司	饮料酒及相关产品的开发及销售	6,000,000

公司名称	资产规模	净利润
杏花村汾酒销售有限责任公司	196,921,280.60	88,252,756.15

3、主要供应商、客户情况

单位:元　币种:人民币

前五名供应商采购金额合计	63,510,506.28
占采购总额比重	37.64%
前五名销售客户销售金额合计	582,279,191.46
占销售总额比重	54.34%

4、公司未来发展展望

1）公司所处行业发展趋势及面临的市场竞争格局

近年来，随着消费者消费习惯的变化，白酒市场需求总量持续下滑，但中国白酒是蕴涵着浓厚中国文化的产品，在人们日常消费中具有不可替代的功能，因此，在未来发展中，白酒行业发展趋势及公司面临的竞争格局为：白酒市场需求总量虽然可能继续呈下降趋势，但下降幅度将越来越小；目前白酒行业仍以分散经营为主，但集中度仍将稳步提高；因白酒仍是一个较高利润、进入门槛又相对较低的行业，业外资本不断涌入白酒行业，使市场竞争更加激烈，同时必将加速白酒业资本和资源整合的步伐；近几年，全国白酒总销量不断下降，但各知名品牌酒厂的销量却保持稳定增长势头，表明白酒消费不断朝品牌化靠近；低度酒将成为发展趋势。

2）未来公司的发展机遇和挑战

公司未来发展面临较大的挑战：市场竞争日趋激烈，公司与行业龙头在经营实力、品牌竞争力等方面仍有一定差距；白酒关税下调，进口酒对白酒市场会造成一定冲击；白酒消费趋势的低度化、保健化需要解决的技术问题。

在面临挑战的同时，公司也存在着较大的发展机遇，主要表现在：白酒税收政策的调整，将会使白酒业迎来新的发展机遇；国家对白酒市场专项整治力度的加大和对流通领域行业规范的出台，将给名优白酒企业整体竞争力的提升带来

报告期内公司财务状况经营成果分析

表一　　单位：元　币种：人民币

项目名称	期末数	期初数	增减幅度%
总资产	1,334,581,732.03	1,204,121,300.90	10.83
其他应收款	9,457,410.13	15,485,160.54	-38.93
预付账款	11,559,928.23	1,004,982.85	1050.27
在建工程	46,956,801.31	9,230,162.37	408.74
经营活动产生的现金流量净额	153,747,145.44	47,710,583.97	222.25
投资活动产生的现金流量净额	-53,369,690.58	-21,754,951.95	145.33
筹资活动产生的现金流量净额	-73,334,400.15	-18,438,665.80	297.72
现金及现金等价物净增加额	27,043,054.71	7,516,966.22	259.76
	2005年度	2004年度	
主营业务利润	544,687,365.65	402,556,263.26	35.31
营业费用	159,166,220.66	116,163,217.97	37.02
管理费用	107,736,139.74	81,528,247.81	32.50
营业外支出	6,608,580.32	12,791,414.92	-48.34

主营业务分行业、分产品情况表

表二　　单位：元　币种：人民币

分行业或分产品	主营业务收入	主营业务成本	主营业务利润率%
行业			
食品行业	1,071,593,126.49	298,948,146.67	50.83
产品			
白酒	1,021,505,517.27	278,380,987.07	51.47
配制酒	50,087,609.22	20,567,159.60	37.66

分行业或分产品	主营业务收入比上年增减%	主营业务成本比上年增减%	主营业务利润率比上年增减%
行业			
食品行业	25.83	22.05	-0.30
产品			
白酒	36.14	42.12	-0.08
配制酒	-42.37	-60.25	19.55

积极作用；公司产品与国际口味接近，有良好的国际市场开发潜力；公司财务状况良好，盈利能力强，有较大的发展能力；公司产品具有深厚的历史文化底蕴，拥有“杏花村”、“竹叶青”两个驰名商标和遍布全国的营销网络以及终端市场的规模化建设。

5、公司新年度经营计划

2006年，公司将进一步以科学发展观总揽全局，继续深化各项创新举措，加强内部管理，加大市场营销力度，大力调整品牌结构，使品牌体系价值不断提升，市场局面显著改观。重点抓好以下工作：

1）发挥汾酒、竹叶青酒的品牌优势，按照“十一五”期间逐年产品结构调整方向和目标，继续调整优化产品结构。

2）继续构建国藏汾酒、青花瓷汾酒、特制老白汾酒三大主力体系，加大营销力度，扩大在全国的影响力。增强汾酒名牌素质，不断营造汾酒产品形象和品牌文化内涵，彰显名酒魅力。

3）借竹叶青酒获得国家驰名商标的契机，加大竹叶青酒的市场开发力度，扩大竹叶青酒在公司产品和销售总额中的比重。

4）重点关注、培育省外重点市场及重点品牌的投入力度。加大省外市场开发，根据各省市场情况制定相应销售政策及策略，实现省外品牌扩张，加快全国市场的恢复和发展。

5）保护好公司知识产权，增强自主创新能力，努力提高汾酒酿造、勾兑等的核心技术和关键技术。以技术进步和科技创新为手段，提高名酒系列产品的稳定性和质量档次。

6）严格各类管理制度的执行，使管理工作进一步规范化、系统化、科学化。全面推行“细节化管理”，提高工作效率。

6、2006年公司资金需求及使用计划

为实现2006年经营目标，公司资金需求也将增大。对此，公司通过加大应收帐款的回收力度，加强流动资金的管理，提高资金的使用效率。

三、公司未来发展目标

夯实资产质量，实现经营业绩稳步增长

受国家白酒消费税政策调整和行业竞争激烈等因素的影响，白酒类上市公司外部环境持续恶化。很显然，要想取得良好的经营业绩，只能依靠降低成本费用，优化产品结构内部举措的强化来实现。山西杏花村汾酒公司根据《企业会计制度》规定，于2004年2月，对2003年度发生的资产损失做了相应的会计处理，涉损金额共计约1169万元。此外，公司还对下设的内蒙古、天津、海南三个分公司进行清算，清算结果为三个分公司累计经营亏损8443万元。此次处理资产损失，清算子公司经营亏损，无疑有利于公司进一步夯实资产质量，卸下经营包袱，继续向企业内部挖潜增效。

调整营销策略，强化财务管理

公司按照建立现代企业制度的要求，制订和颁布了一系列新的规章制度，促进了管理的规范化、系统化、科学化；加强采购管理，进行招投标、优质比价采购，降低了采购成本；强化财务管理，按照“量入为出、严格控制、总量平衡”的原则，合理调整资金的运行状态和时间价值，加强应收账款回收，进行税务策划，提高资金的周转速度和使用效益；精细生产管理，初步建立了适应市场、适应多品种、小批量的精益化生产模式，成为市场销售的可靠性保证。

通过加大对重点品牌的扶持力度，使青花瓷汾酒、特制老白汾酒、双瓷老白汾酒、38度玻汾、58度玻汾成为销量最大、效益最好的5大品种。2003年末，主营业务利润、息税前利润大幅增长。显示公司通过调整营销策略，产品的生产和销售正在步入一个新的台阶。

独特的传统生产工艺

公司是我国传统白酒酿制企业，拥有酿制汾酒所依据的传统生产工艺和独特勾兑技术。山西汾酒的生产工艺是在长期的生产实践中，巧妙地利用酿酒的基本原理，结合当地特殊的自然条件创造出来的。汾酒酿造，选用优质高粱为原料，以当地优良古井水和地下水为酿造用水，采用地缸固态分离发酵的方法酿制，清蒸二次清，这是传统的清楂法典型，也是汾酒的典型工艺特点。汾酒生产周期长，优质汾酒，如老白汾酒，要储存老熟十年以上。汾酒的生产工艺及成型勾兑技术，均为企业自有的技术资源，具有较强的特殊性、配合独有的地域、气候等特征，形成不可逾越的技术壁垒。

无可比拟的名牌优势

山西汾酒主要产品——汾酒系列是中国老四大名酒和清香型白酒的典型代表。山西汾酒历史悠久，考古表明4000年前杏花村的先民就开始酿酒；山西汾酒作为中国名酒被写入了中国二十五史之一的《北齐书》，从此汾酒的地位再也没有动摇过；明代中叶，山西汾酒进行了一次具有划时代意义的技术创新，500年“中国白酒老大”的地位由此确立。在1915年万国博览会上，山西汾酒荣获甲等金质大奖章，把我国这一传统行业带上世界顶峰。汾酒也成为中华酒业的一面旗帜；汾酒的商标史在中国白酒业独一无二，早在上个世纪二十年代汾酒就拥有自己的注册商标。“高粱穗”商标是中国商标史上最早、最有影响力的商标之一。“借问酒家何处有，牧童遥指杏花村”。山西汾酒作为“中国第一历史文化名酒”，杏花村作为“诗酒天下第一村”，确为名至实归。

中粮酒业有限公司

一、公司基本情况

中粮酒业有限公司是中粮集团所属香港上市公司——中粮国际之全资企业，主要负责对中粮集团的酒类业务实施专业化经营管理。中粮酒类业务主要分为两大部分，一部分是自有葡萄酒的生产和销售；另一部分是国外洋酒和葡萄酒的代理进口与销售。三家葡萄酒厂：中国长城葡萄酒有限公司（建于1983年），华夏葡萄酿酒有限公司（建于1988年），烟台中粮葡萄酿酒有限公司（建于1999年）被授权生产中粮集团注册之“长城”商标葡萄酒。“长城”牌葡萄酒是中国最著名的葡萄酒品牌之一，不仅在国内市场享有盛名，而且远销法国、德国、英国、日本等20多个国家和地区，出口量位居全国第一。

同时，中粮酒业有限公司也是最具实力、资深的进口烈酒、葡萄酒、力娇酒的专业公司，现已代理进口和销售众多知名品牌的洋酒，经销网络遍布全国。

中粮酒业有限公司根据中粮集团及中粮国际的酒业发展战略实施管理职能，目前在资金运作、原料采购、产品国内外销售等方面按集团化经营模式加大管理力度，并在产品广告宣传方面实施品牌经营战略，以积极的姿态面对中国进入WTO后国外洋酒涌入国内的局面，抓住机遇、迎接挑战。

二、中粮长城葡萄酒3亿整合收官

中国粮油3.1亿元收购中粮长城、烟台长城各余下40%股权至全资拥有中粮集团历时数年的三大酒业支系整合终于收官。中粮集团旗下主营食品业务的全资子公司中国粮油(0506.HK)28日发布公告称，合资公司COFCOBVI及中粮酒业分别订立金帆协议及烟台长城协议。以3.09亿元价格从金帆投资公司手上购买中粮长城40%股权，以100万元的价格从山东隆华公司手上购买烟台长城40%的股权。交易成立后，中粮酒业将全面控制中粮长城和烟台长城的股权。

证券业人士估计，这次整合扫平了资本障碍，中粮酒业单独分拆上市可以走得更快。

中粮国际是中粮集团致力于食品业务发展的上市公司，也是中粮发展食品及相关业务的旗舰。中粮国际拥有食品贸易、油脂提炼、酒类酿造、面粉制造、巧克力生产等业务。

中粮国际旗下有中国最大的葡萄酒业务，原来旗下控股的“沙城长城”、“华夏长城”和“烟台长城”共占据中国葡萄酒市场20%左右的份额。

在整合前，三个“长城”管理营销团队都有独立的预算与考核，市场上相互杀价、品牌方面无法整合的现象很难避免。因此三家长城合加的力量，也只能与竞争对手张裕打成平手。

2003年，中粮集团对三家酒厂的整合正式开始。中粮集团全资子公司中粮酒业先是从三家长城手上收回“长城”品牌管理权。后来，中粮酒业又将三家公司的营销权力统一整合到中粮酒业。

时任中粮集团总裁助理、中粮酒业有限公司总经理曲喆向《第一财经日报》称整合主要是把营销权力上收，利润中心仍留在当地，而长远方向是生产与营销分开。

葡萄酒业务是中粮国际近年发展最快的一块，据2005年中粮国际半年度业绩报告，红酒业务上升达48%。

三大酒厂整合，最终的目标是将葡萄酒业务从中粮集团中分拆出去。其中曲被委任中粮国际董事总经理，就是第一步。据中粮酒业内部人士透露，曲主管中粮酒业多年，熟悉三家长城的不同资源配置，这为进一步整合酒业分拆上市提供了有利的管理条件。

烟台长城总经理陈云昌接受记者采访时表示，这次资本上的整合，更多从市场资源的角度进行，目前烟台长城的管理架构还未有变动。

曲接任中粮国际董事总经理时向记者称，公司的确有将葡萄酒业务分拆上市的考虑，并将对此做周密的部署。

证券分析人士称，增持中粮长城和烟台长城的公告出来后，中粮国际的股价有较小幅度下跌。“这说明市场对中粮国际分拆葡萄酒业务的消息已经有所反应。单独分拆后，将减低中粮国际的盈利水平。不过，中粮国际作为原母公司，可以通过酒业IPO，一次性分享其上市的溢利。”该人士分析，由天中粮国际是香港的红筹股，酒业分拆在香港上市的机会最大。

（一）中国长城葡萄酒有限公司

中国长城葡萄酒有限公司是我国葡萄酒生产与销售的大型合资企业，地处被中国农学会命名为“中国葡萄之乡”的河北省张家口市怀来县沙城。公司成立于1983年，占地面积90.5万平方米，建筑面积10.6万平方米，现有贮酒容器1581个，贮酒能力达8.9万吨，年生产能力5万吨。2000年公司实现销售收入5.6亿元，实现利税1.148亿元。

公司周围地区盛产优质酿酒葡萄品种达63种之多，目前拥有葡萄原料基地13万亩，自有1122亩葡萄园，种植着十余种国际酿酒名种葡萄，可供酿制单一品种的高级葡萄酒。公司曾与原轻工业部食品发酵研究所合作完成了“干白葡萄酒新工艺研究”科研课题，酿造了中国第一瓶干白葡萄酒，还独立完成了七五 “星火计划香槟法起泡葡萄酒生产技术开发”项目。

公司产品已形成干、半干、半甜、甜、加香、起泡、蒸馏等七个系列50多个品种，被欧美专家誉为“典型的东方美酒”。长城牌干白、半干、半甜白、干红、桃红葡萄酒及香槟法起泡葡萄酒被中国绿色食品发展中心认定为“绿色食品”。公司于1996年10月在全国葡萄酒行业首家同时通过ISO9002质量体系认证和产品质量认证，其中长城牌干白、半干白、半甜白、干红、桃红葡萄酒成为认证产品。

公司产品遍及全国各省、市、自治区，并远销英国、法国、德国、荷兰、日本、俄罗斯、香港等二十多个国家和地区，出口量占全国葡萄酒出口量的40%以上，受到了国内外顾客的欢迎。

（二）华夏葡萄酿酒有限公司

华夏公司成立于1988年，是中国首家专业生产干红葡萄酒的出口型企业，自公司建厂以来，率先在国内严格按照“国际葡萄酿酒法规”生产，以“产地、品种、年份”三大模式走高品质路线，总体发展全方位与国际接轨。其产品华夏长城系列干红葡萄酒不仅填补了国产干红葡萄酒出口的空白，还出口欧美等十多个国家和地区，1998年被国家商检局评为“中国出口名牌”，并自1994年起，连续被国家评为“质量效益型先进企业”，先后获国内外大奖30余项。2000年获“中国著名葡萄酒保护品牌”，2002年获“中国名牌”和“中国驰名品牌”称号，同时，昌黎葡萄酒也被国家认命为第一批“原产地域保护”产品。

十几年来，由于产品在国内、国际两个市场的强势品牌地位，使企业很快步入了超常规发展轨道。总资产由初期的700万元增长到现在的2.34亿元，产量由初期的年产1000吨增长到现在的年产18000多吨。2002年，完成产量18630吨，销售收入3.6亿元，利税1.16亿元，比去年分别同比增长21.7%、25.1%和38.9%。截止到2003年3月底，公司完成产量6847吨，销售收入2.26亿元，实现利税1.05亿元，分别比上年同期增长24%、109%和211%。销售收入、人均利税均居国内同行业首位。企业荣获“国家第一批科技创新型星火龙头企业”和“农业产业化十强龙头企业”等一系列荣誉称号，跨越式实现了经济效益和社会效益的快速增长，“华夏长城”以强大的优势发展成为中国葡萄酒业三大品牌之一。

一、树华夏长城品牌，走国际品质之路

华夏公司座落在依山傍海的河北昌黎县，被国家命名为“中国酿酒葡萄之乡”。凭借得天独厚的自然地理优势，华夏首家引进国际名种赤霞珠、梅鹿辄、霞多丽、黑比诺等脱毒苗木，最早建成了国内最大的酿酒葡萄基地，实现了“原料基地化、基地良种化、良种区域化”。与此同时，先后从德国、法国、意大利、美国引进发酵、陈酿、净化、深层过滤、冷稳定、灌装等国际先进全套设备，保证了现代管理模式和现代生产工艺的高效运行。

“绿色·陈酿、高效·创新、务实·诚信、品牌·领先”是公司一贯坚持的质量方针，现已形成三大系列30个品种。其中有以九二、九四、九五年份赤霞珠干红为代表的干红葡萄酒系列；有以九六、九八年份霞多丽为代表的干白葡萄酒系列和桃红葡萄酒等长城牌系列葡萄酒，2001年又研制开发出六个新品种。产品继1989年荣获法国“第29届国际葡萄酒评酒会特别奖”和1990年巴黎“第14届国际食品博览会金奖”之后，2001年、2002年连续两年荣获上海“国际葡萄酒及烈酒评酒会”银奖，成为中国唯一的获奖品牌。在2001年第四届北京希尔顿国际葡萄酒与食品展示会上荣获“干红葡萄酒第一名”、“干白葡萄酒第二名”，奠定了华夏长城葡萄酒的国际品牌地位。

二、积蓄科研实力，新产品研发成果显著

公司坚持“以科技为先导、以质量求发展、向管理要效益”的经营宗旨，自“七五”以来先后承担6项国家级科研项目。中国第一瓶干红葡萄酒便诞生在这里，填补了国内空白。现公司拥有国际、国家评酒委员4名，具有大专以上学历的专业技术人员占全员的76%，全员文化、专业素质均居全国行业前列。

为使酿造前沿技术第一时间转化为生产力，公司加快企业与科研院校的信息交流与合作，与国内高等院校联合组建了华夏科研中心，共同研发新产品，率先走出一条产、学、研一体的经营之路。2001年分别与西北农林科技大学和中国农业大学、江南大学合作研究葡萄品种的选育与栽培、葡萄酒酿造工艺和“AA级绿色食品基地”、“食品工业示范企业”建设项目。2002年申报了国家级“五万吨高档干红葡萄酒加工扩建工程及葡萄与葡萄酒研发中心建设项目”、“国家级科技创新型星火龙头企业”、“无公害葡萄生产关键技术集成与产业化示范”、“AOC级酿酒葡萄原产地项目研究-赤霞珠”等省级、国家级重大科研项目，并已被列入国家重点开发和扶持项目。2002年3月，被国家质量监督检验检疫总局评为“首批葡萄酒免检产品”；同年6月，被中国绿色食品发展中心认定为“AA级绿色食品”，成为国内首家达到世界最高标准的葡萄酒品牌。

三、扩大生产规模，提高全球市场竞争力

华夏以“出口带动内销，以精胜强”的营销战略迅速占领国内国际市场。面对中国加入WTO后激烈的全球竞争，华夏作为中粮酒业长城葡萄酒的龙头和中国干红葡萄酒的骨干企业，近年来，不断加大投资力度，以规模化发展迎接全球酒市场竞争的挑战。连续三年投资扩建，新建6栋具有中国传统建筑特色的地下拱形酒窖，成为亚洲最大的地下花岗岩酒窖；从意大利引进10000和15000瓶/小时的两套全自动灌装生产线；进口优质橡木桶达到10000多个；同时引进多台速效冷冻机和国际领先水平的错流过滤机和葡萄酒分析仪等；扩建了一批贮酒罐和冷冻罐。实现了年生产能力3万吨规模。同时，按照国际模式建立了“国际酿酒葡萄示范园”，对葡萄基地规模化发展和新产品开发提供了第一手研究葡萄特性的资料。

华夏公司计划2005年年产量达到5万吨，销售收入超过12亿元，实现利税3亿元，公司实现生产程序智能化、控制系统自动化、计算机网络化、管理科学化，建成融生态环保、旅游观光与酒文化为一体的葡萄酒工业园，使华夏长城干红葡萄酒成为中国干红的第一品牌。

（三）烟台中粮葡萄酿酒有限公司

烟台中粮葡萄酿酒有限公司生产、销售中国葡萄酒著名品牌“长城”系列干红、干白葡萄酒。公司坐落于中国著名酿酒葡萄产区蓬莱市。总资产1.9亿元，拥有意大利引进的专业生产设备75台套，每小时灌装能力为8000瓶，储酒能力16000吨，年可加工葡萄20000吨，可年产干红、干白葡萄酒15000吨。

公司积极开拓市场，实行在战略合作伙伴关系基础上的区域总营销模式，已建成覆盖全国29个省市自治区的市场网络，烟台长城系列葡萄酒实现了年度产销量倍增式增长，2002年成功进入全国同行业前5强。

为充分发挥烟台产区优势，保障优质酿酒葡萄的生产供应，公司按照国际标准种植模式已建成“一体化经营、标准化生产”的自有葡萄基地6000亩，紧密型合作基地10000亩，引进赤霞珠、梅鹿辄、霞多丽等国际优良酿酒葡萄品种，实施无公害生产管理，被中国绿色食品发展中心和中国绿色食品协会命名为国家级绿色食品新技术示范基地，实现了葡萄酒产业与农业产业的同步发展，2001年公司被山东省委、省政府命名为山东省农业产业化经营先进龙头企业，2002年成为农业产业化国家重点龙头企业。

公司先后通过ISO9002国际质量管理和质量保证体系认证、中国绿色食品认证和ISO14001环境管理体系认证，并被国家质检总局评定为免检产品，2003年长城系列葡萄酒成为葡萄酒行业唯一使用315标志的产品。

三、中粮打造南王山谷豪华葡萄酒庄

定位高端：建设专业化酒庄

这是一块盛产葡萄的富饶土地。

大自然的赐予无与伦比：在北纬36°—40°、东经127°以西的一条横向地带，辽东半岛和山东半岛隔海牵手形成天然的地理形态，把中国葡萄酒最优产区涵盖无遗——仅国家公布的葡萄酒产地保护地区就有烟台、昌黎和怀来等地。而在烟台产区的中心地带，由黄海与渤海交汇点纵深向北，有一块被称为圣山仙境的神奇地方——蓬莱。

“传说八仙飘然过海之前，曾在这儿栽种了无数仙果，很快便绿树成荫，结出又香又甜的仙果。”后来呢？2004年7月26日，漫步在仙境般的葡萄庄园，品味着四处弥漫的葡萄那浓郁的馨香，烟台中粮葡萄酿酒有限公司总经理陈云昌向前来采访的记者娓娓道来：八仙采摘了仙果送到天界，纳贡给玉皇和诸位神仙，颇得赏识。回到蓬莱后，他们又把培育仙果的技艺传给人间，于是，这儿便成了垂涎仙果的神仙们常来常往的地方。

又过了不知多少年，距今大约在1300年前，唐太宗李世民率兵东征来到蓬莱，路经蓬莱中部的南王山谷，看到谷内潺辗九曲、绿树遮天、瓜果连片，真是心花怒放、如痴如醉，一不留神就马失前蹄，落驾头磕石崖，弄得顽石俱碎。此处就是现在的磕头崖村。1958年，蓬莱人在磕头崖村北与战山之间修筑两公里的拦河大坝，储贮了长达十多公里的战山湖。那一湖碧波像一面不停晃动的镜子，把五颜六色的光波撒在两岸层叠的梯田里。从此，南王山谷便成为烟台和蓬莱闻名遐迩的水果产地，它出产的葡萄、大梨、柿子、苹果等水果在国内外市场上均享有盛誉。

时至20世纪末，中国粮油进出口（集团）公司在烟台产区开始建设旗下第三家葡萄酒厂——烟台中粮葡萄酿酒有限公司。正值中国葡萄酒业蓬勃发展和"入关"在即，葡萄酒也处在由数量型向质量优化型转折的关键时期，作为"长城"这个驰名品牌创建者的中粮集团及烟台中粮的决策层果断决定：在建设工厂的同时，优先建设高科技、高质量葡萄原料基地。他们期望，企业今后能够像一些发达国家的做法那样，把葡萄种植、发酵、加工、营销融为一体，把质量由工厂内部控制，扩大到从田间到市场的全过程控制；不仅如此，他们还要凸显葡萄酒优雅鲜明的个性，充分表达葡萄酒的地域特点，把质量效益提高到一个新的层面。

经过近一年的调查和论证，"南王山谷"这个烟台产区最耀眼的明珠，被烟台中粮葡萄酿酒有限公司选定为建设长城葡萄庄园的宝地。南王山谷地处北纬37°－38°之间，是世界上生产葡萄的最佳纬度之一，这里阳光明媚，气候适宜，年均温度12.5℃，年降水量531.8毫米，无霜期216.6天，一年有280－290天是晴天。充足的阳光和适宜的气候，像一首悠远轻扬的天籁之音，润泽着每一颗葡萄，化作对大自然的浪漫香颂。

经过7年精心培育，烟台中粮率先按国际化标准建在南王山谷的葡萄庄园结出了优质的葡萄。目前，庄园已建成一体化样板基地6000亩，紧密型生产基地10000亩，引种的赤霞珠、霞多丽、蛇龙珠、雷司令等世界公认的酿酒葡萄品种均达到了高品质的要求。20多位国内葡萄种植界和葡萄酒酿造界的顶尖专家、教授亲临现场考查，给予很高评价，其结论是：产业化运作模式属国内首创，为葡萄酒业的发展闯出了一条可以借鉴的路子，葡萄庄园的科技运用水平和建设水平以及管理水平均列全国领先水平……而用这块产地生产的葡萄酿造的"金色庄园"、"银色庄园"、"高级解佰纳"等葡萄酒，很快就成了市场上的宠儿，深受消费者欢迎。

"夯实了这样一个扎实的基础，南王山谷酒庄的建设自然也就水到渠成了。"陈云昌说，前几年，葡萄酒行业刮起了一股不切实际、甚至是虚假的"庄园"风，即在葡萄园尚未成熟之时盲目、疯狂地追求高产，违反了葡萄酒生产"兵马未动、粮草先行"（先培育葡萄园，后生产葡萄酒）的客观规律。但实力雄厚的中粮并没有跟风做秀，而是立足于在建基地，踏踏实实地搞自己的"基本建设"，直至今天条件成熟了才重拳出击。

什么是酒庄酒？顾名思义，就是酒庄控制从葡萄栽培到葡萄酒生产（酿造、灌装、陈年）的全过程。酿造优质葡萄酒的关键在于全程管理、控制葡萄的栽培和生长。一般说来，能称为庄园葡萄酒必须具备三个条件：一是在适合种植葡萄的地域，拥有属于自己的葡萄种植园；二是所种葡萄不是以商品出售，而是自用酿酒的原料；三是酿造、灌装全过程，在自己的酒庄进行。三个条件如有一个条件不能达标，就不能称之为酒庄酒。

烟台长城南王山谷葡萄酒庄的建设，正值葡萄酒市场竞争日趋激烈、国内葡萄酒品牌急需提升之时，这对烟台长城乃至整个长城品牌及时调整产品结构、提升品牌价值、应对新一轮竞争，无疑是一个很好的切入点和绝佳时机。陈云昌介绍，他们的目标是：

建成长城品牌高档葡萄酒酿造基地，达到年产高档酒庄酒1000吨能力。通过建设专业化的葡萄酒庄，将人与自然和谐统一的理念、独到的酿酒葡萄培养技术、精湛的酿造工艺、先进的生产设备和成熟的管理机制引入葡萄酒生产，酿造出高档、精品的酒庄酒，抢占国内外高档葡萄酒生产制高点，进而开拓更广阔的发展空间。

建成先进的葡萄及葡萄酒科研中心。通过引进、选育国内外优良葡萄新品种（系），进行酿酒葡萄栽培技术和酒种类型开发，以及相关领域的前瞻性应用技术的研究，为酒种多样化开发、葡萄酒微生物研究及检测、葡萄酒原产地保护及监督等工作开展提供良好载体。同时，以研发为基础，加强国内外交流，促进和实现中粮长城葡萄酒全面参与国内外高档酒市场竞争提供技术开发支撑平台，进一步提高中粮长城葡萄酒的核心竞争力。

建成以葡萄栽培和葡萄酒文化为主体的集观光、休闲、娱乐为一体的特色旅游景观。充分利用蓬莱的旅游资源优势，争取发展成为蓬莱乃至整个胶东半岛的重要旅游景点。

建成以葡萄、葡萄酒文化传播窗口。通过展示葡萄及葡萄酒研发实力和工艺水平，进一步提升长城品牌形象，使酒庄成为沟通生产、销售及消费者的一个平台和俱乐部。

可以肯定，南王山谷酒庄项目的建立，将对中国葡萄酒文化的振兴乃至国内葡萄酒产业产生深远影响。更重要的是，对酒庄酒的追求和塑造过程，将全面改观企业的经营理念，进而提升长城品牌葡萄酒的国际形象。对长城品牌而言，筹建专业化的葡萄酒庄无论是从战略上还是从未来的市场预测上，都将具有重大的现实意义；项目的建设和运转，也必然会在我国葡萄酒庄园发展史上留下浓墨重彩的一笔

机制创新：锻造产业化链条

这是一个以全新方式耕耘的葡萄基地。

新就新在它的运作模式："一体化经营，标准化生产，规范化管理"。

在一个以分散经营为主的落后农业国度里，要像国外发达国家那样，依靠机制、资金、科技的高投入来种植葡萄庄园，殊为不易。前些年，有些农业加工企业为了取得稳定的原料，采取"订单"收购的方式，发展了一些基地，然后通过基地与分散的农户进行联结。由于产品价格"随行就市"，农产品的数量也就"随价起落"。而一旦产品过多，价格就会急速下落。"吃一堑长一智"。怨不得农民兄弟只得从自己的利益出发，追求眼前的高产量、高收入，而把质量撇到了一边。

"农民与企业'同床异梦'，怎能指望有什么稳定的好

收成？企业所需的原料质量又如何能保证？”烟台中粮葡萄酿酒有限公司的陈云昌对记者说。正是前车之鉴使烟台中粮人做了一个换位思考，并创新出了“一体化经营，标准化生产，规范化管理”的基地运作模式。

具体做法是：从保护农民利益入手，把土地使用权通过逐级流转到公司手里，公司与乡镇组成具有法人资格的中介组织--葡萄生产合作社。它的主要职能是：受公司委托行使管理葡萄基地的各项职能，组织农民完成承包管理葡萄园的任务，代理公司向农民发放土地使用费和劳动报酬。

葡萄生产合作社一手托两家，既对公司负责，又对农民负责，其性质类似经纪公司加服务公司。这个中介组织的出现，丰富了产业化职能链的内容，把“公司+基地+农户”的公式变成了“公司+中介组织+基地+农户”。如此一来，既为公司主导生产全过程的有效控制提供了可靠保证，又对分散的农民实行了有效组织，从而彻底排除了落后的小农经济的消极影响。这样，按照公司要求生产高质量酿酒葡萄就变得切实可行了，公司也得以按照标准化原则建设葡萄园，把现代化科学技术和机械化生产等集约手段充分投入到葡萄基地，以生产出最好的酿酒葡萄。

“在这条产业链上劳作的农民实际上成了产业工人--他们都有工资卡，一般每月可以收入700 800元；在保证质量的前提下产量增加了，还可以得到奖金。”陈云昌说，公司与农民是一种合作关系，庄园就是他们的土地，他们在庄园里劳动没有任何风险。

他还举了一个例子：过去有一个村很穷，村民大多迁走了，只剩下26户，年人均收入只有1700元左右。自打跟烟台中粮合作后，村民的年人均收入超过了5000元，引得迁走了的村民又纷纷要迁回来，村支书拦都拦不住。

农民有了“归属感”和价值感，企业吃了定心丸，一条互利互惠、可以带动当地经济发展的产业链就更坚实了。

优化组合：实施规范化管理

这是一片赏心悦目的葡园。

巨大的天然湖泊和谐地镶嵌在南王山谷里，净化着一颗颗柔美而尊贵的生命。在这儿，葡萄几乎全部种植在向南的山坡上，温和、湿润的海风由海岸吹入，

令葡萄均匀成熟。而山谷纯净的湖水使沙质土壤既保持了一定的湿度，又蕴涵了丰富的酵母菌群落，让葡萄果粒在成长期就开始自然发酵，从而使果体蕴含的单宁酸更为柔顺。这样的生长过程，令烟台长城的葡萄酒质更为细腻爽顺，芳醇幽香。

有道是：“七分葡萄三分酿制”。这句葡萄酒业的行话意即：再好的酿造工艺，如果没有好的葡萄作原料，也酿不出好酒。所以也有人说：“好的葡萄酒是‘种’出来的，而不是酿出来的”。从这个意义上讲，生产庄园葡萄酒要求原料质量很高，其成本自然也是很高的。

烟台中粮管理层认识到，既然走的是现代化集约农业的路子，那就要实施高标准的经营管理模式；资金和科技的高投入以及绿色生态的投入，是建设与国外高水平葡萄园相媲美的葡萄基地的必由之路。

为此，他们在6000亩一体化基地投入5000多万元资金改造生产条件。把所有的土地都深耕80公分以上，把挂在山岭上的零碎土地都整成了层层梯田。在水利设施上，建设了两座大型扬水站，钻了20多眼深层机井，铺设了18000多米地下浇水管道，使4000亩土地达到管灌化，2000亩土地实现滴灌化，做到了全部土地旱能灌、涝能排，为保证山区葡萄优质、稳产创造了极为有利的条件。

在苗木选用方面，他们摈弃了农民常用的混杂退化严重的老品种，而全部采用国内、外名贵的赤霞珠、梅鹿辄、西拉、蛇龙珠、霞多丽、雷司令、等一类优系脱毒品种，栽植时采用营养钵壮苗，这为生产优质葡萄奠定了优越的种植基础。

在种植密度和葡萄架式上，采用稀植和适应本地的优质限产“规则扇型”和“水平双壁”架式，既对土地进行了充分利用，又对空间和阳光进行了充分利用，保证葡萄全生育期的通风透光，使土地、空气、阳光、温度等自然资源优化组合，为生产优质酿酒葡萄搭起了优良生长构架。

在绿色生态措施上，以减少化肥用量为目的，通过有机沃土工程来平衡土壤各种营养元素，促进葡萄生长发育，使酿酒葡萄的内含物达到绿色、安全、营养丰富。

在病虫害防治方面，以保护、预防为主，并严格执行国家绿色食品用药标准，保证生产的葡萄完全符合无公害绿色食品要求，诚信地向消费者奉献安全、健康食品。

在酿制工艺上，烟台中粮站在长城品牌这个巨人的肩膀上，集长城20年的专业酿造技术，结合国际先进的改良工艺，再经进口橡木桶的藏酿，将庄重、经典、浪漫的葡萄酒文化倾注其中，真正体现了“酿造”的精髓。

按照中粮集团在食品行业的发展战略要求，烟台中粮依托已经拥有的自有葡萄庄园和蓬莱发达的旅游资源优势，规划于2004年7月正式启动南王山谷酒庄项目，包括酒庄酒生产、会所、葡萄酒文化观光旅游、酿酒葡萄苗木培育等。

项目建成后，烟台中粮将成为集苗木研发、葡萄种植、葡萄酒产销、葡萄庄园旅游、葡萄酒文化推广为一体的富有独特文化特性的葡萄酒企业。

中法合营王朝葡萄酿酒有限公司

一、公司基本情况

中法合营王朝葡萄酿酒有限公司始建于1980年，是我国第二家、天津市第一家中外合资企业，合资的外方为法国人头马亚太有限公司和香港国际贸易与技术研究社 。

公司从国外引进了具有国际先进水平的葡萄酒生产设备和技术，拥有国际酿酒名种葡萄原料种植基地近3万亩，建立了技术开发（科研）中心，有强劲的科技开能力。公司现生产具有中国地域风格的三大系列80多个品种具有欧洲风格的葡萄酒，生产能力为4万吨/年，是亚洲地区规模最大的全汁高档葡萄酒生产企业之一。

公司始终重视产品质量，使王朝酒享誉海内外。王朝酒曾获十四枚国际金奖、八枚国家级金奖，被布鲁塞尔国际评酒会授予国际最高质量奖。农业部首批将王朝酒确定为无污染、无公害、无病毒、营养丰富的绿色食品。目前王朝酒被指定为国宴用酒，供应231个我国驻外使、领馆，产品还远销美国、加拿大、英国、法国、日本、澳大利亚等二十多个国

家和地区。随着王朝酒知名度的不断提高，企业的无形资产价值也在不断提升，经评估王朝酒的品牌价值已达25.01亿元人民币。

公司具有现代化的管理运营机制，1989年被批准为国家二级企业；1996年通过了ISO9002质量管理体系认证；2000年取得了ISO14001环境管理体系认证；"王朝"被国家工商总局认定为中国"驰名商标"；1996年《王朝全汁葡萄酒规模化生产工艺技术的研究》获国家科技进步三等奖、2001年《王朝高档干红葡萄酒酿造技术与原料设备保障体系的研制与开发》获国家科技进步二等奖，成为我国酿酒行业唯一两次获此殊荣的企业；《提高企业竞争力的优化管理》荣获国家企业管理现代化创新成果二等奖；2002年王朝酒被国家质检总局认定为"免检产品"和"中国名牌"称号。公司还连续多年获得天津市优秀外商投资企业、天津市优秀企业、全国双优外商投资企业、中国食品行业质量效益型先进企业、全国质量效益型先进企业等荣誉称号。

王朝公司对葡萄酒事业的发展充满信心，力争实现基地规范化、产品标准化、管理现代化、市场国际化、人才智能化，以满足日益增长的市场需求，使王朝公司跨入世界著名葡萄酒企业行列，谱写中国葡萄酿酒史的新篇章。

二、经营状况

目前，"王朝"葡萄酒在国内干型葡萄酒市场的占有率已达到50%，销量连续5年居于同类产品第一名。这一骄人业绩亦得益于王朝人在产品营销上不断推出的创新之举。

天津市首家、中国第二家外商投资企业——中法合营王朝葡萄酿酒有限公司至今已经走过24年的历程。在刚刚对外开放的年代，王朝公司只不过是中国利用外资的一个试验地。当时，中法双方仅投资137.6万元人民币，主要生产干型和半干型葡萄酒，年产量仅十万瓶。

弹指一挥间。24年后的今天，王朝公司的年产量已达3000多万瓶；是成立之初的300倍；年实现利税逾3.4亿元，是合资初期投资总金额的240倍。王朝公司已成为亚洲规模最大的全汁葡萄酒生产基地。"王朝"葡萄酒曾8次获国家级金奖，成为中国葡萄酒的"第一品牌"，品牌价值高达25.01亿元人民币。24年的艰苦创业，24年的开拓拼搏，王朝人在中国改革开放的大舞台上，奏响了一曲"跨越式发展"的动人乐章。这乐章的主旋律就是：创新。

王朝公司合资之初，如果借世界知名的"人头马"商标打天下，产品无疑可以畅销国际市场。然而，王朝人并没有依随于人，他们深知，合资的目的是发展发族工业，创中华品牌。借用"自古葡萄出汉宫"的典故，他们给公司的产品起了一个响亮的名字——"王朝"。当时，中法双方通过协议，公司产品由法方代表出口，先以人头马集团名义在国外注册"王朝"商标，待"王朝"在国际市场上站稳脚跟后，再把商标转注到王朝公司名下。基于这样的战略构想，王朝人开始走上打造葡萄酒民族品牌的创新之路。

王朝人深深懂得，要树立一个品牌，关键在于过硬的质量。为了保障和提高产品质量，王朝人在技术创新上狠下功夫。公司在引进先进设备的同时，先后投资实施了5期技术改造工程。同时引进高层次人才，充实技术开发力量，将销售收入的4%用于技术开发。1998年，公司组建了企业技术中心，开发研制新工艺、新设备、新产品，逐步形成了技术创新体系。其《高档干红葡萄酒酿制与开发》论文，曾荣获国家科技进步二等奖。

在市场竞争激烈的形势下，葡萄酒企业对商家普遍采用赊销、代销、先发货后回款等办法。当时，王朝公司曾实行货到后45天回款的制度，回款率虽高达80%左右，但仍有1.6亿元左右的货款被拖欠。有的经销商用这些货款去周转、赚钱。为此，公司只得增加货款，每年仅支付银行的利息就高达1120万元。

经地调查研究，王朝公司的决策者决定"违反"行业常规，实行"货款保证金制"。即各经销商在进货前，向王朝公司汇入20万元至200万元的保证金，公司在保证金范围内发货。经销商如回款及时，到年底可得到一定的利息；如回款不及时，则用保证金冲货款。这项制度刚出台时，有人担心"王朝"会因此丢掉很多客户。但王朝人明白，制度不创新，企业就会失去持续发展的后劲，于是毅然决定把这项制度推行下去。

经过"大浪淘沙"，"王朝"的经销商由400多户减至60户，但这60户有实力的经销商却构成了全国客户网络的坚实基础。重要的是，王朝公司共收到保证金4000多万元，回款率由过去的28%提高到90%以上，多回笼7000万元，这两项加起来就是1.1亿元，每年可减少利息支出2240万元，为企业的发展增添了后劲。

而后实行的"价格保证金制"，是王朝公司营销制度的又一次创新。有一段时间，葡萄酒经销商不赚钱，厂家补贴价格倒挂。经过调研，公司决定反其道而行之，实行"价格保证金制"。即经销商要向王朝公司交纳价格保证金，公司取消对经销商的返利政策，对市场零售价进行严格管理，顺价销售。如违反公司规定，则扣掉保证金。起初，有人担心此举会影响商家的销售。但经过一个月的试行，各经销商价格全部顺价到位，"王朝"葡萄酒照样畅销。这"惊险的第二跳"，使公司和商家实现了"双赢"。

一个企业的产品被市场普遍认可后，企业该如何继续做深市场的文章呢？天津王朝葡萄酒酿酒有限公司的做法给出示了启示。面对国内葡萄酒市场呈现出的不均衡态势，总经理高孝德认为，王朝应当在产品已经普及的地区，引导消费者向高档要求发展。

基于这样的原因，王朝公司首先在产品调整上下功夫。他们在原本中档葡萄酒继续占有市场绝对份额的基础上，研制并推出了更高档次的新产品——木桶陈酿红酒，根据酒的质量和消费者的喜好决定陈放的年限。而木桶白兰地，已达到拿破仑等级。如此高档的级别，售价自然也不菲，但这两种高档酒的销量近来却在不断攀升。生活氛围的改善使国人对红酒的需求越来越高档，也就越来越希望品尝印有中国标签的世界级名酒。王朝公司的高档酒引导市场消费的战略性成功，造就了王朝品牌在公众心目中更高的地位。

配合产品市场的调整，王朝公司在酒瓶的包装上也进行了改进，推出了专门的供应商店、酒店、夜总会等不同场合的样式，使不同类型的市场也就有了不同起点的价格和标准。此举受到了经销商的欢迎，仅浙江温州一经销商年销王朝酒就达1.5亿元。

立足于市场，企业需要用软硬件的全方位发展维护产品的形象，王朝公司深谙其道。为保证产品的市场份额和不断强化企业的市场竞争力，公司2004年共投资1.8亿元，新建生产能力达到2万吨的勾兑车间，两个占地6000多平方米的现代仓库，以适应市场的潜在需求，调节酒类销售淡旺季之间的落差。同时，公司还建了一座深8米、面积达5000多平方米的酒窖，进口了1万个容量为250升的用于保存陈酿高档红酒的橡木桶。酒窖的地上建筑则是由国家检验检疫局参与设计的灌装车间，配备了4条生产线将原有拆与包融为一体的车间模式改为拆垛、灌装、包装相互独立的设置方式，逐步向国际化生产标准看齐。为保证产品质量和提高产品档次，王朝公司又购进了世界酿造葡萄酒行业中发酵技术领先的伽基米德发酵罐9个，成为率先在国内业界大规模使用此项技术的企业，也是第一个在原酒产地应用此项技术的企业。

王朝公司在河北、天津、山东、新疆等地开辟了三万亩葡萄种植基地，根据酒种科学安排葡萄种植，并建立了三级技术辅导站，保证了高质量原料的供给。公司先后通过了ISO9002质量体系认证和ISO14001环境管理认证，从种植基地到加工、酿造、蒸馏、储存各个环节实行规范化管理、标准化生产。公司完成了股份制改造，按现代化企业制度规范运作。公司还充分利用"王朝"的品牌优势，努力扩大产品出口，积极参与国际市场竞争。目前，"王朝"葡萄酒已远销美国、英国、日本、瑞典、丹麦等20多个国家和地区，并打入"人头马"的故乡法国。王朝人以创新的精神锤炼出中国葡萄的世界级品牌，缔造了一个"酒的王朝"。创新，已成为"王朝"可持续发展的不竭动力！

三、王朝葡萄酒未来发展目标

2005年注定要成为王朝发展历史上具有战略意义的年度：

年初，王朝酒业在香港主板上市成功，募集了数亿元的发展资金；王朝酒业上市后，高孝德总经理提出通过横向并购整合中国葡萄酒行业的构想；4月，王朝葡萄酒荣获中国葡萄酒A级产品认定；王朝橡木桶陈酿系列高端葡萄酒已经成型，正在酝酿推向市场；继价格保证金等销售制度之后，王朝公司提出了强势整合的思路……

上市是对王朝经营业绩的肯定，王朝是中国葡萄酒业三强，在中国中高档干酒市场占有重要份额。上市为王朝谋求更大发展提供了历史性机遇，上市之后王朝公司的发展战略主要有这样几项：

首先是扩充产能，王朝葡萄酒市场态势很好，产能不足成为王朝扩大市场占有的瓶颈，上市中约2亿元用于扩充产能。

其次是引入质量更优、层次更高的产品，吸引高档客户，募集的资金保持高端葡萄酒代名词的品牌形象。

再次是投资1.8亿元改进生产设施：新建生产能力2万吨的勾兑车间，两个占地6000平米的现代仓库，用来调节酒类淡旺季之间的落差；新建一座5000多平米的酒窖，进口一万个容量为250升的用来储存陈酿高档葡萄酒的橡木桶；配备4条生产线，将原来拆与包融为一体的车间模式改造成为拆垛、灌装、包装相互独立的设置模式；购进9个世界酿造行业领先的伽基米德发酵罐，应用到原酒生产中。

第四，斥资用于公司的收购事项，控制优秀的葡萄汁供应商。

第五，预留几千万元用于扩大销售队伍和加强市场推广。

总之，上市是王朝葡萄酒谱写新篇章的开始，上市也将促进公司在治理结构、经营机制等方面的改进，推动王朝葡萄酒在国际化市场进程中迈出更大的步伐。

并购分为横向和纵向两个方面。纵向的是积极寻找和控制质量上乘的酒葡萄供应源，比如收购天津天阳；横向的是收购其他葡萄酒生产商，提高王朝葡萄酒在国内外的产能及占有率。并购被认为是葡萄酒业未来几年的一种趋势，我国有400多家葡萄酒厂，70%以上的企业生产能力在1000吨以下，年生产规模达到5000吨的只占到10%，年产量万吨以上的只有五六家企业。在自身市场扩张速度放缓的情况下，整合业界生产资源可以迅速扩大市场占有率，上市后的王朝葡萄酒将向资本化、规模化的方向发展，计划2006年产量达到5万吨，2007年产量突破7万吨。

对于中国葡萄酒业而言，兼并整合具有现实意义。第一，中国葡萄酒业的发展速度很快，每年都有百分之十几的增长，龙头企业要保持竞争优势，发展速度必须超过行业平均增幅；第二，兼并整合可以有效整合上游资源，促进产区资源市场化，王朝在天津、河北、宁夏等多个省份拥有酒葡萄基地，目的是保证原料品种的丰富和互补，对于拥有优秀原料来源的企业，可以通过资本注入，利用王朝的品牌把优质原料变成高附加值的商品。另外，王朝希望与国际上的公司联合，实现优势的累加，壮大自己，同时王朝也在积极考虑国外并购，希望能够获取具有地区典型性的原料，弥补国内原料的不足。

前些年，企业主要依靠自我积累来拓展市场，现在则要通过资本工具获得成长的加速度。

从国际和国内两个角度来分析。首先，葡萄酒业面临国内外市场的全方位竞争，不只是产品的竞争，还有资金、技术、企业战略、品牌运作、经营理念的竞争。对于王朝来讲，最大的竞争态势来自于国际，美国、法国等知名葡萄酒公司正在积极探索占领中国市场的道路，并且已经介入了许多本土化的葡萄酒生产企业，国内企业和国外企业正在走向面对面的较量；第二，从国内市场来看，无序竞争影响了王朝公司和众多葡萄酒企业的发展，大环境无序让包括王朝在内的许多企业都遇到了挫折，在这一点上，我希望国内主流企业能有一个沟通合作的机制，协力改变现在的市场现状，把精力用在服务消费者上面，而不是把钱都撒在销售过程中。

上个世纪八十年代和九十年代前期，属于启蒙销售阶段，几大品牌脱颖而出，发挥了重要的引导作用，形成了大致的势力格局；九十年代后期到本世纪初的几年，销售技术发挥的作用非常大，渠道的推进、终端的控制、形形色色的推广活动层出不穷，占用了企业大部分的精力，市场上还出现了不少靠营销技术支撑的劣质酒。现在，葡萄酒正在进入品牌和企业内力竞争阶段。

现在要有"整合"的思维，全国一盘棋，每个品系都是王朝战略棋盘上的一个棋子，绝对不允许一个棋子影响全盘策略。

王朝有1号干红、金王朝、御用、特制、经典、年份等系列品种，这些品种之间都没有价差，组成的是一个金字塔状的结构，满足不同阶层消费群体的需求。对于市场整合，王朝有几个坚定不移的思路。其一，王朝所有的品种都不设全国总代理，都是先在一个适合的区域精细运作，培育起个性后再向全国推广，推广的过程中也都是王朝公司直接投放，比如王朝御用干红，开始的时候选择了湖北、东北和广东三个大户，湖北做得最好，后来根据这个产品的特点，我们把这个产品引进了北京；其二，严格市场规划，不乱放产品，七年藏酿这个品种目前主做浙江市场，王朝公司只放给汉根贸易一家运作，其他品种的代理商只能从汉根手中拿货，杜绝了不同代理商之间的压价行为；其三，调控好不同区域的主销品种，杜绝自己冲击自己事件的发生，在天津，1号干红和金王朝销售特别好，利润空间充足，王朝公司以这两个产品为主导，原则上不再引入其他品种；其四，保持老产品的坚挺，老产品是企业的"形象产品"，它的畅销与否集中反映了市场对一个品牌的信心，2003年王朝1号干红的零售价调高了2元，达到了36.8元/瓶，有效保证了经销商的积极性；其五，对于不遵守规则的合作伙伴，不论规模大小，按照规定严格处理。王朝各个品种都有其定位，对出现混乱、价格过于透明的产品，规划引导其走流通渠道。2005年，对于市场整合，我的原则是不畏艰难，强行推进。

酒类市场的一个现状，企业是年年推新品，年年死新品。不少企业靠无休止的更换包装、更换产品名称来维系市场，这对于塑造品牌、培育消费以及稳定市场构架十分不利。经常有经销商劝我，老产品利润低，新产品利润高，王朝应该多开发新产品和买断品牌。对经销商的这种认识，我打了这样几个比喻。一个比喻是十个一岁的孩子和一个十几岁的小伙子哪个厉害，一岁的孩子虽然多，但是被小伙子一拳头就打倒了，因此，有没有竞争力不在于产品是不是多，而在于产品是不是精干。第二个是耕地的比喻，老产品好比已经扎下根的苗子，单瓶利润低，但是市场稳定，走量带来的规模效益突出。运作新产品就像耕地，前期投入大，种子种下后还不知道能不能开花结果。老产品利润低是一个共同现象，对于这个问题厂商可以协力寻找解决办法，比如上面讲到的提高市场售价，或者可以在沟通之后由企业予以政策上的补贴。

开发产品的关键是前期规划要好，产品定位没有问题，为什么要放弃呢？产品出来了就要让她有生命力，王朝公司不让一个产品死掉。

王朝一直有高端酒的推广计划，2005年王朝的一项重要工作就是推广高端酒。葡萄酒在商务交往中的应用越来越广泛，国人对葡萄酒的需求越来越高档，希望品尝印有中国标签的世界级名酒。高端酒不是简单的高价酒，他需要品质和品牌的积淀，高端产品必须要有深厚的内涵，就像一个博士，他最有价值的不是博士帽，而是他头脑中的思想。成功的高端酒必须有明显的品质上的优越性，但是，一些企业利用我国葡萄酒法规不健全的漏洞，制造概念性高价产品销售，给高端酒消费者带来了误导。为了配合陈酿系列高端酒的推广，王朝做了大量的物质准备，比如上面提到的进口1万个橡木桶等等。

高端葡萄酒的市场正在形成。在中档产品占优的基础上，王朝正在推出更高档次的新产品，即木桶陈酿葡萄酒和木桶白兰地，根据酒的质量和消费者的喜好决定陈酿的年限。木桶陈酿葡萄酒已经在天津试销，终端价格1000多元，反响非常好，这个产品将在国庆节前后正式推广。王朝品牌给人以尊贵的感觉，我们将在未来的运作中发挥好王朝品牌的先天性优势。

三、"王朝"葡萄酒酿造国际驰名品牌

王朝葡萄酿酒公司高档木桶陈酿车间拥有从法国进口的橡木桶4500余个，可陈酿高档葡萄酒1300多吨，是目前国内规模最大的地下酒窖。

获得2001年国家科技进步二等奖

2005年，实现利润24541万元，占全国葡萄酒行业总利润30%，占据国内高档干红酒市场40%。

2005年，"王朝"品牌在中国最有价值品牌评价中，品牌价值达27.09亿元

"一瓶葡萄酒能有那么高的科技含量吗?"面对王朝葡萄酿酒有限公司的《高档干红葡萄酒酿造技术与原料设备保证体系的研究与开发》项目，评委们提出了质疑。然而，项目的创新之处和显著的经济效益赢得了评委们的选票，项目获得了2001年国家科技进步二等奖，王朝公司成为国内葡萄酒行业第一个摘取最高奖项的企业。

评委称，项目的创新点是：通过葡萄良种化和区域化、种苗无病毒化以及规范化规模化等技术，建立了干红葡萄酒原料的质量保障体系；在国内首次采用密闭保压与浸没皮渣相结合的浸提发酵工艺，充分浸提有效成分；在大规模干红酒生产中，首次以人工接种乳酸菌与自然诱发相结合的工艺进行苹果酸—乳酸发酵；首次采用木桶优化组合，充分陈酿，形成了"王朝"酒风格。该项目成果达到了国内领先水平，产品质量达到了国际一流水平，填补了我国高档陈酿型干红葡萄酒的空白。

中法合营王朝葡萄酿酒有限公司，是改革开放后全国第二家、天津市第一家中外合资企业。经过25年的发展，成为亚洲规模最大的全汁葡萄酒生产企业之一。"王朝"酒荣获14枚国际金奖、8个国家级金奖，被布鲁塞尔国际评酒会授予国际质量最高奖。2000年被认定为"中国驰名商标"，2002年被认定为中国名牌产品，并被指定为国宴用酒，供应我国231个驻外使领馆，产品远销美、英、法等20多个国家和地区。2005年，公司销售葡萄酒4283万瓶，比上年增长16.1%；实现销售收入95910万元，增长15%；实现利润24541万元，增长5.5%，占全国葡萄酒行业总利润的30%左右，销量、利税连续8年居第一位。公司董事长白智生说，"王朝"成为中国名牌，得益于改革开放，得益于引进消化吸收再创新。

与世界同行比肩，始终占据国内高端市场，做强中国葡萄酒名牌，自主创新是一把"金钥匙"。公司以市场为导向，产学研相结合，建立了居国内领先水平的国家级技术中心。同时，不计较一时的得失，不断加大研发投入，1998年至2005年，投入研发资金达2.5亿元，从葡萄品种遴选、栽培种植、压榨、发酵工艺进行全方位的研发。葡萄栽培的良种化和区域化是生产高档葡萄酒的基础，科研人员经过多项次、多区域栽培试验、多年份酿酒试验，从20多种国际酿酒葡萄品种中优选了晚熟抗病的国际酿酒葡萄名种梅鹿辄和赤

霞珠作，在宁夏贺兰山、津冀燕山南麓、山东蓬莱等产区建立了3万亩的王朝葡萄原料基地，率先在全国实现了葡萄种植的良种化和区域化，并在6个产区各兴建了5000—10000吨生产能力的葡萄原酒加工厂。针对病毒可使葡萄产量下降20—80%，糖度下降20—40ｇ／Ｌ，严重影响酿酒葡萄质量问题，技术中心与有关科研单位联合，用6年时间建立了无病毒葡萄母本园和生产园，使王朝公司葡萄基地无病毒率达到95%以上。世界一流的设备、工艺，既有落伍之时，也有“水土不服”之处，若保持领先水平，必须进行再创新。科研人员在消化吸收的基础上，对洋设备、洋工艺实施再造。他们研发的恒温浸渍酒精发酵工艺，从葡萄皮及葡萄汁中有效地提取色素和酚类物质，并达到稳定；研发的苹果酸—乳酸发酵工艺，使苹果酸的尖酸感及生物不稳定性消失，加速了红葡萄酒成熟、提高了感官质量和生物稳定性；采用橡木桶选型及陈酿工艺，使王朝高档干红葡萄酒形成了独特风格。

自主创新，极大地提高了产品质量和新品研发水平，提升了王朝品牌的竞争力、知名度和美誉度。近5年来，年均增加24个新产品，累计实现新产品产值17亿元，占总产值的35%；累计实现新产品利税7亿元，占总利税的32%。目前，王朝系列高档干红葡萄酒已占国内高档干红酒市场的40%。2005年，“王朝”品牌在中国最有价值品牌评价中，品牌价值达27．09亿元。

烟台张裕葡萄酿酒股份有限公司

一、公司基本情况

1892年，著名的爱国侨领张弼士先生为了实现“实业兴邦“的梦想，先后投资300万两白银在烟台创办了“张裕酿酒公司“，中国葡萄酒工业化的序幕由此拉开。

经过一百多年的发展，张裕已经发展成为中国乃至亚洲最大的葡萄酒生产经营企业。1997年和2000年张裕B股和A股先后成功发行并上市，2002年7月，张裕被中国工业经济联合会评为“最具国际竞争力向世界名牌进军的16家民族品牌之一“。在中国社会科学院等权威机构联合进行的2004年度企业竞争力监测中，张裕综合竞争力指数居位列中国上市公司食品酿酒行业的第八名，成为进入前十强的唯一一家葡萄酒企业。

面对市场机遇和葡萄酒行业的激烈挑战，张裕确定了未来三年的发展战略目标：到2008年，实现销售收入50亿元，利税15亿元，进入世界葡萄酒酒业前20强，成为国际著名的葡萄酒企业集团。

二、经营状况

一　2005年公司主要经营情况

(一)报告期内公司经营情况回顾

本公司属食品饮料业，主营业务为从事以葡萄为原料的葡萄酒、白兰地、香槟酒和保健酒的酿制、生产与销售。主要产品有：干红、干白葡萄酒，XO级、VSOP级、VO级、VS级白兰地，特质三鞭酒、味美思和香槟酒。目前本公司4种系列酒类产品年生产能力达10万吨，拥有遍布全国29个省、自治区和直辖市的销售网络，1379名销售人员和3300余家经销商。

1、报告期内总体经营情况

报告期内，中国葡萄酒行业继续保持了较快的增长。在董事会的领导下，公司抓住机遇，坚持以市场为中心，团结协作，奋力开拓，沉着应对日益激烈的市场竞争，取得了较好的经营业绩。报告期内，公司主要采取了以下措施：

一是深化经营机制改革，提高经营效率。为了适应市场竞争的需要，切实转变经营机制，提高决策效率，报告期内公司进一步完善了对中高层管理人员的考核机制和有关规章制度，并对管理机构进行了调整，总部机构由原有的22个部门合并至10个部门，人员由137人缩编至68人；销售公司后勤职能部门经过重新梳理成立7个部，人员由135人缩编至93人。

二是加大市场开发力度，增强竞争能力。报告期内，公司继续调整和完善市场网络布局，强化了对各级市场业务人员的业绩考核、管理和培训，建立了以利润为中心的考核体系，加强对营销费用投入产出的考核；进一步调整产品结构，提高了高档产品占销售收入的比重；11个重点城市的开发工作取得初步成效，使其销售收入较上年同期增长约40%，缩小了与当地市场第一品牌的差距；全面开展烟台和威海地区的直销工作，拓展了新的利润增长点。

三是稳步推进技术改造，提高生产能力。为适应未来公司发展的需要，报告期内，公司对储酒容器、配酒系统和封装系统等影响公司产能的瓶颈环节进行了技术改造，提高了整体生产能力，缓解了产能趋紧的矛盾，满足了市场需求，并为今后的发展奠定了基础。

四是加快新产品和新技术开发，增强公司核心竞争力。报告期内，公司推出了多款新品白兰地和新品味美思，完成了冰酒的中试工作；新橡木桶、橡木板与微氧技术使用取得阶段性成果，为未来高档酒的贮藏开创了行之有效的新途径；完成了四大酒种标准、工艺流程、操作规范的梳理；公司“苹果蒸馏酒开发研究”等国家“十五攻关项目”，通过国家相关部门的鉴定和验收。

五是加强财务管理和内部审计，逐步建立有效的内部控制制度。报告期内，公司完善了《成本费用奖惩考核办法》、《资金管理规定》等20余项财务管理制度，建立和完善了重大事项汇报制度和生产经营责任制；彻底清理了应收账款和异地仓库。通过加强财务管理和内部审计，确保了公司资产的安全、完整，有利于防止和控制重大财产损失和舞弊行为的发生。

2005年度公司主要经营业绩如下表所示（表一）

引起重大变动的主要因素说明：

报告期内，公司生产经营取得了显著成效，使主营业务收入、主营业务利润和净利润均实现了大幅增长；由于利润总额的增长幅度比主营业务收入增长幅度高5个百分点，使公司主营业务收入占利润总额的比例下降了15.05个百分点。

2、按产品分类的主营业务收入和主营业务利润构成情况(表二)

3、按地区分布的主营业务收入及主营业务利润构成情况

地区	主营业务收入(万元)	主营业务收入比上年增减(%)
沿海地区	151,604	37.84
中部地区	19,986	23.06
西部地区	8,848	16.13

合计　　　180,438　　　34.81

4、占公司主营业务收入10%以上的主要产品的生产经营情况

占公司主营业务收入10%以上的产品为葡萄酒和白兰地，其销售收入、销售成本和毛利率如下表所示（表三）。

报告期内本公司主营业务及其结构与前一报告期相比未发生较大变化。

5、主要供应商及客户情况

前五名供应商采购金额合计(万元)　　7,323

占采购总额比重　　　　　19.4%

前五名销售客户销售金额合计(万元)　21,910

占销售总额比重　　　　　12.0%

6、公司资产构成及费用变动情况（表四）

引起重大变动的主要因素说明：

(1)存货增长较快主要是公司加大了原材料和在产品的储备以及为销售旺季增加产品准备所致。

(2)营业费用的增加主要系本集团为促进销售增加广告费及因销售数量增加而运输费增加所致。

(3)管理费用的增加主要系员工工资及福利费用增加所致。

(4)财务净收益增加主要系公司银行存款利息收入增加所致。

7、公司现金流量表相关数据变化情况（表五）

引起重大变动的主要因素说明：

(1)经营活动产生的现金流量发生重大变化，主要是公司在报告期内生产经营取得显著成效，经营规模扩大，使公司经营活动现金流入、流出和净流量大幅度增加。

(2)投资活动产生的现金流量发生重大变化，主要是公司在报告期内收回投资所收到的现金及收到其他与投资活动有关的现金大幅减少所致。

(3)筹资活动产生的现金流量发生重大变化，主要是公司在报告期内实施了2004年度利润分配方案，向全体股东分配现金股利20,280万元所致。

2005年度公司主要经营业绩

表一

项目	本年数(万元)	上年数(万元)	本年比上年增减(%)
主营业务收入	180,438	133,843	34.81
主营业务利润	105,572	74,596	41.53
净利润	31,237	20,413	53.03
项目	本年占利润总额比例(%)	本年占利润总额比例比上年增减	
主营业务收入	406.92	下降15.05	
主营业务利润	238.08	个百分点上升2.90	
净利润	70.44	个百分点上升6.08	

按产品分类的主营业务收入和主营业务利润构成情况

表二

产品类别	主营业务收入（元）	主营业务成本(元)	毛利率(%)
葡萄酒	1,340,208,407	444,626,308	67
白兰地	363,415,079	143,235,030	61
保健酒	80,777,771	30,206,963	63
香槟酒	19,974,634	12,613,950	37
合计	1,804,375,891	630,682,251	65
其中：关联交易	无	无	无
产品类别	主营业务收入比上年增减(%)	主营业务成本比上年增减(%)	毛利率比上年增减
葡萄酒	45.05	40.54	个百分点上上升1
白兰地	20.78	18.12	个百分点上升1
保健酒	-17.65	-28.80	百分点上升6
香槟酒	29.10	11.57	个百分点上升10
合计	34.81	28.36	个百分点升2
其中：关联交易	无	无	无

8、公司设备利用、市场和技术人员流动情况

报告期内，公司设备状况良好，生产安排井然有序，设备利用率较高，未发生任何安全事故。通过科学预测和周密安排，本公司既保证了平稳生产，又较好地满足了市场需要，产品产销两旺，没有出现产品积压和市场严重断货情况。公司主要技术人员和业务骨干未发生变动，未对公司经营管理造成不利影响。

(二)对公司未来发展的展望

1、公司所处行业发展趋势及面临的竞争格局

报告期内，由于我国葡萄酒关税已降至14%，进口葡萄酒数量不断增加，加之国内主要竞争对手不断加大市场开发和投入力度，致使国内葡萄酒市场竞争十分激烈。面对这种

表三

产品名称	销售收入(元)	销售成本(元)	毛利率(%)
葡萄酒	1,340,208,407	444,626,308	67
白兰地	363,415,079	143,235,030	61

公司资产构成及费用变动情况

表四

	2005年12月31日		2004年12月31日	
项目	数额	占总资产比重(%)	数额	占总资产比重(%)
应收款项	124,444,830	5.30	142,617,674	6.59
存货	530,044,045	22.58	419,520,260	19.37
长期股权投资	12,000,000	0.51	2,000,000	0.09
固定资产	472,700,504	20.13	475,056,216	21.94
在建工程	6,178,667	0.26	7,677,097	0.35
短期借款	0	0	0	0
长期借款	0	0	0	0

项目	本年数(万元)	上年数(万元)
营业费用	489,221,842	334,921,278
管理费用	146,518,979	104,535,981
财务费用	−21,666,589	−12,258,179
所得税	130,041,891	112,666,992

项目	占总资产比重的增减
应收款项	−1.29
存货	3.21
长期股权投资	0.42
固定资产	−1.81
在建工程	−0.09
短期借款	0
长期借款	0

项　　目	增减数(万元)
营业费用	154,300,564
管理费用	41,982,998
财务费用	−9,408,410
所得税	17,374,899

形势，公司抓住国内经济快速增长和消费升级的有利机遇，坚持以市场为中心，以产品结构调整为主线，强化各项管理措施，确保了主要经营指标的持续稳定增长。

董事会判断，随着中国经济的快速发展，城市化步伐的加快，特别是人们收入水平的持续提高和消费观念的转变，中国葡萄酒市场正在进入一个相对稳定的增长时期，预计未来较长间内仍将保持较快的增长态势；但由于欧美主要葡萄酒市场供大于求，加之新兴葡萄酒生产国的兴起，以及我国葡萄酒进口关税的下降，国外葡萄酒将加快进入中国内地市场，致使国内葡萄酒市场竞争日趋激烈，营销成本加大；2005年葡萄原料价格的上涨，亦将削弱葡萄酒生产企业盈利能力。

1、公司发展战略和经营计划

新的一年，公司将面临中国葡萄酒市场持续快速增长的发展机遇和国内外竞争对手强有力挑战并存的市场格局。为此，本公司将继续优化产品结构，逐步提高中高档产品比重。针对高档产品，将继续深化市场细分，实施差异化战略，通过产品创新，达到“人无我有，人有我特“的目标，通过渠道创新，降低营销成本，提高消费便利度，增强市场竞争能力。针对中低档产品，力求通过扩大产销规模，以降低单位产品成本，获取规模优势和有利的竞争态势。

2006年，公司将通过深化经营机制改革，加大产品结构调整力度，加快管理、技术和营销创新步伐，增强盈利能力，进一步提升公司价值。为实现上述目标，将着力抓好以下主要工作：

(1)坚持以市场为中心，加大市场营销力度。进一步完善销售部、分公司、经销处和业务人员四级利润核算体系；继续抓好产品结构调整，加大“解百纳、酒庄酒、XO级白兰地”等高档产品的市场营销；加大市场管理力度，维护市场流通秩序；集中人力、物力和财力，重点开发葡萄酒市场容量较大的省份；继续加大全国11个重点城市的开发力度；强化渠道扁平化管理；建立网上直销公司，做好中国高端葡萄酒市场及特殊渠道的销售工作。

(2)加大技术改造力度，扩大葡萄基地建设面积，提高公司产品质量和生产能力。2006年开始，逐步投资扩大公司葡萄基地面积，加快北京葡萄酒酒庄的建设和对现有生产设施的技术改造，增强葡萄原料保障能力，提高公司产品生产能力，更好地满足公司未来发展需要。

(3)强化内部管理，规避和防范经营风险，提高效率和效益。在人力资源开发方面，公司将改革现有薪酬制度，完善员工激励和约束机制，充分调动全体职工的积极性和创造性；加强在职员工培训，增强其专业技能和操作水平；加快引进紧缺人才，为公司的持续发展提供人才支持和储备；在管理方面，完善全面预算管理体系，建立和完善以“利润为中心”的考核、评价体系，进一步降低成本、压缩费用，提高盈利能力；加强企业内部审计监督工作，重点抓好应收账款、异地库、广告费使用以及生产系统原材料采购、技改工程、设备采购等方面的审计工作，防止重大舞弊行为和财物损失的发生，保证资产的安全完整，降低经营风险。

3、公司资金需求及使用计划

2006年度，本公司计划投资17563万元用于葡萄基地建设、北京张裕酒庄建设项目、解百纳原酒混合中心二期建设项目、橡木桶改造项目和葡萄酒生产线引进项目。所需资金全部通过公司自有资金解决。

4、公司存在的风险因素

本公司主要存在两大风险，一是葡萄产量和质量受天气干旱、风雨和霜雪等自然因素影响较大，这些不可抗因素给本公司原料采购数量和价格带来较大影响，增加了公司生产经营和盈利能力的不确定性。二是随着市场竞争日益激烈和市场开发的需要，本公司市场投入逐渐加大，但因多种因素影响，市场投入产出有一定的不确定性，可能出现部分投入

公司现金流量表相关数据变化情况

表五

项目	本年数(万元)	上年数(万元)	增减数(万元)
经营活动产生的现金流量	216,227	166,586	49,641
现金流入小计	183,673	143,720	39,953
现金流出小计			
经营活动产生的现金流量净额	32,554	22,866	9,688
投资活动产生的现金流量	3,300	12,957	−9,657
现金流入小计	5,358	15,951	10,593
现金流出小计			
投资活动产生的现金流量净额	−2,058	−2,994	936
筹资活动产生的现金流量	0	448	−448
现金流入小计	20,280	3,385	16,895
现金流出小计			
筹资活动产生的现金流量净额	−20,280	−2,937	17,343

难以达到预期效果的风险。

（三）销售网络

烟台张裕葡萄酿酒股份有限公司（以下简称股份公司）在国内的销售通过公司全资设立的分销公司和经销商、代理商两个渠道开展。公司目前在全国重点城市设有14个分销公司，公司正式编制销售人员300多人，占员工总数的15%。经销商、代理商超过1000家。1998年以前，公司主要以赊销方式向经销商销售公司产品。1999年以来，公司除对一部分信誉良好的主要经销商提供此种优惠外，对多数经销商采取款到发货的销售方式。销售方式的改变，使公司近3年在销售收入大幅提高的同时，应收帐款的绝对量下降20%以上。

1、 股份公司销售公司网络

(1) 在江苏的经销处有：苏州、常州、无锡商超部、无锡酒店部、徐州、镇江、南通、扬州、连云港、泰州、淮盐、昆山、南京酒店部、南京商超部；

(2) 在上海设有6个经销处；

(3) 在浙江的经销处有：杭州、温州、温州郊县、宁波、金华、绍兴、湖州、嘉兴、台州、衢郦；

(4) 在广东的经销处有：广州、深圳、东莞、粤西、佛山、中山、惠州、汕头、鹤山、茂名、肇庆、梅州、珠海、河源；

(5) 在福建的经销处有：福州、泉州、厦门、漳州、三明、莆田、龙岩、南平、宁德；

(6) 在山东的经销处有：青岛、东滨、泰安、济宁、潍坊、日照、枣庄、聊城、济南市、淄博、威海、烟批、烟酒店、济郊县、荷泽、临沂、烟商场、烟地区、德州；

(7) 在安徽的经销处有：合肥、蚌埠、芜湖、马鞍山、安庆、淮南、淮北、黄铜、阜阳；

(8) 在河南的经销处有：开封、漯河、濮阳、新乡、洛阳、信阳、平顶山、郑州；

(9) 在湖北的经销处有：宜昌、襄樊、武汉、荆州、黄石、十堰；

(10) 在江西的经销处有：南昌、新余、抚州、九江、上饶、吉安、赣州；

(11) 在天津设有3个经销处；

(12) 在河北的经销处有：邢台、保定、秦皇岛、邯郸、唐山、石家庄、廊坊(沧州)、承德；

(13) 在山西、陕西的经销处有：临汾、太原、大同、西安、宝鸡、延安、汉中；

(14) 在黑龙江、吉林的经销处有：哈尔滨、大庆、牡丹江、佳木斯、延吉、长春、通化、吉林、黑河；

(15) 在辽宁的经销处有：鞍山、沈阳、锦州、朝葫赤、抚顺、营口、大连、丹东、盘锦、阜新；

(16) 在四川的经销处有：成都、宜宾、绵阳、内江、西昌；

(17) 在重庆的经销处有：重庆、万州、涪陵、广元；

(18) 在北京设有4个经销处；

(19) 在西北的经销处有：乌鲁木齐、哈密、青藏、库尔勒；

(20) 在宁夏的经销处有：包头、呼和浩特、兰州；

(21) 在云南的经销处有：昆明、大理；

(22) 在贵州的经销处有：贵阳、遵义；

(23) 在广西的经销处有：南宁、桂林、梧州、柳州、玉林；

(24) 在湖南的经销处有：湘潭、常德、衡阳、邵阳、长沙、岳阳、怀化。

2、股份公司保健酒销售部

(1) 广东分公司有以下经销处：广州、江门、深圳、粤东、粤北、中山、惠州；

(2) 济南分公司有以下经销处：济南、济南郊、淄博、淄博郊、东营、滨州、济宁、枣庄、德州、荷泽、泰安、莱芜；

(3) 青岛分公司有以下经销处：青岛、青岛郊、日照、临沂、潍坊、青州、诸城；

(4) 烟威分公司有以下经销处：烟商场、烟酒店、烟批发、招远、莱阳、海阳、栖霞、牟平蓬莱、龙口、莱州、威海、乳山、荣成、文登；

(5) 浙江分公司有以下经销处：温州、舟山、宁波、嘉兴、台州。

3 、白酒厂销售部：只在山东省设有经销处。

三、张裕未来发展目标

2005年度，公司仍将专注发展现有主营业务，不断增强核心竞争力.本公司的既定标仍将是通过提高每股盈利及资本回报率来不断增加股东价值，力争为股东创造更多回报在新的一年里，董事会预计随着中国经济的持续快速发展，人们收入水平的提高和消费念的转变，未来中国葡萄酒、白兰地和保健酒市场仍将保持快速稳定的发展势头，特别是伴随场容量的扩大，市场竞争水平的提高，将促进中国葡萄酒市场整体发展的质量，有利于本公司发展.但另一方面，随着葡萄酒、白兰地产品关税降至最低，加之中国葡萄酒市场较高的产业益，将继续吸引国外葡萄酒产品的进入和国内企业的参与，中国葡萄酒市场的竞争会进一步加为适应这一形势，确保经营业绩的稳定增长，本公司将重点采取以下措施：

1、坚持以市场为中心，进一步做好市场开发和维护工作.继续加强销售业务人员和经商两支队伍的建设，不断提高销售团队战斗力；建立以“利润为中心”的考核体系，把握市场投入与产出的关系，力争利润最大化；着重抓好北京、上海、深圳等11个重点城市市的开发，巩固和提高市场占有率；继续抓好公司产品结构调整，提高中高档产品的比重；快白兰地、保健酒、香槟酒等酒种的市场开发，促进各酒种协调发展；抓好“麟球牌”、“美思”等自主品牌葡萄酒的推广，满足不同层次消费者的需求，

2、加强人事及分配制度改革．完善经营班了成员的任职日标责任制；继续执行待岗培制度，加强职工队伍的培训工作，不断提高全体员工的操作水平和专业技能，增强其责任和敬业精神，进一步增强企业活力和竞争力.

3、进一步完善内部控制制度，强化以财务管理为中心的企业管理工作 进一步提升自化和信息化水平，完善生产系统的各项消耗定额，建立合理的产品价格体系；加强财务管手段的现代化建设，加强审计监督工作；完善招投标管理制度，严格采购计划的管理，最限度地压缩各项费用和成本.

4、优化葡萄基地品种结构，扩大公司中高档产品生产能力.2005年，公司将进一步完善萄基地管理，坚持内外结合的基地发展模式，优化基地内葡萄品种结构，更好地满足“高档葡酒”和“高档白兰地”发展所需原料，以提高中高档产品产量，增强公司的盈利能力.

烟台张裕集团有限公司，这个有着悠久酿酒和文化历史

的老牌企业，在市场经济的大潮中，几经拼搏，愈发强筋壮骨，蓬勃向上。她不仅以其上乘的美酒、良好的效益备受社会各界的关注，更以其独具特色的企业文化而蜚声中外。特别是近几年来，张裕对旅游资源的开发和建设，更是锦上添花。百年大酒窖、酒文化博物馆、漂亮的厂房、绿茵的草地、现代化的生产线、葡萄发酵中心，交织成一幅幅色彩斑斓的图画，成为美丽海滨城市烟台的一道靓丽的风景线，吸引着越来越多的人到张裕参观、游览。

亚洲奇观大酒窖

张裕公司的百年大酒窖素有亚洲奇观之美称。沿螺旋式的石级下行约7米，便来到了地下大酒窖。酒窖用中国传统烧制的大青石砌成，纵横交错，共有8个幽深的拱洞。望着气势恢宏、古老而又博大的酒窖，立刻给人一种深邃而幽远的感觉，仿佛置身迷宫一般。据管理人员介绍，该酒窖始建于1895年，占地近2000平米，深7米，低于海平面1米多。酒窖虽傍海所建，又低于海平面，但不见渗漏，四季常温，常保持摄氏11度左右。

管理人员还介绍说，酒初酿成，口味生涩，也不协调，须经过一段时间的贮藏陈酿，使其自然老熟，才能芬芳浓郁，口味醇厚。葡萄酒本身又特别的娇气，条件稍有不适，酒质就会起变化。张裕酒有名扬天下，大酒窖实在起着举足轻重的作用。

提到大酒窖必然要说说橡木桶。在大酒窖两旁，安放着一排排橡木桶，橡木桶有大有小，共有148种型号，其中有3只大橡木桶，据说是用法国林茂山所产橡木制成，其树龄有100年，锯开的桶材需陈放三载，经日晒雨淋，直到桶材寄生出野山蘑菇，并呈黑色，才被优选来张裕制桶。用橡木制成的桶，酒液不易外渗，透气性强，有利于酒液“呼吸”，还能散发出特殊的香气，每只贮酒15000公升。管理人员接着说，张裕最早的酒桶是从奥地利运来的。运来时是一堆加工好的木板，要在地窖中一块块拼起来，加上铜器才算完成。这些木桶虽已近百年，但大多保存完好，为大酒窖格外增添了许多历史感。

百年沧桑博物馆

与百年大酒窖相媲美的还有张裕酒文化博物馆，它是山东省爱国主义教育基地之一。它以翔实的资料、图片和实物，记载了张裕从创办到发展的历史过程。

走进博物馆时，孙中山先生1912年题赠张裕公司的“品重醴泉”四个镏金大字立时扑入眼帘。展厅门口，中共中央总书记江泽民1992年7月24日来张裕视察时题写的“沧浪欲有诗味，酝酿才能芬芳”的题词赫然入目。在第一展厅里，以图片和资料介绍了张裕的创办和发展。公司创始人，著名爱国侨领张弼士先生，西方酿酒师拔保等给人留下了深刻的印象。展台上还展示了张裕创建初期用过的酿酒工具。如果这些只是历史的记载的话，那么透过历史，让人看到和领悟到的是：张裕一开始就打上了民族工业的烙印，同时，它又是中西结合，洋为中用的一个成功典范。公司创始人张弼士先生是广东梅州，而酿酒师却是西方人，所沿袭的酝酒方法是西洋法，所以张裕葡萄酒与西洋酒如出一辙，张裕由此成为中国工业化生产葡萄酒的发源地。

在博物馆荣誉厅，展示了党和国家领导人、中外友人、知名人士的题词以及来张裕视察参观的珍贵照片。透过这些题词、照片可以看到，在新中国的怀抱里，张裕这枝民族工业之花才日益光彩夺目。五十年代，敬爱的周恩来总理，选中张裕的金奖白兰地，送往瑞士日内瓦国际会议的宴会厅。毛泽东主席在看了张裕公司的“情况报告”后指示：“要大力发展葡萄和葡萄酒生产，让人民多喝一点葡萄酒。”张裕也没有辜负党和人民的重托，一代又一代的张裕人，在“爱国、敬业、优质、争雄”的企业精神激励下，细心耕耘、精心酿制，为世人奉献了品味超卓的名牌佳酿。白兰地、葡萄酒、保健酒、香槟酒4大系列50多个品牌，每年供应市场4000多万瓶，综合市场占有率稳居全国同行业首位。

超群卓著生产线

来到葡萄酒灌装车间。宽敞明亮的车间里，现代化的灌装生产线，犹如一条巨龙横卧其间。一瓶瓶高雅靓丽的葡萄酒，在经过了灌装、压封、贴标、装箱等程序后，被输送带送往地下库，完全是机械化生产。在场的技术人员告诉我们，这条生产线是1997年从意大利进口的，生产能力为1500瓶/小时。当时，张裕红葡萄酒非常火爆，出现了供不应求的局面。为了缓和供需矛盾，公司对葡萄酒生产车间进行了大规模的技术改造，使葡萄酒的现代化生产水平大大提高，这不仅较好地提高了产量，满足了市场的需求，也有效地提高了产品质量。

从葡萄酒灌装车间出来，又来到白兰地蒸馏车间。在这里，数10台壶式蒸馏锅分两列排开，齐刷刷，紫莹莹，熠熠地泛着金光。车间有关人员介绍说：蒸馏锅的开头决定了白兰地的风味，这种蒸馏锅是用铜材料制成的，与葡萄汁中的酸接触后产生氧化铜，蒸馏过程中，铜皂能给葡萄酒一种特殊的香味，而这正是优质白兰地高雅芳香来源之一。”

在张裕采访的最后一站是正在兴建中的张裕葡萄发酵中心，该中心坐落在烟台福山区内，占地40余亩，总投资6000多万元，一期工程已基本结束。在现场我们看到，用不锈钢材料精心制作的巨大发酵罐一排排，一行行，拔地而起。工地负责人指着发酵罐告诉我们，这些发酵罐共有82个，其中容量为120吨的有72个，400吨的有8个，200吨的有2个，总发酵能力为9万吨。发酵中心的建成，将给张裕公司源源不断地提供优质葡萄汁，更将为张裕公司的快速发展做出贡献。

浙江古越龙山绍兴酒股份有限公司

一、公司基本情况

浙江古越龙山绍兴酒股份有限公司系经浙江省人民政府证券委员会浙证委[1997]23号文批准，由中国绍兴黄酒集团公司独家发起，采用募集方式设立的股份有限公司。1997年5月16日在上海证券交易所挂牌交易，现有注册资本22380万元，其中国有法人股12633万股，占总股本的54.27%；社会公众股10647万股，占总股本的45.73%。

浙江古越龙山绍兴酒股份有限公司是我国最大的黄酒生产、经营、出口企业，拥有国内一流的黄酒生产工艺设备和全国惟一的省级黄酒技术中心，聚集多名国家级评酒大师。主要产品“古越龙山”、“沈永和”“鉴湖”牌绍兴酒是国家优质产品，多次荣获车国际国内金奖，是中国首批原产地域保护产品。“古越龙山”是黄酒行业惟一中国驰名商标，惟一国宴专用黄酒；具有300多年历史的“沈永和”老字号和“鉴湖”是浙江省著名商标。产品畅销全国各大城市，远销日本、东南亚、欧美等三十多个国家和地区，享有“东方名酒之冠”美誉。

二、经营状况

(一)2005年整体经营情况的讨论与分析

(一) 报告期内公司经营情况的回顾

1、报告期内总体经营情况

2005年，公司紧紧围绕“提升品牌，拓展市场，做强主业，整合资源，进退有序，协调发展”的工作方针，坚持以生产经营效益为中心，积极稳妥推进各项改革，以振兴绍兴黄酒业为重任。董事会积极贯彻落实年初股东大会确定的经营目标，以科学发展观为指导，与经营班子一起团结协作，充分挖掘内部潜力，全面完成了年度各项经济目标和任务，取得了较好成绩。

公司全年实现主营业务收入60,872.87万元，比去年同期增加8.10%；主营业务利润17,310.77万元，净利润2,603.58万元，分别比去年同期减少7.07%、49.26%。

在黄酒业务方面，“古越龙山”、“沈永和”、“鉴湖”同时成为产品质量国家免检。“古越龙山”、“沈永和”顺利通过了全国用户满意企业及满意产品的复评。特别是“古越龙山“在继“中国驰名商标”、“中国名牌产品”后，在2005年《中国500最具有价值品牌》排行榜上以13.91亿元品牌价值位列355位，是中国黄酒行业唯一进入500强的知名品牌；全国所有酒类排名榜揭晓，列第15位，在前一百位中无其他黄酒品牌入选。这充分显示了公司在黄酒行业中技术、质量方面的实力和消费者中的品牌形象。公司通过央视黄金段的广告投放，“数风流人物，品古越龙山”传遍大江南北，走进千家万户，吹响了古越龙山绍兴黄酒全面走向全国市场的号角。同时古越龙山绍兴黄酒携手“卡幕”在全球免税店开设的“中华国酒“专区，标志着古越龙山绍兴黄酒开始走向世界。这些都为公司销售的突破性进展奠定了基础。公司全年实现酒类销售收入55,709.40万元，比去年同期增加19.53%。

在氨纶业务方面，由于国际原油价格上涨，使氨纶生产的成本上涨，同时由于国内氨纶重复建设严重，导致氨纶全行业亏损。公司的控股子公司龙山氨纶的销售收入及利润比去年同期分别有较大幅度的下降。

2、报告期公司主营业务及其经营状况

(1)、公司主营业务收入分产品情况表（表一）

酒类主营业务利润率比上年同期增加主要是公司调整产品结构，高档酒销售比例提高所致。

(2)、主营业务分地区情况表（表二）

(3)、主要供应商、客户情况

单位：人民币万元

前五名供应商采购金额合计	4,306.00
占采购总额比重	26.34%
前五名销售客户销售金额合计	7,728.17
占销售总额比重	12.70

3、公司资产构成同比发生重大变动的说明

(1)、资产变动及说明（表三）

应收账款减少主要原因是公司加强了销售应收款管理；长期股权投资减少主要是因为控股子公司绍兴龙盛氨纶有限公司纳入合并报表范围；固定资产原值增加是因为在建工程完工转入；在建工程增加是因为龙盛氨纶纤维生产线投入及沈永和酒厂搬迁后扩建新厂区所致。

(2)、财务数据同比发生重大变动的说明（表四）

营业费用增加主要原因是公司加强促销力度，营销费用增加所致；财务费用增加主要原因是报告期内银行借款增加导致利息支出增加；所得税增加主要是因为公司控股子公司龙山氨纶在报告期内亏损，其投资收益按规定在税后列支。

4、报告期公司现金流量构成情况说明（表五）

公司经营活动产生的现金流量净额同比增加主要是因为报告期内公司主营业务收入增加；投资活动产生的现金流量净额同比增加主要是因为报告期内固定资产投资减少；筹资活动产生的现金流量净额减少主要是报告期内偿还银行借款增加。

(二)对公司未来发展的展望

1、行业发展趋势及公司面临的市场竞争格局

国内经济持续稳定的增长，消费能力迅速提高，为绍兴黄酒进一步发展打开了更大空间，为绍兴黄酒生产企业带来了更多的发展机遇。黄酒行业近几年格局也在不断发生变化，各黄酒企业都在积极谋求发展，给公司的发展带来严峻的挑战。氨纶行业景气度下降，氨纶业务仍将影响公司的整体业绩。

(1)、黄酒行业。黄酒行业的发展进入了一个新的时期，逐步形成一个新的竞争格局。公司将积极发挥黄酒业务的优势，继续保持行业龙头地位，实现黄酒业务的更大发展。

品牌优势：公司品牌历史悠久，使用的品牌古越龙山、沈永和、状元红、鉴湖等拥有各自稳定忠实的消费者；公司使用的“古越龙山”于1999年被评为中国驰名商标，2004年被评为中国名牌产品，使古越龙山成为目前黄酒行业中唯一集中国驰名商标、中国名牌产品和钓鱼台国宾馆国宴黄酒于一身的黄酒上市公司。

资源优势：公司拥有黄酒行业中唯一的省级技术中心，十余位黄酒行业技术专家、6位国家级品酒大师，以及一批具有几十年经验的酿酒人才；拥有丰富的黄酒储备是公司能够适应市场需求、勾兑系列高档酒的基础。

网络优势：公司的销售网络已覆盖全国，建立了经销商、分销商和商超、餐饮网络，销售网络正在逐步完善和健全。

创新优势：营销方面，制订了产品、品牌系列策划方案，宣传公司品牌，建立全国性的品牌传播和产品销售网络；技术方面，发挥传统工艺优势，同时进行产品创新，推陈出新；管理方面，内部挖潜、提升人员素质、转变管理方式。

经济增长带来居民消费能力的提高，随着人们消费观念的变化以及黄酒行业政策的扶持，黄酒消费的区域性在逐渐被打破，是拉动黄酒消费增长的主要驱动力。营销的创新调整优化了公司的销售结构，2005年，公司酒类业务的毛利率为37.81%，比去年同期增加2.72个百分点，毛利率的上升使盈利能力得到提升。

(2)、氨纶行业。氨纶行业是公司在黄酒主业外较早涉足

公司主营业务收入分产品情况表

表一　　单位:人民币万元

分产品	主营业务收入	主营业务成本	主营业务利润率(%)	主营业务收入比上年增减(%)
酒类收入	55,709.40	34,647.28	37.81	19.53
玻璃瓶收入	627.59	515.86	17.80	48.47
氨纶收入	12,810.80	15,023.04	-17.27	-19.54
罐装收入	827.56	500.79	39.49	14.72
其他	229.57	219.98	4.18	423.75
小计	70,204.92	50,906.95	27.49	--
内部抵消(-)	9,332.05	9,355.40	--	/
合计	60,872.87	41,551.55	31.74	8.10

分产品	主营业务成本比上年增减(%)	主营业务利润率比上年增减(%)
酒类收入	6.03	增加2.72个百分点
玻璃瓶收入	61.29	减少6.54个百分点
氨纶收入	13.46	--
罐装收入	15.69	减少0.50个百分点
其他	389.65	--
小计	--	--
内部抵消(-)	--	--
合计	--	--

表二　　单位:人民币万元

分地区	主营业务收入	占主营业务收入比例(%)	主营业务利润	占主营业务利润比例(%)
国内	64,054.24	105.23	16,004.95	82.84
国外	6,150.68	10.10	3,293.03	17.04
小计	70,204.92	115.33	19,297.98	99.88
内部抵消(-)	9,332.05	15.33	-23.35	-0.12
合计	60,872.87	100.00	19,321.32	100.00

资产变动及说明

表三　　单位:人民币万元

项目名称	报告期期末数	占总资产的比例(%)	上年度末期末数
应收账款	90,822,944.70	3.74	104,459,273.79
长期股权投资	92,079,032.70	3.79	138,392,723.05
固定资产原值	1,219,722,658.82	50.16	1,152,660,064.68
在建工程	246,441,399.88	10.13	112,589,533.36

项目名称	上年度末占总资产的比例(%)	同比变化情况变动金额	增减百分点
应收账款	4.59	-13,636,329.09	-0.85
长期股权投资	6.09	-46,313,690.35	-2.30
固定资产原值	50.69	67,062,594.14	-0.53
在建工程	4.95	133,851,866.52	5.18

的行业，目前年生产能力已达7000吨。在组建初期经营状况良好，投资回报率高。但由于氨纶生产原料受国际原油市场价格上涨的影响，导致氨纶成本大幅上升，同时氨纶行业产能急剧扩大，形成了供大于求的局面，整个行业全面亏损。2005年，龙山氨纶公司出现了较大亏损，由于化纤行业周期性较强，预计2006年还将延续亏损。但是龙山氨纶的产品品质优良，技术在国内同行中处于领先地位，具有一定的竞争力。

2、公司未来发展战略和新年度的经营计划

公司将逐步瘦身强体，调整非酒类业务；做深、做强、做优黄酒业务，进一步加强公司在黄酒行业的龙头地位；强化品牌营销，引领国内的黄酒消费时尚；打造黄酒行业的百年老店，力争将古越龙山铸造成国内首屈一指的酒类蓝筹公司。

2006年，公司要紧紧围绕“瘦身强体，做强主业，做长企业”这条主线，振奋精神，团结协作，全面实现制度创新、品牌提升、管理完善、主业做强，使企业基业常青。

(1)、稳妥推进瘦身强体，推动企业健康发展。瘦身强体是公司改革发展的一项重要工作，要把瘦身强体工作引向深入，要进一步强化改进考核管理机制，进一步完善财务管理制度，推动企业健康发展。

(2)、集中资源开拓市场，确保黄酒主业快速发展。正确评估央视广告播放后的效果，进一步摸索一条既符合企业实际又能促进企业发展的营销路子。与央视建立三年合作伙伴关系，把“古越龙山”品牌推向全国；通过广告等多种方式全方位帮助经销商提高销售量和盈利空间；坚持“提品牌、建网络、重终端、强管理”的营销思路，健全现有的营销管理体系，利用央视广告，进一步提升巩固品牌优势；借用外脑进行市场营销策划，实施有效的营销战略战术，构建终端网络，提高市场占有率。

(3)、全面强化企业管理，提高企业经济效益。2005以来，黄酒主业形势喜人，产销两旺的局面给企业管理提出了新的挑战。公司要全面强化各项管理，加强产品质量管理、加强仓储运输服务、加强科研开发力度、加强安全生产管理、加强增产节支工作，提高企业科学管理水平。氨纶公司在行业严重亏损的情况下，要不断创新，逐步走出一条具有自主知识产权、节能降耗提价的新路子。

(4)、实施人才强企战略，满足企业发展需要。从公司生存发展的高度出发，充分认识提高员工队伍综合素质和加强人才队伍建设的重要性，牢固树立“人力资源是第一资源”的观念，增强紧迫感和责任感。强化全员教育培训，抓好人才引进培养，为公司持续稳定发展提供人力资源保障。

3、公司发展所需的资金需求、使用计划及资金来源为保证公司业务拓展、技术改造及项目投入等的资金需求，新年度经营计划的实施的资金来源主要为银行贷款和公司自有资金。为此，一方面公司将积极与金融机构建立良好关系，采

财务数据同比发生重大变动的说明

表四

单位:人民币万元

项目	2005年	2004年	增减金额	增减幅度(%)
营业费用	6,744.65	5,642.86	1,101.79	19.53
财务费用	3,722.21	3,204.89	517.32	16.14
所得税	2,315.27	1,940.47	374.80	19.31

报告期公司现金流量构成情况说明

表五

单位:人民币元

项目	2005年	2004年	增减金额
一、经营活动			
现金流入总额	743,381,133.35	708,809,151.92	34,571,981.43
现金流出总额	607,630,367.91	669,023,187.52	−61,392,819.61
现金流量净额	135,750,765.44	39,785,964.40	95,964,801.04
二、投资活动			
现金流入总额	328,072,369.92	9,333,371.25	318,738,998.67
现金流出总额	387,245,377.10	144,375,986.84	242,869,390.26
现金流量净额	−59,173,007.18	−135,042,615.59	75,869,608.41
三、筹资活动			
现金流入总额	1,269,224,848.26	800,000,000.00	469,224,848.26
现金流出总额	1,331,507,404.39	632,331,386.52	699,176,017.87
现金流量净额	−62,282,556.13	167,668,613.48	−229,951,169.61

取银行信贷等措施筹集资金；另一方面在经营活动中加强应收款管理，提高盈利能力，保持稳定的现金流，并结合资本市场，拓宽融资渠道，把企业的产业经营做大做强。

4、公司未来发展风险因素和采取的对策

(1)、由于原材料、能源等资源瓶颈问题，特别是受石油价格的影响，氨纶全行业严重亏损，使氨纶公司经济效益受到了严重冲击。为此公司在内抓管理，外拓市场的同时，将实施两条腿走路，一是自我加压，积极创新，开发具有自主知识产权的新产品，提高经济效益；二是积极寻找战略投资者，实施资产重组和整合。

(2)、随着企业的发展，从整体而言，公司激励机制仍待健全和完善。目前的激励机制一定程度上影响了引进、利用和吸收社会人才资源的进程。公司将根据发展的需要，健全和完善激励机制，着眼于培养、调动各类人才的积极性、主动性、创造性，营造良好的工作环境。

三、古越龙山未来发展目标

浙江古越龙山绍兴酒股份有限公司是目前国内最大的黄酒生产企业，年产优质黄酒11万吨。2000年1月31日，古越龙山率先成为我国首批原产地域保护产品。此外，"古越龙山"还集中国驰名商标、国宴专用黄酒于一身，从而享誉海内外。

入世后，我国黄酒将面对没有壁垒的国际市场，作为独树一帜的民族产品，由于在国际市场上没有强大的同类产品竞争，将为黄酒迎来更多的发展机遇。但同时，国外洋酒，如葡萄酒等，也将以比现在低得多的价格大量涌入国门，黄酒仍然面临严峻的挑战。

为迎接入世挑战，扩大国际市场份额，"古越龙山"在充分运用原产地域产品保护制度给企业在市场开拓及无形资产保护方面所带来的优势的同时，进一步加强了商标及品牌的管理和保护。目前，公司已有国内外注册商标60件，正在申请注册的商标20多件，基本上完成了公司产品国内外现有销售区域和潜在销售区域的注册工作。此外，公司于1997年通过ISO9002质量体系认证后，又于2001年9月通过了ISO14000国际环境管理体系认证，为参与国际市场竞争打下了坚实的基础。

为了提高传统黄酒产品的技术含量和市场竞争能力，公司与无锡轻工大学共建省级黄酒技术中心。两年来，中心开展的"黄酒制曲新工艺的研究"等7个重大课题项目先后通过省、市级有关部门的鉴定，应用于生产后取得显著的经济效益。为适应国内外酒类消费向低度、营养、保健、多样化发展的趋势，中心还开发了"状元红"等新产品30多个，2000年黄酒新产品实现销售收入达1800多万元，其中成品味淋酒、桂花酒等新产品已出口日本，成为公司新的出口增长点。

公司还致力于构建自已强大的营销网络和配送体系，在北京、上海、广州、杭州等大中城市开设了50多家古越龙山专卖店。在国际市场上，公司在稳定和扩大日本、东南亚等原有市场的基础上，积极开拓美国、加拿大、欧洲等新市场。目前，中国100余家驻外使馆和机构已将"古越龙山"作为国宴专用黄酒，随着外事活动的增多，黄酒用量在不断增长。公司还在香港成立了古越龙山绍兴酒销售公司，并争取到境外设立销售公司，以扩大国际市场占有率。

黄酒已有2500年历史，是世界三大古酒：黄酒、啤酒、葡萄酒中惟一源于中国的酒。绍兴黄酒"平和温润"，低度、营养、保健且传承着中国文明。而古越龙山则是正宗绍兴花雕，钓鱼台国宴特供酒，是高档黄酒的卓越代表。长期作为国宴、国礼用酒参与中国外交。古越龙山也曾被邓小平作为国礼馈赠给尼克松。如今在世界高端品牌的制高点，国粹黄酒古越龙山将为世人提供更多、更好的品牌体验。

北京燕京啤酒股份有限公司

一、公司基本情况

燕京1980年建厂，1993年组建集团。在发展中，燕京坚持规模扩展和效益增加并举的方针，经过三步大跨越，从起步时投资640万元的小型啤酒企业，发展成为拥有总资产100多亿元（其中固定资产和流动资产60亿元，燕京品牌无形资产45.69亿元），员工20000人，年产销能力超过160万吨的全国大型啤酒企业集团。燕京啤酒集团是国务院重点支持的512家大型企业之一，下属控股子公司(厂)十九个，其中啤酒生产企业十三个，相关和附属产品企业六家。产品有七大类50多个品种。主导产品为啤酒，约占公司总收入的90%以上，主业非常突出。

燕京啤酒集团公司是国有大型一档企业，1994、1996年在同行业分别率先通过了ISO9002产品质量认证和质量体系认证。1997年5月，燕京完成股份制改造，以股权置换方式参加了由北京人民政府统一运作的、集中北京市八家企业的"北京控股"在香港的红筹股上市；而后，由北京燕京啤酒有限责任公司、北京西单商场股份有限公司、北京市牛栏山酒厂三家企业募集设立的北京燕京啤酒股份有限公司在国内A股上市，具备了"A股身份、红筹背景"这样一个独特而优秀的股权结构模式。2000年，燕京完成啤酒产销量141万吨；实现销售收入25亿元；实现利税总额9.2亿元，继续保持了中国啤酒行业的龙头地位。

发展中，燕京坚持"以市场为导向"、"整体规划分步实施"、"把资产负债率控制在50%左右"等三项原则，使企业发展不仅速度快，而且质量高。燕京是中国第一个进入市场的啤酒企业。明确的市场定位，科学的市场细分，健全的销售网络，促进了燕京的飞速发展，增强了企业的市场竞争能力。目前已取得了北京市场90%、华北市场30%、全国市场7%的市场占有率。

二、经营状况

一、报告期内公司生产经营情况的回顾。

(一)报告期内公司总体经营情况。

本公司共生产销售啤酒285万千升，同比增长10.32%；加上受托经营企业共生产销售啤酒312万千升，同比增长9.47%。公司"燕京牌"啤酒共生产销售140万千升，连续十年全国产销量第一，外埠子公司生产销售"燕京牌"啤酒39万千升。公司前三大品牌"燕京牌"、"漓泉牌"、"惠泉牌"共生产销售啤酒230万千升，占全部产量312万千升的73.72%。

2005年本公司共实现销售收入531,415万元，同比增长13.76%；实现利润37,799万元，实现净利润27,678万元，各项经济指标仍处于同行业领先水平，形成了北京、广西、内蒙、福建、湖北五大优势竞争区。

1、确保了北京市场的稳定与发展。

报告期内，公司总部销售啤酒101万千升，继续保持了亚洲第一大啤酒生产厂的龙头地位。针对北京市场出现的新的竞争形势，公司采取了一系列有效措施，巩固了销售网络、加强了终端掌控，自4月份以后，燕京啤酒在北京市场的销售量每个月比上年同期都有稳步提高，巩固了燕京啤酒在北京市场的主导地位，确保了公司在北京85%以上的市场占有率。

2、北京以外市场发展顺利，各主要市场保持强劲增长势头。

2005年，公司在北京以外市场发展顺利，本公司控股外埠子公司销售啤酒184万千升（不包括托管经营企业），同比增长11.52%，外埠公司全年产销量占本公司总销量的65%，实现销售收入323,609万元，同比增长12.86%。各主要市场上保持了强劲增长的势头，在广西市场，燕京漓泉全年销售啤酒47万千升，同比增长20.51%，利润同比增长15%，在广西的市场占有率突破了80%；在内蒙市场包头雪鹿和赤峰两家公司，基本锁定了内蒙市场，市场占有率在70%左右。包头雪鹿公司2005年完成啤酒销量13万千升，增加5万千升，增长57.29%，利润由2004年的1500万增加为3000万，翻了一番。赤峰公司2005年完成啤酒销量14万千升，增加2万千升，增长20%；在福建市场，惠泉啤酒通过一年多的企业整顿、市场整顿和调整产品结构，2005年出现了既增量又增效的可喜局面，完成啤酒销量44万千升，增长36%。在湖北市场完成啤酒销量18万千升，同比增长17%。

3、继续调整产品结构、不断提高中高档啤酒比例。

2005年公司继续坚持调整产品结构，在中高档产品市场上取得了较大的进展。公司销售中高档啤酒106.3万千升，比去年同期增长15%。其中公司总部销售中高档啤酒34万千升，比去年增长11%。公司外埠各子公司也在致力调整产品结构，取得了显著的经济效益，特别是燕京漓泉公司和燕京襄樊公司产品结构的调整已经初见成效。

4、加强产品研发和现场管理，进一步提高产品质量。

产品质量是企业的生命，2005年，围绕提高产品质量，公司做了大量细致而具体的工作。生产、技术、设备等有关部门一年多来对有关的生产工艺、生产设备和质量检测系统进行了规范化管理，不断地进行各工段工艺的改造，促使产品质量得到进一步提高。

5、强化基础管理，规范制度建设。

"管理是永恒主题"。2005年，公司抓好采购管理，控制成本源头；抓好装备管理，优化基建工程；抓好生产管理，重视制度建设；抓好管理体系建设，向国际化企业靠拢并通过ERP系统加强了对原材料招标采购、包装物回收、库房管理、销售等环节的管理和控制；抓好挖潜工程，推进节能降耗；加强财务管理，通过外埠企业财务的联网监控，对降低成本、提高管理水平起到了重要作用，提高了资金使用效率。

6、成功申办北京2008奥运会啤酒赞助商，促进燕京品牌的国际化提升。

2005年8月10日，本着平等互利和诚实信用的原则，公司与北京奥组委在北京人民大会堂共同签订了《北京2008国内啤酒赞助商赞助协议》。公司围绕"奥运会赞助商"开展了大量的策划及推广工作，力争抓住成为北京2008年奥运会赞助商的契机，促进燕京品牌的国际化提升。

经过北京名牌事务所的评估，2005年公司品牌无形资产总价值为152亿元，其中"燕京"品牌商标品牌价值达到111.72亿元，惠泉啤酒无形资产价值21.92亿元，漓泉品牌无形资产价值18.8亿元。在国家名牌推进委员会10月份对"中国名牌"评比中，"燕京"品牌通过复审继续为"中国名牌"，"惠泉"品牌被新确认为"中国名牌"。"漓泉"品牌被国家工商总局认定为"中国驰名商标"，增强了品牌的竞争力。燕京品牌在市场的影响力、知名度、美誉度正在不断扩大。

项目	2005年度	2004年度
主营业务收入	5,314,153,042.71	4,671,169,691.25
主营业务利润	1,351,604,296.77	1,203,634,776.34
净利润	276,784,393.88	270,506,458.76

上述指标变动的主要影响因素为：啤酒销量增加以及调整产品结构增加中高档啤酒的销量。

(二)主营业务范围及其经营情况。

公司主营啤酒、矿泉水、啤酒原料、饲料、酵母、塑料箱的制造和销售。

1、公司主营业务及其经营状况。

(1)主营业务分行业、产品情况表（表一）

2、主营业务分地区情况表(单位：万元)

地区	主营业务收入	主营业务收入比上年增减（%）
华北地区	251080	10.42
华南地区	190467	23.29
华东地区	36777	1.69

3、占主营业务收入或主营业务利润总额10%以上的主要产品占公司主营业务收入、主营业务利润10%以上的业务经营活动为啤酒的生产及销售。啤酒属日常消费品，2005年，公司啤酒的产品销售收入为519,798万元，产品销售成本为319,237万元，毛利率为38.58%。公司实现净利润27,678万元。

4、主要供应商、客户情况(单位：人民币万元)

前五名供应商采购金额合计	58,746
占采购总额比重	13.26%
前五名销售客户销售金额合计	136,042
占销售总额比重	25.60%

(三)报告期公司财务状况说明。

1、资产情况。（表二）

2、报告期公司主要财务数据说明。（表三）

3、现金流量情况、同比发生重大变动情况及与报告期净利润存在重大差异的原因说明。

(1) 现金流量构成情况（表四）

(2) 同比变化情况（表五）

报告期内，公司经营活动产生的现金流量与报告期净利润相比不存在重大差异。

(五)在经营中出现的问题与困难及解决方案。

2005年，啤酒行业市场竞争更加激烈，同时还有啤酒原材料价格居高不下、年初天气寒冷等不利因素，面对这些困

主营业务分行业、产品情况表

表一 单位:人民币元

分行业	主营业务收入	主营业务成本	主营业务利润率(%)
酒精及饮料酒制造业	531415	326780	25.43
分产品	主营业务收入	主营业务成本	毛利率(%)
啤酒	519798	319237	38.58
分行业	主营业务收入比上年同期增减(%)	主营业务成本比上年同期增减(%)	主营业务利润率比上年增减(%)
酒精及饮料酒制造业	13.76	14.77	−1.32
分产品	主营业务收入比上年同期增减(%)	主营业务成本比上年同期增减(%)	毛利率比上年同期增减(%)
啤酒	9.51	7.92	2.40

注:报告期内上市公司没有向控股股东及其子公司销售产品。

资产情况

表二

项目	2005年度	占总资产比重	2004年度
应收款项	276,406,899.03	3.47	355,547,318.08
存货	1,160,363,592.56	14.57	969,749,931.29
长期股权	132,456,137.38	1.66	131,116,822.11
投资			
固定资产	5,444,364,522.91	68.36	4,687,481,663.26
在建工程	196,581,549.07	2.47	344,126,659.71
短期借款	840,800,000.00	10.56	761,000,000.00
长期借款	200,000,000.00	2.51	0.00

项目	同比变化幅度	变动原因
应收款项	−22.26	及时收回欠款,执行现款现货
存货	19.66	购买原辅、包装材料
长期股权	1.02	−
投资		
固定资产	16.15	购入固定资产及在建工程转固
在建工程	−42.88	工程竣工转固
短期借款	10.49	流动资金借款
长期借款	−	

报告期公司主要财务数据说明

表三

项目	2005年度	2004年度	同比变化幅度
营业费用	500,338,609.51	416,422,579.17	20.15
管理费用	493,340,038.59	407,193,105.91	21.16
财务费用	37,480,217.26	18,154,326.40	106.45
所得税	47,201,447.11	51,849,529.95	-8.96
项目	变动原因		
营业费用	销售费、广告赞助费、运费增加		
管理费用	合并范围增加，水、电、气、人员工资、四项保险基金等费用增加		
财务费用	借款增加		
所得税	—		

现金流量构成情况

表四

项目	现金流入	现金流出
经营活动产生的现金流量净额	6,266,158,990.78	5,485,622,076.12
投资活动产生的现金流量净额	17,126,688.32	1,167,779,202.31
筹资活动产生的现金流量净额	351,275,118.00	119,766,093.48

同比变化情况

表五

项目	2005年度	2004年度
经营活动产生的现金流量净额	780,536,914.66	526,205,681.04
投资活动产生的现金流量净额	-1,150,652,513.99	-936,295,850.71
筹资活动产生的现金流量净额	231,509,024.52	118,184,479.27
项目	变化	变动原因
经营活动产生的现金流量净额	48.33	调整产品结构、增加销量
投资活动产生的现金流量净额	22.89	扩大生产规模及新建厂增加投资
筹资活动产生的现金流量净额	95.89	借款增加

难，公司全体员工共同努力，严格执行年初制定的工作计划，使公司继续保持了良好的发展态势，取得了较好的经济效益。

二、对公司未来发展的展望。

1、所处行业的发展趋势、公司面临的市场竞争格局以及对公司可能的影响。

公司属于啤酒行业，2005年，全国啤酒行业共生产啤酒3061万千升，同比增长5.2%，在全球仍然稳居啤酒消费第一大国的地位。但是中国人均平均啤酒消费量仅23升，远远低于全球平均消费水平，比欧洲、美国这些地区相比差距更大，中国有13亿人口，随着中国经济的持续较快速度增长、居民收入水平的不断提高、西部大开发战略的不断推进，中国啤酒行业增长潜力巨大。近几年我国啤酒行业平均每年的销售增长幅度达10%左右，根据有关协会的预测，在未来十年中国啤酒行业持续保持6%左右的增长速度是有把握的。

目前，中国啤酒行业正处于行业整合阶段，中国啤酒行业的竞争格局尚未形成，国内一些较大规模的啤酒企业都希望在未来的中国啤酒市场格局中占据一席之地，国内前7家大型企业市场占有率达到了50%，资本集中度进一步提升，国外大型啤酒企业也希望在中国啤酒市场上拥有一定份额。今后几年啤酒行业市场竞争仍将继续，但是竞争的方式已经由过去主要依靠价格竞争转为主要在品牌、服务、渠道、战略、资本等方面进行竞争，所以近几年来，中国啤酒行业的平均销售价格在稳步提高，行业的盈利水平也将稳步提高。

目前，公司在品牌形象、市场形象、经济指标、生产技术、装备水平等方面均处于行业领先地位，公司将充分利用自身资源，不断提高核心竞争力，进而巩固和提高在行业中优势地位。

2、未来公司发展机遇和挑战、发展战略及各项业务的发展规划。

目前，我国啤酒产业还有相当大的产业扩张空间，国内大型啤酒生产集团实力迅速扩张，外资并购持续高涨，给公司未来发展带来一定的挑战。但是公司正是通过竞争才不断提高了自身的竞争能力，同时外资的进入一方面加剧了国内啤酒行业竞争的压力，另一方面也大大加速了行业的整合进程。我国啤酒企业近年来经营跨度不断加大，在兼顾中低端市场的同时，也不断向高端市场发展，市场的集中度和啤酒利润将继续逐年提高，整个行业将继续向良性轨道发展。中国啤酒行业巨大的发展空间和2008年北京奥运会为公司带来了难得的发展机遇。

公司将继续坚持以市场为先导，以经济效益为中心，以调整产品结构、市场结构为突破口，以提高产品质量为基础，实施以“开源”为主的开源节流，抓住中国啤酒行业巨大的发展空间和2008年北京奥运会为公司这一难得的发展机遇，不断把技术装备水平做强、把市场做强、把品牌做强、把经济实力做强，到2010年啤酒销量突破500万吨，进入世界啤酒前八强，力争在中国啤酒行业整合的过程中不断扩大在行业中的竞争优势。

3、新年度计划。

2006年计划完成啤酒产销量340万千升，并按照“十一五”规划，做好以下工作：

(1) 加强基础管理工作，通过强化ERP系统，加强对各项成本开支的预算和控制。

(2) 加强对外投资的管理和控制，通过对投资的后评估并提出有效改进措施，不断提高投资回报率。

(3) 加强市场开发和管理，不断提高对市场的控制能力，不断提高市场占有率。

(4) 加强产品结构调整，通过不断提高中高酒的比例来提高公司产品的盈利水平。

(5) 建设循环经济，抓好节能降耗，不断降低成本，提高经济效益。

4、资金需求和使用计划，以及资金来源情况。

为顺利完成公司2006年经营目标，公司预计2006年的资金需求量为5亿元，资金来源渠道主要有：自有资金、募集资金、银行贷款等。

5、对公司未来的发战略和经营目标的实现产生不利影响的所有风险以及采取的对策和措施。

2006年，面对市场竞争日益激烈、原材料价格居高不下等经营风险，公司将进一步提高产品质量、做好产品结构调整，继续在原材料采购、设备采购等方面实行招标制度，在生产中大力推行节能降耗，同时在管理中严格按照《公司法》、《证券法》、《股票上市规则》等法律、法规及指导性文件的规定运行，与大股东严格执行“五分开”。

三、燕京啤酒未来发展目标

据2004年中国品牌价值报告显示，燕京啤酒品牌价值达137.45亿元，是中国10年来发展最快的10个品牌之一。燕京啤酒何以快速成长？北京燕京啤酒集团公司董事长李福成认为，关键在于燕京始终坚持“发展民族啤酒工业、争创世界知名品牌”的核心理念，不断提升燕京品牌的市场竞争力和国际影响力。

同国内许多知名企业一样，燕京初期的成长主要依靠的是严格的质量管理、不断的技术改造以及明确的市场观念。到1996年，燕京啤酒集团啤酒产量已从建厂时的年产1万吨发展到年产57万吨，成为国内最大的啤酒企业，但企业的进一步发展也面临着资金不足等新的“瓶颈”。1997年，在北京市政府和中国证监会的支持下，燕京分别在香港和深圳同时上市，先后共募集资金31.5亿元。上市融资的成功，为燕京开启了一条低成本扩张之路。至今，燕京已收购兼并了15家外埠企业。2004年，燕京外埠啤酒生产企业总产量达到182万吨，利润达到1.83亿元，燕京啤酒集团公司实现了跨越式发展，啤酒产量从上市前5年的平均每年增长10万吨跃升到上市后的每年平均增长30万吨。

李福成说：“品牌是竞争的产物，没有竞争就没有品牌。”如今，燕京啤酒已从一个北京地区的品牌变成了一个全国知名的品牌。中国行业企业信息发布中心的年度监测信息显示，在2004年度中国啤酒市场上，燕京啤酒集团的燕京牌啤酒再次获得全国市场同类产品销量第一名。至此，燕京牌啤酒已经连续9年位居全国同类产品销量榜首。在国际啤酒市场上，燕京啤酒同样以单一品牌产量进入世界前15强。“金杯、银杯不如老百姓的口碑”。近年来，面对国内外60多个啤酒品牌对北京市场的“轮番进攻”，燕京始终以稳定的产品质量提升产品的品牌价值，做到消费者喜欢什么啤酒，企业就研发生产什么啤酒，不断满足消费者的需求，提高产品的市场占有率。至今，燕京啤酒在北京市场上的占有率仍高达90%以上。

燕京的快速成长引起了中外人士的广泛关注。世界最大的啤酒、饮料设备制造商德国克朗斯公司总裁宫喜德先生惊叹：“燕京的发展是个奇迹，燕京用20年的时间走过了世界啤酒行业大型啤酒集团100年走过的道路。”根据燕京啤酒集团公司发展目标，2005年，燕京啤酒产量将达到300万吨，争取进入世界啤酒行业前十强。

青岛啤酒股份有限公司

一、公司基本情况

青岛啤酒股份有限公司的前身是国营青岛啤酒厂，1903年由英、德两国商人合资开办，是我国 最早的啤酒生产企业。一九九三年六月经国家体改委批准，由原青岛啤酒厂作为独家发起人，并在吸收合并原中外合资青岛啤酒第二有限公司、中外合作青岛啤酒第三有限公司及国有青岛啤酒四厂的基础上，创立了青岛啤酒股份有限公司，成为全国首批九家境外上市的股份制试点企业之一。青啤公司于九三年六月在香港发行了H种股票并于七月十五日上市，为首家在香港联合交易所有限公司上市的中国企业，同年八月在国内发行了A种股票并于八月二十七日在上海证券交易所上市。募股后公司股本总额为90,000万股(每股面值为人民币1元)，其中：国家股为39,982万股，占总股 本的44.42%；法人股为5,333万元，占总股本的5.93%；外资股为34,685万股，占总股本的38.54%；国内公众股为10,000万股，占总股本的11.11%。

公司创立后，充分发挥自己的质量、品牌、技术、设备、资金等优势，老厂技术改造和国内收购厂并举，不断扩大规模经营。九四年十月公司全资收购了江苏扬州啤酒厂，经过技术改造已形成 6.5万吨的生产能力；九五年十二月公司又与西安汉斯有限责任公司，本公司控股55%，至九七年该厂将形成15万吨的生产能力。同时，公司的骨干生产厂啤酒一厂、二厂的技术改造正加紧进行，至九六年底将分别形成30万吨和20万吨的生产能力。公司总资为产28.8亿元，拥有员工4700多人，年生产啤酒50万吨。九五年公司完成啤酒产量35万 吨，实现销售收入14.3亿元，完成利润1.7亿元，出口创汇1670万美元。

目前青啤公司的产品质量、销售收入、实现利润、出口创汇等经济指标均居国内啤酒行业之首。青啤公司的主要产品为青岛牌系列啤酒，是中国最负盛名的名牌啤酒，它集世界一流的设备、 百年积累的丰富酿造经验及独特的生产工艺、科学严格的质量保证体系之大成，素以酒液清澈透明、香醇爽口、泡沫细腻、持久挂杯而驰名中外，曾多次荣获国家质量金奖和国际啤酒评比金奖，是国内啤酒行业唯一的驰名商标，也是国际市场上最具知名度的中国产品品牌。面向二十一世纪，青啤公司不断壮大企业实力，以提高产品在国内外市场的竞争力和占有率，至2000年青啤公司的啤酒产量将达到一百四十万吨从目前占国内啤酒市场份额的2.3%提高至7%。目前，公司下辖青岛啤酒一厂、二厂、四厂、扬州啤酒厂和青岛啤酒麦芽厂五个生产企业及青岛啤酒实业开发公司、广发实业公司。

二、经营情况

（一）2005年整体经营情况的讨论与分析

1．报告期内公司经营情况回顾

2005年中国啤酒产量首次突破3000万千升大关，达到3061万千升，同比增长5.2%，产销量已连续四年位居世界第一，但增长率较2004年趋缓。同时，啤酒行业呈现了新一轮整合的态势，以国际国内大企业之间的并购整合和大型企业的全国布局调整为主。通过整合，大企业的市场份额在不断提高，国内前十大啤酒生产商已占全国市场份额的61%，较2004年再提高6个百分点。随着中国经济的发展和消费水平的提高，啤酒行业的前景依然光明。

作为国内啤酒行业规模最大、市场占有率最高的青岛啤酒，2005年公司克服能源、运输、原材料价格等不利因素的影响，着力于内部的组织变革、创新营销、细化管理，在激烈的市场竞争中取得了经营业绩的稳步提高，并继续保持了国内啤酒产销量、销售收入、利润、出口创汇等多项经济指标的行业领先水平。

公司全年实现啤酒销售量408万千升，同比增长10%。按照中国会计准则计算，实现主营业务收入人民币100.19亿元，同比增长16%；实现净利润人民币3.04亿元，同比增长9%；青岛啤酒品牌价值已达人民币199.91亿元，继续位居啤酒行业全国第一。

2005年6月公司董事会成功进行了换届选举，来自美国、香港、国内的啤酒、法律、金融、财务等领域的精英和专家，加入了新一届董事会，并带来了各自不同的宝贵经验和知识。董事会制订了“新一届董事会业务提升规划”，并组成了新一届专业经验及敬业精神兼备的管理团队，这必将引领公司在未来的竞争中取得不断进步。

去年公司凭借在国内外市场的高知名度，名至实归成为北京2008年奥运会赞助商，并迅即展开了一系列奥运营销推广工作。同时，公司推出了青岛啤酒新的品牌主张“激情成就梦想”，以赞助北京奥运会和冠名《梦想中国》大型电视活动为契机，对“激情成就梦想”的品牌主张进行了广泛的传播推广，使青岛啤酒的品牌知名度、美誉度进一步提升，继续保持了“最受国内外消费者喜欢的中国啤酒品牌”的地位。

2005年公司推行了以市场为导向的内部产权关系和管理关系的变革。此次组织变革是以落实战略、支持市场为使命、以实现三个战略转变为背景、以九大事业部转型为载体进行的一次价值链上的变革。变革初步实现了公司由生产导向型组织向市场导向型组织的战略性转型，启动了对价值链的深度系统整合，促进了公司区域市场布局的优化和调整，对公司未来的发展将产生深远的积极影响。

年内公司以提高盈利能力为目标，加大对产品品牌、品种结构整合的力度。通过积极的市场推广，公司品牌整合取得显著成效，青岛啤酒主品牌全年销量达133万千升，同比增长近14%，青岛主品牌与汉斯、崂山、山水等前六大品牌的销量已达总销量的66%，同比提高了7个百分点。在品种结构调整方面，公司加大了高端产品的推广，纯生啤酒销量同比增长40%以上，拉动了公司整体效益的提升。

公司在加大品牌推广和市场网络建设的力度的同时，在市场需求较大的地区探索建厂或定牌生产。在台湾地区，与当地经销商合作建设的规模10万吨台湾青啤股份有限公司，首期5万吨于2005年5月已正式投产；另外，公司努力开拓东南亚市场，使东南亚地区销量去年实现了较大增长。目前，公司亦积极探讨在东南亚地区定牌生产和建设新工厂的可能性。

2、新年度展望

展望2006年，公司将按照“细化管理，创新营销，提升专业化运营能力；深度整合，持续变革，拓展价值链增值空间”的指导思想，以奥运营销为主线，全面提升青岛啤酒国际化形象，进一步细化品牌定位并加大品牌建设、基地市场建设和销售网络建设力度，同时借助与A-B公司的最佳实践交流，推进公司的系统整合以及管理技术水平不断提升。

2006年尽管面临市场激烈竞争的较大压力，公司的啤酒产销量将力争实现440万千升，其中主品牌将力争实现150万千升。董事会认为这个目标是积极进取的，公司管理层将克服困难实现预期的目标。

主营业务分行业、分产品情况表

表一 单位:人民币万元

分行业或分产品	主营业务收入	主营业务成本	主营业务利润率(%)
行业			
啤酒	1,001,985.71	594,410.10 30.35	
产品			
啤酒	1,001,985.71	594,410.10 30.35	
分行业或分产品	主营业务收入比上年增减(%)	主营业务成本比上年增减(%)	主营业务利润率比上年增减(%)
行业			
啤酒	16.23	16.23	减少0.68个百分点
产品			
啤酒	16.23	16.23	减少0.68个百分点

本公司主要经营啤酒生产和销售。

主营业务分地区情况表

表二 单位:人民币万元

地区	主营业务收入	主营业务收入比上年增减(%)
青岛地区	3,403,511,674	27.84
其他山东地区	1,386,302,486	17.61
华北地区	2,485,144,407	13.89
华南地区	3,248,677,479	16.01
出口销售	266,750,952	-13.50
小计	10,790,386,998	18.16
减:各地区分部间抵销金额	-770,529,871	--
合计	10,019,857,127	16.23

利润情况

表三

利润构成项目	本年数金额	占利润总额的比例	上年数金额
主营业务利润	3,041,138,307	575.62%	2,675,526,449
其他业务利润	39,738,756	7.52%	30,614,583
投资收益	-39,030,265	-7.39%	-42,033,534
营业外收支净额	-140,370,166	-26.57%	-96,481,518
补贴收入	74,859,478	14.17%	75,586,211

利润构成项目	上年数占利润总额的比例	增长率
主营业务利润	566.19%	13.67%
其他业务利润	6.48%	29.80%
投资收益	-8.90%	-7.14%
营业外收支净额	-20.42%	45.49%
补贴收入	16.00%	-0.96%

现金流量情况

表四

项目	2004年	2003年	增长幅度
经营活动产生现金净流量	1,180,576,235	1,294,397,575	-9%
投资活动产生现金净流量	-424,910,526	-307,043,963	
筹资活动产生现金净流量	-823,122,563	-509,549,512	
现金及现金等价物净增加额	-70,558,437	477,989,897	-115%

（二）公司主营业务及其经营状况

1、主营业务分行业、分产品情况表（表一）

2、主营业务分地区情况表（表二）

2005年，公司于各分地区销售收入增长主要为啤酒销售增长拉动。由于公司在报告期内加大了市场营销力度，调整产品结构，整体销售收入实现大幅增长；青岛地区、华南地区因为市场占有率高，增幅较其它地区相对要大。海外市场主要受到台湾地区市场下降影响，出现下滑。

（1）利润情况（表三）

主要原因分析：

主营业务利润增长的原因主要为2005年度公司加强市场开拓力度，调整品种结构，在实现销量增长的同时，销售收入取得了16.23%的增长；

其他业务利润增长的原因主要为销售大麦、麦芽等原材料的增长所致；

营业外收支净额减少的原因主要为固定资产计提减值比去年增加；

（2）经营成果

经营成果项目　本年数 上年数

总资产　9,589,116,733　　9,878,004,821

长期负债161,479,212　1,422,767,991

股东权益4,941,429,679　　3,586,682,183

主营业务利润　3,041,138,307　　2,675,526,449

净利润　303,958,060　279,724,219

经营成果项目　增长额 增长率

总资产　-288,888,088-2.92%

长期负债　1,261,288,779　　-88.65%

股东权益1,354,747,496　　37.77%

主营业务利润　365,611,858　13.67%

净利润　24,233,841　8.66%

主要原因分析：

长期负债减少主要原因是本年度归还借款所致；

股东权益增长主要因为A-B公司可转债转为股本、计提公积金和公益金、本年产生的未分配利润三方面的原因影响；

（3）现金流量情况（表四）

主要原因分析：

经营活动产生的现金流量净额减少的原因主要为运费的上升和广告费用增大支出所致；

（4）采购和销售客户情况

前五名供应商采购金额合计　　525,306,697

占采购总额比重　　8.30%

前五名销售客户销售金额合计　934,382,915

占销售总额比重　　9.33%

三、青岛啤酒未来发展目标

2005年6月在北京召开的青岛啤酒2005CCTV梦想中国大型电视活动的新闻发布会上，青岛啤酒首次发布了其的全新品牌主张“激情成就梦想”。此举意味着青岛啤酒在完成市场策略整合之后，同时建立起完整的品牌战略理念。

作为我国为数不多的具有国际品牌影响力的企业，青岛啤酒的百年历程印证了中国企业发展的过程，“九五”以来，青啤公司实施“大名牌发展战略”，通过“高起点发展，低成本扩张”，实现了跳跃式、超常规发展。青啤扩张的成功得益于许多方面，对内以文化整合统一了被并购子公司的经营观念和价值理念，形成推动青啤发展的巨大合力。对外，青岛啤酒坚持“百年品质”的理念，不断推出最好的产品和服务。

在此基础上，2003年青岛啤酒成功进入世界啤酒十强，在去年的国际顶尖品牌研究机构评估中，青岛啤酒以高达168.73亿元人民币的价值成为中国500最具价值的品牌之一，刚刚揭晓的“2005CCTV我最喜爱的中国品牌”调查，青岛啤酒是国内唯一入选的啤酒品牌。青岛啤酒还连续多年被有关机构评选为“中国最受尊敬企业”。

业内人士认为，目前的中国啤酒市场所面临的已不是产品层面的竞争，而是对消费者资源的竞争，如何在品牌与消费者之间建立一个情感通道，通过情感认同以实现消费者吸引，已经成为国内几大啤酒品牌的共同竞争策略。而目前啤酒市场产品的同质化现象非常普遍，啤酒市场的竞争，更多的是需要通过品牌的差异性来实现，时尚化的品牌理念，鲜活的品牌主张，成为了当前进行品牌沟通的主要内容。因此，本次青岛推出鲜明的品牌主张，为该市场的发展方向起到了良好的借鉴作用。

其实，青岛啤酒作为中国啤酒行业唯一一个国际化品牌，其市场扩张和品牌战略一直受到业内关注。本次，青啤推出“激情成就梦想”的品牌口号就选择了与央视今年最热门的栏目“梦想中国”合作，而梦想中国亦将“激情成就梦想”作为本届大赛的口号，这在央视的各类赞助活动中也是首举，虽然双方都没有透露具体的赞助金额，但这种合作方式可见双方都将品牌作为本次大赛推广的重点内容。

青岛啤酒集团执行总裁刘英弟表示，青啤的百年历史发展，已经形成了具有独特形象的品牌文化，其中突出表现在“激情”作为一种生活价值观，已经深刻融入在青啤的品牌文化中。充满激情是青啤人自我超越的精神理念，贯穿着青岛啤酒品牌价值成长的全部过程，成为青岛啤酒品牌文化的固有组成部分。激情是青岛啤酒百年来始终如一追求高品质啤酒的精神，梦想是一个百年企业成就国际化大品牌的梦想，正是青啤人不断追求的激情成就了青啤的国际化梦想。于是对固有的品牌文化进行提炼和升华，"激情成就梦想"就成了青啤在新时期最具活力的品牌展现。

刘英弟同时透露，青岛啤酒集团已经围绕"激情成就梦想"打造了整体的品牌营销策略，之后会有力度更大的活动跟进，本次赞助"梦想中国"只是其中的一个环节而已，按这样的说法，我们不难想像，青啤今后在品牌主张推广上的力度将达到历年来的制高点，而业内已有相关人士揣测，青啤之后活动很可能会是成为2008北京奥运赞助商。

南宁糖业股份有限公司

一、公司基本情况

南宁糖业股份有限公司系根据广西壮族自治区人民政府桂政函[1998]10号文 《关于请求将南宁糖业股份有限公司(筹)列为1997年度广西公开发行股票并上市企业的函》,拟由南宁统 一糖业有限责任公司作为发起人,采取募集方式组建的股份有限公司南宁统一糖业有限责任公司(以下简称统一糖业公司）是由南宁制糖造纸厂、邕宁县明阳糖厂、邕宁县伶俐糖厂、邕宁县蒲庙糖厂、武鸣县香山糖厂和武鸣县东江糖厂于1997年1月01日合并组成的国有独资企业,是广西规模最大的糖业生产经营企业，生产能力为日榨原料蔗2万吨,年产机制糖28万吨、机制纸2万吨、酒精2万吨,还生产其它8大类15种综合利用产品,统一糖业公司作为股份公司的独家发起人,拟将其生产的糖、纸、酒精类经营性资产投入股份公司.

二、经营情况

(一)总体经营情况

2005年是公司继续深化结构调整，完善"甘蔗-糖-浆-纸"产业链举足轻重的一年。在全体员工的共同努力下，公司完成了许多卓有成效的大事：

直属厂方面，伶俐糖厂日榨6000吨技改扩建工程顺利完工,并在05/06榨季中产出了优级白砂糖，创下新厂建设时间短、见效快的好成绩；蒲庙纸厂半化浆线改造项目顺利产出漂白浆，实现一次性投产成功。明阳糖厂生产的"明阳牌"白砂糖在全国质量评比中实现了三连冠，再次荣获"全国用户满意产品"称号，并和制糖造纸厂生产的"云鸥牌"白砂糖一同获得"广西名牌产品"称号;"云鸥牌"白砂糖在全国行业质量评比中取得了碳法一级糖第一名、优级糖第二名的优异成绩；"八鲤牌"酒精也在全国质量评比中获得了第一名。目前，公司的生产能力已达到日榨甘蔗3.02万吨，年产蔗渣浆11万吨、机制纸5万吨(母公司)、酒精3万吨。

控股子公司方面，南宁美时纸业有限责任公司(下简称"美时公司")5.1万吨纸项目竣工投产，虽然遇到了不少曲折，最终还是克服困难，生产渐上轨道；南宁美恒安兴纸业有限公司(下简称"美恒公司")1.5万吨纸项目投料试产一次成功，开始正常生产；南宁天然纸业有限公司(下简称"天然公司")一期工程竣工投产，试机情况良好；南宁云鸥物流有限责任公司(下简称"云鸥物流")揭牌成立，改变了公司内部物资运输长期依赖外援的局面；广西南蒲纸业有限公司(下简称"南蒲纸业")在生产经营上同比取得了显著成效，利税合计比2004年翻了一番；南宁侨虹新材料有限责任公司(下简称"侨虹公司")整体经营水平有所提高，与上年同比明显减亏。

另外，公司董事会于3月3日组织召开了管理层与投资者见面交流会。这是公司首次以这种形式与投资者进行沟通和交流，得到了与会投资者的肯定。5月，顺利完成了董事会、监事会的换届工作。11月，公司总部进行了公务用车制度改革，这次车改，是公司加强廉政建设工作、降低成本的一项重要举措。

公司在本报告期实际生产机制糖30.14万吨，与上年同比减少了40.3%，机制浆10.88万吨，同比增加了54.8%，机制纸5.04万吨(母公司)，同比增加了7%，酒精2.66万吨，同比减少了17.1%。其中，机制糖大幅减产的主要原因是：

A、原料甘蔗减产

受连年干旱的影响，广西地区乃至全国糖料连续两年减产，本公司除了受干旱的影响外，还巧遇大面积庶根蔗换种的情况，为了留种使很多甘蔗无法入榨，因而机制糖减产幅度高于全区平均水平。

B、开榨时间变动较大

由于对甘蔗产量预测不够准，公司04/05榨季开机较早，造成05年上半年机制糖减产，不足上年同期的一半。05/06榨季公司又推迟了开榨的时间，相应地又减少了05年下半年的机制糖产量。

为了克服甘蔗减产带来的困难，公司制订了以下主要应对措施：

A、生产中重点抓质量与回收

南宁糖业的糖一向以质优著称，在原料蔗质量下降的严峻生产条件下，公司各厂把追求最高日榨量放在其次，排除万难，重点抓产品质量和提高糖份回收。

B、积极开拓用糖高端市场－饮料市场

鉴于饮料用糖的价格比其他用糖高，公司05年在销售上以饮料糖市场作为主攻目标，不断摸索、完善亚法糖工艺，使其符合饮料生产的指标要求。05年公司亚法糖进入饮料市场的比例比上年增加了28%，在一定程度上减轻了甘蔗减产、制糖成本提高给公司带来的压力。

C、努力降低制浆成本，引进新工艺

由于甘蔗减产、蔗渣外购价格高、质量不稳定且采购困难，公司各糖厂在保证产糖率的同时，狠抓蔗渣回收，并将以往烧蔗渣的设备改造成烧煤,最大程度保证了蔗渣的供应。同时公司投入资金对半化浆生产线进行了技术改造，提高了蒲庙纸厂的供浆能力。7月起公司将生物酶作为生产辅料引入制浆生产，进一步降低了生产成本，提高了成品浆的质量。

(二)主营业务及其经营状况

2005年，公司实现主营业务收入1,675,756,463.89元，比上年同比下降3.0%，主营业务利润293,746,630.54元，同比下降25.5%，净利润35,189,536.57元，同比下降76.4%。公司业绩出现大幅下降的原因有：

A、在种植面积减少、天气干旱及甘蔗大面积留种的综合影响下，公司原料蔗在05年大幅减产，造成公司主要产品机制糖的产量比上年大幅下降。但机制浆的产量比上年提高了近40%，加上合并报表中的"美时公司"及"美恒公司"05年才开始产生营业收入，另外本报告期内"云鸥物流"加入合并报表，因此公司主营业务收入变化不大。

B、公司利润大幅下降主要是由生产成本的大幅提高造成的。04/05榨季原料蔗的基准收购价为190元/吨，比上榨季提高了40元/吨，05/06榨季在此基础上又提高了50元/吨，达到240元/吨的高价。由于气候差、庶根蔗多，吨糖耗蔗量增多了。在机器无法满负荷生产的条件下，吨糖的能源消耗和期间费用大幅增加。综合各方面的原因，成本上升的幅度远远大于糖价上升的幅度，加上减产严重的影响，公司在本报告期利润大幅下降。

C、机制浆方面，由于甘蔗提价导致蔗渣价格抬高，使制浆成本大幅上升，而蔗渣浆售价上涨不多，造成利润率的下降。

1、主营业务按行业、产品、地区的分布情况（表一）

由于机制糖产量下降使其占主营业务收入比例下降；本报告期公司控股子公司"美时公司"及"美恒公司"投产使机制纸产销量增加，提高了机制纸在主营业务中的比例。

2、占公司主营业务收入或主营业务利润总额10%以上的行业的经营指标（表二）

3、占公司主营业务收入或主营业务利润总额10%以上的主要产品的经营指标（表三）

4、公司主要供应商及客户情况：

(1)公司向前5名供应商合计采购金额占公司年度采购总额的20.89%。

(2)公司向前5名客户销售额合计占公司全年销售总额的18.42%。

(三)关于资产构成变动的分析

报告期内公司资产总额为2,948,757,848.54元，主要构成情况见表（表四）

(四)关于营业费用、管理费用、财务费用和所得税变动的分析（表五）

三、对公司未来发展的展望

随着我国人民生活水平的提高，特别是农村收入的不断增加，国内食糖消费量逐年增长。其中食品工业，如饮料、乳品、罐头、方便食品的快速发展，带动了工业消费食糖量每年以10-20%的速度飞跃。目前国内人均食糖消费量未到世界人均水平的一半，存在巨大的潜在需求空间。在纸类产品上，国内人均消费量也远远低于发达国家水平，只要技术和成本控制得当，公司投资的各类造纸公司的前景相当可观。

公司计划2006年生产机制糖40万吨，蔗渣浆11万吨，机制纸5万吨(母公司)，酒精3万吨。

从05/06榨季起，公司的工作重点从结构调整转移到甘蔗发展和加强企业管理，实现技术进步上来。顺应国内外糖价不断攀升的趋势，可预见06年会有更多的农户加入到甘蔗种植上。为此公司计划投入上亿元狠抓甘蔗发展，在努力扩大种植面积的同时，以"吨糖田"为重点，采用先进技术提高单产。针对天气不稳定和水利设施不完善的问题，计划采用人工降雨的方式抗旱。另外公司下属制糖造纸厂预计在05/06榨季结束后退出制糖生产，公司糖厂将由5个减至4个，从此甘蔗能更集中地投入生产，更大地发挥规模效应。另外，公司在节能、降耗上也准备了详细的攻关计划。

在机制浆方面，针对可能出现的原料供应不足的问题，公司计划在06年试用竹子作为制浆生产辅料，以减轻甘蔗减收对制浆和造纸生产的压力。

在项目方面，公司计划2006年投入约4000万元对控股子公司"天然公司"进行二期技改扩建工程，计划新增年产1万吨的高级生活用纸。该项目预计于2006年3月开工。其次，公司拟投入2500万元对下属东江糖厂进行锅炉改造，截至报告期末该项目仍在进行前期规划。

另外，公司计划发行金额不超过4亿元的短期融资券，减少公司的财务费用，增加利润。

四、公司生产、经营存在的不确定的风险分析

1、原料供应的风险

制糖企业蔗区是政府行政划拨的，面积有限，对公司大规模生产扩张造成了很大的局限。另外，农民有自己选择种植品种的权利。近两年受到木薯、西瓜等经济农作物的冲击，很多农民已放弃甘蔗种植。如果不能及时挽回蔗农，公司在未来几年的原料供应会受到很大的限制。再者，制糖业是靠天吃饭的产业，气候及虫害都可能影响甘蔗的产量和质量。

2、机制糖价格不稳定

糖价基本是通过市场来调节的，波动幅度很大，容易影响公司经营业绩的稳定性。05/06榨季开榨以来国际糖价的不断攀高，除了受石油涨价和机制糖减产的影响外，还存在一定的炒作因素。一旦国际原料供应局面有所变化，或者产糖大国巴西3月开始的新榨季公布甘蔗产量大幅提高，国际糖价有可能下跌从而带动国内糖价回落。同时国家也可

能利用国储糖等手段来抑制国内糖价继续上升。蔗价与糖价在未来一年会有怎样的变动仍是未知数，对制糖企业会造成何种影响也难以判断。

3、个别糖厂生产不稳定

公司所属的几个糖厂分布在南宁市的不同区域，在地理环境、气候条件、产能、技术、工艺、人员资质上参差不齐。其中武鸣县的香山糖厂在2004年末完成技改后设备调试出现了不少问题，在04/05榨季中造成了亏损，拉低了全公司的利润。为此公司在05/06榨季开榨前对香山糖厂的经理班子做了大调整，希望能在本榨季中扭亏为盈。另外，公司唯一生产碳法糖的制糖造纸厂在本榨季结束后将退出制糖生产，由伶俐糖厂继承其碳法糖工艺，如果伶俐糖厂在转生产的过程中出现问题，会很大程度上影响公司的整体效益。

4、多元化经营的风险

为了减轻公司对单一产品的依赖以及因此带来的风险，公司近年来积极拓展产业链，开发出浆、纸等新产品。但公司在这几个新领域的规模、技术、管理和市场开拓方面的经验还不足，利润不稳定。而且全部产品都依赖甘蔗这一基本原料，一旦原料减产或涨价，各种产品都会受到牵连。

5、环保攻关难

公司生产过程中会产生废水、废气和废渣，目前部分环保管理工作还不够成熟。随着环保标准的不断提高，相应地也提高了生产成本。

6、对外投资的风险

公司控股子公司“侨虹公司”和“舒雅公司”几年来一直未能扭亏，亏损幅度大且不稳定。本报告期新加入合并报表的“美时公司”开机第一年也遇到了不少问题，吃掉了公司上千万的利润。06年这几个子公司可能盈利也可能继续亏损，从而影响公司的效益。另外，由于公司内部及各控股、参股子公司造纸能力的不断提高，对机制浆的需求也越来越大。05年公司蔗渣浆的供应已开始吃力。

7、食糖替代品的威胁

近几年我国对糖精实行严格的限产限销制度，因此糖精对国内食糖市场未造成冲击。但如果糖价持续上涨，很难保证糖精或其他价格低廉的新兴甜味剂不会趁虚而入。

8、政策风险

公司蔗区范围及甘蔗收购价格历来由政府指定，一旦这一行政手段被取消，公司原料的收购量和价格将会因为行业

主营业务按行业、产品、地区的分布情况

表一 单位：万元

项目	分类	主营业务收入	占主营业务收入比例(%)	主营业务利润	占主营业务利润比例(%)
类别	制糖业	94,025.26	56.11%	24,338.87	82.86%
行业	纸浆制造业	11,398.74	6.80%	1,577.40	5.37%
	纸制品业	43,444.52	25.93%	1,675.40	5.70%
产品	机制糖	94,025.26	56.11%	24,338.87	82.86%
	蔗渣浆	11,398.74	6.80%	1,577.40	5.37%
	机制纸	38,043.45	22.70%	2,676.15	9.11%
地区	广西区内	71,112.99	42.44%	17,088.75	58.18%
	广西区外	96,462.66	57.56%	12,285.91	41.82%

占公司主营业务收入或主营业务利润总额10%以上的行业的经营指标

表二 单位：万元

产品	制糖业	纸浆制造业	纸制品业
主营业务收入	94,025.26	11,398.74	43,444.52
主营业务成本	69,021.18	9,616.32	41,555.18
主营业务利润率	25.89%	13.84%	3.86%

占公司主营业务收入或主营业务利润总额10%以上的主要产品的经营指标

表三 单位：万元

产品	机制糖	蔗渣浆	机制纸
主营业务收入	94,025.26	11,398.74	38,043.45
主营业务成本	69,021.18	9,616.32	35,153.35
主营业务利润率	25.89%	13.84%	7.03%
产量总额(万吨)	30.14	10.88	10.98
销量总额(万吨)	31.60	9.82	9.71
市场占有率	3.5%	–	–

注：以上为合并报表数据，其中机制纸产量及销量含母公司及控股子公司“南蒲纸业”、“美时公司”、“美恒公司”的数据。蔗渣浆及机制纸的市场占有率因为没有精确的全国统计数据而无法计算。

关于资产构成情况

表四 单位：万元

项目	2005年12月31日	占总资产比例%	2004年12月31日	占总资产比例%
应收账款	13,664.65	0.05	25,575.83	0.10
其他应收款	4,028.62	0.01	3,335.17	0.01
存货	17,502.88	0.06	14,156.46	0.06
长期股权投资	5,652.38	0.02	5,850.90	0.02
固定资产	194,468.89	0.66	147,118.02	0.58
在建工程	7,586.20	0.03	11,164.58	0.04
短期借款	110,522.00	0.37	78,439.00	0.31
长期借款	28,346.00	0.10	22,620.00	0.09
资产总额	294,875.78		253,389.95	

项目	资产构成发生变动的原因
应收账款	赊销减少
其他应收款	资产构成同比无重大变动
存货	资产构成同比无重大变动
长期股权投资	资产构成同比无重大变动
固定资产在建工程	工程完工投入使用结转固定资产
短期借款	工程完工投入使用结转固定资产
长期借款	流动资金借款增加
资产总额	改扩建项目贷款增加

关于营业费用、管理费用、财务费用和所得税变动的分析

表五 单位：万元

项目	2005年度	2004年度	增减率(%)
营业费用	3,042.54	2,802.28	8.57
管理费用	17,194.76	17,609.16	-2.35
财务费用	6,314.33	1,038.00	508.32
所得税	2,050.46	3,694.64	-44.50

项目	变动原因
营业费用	由于控股子公司“美时公司”及“美恒公司”投产，使产品销量增加
管理费用	04年度计提效益工资，本年不计提效益工资。
财务费用	05年度财务费用同比增加508.32%，原因是(1)04年取得财政贴息收入使当年财务费用偏低；(2)短期贷款增加。
所得税	

竞争发生波动，进而影响公司的生产经营。在财务上，公司近年来一直享受减按15%缴纳所得税的税收优惠政策，为公司增加了不少利润。一旦政策改变，公司业绩将受到一定程度的影响。

四、报告期内公司投资情况

报告期内公司的投资额比上年减少1,985,270.1元，减幅为3.39%。

1、报告期内本公司无募集资金项目

2、报告期内非募集资金重大项目的投资情况

(1)自04年年末起，公司投入2亿元对下属伶俐糖厂进行日处理甘蔗能力由3000吨扩建至6000吨的技术改造，项目已于2005年11月建设完成并投入榨季生产，并于开榨后三天就产出了优一级白砂糖，创造了全区、甚至全国糖厂技改的奇迹。此项目在2005年产生的效益为650万元。

(2)上报告期公司出资2040万元与其他股东共同组建的中外合资“美恒公司”已于2005年5月建成试车，截至报告期末此公司尚未盈利。

(3)报告期内公司出资1400万元与其他股东共同收购了仕家国际(香港)有限公司在“天然公司“的股权，因此“天然公司”由外资企业转变为内资企业，南宁糖业所占股权比例由51%变更为79%。“天然公司”已于2005年8月完成建设，目前仍处于试生产阶段。

(4)报告期内公司与邕宁县银鲤工贸有限公司及明阳糖厂职工技术服务中心共同投资组建了“云鸥物流”。“云鸥物流”是经营陆路货物运输及仓储业务的公司，于2005年11月成立，截至报告期末已实现利润3.65万元。

(5)报告期内公司投资约850万对下属明阳糖厂进行锅炉扩容改造，同时将原燃烧方式从以烧蔗渣为主改为烧煤为主。项目于新榨季投入试运行，除个别小问题外其他基本运行正常，达到了设计要求，截止至报告期末项目结算还未完成。

(6)报告期内公司投资约450万元对下属蒲庙造纸厂半化浆生产线进行了技术改造，该项目已于报告期末完工并投入运行。

北京市糖业烟酒公司

北京市糖业烟酒公司成立于1949年，是一家具有丰富经营经验的国有大型商业批发企业。公司固定资产3.8亿元，公司下属13个经济实体，遍布京城各区（县）；另有3家股份制企业，共有700余名员工。公司物流设施齐全，集购、销、调、运、存多种功能于一身，1993年被商业部命名为“中华老字号”企业，1992年跻身于商业部、国家统计局公布的全国百强批发商行列，位居第10位，是其中唯一一家糖酒批发企业。1994年／1995年被中国副食流通协会评为全国糖酒行业“十佳企业”，1998年在全市1.3万家国有商业企业9项指标评定中，销售位居第一，税利居第七，总资产第四，利润居第二十位，综合指标在全市商业企业中位居前列，并于当年创办了小白羊超市，且在2002年底并入首联集团公司时小白羊超市已发展到40家店，年销售收入达10亿多元，公司2002年也因此实现销售收入31亿元。受小白羊超市划出的影响，公司2004年仍实现销售收入15亿元，位居北京市百强企业综合排名第68位。2005年实现销售收入16.3亿元，位居北京市百强企业综合排名第71位。

公司目前主营酒类、食糖、食品饮料等商品，居于北京市的主导地位。为建立名优畅销商品的货源基地，公司与茅台、五粮液、剑南春等全国各大名酒厂家，和雀巢、味全、珍珍等国内外知名的食品饮料生产企业，以及人头马、轩尼诗、马爹利等洋酒行建立了地区总经销的关系。同时，把握业务优势，积极与地方酒厂合作，扩大名特优新、适销对路酒类产品及地产名品的经营。公司在巩固主业经营的同时，积极拓宽业务范围，大胆向生产领域延伸，以“工商联手，开拓市场”的方式与五粮液酒厂合作开发了自有品牌“京酒”。上市9多年来，销售京酒5万多吨，实现销售收入超过15亿元，成为名震京都、享誉全国的品牌，被誉为“京酒现象”。为密切厂商关系，公司作为茅台股份有限公司的发起人之一参与了茅台酒厂的管理，还与茅台酒厂合作开发生产了33度茅台酒并由我公司独家代理全国总经销；“京糖”牌系列民用糖是糖业公司努力适应市场竞争，强力推出的市场知名度较高、综合效益较好且相当成熟的品牌。近几年，公司采取与中科院“科工联手、技贸合作”的方式，开发出了加锌、加钙、冰糖、京歧糖、叶酸糖和木糖醇等民用糖系列和航空小包装糖等16个品种，先后被北京市消费者协会推荐为“可信商品”，被中国食品工业协会评为“国家质量达标食品”，并于2004年通过了IS09001（2000）质量管理体系认证和IS014001（1996）环境认证。2004年10月18日，“京糖”牌系列民用糖正式通过了国家质检总局食糖市场准入的审核，成为国内第一家获得“QS”认证的食糖分装类企业。在北京市场上的占有率达到75%以上，顾客综合满意度达到98%以上，产品抽检合格率达到100%。目前，“京糖”牌民用糖全年产销量达到15000吨左右，并且以其精美的包装、优良的品质、高雅的形象远销全国近20个省市、地区，深受广大消费者的喜爱。

公司下属的各区（县）公司紧紧依托市公司开展业务经营活动，在所辖区域做好自有品牌的拓展，同时根据地区的特点发挥所长，积极寻求更宽的合作领域，挖掘名牌名品，做好总经销总代理，从不同角度不同领域占领市场。如洋河、古井、全兴、口子酒、郎酒、水井坊和酒鬼及其系列产品等品牌，与公司总经销的商品形成了两级代理，互为补充的格局。公司通过转换经营机制后组建了六家股份制公司，这是在改革中坚持进而有为、退而有序的改革思路的体现，是经营体制的又一延伸。

公司拥有创新、进取的领导班子，团结、奋进的员工集体，形成了严谨、务实、求质量、重信誉、讲效率的企业精神和科学、高效的管理机制。先进的物流设施、完善的销售网络、雄厚的资金、优良的信誉、高素质的人力资源，是我们奋斗的收获亦是今后发展的基石。公司将始终坚持严格规范的管理、优质高效的服务、诚实守信的作风，总结经验，勇于探索，沿着企业规模化、经营专业化、股权多元化、管理现代化的发展方向，继续发扬改革创新的精神，顺应市场经济的客观要求，将北京市糖业烟酒公司建设成为致力于糖、酒、食品、饮料分销经营的、竞争实力、成长速度、经营规

模、经济效益处于国内同业领先水平，国内外知名的大型糖酒食品分销企业。

扬州中亚糖酒有限公司

扬州中亚糖酒有限公司位于扬州市史可法路65号，是扬州烟草专卖局（公司）的下属企业，是目前江苏地区最大的以经营烟、酒、茶为主的专业性批发、零售股份制民营企业。公司自1999年创建以来，坚持以“发展提速、服务提质、形象提升”为总体目标，抢抓机遇，攻坚克难，奋力争先，强势推进，从业人员由过去的40多人发展到现在的近400人，企业的销售收入从过去的几百万、几千万发展到现在的3亿多元，自建自营零售网点达50多家。几年来，扬州中亚的经营规模快速发展，经济效益迅猛提高，社会影响迅速扩大，目前不仅是扬州家喻户晓的品牌，是消费者心目中的放心企业，而且在省内同行中也是佼佼者，在省外名酒厂是信得过的合作伙伴，受到了消费者的广泛好评。

为满足广大消费者对茶叶的需求，2003年我们成立扬州中亚茶叶有限公司，开设了中亚茶庄、西湖龙井专卖店，下设40多个专柜（专店）。公司始终恪守“以质量征服市场，以诚信打动消费者”的经营理念，坚持以消费者为中心，视顾客为上帝，长期不懈地与扬州市质检所联合制作防伪贴花，凡经我公司售出的国家名优酒一律加贴中亚糖酒防伪标识。公司各零售网点统一外部形象，统一装璜设计，统一销售价格，统一员工着装，统一服务用语，从业人员均持证、挂牌上岗，通过科学的商品陈列、优良的销售环境和良好的宣传促销工作，树立了中亚糖酒美好品牌形象，且强化和刺激了消费者的购买欲望，形成了较强的“规模效应”和“磁场效应”。

公司总部设有董事长室、经理室、办公室、财务科、业务科、零售管理科、市外公司管理科、城区批发部、茶叶经营科、储运科、配送中心、结算中心。目前市区零售网点达35个，遍布扬州市区的主干道、居民区、交通枢纽地段，在淮安、泰州、镇江、仪征、江都、高邮有自己的销售网点共达15个，在镇江、仪征、江都成立扬州中亚的销售分公司。为及时快速的反映各网点的销售情况，2003年起我们对各销售网点实行了计算机联网，配备了一整套的现代化办公硬件设备，实施现代化企业管理模式，节约了人力、财力，且起到了方便快捷的作用。

现代的市场竞争归根结底还是人才的竞争。中亚糖酒时刻都把人才队伍的培养和建设放在首位，作为企业发展的出发点和立足点：一是贴近实际，培养人才。为了使大家有机会系统学习和掌握相关的专业知识，邀请专家、教授进行岗位培训，丰富知识面，提高业务技能，增强服务的主动性、创造性。2005年组织员工到知名酒厂、茶厂参观学习，提高感性认识。2006年组织中层干部听取汪中求先生的精细化管理知识讲座，针对酒店营销员举办专题培训讲座。二是强化零售网点业务交流。每月坚持组织一至三次的店主任会议，一方面下达公司销售指标，交流工作心得；另一方面督促店主任加强店堂管理。三是积极引进人才。近年来，我们一直坚持引进人才的发展思路，通过高等学校或人才市场公开招聘和引进企业急需的专业人才，为企业发展注入新的活力。

公司总代理、经销的酒类品牌：茅台系列、五粮液系列、五粮春系列、五粮液长三角系列、剑南春系列、今世缘系列、泸州老窖系列、酒鬼酒系列、全兴系列、郎酒系列、古越龙山系列、水井坊系列、洋河系列、王朝葡萄酒系列、美国富人山庄葡萄酒系列、香格里拉·藏秘系列、长城葡萄酒系列、百威啤酒系列、汇源果汁、康师傅等二百多个品种及饮料。琳琅满目的酒类货源全部由厂方直接供应。丰富齐全的国产卷烟、进口卷烟的零售全部由烟草公司直供。买放心烟酒到中亚糖酒。

茶叶品牌：西湖龙井、碧螺春、黄山毛峰、绿杨春、祁门红茶、铁观音、乌龙茶、溧阳独芽等高档茶叶、礼品盒。货源由产茶区基地、茶厂（公司）直接供货，购名茶到中亚。

公司有着四大明显优势：一是网络优势，我们借助烟草网络，以城市为中心，覆盖城乡，服务千家万户；二是资金优势，我们在资金筹集方面，有烟草公司强大后盾，融资、贷款都有明显的优势，保证经营需要；三是信誉优势，我们代表集体主渠道，我们是扬州唯一有资格与市质检所联合制作防伪贴花的企业；四是服务优势，我们配备充足的市场营销人员，统一配送车辆，热情送货上门。公司积极扩展新的销售渠道，探索新的营销方式，开展婚宴、寿宴、家宴等专项服务，目前已是婚宴、寿宴、家宴等用烟、用酒的首选供应商，是扬州消费者放心烟、酒、茶的首选品牌。公司还增设电话销售和广告推销业务，建立了一支高素质的酒店营销队伍驻扬州各大酒店和宾馆。

公司深刻领悟和严格履行企业在市场经济中应承担的责任和义务，以过硬的质量和诚信为本的精神赢得了广大消费者的好评。公司多次与厂家、工商部门联合组织市场打假活动，作为扬州市白酒行业唯一的代表参加了由市工商局、质量技术监督局、消费者协会联合举办的声势浩大的消费者维权活动，积极向消费者耐心、详细地介绍公司经销白酒的真伪识别办法，认真答复消费者的咨询。牢固树立“客户至上”的宗旨，在提供价廉物优商品的同时，力所能及地为客户提供更多的方便，做好“客户想到的，我们要做到；客户没想到的，我们要想到”，与客户建立良好的业务合作关系，并实行访送分离，每笔业务由专人落实，定期回访，主动了解客户需求，以真诚赢得信誉，用信誉保证效益，并建立监督电话，确保每个客户都能放心地批发、购买。

企业经营水平的高低，运行效率的快慢，管理和制度是关键。我们把强化内部管理，完善规章制度作为重中之重的工作来抓。一是细化工作流程。通过各部门细节化工作流程的制定，每个人不但知道了自己要做什么，怎样去做，而且知道了怎样才能做好，怎样效率才会更高，增强了大家的工作主动性和创造性。二是完善管理制度，强化考核机制。在管理上，公司注重培养员工德、能、勤、绩，每一个岗位都分别制订一套严格考核管理办法，实行奖惩制度，对工作表现好、有业绩的员工给予鼓励与奖励，对违反考核办法的员工进行通报与扣罚，对有违规行为的员工进行批评教育和处罚，增强大家的工作积极性与责任感。三是全面推行目标管理责任制。每月按部门下达业务指标，层层分解落实，责任到人；对新品牌酒的布点、出样及开发新网点的数量等同样层层分解落实，责任到人。四是强化安全责任，严格操作业务流程。一层一级规范签订安全目标管理责任书，统一价格体系，规范出单、送货、结帐、销帐、退换等业务环节，实行各人负责制。四是加强费用管理，努力增效节支。严格执行公司勤俭节约的规章制度，建立健全各项费用管理制度，办公用品、物品采购等坚持申报批准制度，采取货比三家的办法，严把采购关，及时登记台账。

公司遵守市场规则，坚持诚信经营。几年来，公司取得的成绩硕果累累。中亚糖酒被评为江苏省放心酒销售诚信单位、中国酒类流通诚信企业。是中国酒类商业协会会员、江苏省茶叶协会理事单位、江苏省酒类流通协会理事单位、扬州市酒类流通协会和扬州市打假维权协会理事单位。获得了中国行业企业信用·信誉AAA级单位、AA级信用企业、纳税先进企业、扬州市劳动保障诚信示范单位、扬州市第二届诚信单位、服务业发展先进单位、打假维权无投诉规范企业品牌、五粮液模范经销商、扬州市用户满意服务明星企业、诚信纳税人、诚信信贷企业、"百城万店无假货"示范店等多项荣誉称号。

地址：扬州市史可法路65号
邮编：225002
电话：0514-7625249　　传真：0514-7625249

南京嘉宏达酒业有限公司

南京嘉宏达酒业有限公司位于南京市汉中门虎踞南路2号兴宇大厦18号301室，东邻汉中门市民广场，西枕风光旖旎的十里秦淮河，环境优美，交通便利，通迅快捷。公司下设业务部（负责酒店、宾馆、娱乐等终端的酒水销售）、销售部（负责商超、流通、分销及周边地区的销售工作）、市场部、储运部、财务部、办公室、客户服务中心、清欠办公室等职能机构，公司现为江苏省酒类流通协会副秘书长单位。

经过近十年的艰苦创业和辛勤耕耘，公司也从起初十几个人的经营部发展成为如今拥有员工150余人，办公用房800平方米，仓库用房2000平方米，送货服务车辆14辆，资产1500万元的具有较强经济实力的专业酒水营销公司。

近十年来，公司在南京众多酒水经销商中独树一帜，迅速发展，得益于公司良好的经营理念。多年来，公司秉承"质量为本，市场为先；诚信于人，服务第一"的经营方针和"博击市场，务实创新；团结奋斗，保持领先"的企业宗旨，确定了"团结、拼搏、诚实、奉献"的企业精神，并将最大限度满足客户需求作为企业的奋斗目标。因此多年来，无论是经营还是管理，公司在同行业之中均位居前列并居于领头羊地位。总结公司近十年的发展和成长道路，公司在如下四方面形成了自己独特的优势。

一、机制灵活。嘉宏达酒业有限公司是南京最早的从事酒水销售的民营企业之一，因此从公司成立开始，公司就把民营企业灵活的用人机制、分配机制、奖惩机制运用到企业经营管理中来，为每个员工提供平等的竞争平台，用其所长，避其所短，全体员工能各负其责，各司其职，居安思危，勇于开拓，实现了企业的平稳发展，公司也从传统模式向全面建立现代企业制度不断推进。

二、经营灵活。作为民营企业，公司具有"对市场反应灵敏，决策决速"的优势。多年来，公司坚持以"市场为导向，品牌为载体"的经营方针，把运作品牌、谋求品牌规模经营优势作出发点和落脚点。公司起步时就集中人力、物力、财力，高起点运作青岛桶装纯生啤酒，并引领了南京市场啤酒消费时尚。与此同时，公司积极引入青岛瓶装啤酒和罐装啤酒，形成了高中低档齐全，品种结构优势互补的品牌销售格局。因此，多年来在面临众多国际品牌，国产品牌的不断挤压下，青岛啤酒在南京市场始终保持领先地位，销售额逐年稳步上升。在苏果超市啤酒销售排行榜上，多年保持销售名列前茅。2004年，公司还获得青岛啤酒华东销售公司"青岛啤酒最佳合作伙伴"的称号。

做好对青岛啤酒精耕细作和集约化规模经营的同时，公司还积极主动的优选其他国内高品质酒水饮料作为自己的主导产品。一九九九年，在分析调研市场信息的基础上，大胆引进河北保定生产的"天香精益乳"产品投入南京各大宾馆酒店销售，由于该产品具有一定的保健功能，虽然价格定位较高，但很快被消费者接受认同，并由此引发了乳酸菌饮料迅速走向餐桌的消费热潮，"敢为人先，保持领先"的营销理念得到了市场和消费者的印证；为满足不同层次的消费需求，近年来，公司还先后代理了中国八大品牌之一的"古井贡酒"和"洋河敦煌"系列白酒及中国第一家按国际酒典标准生产单品种、产地、年份的华东高档葡萄酒，目前公司现有经营品种已达130余种，基本能满足不同层次、地区的消费需求。

在销售渠道上，公司近年来，基本完成了销售网络的战略调整和合理布局。在市区建立了A、B、C类网点结构合理，布局均匀的直供销售网络，在批发业务上，开展深度分销并逐步向周边地区市场渗透，因此近年来，公司销售渠道得到进一步优化，市场占有率逐年上升，企业知名度逐年扩大。

三、服务灵活。"一流的产品，一流的服务"这是现代企业孜孜不倦的追求，也是嘉宏达酒业公司始终不渝的理念。多年来，公司始终把提高服务质量和最大限度满足客户需求作为企业的奋斗目标，为此公司建立了一系列的服务规范和服务质量标准。对公司各环节，各岗位服务上的工作要求进行了具体的规范。公司还配备专职的驻库保管员、驾驶员、送货人员，保证24小时送货上门，最大限度满足了客户的需求。目前，公司自上而下形成了具有自己特色的服务理念，包括：销售就是服务的理念；客户就是我们的生存之源；有服务才有市场，有市场才有客户，有客户才有销售；哪里有产品，哪里就有服务；顾客的需求就是我们的工作标准，顾客的需要有多少，服务的内容就有多少，市场有多大，服务的范围就多大。这些服务理念也是公司以后长期贯彻和落实的服务方针。

四、管理严格。为适应公司快速发展，规范和提高企业管理水平，公司建立和健全了人事、经营、财务、物流等一整套的现代企业管理制度，进一步提升了公司的整体素质和酒类企业形象。企业经营水平的高低，运行效率的快慢，管理和制度是关键。多年来，公司把强化企业内部管理，完善规章制度作为重中之重的工作来抓。一是对各部门、各岗位的工作职责进行了细分和规范，对工作流程进行细化，一定程度上提高了企业执行力；二是完善管理制度，强化奖惩机制，用制度约束人，管理人，用制度把员工的思想统一到公司的根本利益上来。对工作表现好，有业绩的员工给予奖励，对落后及违规行为的员工进行通报批评和一定的处罚，员工的积极性和责任感有了一定的提高；三是推行目标管理责任制，对销售部门指标落实到部门，落实到片区，落实到人头，并据此对业务人员进行考核和奖惩，对管理指标如费用、安全等落实到部门及负责人。四是严格业务操作流程，价格体系，对出单、送货、销帐，退换货等业务环节进行规范。上述管理工作的加强，对业务经营的发展也起到了一定的促进作用。

"问渠哪得清如许，不尽源头活水来"。多年的管理实践，多年的市场磨砺，造就了一支高素质管理团队和销售精英团队，企业文化内涵得到了一定的提升。2001年，公司获得"江苏市场质量与服务双佳企业"称号。2003年～2004年，公司获南京市鼓楼区"重合同守信用企业"称号。2005年度，公司获南京市"重合同、守信用企业"称号，并被《糖烟酒周刊》杂志社评为"中国糖烟酒业优秀经销商俱乐部优秀会员"。

地址：南京市虎踞南路2号光宇大厦18号301
邮编：210029
电话：025-86552699
传真：025-86559878

龟龄御酒

御酒始创于公元前二十六世纪，为黄帝率氏族成员造的长命酒。

战国时期，随着铁农具的普及、农业生产力发生新的飞跃，造酒技术有了较快进步。北京故宫博物院于1978年10月，委托北京市发酵工业研究所，对发掘战国时期中山王墓出土的御酒液体进行鉴定：出土时，两壶锈封很严密，启封后，酒香扑鼻。储存二千多年，至今酒液醇香，证明了战国时期的皇室酿酒技术已发展到了很高的水平。

秦王嬴政统一中国，秦始皇接受丞相李斯的建议，把御酒的制造与使用归属于药膳类，自然也就更完整传承了下去。

三国时期，魏文帝曹丕称御酒"辅体延年，莫斯之贵"。

唐朝贞观年间，唐王李世民赐御酒为"天下第一宝物"美称。

明朝开国皇帝朱元璋平定天下后，用传承九制二十五转炙药秘法造御酒。其养身益寿不老方的神奇功效，深得太祖厚爱与折服。

清朝皇室把御酒的研制、管理、选料及工艺更趋完善，同时又稳步提高了它的功效作用，使御酒尽善尽美。清高宗爱新觉罗.弘历是中国历史上最长寿的一位皇帝，继承皇位60年。爱新觉罗.弘历的长寿，一方面是他先天的体质基础及后天的锻炼，更重要的是他平时特别注意养生，并坚持服用药膳和御酒。

宣统年间，御酒秘方、酿造工艺及配制技术由光绪皇弟爱新觉罗.载沣传承当时宣统皇弟爱新觉罗.溥杰亲自掌管和收藏。

公元1980年，时任全国政协文史研究委员会专员、全国人大第五届代表的爱新觉罗.溥杰基于"御酒乃历代祖先之珍宝绝不可失传"，将珍藏一生的御酒秘方、酿造工艺及配制技术捐献。

公元1981年，御酒在太谷龟龄山庄御酒基地恢复生产，爱新觉罗.溥杰亲自为御酒题名："龟龄御酒"。

爱新觉罗.溥杰十分珍视龟龄御酒的品质及功效，期间，数次亲临生产现场深加指点和面授。

公元1991年，时任全国人大第六届常务委员、全国人大民族委员会副主任委员的爱新觉罗?溥杰看到了龟龄御酒的品质和功效后，兴奋不已，亲笔题词："岐黄济世，和缓延龄"。

诸多年来，御酒一直供特定阶层享用。今天，随着社会的发展和时代的进步，龟龄御酒终将走出神秘，相伴成功。

龟龄御酒，权力与成功的永恒标志。

企业荣誉

☆龟龄御酒获得中华人民共和国国家卫生部批准，唯一"御酒"产品

☆龟龄御酒生产企业，国家保健食品良好生产规范企业

☆龟龄御酒配方属"国家级保密处方"

☆龟龄御酒荣获"第二届国际食品博览会"金奖

☆龟龄御酒荣获"中国名优酒"称号

☆龟龄御酒荣获国家"质量信得过产品"称号。

☆龟龄御酒荣获"中国保健酒十大影响力第一品牌"称号

☆龟龄御酒，APEC（上海）会议与会元首宴会专用酒

领导关怀

1、叶剑英：全国人大委员长，时任中共中央政治局常委、中共中央副主席、中央军委副主席的叶剑英元帅亲临厂区视察。

2、薄一波：国务院副总理，时任中共中央顾问委员会副主任的薄一波同志非常关心企业的发展，亲笔题词，以资鼓励。

3、杨成武：时任全国政协第六届委员会副主席、中央军委常委的杨成武上将非常关心企业的发展，图为杨成武上将听取汇报后与企业领导合影留念。

4、华国锋：中共中央主席、国务院总理、中央军委主席华国锋同志亲临厂区并为企业题词。

5、李德生：中共中央副主席，解放军总政治部主任，北京军区司令员，沈阳军区司令员，时任中国人民解放军国防大学政委的李德生中将亲临厂区视察并仔细听取汇报。

6、爱新觉罗·溥杰：清朝宣统的皇弟，时任全国人大第六届常委、全国人大民族委员会副主任委员的爱新觉罗·溥杰先生数次亲临生产现场深加指点和面授，并亲自为产品的品质和功效题词。

7、克林顿：时任美国总统克林顿先生，在美国首都华盛顿白宫举行简短仪式，接受我企业赠物。

时任中国驻美大使李肇星同志出席了赠送仪式。

8、赵朴初：中国民主促进会中央名誉主席、中国佛教协会会长，时任全国政协第七届委员会副主席的赴朴初同志十分关心企业的发展，多次听取企业领导汇报，并题词留念。

9、时任山西省委书记的王谦同志亲临厂区视察。

10、时任山西省委书记的田成平同志亲临厂区视察。

11、时任山西省委书记的胡富国同志亲临厂区视察。

12、时任山西省委书记的王茂林同志亲临厂区视察。

13、时任山西省委副书记、省长刘振华同志亲临厂区视察。

14、时任山西省委副书记、省长孙文盛同志亲临厂区视察。

15、国民党原行政院长陈立夫先生亲临厂区参观。

16、受俄罗斯总统普京的老师、圣彼得堡俄中文化与科学技术合作中心主席的特别邀请，中国中医学专家、中国药材学专家、御酒酿造专家、中医学博士杨巨奎先生率我企业代表团赴俄，与俄罗斯专家、学者一起探讨和交流如何更好地传承和弘扬皇室养生文化，受到热情款待，被授予“人类养生保健事业做出特别贡献人士”，并被聘请为该中心客座教授。

17、受美国中华国际总会的邀请，中国中医学专家、中国药材学专家、御酒酿造专家、中医学博士杨巨奎先生率我企业代表团专程赴美访问交流、受到美国同行及相关专家的热情接待和高度赞赏。

华溪玉容酒

酿酒与饮酒在我国有几千年的历史。酒可以成败诸事，造化善恶两间。酒可以乱人乱性，亡党亡国，可以拉帮结社，立誓为盟。也可撕约违契，断情绝义。可使多少懦夫懒汉成为勇士；使多少英雄壮士成粪土。使多少人魂归故里；又使多少人梦断他乡。酒可扬三军之士气，可振国家之雄威。成就了多少文人墨客，留下千古锦绣文章。也使多少盖世豪杰醉后受辱，落得千古奇冤……

据《战国策》记载：帝女令仪狄造美酒进献大禹，大禹饮之而甘美。东汉许慎的《说文》中说：仪狄作醪酒，杜康做秫酒。晋代《酒诰》中也记载了酒为仪狄和杜康所造。造酒者对人类的这一贡献，乃功高不可没。

酒不知演绎了多少可歌可泣的悲壮而动人的故事，如曹操青梅煮酒，论尽天下英雄。赵匡胤杯酒释兵权。汉武帝赐酒慰劳。范仲庵一杯浊酒藏甲兵，霍去病以酒激三军之勇气，大败匈奴，又倾御酒于清池，供全军畅饮，与天地同乐。关羽温酒斩华雄。壮士出征报国，以酒壮行，那酒……“醉和金甲舞，擂鼓动山川”的场面，是何等的壮怀激烈。

自古兵家好酒，而文人墨客更好酒。传说诗仙李白斗酒诗百篇。他醉酒戏翰林的故事和他写的《月下独酌》、《将进酒》两首佳作，一直传颂至今。曹操在《短歌行》里的两句诗“对酒当歌，人生几何？”令多少人激怀感慨。杜康造酒醉刘伶的故事，其本身就是神话和传说，可这美丽的传说，就因为与酒连在了一起，曾令多少人深深地为之陶醉。晋人陶渊明，关于酒的诗就写了二十多首。杜甫晚年也多以酒为伴作诗。

自古男人好酒，而女人也好酒。据说杨贵妃酒醉后，千娇百媚，风情万种，谱写了“回眸一笑百媚生，六宫粉黛无颜色”的千古佳话。曹雪芹在《红楼梦》里把晴雯醉酒之美，写得淋漓尽致、栩栩如生、动人心弦、撩人魂魄。

酒有“天之美禄”之说，酒可饮，但不可狂饮，不可沉迷无度。夏代的夏桀以酒为乐，筑酒池用于万众狂饮，又用于行舟，逐得以亡国而终。商纣王，贪迷酒色，也以酒为池，以肉为林，令男女裸泳，追逐于内，彻夜长饮，逐断送了商朝的江山社稷，落了个可悲的下场。

从古至今，因酒起祸，轻则重损钱财，重则葬送性命者，不可胜数。因酒而亡家、亡党、亡国者历历在目。有人将醉酒之过归于造酒者，说如果没有酒就无此之祸事了。前人造酒是让后人来享用的，不是用来祸国殃民，坑人害己的。因饮用者无自控能力，过分的贪图享乐，狂饮无度所导致的后果，这与造酒者何干？医家认为，酒既可愈病强身，又可助行药势。酒之功罪几千载，难以评说。

《酒经》中说：“空乘秽饭，酝以稷麦，以成醇醪，酒之始也。”然而这酒是有毒的，它的一切负面作用都是酒毒所造成的。李时珍说：“甘、辛，大热、有毒，行药势，杀百邪恶毒气。通血脉，厚肠胃，散湿气，消忧发怒，宣言畅意。”《藏器》云：“养脾气、扶肝、除风下气。”然而酒也是多种多样的。古有：醇酒、春酒、白酒、清酒、美酒、糟下酒、极酒、秫黍酒、葡萄酒、蜜酒、有灰酒、无灰酒、社坛余胙酒、糯酒、煮酒、麴酒、香麴酒、鹿头酒、羔儿酒……等等。

近些年来，酒业发展迅速，又出现了许多果类酒，饮料型酒。现在，一般把酒分为三大类：白酒、啤酒、果酒。而每类里边又分数种。酒无论怎么演变，也是万变不离其宗，里边主要还是乙醇。乙醇属活性物质，它对人体会造成不同程度的伤害，而伤害的程度，是与酒精的含量，饮用者的酒量大小，与血型、与五脏六腑的健康状态、与自身的体质好坏、与自身抵抗力的强弱有关。如果饮得好就对人身利大弊小，饮不好就弊大利小，轻则伤，重则残，再重则亡。

凡酒皆伤人，凡酒入心经者则伤心，饮者多言多笑。

酒入脾经者则伤脾，饮者多昏迷欲睡。

酒入肺经则伤肺，饮者多悲哭不止。

酒入肝经则伤肝，饮者多动怒气。

酒入肾经则伤肾，饮者多口渴尿频。

酒入诸经，损身害体，伤记忆。

弘景曰：“大寒凝海，唯酒不冻，明其性热，独冠群物。人饮多则体弊神昏，是其有毒故也”。又博物志载：王肃、张衡、马均三人，冒雾晨行，一人饮酒、一人饱食、一人空腹，空腹者死、饱食者病、饮酒者健。此酒势辟恶胜于作食之效也。酒能通行诸经不止，与附子同功，故医家，多用其为药之佐使。

其性能消忧发怒，宣言畅意。故大智者用其来观人的品行。诸葛亮选用人才从六个方面去看。其中就有“醉之以酒”，以暴露其品性，再做其定夺。有人城府很深，心怀叵测，但酒醉之后，便一展无遗。

比如，好色之人，即使有修养的，他也会表现出一种色迷迷的眼神，口出污言秽语。没有修养的，见女人就直接动手动脚，大有唯我风流之势。

乐善好施之人，倘若有人求助于他，他便慷慨解囊。

贪图之人，唯他独吃独饮，旁若无人，而后是乱醉如泥。

勇武之人，告之以屈，便能拍案而起，拔刀相助。

心怀鬼胎之人，醉后眼露狡诈，沉默不语，偷视他人。

也有非武之人，醉之以酒，激之其勇，也可成一介勇夫。

悲伤委屈之人，酒醉后，唉声叹气，娓娓道来！

吹牛之人，酒醉后便海阔天空，无所不能。

暴烈之人，醉酒后乱打乱骂，有的大开杀戒，六亲不相认。

无赖之人，酒醉后便赖头赖脑，大耍泼皮，就属于水浒中的牛二之类。

还有些人，酒醉后不知何地、何处倒地便睡。

也有人酒醉后与外人无争，回家后与爸爸、妈妈、老婆、孩子发生争端，有时也大打出手，真是可悲之极。

修养不深之人，醉酒后，为点小事，哪怕只是一句委婉的话也大动肝火，大发雷霆，把人家好端端的一个宴席，弄得乌烟障气，天翻地覆，不欢而散。

更有甚之人，醉酒后便怒从心头起，恶从胆边生，以至刀光剑影，惨案无端而生。

有些司机酒后架车，既毁了自己也毁了他人，遗恨终生。

也有那些大智者，酒后无醉态，神智清醒，明知要醉，不胜酒力，便停杯弃盏，无论怎样劝也不再多饮。

也有的人知道自己醉了，怕在人前失态，放下酒杯，立刻找一个无人的地方休息，待醒酒后再出来，这是智者饮酒，这才是真正的高人。

每年每天因酒而死、因酒而起祸端、因酒而毁了事业、家庭、自己与他人的人，不知有多少。这些大都是由酒性、酒毒所致。酒是导致社会与家庭不安宁的主要因素之一。

早在夏朝的大禹就预料到后世必有因酒而亡国者，所以他提出了“恶旨酒而好善言”。周武王推翻商纣王之后，便下令严禁饮酒，酒只能用来祭祀上帝和神灵，饮者必处死。可时至今天，酒已经走进千家万户，越饮越烈，除现在有个别国家、民族和地区禁酒之外，其它也就没有什么可禁之说了。

酒是越禁越重，越饮越烈，酒毒也是越中越深。酒在某种程度上说，给人们的生活带来了幸福、欢乐、健康和财富，成就了许多英雄豪杰，建功立业，同时也造就了许多文人墨客，成为一代诗圣文豪。

《藏器》日：凡酒忌诸甜物。酒浆照人无影，不可饮。祭酒自耗，不可饮。酒合乳饮，令人气结。同牛肉食，令人生虫。酒后卧黍穰，食猪肉，患大风。笔者近年发现，酒与山楂同食，可立患胃肠结石。时珍曰：“酒后食芥及辣物，缓人筋骨。酒后饮茶伤肾脏，腰脚重坠，膀胱冷痛，兼患痰饮水肿，消渴挛痛之疾。”凡一切毒药，因酒而得者难解。一切病，因酒而得者难愈。

近代对酒的化学成分分析认为，酒伤人主要是因为酒里所含大量的乙醇和甲醇。其实这乙醇是毒，甲醇是巨毒。乙醇饮多，入什么经，则伤什么经，就有什么状态反应。轻者是伤肝、伤身、伤记忆而损寿。重则轻神动魄，伤魂消意而失志。而甲醇饮多则非死即残。而乙醇里就含甲醇，只是所含量大小多少而已。

中国历史上的白酒大都是以酿造为主，俗称锅烧酒。不像现在有些商家，为了挣钱降低成本用食用酒精按比例勾兑。因这种酒制造工艺简单，造价低，售价高，利润大，广告铺天盖地而来，有的打出名来了，有的倒下了。即使打出名来了；有一天还会倒下的。说得再好，也无非是酒而已。

那么世上有没有无毒之酒？坦率的说，没有，只是轻重、多少而已。世上本无无毒之酒，但史书记载有，“东阳酒”无毒。《事林广记》所载酿法，据说可以解毒，清香远达，色泽金黄，饮之至醉——不口干、不作泻、不头痛！李时珍说“东阳酒”即金华酒、古兰陵酒。李白诗云：“兰陵美酒郁金香。”即此酒，常饮入药俱良。而此酒早已荡然无存了，多少年来兰陵酒已经变成神话了。

我们华溪玉容酒，其实是“东阳酒”即古兰陵酒的一个复制品。《事林广记》所载酿法，笔者并未能睹阅。而酒真能达到时珍所讲的那种效果就可以了。现在我们华溪玉容酒与古兰陵酒相比，还略胜一筹。不但可以解毒，还可以愈病强身；不但清香远达，还可以除体臭、香二便；把“饮之至醉”变成了尽可能饮之不醉、微醉或小醉。既不口干，又能生津，还得口香。既不作泻而又通便。既不头痛又增记忆......

凡酒皆伤记忆，而能增记忆者，至少现在唯此一酒。至醉，头脑清醒而不失德行，同时可达愈病、养生、益寿的效果。饮酒、入药、为粮、止渴及当药饮俱佳。这是普通酒所无法比拟的。

另外我们酿酒的水是选用辽宁省鞍山市距千山风景区南50公里、丹东凤凰山西50公里、岫岩县三家子乡许家村庙沟“圣水宫”的泉水酿造的。“圣水宫”原是一座庙宇的遗址，庙宇因此水而得名。此水经卫生部门检测，含有多种稀有矿物质，如硒、钙、锶、镁、锌、铁、碘、钠......据有关专家分析认为，矿泉水里含有矿物质是正常的，而同时能含有这么多的稀有矿物元素是极为罕见的。难怪古人在此修庙，庙又因此水而得名。

“圣水宫”这三个字是名符其实的，并非虚传。用此水造酒，出一中华奇酒，也在情理之中。华溪玉容酒厂就建在这古庙遗址旁，这里风景秀丽，气候怡人，巨石横卧，古木参天，百鸟争鸣，百花盛开，小溪碧水，清澈透明，果味花香，迎面扑鼻......酒厂位处五山环抱之地，这里远离人烟。自从1966年“文革”中“圣水宫”被砸毁拆掉后，这里一直无人问津。据说当年这里青烟缭绕，香火旺盛，一片辉煌。

今天我们把酒厂建在这里，将给沉睡近四十年的土地，带来一片生机。这里已荡然无存的原庙宇，有望重新建起、再现昔日之辉煌。

该寺院倘若重新建起，我们华溪玉容酒将做圣酒，免费敬献给来此旅游和朝拜的顾客与善男信女。让我们一起与天地共饮，与诸神同干。（关于圣水宫的来历，有很多美丽的传说，欲知详情请看《圣水宫的传说》）

饮酒而不失乐趣，犹能尽兴而不失雅，并能镇心神、安魂魄、增记忆、愈病强身，又能造福人类、服务社会，这是我们研制华溪玉容酒的宗旨和目的。

华溪玉容酒的出现，将对酒行业有很大的震撼力和影响力，预示着中国与世界的酒文化都将朝着同一个方向发展，那就是：由有害人类健康型的酒，朝着有益人类健康型的酒的方向发展。对世界的酒文化，以及社会与人类的文明、健康都将有很大的促进作用。

华溪玉容酒问世以后，将会有很多的人来效仿，大有风起云涌之势。无论怎样，只要是真正对人类的健康有益，我也是欢迎出现的。但不能用我的理论做为卖点，把无功效之酒，硬说成有功效之酒，来欺骗和继续坑害消费者。对此，我是坚决反对的。但这种事一定会出现的。我在这里对那此因受我的理论影响，却受他人欺骗和坑害者，表示歉意和遗憾。我只能对我自己酒所注明的一切功效负责，至于别酒功效的真伪，我也是爱莫能助。我还是那句老话：“纵有回天之心，却无回天之力”。

我也不能说只有我的酒好，别人的酒都不好了。如果因为我们华溪玉容酒的出现，使所有的酒都改变了酒性，饮酒变成了有益人类健康之事，对人的身体不再造成伤害或减少了伤害，这也算是我为人类健康做了一件有益的工作。

凡饮我们华溪玉容酒千万不可以狂饮，喝得酩酊大醉，那对身体肯定还是有伤害的。以饮适量为宜，饮好对身体有益，饮不好还是有损身体的。我只是把酒对人体的伤害，降到尽可能低程度。饮其它酒一两醉，饮本酒二两足矣，饮二斤，一样也醉。饮本酒即使大醉，对人身体的伤害程度，也不同于其它酒那么重。在同等的酒精度数之下，正常饮别的酒多少、饮此酒也饮多少就可以了。超一点也没关系，但不可超出几倍的去狂饮。

小孩偶尔可以饮点，有助于增进记忆力和开发智力。学生也可以少饮，饮后自能感觉到记忆清晰、思维敏捷、精力旺盛。孕妇也可以少饮点，有助于胎儿的成长发育。饮酒过敏者可以由少往多饮，有助于敏感症的解除。练武术的和老年人常饮此酒，它可帮助你自然舒展筋骨，减少练功的拉筋之苦。患皮肤过敏、瘙痒、皮炎、疹痘者，也可以饮。如果配合我们的玉容丹服用，将有助于疾病的痊愈。

如果因患某些疾病而不能饮酒，亦可饮此酒，它可以解毒，通活十二经脉，能增强肌体免疫力和抗病力，有利于康复。如吃什么东西过敏，在吃那种东西的同时饮此酒，既不过敏，病又得以医治。饮酒脸红者，饮本酒三次，脸即不再红。无酒量者，饮本酒三次，即得酒量。夜不能眠者，饮本酒，服华溪玉容茯神丹，三－七日即得眠。

如果在饮酒的同时，服用我们的华溪玉容丹1号、记忆丹、茯神丹、益智丹等，如记忆好的人，三日内易得彩色梦。一切风湿疼痛，加服我们的愈风丹，疼痛立止，百日内自愈。一切病因饮酒而得，或酒精中毒年久者，连饮此酒七日，一切病症自然解除。解除后万不可以再将本酒饮多，如饮本酒再醉七次，再饮别酒后的醉态有可能重新表现出来。君如不听我劝，勿怪。一切手脚冰冷麻木者，饮本酒三－七日其患即愈。

我们华溪玉容酒，还有很多独到之处，在此不一一例举了。就连佛家、道家也可以饮，因为它已达到了一个“似酒非酒 、似粮非粮、似药非药、似水非水”的境界。凡饮此酒者，自然会领略到它那出其不意的神奇功效。

敬您一杯华溪玉容酒，它会把健康和幸福带给您。

地址：辽宁省沈阳市和平区南一马路109号
力创大厦4楼　邮编：110001
电话：024-23860175　23860178　23865532
23874091　23243172　23853978

贵州省仁怀市茅台镇酒乡酒业有限公司

贵州省仁怀市茅台镇酒乡酒业有限公司（原茅台镇酒乡窖酒厂）位于“中国酒都”——仁怀市赤水河畔，始建于1978年，占地面积100亩，红高粱生产基地2500亩，年生产能力达5000吨。拥有两条自动化生产流水线，检测手段完善，现有职工425人，其中高级管理人员12人，具有3个自动化生产车间和2个自动化包装线，舒适的办公环境。现已发展成为地方政府公认的美酒河畔白酒行业“名星企业”，是政府重点挂牌保护企业。

酒乡酒业与贵州茅台酒厂共享得天独厚的自然条件和气候条件，聘请了具有30多年酿酒经验的老 酒师潜心研制，开发出了具有大众口感的怀冠酒系列、怀冠牌酒乡酒和酒乡窖系列产品。产品均选用赤水河两岸朱砂土壤产出的优质红高粱、小麦为主要原料，秉承茅台传统考究的酿酒工艺酿制，经长期窖藏，精心酿制而成，产品具有酒体醇厚丰满、绵甜爽口、幽雅细腻、回味悠长之完美风格；包装新颖别致、高贵典雅、品质上乘，倍受消费者青睐。

酒乡酒业占据得天独厚的自然优势，依托历史悠久的传统工艺。结合现代科学技术，创造了系列著名品牌：怀冠牌系列酒犹如光彩夺目的明珠，以其显著的特色优势深受消费者的喜爱。我厂曾于一九八五年“国家农林渔部优质奖”、“国家质量卫生安全全面达标食品”、“中国消费者放心购物质量可信产品”、“市级先进企业”等光荣称号。

我厂多年来坚持“以质量求生存，向管理要发展”为经营主体，以“立足市场见效益，追求客户最大满意”为经营理念。为塑造酒都形象，弘扬中国悠久的白酒文化而做出贡献。

酒乡酒业竭诚邀请海内外客商到我公司作客，欢迎投资、代理我公司产品，我们的合作不论行式，只求双赢。

总经理：杜富杰
电话：0852-2341016
传真：0852-2341296
邮箱：mtjxjj@c9c.cn
网址：www.mtjxjj.com

陕西省城固酒业有限公司

城固——举世闻名的“丝绸之路”开拓者，西汉外交家、博望侯张骞的故里，气候温润、水质甘甜、酿造美酒得天独厚，城固酿酒业始于殷商，已有三千多年的历史。

城固酒业在弘扬中国酒文化的基础上，融传统工艺与现代科技为一体，着力实施名牌战略，立足酿酒行业科技前沿，其五粮发酵制取的优质白酒“城古牌”系列酒，清亮透明，窖香浓郁，绵甜甘洌，香味协调，回味悠长，具有五粮型白酒的典型风格，以纯正的口味和高雅的品味赢得消费者的赞誉。

公司质量体系和产品质量通过中国方圆委ISO9001认证，其主导产品城古特曲、城古醇系列先后获“陕西名牌”、“中国文化名酒”、“中国食品博览会金奖”等五十多项大奖，“张骞牌”张骞礼酒荣获“全国浓香型白酒质量优秀产品”称号，“城古牌”被评为“陕西著名商标”。2005年11月全国白酒专家组沈怡方、于桥等一行六人来公司视察、指导并对公司五大类40余种白酒进行了鉴评，飘香的城固美酒得到了专家们的一致好评。

城古酒灵秀、飘逸、洒脱，凝聚了数千年中国酒文化……

城固一壶酒，天下三分香。

地址：陕西省城固县谢家井
邮编：723200
电话：0916-7232659
传真：0916-7231437
网站：www.sxcgjy.com

西安市糖业烟酒副食集团公司

西安市食品工业公司

西安市糖业烟酒副食集团公司成立于1954年，系国有商业批发企业。现有职工2500人，固定资产1.6亿元。主要经营食糖、酒类（进口酒）、糖果、糕点及副食等商品的生产、加工、批发、零售等业务。并从事物业出租、市场营运、承办会展等业务。公司拥有专业仓库一座，铁路专线一条。其下属单位主要有西安酒厂和西安市炭市街副食品市场。

西安市食品工业公司成立于1984年，现有固定资产1.3亿元，主要从事糖果、糕点、饮料等商品生产。其下属单位有八个企业。

目前，两个公司已经市政府有关部门审批同意，拟进行重组改制设立有限责任公司。

2005年，引进并组建的中美合资企业——西安百事可乐有限公司，于当年10月正式投产，年销售额达1.5亿元。通过对西安冰峰饮料厂生产线的技术改造，使“冰峰汽水”年产销量达5000多万瓶，全年实现盈利510万元。通过对炭市街副食品市场进行装修改革，使招商率由原60%提高到100%，年市场交易额达2亿多元，为社会提供就业岗位1500多个。协助市委、市政府申办竞争全国糖酒会，使西安市获得2006年秋季全国糖酒商品交易会承办权。

法人代表：张军
地址：西安市尚德路红十字会巷32号
邮编：710004
电话：029-83167271
传真：029-83167271
邮箱：xiantjt@126.com

广西横县新凯糖业有限责任公司

广西横县新凯糖业有限责任公司前身为广西横县峦城糖厂，座落于横县西部风景秀丽的郁江河畔——峦城镇，占地面积180,000平方米，现有员工555人，其中各类专业技术人员40多人。公司具有很好的区位优势，水陆交通便利，地处郁江边上，离公司郁江码头约200米，南宁至横县的公路从公司门口经过，公司离南宁60公里，离横州30公里，离桂海高速公路六景出口15公里，县内年平均气温约22度，极端最高气温40度，极端最低气温-4度；年平均降雨量1254mm，日最大降雨量175mm，历年平均风速2.5m/s，年主度风向为东北风。公司周边重要场所为公司生活区及峦城镇，生活区居住有公司职工及家属800多人，各种消防设施配备完好，公司距峦城镇2公里，峦城镇人口约2万多人。

公司始建于1985年4月，1986年12月投产，是一家地方国营中型企业。原生产规模为日榨甘蔗1500吨，年产机制糖2万多吨，生产食用酒精1200吨，主要产品有一级白砂糖、赤砂糖和优质食用酒精。随着时间的推移，科技的进步，陆续引进了九十年代国内先进的技术设备，通过技改，日榨能力已由原建厂时的1500吨上升到3000吨。年产机制糖3万多吨，由于企业注重抓好生产现场管理，坚持文明生产，积极开展全面质量管理活动，使主要技经指标均达到国内先进水平，多次得到了上级有关部门的表彰和奖励。本企业的主导产品“蜜蜂”牌一级白砂糖和“永淳”牌食用酒精双双荣获广西壮族自治区“优质食品奖”。“蜜蜂”牌一级白砂糖还荣获轻工业部“优质产品”称号，企业先后被广西区政府和国务院企业管理指导委员会授予“自治区先进企业”和国家二级企业的光荣称号，成为了广西制糖行业中第二家和南宁地区第一家国家级先进企业。

2001年10月，企业资产重组，由广西新凯糖业有限责任公司、自然人欧阳宁、欧阳璐三位股东承债受让其生产性资产进行生产经营，组织形式为有限责任公司。体制改革后，成为一家地方大型的民营制糖企业，重新成立命名为广西横县新凯糖业有限责任公司，在横县工商行政管理局登记注册，法人代表为欧阳健，公司注册资金800万人民币。公司改制后，引进了更为先进的制糖设备和现代化生产工艺，主要产品有“蜜蜂”牌一级白砂糖和赤砂糖。新公司成立后，始终奉行“团结、守信、求实、创新”这一企业精神，坚持走科技兴企的道路，积极开拓进取，拓宽思路，抓好内部管理，努力提高员工的素质，现在公司技术力量雄厚，有一支技术过硬的专业化管理队伍和各种技术人员。公司的质量检测手段完善，新公司三个榨季生产的“蜜蜂”牌一级白砂糖，产品质量均符合GB317-1998白砂糖标准要求，并荣获广西质量技术监督局“产品质量优良”奖，企业被广西区工商行政管理局授予“重合同守信用企业”和获得南宁市人民政府颁发的“创新经济效益劳动竞赛”铜杯奖。

公司的前身已于1999年通过了ISO9002质量标准的认证，并于2002年成为了横县首家成功申报“绿色食品”的企业。继而本公司的产品“蜜蜂”牌一级白沙糖和赤砂糖，也成为符合标准的绿色食品。从而更进一步提高本企业产品的知名度，畅销区内外，并能在激烈的市场竞争中占于有利地位。

目前60吨、年产2万吨食用酒精项目是我公司实现做强做大的重要举措。该项目主要是新建一条酒精废液浓缩线，把酒精废物喷入特种锅炉进行完全燃烧，产生的蒸汽供一台1500KW汽轮发电机组发电来满足生产用电。该项目是一项清洁环境填补国内空白领先技术。目前，该项目已于2004年3月份正式投产，有着良好的经济效益和社会效益，极大地提高了企业的市场竞争力，为进一步发展壮大公司的蔗糖业提供了强有力的保障。

公司对原肥料生产线技改至日产100吨年产2万吨复混肥该生产线的主导产品为甘蔗专用肥料，生产技术指标按国家标准执行或按蔗区采用测土配方生产，该项目的投入使用，是我公司为蔗区蔗农提供优质价廉的专用肥，满足种蔗生产需要，实施甘蔗生产智能化管理，实现糖厂、蔗农双赢双丰收，而做出的专门投入，是公司为实现三年规划发展目标的又一举措。

地址：广西横县峦城镇

电话：0771-7391168

传真：0771-7391697

广西丰浩糖业有限公司

广西丰浩糖业有限公司是一家集食糖生产、销售于一体的大型现代民营企业，法人代表玉先强。目前公司拥有两家糖厂、一家酒精厂和食糖销售、物流等多家经营性分公司，公司总资产达3.8亿元人民币。

公司遵循“诚信经营，合作共赢”的经营理念，广交业界朋友，不断开拓市场，客户遍及全国各地。公司将在以食糖生产、销售为主的基础上，合理调整产业结构，加大能源酒精、农业开发及农产品来料进出口深加工等产业投资力度，做大做强企业，把企业打造成为企业管理科学化，生产技术现代化，产业经济规模化，经营体制集团化，资产运行资本化，市场营销国际化的品牌集团公司。

地址：广西南宁市金洲路55号亚航财富中心20、28层

邮编：530021

电话：0771-5530353　5532653

传真：0771-5530321

台州市中房贸易有限公司

开户银行：台州市农行

帐号：900001040006552

总经理：沈小国

经营范围：

公司主要经营白砂糖批发业务；同时兼营：建筑材料、水泥、钢材、酒类批发零售业务。

地址：浙江省台州市椒江区中山东路343弄9号

邮编：318000

电话：0576-8226288

传真：0576-8811101

宁波市糖业烟酒有限公司

宁波市糖业烟酒有限公司系原宁波市糖业烟酒批发公司（简称：烟糖公司）改制而设立。现有注册资本1000万元，共有股东49名。企业主营食糖批发、仓库房屋租赁、货物运输服务，改制三年来年均销售（营业）额达1.26亿元，利润248万元。公司设总经理室，下设办公室、财务部、资产管理部、业务部、储运部。共有员工56名，其中具有中级专业技术职称人员9名，初级专业技术职称人员8名，大专以上学历17名，高中、中专16名。

法人代表：汪雄鸣

地址：宁波市前丰街118弄19号

邮编：315012

电话：0574-87145027　　传真：0574-87130033

东方先导糖酒有限公司

东方先导糖酒有限公司是一家集资源控制、网络拓展、现代物流、期现货经营、国际贸易为一体的全国性糖业产业公司。公司成立于二OO三年七月，致力于以传统食糖流通贸易为基础的糖业产业链经营。目前，公司已形成了覆盖七个省四个直辖市的多层次市场网络体系，拥有年产12万吨的食糖生产基地和生产能力达20万吨的食糖加工基地，拥有万吨级码头的物流中心，经营着以著名食糖品牌“玉棠”牌为代表的系列食糖产品。

2005年，东方先导糖酒有限公司食糖销售量超过100万吨，销售规模超过50亿元，整体资产规模超过8亿元，全国性公司的规模效应初步显现，现逐步向国内糖业产业界具有一定影响力的综合性产业集团发展。

地址：上海市黄浦区中山南路969号15楼

邮编：200011

电话：021-33184579

传真：021-63355509

网址：www.dfxd.com.cn

内蒙古河套酒业集团股份有限公司

河套酒业始创于1952年，是内蒙古酿酒行业的龙头企业。拥有总资产10亿元，占地面积80多万平方米，年产优质纯粮白酒及保健酒5万吨，员工5500人。主导产品有“河套王”系列、“河套老窖”系列 、“御膳春”营养滋补系列300多个花色品种。“河套”商标被评为中国驰名商标。公司被认证为国家AAAA级标准化良好行为企业。公司已通过ISO9001质量体系认证。产品选用优质高粱等粮食为原料，以独特生产工艺和现代先进科技精工酿制，酿酒大师沈怡方等酒界著名专家称河套系列酒具有“窖香幽雅、绵甜醇厚、谐

调甘爽、味净香长”的独特风格，是北方浓香型酒的典型代表。河套王酒是内蒙古自治区人民政府指定接待用酒。

地址：内蒙古巴彦淖尔市杭锦后旗陕坝镇建设街39号

邮编：015400

电话：0478-6622259

传真：0478-6629999

网址：www.hetaogroup.com.cn

www.hetaogroup.com.cn

四川省糖酒公司

四川省酒乐糖酒有限公司

四川省糖酒公司（酒乐）始建于1951年4月，是国有独资省级商业批发企业，隶属于四川省商业集团的全资子公司，具有企业法人主体。

公司法人、董事长：陈清源，公司总经理：黄勇。

本公司主要经营酒类，食糖为主的副食品及物业。

本公司与各大名酒厂建立了良好的贸易关系，在四川省以及成都市的销售占有一定的市场份额，糖酒销售多次名列成都市前矛。

本公司有1万多平方米的商务楼，一直以来追求用户最大满意是我们的服务目标，我们将以此为准则，不断为广大用户提供完善满意的优质服务。

地址：四川省成都市新华大道玉沙路142号

邮编：610017

电话：028-86611179

传真：028-66105379

江苏苏糖糖酒食品有限公司

我公司系江苏省糖烟酒总公司改制企业。主要经营食糖、中外名酒（包括茅台、五粮液、剑南春、国窖1573、水井坊及金奖茅台、茅台高尔夫会员酒、一帆风顺五粮液、一马当先五粮液、贵宾五粮液、紫光液和华夏长城、王朝、张裕、法国原装卡斯特等葡萄酒、古越龙山黄酒等）、食用油脂等：“信誉第一、质量第一、客户第一、服务第一”是本公司永恒的追求；我们经营的特色是：“品种多又多，价格惠又惠，质量百分百，服务门到门”；“把握高端消费需求，积极开拓市场，为供应商、客户创造新的价值”是本公司真诚的心愿；我们的目标是：做优秀的品牌运营商，做消费者信赖的企业。

地址：南京市鼓楼区江东北路204号三楼ABC座

邮编：210036

电话：025-86665771　86662799

传真：025-86661088

网址：www.jsst.cn

大连市唐朝酒业有限公司

大连市唐朝酒业有限公司自90年开始经营洋酒业务以来，公司在蔡琴总经理的领导下，现以形成大连及东北地区最具规模和实力的，以经营进口酒类为主的大型批发及零售企业，作为多家世界享有盛名的洋酒公司，啤酒公司 葡萄酒公司 预调酒公司 在大连地区指定经销商和批发商。批发网络覆盖辽宁、吉林、黑龙江等省市地区。

大连市唐朝酒业有限公司在大连设有多家连锁店中店及酒类专营店，终端网络遍布全市颇具规模、知名度高、货真价实产品优秀物美价廉、对高档次的大型商场、国际连锁超市、星级酒店、娱乐场所等各种销售渠道占有70%以上，在大连东北地区及业内具有较高的知名度和信誉度。

公司秉承“团结进取，务实创新”的企业文化，奉行“客户至上，优质服务”的服务理念为广大消费者提供优质的产品及一流的服务。

目前本公司所代理和经销的酒类品种包括

1洋酒：◆保乐加洋酒公司（马爹利、干邑系列、芝华士威士系列）

◆宏丰洋酒公司（轩尼诗干邑系列、尊尼获加（黑牌，红牌）系列、铭悦香槟（武山当）、

哥顿金、百利甜力娇等）

◆人头马寰盛贸易有限公司（人头马干邑系列、占边、威雀威士忌系列等）

◆百家得洋酒公司（百加得朗姆酒、洋锐预调酒系列等）

◆非凡洋酒、大将军等系列白兰地

◆法国、意大利、美国、澳大利亚、德国等著名葡萄酒

公司还同时是科罗娜啤酒、虎牌啤酒、苏尔啤酒、哈尔滨啤酒、健力士啤酒、在大连的一级经销商。

代理品牌除洋酒外，还有各种啤酒，进口葡萄酒及冰酒和预调酒。

2啤酒：键力士啤酒、科罗娜啤酒、苏尔啤酒、虎牌啤酒、力波啤酒、哈尔滨啤酒、喜力啤酒等。

3葡萄酒：法国原装进口的、各种级别的系列产品

美国加州产葡萄酒

意大利进口葡萄酒

澳洲进口葡萄酒

智利产葡萄酒

巴西产葡萄酒

4预调酒：百家得冰锐、锐澳。

直销网络包括：大连商场、新玛特、家乐福、沃尔玛、百盛、华联、乐购、香格里拉酒店、

瑞士酒店、希尔顿酒店、新东方娱乐城、外商俱乐部、东海月光城、芭娜娜、

纳特曼、好乐迪、金钱柜、东方金柜、碧海蓝天、豹豪、巴罗克酒吧等百余家。

地址：大连市中山区中南路15号

电话：0411-82724602

传真：0411-82710677

湛江华资农垦糖业发展有限责任公司

湛江华资糖业发展有限责任公司，组建成立于二OO三年一月，是国有控股大型甘蔗制糖企业。

公司日处理甘蔗能力为10000吨，其中湛江华资农垦糖业发展有限责任公司广华分公司（原广丰糖厂）日处理甘蔗8000吨，湛江华资农垦糖业发展有限责任公司湛华分公司（原湛江农垦廉江糖业发展有限公司）日处理甘蔗2000吨。

年产白糖80000吨，其中绿色食品广东省名牌产品三环牌一级白砂糖60000吨，三环牌绵白糖（或精制白砂糖）5000吨，南冰洋牌白砂糖15000吨。

本公司经营宗旨：以人为本，恪守信誉；质量至上，顾客满意。

地址：广东省湛江人民大道中二十四号
邮编：524022
电话：0759-3392486　3392450
传真：0759-3392472　3392450

河北省迁安市贯头山酒业有限公司

迁安市贯头山酒业有限公司是一家专门秉承传统固态泥池发酵工艺，融现代高科技成果于一体的酿酒企业，公司年生产固态泥池发酵五粮优质大曲酒能力500吨，设计生产安梨干型酒能力10000吨。公司产品曾获得“河北省名牌产品”和著名商标企业称号、历届河北省消费者信得过产品，企业获河北省食品行业优秀企业。公司生产的“酒王”和“精制特酿”系列酒于2004年被文化部诗酒协会评为首届十大“中华文化名酒”。公司已通过ISO9001:2000国际质量管理体系认证。公司总占地面积66700平方米，分为办公区、生产区和文化展示区。

贯头山酒业有限公司座落在京东腹地万里长城脚下的塔寺峪风景旅游开发区内，毗邻京、津、唐、秦和避暑山庄承德等大中城市。她群山环抱，层峦叠障，林密草茂，溪水潺潺，原始的风貌，得天独厚的自然条件是北方酿酒企业绝无仅有的，她无愧于古人选择的最佳酿酒胜境。

地址：河北省迁安市大五里乡贯头山村
邮编：064402
电话：0315-7082445
传真：0315-7988152
网址：www.gtsjy.com

信阳市副食品公司

信阳市副食品公司，始建于1950年，是豫南地区最大规模的老字号国有糖酒副食品商业批发、零售企业，公司现有营业面积10000平方米，仓储面积15000平方米，下设四个经营分公司，一个专业副食市场，职工280人，注册资金510万，法人代表：陈岂凡。主要经营：全国各种名优白酒、葡萄酒、啤酒、食糖、糖果、乳制品、调味品、卷烟等副食商品，作为信阳副食行业的龙头企业，公司信奉客户第一，信誉至上的经营理念，在五十多年的经营中，不断改革完善，改进国有商业运行体制，通过经销、代理、分销、自营、代销等灵活多样的经营形式，公司不断发展壮大，销售网络辐射全省及周边省、市。成为豫南地区引导糖酒副食消费的主力军。

地址：河南省信阳市工区路324号
邮编：464000
电话：0376-6562817
传真：0376-6565874

贵州省仁怀市茅台镇千喜年酒厂

贵州省仁怀市茅台镇千喜年酒厂坐落于中国酒都——即当年红军四渡赤水途径的古镇——茅台镇。与国酒“茅台”同居一地。独特的地理气候环境，天然的红土岩层，典型的溶洞地貌，山泉水给砾岩层层过滤，无菌无毒，甘甜爽口。加之奇特的微生物发酵，传统的酿造工艺，长期地下储藏，生产出高质量的玉液“老土酒”系列产品。我厂通过多年不断的发展，现已形成具有一定生产规模和先进生产设备的名牌企业。工厂面积6000多平方米，职工100多人，年生产能力达1000吨。

好酒出自茅台镇，其酒文化博大精深，茅台古镇前有千年的酿酒文化。冰清玉洁的赤水河属中国唯一的美酒河，千喜年酒厂人不辜负母亲河的重望，稳步踏进市场经济的大潮中，不断开拓、创新、求真务实，迅速发展。

千喜年酒厂人精诚团结、不畏艰辛、稳步发展。我们以质量求发展、顾客至上、更上新台阶，千喜年酒厂人力争做白酒行业的典范，走出国门！

地址：贵州省仁怀市茅台镇环茅中路154号
电话：0852-2332140
传真：0852-2332140

易门龙锶源酒业有限责任公司

易门龙锶源酒业有限责任公司地处云南中部，距省城昆明90公里，与易门国家森林公园仅一箭之遥。这里林海茫茫，风光秀丽，山泉喷涌，天然含锶，美丽如画的易门被誉为昆明的“后花园”。

公司就建在这块风光无限的沃土之上，她始建于1982年，具有完善的生产设备。以当地优质高粱、玉米、甜荞为主原料，凭借易门大龙口有名的含锶山泉，采用传统工艺，融合现代科技精心酿造纯粮白酒，年生产能力计划为5000吨，现登记注册商标为“九田”酒，系列酒为：“八月八”。

以质量求信誉，以技术谋发展是公司的经营宗旨，公司一贯奉行求真务实、开拓进取、追求卓越的工作精神，以优良的产品质量，真诚周到的服务赢得八方客户。产品销往云南各地，主要网点为滇中地区。

现公司人才济济，国家认证调酒师、品酒师及各类人才纷纷云集，已建成了一支拥有500人的技术骨干队伍。目前，公司员工正以饱满的热情，满怀信心地投身于火热的酿酒事业中。

地址：云南省易门县龙泉镇方屯村三元宫（原县生资公司仓库）

邮编：651100

总经理：肖天洪

手机：13708865830

电话：0877-4863626

传真：0877-4863528

天津中糖华丰实业有限公司

天津中糖华丰实业有限公司，系中国糖业酒类集团公司设于天津地区的全资子公司。本公司于一九九五年在天津经济技术开发区注册成立。

公司经营范围：食糖及酒类批发；商品储存、食糖分装；国内水路货物运输代理，船舶代理；自营和代理各类商品及技术的进出口业务。

公司年营业额达8亿元，欢迎各届朋友惠顾垂询。

地址：天津市河东区八经路23号

邮编：300012

电话：022-24215315

传真：022-24215315

网址：www.ztjhf.com

邮箱：huafeng.tj@163.com

浙江省丽水力克生物科技有限公司

力克生物科技有限公司的组建和发展

浙江省丽水力克生物科技有限公司是一家专业从事酒类开发，生料酿酒及酿酒设备的科研、生产、销售、服务于一体的高科技民营企业，下设有丽水市日月明酿酒技术研究所、丽水克生料酒曲厂。

公司坚持走以科研促企业发展之路，经多年的努力，现已拥有“生料酿酒方法”（国家发明专利号：ZL95119003.2）、“生料酿造米酒、黄酒的酒曲”（国家发明专利号：ZL02152387.8）及“液态发酵酿酒蒸馏装置”（专利号：ZL20052000787816.3）等七项国家授权专利。

用“力克酒曲王”（白酒、黄酒、米酒）生料酿酒曲系列专利产品酿酒，对酿酒原料无需蒸煮，凡含淀粉的生原料（大米、玉米、高粱等）都能直接酿酒。它简化了几千年来传统熟料酿酒的复杂工艺，也改变了传统酿造黄酒、米酒限于糯米酿酒的选料要求，生料酿酒只要是不变质的粮食均可酿酒，且省工、省力、省燃料，出酒率高，操作方便、可靠，大幅度降低生产成本。因为生料酿酒原料无需经过高温蒸煮，能有效避免高温蒸煮中对维生素等营养物质的分解破坏，该酒曲已广泛应用于酿酒企业和家庭。

“力克酒曲王”生料酿酒曲为多菌对酶组合的纯生物制品，严格按国家有关产品标准和食品卫生要求生产，无任何对人体有害物质。曾荣获《第十届中国专利新技术新产品博览会金奖》、《浙江省优秀科技产品》、《全国食品行业质量放心、国家标准合格产品》《浙江省火炬计划项目》《浙江省技术创新重点项目》《丽水市高新技术产品》等荣誉。

目前，产品销售网络遍步全国各地，并远销国外，深受酿酒生产厂家和用户青睐。公司以区域特约总经销办法经营，欢迎广大客户来人来函洽谈业务、加盟。

公司以“诚信为本、优质服务、开拓创新”为宗旨，决心以高科技高质量产品满足市场，优质服务回报用户。

热忱欢迎新老客户携手共创“力克”辉煌。

地址：浙江省丽水市南山工业园区

电话：0578-2988155　2988166

传真：0578-2988177

邮箱：like@zjlk.com.cn

网址：www.zjlk.com.cn

广安市糖酒有限责任公司

美丽的广安

广安是中国改革开放和现代建设的总设计师、一代伟人邓小平同志的故乡，位于四川东部，距重庆江北机场一小时左右里程，距成都三小时里程。

广安“物华天宝、人杰地灵”、江泽民同志亲笔题名的“邓小平故居”已建成天然森林园区，是全国爱国主义教育基地，全国优秀旅游城市，省级文明卫生城市。华蓥山石林、峭石嶙峋、千姿百态、兴国寺、风格独特、气势雄伟，九级白塔、倚江耸立、雄伟壮观，冲相寺摩崖造像及题刻、古佛道场栩栩如生、是令人向往的旅游胜地。

广安历史悠久、资源富集、交通畅达，广渝高速、广（安）南（充）高速、襄渝铁路贯通全境，是您投资经商，观光旅游的理想之地。

前进中的“广安糖酒”

广安市糖酒有限责任公司是广安的一份子，始建于一九九四年二月，现有资产4000多万元，净资产2000多万元，员工200余名，是集批发直销、超市零售、物流配送、餐饮住宿经营为一体的跨行业、多业种的川东北片区颇负胜名的综合性流通贸易服务型企业。

目前，公司内部已初步形成批发、零售、物流、配送、仓储、财务等的电脑化管理，是广安家喻户晓的“品牌”公司，是全国地级以上屈指可数的老牌糖酒公司。

批发直销业——酒水经营部、食品经营部、小食品经营部、直销部、物流配送中心

按照“诚信、沟通、服务、互赢”的营销策略，建立健全了“以市区为中心、区县为纽带、乡镇为基础、村社为网点”的四网络体系，其销售网络遍布广安市的三县一市一区及毗邻的达川、南充、重庆市场。拥有货物运输、物流配送、直销等大小车辆十辆，主要经营：国窖1573、五粮液、茅台、水井坊、剑南春、泸州老窖、全兴大曲、中华葡萄酒、长城葡萄酒、青岛啤酒、金龙鱼（鲤鱼牌）食用油、华龙（今麦郎）方便面、红牛饮料、椰子汁饮料、汇源果汁、雀巢系列产品、光明奶粉、箭牌口香糖、雅客糖果、奇客饼

干等，年销售数千万元。

超市零售业——开发超市

开发超市，是广安人的第一家超市。超市坚持“民以食为天、安全尤为先”，“开发超市、货真价实”和“顾客是上帝、质量是生命”的营销理念。经营：吃、穿、用、玩的数万种商品，年销售数千万元。在开发超市购物让您真正感受到“买得放心、用得舒心、吃得开心”。

吃、住、玩——紫金山大酒店

位于广安黄金地段，建筑面积6800平方米，集餐饮住宿、休闲娱乐、浴足保健为一体的二星级紫金山大酒店，以“关爱服务、友情服务”、“大众消费、星级享受”的经营思想，为您提供环境舒适、服务上乘、菜品可口的餐饮住宿、休闲娱乐、是您商务洽谈、旅游观光下榻、亲朋欢聚的理想住所。

公司以“交永恒的朋友，做永恒的事业”为企业文化，围绕“百年岁月、千秋企业”的办企目标，坚持“以人为本、诚信立业”的经商原则和“诚信、沟通、服务、互赢”的营销策略，广交四方商朋，共创美好明天。

美丽的广安欢迎您！真诚、勤奋的广安“糖酒”人欢迎您！

地址：广安市莲花中路50号
邮编：638000
电话：0826-5180107
传真：0826-2343118

海南定安茶根糖业有限责任公司

海南定安茶根糖业有限责任公司的前身为广东省地方国营茶根糖厂，厂址在定安县龙河镇茶根村，1957年开始筹建，1958年建成生产。1988年海南建省后，改称为海南省地方国营茶根糖厂，1996年进行股份制改造，1999年9月整体出让改制为民营企业。公司现是我省生产历史悠久、技术力量雄厚、产品质量优良的综合性制糖工业企业，一直以来是定安县的工业龙头企业。现有员工310人，其中初、中级职称人员51人；占地面积176.1亩，建筑面积25680m 2 ，注册资本1139万元；拥有日榨蔗量1500吨、日产酒精19吨的生产能力，以及铸造、加工各种糖机生产先进设备。

公司生产的甘泉牌一级白砂糖、普通级食用酒精已连续多年荣获全国产品质量优良奖。2002年甘泉牌白砂糖被海南省名牌产品认定委员会授予海南省名牌产品，2003年通过IS09001:2000国际质量管理体系认证，是我省目前唯一获得该体系认证的制糖企业，并通过省级计量确认，2004年甘泉牌一级白砂糖名列全国评比第8名，再次荣获产品质量优秀奖，普通级食用酒精荣获全国三等奖，两项均是全省第1名，并在全国食糖市场监督抽查中，名列全国第4名。同年，公司获得国家质检总局颁发的《食品生产许可证》，是我省制糖行业首批获得市场准入资格的厂家之一。2005年，甘泉牌一级白砂糖荣获全国评比连续三年产品质量优秀奖，再次被授予海南省名牌产品。2006年，甘泉牌商标被海南省工商行政管理局授予“海南省著名商标”。甘泉牌白砂糖还被有关部门授予“海南省质量信得过产品”、“海南省绿色健康食品”。产品畅销省内外，是椰树集团、椰风集团等大型饮料及三叶、先声等大型制药企业的长期、稳定供货单位。

近年来，公司一直结合自身实际，坚持以企业发展为中心，依靠科技进步，抓环境治理、技术革新、产品质量、企业文化建设，取得了显著成绩，先后荣获纳税大户、会计基础规范单位、计量合格单位、重合同守信用企业、诚信纳税企业、纳税信用A级单位、银行信用A级企业、就业先进企业、海南省质量信得过企业、海南省核心竞争力50强企业、全国食品安全百佳先进单位等众多荣誉称号。公司还是中国制糖协会、海南省制糖协会、中国质量检验协会、海南省质量协会会员单位及海南工业经济联合会常务理事单位。

地址：海南定安龙河镇
邮编：571231
电话：0898-63772223
传真：0898-63773456

江苏省苏食酒业有限公司

江苏省苏食酒业有限公司是专门从事酒类经营的省级公司，多年来坚持诚信经营，确保名酒质量，以中高档酒为主。主要品牌有三类：五粮液、茅台、剑南春三大名酒；68°五粮液、45°五粮春、五粮醇、五粮神、泸州老窖等规模型品牌；豪华五粮液、百鸟朝凤、龙腾虎啸系列；百年老窖、剑南珍品、贵宾茅台、茅台不老酒等高档礼盒酒系列。

公司被江苏省酒类协会评定为“放心酒销售企业”，被中国酒类协会评为“酒类流通诚信企业”，被江苏省工商行政管理局确定为守法经营、诚信经营“省属免检企业”，被中国银行专业评估机构评为ＡＡＡ＋信用级别。

地址：南京市草场门大街111号
邮编：210036
电话：025-86216482　传真：025-86216448
网址：www.jiangsufood.com

兰州同利糖酒副食有限责任公司

兰州同利糖酒副食有限责任公司的前身是兰州糖酒副食采购供应站经理部，始建于一九五八年。一九九八年做为商业企业第一批改制单位，改制为兰州同利糖酒副食有限公司。

改制后我们抛弃和改革了旧的经营体制、经营观念、经营模式，选择经营名酒做为企业的主业，掌握品牌优势，人力开发和引进了五粮液、茅台、剑南春、泸州老窖等厂家的高端名优酒品牌作为企业的主导产品。现如今我们代理的五粮液系列高端品牌酒就有：39℃、52℃、68℃五粮液，豪华五粮液、精品豪华一帆风顺、鹏程万里、百鸟朝凤、金枝玉叶、豪华精品礼盒熊猫五粮液、年份五粮液、贵宾五粮液、生日专用五粮液、国宴酒及贵州茅台系列、剑南春系列、泸州系列、全兴系列等等。主要销售服务对象有：甘肃烟草圣地州县公司、兰州烟草分公司、驻兰部队、社会团体、兰州各大、中型酒店，超市以及兰州周边地州市、县区，销售网络达400多家。我们实行送货上门服务，建立健全了比较稳固的销售网络渠道。我们重合同、守信用、无假货，年销售3700多万元，以货真价实的货源和诚实守信的服务在甘肃白酒经销界赢得了较高的信誉和知名度，2005年被兰州酒类行业协会评为“兰州酒类市场最具影响力企业”；2006年度为中国酒类商业协会会员单位；被中国酒类流通协会评为“中国酒类流通诚信企业”荣誉称号。董事长高云龙评为酒类流通企业优秀企业家。

如今我们同利公司拥有600多平方米的现代化办公楼栋，占地8亩的中大型仓库一座，名优酒专卖店一个。改制后股东人均住房一套，工资待遇翻一倍，实现了安居乐业。

地址：甘肃兰州市城关区白银路497号

邮编：730030

电话：0931-8180483

陕西省太白酒业有限责任公司

陕西省太白酒业有限责任公司位于陕西省眉县金渠镇，南依秦岭，北邻渭水，自然环境优美，历史文化悠久，酿酒条件得天独厚。

公司前身创建于1956年。生产的“太白”牌太白酒，闻名于秦岭巅峰太白山、成名于唐朝诗仙李白，从公司陈列室目前保存的一、二十年代最早的注册商标以及2003年以前公司附近出土的国宝重器、新石器时期的酒具足以证明，太白酒是我国最早注册的正宗太白酒，而且是中国最古老的酒种之一，雄辩地将白酒起源之说向前推进了千年之久。“太白”牌太白酒提高粱之精，取大麦之魂，集太白山雪水，融不可替代的自然优势，采用土暗窖续渣发酵传统工艺，结合现代酿酒企业管理技术，精心酿制，经“酒海”贮存，科学勾兑而成。其品质醇香秀雅，醇厚丰满，甘润挺爽，诸味谐调，尾净悠长。

太白酒由于质量上乘，早在1973年被列入《中国名酒传》；1985年被评为陕西名酒；1988年荣获国家优质酒称号，同年荣获中国历史文化名酒称号；1989年荣获首届中国食品博览会金奖；1995年被陕西省政府命名为陕西名牌产品，指定为省政府机关接待用酒；1996年以来，太白酒系列产品被评为国家质量达标食品，中国知名品牌，全国白酒质量优秀产品以及中国白酒工业百强企业、全国酿酒行业百名先进企业，全国守合同重信用企业，全国商业重点培植企业，全国首批商业A级信用企业等六十多项大奖；企业率先在西北地区通过ISO9001－2000质量体系及产品认证，并享受国家“地里标志产品”称号。

随着国家改革开放的深入和公司的发展壮大，陕西省太白酒业有限责任公司将以“人诚、酒醇”的经营宗旨，扩大对外开放和招商引资。我们热忱欢迎全国各地客商前来投资合作，洽谈经销产品业务。

一滴太白酒　十里草木香

单位：陕西省太白酒业有限责任公司

地址：中国·陕西·眉县·金渠镇

邮编：722306

电话：0917－5699020　5690659

网址：www.taibaijiuye.com

南通市新丝路酒业有限公司

南通市新丝路酒业有限公司是海安县蚕种场与南通市新丝路蚕业有限公司共同合资组建的生物高新科技企业。2003年以来，在有关高等院校、国家科研部门的大力支持下，一直从事桑蚕副产品综合利用，主要研制产品有雄蛾酒系列、桑椹酒、桑椹酵素、降血糖营养产品。

蚕雄蛾酒系列是以黄海之滨的原蚕雄蛾采用现代生物技术处理，加上冬虫夏草、鹿茸、当归、红花、淫羊藿等多味名贵中药材料科学配比并采用纯粮基酒做载体研制而成。

雄蚕蛾系列酒的研制、开发、应用是中国酒类发展史上的一项新的突破，是我国现代生物技术和传统秘方完善结合的结晶，是一种具有特殊功能的养生营养食品，在国际国内保健饮品市场具有良好的商业前景。它有着天然成分的特别滋补、养生益肾的功效，既能全面调节生理机能，又能促进身体健康。

该产品富含人体所需的多种氨基酸和营养素，长期饮用，对中老年男女肾亏、肾虚有特殊的保健作用，对肾气不足引起的功能性障碍有明显的改善作用。所以雄蛾酒的开发既是中国传统医学的进一步升华，又是现代生物技术与大自然的生物精巧融合。它对促进市场消费、刺激食品文化的发展、宏扬祖国传统医学、全面提高生活质量有着十分重要的意义。

地址：江苏省海安县老坝港镇通海桥南

邮编：226634

电话：0513－88267756

传真：0513－88267639

石家庄第一糖业烟酒总公司

石家庄第一糖业烟酒总公司成立于1949年7月，是国有独资大中型批零企业，现有职工180人，总公司地处石家庄市繁华的中山西路，营业面积3000多平方米，仓储面积21270平方米，交通便利，设施齐全。总公司分设酒类经营公司、食糖经营公司、乳品配送经营公司、明日食品超市、剑南春专卖店、名优酒商场以及仓储经营公司，主要从事食糖、名优烟酒、乳品、饮料等商品的批发、零售业务，销售网络覆盖冀、晋、鲁、豫等省市。同时承担着国家储备糖的保管、储存任务。

多年来，企业坚持以“诚信经营、优质服务”为宗旨，得到了广大消费者和商业同仁的认可，多次被省、市有关部门评为“河北省重点流通企业”、“酒类流通诚信企业”、“商品质量信得过单位”等，本企业愿与广大厂、商真诚合作，共同创造美好的未来。

地址：石家庄市中山西路283号

邮编：050051

总经理：郭文良

电话：0311－87025418

传真：0311－87022281

邮箱：sdytj@126.com

珠海市糖烟酒有限公司

珠海市糖烟酒有限公司是有近五十年历史的酒类经营专业公司，公司实力雄厚，集购、销、调、存于一体，拥有经营场所和物业近万平方米，拥有一批高素质的专业管理人员和业务人员。公司主要代理经销国产及进口名优酒。公司下设：酒类批发分公司、名优酒总汇店、五粮液系列酒专卖店等，营销网络健全。多年来的诚实经营在珠海市场树立了良好的声誉，并连续获珠海市消费委员会授予年度“诚信单位”称号以及广东省酒类专卖局授予“中外名酒销售信得过单位”称号。

地址：珠海市香洲镜新二街56号凤凰公寓1楼
邮编：519000
电话：0756-2236281 2222502
传真：0756-2236681

安徽省百川商贸发展有限公司

安徽省百川商贸发展有限公司是专门从事名优酒销售的专业性酒类经营企业，是四川宜宾五粮液股份公司、四川绵竹剑南春酒类经营公司、中法合营天津王朝葡萄酿酒有限公司等国内知名厂家产品的经销商。经过多年的探索与实践，现已发展成为资金雄厚、网络健全、经营要素齐备的现代商贸流通企业。公司以“高档名牌”为经营特色，并由商品流通逐步转变为品牌经营，使百川公司发展成为以品牌经营为主、商品代理为辅的新型现代商贸流通企业。

地址：合肥市美菱大道394号万通大厦23屋
邮编：230011
电话：0551-2199499
传真：0551-2199222

兰州义顺工贸有限责任公司

“义顺”商号已有八十年的历史。“义顺”商标已获国家工商局注册保护。

义顺公司由康乐县义顺农工商公司、兰州义顺工贸有限责任公司、甘肃义顺莲花山药业有限责任公司和甘肃莲花山酒业有限公司四个公司组成。下设兰州五粮液专卖店、剑南春专卖店、泸州老窖专营店、瑞德尔超市名酒专柜、商超工作部、酒店工作部、配送中心以及三个批发部、十个外销科及日用化工分公司和壮根灵科研开发中心等部门。

义顺公司是五粮液系列酒、剑南春系列酒、长城干红系列酒的甘肃省一级代理商。代理经销的品种主要有：1680茅台典藏酒；一帆风顺五粮液、金榜题名五粮液、鹏程万里五粮液、68度五粮液、一马当先五粮液、仰天长啸五粮液、五粮醇、六和春；御酿金剑南、鸿运当头银剑南、剑南香、绵竹大曲、绵竹头曲、绵竹酒；中粮集团烟台长城干红葡萄酒；唱饮莲花山和醉不倒系列酒。大量批发省内外名优酒。

在各名酒厂家的大力支持下，经甘肃省酒类商品管理局批准，由义顺公司发起组建的“甘肃义顺名酒联销网”于2004年4月1日成功启动，目前加盟店（专柜）已近60家。

义顺公司是兰州市“酒类保真批发单位”、“兰州酒类市场最具影响力企业”，连续多年被授予“重合同，守信用”、“诚信单位”、“先进私营企业”、“消费者信得过单位”等光荣称号；并荣获“甘肃省先进私营企业”、“甘肃省诚信单位”称号。

总经理张秉庆现任康乐县消费者协会副会长，康乐县政协委员，临夏州工商联常委，兰州市工商联金港商会副会长，兰州市七里河区私营企业协会副会长，兰州市酒类同业协会理事，兰州市商标协会副会长，甘肃省酒业协会理事，甘肃省民营科技实业家协会理事，甘肃省光彩事业促进委员会理事。

好品牌我代理，买名酒找义顺。义顺公司将继续坚持“团结、勤奋、创新、提高”的企业精神，乘西部大开发的东风，与新老朋友携手合作，共创辉煌明天。

地址：兰州市七里河区小西湖东街258号
邮编：730050
电话：0931-2615477
传真：0931-2618506

湖北人人大经贸有限公司

公司于1997年成立于华中地区经济中心武汉新的商业圈徐东大街，交通便利，商业环境极佳，公司现有员工200余人，其中大专以上学历者占40%。创业十余年，作为专业的酒类销售公司，在商界享有良好的信誉，公司拥有酒类经销的丰富经验，成功地在武汉市率先实施了酒类终端营销模式，并取得了骄人的成绩，年销售额突破亿元，一跃成为武汉市最大的酒类经销商。公司具有专业的销售、管理队伍，具有高效的市场执行力。公司销售网络覆盖武汉三镇，做为白云边的武汉总代理，成功开拓市场，连续五年获得白云边集团颁发的“特殊贡献奖”，2005年被五粮液集团公司授予“优秀经销商”。

地址：武汉市武昌徐东大街38号中力企业大厦9楼
邮编：430062
电话：027-86729245 86830895
传真：027-86711862
邮箱：rrd2@renrenda.com
网址：www.renrenda.com

榆林普惠酒业集团

榆林市普惠酒业集团座落在历史文化名城塞上明珠榆林市，现已形成了以白酒、啤酒、纯净水、陶瓷、房地产、广告等多元化产业的格局，主要产品有浓香型普惠、老榆林、黄帝陵等系列白酒，其中，老榆林系列白酒和普惠系列白酒2005年被评为“陕西名酒”；产品不仅在榆林市内十分畅销，还远销延安、西安、内蒙、宁夏、徐州、温州、广州、深圳等地。

集团公司学习邯钢经验，加强成本管理，不断降低产品成本；学习海尔先进的管理经验，推行“三工并存、动态转换”考核管理办法，不断提高员工的综合素质；连续被评为区、市、省“重合同、守信用企业”、“榆林市利税贡献百强企业”、“非公有制纳税十强企业”、“非公有制综合实力五十强企业”。

得天独厚的陕北地理及历史文化资源，扎实规范的企业管理，以及精湛的酿酒技术，使普惠酒业集团以其雄厚的实力，在西北市场上不断腾飞！

地址：陕西省榆林市火车站对面普惠大楼五楼

电话：0912-3254999　3251919

传真：0912-3529619

邮编：719000

白酒生产厂地址：陕西省榆林市榆阳东郊桃花园73号

电话：0912-3282245

啤酒生产厂地址：陕西省榆林市横山党

电话：0912-7778128

常州糖烟酒股份有限公司

常州糖烟酒股份有限公司是一家有着五十多年专业经营历史的糖、酒、副食品批发、零售骨干企业，1993年11月实行了股份制改造，1997年公司吸收式合并了常州华侨友谊股份有限公司，扩大了企业的规模和实力，2001年8月公司继续深化改革，国有股股权全部转让给全体职工，实现了从国有控股向民造化运作的转化。

公司注册资金3300万元，拥有营业用房近5万平方米，现有员工219人，其中各类专业技术人员68人，大中专以上文化人员占员工总数的42%。下设党委办公室、董事会、总经理办公室、人力资源部、财务部、审计室、计算机管理中心等管理部门；物流配送中心为公司的后勤保障部门；经营部门有副食品批发公司、酒类批发公司、品牌酒类分公司、食糖批发公司4个专业批发部门；瑞和泰副食品商场、冠生园商场2个大型零售商店，各下设三个超市、一个分店；嘉纳福粮油有限公司、丰和酒业有限公司、瑞和泰土特产食品分公司、瑞和泰茶业分公司、金帆广告有限公司5个专业公司等。经营范围涉及糖、酒、卷烟、副食品、食用油、茶叶、粮油制品、奶制品、保健品、南北干果等20多个大类商品。

近年来，该公司在激烈的市场竞争和严峻的发展形势下，坚持以“诚信经营、敬业创新”的企业精神为主导，以提高经济质量和经济效率为目标，全面贯彻落实科学发展观，不断推进经济增长方式转变和经营管理结构调整，同步实施商品经营和资产经营，切实强化管理规范操作，着力推动企业文化建设，健全用工分配机制，构筑和谐顺畅、安定团结、奋发向上的企业环境，在供货商和消费者心目中保持着良好的商誉，扩大了知名度和美誉度，在常州及周边地区的糖、酒、副食品市场上具有较强的市场影响力、占有率和辐射率。目前，公司掌握了金龙鱼、五粮液、茅台、剑南春、王朝、达能、和酒、轩尼斯、甘岭、黎山雪等20多个国内国际知名品牌的总经销、总代理权，其中金龙鱼、香满园、元宝油系列年销售额达亿元以上，王朝、达能、五粮液和甘岭、黎山雪品牌的年销售额分别达3000万元以上，洋酒、茅台、十全、喜之郎、人头马、轩尼斯以及和酒等品牌的年销售额分别达1000万元以上。2005年公司实现销售5.21亿元，创利105.68万元，被评为中国企业形象AAA级单位、中国酒类流通诚信企业、江苏省商品质量信得过企业、江苏省文明单位、常州文明标兵单位、常州市优秀企业、常州市信用（合同）AAA级企业、常州市企业文化建设先进单位等称号，在江苏省酒类市场专项整治诚信普查活动中，荣获放心酒销售诚信单位称号。

董事长、总经理：蒋建伟

地址：常州市广化街178号

邮编：213001

电话：0519-6805282

传真：0519-6805216

网址：www.cztyj.com

梅州市酒类协会

国家历史文化名城梅州市是世界客家之都，位于广东省东北部，地处岭南之东。下辖1区7县，面积15835.7平方公里，人口496万，基本上都是汉族客家人。梅州市酿酒历史悠久，是酒类生产和消费的主要地区，世代的客家人在生活和劳作中与酒息息相关，造就了源远流长的客家酒文化，并且成为客家民俗的主要组成部分。早在宋代，该市就有不少酿酒小作坊生产白酒和黄酒，并且形成了具有客家传统特色的酿酒工艺，由这种传统工艺酿造的许多酒类产品久负盛名，名闻遐迩。解放以后，特别是改革开放以来，梅州酿酒业得到快速发展，一批拳头产品分别获得国家和省认定的优质产品称号。1979年，兴宁珍珠红酒和五华长乐烧酒在全国评酒会上分别获得轻工业部优质酒称号；1985-1990年，又分别获得首届全国食品博览会金牌奖等殊荣，平远南台酒获得银牌奖。1988年，珍珠红酒还被评为首届中国黄酒节特等奖。长乐烧酒被公认为米香型白酒的典范，参与国家米香型白酒行业标准的起草工作。目前，全市有各类酒生产企业49个，2005年各类酒产量达4.95万吨，年生产总值1.6亿元，上交税金1090万元，有酒类批发企业52个，零售企业3000多家，为梅州经济发展作出了贡献。

为促进酒业进一步健康、快速发展，在市经济贸易局等部门的指导帮助下，梅州市在2005年成立了全市酒类行业协会。协会成立以来，始终以科学发展观为指导，积极开展各项工作，一是为企业生产经营提供信息咨询以及管理、技术等方面的服务；二是帮助企业开展员工培训服务；三是及时为企业提供市场供求信息；四是加强行业自律。通过充分发挥服务、指导和桥梁作用，梅州酒业又迎来全面发展、协调发展、科学发展的新时期。

地址：广东省梅州市彬芳大道27号

邮编：514021

电话：0753-2254989

传真：0753-2250679

梅州市客联酒业有限公司

梅州市客联酒业有限公司是小曲米香白酒的专业生产厂家，主要产品有：客家乐藏酒系列产品、岐岭老窖系列产品。

地址：广东省五华县岐岭镇
电话：0753-4803689
传真：0753-4803899
邮箱：kljy368@126.com
网址：www.mzkjy.com

内蒙古云中酒业有限责任公司

内蒙古云中酒业有限责任公司地处黄河中上游分界处及黄海与大黑和交汇处的历史文化圣地——托克托。公司前身为托王集团，经1998年改制，体制变为民有民营。现拥有储酒能力3000吨的地下酒窖；白酒、葡萄酒、黄酒综合发酵能力一万吨。董事长贾子录先生为高级工程师，终身享受国务院特殊津帖的有突出贡献的专家。公司注重科技人才的培养，现拥有国家级葡萄酒评委一名，国家级白酒品酒员一名，轻工部葡萄品酒员两名。近年公司采用汾酒和泸州老窖的酿酒工艺，在大曲清香型白酒和浓香型白酒酿制技术方面进步明显，达到名酒水平，主要产品“古云中老窖”成为地产酒的典型代表。

地址：内蒙古呼和浩特托克托新建西路84号
邮编：010200
电话：0471-8513721
传真：0471-8513721

四川大千酒业有限公司

四川大千酒业有限公司是宜宾五粮液股份有限公司“大风堂”、“大千”系列酒的全国总代理商。

公司倡导“敬人敬业，创新超越”的企业精神：大千事业倡导参与者尊敬每一个人，尊重共同的事业。时代的变迁要求我们充分发挥每个环节的主观能动性和创造力，不断去创新和超越，大千事业的发展才能获得足够的动力，去实现每一位参与者的愿景。

公司确立“服务天下”为经营理念。“以市场为导向”，“消费者永远第一”作为企业整体思想来发展全国性品牌。

地址：四川省内江市福都广场A座9层2号
邮编：641000
电话：0832-2266139
传真：0832-2266139
成都营销中心地址：成都市东风路26号富士大厦7楼
电话：028-84431618

梅州市星云贸易有限公司

梅州市星云贸易有限公司成立于一九八三年，前身为梅州市城西商业供销经理部，是具有独立法人资格的企业，公司汇聚了相关的高素质管理人才。企业资金实力雄厚，有充足的物流配送能力（其中送货车辆有10多部，员工有40多名），公司在梅州市批发行业领先地位，并与15家知名大品牌企业签订经销代理合同。

梅州市星云贸易有限公司在梅州市和河源市已拥有（星云名优产品东门塘分店、蓝带马爹利专卖店、金龙鱼专卖店、河源分公司）4家连锁店，主要经营食品、副食品等。其中有嘉里粮油商务拓展（深圳）有限公司南海油脂工业（赤湾）有限公司金龙鱼、花旗系列食用油；新加坡金味麦片；红牛功能饮料；石家庄三鹿奶粉；美国惠氏奶粉；深圳金帝巧克力；保乐力加蓝带马爹利；轩尼诗系列洋酒；中国国酒贵州茅台酒；广州鹰金钱罐头鱼；广州皇上皇腊味肉制品；深圳喜上喜肉制品；顺德康富来保健品；脑白金保健品；点点珍鸡粉；五粮液；添福酒等二十多钟经销产品。其经营产品在梅州市场和河源市场得到广大客户和消费者的认可。

认真执行国家有关法规，把好商品采购关、仓库保管关、柜台上货关，不以次充好，不掺杂使假，不经销“三无”商品和假冒伪劣商品，实行商品质量先行负责制，保证消费者购物无风险。我司经销产品直接跟生产厂家进货，并要求上述厂家提供卫生许可证和产品质检报告。

我司坚持明码标价、质价相符，不搞价外收费，反对任何方式的虚假让利。

遵守商业职业道德准则，严格服务标准，执行国家“新三包”规定，坚持“三为主”商品退换原则，履行对消费者的各项服务承诺。

实行营业员，服务人员挂牌上岗，设立评议台，意见箱，公布举报监督电话，保证投诉完结率100%。

星云公司自代理金龙鱼、花旗系列食用油以来，一直受到嘉里粮油公司好评。1997、1998年获优秀经销商称号，1999、2000年被评为“十佳经销商”，并且金龙鱼、花旗系列食用油从进入梅州市场以来在注重质量、信誉的同时关注消费者利益、注重品牌美誉度，10多年以来从未接到过消费者投诉。

公司的经营宗旨是：高质量，多品种，价廉物美的产品，诚信与扎实的工作作风，赢得市场，赢得竞争，连续多年被梅州市工商局评为“重合同、守信用单位”和梅州市消费者委员会评为“诚信单位”。公司将继续加大各方面投入，以全新的经营理念，以市场为导向， 以客户为中心，满足客户需求，不断推出优质的产品，周到的服务，竭诚与各界客户携手合作，共创美好未来。

面对如今良好的营商环境，优惠的政策，我们会把握现在，响应四个梅州号召，整合企业资源优势，提升管理，加快迈出发展步伐。

地址：梅州市城西大道更楼下六号之一
电话：0753-2228028　2233868
传真：0753-2233868

湖南恒和商务发展有限公司

湖南恒和商务发展有限公司是一家以酒类营销为主，酒类食品技术研发，投资为辅的现代化商务型公司。

公司有酒鬼酒、年份五粮液酒、泸州老窖等全国名牌产品长沙乃至湖南省经营销售代理权、公司还拥有北冬虫夏草系列产品研发基地。公司在湖南有完整的酒类终端营销体系，是湖南大学营销实习基地之一，拥有一批高素质的营销管理人员，近千家终端有效销售网络，专门配送的物流车队，两家酒鬼酒专卖店及三十多家酒鬼专卖连销店。

公司为适应人们健康生活需求，积极推广购物放心工程，加强酒类科研技术和市场营销交流，促进酒类结构调整。目前公司本着互惠互利，科学规范管理，共享各方优势资源的原则，正准备在长沙；各市；州建立放心酒专卖连锁店，倡导诚信经营，发展利益共同体，渠道信息共享；抵制欺诈，假冒，伪劣，引导全新的健康安全酒类交易平台，创造酒类生产，经营消费的共赢模式，公司将以长沙为重点，市，州城市为中心，发展加盟联营经销，组建一个消费会员制为核心，比其它商超专店服务更人性化，个性化的，让消费者享受更为尊荣的贵宾待遇和定购是实惠的会员销售体系模式。

恒和，和谐永远，共赢共荣，公司真诚欢迎您的加盟。

地址：湖南长沙市芙蓉中路二段15号

电话：0731-4443274　传真：0731-2245600

邮箱：henghe@hntangjiu.cn

网址：www.hntangjiu.cn

苏州市泰山酒业有限公司

苏州市泰山酒业有限公司是一家专业酒类经销商，依托强势的营销网络和实实在在稳如泰山的企业理念，扎扎实实在苏州地区展开营销及深度分销工作。

主要经营品种及代理品牌有：泰山特曲系列白酒、独创低度佳酿，低而不淡，健康时尚，以30°、36°泰山特曲为主的低度酒，苏南地区总经销。产品在苏州、吴江有较高的占有率。成为健康饮酒的一种消费导向。

多哈果汁饮料是公司注册商标，自主知识产权品牌，是第二十八届世界遗产委员会（中国苏州）会务专用饮料，独特的玻璃瓶包装，获国家专利，该产品立足苏州，行销长三角各成市。

地址：吴江市吴新路2号

电话：0512-63455079　63451189

传真：0512-63455079

网址：www.tsjysz.com

淮南市酒类商业协会

淮南市位于安徽中北部、淮河中游，是我国重要的能源工业基地，全市人口238万，其中非农人口120万，全市在岗职工人均工资收入位列全省第一。市场异常繁荣活跃，是安徽乃至华东地区最具活力的酒类消费城市之一。

淮南市酒类商业协会成立于2006年6月28日，首批会员共80多家，当选理事24位。淮南市商务局副局长黄敬玉任会长，市人大常委会副主任张学田、市政协副主席刘凯、市政府副秘书长杨少军、市商务局党委书记、局长张云廷任名誉会长。淮南市糖酒公司总经理周必矿任常务副会长，市商务局流通科科长金树炎任副会长兼秘书长。淮南市工商局、质监局、卫生局、物价局、食品药品监管局均为理事单位及副秘书长单位。

淮南市酒类商业协会是全省首家地市级酒类商业协会，并已被吸收为安徽省酒业协会常务理事单位。协会将致力于为广大会员服务、为各类名优酒生产厂家进入淮南市场提供全方位支持，为广大酒类经营企业（户）当好参谋。竭诚欢迎各酒类生产、经营企业与我们联系、互通信息、加强交流。

地址：淮南市国庆中路15号

邮编：232007

联系人：周军

电话：0554-2685054

传真：0554-2685054

邮箱：zhou55458600@163.com

江苏省连云港市方圆实业有限公司

连云港市方圆糖烟酒公司隶属连云港市方圆实业有限公司，专营名优酒类，是茅台酒厂、五粮液酒厂、泸州老窖股份有限公司、四川全兴酒厂等名牌厂家在连云港市的合作企业。

公司近年来获得的荣誉有：2003年，荣获商业联合会“会员单位”；2004年荣获糖烟酒周刊俱乐部“优秀会员”；2005年，荣获江苏省酒类流通、酿酒、质量三大协会颁发的“放心酒销售诚信单位”称号；2005年6月荣获连云港市消费者协会“服务满意单位”；2005年获“中国质量万里行”打假维权协作委员单位；2006年7月18日被评为连云港市唯一一家“中国酒类流通企业诚信单位”。

公司以人为本，以德服务，以“诚信”经营理念，推行“酒品就是人品”的质量意识。为新老客户竭诚服务，并热诚欢迎国内外宾客光临指导，洽谈业务，共求发展！

地址：连云港市浦区苍梧路龙河大厦A座503室

邮编：222006

手机：13905136296

电话：0518-5069566

传真：0518-5818849

网址：www.lyg-fangyuan.com

广东长乐烧酒业有限公司

省级先进企业——广东省五华县长乐烧酒业公司（现更名为广东长乐烧酒业有限公司）素有生产发轫于晋、得名于宋（公元一0七一年设置长乐县）、成熟于明、获誉全国米香型酒典型代表、国家优质酒的长乐烧酒而蜚名酒坛，拥有自主知识产权属国内先进、省内首创的米香型酒机械生产线，传统米香型酒、黄酒土法生产线和自制特种饼曲生产线。一套三位一体酒质处理设备和一套高级产品质量气相色谱分析仪检测系统及高级防伪喷码设备。长乐烧酒是选优质稻米为原料、采用自制特种饼曲为糖化发酵剂、吸取玳瑁山下130米深的地下岩层优质泉水酿选，产品独具“蜜香幽雅，醇厚绵柔，舒适引口，回味怡畅，醉不上头”的独特风格而驰名中外，诚为中国米香型的典型代表，是中华民族的好酒。企业饮料酒综合生产能力1500吨，主产品有国优长乐烧酒、省优客家老酒（原名珠红酒）、省行业优质酒长乐醇酒和巴戟蛤蚧酒、国际金奖燕窝冬虫酒等花色品种38个。企业计量获国家二级计量合格证；TQC获广东省优秀企业证书；米香型酒机械化生产新技术获“梅州市科技进步一等奖；企业产品连续十年审定为“质量信得过企业”并获中国人民保险公司承保；企业连续六年评为“重合同、守信用”的企业；企业获广东省“民营科技企业”资格证书并推荐为广东省“现代企业管理民营企业示范单位”。企业荣获多项国家级质量大奖。1979年被评为“全国第三届优质酒”；1984年荣获“轻工业部酒类质量大赛部优质酒”称号；1988年荣获“首届中国食品博览会金奖”；2000年6月被评为“中国知名白酒信誉品牌”；2001年5月认定为“中国名优食品”。特别是在今年4月全国香型白酒普查中，该生产的52度长乐烧酒和45度长乐酒分别评为全国白酒（米香型）感官品评、外观评价总分第一，获“全国米香型白酒质量优秀产品和生产企业”并进行通报表彰。该产品已被梅州市人民政府指定为接待专用酒。2005年，“长乐”牌长乐烧酒荣获全国酒类产品质量安全诚信推荐品牌。

真情不改　好酒难忘

地址：广东省五华县岐岭镇太平山　邮编：514469

总经理：卓永泉

电话：0753-4802193 4803328

传真：0753-4802788

东莞市糖酒集团有限公司

东莞市糖酒集团有限公司前身是创建于1953年的东莞县糖烟酒公司。

目前，在东莞市糖酒集团有限公司属下企业就业人员3500多人，其规模和影响较大的控股企业有：连锁经营的美宜佳便利店有限公司、美佳超市有限公司、时捷物流有限公司、丰裕贸易有限公司、东方配销有限公司、美意达礼品有限公司。合资企业东莞环众物流咨询有限公司。

转制以来，东莞市糖酒集团有限公司凭着“诚信、务实、创新、高效”的企业精神，积极参与市场竞争，充分挖掘企业管理的内在潜力，努力寻求企业新的经济增长点，使企业获得稳步发展。连续十年公司获得省、市授予的“守合同重信用企业”荣誉称号，“东莞市文明单位”、“广东省先进集体”等多项荣誉。

地址：东莞市南城区莞太大道13号

电话：0769-22459898　22461481

传真：0769-22466905

大连金易饮品有限公司

本公司创建于1993年，在大连市以及辽宁省独家代理：

啤酒：百威啤酒、青岛啤酒；红酒：中粮烟台长城葡萄酒、中粮沙城长城葡萄酒；进口红酒：法国卡斯特葡萄酒、智利圣·伊内斯葡萄酒；黄酒：中粮绍兴黄中皇花雕酒、中粮绍兴香雕酒；白酒：五粮液、古井贡、沱牌、泸州国用酒、酿酒人家；饮料：汇源果汁、农夫果汁；水：雀巢矿泉水；食品：洽洽食品；乳制品：三环乳酸奶等二十余个系列的饮品和食品。

我公司拥有近万平米的仓储能力，30余台配送车辆。现已在辽宁省内发展了6家分公司网络遍布各个销售渠道，拥有各类客户4000余家，20余个县市级分销商，员工300余人。2003年与用友公司共同开发ERP—U8财务一体化系统，实现信息化物流管理。2004年向零售业进军，开始了金易的第二次创业，构筑跨行业、跨地区的产业新格局。

地址：大连市沙河口区西北路15-3号

电话：0411-86842599/86842699

传真：0411-86842929

浙江塔牌绍兴酒厂

浙江塔牌绍兴酒厂是由浙江省粮油食品进出口股份有限公司投资兴建的大型酿造企业，坐落于山青水秀的鉴湖之源——湖塘，占地300余亩，现在员工800余人，总资产2.8亿元，年产传统手工黄酒2.8万余吨，内销实现销售收入2.4亿元。塔牌绍兴酒畅销欧美、日本、港澳及东南亚等三十多个国家和地区，曾多次荣获国际金奖，被誉为“东方名酒之冠”，出口7000余吨，创汇1500万美元，是我国黄酒出口产品中最具有影响力的品牌。

企业始终坚持“精心酿名酒、企业创一流”的方针，全面实施品牌战略，积极导入国际先进的管理理念，先后通过了ISO9001质量管理体系、ISO14001环境管理体系、QS认证、HACCP 认证、清洁生产认证及国家原产地域产品保护办公室的认证。1993年被指定为中南海人民大会堂国宴用酒，1999年获得“中华老字号”称号，塔牌绍兴酒为国家免检产品、浙江省名牌产品、浙江省著名商标、浙江省绿色企业、浙江省环保先进企业、食品量化A级企业。

地址：浙江省绍兴县湖塘街道

邮编：312032

电话：0575-4387539

传真：0575-4383479

福建省糖酒副食品总公司

公司成立于五十年代，是福建省老牌的国有商业骨干企业，销售网络覆盖全省各地并辐射周边省区。

公司自有资金4700多万元，其中注册资金2658万元，现有固定资产3500多万元，其中专业商品仓库16000平方米（占地30亩）。

公司主要经营糖酒副食品以及建材、汽贸、百货、五金、交电等，并担负着福建省储备糖的任务。公司是茅台酒厂、五粮液酒厂、剑南春酒厂、泸州老窖酒厂、古井酒厂、湖南湘泉（酒鬼）酒厂、长城葡萄酒厂等数十家酒厂的区域代理，经销商，是福建省最大的酒类经营商。是福建卖场、大超市白砂糖、名优白酒副食品的主供应商。

我公司是国家商务部批准的具有进出口经营权的企业，是中国华糖集团成员单位，中国副食流通协会会员单位，中国酒类商业协会会员单位，福建省第三产业“300大”排名前企业，福建省最佳形象企业之一。公司本着求实，高效，创新的精神与国内外数百家企业建立了良好的商贸关系。

总经理：陈铁兵

地址：福建省福州市五四路138号天福大厦5城

电话：0591-87848488

传真：0591-87879922

南京联合创展酒业有限公司

我公司前身为“珠江云峰酒业有限公司”，创建于1998年，应企业发展需要，于2001年更名为“南京联合创展酒业有限公司”简称“联创”，是一家专门从事酒类营销专业的企业，公司拥有六省近千家经销商客户、直销酒店网络三千余家、商超网络客户近千家、并成功运作了，堪称近代白酒界奇迹的白酒品牌——“小湖涂仙”酒系列的六省总代理。

千帆竞争，百舸争流。我们所处的时代是充满激情和活力的年代。进入新时代，酒类这个传统又有着悠久历史文化底韵的产业将迎来新的挑战和难得的机遇。但不管如何，我企业秉承一贯宗旨，诚信经营，联合众商家，共同谋发展，建立酒水营销共赢平台，把信誉和服务视为企业的生命，同时我们也将用不断创新精神，破解各种难题，努力推倒围墙，打破界限，跳出低水平竞争圈子。

“联创”乐意与各界朋友携手合作，为传承大中华美酒文化，尽一份力，共创行业新辉煌！

地址：南京市中山南路321号现代大厦1304室

邮编：210001

电话：025-52343800

传真：025-52335003

网址：www.lhczjy.com

云南香格里拉酒业股份有限公司

云南香格里拉酒业股份有限公司于2000年1月27日创立，是国家商务部批准设立的外商投资股份制企业，注册资本5656万元。主要生产、销售“香格里拉”、“香格里拉·藏秘”等品牌葡萄酒和青稞干酒。

香格里拉酒业成立以来，按照“用心酿美酒，诚信铸品牌”的理念，积极开展HACCP食品安全体系和ISO9001：2000质量管理体系认证工作，建立了一套完整的质量管理体系和健全的市场营销网络，迅速进入了中国红酒行业前十强。

公司屡获殊荣。多次被评为云南省、迪庆州纳税先进企业。2003年公司被云南省卫生厅评为“食品生产经营放心企业”；青稞干红、干白产品被云南省名牌战略推进委员会评为“云南省名牌产品”。2004年公司被认定为云南省农业产业化经营龙头企业。2005年“香格里拉”、“香格里拉·藏秘”、“天籁”等品牌葡萄酒被国家质量监督检验检疫总局认定为国家免检产品。“香格里拉”、“香格里拉·藏秘”商标被云南省著名商标认定委员会认定为“云南省著名商标”。“香格里拉”品牌被中国企业文化促进会等单位评为“中国行业十大影响力品牌”。2006年9月，公司荣获亚洲国际名优品牌认证监督管理中心、国务院国有资产监督管理委员会研究中心等单位授予的“亚洲500最具价值品牌奖”，在首届“亚洲品牌500强排行榜中”名列第451位。

地址：云南省昆明国家经济技术开发区云天化工业园

邮政编码：650217

电话：0871-7270099

传真：0871-7270009

网址：http://www.shangeli-la.com

广东顺德酒厂有限公司

广东顺德酒厂有限公司成立于1993年，地处广东珠江三角洲腹地，厂房占地51630平方米，为顺德市第一批转换经营机制改建而成的企业。企业所有制性质为股份合作企业。公司前身为1953年创办的地方国营顺德市酒厂，属国家二级企业，是广东省著名的专业酿酒厂及豉香型白酒主要生产企业。广东顺德酒厂有限公司产品以名、优、新著称。产品可分为三大类：曲酒、米酒及配制酒。主要产品有红荔牌四大省优产品凤城液、仙泉特酿米酒、顺德二曲和红荔蛤蚧酒，还有远近驰名的陈年红米酒，大良特酿酒及鹿茸补酒、鹿尾巴酒、蛤蚧虫草酒和青梅酒。其中饮料药酒历史悠久，传统米酒闻名遐迩，由于品质优良而风靡社会。

广东顺德酒厂有限公司现有员工500多人，其中专业技术人员60多人。企业技术力量雄厚，生产设备完善，检测手段先进，产品品质始终如一。继1988年获广东省先进企业后，1990年获国家二级企业称号，1993年进入广东工业企业经济效益200强行列。一九九五年及一九九七年分获1993~1994、1995~1996年度佛山市先进集体称号，自1996年来连年获得“顺德市十大纳税户”称号。

公司自1993年以转换企业经营机制为动力，对企业的管理架构、分配制度、营销管理等方面进行了一系列的改革。进一步地完善了现代企业制度。

近年来，广东顺德酒厂在面对全国市场严重产大于销和税赋的增加以及行外资本介入白酒领域激烈竞争的严峻态势，确立了以红荔牌红米酒为主导的品牌营销战略，使红荔牌红米酒在米酒市场，特别是在广东市场上占有重要地位，并发挥着品牌效应作用，继续推动着企业的持续发展。企业正式全面通过ISO9001质量体系认证。成为广东省饮料酒生产销售的骨干企业之一。

广东顺德酒厂有限公司以质量第一，用户至上为指导思想，脚踏实地地面向市场，为大众提供优质的产品，优良的服务以满足大众需求。公司今后将一如既往的把提高自身产品的品质当作企业发展的头等大事，更好、更优质地服务于大众，造福于社会。

厂址：广东省佛山市顺德区大良沙头

电话：0757-22291056

传真：0757-22292348

邮编：528333

南通白蒲黄酒有限公司

南通白蒲黄酒有限公司（原国营如皋白蒲黄酒厂），创建于1956年。地处全国14个沿海开放城市之一的南通市北首30公里，水陆交通十分便利。

本公司现有固定资产3000多万元，占地面积40000平方米。拥有全国黄酒行业一流的综合性生产大楼、不锈钢大罐贮存容器、现代化机械设备、高标准化验室及先进的污水处理设施、年产各类系列黄酒30000多吨，居苏皖同行业首位。年实现工业总值和利税近亿元。

本公司系中国酿酒工业协会成员单位，中国酿酒工业协会黄酒分会副理事长厂，中国食品科学技术学会黄酒专业学会常务理事厂，江苏省黄酒协会会长厂。全公司现有干部职工200多人，其中中国黄酒博士1名，国家级和部级黄酒评委2名，高中级专业技术人员28名，技术力量雄厚，厂房设备先进，内部管理严谨，产品质量稳定，2000年6月份通过ISO9001国际质量体系认证，使质量水准又跃上新的台阶。

"水明楼"牌、"白蒲"牌系列白蒲黄酒品种繁多，有低中高档产品，纯稻米酿造，工艺独特，质量保证，包装新颖，长期以来深受广大消费者的青睐，享誉大江南北，畅销国内十多个省市。该产品自1986年以来屡获省优、部优、国际金奖、免检产品及江苏名牌等殊荣。2004年荣获全国酿酒双百强企业称号，通过国家质监总局原产地理注册。

地址：如皋市白蒲镇市河路155号

邮编：226511

电话：0513-88570419

余姚阳明酿酒有限公司

余姚阳明酿酒有限公司是原余姚酒厂于2000年7月转制成立。位于余姚市城区，公司主要产品有河姆渡系列黄酒，干型、半干型加饭酒、半甜型善酿酒及甜型香水酒。产品在宁波地区及周边有较高知名度，在西北地区市场已有十几年销售历史，还有河姆渡牌系列白酒。

公司目前有1万吨黄酒生产能力，成套半机械化生产线，占地面积60余亩，已有100余年建厂历史，有稳定酿酒技工、质量上乘，为2005年国家黄酒产品质量安全推荐品牌，2006年又通过黄酒生产QS认证。

地址：浙江省宁波市余姚市酱园街276号

电话：0574-62674168

传真：0574-62674813

昌宁恒盛糖业有限责任公司

昌宁恒盛糖业有限责任公司组建于2003年12月，是以原卡斯、湾甸、柯街三户国有控股糖业公司拥有的资产、人员、资源、负债为基础，资产为纽带，产权为核心，通过"实行国有资产全部退出，转换职工身份，妥善分流安置职工到位后，实施承债式转让产权，一次性转换为民营股份制企业"的改革形式整合重组而成的。公司的股本总额为2680万元，有股东39名，均为自然人股东。公司有湾甸、卡斯、柯街三个生产单元，员工816人，各类专业技术人员250人；有资产24189万元，总负债16538万元，净资产7651万元。生产规模为日处理甘蔗4700吨，日产酒精55000升，年产复混肥20000吨，年发水电40万度。成为以制糖为主，集白砂糖、绵白糖、食用酒精、甘蔗专用复混肥、水电生产为一体的综合性生产企业，是昌宁境内较大的民营企业之一。公司蔗区覆盖昌宁、隆阳两县区，9个乡镇，两个农场。蔗区内适宜种蔗面积31万亩，现有种蔗面积12万亩，发展的基础和条件良好。

公司地址：云南省保山市昌宁县卡斯镇

邮编：678112

电话：0875-7838076

传真：0875-7838076

信箱：hssugar@hssugar.com

郑州市糖业烟酒有限公司

公司前身为郑州市糖业烟酒总公司，是一个有着50多年历史，集批发、零售和食品生产为一体的国家大型商业企业，是中原地区影响较大的糖酒副食品企业，主要经营食糖、酒类、饮料、副食品、租赁业务等。

地址：郑州市正兴街十号

邮编：450000

电话：0371-66966243

传真：0371-66966243

河南亿星实业集团

河南亿星实业集团有限公司是集名酒经营、食糖购销储备、餐饮连锁、超市连锁、天然气开发利用等多业并举的多元化、规模化、跨行业集团公司，现有员工2000余人，总资产7.2亿元。

集团下辖：商业副食有限公司、御宴楼餐饮有限公司、超市连锁有限公司、糖业有限公司、置业有限公司、周口市天然气有限公司、周口市天然气电力有限公司、周口京华百货有限公司、牧业有限公司（生猪活体储备基地）等10多个子公司实体机构，20多个分公司。

"亿星名酒、誉满神州"，亿星集团在名酒经营上积累了丰富的经验，培养和造就了一批优秀的职业化的管理团队。名酒经营做大做强，天然气公司、超市公司、餐饮公司等在管理上出现了质的飞跃，向专业化、标准化、国际一流化迈进。集团公司不仅重视人才的引进，且注重人才的培养，多次派优秀管理人员到海尔、蒙牛、远大学习，向国内先进企业迈进，从中总结提炼出具有亿星特色的管理模式。"五项考核"管理，从基础的提升形象做起，规划监控、强化执行、考核、产生良好的绩效。

河南亿星实业集团多次被评为"消费者信得过单位"、"重合同守信用企业"、2005年被中国酒业协会中国食品流通协会评为"全国十大最佳酒水渠道控制力经销商"、"全国十大诚信经销商"、"河南省十大金牌经销商"等荣誉称号。餐饮公司所辖锦绣花园、御花园酒店也被国家旅游局评为“星级旅游饭店”及“全国绿色餐饮名店”称号。

展望未来，亿星人充满希望和信心，决心乘市场化的强劲东风，围绕主业，多业并举，抓住历史机遇，深化改革，开拓创新，与时俱进，继写辉煌新篇章。

集团董事长兼总经理李士强携全体员工竭诚欢迎社会各界人士光临指导、共创美好未来！

地址：河南省周口市太昊路东段
邮编：466000
电话：0394-8381372
传真：0394-8383142
网址：www.hnyixing.com

广西华商国糖贸易有限公司

广西华商国糖贸易有限公司是2003年3月依法注册成立的食糖及其综合利用产品的经销企业，主要经营范围：主营食糖贸易，兼营酒精、废糖蜜、蔗渣、木薯淀粉及食糖生产消耗品等。本公司与广西、云南食糖产区及广东、山东、湖北、江苏、浙江、山西、河北、河南、北京、天津、安徽、江西、四川、重庆等广大销区的新老客户有着广泛和良好的合作关系。守法经营，诚信为本，为客户提供良好的服务是我公司一贯秉承的原则，我们有能力做得更好。

法人代表：刁建业　0771-5503186／13878191288
总经理：姚德　0771-5503638／13317805363
业务电话：0771-5515151
传真：0771-5515151
地址：广西南宁市民族大道92-1号新城国际F28
邮编：530022
柳州分公司：
地址：柳州市飞鹅路123号银兴商业城5栋1-1号
电话/传真：0772-3623687
邮编：545007
负责人：李凌波　13807724655

广西柳州市中糖股份有限公司

2005年，公司实现总销售6.61亿元。其中食糖销售近20万吨，收储食糖15万吨。公司外贸已经形成稳定的进出口业务。特别是经国家商务部批准，公司2004年11月在南博会签约的朝鲜项目，2005年9月已顺利投产。公司酒类经营在“内联外盟”的思路引领下，已形成较大的营销网络，并连续五年为市政府春节对老干部特供酒的供应单位。公司为中国商业企业管理协会糖酒副食品企业分会理事长单位及全国糖酒商品交易会广西区联络员单位。2006年3月，公司经中国商业企业管理协会审定，荣获“首届全国构建和谐商业杰出贡献企业”光荣称号。

公司地址：广西柳州市北站路18号
邮编：545001
传真电话：0772-2829243
办公电话：2824797

剑南春集团四川天成祥酒业有限公司

剑南春集团四川天成祥酒业有限公司是四川剑南春（集团）有限责任公司投资控股的专业品牌营销执行机构，直接隶属于剑南春集团。企业由剑南春集团董事长兼总经理乔天明先生亲自进行战略规划，缔造了“金剑南”品牌营销传奇和“金剑营销”企业全国公信的李建华先生责任执行，专事“天成祥”、“江汉春”等剑南春集团重点品牌的品牌研发、市场推广、渠道管理和营销服务。

天成祥是绵竹酒坊老字号，当年与乾元泰、朱天益并称为绵竹三大酒坊，可谓是今日剑南春之前身。该品牌蕴涵的非凡气韵与剑南春品牌一以贯之的盛世情怀一脉相承，“家国盛世，天成吉祥”的品牌主旨也使品牌内涵更加坚实饱满。同样，江汉春也是绵竹的老酒坊之一。江汉春走的是亲民路线，共分经典、精品、精制、精酿四个品种，价位在20元到140元不等。品牌诉求的是长江文明和大河文明在新的时代条件下焕发出来的勃勃生机，以及人们对美好生活的憧憬向往之情。这个品牌设计得比较有特色，尤其体现在产品LOGO上：既似一面招摇的酒旗，又有波涛滚滚的豪迈，还可见鱼米之乡的富足。

地址：四川省成都市人民南路一段97号现代之窗930室
电话：028-86719778
传真：028-86717108　86664159
邮编：610016
网址：www.tianchengxiang.com

山东省糖酒副食品商业协会

山东省糖酒副食品商业协会成立于1995年7月，协会成立之初，成员主要是我省经济效益较好国有糖酒公司，后来随着形势的不断发展，我会又陆续吸收了省内部分比较有影响力的私营糖酒企业加入，使我会在糖酒行业始终保持旺盛的活力。近年来，我会为促进工商合作，还积极吸纳在我省白酒行业和葡萄酒行业的代表性大企业加入协会，在协会内部开展各种形式的合作、交流，为广大会员企业搭建一个放心的购销平台。截至目前我会拥有会员单位45家，其中商业单位28家，工业单位16家，行业媒体1家，在我省乃至全国糖酒行业具有较高的知名度。

山东省糖酒副食品商业协会作为我省糖酒行业的指导性团体，成立以来，以为企业、为政府服务为宗旨，在上级部门的领导下，积极开展各项工作，真正发挥了其在政府与企业、企业与企业之间的桥梁和纽带作用，增强了我省糖酒系统的凝聚力和战斗力。特别是每年在我省各地组织召开的春秋两季全省糖酒会，吸引20多个省市、自治区的厂商参加，不但为企业创造了展示自身实力、沟通贸易渠道的机会，而且也极大地带动了会议承办地经济的发展，对推动我省糖酒经济的健康稳定发展发挥了重要作用。

在新的市场形势下，我会将及时调整服务方向和服务范围，吸收更多的企业加入协会，在自身不断壮大的基础上，充分发挥其在经济建设中的作用，为我省糖酒经济的发展做出新的贡献。

地址：济南市和平路40号

邮编：250014

电话/传真：0531-86404678

网址：www.sdtjxh.com

中法合营王朝葡萄酿酒有限公司

中法合营王朝葡萄酿酒有限公司始建于1980年，是我国第二家、天津市第一家中外合资企业，合资的外方为法国人头马亚太有限公司和香港国际贸易与技术研究社 。

公司从国外引进了具有国际先进水平的葡萄酒生产设备和技术，拥有国际酿酒名种葡萄原料种植基地近3万亩，建立了技术开发中心，有强劲的科技开发能力。公司现生产三大系列90多个品种具有欧洲风格的葡萄酒，生产能力为4万吨/年，是亚洲地区规模最大的全汁高档葡萄酒生产企业。

公司始终重视产品质量，使王朝酒享誉海内外。王朝酒曾获十四枚国际金奖、八枚国家级金奖，被布鲁塞尔国际评酒会授予国际最高质量奖。农业部将王朝酒确定为无污染、无公害、无病毒、营养丰富的绿色食品。目前王朝酒在国内干酒市场的占有率近50%，并被指定为国宴用酒，供应231个我国驻外使领馆，产品还远销美国、加拿大、英国、法国、日本、澳大利亚等二十多个国家和地区。随着王朝酒知名度的不断提高，企业的无形资产价值也在不断提升，经评估王朝酒的品牌价值已达25.01亿元人民币。

公司具有现代化的管理运营机制，1989年被批准为国家二级企业；1996年通过了ISO9002质量管理体系认证；2000年取得了ISO14001环境管理体系认证；“王朝”被国家工商总局评定为中国“驰名商标”；2001年《王朝高档干红葡萄酒酿造技术与原料设备保障体系的研制与开发》荣获国家科技进步二等奖，成为我国酿酒行业唯一获此殊荣的企业；《提高企业竞争力的优化管理》荣获国家企业管理现代化创新成果二等奖；2002年王朝酒被国家质检总局认定为“免检产品”和“中国名牌”称号。公司还连续多年获得天津市优秀外商投资企业、天津市优秀企业、全国双优外商投资企业、中国食品行业质量效益型先进企业、全国质量效益型先进企业等荣誉称号。

王朝公司对葡萄酒事业的发展充满信心，力争实现基地规范化、产品标准化、管理现代化、市场国际化、人才智能化，以满足日益增长的市场需求，使王朝公司跨入世界著名葡萄酒企业行列，谱写中国葡萄酿酒史的新篇章。

浙江商源食品饮料有限公司

浙江商源食品饮料有限公司，是一家坚持现代营销理念、专注于快速消费品领域朝气蓬勃的现代化专业品牌营销（集团）公司。1994年9月18日创立以来，公司一直高举诚信经营的大旗为社会创造价值，让消费者享受高品质的产品、使产品生产者品牌增值、为经销商企业发展、为员工成长尽心尽力。浙江商源食品饮料有限公司已经成长为拥有9家公司，700多名员工和1000多名终端服务人员，遍及华东的合作伙伴网络，多个知名酒水品牌，年销售额逾5亿多元的大型酒水营销公司。追求共同发展、共同进步、走向共好是商源执着追求，诚、信、义是商源的人格品质，实干、创新是商源的行动精神，家园式、学院式、军营式是商源独特的人文管理模式。与时俱进，只争朝夕。浙江商源继续依托杭州、立足浙江、转站华东、布局全国、胸怀世界。在杭州，我们已经是行业的领袖；在浙江，我们在行业内领跑；在华东，我们获得更多的发展天地。我们可以做得更好。

地址：杭州市凤起东路137号

董事长：朱跃明

邮编：310020

电话：0571－28853666

石家庄三鹿集团

石家庄三鹿集团是集奶牛饲养、乳品加工、科研开发为一体的大型企业集团，是中国食品工业百强、中国企业500强、农业产业化国家重点龙头企业，也是河北省、石家庄市重点支持的企业集团。企业先后荣获全国“五一”劳动奖状、全国先进基层党组织、全国轻工业十佳企业、全国质量管理先进企业、科技创新型星火龙头企业、中国食品工业优秀企业等省以上荣誉称号二百余项。2006年，集团实现销售收入同比增长27.89%，利税同比增长5.75%。

三鹿集团前身是1956年2月16日成立的“幸福乳业生产合作社”，经过几代人半个世纪的奋斗，在同行业创造了多项奇迹和“五个率先”：1983年，率先研制、生产母乳化奶粉（婴儿配方奶粉）；1986年，率先创造并推广“奶牛下乡、牛奶进城”城乡联合模式；1993年，率先实施品牌运营及集团化战略运作；1995年，率先在中央电视台一频道黄金时段播放广告；1996年，率先在同行业导入CI系统……

三鹿集团坚持与时俱进、创新经营。三鹿奶粉产销量连续14年居全国同行业第一位；液体奶进入全国前3名。三鹿奶粉、液态奶被确定为国家免检产品，并双双再次荣获“中国名牌产品”荣誉称号。2005年8月，“三鹿”品牌被世界品牌实验室评为中国500个最具价值品牌之一。“三鹿”商标被认定为“中国驰名商标”；产品畅销全国31个省、市、自治区。2006年位居国际知名杂志《福布斯》评选的“中国顶尖企业百强”乳品行业第一位。经中国品牌资产评价中心评定，三鹿品牌价值达149.07亿元。

三鹿集团坚持科技进步、品牌制胜。企业通过了ISO9001、ISO14001认证、GMP审核和HACCP认证，获国家实验室认可证书、国家认定企业技术中心称号，为三鹿产品走向世界奠定了坚实的基础。集团坚持走“科、教、企”联姻之路，与全国16家科研院所合作，聘请国内外食品、营养、畜牧、金融、企管等28名专家为顾问，进行科技创新，不断提升产品质量，形成三鹿产品风味独特、营养合理的风格，深受广大消费者青睐。三鹿产品有9大系列245个品种，满足了人生不同年龄段以及特殊人群的营养保健需求。

三鹿集团坚持走经济效益、社会效益、生态效益三者兼顾的新型工业化道路。通过实施资产重组，以产权为纽带，以品牌为旗帜，先后与河北、天津、河南、甘肃、广东、江苏、山东等省市的30家企业进行控股、合资、合作，盘活资产10亿元以上，使30000多名下岗职工再就业，集团企业个个盈利，均成为当地的利税大户。三鹿集团为了培育自己的奶源基地，近年来，探索出了“四统一分一集中”集约化管理模式和“奶牛生态养殖园区”、“奶牛公寓”、“托牛所”等科学管理模式，有效地带动了奶业的大发展。现饲养奶牛50万余头，日产鲜奶4000吨，奶牛饲养辐射120个县(市、区)，5000多个村，带动5万多农户发展奶业，通过延伸产业链带领60余万农民和下岗职工走上了致富、奔小康之路。三鹿在遍布各地的奶源基地全面推广青贮玉米制作技术，奶牛每年消化玉米田达100万亩以上，产生了良好的生态效益。

2006年6月15日，三鹿集团与全球最大的乳品制造商之一新西兰恒天然集团的合资公司正式运营，标志着三鹿向着“瞄准国际领先水平、跻身世界先进行列”的目标迈出了关键一步。

三鹿一直在快车道上高速行驶，创造了令人振奋的“三鹿速度”，实现了跨越式发展。自“七五”以来，企业主要经济指标年均增长30%以上。2003年集团“十五”规划已经实现。站在新的历史起点上，三鹿现制定了“十一五”发展规划，即：坚持“三化目标”，夯实“一个基础”，放大“一个优势”，培育“五个新的增长点”，提升“五个能力三个水平”，简称“311553”工程，确保配方奶粉、力争功能性食品和酸牛奶产销量全国第一，液态奶及乳饮料保持前三位，全面提升企业生产规模、经济效益和综合实力，做大做强三鹿，走出国门，与国际市场接轨。

三鹿集团将一如既往地坚持向社会提供多品种的优质乳制品，为提高全国人民的身体素质，振兴中国民族乳品工业，做出新的更大贡献！

构建企业产品资产优势与人力资源优势

对资源的开发、利用离不开一个 生产过程。在通常情况下，自然资源要成为生产产品，才能进入流通领域，产品是资源和市场的中间环节，同时又是企业资产的重要组成部分。企业资源优势，首先要形成产品的资产优势，进而才可能转化为竞争优势，这是不言而喻的，而人是产品的直接生产者，人自身的素质、技能等，对生产产品的优势和产品资产的积累，有着决定性的影响。从这个意义上来说，没有人力资源的优势，就没有产品资源的优势，所谓竞争优势自然就无从谈起，因而，化资源优势为竞争优势，不可避免地要涉及到产品资产优势和人力资源优势问题。

一、精心打造品牌，构建企业产品资产优势

企业产品资产，以品牌作为载体，是企业经济发展的一个重要资源，也是企业创造财富的一个主要来源，并在很大程度上决定着企业核心竞争力的强弱。我国市场化经济及竞争的发展进程已印证了这样一个事实：在当今商业社会，是品牌在创造着巨大价值。一个地区，如果拥有一批独具市场竞争力的强势品牌，就能够带动起一个企业、甚至整个区域经济的发展。一个企业，只要拥有一个倍受市场认同，为广大消费者信任和钟情的品牌，即可使企业在激烈的市场竞争中长久地立于不败之地。

当年，我们贵州就是因为拥有以国酒茅台为“红花”，以习酒、董酒、安酒、匀酒、鸭溪窖酒、平坝窖酒等一大批优势白酒品牌为“绿叶”的强势品牌阵容，而在国内享有“云南出好烟，四川产好酒，贵州既有好烟又有出好酒”的美誉；整个白酒产业的发展，曾撑起过全省经济发展的“半壁江山”。在当今品牌经济时代，“品牌效应”对于推进资源优势向经济优势转化，更具有举足轻重的作用。例如，我省许多地区盛产的土特产品——辣椒，一经有了“老干妈”这个品牌，在短短几年内，即形成一个“贵州辣椒”特色经济产业链，为全省食品行业的发展开辟了新的经济增长点。就中国白酒行业而言，国酒茅台在精心打造品牌、构造企业产品资产优势方面，可以说是一个非常少见的典范。其做法很值得借鉴——

第一、坚持止确的价值观，不追求徒有虚名的“品牌价值”排位。茅台人始终认为：任何一种品牌，其价值几何，最终的评判权，不在企业家，也不在经济学家，而在消费者。这些年来，国酒茅台对业内外频频举行的“品牌价值评估”一直保持“低调”，始终把苦功夫下在精心酿酒和提升品牌价值上。在上个世纪八、九十年代，当国内白酒企业纷纷实施规模扩张，采取“OEM”模式释放品牌价值时，国酒茅台不跟风，不逐浪，始终坚持精心打造品牌，构造企业产品资产优势，走质量效益型发展之路。从企业规模化产能上分析，尽管茅台酒的产量、销售量在全国白酒行业中比较，尚不足1%，但却创造了企业销售收入利税率、人均创收利税、人均利润持续六年高居行业榜首的显著业绩。 这归功于国酒茅台持之以恒恪守的一个“第一”、“四个服从”和“两不”。即：“质量第一”，“产量服从质量，成本复从质量，速度服从质量，效率服从质量”，“不挖老窖，不卖新酒”。2005年至2006年六、七月份，国内市场上虽再度呈现53度茅台酒和“年份制茅台酒”供不应求的饥饿状态，但国酒茅台依然根据企业长期发展战略的需要，按照追求卓越质量的标准和要求来组织生产和营销，丝毫不为眼前“吹糠见米”的利益所动。

第二、依靠科技进步，整合资源优势。从上个世纪的六十年代起，国酒茅台就把科技创新作为企业发展的主题。获得的重大突破性成果包括：在有国内专家参与的两期“茅台试点”中，提出了茅台酒的三种典型体（即酱香、窖底香、醇甜香）的划分理论；将茅台酒古老、原始、传统的酿造工艺与现代科技完美融合，创新“高温制曲”、“高温发酵”、“高温蒸馏接酒”等技术操作规程，完善和升华了茅台酒独树一帜的酿造工艺；最早探索、实践，并提出白酒勾兑的基本概念，推进了中国白酒微机勾兑技术的广泛应用；根据历史经验总结，作出“离开茅台镇就生产不了茅台酒”

的科学论断，为原产地域保护产品认证在理论上提供了新的科学依据；揭示茅台酒有益于人体健康的内在品质，在中国白酒市场首家唱响了绿色、有机、健康消费的主旋律。进入新世纪，又确立“三个茅台”（即绿色茅台、人文茅台、科技茅台）的产品定位，准确而鲜明地突出企业发展战略和品牌战略的“个性化”、“差异化”优势特征，为资源优势转化为经济优势，构造令竞争对手无从复制、无可模仿的企业核心竞争力，明确了发展方向，夯实了基础。

第三、坚持“文化创新”，首创提出“文化酒”概念，1999年以来，国酒茅台在大力发掘品牌历史文化遗产的同时，通过确立一系列企业文化理念，构建了企业及品牌的价值观体系。其中包括“品牌、品质、文化、环境、工艺”的核心竞争意识，“以人为本，以质求存，恪守诚信，团结拼搏，继承创新”的核心价值观，“以顾客为中心，以质量求生存，以创新求完美”的质量方针，“酿造高品位的生活的经营理念，以及“立足国酒，奉献社会，成就自我，完美人生”的员工价值观等。

第四、创新实践“健康从土地开始”的理念。这使“茅台品牌”更加凸显出关爱消费者健康的社会人文关怀精神。为了从酿造源头起就确保茅台酒特有的“绿色、有机、健康”的高品质内涵，国酒茅台每年都要投入数百万元，用于扶持“茅台酒原料生产基地”种植没有任何化学污染的高粱和小麦。

在60余万亩优质高粱、小麦生产基地上，从事种植业的农户的得益于这项“反哺工程”，大大地提高了从事“绿色农业”的生产积极性；同时也保障了茅台酒绿色、有机、健康的品质属性。从消费者最为关心的“食品安全”的角度看，佗今为止，在整个国内酿酒食品行业中，惟有国酒茅台同时拥有国家颁发的“绿色食品”、“有机食品”和“原产地域保护产品”三项认证；并于2006年1月18日又首批获得国家商务部、国家认证认可监督管理委员会赋予的“中国酒类食品质量认证证书”。

第五，实践“环境创新”努力提升茅台酒酿造环境资产的服务能力。据统计，迄今为止，国酒茅台用于植树造林保护赤水河沿岸植被、治理河堤、绿化生产环境、提高环境空气质量等方面的投入，已有近2亿之多。茅台酒的生产环境经过长期持之以恒的治理，生产过程中的烟尘排放量和二氧化硫排放量远远低于国家规定的排放标准，生产排放的水质完全达到国家二类污染物的一级排放标准，临厂边的赤水河堤终端500米处的断面的水质完全达标，厂区绿化覆盖率高达37%。还有一个重要方面是，国酒茅台在实践“环境创新”的过程中，特别重视赤水河上游地区的环境保护。通过长期采取“反哺”扶持举措，现已有效地保护和提高了赤水河上游的环境质量。国酒茅台精心打造品牌，构建产品资产优势的实践，使我们得到一个启示：品牌，作为企业的一个重要产品资产，不是可以凭藉金钱堆积广告效应来打造的。它的形成和积累，必须植根于企业拥有的品牌历史文化纵深积淀、自然资源、人力资源、知识技能资源等要素的整合。否则，品牌的塑造便成为“无源之水，无本之木”。

二、坚持“以人为本”积蓄发挥人力资源优势

人类与自然的关系，在经历了从敬畏自然、认识自然、利用自然、征服自然到回归于人与自然共生共荣、和谐发展，人们已经意识到，自然界的物质资源是有一定限度的，而人的智慧则是无限的。人力资源，才是社会经济可持续发展的永不枯竭的宝贵资源及后劲优势之所在。“得人才者，得天下”。第二次世界大战一结束，当时的苏联想到的，是搜寻战败国的先进设备；而美国做的事，则是裹括战败国的人才。如今看来，两者的不同选择所带来的结果，是截然有别的。随着全球经济一体化过程的日益加快，现在世界各国对人才这个战略性资源的争夺已越来越激烈。这要求我们必须以国际化的眼光来培养人才、选拨人才、吸引人才、留住人才、使用人才，并营造良好的人才激励机制和环境，让具有创新潜力的人才迅速脱颖而出，为经济社会的可持续发展贡献出更大的力量。就我国企业目前人力资源的现状来看，在经济发达地区，高素质的、具有专业成就的人才相对集中，流动的频率也比较高；但在经济不发达地区或贫困地区，很多企业却面临人才、尤其是高层次人才的严重匮乏。从某个角度来看，国酒茅台在人力资源开发方面也曾遇到过严峻的挑战；但是，由于国酒茅台采取了别具一格的人力资源开发策略，因而得以建立起一支堪称中国白酒行业“梦之队”的高素质人才队伍。目前，仅是贵州茅台酒股份公司，就拥有省级以上白酒评酒委员共9名。其中：国家级评酒委员5名、专家级国际评酒委员1名、博士后2名；其顶尖科研人员和国家级评酒委员的拥有量，在国内白酒企业中是最多的，在茅台酒生产第一线，高级技工占员工总数的比例已超过11%。国酒茅台人力资源开发的作法概括起来讲，主要体现在以下几个方面——改革人事制度，对中级管理人员推行一年一聘制、任前公示制和末位淘汰制，并实行年薪制、绩效工资制、资质工资制，从根本上破除了“干部终身制”和分配制度上的“大锅饭”，强化了管理人员的危机意识、竞争意识、责任意识和创新意识。规范高级职称和技术岗位职称的评聘制度，使职称考核进一步实现程序化、制度化、激发了专业技术岗位人才的奋发向上精神。根据企业发展战略，在构造“产、学、研”一体化平台的同时，重点设计了“前瞻性培训”（即满足企业长期战略和未来变化需要的培训）、“应用型培训”（根据企业短期发展战略及当前生产、技术和管理需要的培训）这两种人才培养方法，并以内部培训、外部培训、建设知识库存等手段积极营造学习型组织，培养专业技术人才和复合型管理人才。“求贤若渴，广招人才”。除了不断地从国内大中专院校选用各类知识人才充实企业人才队伍外，还高瞻远瞩地推出“借脑工程”和“健脑工程”，聘请一批在国内外经济学界卓有建树的专家担当企业的“智囊团”。可以这样说，国酒茅台依靠大力开发人力资源推进企业持续七年实现跨越式发展的成就，在中国白酒业产生的影响是极为深广的。习酒作为“茅台”的一个全资子公司，虽然地处边远山区，交通不便，信息闭塞，生活条件十分艰苦，很难吸引外来人才。但习酒走进“茅台”后，百废待兴，百事待举，首先就抓住了人力资源开发。

一是实施“借脑工程”，从国内聘请有关专家、教授担任企业的“顾问”，提供最新的科学技术信息，为企业培养

技术人才。

二是走出去学习取经，每年都要到四川泸洲老窖、五粮液等同香型的知名大企业去参观、学习，进行技术交流，认真汲取先进企业的成功经验，拓宽本企业人才的科技创新视野。

三是大胆启用和依靠企业原有技术人才，通过“智者用其谋，勇者用其力”，充分地调动全体员工和技术骨干的工作积极性。

四是借助“茅台”现代化的科技设备、人才及知识技能资源，搭建培养人才的平台；同时还投入大笔资金购置先进的科技设备，引进领先的科学技术，竭心尽力地为企业人才开展科研活动创造良好的条件。

五是以构建“诚信队伍”为载体，对员工和技术人才深入开展以“无情不商，诚信为本”理念为中心内容的职业道德教育，并通过机制、管理创新，营造良好的人才活动环境。

六是在企业内部全力打造“团队建设”，弘扬“团队精神”，引导员工树立“团结进取，敬业诚信”的职业道德；通过“以众人之智，补人才之缺”，使企业员工队伍蔚成了“我与习酒共命运，习酒与我同发展”的良好风气。经过八年来的艰苦努力，习酒在科研上，成立了贵州省唯一的省级白酒技术中心，培养造就了一批高素质的人才队伍，为企业可持续发展积蓄了后劲。现在，习酒已拥有全国白酒评酒委员、高级评酒师2名、中级品酒师5名、省级白酒评酒委员5名。各类人才的成长，推进习酒在开展科研活动及企业经济发展方面，取得了突出的成果；《制酒班组工序劳动技能量化管理》获得了首届全国白酒行业科技发展优秀论文二等奖，《以“无情不商”为内核的战略管理》荣获贵州省企业管理现代化创新成果的一等奖，《酿酒企业在生产和经营中的诚信管理》荣获国家管理创新成果的二等奖。

几年来，习酒已在“立足竞争，超越竞争”中赢来了长足发展。到2005年底，企业年销售收入、实现利税、上缴税金以及货款回笼、产品市场占有率等主要经济指标，均获得大幅度的增长。“长风破浪会有时，直挂云帆济沧海”。我们坚信，在省委、省政府的正确领导下，贵州的经济社会发展将会在充分发挥资源优势的进程中，迎来更加美好的前景。

（作者系贵州茅台集团公司副总经理、习酒公司董事长刘自力）

他使濒临破产的企业实现了新生

几年前，说起柳州市中糖股份有限公司，不少人都会叹惜地说：一个好端端的企业要破产了。但近些年来到该公司的人都会感到这个公司充满无限生机。了解内情的人更会赞叹地说：全靠陈荣兴，带领公司“一班人”把一个濒临破产的企业救活了。

陈荣兴是2001年12月28日来到中糖股份有限公司的。当时，他被任命为公司董事长、总经理、党委副书记。他来到公司后，面对的是公司巨额资金被几家糖厂占用，近7000万元货款收不回来，经营停滞，管理混乱，人心涣散，部分股东频频上访要求退股，数百名职工被迫下岗分流，1994年销售额达到5亿元，年创税利达到近1500万元，曾经辉煌的企业，到2001年，商品销售总额才603.9万元，亏损达240.8万元，还不得不卖掉了两宗国拨地块以还欠银行部份债务，陈荣兴面对的压力可想而知。然而，军人出身的他没有被难倒，而是冷静地采取了许多有效的措施，终于使公司脱离了险境。经过3年努力，2004年实现了扭亏增盈，2005年，总销售达6.61亿元，提前2个月完成市商控公司下达的任务。

陈荣兴使一个濒临破产的企业实现了新生，他主要做法有几个方面。

一、思路清晰，一腔热血救企业

陈荣兴上任以后，没有轻率的给企业下一张“死定了”的裁定书。而是通过细致的调查研究，全面了解公司的资产负债情况，在纷繁杂乱中理清了头绪。当他了解到公司有可以盘活盘动的资产和资金；还有一批爱岗敬业愿意跟随他再次创业、勇于突围的员工；还有多年打造铸就的“中糖”品牌，加之上级领导的关心与支持，便定下了要让公司起死回生的决心。时逢市委组织部召开全市困难和脱困企业党建经验交流会，“只要精神不滑坡，办法总比困难多”给陈荣兴极大的鼓舞，他与公司党委领导一起，组织员工开展公司“生”与“死”的大讨论，通过大讨论，统一了思想，他率领职工投身到二次创业攻坚战之中。

说陈荣兴思路清晰，就是指他决心“救”中糖以后，每年都提出切合公司脱困的工作思路与脱困目标，并为之而努力。

2002年，他提出工作的思路是“稳定、轻松、生存、起步”。围绕这个工作思路，他出手抓班子稳定、员工稳定、社会股东稳定，使这样的“抓”，让公司赢得了良好的内部环境。为恢复经营，他再出手抓应收款的追收。巧在2002年6月13日，自治区党委书记曹伯纯来柳州调研，在市委召开的座谈会上，陈荣兴有理有据诚挚的发言，赢得了曹书记一行的理解与支持，指示区经贸委和市领导要协助公司落实盘活所追收的款项、结果，在他的灵活运筹下，融水糖厂原值3015万元债权落实了1800万元，当年收回100万元，来宾二糖的债权成功的转为股权，金秀糖厂的债权也通过县里将承包金按比例分配逐步偿还的办法，让救活公司初现曙光。当年，公司实现了总销售3976万多元，收回欠款共206万元。

2003年，他提出了“保生活、保还息、保逐步减亏”的工作思路，并号召和要求全公司员工要用“经营创新、机制创新、管理创新、用人创新、分配创新”这“五项创新”去实现“三保”，又使公司赢得多种生机。当年公司实现了总销售达2.1亿元，收回欠款406万多元。

2004年，他提出要用“务实精神、拼搏精神、谋略精神、创新精神”去实现“经营全面发展、管理全面规范、资产全面盘活盘动、效益全面提升”，使公司经营与管理都有了较大突破，并实现了扭亏为盈。当年，公司实现总销售4.21亿元，收回欠款314万多元。

2005年，他又提出：“树立中糖新形象，实现中糖新跨越，再创中糖新辉煌”及“稳中求进、稳中求新、稳中求益、稳中求信、稳中求发展”的工作思路，使公司实现在前三年扭亏增盈基础上从起步到进入发展阶段的转换，当年，公司就提前2个月完成市商控公司下达的经济指标。全公司实现总销售6.61亿元，收回欠款119.9万元。

正是陈荣兴能够清晰的提出每年工作思路，并率领职工努力去推进，中糖公司才能走出困境，这也是陈荣兴能救活一个濒临破产企业的一大绝招。

二、创新思维，用全新理念救企业

陈荣兴思路清晰，还与他创新思维，用全新理念拯救企业分不开。

一个濒临破产的企业，肯定是经营上出了问题。陈荣兴常说发展经营才是硬道理。他不沿用旧的传统办法搞经营，而是以超凡的思维方法推进经营、拓展经营，使公司经营红红火火。他提出的“五项创新”，就是他真实的写照。

为推进经营，他在用人上大胆创新，大胆聘用能人。现任公司副总经理容德祥，长期从事食糖经营，是陈荣兴在2002年一次邀请经营人才座谈会上发现了他，与他促膝交谈至深，相互产生了信任，他先聘容德祥负责食糖经营，又让他在糖网开展食糖期货经营业务，从而使公司食糖经营做强做大，2003年经营食糖近9万吨，而到2004年经营食糖达15万吨，2005年经营食糖高达18.91万吨（均含期货交易量），使食糖成为公司经营的一大亮点。

为推进经营，他在经营创新方面提出了很多点子。这些年，食糖市场多变，仓储经营历来也是公司一大经营支柱。陈荣兴认真分析市场，从2003年开始便不断强化仓库管理规范，并采取“借鸡下蛋”的办法，自己仓库不够，便外租仓库，使内仓、外仓一起运转，这样一来，仓库收储食糖从2003年6万多吨的水平，一跃到2005年收储达15万吨的水平，仓储收入达730多万元，比2004年增长37.4%。

为推进经营，陈荣兴还大胆创新机制，拓展外贸经营。2004年，他得知在朝鲜发展钼矿选矿业务有赚头，便到朝鲜去考察，并找到合作伙伴，借中国东盟首届南博会举行之机，经国家商务部批准，与朝方在会上签约亮相，其后克服了跨国经营的许多困难，使该矿山在2005年9月开工生产，又为企业赢得外贸投资产业经营的“第一桶金”。此外，他还通过有关部门和企业的支持，做好对越南的出口贸易，为公司赢得外贸经营大单、长单、多单业务奠定了坚实基础。2005年，外贸经营实现843万元，创汇99.1万美元，比2004年增长132.1%。

此外，为推进经营，陈荣兴在经营与管理上不断进行创新。如他对公司酒类经营就提出了“名酒货源关系要有突破、销售网络要有突破、销售总量要有突破”的新理念。相继收回北站、箭盘、南站、八一路的出租门面自己经营，使酒类经营从2002年仅100万元的销售到2003年上升到795万元，2004年达到1400多万元，2005年达到1777万元。

还有，在分配上进行创新。他勇于对分配制度进行改革。公司不搞一种分配办法，而是实行多种分配办法，鼓励一线人员多创效益多得收益，使公司涌现了一批优秀的经营人才，努力为公司拓宽效益，员工个人收益也逐年得到了相应的提高，2005年初，结束了公司从1998年以来6年间没有给股东个人回报的历史，以慰问金的方式给个人股东发了2004年度的回报，令全体股东对他寄予厚望。

三、依靠员工，齐心协力救企业

陈荣兴能把一个濒临破产的企业救活，还与他紧紧依靠企业员工，齐心协力救企业分不开。在这方面，陈荣兴以他那独特的人格魅力，感化员工，使员工能按他的指点，做好各项经营与管理工作，从而推动企业与员工的共同进步，进而使公司尽快脱离困境。

如公司收储食糖，同样碰到许多困难，特别是2005年3、4月间，雨水不断，他除了经常到仓库查看库房、查看险情外，还发动员工做好仓库防漏工作，并要求办公室人员全力支持仓库工作，协助仓库赶做遮盖食糖的“塑料帐”，打胜了一场场“食糖潮包阻击战”，许多客户看到公司这样的上下齐心保储糖，都非常感动，也放心的把食糖交公司仓库收储。类似这样的事例是很多的，限于篇幅，就不再多说了。

陈荣兴依靠员工的协力救企业，与他心中有员工，认真做好员工思想工作分不开，做好现场教育分不开。每年，他除了要求公司工会以劳动竞赛形式征集合理化建议外，还定期向员工和退休员工通报工作，每逢重大节日，还根据企业效益情况，发放对在职员工及离退休员工的慰问品和慰问金，且年年都有增加。对一些来访的员工，他都予以热情接待，耐心倾听员工意见和要求。陈荣兴对社会股东也很关心，对于一些股东动辄上访，他都及时做工作，邀请他们到公司来座谈，对个别困难的社会股东，还上门看望，慰问其家人，进而增强了信任感，也为公司的生存与发展赢得更多员工支持。此外，他还支持工会，以企业精神为主题，通过举办丰富多彩的活动，满足员工的精神文化需求，加深对齐心协力救企业的认识，使企业得以更快的发展。

陈荣兴救活了柳州市中糖股份有限公司，他的先进事迹也得到上级和员工的认可。2003年11月，他被中国商业企业管理协会授予第二届“中国商业优秀创业企业家”光荣称号，2006年元月，又荣获中国企业联合会、中国企业家协会批准，成为全国第四批获得高级职业经理（特殊贡献人才）资格证书的优秀企业家。2006年3月，公司也荣获“首届全国构造和谐商业杰出贡献企业”光荣称号.

记柳州市中糖股份有限公司董事长、总经理陈荣兴／关国培

酒类经营企业一览表

序号	邮 编	地址	单位名称	负责人	电话	传真
1	100044	北京西城西外大街110号中糖大厦	中国糖业酒类集团公司	王新国	010-68360992	68317574
2	100044	北京西城西外大街110号中糖大厦	中糖酒类销售公司	赵公微	010-68316715	68317104
3	100075	北京市永定门外安乐林路71号	北京市糖业烟酒公司	张德春	010-67210313	67210313
4	100021	北京市朝阳区双龙南里204楼	北京市朝批商贸有限公司	王新力	010-87318700	87318700
5	100023	北京朝阳区2328信箱怡景城花园怡兴园1002号	北京东方星企业形象策划有限公司	杨卫东	010-85380055	85382765
6	100013	北京市东城区和平里兴化路9号	北京市东城糖业烟酒公司	王建民	84280456	84277064
7	100029	北京市朝阳区胜古南里5号	北京众乐源糖酒有限公司	王英	64449539	64449539
8	100044	北京西外大街110号中糖大厦7层	北京中糖酒类有限责任公司	刘青	010-68316715	68317104
9	100022	北京朝阳区百子湾16号后现代城5C106	桐枫烟酒有限公司	苗红	010-87766635	87766635
10	100081	北京市西城区复内大街45号	中国商业联合会	会员部	010-68391403	68391495
11	100049	北京市海淀区阜石路69号	北京锦绣大地物流与市场研发中心	陈雄烈	010-5190287	51190292
12	100085	北京市海淀区清河清缘里小区1号楼A座219室	北京东方樽文化传播有限公司	杨志琴	62906616	62908989
13	101301	顺义区牛栏山镇牛栏山酒厂质量部	北京顺鑫农业股份有限公司牛栏山酒厂	李维昌	010-60411112	69417233
14	100006	北京东城区灯市口大街33号国中大厦606室	北京紫光液酒业有限公司	张炜	010-65141755	96096159
15	100012	北京朝阳区来广营路319号	北京华清港酒业有限公司	斯海新	010-84913001	84913599
16	100021	北京市邮政100021支55号信箱	中国国际调酒协会有限公司	李富华	13601008516	58622026
17	200032	上海市糖业烟酒(集团)有限公司	上海市大木桥路620号	崔智钧	021-64188188	64189932
18	200040	上海市延安中路955弄63号	上海市酒类专卖局	卢荣华	021-62473856	62473794
19	200060	上海市酒类流通行业协会	上海市长寿路285弄1号12楼B座	瞿一鸣	021-62272067	62775733
20	200052	上海市法华镇路555号法华门大厦C座6楼	上海赛雁商贸发展有限公司	徐素春	021-62813665	52300371
21	200126	上海市浦东新区成山路220号城建大厦B座1604室	上海中墨樽妮龙舌兰商贸有限公司	濮勇	021-50560409	50560409
22	300012	天津市河东区八经路23号方达大厦	天津中糖华丰实业有限公司	丁善奇	022-24218888	24308700
23	400016	重庆市长江二路143号	重庆瓯越惠商贸易有限公司	潘静静	023-68678888	68678888
24	400010	重庆市渝中区中华路7号	重庆酒类协会	陈开勋	023-63843723	63827470
25	400060	重庆市南岸区南坪开发路29号16-6	重庆国渝酒类茶叶有限公司	刘俊生	023-62836802	62803070
26	150018	哈尔滨市道理区通工街163号	哈尔滨市酒类管理协会	李玉福	0451-84681314	
27	150001	哈尔滨市南岗区文明街48号A610	黑龙江省龙糖糖酒有限公司	张立明	0451-87557979	
28	130061	长春市安达街36号	吉林省糖酒茶管理协会	华树林	0431-8549413	8549437
29	130000	长春市人民大街1578号	长春市酒类行业协会	赵灿华	0431-2773376	2700517
30	134300	吉林白山市浑江大街118号	吉林省白山方大集团	宁凤莲	0439-3291171	3291107
31	130033	长春市经开一区临河街3398号	吉林省飞燕商贸有限公司	喻辉	0431-4687111	6821169
32	130062	长春市绿园区城西乡车家村	吉林亨通经贸有限责任公司	李国栋	0431-7870155	7872480
33	110014	沈阳市沈河区北三经街41号	沈阳市糖酒副食品集团股份有限公司	杨万年	024-31601703	31601702
34	110032	沈阳市皇姑区泰山路17号	辽宁省酒类管理办公室	刘福善	024-86891013	86891013
35	050011	石家庄市青园街101号	河北省糖业烟酒有限责任公司	李永刚	0311-86043007	86044970
36	050011	石家庄市建南大街21号	河北省酒类流通协会	杨景立	0311-86218569	86217916
37	065000	河北省廊坊市和平路103号	廊坊中糖华洋实业公司	周德全	0316-2238858	2230019
38	063000	唐山新华西道21号副1号	唐山龙悦酒业饮品有限公司	韩柱荣	0315 7759837	2815497
39	075100	河北省张家口市宣化区南关桥西34号	张家口市糖酒副食有限责任公司	韵德贵	0313-3063847	3063847
40	066600	河北省昌黎县碣阳大街西段158号	河北昌黎越千年葡萄酿酒有限公司	成英谦	0335-2021174	
41	450053	郑州市金水路30号	河南省糖业酒类总公司	王庆云	0371-63936511	63937364
42	450003	郑州市纬四路12号	河南省酒业协会	熊玉亮	0371-65907858	65908361
43	466000	河南省周口市太昊路中段18号	河南亿星实业集团有限公司	李士强	0394-8681260	8681260
44	471241	河南省汝阳县杜康村	河南汝阳杜康（集团）总公司	总经理	0379-68171199	68171088
45	250014	济南市和平路40号	山东省糖酒副食品协会	薛剑锐	0531-86942106	
46	250100	济南市历山路149号	山东鲁糖酒业有限公司	徐天忠	0531-88017679	88015769
47	276002	山东临沂九州经贸有限责任公司	山东临沂市解放路183号	杨本渠	0539-8226523	8226523
48	250002	济南市市中区名酒市场管理办公室	济南五月风贸易服务有限公司	柴晓伟	0531-87920487	87928472
49	277731	山东省苍山县兰陵镇	山东兰陵美酒股份有限公司	陈学荣	0539-5588998	5581297

序号	邮 编	地址	单位名称	负责人	电话	传真
50	277600	山东省微山县夏镇杨闸	山东省微山县酿酒厂	肖太森	0537-8224505	8231009
51	276200	山东省蒙阴云梦路159号	山东蒙阴天久酒业有限公司	王孝贤	0539-4277478	4271081
52	250032	济南市天桥区元易工业园1区17号	济南百老泉酒业有限公司	林祥超	0531-85766699	85766699
53	277731	山东临沂市解放路183号	临沂九州经贸有限责任公司	杨本渠	0539-8226523	8226523
54	264001	山东烟台市北大街54号	华夏酒报社	殷成明	0535-6210199	6219004
55	253300	山东省武城县古贝春大街西首	山东古贝春有限公司	周晓峰	0534-6183366	6285999
56	030013	太原市新民北街16号	山西糖酒副食品有限责任公司	赵建新	0351-4687083	4687085
57	710001	西安市菊花园饮马池甲字23号	陕西省糖酒副食品集团有限公司	赵黎明	029-87252266	87277800
58	710001	西安市菊花园饮马池甲字23号	陕西省糖酒副食流通协会	程树森	029-87518365	87510739
59	710002	西安市西大街87号	西安市糖业烟酒副食品集团公司	吕恒军	029-87267285	87214641
60	700122	西安市雁翔路99号交大科技园孵化器1号	陕西天驹企业集团	杨强	029-87913999	87913999
61	441021	襄樊市襄城环山南路40号	湖北省襄樊三九酿酒厂	邹远东	0710-3533735	3533735
62	430035	武汉市汉口解放大道48号	武汉中百连锁仓储超市有限公司	程军	027-83840915	83840919
63	430062	湖北武昌徐东路6号	湖北人人大经贸有限公司	宋宁	027-86811889	86729245
64	443112	湖北宜昌市夷陵区龙泉镇	湖北稻花香酒业股份有限公司	蔡宏柱	0717-7760926	7760555
65	410001	长沙市五一大道98号	湖南省酒类产销管理办公室	刘飞	0731-2287093	2287098
66	410008	长沙市伍家岭丽臣路刘家冲109号	湖南省糖酒副食品总公司	陈涤长	0731-44251820	4532391
67	410205	长沙岳麓大道	湖南商学院工商管理系	张贵华	13637418010	
68	416000	湖南省吉首市振武营	湖南酒鬼酒股份有限公司	杨波	0743-8312232	8312232
69	410001	长沙市茗园路1号(蓉园宾馆旺和楼201号)	湖南浏阳河酒业有限公司	彭阳	0731-2208126	2219643
70	410005	长沙市芙蓉中路435号唐朝大厦702室	湖南百年老店酒销售有限公司	杨振千	0731-4426389	2321498
71	410011	长沙市芙蓉区韶山北路81号	湖南恒和商务发展有限公司	刘小兰	0731-223830	223830
72	414000	湖南岳阳经济技术开发区	湖南古越楼台生物科技发展有限公司	姚胜	0730-8723079	8712279
73	610017	成都市玉沙路142号	四川省糖酒公司		028-86745437	66105379
74	610071	成都市青羊区浣花北路12号	成都市糖酒有限责任公司	李承运	028-87370882	87367073
75	644007	四川宜宾市岷江西路150号	宜宾五粮液集团公司	刘中国		
76	610036	成都金牛区全兴路9号	四川全兴股份有限公司营销中心	黄建勇	028-87501619	
77	618200	四川省绵竹市春溢街52号	四川绵竹剑南春酒类经营有限公司	张天骄	0838-6202464	6205125
78	610041	成都市火车站西路8号中国酒城B2－302	四川百鸟朝凤酒业有限公司	杨宇	028-85178010	85155994
79	610041	成都市桐梓林中路1号	中国糖酒集团成都有限责任公司	曾林	028-85159672	85199390
80	610016	成都市大业路16号大地城市脉搏19楼	四川大地酒业发展有限公司	贾鹏	028-86655540	86655595
81	610017	成都市玉沙路142号晶爵大厦618室	《名酒世界》杂志社（013980078678)	杨柳	028-86615778	
82	610016	成都市学道街81号中电大厦8楼G座	四川科华新技术研究所	沈祖志	028-86666857	866665698
83	610041	成都市二环路南一段1号	四川省酒鬼年份酒供销有限公司	韩经纬	028-85258107	85250810
84	610071	四川成都市西御街38号西御商务大厦A座13楼E座	四川九州鸿运酒业有限公司	王葆森	028-86885888	86148179
85	550001	贵阳市中华北路245号	贵州省糖业烟酒总公司	田萍	0851-6829921	6829921
86	550001	贵阳市南明东路10号	贵州省特需商品供应公司	海燕翔	0851-5893439	589586
87	550001	贵阳市中华中路38号	贵阳市金凤凰糖酒副食集团(有限)公司	钱兆葵	0851-5822531	5822531
88	564622	贵州省习水县	贵州茅台酒厂（集团）习酒有限责任公司	刘自力	0852-2691188	2691017
89	212911	江苏省淮阴市泗洪县双沟镇中大街	江苏双沟酒业集团有限公司	赵凤琦		
90	210024	南京市北京西路65号	江苏中糖德和酒业销售有限公司	张卫	025-83712345	83781819
91	210029	南京市江东北路204号3楼	江苏苏糖糖酒食品有限公司	陈国锁	025-6665770	6661088
92	213001	江苏省常州市广化街178号	常州糖烟酒股份有限公司	蒋建伟	0519-6805216	6805216
93	210009	南京市中山北路101号后4楼403室	江苏省酒类流通协会	冯汉林	025-86632131	86632131
94	210002	南京市中山东路160号	南京中天酒业有限责任公司	丁玉金	025-8451667	84450362
95	210029	南京市汉中门大街298号裕华名居33号	南京三林糖酒有限责任公司	司志梅	025-86521379	86533335
96	225000	扬州市史可法路65号	扬州中亚糖酒有限公司	赵国祥	0514-7625249	7625249

序号	邮编	地址	单位名称	负责人	电话	传真
97	212001	镇江市解放路357号	江苏省华茂贸易有限公司	张家俊	0511-5034618	5023130
98	210036	南京市草场门大街111号	江苏省苏食酒业有限公司	丁俊华	025-86262311	86216448
99	222006	江苏省连云港市新浦区苍梧路6号龙河大厦A座503室	江苏省连云港市方圆实业有限公司	庞立忠	0518-5069566	5818849
100	210017	南京市江东北路305号滨江广场2幢11楼C座	江苏盛禾实业有限公司	庄正义	025-86222219	86218810
101	213300	江苏溧阳市燕路33号北2号	江苏省溧阳市天目糖酒有限公司	朱云峰	0519-7271988	7271788
102	210003	南京市新模范马路92号	江苏苏糖烟酒有限公司	金汉卿	025-85994699	83401633
103	210092	南京市中山路55号	新华日报广告部	罗吉庆	025-86851266	86891266
104	312000	绍兴市上大路30号	绍兴市糖业烟酒总公司	钟国平	0575-5135354	
105	310002	杭州市中山中路甘泽坊9号	浙江省糖业烟酒公司	丁士奇	0571-86435662	86435870
106	312032	浙江省绍兴县湖塘街道	浙江塔牌绍兴酒厂	郭从洪	0575-4383479	4384479
107	310041	杭州市朝晖四区新市街99号	浙江商源食品饮料有限公司	朱跃明	0571-85238913	85132769
108	330046	南昌市北京西路545号	江西省糖酒副食品总公司	邹竹菲	0791-6254976	6505043
109	333000	江西景德镇市珠山东路34号	景德镇市益民糖酒副食品有限公司	俞振民	0798-8228238	8221087
110	341000	江西赣州市张家围路36号	江西赣南果业股份有限公司赣州酒业分公司	吴继光	0797-8110193	8133490
111	330046	江西南昌市北京西路政府大院东二路30号	江西省商业糖业食品有限责任公司	蔡汝业	0791-6252967	6277667
112	230001	合肥市沿河路106号	安徽省糖酒股份有限公司	叶青松	0551-5615635	5616541
113	236824	安徽省亳州市张集镇	安徽金口酒业有限公司	李健敏	0558-5790016	5791390
114	236820	安徽省亳州市古井镇	安徽古井贡酒股份有限公司	王锋	0558-5317018	5317706
115	350003	福建省福州市五四路中段天福大厦五楼	福建省糖酒副食品总公司	陈铁兵	0591-87848007	8784954
116	361004	厦门市夏禾路571-12号	金门酒厂（厦门）贸易有限公司	李荣文	0592-5594848	-5502554
117	361004	厦门市斗西路140号	厦门商福糖酒贸易有限公司	胡友慎	0595-2202737	2203563
118	363000	福建漳州吉马大厦	福建吉马集团有限公司	林建国	0596-2945381	2945378
119	361003	厦门市育青路15号202室	厦门市商业联合会酒类同业公会	蔡元凯	0592-2056265	2043755
120	510030	广州市仓边路77号二楼	广州市酒类副食品集团	钟秉雄	020-83341115	87771309
121	519000	珠海市香州镜新二街56号一楼	珠海市糖烟酒有限公司	朱剑奇	0756-2222870	2236681
122	510405	广州市机场路719号3楼	广东省酒类行业协会	朱思旭	020-36319897	36319497
123	510095	广州市麓苑路35号省经贸委大院3号705	《食品信息指导》编辑部			
124	510106	广州广州大道北193号新达城广场南塔23层	广东粤强酒业有限公司	王富强	020-37598769	37598569
125	511340	广州市新塘新星路38号二楼	广东省大江酒业集团有限公司	吴家宝	020-82684799	82778577
126	523391	广东省东莞市茶山镇南社工业区	东莞市麟昌贸易有限公司	袁焯麟	0769-86481880	86647108
127	530032	广西南宁市民族大道89号金禄大厦22楼	广西财禄贸易有限公司	吴双录	0771-5840868	5842166
128	530000	广西南宁市中华路127号	广西广糖酒业有限责任公司	张洪建	0771-5303843	5323121
129	518031	深圳市罗湖区湖贝路2010号4楼	深圳市酒类商业协会	刘仕超	0755-82208095	82208097
130	518034	深圳市新闻路深茂商业中心五楼	深圳市苏赛特信息咨询有限公司	李保均	0755-82949495	82949505
131	518031	深圳福田区深南中路雷圳大厦3007房	深圳市顺之鸿酒业有限公司	房顺鸿	0755-83995335	83995335
132	518023	深圳市罗湖区宝安北路桃园商业大厦四楼B01室	深圳市大水联合酒业有限公司	李汉强	0755-25927732	25927743
133	015400	内蒙古杭锦后旗陕坝镇建设街39号	内蒙古河套酒业集团股份有限公司	吕敬泽	0478-6622924	6629999
134	730000	甘肃省酒类协会	兰州市定西路386号	胡靓彬	0931-8831959	8618083
135	730030	兰州市城关区白银路497号	兰州同利糖酒副食有限责任公司	高云龙	0931-8180483	8180483
136	735100	甘肃省嘉峪关市机场路	甘肃紫轩酒业有限公司	车洪	13830794198	6393066
137	734000	甘肃省张掖市民休县城东门105号	甘肃滨河食品工业（集团）有限责任公司	徐福林	0931-4966136	4966136
138	742308	甘肃省金徽县优家镇	甘肃金徽酒业有限责任公司	王龙	0939-7551808	7551128
139	810500	青海省互助县威远镇西街6号	青海青稞酒业（集团）有限责任公司	郭守明	0972-8329199	8322525
140	830002	乌鲁木齐市黄河路83号	新疆副食(集团)有限责任公司	柴新平	0991-5850619	5822072
141	830002	乌鲁木齐市东风路70号	新疆生产建设兵团糖酒副食品总公司	杨武	0991-2638304	2636824
142	831704	新疆吉木萨尔县三台镇	新疆三台酒业（集团）有限公司	张开英	0994-6966030	6966030
143	835811	新疆新源县肖尔布拉克	新疆伊力特实业股份有限公司	徐勇辉	0999-5266888	5266014
144	830002	--新疆乌鲁木齐市红山路9号	乌鲁木齐酒类行业协会	赵发树	0991-8818099	7916636

四川沱牌集团有限公司董事长、总经理李家顺先生系全国劳模、九届、十届全国人大代表、遂宁市政协副主席。

四川沱牌集团有限公司简介

Introduce of Sichuan tuopai group co., ltd.

四川沱牌集团有限公司坐落在川中射洪子昂故里，系国家大型一档企业。拥有子（分）公司20个，总资产28亿元，员工5000余人，占地5平方公里；已形成以酒业为支柱，集科技、工业、贸易为一体，跨地区、跨行业、多元化的大型企业集团，被国务院列为全国100户建立现代企业制度试点企业，四川省重点发展的大型扩张企业，集团核心企业四川沱牌曲酒股份有限公司股票1996年在上海证券交易所上市交易。

改革开放以来，沱牌在全国劳模、九届、十届全国人大代表、知名企业家李家顺先生的带领下，自力更生、艰苦创业，以独特的经营理念和高瞻远瞩的超凡气魄在市场经济大潮中开拓进取，探索出“微机配方”、“双轮底发酵”、“低温入窖”等一整套生产工艺。 1988年，公司主导产品“沱牌曲酒”便荣获“中国名酒”称号；现已具备年产销20万吨沱牌曲酒及其系列酒的生产能力，并已形成了高、中、低档兼有，高、中、低度结合的产品结构新格局，是中国最大的优质白酒制造企业之一；其营销网络遍布全国并正努力开拓国际市场。

从1995年起，沱牌大力推进现代企业制度试点工作，坚持以市场为导向，深化企业内部改革，依靠科技和人才，不断调整、优化产品结构和产业结构，开拓后续支柱产业；并模拟生态系统功能，创建沱牌酿酒工业生态园，努力提高规模经济效益和科技进步效益。在“十五”期间，沱牌继续以白酒产业为基础，依靠科技进步，加快工业化进程，巩固强化竞争优势，并带动相关产业发展，实现传统酒业的产业升级和市场拓展；同高校和科研单位合作，发展生物制药业，加快向高新技术产业转型；与国际著名大公司合作，发展农产品精深加工产业，培育新的利润增长点；依靠区位调整，聚合资源，吸纳人才，整合渠道，提升企业核心竞争力。与时俱进，按照省委、省政府提出的追赶型、跨越式发展的总要求，实现沱牌“二次创业”，把沱牌建成科技开发力强、市场竞争力强、经济效益好的大型企业集团。

总裁寄语

沱，长江之源：
沱，汇集吸纳，天呼地应，
以浑然质朴，以磅礴气势，
蕴积着生生不息的浩荡，
展示着百折不挠的坚韧——
奔流在天地之间润泽生命无限！
沱牌，酒中甘霖：
汇聚唐时“射洪春酒”，
明代“谢酒”的精髓与
现代酿酒生态工业的先进科技，
以甘美香醇，以卓越品质，
经历了悠悠岁月的锤炼，
获得了不同凡响的声誉——
中国名酒沱牌曲酒。
光彩夺目的沱牌，
正是源于
长江文化生生不息的一次次升腾！
当晨曦再次点燃天际，
当青山流水的韵致，
轻轻回荡在奔流的江面，
我们幡然醒悟——
路在脚下：不进则退勇往直前！
我们从源头走来，带着沱牌的情怀；
我们已走出盆地，跨越重山；
我们正扬起风帆，乘风破浪
驶向成功的彼岸……

纵横多元世界，创造国际名牌。新千年的沱牌，必将抓住西部大开发的良好机遇，继续深化企业内部改革，做好国内国际两个市场，以她更加坚定的信念、更加昂扬的斗志谱写二十一世纪新的发展篇章。

沱牌酿酒工业生态园鸟瞰图

10万吨金属粮仓

万吨陶坛储酒库

网址：http://www.chinatuopai.com.cn　电话：0825-6618888

策划篇

白酒：如何在区域拓展中捍卫主品牌？

以高炉家酒案探析区域副品牌策略

一、前言

中国白酒市场所面临的竞争环境的日益加剧，使得越来越多的区域型地产白酒的区域性市场扩张成为白酒市场的一大趋势。如徽酒进江苏、徽酒进粤、鲁酒进粤、苏酒进粤、东北酒的南下等等。

那么，白酒的区域性市场转换是否就意味着把原瓶原酒通过空间距离运送到另外一个市场上就行了呢？答案是否定的，事实已经证明了盲目进行市场拓展的错误性，失败的案例不胜枚举。因为，市场的意愿不是随着厂家而转变的，而是由消费环境中的同类产品在市场中的相对占有率和消费行为共同决定的。

当广告失去威力、当铺货促销成为耗费时，就造成了很多品牌的盲目感：如何让品牌在目标区域和市场对接？品牌又如何在新的区域市场中得到保护发展？

对于白酒这一传统而又供过于求的大众消费产品而言，区域中竞争品牌与目标消费群体的消费习惯等对于品牌的区域性成长影响很大。所以，如果不能让品牌通过产品表现与目标市场的消费文化相符合并有效地化解竞争压力，就难以达到品牌软着陆的区域市场对接。

二、案例实情

笔者试图通过安徽高炉家酒的区域市场拓展案例的诠释，对于白酒区域市场的拓展给予帮助。

安徽双轮酿酒集团的高炉家酒，是双轮集团的重要的中高端子品牌，已经连续五年名列安徽省内白酒销量榜首。不仅如此，高炉家酒在连续几年的保卫合肥、进军南京、挺进珠三角等一系列的区域市场拓展中，不断地取得“大红灯笼高高挂”的良好市场业绩，这与高炉家酒的区域市场副品牌拓展策略是分不开的。

首先，合肥保卫战的首战告捷。

自2001年以来，高炉家酒一直是合肥市场的第一销售冠军，而且成为价格50元左右的中端白酒产品的市场第一品牌。而在2002年，安徽老品牌文王贡的珍品文王贡以及停滞了几年的另一名酒“老明光”又回来了。珍品文王贡市场价格30元左右，主打自家酿造的品牌概念；老明光则主打其“老”字的时间概念品质，且来势凶猛，以略高于高炉家的60多元市场价格及更高价值的促销力度在合肥市场上和珍品文王贡上下夹攻对高炉家酒形成了极大的威胁。

面对珍品文王贡与老明光的市场威胁，针对珍品文王贡及老明光的不同品牌定位，在不改变高炉家主品牌的前提下，高炉家在合肥市场上立即推出了与珍品文王贡相同市场定位的“老高炉”，以及和老明光针锋相对的高炉家副品牌“高炉家传世经典”。

以老高炉的价格压制了珍品文王贡的价格侵袭，并以老高炉的“老”字降低了老明光的品牌内涵价值，以合肥乃至安徽省都没有的“传世经典”高端概念提升了高炉家酒的品位，重新赢回了宝座。

其次，大战南京市场。

南京市场是徽酒东进突围的江苏省的省会，具有重要的市场战略地位。在高炉家进军南京市场之前，已于1999年进入南京市场的安徽“口子窖”以娴熟的终端运作和渠道控制策略显现出强大的市场竞争力；高炉家酒自2003年底进入南京市场以来，凭借其独特的包装、非凡的品质、个性的文化和细腻的终端运作，其市场成长性也日趋看好。

但是，口子窖的市场压力成为高炉家酒突破南京消费者一道屏障。面对口子窖南京市场的主力产品“五年口子窖”，在这个六朝古都的历史名城，时间的记忆在消费者心中的印迹是很深的。鉴于此，高炉家酒推出了具有时间纪念意义的“高炉家酒·1988”，其价位直指“口子窖”，以“真正的徽酒”为诉求点，以真实的时间概念抵挡住了模糊的五年窖的陈酿韵味。

此外，以公关借势十运会在江苏举办之机，以江苏籍中国乔丹——胡卫东代言，更进一步赢得了江苏消费者的认可。

再次，征战华南。

广东，作为经济前沿地区，更是华南酒市场的代名词。为什么呢？就是因为广东白酒销量已占到全国销量的1/10之多，对于一个几乎没有白酒工业的消费大省来说，仿佛是一个白酒消费的无底洞，这也就是近几年来众多外地白酒进军广东趋之若鹜的原因所在。

作为徽酒中的晚到者，在高炉家到达广东之前，同等市场定位的白酒已有数十种，如皖酒王、泰山特曲、江口醇诸葛酿、小糊涂仙、稻花香等成熟品牌，还有其它各派系的上百种小品牌。高炉家酒面临的压力是可想而知的。

在对广东白酒市场进行了充分分析之后，老牌安徽酒的皖酒王是高炉家切入广东市场的主要市场压力，除了主打品牌自身的家文化外，决定以主打徽派文化的徽酒牌作为突破口，而竞争主力品牌则设定为早已在广东落户生根的皖酒王，于2004年底规划出“徽酒王”作为“同质化”皖酒王的副品牌，并在产品包装、口感上、度数上等在保留原有特色基础上以广东消费主流为主。徽酒王一经上市，即获得市场的高度认可，短时间内即获得了不错的市场份额。

为什么高炉家酒在不同的区域上开发的新品都不同呢？

三、探析区域拓展的核心问题

在区域的市场拓展中，最常见的莫过于新地卖老酒，当然，也有成功的，但是很少。因为，对于白酒这一区域文化味很浓的产品进行异地跨区销售，既要保持产品自身的特色，更要能够抵挡住竞争品牌的高压，又要符合区域市场的消费文化；而很多的品牌在进行区域拓展时往往忽略了这一点，唯独把重心只放在了自己核心产品的特色上，区域拓展成为了品牌简单的距离延伸。

市场营销中，一个品牌的一个定位就意味着相应而有限的市场空间。主力品牌不是万能的，如同一个人不能应对所有的情况环境场面一样，主品牌只能满足基本一方面市场的需求，而不能以点盖面。品牌的区域拓展，很重要的一点就是要找到市场的切入点。而这个市场的切入点就是要基于产品本身、竞品和目标消费群的综合考虑，寻找并化解最主要的市场障碍，赢得市场认可。而广告只能传达品牌的信息，且品牌更多的传达的是概念性的东西，并不能给予竞品太大的威胁，因为消费者对于产品的认知是根本，比如口感度数包装等；因而，广告不是最主要的竞争武器，恰到好处对路的产品才是最根本具有说服力、最贴切务实的。

在上述高炉家案例中，为什么我们看到高炉家酒能够攻城掠地，从而树立起徽酒一个典型？无论是在合肥老高炉和传世经典，还是在南京的高炉家·1988，以及在广东的徽酒王等等，其都是基于要进入区域市场或站稳当地市场所遭受到的最主要市场阻力而为。

如在广东的徽酒王产品，主要就是因为在广东当时已经有徽酒的市场基础，如以前的沙河王，现在的皖酒王等在品牌沉积等。加之有川酒的强势地位，在广东形成了酒类市场外地酒派系现象，如贵酒、鲁酒、东北酒等。因而，高炉家以徽酒王出击，即面对了强势市场阻碍的皖酒王，又加深了徽酒的市场影响力。

高炉家酒的区域副品牌策略，不仅没有影响高炉家的主品牌形象，反而共同把主品牌做大了，即所谓产品是最好的广告；而这一点，决非是通过多做一点广告就可以弥补得到的。

四、小结

品牌的本质是为了更加长久地生存并获得市场认可所带来的利润，要灵活地运用品牌策略。无论是核心品牌，还是副品牌，只有能带来市场利润的才是真正的好品牌。核心品牌是企业的利润红花，所谓红花需要绿叶陪衬保护，才能枝繁叶茂茁壮成长，才能使得红花更显格外红。

所以，对于进行区域拓展的白酒品牌，要善于为你的核心红花建造绿叶保护伞。

(朱玉增)

白酒品牌：决战高端之颠

目前的中国高端酒市喧嚣声不断，前有茅五剑领跑，多年来占据着全国高端白酒的大部分份额；后有酒鬼的异军突起，横扫国内高端酒市；近有水井坊、国窖1573再闯高端酒市，成功晋级为国内高端白酒的新贵，挤身高端白酒第一阵营。尤其是水井坊的崛起，开创了中国高端白酒凭推广活动的成功迅速崛起的先河，让人明白了高端白酒并不是茅台、五粮液的专利，新品牌、小企业同样可以运做高端品牌。因为水井坊的标杆效应，国内大大小小、出名不出名的企业都纷纷推出了自己的高端品牌，期望借助这种利好的大环境分抢一杯羹。

如果我们认真梳理一下目前推出的这些高端白酒品牌，真正能够沉淀下来、被消费者记住并接受的品牌还是那几个老品牌。但有一点是改变了，许多地方上的白酒高端品牌这几年迅速崛起成了当地事实上的白酒高端品牌领导品牌，占据着当地高端酒市的绝对市场份额，虽然相对于茅台、五粮液、水井坊等全国性品牌的销售份额来说他们仍然存在着差距、知名度也不如他们响亮。这说明了一个什么样的问题呢？说明中国的高端酒市仍然存在着巨大的机会！至少是区域高端品牌的打造仍然到处是机会！湖南的开口笑、山西的汾酒、陕西的好猫西风、重庆的诗仙太白、山东的琅岈台、安徽的口子窖、高炉家等就是最好的例证。

有多大的能耐就做多大的事。我们的高端品牌打造只要遵循这一原则，不要盲目追求大区域、大知名度、大销量我们的机会才是真正的机会。品牌的定位、卖点的挖掘、推广活动的策划一定要在自己力所能及的范围内力求准确、力求击中消费者的心坎。全国性的传播你不可能有国窖1573、水井坊那样的超额预算，但小区域的投放你绝对会超过他们好几倍，至少在当地市场上你的声音要比他们大好几倍，要做到“以绝对优势兵力围歼小股敌人”！

以一个人口50万的地级城市为例，消费价位在100元/瓶以上的白酒其市场总份额最低也会在5000万元左右，如果我们开发两款这样的产品投放该市场做成第一品牌，就算只占有60%的市场份额，那也是3000万元的销售。这种高价位的产品基本上都是暴利，就算你投入1000万，你也会有1000万的利润，而在一个50万人口的地级城市投入1000万做市场意味着什么？意味着这个城市的上空空投了两棵叫“小男孩”的“原子弹”！这个市场还不被做起来这个操盘的家伙也太无能了！我们许多的地方高档白酒品牌之所以没有成功就是因为对市场的了解不够、做市场的霸气不够；而那么多品牌之所以成功就是因为发现了这个原理并持之以恒地坚持了下来，他们学习农民伯伯犁田的精神，雨水浇不透就放水犁田也要把这块地让水浇透。

发挥大公关，取得当地政府的支持。大家只要留心一下就会发现，当地卖得最好的高端白酒绝对是当地的一、二把手最喜欢喝的白酒，如果他不善于喝酒的话也会是他倡导在喝的品牌走货情况最好。茅台的这两年国家领导人公关到位，茅台这两年的发展形式就比五粮液要快，这是事实，抹杀不掉的。中国消费者的潜意识地仍然有一种皇权意识，喜欢看领导的眼色行事、喜欢跟着领导嗜好决定自己的嗜好。当然，一些大众消费品的消费习惯已经改变过来，实现了消费的多样化和个性化；但这种高端消费和奢侈品消费却还是带有这种深深的烙印。

资源的借用要善于借势。啤酒在这方面做得非常到位，青啤、燕京、雪花等都通过收购当地啤酒厂家以取得当地政府的支持，建立自己的区域根据地后再图谋扩张。白酒这方面真正取得成功并尝到甜头的当数金六福，通过收购地产品牌和地方厂家，成为区域市场事实上的老大，也得到了当地政府的大力支持，资源借用非常到位。其实像河南的宋河、山东的孔府家、湖北的黄鹤楼等也是在收购后依托当地政府的扶持成为当地事实上的强势品牌后再图谋外扩的。

产品质量的稳定性。白酒酒质同质化已经讲了很多年，而消费者中的品酒行家并不多，大多数只是跟着感觉走。既然是高端酒，喝后不口干、不上头这两种消费者最直观的感官评价要达到吧，许多地产高端酒之所以后劲不足，被消费者逐渐抛弃，酒质的不稳定性是很大的原因。酒质的稳定性做不到就别耗费银子为自己的后悔买单了。

为平台提供配套的宣传和促销。高档白酒的走货渠道并不多，在这些渠道投放足够的平台氛围营造物料，让这些平台成为我们主推的第一战场。譬如高档酒楼、宾馆的联合投放，统一的门店包装等。在宣传上可以借鉴统一润滑油的大众宣传方式，虽然购买的目标群很窄，销售渠道也很窄，但就是要让大家都知道，以使有身份的人喝起来更有面子、更有尊荣感。

确认自己推出品牌的价格体系。要有一款最终能够在当地流行起来、火暴起来的产品，确认旗舰产品、形象产品、战略产品。没有畅销做为依托，所有的平台最终会离我们而去，话语权也会逐渐丧失。一般来说，地产白酒高档品牌最终的畅销价位都会集中在100～300元之间，再往高走就算有销量也不会很大，但并不意味着我们就要放弃这块市场蛋糕，每年适当数量的投放会帮助我们确立品牌的高档形象，也满足部分奢侈消费人群的需要。

价格体系的稳定非常重要。高端品牌的差价一般都比较大，尤其是导入期，如果稳定不了价格体系，高端消费人群的消费印象就会打折扣，给到对方一个不诚实的印象，最终会形成排斥心理，转而购买其它。故而前期的选点布局很重要，不求多，一定要精简，要让那部分先卖这种高档酒的人尝到真正的甜头，以口碑带动销售。

构建目标消费群档案。地产白酒高档品牌做这样的工作显得更得心应手些，因为是当地人，很容易就可以找出这部分对别的高档品牌来说隐藏的人群。你的良好服务就是你与全国性高档品牌的最好差异。对这部分人群的服务要落到实处，这里提供给大家两个最简单有效的实操方式：一是对目标高端消费人群定期的品尝酒赠送（全国性品牌很难做到位）；二是寻找一些由头把这部分高档人群聚集在一起品酒闲谈，给他们提供一些聚会的平台，使他们不但记住了我们的品牌，也方便了他们互相之间的沟通，办一些他们私底下的其它事情，让他们对这种聚会产生依赖感！

对高端人群的服务如果能够借用到优势资源，在年度大型酒会上请到当地的一、二把手参会，无形中就会抬高品牌的档次和影响力，也使那些被邀请的高端消费人群更加对品牌忠心耿耿。所以很多人说，高档酒营销其实归根结底是口碑营销，真的是这样，许许多多的活动、策划、广告等最终都是围绕高端消费人群的口碑在做文章。

高档白酒的营销虽然很喧嚣，但站在白酒高档之颠的毕竟不多，做不了白酒高档市场的全国性领导品牌，我们何不静下心来做一个快乐的地产白酒高档品牌呢？小池塘里面的大鱼也是大王啊，何况活得更滋润些。

金六福：六力营销系统，成就市场奇迹

2005年12月15日，金六福“发短信，赢机票”短信互动活动在全国范围正式启动，整个活动期间，无论您是移动、联通还是小灵通客户，您只需编辑短信“春节回家金六福酒”，发送到9191315，即可参加抽奖，就有机会获得千元机票，“飞”回家。很明显，金六福2006年春节的营销已经拉开序幕，并且延续了2005年春节的活动内容。

从1998年底开始，随着第一瓶五星金六福白酒在四川五粮液酒厂下线，只用了短短3年时间，就做到新锐白酒第一的规模；被中国食品工业协会授予“跨世纪中国著名白酒品牌”。2003年，金六福销量达到18亿元；2004年突破20亿元，并被评为“中国驰名商标”，品牌无形价值更是高达28.8亿元。金六福，作为中国目前最具有价值的白酒品牌，只用了短短7年的时间，如何一路“飞”奔，便做到了几十个亿的销售额，跻身白酒市场前五强。

我们相信金六福持续发展的7年，与其运用六力营销系统有莫大关系，踏踏实实做市场，是根本的原因！

一、形象力

产品在市场上的第一次亮相首先就是形象，所谓形象力，就是目标消费者对产品的期望形象值。对金六福来说，其形象力主要表现在以下几个方面：

1、产品名对消费者的一种暗示：福

“金六福”三个字，是内心深处的一种祝福、代表吉祥、追求圆满，这种情绪自然激发出一种消费冲动，在名字上就赢得了消费者的认可。

金六福所代表的六福是：一曰寿、二曰富、三曰康宁、四曰好德、五曰佳和合、六曰子念慈金。与六福遥相呼应的是金六福酒的特色：香、醇、浓、甜、绵、净。它所代表的六福是人们所乐意接受的，表示着金六福是幸福之酒，寓意带给你健康、幸福和美好的享受。

2 、包装、广告、标识的设计，符合人们的审美需求

包装、标识、广告等设计必须争取让消费者看到，形成视觉冲击力，并一定要赢得消费者喜爱而和消费者产生情感上的联络。

“金六福”的品牌个性是“祝福、吉祥、圆满”，而包装的主色调“红色”象征吉祥、喜庆、好运，是所有颜色中最刺激、最引人注目的色彩，于是“金六福”无论是在包装设计上，还是在广告、标识的设计推广中，“红色”成为“金六福”品牌的标准色，有效地传递了品牌的核心“福文化”。

如在2004年“奥运福、金六福”传播活动中，以情感连接消费者的创意手法，同样被“金六福”表现得十全十美。大到电视广告、路牌广告，小到促销活动现场、X展示架等，以“红色”突出的喜庆氛围相当浓郁，给人营造出一种节日盛世的消费环境，赢得了消费在情感上接受和认同，仿佛消费者对奥运会的激情，惟有与“金六福”一道，才能得以洋溢出来，因为只有金六福为我们创造了这样的条件，也只有金六福在每一个欢庆的场合，都为人们搭建起了相互参与、共同享受的舞台。

再如1998年刚推出金六福时那一个甜蜜的小姑娘的声音，一声奶声奶气的“好日子离不开它——金六福酒”，至今回想起来那都是一种为自天籁的声音、童音幽幽，我心痒痒——世上还有比这更令人心醉的语言吗？“童音”给人的

印象是淳朴的、亲切的，它象征希望、憧憬、祝福；

诸如此类来自视觉上的情感化表现、还是来自听觉上的情感化渲染、以及来自品味上的情感偏好——构成金六福品牌“福”的个性，从而共同汇聚成消费者对“金六福”的情感体验，打造了金六福的美好形象。

二、产品力

其实产品是由我们所见到的实体产品与我们所看不到的虚体产品组成的。产品力的塑造就是从实体部分和虚体部分两个方面来做到的。

首先金六福与五粮液的合作，采取了OEM的方式。这种方式虽然在白酒界比较普遍，但为什么金六福能够成功，是因为金六福的产品支撑点是被称为“中国白酒大王”的五粮液。这是产品的实体部分，产品品质有保证，不容质疑。

其次产品

“金六福”的品牌名称具有很强的联想度，这个名字不但琅琅上口，而且很直观地给人一种“喜庆、幸福、吉祥、圆满”的感觉。同时，这些年里金六福围绕“福文化”的品牌定位进行了一系列的营销传播，使得金六福已经在很大程度上成为了目标消费群体对于“幸福”、“吉祥”、“圆满”、“喜庆”等情感体验的产品载体。

再者从1998年上市以来，金六福酒的主打产品即为金六福星级系列、福星系列、为幸福干杯系列等等。从品牌名称和系列产品的创意中，不难看出，金六福品牌的核心价值始终围绕一个“福”字进行品牌传播和品牌体验。这就是产品的虚体部分。

有五粮液的背景支持，还有金六福本身所体现的“福”文化，以及始终如一的传播这种文化，使金六福的产品力强大而又厚重。

三、销售力

销售力就是如何打造专业的销售力量，制订适合的销售政策，销售程序如何做到专业、有效。简单的说，就是要摸透目标消费者的心思，通过终端的着装、销售动作、销售台词等销售工具一环扣一环，提高销售的成功率。

通过研究市场，我们发现，一年中酒类的销售大致可划分为三个阶段，其中两个阶段是春节和中秋节，另外阶段是除了春节和中秋节之外的平常的日子。按照这种销售的分类划段，2005年，金六福公司决定开展三场新的品牌运动，（即春节回家，金六福酒；我有喜事，金六福酒；中秋团圆，金六福酒）以促进金六福品牌的再次成长，完成既定的销售目标。

2005年的中秋促销，延续了“春节回家”的影响力，透过渠道展示和促销活动，深化金六福“福”文化与传统佳节的关联；二是实现销售结果最大化：将传统销售方式进行统一规划，烘托市场氛围，实现销售结果最大化。我们认为，销售上量的核心形式是“定货会”，中秋销售的核心产品是“礼盒酒”，卖好礼盒的关键是“吸引人的赠品”，“吸引人的赠品”的核心特征是本身可作为独立礼品的“赠品”，因此推出的主题是“买福酒，送福杯”。

另外，在此次促销活动中，金六福根据决定销售量的因素，以及品牌管理的简单化原则，将此次中秋促销活动分为四个途径：流通渠道、商超终端及指定销售点、大中型商超、售点展示，并对这四个途径制定出不同的策略，这些策略中，无一不融入了品牌战略的思考。

金六福对商超终端及指定销售点的促销活动的管理原则一贯是看的到，买的到，买的起，乐得买，同时不断地强化终端货架产品的系统化排列方式，其产品在商场堆码都较其他竞品对手更为突出，消费者一眼就能见到，在终端形成强力“推动”。

通过这种环环相扣的销售，使金六福在中秋节又一次赢得了市场。

四、传播力

传播力的塑造不仅仅是大量的广告投入，而是通过传播力的塑造，使我们花最少的费用达到最佳的传播效果。

金六福确定“福文化”核心价值之后，自始至终通过形式多样的对消费者的品牌传播活动，让消费者时时刻刻地感受到“好日子离不开金六福酒”、“喝金六福酒，运气就这么好”、“喝了金六福，年年都有福”、“金六福，中国人的福酒”、“奥运福·金六福”以及2005年推出的“春节回家，金六福酒；我有喜事，金六福酒；中秋团圆，金六福酒”等等美好的回忆。

1997-2000年：金六福的品牌体验更多的是个人的福运，其传播口号就是“好日子离不开它”和“喝金六福酒，运气就是这么好”。

2001—2002年：通过赞助世界杯出线、中国申奥，提升到民族的福、国家的福，其品牌价值的核心体验就是“中国人的福酒”。

2004年以后，搭车雅典奥运，将福文化推向国际化，品牌体验就是世界的福，使福文化不断得以提升和积淀。神奇而独特的创意，运作细致的传播——欢聚是福、参与是福、和平是福、进取是福、友谊是福、分享是福，——金色的季节，收获的金六福，强化了消费者对“奥运福·金六福”品牌精神的情感认同、理智认同和欣赏认同等三境界、最终达到品牌与消费者心理融为一体，共同创造、共同分享、共同体验了金六福“福文化”的品牌价值。

2005年，更是通过三大品牌运动“春节回家，金六福酒；我有喜事，金六福酒；中秋团圆，金六福酒”，成功的传播了金六福一贯的“福”文化特征，赢得了市场的认可。

五、管控力

所谓管控力，就是企业对市场、人员的管理和控制能力，企业的营销管理体系是否有针对性，流程的管控是否到位，这些就直接影响着企业的成本与发展。

金六福之所以能够迅猛的发展，除去形象、产品、销售、传播等以外，与其所建立的营销系统和自身的管理系统有关。

2002年，金六福开始在其多达2000多家经销商中遴选永久的合作伙伴，组建“金六福营销联盟”，用长久的利益共同体构建与经销网络间的战略伙伴关系，合作伙伴在合作中享有的权益可以父子传承家族相袭。形成联盟之后不但有利于联盟经营的健康发展，而且便于维护联盟体的共同利益，严格维护价格，严禁跨区域窜货。

同时，依据“风险共担、利益共享”的经营原则，金六福率先与全国各地经销商组建了“市场营销与服务型联盟”。依靠金六福营销联盟体和金六福营销协会，实施与各级经销商共同拟定的本土化区域市场营销计划。

现在，金六福手中所掌握的营销网络恰如一条“营销高速公路”，组成这条“高速公路”的包括20多家营销分公司、2000多家一二级代理商、600多名专业营销人员以及4000多名促销人员，光是这个庞大的营销体系每年的维护费用就高达1亿多元。

在这个“营销高速公路”系统的工程建设中，金六福引入了现代管理模式，实行了专业化分工。一个显著的改变是，金六福对分公司大胆放权，将所有资源倾斜于分公司建设上，由一个营销公司变成了20多个营销分公司。这一改变的依据是，中国地域广阔，各区域市场风俗习惯、文化风俗等都有很大差异，放权可以更进一步地进行针对性营销，挖掘消费潜力，将市场做深做透。而总部也实行角色转换，成为协调中心、服务中心。可以预计，今后的金六福将由总部管理时代转向分公司管理时代。

这样，在这条“营销高速公路”上，金六福总部所做的只是对高速公路的管理工作，充当的是“高管局”（高速公路管理局）的角色，而各分公司则是扮演“高支队”（高速公路管理支队）的角色，重点对“超车、超载、超速、逆向行驶”等“违规”现象进行监管和处罚，严重的将吊销“驾照”。在金六福的管理下，一方面将会尽量减少这条“高速公路”上的事故发生率；另一方面也会对所有进入“高速公路”的“驾驶员”进行培训认证，提高道路安全系数，维护整个体系的高速运行。

六、执行力

再好的方案，再好的思路，如果执行不到位，前面的工作都白费工夫了。回顾金六福2005年所进行的营销活动，无不是把执行落到实处。就拿“春节回家，金六福酒”的传播执行来说，主要在以下几个方面做足了文章：

1、媒介传播执行一个主题

金六福在此次营销运动中覆盖了78个城市，所有的媒介都在传达一个信息：“春节回家·金六福酒”。广告动用的媒介有：电视、电台、杂志、户外，其中户外媒介有：擎天柱、插牌，吊旗、灯箱、路牌、车身等，在终端销售渠道中更是利用了商场堆头、提袋、条幅、易拉宝，可以说是整合了大部分常规的广告媒介，尽可能多地覆盖了目标忠实消费群以及潜在消费群体，一边促销售，一边打品牌，攻势猛烈。

同时，“春节回家·金六福酒”的电视片在全国20多家省级以上的电视台投放，配合在人口密集的车站、机场、码头、高速公路等处投放大型户外广告牌和城市灯箱、公交车身，形成了一个密集的广告宣传阵势。

在金六福以电视、报纸、杂志、户外等媒介手段进行“空中打击”的同时，以终端“包装”打卖场、超市、中小型零售，以及各级批发商商户的堆头形象展开“地面攻势”，在全国70多个城市同时启动了跟“春节回家·金六福酒”活动一脉相承的“幸福万家堆”活动；同时，几百万张DM宣传单飞向了千家万户。

在这次营销活动中金六福几乎是不遗余力地在执行力度上一鼓作气，对准市场采取有序而密集的攻势，执行真正做到了百分百。

2、对消费者的情感诉求，始终如一

围绕着“回家”的概念，金六福的广告选择了家里家外，沿途和购物，几乎所有春节时期人们活动的范围：电视可以在家里接触；电台可以在打车或自驾车的路上收听到；商场堆头无疑锁定在购物时间；户外媒介（车站、码头）更是让亿万游子在归家的途中避无可避。几乎所有的媒介在这里都变成了最有效的沟通载体，保证没有“漏网之鱼”，完全被金六福的传播氛围所包围。加上“春节回家”这样的情感诉求，要想不动心动情，还真不容易。

不难推测，金六福酒的销量之所以能够比去年同比增长50%，一定是挖掘了好多的潜在消费群体。

3、团队凝聚力是执行的最大保障

整合行销传播之父唐·E·舒尔茨在阐述整合行销传播的执行时，说出了4个必要因素：一是由高层往下开展，二是消费者导向的行销，三是传播必须成为一个实际有效的竞争优势，四是传播活动必须中央控制。

金六福在这次的传播活动中做到了正确的营销策略的制定；执行中高度的统一性；内部的协调机制；高层的严格控制。这几大因素保障了金六福春节期间营销活动的圆满成功。

综观金六福七年的发展历史，无不是把六力营销系统运用到市场推广当中，这种系统化的运做，有力的保证了金六福的超速发展。（侯军伟）

中高档啤酒、白酒品牌运作酒店终端常用的促销手段

何谓促销？促销对企业而言是在一定的时间内通过某种手段或活动促进销售业绩增长的过程，对消费者而言是促进其购买。比较全面的表述是：在充分考虑费用和效果的基础上，使用一系列的手段把商品或服务以外的附加价值传递给，以此去实现某个销售目标或市场目标。

中高档啤酒、白酒品牌由于操作空间较大，在酒店终端的操作方式上较灵活多样，在酒水已经上柜正常销售的时候，怎样在酒店终端扩大产品首尝率，促使消费者重复购买，怎样得到酒店作为通路成员的支持。面对日益激烈的酒店通路争夺，各厂商花费心思采取各种方式的促销，你方下台，我方上场，好不热闹，其中不乏经典之作，也有不少龌龊之举。促销只是一个有效手段，经常举行不计投入和成效的促销稀释了品牌的含金量，与厂商的初衷大相违背。如何有效地进行促销，在设计促销方案时应采取三个分析步骤即：促销什么？向谁促销？怎样促销？成功的促销活动就是在最恰当的时机，最恰当的市场，以商品或服务向最恰当的对象，以最恰当的诱惑，刺激立即购买的欲望或烙下深刻印象。下面对常用的促销手段作一个简要总结，由于它们使用的时机不同，操作的难易度不同，也各有利弊，在使用这些工具前应多方位权衡考虑。

1、人员促销：

人员促销是中高档啤酒、白酒品牌在酒店最常用的促销手段，同时也是投资较大的促销方式，而且这种方式有愈演愈烈之势。促销人员的素质参差不齐，人员流动性强，忠诚度低，给管理带来了很大的难度。很多厂商对促销人员管理越来越重视，并且对促销人员上岗前加强了培训和上岗期间的表现进行动态评估，对促销员的销量进行考评的同时也重视了质化考评（工作量而非销量，注重品牌传播质量和品牌形象的树立）力度。

2、免费赠饮：

基本是在新产品导入不久，为扩大产品首尝率为目的。此类产品品质比主流产品有胜人一酬的地方，包装上也与众不同，希望能通过口感取胜并形成一定的口碑传播。

赠饮方式有两种：其一先让消费者免费品尝一瓶小包装的白酒产品或一瓶啤酒，然后达到引发消费者再次购买的目的，这种方式减少了酒店的正常营业收入，所以在此类活动需对酒店提供一定的物质补偿。其二对消费者在酒店消费本品牌产品的赠送小包装白酒或一定数量的啤酒，一般是消费者结帐时由吧台领取，赠送的产品不在酒店内消费。是针对本产品目标消费者的额外赠送。

3、赠品发放：

其一是对消费者的，对消费者消费本品牌产品给予实际消费数量相应的相关赠品，赠品一般有附带宣传本品牌的广告。如雨伞，餐巾纸，打火机，精致口杯、烟具烟缸及其他与产品相关的纪念品类似百威听装啤酒包装的储钱罐等。赠品的差异和独具匠心，能调动消费者的消费欲望，甚至消费者为了得到赠品而去消费该品牌的产品。赠品的设计上基本原则：消费者感兴趣的，与产品相关联，不与竞品雷同，应物超所值和不易购得，有纪念意义的、成套的礼品对消费者更具吸引力。其二是对酒店服务员的赠品促销，与对消费者促销类似只不过是依据服务员的销售量进行奖励，像集点换物——存瓶盖、拉环换礼品促销品有所变化如电话卡、购物券、日常生活用品等。虽然对于服务员的促销是通路贿赂行为但是法律规定不严密，各厂家讳莫如深，此种方式在行业内为公开的秘密。更有甚者，在瓶内塞装有人民币或美元或欧元，依此刺激服务员的推销积极性。怎么知道是对服务员的呢，因为在外包装的无明显的告知消费者的内容，等消费者知道了，产品已大行其道了。

4、退费优惠：

对消费者在酒店消费本品牌产品给予餐饮消费折扣，一般在产品包装上印有不同的退费金额。类似于刮刮卡的中奖方式。

5、与酒店互动：

与酒店互动，相对于赠品促销酒店较愿意接受此种方式。如：赠送特色菜即对于消费本产品的消费者根据消费数量赠送该酒店相应价位的特色菜，这种方式中高档白酒采用较多。类似活动如生力啤酒"好彩头，生力为您买单"的针对酒店的消费者促销活动。

6、联合促销：

中高档啤酒、白酒联合其他产品如奶饮料制品，联合促销的品牌分摊促销中发生的费用，且力度相应较大，合作双方通路有类似性，共享性。

7、抽奖活动：

基本采取现场抽奖活动方式为主，这样较易调动餐饮消费者的情趣和参与意识，将电脑、电视机、自行车礼品放在酒店厅堂内，营造酒店的整体消费氛围达到扩大产品消费量的目的，这种方式比回寄式要直接有效，消费者更易接受。

8、会员制营销：

其一是对消费者的，消费者在酒店消费本品牌后可以加入本品牌消费者俱乐部，享受俱乐部提供的各项服务如生力啤酒俱乐部等。其二是对服务员的如口子窖在西安操作时的金牌服务员活动，南昌的服务员"餐厅之星"联谊会活动。这些活动每月定期举行大大维系与优秀服务员的客情关系，使她们在产品的酒店推销工作中偏向于口子窖品牌，从而取得了酒店推荐的优先权。

9、竞技活动：

消费者在举行竞技活动的指定酒店参与本品牌的竞饮活动或者消费者凭消费凭证有本品牌赞助的体育竞技活动。如金陵啤酒的快速喝啤酒比赛活动，百威的"喝百威，打保龄，献爱心"活动，江口醇举行的钓鱼比赛活动。

10、旅游活动：

其一是针对酒店店主的旅游为主题的促销活动，即酒店销量在规定时间内完成规定数量，酒店主可选派相应的人员数量参与本品牌举办的旅游活动。

其二是针对消费者的旅游活动如口子窖在南京对酒店目标消费者的"口子窖黄山之旅"活动，当然旅游活动也不仅限于酒店促销层面。

11、公关赞助活动：

对于酒店周年庆典及春节、中秋、圣诞节这些厂商不可回避的节日，厂商需提前做好准备，给予不同酒店相应的赞助，并与自己产品销量挂上勾。比如酒店要求厂商给予报纸、电视方面的部分、全部宣传赞助费等。

12、酒店售点生动化展售促销活动：

酒店因情况不相同，入场费有无多少不等，进店不是目的只是销售的开头，怎样在酒店有限的陈列位争取最优位置各商家都在动脑筋，给予一定的费用是不可少的，更有甚者买通酒店吧台人员把竞品悄悄撤下柜台，或者以各种借口阻挠竞品产品顺利出货。

运用多样的生动化工具尽可能的宣传品牌，如帮助酒店做店头招牌，做酒店宣传灯箱等方式，当然通过这些举措换得酒店相应的支持如一定时间的啤酒、白酒同场或独家促销权，促销员名额的增加等。

厂商对于按标准要求陈列的给予陈列奖励，有些厂方甚至举行酒店本品牌产品陈列比赛，优胜者给予大奖奖励的激励方案，以刺激酒店达到展售目的。（戴晓虎）

模式创新：白酒品牌化之路的关键

一、白酒：渠道为王的困境

厂家与渠道之间的博弈，是大多数行业的共性，是现代商业社会发展迅速的结果。双方为求发展，对资源和利益的不断优化组合和分配，在既博弈又共享的不断调整中，价格和利润分配不断趋于合理，消费者得到更多实惠和更好的服务，尽管许多厂家和品牌会被淘汰，但整个行业会不断得到发展。所以这种博弈本身不是什么坏事。

像家电行业，尽管国美、苏宁确有对市场销售的主导权，也经常凭此和厂家较劲，但并没有“霸权”到可以随意灭掉某个品牌的地步，尤其是大品牌，互相之间还是谋求共生共赢的成份多。发生的一些冲突，即使是较激烈的，也大多不是因为销售合作上的原因。

但白酒业似乎很特殊：渠道霸权确乎存在。在博弈中，似乎厂家总是弱势一方。渠道就是可以决定产品的去留生死。终端费用只升不降、经销支持奖励高居不下，厂家虽然明知不合理，但如果不能满足这些，能否顺利铺市或启动就心中没底，就是进了场，也觉得销量难保证。所以白酒厂家所说的“渠道为王”或“得终端者得天下”，并不是一种对开辟和掌控渠道的自信，而更多的是一种无奈。

这种情况持续多年，业内不满，行外不解：虽为人诟病，但就是无人破局！也看不到破局的迹象。难道白酒的生存之道是注定如此的?

二. 困境延续中的机会

个中原因，行内人士似乎都心知肚明：首先，是早先入市的品牌，把经销商和终端“惯坏了”，胃口一旦养大，就难再变小；其次，厂家着眼的是多个区域市场，因此，某个区域的渠道强势，还是大不过厂家的总盘子，所以局部市场让经销商强势些未尝不可；还有，不管条件是否合理，经销商总是掏了现钱的，……

原来如此。白酒厂家尽管都抱怨渠道的“霸道”，但并不都想改变现有格局。因为他们需要与经销商和终端的“资源整合”：需要经销商掏钱、需要终端的消费环境和客户资源。所不满的，主要是费用比例高了点，如果能降低就好了!

因此，白酒的招商是所有行业最精彩最热闹的，各种诉求、各种合作条件，花样层出不穷，糖酒会至今仍是“华夏第一会”，尽管没有“车会”、“房会”高档，但却能把全国全行业都聚集起来。

如果现状是平衡状态，也许确实应该尊崇行业特征维持下去。问题是，经销商和终端的胃口，好像还在扩大，而且还有充足的理由，比如，商场竞争越发激烈，地价、租金不断升高，所以进店费也要继续上涨；又比如酒店进场品牌多如牛毛，每年新品层出不穷，白酒又那么同质化，酒店能不掌控“价格杠杆”来创造财富吗?

白酒的生产成本，降低的空间已经十分有限，而包装、运输、人员工资等项还在不断上涨。加上渠道再涨，最终造就白酒价格越来越高，甚至进入“奢侈品”行列。诚然，白酒的确拥有一大批高端消费者，但中国白酒的基础是大众，是几乎所有男人。——我们不能想象，有朝一日白酒变成了少数人的高档消费品。因此，一再虚高的价格，不仅是行业病态的反应，也必将因损害了消费者利益而最终损害行业自身。白酒行业近两年的增速并不理想。哪天发生下滑并不奇怪。

之所以，还没有发生，不是因为状况良好，而是因为许多人仍相信白酒的高利润率和“圈钱”快而前赴后继，以致于新品牌还在不断涌现，填补了下滑形成的空额。——这倒也能证明白酒的行业魅力，或者说此行还未彻底衰落，现在还有机会改观。

三、依赖于经销商——品牌势能的分解和弱化

要想改观，必须认真找到真正的病因。

按照“需求——满足”的营销核心规律，和流行的“消费者是上帝”的说法，酒厂应该“俯首甘为”的首先是消费者。而现在，显然厂家首先考虑和满足的，是渠道和经销商，消费者却反而是厂、商联合压榨的对象。不说什么良知问题，即使从纯商业角度看，这样也是在预支和贬低消费者的“终身价值”，是行之不远的。许多厂家之所以还在随着这股非正常的“大流”，一是因为贪图或急需眼前利益，二是因为找不准原因，三是因为找准了原因，却对相应的办法持怀疑态度或没有尝试的勇气。

所以，白酒界泾渭分明的存在着“金钱型”或曰短期型和“事业型”或曰战略型的不同门派。

前者不用过多置言。对后者，不能不提出一些浅见，以求廓清一些基本观念。

为发展而暂时屈就渠道，换取发展的滩头阵地，无可厚非，甚至让人敬佩。问题是，屈就总是有限度的，而且应该在一定的时机改变和换回高额回报。也许许多厂家认为，等我多个市场启动起来了，就不怕单个市场的弱势了。——其实若没有单个市场尤其是首个启动的区域的强势，在经销商面前将永远是弱势。

许多厂家是认识到这一点的，所以很认真地去开辟核心市场或样板市场。凡是这样去做的品牌，大多赢得了不错的市场支撑，并带来对很多经销商的良性连锁反应。

但是，厂家不可能有过多的人力物力，把全部市场开辟得和样板一样。厂家的本意也不是真要这么做，而是指望“星星之火”能在经销商中燎原。所以，尽管样板市场厂方介入很深，拥有较大的发言权，但渠道依然在经销商手中。经销商只是乐得省力的获利，还能学到些新技巧。一旦真的市场发生巨变或特殊状况，经销商仍然拥有绝对的对厂家的处置权。

因此，样板市场也好，重心下移也好，仍然没有改变对经销商的依赖。

管理学大师迈克尔波特的“五种力量模型”认为，现有企业、潜在加入者、替代品生产者、供应商、购买者这五个行业参与者之间的力量相互作用与角逐，决定了行业的平均利润水平。“五力模型”描述了行业参与者各方之间的利益分配状况。如果对上述参与者进行重新划分，把销售者从现有企业中独立出来，把其余的现有企业、替代品生产者和潜在加入者这三方都归结为竞争者，我们可以清晰看到，在同类产品的市场上，参与利益角逐的就是销售者、购买者、竞争者这三个方面，而供应商是处于相对次要的位置、对竞争和利益分配格局影响力相对小的一方力量。

“五力模型”为我们客观而准确的描述了销售者、购买者、竞争者这三方市场参与者之间利益角逐的本质。在这个三方参与的市场游戏中，建立在各方力量对比基础上的“利益均衡线”决定着游戏动态发展的轨迹，力量的格局决定了

各方参与者在市场中的相对地位以及对应的强、弱势状态，进而导致了利益均衡线的划定。营销的过程，本质上是一个三方参与的博弈过程，参与者通过各自所拥有的博弈力量参与利益角逐，完成各方在当时条件下所能够接受的利益分配，最终达到博弈的动态均衡。

而建立在这一“三方博弈”观点上的“市场势能论”，用“市场势能”这一指标来考察市场参与者各自拥有的博弈力量的相对状况，认为拥有更多“市场势能”的一方在市场中处于相对的主导地位，不仅可以引导“顾客需求”或行业发展方向，同时还在利益分配中获得更大的利益份额。当“势能”优势在购买者一方时，行业的发展及企业的营销活动都将围绕“顾客需求”进行，购买者的强势地位引起行业内的激烈竞争，产业利润下降，甚至使整个行业的边际利润为零；当销售者或竞争者拥有“势能”优势时，优势的一方将逐步获得行业的垄断地位，在引导行业走向的同时赚取超额的垄断利润。

用上述理论来分析白酒市场，我们发现，厂家为利用经销商的渠道资源，自动把“销售者”的位置让给了经销商和终端，而变成一个看似轻松，实则地位低下的“供应商”，看似在于商家的博弈中获得了收益，却在整个市场五方的博弈中变成了二等公民。本来不仅有机会以品牌等资源赢得“市场势能”的，现在却把势能获得权拱手让给了渠道和经销商。

不幸的是，经销商拿走了权力，却不能整合好资源，真正赢得势能，因为他们毕竟只是“部分销售者”，无法完全拥有对厂家资源的支配权。因此，围绕“顾客需求”的白酒市场就变得竞争日益激烈，行业利润不断下降——经销商不是老在哭穷、叫难吗？消费者已日趋成熟，他们的需求不是那么好满足的，他们的“势能”也不是那么容易放弃的。

难道就因为是白酒，其发展就要永远臣服于这种不理想的行业状态吗？

四、白酒：需要更多与消费者的直接接触

也许是习惯，白酒厂家一想到和保健品一样直接向消费者推销，总觉得不是正道。是啊，保健品是不得已，不做细致的、个性化的贴身式服务，消费者不买帐。而这么高的要求经销渠道无法做到，所以才被逼自营和直销。而白酒有这么多现成的渠道代理，又不需要太个性化、差异化的一对一服务，何乐而不与他们合作。

久而久之，经销代理制成了行业“铁律”，成了思维惯性，成了厂家的惰性和创新的障碍。

另外，因为不去作开拓性的思考，所以总觉得代理制只有区域总经销一种，也总觉得代理制与自营不能相容。

如果说厂家对消费者不重视，是委屈了厂家。厂家现在不仅关心消费者的消费心理和习惯，而且还在样板市场和经销商并肩开发消费者资源，而促销和公关活动，更是直接与消费者面对面。虽说不上心连心，但与消费者的沟通是越来越近、越来越深了。

的确，这是酒厂近几年的进步，而且这种进步是得到了回报的。比如产品的市场定位，因为了解消费者，也懂得了市场细分，所以就比较精准，容易获得真正的目标客户的认可。

但是，由于思维习惯的制约，绝大部分与消费者的接触，到沟通就为止了，成交的最关键环节还是主动让位给代理商。厂家的职责，主要是支持代理商。

因此，厂家与消费者沟通的越好，经销商的利益和地位就越有保障！——许多人要说：这不对吗？自己要赚钱，先让朋友赚，最后自己一定有好的回报。但在笔者看来，这一说法有点似是而非。

试想：经销商壮大了，他可以向上游发展，自己做“虚拟”厂家，把生产和销售利润一手抓。实际上大部分经销商也正是这样做的或打算这样做的。也有的向下游发展，包店，买店，甚至开连锁，形成实体的渠道霸权。试问胸怀宽广的厂家：您准备什么时候获得他们回报？您若不是像“茅五剑”那样的绝对优势品牌，您凭何相信经销商愿意长期作您市场的“腿子”、为你的品牌作嫁衣？就凭你多给了点支持和服务吗？

当然，诚信合作并扶持经销商没有错。错在不应以放弃市场权力和地位为代价。换句话说，如果一个朋友和你友好到让你失去地位或主动放弃权力时，对此朋友就要小心了。

其实。除了总代理制，还有诸如小区域代理、分渠道代理等有效模式；除了代理制，许多自营模式，诸如小批量团购、会员店等，也可以作为代理制的很好补充、制约和修正。关键在于，首先模式要符合消费新趋势，比如高端人群的消费习惯和爱好发展飞速，有许多的新环境、新阵地可以开发；其次是要以直接与消费者产生销售，而不仅仅是沟通传播。

“市场势能论”辩证的承认：“顾客需求”对商家的确具有极大的影响力，但另一方面也应该正视商家对“需求”的影响作用；它不仅根据“需求层次论”的观点对“顾客需求”按不同的层次进行具体问题具体分析，并在此基础上从一个方面对“顾客需求”的可塑程度进行判断，与此同时，它还通过建立“市场势能”的概念，强调了塑造“顾客需求”的可操作性。

既如此，酒类厂家就不要轻易放弃这一机会和权利，尤其是在经销商并不具备塑造“顾客需求”的能力时。

这样做的心理基础是：不放弃权利，也不被不合理的行规捆住创造力。

五、获得品牌势能——改善市场环境，占据主动位置

说到底，白酒行业的“行规”或特殊性是不合理的、病态的。但是其形成也确是有历史根源的，而其造成的现实市场环境惯性巨大，不是说变就变的。所以创新、变革之路很漫长，需要行业内同志者的共同努力。所幸今天市场上，已有不少企业开始这样去做。尽管各自有不同的思路和方法，但有一个比较一致的思路，就是进行品牌化运作。

白酒，已经经历了较长的产品加知名度和产品加渠道的阶段，同时也已经经历了单纯强调品质的阶段——当所有企业都强调产品品质的时候，品质就变成了产品的必要或基本要素，而不是充分或最高要素。这时，企业为追求独特性、唯一性，就开始诉诸文化、历史、情感、精神，这时，品牌塑造的基本元素就开始被发觉、提炼，品牌从一个简单的标识变得越来越丰满，越来越有生命和人性。如果企业有意识的进行专业规划、策划，使之与消费者良好沟通对接，品牌化就路在脚下了。

白酒在产品本体上，差异化的余地不大。但其消费的情感、情绪、文化、精神等特点，使之在品牌构建上拥有巨大空间。凡是能代表正面的人性真理的一切元素，都可为品牌所用。所以，构建强势品牌，获得品牌的市场势能，是白酒厂家夺回市场势能的主要有效途径之一。因为，如果某一品牌构建和传播得较成功，就意味着消费者对该品牌较为认可和易产生共鸣，意味着在他们的心理空间里占据了位置，——这也就占据了一定的相对于消费者的势能优势。

因此，强势品牌对市场销售的拉动提升的力量应该是强大的。

但是，大家也熟知药界的“x王”、白酒界的“xx力”，品牌构建和传播，不仅强势而且成功，当时都震动了业界，但市场却未成功启动。大家分析都认为，渠道开辟没有同步是关键原因。的确，像“xx力”这样实力强大，又赋予了产品差异化的企业，为什么不能既用好众多的经销商，又自建终端，两条腿踏开市场之门，而只是指望品牌形成足够大的号召力，这一点，笔者也很是不解。

由此二例可以看出，品牌具有的号召力和对于销售的拉力，不能完全解决市场创新和变局。品牌毕竟是“软”资本，它可以帮助甚至支撑销售，但不能代替销售!

所以，无论是否已着手进行品牌化运作，改善市场环境，获得渠道的发言权是首要的，能够达到这一要求，则良好的品牌运作就能焕发出强大的真实地力量，反之，则品牌的力量就会被虚化、被时间耗掉。

所以，渠道模式的创新，仍然应是优先考虑的。

我们可以往坏处设想一下：经销商在知道酒厂的战略发生变化，比如准备正规品牌化运营后，一定会为合作拟定较高的心理价位，在合作谈判时提出较高的要求——主要理由是品牌化运作的投入大。如果厂家不予满足，经销商就等待观望，甚至联手阻止新品牌的进入，等待厂家因为怕宣传效应流失，而最终向他们屈服。

这时如果厂家有所心理准备，并在谈判不成功后，如期展开自营包括直销，经销商的联手就基本失去意义，只要自营渠道有一定销量，经销商还是有很大可能回头重新谈判，因为品牌的力量还是不可忽视的。这就是直接与消费者发生销售关系的策略、也是渠道模式创新的力量，它可以在相当程度上改善厂家的销售环境和谈判处境。

六、经销商——引导，合作、改变、收编

当然，现今由于销售模式创新比较少，很少有成功先例可模仿，就意味着会有相当的风险。模式本身策划得是否准确是一个方面，另一方面，直销、团购等人才的招募、培养和管理，许多企业需要从头做起，所以，创新的首要意义在于，在对经销商博弈中迫使其求和。即使以后企业真正走出了自营的成功之路，经销商也还是有合作价值的，毕竟其拥有可共用的资源。所以，模式创新后的博弈，目的仍然不是彻底打败经销商。

紧接着，创新的意义就是求得厂、商、麦三家之间的相对利益平衡——绝对平衡是不可能的，但在无伤大局的吵吵闹闹和讨价还价中保持市场稳定，却是至关重要的——只有这样的平衡，才能既保证市场的长期稳定，同时带来不断增长的动因：因为互动、碰撞可以产生创意、发现新需求和新趋势。

品牌化运营，是长期的战略举措，所以市场的长期稳定增长，比快速增长然后快速破灭要好。

酒类经销商，由于历史原因，是一个较独特的群体，因为十余年前，酒类经销，对产品知识和营销理念的要求相对较低，只要有办法与商超和酒店终端建立稳定的供应关系就可以操作了。这也是他们执著于渠道，而壮大后又希望转行做实业的原因：靠关系维系的销售，靠代理获得的差价和奖励，终究比不上“自己生产出来的利润”踏实和有更高的成就感。

随着市场的发展，酒类经销商也在不断进步，尤其对新的营销观念和模式，他们不仅十分关注。而且愿意学习。因此，许多厂家提出把培训作为对经销商服务支持的重要组成部分时，经销商大多乐意接受。因此，对经销商的引导是必要和可行的。

但仍不要忘记，本阶段的经销商，本质还是逐利，而非长期事业合作。即使其中确有一部分愿意成为长期伙伴，他们也仅是一种姿态，最终还要靠事实来让他们下决心——如果厂家的品牌，能运作成为区域领导甚至全国强势品牌，那时谈战略伙伴才是可靠的。

所以，培训也好，引导也好，一方面是使经销商能够和厂家更好的配合，另一方面也是在一种真诚的姿态中观察、选择，如确有“好苗子”，确可今后收为长期伙伴，何乐而不为!

而对仅仅是阶段性的合作者，应适当注意培训和传授的内容和层次。

七、行外资本——未深挖的金矿

如果厂家下决心重获市场势能，改变对强势经销商的单纯依赖，那么经销合作对象的经验和关系资源，就不是仅有的决定是否合作的标准。

行外资本缺的是行业经验和渠道资源。前者既是劣势又是优势。没有经验，需要花时间学习，这当然会影响市场进度和操作质量。但没有经验，可以毫无障碍的接收新理念新模式，还可以节省以经验去斟酌、验证新方法新模式的时间。

而且，可以通过招募行业中的业务能手、以老带新等方法来缩短适应学习期。

而渠道资源，说白了还是利益关系。厂家也并非无法熟悉和拥有渠道资源，只是受传统思路限制，自动放弃了对渠道尤其是终端的深度接触。所以，只要有实力保证、有充分的心理和信息准备，帮组新手经销商拿渠道并不是比登天还难的事。

凡事不破不立，行外资本的进入，可以给市场带来新气息。不管开局是否顺利，只要能始终忠实于双方共同认可的市场战略，行外资本和厂家的博弈，双赢的几率要比零和大得多——因为锐意创新的酒厂，是不会太看重一时得失的，长远的战略空间，可以弥补一两次战役的战况不佳带来的损失。

(钱江潮)

白酒地方品牌如何崛起

所谓地方品牌，是相对全国品牌和区域品牌而言的，一般来说，全国性品牌，是指其销售额和利税居全国白酒企业前20名，且在全国市场网点的覆盖率超过了60%，如茅台、五粮液、剑南春、泸州老窖、古井贡、全兴、枝江和口子窖等等；所谓区域品牌，就是在成为地方强势品牌的同时，已有选择地成为地方以外，一定区域之内的具有一定网点量的强势和半强势品牌，但在全国的市场覆盖率尚没有达到60%，如丰谷酒业、衡水老白干、稻花香、河套酒业、皖酒等等；所谓地方品牌，就是60%以上的年度销量集中在企业所在地市场的白酒品牌，如老明光、沙河、济南趵突泉、青岛琅琊台、江西赣州酒业、河南红旗渠酒业等等。由于出于地方利益保护和其他方面的原因，我国白酒地方品牌数量较多，据不完全统计，大约在近4万家左右。

一、 地方品牌生存的SWOT分析

在威胁和劣势方面，一，随着市场竞争的日趋激烈，全国性白酒品牌和区域性白酒品牌加大对市场的开拓和向三四级市场的延伸，此外消费者理性的增加，健康意识增强和经济水平的提高，在消费行为和偏好方面更愿意选择知名的全国性品牌的白酒，这给地方白酒品牌的发展带来了巨大的冲击，无论在规模方面还是在实力方面，在宣传方面还是在终端，全国性白酒品牌和区域性白酒品牌远远超越了地方性品牌，地方品牌的发展空间日趋缩小，在竞争变革的环境中崛起，突出重围是关键；在机会和优势方面，由于地方人文消费特色，由于广阔的农村市场的存在，由于地方政策和人力资源方面的优势，地方白酒品牌的发展还存在空间和机会，但机会会越来越少，威胁会越来越多，随着新一轮的白酒行业整合的开始，对许多地方品牌同样是机遇与挑战并存。

二、 地方品牌崛起的策略

其实，在当前的环境下，如果地方品牌把握了机会，通过在产品、渠道、促销、宣传等方面进行创新，是能够快速崛起的，笔者从产品策略、渠道策略、促销策略和营销传播等方面进行分析。

（一）产品策略

产品的整体概念包括核心产品、有形产品和附加产品，地方品牌白酒企业可以围绕产品的整体概念进行相应的创新，如在核心产品方面，随着人民生活水平的提高，保健意识的增强，低度、健康、卫生将成为消费者选购酒类产品的重要指导方针。同时，葡萄酒、啤酒、果露酒等快速增长，白酒的市场总量还会继续下降。白酒开发的低酸、低酯、低甲醇、低杂醇油的清爽类白酒，为适应农业产业化要求而利用苹果、山楂等水果作原料开发的新风格、新口味的水果发酵蒸馏白酒，是白酒行业发展的新增长点。地方品牌应该利用自身的资源优势，改进产品，塑造特色和差异，如可以打养生牌，开发系列新产品，如重庆万州的银杏酒、芦荟酒，忠县生产的花卉酒，永川的茶酒等等；在有形产品方面，一是在产品命名上塑造特色和差异，当前，许多白酒企业都一窝蜂地走“流行概念”的道路，如什么“贡、王、玉、金、神”，好“字”用尽；接着168、518、519、888、999吉利数字接连登场；再后，5年、10年、50年、100年、2000年等一批陈年老酒不断问世；再发展就是一星、二星、三星、四星、五星使称谓再创新高，对产品称谓各有说法。更有甚者，有些企业把称谓做到别的品牌上，达到愚弄消费者之目的，在市场夹层中求得生存。其实，对于白酒的命名，大体上有以下几种情形：根据历史名人、名地命名，如曹雪芹酒、杜康酒、太白酒、西凤酒、杏花村、水井坊、宋河、浏阳河等；根据区域简称命名，如皖酒、贵酒、苏酒、长三角、河套王等等；与古代帝王将相有关的命名，如迎驾、道光二五、兰陵王、古井贡、皖国春秋等等；与酒的酿造材料相关的命名，如五粮液、竹叶青、稻花香等等；与乡情、亲情、友情等相关的命名，如孔府家、金六福、蓝色经典、中国结等等。二是在包装上，主要体现在包装瓶的设计和款式上，体现在色调的搭配上，体现在份量的多少上；如可以是瓷瓶、方瓶、圆瓶、陶瓶、磨沙的；可以是透明的、也可以是不透明的；可以是包扎型的、也可以是开盖型的；当然，根据产品的目标客户和定位不同，还应在外包装方面进行相应的创新。三是在品牌上，进行区隔和精准定位，因为品牌定位是品牌传达给消费者产品为什么好以及与竞争对手不同点的主要购买理由，如水井坊的“中国白酒第一坊”、国窖1573的“中国第一窖”，天士力的“健康白酒”、金六福的“福文化”等等，同时，实施系列品牌策略，如茅台王子酒、茅台醇、茅台宴、茅台小豹子；西凤・天长地久、西凤・华山论剑、西凤・相约百年等，挖掘品牌内涵，传播品牌故事，如与历史名人之间的情结、与消费者之间的互动沟通、相应活动和事件策划等等。

（二）渠道策略

一是要精耕市场，深度分销，拓展分销渠道。深度开发地方市场，向所在县城、乡镇、村等市场延伸。在地区市场开发的过程中，一是要根据不同社区或乡镇居民的档位不同进行不同类产品的铺货；二是在广告形式可以多采用一些产品展示柜、太阳伞、海报等，促销手段要务实一些，比如说小奖可以多一点，争取每瓶酒都有奖品，奖品可以采用一些日常用品或儿童比较喜欢的玩具、卡通、妇女用的围裙等。三是深度运作，把握和占领社区、乡镇的批发部、超市终端，激发终端的强势销售，占领最佳产品陈列位置和进行相应的终端推广与宣传。

二是要抓住宴请和节日活动。一方面，有效利用地利优势，将各种宴请活动如婚宴、生日宴、传统节日等作为渠道重点，因为白酒仍是主要的招待用酒，婚宴、生日宴、毕业生聚餐、高考中榜、办殇事等宴请市场是白酒销售的主要市场。同时，由于婚庆场合人流量大，通过婚宴市场可进行口碑宣传，起到一般广告宣传难以达到的效果。合适的产品、针对性的促销策划、一定的广告宣传能够有效抓住各种宴请活动，在针对宴请活动的白酒销售过程中，需要把握以下的几个要点，如可以赠饮料、结婚用品、学习用品等相应的必用品相结合；可和婚纱影楼、婚庆公司、商超、便民店、酒店联合促销；可以在影楼、商超、便民店、酒店悬挂宣传条幅、POP等等。另一方面，可以有效利用地利优势和人脉资源，作为相关活动的指导用酒、礼品或纪念品。

（三）促销策略

在促销上，地方品牌一定要分清促销对象和重点，巧造热点，进行促销创新。一是针对终端的促销方面可以适时转换促销受益对象。现在白酒促销大多是这样一个状况，即谁喝了酒奖品就给了谁，比如说打火机、美元等促销方式。如果转换一下思路，在促销方面可以适时转换促销受益对象，在促销方面“出奇”，如家长喝酒让孩子或妻子成为促销的受益者，提供适合孩子或妻子的礼品；二是实行消费积分制，培育地方顾客忠诚；三是有针对性促销，如针对高考中榜的学子，可采取与饮料相结合，并开展“送喜上门”的促销活动，用锣鼓队敲锣打鼓送上门，既销售了产品，又扩大了宣传影响；针对婚庆市场，推出“送花车迎亲”，吸引青年人的注意力；在春节期间，打礼品牌和作为中国广大农村的“拜年礼物”；四是作为礼品进行白酒定制，如情人节提供情人酒。当然，还可策划集体宴请活动，和葡萄酒、啤酒、奶制品等厂家结成同盟共同促销，分担促销费用等方式来扩大品牌的知名度和美誉度。

（四）传播策略

在广告和宣传过程中，应该整合资源，系统地使营销活动用同一个声音说话、用同一个形象来展现。一是要将白酒品牌的定位所阐释的内涵用多种营销的策略去向消费者解释清楚。如水井坊定位为“中国高尚生活元素”，与历史文明、传统文化相结合；小糊涂仙酒“难得糊涂”的人生哲学等等。二是要进行事件策划，如沧州海特酒被韩国总统和多米尼加总统收藏；稻花香与“三峡情”联系起来等等。三是创新传播手段和方式，如冠名列车和一些公用设施、开展校园营销计划、利用液晶显示屏和移动广告、在终端塑造各种气模、把握热点事件、开展社会责任计划等等，通过整合营销传播来提升产品和企业的知名度和美誉度，扩大影响力和获取大众的眼球注意力。

总之，如果地方品牌的白酒企业能够把握当前市场机会，以变制变，在营销策略方面不断创新，一定能够在激烈的竞争环境中快速崛起，进而成为区域性品牌和全国性的白酒品牌。

八千岁酒品牌&营销实战辅导手册

前言

如何及时发现市场需求，如何为顾客提供满意的服务是销售人员的职责。依据森宝集团公司整体发展战略，培养新一代的销售人是公司发展的生命线，因此，作为销售人员，掌握销售的一些技巧，销售管理的能力，不仅对公司的发展意义重大，而且对于个人的成长，同样意义深远。

品牌战略篇

在形象战略中，品牌战略是关键。每一个成功企业都拥有自己的品牌，可以说，品牌战略是提升企业形象的重要手段。我们的品牌名和企业名是一致的，我们的目前主业就是销售房地产、炎帝酒业，因此，“炎帝系列酒”的品牌必须在规划初期提上战略的高度。

白酒的竞争转向形象竞争，也就是品牌的竞争。产品的高度同质化迫使我们无法，也无能在产品上再做文章，因此，我们必须寻求新的出路。品牌经营与产品经营有质的差别：

品牌是建立在消费者心中的产品；而产品则是工厂里生产出来的冰冷的东西。

品牌经营向我们提出了新的课题，即品牌经营的必备条件，品牌经营的时机把握，品牌经营的系统管理。这些课题在目前的条件下对于我公司是十分困难的，因为我们缺乏一大批销售管理专业人才，品牌战略的实施只能在现有的条件下一步步完善。需要强调的是，专业理论对于当前的炎帝酒业是十分必要的。

品牌是什么？

八千岁是什么？

把八千岁当做一个初生的婴儿，我们来尽心呵护，关心她每一天的成长，关注她每一点的进步。------只有对品牌付出真爱，情感和关怀时，品牌才能茁壮成长。在本篇，我们将从下列几方面研究八千岁的品牌战略：

品牌经营的条件

八千岁品牌写真

品牌的个性

八千岁品牌知名度美誉度的建立

建立品牌忠诚

八千岁品牌体系

品牌延伸

第一部分　品牌经营的条件

因为品牌的价值不同，所以不是所有的产品都可以用品牌来经营。品牌经营的先决条件是产品的生命周期长短，产品处于何种的竞争环境。从白酒行业的现状来看，八千岁属于新进企业，新进品牌；但竞争的格局和未来的发展需要八千岁实施品牌战略；从市场的反馈信息分析，八千岁的新包装在众多的酒产品中脱颖而出，无论品质，或是广告，都达到或超过了同类产品，因此，我们有理由相信：八千岁具备了品牌的基本形态。

首先，品牌来自于市场，它是经过论证，提炼的产品，又回到市场。它是销售力，企划力，广告力的总和。因此，品牌的产生是一个各种力量综合作用的结果。

品牌的优势在于品牌给消费者提供的个人价值和社交价值，它是品质，名称，包装，价格，历史，声誉，广告方式的无形总和，也因为消费者对其使用的印象，以及自身的经验有所界定。产品是工厂生产的东西，品牌是消费者所购买的东西；产品可以被竞争者模仿，但品牌则是独一无二的，产品极易过时，但成功的品牌却能经久不堕。从这个角度上，产品是品牌的基础，产品是具体的，品牌是抽象的。鉴于品牌的复杂性，建立一个适合品牌孕育的机制是当务之急。

品牌的建立涉及到市场调研，市场建设，市场管理，广告活动，促销活动，信息反馈的方方面面，因此，必须建立一个综合性的管理组织对品牌进行管理。品牌管理涉及了许多专业知识，鉴于公司的现状，加强专业培训，加强部门间的合作，加强执行力是重中之重。

品牌建立的必须条件：

1 从管理层统一认识，屏弃自我一些想法或已被证明是不能运用的经验，尊重市场，尊重规律。

2 切实贯彻MI，BI，VI，并贯穿于市场管理的始终。

3 建立品牌管理部门，确立品牌管理的科学决策制度，避免随意性决策。

4 加强员工培训，使员工拥有基本技能和基本素质。

5 加快引进人才，加大销售队伍建立力度。

第二部分　八千岁品牌写真

品牌营销意味着理解消费者。在理解消费者之前，我们必须先理解我们的品牌。“八千岁”是什么？我们必须用一句话来描述：

——八千岁是出自茅台酒乡的好酒。

——八千岁是有品位的酒。

——八千岁是体面，合乎身份的酒。

——八千岁是五粮酿造的酒，健康，无害。

如果八千岁是人，那么是怎样一个人？

——八千岁是有品位的男人。

——八千岁高贵，典雅，风度翩翩。

——八千岁豪放，热情，神采熠熠。

——八千岁是成功人士，有地位，有财富。

如果八千岁是动物，那么是怎样一种动物？

——八千岁是雄狮，刚强，雄健。

——八千岁是健牛，勤劳，刻苦。

——八千岁是熊猫，珍贵，独特。

——八千岁是奔马，开拓，奋发。

通过以上的写真，我们在品牌形象的开发中将运用其中的各种元素，以便清晰，形象地传播产品，并在市场活动，广告活动中加以推广。品牌写真有助于我们从产品升华到品牌的认识。

第三部分　品牌的个性和定位

第二部分的品牌写真让我们对八千岁的形象有了清晰的理解，现在我们来挖掘品牌的个性。

任何成功的产品，都有独特的销售主张，而独特的销售主张便形成了品牌的个性。在白酒产品同质化强烈的今天，只有独特的销售主张才能让八千岁从众多的酒产品中脱颖而出。对于八千岁，我们赋予她怎样的个性？

我们认为，产品，品牌的形象，只有具体化，生动化，并与人们的心理需求相呼应，产品，品牌就会深入人心，深入记忆，从而对品牌产生好感。从宣传的角度来考虑，具体的形象比抽象的诉求更容易打动人心。因此，我们把人格赋予八千岁酒

——金贡品

个性描述：（酒中至尊）身份翘楚，是为高贵人士品味人生的首选极品；

——贡　品

个性描述：（酒中贵族）：举止典雅、端庄、以一袭金缕玉衣之潇洒气度，伫立苍穹，俯看沧桑世变；

——珍　品

个性描述：（酒中侠客）性情豪迈，义薄云天，在水深火热的拼搏年代里：肝胆相照，快意人生；

——精　品

个性描述：（谦谦君子）气宇轩昂，外表健康、豪放。恍如知心老友：知寒知暖，心心相印；

——君　品

个性描述：（小家碧玉）形象精巧、绚丽，看似温柔，实属刚烈，恰似湘女的巾帼之情。

系列产品的不同诉求与不同风格，融会成八千岁酒丰富的文化内涵和独特的品牌诉求，极易引起受众的联想，并自动融入产品中。独特的销售主张寻求的是与消费者的共鸣，在成功，豪放，柔情这些点上，中国人的追求是共通的，就算现实生活中无法达到，人们会从酒中寻找寄托，八千岁酒满足了这一点。

品牌定位：

把自己想象成是品牌，看看你能提供什么？

1 我有魅力吗？------我的理性层面，感官层面，以及情感上的好处是什么？

2 为什么消费者会发现我有魅力？--------提供令人信服的理由！

3 我的个性是什么？--------个性能够让消费者轻易的与竞争品牌区分开来，给消费者既熟悉又亲切，朋友般的感觉。

4 我向谁诉求？---------他们的需要，希求，欲望，害怕，信仰。

5 我与他们之间有什么关系？

6 为什么我不一样？-------与其他品牌比较如何？

7 我如何表达自己？--------如何与人沟通使我显得既有特色，又有意义？

8 我需要做什么样的改变？-----发展的关键所在。

把自己想象成该品牌潜在的消费者。

1 我是怎样的一个消费者？

2 你想我怎样去做，去想，去感觉？

3 为什么我要这样做？

4 为什么我要相信你？

5 为什么我应该更相信你？

界定品牌，用几个字表达出来。有身份，有年份，八千岁酒。

品牌的个性有了，八千岁品牌的定位也进一步明确。八千岁的定位是：

产品定位--------高品质的纯粮酒

价格定位---------中高档价格

目标市场定位---------经济较发达中小城市，消费能力强

经销商定位--------酒店网络完善，有实力，有经营管理能力的客户

管理定位--------量化，严格，逐步推行职业经理制

广告定位--------跟随网络推进，终端促销，大品牌形象塑造

第四部分　八千岁品牌知名度美誉度的建立

品牌知名度，美誉度的建立是品牌运作的重要步骤。知名度是指消费者想到某一类别的产品时，脑海里能想起来或辨识某一品牌的程度。品牌的知名度高，能够成为消费者在购买时主要考虑的品牌之一，是销售成功的关键所在。品牌的美誉度来自于消费者的品牌体验，是建立在知名度基础之上的消费感受。八千岁的品牌知名度，美誉度的建立应该哪里着手呢？

知名度来自广告，公关，产品运动，销售管理和终端消费。

美誉度来自产品风格，独特的销售主张，品质和价格，服务。

在所有的市场活动中，我们必须兼顾八千岁的知名度和美誉度的建立。

建立知名度美誉度的原则：

1 注意广告周期的延续性。

2 注意广告活动与市场终端的衔接。

3 注意广告活动与销售环节的合理分配。

4 注意广告的一致性。

5 注意销售服务的细节。

6 注意销售环节中消费者反馈。

7 注意市场人员的市场行为。

8 注意经销商的协调配合。

9 注意终端活动的主题。

10 注意市场网络的维护。

11 注意区域市场竞争趋势。

12 注意区域市场消费趋势。

第五部分 建立品牌忠诚

有了品牌的知名度美誉度，说明消费者已经认可了我们的产品，认可带来一定的销售，但与品牌力的真正体现，还有一段距离。这里牵涉到品牌忠诚问题。酒是消费品，我们期望消费者不断消费；而建立品牌忠诚却能够降低营销成本，易于铺货，易于吸引新的消费者，面对竞争对手有较大的弹性。

建立八千岁品牌的忠诚必须作到：

1 持续不断的广告活动。

2 持续不断的市场维护。

3 稳定的销售网络和消费群体。

4 稳定的销售管理和销售队伍。

5 不断强化的产品利益。

6 不断更新的购买理由。

7 差异化营销。

8 始终如一的产品品质。

9 强硬的市场支撑。

第六部分 八千岁品牌体系

品牌的推广需要市场的切入点，这一点在许多企业的品牌实践中得到了证明。也就是说，八千岁的品牌推广必须有主力品牌，辅助品牌以及市场细分品牌的区分。

主力品牌，辅助品牌的确定应依据区域市场的实际状况在调研的基础上进行确定。应该说，八千岁贡品酒，八千岁珍品酒，八千岁精品酒各有各的市场定位，在市场实践中的推广应该有明确的界定。

白酒终端实践证明，全面推出产品系列产品的难度比推广单一品种的难度大得多，特别是白酒销售竞争激烈的地方。我们只能把宣传的力量集中于单一产品，从而产生品牌的辐射，达到带动销售的目的。

针对中等城市，酒店终端完善，酒店消费旺盛的目标市场，我们可以选择：

贡品主打，珍品辅助。

针对中等城市，零售终端完善，批发网络健全的目标市场，我们可以选择：

珍品主打，精品酒辅助。

针对中小城市，有一定消费能力的网点，我们可以选择：

精品主打，贡品辅助。

针对发展型城市，由于城市化进程的缓慢，我们可以针对城乡结合部的需求，生产出中低档次的新产品，以满足市场的需要。

不是每一个市场都适合品牌发展，在这里我们一方面考虑品牌的建设，一方面考虑短期的利益。应该说，对于我们这样的企业，利润和发展同样重要。

不同的产品组合，在市场的推广应用上是有一定差别的，我们将在营销战略的策略篇中做详细规划。

第七部分 品牌延伸

我们从战略的角度来经营八千岁，从战略本身来说，这是八千岁的一次飞跃，一次从零开始的创业。由于我们的起点高，相应的配套规范也应该尽快跟上，这一部分阐述八千岁的品牌延伸。

本来，我们没有条件思考品牌延伸，因为我们的品牌还在十月怀胎。但是，由于白酒经营的季节性和行业的狭窄，虽然我们以房产为主业，但是我们在投资八千岁品牌，网络的同时，我们拥有了许多可利用资源。比如我们酒业网络资源。

每年的4--8月是白酒销售的淡季，我们的网络空置。能不能从酒店终端的维护观念出发，针对酒店终端开发出一种产品来充分利用？答案是肯定的。我们可以自己生产，也可以委托别人生产“炎帝“品牌的饮料/纯果汁/啤酒，这样，炎帝酒业的品牌家族就十分丰满了。

从另一个角度上思考，我们的销售网络，销售队伍在白酒销售淡季的维护是一大问题。充分发挥网络资源，充分利用网络优势，代理销售产品也是我们明智的选择。

企业的扩张其实是资本的扩张，资本在很大程度上是建立在网络资源的应用上，若能抓住机会，兼并扩张，合作扩张是八千岁发展的另一亮点。

总 结

以上从品牌建立的方方面面阐述了有关战略思想。战略思想的实施还得靠强有力的管理团队，从某种意义上说，执行是战略实施的根本出路。

营 销 篇

第一部分 八千岁营销特征与营销战略

前文战略分析报告对中国白酒行业做了深入的分析，针对白酒市场的特殊状况以及八千岁的实际状况，八千岁的营销特征是：

1 品牌，市场准确的定位；

2 目标市场的精确细分；

3 量化，严格的市场管理；

4 厂商双赢的市场原则；

5 完善的企划力在市场的充分体现；

6 严格的通路管理和迅速的反馈机制；

7 阶段性目标的把握与整体目标的统一；

在这里，我们强调阶段性的管理整合，目的是从根本上改变八千岁原有的管理误区，从而彻底更新管理理念，从品牌，市场，客户的角度解决市场问题。白酒行业的营销误区不在于经销商怎样难侍侯，市场怎样难开拓，而在于企业本身如何配合市场的大势，如何引导市场，引导经销商走上良好的合作道路。

为配八千岁新营销特征，营销管理的组织必须为适应需求做相应的调整，这一点在企业管理组织结构中加以阐述。立足于八千岁的营销特征，八千岁的营销战略应该是：

全力创建八千岁品牌，创建区域营销网络，培育，扶植终端市场经销商，建立良好的双向沟通机制，发展八千岁规范的营销管理，培养新一代八千岁销售人才。

第二部分　八千岁营销组合

从传统的营销组合意义上，产品，价格，通路，促销对八千岁的品牌推广实用意义有所欠缺；基于营销战略和品牌战略的考虑，品牌，通路，沟通，传播确认为八千岁的营销组合。

品牌：大品牌，极具个性化的形象塑造。

通路：构建顺畅的流通渠道，从纵深挖掘渠道的潜力。

沟通：以单一诉求，单一品种撕开市场缺口，撕开消费者消费心理。

传播：以亲善的形象引起消费者共鸣。

在营销组合中，我们必须注意应用整合营销传播的理论，也就是说，调动一切企业资源，社会资源，形象资源，为达到同一传播目的服务。包括媒体宣传，公关活动，促销，直销，终端管理，商品陈列，售点广告，包装等形象的一致和延伸。在营销组合的应用上，我们必须坚持：

品牌导向

形象导向

市场导向

顾客导向

第三部分　八千岁营销策略分析

营销策略是营销战略实现的保障，我们来分析营销策略的范畴：

1 市场调研。

市调工作是实施策略的前提。包含了消费习惯调查，消费能力调查，市场容量调查，竞争状况调查，网点状况调查，经销商经营调查以及阶段性市调，调研的深度与宽度直接关系到目标市场的策略制订，因此，八千岁酒的区域市场实践中，离不开完善的市调工作。

2 定位分析。

在市调的基础上，依据公司的品牌战略和营销战略，对产品，市场，容量，经销商，宣传，通路以及网络拓展作出合理，客观的定位，以便确定营销预算和目标销售额的确认。

3 市场细分。

消费能力和消费习惯的差异对销售业绩影响重大，这里就存在了进入策略的差异。同样的产品，同样的风格，在不同市场，消费者有不同的理解，寻找细分人群，用产品，价格，包装，广告，和一系列的沟通来达到区隔消费者的目的，我们别无选择。

4 企划力。

企划不是企划人员的专利，企划也不是高深的学问。企划的关键在于调动各种资源，并合理地加以利用，使之发挥最大的效益。一句话，企划力就是整合力。企业活动的过程中不断地产生许多可以利用的资源，妥善地加以利用，并演化为市场的销售力，借助于各种的传播媒体进行传播，我们便达到企划的目的。可以说，在市场上，人人都必须学会企划，并加以运用，有关企划部分应用的案例，我们将在培训教材中详细说明。

5 促销管理。

促销管理是白酒销售中的重要环节。在这一环节里，销售主管发挥的作用将直接关系到销售目标的达成，应该说，促销管理是营销策略中的重点。促销的目的很明确，那就是达到沟通的目的。一个市场的启动，很大程度上取决于促销的成败，关于促销管理，我们专门在培训教材开辟章节进行讨论。

6 终端管理和网络维护。

建立了终端，接下来就是终端的管理和维护了。管什么？管趋势。管形象。经销商由于意识与经营观念的差异重视短期利益，我们必须时时刻刻留心我们的网络，我们的形象。因为，对我们来说，最最重要的是品牌在市场的知名度和美誉度。在销售管理中，我们必须把终端管理和网络维护当做头等大事来抓。

营销策略的范畴还涉及了广告和公关等内容，我们另有专门的篇幅专门阐述。

第四部分　八千岁营销通路设计

一级通路：直营网络

组织构成：分公司组织——市场部——推广部——外部协作组织

适应市场：省会城市，重点样板市场

网络管理：主管负责制，注重形象塑造，网络管理和维护，能产生辐射力，并成为周边市场的指挥中心和调节中心。

二级通路：经销网络

组织构成：区域总经销——办事处

适应市场：中小城市，人口30万——80万

网络管理：全力拓展市场空间，通过酒店终端，批发终端的建设，提高市场占有率，实现区域知名品牌的目标。办事处承担了市场开拓和市场管理的职能，全力协助总经销完成目标销售额。

三级通路：代理网络

组织构成：区域总代理——办事处

适应市场：中等城市，消费能力强，总代理经营实力雄厚，信誉好。

网络管理：办事处承担发货，收款的职能，及时反馈市场信息以及总代理的市场动向，保证货物安全和货款的及时回收。

四级通路：批发网络

网络构成：批发商——办事处

适应市场：小城市，城乡结合部，大型省级批发市场或边贸区

网络管理：松散型组织，办事处承担了货物管理和财务管理的职能。

依照通路设计，我们把全国市场以销售中心形式划分：

北方销售中心：黑龙江、吉林、辽宁、北京、天津、内蒙古、河北、山西、河南、山东、陕西、甘肃、宁夏、新疆；

南方销售中心：上海、江苏、浙江、安徽、湖南、湖北、江西、广东、广西、海南、福建、四川、贵州、重庆；

各销售中心实行大区负责人责任制，负责开拓区域内网点；各市场依照网络的发展程度实施通路计划，并依照市场的容量确认市场的级别。公司依据不同的区域，确认不同的支持政策。各区域的经销商依照实力的差异确定经销商级别。

一级经销商资格要求：

1 当地直销下属网络终端不低于300家；

2 首批进货量不低于60万元人民币；

3 自有送货车辆不低于3辆；

4 足够的自有仓库；

5 业务人员不低于10人；

6 充足的资金；

7 完善的企业管理和良好的资信；

8 独家经销无竞品状态；

9 接受八千岁的品牌战略和市场指导；

二级经销商资格要求：

1 当地直销下属网络终端不低于100家；

2 首批进货量不低于30万元人民币；

3 自有送货车辆不低于2辆；

4 足够的自有仓库；

5 业务员不低于6人；

6 充足的资金；

7 完善的企业管理和良好的资信；

8 独家经销无竞品状态；

9 接受八千岁的品牌战略和市场指导；

三级经销商资格要求：

1 当地直销下属网络不低于50家；

2 首批进货量不低于20万元人民币；

3 自有送货车辆不低于1辆；

4 足够的自有仓库；

5 业务人员不低于3人；

6 充足的资金；

7 完善的企业管理和良好的资信；

8 独家经销无竞品状态；

9 接受八千岁的品牌战略和市场指导；

欲取之，必先予之。针对这样的通路设计，我们确定不同级别的市场支持。有关支持部分，将在《招商手册》中体现。

第五部分　区域市场阶段性营销策略设计

营销策略是实施战略的手段，方法，途径，在本篇的营销策略设计中，我们将注重战略性，创造性，有效性，整合性的综合运用，以期制订出具指导性，方向性，实用性高度统一的营销策略。

营销的一般步骤是：认知——认同——强化——信赖，在这里我们以这四个阶段的应用策略为范例，来设计区域市场阶段性营销策略。

1 认知期：

时间：2个月

目的：建立品牌知名度，协助网络铺货进展

目标市场占有率：20%——30%

策略：目标网点的横幅宣传；售点POP，免费赠饮活动；企业形象宣传，产品形象宣传；集中广告；公关活动；配合社区的公益活动；围绕产品市场细分的主题活动

力量分布：重视网络的推进速度，一切为了铺货

要点：该阶段的投入相对较大，但是关系到市场建设的成败，因此，在抓好成本预算的同时，必须考虑整体投入在认知期的比例。

2 认同期：

时间：2个月

目的：建立品牌偏好，建立品牌美誉度

目标市场占有率：40%——50%

策略．大力加强终端促销力度，以售点活动制造声势；提供明显的购买利益点，突出产品风格；电视广告趋向单一产品诉求，以一种产品撕开市场缺口，建立品牌偏好；售点广告配合活动及电视广告，保持高度的形象统一。

力量分布：重视终端投入。

要点：该阶段的人力，物力，财力需保持高度的充足。

3 强化期：

时间：6个月

目的：强化品牌利益，建立品牌忠诚

目标市场占有率：60%——70%

策略：加大商场，超市，批发环节的推广力度，以不断的主题活动来维护网络的运行，媒体宣传趋向稳定，可集中处理媒体投入。

力量分布：重视利益点的提供与更新。

要点：该阶段必须保证各项活动的质量，媒体的攻势进入新阶段。媒体选择可以以电视，报纸，DM直邮和售点POP为组合，对品牌进行立体宣传。

4 信赖期：

时间：6个月

目的：建立消费群体，树立八千岁品牌

目标市场占有率：75%——90%

策略：细分市场，增加产品线，挖掘消费潜力；广告以户外静态媒体为主，动态电视媒体为辅。

力量分布：全网络，延伸低档，高档产品。

要点：保证货源，保证产品质量。

以上的时间仅为模拟时间。

营销策略在不同的市场阶段表现形式是不一样的，每一个市场都有各自的个性，因此，区域市场的推广必须在品牌战略的指导下，依据产品组合制订出相应的本区域市场策略，并在市场实践中不断完善，调整。

白酒的销售存在淡季的盲区，淡季如何维护网络？我们不能间断淡季的销售工作，不能让网络感觉市场的盲区，因此，我们寻求品牌延伸或淡季特殊的销售政策或销售促进措施，以巩固市场，巩固网络。总之，市场是运动的，我们的销售系统也是运动的，只有不断地提供给经销商利益，消费者利益，市场才会不断地健全，网络才会不断地壮大。

第六部分　营销反馈系统的建立

营销反馈系统是反映市场的晴雨表，只有顺畅的反馈系统，销售工作与品牌运作才会在良好的轨道上运行。营销反馈是逆向信息系统，是公司各项工作执行情况的记录，因此，把握好营销反馈，营销工作便显得有序，有据，有条理。

反馈是以市场的各项报表为主的管理。市场的各项报表由相关责任人填写，有区域主管审阅后反馈回本部。区域市场的工作评议，工作考核均以反馈为依据。总部的管理，审计部门定期对各管理层进行巡查与审计，以利于下阶段工作的开展。

反馈信息包括：

区域市场广告效应评估

区域市场市场占有率状况评估

区域市场经销商经营状况评估

区域市场业务人员工作评估

区域市场主管工作评议

区域市场阻碍销售的因素

区域市场所需的支持

等等

总　结

本篇从营销策略的各个方面阐明了营销策略在市场实践中的应用，但具体的市场问题，还必须依据市场实际进行深入分析。其实，市场的规律就在市场中，只是我们不知道如何把握，如何运用。加强员工的理论层次，加强员工的执行力，我们一再提及，只是为了有一天，八千岁酒飘香在大江南北。

炎帝酒业客户管理

在顾客为尊，市场为首，人才为源的企业哲学指导下，我们从酒业实际需要制订客户管理战略。因为，谁掌握了销售通路，谁就是市场的赢家；因为，谁掌握了客户，谁就拥有市场。

第一部分　向经销商销售的策略模式

我们在总结许多企业对经销商的管理经验的基础上，归纳出一套向经销商销售的策略模式，即：

一个中心——销售活动要以管理为中心

两个基本点——企业抓好销售队伍和经销商队伍的建设

三个原则——1 做市场就是建立网络

2 帮助经销商赚钱

3 提高店铺占有率，提高店内占有率，让每一个商店销售更多的产品

四个目标——销售量最大；成本费用最低；市场占有率最大；购买者最多；

做销售，首先是搞管理。80年代的销售是占山为王，因为市场可以拼出来；90年代的销售是战术的，市场是策划出来的；21世纪的销售是战略的，因为市场是管理出来的。销售目标的无法达成不是销售策略不正确，销售人员不努力造成的，而是销售管理不全面，不系统造成的。

销售无计划，过程无控制，客户无管理，信息无反馈，业绩无考核，操作无规范，制度不完善等等都是炎帝酒业在管理上的漏洞，在这里，我们从经销商管理的角度上进行探讨。

一粒麦子有三种命运。一是磨成面被人们消费掉，实现自身的价值；二是播种，结出丰硕的果实，创造出新价值；三是保管不当霉烂变质，失去自身的价值。经销商管理也一样，企业对客户管理有方，客户就有销售热情，会积极配合厂商的政策；管理不善，就会导致销售风险。我们在这一方面做了哪些工作？企业对客户没有进行有效的管理，企业既无法调动客户的销售热情，也无法有效地控制销售风险。

客户管理既然重要，那么，我们的销售管理体系应该建立在客户战略的基础之上。建立面向客户的销售管理体系，主要包括以下内容：

1 销售计划管理。包括客户，区域，业务员，结算方式，销售方式，铺货进度，销售目标分解和时间进度。销售计划管理的核心就是对销售目标在各个方面进行分解。分解可以检验目标的合理性和挑战性，在实施过程中随时发现问题，也反映市场机会，也是量化严格管理的关键。

2 客户管理。核心是热情管理和风险管理。这里强调的是服务和配合。在很多层次上，经销商对市场的了解比我们更多，因此，在市场上，有发言权的是客户。

3 业务员过程管理。围绕销售中心和客户管理，监控业务员的工作。

4 结果管理。业务员的行动结果有两个方面，一是业绩评价，二是市场信息收集。业绩包括销售量和回款情况，对经销商的服务情况；销售费用控制情况，销售报告系统，服从管理情况；信息收集包括本产品市场表现，竞争对手信息，市场走势，客户信息。

销售管理工作的关键是全面，系统，专业。

第二部分　建立客户资料库

我们取之不尽的利润之源在哪里？

在市场，在客户。建立了面对客户的管理模式，我们必须拥有一大批忠实的渠道商。

客户的来源：

1 竞争对手的客户；

2 潜在的市场客户；

3 新扶植的客户；

客户资料库的建立：

1 客户所在市场资料；

2 客户企业资料；

3 客户个人资料；

4 客户信用评级；

5 是否开发该客户？

拥有了一大批的数据，我们便有了明确的目标，在企业需要时，客户资料库就派上用场。

第三部分 建立销售网络

“谁升起，谁就是太阳”，在市场意义上的解释是：谁建立了销售网络，谁就拥有了市场。在这里，建网络和卖产品的区别就象农民浇地。农民可以挑水浇地，也可以修渠浇地。决定企业命运的主要因素是销售网络，而且是真正属于自己品牌的有效运行的网络。

成功的模式：

品牌＋网络＋管理

网络是怎样建立起来的？我们没有“五粮液“的品牌号召力，怎么办？

靠利益凝聚经销商。帮助经销商赚钱是业务员的职责。但是，我们必须对“让经销商赚钱”有正确的认识：

当销售出现困难，无法保证经销商利益时，企业怎么办？

经销商以现有的条件无法拓展市场从而赚不到钱时，企业怎么办？

当经销商被竞争对手吸引时，企业怎么办？

当经销商无视企业品牌，只顾自己的利润时，企业怎么办？

等等网络中的问题。

解决以上问题的出路是销售观念和销售方法的更新。

建立销售网络的框架：

1 中心样板市场的形成并产生辐射力；

2 区域性品牌形成；

3 以5--10个中型城市构成的销售圈；

4 省级市场大面积布点；

对八千岁来说，小面积的区域网络意义重大。

实战篇

第一部分 销量来自哪里

1 销量来自销售网络数目；

2 销量来自产品陈列的规范；

3 销量来自不断的业务拜访；

4 销量来自完善的客户管理；

5 销量来自有力的促销工作；

6 销量来自有效的市场计划；

7 销量来自有效的计划执行；

8 销量来自完整的送货支持；

9 销量来自生动化的终端管理；

10 销量来自重点客户；

11 销量来自有效的市场报告；

12 销量来自有效的市场整理；

13 销量来自系统的客户支持；

14 销量来自部门间的协同作战；

15 销量来自一系列的活动效应；

16 销量来自企业，产品，员工的形象；

17 销量来自广告活动的效应；

18 销量来自消费者的口碑；

19 销量来自对各类终端严格的市场控制和管理；

20 销量来自员工对职务的理解，对职责的执行；

21 销量来自品牌定位和发展；

22 销量来自完整的市场计划和部署；

23 销量来自员工的日常纪律和工作心态；

等等

销量，是所有因素的总和。每一个人做他该做的事，大家都为了一个相同的目标，这样，销售工作形成一个完整的机器。就象一台精密的发动机，每一个员工都是发动机的一个零件，各司其职，便会发挥最大的效应，创造更大的价值。

第二部分 成功管理的一些技巧

1 掌握工作流程。

明确岗位描述，明确责任；

明确关键性业务指标

明确市场的操作方法；

明确表单的填写和信息反馈；

明确业务督导和业务检查；

2 员工表现的监控和衡量。

按工作流程指挥员工，让员工明白自身的职责；

指导员工执行工作任务；

定期衡量员工工作；

培训，指导员工更好地工作；

随同员工进行拜访或收款工作，发现问题；

3 实际执行。

不要等结果，而是掌握产生所有结果的过程，如销量的变化，利润和成本；

体现工作的成果，例如：市场计划，培训，拜访，检查记录，例会等；

反映所有工作支持的诚意，如：部门协调，定期检讨，不随便责怪业务员，不推卸责任等；

4 定期衡量。

衡量关键业务指标；

每周，每月衡量工作业绩，检讨阶段性工作目标的达成情况；

主动提交市场建议；

定期衡量下属的工作；

5 团队建设。

加强部门协作，经常探讨市场存在的问题；

实地考察市场，共同解决问题；

加强自我提高，自我完善的能力；

开放的沟通环境；

只对事，不对人；

分享经验；

一个人的力量是有限的，集体的力量是无穷的；

不论成功，或是失败，都是集体的；

6 做一个有头脑的领导者。

不断学习，掌握市场管理与运作的技巧；

使用管理工具，如工作计划，工作检查表单；

创造沟通环境，起到沟通员工与高层领导的作用；

提供具体的市场管理支持，如：现场辅导，现场办公，现场回收欠款等。

不断自我完善，发现自身的不足；

积极寻找解决问题的办法---------没有解决不了的事，只有心态不正的人；

积极提供市场建议，哪怕建议十分幼稚；

检查执行效果；

7 成功的管理者不一定是业务专家，但他可以发挥员工的专长，可以将一个人的经验变成几个人共同的经验。

第三部分 为什么要衡量我们的业务表现

我们的企业哲学是：顾客为尊，市场为首，人才为源。作为公司的一员，业务员代表着公司的形象；从一定层次上说，业务员是销售成败的关键。在业务拓展中，我们的表现是我们实现自身价值的依据，也是职位评定的依据，因此，我们的业务表现必须有一个衡量的标准。企业没有大锅饭，企业也没有铁饭碗，我们的业务表现，就是我们在企业找到位置的依据。

在公司的发展战略中，我们的模式是：

一个中心——销售活动以管理为中心

两个基本点——建设销售队伍和经销商队伍

三个原则——建立网络原则

帮助经销商赚钱原则

品牌经营，提高店铺占有率，提高店内占有率的原则

四个目标——销售量最大

成本费用最低

市场占有率最大

购买者最多

鉴于以上的模式，业务表现的衡量更是工作的重点。因为，没有衡量标准，公司就无法进行管理。衡量的标准就是预期要达到的目标，衡量标准也传达了公司对员工的期望；使员工的潜力和公司的发展保持一致。

炎帝酒业业务衡量标准示例：

如：销售执行——生动化

定义：销售终端为吸引消费者注意力所采取的所有行动；

包括：陈列，POP，上柜，堆头，商标，气氛布置等

各项按要求执行：

陈列：集中摆放，品牌顺序；

POP：张贴标准，及时更新，清洁；

气氛：气球悬挂，海报张贴，横幅以及其他道具到位；

各项检查均以评分的方式计入业务员当月工作评估。

注意：

1 考核不同职位的员工，考核的标准是不同的，因为他们的工作任务不同，承担的责任不同。

2 不同职位的员工承担不同的责任，但是不论如何，职位越高，承担的责任越大。

第四部份　销售过程管理

销售过程是实现销售收入的过程。特别是白酒的销售，因为该行业的整体素质偏低，销售队伍的能力低下，市场的管理，控制都处在无序状态。炎帝酒业实施品牌战略，品牌的培育很大一部份是在市场的过程管理中实现的，因此，我们必须严抓市场的过程管理。无论市场设计如何巧妙，品牌规划如何完善，如果没有销售过程的管理，所有的工作都会功亏一篑。

销售管理是一项非常细致的工作，要求销售人员不仅具备沟通的技巧，客户管理的专业知识，还要随时保持高度的责任心和洞察力，及时发现和处理销售过程中的问题。使销售全面体现公司的整体战略，企业理念和品牌特性，在销售中进步，提高销售人员的素质，提高公司的开拓力和竞争力。

1、售人员在销售过程中的作用：

● 与消费者建立长久的友好关系；
● 解决消费者存在的问题；
● 款待消费者；
● 与经销商合作；
● 管理信息；
● 计划访问；
● 填写访问报告；
● 展示产品；
● 参加会议；
● 培养销售人员；
● 货款回收；

2、寻找顾客，鉴别顾客资格

顾客在哪里？——寻找顾客，就是寻找我们销售目标实现的对象；而鉴别顾客的资格，则会使我们的工作不走弯路。

● 衡量顾客的三项资格；
● 他有没有钱？
● 他做得了主吗？
● 他需要吗？

在这里我们必须提到市调，市调是为了更好地开展工作。因此，对于陌生市场，或是竞争激烈的产品，选择一个好客户，将让你事半功倍。

在了解了客户基本资格之后，我们必须来检讨公司的产品和营销战略需要怎样的客户来执行。一般来说，进入期的产品或品牌应该寻找能力中等，有一定实力的客户，这样有利于公司管理战略实施，有助于销售过程的管理。

市场上经常存在“客大欺店”的现象，请大家在销售过程中加以避免。

3、　查的技巧和具体方法

市场调查的事前准备工作有：

● 现有资料的收集，整理和分析：

——制作表格

——按区域划分调查目标

——确定调查的项目

● 选择调查的方法

——利用互联网的统计资料

——利用公司内的记录，统计，报告和资料

——实地调查

——访问面谈——实态观察——动机调查——盲式测验——抽样调查——问卷调查

● 设计调查的方法

4、开拓潜在顾客的原则

● 培养敏锐的观察力和正确的判断力

观察是运用听觉和视觉，多看，多听。利用人人喜欢表现欲望，多请教别人问题，然后倾听、观察，判断。

● 记住化学里的连锁反应

化学的连锁反应是：一个分子分裂为两个分子；两个分子分裂为四个；四个分裂为八个；如此无限地分裂下去。同理，应用在发掘潜在客户上，从你认识的亲友、现成的客户、或其他来源的潜在客户，一个介绍一个。

● 养成随时发掘潜在客户的习惯
● 记录每日新增的潜在客户

5、发掘顾客的方法

——只有想尽方法发现潜在顾客，才能不断创造销售成果。这是成功销售人员努力的方向。

● 直接销售法
● 联销介绍
● 利用顾客
● 利用社会关系
● 设立区域中心点
● 不断拜访
● 机关，团体销售
● 宣传广告效应

1、访问顾客

访问前的准备

——熟悉企业，产品，销售政策

——了解客户，预测客户的反应

● 了解客户内部的主要人物

● 了解客户的营业状况

● 认识客户心理--记住：客户不是购买你的产品，而是购买你的产品所能带来的利益！

● 审视自我--仪表服饰是否得体？精神是否饱满？是否自信？

2、 访问顾客的过程

完整的销售过程如同一枚火箭升空前往月球，要按步骤达成：

第一步 计划

第二步 建立需要

第三步 引起需求

第四步 描述其需求获得满足的情形

第五步 热诚宣扬产品利益

第六步 尽早努力完成销售目标

第七步 工作小结

3、 访问客户的方法

电话访问

优点：节省时间

缺点：顾客很容易说“不”

信件访问

优点：节省时间，可以为顾客提供比电话更详尽的信息

缺点：顾客很容易说“不”

面谈

优点：

可以充分表达产品及服务信息

可以发现顾客反应

及时提供适当的产品和服务

注意重点：——如何开场

1展示产品的利益

2告知公司的销售支持

3提及其他商家的名字

4描绘市场前景

4、 销售展示

在销售展示中，销售人员必须了解顾客的个性。

客户个性分类

客户类型

处理方法

沉默型

提问些具体问题

拖延型

鼓励、帮助他们建立自信

热情高、多话型

建议购买

条理型

慎重措辞，讲话要慢，细节突出

争论型

这些顾客往往不真诚，销售人员应用真诚和尊重赢得顾客的尊重

谨慎型

创造轻松环境，介绍要详细，逻辑性强

自负意见型

认真听，适当解释，消除意见

怀疑型

了解顾客背景，用事实说服，态度要稳健

冲动型

迅速地介绍重点，尽可能省略细节

销售展示依据销售人员对客户的评估，确定展示方案。

● 提供详尽的产品、品牌、企业资料；

● 提供详尽的销售数据和未来市场计划；

● 提供样品展示或品尝；

● 对意向客户邀请面谈；

10、签定合约以及市场维护

● 进一步了解公司的销售政策；

● 确定签约的主体内容；

第五部份 员工社会行为规范

（一）

一 员工的仪容仪表

在企业行为中，员工的一言一行，一举一动，都代表了企业的形象。森宝集团·炎帝酒业的企业形象定位：以服务社会，提高大众生活品质为己任，创造新时代的新品牌。在这一形象定位下，员工的仪容仪表必须注重：

1、生活化：以寻求与社会大众的共同点，使人容易亲近。

2、品位化：在生活化的基础上突出森宝人审美的品位。

二、员工语言

中国是礼仪之邦，日常用语的规范是CIS行为识别系统中的重要环节，因此，推广标准语言是各部门主管的重要工作，推广初期，甚至必须与奖金挂钩。

三、员工的对外行为

1、员工的行为符合法律准则。

2、员工的行为符合道德标准。

3、主动献爱心，助人为乐。

（二）

森宝集团·炎帝酒业承担对外接待的部门统称为“窗口”，如集团办公室，直销部，电话总机，招待所，餐厅等涉外部门，这些部门的具休行为.

1、热情.热情体现出森宝人对每一位顾客，朋友的尊重，体现了森宝人真诚的本性。

2、注意每一个细节。细节最能体现职业素质和职业修养，也是森宝人关心顾客，关心朋友的集中体现。

3、体现时代精神。客人，朋友的来临，尽量采用形式简单，物化因素小的接待方式，不提倡铺张浪费。

各具体部门依据实际情况制订出切实可行的行为规范准则，并成为工作考核的一部份。

（三）

公关活动是宣传企业，树立企业形象的大好时机，充分抓好公关活动，以规范的行为来传播企业各类信息。

1、新闻宣传：主要是媒体报道，新闻发布会，记者招待会等，新闻宣传是隐性的广告宣传，比真正的广告宣传更具威力。炎帝该如何作好新闻工作？我们认为该注意以下几点：

新闻性：有发布新闻和制造新闻两种。

真实性：具有真实的内容，避免制造噱头。

企划性：新闻的发布经过严密的组织，可以延伸到市场活动中，并产生销售效应。

2、文体活动的参与

文娱与体育活动的参与对企业形象的提升，知名度与美誉度的提高有直接的作用。但由于现在文体活动的商业化，许多的活动含金量不高，因此，对于文体活动我们注意：

社会性影响力的大小；目标消费者的参与程度；费用；可操作程度；预期效应评估；等等。

文体公关活动必须与市场活动紧密地联系结在一起，否则，参与活动没有任何意义。

3、赞助公益活动。依企业实力，有选择地进行。

4、赈灾济困。可以发动员工参与，激发员工的美德。

（四）

营销活动内容很多，有广义和狭义之分。狭义的营销活动指产品发布会，定货会，推广会，展览会，经销商会议，消费者恳谈会，市场调研会，品牌评估会等等。广义的营销活动包括了营销管理，促销管理，广告管理的方方面面，这里从狭义的营销活动行为进行规范。

1、针对经销商的营销活动行为规范：

让利于商。将欲取之，必先予之；欲求利大，必予大利。格力空调的老板直言成功的秘密："我们起步晚，但们们给经销商的利润是其他空调厂家的2倍，所以我们成功了。"割一块肉是心疼，但必须坚持让利于商——别人无利可图，别人睬都不睬，还谈什么行为规范？

以诚待商。在糖酒会上，很多厂家利用机会来联络经销商的感情；有的厂家不惜巨资，笼络经销商，以期达到定货的效果，这种不真诚的手段在现在已经不适用了。炎帝酒业应该在根本问题上下工夫，品质，促销，广告，终端等等一系列完善的规划和管理，无商不奸没错，谁能用小恩小惠迷糊经销商？从长远看，脚踏实地地练内功，真诚地面对顾客，我们别无选择。

服务于商。我们有两种顾客，一是经销商，二是消费者。两种顾客都要满足其需要，但两种需要是不同的。经销商需要的是市场，利润以及可持续发展的品牌；消费者需要提优质的产品，独特的精神享受和优惠的价格。在这里，我们的服务成为日常工作的重要内容。

2、针对消费者营销活动的行为规范

包括促销活动，市场调研活动以及各种类型的终端活动。

首先在诚恳。现代营销的核心是沟通，沟通在针对消费者的营销活动中占了巨大的比重。消费者动了心，才会积极响应产品，才会掏钱购买，这一点前线的市场主管必须有一个明确的认识。

简洁：活动以易于操作为重，避免繁琐带来的各种不利影响。

企划组织：任何的活动都必须在一定组织工作下开展，特别是准备工作以及事后反馈工作。

3、针对学术活动的行为规范

学术活动主要有质量鉴定会，产品评优会，品牌资产研讨会，销售研讨会等等，这些活动的参与者大多为尊重。注意格调，造势。

第六部份 中国白酒行业分析

一 白酒的命运。

白酒行业的整体滑坡使得中小企业处境维坚。一方面，白酒行业的第一集团军依靠实力大力实施品牌延伸与品牌繁殖，另一方面，国家对中小企业的扶持力度减弱，这是众所周知的事实。不可避免，白酒行业的洗牌局面正在形成。尴尬是白酒命运真实的写照。酒业的重税使中小企业不堪重负，相应地，对市场的投入，区域的划定自然缩小；行业管理与行业素质的低下迫使白酒走进经营的误区，白酒的命运在诸多不可控的因素中更加不可预测。资源的消耗和相关政策的压制必定会淘汰一批没有品牌，没有市场，没有管理的白酒，而竞争的局面将在这一次洗牌中走向明朗。白酒第一，第二集团品牌在市场运动中形成，并拥有各自的市场空间。

恶性竞争的后果是企业的资源消耗严重，假如没有新的力量，中小企业的命运堪忧。

白酒行业的消耗战表现在品牌的掠夺式经营，市场的盲目性争夺以及广告的"烧钱"游戏。资源消耗的后果是市场，销售呈几何级衰退，因此，我们不能够抱着"头痛医头，脚痛医脚"的态度来处理经营管理与市场竞争的问题；静止的观点看待市场是错误的，机械的观点看待市场同样有害。市场的无情已经在炎帝企业的市场化实践中得到证明，因此，走不出当前的怪圈，迈不出整改的步伐，等待企业的将是被淘汰的命运。

我们应该拥有危机意识，甚至抱着危机来面对市场，面对企业的运营。

二 中国白酒的竞争状况。

数据显示：中国白酒的消费总量趋向平稳，但是呈现集中的趋势。知名品牌的销售额稳步上升。从这里我们不难发现，一部分中小企业的市场空间被挤占，销量被掠夺。

如同十个人向一个人推销一瓶酒的热闹场面，被围的人只能买一家的，还有九家干瞪眼。怎么办？打吧！打到头破血流，还是得分出胜负。现在的白酒行业竞争犹如战国时代以消耗人力，物力，财力为特征的夺命竞争。厂家拼资源，拼设备，拼广告，拼得结果是：惯坏了经销商，惯坏了消费者。这种的竞争走到了尽头，意味着企业，行业有了一个创新的机会。于是，竞争进入品牌领域，精神领域，可惜，很少的企业意识到这一点，并为新一轮的竞争积蓄力量。

白酒产品的高度同质化意味着竞争的激烈。产品的有限空间迫使企业在营销组合上可运用的元素极为有限。目前，白酒的产品诉求，仅仅在口感进行挖掘，于是，空洞，苍白的诉求充斥着各种媒体；白酒企业在品牌建设，形象战略上的竞争水平很低，这里为我们提供了机会。形象制胜，以形象战略为先导，以品牌战略为辅助，在市场网络建设的过程中把握消费需求，从形象的高度把握市场是我们唯一的出路。

竞争的新阶段要求我们面对市场。从性质上看，硬性竞争已被软性竞争代替；从范围上看，局部竞争将被整体竞争所代替。只有将文化，社会，精神方面的因素融入产品，才会使产品形成前所未有的活力，才能使品牌具备强大的生命，并是竞争力提升到一个崭新的局面－－－－－－这是整体竞争的优势所在。

炎帝酒业是要拼的，不是拼死，而是拼活。如何拼？唯一的拼法是：趁其不备攻其虚，出其不意超其前。白酒同行的虚，虚在哪里？1 形象战略。2 品牌战略。3 企业机制及抗风险能力。超，超什么？超越产品观念，提升到形象，品牌的概念上面来。

从这一层面上，我们企业必须勤练内功，锻造企业的核心竞争力，从战略上进行转型，加以时日，点钱点得头昏眼花的，一定是炎帝酒业的会计。

三 白酒行业的特殊性分析。

中国有几千家酒厂，不知有几家把酒摸透。厂商拼搏的就是无色透明的玩意儿。我们先给酒戴个大帽子——白酒是传统的，通俗的，矛盾的，畸形的，堂皇的，低调的，消极的大众消费品。

首先，酒不是好东西。酒精中毒，上瘾，酒精肝等等与酒有关的病症，借酒发疯，酒后肇事等等不良社会现象均与酒有关。于是，酒有了不光彩的名声。2000年，河南王英状告白酒行业充分说明了一部分人对酒的观念。

其次，酒是好东西。没有酒，国家的财政收入从何而来？没有酒，许多人的生活乐趣哪里找？各种的社交需要，各种消费人群的消费需求，而且，还有几百万人靠酒吃饭。在几千年的中国文化中，酒文化，酒艺术渊源流长，构成中国文明灿烂的篇章。

于是就矛盾了，国家对酒征收重税，地方政府对酒企业暗送秋波；酒厂想把酒做得多一些，卖得多一些，但是又不能明目张胆，广告法的规定是一个瓶颈。许多企业在宣传上走入了歧路，纯粹的产品概念一再炒作，一些显而易见的产品口感不断诉求，而忽略了品牌形象的塑造。值得注意的是，一些知名企业已经把形象战略灌输于市场的运营中。如“沱牌”“郎酒”等，企业形象与产品形象经过了整合，在市场的运作中迸发出强大的力量。

卖酒，我们还是必须吆喝，但是怎么吆喝，是一件大事，是一个长期的战略。因此，在品牌与形象建设方面，我们炎帝酒业必须有所突破。

四 白酒消费特征。

产品的同质化意味着白酒产品必须在引导消费上下功夫。高度的同质化又使的建立品牌忠诚的难度加大，这就是为白酒的新品牌在市场上各领风骚两三年，形不成长期品牌的原因。现阶段的消费特征：

1 市场化时代来临，消费者的消费空间加大，选择的余地加大，因此，人们更加注重产品的内涵以满足精神需求。个性，生活质量，价值观的多元化，使得消费者十分追求商品的附加意义。

2 市场化时代消费者追求商品的个性化，自我实现的欲望强烈，价值观变化快，追求商品与心灵的高度和谐和共鸣。

3 白酒消费已经成为社交的需求，因此，她是品牌形象消费，是感觉消费。人有两种需求，一种是缺失需求，包括生理，安全，归属，尊重等，一旦满足后，需求的动力就减弱了；不再成为消费的主要动机；另一种是成长需求，包括审美需要，自我实现需要，是一种不断强化的过程。白酒消费属于缺失需求，但我们必须在形象方面满足消费者，在感觉方面刺激消费者，在消费者物质需求满足后，提供一种精神的满足。

4 酒是一种更多地与人们心理，精神，审美，身份，地位，体面相关的特殊软性消费品，因此，我们必须越来越多地赋予酒以人性因素，以期达到与消费者沟通的目的。

五 市场环境变化对企业的影响。

市场环境发生了变化，企业的处境也相应地发生了错位。企业的本性是社会性高于经济性。新环境下的企业发生了如下的变化：

1 企业的思维和行为方式，由主体导向变为客体导向为主的二元客体导向。

主体导向即一切以自我为圆心，根据自己的设想，根据自己的判断，将产品让渡给经销商或消费者。这是卖方市场的产物。

白酒已进入买方市场，经销商，消费者可以依据自己的偏好选择产品。

客体导向即消费导向。一切以消费者为中心，客户需要什么酒，我就卖什么酒。美国哈佛教授赫伯格说得很生动：“我们一切伟大的设想都没有意义。一切有价值的东西都藏在消费者中间，金库的钥匙不在我们手上里，在哪里？看，在刚从商店出来的人的脑袋里。”

二元客体导向不仅要考虑消费者的需求，也要分析竞争对手的状况。

2 在市场的结构中，白酒的生产商已经由主导地位转变为从属地位。市场由供应商，中间商，消费者构成，经销环节在白酒的销售中占有举足轻重的地位。白酒厂商“成也经销商，败也经销商”的感叹比比皆是，在这里，我们必须拥有非常清晰的市场导向战略和市场信息反馈系统。

3 企业力的转变。企业力由产品力，销售力，形象力构成，只有三种力量达到完美的统一，企业力变成了市场的现金流，物流。

例如：“我们做多少面包，就卖多少面包”——产品力的作用。

“我们变着花样卖面包，所以我们卖得多”——销售力的作用。

“我们烤了一辈子面包，面包就不再是面包了”——合力的作用。

4 企业生产力性质的变化。

有形的物化竞争在趋向于高度同质化时，只有谋求无形的精神领域的突破。因此，企业的生产力的性质发生根本的变化，无形资产上升到企业的重要战略层面。

六 关于形象消费的论断。

论断的依据：

1 经济体制的转变：计划经济——市场经济

2 经济形态：短缺，供不应求——过剩，供过于求

3 市场：卖方——买方

4 消费：机能消费，强制消费——形象消费，感觉消费

5 竞争：硬性的资源消耗——软性的形象竞争

6 企业机能：经营，利润的机器——社会性的服务组织

7 观念：主体导向——二元客体导向

8产品：原始功能逐步减少，附加意义不断增大。

第七部份 市场调研和市场信息的收集

一、目的和要求

1、市场调研是公司进行营销策划和实施的依据和前提条件；

2、市场调研质量的好坏关系到公司营销战略目标的实施；

3、市场调查项目的设置，应做到科学、合理；

4、为保证市场调查与市场信息的真实性，在调研中应克服个人感情因素和杜绝弄虚作假；

二、市场调研的准备工作

首先，确定在什么市场进行调研，调查一些什么项目，如何进行市场调查，要取得怎样的市场信息，要达到怎样的效果；然后，根据市场调研的目的要求，按以下步骤进行市场调查前的准备：

1、拟定市场调研计划：计划包含市场调查目的，时间，地点和范围，采用何种方式，调查内容，在达到怎样的结果；

2、资料收集工作：从报纸、电视媒体和查找公司以前销售情况资料初步了解当地市场；

3、市调文单准备：设计市场调查表单，包括所要调查一些项目，目的，市场调查结论；

4、进行市场调查

5、市场调查分析、总结

三、市场调研方法

1、现场调查法：根据设计表单的要求，一般采用询问方式，由调查人员进行现场市场调查；

2、函询法：把调查内容设计成问卷形式，以函寄的方式向消费者或经销商调查；

3、抽样调查法：确定目标，按目标数比例或比重随机抽取样本，对抽取的样本进行统计分析；

4、专家意见法：征询专家学者和白酒经营者的意见；

四、市场调研与市场信息

1、 市场现状调查

（1）整体市场现状：

调查当地市场整体经济情况，包括消费者购买力、购买习惯、饮食习惯、消费支出比重等等；

（2）白酒市场现状：

考查当地酒类市场中白酒市场的比重，当地消费者饮用习惯以及喜欢什么口味白酒，白酒市场的前景等等；

2、消费者调查

消费者调查主要采用5W1H调查，也就是说，调查谁是消费者（WHO），为什么购买（WHY），在什么地方（WHERE），在什么时间（WHEN）、购买什么产品（WHAT），如何购买（HOW）；

3、经销商调查

经销商调查主要调查经销商的奖金，经营能力，经营方式，品牌意识，信用，网络情况等等；

4、竞争产品调查

主要调查竞争产品营销策略，促销活动和方式，市场辐射面，市场占有率，产品种类，价格，展示情况等等；

5、公司产品现状调查

主要调查公司产品在市场上终端铺货率，ABC三类终端上柜比率，市场占有率，市场知晓度和美誉度，产品价格和种类，展示效果等等；

五、市场信息分析、总结和存档

1、SWOT分析：

对公司内外环境进行SWOT分析，S代表优势；W代表劣势；O代表机会；T代表威胁；

如：八千岁酒××市场SWOT分析

2、市场调研总结

通过对市场调查取得的市场信息进行加工处理、分析后，就必须对所调查的市场或项目下结果，做出评判。

3、市场调研与市场信息的存档

把市场调研与市场信息整理成册，一份上报公司总部存档，一份由所在片区存档，作为策划营销活动的依据；

第八部份　区域市场销售活动的策划组织

一、目的和要求：

1、依据营销策略和市场调研取得的信息，确立销售活动目标，进行销售活动的策划组织；

2、在对区域市场销售活动的策划组织时，应避免盲目跟随其他公司销售活动；

3、在组织策划时，要避免单纯为完成某项任务而进行组织策划促销活动。

4、在对区域市场销售活动组织策划时，应对本区域网络资源，消费者需求，竞争产品的营销策略有充分的了解；

二、销售活动策划组织要素：

在策划销售活动时，主要考虑以下要素：

1、确认销售活动目标

区域销售活动目标是公司营销目标的细分目标，并协助达成营销目标。每一项销售活动都必须有具体的目标。如：市场占有率提高5%；品牌知名度提高15%；销售业绩上升至1000万元；

2、向谁销售

首先要确认销售活动的对象，并描述特征：（为扩大效果，实施对象可同时设定为消费者和经销商）

（1）市场的辐度

（2）购买者之地域性描述

（3）购买者的地理位置

（4）社会心理特征

（5）产品被购买的理由

（6）谁是现场购买者？谁影响其购买？谁影响购买者？

（7）何时购买

（8）如何购买

3、销售时间

（1）销售时间

销售活动的举办时间，通常根据下列五个因素：

节假日：如元旦，十一.........等

季节性：如冬季是白酒促销的旺季

目前流行的、有新闻性的话题、

公司的节庆

公司策略性决定

（2）销售时机

4、销售什么？

阐明欲透过销售活动推销的主力商品，如：刺激季节性商品甲的销路。销售活动所需要的工具，其种类、数量均要事先备齐。一般通用的物品有：广告、看板、展示板、礼品

等等；

5、如何销售？

对消费者和经销商的销售活动加以组合，并安排实施的步骤与具体方法。

如：对消费者实施的宣传活动，有猜谜、问答、竞赛或奖品等几种。这些竞赛的应征、领奖或审查竞赛的方式，如过于复杂、难解，定会使宣传运动的效果减半。

6、销售的口号

销售活动的口号的制定，必须注意到：

口号要响亮、具吸引力

销售活动内容要推陈出新

表现方式要简洁、易懂

避免会招来反感的表现

7、销售的日程行动控制

在做销售规划时，应事先考虑时间因素，与列出所有销售工作细项。着手进行销售工作时间进度表，包括设计、初期规划、批准、邮寄、分发、招聘现场销售人员、赠品印制、存货配置……。

8、在何处销售？

要考虑是在区域范围内大规模做活动或是在限定的区内实施。由于大量的广告多半与销售活动同时进行，为加强执行效果，应让广告范围与销售活动实施地区相一致。

9、 预期达成多少效果？

——对销售效果订定明确的目标；

——先行估计可能的效果；

——在实施期间与结束后，随时公布销售业绩；

三、区域市场销售活动的策划组织流程

建立目标 选择工具 研订方案 方案预估 执行与控制 评估成效

四、编写内容

1、活动主旨

2、市场分析

3、活动期间

4、活动目标

5、活动目的

6、活动对象

7、广告表现

8、具体活动

9、活动预算

10、附件

申报主管；

签约并进货、上柜；

保持良好的客情关系；

及时处理市场问题或客户投诉；

第九部份 促销管理

一、目的和要求

1、依据促销方案目的、要求，通过促销活动和管理，实现营销目标；

2、促销活动和管理必须符合公司的营销战略和规章制度；

3、管理必须符合当地市场和环境的实际情况；

二、促销管理阶段工作

每个促销活动，包括事前、事中、事后三个管理阶段，这三个阶段工作如下：

（一）、促销活动前期准备工作

1、促销方案的审订

促销方案是促销活动实施和行动的指导。促销方案的好坏直接关系到活动的成败，因此，在实施促销活动之前应对方案进行审订和修正。

(1) 审订方案是否严密、可行：主要包括促销活动的执行方式、人员组织安排、执行时间、执行场所、活动设备等；

(2) 审订方案是否有针对性：审订促销方案的定位、目标消费者、活动执行时间是否合乎促销目标；

(3) 审订方案是否有一定的适应、协调能力：促销活动对竞争者是否有竞争力，是否适应市场前景；

2、促销活动的具体安排

区域经理或主管依据审订后的促销方案，进行促销活动的组织、实施，对促销方式、人员安排、场所、活动设备进行安排。具体为：

(1) 人员的组织安排：以片区为单元，结合当地的市场环境决定人员，

(2) 广告、宣传品的准备和布置工作：主要包括道具、横（巨）幅、宣传单、手提袋、礼品、电视媒体、报纸、车体广告等，必须提前在促销活动开始之前准备、布置完毕；

(3) 促销品的准备：促销产品种类、价格及预计销量和续补量；

(4) 时间安排：把握促销时机，对促销时间进行细分，做到促销时间合理把握；

3、确定各自权责范围和信息反馈体系：

(1) 明确区域经理（主管）、业务主办、业务员各自权责范围；

(2) 信息反馈表单的设计和准备，主要包括销售表、经销商和客户反馈表、任务追踪落实情况表等等；

（二）、促销活动中的监督入管理工作

促销活动执行过程是对活动全程进行监督和管理过程，其中监督工作主要包含以下内容：

1、计划方案执行情况

2、人员执行情况

3、物资控制情况

4、实施中的不良倾向

如果发现实施中同计划方案有偏差、或方案同实施有较大误差，区域经理（土管）就必须立即进行促销的调整，以改进促销方式、方法，必要时甚至可以终止促销活动。

（三）、促销活动后的分析、评估和总结工作

一项促销活动经过精心策划、严密组织、认真实施以后，完成了使命。然而，就要对促销活动管理工作进行分析、总结：

1、促销活动的分析、评估

(1) 对促销活动销售量、销售额进行统计和汇总；

(2) 对促销人员的业绩进行评估和奖罚；

2、促销活动的总结

归纳促销活动成功的经验或失败的教训，提出改进措施，为以后的促销工作积累经验。

三、具体活动执行管理

根据公司市场操作来看，现在主要是以下两类促销活动：

（一）、零星促销活动管理

零星促销活动主要包括如免费品尝、买一赠一活动等小型促销活动，其特点是规模小、投入的人力、物力少，不需要大量的广告投入，可操作性比较强；

1、促销前期准备工作

（1）人员的确定，促销方式、场所的确定；

（2）道具、宣传品的准备和布置：如提示性看板、横幅、气球、小礼品、宣传单等等；

（3）促销品的准备：促销的种类、数量、价格、优惠措施、促销品上柜、要求达到的展示效果；

(4) 时间要求：准备工作必须在促销活动前一天准备完毕；

2、促销监督管理工作

（1）实行区域经理（主管）、片区负责人、业务员三级分工负责制；

（2）对促销活动过程进行监督；

（3）定期对终端客户回访，及时补货，发现、解决和纠正促销活动中不良倾向问题；

（4）对信息进行收集；

3、促销分析、评估和总结工作

（1）根据促销人员的上报的促销信息或文单进行统计、汇总，再上报上级主管；

（2）对促销人员的业绩进行考核和奖惩；

（3）对促销活动的成功或失败进行总结，为以后促销活动积累经验；

（二）、酒店、商场（超市）等大型促销活动管理

大型促销活动主要是指在酒店、商场、超市举办的现场抽奖活动、婚庆促销、新品发布会、渠道订货会、社区促销活动等，其特点是规模大，投入的人力、财力大，需要大量的广告投入，操作性相对复杂，但时间相对比较短；

1、促销前期准备工作

（1）对促销方案进行细分，确定各个阶段的工作、目标和时间，并对各个阶段的任务进行细分，使促销活动有序、完整的执行；

（2）根据促销方案和各个阶段的工作、任务，在原有区域促销人员的基础上，确定大型促销人员的数量和安排；

（3）广告媒体的准备：

电视媒体的选择、播放时间和时段；

报纸媒体的选择、文案的编写、版位的选择、发布时间；

巨（横）幅广告的文案构思、制作、发布地段的选择、数量和发布时间；

POP广告和小礼品的制作和数量；

其它广告宣传品的准备，如订货会用的请柬、告知性的看板等等；

（4）活动场所的布置：

场所环境的布置，必须根据促销方案要求，对场地进行布置，要求与公司VI形象相一致；整体效果要有喜气洋洋气氛；

场内布置主要有横幅、展示板、POP宣传手册、挂旗、小礼品等等；

场外布置主要有横幅、巨幅、告知性看板、挂旗、店方和周围环境的布置；

（5）时间安排

在分解活动时间时，抓住商机，尽量使促销活动有序、完整的进行，特别是举办大型连续促销时，更应考虑促销时间的连续性、一致性和活动的效果；

（6）促销物品的准备：

进行库存盘点，预计销量和后补促销物品；其包括种类和各类物品的数量；

2、销活动的监督管理

依据促销前的准备工作和任务分解，对促销活动过程进行监督管理：

（1）促销计划的执行情况：主要监督计划是否达到公司所要求的目的；执行计划过程中有没有走样；有没有把握住商机等等；

（2）促销人员的执行情况：

促销人员有没有认真领会方案要求，有没有认真执行，有没有及时反馈市场信息等；

（3）促销物品的情况：促销物品准备是否充足，有没有及时补货；

（1）促销过程中出现的问题：出现不良问题有没有及时妥善解决和反馈；

3、促销后的总结工作：

（1）片区业务员定期把销售量（额）反馈给区域负责人，由区域负责人再根据这些销售情况进行汇总，然后上报公司总部；

（2）对促销活动进行总结：总结成功或失败的经验教训，以及今后促销活动的改进意见；

四、区域负责人在促销活动中的作用

区域负责人作为区域市场的领导者，是促销活动方案的起草、审定，组织实施，监督管理和总结反馈者，其作用关系到整个促销活动的成败。因此，一个好的区域负责人必须具备良好的营销管理知识，对区域市场信息、消费者需求、竞争者产品和营销策略、经销商情况了如指掌。只有这样，区域负责人进行促销活动时才能做到游刃有余。

五、促销活动应注意的问题：

促销活动中可能会出现各种各样的问题，如由于准备工作不充分，可采取紧急补救措施来弥补。在此，只对促销活动中可能出现的不良倾向问题和促销后遗症进行探讨。

1、促销活动中的不良倾向问题

（1）活动不能得到消费者认同；

（2）促销人员出现违法乱纪情况，导致促销活动不能按原计划执行；

（3）促销货物出现问题，包括数量、存货、供给、质量、品种等，以至促销宣传、传播受到限制；

（4）决策负责人的态度、观念和管理方式发生变化，以至必须要高速现行促销活动；

(5) 促销预算出现短缺或在资金可以加大投入以增强效果；

（6）竞争者的对抗措施逼使企业必须调整现行促销手段、措施、内容；

诸如此类的情况出现时，促销活动就必须进行调整，以使企业更有效适应新的环境和条件，从而最终达到既定目

标。当然，如果环境和条件发生重大变化时，也不排除当机立断，停止促销活动的必要性。

2、促销后遗症的表现及医治

通常来说，诱导促销后遗症的表现有：

（1）促销后，销售额迅速下降且采取多种措施都无济于事；

主要原因有：

单纯由物质利益诱导，未能诱导消费者找到满意的“由头”；

促销中，产品、服务、形象等给消费者留下不良印象；

给消费者的错误引导，使消费者获得利益的期待破灭；

促销管理工作出现失控，给消费者、新闻媒体等造成不好印象；

促销盲动，措施和手法都是以追求眼前利益为目标，没有长远规划；

在制定促销计划方案时，没有较为周密的分析和对可能出现的情况以及备用方案的研究；

基于这些原因，对该后遗症的医治“药方”是：

加强品牌价值（无形资产）的投入，以使消费者树立正确的概念；

转变促销方式和促销的内容；

启用其它促销方式，如销售后服务、形象促销等；

树立消费者购买信心和中间商经销信心；

（2）促销进行中消费者对该促销活动有意见，甚至反感，从而使企业名誉大幅度下降，并直接影响企业今后的销售量；

其主要原因有：

促销的立意、方式、内容使消费者产生普遍的反感；

促销方案的论证不准确，把关不严；

解决办法有：

加强促销的管理，重点在制度、人员信息沟通和协调、积极性的激励；

加强策划的制订和论证的科学性，重点在策划制订和论证的程序、分析、严密调查上下功夫；

如果已出现后遗症，则应从树立新形象着手，转变消费者成见，具体方法是：

——通过人员沟通，消除误解；

——通过广告、宣传讲明道理；

——采用其它经营和销售方式，在形象上转变看法；

——以品种、花色等新、奇、特的产品和销售方式转移消费者的视野；

第十部份　促销管理示例

分阶段促销管理

根据目前公司产品的物质，我们把公司产品促销分为四个阶段，其分为导入期、认同期、强化期、信赖期；其各个阶段促销活动和广告媒体见表一。

根据各个阶段的广告和促销活动的特点，设置各个阶段的促销活动及管理，但需要说明的是，这些促销活动并不是在各个阶段是唯一选项，许多促销活动在各个阶段都可行的，只不是促销目的和方式可能有所不同而已。

导入期：

（一）铺货活动：

方式：

1、在酒店内外进行布置，如在店内突出八千岁酒的品牌，在门头悬挂“新包装、新口味，八千岁酒隆重登场“或“喝过八千岁酒都是好朋友“横幅等等；

2、在超市选择一块约2×2米空地，把八千岁酒堆货销售，并在上面插上告知性看板；

3、在便利店店头挂上横幅；

宣传用品：宣传单、张贴画、打火机、圆珠笔、横幅、电视标板；

管理：

1、铺货广告应随铺货进度进行；

2、对促销宣传品有计划、有侧重、分阶段的分发；

3、本阶段的重点就是如何更快达到有效铺货率；因此，在铺货过程中要注意铺货终端的类别，铺货类别、比重是否合理；

（二）免费品尝：

1、免费品尝主要是在酒店举行；

2、选择A类酒店，具体在业务员和促销小姐操作下进行；

3、在酒店内设一个免费品尝专柜，在其旁立一个告知性看板，告知消费者；

4、及时反馈消费者品尝意见和建议；

5、区域主管或业务员必须做好免费品尝的巡视、检查和统计工作；

（三）酒店促销小姐

1、在繁华地段，客流量大的酒店配备促销小姐，现场对八千岁酒进行宣传；

2、　促销小姐的管理

主要包括：衣着装饰的管理；言谈举止；推销技艺；酒类和产品知识；信息反馈的管理等等；

认同期：

（一）“买一送一”促销活动

1、此活动主要是在商场超市进行；

2、活动必须在有一个主题：如：迎千禧　八千岁酒“买一送一”大派送；

3、活动方式：在超市商场，买一瓶500毫升八千岁酒送一瓶125毫升小瓶八千岁酒；

4、活动准备：横幅、店内告知性看板、备货和补货；

5、促销人员现场推介；

6、主管和业务员定期、不定期的巡查；监督和反馈商家及消费者意见；

7、活动的汇总、统计和总结经验得失；

（二）渠道订货会

1、促销活动是针对终端客户和批发商，不是消费者，目的是让利于网络终端客户和提高经销商的经营积极性；拉升销量；

2、活动主题是什么；如：八千岁新品秋季订货会；

活动口号：新包装　新口味　八千岁酒隆重上市；

喝过八千岁酒都是好朋友；

3、活动前准备：

（1）订货会时间的选择：以秋、冬季两季为考虑时间，具体举办时间以节假日和当地较为休闲时间的某一天；

（2）订货会场的选择：选择在繁华路段的酒店或酒楼；

（3）订货会规模：根据当地市场和网络情况决定规模、邀请人数、会场活动或节目的安排、预计订货量和订货品种等等；

（4）请柬的寄发：在活动前十天确定邀请名单，在一周前必须寄出，保证终端客户在订货会前三、四天能收到请柬；

（5）礼仪小姐的招聘和培训；

（6）宣传单文案的拟定和印刷；

（7）节目和活动主持人的选定，如节目有请当地有名艺人表演、猜谜、知识竞赛等等；

（8）促销用品和道具、奖品的准备：如：气球，小挂旗，猜谜奖品，横幅等等；

（9）嘉宾接送车的准备和布置；

（10）会场布置：

店外布置：在繁华路口和店头挂横幅；店前同摆提示牌、祝贺性看板；

店内布置：主席台布置；店内四周布置；桌面布置；展台设置与布置；现场音乐选择、播放；

布置要求：布置成喜庆气氛，要突出八千岁品牌形象；必须在活动前一天布置完毕；

4、具体活动：

（1）嘉宾接送车在车站或码头接送客人；

（2）客人的接待，宣传单分发，订货；

（3）午宴和节目；

（4）订货会结束客人接送和住宿安排；

（5）订货产品的送达；

5、活动管理：

（1）主管对活动的组织准备工作进行检查；

（2）主管对活动结果进行汇总、统计和总结上报；

强化期：

（一）新品发布会

1、活动主题：八千岁酒新品发布会

2、广告口号：热烈庆祝八千岁酒新品隆重上市

有身份　有年份　八千岁酒

3、活动对象：经销商、终端客户、媒体记者

4、活动目的：告知终端客户新品上市，增强经营信心，促使经销商订货；

通过媒体记者宣传造势，提高品牌知名度，促使消费者购买；

（本活动可配合订货会进行）

5、活动准备：

（1）会场选择：在繁华路口的宾馆或酒楼的大厅举行；

（2）时间选择：节假日、有特殊意义的日子的上午；

（3）会场规模：考虑邀请人员实际到会人数；

（4）请柬寄发：活动十天前拟定邀请名单，七天前寄发，保证在活动前三、四天经销商和记者能收到请柬；

（5）报纸文案拟定和发布时间选定：选择当群众购买量最大的报纸进行发布，时间选择在新品发布会前三、四天至发布当天刊登；

（6）宣传文单的拟定、数量和印刷；

（7）礼仪小姐选择和培训；

（8）会场布置：

会场门头：横幅、条幅、气球的悬挂与布置；

主会场：横幅、气球悬挂布置；主席台布置；

（9）活动安排和主持人的选定：如在会场门口进行乐队演奏；

（10）宣传用品的准备，主要包括横幅、条幅、看板、气球、宣传单、小礼品；

6、具体活动：

（1）在会场现场进行乐队演奏；

（2）设立展览专柜；

（3）在会场进行免费品尝新品；

（4）新品订货优惠：如一次性订货达1万元者，赠新品10箱；5万元时，赠新品60箱；10万元时，赠新品130箱；

7、管理

（1）区域负责人对组织安排工作进行管理；

（2）区域负责人对活动过程进行管理；

（3）对活动情况进行总结上报；

（二）婚庆促销活动

1、活动主题：千年婚姻　喝八千岁酒

2、活动目的：通过婚庆活动，提高八千岁酒在大众心目中的知名度，提升销量；

3、活动时间：在春节、元旦期间，五一国际劳动节，国庆节；

4、活动对象：在酒店举办婚宴的新婚夫妇；

5、活动方式：凡在八千岁网络酒店举办婚宴的夫妇，按排名的先后顺序，选取三十对新婚夫妇，在宴席上免费提供××瓶八千岁珍品酒或贡品酒，其余按现价结算；

凡被选取的夫妇，我们将在电视上免费点歌祝贺；

6、活动准备：

（1）报纸文案的拟定和刊登时间：刊登时间一般在活动前七天刊登，每个星期刊登一次；

（2）宣传用品的准备：如横幅、看板、气球、小挂旗等等；

（3）会场布置要求：场内布置：在主席台喜字上悬挂祝贺横幅；在场内四周用气球布置，烘托喜气气氛；在每桌放置印有八千岁字样的桌牌和宣传单；场外布置：在门口摆放祝贺性看板；门头悬挂横幅；在场外空地拉小挂旗；

（4）会场主持人和礼仪小姐的选定；

（5）会场现场音乐的选择和播放；

（6）电视点歌文案的拟定和播放时间的确定；

（7）以上准备工作必须在婚宴前一天准备完毕；

7、具体活动：

（1）礼仪小姐负责接待客人工作；

（2）现场音乐播放；

（3）主持人主持婚宴，并送鲜花祝贺新婚夫妇；

（4）有条件的配合一系列活动，如：抽奖；

8、管理：

（1）片区负责人对准备工作的组织验收管理；

（2）片区负责人对婚庆促销活动的统计、汇总上报和经验总结；

信赖期：

“八千岁　一家亲”社区活动

1、活动主题：八千岁　一家亲

2、活动目的：通过“八千岁　一家亲”社区活动，塑造八千岁良好的社会形象，在公众中赢得依赖；

3、活动对象：社区大众消费者

4、活动时间：节假日

5、活动方式：选择几个较有名的社区，在超市门前或社区空地上，邀请社区家庭参加，活动以家庭曲艺表演、唱歌、猜谜、知识竞赛、游戏为主；

6、活动准备：

(1) 活动场地的选定；

(2) 活动宣传文案（含海报）的拟定、印刷和分发；

(3) 在社区内，每家每户发放宣传单，邀请家庭参加或请当地才艺人士参加；

(4) 活动用品和道具的准备：音响设备，道具，气球，横幅，条幅，小礼品，小挂旗等等；

(5) 活动主持人和礼仪小姐的选定；

(6) 现场音乐的选择和播放；

(7) 活动节目的准备、资料的收集；

(8) 活动场地的布置：

按公司CIS设计幕墙；在幕墙上端悬挂活动条幅；场地四周用气球、小挂旗布置；要求达到喜气洋洋、热闹的气氛；

7、具体活动：

(1) 活动前用音乐现场造势，吸引社区大众；

(2) 节目主持人按活动节目安排进行现场主持和奖品、纪念品的发放；

(3) 奖品一般以公司的产品为发放对象；纪念品以小礼品如打火机、小镜子等；

8、活动管理：

(1) 片区负责人应对活动的可行性进行审核；

(2) 片区负责人应对活动的场地和参加人员进行安排管理；

(3) 片区负责人对公司人员和活动组织进行安排管理；

(4) 片区负责人对活动结果进行统计和汇总总结；

金星澳麦啤酒上市策划案例

创新是金星啤酒集团迅速发展的永恒动力和不竭源泉，对金星啤酒集团来说创新无处不在，创新无时不有。金星啤酒积极实施产品创新战略，率先开发的小麦啤酒、苦瓜啤酒、冰凉啤酒等特色产品不断满足并引导消费者的新需求，始终保持着持久的竞争优势。2004年金星啤酒又开发出澳麦啤酒新产品再一次在市场上掀起金星啤酒消费热潮取得了巨大的成功。科学、完善、可行、高效的金星澳麦啤酒上市方案是金星澳麦啤酒成功的前提和基础。

【市场分析】

由于河南啤酒行业中小企业居多，整体素质较差，供求矛盾突出，市场竞争激烈程度和市场秩序混乱程度在全国屈指可数。普通啤酒市场更是如此，市场以8度、10度1×9膜包产品为主流，一、二级商、餐饮终端的进货价分别在为8.5－10.05、9.0－11、10－1.25元/瓶，一、二级商利润0.45－0.6、0.7－1.2/包，终端零售价格在1.5－2元/瓶加上瓶子销售利润（0.2－0.3元/只），单瓶利润也在0.7－1.2瓶之间。相对来说经销商利润较低，积极性不高，企业利润就更加微薄，随着能源、原料、运输、营销费用的大幅增长，许多企业普通酒卖得越多赔得越多。由于作为中国名牌的金星啤酒始终坚持普通酒低档不低质的原则，综合成功较高，同档次产品均比竞争对手高到0.1－0.2元/瓶，而终端零售价却一样，渠道较低，经销商积极性受到影响。如何充分发挥品质、服务、利润和品牌优势，走出低价竞争的怪圈，增强普通酒市场的盈利能力是集团领导深入考虑的问题。经过我们广泛的市场调查发现在河南啤酒市场普通啤酒零售价在1.5－2元/瓶，而中高档啤酒价格在4元以上，却没有零售价在2.5－3元价位档次的啤酒；而且随着消费者消费能力和品牌意识不断增强，城市消费者对金星啤酒忠诚度不断提高，而且中等收入消费者对普通啤酒的价格敏感度越来越降低，消费者越来越关心并对产品的品质、口感鉴别能力越来越强。为此，金星啤酒集团决定充分利用自身品质和品牌资源优势，开发新产品，以避开竞争对手的价格竞争，提升金星啤酒在普通啤酒市场的竞争力。

【产品设计】

我们通过调研发现消费者对啤酒产品的喜爱主要来源于三个因素：品质特色、包装形象、文化感情。而品质特色是最基本，也是最重要的。针对许多竞争对手宣传自己水好，使用山泉水、矿泉水等，金星啤酒再强调水好也只能赴其后尘，没有差异竞争优势，而小麦啤、苦瓜啤等产品已经走入成熟期，而消费者很多人知道澳洲麦芽品质最好，酿造出的啤酒口感最纯正，我们决定在原料上寻找差异，开发澳麦啤酒。经过研制我们开发出使用100%优级澳洲麦芽酿造的金星澳麦啤酒，而且我们把原麦汁浓度定在11度，相对竞争对手7.7、8、9、10度口感更加纯正、醇厚，但我们将其仍定位于普通档次的啤酒，使用1×9膜包600毫升装，但为从包装上胜于竞争对手我们使用了肩花瓶，镀铝大小标和三角标，从外包装上明显胜于只有大标，颈标只使用条型标或胶帽竞争对手。而且在背标上写下这样一段充分介绍产品特色又充满啤酒文化的文字：澳洲麦芽全球品质最好，世界知名品牌啤酒都以澳麦酿造方能体现尊贵品质，金星澳麦啤酒更是如此。它精选澳洲优级麦芽和美国进口酒花，经金星集团经典工艺精心酿造，澳麦独有的风味尽显其中，从未有过的纯正爽口的美妙口味请您用心体会。金星澳麦啤酒为尊贵的你量身打造。

从而我们从品质、包装、文化三个层面创新了产品的竞争差异优势，确保产品能够有充分的吸引力，并满足和超越消费者的需求。

【渠道利润设计】

对于餐饮终端对一个品牌的兴趣强弱和忠诚度高低从根本上取决于利润最大化这个前提。我们知道，利润＝单位利润×销量。只有单位利润适中，且销量又较大的产品才是最有利润的产品。所以为了保证澳麦啤酒的成功铺货，我们必须以超越竞争对手产品利润率的优势来打动经销商们，所以我们精心设计了金星澳麦渠道利润：一、二级商、餐饮终端每包产品进货价分别是：12.5元、13.5元、15元，一、二级商的利润分别是每包：1元、1.5元，终端单瓶利润则高达3元/瓶，1.69元（回瓶0.35元/只）。无论是对一、二级商，还是对终端来说，经销普通啤酒获得如此高的利润是超越他们期望的。

【区域市场和目标终端选择】

为了实现首次铺货的顺利进行，确保市场覆盖率迅速提升，我们将消费能力较强的郑州、洛阳、开封等地级城市和50多个县级城市作为首次铺的重点区域市场。将目标终端选择在B级店上，市级选择500家店，县级选择200家店，进行重点铺货，而且重点针对有销售竞争对手产品的餐饮终端进行铺货。

【通路流程设计】

我们在城市市场的渠道模式主要是代理式，即：企业 一级商 二级商 终端。虽然澳麦啤酒利润较高，但价格高出竞争对手一大截，许多经销商都信心不足。我们首先做通一级商工作，调动一级商经销热情，积极进货，为了避开二级商普遍信心不足的渠道阻力，并减少中间环节，我们对部分分销能力差的一级商在人员和车辆方面给予支持的情况下，要求一级商越过二级商直接向终端铺货，这样一级商的毛利润变成了3元/包，这是任何一个品牌膜包产品所不具备的超额利润，引起了一级商极大的兴趣和热情。

【促销跟进策略】

为了保证产品进得去、销得动、销得快，增强终端销售兴趣和信心，我们对终端老板、服务员、消费者三个关键人物都展开了立体化、多方位的促销。针对终端老板我们制订了一次性进货30件送金龙鱼调和油一桶（价值30元），500件送冰柜一台（价值500元），1000件送分体空调一台（1200元）。终端店按零售价3元/瓶销售，每件利润就是15.2元。甚至比卖箱装酒还挣钱；针对服务员我们投入了30%－50%左右0.2元/瓶的盖奖，在每瓶零售3元以下的竞争对手啤酒中是绝对没有针对服务员投入促销奖盖的；针对消费者我们又设定了一奖等联想电脑、二等奖高档自行车的大奖，而且自行车前期投放比例达到4/10000（虽然是针对消费者投大奖，但服务员甚至终端老板也想拿到奖盖，所以都积极地推荐和消费金星澳麦啤酒，对于我们来说，开瓶才是硬道理，不论奖盖是谁拿了，只要有人把瓶盖打开，不论喝与否，这瓶就算卖出去了）。印有醒目的开盖有奖宣传画针对目标终端，见铺就贴，不论货是否铺进，先说服终端贴上宣传画，迅速起到了高效的终端品牌信息传播作用，使一部分消费者看到宣传画上的金星澳麦有奖信息后，主动要消费金星澳麦啤酒。

【全面推进】

各项准备工作就绪后，铺货工作全面展开，一级经销商提供车辆和搬运工，企业营销员负责开发目标终端，营销人员深入到目标终端进行沟通，介绍产品特点、帮助终端计算和比较利润值，使终端充分认识到经销金星澳麦啤酒单瓶利润是最大化，而且产品有卖点，促销到位，服务员愿推荐，消费者愿消费。所在一周内原订的目标终端铺货率达到80%，一些市场达到90%以上。

【维护提升】

产品铺进终端后，营销人员加强回访，劝说终端老板少销竞争对手2元及以下的产品，主动推销金星澳麦，而且对于地级市和消费水平稍高的县城市场来说来B级店的消费者大多数对2元和3元啤酒的价格敏感度并不强，甚至有的消费者还主动要求消费3元的澳麦啤酒，而且消费者对产品口味赞口不绝。一些生意较好，人流量大的终端店消费者快速提升，比如开封市市场在铺货一周内，日销量超过20包的终端达到20多家，形势非常喜人。一些终端看到金星澳麦不但能够卖得动，还卖得好，就主动不卖2元及以下的啤酒了。我们要求经销商加强服务，及时回瓶、兑奖，尤其是中电脑、自行车（专门订做的车梁上印有金星啤酒字样），我们亲自兑现，并在终端门外挂条幅，祝贺＊＊先生在本店消费金星澳麦啤酒中（电脑一台）自行一辆。引起过往行人及消费者的广泛关注，即为宣传了终端又终端聚了人气，更是宣传了金星澳麦啤酒有大奖的信息，许多消费者见到条幅主动要消费金星澳麦啤酒。在半月之内金星澳麦啤酒的知名度空前提升，终端销量稳步提升，许多终端店开始天天进铺。

【渠道调整】

随时前期选择的目标终端产品顺利铺进，销量持续增长，一级经销商忙于送货、回瓶、兑奖，没有更多的精力去开发新的终端。为此我们对渠道进行了调整，决定将铺进货且相对稳定的终端交给二级商仍按15元/包的价格来送货，每包保证二级商有1.5元的利润。由于终端店良好的消费态势，对二级商来说只要按一级商的要求把产品及时配送到终端，奖空瓶及时收回即可，无需投入，可以说是坐享其成。二级商非常乐意从一级商处进货向终端配送，也自觉服从一级商的管理，我们要求二级商必须将我们给终端的调和油、冰柜、空调等销量奖励投放到位，并有详细记录，二级必须向一级商指定的终端进行送货，如果自己新开发的终端要向一级商说明，一级商建立终端网络档案，二级商必须按15元每件向终端送货即不能低，也不能高否则立即停止对二级商供货。

【市场进入成长期】

由于首次铺货的成功，二级商管理与控制力加强，一级商开发终端速度不断加快，消费者对澳麦啤酒日益认可和喜爱。金星澳麦啤酒在市场上迅速打开局面，进入了成长期，成为金星啤酒的主导产品之一。

啤酒“地头蛇”如何构建市场防御体系？

不得不承认，“区域营销”模式是2005年最值得关注的，其运作思路与操作细节更是被业内深入探讨，细致研究。本文的研究主题是关于啤酒区域营销防御体系的建设，相信对所有酒类企业会有所启示。

由于我国大部分地区的啤酒市场是被当地品牌占据着，而且通常都拥有比较高的市场占有率，比如金威在深圳、珠江在广州、雪津在福建、哈尔滨啤酒在黑龙江、乌苏啤酒在当地等等。因此，区域啤酒品牌，特别是区域领导品牌的问题基本上也就成了中国啤酒行业的主要问题。

据业内人士预测，中国啤酒业下一步的发展和竞争将从依靠资本的力量实现产权的整合逐步转变为通过市场的争夺和拼杀来实现突破与发展。换言之，也就是形成以品牌和市场的整合为主、资本整合为辅的新模式。基于这样的考虑，中国各啤酒品牌今后的主要工作就要转到市场的攻防战上来了，真正通过市场的争夺来推动市场的成熟和形成集中度更高的市场格局。

由于区域市场领导品牌的市场份额和盈利水平一般比较高，导致的局面是上有国际大品牌和国内强势品牌的压制和冲击，下有地方中小品牌的蚕食和渗透。

为此，无论从保证利润，还是建设一个稳固的大后方，为下一步走向区外市场乃至全国做好准备的角度来说，在自家大本营建设一个稳固、强大的战略防御系统都是地方领导品牌必须完成的任务。本文将围绕中国各啤酒区域市场的领导者下一步核心工作之一——市场防御战展开探讨。

防御体系的实战方法

强大的后方资源是防御反击成功的基础和保障。所以，相关的部门建设要不断加强，以确保在抵御竞争者攻击时，能及时有效地给予各类资源的支持和保障。同时，既要完成产品结构优化的问题和分厂或子（分）品牌之间的资本整合工作，也要进一步做好多品牌或多产品旗下的资产和队伍的有效运作。

具体方法如下：

1.重点打击，全面封锁。

重点打击是指在市场、产品、渠道忠诚度和终端掌控能力等方面给予对手重点打击。全面封锁是指在区域市场、产品结构、价格、渠道和终端、品牌形象、推广和公关活动、物流工作等方面要系统整合，一个都不能少，不能给竞争者留有漏洞，找到明显的、有重大破坏力的攻击点。

2.明确梯级预警和防火区域。

①区域市场外预警是"放火"骚扰区域，主要是竞争对手主战场内的中小城市及其下线市场等，适用于侧翼战和游击战。

②区域市场内局部前沿市场预警区是第一道防火区域，重点在铁路交通枢纽等市场，适用于进攻战。

③区域市场内战略市场预警区是第二道防火区域，重点是领导品牌大本营内的战略市场，适用于防守战。

④公司内部是第三道防火区域，预警和防御工作的指挥中心。

3.建立预警和三道防火区域实施系统

1）其中需特别说明的是：

A.预警系统主要在区域市场外和区域市场内（前沿和重点市场）建立，领导品牌营销总部统筹安排。

B.攻击方面主要是指用"品牌提升落地、品牌UVP和产品USP概念以及新产品推广等"。

C.封锁和围困方面主要是指用"掌控渠道和终端、物流捆绑、人才队伍、地方保护等"。

D."放火"骚扰和打击方面主要是指用"攻击产品、价格、利益链、密集推广等"来进行。

首先，我们来看看防御预警系统的建立问题，预警系统主要建立在三个预警区域，领导品牌营销总部统筹安排。预警系统的工作主要包括：

①组织安排和职责分工。要建立特定跨部门的联合预警防御小组，由营销总经理亲自挂帅任组长，各片区经理执行预警和防御措施的实施。

②预警信息系统的建立。预警信息主要指终端、渠道方面有关竞争对手的最新信息，包括对手营销队伍的动向、新产品的动向、价格和渠道利益链的新动向、交通枢纽的物流动向（特别是重点铁路、公路等枢纽或物流中心的啤酒物流动向）、招商和渠道模式的变化动向（是完全依托经销商来做，还是厂家介入等等）以及对手的品牌传播和活动等。另外，市场部门还要负责收集对手在他们总部和内地市场的一切表现和最新动向。

预警信息系统主要指有关竞争对手最新信息的收集、汇报、处理、反馈以及应变等工作的系统化和有效化程度。这就要求区域啤酒市场领导品牌切实实施营销工作和渠道扁平化的重心下移，切实做好渠道特别是终端的信息收集、汇报和处理，这是日常的预警信息收集工作。临时性和专项性的预警信息收集由市场部和销售部组织或营销总部最高领导带队定期或突击考察市场时收集。

③预警系统的管理和运作。当出现对手强烈的进攻信号或进攻信号（指标）综合评分较高时，区域啤酒市场领导品牌就必须迅速采取行动，这个工作在基层主要由预警区域和第一、第二道防火墙的市场管理和督导人员在一线负责统管，相关业务员配合并将每天收集的新情况及时向他们汇报，然后向市场部和销售部的相关专员汇报，最后评估由这两大部门完成。

通过图表来直观表示预警信号（见附图2）图中说明：

1.按照要求，竞争对手的评分一旦达到40分（A2的位置），区域　啤酒市场领导品牌就要提高警惕，要尽快进行进一步的调查和研究，视研究结果采取相应对策。

2.图中对手1从A1-A9的市场表现有一个二次起伏的过程，但第二次比第一次高，说明第一次它刚满40分时对它的围剿和打击力度不够，让它死灰复燃，市场表现达到了75分，这时只有加大力度打击，才可能将它压低。

3.对手2在刚冒头时，就被区域啤酒市场领导品牌有效打击和封锁，而最后被迫退出了市场。

防御体系的九大系统

1.品牌防御体系

①如果区域领导品牌的结构是多品牌结构，那么就要制定多品牌各自表述、独立传播的策略，这样有利于形成内部竞争和对消费者传播的差异化，在消费者心中形成公司内部自我竞争、不断超越自我的印象。

②多品牌的差异覆盖与同位覆盖并行的策略，使区域啤酒市场领导品牌最大化地实现了整个大本营核心市场和产品品种的覆盖和渗透，挤压给竞争对手留下的市场空间，形成各自的强势空间。

③品牌形象的不断提升。通过公司实力的不断增强、强势领导形象的塑造等工作，使品牌形象不断提高和强化，真正形成消费者心中代表"本地骄傲或本地的才是最好的"品牌形象。

④如果是金字塔式的品牌结构，那就要规划好全局性的品牌组合和产品组合，将不同产品或子（孙）品牌划分为主力品牌、防守品牌、占位品牌和攻击品牌。

2.渠道防御体系

①重点市场的深度营销（可在选定的重点市场逐步展开）——核心是取消二级网络，直接面对、掌控和服务终端。

②专销渠道网络的建立和深化——和经销商形成紧密的利益、组织、团队捆绑，经销商伙伴成长计划。

③对全区域市场网络的分级管理和针对性区域措施的出台——ABC法则和2/8原则的运用。

④形象终端体系的建立——在全区域市场大中城市星级终端和形象终端的建设。

3.产品防御体系

①产品线的丰富和梳理：重点是战术产品和形象产品目前还比较少，同时要注意不能让自己的产品打架，消耗自己的资源。

②产品形象的提升：产品升级换代（特别是换装）的制度化和原则——中档产品高档包装、普啤产品中档包装（向上越级的原则）。

③新产品开发的制度化和常年化：自我淘汰形成产品的自我更新趋势，制度化、专门化新品研发小组及其工作制度的确立。

④特殊品种的推出：如暖啤、果啤、保健啤酒、玉米啤酒等新功能产品的推出，既能达到占位目的，又能达到扰乱竞争对手阵脚的目的，同时还能不断地给消费者以新的亮点。

4.市场和价格防御体系

①对市场进行分类管理。从区域市场外的选定重点市场和区域市场内的防御前沿地区防线再到以选定重点市场为代表的区域市场内其它市场，构建起梯级市场差异化防御体系。

②利益链结构的合理设计。对经销商和终端既不能喂太饱，也不能让他们产生异志，以不让对手拉走、造成市场混乱和领导品牌亏损为原则，其中包括深度分销终端数量的掌控。

③对竞争对手的恶性或自杀性价格冲击和强行买断终端的防御手段设计。如买货冲货、公关防御、人员买断等。

④对全区域市场价格链和各地价格差的设计。除根据产品结构合理设计外，价格管理工作仍然要进一步加强，要对全区域市场整个市场进行一盘棋管理。

5.资本防御体系

①进行区域市场内市场的低成本兼并，实现进一步垄断，区域市场外市场也可尝试。

②对大本营地区啤酒上、下游产业进行兼并、重组或战略合作，形成产业链的垄断，给竞争对手制造更大的进入难度。

③市场防御储备金制度的确立。有时候多出的300万元可能就决定了战争的胜负。

6.推广防御体系

①大本营地区市场消费群体的深度开发计划的推出和实施。这种消费群体的深度开发对市场领先者而言本身就是最好的防御。

②推广手段的多样化。尽量和大本营地区优势媒体建立排他性的合作关系，为竞品的市场和品牌推广设置障碍。

③品牌推广活动要形成常年化和制度化。市场领导者最容易犯的错误就是以为市场领先了就可以削减推广费用和频次，而市场地位的转变往往就是从这种削减中开始的。

7.物流防御体系

①争取与主要运输单位建立排他性（或排他奖惩）的合作关系。

②在主要的进区域市场渠道上设置物流信息检查点和信息收集制度，以及时对由外地流进大本营地区的竞品信息有所掌握。

③在终端物流上，周转塑箱和酒瓶回收等特殊防御性或排他性政策在大中城市可以考虑使用。

8.组织和人力资源防御体系

①建立内部预警系统（见前面论述）。

②网罗当地啤酒界优秀人才和优秀经销商，使竞品进入后面临无（好）人可用和无（好）商可招的局面。

③持续增强营销队伍的执行能力，形成制度化、规划化、表单化的管理体系。

9.政府及公关防御体系

①与政府主要部门，特别是与啤酒产业有关的卫生、监管、工商、宣传等部门建立良好的社会关系，这种关系的关键一是建立与这些部门之间的信息通报、反馈和收集系统；二是形成常年的、制度化的与这些部门的联谊、节日拜访等客情维护制度。

②争取让这些部门在有关啤酒的行业规范和文件出台时做出有利于大本营当地啤酒产业的决定和规划。

③在企业和品牌形象的树立上，充分利用政府的声音和权威来达到区域啤酒市场领导品牌打造“本地骄傲或本地的才是最好的”形象的目的。

④对各竞争对手的公司总部或营销总部和关键分部（位于领导品牌主要市场的办事处），要尽可能建立信息网络，以便区域啤酒市场领导品牌及时准确地掌握对手的内部信息。

总之，对区域啤酒市场领导品牌而言，建立强有力的防御体系是极为重要的。当然，我们也要看到，正如美国TMD防御系统给我们的启示一样，被动式的防御是不可能成功的。因此，建立防御体系必须是一个具备主动性的、系统性的和动态性的系统工程。

唐时宫廷酒 今日剑南春

——剑南春（糖酒会）形象策划案例

已有50年历史的中国糖酒商品交易会，目前已经成为国内最重要的交易会之一。随着市场经济的逐步完善，糖酒会无论从内容上还是形式上都发生了巨大的变化：过去企业参加糖酒会的主要目的是为了签订单。如今的糖酒会，企业除了签订单的目的之外，进行企业形象展示也成为企业参展的另一个重要目的，这是因为每年两次的糖酒会集中了全国主要客商，是企业展示自身形象的最佳时机。在短短的几天时间里，展示企业形象除了可能更好地完成订货任务外，还能够大大提高产品的知名度和美誉度，给来自全国的客商留下深刻印象。如何更好地展示企业形象并将企业文化融入到展示的形象中呢？实施完美出新的策划是达到目的最重要的手段。在今年刚结束不久的全国秋季石家庄糖酒会上，四川的剑南春集团高达 10米的企业形象展示模型“贵妃醉酒”成为糖酒会的亮点，赢得了众多经销商对剑南春酒的青睐，并签下了15亿的订单。此次剑南春的糖酒会形象策划方案由深圳金必得名牌推广中心策划实施，他们的策划不仅在糖酒会众多的形象展示中赢得头彩，而且还巧妙将剑南春的传统文化内涵表现得淋漓尽致，请看本期“剑南春（糖酒会）形象策划案例”。

一、背景：三大一小

糖酒会因其规模大、效果显著，因而被国内行业参会代表誉为“天下第一会”。糖酒会有“三大一高”的特点。

规模大。参会企业达数千家，参展商品达数万种，参会代表最多时突破十万人，展场面积突破六万平方米，成交额一般在一百亿元人民币左右。

作用大。中国糖业酒类集团公司组织各省、市糖酒公司作为糖酒会的固定成员参会，这一完整的糖酒经销网络对于糖酒食品生产企业具有很大的吸引力。参加糖酒会不仅对生产企业销售产品、购买原料等具有事半功倍的良好作用。短短几天展会，对于了解行情、认识市场、把握方向有十分显著的成效。

影响大。“民以食为天”，糖酒会上交易的商品很多都是日常消费品，糖酒会的交易活动将直接影响到广大人民群众的日常生活。其成效不仅影响商贸业而且也影响着数量庞大的食品加工业。近几年来，糖酒会已形成多种经济成分竞相参会的格局，特别是境外客商逐渐增多，全国糖酒商品交易会已显露出国际食品博览会的雏形。

★信誉高。糖酒会历史悠久，其前身为全国糖酒商品供应会，是以分配计划商品为主的系统内专业性行业会议。商业部在每年春秋两季召集全国糖酒系统一二级和大中城市主营公司，进行计划商品分配和对部分三类商品进行调剂，其权威性和信誉显而易见。到1984年自上而下的分配式供应会变为开放式交易会，在商业部（后来的国内贸易部）和承办城市的政府的精心组织、管理下，糖酒会越办越好，已逐渐发展成为以糖酒商品为主的大型食品博览会，吸引了众多的国内外厂商竞相参会。

二、宣传：综合实力的体现

★糖酒会有着一种不可抗拒的诱惑力，令广大食品企业由衷感叹：可以不参加其他交易会，但不能不参加全国糖酒交易会。但要取得实际的参会成效，企业就不能不对糖酒会中的广告宣传进行解剖和分析，弄清楚广告宣传在糖酒会中的地位和作用，制定出切合实际，行之有效的广告宣传策略及方案，确保参会目标的实现。

糖酒会期间，会场内成了条幅与气球的海洋；展厅设计与装修别出新裁，力求充分展示产品的个性和企业的实力，礼仪小姐花枝招展，充气模型争奇斗艳；而场外的主要街道和建筑物，则成了糖酒会广告宣传的发布媒体；广告彩旗飘扬数十里，可以说，凡是能够被参会代表看到的地方都被参会企业和广告宣传经营者挖空心思地利用起来了。

对于生产企业而言，参加糖酒会最直接的目标，就是开拓和建设全国的销售网络，而糖酒会中的广告宣传就是为这个目标服务的，一年春秋两届的糖酒会是糖酒行业的盛大节日，规模最大时参会单位上万家，参会代表超过十万人，要在会期几天时间里脱颖而出，建立拓展销售渠道，没有广告宣传的支撑和帮助，是根本无法实现的。在糖酒会上做广告，就等于在全国的经销商面前做广告，而糖酒会广告宣传的目的和作用，就是告诉经销商企业的实力、产品的特性、经销的政策等。

如今的糖酒会，已经演变成各企业间综合实力的展示会，产品的竞争更是一种综合实力的角逐，而一定规模的广告宣传本身就是企业实力的体现。这时的广告宣传，不仅仅是实现销售这一目标的手段，而且展示自身形象也成为企业参会的另一个重要目的。有实力，企业就有广阔的发展前景；企业有前景，就能对经销商产生强大的吸引力，就能在经销商中树立信心。

三、策划：找到市场和文化的结合点

深圳金必得名牌策划推广中心认为在展会上取胜必须要做到两点：一、必须占领展会的制高点，由于剑南春集团是国内同行业中名列前茅的企业，所以一定要以突出的广告宣传形象夺取客商的注意力；二、在实施的策划中，要体现出剑南春酒的文化内涵，必须找准剑南春文化与市场的最佳结合点。

剑南春，在唐朝就因是宫廷御用酒而成为酒中翘楚。放眼当今白酒行业，剑南春品牌亦是驰誉中外，盛名远播。如何展现剑南春“唐时宫廷酒”的文化内涵就成了铸造“今日剑南春”的关键之处。

经过金必得总裁沈清的深思熟虑，认为“气若花郁、色似檀霞、状如琼浆、香若清露”的剑南春酒，必会使人想起盛唐文明，继而，又会让人联想起“回眸一笑百媚生”的杨贵妃，“贵妃醉酒”是中国人都熟知的故事，用贵妃醉酒来表现剑南春是最合适的了。

糖酒会开幕的时候，身高10米，立于莲花宝座，发髻高挽，绫罗披身，面含春色的杨贵妃一手托着剑南春酒，一手持“唐时宫廷酒，今日剑南春”的条幅，迎风而立，出现在了千万消费者和几十万经销商的面前。

莲花台下，10位身着唐装的专业乐师，演奏着古筝、洞箫、琵琶、笛子等民族乐器，悠扬的唐乐、唐曲仿佛把人们带进了盛唐宫廷之中，感受着剑南玉液，浓香四溢，醉倒皇妃的场景。

四、效果：五大亮点和15亿订单

亮点一：理念把握，诉求策略制定准确。剑南春集团以白酒为本，白酒以文化为根，策划展现了剑南春酒的文化内涵。

亮点二：形象定位，诉求表现完美。品牌表现必须与“唐时宫廷酒，今日剑南春”的口号相辅相成，否则就会给人以“挂羊头卖狗肉”的错觉，如果形象表现力不够，又不免会落入俗套。表现形象稍有不适，卖点就会黯然失色。

亮点三：展示物制作精良。有了好的策略和创意，如果没有精美的制作，也会失去魅力。

亮点四：品牌推广的延续性。当贵妃献酒成为亮点的时候，剑南春的品牌影响力已在糖酒会上表现的淋漓尽致，为了让其威力不减，金必得公司充分运用强大的媒体网络传播系统，在石家庄世纪饭店为剑南春集团举行了高规格，大影响的新闻发布会。

亮点五：主会场唯一的动感形象。创意如果只能把握准确度是远远不够的，唯有奇，唯有特才能放射思想的光芒。进行品牌推广，就是要赋予品牌的生命力。

由于人们对贵妃醉酒的形象赞誉，几十万经销商对剑南春酒的青睐，使剑南春集团一举卷走订单15亿。再创全国糖酒会订单的新高。

张　辉

【点评：在今天表现“古代酒”】

按照消费心理学的理论，一般顾客的消费心理可以分为七个阶段：引起注意，产生兴趣，产生联想，产生欲望，作比较，确信，最后决定购买。以上所列出的是一般顾客在购买商品过程中，消费心理所产生的变化。而在实际购买中，各个心理变化阶段并不一定完全表现出来，如有的顾客可能一看见商品就决定购买，似乎不存在中间过程，实际上这只是心理变化阶段由于持续时间过短而近似于被忽略的假象，其实在购买中仍然存在着心理变化的七个阶段。案例中的剑南春酒就是一个典型的例子。在万商云集的糖酒会上，剑南春要引起注意，占领展会的制高点是首先要解决的问题，因为，糖酒会是个让人注意力太容易分散的地方，到处都是色彩斑斓的展示物，展示物不突出，客商的目光就会被别的东西拉走。接着，客商在看到能引起自己注意的展示物之后，能让其产生兴趣，也是经过精心策划的，试想，如果直接将一瓶高10米的剑南春酒模型立在展位上，让人感兴趣的程度就不如“贵妃醉酒”高，因为“贵妃醉酒”能让人产生联想和欲望，联想的内容可能是传统的京剧或者其他的文艺节目，这个联想过程不需要培养，因为“贵妃醉酒”已经是一个人们耳熟能详的故事了。产生欲望是客商在目击这个动人的展示物后的直接反应，贵妃醉酒是一种醺然，一种华美，能让人产生陶醉的心理感受，而且由于传统习惯认为“酒越陈味越美”，所以人们会有在“今天” 品尝“古代酒”的冲动。在作比较之后，确认剑南春不仅是名酒，而且是“古代酒”，继而产生购买欲望。

黑龙江某品牌啤酒的广告策划书

1、市场分析

(1) 营销环境分析

1、 宏观环境分析

a 总体经济形成

随着我国入世成功，外资对我国的投资不断加大，我国经济前途一片大好，我省居民收入较快增长，据省统计局统计：2001年全国省人均可支配收入5426元，01年全省城乡居民储蓄存款已达2578.4亿元，全省社会消费品零售总额达341亿元，特别是在哈尔滨市内，城市正在“北扩南移”，投资在不断的加大，省内企业效益有所回升。 01年黑龙江省恩格尔系数为37.2%(日本家庭用于食物支出的占家庭总支出比例，日本职工50年为57.3%，63年为39.7%，80年的为29.3%，而我国城镇居民81年食物支出占56.66%，91年为53.8%）。由此看来，我省恩格尔系数相当于老牌资本主义国家的70年代水平，可以看出随着我省经济的发展，恩格尔系数还会有所降低的，全省有60%下岗职工进入了再就业服务中心，并按时足额领到基本生活保障金，从总体经济发展看，我省经济程现，高速发展。

b 总体的消费态势

欧洲酒行业专家研究机构platolgic做了一份全球啤酒的报告，全球啤酒消费至2010年将超过1800亿，有潜力至2010年人均啤酒将达至26%到2010年亚太地区啤酒消费者将由目前占全球的25%上升为34%自1990年以来，该地区贸易上升了11%，而全球仅上升了2%.

我国啤酒工业自90年代高速发展之今，增长速度开始放慢，市场竞争激烈，大中啤酒企业相互竞争行业利润下降，据国家统计局统计01年销售收入为4990130.4万元，同比增长4.31%，利润为170233.1万元，同比增长17.56%，而我省2000年为143吨，2001年啤酒产量为139.65吨，同比下降为0.03%，下降主要原因为一些大品牌如青啤、百威、金士百大举进入我省市场，现在啤酒市场以从过去的卖方市场转为买方市场，人民生活水平不断在增加，产品种类多种多样，市场竞争激烈，消费者在消费商品时已经不在是物质上的满足，而重点是心理上的，消费成现多样化。

c 产业发展政策

国家早在95期间对大中啤酒企业进行鼓励其发展、壮大。努力减少啤酒企业的新建。

d 相关政策，法律背景

国家明文规定所有酒瓶必须为b2瓶，以便减少爆瓶伤人，但对于使用b2瓶会使产品成本增高，不利于开扩农村和远销啤酒。

e 市场文化背景

从酒类看，自古就有“南黄北白”之说.而啤酒为大众化。北方人性格，粗放，豪爽，宽厚，重感情，谈有请，讲豪情。

2、微观环境因素

a 市场构成

在哈市市场上以有“青啤，燕京，雪花，金士百，五星，喜力，克罗那，百威，等品牌的啤酒。”

2002年上半年东北地区啤酒销售冠军为（青啤，哈尔滨，百威，雪花）摘 中国轻工业快报。

在哈市市场上与“小麦王”构成威胁的主要有（青啤，雪花），潜在威胁的有（五星，燕京，金士百）和雀巢咖啡。

表一

阶段	促销活动	广告媒体
导入期	免费品尝、酒店促销小姐、酒店终端活动、商场超市终端活动	随铺货广告、横幅、电视标板、POP、户外看板等等
认同期	酒店促销小姐、酒店终端活动、商场超市终端活动、大型户外活动	横幅、巨幅、电视标板、报纸、公交车身广告、POP等等
强化期	酒店终端活动、商场超市终端活动、大型户外活动、社区促销活动	巨幅、电视标板、报纸
信赖期	大型户外活动、社区促销活动	电视标板、报纸

b 市场构成特争。

在着个啤酒市场上，季节性很强，6-9月份销售很大，还有12-2月份。

哈啤小麦王具有突出特点是它具有亲和力，拥有成本优势。

c 营销环境的规纳和总结

优势：为自身成本，亲和力，和以有的市场规模。

劣势：和对手比，不如青啤强大的品牌优势，不如华润的资本优势.

机会：哈市的发展“北扩南移”，就业机会的增加。都会给小麦王带来消费上的增长。

威胁：不断有品牌进入哈市啤酒市场，所运用的促销策略，会带动整个市场利润下划。

二　产品分析：

1 产品特征分析

小麦王为精选粉质高而蛋白质低的国产优质白皮小麦加工制造的小麦芽为原料。一种低醇，淡色，麦香凸出的淡爽型啤酒。包装上分（瓶装500ml保质期为240天，听装330ml/听保质期为365天。）被誉为“啤酒中的起泡香槟酒，它的泡沫洁白细腻，持泡性良好，时间长。

2　产品质量分析

小麦王，以小麦芽为主要原料（占总原料40%以上），采用下面发酵法酿制的啤酒。

3　产品价格

小麦王在超市价格为3.9元，酒店价格为5元，是典型的中档啤酒。

4　生产工艺

小麦王生产工艺为向下发酵法。和其它酒类相比尚无高明之处。

5 外观与包装

包装上没有什么新意。

6 以同类产品作比较

(1) 以小麦王来说在价格上为3.9元（超市），在我市还有两款以小麦为原料的啤酒，青啤的全麦和双和盛的全麦，他们的价格分别是2.1元和1.9元。但是他们都是听装便局限了他们的市场范围，只能用于野餐和家用，送礼。而小麦王有两种包装显得非常　。小麦王价格在同类相比之下，比较高，所以必须给，小麦王，注入一种独特的文化，以便让消费者接受。

而在包装上，小麦王以绿色瓶，而相同价格的金士百则采用了酱色的包装瓶，它比绿色瓶保鲜性能上要好的多。

小麦王下一个优势为，在本地区相对于竞争对手的货率很高。

以产品的生命周期来横量，小麦王处于，导入期和成长期的过度阶段。

7 目标市场定位

小麦王的消费群体主要是由中等文化以上（大专——本科），中等收入以上的社会价层，经济收入交高，社交广泛，应酬交多的这步分时尚人士组成。这部分人具有许多共同特点，具有交高的生活品位，能较快接受新鲜事物。能促使较多的团体消费，社会影响力较大，较年轻。如大多都在25岁40岁之间。男性占据主导地位。这些消费者张扬不乏内敛，成功或在成功的边沿，潮流不失稳重。

8 品牌形象

在品牌建设方面哈啤的历史悠久。燕京的大众风格。

小麦王为新一代的低醇，淡爽型啤酒应该进一步的摆脱历史悠久的来复。

产品分析规纳和总结

优势：小麦王的优势为自身成本优势。

劣势：在啤酒品位上，小麦王不高不低，定位不明确.

机会：小麦王属于新产品，发展广阔。

威胁：不断有新的品牌冲击，和小麦王缺少新的文化内含。

三 消费者分析

1、分析消费者总体。

现有消费者消费本产品的目的是宴会上制造气氛和交际等的需要。

2、消费者一般在哪些场合范用本产品。

朋友聚会和生意宴会上比较多。

3、大多数消费者，在饮酒时都能以酒为话题，由此看来我们可以注入很多的故事，提高文化品味。

a 适合本产品消费群的构成。

消费群体年龄为：24-40岁.

收入状况为：1000-3000元/月.

性别：男性多余女性.

文化程度：应以中等文化水平（大专，本科）。

购买地点：大多数为酒吧，酒店，娱乐场所。

购买动机：

a 有一种好奇感，包着尝一尝的心理。

b 对于这个价置，比较能符合他们的身份。

c 本产品的确口味淡爽型符合他们在宴会上的需要。

购买数量：在数量上一次购买并不是很高，但是在购买频率上应该为很频繁。

购买时间：多为中餐和晚宴。

b. 现有消费者态度。

1. 消费者对本产品认识还比较低。

2. 对本产品的指名购买程度，并不是很高，在多数酒店里，有推销小姐。对本产品使用以后，对其突出的麦芽香和淡爽口味，有较好的评价。

四. 企业和竞争对于竞争状况分析。

1. 企业在竞争中，所处什么地位。

哈啤年产量以突破100万吨，它是中国四个啤酒集团之一。其他为青啤、燕京、华润。

2. 企业的竞争对手

竞争对手为：青啤，雪花，百威，金士百，燕京。

3. 竞争对手的基本情况，

燕京上讲，燕京品牌01年价值为55.29亿元，燕京啤酒具有很强的地区性，对北京一带市场占有率很高，它的总体战略为做强，做大。

青啤是全国啤酒第一品牌，从总体看，青啤优势为它有强大的品牌，但是它所到之处，收购的全是倒闭的小厂，质量肯定会下降。从它总体战略上讲是做大做强。

华润则依托香港总部的大力支持，不断的收购，兼并啤酒企业，对哈啤构成威胁的，是在吉林省内和兼并了得新三星啤酒集团。华润战略也是做大做强，华润核心竞争力为是它有强大的资本优势。

哈啤从总体规模上不逊色于着3家，但从品牌和资本上显的底气不足。哈啤集团，在整个黑龙江省内的占有率还是非常高的，就是如何作成全国性的品牌。

五．企业与竞争对手以往广告分析

具统计资料2002年1-6月，百威，青岛，金威投放广告量均列在前3台，啤酒厂商02年1-6月pop总投入7438.71万元比去年间猛增75.36万元，平面广告上的投放品牌达到212个。可见平面广告成了啤酒广告中的一个新的亮点。

今年6月份啤酒广告高达3114.97万元，是去年6月的3倍，众多啤酒投放的重点为报纸。

青岛啤酒今年将重点布在华南，在中南广洲和深圳分别投入了60万元。

一 广告定位

(1) 市场定位

以哈尔滨市为主，以大庆、牡丹江、佳木斯等。逐渐向吉林辽宁地区推广。各种活动的开展重点为哈尔滨市。

(2) 产品预期定位

中档，适合已成功或向往成功的人士。

(3) 广告定位（分电视、pop和报纸）

以求塑造自强、自信、追求成功，永不言败的男性人格特性。此为电视广告。在报纸广告多以软文形式出现。pop则体现身份的象征和品味的象征。

(4) 广告对象定位

年龄在25-45岁的公司白领。

二 广告计划

(1) 广告目标

年龄在25-45岁的公司白领。

经过四大媒体的广告，力争在半年的时间内，在东北三省消费者心目中，初步建立起小麦王的知名度与美誉度。提升知名度为45%，力争美誉度为13%。

(2) 广告手段

我的做法是：在电视、报纸、pop、公关促销等多种手段。与此同时注重“临门一脚”的短期就能见效的终端pop促销、针对经销商，以专业杂志广告、新闻报道支持，销售激励为主要手段。

(3) 小麦王市场推广方案（战略规划）

结合市场淡旺变化，我做出市场推广方案

大致计划如下：

市场推广方案表

时间 手段

第一阶段：市场预热期 02年12月-03年1月

第二阶段：市场升温期 03年1-3月

第三阶段：市场炽热期 03年3-4月

第四阶段：市场降温期 03年4-6月

电视 创业艰辛成功美味 一篇

创业艰辛成功美味 一篇

提醒 一篇

提醒 广告

(pop) 海报 小麦系列

ab两篇 舒服系列

ef两篇 高度系列 平面广告 小麦系列

报纸 软文 淡爽啤酒你真的时尚吗？

喝啤酒知性格

公关 渠道战 小麦王管理论坛“好酒喝到口、背投拿到手” 烟火大会，集小麦王广告语、哈啤有奖竞赛问卷

广播 英雄的渴望

附推广计划中媒体的选择

第一阶段：主要宣传载体为：

新晚报、晨报、哈尔滨日报、黑龙江法制频道、

第二阶段：主要宣传载体为：

新晚报、哈尔滨日报、哈尔滨娱乐频道

第三阶段：主要宣传载体为：

新晚报、哈尔滨日报、黑龙江法制频道、哈尔滨娱乐频道

广告推广分期说明

1) 市场预热期（02年12月-03年1月），主要是吸引对小麦王的注意，初步树立产品形象，引导消费者了解白皮小麦制成的啤酒。

2) 市场升温期（03年1-3月），主要是依*春节的东风，深度引导消费者，塑造对产品的信赖感与好感。

3) 市场炽热期（03年3-4月），主要针对春节过后，各公司开业，加强白领的宣传，以各种软性活动，

4) 行销建议

为了配合消费者的消费习惯，对小麦王的造势所以必行有以下工作开展：

1) 为了进一步激励酒吧，推广小麦王，除在酒吧，安放pop外还开展“好酒喝到口，背投拿到手”的公关促销活动。凡在1-4月间销出5000瓶小麦王的酒吧，可以得到一台东芝9990元背投彩电一台。

2) 在过年前，各公司一年结算之即。举行〈小麦王——策划大师讨论会〉，把一些国内知名商界人士如张瑞敏，来讲他的oec管理，请史玉柱讲他从头再来的创业经历，请柳传志来讲，他是如何把一个几个人研究所发展成今天的联想。从中吸引东三省知名企业家和公司主管人员，使他们对小麦王有一定了解。在该次，活动中也能塑造成功人＝小麦王的品牌形象。

3) 在一些报纸上登出征集小麦王广告语，如前10位，可以每人得5000元，这样可用最底廉的方式，非信息传播给消费者。

4) 在春节期间举办“小麦王迎新春放烟火”活动。在春节期间都是和家团圆。在江北施放烟火感谢哈市市民对哈啤的支持。

5) 在哈市报纸上刊登小麦王有奖问卷，以便更多的市民了解小麦王。

6) 对哈市各大酒店，进行渠道战。如分销商销量达1000箱奖励摩托车一台。600箱奖dvd一台，400箱奖“印有小麦王羽绒服”10份。进行对各酒店的激励。

三 广告表现

a 电视广告表现主题：创业艰辛成功美味

诉求重点：依据小麦王独特的麦香，来塑造小麦王独特的成功品味。

电视广告角本 a

创业坚辛成功美味

摄影 地点（场景） 画面 语言

8 秒 聂明宇的办公室 三个年轻、身穿西服手拿着文件面对着陈道明，背对着观众，其中一人，将文件递到聂明宇面前。聂总这是我们发现南方市场存在市场空白点，这是我们的战略规划

2 秒 镜头切换到文件上《开发南方市场方案》 无声

9 秒 聂明宇的办公室 三个年轻人，背对着观众，聂明宇把文件仍到办公桌上 你们是有创劲，是公司里的人才但你们想我把文件送到香港总部，总部在广州设分公司，与我们竞争怎么办。

5 秒 聂明宇的办公室 三个年轻人，背对着观众，那走文件。你们是人才，我给你们放几天假，去玩吧

6秒 三个人转身，将文件抛上天，有手撕愤怒的假面具。

2 秒 字幕创业艰辛，成功美味，小麦王

b 电视广告表现主题：主要为提醒，诉求重点应是高贵品味。

如将15秒拆成为2次，一次在电视某热点节目前放一半，而另一半在节目后放。

电视广告角本 b，场景在一个高贵的酒店，服务员推上了一个载酒车，内装有五粮液，有小麦王，XO、人头马

另一个广告是在节目后，场景是客人全到，其中有一个客人喝的是小麦王。

品牌命名的十种方法

“从长远观点来看，对于一个品牌来说，最重要的就是名字。”

[美]当代营销大师 阿尔·里斯《打造品牌的22条法则》

一个好的品牌名称是品牌被消费者认知、接受、满意乃至忠诚的前提，品牌的名称在很大程度上对产品的销售产生直接影响，品牌名称作为品牌的核心要素甚至直接影响一个品牌的兴衰。

笔者通过对市场品牌的研究，总结了以下十种命名方法，供企业在进行品牌命名时借鉴。

一、地域法。就是企业产品品牌与地名联系起来，使消费者从对地域的信任，进而产生对产品的信任。著名的青岛牌啤酒就是以地名命名的产品，人们看到青岛两字，就会联想起这座城市“红瓦、黄墙、绿树、碧海、蓝天”的壮美景色，使消费者在对青岛认同的基础上产生对青啤的认同。同样，飞速发展的蒙牛牌乳制品，就是将内蒙古的简称“蒙”字，作为企业品牌的要素，消费者只要看到“蒙”字，就会联想起风吹草低见牛羊的壮观景象，进而对蒙牛产品产生信赖。再如，电视广告中一种叫“宁夏红”的酒，就是以宁夏特产枸杞为原料酿制的滋补酒，其品牌就是以突出产地来证实这种酒的正宗。由此可见，将具有特色的地域名称与企业产品联系起来。确定品牌的方法，有助于借助地域积淀，促进消费者对品牌的认同。但有时许多企业都用地域命名企业或产品，也会产生混乱。

二、时空法。就是将与产品相关的历史渊源作为产品品牌命名的要素，使消费者对该产品产生正宗的认同感。众所周知的“道光廿五”酒，就是在1996年6月，凌川酒厂的老厂搬迁时，偶然发掘出穴藏于地下152年的清道光乙巳年(公元1845年)的四个木酒海(古时盛酒容器)。经国家文物局、锦州市人民政府组织考古、酿酒专家鉴定，这批穴藏了一个半世纪的贡酒实属“世界罕见，珍奇国宝”。企业于是抓住历史赋予的文化财富，为用这种酒勾兑的新产品酒取名“道光廿五”。“酒是陈的香”，消费者只要看到“道光廿五”，就会产生喝到祖传佳酿的感觉。因此，运用时空法确定品牌，可以借助历史赋予品牌的深厚内涵，迅速获得消费者的青睐。

三、目标法。就是将品牌与目标客户联系起来，进而使目标客户产生认同感。“太太口服液”是太太药业生产的女性补血口服液，此品牌使消费者一看到该产品，就知道这是专为已婚妇女设计的营养补品；同样，“太子奶”品牌，就使人马上联想起这是给孩子们消费的乳制品，还有“好孩子”童车、“娃哈哈”儿童口服液、“乖乖”儿童食品，也是孩子产品的绝好品牌；著名的品牌“商务通”，把目标客户直指那些在商场上“大有作为”的老板们，创造了一个电子产品的奇迹。运用目标法来命名品牌，对于获得消费者认同具有强大的作用。

四、人名法。就是将名人、明星或企业首创人的名字作为产品品牌，充分利用人名含有的价值，促进消费者认同产品。如“李宁”牌，就是体操王子李宁利用自己的体育明星效应，创造了一个中国体育用品的名牌。世界著名的“戴尔”电脑，就是以创办人戴尔名字命名的品牌。还有“王致和腐乳”、“张小泉剪刀”、“福特汽车”、“邓亚萍牌体育用品”、“惠普”、“乔丹运动鞋”、“松下电器”、“本田汽车”等。用人名来命名品牌，可以提高认知率。

五、中外法。就是运用中文和字母或两者结合来为品牌命名，使消费者对产品增加“洋”感受，进而促进产品销售。如“TCL”就是单独用英文字母；“雅戈尔”品牌就是用英文“YOUNGER”音译作为品牌，增加了“洋气”；“海信”的英文“HiSense”，在外国人眼中是“High Sense”，即“高灵敏、高清晰”的意思，为产品推向世界做了很好的铺垫。同样，外国名牌在翻译成中文时，巧用中文音义与字义，取得了很好的效果，如奔腾(PENTIUM)、宝马(BMW)汽车、潘婷(PANTEN)洗发液、舒肤佳(SAFEGUARD)、苹果(APPLE)电脑、家乐福(CARREFOUR)超市。还有音译和意译相结合的品牌命名，如：可口可乐(COCA-COLA)、百事可乐(PEPSI)、可伶可俐(CLEAN&CLEAR)等等。运用中外法，要巧妙结合，切忌为洋而洋，或为中而中，尤其是防止乱用“洋名”，使消费者产生厌倦，甚至产生反作用。

六、数字法。就是用数字来为品牌命名，借用人们对数字的联想效应，促进品牌的特色。如“三九药业”的品牌含义就是：“999”健康长久、事业恒久、友谊永久。“7-11”是世界最大的零售商和便利店特许商，在北美和远东地区有2.1万家便利店，该公司用“-11”为企业命名的意思则是用自己从1946年推出的深受消费者欢迎的早7点到晚11点开店时间的服务特色命名的，目前已成为世界著名品牌。还有“001天线”、“555香烟”、“505神功元气袋”、“三星电子”、“三一重工”等。运用数字命名法，可以使消费者对品牌增强差异

化识别效果。

七、功效法。就是用产品功效为品牌命名，使消费者能够通过品牌对产品功效产生认同。如“脑轻松”就是一种“健脑益智”的营养口服液的品牌：“飘柔”洗发水，以产品致力于让使用者拥有飘逸柔顺的秀发而命名：“康齿灵”、“六必治”牙膏，则是用牙膏对牙齿的防治功效来进行品牌命名的。运用功效法命名品牌，可以使消费者看到品牌名称，就联想起产品的功能与效果。诸如此类还有“快译通”、“快e点”、“好记星”、“泻痢停”等等。

八、价值法。就是把企业追求的凝练语言，来为品牌命名，使消费者看到产品品牌，就能感受到企业的价值观念。如上海“盛大”网络发展有限公司、湖南“远大”企业，突出了企业志存高远的价值追求。福建“兴业”银行，就体现了“兴盛事业”的价值追求。武汉“健民”品牌突出了为民众健康服务的企业追求。北京“同仁堂”、四川“德仁堂”品牌，突出了“同修仁德，济世养生”的药商追求。因此，运用价值法为品牌命名，对消费者迅速感受企业价值观具有重要的意义。

九、形象法。就是运用动物、植物和自然景观来为品牌命名。如“七匹狼”服装，给人以狂放、勇猛的感受，使人联想起《与狼共舞》的经典情节：“圣象”地板，给人产生大象都难以踏坏的地板形象；还有“大红鹰”、“熊猫”、“美洲豹”、“牡丹”、“翠竹”等。运用形象法命名品牌，借助动、植物的形象，可以使人产生联想与亲切的感受，提升认知速度。

十、企业名称法。就是将企业名称作为产品品牌来命名。如：菲利浦电器、索尼电器、三洋电器，及诸多的汽车名牌、食品名牌、KODAK胶卷、IBM、3M、海尔、海信、春兰、美的、万宝路、荣事达等。国外著名品牌一般是采用缩写的形式，像IBM、3M、NEC，采用的是缩略语，即公司(企业)名称的每一个词的第一个字母组织起来构成一个新词，其特点是简练，但不能说明企业的特征。运用企业名称法来进行产品品牌命名，有利于形成产品品牌、企业品牌相互促进，达到有效提升企业形象的目的。

总之，企业在进行品牌命名时，要结合企业实际情况和市场需求，有创意地为品牌命名，使中国品牌走向世界。

奢侈品盛行给酒类的机遇和挑战

在中国，奢侈正在流行！

今年5月18日在上海外滩18号，召开了中国乃至亚洲最高规格的《顶级时尚品峰会》就说明了一切。

这次主题为“新顶级品牌和新兴市场”的峰会是第一次在上海举行，本次会议由全球顶级品牌杂志《金融时报》主办，约400位高级行业管理人员和机构投资者参加了这次峰会，其中包括Broini、Gucci、Richemond、Bulgari、Richemont和Valentino等著名奢侈品牌的领军人物，业内专家们普遍认为《金融时报》能第一次把顶级品牌峰会放到上海举行确实是一个英明的选择。因为，奢侈在中国已经浪潮涌起，浪花翻滚了。

这个浪潮直接带来的就是巨大的财富效应，据有关资料介绍去年我国奢侈品消费已经达到了20亿美元，而这才仅仅占到了全球顶级品牌市场份额的2%，虽然数额还不算大，但上升幅度却是全球之最，如果把消费者在国外购买的额度加上，这个数字会翻好几倍。英国《金融时报》最新报道称，未来10年，中国将成为和日本同等重要的奢侈品市场。届时，中国市场上奢侈品销量将占到全球总销量的29%左右，和日本持平。

另据介绍，路易·威登在中国内地的大多数店铺平均开张一年就实现盈利，而其集团（LVMH）旗下的轩尼诗等酒的销量增长动力主要来自中国市场，保乐力加集团旗下的芝华士、马爹利和皇家礼炮在近几年更是取得的非凡的业绩，特别是在经济比较发达的大中城市，这三个品牌在不少夜场的酒水销量比例达到了60%以上。

可以说外国奢侈品特别是酒类奢侈品已经在中国取得了销量和盈利的双丰收，已经牢牢掌握了先入为主的强大攻势，并聚集起了巨大的品牌优势。

面对这么多国外顶级品牌熙熙攘攘进入中国的盛况，我们一方面是欣喜若狂，这是我们的骄傲，这是我们的魅力所在，但另一方面，我们也不能不望洋兴叹：中国自己的顶级奢侈品屈指可数。细细想来，在世界奢侈品舞台上，仅仅在茶烟酒这三个行业我国还有那么几个可以算作是中国产的顶级奢侈品牌，比如洞庭碧螺春、蒙顶甘露、安溪铁观音和祁门红茶，以及水井坊和国窖1573等，另外“金六福经典08”也在跃跃欲试欲与众高端白酒品牌似比高。

虽说这些是值得我们骄傲，但是，由于它们很难在世界市场开花结果，对于奢侈品的无国界特质而言，它们就有所欠缺。比如卷烟行业的五大天王华溪楼猫王（中华、玉溪、黄鹤楼、小熊猫和芙蓉王）和传统白酒行业的三大王牌茅五剑（茅台、五粮液、剑南春）在这方面的不足就显得比较明显。

而对于其他行业来说虽然已经能够制造出奢侈品产品，比如一些国外奢侈品在中国制造已经早已不是什么秘密了，但能制造奢侈品是一回事，能产生奢侈品牌则是另外一回事。因为，产品品质并不是全部，奢侈品品牌背后的一些元素，比如原创性的设计理念和风格、独特的品牌主张和文化内涵，以及赋予这个品牌想象力的历史感和品牌所代表的国家形象，仍然是中国大多数品牌所缺少的。

总的来说中国顶级产品离国际奢侈品包括日本的奢侈品还是有相当大的距离，国际化的奢侈品牌之路还很长，而这一状况对在今天这个中国骄傲的年代，是极不合拍的，因此这不能不促使我们勇敢明对困难，奋起直追，争取在最短的时间里打造出杰出的中国奢侈品品牌。

那么打造中国自己的奢侈品以及奢侈品品牌有可能吗？有机会吗？

这是一个必然肯定的回答。因为人类发展史告诉我们：人的欲求在本质上是欲壑难填的，人总能在满足已有的欲求之后设计出新的欲求。这就是奢侈品被潮流认可的土壤，这就是奢侈品所以长盛不衰的一个共同生存定律，这一点放之四海而皆准，在中国也一样。另外从历史上来看，还没有什么是中国人所不能战胜和克服的，今天神五不是已经上天了，今年18家中国企业也已经跃入世界500强了……实际上中国不少的茶品牌早已是国际奢侈品了，只不过我们的茶品牌总是默默无闻地为世界人民奉献着它那独具中国特色的奢侈品味罢了。

在此，我们完全有理由相信不久的将来，打造出具有中国特色的奢侈品品牌就会成为现实。

那么，中国打造奢侈品品牌的机会和着眼点在哪里呢？

笔者认为要找到真正的打造中国奢侈品品牌的机会，首先还是要搞清楚什么是奢侈品？中国的潜在奢侈品是什么？在那里？然后才是怎样打造的问题。

奢侈品的魅力

对于何谓奢侈品？商家们早已给出了他们的回答：用买十头牛的价格，买到不用半张牛皮就可以制成的皮包，这就是奢侈品，而拥有奢侈品就代表着高人一等，这就是奢侈品牌给予的感觉。这种解释非常贴近于奢侈品的原始字面意思，奢侈品的英文单词“luxus”来源于拉丁语“lux”，即：“光”。显然，奢侈品最原始的定义大概是：闪闪发光的东西，比如金银、珠宝和钻石。

当然这些都是对奢侈品浅层次的解释，似乎只要价格高、是金银珠宝就是奢侈品了，其实奢侈品特别是现代社会对奢侈品的定义是远远超越于这一狭隘范畴的。

奢侈品的的定义或者说其品牌魅力首先还是姓“富”和姓“贵”的，正如“富贵”始终是奢侈品的主流需求一样，这是不容置疑的，但更重要的是在于这种富贵的距离感，是一种拒大众于千里之外的超凡脱俗，同时由此产生的一种创造欲望、烘托情感和品味时尚的心理价值和使用价值。而传统奢侈品牌的魅力还在于它与生俱来的血统，这种血统的尊贵和传承性，使传统奢侈品更具有文化价值和正统的象征意义。上述这些奢侈品的特质综合于一身就成就了一个典型性奢侈品品牌，奢侈品也由此具有了天生丽质、高贵品味和卓尔不群的特质。

其实，我国历史上也不乏奢侈品，中国字画、瓷器、茶叶、雕刻等一百多种象征中国元素的众多顶级用品实际上就是典型性奢侈品，当年马可波罗、利玛窦甚至19世纪西方列强来到中国带走了大量的奇珍异品就是明证。

因此，我们首先可以确定具备中国元素的顶级品都可以成为中华民族的奢侈品。只不过今天我们面临的问题是：对具备中国元素的奇珍异品或者普通的日用品而言，突破口是怎样赋予其尊贵气质、国际形象和时尚品味的相关元素罢了，其中特别是时尚性和国际形象是最为关键的。关于这两点，日本的经验可以借鉴，比如日本的青酒、高田贤三男装、三宅一生女装、资生堂化妆品、叶子（D'ete）香水和华歌尔（wacoal）内衣等。这些品牌都具有极强的民族特色，同时也将“尊贵气质、国际形象和时尚品味”做出了很好的演绎。

至于，中国打造奢侈品品牌的机会和着眼点在哪里？笔者认为，这个机会和着眼点完全可以在酒类行业取得突破。

因为在中国酒类市场具有快速打造具有国际影响力的中国奢侈品牌的土壤和机遇：

中国酒类奢侈品的机遇和挑战

一、“新老奢侈消费”的区隔市场是打造中国奢侈品的一个重大机会。

这个机会要从两个方面来看：

第一，奢侈品方面的新旧区隔。所谓新奢侈品是指诞生时间较短，偏重时尚特性的新兴奢侈品，比如美国的星巴克和哈根达斯、日本的金嗓子音响和高田贤三系列产品等众多顶尖品牌都是最近30来年才诞生的，真正成为国际品牌也就是20世纪90年代的事，其中金嗓子音响和高田贤三的系列产品为亚洲企业创造国际奢侈品牌树立了很好的榜样。而旧奢侈品更多来自于传统产业，历史较长，文化气息较重，使用者多为王公贵族或政商界要人，这些旧奢侈品体现的主要是尊贵感和自我享受的体验，比如酩悦香槟、人头马、zippo和哈雷机车等，当然所谓旧奢侈品其实也或多或少不断融合一些时尚韵味，以避免被批评为固步自封的落伍者，其中博柏利（burberry）积极推崇“不太傲慢，不太先锋”的主张就是最好的例证。

从新奢侈品牌成功的经验来看，讲究时尚和历史并重的行业是中国打造新奢侈品牌的重点领域，其中酒水类就是中国商家可以积极探索的行业。

第二，“新老奢侈消费”的第二层意思是指消费群的新旧区隔。旧奢侈品的中国消费群主要是看重奢侈品所代表的身份象征、财富炫耀和心理慰籍的满足感的那批人，比如先富起来的一部分人就是典型的物质主义至上者，炫耀和物质享受是其追求奢侈消费的主要目的。而另一个现象是，一部分并不富裕的消费者比如“月光小姐”经常是宁肯坐公交车、吃方便面也会化掉自己1个月甚至几个月的收入去购买一件LV手提袋或体验一下高尔夫消费，他们并不是真正的奢侈品消费群，但总体数量也不少；而新奢侈品的消费群则除了需要身份象征、财富炫耀和心理慰籍的满足感之外，更多地表现为对时尚的向往和有品位的心灵共鸣，即高人一等的赶时髦和有品位的心灵慰籍之间取得和谐。去星巴克、穿阿玛尼服饰、品洞庭碧螺春、喝水井坊等等都是新奢侈消费象征。

实际上目前中国的奢侈品消费市场还是以旧奢侈消费群为主，但是新奢侈消费群体也正在快速成长，已经成为一批重要的奢侈品消费群，另外礼品购买也占去了相当一部分奢侈品市场，目前中国奢侈品消费市场主要由这三类群体组成。

总体来说，我国的奢侈品消费还处在初级阶段，而这种初级阶段的消费观由于其“崇洋媚外”的本性将非常不利于中国顶级奢侈品牌的塑造。

但是有一点可以肯定，时尚和文化仍然是新老奢侈消费共同的要素，这与“新旧奢侈品”区隔的结论一样，“时尚和文化”领域将是中国商家打造国产奢侈品的主要战场，而中国酒类市场正好立于这一领域的中间位置。

二.中国特产酒的行业存在巨大的机遇。

说到中国特产酒的行业，实际上是比较多的，比如白酒、黄酒、保健酒、果酒等，其中笔者认为具有明显中国元素的酒类领域，就特别适合作为打造中国特色奢侈品的领域（特别是白酒和黄酒）进行现代化和国际化的运作。

本文就中国白酒和黄酒来举例探讨。

正如大多数国际洋酒品牌一样，如芝华士、皇家礼炮、轩尼诗、库瓦西耶（拿破仑）和酩悦等，中国的白酒是具有数千年中国历史文化底蕴的特殊产品，中国的白酒与洋酒有许多相同或相似的地方，但也有不少明显的差异，而双方最大的不同则是时尚化和国际化上的差异，更清晰地说国际品位的时尚化是中国白酒与洋酒之间的主要区别。

其实，中国白酒也在向时尚化这个方向迈进，但中国白酒行业大多数品牌所追求的时尚又过于中国化，即是一种喧嚣张扬、金碧辉煌、过分注重外表的俗时尚，这一点从白酒的瓶型到瓶盒以及在品牌塑造方式上（“传播思想简单”和“营销手段粗糙”）都表露无遗，要知道“尊贵”的俗了，就低贱了，就平民化了。不过还好有几千年酒文化、卓越产地概念和营销大投入的支撑，才使得中国白酒品牌的价格不至于与洋品牌相差太多，但有一点可以肯定，这样的时尚化是不可能走向国际市场的。

当然，我们也看到，像“水井坊”、“国窖1573”等部分新品牌还是跳出了俗时尚这一泥潭，正逐步走到了新奢侈品的行列中。

中国白酒行业要想打造新奢侈品的想法是好的，也是众多有志之士的夙愿，并正不断为之而奋斗，但打造奢侈品还是要讲究策略和方式的，稍有不慎就有可能满盘皆输，比如今天“金六福经典08”的案例可以给我们许多启示，“金六福经典08”目前正积极寻求将自己塑造为新时代的白酒奢侈品，也做了大量的工作，但笔者认为，“金六福经典08”的命运很可能是多灾多难的，因为“金六福”这个品牌一直以来的定位就是“福文化”，这就注定它是一个平民文化，而“金六福经典08”的“一日寿、二日富、三日康宁、四日攸好德、五日佳和合、六日子念慈、七日民安乐、八日国泰祥”文化诉求实际上也是一种平民文化诉求，这与其顶级品牌定位是不相符的，再加上“08”带有明显的2008年奥运会的意味，奥运会是一个举国欢庆的大会，是一个竞技的大会，这与“金六福经典08”品牌塑造的立意基础“理性、民族性”多少还是有着冲突的地方，而且2008年至今也就2年多的时间，用2年多的时间来打造一个顶级品牌是不现实的，再说即使在2年内“金六福经典08”实现了其既定目标，但2008年之后又怎么办？2008年之后是否就成了落伍者了？因此可以说“金六福经典08”的未来存在着巨大的风险和不确定性因素，短命也许是其必然的归宿。

而另一个前脚已经迈入成功者行列的品牌－水井坊，就值得我们大书特书。水井坊将中华历史文明、传奇品质和产地、国际品味的时尚化等方面的运作是非常好的，正如酒类营销专家万兴贵先生所言：“水井坊”的成功是在中国传统酒文化与时尚酒文化之间找到了一条突破口，以“真正的酒”标榜的“水井坊”，既是传统文化的，因为它起源于中国上千年的酿酒文化传统，根植于有着上百年酿酒传统的老烧坊——“水井坊”；又有时尚文化的，因为在水井坊的传播和营销中，“传统文化时尚化”运用得十分巧妙和成功。”确实，“水井坊”已经为我们开辟了一条值得借鉴的打造中国奢侈品牌之路。

另外，观察家们也许早已看到内涵最为丰富的中国黄酒业像老火山喷发一样，正处于一个挖掘、释放巨大潜能的剧烈运动过程中，今天从华东到华南、从上海到北京、从绍兴到成都均可以看到黄酒再次展现出其极大的拓展和升值空间。业内不少专家也预言，中国黄酒作为一只潜力股，将迅速从区域性酒种走向全国性市场，黄酒在不久的将来势必会极大地改变中国酒行业的格局，特别是高档酒市场的态势。其实虽然目前大部分黄酒企业仍然将中低端市场作为重点市场，整个黄酒市场尚显粗放和不成熟，但以古越龙山的30年陈花雕、塔牌的1980年珍藏酒、金枫酒厂的经典20等为代表的黄酒品牌已经在高端黄酒市场取得了不俗的成绩，实际上，黄酒自身与生俱来的高贵珍惜特质和新时代奢侈消费观念是完全可以融合在一起的，因此对打造黄酒高端品牌即新奢侈品品牌是完全有可能的。

三、全球新兴酒类行业特别是建立在传统产业之上的酒品类创新行业机会多多。

最明显的一个例子就是冰酒。冰酒起源于加拿大和德国，是近十几年才在全球兴起的行业，它是普通葡萄酒的另类版，它的栽培、养植、生产成本、健康营养元素等方面是普通葡萄酒的5-15倍以上，它要求的鉴赏水准也是极高的，可以说它天生就是酒中的极品，它代表的是极品中的极品、高贵中的高贵，在加拿大冰酒受到VQA（加拿大酒商质量联盟，1990年正式执行）的管理，而这一标准在世界葡萄酒行业可以说是最高标准，因此，冰酒的标准完全可以作为高端葡萄酒标准的代名词，而这个领域目前还缺乏全球性的顶尖级品牌，德国的蓝冰王、加拿大的浪力等冰酒在我国虽有上市，但还远没有形成气候，而我国虽有莫高冰酒、太阳谷冰酒、祁连冰酒和通化雅仕樽冰酒等新兴品牌，但也还没有被国人认可和喜爱，距离形成消费潮流尚有一定距离。因此，总体来说，冰酒领域的奢侈品其实还处在襁褓状态，因此打造冰酒领域的奢侈品就为全球葡萄酒领域的有志之士提供了一个千载难逢的机遇。

中国酒要成就快速打造顶级奢侈品的梦想虽然有巨大的机遇，但也面临着不小的挑战。

一、如何将中国元素在奢侈品品牌的塑造中更好地进行现代化和国际化演绎。

中国元素是外国所没有的，这是中国打造奢侈品品牌的先天优势，所谓民族的就是世界的，目前几乎所有国际级奢侈品都具有品牌产地根深蒂固的民族文化特色，因此，要打造世界级的酒类奢侈品牌就必须立足于我们的固有优势，积极贯彻“扬长补短”这一竞争第一法则，将中国元素更好地发扬光大，同时补足国际化时尚品味的含金量。

二、奢侈品品牌的内圣外王之道将是中国酒类企业必须逾越的鸿沟

从哲学的观点看，在奢侈品的消费里形而下和形而上的东西是能够充分统一起来的。这句话的意思是说，真正具有生命力的奢侈品牌往往能将精神层面和情感层面的东西与物质主义的东西很好地结合，如此达到了身心合一的完美境界，如此达到了人类追求极限的最高境界。

而精神层面和物质层面要达到这种最高境界，并不是轻而易举的事，这一点“水井坊”和“国窖1573”为众多酒类企业做出了尝试，它们的经验是可以借鉴。

三、国外众多奢侈品牌的奢侈化传播方式是否是必然之选？

这确实是一个挑战，因为我国还是一个发展中的国家，大多数企业还不具备进行大规模奢侈化传播的资金实力、市场运作能力和经验。而且奢侈化方式打造奢侈品牌是否是最优之选，也是值得商榷的。

可以这么说低成本打造中国奢侈品品牌是一个需要我们深入研究的课题，比如近两年演艺界出了一件奇人奇事引起了不小的轰动，那就是刀郎现象，刀郎从新疆一个默默无闻的歌手到享誉全国的著名歌星，仅仅用了不到两年的时间，而且包装、推广费用很少，基本没有轰轰烈烈的炒作之类的

事情发生，可以说是低成本、出奇制胜打造杰出品牌的典范；在白酒行业，当年的酒鬼酒也是一个低成本打造顶级品牌的范例。从这两个案例中，我们可以得到很多的启发，比如创新的意见领袖代言、更有价值的免费试用、极具销售力的体验式营销、俱乐部式一对一营销和低成本直销等等新营销模式的运用，都是可以选择的。

四、打造奢侈品品牌的观念问题仍然不容忽视。

中国的商人往往着眼于短期利益，缺少培育奢侈品品牌的那种坚强意志和商业文化氛围。他们不愿投入建立一个品牌所需的金钱、时间和精力，甚至有相当一部分中国商人对品牌塑造持消极态度，还抱着保守的生产观念和产品观念不放，即便如此他们还想要快速回报，希望“好产品就会有好收益”的奇迹能够出现，这种矛盾的观念和心理目前是打造中国奢侈品的主要障碍。

当然我们也应该看到观念的问题表面上看确实是个障碍，但障碍之处也往往就是机会之所在，试想一旦障碍克服了，那我们的眼前就会豁然开朗，就会对打造中国奢侈品牌有一个更清晰地认识，并由此树立起必胜的信心，因此观念的转变也应该看作是一个巨大的机遇。

现在，为数众多的打造中国酒类奢侈品牌的机会和挑战已经越来越清晰了，机遇不容错过，挑战也并非不可逾越的鸿沟，我们希望中国所有有志之士奋勇挑起这个历史赋予我们的重任，打造出一个又一个杰出的中国特色的酒类奢侈品牌。

一个酒品牌的市场诊断策划

H品牌是江南的一个酒品牌，保健酒、黄酒、白酒是其主导产业，2003年该品牌开始谋求全国发展，经过多方面考虑，H公司决定把处于长江流域的几个省作为开发目标市场，其中N城市就是作为重点市场，N市场是省会城市，目前H品牌已在该省的部分区域取得了良好的销售业绩。于是，一个针对这几个外围市场的调研活动紧张地忙开来了。

早就知道N市中国最难操作的市场之一，接触N市后，确实感觉N市场的普通和怪异。这样的市场，要不要重点开发，如何开发，经过一段时间的调研，在公司确实遇到了截然不同的意见。

要不要做一个市场，如何做一个市场，其关键是这个市场在公司和行业的地位怎样？在坐标上的点在哪？而当决定要做一个市场，其操作方式又如何确定？

1、市场运作大方向的决定

资本决定运作，市场决定走向。当市场竞争越来越激烈、行业发展越来越成熟、供求关系失衡、产品的内外在趋于雷同、各种通路模式被各路商家熟练运用、当降价也慢慢失去杀伤力时，市场运作靠营销一个环节、一招鲜的例子已很难看到，木桶的每块板越来越平均的时候，企业的核心能力也许只余下对拼资本实力，新产品上市运作，也只简单到了2种方式：有实力的运作和没钱的运作，上市不顺利的老产品更是如此。

有钱的运作也分2种，平稳的和险奇的；前一种平庸循规蹈矩，靠的就是资源的不断输入，以轰轰烈烈的心态，只要结果，不管过程，结果当然比较稳定；后一种以险招出奇制胜，同时因为有资本后盾，社会可利用资源较多，也就多了许多胜算，这样的例子很多，中央台近年的复兴和企业的热衷，可以为例，更有甚者以身家性命为博央视一笑（销售额还不如广告额），可谓险之极。

那么没钱的产品或者说费用紧张的运作该如何？在现今市场成熟度下，各种产品的外在成本越来越高，以有限的市场费用支持一个无论是产品本身还是产品概念均没有多少特色的产品，如果还是循规蹈矩地运作：投常规广告、搞促销、推广送货、人海战术，碰运气撞上一个金牛市场则罢了，否则结果可想而知。一个没实力支持的产品运作，无论从产品本身到市场推广，都不得不要追求险奇制胜的可能性，同时一个产品若没有一个强势的行销概念，放在产品的海洋当中是没有几个消费者能注意和认可的，这个强势的行销概念可以是从产品出生就具备，也可以是推广宣传上总结，当然也可以是独特的价格体系和通路设计，显然前二种的可能空间更多，如从产品出生时就具备那就更加优势明显。所谓强势概念，是指市场侵略性和杀伤力、感视觉冲击力、可传播性、独特利益性，能充分调动消费者的参与，具有借力或借势的特征。如雕牌的“会唱歌的盘子”、脑白金上市时的“今年过节不送礼”有此倾向。因为资质差的人再如何练个三伏三九也成不了武林高手，而资质好的人练武却一日千里，这在小说上常有。产品也一样。

2、是高空作业还是地面扫雷

H品牌在江南根据地市场上的成功，应源于资本实力的成功，而对外围区域的扩张，资本已是不裕，如何运作已不是市场属性的好坏决定得了的，H品牌的产品线目前还十分单薄，主销产品只有一个品类，以一个如此窄小的小众产品，在各个地方区域进行循规蹈矩地市场运作，地市台广告、人员、促销、推广，实在有点象用孩子的手给老皮的牛搔痒，困难显而易见。

保健酒是个还算新的行业，按说其市场竞争应不是很激烈吧，但保健酒上面还有一个白酒市场的大行业，而白酒的竞争已是高度的白热化，白酒市场的不规范和不利因素，都近亲繁殖地带到了自身的酒市场，而白酒市场没有的消费者培育难度保健酒都有，H品牌也无例外，特别是培育上的难度，从地方区域入手，一个小地区一个小地区进行，实在是事倍功半，要培育区域间的饮酒习惯，大高空大媒介的作用实在功不可没，这又是一对矛盾。

按公司新年的布局设想，加强区域的自主性应符合市场的发展规律，但在没有公司强力介入的情况下，加强区

3、N市场的行业情况

对于N市场，经比较，H公司目前的整体资源尚不适于全面运作广大的外围市场，要做N市场，还在于细水长流、让消费者在一定的阶段内积累对产品和品牌的认知，条件达到一定的成熟后再开闸放洪，而不是一开始就高举高打；无论是其它什么新的市场区域，新的通路如我们非常陌生的餐饮通路。

N市场的酒类市场情况：

白酒

N市虽属高度白酒市场，但其市场不瘟不火的属性缺少市场爆发力，更不是金牛市场，且市场上的白酒品牌较多，操

作白酒的难度估计较大,加上白酒市场固有的快上快落属性,H品牌只能放弃白酒类产品的上市试点。

黄酒

在地理上，N市是南北的交接之处，也是公司北上拓展的最大窗口，在扩张初期，N市必做；在防御期又不可不做，而N市市场也许做黄酒更是一个机会。黄酒在N市有一定的消费基础(虽然不高)，其它的黄酒品牌在消费者心中都不太有知名度，但黄酒的市场价格却有点杂，价格低，H看重的黄酒在没有产品特点的情况下,在价位上可说没有任何优势。这说明要做N甚至其它市场，无论在包装上还是产品概念上都要有所改变。

4、H品牌扩张的劣势

一个产品的市场扩张效果，关键在于其产品的内外部资源的多寡，看看H品牌的产品还有哪些地方和因素还没有为市场扩张作好调整？经分析以下几点尚需调整。

1) 理念上还缺少一种扩张的霸气

H公司是先有品牌理念再有企业文化的；品牌源于传统文化的代表，不过无论现在理论界有多少人在宣传统文化的高妙，但没有什么新意的话还是不能引起大多数现代人的注意，其理念可能缺少一种扩张的霸气。

这种总体的营销文化在具体的市场执行中往往会表现无余。产品包装缺少冲击力、产品广告缺少侵略性、营销环节追求面面俱到而任何一要素又都没绝对优势、新产品入市却后续支持乏力等等。

2) 行业扩张的经验，新品推广模式

企业文化的单一化对于企业初期的发展作用很有效，但当企业发展到一定程度，近亲繁殖的单一企业文化的烦恼也越来越明显。

如果近期要全面介入餐饮，则在人员上处于劣势，短期招聘风险较大，以做流通的人员去做餐饮，成功的可能性有多少呢，局限性更明显。

新品的推出要有自上而下的各方面支持，没有推广支持的新品，除非产品本身具有强势卖点，或者说具以下两种情况，才有可能热销：跟风别人热销的大众产品而低价介入；市场绝无仅有而又容量、潜力巨大，再说有这样的产品没有推广支持更是一种浪费。

3) 如何扬弃以前的成功手段

时间在变，不同的阶段，不一样的营销手段获得的效果会有很大的差距,那么这种手段在新的时期还有多大作用呢?

如推广送货：97年至2003年间全中国都处于通路下沉的进行阶段，在那时的推广应当还是比较有效，H品牌就是靠这种模式当年到了突飞猛进的发展。现在大家都已做到、基本上已失去新鲜感，从投入产出来比较也效力不再。当然，当我们取消这一手段时，我们的各级销售经理也许对如何做业务失去方向。如何引导将是非常关键。

4) 产品行销概念

保健酒行业现在的消费基础还是很溥弱，要培养消费者，还得从白酒市场挖角，产品功能与口感重要、包装重要、市场推广的概念和方式也很重要，能借助外部的热能和力量，创造流行，以站在巨人的肩膀上，做白酒的革命那是最好：

A、把H品牌保健酒包装成白酒的替代品、是自白酒、红酒后的第三代酒；

B、以中国天然草本酒进行定位，区别其它品牌。

在以上创新基础，坚持且突出之以下概念：

瓶装酒的“家用酒”概念；

A、如果常规做法：黄酒的概念要强调，价格也不能高，否则无竞争力；

B、如果做专业细分市场：比如做女士特供酒，可以高价。如今，酒桌上男女同饮，女士喝椰子汁，如果能分一杯出来？量也不少，但关键要解决包装和口味及产品概念，黄酒肯定不行；口味应偏向于果汁酒之类，目前这个细分市场基本没有专门的产品面市；

5) 产品及包装

一张好脸可以让第一印象更好，花更高的价钱买更没知名度的、产品又没有什么特点的冤大头毕竟是少数。

老市场需要品牌常常保持着新鲜感，新市场也同样需要新包装、新概念，品牌越老越需要形象的更新，而新形象往往是从包装和行销概念就开始了；以现有包装做外围市场、其接受难度还是非常大的。

(1) 保健酒系列

颜色：H系列的产品包装的红颜色与时代的流行红色有一定的误差；

外盒：纸板缺少硬度和厚度，不仅仅运输易损坏，放在货架上更显得没质感；

瓶型：相比太普通，可以加入一点时尚的形状；如想做餐饮，瓶子太守旧很难拿得出手。

外箱：与内盒或单瓶的主形象有一定出入；品项名称不统一，各人、各客户、各卖场的叫法不一样，连公司内部的叫法也不统一，给人际传播增加障碍，可以统一品项名称，并标在外箱上。

(2) 黄酒系列

在卖场零售价上，H品牌的三年陈花雕酒在三年陈以下的同类花雕酒中、各类杂牌黄酒中、同容量规格的黄酒中的零售价是最高的，瓶型、瓶贴极其类似，这些产品的零售价基本上是3至5元之间；而H品牌三年陈营养黄酒在同等级黄酒中价格也没有优势。N市场的酒店市场，目前还基本上是白酒为主，中小型的酒店、排档卖的基本上是以白酒为主，部分红酒，保健酒中只有劲酒；黄酒更是非常之少，说明黄酒的消费基础还是比较弱的。

H黄酒的作法：要么较低价做普通黄酒；要么给现有的包装来个改头换面、同时可以高价；要么两种做法同时执行，包装独特、价格又不贵；

瓶贴：字体是太过平常的广告体，给人以平庸、廉价的感觉，和酒的突出其瓶贴的独特性对其市场销售及成功目标定位功不可没；

色调：典型的绍兴包装，却无价格优势，又无知名度和广告引导，只能淹没在黄酒的货架中，不会引人注目。

N市场操作设想

当然，以上只是在一种理想的环境下的设想，作为省会城市的N市场，其实还是很有潜力的，至少H品牌在该省已有较好的知名度，如果通过良好的进入策划，还是非常有开发的前途。在产品和品牌推广上，我们建议采取创新的有效手段开发N市场。

H保健酒推广

1、主动竞争

站在巨人的肩膀上，炒作对白酒的革命；与白酒宣战：白酒品牌多，不会群起攻我；在南京这种市场，能引起注意就是成功。

2、通路设计

卖场、苏果直营，在南京，新业态仍是主流。

流通：共设批发商8到10家，其中市区设四家批发商，六合、江宁、大厂、浦口分设1家批发商；溧水设1家。

中小型连锁：华诚、联华可以直营（两家合计120家店），其它划归所在区域的批发商供贷。

餐饮：市区设四家餐饮批发商

通路推广费用着力解决产品在前期的终端推进顺畅，如进货促销赠品等；中期以奖励等形式作维持作用牵住店老板，成熟之后一部分可作为对批发商进行奖励，避免三分热度第四分就退货；给予做餐饮的批发商一定比例的跑单补贴。

3、市场推广

首先以媒体广告引导和创造产品新概念，引起注意；同时地面推广进行不间断的活动、提示；媒体广告集中采用《现代快报》的软文广告，标题要求以富冲击眼球的语句；同时在软文广告中作消费者互动参与活动提示，打咨询电话，回答三个问题，答对即奖五加酒一瓶（领取地点选择，经销商？）增加消费者间的人际传播话题；重点推广时期每月至少有8期，版面以1/3通栏和半通栏为主，文字以300到400为宜；软文内容分三块：标题；对标题的解说引导；常规的产品介绍；活动及咨询电话（打进电话并正确回答三个问题即可免费领h酒一瓶，电话：******** 时间截止 *****）

广告策略：

一个大胆而冒险的广告：不满40，谢绝喝它（前期广告介入）

成熟男人，喝成熟的酒（后期传播方向）

广告主题：

开始介入：吸引注意，抛出话题

不满40，谢绝喝这酒

40岁开始，男人喝酒要小心

你还在自焚吗？

可怜的男人……

40岁了，看看你家的男人在喝什么？

40岁的男人，妻子要做什么

引导：前面的话题为什么？话题依据

白酒、红酒、H酒

20岁、30岁、40岁

20岁喝白酒、30岁喝红酒、40岁喝h酒

H酒，人到40，方能领会，（不惑男人，喝不惑酒）

成熟男人，喝成熟酒

40不惑的男人，喝酒有主张

巩固：选择产品的理由

白酒的口感+红酒的外观+29味中草药的功效=H酒

酒桌上，H酒给男人健康选择

H酒，给身体每天做+++++加法

H酒，每天给你请一个私人保健医生

H酒，东方（中国）的骄傲

夯实：打出情感牌收揽民心，博取好感

下半年追加：H酒，给父母请一个私人保健医生。

有奖情感征文，引起共鸣：《我的父亲母亲》，以对应礼品广告语；征文可与相关报社合办；

4、阶段性推进

策略说明：上半年鼓动妻子劝说，增加打动男人的筹码

下半年鼓动儿女，送给父母

下半年9、10月份为重点、上半年4、5月份为重点、期间稍稍提示，以作连惯；

5、地面

主题活动、POP、终端促销、产品搭赠四招循环往复，不断进行；面不擀不成面；菜不炒不成熟，做产品不断折腾才会火热；

市场人员：10人左右；业务2；理货兼活动、促销8人；

理货：卖场超市的理货是保证出样性的重点，工资为为辅，考核为主；

终端：每周末举行推荐、促销活动，每节日进行搭赠促销；

活动推广：社区形式为主，3人一组，每天2~3组，活动主题惯穿始终，避免单纯的买赠销售；

宣传品：独特的POP、易拉宝、酒事报、赠品；

H黄酒市场操作

常规黄酒以餐饮作为突破口

只有做个时间差，人不做我做，才会占有更大机会面。

1、通路设计

经销商：市区按地理方位设四家餐饮经销商，一个区域一个区域区域执行，不忙全面开展；

终端：抓小放大，主供中小型酒店、饭店、排档，与小瓶酒的通路一致，可以减免进场费一项。

2、价格设计

通路推广费用着力解决产品在前期的终端推进顺畅，如进货促销赠品等；中期以奖励等形式作维持作用牵住店老板，成熟之后一部分可作为对批发商进行奖励。

3、市场推广

人员：3～6人配合经销商；

政策：上市第一月，配合经销商现款推广，进一箱有送礼；第二月可以进行第二次推广，可以代销，但无促销送礼；

消费奖励，以稳住店老板或服务员的持续推销积极性，销售成熟可以慢慢取消；

给予经销商铺货额一定的跑单风险补贴；

宣传：终端POP：强力张贴到位；进入对业务中的片区考核；

菜单广告：重新制作店内原有的‘点菜单’，一可以加上我们的产品到价格菜单上；二是可以在上面做点手脚，作点提示宣传；成本也较低；应会受店老板的欢迎；

把黄酒当红酒来卖？

我们的消费者是什么？老年人？知识分子？老三届？回忆的感觉？

包装特色：和酒是一个创新，是目标定位的结果；红酒的流行，包装的气质对吸引中青年人的需求有一定作用；

H品牌可以参考时尚的红酒销售，循规蹈矩可能没特效了，既然淹没在黄酒各式各样的普通包装中，不如来个全新的革命；以红酒的模式来推广黄酒。

中国白酒品牌竞争力研究报告

第一部分：白酒行业的战略发展契机

白酒是中国具有拥有消费者心智资源、有机会成就世界级品牌的品类之一。

1、白酒并非夕阳产业

最近的几年里，中国白酒企业越来越多感到了压力和挑战：首先，受到假酒案的以及国家2002年对白酒企业专门性的赋税政策的影响，国内白酒企业的数量在减少，相当一部分中小型酒厂被淘汰出局，白酒的总产量还是消费总量都在大幅度的下降，从1996年的801万吨下降到了2004年的323万吨，而剩下的白酒生产企业也觉得步履艰难，处境困顿。

更让人感觉雪上加霜的是：在中国，随着喝着可乐长大的一代人逐渐成长，酒精类饮料的消费已经由原来的饭桌开始向酒吧、迪厅这类的夜店场合发展，而在这类的场合中，洋酒无疑占据了绝对的优势，越来越多的洋酒品牌把中国市场当作一个重要的潜在市场，甚至称为“全球最大的烈酒市场”，并纷纷加大营销力度。据有关资料显示，国内主要的洋酒品牌在过去的一年中销售量平均上升30—50%，有的品牌甚至超过100%。

尽管洋酒的消费在总量上还无法和白酒相比，但是增长的速度已经显示出咄咄逼人的势头，尤其是在国内市场白酒消费的态势已经持续疲软的背景之下。行业专家、企业、媒体甚至主管部门都纷纷对白酒的前景不看好，甚至提出白酒已经和香烟一起成为夕阳产业。

没有人可以否认中国白酒面临的危机和挑战，但是，中国的白酒真的会从此走向没落或者白酒将和香烟一样面临必然消亡的命运吗？我们并不这样认为。

首先，白酒在中国悠久的历史地位，独特的文化底蕴决定其具有长期存在的根基，这种根基不是在短时间内、轻而易举可以撼动甚至完全摧毁的。相反，我们认为中国白酒所蕴涵的文化乃至品牌的张力还远远没有被发现和发掘出来。中国白酒目前表面的困局实际是一种自然选择和优胜劣汰，是白酒行业重新崛起所面临的全新机遇，在这个过程中，一些新的趋势或者趋向将表现出来。

首先是精品化、高档化，品质是建立品牌基本的要求和门槛，所谓精品化不仅仅是在产品层面有好的质量，更重要的是要受到大众的认同获得良好的口碑、积累一定的消费者资源。无论是从目前国内白酒消费的趋势还是全球烈酒消费的特征来看，都具有一个共同的特征：喝得少、喝得好。白酒的功能和特性无可替代，但如果过量就对身体有害，少而精是未来消费的趋势。所以最近的几年里，中高档白酒品牌成长良好，也恰恰印证了这一点。

其次是集中化，白酒的市场逐渐向少数的具有清晰的品牌战略，良好的认知资源的品牌集中。随着消费者对白酒消费越来越理性，老牌名酒复兴的趋势越来越明显，五粮液、茅台、剑南春等老品牌将获得越来越多的市场分额。 此外，中国加入WTO以后，中国白酒批量进入全球主流烈酒市场将成为中国白酒品牌发展的一个重要契机，也是中国白酒品牌的一次重大挑战。

所以，中国的白酒不是所谓的夕阳产业，相反，它将面临一个比以往更为有利的发展机遇，尤其是对于那些具有清晰的品牌战略的老牌名酒来说，中国白酒将进入一个大洗牌的阶段，当然，洗牌是为了获取更大的市场。

2、中国白酒成就世界级品牌的资源优势

我想大家一定有类似经验：提起某个地方，就会想起某个国家的“有特色”产品，而这个国家产的“特色产品”通常比其它国家生产的同类产品“正宗”而且可信。

比如说，说起瑞典，人们就想起钟表和银行，说起日本，就想起电子和汽车，说起美国，就想起软件和金融；这些就是各个地域的认知资源，也就是说如果瑞典企业发展钟表、银行、日本企业发展汽车和电子，美国企业发展软件和金融是得天独厚，即使中国企业的软件技术真的更好，但是人们还是宁愿相信美国公司，这就是认知的力量，这种认知的背后是消费者对国家的定位。消费者的认知资源也叫做心智资源，无论对于一个地区还是一个国家都是一笔宝贵的财富。企业建立品牌，尤其是在全球范围内建立品牌，应该依托于国家定位，充分发掘认知资源从而以最小的代价获得最大的成功。

同样，中国企业要在世界范围内建立起品牌，最好的捷径，就是挖掘人们对中国认知的国家定位。在全球消费者的认知当中，一方面，中国是世界加工工厂，加工生产廉价的产品，尤其是电器、丝织品等，中国在这些门类里只是扮演生产的角色，要建立起世界级的品牌需要很多年甚至几代人的积累。另一方面，中国是最重要的东方文明古国，大众对中国的认知是东方文明的代表，其中从产品的角度来看，经过几千年来的贸易来往的传播和积淀，人们对中国的丝绸、陶瓷、茶叶、白酒等品牌积累了具有丰富的认知资源，著名的“丝绸之路”“马可波罗游记”都是对于中国文明传.

作为世界五大蒸馏酒中的中国白酒，并作为东方文化的代表，中国白酒在世界范围内同样具有深厚的认知资源，这种认知资源将随着东方文化的崛起以及中国文化的影响力不断加强而受到唤醒并发挥出强大的力量。从这个意义上来看，中国白酒品牌实际上比中国的电器、汽车、DVD更具有建立强势品牌的基础。

作为东方文明的代表，中国在白酒生产方面得天独厚，水资源、酿造白酒的粮食都十分丰富，经历了几千年的锤炼酿酒技术也达到了颠峰。从目前来看，中国基本上形成了以美酒河水系为代表的贵州和四川产酒区，茅台镇被称为中国酒都，而安徽、河南、山西、湖南、陕西等地也具有一定规模和基础的优质白酒酿造资源。

中国所拥有的茅台等优质白酒品牌一度使日本等国家嫉妒不已，在很多外国人眼里，中国的优质白酒与法国的干邑白兰地等优质酒相比也决不逊色，而来自法国干邑区的品酒师们甚至认为中国相当一批优质白酒酒质已经登峰造极，在全球的蒸馏酒中也堪称极品，这些都是中国白酒在全球范围内建立起品牌的基础。

3、 酒企业营销观念的滞后导致发展遭遇“瓶颈”

既然中国的白酒具有得天独厚的认知资源和产品优势，但为什么中国至今没有一个强大的世界级白酒品牌呢，这其中的各种原因也许很多，但是有一点至关重要：中国的白酒企业在营销观念滞后，品牌战略缺位。

中国的白酒中，最具有成为世界级品牌基础的品牌无疑非茅台莫属，茅台不仅在中国尊为国酒，而且在世界级名酒舞台也有惊艳亮相的记录，但是，落后的观念让茅台在营销和品牌上不断的犯下错误：在中国高档酒第一品牌的位置让给五粮液，又被水井坊占据了最贵的酒的定位，过多过杂的延伸开发茅台液、茅台王子酒等系列产品、发展茅台干红、茅台啤酒等跨品类的产品，可以说茅台的延伸产品几乎没有一个算得上成功，白白耗费了大量的资金，同时也削弱了茅台酒在大众心智中的地位。茅台的优势在于在大众的心目中占据了“中国最好的酒”的认知，这一点甚至超过五粮液。但是，如果茅台仍然采取品牌泛化的策略，茅台依旧无法真正的走向世界。今年茅台确定了未来几年内销售额达到100亿销售额的蓝图，这又是一个危险的信号，为了这个目标，茅台将会不惜犯更多的错误。

相比之下，五粮液在营销观念和品牌运作上比茅台要强，但是，在品牌战略的管理方面依旧丨分混乱，早先过度开发子品牌和延伸品牌，使五粮液主品牌失掉了一鼓作气，占据中国白酒绝对领导地位的机会，其后，五粮液试图进入芯片、汽车等行业的进行多元化发展的策略更加证明了其在品牌战略方面的弱势。

除此之外古井、汾酒等老牌名酒在酒业的发展也遇到瓶颈，并不自觉的开始向酒店、药业多元发展。几乎中国白酒企业发展的里程都经历这样一个历程：当企业发展到一定的阶段，就开始觉得在白酒行业再上台阶很难，进入一个瓶颈阶段，但是为了做大，开始进入到非白酒行业，自然而然，就好象亚洲烟草业的大王红塔集团在非烟行业里无所作为一样，白酒企业在非白酒行业里同样缺乏作为。实际上市场并没有衰落，甚至远远没有饱和，世界前三位的知名洋酒业企业销售额都在40亿美元以上，而中国的白酒企业，即使是曾经拥有上百个品牌的五粮液销售额也没有超过20亿美元，相当一部分品牌的销售额基本都在10亿美元以下。是什么原因让中国企业过早的进入瓶颈？？我们只要到白酒企业里看到上百个各种各样不同价位、不同包装的延伸品牌、各种各样希奇古怪的品牌名、毫无差异同质化严重的产品群，我们就应该知道，中国白酒企业最大的瓶颈来自于营销观念的滞后。

第二部分　中国白酒品牌营销过程中存在的六种错误假设

新的竞争环境下，老的营销观念不仅已经难以奏效，甚至成为企业建立品牌的陷阱

温水煮青蛙——白酒营销环境的变化与观念滞后

在各种行业里，白酒行业也许是“营销专家”最为集中的一个行业。但是，白酒行业的“营销”也是最为初级和落后的。在对中国的白酒企业进行研究的过程中，我们的体会是：今天的白酒行业正被一些并不健康甚至错误的营销观念所误导，相当一批企业或者营销人沉溺在曾经成功的经验里，一些根本无法适应现有竞争环境的观念在他们那里已经根深蒂固。

不可否认，第一代的白酒企业领导和营销人曾经创造了白酒行业的辉煌，成就他们今天在中国白酒行业的地位。但是从根本上而言，现今的市场和传播环境相比了10年、甚至5年前的中国市场，已经发生了根本性的转变。10年前的中国白酒市场所面临的传播环境是：产品多，知名品牌不多，产品和品牌信息有限，那个时代对于企业来说是一个美好时代，只要一投广告，产品就供不应求，那是一个知名度制胜的时代。

不知不觉当中，中国市场营销和传播的环境已经改变。今天，我们所面临的市场环境是：品牌繁多、信息爆炸、消费者接触广告的机会越来越少，而另一方面，白酒的品牌越来越多，进入消费者的头脑和心智也越加困难，这个时候，知名度制胜时代已经转化到区隔制胜时代，竞争由市场转向心智，这个时候，企业们普遍发现：几年前还凑效的广告轰炸、新包装、品牌延伸、全线产品等策略如今越来越难有理想的效果了，一些企业甚至就是在这种策略的影响之下垮掉。

这就是温水煮青蛙效应，青蛙对外界的竞争环境变化无法觉察，直到最后被煮熟。在今天这个超级竞争时代，品牌竞争的焦点已经由市场转向消费者的心智，而今天的白酒行业所流行的营销观念是基于一些错误的假设而成立的，它们正把很多白酒企业引向歧路。

错误假设一：白酒营销成败的关键是做好终端和促销

在今天的白酒行业，终端和促销被列为企业营销的同等大事，来自白酒营销人员的说法是“有得终端者得天下”。作为营销组合的一部分，渠道、终端甚至促销都是重要的，这关系到企业的产品是否能够在市场上出现、被消费者看到，但这并不表明终端和促销到了可以决定白酒品牌命运的地步。

为什么那么多的白酒企业关注终端、不断推出新花样进行促销，而消费者还是不买单？促销和名目繁多的开瓶费虽然在短期内起到了一些效果，但是长期来说，消费者还是倾向于购买那些在自己的大脑里有牢固的基础和位置的品牌。没有一个企业可以依靠终端或者促销维持长久的生存和发展。相反，名目繁多的入场费、上架费、促销人员费用、导购人员费用大大的增加了企业的负担，这种以终端为本，以促销为纲的策略，把相当一批白酒企业引入了误区。

终端是关键的，但是我们可以想想这样一个问题：为什么终端和促销变得如此关键？其根本的原因在于白酒的同质化严重。大部分白酒品牌之间缺乏差异，从而导致了消费者无从选择，企业不得不通过终端的建设和促销争取那些随机性客户。试想，当你的品牌没有任何差异和特点，当“别人是白酒而你也是白酒”的情况下，当你的品牌在消费者那里没有任何位置，消费者不会指名购买的情况下，终端是不会给你位置的，你要获得位置，只有支付上架费、陈列费、并且不停的促销。

可以说，没有一个白酒品牌可以真正依靠终端来获得长期的市场地位，而且一旦你减少了终端的投入，销售量马上大幅度的下降，终端的逻辑是这样的：你可以付钱让终端帮你推销你的品牌，别人也可以付钱终端帮助他的品牌，这个时候大家又回到了同一个起跑线上，最后还是变成了钱的竞争。所以终端的竞争是花钱的竞争，而不是赚钱的竞争。

反过来我们可以看到：当各个品牌都争相促销、发起终端争夺战的时候，五粮液、茅台甚至二锅头这样的品牌基本也很少做促销，甚至支付给渠道的利润也远远低于平均水平，

但这并没有影响茅台和五粮液的销售量，大家都在降价的时候剑南春甚至不断在提价。这验证了一条规律“进入终端和市场很重要，但更重要的是进入消费者的头脑中”。要长期解决终端竞争的困扰，最好的方式还是让品牌在消费者心智中建立独特的位置。

错误假设二：“白酒的竞争是品质竞争，高科技可以带来高品质”

中国老牌名酒成功的经验似乎都有一个共同点那就是“质量”，一个老牌名酒的企业负责人在自己的书里到处宣扬如何狠抓质量，取得辉煌。然而今天，虽然他也狠抓质量，但还是挽救不了企业衰落的命运，这究竟的什么原因呢？

对于消费者来说，质量确实关键，但问题在于，如何让消费者认同你的质量？这一方面与产品有关，但更重要的是建立认知。在消费者那里，认知就是事实，而在消费者认知当中，从来就没有所谓“物美价廉”这个概念。我们在研究一些老牌名酒的营销报告的时候，几乎大家都提到一个“定位”，做“老百姓喝得起的中国名酒”，消费者会相信只卖5块钱的中国名酒“质量”比50块钱的好吗？当然不会，更何况白酒行业还有这样一个活生生的事实“95%以上的喝酒的人都不真正的懂酒”，消费者不是专家，他只能依靠自己的认知来选择品牌。

还有一种与“质量”有关的想法听起来很与时俱进——“高科技白酒”，“低甲醇、绿色的新型白酒”一度是白酒行业很热门的话题，这实际上违背了大众对白酒的认知。河南的天冠酒打出了“纯净酒”的概念，然而这个就违背了大众对白酒认知的品牌一开始就注定走了这样一条不归路。在今天这样一个崇尚科技的时代，为什么高科技白酒没有出路呢？我们还是首先来研究一下消费者关于白酒的认知和常识。白酒本质上就是一种文化产品，一种精神产品，白酒最核心的要素就是传统。以陶瓷为例，今天的高科技陶瓷远远没有古代的陶瓷价值高，同样白酒也是。消费者不会接受现代机械生产出来的白酒，他们宁愿相信老工艺，就象食品一样，他们相信老字号。你听说过轩尼诗在搞什么高科技轩尼诗吗？显然不会，你听说过绝对伏特加会宣传什么绿色概念吗？显然不会。绿色、健康、高科技的概念都不符合消费者对白酒的认知，科技的概念可以作为企业的策略在企业内部运作的过程中实施，但千万不要当作传播概念对外传播。

茅台集团推出的“红河酒”也是这样一种类似的高科技产品，茅台集团为红河酒可以说费煞心机，动用了大量的科研人员，并投入了大量的资金宣传，然而，所有的投入都注定是浪费的，试想一下，如果在喝酒的时候你想到的是在喝“甲醇、乙酸等等这样的混合物”你还会喝下去吗？我想你不会，所以这种“有磁化技术，对身体无害”的红河酒注定是不会成功。

我们可以看看国外成功的洋酒品牌，它们在不停的强调和标榜的东西是什么？手工生产、使用年老富有经验的工匠、它们甚至只字不提用“精密仪器勾兑”而是经验丰富的调酒师凭灵感调制，他们更不会去宣传“喝我们的酒对肝脏有好处”，难道欧洲的酿酒科技不如中国吗？显然不是，每一个品类都具有自己的特质，违背这些特质，你将很难打造品牌。

错误假设三：“产品线越齐全，可以获得最大分额的市场越大”

在白酒行业，另一个最为突出的一个现象就是全线价格的产品，几乎大部分白酒企业都拥有中高低档的产品，关键还在于：这些中高低档的产品都属于同一个品牌。企业们总是振振有辞：不同的消费者有不同的需求，我们的策略是高档建形象、中档走销量、低档占市场，实际上是满足不同消费者的需求。

听起来天衣无缝，实际上全线产品的策略蕴涵着诸多的危机和问题，当你使用同一个品牌名的时候，高中低档的产品本身就模糊和混淆了消费者对品牌的认知，举一个简单的例子，汾酒的全线产品中，低至三五元，高至三百多，大大小小数十款产品，当一个消费者希望卖一瓶汾酒送给朋友的时候，消费者马上就产生困惑，明明我买的是300元的汾酒，朋友是否会认为这个汾酒是20块的？另外一个问题，当有人问起汾酒是什么档次的时候？你如何回答？“各种档次？”，很明显，破坏品牌本身的专属性是全线产品策略一个致命的问题。

全线产品还容易产生另一个客观的问题，那就是给终端的铺货带来困难。茅台集团的开发的福禄寿禧酒分福、禄、寿、禧四瓶酒，同时又分金、银、铜三个档次，一共12瓶酒，试想当消费者决定购买福禄寿禧酒之后将面临两次选择，一、福、禄、寿、禧中的某一种；二：金银铜当中的某一个档次，在营销中，消费者每增加一次选择，平均就会减少50%。而另一方面看，12瓶酒要进入终端，终端陈列费用将是两瓶酒的6倍，而零售商通常不愿意一次性购进那么多酒，这还会导致产品还没有销售就缺货。

正是基于此，全球顶级的营销大师“里斯”提出了著名的品牌力矩公式：品牌的力量与产品线的长度成反比。产品线越长，品牌的区隔越模糊，竞争力越弱。如果你观察成功的白酒品牌，你就会发现，无论茅台、五粮液、剑南春，它们的产品线都不长。而古井、汾酒这些老牌名酒的产品线则分布到各个价位，上百个品种的古井或者汾酒让经销商都头晕眼花，更不用说消费者。

今天，金六福的产品线长度已经比刚开始的时候增加了两倍，各种各样的包装和价格所其到的主要作用是：“不断的削弱这个品牌，并加速它的衰落。”

结合以上的例子，我们不禁想，如果茅台不要开发那么多的延伸产品、副品牌、子品牌，将会有多成功呢？实际上，绝对伏特加已经给了这个答案，这个瑞典生产的伏特加品牌仅仅有同一个度数的两种口味，在短短的30年里，它的销售额超过30亿美元，是茅台的7倍多。企业主观的逻辑是：要增加销售收入，要从一个亿做到10个亿，只有增加产品。听起来似乎顺理成章，但营销的实质是，增加产品线只会减少企业的收入，只会把品牌从10个亿做到1个亿。

实际上，诸如古井、汾酒这样的陷入困境或者处境并不乐观的品牌最需要做的事情就是：修剪产品线。营销的规律和数学的法则恰恰相反，营销的规律是“多就是少”产品越多，卖得越少，说的越多，消费者接受的越少。

错误假设四：“包装越出位，品牌成功就越有机会”

酒鬼酒的包装让产品同质化的白酒行业眼前一亮，行业的模仿立即一拥而上，一时间各式各样希奇古怪的包装纷纷上市，现代的火箭、飞机到古代的宝剑、龙、虎都成为了白酒品牌包装的道具。企业的观点是包装越出位就越吸引人，越具有差异化。

不错，奇形怪状的包装是可以吸引消费者和经销商，但是，如果你仔细观察你讲究会发现，消费者通常站在这些希奇古怪的包装面前欣赏上一番然后离开。也就是说这些包装起到了吸引消费者的目的，却没有起到让消费者购买的终极目的。在这里我们用的是“欣赏”这个词，一旦消费者以欣赏的姿态去看一个品牌，那么它一定不会经常使用和购买，奇异的包装不是吸引消费者，相反拉开了与消费者的距离。

武侠大家古龙也是一个酒仙，古龙对于酒包装的妙语是：“大凡好的酒，包装一定是最简单的”。无论是国内的茅台、五粮液、剑南春还是国外的洋酒轩尼诗，其包装都不会很复杂，复杂的包装和过于注重造型的包装容易让消费者把太多的注意力让在包装而非产品上，还会让消费者对酒的品质和价值产生怀疑。水井坊的包装是很精美，但是至少它保持了简洁的特征，只是在局部有所创意，即使如此长期来看，水井坊面临演变成了一个展示品而非消费品的危险。

前面我们强调，过于花哨和注重形式的包装事实上容易给消费者造成两种印象：第一，削弱消费者对酒本身的正面联想，甚至对酒的价值和质量产生怀疑，类似最著名的典故就是“买椟还珠”，这是一种不利的心理暗示，一个打扮离感。

实际上，也有一些白酒品牌通过包装出位来取得成功，例如五粮液生产的“一帆风顺”，作为一种礼品，“一帆风顺”的包装吻合消费者对它的第一认知，用来收藏，而非饮用，这就是“一帆风顺”使用“有创意”的包装但仍然取得成功的原因。

话是这样说，实际上大部分企业都不甘于十几年甚至几年坚持同一个包装，不断的变换包装看起来可以让产品根据新鲜感，但是对于白酒这样的产品来说，坚持传统、坚持简单是最佳的策略。最近，坚持了数十年白瓷瓶包装不变的茅台酒最近也开始在包装方面有所动作，目前可以看到的动向是，茅台推出了专门在专卖店出售的玻璃瓶包装，称为专卖店专供酒，这对茅台来说实在不是一个好兆头。茅台的白瓷瓶红标签的外包装已经深入人心，甚至成为茅台酒独特的识别，破坏这种识别也将对茅台的形象产生负面影响。

错误假设五：“名字取得越有创意，品牌的成活率越高”

好的品牌名对于一个品牌来说极其重要，但到底什么才是好的品牌名呢？或许是受广告界的影响，创意的思想在企业界也开始泛滥，尤其体现在白酒的品牌名上。“龙行天下”“马到成功”“王者风范”“锦上添花”，这些有创意的名字和奇异的包装一样，一开始就有哗众取宠的感觉，与消费者拉开距离。茅台的“九月九的酒”甚至是出了高价购买一首流行歌曲的版权，最终也不被消费者认同。

什么是好名字，好名字应该有什么样的特质？

简洁，顺口是很重要的原则，品牌的传播相当一部分是通过语言，声音在传播，所以，简单容易记忆，顺口容易传播，保证了品牌名最大化的被消费者接受。独特，而最好没有太具体的含义。品牌的名字要具有记忆度，很重要一个要素就是独特，不相近，有一些企业为了独占某个类别，为企业所取的名字是通用名，例如“喜酒”“满月酒”这种名字违背了品牌的独特性原则，注定不会成功。

企业总是喜欢在品牌名上弄一些小创意，但是反而过早的透支了品牌的资源，也违背了独特性原则，古井集团曾经推出了“老八大”品牌；茅台、五粮液、剑南春成功之后，有企业推出了“茅五剑”，这些酒在市场上默默无闻。在白酒市场上，我们几乎看不到那些“名字有创意”的白酒品牌成为主角，做营销和品牌需要的是大智慧，而不是小聪明。

同样是地域性的品牌，浏阳河和长三角二者之间究竟有什么不同？表面上很相似，实际上有很大的不同，浏阳河是一个特定的品牌名，具有地方的特征，而长三角是一个经济地域的概念，所以，这样的品牌命名体现企业一相情愿的主观，却注定无法被消费者认同。好的白酒品牌名应该反映品牌的定位或者产品的基本特征，白酒的基本特征是传播、工艺、品质、历史、文化，抛开历史品牌不说，小糊涂仙、水井坊等品牌都反应了这些特征。而野太阳这样的品牌就完不符合白酒品牌的基本特质。活色生香这些品牌名都是与白酒的特质格格不入的名字，这将注定这些品牌不会有多少前景。

在取名方面，企业还有一种主观的想法是，各个子品牌之间有一点联系，这样有助于利用和积累品牌资源，例如五粮液成功之后推出五粮醇、五粮春、五粮神，这是品牌延伸的一种形式（后面一个将专门论述），这种方式在竞争并不激烈的情况下可以获得成功，但是一旦竞争激烈，地位就会受到威胁。最初五粮液这几个品牌看起来似乎都还满不错，但是如果仔细观察你可以发现，这些品牌实际上正逐步的走下坡路。如果说五粮醇诞生那个时代，这种方式还可取的话，现在已经不行了，为了保持品牌的独特性，品牌之间应该拉开距离，名字也一样，因为在一个家族里很少出现多个英雄。

错误假设六：发展副品牌可以做大做强品牌。

发展副品牌是白酒行业最热衷的又一种策略，几乎大部分白酒品牌都热衷于此，其中的一部分原因在于五粮液的示范作用：五粮液成功之后，多品牌战略、品牌延伸战略，大举进行，最多的时候品牌多达200个，最初的时候五粮春、五粮醇、五粮神等品牌销售都不错，这种策略引来各个企业的纷纷效仿。茅台推出了茅台液、茅乡缘等十多个姓茅的的品牌，而古井、汾酒等也用令一种方式进行品牌延伸，遗憾的是在茅台那么多姓茅的品牌中，几乎没有一个称得上是成功的。而五粮液的五粮系列品牌也在激烈的竞争中纷纷开始下滑，这就是关于品牌延伸的规律：在竞争不激烈的情况下，品牌延伸是好的策略，一旦竞争环境改变，竞争加剧品牌延伸就成为一个陷阱。

白酒企业界还普遍存在一种关于副品牌发展的逻辑悖论：原有的品牌很强大的时候例如五粮液，需要开发一系列的品牌来“分享”知名度和品牌资源，从而做大做强，实际上这是一种极其危险的策略。在品牌经营当中，很重要的思路是杀贫济富，。品牌的资源来自于品牌独特的区隔，延伸品牌本身就缺乏独特性，极少可能成长壮大，反而会销弱了母品牌，在茅台开发的子孙辈品牌中几乎没有一个成功，很重要的原因之一是大多使用了副品牌。企业往往很主观的认为，茅台王子酒是茅台的儿子，消费者也一定会给老子面子，也消费茅台王子，不对，在足球场上没有一个球王的儿子成为新球王，父亲的枝叶太茂盛了，儿子很难得到必需的阳光。

无论多强大的品牌地位，都可以被副品牌毁灭。我们试想如果五粮液不发展品牌延伸，不发展那么多的品牌，五粮液的销售额将达到多少呢？我们很难说一个具体的数字，但是可以肯定他已经把茅台远远的甩开，走向世界，因为从口味上来说，五粮液更接近外国人口感，更容易被接受。

一直在品牌延伸领域保持低调的剑南春也开始了品牌延伸的举措，金剑南、银剑南等系列品牌的开发似乎在上市阶段反响还不错，但是，营销就是如此，短期的效果与长期总是相反的，当价格30多块钱的银剑南在不断的进入消费者的视线的时候，无形中也在不断的透支剑南春的品牌，品牌的延伸策略是剑南春面临的最大的潜在威胁，更要命的是，最初的时候这种策略所表现的市场反响通常都不会太坏，但是企业很快就会看到恶果，我们希望剑南春走好运。

实际上，在今天白酒市场上你几乎看不到副品牌成功的案例，而企业发展副品牌的另一种考虑是认为使用副品牌的策略可以节约费用，甚至还有观点认为可以通过多个副品牌来强化主品牌，这是一种彻头彻尾的一厢情愿的想法。没有比一个新品牌默默无闻的死掉对企业的浪费更大的了，在品牌开发上，好的策略是使用具有区隔的独立新品牌。新品牌的区隔市场最好和已有的品牌拉开距离，让他们的名字、包装和概念尽量的区别开。只要稍作观察，你就可以发现，实际上茅台集团除了茅台酒以外真正算得上成功的品牌不是那些矛字系列的产品，而是习酒。全兴集团开发的高档白酒叫做“水井坊”；沱牌集团开发的高档白酒叫做“舍得”。

对于以上六种“错误假设”很多一线的营销人员不以为然，的确产品线扩张延伸、副品牌、品牌延伸策略、包装至上策略、终端制胜等等营销策略确实曾经对于企业来说很有效，并确实让很多企业因此发展壮大。但是营销不是一门静止的科学，而是“实事求是”的过程，企业的营销策略和品牌观念应该跟随社会环境、营销环境、消费者认知的变化而变化，从而做到“与时俱进”。

第三部分：如何建立强大的白酒品牌

成功必有规律，在营销界也一样，尽管每个企业拥有的资源、面临的问题以及面对的竞争环境各不相同，但是，企业营销的成功必须由一些潜在的要素构成并主导。

强势品牌应该依托一个强势的认知资源：

品牌的发展要发掘认知资源，中国的白酒在世界范围内具有认知资源，那么要在中国发展白酒品牌也必须充分的利用认知资源。

在中国，贵州和四川拥有白酒最优质的心智资源，贵州的白酒依托于贵州特有的自然环境、水系、中国酒都茅台镇、茅台的品牌资源；而川酒则依托过去的五朵金花，五粮液等众多的知名品牌来建立起认知资源。在这些地方开发品牌，天生就拥有最好的品牌认知资源，不仅成功的几率更大，也决定了品牌能够走多远。

健力宝收购宝丰酒之后，当时的总裁张海希望把宝丰打造成为了高端品牌，“你的依据是什么？”我问，这位总裁似乎胸有成竹的说“五粮液卖3块7的时候，宝丰就卖了3块5，宝丰绝对有这个基础”没有那么绝对的事情，价格最高的酒应该出自认知当中最好的产酒区域。就好象只有干邑区生产的干邑才称得上优质干邑。小糊涂仙、古绵纯这些品牌成功最重要的原因之一，就是成功的发掘和利用了消费者的认知资源。

一定会有人问，难道其它的地方就不会出产好酒吗？这个问题的实质并不重要，重要的是消费者的认知当中是否有好酒，并不是云南出产的白酒当中没有一个可以和贵州和四川的相比，而是问题在于在消费者的认知当中，云南的白酒是不会好到哪里去的。前两年一个叫“云南白酒”的品牌偏偏不信邪，打出的广告叫做“结束云南没有好酒的历史”，很遗憾，要结束这段历史要花的时间和代价都不是企业可以承担的，还很有可能枉费心机，所以“云南白酒”注定没有成功。

除了地域性的认知资源以外，一些已有品牌的认知资源也是可以挖掘的和利用的。

贵州的赖茅品牌，赖茅是茅台酒的前身之一，这是最具有价值的认知资源，可惜的是这种资源一直在浪费。赖茅的酒不错而且拥有一个强有力的概念“茅台酒他爸”，完全有机会打造高端的白酒。去年深圳的一家企业和赖茅生产企业恒兴酒业合作推出了“赖永初”的品牌，作为一个品牌，“赖永初”显然不如赖茅更能够体现自己与茅台的关联，“无论是“赖永初”还是 “赖茅”，他们在产品和认知上都有与茅台竞争，在高端白酒市场上占据一席甚至主导地位的基础，但是，品牌运作的劣势让这些资源都无法发挥应有的价值。

杜康是另一个具有丰富认知资源的品牌，当然，杜康的问题比赖茅复杂得多，由于历史遗留问题，目前杜康品牌由河南、陕西两省的三个企业共享，实际上，谁也没有真正的发掘杜康的品牌资源，而是在无谓的透支。

汾酒、竹叶青、兰陵这些品牌都具有丰富的认知资源，发掘和利用这些优势资源建立品牌，成功的机会更大。

强势的品牌源自一个强有力的品牌区隔

（一）中国白酒打造品牌的“历史文化”误区

几乎所有的人都认为白酒品牌的成功在于历史和文化的挖掘，确实，历史文化是白酒品牌很重要的特征之一，但必须要强调的是：历史必须依托于认知，如果说，竞争并不激烈的年代里，杜撰的历史和文化还可能有一些市场的话，今天不被消费者所认知的历史和文化酒品牌都相继衰落。初期的依靠杜撰历史而成功的白酒品牌也相继受到挑战，消费者对传说、神话这类的概念已经不太感冒。

白酒是文化的产物，但是单纯的文化本身并不能独立支撑品牌，因为文化实际上是白酒的共性，通过共性来打造品牌首先需要巨大的投入，长时间的积累，这不是普通的企业可以承受的，其次，如果仔细的研究消费者的行为和认知，你会发现，几乎很少有消费者会因为“文化”这种虚无缥缈的概念而选择白酒品牌，“文化”这种概念只是在企业和营销专家的策划书里出现，消费者的大脑里没有。

很多人认为小糊涂仙成功的原因是：成功的缔造了“糊涂文化”，如果真的是这样，那么同样打着糊涂文化概念的“小糊涂神”又为什么没有成功呢？小糊涂仙的成功在于它引入了一个概念“茅台镇传世佳酿”——相当一部分消费者把它当作茅台生产的品牌，而当茅台镇开始禁止小糊涂仙使用“茅台镇传世佳酿”的区隔概念之后，小糊涂仙开始衰落。同样，茅台的文化是什么呢？？消费者购买茅台的原因不是历史也不是文化，是因为茅台是认知当中最好的酒，茅台有自已很明确的区隔是“国酒”。

甚至很多成功的白酒企业都没有真正的明白自己成功的真正原因，以运作水井坊成功而在白酒行业颇有名气的姜杰新运作了两个品牌“红太阳”和“品之味”，尽管这两个品牌进行了大量的宣传，终端铺得也很好，但是如果没有意外，这两个品牌都逃不脱失败的命运，因为这两个品牌虽然不缺乏文化，但是没有区隔。

以“文化”作为招牌的白酒品牌很少有成功的，“金叶神”要打造礼文化，结果“金叶神”没有成功；“水井坊”短期的成功以后，一些策划人声称“水井坊”成功的打造了“雅文化”，如果你问消费者你感觉到“雅文化”了吗？消费者会觉得一头雾水。此外，以人际文化、神秘文化、伟人文化、美酒文化作为招牌的白酒品牌都没有成功。唯一文化概念成功的例证可能就是金六福，但是，我们要看到金六福的“福”文化背后有一个明显的利益点——“吉祥”。显然，文化是一件外衣，要在信息爆炸、产品过剩、传播拥挤的今天建立白酒品牌，必须采用更有效的方法。

(二)中国市场营销环境的变迁以及营销观念的变革

营销的方法和策略与企业面临的营销环境和时代特征息息相关。无论是从全球还是从中国市场来看，营销的发展都经历了三个重要的阶段。

第一阶段，我们称之为产品时代。产品时代的特征是：产品供不应求，极度稀缺，这个时代，营销的战场在工厂展开。企业竞争的核心是“谁能够更多更快更好、更省的生产产品。”在我国的80年代初中期，就处于这个时代，这个时代盛产劳模，生产效率高的企业往往成为行业的领袖。在这个时代，白酒作为稀缺产品，白酒企业都在进行试点扩大生产规模，而茅台等企业也在大规模的进行异地试验生产。

第二个阶段，我们称之为需求时代，需求时代的特征是：随着产品大量充斥市场，不同的产品出现了旺销和滞销，企业开始关注并研究消费者的需求，生产符合其需求的产品。需求时代，市场竞争的重心由工厂转移到市场。这个时代的企业千方百计的发掘消费者的需求开发各种各样的产品，并不断的满足消费者购买的便利，终端拦截，终端战略，就是在这个时代的中后期无序竞争的结果。

第三个阶段，我们称之为认知时代，在需求时代的中后期，很多企业陷入了产品线长、产品数量众多的困境中，而对消费者而言，由于信息的爆炸、产品数量的爆炸、消费者面对成千上万的同质品牌，采取分类和简化的方式，每个类别只记住其中几个品牌。这个时候，营销的焦点从“市场”转移到“心智”。在这个时代，只有那些类别清晰，符合消费者分类和选择模式的品牌才有更多机会赢得市场。

今天的中国市场是一个转型时期的市场，其特征为：新旧观念交替、营销环境骤变、消费者观念的快速成长与不成熟并存，因此在某些行业还处于生产时代，例如石油等垄断行业。有的行业则进入需求时代，而相当一部分成熟的行业已经进入认知时代，白酒、家电就是类似行业。但是总体而言，在外界环境以及国际竞争对手的推动下，中国市场环境将迅速过度到认知时代。

(三)区隔——认知时代营销竞争的特征以及营销制胜的关键

在认知时代——企业营销的重点就是研究消费者的心智和行为模式。美国哈佛大学著名的心理学家米勒博士的心智模式理论一直在营销学界广受认同，米勒博士认为人的心智极其有限，只能记忆有限的信息，人们通常把信息进行分类存储，每个类别通常不能记忆7个以上的信息，这就是著名的7法则。同样，在现实生活中，这种心智模式和7法则广泛的存在，例如在高档白酒这个类别里，在不刻意的情况下，消费者通常不会记住超过7个的品牌，那么对于很多的品牌来说，显然是很难装进消费者头脑的。而消费者一旦有相关的需求进行消费的时候，就会按照类别来取出相关的信息，进行购买。举个例子，在最好的白酒这个类别里，消费者的头脑中已经有茅台、五粮液两个品牌，水井坊依靠“最贵的酒”的概念获得。一旦水井坊在“最贵的酒”的位置上站稳，其它的品牌要占据就很难（幸好，水井坊并不能站稳），需要寻找其它的路。

这条路就是建立区隔。

差异化，在营销界已经是一个老生常谈的词，回顾中国白酒营销发展的历程实际上大家都在寻求差异化，无论是包装还是命名还是广告，甚至终端拦截，都是差异化的体现，区隔与差异化不同之处在于：区隔强调的是一种类别的差异。换言之，区隔强调的是企业应该建立新的品类。

以伟大领袖作为概念的红太阳酒会成功吗？这种可能性也不大，红太阳所缺乏同样是那个可以让它卖得更贵的区隔概念。大家都知道洋酒是讲究品位的，但是仅仅依靠品位是不能成功的，绝对伏特加的广告一直是广告界推崇的艺术品，绝对伏特加同样具有别人眼红的区隔概念——高档伏特加第一品牌。

贵州醇一度很成功，因为贵州醇开创了一个全新的品类——醇：低度白酒。在此之前，白酒通常是50度以上，而贵州醇是第一个在大众心智中建立低度概念的主流香型白酒。

多人对水井坊的案例很推崇，如果水井坊称得上成功的话，成功的实质也决不是所谓的文化，水井坊的广告看上去很有文化，但是，你如果稍一观察就会发现：消费者购买真正的动因在于水井坊是最贵的酒。水井坊成功的原因是什么？水井坊开创了“最贵的酒”这样一个类别，并在白酒当中第一次大规模的建立认知。金六福成功的原因是什么？金六福开创了一个与幸运相关的“福酒”的品类。有些区隔不一定在全国范围内建立，可以在一定的区域内，江苏的今世缘、贵州的习酒都在各自的区域市场上开创了“喜酒”的区隔，并各自成为各自市场上最畅销的酒。

在需求时代，营销的关键是满足需求，很显然，在竞争过度激烈的今天，满足消费者的需求已经很难成功，重要的是的是让消费者了解你有何不同。在超市里消费者面对着货架上各种各样、各种价格和款式的白酒品牌发呆，他们确实很难选择。

回归头来看看市场上成千上万的白酒品牌我们就发现，他们之间都是一些缺乏差异的产品，实际上很多白酒品牌诞生在工厂里，也出现在市场上或者偶尔通过促销人员推销给消费者，却从来没有进入过消费者的心智当中，其中很重要的原因就在于缺乏区隔。

实际上，在白酒的大品类里，还有许许多多小的品类出现的机会，这些小品类可以从价格、酒精度、场合、渠道、销售方式等等方面进行分化，而这每一个小品类都蕴涵建立品牌的机会，这也意味着对于中国白酒来说，市场机会点还很多很多。

（四）为区隔寻找支持点

仅仅有区隔还不够，你还必须为区隔寻找足够的支持点，换句话说你的支持点必须足以建立你的区隔。这个支持点有时候需要是一个强有力的概念，有时候则不需要。在水井坊之前，酒鬼酒曾经比茅台和五粮液卖的都贵，但是酒鬼酒并没有足够的支持点去支撑最贵的酒的概念，仅仅依靠差异化的包装是很难支持这个价格，毫不意外，酒鬼的价格自然逐渐的下降到茅台之下。后来，酒鬼用了洞藏酒这个概念，但是很显然，单纯的洞藏酒解决不了上面的问题。

水井坊面临的问题是：在消费者认知当中茅台才是最好的酒，最好的酒才应该最贵，而“中国白酒第一坊”这个并没有进入消费者心智的概念很难支持最贵的酒这一定位。而如果不能解决这个问题，水井坊将也很难长期支撑最贵的酒的区隔。所以，水井坊不应该沉溺在诗书情画这样的概念传播里，水井坊应该挖掘更为深入和实在的区隔点，只有这样，品牌才会长治久安。

广东金叶集团和五粮液联合推出了“金叶神”酒，一个外资广告公司首先给的所谓定位是“成功人士的选择”，这根本不是什么定位，因为很显然成功人士不会选择“金叶神”，成功人士的大脑里有的是洋酒或者茅台、五粮液。下一家广告公司给五叶神做的定位是“礼品”，希望打造一种所谓的礼文化。但是，同样很明显的问题是你的支持点在哪里？？一只就要比五粮液和茅台还卖得贵的酒总得足够的理由吧，但是“金叶神”没有。

脑白金成功之后，很多企业看中了礼品这个市场的巨大潜力，而白酒作为自古以来的礼品更是被众多企业所关注。于是，相当一批企业纷纷推出礼品装，还有的品牌甚至专门定位成为礼品，例如前面提到的“金叶神”，单纯的礼品概念是很难成功的，因为它不具有区隔性。虽然市场上并没有一个打响的礼品白酒品牌，但是，在消费者的头脑里，他们有礼品白酒的首选，那就是茅台、五粮液这些已经知名的品牌。这就是典型的市场上似乎没有，但是消费者的认知当中已经有。

当然，你要打造一个专门的礼品白酒品牌并非没有机会，只是你必须更有区隔性，也就是说和消费者心中那些首选品牌——茅台、五粮液有所区别。五粮液生产的“一帆风顺”就是这样一个具有“祝福”性质的超高档礼品。我们在为茅台集团的福禄寿禧酒做了一个“逢年过节送吉祥礼”的区隔概念，打出的传播口号是“逢年过节图个吉利，送礼就送福禄寿禧”，很显然，从区隔和传播的角度看，这个概念取得了巨大的成功，试点市场的销售量前后对比增加超过50倍。但是，福禄寿禧本身存在的太多问题注定这个酒无法走远，除了人为因素以外，致命的是前面提过的产品线的问题。

（五）区隔决定其它营销要素

品牌的区隔点是品牌战略的核心，确定了区隔还不够，必须根据区隔概念对包装、价格、产品、渠道、促销活动等各个营销环节进行全面调整。否则，消费者将不会认同。

一个来自茅台镇叫“国宝”酒的品牌，声称自己有一种独门的酿酒和储存酒的方式，就是在酒坛上面种上植物，可以让酒更香，这原本是一个很好的区隔概念，但是，一方面这个区隔概念缺乏提炼，另一方面，这个区隔概念缺乏整合。这瓶酒无论从包装还是价格上都不支持这样一个独特的区隔概念，它卖大约50元一瓶，没有人相信这么特别的酒才卖这样一个价格，所以它只能在市场上默默无闻。

而前面提到的多产品线、品牌延伸实际上在某种程度上就是破坏了品牌的区隔，古井的品牌历史来自于三国时期曹操进贡的白酒，但是这样的好酒居然有卖几块钱的，消费者自然不会相信。同样，宣传自己是中国白酒始祖的杜康酒也有几块钱到几百块钱不等。价格弱化了品牌的区隔也弱化了消费者对品牌的认知。

水井坊在这方面做得不错，水井坊从概念到渠道、包装等营销要素的整合都在支撑“最贵的酒”的概念，水井坊在包装花了心思也下了功夫，直观上可以承载其区隔概念和定位，水井坊在销售区域上选择了中国中高档白酒消费量最大的珠三角市场，在成都，水井坊甚至推出了市区内24小时免费送货，并且一瓶起送的服务……所有的这些都在一定程度上支持了自己的区隔概念。

（六）明确区隔，品牌才可以成功和长久

每个品牌都需要有一个区隔，实际上，建立区隔并不难，大凡在市场上已经存活了一段时间或者占有一定市场分额的白酒品牌，其背后一定蕴藏一个独特而又不被企业所重视的区隔。

今天的太多企业都热衷于文化、创意和形象，但是往往忽略了自己的区隔本身，这种现象让很多品牌都难以走远，甚至于很多时候，企业的广告并不能引来消费者，还会赶走消费者。珍酒，源自茅台的异地实验酒，采用和茅台相同的工艺、配料和技术，这原本是一个很好的区隔点，但是看看珍酒的宣传口号——“正宗酱香”，除了贵州等少数地区，谁以搞清楚酱香是什么东西？再这正宗酱香也实在是一个没什么好说的概念，大家都在说正宗。实际上，珍酒之所以在市场上还能存活，并且不断发展，其关键的原因，它是“二茅台”——异地茅台，这才是珍酒成功之路。

董酒，老八大名酒之一，董酒原本有很多与众不同之处，采用140多钟名贵药材制曲，工艺和配方被国家定为机密。可是董酒的广告是：不喝董酒不懂酒。竹叶青原本是一个很好的品牌，竹叶青所蕴涵的区隔点实际上很独特，问题在于，汾酒并没有挖掘这种独特点，而是仅仅传播品牌知名度。类似的例子还很多，对于新生的品牌或者尚未成功的品牌来说，建立一个强有力的区隔并建立支持点是极为关键的，对于已经成功的品牌来说，传播区隔也同样重要。

五粮液的广告说是“你一生的选择”，显然，这不是消费者选择五粮液的原因。同样也不是五粮液的成功之道，这只是一句一相情愿的口号，就短期来说，五粮液的成功让五粮液说什么都不重要了，但是从长期来说，五粮液说什么其实依然关键。

茅台的广告说，够交情喝够年头的酒，这和茅台的区隔本身相差甚远。茅台的优势是大众认知当中的优势，尽管五粮液在高档白酒里卖得最好，但是在消费者的认知当中，茅台代表了最好的酒，这就是为什么茅台在营销上犯了很多错误但是依然地位稳固的原因。当然，对于茅台来说，这并不是一劳永逸的事情，茅台必须强化它的区隔。

一些品牌由于不明确自己的区隔，往往在传播上都抓不住实质。这不仅是一种广告资源的浪费，长期来说还容易让品牌失掉方向。

二锅头的区隔是什么？是好酒或者是老朋友的选择吗？不是，是高度白酒，“来瓶二锅头”，对于消费者来说是一种豪迈，也蕴涵着勇气。但是二锅头的广告不会看中这种很明显的东西。

贵州醇曾经开创了低度白酒的品类，这实际是一个巨大的机会，贵州醇也因此而得到迅猛发展，但是它很快就相继开发了“葡萄和高粱相遇之后”诞生的奇香贵州醇，继而又开发了52度精酿，现在又开始推出副品牌。贵州醇成功之后每一步举措都是在破坏自己低度白酒的区隔，这就是为什么贵州醇再也没有再现辉煌时期的原因。

区隔本身都很明显又很简单，明显和简单到企业都不以为然，但这却是根植于消费者心智中对于品牌最重要的特征，失掉它，品牌也将在市场上失掉位置。

（七）坚持你的区隔

物种的生存和发展来自于不断的分化，所以区隔成为生存的关键，品牌同样如此。一些品牌成功以后就逐渐忘记了自己是如何成功的，就开始认为自己无所不能。正如同前面所说的一样，实际上，贵州醇并不需要做什么有创意的事情，它只要坚持和强化自己低度白酒的定位，就完全有机会成为中国白酒当中五朵金花。

小糊涂仙成功以后，显然觉得还不够完美，应该可以有更多的产品，于是小糊涂神、小酒仙，系列的产品连续推出，结果如何呢？这些产品不但没有成功，还影响了小糊涂仙的发展，最近小糊涂仙又开始把自己和其他产品区分开独立运作了。

董酒也许是中国白酒当中最有特点的酒之一，董酒的酒度一度很高达到59度，而且有一种药香。在浓香型白酒盛行的时候董酒开始坐不住了，陆续开发了酱香、浓象的产品，结果可想而知。企业在营销当中最大的失误莫过于放弃自己的独特性，期望自己满足所有消费者的需求，当你针对所有人的时候，实际上你也放弃了每一群人，这正应验了中国的一句老话“脚踏两只船，注定要落空”。

茅台比董酒做得好的地方就在于茅台酒本身一直保持了自己的区隔，尽管茅台大肆开发了许许多多浓香品牌，但几乎无一成功，但茅台尽量保持母品牌与其他副品牌的距离，保持酱香、产品线尽量精简，保持独有的包装特征。这就是为什么茅台在营销上犯了很多的错误但销量依旧不断提升的原因。当然，茅台也没有闲着，茅台正在大力的推自己的浓香第一波——茅台醇，茅台醇真的可以成为浓香茅台吗？几乎不可能。听听超市里一个顾客和销售人员的对话：“先生买一瓶茅台醇好吗，浓香型的茅台”“那到底哪个是真正的茅台？”“喔，是酱香的”，结果可想而知。

我们敢断言，茅台液不会成功，尽管短期内有可能有一些销量。茅台就是茅台，茅台与酱香、淡黄色、与入口的刺辣感是对应的。世界上没有一个男上帝一个女上帝，自然也不会有一个浓香茅台和酱香茅台。当然并不是说茅台集团不可以推出一个浓香的品牌，而是这个浓香的品牌要成功，名字一定要和茅台拉开距离。

剑南春的成功源自10年如一日的宣传自己的区隔概念“唐时宫廷酒，盛世剑南春”，在营销当中坚持成功的东西，比大创意来得重要得多。

第四部分：中国白酒品牌如何走向世界

白酒企业要走向世界，首先要学习世界成功的企业发展模式，第二要找到进入全球市场的有效策略。

在全球的企业发展策略中，大致有两种具有特色的发展模式，一种是日本韩国、乃至中国大型企业通常的“东亚模式”，东亚模式的特点是：横向发展，同一个品牌设计不同门类和领域也就是多元化的发展模式。另一种模式就是“欧美模式”，欧美模式的特征是纵向发展，同一个品牌和企业主要在一个领域纵深发展。这两种模式究竟谁优谁劣呢？全球著名的营销大师里斯先生对典型的日本企业和美国企业进行了分析，在过去的十年里：

日立销售收入7186亿美元，亏损17亿美元。

松下销售收入6647亿美元，税后利润7亿美元

索尼销售收入5561亿美元，税后利润48亿美元

东芝销售收入4770亿美元，税后利润8亿美元

富士通销售收入4052亿美元，亏损16亿美元

三洋销售收入1636亿美元，税后利润为2亿美元

这六家公司的销售收入为29522亿美元，税后净利润总计32亿美元，利润率为0.1%。而美国的戴尔公司通过打造单一电脑品牌，在过去的十年里，戴尔的销售收入达到2123亿美元，税后利润达到132亿美元，净利润为6.2%。戴尔的销售收入不到日本六大公司总收入的十分之一，但利润去是后者的四倍多。所以，中国的白酒企业应该学习欧美纵深发展的模式，立足白酒行业打造品牌，不仅主导中国市场，更主导亚洲，乃至全球市场。

“入世”为白酒走出国门铺宽了道路，全世界烈性酒年总产量1880万吨，我国白酒只占30%，如果我们能在国外挤得几块市场，年销售量占世界烈性酒的50%(达900万吨)，中国的白酒将成为烈酒第一大品类。

鉴于国内白酒市场竞争的激烈和白热化，一部分白酒品牌已经开始寻求拓展海外更加广阔的市场。水井坊通过中法文化交流到法国宣传；剑南春通过美国前总统克林顿做秀来启动进入欧美市场的战略步骤，而茅台更是声称在一百多个国家和地区销售。从目前来看，这些品牌对海外市场的拓展业绩有限，这却是中国白酒品牌走向世界的第一步。

白酒走向世界所面临的问题和障碍：

(1) 文化的差异带来消费习惯的不同

欧洲人说“酒是上帝的恩赐”

中国人说“李白斗酒诗百篇”“爱酒不愧天”

这就是中国人和欧洲人酒文化的差异，换言之欧洲人崇尚品位，中国人饮酒讲究豪爽。

白酒进入国际市场尤其是欧美市场面临的首要障碍是文化的差异导致消费习惯的不同。从饮用场合上看，相当一部分烈酒都是在酒吧消费者的，然而中国白酒从文化内涵上与酒吧的消费气氛在认知上并不适宜。作为饮食文化的一部分，烈酒和饮食是息息相关的，川酒的兴盛在一定程度上得益于

川菜的兴盛，遍布全国的川菜馆成了川酒的第一终端，而白酒在饮用上比较适合中餐，但是中餐在国外较少，并非主流，这在一定程度上也限制了白酒的发展空间。

(2) 欧美国家对烈酒监管政策的限制

首先，由于中国的白酒的特点是“高度化”，只有高度的酒才能较好的保持白酒的特点，国际上的列酒通常都在45度以下，但中国的白酒酒精度较高，通常在52度，这无形当中在消费习惯上给欧美消费者设立了一道门槛。所以中国白酒要进入欧美主流的烈酒市场，一定要在酒精度上有所考虑。

此外,欧美国家对烈酒的销售有严格的控制和管理制度，通常情况下，只有少数特定的商店有销售烈酒的资格，而且也管理严格，如果给未成年人销售烈酒将属于违法。另一方面，欧洲国家对烈酒有严格的卫生标准，中国白酒要出口欧美，必须符合该标准才能获得准入证。

中国白酒走向世界的策略：

(1) 政府的政策支持以及白酒国家定位的强化

酒是文化的一部分，白酒涉及到软性、硬性资源众多，而很多资源，需要政府的协调，所以中国白酒要进入全世界，对外离不开中国政府对中国白酒文化的推介和宣传，对内必须通过优化、培育的方式逐渐形成有竞争力的白酒品牌。

实际上，无论是过去还是现在，白酒一直在中国政府外交当中的扮演着特殊的角色、茅台、五粮液这些品牌正是通过国宴名扬四海。但这种传播具有特定的场合和渠道，并不属于主动的推介和传播。政府完全可以从发扬发掘保护中国传统文化的高度以及角度，把中国的白酒文化当作中国文化中的重要组成部分，扩大对外的交流，逐渐强化世界对中国白酒的认知。

此外，从对内来说，政府对酒文化的保护，白酒资源保护也至关重要。当初为保护茅台等品牌的生产生态不受到破坏，周恩来总理高瞻远瞩，特别指示美酒河上游禁止建设工厂，使美酒河上游的生态环境得以保护至今。政府可以通过立法的方式，培育优质白酒的生产和酿造基地，打造原产地品牌。例如法国政府设立大香槟区、干邑区，保护传统文化，也强化了法国葡萄酒的世界地位。中国拥有诸如茅台镇、古井镇、杏花村这样的“中国酒庄”，但是生产厂家良莠不齐，小品牌、杂牌偏多，成不了气候，也严重影响了地域品牌的形成。所以必须依靠政府的力量，进行品牌的清理，公开客观的评审之后对优质的白酒给以原产地标志使用权。假以时日中国也将有“干邑区”“大香槟区”这样的优质白酒原产地。

(2) 以烈性酒作为竞争品类在不同的国家和文化之下进行重新定位

营销大师里斯说，营销竞争的实质，与其说是品牌的竞争，不如说是品类的竞争，毫无疑问，从大的品类来看，白酒属于烈性酒，其竞争的对手是世界其它几大蒸馏烈性酒如白兰地、伏特加、龙舌兰、朗姆酒等。而从此类白酒在欧美的主流消费场合来看，与中国有巨大的差异，主要集中在酒店、酒吧等场合。而在北欧、俄罗斯、这些国家，烈性白酒的消费又在餐桌较多，在日本和东南亚国家，烈性白酒的消费和中国的消费习惯接近，因此白酒将在不同的国家和文化之下，根据当地的烈酒消费状况，进行重新定位，甚至有可能，在欧美国家，中国白酒成为酒吧的主流烈酒。

(3) 优先选择文化和消费特征相近的市场

从目前来看，中国白酒品牌尤其是高档白酒比较看中消费能力极强的欧美市场，但是，这种策略并不一定是最好的选择，由于文化和认知的差异，白酒进入国际市场的策略可以参考洋酒拓展的策略，首先从文化和饮用习惯较为接近的市场切入，然后逐渐向差异较大的国家渗透。从文化上来看，与中国文化具有同根或者较为接近的日本、韩国等东南亚国家和地区是首先可以大力拓展的市场。而俄罗斯等具有消费烈酒习惯的东欧和北欧国家同样是可以拓展的市场，这样，逐渐的通过产品和文化的渗透，通过文相近的市场逐步建立全球的影响。同样，在进军欧美市场的过程中，也可以先期在华人较为集中的区域和市场进行推广，然后逐步展开。实际上，东南亚市场一直是中国白酒出口的重要市场，广东的米酒每年出口该地区达到数万吨，足见市场容量巨大。

(4) 先入为主，第一胜过更好

中国企业进军国际市场一个很重要的原则是尽量赶早，争取先入为主。营销的竞争是心智的竞争，消费者通常最容易记住首先进入心智的品牌。白酒进入国际主流消费市场，实际上是在国外的消费者心智中开辟一个新的品类，所以早期进入的成本和难度都会相对较低。而消费者也很容易先进入的品牌当作首选品牌。

方便面领域的康师傅和统一就是一个很典型的例子，康师傅虽然宣传是一个台湾品牌，但是在台湾并没有市场，但是由于首先进入大陆，等到台湾真正的第一品牌统一进入大陆以后，康师傅已经先入为主，统一不得不屈居第二。

所以，从某种程度上讲，国际市场给中国的白酒品牌和白酒企业新的起点和机会，这个机会并不优先属于茅台、五粮液这样的在中国国内具有优势的品牌，而是属于所有的优质白酒品牌。当然，尽管国家和地区之间的消费者消费习惯和心理具有差异，但是人类的心智特征具有更多的共性，所以，无论是开拓国内白酒市场还是进入国际市场，独特的区隔和区隔之下品牌整合与管理都是至关重要。（张云）

高度细分　精确营销

白酒区域品牌生存之谋略

一、白酒区域品牌：痛并快乐着

目前，中国有37000多家白酒企业，30000多个白酒品牌，其中区域品牌占据了绝对的优势，他们在白酒行业激烈竞争的环境中煎熬；同时，也在分享着区域市场强势品牌的快乐。中国白酒的产量经历了一个典型的波峰后，1998年起开始大幅下滑。虽然中国白酒蕴含着浓厚的历史文化，在人们的日常消费中具有不可替代性，但是从目前情况来看，白酒需求从总体来说，中低档酒呈现萎缩的局面，中高档白酒呈现明显的上升趋势，中高档酒又在向“茅五剑”等领先企业集中，纵然区域白酒品牌在区域市场仍有一定的优势，企业的核心竞争力也在不断地提高，但是中高档白酒的市场份额无时无刻不在被领先企业所蚕食，低迷的市场需求成为区域品牌中低档白酒发展的瓶颈，沉重的税赋和高昂的营销费用造成区域品牌的利润一直在低谷中徘徊。

二、白酒区域品牌：路在何方？

1、白酒区域品牌生存的根本理由

从2004年中国白酒百强企业统计数据可以得知，区域性品牌虽然从财务数字上与全国性品牌存在很大的差距，可是百强中区域性品牌占据了大多数。因为区域性品牌是区域历史文化的积淀，区域性品牌与区域文化经过时间的历练已浑然一体，区域的历史和文化具有不可替代性。

2、细分市场，精确营销成就了诸多品牌

从水井坊、国窖1573通过细分市场、精确营销从高档白酒的市场份额中分得了一瓢羹。在武汉市场，黄鹤楼通过细分市场、政府营销雄据武汉的中高档白酒市场。向这样的成功案例比比皆是。

3、白酒区域品牌细分市场的诱因

消费者需求：马斯洛认为，人类的需求分为五个层次需求，即：生理需求、安全需求、爱与归属的需求、自尊的需求、自我实现的需求，按照这一理论，消费者对白酒的需求从最初的价格便宜，产品质量稳定，包装精美已上升为个性化消费，时尚消费，身份的象征等等，这些需求无疑是复杂多样的，只有满足消费者的需求才能生存，所以区域性品牌必须用产品的细分来适应市场的需求。

市场竞争的需求：全国性的白酒品牌在牢牢控制中高档白酒市场后，为了扩大其市场份额逐步向中低档产品扩展，由于白酒的区域市场的文化的限制，其扩展的方式主要有以下三种，一种是以技术的创新或以重大事件为核心，树立一个全国性品牌；一种是建立一个区域市场的品牌，最后一种就是通过兼并区域性品牌实现其市场扩张的目的。

营销创新的需求：白酒的竞争日益激烈，白酒企业只有针对不同的市场和不同的消费群体，寻求产品和品牌鲜明的差异性，从而使产品和品牌与众不同，从而在与强者的对抗中，以自己的优势与其弱点对抗，从而达到强者在区域市场不再强大的目的。

三、高度细分市场的基点：产品和品牌的差异化

由于白酒产品存在同质性，我们在寻找产品和品牌的差异化前，产品质量才是首要。没有稳定的产品质量，即使我们的营销再精细，那也只是空中楼阁。产品得到消费者的认可后，再就是我们的品牌知名度，没有品牌力，在消费群体中形不成口碑传播，市场细分也就是无从谈起，至于如何建立品牌知名度，美誉度和忠诚度，在这不再赘述。

产品的差异化：我们在寻找产品差异化时，可以从以下方面思考，产品的度数，外装、瓶形，口味、价格、渠道、功能等方面。

品牌的差异化：树立品牌的差异化，首先我们的应树立品牌的核心价值，差异化的必须围绕品牌的核心价值展开，离开品牌核心价值的差异化，只是短期内的概念营销，不会为品牌的提升提供动力。

四、区域品牌的市场细分

产品的优势就是产品的利基点，扩大产品的差异化，主要通过产品的技术创新和品牌的创新。

1、以渠道为核心的产品细分：

批发、商超、团购和餐饮是白酒销售的四大传统流通渠道，现在部分地区也存在白酒夜场的渠道。

为了保持区域市场产品形象的统一性，采用了变换盒内设奖的方式，将产品细分为批发用酒，商超用酒，酒店用酒。

根据当前中高档白酒营销的特性，突破核心消费群是中高档白酒营销的根源，因为核心消费者具有消费意见领袖的特性。另外，核心消费群的主要消费场所是中高档酒店和夜场，根据中高档酒店自带现象严重和夜场不允许自带的现象可以推出：

团购定制酒：以产品的品牌文化和集团购买单位企业文化相映衬，达到相互提升品牌的目的。

夜场酒：在一些大城市开发夜场酒，满足人们的消费需求。

2、以价格为核心的细分

为了满足不同消费者的需求，丰富产品线，使产品的档次间距不断缩小。

3、以消费功能为核心的细分

按消费功能进行细分，可分为商务用酒，政务用酒，休闲用酒，娱乐用酒，婚宴用酒，生日用酒等等。

4、以区域为核心的细分

由于每个市场的消费习俗不同，区域市场对产品的度数、口感、包装的色调，价位有不同的要求。根据区域市场的不同情况，分别开发适应当地市场的产品也是细分市场的一种方式。

5、以纪念日、重大节日、重大事件为核心的细分。

五、精确营销，成就区域品牌

我们对市场细分后，同时也为我们的营销策略提出了挑战，因为不同细分市场的营销模式不尽相同，精确营销是解决细分市场营销必由之路。因为只有营销的精确，才能使细分市场见到成效。当然，营销无极限，精确营销也未必有一个通用的模式可以解决细分市场的所有的问题，下面只提供几项法则，以对细分市场营销有所启迪。

1、产品法则

1）确定细分市场目标消费群，建立客户的数据库，发掘客户的终身价值。

2）开发细分市场的产品，针对细分市场消费群体的需求，开以相应的产品。

3）细分市场产品的UPS，产品卖点是与消费者沟通的基点，没有卖点的产品，也就使消费者消费失去了一个理由。

4）设计细分市场产品的价格体系，合理的价格体系是经销商，终端商积极推销的有力武器。

5）实施有效的传播，市场的细分，产品的细分，造就了传播的细分，对于细分市场，只有细分化的传播才是有效的传播。

2、一盘司定律：对于自己的战略市场，如果遇到同样细分的强势的竞争品牌，两军相遇勇者胜，勇者相遇，智者胜，智者相遇，实力胜。一盘司定律也许在关键时刻是产品成败的至关点。

3、区域市场第一法则：

区域性品牌通过细分市场产生区域市场的控制力，如果真正实现区域品牌生存的，那也就必须成为区域市场细分市场第一。只有这样才能实现区域品牌的生存。

4、区域品牌的生存法则：无招胜有招

明确了区域品牌的生存之道——高度细分市场，精确

营销。但是市场的不确定和不可预测性才是区域品牌生存的最大障碍。细分市场，使我们在实践工作中明确了我们的目标；精确营销，以灵活多样的手段，实现无招胜有招的营销突围，最终打赢区域市场的攻坚战。

当今的白酒市场，一个是品牌混杂，消费者还没有将消费集中于几个品牌，这样就为品牌开发提供了机会了；另一个就是市场潜力大，单个品牌的市场销量小，所以市场所能承载的品牌数量多，这样就为我们细分市场建立品牌提供了机会，同时也为区域性的白酒品牌生存指明道路，那就是高度细分，明确自己的发展目标，精确营销，打造区域市场第一品牌。风雨过后，即使白酒重新洗牌，区域品牌也会快乐地生存。

破解白酒品牌定位的困局

在白酒行业中，一个奇怪的现象是，往往一个品牌有三、四个价位的产品，有的甚至更多。这种价格混淆的定位方式令消费者更是糊涂，一个白酒怎么又有十几元一瓶的，还有一百多元一瓶的，到底它是好酒还是普通酒；也让卖家搞不明白本产品与各个价位的产品有何区别。厂家这样做自有说不清的苦衷，而经销商又希望自己代理的白酒品种能够多销售一些。所以，品牌及产品定位的苦恼一直困扰着厂家和商家。

困局一：割舍不下的一个产品三个价位

现象。

在全国各地，到处都是这番情景。某白酒厂家新出一个品种，要在当地市场寻找一家经销商做代理。为了让经销商能够对产品有信心，以及产品能够在市场中有更多的适应能力，便采用多价格档次，从十几元一瓶到一百多元不等，然后用“星”级或者是“包装”来区分。

某白酒经销商寻求新出一个品种，到厂家以买断贴牌方式操作一个新品牌。双方约定，只在一定的市场范围，一定的年限时间销售。同时要求厂家按照自己的要求，在价格定位方面，采用许多价格档次，从十几元一瓶到一百多元不等。采用“二星、三星、五星”等区分档次。这样，给厂家一个品牌的贴牌费就拿到了几个价位的产品。一切看上去似乎是两厢情愿。

然而，经过市场实践，经销商在市场上销售的结果是，总有一个价位的产品销量占到60%以上，有的甚至是80%，而其余价位的产品在市场中的销量则微不足道。厂家原指望经销商能够在一个品牌上产生销量，却损失了品牌资源、时间和市场。

对于经销商来说，花了大价钱买断品牌，目的也是要图个销量，最好能大赚一把。年底一核算，买断品牌全部白费，投资全打水漂，心理怎能不难受呢？

症结。

1．贴牌买断品牌的操作方式增加了困局的出现。

贴牌买断的操作方式是特定时期的特定产物。

一个时期以来，白酒生产企业面临着来自市场竞争和政策调整等方面的多重压力，经营运作确实不易。当厂家内部营销能力不足或减弱，出现营销衰退迹象时，管理层自然压力很大。拿一个、二个产品出来让经销商买断销售是一个省力而方便的办法，能够在短期内迅速产生销量，这何乐而不为呢？

同样，当厂家品牌十分兴旺时，贴牌生意可以锦上添花，给厂家带来额外的收益。有些厂家经不住诱惑，被经销商拉下水。因此，一方面经受不住经销商的诱惑，另一方面也面临市场竞争日趋激烈，受自身资金、营销能力等方面的制约，往往借助贴牌买断以解燃眉之急。然而，越是贴牌买断越没有利润，越受制于他人；越受制于他人，越无法翻身。一旦陷入其中，便形成恶性循环而不能自拔。

2．自我小生产方式的观念促进了困局出现。

目前，厂家看到短期市场机遇后，一是跟大流模仿其它厂家，开发相同或相似价位的产品，二是学着别人也搞贴牌买断，然而开发出来的产品往往都是短命的。这种心理归根结底是一种小生产方式观念。在这种观念中，一方面认为只要是市场中比较流行的价位和品种，模仿出来就有一定的市场，就会有经销商来谈经销代理，这样的产品不愁卖。另一方面，买断贴牌虽说不能长久，可毕竟眼下需要资金来支撑酒厂运作，这也是盘活酒厂资源，灵活运作，怎么能说是不对呢？

其实，白酒是较为特殊的食品，可那么多的厂家偏偏学别人过活，研发机制存在严重问题。同时，生产型导向的旧营销观念在作怪，生产什么就卖什么是其操作思路。厂家依靠侥幸心理，期望把品牌和产品推到经销商手里，风险顺利实现转嫁。其实不然，买断的产品与厂家依旧“藕断丝连”，脱不了干系。试想，把产品完全交由经销商操作，厂家的利益有保障吗？根本没有。经销商因为操作失误一旦放弃，厂家只能干瞪眼认倒霉了。

3．营销管理水平低下很难防止困局的再发生。

眼下，国内一些排名在第一、第二等大酒厂在品牌延伸中频频出现失误，厂家的营销短板已初现端倪。

国内这几年流行抄作白酒历史。然而，在山西，F酒光有记载可查的历史就有1500多年，算来应该开始于公元400多年，早了1000年，具有无人能比的历史优势，可就是始终不会卖这个。厂家的营销水平低下可见一斑。

另外，现在很多当年是“十大”名酒，可现在还龟缩在一个省的市场范围内销售。放眼国内白酒市场，能称得上全国品牌的白酒能有几个，掰着指头数，恐怕不到五个。凭心而论，在国内的食品领域中，与饮料、方便面、油脂等其它行业相比，白酒行业的营销水平是较低的。这当中，不论是经销商还是厂家，还是零售终端，营销水平都处在初级阶段。

我们能够数得出国内很多的白酒厂家，自有品牌、文化都是独一无二的，但是有的厂家已经倒闭破产，被他人收购，其中一个重要的原因是不会卖酒——不会做市场营销。能够让经销商来买断品牌或进行贴牌，更是营销水平不足的直接表现。技不如人只好受制与人。由于厂家自身的能力有限，无法运作现有优势资源，市场地位完全转化，变主动为被动。限制或减少经销商买断品牌或进行贴牌也只好等待时机了。

不能违背的定位法则

产品定位是针对细分市场人群需求而区别于其它竞争产品的产品消费人群、市场地位确定方法。通常以价格、品牌（名称）、规格、性能等特质因素来确定产品定位的内涵。

一个白酒产品，必须有一个准确的定位，给顾客以明确的信息，说明自己是什么，怎么消费。

一个不能违背的原则是：如果产品定位面向所有的消费者，那么，该产品可能没人购买。

道理说起来很简单，可白酒的厂商就是明知故犯。

白酒品牌与产品定位中违背市场法则，必将遭受到市场的回应。目前，市场上的白酒产品周期普遍缩短。白酒产品几乎脱离原本的酒文化而单纯成为一个商品、一个酒精饮料。白酒产品的操作模式已经使其沦为流行产品，势必造成没有内涵的价值贬值。我们常常称道的法国红酒文明于世，其价值感远远高于中国的白酒，其中一个原因就在于坚守红酒文化的内涵。眼下大多数白酒厂家单纯把白酒作为一个酒精饮料来销售，根本没有一点能够为人称颂的白酒文化。有的白酒厂家虽然聘请大牌广告公司来助阵，但经过一番粉饰之后，仍然难以遮掩其中十足的浅陋之气，这样的操作很难再出现高品位的白酒产品。虽然现在市面上有标价几千元的白酒产品，但很难说服人，让人信服它真的具有这个价值感，有的只是白酒的价格虚高，和白酒的价值泡沫。无论是白酒厂家，还是白酒经销商，都必须寻求突围的出路。

破解方法

方法1.

建立市场驱动下的定位机制。

市场定位是营销手段，营销手段服务于白酒的产品营销，而产品营销是面向市场的。最为适应市场需求的品牌和产品定位就是市场驱动下的定位机制，工作起点自然是市场。

具体行动方案如下：

第一，产品定位面向市场。

所有的定位要求必须是在面对竞争产品并取得竞争优势的情况下确定的，其中包括价格、规格、包装、品名等因素。

作为经销商，从自身上年度的销售数据分析中，就能够找出各个价位的市场销售比例，在结合市场发展的因素，最终确定今年的采购产品的价位区间。而作为厂家，依靠自身的销售数据，以及营销机构提供的市场一线竞争信息，结合自身的研发机制和能力，设定当年和未来几年的产品定价策略。

第二，产品定位必须遵循市场法则，而不是违背。不论是白酒还是其它食品类商品，必须是一个品牌下只有一个价位的产品。不能再让一个品牌下有多个价位的产品现象发生。作为厂家和经销商都必须防止和甄别，拒绝多价位品牌白酒产品。

第三，实施良好的品牌管理，走多品牌、副品牌的产品组合策略。

如果区域市场中多个价位市场是需要进入和经营的目标市场，则需要走多品牌的产品组合策略。给每个价位找一到两个产品。

作为经销商，为了满足在多价位都有产品销售的经营需要，可以在确定价位的基础上，优选厂家和白酒品牌产品。而作为厂家，可以通过实施白酒多品牌战略，通过确定不同白酒消费文化内涵的诉求，满足更多细分市场人群的消费需求，来定制区域市场中的白酒产品。而通过每一个文化内涵落脚到一个高品质的白酒产品上，并成为经典产品。要注意，白酒绝对不是单纯的流行产品，它应该更多的体现年代感和不同酿造文化积淀上。

第四，实施产品管理。

在快消品行业中，日化、方便食品企业早已开始推行产品管理机制。即在市场部（有的也叫企划部）中设立产品经理人，专人负责管理白酒产品的营销工作。实施产品经理人制的优点在于，从一个品牌下的产品角度出发，集合公司的生产、配送、各个地区市场销售状况、竞争态势分析、阶段性营销策略设定和促销推广规划等方面工作，连贯性、长期性和专业化管理一个产品的上市、销售和推广等营销工作，

方法2.

建立细分市场营销策略的操作规范。

白酒市场存在多价位细分市场，要想在各个价格细分市场中挣得一定份额，应该有更为具体的操作规范。

具体行动方案如下：

第一，划分市场区域，实施区域市场营销策略。

现有经销商一般是一个局部市场的代理商，如省级代理商。但从一个省的范围来看，省会城市、二三级城市又存在较大的差异。

为了满足在各个市场的营销需要，经销商应该放弃以前的一个产品遍天下的粗放操作模式，转为给不同的市场定向采购不同的白酒品种。当然，这需要在充分掌握各分市场的市场状况基础上才能准确的优选厂家和白酒品牌产品。

作为经销商，同时应该头脑清醒，辨清那些鱼龙混珠的产品。任何产品都不是绝对的。经销商在采购时容易犯的一个错误是参考样板市场。采购品种也更多的是看看有无样板市场先例，这些都是简单的采购方法，是经验主义，还谈不上有目的的采购和经营性采购。保证经销商采购取得成功的法宝还是提高自身判断市场的能力，对市场信息的总结归纳能力，以及依据条件采购目标产品的能力。毕竟采购的产品是要买到自己所在的市场中，别人的市场再好，总是和自己的不一样。而作为厂家，如果面向全国市场范围营销，更应该实施区域市场策略。厂家应该放弃一个产品全国营销的思路，转为区域化、市场细分化经营的策略，给每个市场确定更为适当的短期产品和长线产品策略，这样给厂商都能够带来一系列的利益。包括便于市场管理、渠道区分、渠道之间的矛盾化解等等。

第二，划分价位区隔，针对性区别经营。

不同价位就是不同的细分市场，应该是用不同的产品进入和分销。实际上，我们能够看到的很多流传很久的白酒产品，就是因为其定位清晰，一个产品不二价，另外，坚持一贯的定位诉求，面向一个细分的消费人群，这样，这个白酒产品的市场生命周期一直可以延续下来，才真有些“百年品牌”的味道。

厂家确定进入不同价位的细分市场后，应该制定相应的产品组合策略，开发相应的产品。

作为经销商，结合自身的渠道类型，归纳出主销价位区间，再寻找符合条件的白酒产品来经营。

第三，划分竞争阵营，制定策略性产品竞争对策。

每个市场在一个阶段及一些渠道中总有一、两个旺销的产品，我们把它叫做主力竞争产品。

作为厂家，必须有针对性的开发产品，特别是从在各个

细分市场争取份额的目标上设计产品，并且必须是具有一定优势的新产品，这样进入该市场才能从经销商到终端零售店，再到消费者都能够接受。对于已存于市场中的老产品，应该考核其行销策略同竞争产品的比较是否具有一定的优势。如果优势消失则必须对现存销售策略进行调整，其中包括给渠道的销售政策等等。作为经销商，更应该注意从市场一线获得准确的竞争信息，分析各个竞品的分销手法，以及产品的发展走势，在确定现有产品分销政策的情况下，制定下一个市场周期的采购策略，给未来市场打下基础。

方法3.

产品研发(采购)机制的完善。

白酒市场的竞争终究是白酒品牌和产品的竞争。但背后是厂家（商家）开发新产品的竞争，是研发的竞争。

由于品质优良白酒产品的生产是一个持续的长久的过程。因此，新产品的研发是一个自市场开始、到生产环节配合，在到营销部门配合的复杂过程，必须有一套行之有效的办法加以管理。

具体行动方案如下：

第一，以产品经理人的产品建议为先导。

从厂家的角度讲，就是健全产品的研发机制。具体而言，在市场营销中获得一线信息，发现市场机会，由产品经理人提出新产品的研发方向和概念。经过评估，进入小样的产品试制。拿出的样品从包装、口味、价格等要素去市场上做实物测试，一直测试到结果表明该产品在各方面符合原创意、符合市场机会，而且有市场优势为止。

之后进入新产品的上市阶段。

从经销商的角度讲，就是健全采购机制。具体而言，根据市场实际，由销售经理分析总结归纳后提出产品采购建议，由采购部门进行采购和选择。

第二，以产品组合为开发策略。

从厂家的角度讲，就是如何在各个价位市场取得市场份额。具体而言，确定第一目标是成为某个价位的主销品种，第二目标是成为第二阵营的多销产品。结合策略制定出多产品(品牌）的研发计划来。当然。如果考虑到在多个区域市场同时进行分销，则应该考虑更多的区域产品组合问题。

从经销商的角度讲，如果渠道资源是组合的，则产品肯定必须是组合的。实际上，根据市场的多种需求，应该考虑分渠道、分价位采购不同厂家的白酒产品，以满足销售需要。

第三，以持续性产品供应为指导策略。

从厂家的角度讲，就是年年有旺销产品。目前，大多数的白酒产品生命周期不超过二、三年。因此，新产品的生产上市节奏就应该是每二年必须有替代产品跟上，否则，则有出现市场断档的危险。

从经销商的角度讲，一个产品至多销售三年。第二年的时候就应该考虑选择新产品了。

方法4.

战略化、品牌化的经营观念。

这一方法将从更高层次要求厂商有更为长远的发展考虑。

具体行动方案如下：

第一，明确自身的短期长期发展规划。

逐步改善“一年倒一个牌子”的恶性市场规则。从当年营销目标和三中期营销目标的制订为先导，将短期利益与长期市场地位统一协调起来。

作为经销商，战略化要求经销商要有渠道发展和采购的长远规划，要能够跟上市场销售节奏，并能够遇见自己可持续发展的源头在哪里。采购实施短线及长线产品策略，营销重点调整到旺季销货，淡季做市场上来。而作为厂家，战略化要求厂家要有方向性的选择和短期、长期相结合的经营考虑。

具体而言，厂家营销部门制订出今年度区域市场别的短线产品策略，同时启动长线产品上市，在推进短线产品销售的同时，使长线产品逐渐渗透到市场渠道中，形成稳定的上升态势，给来年和未来几年奠定市场后续产品的基础。

第二，走品牌企业之路。

作为经销商，通过与品牌厂家的合作，提升自身的影响，提高自身的素养，成为渠道中的品牌企业。另外，从分销网络的管理与掌控，销售人员的技能提升，产品结构的合理分布，采购体系的科学完善，以及工作流程的系统规范等等方面，都要从建立品牌企业的角度点滴做起。而作为厂家，品牌化要求厂家从出传世产品、品牌产品的角度来经营白酒，通过一个一个著名的白酒品牌托出一个坚持白酒酿造工艺和文化的优秀企业。

方法5.

它山之石可以攻玉。

借鉴其它行业的成功经验，是白酒厂商快速提升定位能力的便捷途径。

在快消品或者大多数食品领域中，品牌与产品定位的基本规则是，一个品牌只有一个价位产品，或者是一个主品牌下有几个价位的副品牌产品。

以方便面为例，某品牌下红烧牛肉面是最先推出的主打产品，已经取得的主销产品地位。为了继续增加销售份额，公司采取了副品牌延伸策略，又开发出了麻辣牛肉、麻辣排骨等不同口味的多个副品牌产品，但是价位都是一个价格。希望厂商在吸取白酒前车之鉴的基础上，能够从兄弟行业的成功案例中汲取智慧，不再犯简单的让兄弟行业耻笑的错误。

困局二：难寻定位落脚点

现状。

传统的“茅五剑”名牌地位稳定，在水井坊、国窖·1573等在高档白酒市场开拓初见成效之后，高档市场便开始升温。各个酒厂纷纷调整白酒定位策略，试图进入高档白酒市场，但高档市场并非一日形成，在2003、2004年的市场调整之后，高档白酒格局已初步形成。

大家常说的“一年喝倒一个品牌”正是中档白酒市场变幻的写照。中档白酒是白酒市场的主体，从金额到总量，都是一块很大的市场。由于各个厂家基本都有中档价位产品，形成市场上中档价位产品最多，竞争也激烈。市场份额此消彼长，难分伯仲。如何突显产品特点，是摆在厂家面前的一个难题。

一般把10元／瓶以下的白酒称为低档产品。低档产品的特点是，零售利润基本为0.5元／瓶，批发利润基本靠返利，批发价格基本低于出厂价。经销商销售此类产品主要靠走量，利润比较微薄。厂家做低档白酒利润都在1%以下，稍微操作有误，利润顷刻消失。同时，该档次的白酒基本为地方品牌，全国性低档白酒暂时不存在。

到底该开发什么样的白酒新品种？各个厂家如何突破定位困局？

归因。

1、市场消费现状决定了白酒的金字塔型市场结构。

白酒市场最终由消费者决定。消费者分层次消费形成了高、中、低档的金字塔型市场结构，高档白酒消费量小，总体金额也小；中档白酒消费量居中，但金额较大；低档白酒消费量最大，但金额与中档相近。

2、利润和销量决定了中价位竞争最为激烈。

厂商更愿意做中档酒，是因为价格适中，容易分销，而且利润也还算丰厚，进入市场速度快，风险较小，还有一定的销量。

所以，中档白酒产品最多，竞争也最激烈。

破解方法

2004年，QA酒厂试图进入HR白酒市场，在经过一番缜密的市场考察之后，对HR的白酒市场有了全面的了解。之后，经过一番市场细分，结合自身的产品特点、品牌等因素，确定了QA酒厂未来可以进入的几个细分市场。以下将展示QA酒厂确定细分市场的全过程，以期引导厂商进行产品定位的新思路。

步骤一，先了解HR市场的白酒市场结构，确定定位市场的方向。

根据购买白酒用途的不同，QA酒厂将HR白酒市场划分为两个大的市场：饮用酒市场和非饮用酒市场。

饮用酒市场主要是指买酒的目的是为了“喝”的这部分市场，包括四个子市场：自斟自饮酒、朋友聚会酒、家庭饮用酒和单位聚会酒。

非饮用酒市场是指买酒的目的不是为了“喝”，而是为了其他目的。这部分市场包括三个子市场：交际公关酒、孝敬父母酒和家庭招待酒。其中，交际公关酒包括个人送礼、单位送礼用的酒。

同样是购买白酒，却有以上7种不同的购买目的。这样一细分，一下子让人明确了HR白酒市场的总体结构，以及不同消费目的的购买人群构成。

步骤二，进行深入的市场细分，锁定可以进入的局部目标市场。

根据上述结论，QA酒厂又采用“购买目的——生活形态”的二维细分市场方法，对HR白酒市场进行深度细分。

所谓二维细分市场方法，是指从消费者的购买目的和消费者的生活形态两个因素的角度相交叉，形成不同的双因素细分市场，使目标市场更加细致明确。

上述市场结构中，按照购买目的划分，一共将HR的白酒市场总结为七类，即交际公关酒市场、孝敬父母酒市场、朋友聚会酒市场、家庭招待酒市场、家庭饮用酒市场、单位聚会酒市场和自斟自饮酒市场。

而根据消费者的生活形态统计结果，HR省的消费者可以归结为四大类：第一类：工人／农民；第二类：个体工商户等自雇人员；第三类：企业或公司职员等职业白领；第四类：机关事业单位的公务员。

根据对应分析的结果，白酒的七类购买目的可以归结为四大类：第一类：交际公关酒；第二类：孝敬父母酒和单位聚会酒；第三类：家庭招待酒和朋友聚会酒；第四类：家庭饮用酒和自斟自饮酒。上述四类购买目的与消费者的“生活形态”交叉，可以将白酒市场分为十六个细分市场。

此刻，摆在QA酒厂的潜在目标市场已经十分具体。一共存在16个细分市场，但QA酒厂可以明显看出，其中的几个市场不论酒厂和经销商花多大的力气，是怎么也进入不了的市场。当然，确定细分市场，并不能就此说明酒厂就能确定进入哪一个市场，因为现今市场中已经有各个细分市场的产品，而进入一个细分市场，等于是要挤掉别人的市场份额。所以，要想抢占HR省的白酒市场份额，还得看竞争对手是谁，是否能够取得竞争优势。因此，QA酒厂又对竞争产品进行了分析。

步骤三，分析细分市场上的主要竞争对手。

一个市场中的竞争对手总是以一定的市场地位存在。而且，在对一个白酒市场的结构了解之后，最有价值的事是找到竞争对手以及该竞争对手在市场中所处的位置。这有利于你下一步制定营销对策。

如表所示，在HR省的交际公关酒市场上，品牌的市场地位比较稳定，主要由茅台酒、五粮液酒把持；在单位聚会酒和孝敬父母酒市场上，主要是剑南春、五粮春、金六福等品牌占有相当的市场份额。

在家庭招待酒和朋友聚会酒市场上，主要品牌是浏阳河、伊犁特、泸州老窖、全兴酒、口子窖等；在家庭饮用酒和自斟自饮酒市场上，主要品牌是**特曲、沱牌酒、二锅头等。这一市场基本是低档白酒市场。

QA酒厂分析，从价位和品质等几个方面综合评估下来，自己的主要产品与浏阳河、伊犁特、泸州老窖、全兴酒、口子窖等白酒相近。又低档白酒的对手是**特曲、沱牌酒、二锅头等，一时很难有进入可能，而高档白酒对手是茅台酒、五粮液把持，也是很难撼动其市场地位。

经过一番斟酌，QA酒厂最终决定，HR省市场的主打细分市场为家庭招待酒和朋友聚会酒市场，以及部分单位聚会酒市场。

步骤四，分析目标市场的消费者特征。

HR省市场的消费者在购买白酒时，对酒的口感、品牌的知名度、酒的香型、酒的酿造原料、厂家的知名度、价格、产地等因素最为关注。因此，QA酒厂又进一步对家庭招待酒和朋友聚会酒市场、以及单位聚会酒市场的消费者的购买特征进行分析，从重点关注因素的不同状况制定相应的新产品定位策略，以及未来的新品上市计划。

步骤五，确定新产品的定位描述。

至此，QA酒厂在确定所进入的目标市场、所面对的竞争对手以及消费者关注的重点因素之后，对配合上市的新品做出描述。

1、产品消费市场为家庭招待酒和朋友聚会时饮用的白酒，以及部分单位聚会饮用的白酒。

2、产品零售价位在20至30元之间。

3、产品品牌取名要能够让HR省市场的消费者乐于接受。

4、产品包装与浏阳河、伊犁特、泸州老窖、全兴酒、口子窖等中档白酒档次相当，并有更大突破；

5、产品组合以500ml标准盒包装和两瓶盒包装为主，其它包装季节性生产。

至此，QA酒厂完成了进入HR省市场的白酒新品定位。

结束语：

白酒新品定位是一个严谨而复杂的过程，不能简单的拍脑门行事，草草定位。

确定白酒定位的不只是价格一个元素，还有其它很多可以运用的资源。

不论是白酒生产厂家，白酒的经销商，还是一个普通的白酒零售店，都应该铭记白酒绝不是一个普通的酒精饮料产品。白酒体现的是一种氛围，是多种情景的调节剂。有多少不同的人群，就应该有多少种情绪的起兴和快乐。一个品牌白酒，应该能够让饮者为之回味，感悟其中的深厚积淀，享受绵长悠久的酿造之美，增添更多的阅历和知识。

酒包装设计策略及白酒包装设计方案

如何创新包装策略？

(一)以竞争对手为镜可以正衣冠——研究竞争对手的包装策略。

提高酒品竞争力的另一方面就是确定竞争方位。对于产品的包装，仅仅知已是远远不够的，还要掌握竞争对手的包装策略、包装现状和创新动向。包装有两面性，对于消费者，它是鲜花与赞美诗；对于竞争对手，却是杀手锏。常见的包装策略误区是：

一、只注重研究竞品的内在质量、风味口感，忽视包装竞争和促销；

二、即使关注对手的包装策略，也只是停留在摹仿阶段。包装忌讳模仿，仿者必死。

如何选择包装策略切入点，扬长避短，趋利避害呢？

a、分析对手的类型；

b、对手品牌的价值、对我方直接构成威胁的主要酒品的生命周期；

c、对手主体酒的风格风味特点以及内外包装设计设置所反映的对于消费者和竞争对手的策略特征；

d、主要竞争对手的主要品牌及其包装策略所形成的竞争态势及对我方的影响。

(二）好花还须金叶衬——把握住价值规律。

酒品定价的主要依据是成本和需求，而包装成本价值的确定依据则是主体产品酒的价值以及供求关系。要获得长期稳定的市场占有率和收益率，确定一个相对合理的包装与主体酒品的比值系数及变化幅度是至关重要的。包装匹配酒，毕竟是从属关系，包装表演得再精彩终归配角。比值系数及其变动幅度、供求关系是确定包装价值策略应遵循的原则。违背这一原则，包装价值严重背离主体产品酒的价值，会对品牌价值构成伤害，最终被消费者抛弃。消费者的利益要得到切实保证，就必须从包装的价值上下功夫。

包装的价值确定策略可以从以下几个方面入手：

a、以主体酒成本为依托。高档高附加值，低档低附加值，不能悬殊太远；

b、以竞品品牌包装价值的总体水平为参考；

c、以目标市场消费者的实际购买力和品牌价值为标准；

d、以产品质量为支撑，高质量的酒可以大大提高产品的附加值，这是确定包装价值以及产品售价的重要因素；

e、酒文化的含量。这是可以感知的，要凭操作者的感悟和灵性；

f、酒盒内的奖品价值更应参照比值系数相关因素设定。

(三）冬穿绸缎夏穿纱——适应酒品的生命周期。

酒类产品同质性强，竞争过度，加之酒业科技进步、消费者观念的变化，酒类产品的生命周期大为缩短，而尤以中小企业为甚。面对消费者，酒品要变幻各种笑靥姿态和芳心，通过设置奖品改进包装来促使寿命的延长；另一方面，包装要积极地适应市场竞争的恶劣环境，寻找生存空间。这对包装提出了苛刻的要求：物竞天择，适者生存。不同的竞争环境，不同的生命周期，包装策略大不相同。包装的图案、文字、标识、造型、说明、设计等创意均应围绕某一品种的生命周期展开。

开发期：包装务求一个快字。兵贵神速，应快速切入节假日市场。节假日把酒类营销的时间、地点、内容进一步浓缩了，市场之计在于节。酒类营销有明显的时尚色调，所以商机不可错过，否则瞬间便成昨日黄花。如果包装设计和印制交由包装商印制，须争分夺秒，尽快交付。

引入期：标新立意。包装的功能、包装的组成切入目标市场要快要准更要新。参与设计的人员应由包装工程师、营销专家、美术设计师，特别应邀请酒文化的专家和一部分革新型的消费者组成。决不能闭门造车，脱离市场想当然。引入期产品的包装未曾与消费者谋面，第一印象至关重要，所以，包装设计要有刺激性、爆炸性、诱惑力。既要有浓郁古典的文化气息，又要有新潮流行的色调。这个新字不仅如此，还要对竞品包装有针对性、压制性。

成长期：重在完善。把产品包装分为几个生命周期，并非每个周期都要变幻一种包装。成功的包装要尽可能完善其功能，以吸引更多的消费者。包装变动频率过大，有可能失去老的顾客，得不偿失。一旦扎下根来的新品有些不尽人意之处不要轻易重新设计，应采取过渡的办法，适当修整。成长期的包装需要维护和关爱，因为包装的更换易于遭受竞品的侵害，失去早期消费者。

成熟期：此时，销售增长率趋于稳定，多数消费者乐于用我方酒品，针对该产品的竞争状况十分剧烈。包装所担纲的竞争功能不是减弱了，而急需加强。我方酒品如日中天，却也成为众矢之的。假冒品纷至沓来，严重损害我品牌形象；竞品频频对我发动攻击，窜货乱价泛滥成灾。因此，包装在突出防伪功能的同时，应强化对竞品的防御功能。现实的策略是：

a、以攻为守。毕竟我方产品处于主动地位，控制着市场的主要份额，可以对主要竞品展开决战。以我包装设计、组成的优势直指竞品包装的弱项；

b、让利。通过对包装成本的合理下降，调低酒品售价，争取更多的消费者；

c、多品牌。增加产品线的长度宽度。质量不改变的情况下，不同包装会有良好效果；

d、提高奖品档次，加大促销力度。

衰退期：设法返老还童并为新品出世提供过渡条件。转变策略更新换代是包装的主题。这时我仍有一些坚定执着的品牌忠诚者，针对我方该品牌的竞争已经弱化，利用这一时机实现转变。对现有包装不适应市场环境的功能、设计、组成进行重新改良改进，变换竞争对手、竞争方位，改善竞争环境，使其新生。如果新生的可能和价值不大，应果断淘汰。

（四）上对花轿嫁对郎——导入不同需求。

包装促销功能表现在催促、诱导消费者即时购买。企业信息、产品信息、营销信息明确传达给消费者，到消费者决定购买的时间很短。分解过程大致如下：唤起注意，引发兴趣，启导欲望，付诸行动。

消费者不可能连篇累牍地阅读有关企业和产品的信息或者一一品尝之后再作定夺，所以，中层包装的设计对于刚结识的消费者尤为重要。如何在竞品的"喧嚣"之中牢牢锁定消费者，设计创意除了具备鹤立鸡群的夺人之处外，与不同消费者沟通，满足各自需要是关键。首先，要建立自己的包装概念——包装与酒品、消费者的关系。要明确最有利的诉求位置，争取点头率、回头率，必须做到实体定位与心理定位以及两者的统一。

实体定位。包装的设计、组成、文化含量、功能、成本、与主体酒的成本比值、与售价的比值等等因素所构成的实体因素应与消费者的不同类型组合成对应的象限，以求准确定位。

心理定位。心理定位是以消费者的类型为基础的，可以按实际需要拟定，如按购买先后分：革新型、早期认同型、多数采用型、晚期保守型等；如按场所分：宾馆、饭店、超市、家庭；按消费者文化需求划分：嫁娶添丁庆贺型、佳节吉日纪念型、宴亲飨客联络型、饯行洗尘迎送型、奠死治丧安抚型、独酌自饮抒情言志型；还有按年龄，按收入，按节日性质……成功的心理定位会赢得广泛的喝采。

实体定位与心理定位统一所遵循的营销原则是4C策略——消费者的欲求、需求的成本、方便、沟通。比如，包装的规格、包装的用料应先制作小样品，认真观察评判修改，应走消费者的群众路线——从其中来到其中去，这样便少有成品积压、包装物积压的损失。

（五）二月春风借剪刀——选择优秀包装商。

选择优秀的包装商，最好选择具有策划功能的包装商，这种包装商还要有做酒包装的行业经验。现在强调厂商（经销商）联合，直达终端市场，为什么不可以实行"策厂联合、厂商（包装商）酒行业上下游全方位的联合"呢？不是要策划人士、包装商去包办企业的包装业务，取代企业的产品开发部、策划部，而是通过对企业及其外部环境的深度的洞察入微的了解，拿出更贴切更富有成果的包装方案来，为产品披锦挂绣，使酒品妙而生花。"玻璃着色料"新技术新材料极大地满足了高档酒类的需求，金黄、银白、墨绿、海蓝、桃红等品种与美酒匹配起来，什么人见了能不为所动。茅台王子酒、泸州老窖、心酒、郎酒与其说是制酒商的创造，不如说是包装商的杰作。

（六）黄袍加身——披文化外衣。

中国酒文化源远流长，博大精深，如何让中国酒登基现代营销的金銮殿，给她披上文化黄袍无疑是明智之举。确立包装文化的资产观念，才不会为文化而文化，为包装而包装，才会有源源不断的无形资产转化为财富。中国酒文化，包装所占的比重十分之中有其三。既然中国酒是精神产品，那么，未曾享用，便有微醉。如果说外包装是企业的一面文化旗帜的话，那么，内包装亦即容器及饮酒用的器具堪称精致的文化艺术珍品。

糖酒会上，经常见到牵强附会的所谓文化包装，实在让人大倒胃口。包装在设计上，要注意酒品事实性部份与消费者的心理性部份在文化上的默契，在这个默契点上寻求艺术的搭配和艺术的突破。有艺术感染力的包装必须展开联想。从酒品的层次、品牌的形象、品牌的个性生发联想，从传统文化、现代文化、民族文化、地域文化、酒文化特别是包装文化的个性发挥联想，以此决定文化在包装上，在市场上的状态。

中国葡萄酒高端产品的营销策略

2005年我国葡萄酒销售收入达102.3亿元，比2004年增长42.46%，产量43.43万吨，比上年增长25.40%，利润总额12.56亿元，比上年增长58.68%，上缴税金12.07亿元，比上年增长30.21%据估计，中国葡萄酒行业将继续保持15%左右的年增长幅度。但是，国内主流的红酒企业也面临着对外和对内的双重压力。目前，国外进口葡萄酒占据着中国葡萄酒市场大约5%的份额，而且主要存在于星级酒店、高档会所等高端市场。尤其是在入关后，关税下调，国外葡萄酒企业可以依托其在资本、品牌、技术和营销等方面的优势来对中国高端市场逐渐渗透。而国内，众多业外资本的加入以及新锐品牌的强势出击，使得中低端市场价格竞争愈演愈烈，市场宣传和渠道维护费用飙升，这些因素都促使行业领导者感受到了前所未有的竞争压力。从何处寻求突破，是摆在国产红酒巨头们面前的一个新挑战。文章通过导入近年来中国葡萄酒行业领军品牌的产品高端化的标志性事件，进而引出高端红酒的产品定义，从而试图探讨中国高端葡萄酒产品的营销策略。

1. 中国葡萄酒产品高端化的发展近况

2005年前三季度行业吨酒税前利润3022元/吨，2004年吨酒税前利润2568元/吨，同比提高17.7%。无论是从销售收入的高速增长，还是吨酒利润来看，都能充分说明整个行业保持高速发展状态，而且主流葡萄酒企业的产品利润也在增加。

从2003年以来，中国葡萄酒市场上主流品牌的产品显现出高端化的趋势，从以下具有标志性和代表性的事件中我们可以了解到高端葡萄酒产品的发展近况：

1）2003年，甘肃莫高葡萄酒实业发展股份有限公司与加拿大米兰酒业公司正式签订了合资项目。此次合作，将由双方共同出资，建成中国最大的冰酒生产基地，年生产规模4000吨，专门生产中高档冰酒，其中50%外销国际市场。同年，青岛华东庄园葡萄酒公司推出冰酒新产品"风情"系列，这是该公司继"长相思"后推出的第二款冰酒，在商超的价格为153元/瓶。

2) 2004年，张裕公司高档产品酒庄酒、解百纳分别销售了475吨(同比增长76%)和5500吨(同比增长33%)，实现销售收入占比达到近40%。同时，成桶卖的张裕·卡斯特酒庄酒也由2003年40桶增至93桶，VSOP、XO等高档白兰地销售同比增加67%，平均吨酒价格同比增长15%。

3) 暨解百纳与卡斯特高档酒取得初步成功之后，张裕从2005年着手在北京揭幕又一新酒庄，进一步夯实和拓展张裕品牌在华北市场的影响力。

4) 张裕集团在2005年推出标志性产品XO与VSOP白兰地，其系列产品最高价格600元，主推华南市场，尤其是广州，其销售目标高达1个亿。

5) 2004年11月，中粮集团旗下的中粮酒业投资1.3亿元在山东烟台启动“中粮集团·南王山谷”酒庄规划，目标是打造高档葡萄酒生产基地，该酒庄占地面积达66．7万平方米，预计2006年10月完工，届时将拥有年产高档酒庄酒1000吨的生产能力。烟台长城已推出庄园系列酒，包括金色庄园、银色庄园和红色庄园长城干红橡木桶酿制酒3款，终端价格分别为218元、100余元和88元。这些酒已在西南地区销售，并且在成都等中心城市取得不错的销量。

6) 2004年，华夏长城推出了华夏的葡园A区，葡园A区的终端价位在400多元。2005年上半年，推出了B区酒。2005年下半年公司重点推广靠海岸小区域S区、坡顶小区域T区等。这样，华夏长城初步构筑起了自己新时期的高端产品架构。

7) 2005年1月，王朝在香港成功分拆上市，集资6.75亿港元，将投巨资进一步扩充产能、兴建生产设施和加强市场推广(王朝葡萄酒长期以来的短板)。王朝酒业总经理高孝德表示，集团把年产能由目前的3万吨提升至5万吨，预期于2006年中完成，同时计划兴建新生产线，将年产能进一步增至7万吨。集团目标是2008年抢占内地葡萄酒市场15%的份额。

8) 2005年成都春季糖酒会上，通化推出了包括冰酒、婚宴酒、解百纳高级干红、高级干红、1959特制山葡萄酒、精制干红山葡萄酒等在内的6大系列12种新品，均走中高端路线。其中最引人注目的是在其尚未被新华联收购前就开始酝酿的冰白、冰红两款冰酒。这两款酒采用长白山冰山葡萄酿造，由于产量极其有限，采摘、酿造过程中对气候、技术、工艺等要求又极高，故成品价格昂贵，至少在400元以上。

9) 2005年5月，华东葡萄酒公司投资1.5亿元建设的第二座高档葡萄酒庄园－－华东·百利酒庄（蓬莱）有限公司正式成立。

10) 2005年8月，由中法两国合力打造的中法庄园葡萄酒，向市场首次推出了20万瓶由该庄园酿造的葡萄酒。其中，中法庄园的一款天然甜白葡萄酒“小芒森”，出厂价800元。10月的秋季糖酒会上，中法庄园展出了四款代表性的产品混合干白、混合干红、单品种赤霞珠干红和单品种马瑟兰干红。展销价在108－368元不等。

11) 新天将自己在新疆拥有的15万亩葡萄基地分为天池、玛河等四部分，并寻找每部分中最宜酿造高档酒的葡萄产品，提出“最小产区”概念，强推以“西域”系列为代表的高档酒，其中最高档的年产限量不超过百瓶，价格高达18888元，而其他的产品也从数百到上千元不等。

12) 2005年，白洋河（以甜酒为主打产品挤进全国葡萄酒销量前10名）推出的选用优质原料、纯浓缩酿造、可与冰酒媲美的高档甜葡萄酒——白洋河至纯工艺葡萄酒，一则价格超过了很多干红的价格；二则在口感上更适合单饮，符合中国消费者的饮用方式，也可以维持经销商的利润空间。

通过以上的一系列代表性事件可以看出，中国葡萄酒行业的主流企业在把握和顺应行业发展趋势的基础上，从产品入手，向高端化突围，以期在新一轮的市场竞争中占据有利而主动的竞争地位。

2．探索葡萄酒高端产品的定义

在谈论国产葡萄酒高端产品的营销策略之前，我们有必要对什么样的葡萄酒才可以称之为“高端产品”给出一个范围明确的定义。从普通意义来讲，在任何一个行业，价格贵、高消费被人们称为高端消费，其中的载体就是高端产品或者服务。如果按照这个说法来看，只以酒的价格来划分葡萄酒的中高低端，又显得过于简单化。尤其是随着时间的推移，中国葡萄酒行业发展过程中所存在的问题也被曝光不少（如“九问张裕”、“解百纳商标争议”、“洋垃圾事件”、“通化假酒案”、“长城进口原酒泄漏案”、“十问华夏”、“王朝橡木桶事件”、“年份酒丑闻”和“香格里拉树龄问题”等等），使得市场上的消费者认为“高价格并不代表高品质”，挫伤甚至打破了部分消费者对国产葡萄酒产品的信心。因此，我们试着将高端葡萄酒产品定义为：既能够做到高价格与高质量的和谐统一，还能够渗透品牌文化，葡萄酒消费者在享受到“物有所值”的产品同时，更多的将是去体会产品和品牌所能够带来的精神层面上的愉悦感受。

3．葡萄酒高端产品的营销策略分析

对于中国葡萄酒企业来讲，如何让自己的高端产品成功转化为市场上的销售收入，就需要设计出一套适合于自身的营销策略。我们将试图从以下5个方面，来探讨中国葡萄酒主流企业在推广高端葡萄酒产品过程中应该采取的营销策略。

3.1 概念营销策略

定位的核心是确定其诉求重点，向有效的目标消费者，而不是庞杂的大众展示商品的卖点；同时，对于目标消费者的准确界定，为经营者开展更有效的双向沟通创造了条件，同时降低了广告诉求重点的难度且使之更具针对性，营销效果也因此可以被更准确地预测和把握，做到了“有的放矢”。

为此，企业可以挖掘创造出“概念”来让消费者联想到自己的品牌，通俗点说，可以理解为就是给自己的产品寻找“卖点”。从市场伊始阶段开始，中国红酒品牌巨头就是各种概念的鼓动者和推崇者，这些概念的创造和传播，都为红酒企业的领航品牌在向市场推出高端产品铺路的同时，创造出了一轮又一轮的利润贡献。葡萄酒概念产品的推出可以起到以下几个方面的作用：第一，为自身有效区隔目标市场找到宣传上的USP（独特销售主张）；第二，为企业推出新产品、创造新利润提供了渠道；第三，有意无意地为进一步推广红酒消费文化做出了贡献。在已经出现在市场上的葡萄酒概念中，有的概念是针对酿酒葡萄产区的，例如烟台的"国际葡萄·葡萄酒城"、云南弥勒的"全球第一榨"、蓬莱的"世界七大葡萄海岸"、昌黎的"中国干红葡萄酒城"和怀来的"中国葡萄之乡"等等；有的概念是针对产品特色的，例如陈酿、窖藏、窖酿、年份酒、庄园酒、酒庄酒、老树葡萄、树龄、橡木桶干红、产区酒和小产区酒等等。

3.2 个性化定制策略

所谓"个性化定制"是指企业在大规模生产的基础上，将每一位顾客都视为一个单独的细分市场，根据个人的特定需求来进行市场营销组合，以满足每位顾客的特定需求。随着经济的快速发展，消费者收入、购买力水平和消费水平的同步提高和消费观念的更新，消费需求呈现向高级阶段发展的趋势。消费者除了要求高质量的商品之外，更要求满足个人高层次的需求与期望，实现差别消费。

目前，葡萄酒生产企业采用的定价方法是"认知价值定价法"，即作为定价的关键，不是卖方的成本，而是买主对价值的认知。认知价值定价法的关键是准确地确定市场对所提供价值的认知。对于目标消费群体来讲，个性化定制酒所具有的不普遍性、不易接触性和稀缺性，加之高端葡萄酒主流消费群是对价格不敏感型，也使得索取较高的价格成为可能。业内个性化定制，始于2003年张裕针对高端市场推出的整桶订购。在该模式下，高端消费者可以在葡萄品种、年份、陈酿时间、外包装以及瓶标设计等方面作出自己喜欢的组合。每桶（300瓶X750ml）售价8万元人民币，张裕至今销量累计已达300桶。2005年3月，张裕·卡斯特VIP俱乐部在广州正式投入运营。通过专业服务、体验消费的个性化定制酒为高端红酒的营销模式开辟了一个新的渠道，对其他红酒企业同样具有参考价值。

3.3 子品牌/副品牌开发策略

一般来说，当企业旗下的产品线类型相关度不是很大，或者企业为了使消费者区分同一品类、不同档次的产品时，可以采用在统一的企业品牌下开发不同的子品牌。如果采取主品牌不变，而在主品牌之后为新产品添加一个新的名称，称为副品牌开发策略。从目前的行业发展来看，由于受到行业规模、企业实力和市场成熟度等因素的影响，子品牌开发不是很现实。所以，副品牌开发策略不失为成熟品牌或大众品牌推出高端新产品、切入高端市场的一种选择。

红酒企业期望向市场受众传播一种时尚的、悠久的、厚重的、成功的、亲和的、神秘的、尊贵的或者绿色的品牌形象，但随着目标消费群体的进一步细化，葡萄酒企业在推出高端产品时，可以用"副品牌"区分不同的消费者群，为不同的消费群体设计一个恰如其分的"品牌"，这样更能满足不同顾客群的心理需求。目前，市场上运作比较成功的副品牌主要有张裕·解百纳、张裕·卡斯特、烟台长城·金色庄园、华夏长城·A区等有主流品牌所开发的高端产品。副品牌的命名往往通俗，听起来顺耳，易于流传。诸如"国色天香"、"出水芙蓉"、"红颜知己"、"月亮老人"、"一见钟情"、"再见钟情"和"今夜无眠"等等富有充分联想空间的名字都可以作为主流葡萄酒品牌的副品牌名称来开发。

3.4 商务/政务宴会推广策略

"零号媒介"的口碑，被营销人视为具有病毒特色的、最廉价的信息传播工具，也是可信度最高的宣传媒介。要实现口碑传播的范围最大化，经济学上有一个概念，叫做消费的示范作用，即对于一些心理价值大于产品本身功能价值的商品而言（如饰品、香水、服装、化妆品、皮包和手表等），其相对应的意见领袖往往是具有一定社会地位的人，包括社会名流、商界/政界成功人士、白领人士等。这样，通过有选择地培养"意见领袖"，让品牌有故事可讲，进而影响到更大范围的目标消费群体。

高生活品位、时尚稳重的政务/商务人士作为高端红酒的重度消费群体，还兼具了"意见领袖"的特征。因此，高端红酒通过赞助商务/政务宴会，既可以通过事件来聚集眼球，又可以培育出自己品牌的"意见领袖"，最终实现最大化的品牌影响力。在此方面的投入和努力上，领军品牌一直是不遗余力。例如，2005年10月，在上海国际顶级私人物品展上，华夏长城葡园B区干红作为"中国礼物"被赠送给国际奢华品的企业名流。此外，在其他一些商务/政务场合的酒宴指定专用酒中，都有长城葡萄酒的频繁曝光，例如APEC财长会议、紫禁城三大男高音演唱会、中国金唱片奖颁奖盛会，《英雄》首发式、中国国际时装周、意大利巴洛克光雕艺术展和东盟博览会等等。而作为行业龙头的张裕公司，近年来也分别赞助了"杰克·韦尔奇与中国企业领袖高峰论坛"、"博鳌亚洲论坛"、"世界市长论坛"和"亚太城市市长峰会"。此外，"王朝"酒被指定为国宴用酒，并且供应231个我国驻外使领馆。北京财富论坛、上海APEC会议、海南博鳌论坛和《神话》首映式，"龙徽"葡萄酒都被选为唯一指定用酒或宴会特别用酒。

3.5 文化营销传播策略

根据荷兰文化协作研究所所长霍夫特德教授的观点，文化是一个环境中人的"共同的心理程序"。文化不是一种个体特征，而是具有相同的教育和生活经验的许多人所共有的心里程序。文化营销是有意识地通过发现、甄别、培养或创造某种核心价值观来达成企业经营目标的一种营销方式。文化营销要求在一定的营销方式中创造一个特定的文化氛围，向目标大众传递产品的文化性格，以文化推动消费对营销主体和产品的认识与认同，使产品成为文化的载体，满足消费者的物质和精神需求、价值认同与社会识别等人文需要，从而在情感上触动消费者，导致购买行为的发生。

葡萄酒作为非功能性产品，消费者在选择红酒时追求的是一种心理舒适和情感满足。因此，葡萄酒企业为了将自己的产品推荐给消费者，就需要赋予产品文化内涵，为其提供附加值。要达到文化营销的目标，葡萄酒企业需要根据自身目标消费群体的"共同的心理程序"，提炼出他们所独有的价值取向，在营销传播中将品牌特质与经过浓缩的价值取向揉合，从而达到企业经营目标与消费者情感满足的"双赢"。对于国内葡萄酒品牌来说，文化营销围绕的中心将是葡萄酒消费文化推广和品牌文化传播，企业在广告宣传、事件营销、包装设计、产区营销、工业旅游和渠道培训等方面有很多文章可做。离我们最近的案例要数2005年10月15日的"张裕?卡斯特酒庄体验之旅"。通过"串串葡萄妙手摘"、"滴滴新酒亲手制"、"酒庄公主娇姿展"和"百年历史回首望"四个环节的活动，张裕既宣传了品牌，又传播了文化。

4. 结语

在日前出版的世界葡萄酒行业最负盛名的2005年度《葡萄酒报告》中，分析认为，到2010年中国对葡萄酒的需求中高档酒将占到50%，中档酒占到40%，而低档酒只占10%。因此，布局高端市场无疑将成为中国国内葡萄酒业领先品牌的共同选择。中国国内葡萄酒品牌要想在新的一轮竞争中取得不俗的业绩，推出高端葡萄酒产品，进而切入高端市场的竞争是一条切实可行的道路。而高端葡萄酒产品能否能够取得企业所预期的目标，就需要营销人员不断寻求、挖掘和探索出一套适合于自身企业高端成长的营销策略，而且这也将是需要中国葡萄酒企业在竞争中坚持、在坚持中改进、在改进中成熟的必由之路。 (唐文龙)

白酒品牌策划的十一步法

白酒品牌策划的理论基础

记者根据研究悟性和实践心得，总结出了白酒品牌的11大属性，也就是进行品牌策划的理论依据。

(1) 白酒的本质属性是精神艺术品；

(2) 白酒资本进入门槛低，但是文化门槛高；

(3) 做白酒是卖品牌文化，而非卖产品；

(4) 健康绝非白酒的最重要卖点；

(5) 白酒只要满足于酒精度45度以上的基本要求，适当的贮存条件，就可以越陈越香，没有存放的后顾之忧，这是其它酒种根本无法替代的先天固有的竞争优势属性。

(6) 白酒在质量与文化的比重上可以按四六开甚至三七开，质量与文化在品牌中的比重呈反向变化。

(7) 白酒品牌诸要素中质量优先。30%——40%的质量却是100%的重要，没有丝毫的折扣。塑造品牌需要人才、管理、资金等等资源要素，但，质量却是最脆弱也是最后保障要求的关键要素。

(8) 定位不准，提升不力的品牌是无根之木，无源之水；

(9) 品牌没有灵魂，没有个性，银行给他再多的银子也会打水漂；反之，可以创造利润，滚动财富；

(10) 定位不准，提升不力，累死营销千军；

(11) 灵魂与个性突出，可以避开同质化的恶意竞争，保持优势。

策划步骤

第一步：检测橱窗

厂家的品牌一般都集中展示到自己的市场部，供经销商朋友选择。厂商自己或者策划人员首先要检视市场部的品牌橱窗，看看厂家共有多少个产品，看看品牌包装方面有没有个性与灵魂，看看品牌档次与价位分布情况，看看这些品牌各自主销哪些市场，搞清盈利产品、保本产品，亏损产品有哪些。这是检测品牌有没有病况并准确定位、强力提升的第一步，是望闻问的过程。

温河王给人以温馨、柔和、尊贵、的亲善美悦和谐之感，1号温河王130元——160元，在鲁西南异常火爆，可卖1500万，为盈利产品。

兰陵王、醉卧兰陵兰陵陈香让人未尝其味，便被浓郁的酒文化陶醉，前者为形象产品，沧桑与尊贵洋溢于品牌之表，兰陵王在南方某省卖到499元/瓶。醉卧兰陵是新创品牌，中档品牌，高速成长，鲁西鲁南卖得异常火爆。

洋河蓝色经典博大，时尚，权威，儒雅，让人畅想，让人深邃，100元——600元的天之蓝、海之蓝、梦之蓝掀起了蓝色风暴，让皖军一退再退。店小二中低档产品，恨壶干中高档产品，他还有很大的提升空间。

第二步：把脉市场

把脉也就是切的过程，需要亲自到目标市场探访，访问经销商和消费者。品牌的档次、盈利水平如何？与消费者的要求相比，与经销商的要求相比，与竞争对手的品牌相比，差距多少？优缺点何在？市场份额多少？尤其品牌文化方面，要作深入的调查和分析。

一个策划中的品牌，文化性再强，如果曲高和寡，不被消费者接受，绝不是一个品牌。雅俗并重，大俗大雅，既有文化价值，又有品牌价值，才是最好的品牌。这是记者品牌策划最大的心得，也是一条重要原则。

温河王在不少地区被消费者誉为小茅台，1号温河王在某地区占50%的市场份额，不仅仅因为她的质量出色，更因为包装俊秀，洋溢着静温馨雅祥和的青春之美，让消费者不爱也得爱。

绵柔型的洋河蓝色经典单品已突破2.5亿。蓝色经典在消费者心中扎下了根，洋河的“2力”、“6化”清晰地表明她把握的市场之功多么深厚。

第三步：排除障碍

做白酒品牌，要排除三种模型，即仅做产品型，只知模仿型和模糊不清型。这三种类型是品牌策划的大敌，必须排除清理，不然无从谈起。

第一个类型，偏爱自己的产品质量，陶醉已有的成就，为做产品而做产品，跳不出产品的圈子。记者接触不少做白酒品牌的朋友，发现这一类型的仍然为数不少。

第二个类型多为小品牌，多为擦边球的寄生品牌，他们速生速死，自生自灭。记者与这类品牌无缘，对此深恶痛绝。古井镇、洋河镇、双沟镇都有这样的专业户。

第三个类型积极性十分高，他们一心一意谋品牌，但乏于法术，画虎不成反类犬，品牌塑造成本很高，品牌成熟很慢，有的反招损，做死了品牌，殊为可惜。汤沟两相和品牌是一个策划成本很高的品牌，品牌条理仍不清晰，希望听取记者忠告。店小二的市场遍布苏、鲁、豫、皖，难在品牌的提升出现了瓶颈障碍。对酒、恨壶干、品格酒并没有把店小二拉上去。他们自己也急不可待，提升之路充满艰辛，一再要记者助一臂之力。

第四步：品牌定名

品牌定名极其重要，要努力与祖宗一脉相承，还要符合时代潮流，定得好，满盘皆活，生命力强，定不好，死得更快。古井贡对竞争对手从没留情，打出了店小二，打出了好人家，难得糊涂，金坛子。洋河镇记者没有发现上好的中小品牌，双沟镇有一个秦淮酒很不错。

(1) 联想冲击策略

品牌联想是消费者关于某品牌所能记忆起的所有的印象，它是品牌资产的重要组成部份。把握住品牌联想可以找出消费者对于品牌购买动机及行为的内在原因，并因此给出消费者一个更加不可抗拒的充满诱惑力的理由。一个好的品牌要让消费者一接触，就能产生强烈的视觉和心理冲击。

洋河蓝色经典让人想到由浅及深的联想：深远，博大，宽容，静谧，和谐和卓越的东部质量代表。醉卧兰陵让人想到诗仙酒仙的出神入化的心灵感受和兰陵美酒历久弥香的历史沉淀。品白酒品牌，要让人一下子被摄住，还要让人永志不忘，这才是至美至美善的品牌。记者遍访白酒品牌，能让记者心动的品牌，必能打动消费者，但少得很。

(2)独占唯有策略

这个策略可谓定位制高点策略，商标可以独占唯有，但商标所诉求的文化内涵未必能够独有，两者兼备，乃善之善者也。谁抢占了这个制高点，谁便能左右逢源。独占唯有，高于差异化。

获得独占唯有，不能把垃圾性的文化抢到手，没有意义，弄巧成拙。独占唯有，来自两个方面：其一从自然存在的我有他人没有的文化中，可以信手拈来；其二，通过对有价值的文化的商标保护进行实现。

兰陵是兰陵美酒股份有限公司独占唯有的商标资源，兰陵之于兰陵镇以外的酒商没有多少意义，而兰陵镇一些小酒厂这兰那兰曲解了兰的深刻意义，何况被兰陵集团挤压得寸草不生了。这是自然的独占唯有。

双沟镇的秦淮酒业公司则是通过对商标的法律保护达到独占唯有。冯士刚先生深通品牌保护之道，他一口气注册了：秦淮，泰淮，秦淮源，秦淮贡，秦淮春，秦淮八艳。记者看到《商标公告》上这些商标全已注册成功。核心价值品牌是秦淮，其它有意义甚至毫无意义的商标纯粹是对秦淮的立体保护。这样，恶意模仿者便被无形之网拦在了竞争之外，没有可乘之机，此乃善之善者也。

口子窖没有做到这一步，让金口咬了一大口，记者以前论述过，古井镇魏井酒业的“金坛子”又被金口抢了过去，以至金口酒业之唐兴华先生成了亳州市酒城里记者最推崇的品牌高手。他从产品到品牌的跨越幅度超出任何品牌，他是从非常低的起点起跳的，你到市场上，到他的展厅里会倒吸一口冷气——为他的品牌深深叹服。他每天为他的海鱼喂食泥鳅——时刻提醒自己：稍慢一点就会被吃掉。这是抢他人品牌资源居为独有的经典的反面成功案例。

(3) 文化支持策略

前面记者已经提到白酒的属性，品牌要张扬文化，更要有文化支撑，只有建筑在文化宝藏上的品牌才有成长的源动力。中国文化极其丰富，太缺少挖掘提纯了。典籍，传说，民俗之中都蕴藏着深厚的酒文化营销因子，需要发现的眼睛和发掘的双手。

晨野古玉酒基于玉文化，安徽萧县“K一瓶”基于黄淮海民俗方言文化，好人家基于家的物质文明与精神品质俱佳的家风文化，难得糊涂基于板桥之糊涂文化，温河基于沂蒙山温凉河山水风情文化，高炉家基于皖南民居文化，文王贡基于文王在沈子国（临泉）掘井，其十子聃季载酿美酒贡献文王而成名。

文化支持反对粗制滥造。如今消费者的文化普遍提高，生硬嫁接只会贻笑百姓，伤害品牌的成长。

第五步：价值主张

价值主张不是简单的产品广告语，它是品牌灵魂，是文化诉求，是企业文化、品牌文化的浓缩，是向市场，向社会的精神宣扬，有如作品牌之文的文题，涵盖性极强。“人生丰收时刻”之稻花香，“……比天空更高远的是男人博大的情怀”之蓝色经典，“人类金种子，世代永流传”这些都是经典的价值主张。

如果说包装定型是皇袍的话，那么，价值主张则是皇冠下的那双眼。不能不准，品牌定名不适，价值主张无从谈起；不能不及，产品广告与价值主张不是一回事；不能不力，不然，品牌提升受挫。

品牌命名是聚焦于某一文化点上，而价值主张是从这一文化中提炼出品牌灵魂来。两个步骤是反向的。

可以向社会广泛征集，择英精选，其一，集中民智，其二，本身就是一个公关推广活动，事半功倍。还可以请营销专家，文化名人参预此项活动，最好既是酒文化专家又是营销专家的酒界中人主导这一步骤的完成。

口子窖是皖酒营销力超群的经典代表，可是，他又是品牌力不足的代表，因为至今还没有完成品牌的价值主张，徐总也曾对记者表示过。节日前，他皖北的主导市场大街小巷全是青一色的产品广告，这只是短期出击的肉搏战，不是屈人之兵的文化之不战。

记者在口子窖大本营的淮北市进行市场调查时，百善镇的一个经销商却有超乎酒厂的先见之明，他指着其门头广告语说：“好生活离不开这口子”。这个广告语算不上最优秀，但高于口子窖的所有产品广告语。

第六步：物化处理

以上各步是品牌文化层面的，要让品牌文化变成资产收益，还要对品牌文化进行物化处理，也就是内外包装的定型。物化处理要遵循协调一致和艺术创造两个原则。

协调一致原则的第一个方面：品牌命名、商标注册、价值主张之间以及它们与内外包装要一以贯之地突出品牌文化灵魂，不能问非所答。山东一个原很有名的酒厂在这个问题上吃的亏太大了，以至于性命不保，记者如果是他的话，对苍天可谓泪如雨飞！

记者市场调查中看到有一些酒厂进行多品牌操作，这很不合乎品牌塑造规律。店小二是记者很爱怜的品牌，但是他还有恨壶干、对酒等品牌，这样就导致了资源的严重浪费和品牌竞争力的严重下降。他们不能等同于茅台与五粮液的品牌裂变，就是茅台、五粮液也在不断地在中央台黄金时间里为子品牌注入活力，何况处在导入期、成长期的中小品牌。

协调一致原则的第二个方面：内外包装更要在个性化表现品牌文化的同时，保持文化的统一协调性，不可冲突紊乱。记者到市场转一遭，随便就可以拎几瓶不协调的杂牌酒。

更有十分优秀的。1号温河王蓝玻璃包装，娇小玲珑，象个善解人意的蓝色小美人，人见人爱，和蔼温情地向消费者述说着沂蒙山的可餐秀色和触不可及的神秘。兰陵王也是玻璃包装，其瓶头盖是兰陵丞印，绝无二家，加之红色外包装，彰显着至尊无上的历史文化。这两款品牌很好地体现了内外包装图案、色彩、造型、文字等方面的和谐一致性。

如果说品牌命名、价值主张是品牌的第一生命的话，那么，艺术创造原则是品牌塑造的第二个生命（市场检验是品牌的第三生命）。

记者前面已经提倡，请文化界人士参与品牌策划，在物化处理步骤中，特别是内外包装塑造上，在遵守第一原则的基础上，要让艺术家们充分地发挥他们的天才。特别强调，无论文化还是艺术，聘请哪方面的专家，他们都不是神仙，都要本着自我为主的原则，反复切磋，反复认同。糖酒会期间可以学习借鉴最新的包装成果，但不可搬用，不然会不伦不类。

川黔名酒多爱选用水晶高档玻璃表现高端品牌的身价，而皖酒大多偏爱用陶瓶表现文化的深厚性。皖酒之所以能快速上升，绝不仅仅是靠盘中盘、奖品促销的营销力推上去的，重要的一条，他们利用陶瓶塑造品牌更好地发挥了艺术创造的价值！

陶瓶不仅有利于酒体继续老熟，陶质材料文化气质浓厚，黄色、褐色深沉凝重，造型变化多端，与酒的文化性一脉相承，更能让品牌脱颖而出。口子窖婀娜妖绕的瓶包装也成为经典品牌形象地置放在大门内。高炉家，文王贡，古玉酒，特别店小二是皖酒的杰出代表。店小二品牌本身文化性稍逊，但其人像塑造最经典地表现了店小二的亲和性，可以说继酒鬼酒麻袋包装创举之外，酒品牌在这方面无出其右。店小二纵向横向仍有极大的提升空间。

第七步：感同身受

记者有一个强烈的观点，一个文化性艺术性突出的品牌，不等于成功的品牌，酒艺术与酒市场有很大的距离，让消费者认同并接受的品牌才是成功的品牌，否则，我们就陷入了唯为文化为艺术的陷阱。消费者的消费水平不一样，文化欣赏水平不一样，所以，我们要在事前、事后两个阶段进行品牌的修正，感同身受消费者价值需要。

事前，请目标消费者代表——他们是经验型的消费者，来品鉴新品牌的方方面面，一定要让他留下宝贵的意见。事后就是切入市场后，派员跟踪沟通，听取来自经销商和消费者方面有价值的意见。这方面，兰陵做得很好，他们让经销商试销40天，并请社会名流反复提意见，以便更好地完善品牌个性和品牌体系。景阳冈也总结出了一套很有价值的品牌推广修正经验，他们从社会上聘请30名质量监督信息员，长期修正品牌。

第八步：价格定位

有的朋友习惯于对酒体作价，不把文化艺术劳动纳入计价范畴，这绝对是不理性的。酒店与宾馆的消费价格何以为凭？还不是人吃人住的，一张嘴，一张床。计价内容增加罢了。

新品推出之前，定价要注意以下几个问题：

(1) 目标市场的消费水平，目标消费者的消费能力和文化水平。消费者要愿意并有能力接受。

(2) 主要竞争对手的酒价及销售情况，当地主流品牌的酒价及销售情况。避实就虚。

(3) 品牌的价格组合情况。只有形成组合，才能提高竞争力。

(4) 经销商的返利要求。市场政策的制定要考虑影响价格形成的各种因素。

(5) 竞争对手以及本品的生命周期长短，据以制定开拓市场或提升市场的相应政策。

第九步：促销品投放

促销品投放是营销力的表现，是推动品牌快速成长的催化剂。广义地说，它也是品牌的一部份，也为消费者提供助兴的附加值，应予正名。

奖品等促销品也要按协调一致性、艺术创造性原则进行设计，始终贯彻品牌不变的灵魂，如此才能有冲击，有联想，有记忆，有回味，有购买欲。

奖品要讲究投放对象和对象的现实需要。各级酒商？酒店小姐？消费者？如此才能精确制导，产生奇效。兰陵为酒店小姐制作蓝色的兰陵礼服、工作服，让小姐增色的同时，也引起了消费者的关注，很有手法，与记者提出的观点谋合。店小二不仅打火机十分精致，他在装箱前同样要一个一个试验火机是否来火，对促销品同样严格细致。

第十步：公关推广

生命周期各个阶段的品牌，特别是刚导入市场的新品牌离不开公关推广。公关推广的造势运动，轰动不是热闹玩的，效应才是目的。广告、促销活动、招商活动的全过程体现出品牌的文化灵魂。节约经费，严谨有序，尊重客商，充实内容，调动各方资源，持久发挥后效应。讲究章法的策划不是好策划，但是，计划执行过程须臾离不开计划，否则，再好的戏也出不来。

要以资源的眼光利用一切品牌成长因素，切入点无处不在，看谁看得准。

(1) 利用地方文化为品牌造势，让消费者收获更多的价值。费县有丰富的文化资源，隋唐银杏，七仙女，八仙洞，不胜枚举。温河利用每年的梨文化节，奇石文化节，大做公关推广活动，要比平时多卖很多酒。

(2) 利用名人效应。晨野玉之浸酒新闻发布期间，酒界泰斗百岁秦寒章老人亲临朗读，并赠上三幅诗书作品。

(3) 利用政府支持。官员本身就是模范消费者，营销他们，还要让他们为我们营销。洋河善于公关政府，可资借鉴。

(4) 利用交易会。当即交易的时代已经过去，让客户知道、记住、并考虑选择就是初步成功。金坛子把一个大大的酒坛子搬到济南糖酒会展示形象，很有远见。

公关推广还要注重时机性。顺势，逆势，强势，弱势，借势，造势，策略很不同。几次糖酒会上，记者见到秦池，总要伫足片刻。当初他要公关得当，今日酒市格局定会另番景象。

第十一步：完善提升

创新是企业不变的灵魂，而完善提升则是品牌不变的灵魂，如此，品牌才能枝繁叶茂，企业才能立于不败。要注意几个关键问题。

(1) 关联性。关联就是品牌结构要合理。市场扩大，品牌在完善，主次品牌之间，副品牌之间要协调一致，相互策应。蓝色经典之天之蓝、海之蓝、梦之蓝算是关联性提升的经典。关联性还要考虑品牌提升与市场的同步提升。

(2) 连续性。连续性就品牌发展过程中前后脉络清晰，思路没有逆转，没有中断，没有盲区，始终保持连贯。连贯是一种积累，一种支持系统，一种品牌平台。兰陵陈香到醉卧兰陵，古玉液到玉之浸，泸州老窖到国窖1573的快速成长体现了这个原则的重要价值。

(3) 前趋性。前趋性是品牌提升的动力，让先进的文化拉动品牌成长。消费环境在嬗变，竞争格局在剧变，文化在演变，酒品牌要倡导文化，引领时尚，坐井观天是不可思议的。健康的，绿色的，和谐的，传统的都是有生命力的，茅台，种子，两相和在提升的同时让消费者时刻能领略到前瞻性魅力。

卷后语

本篇（纵向）记者完成后，与《白酒品牌金花不谢的两大玄机——品牌定位与提升》（横向）、《淮水流金，盘存珍华》（平面）形成了三姊妹篇鼎立之势。三篇组合，较为清晰地探明了品牌策划的理论和方法。定有偏颇，真诚期望品牌方家大家不吝赐教，推动中国酒跻身世界品牌之林。　吕允超

巡检白酒渠道分销效率五大步骤

白酒分销渠道的竞争已经成为厂家争夺市场份额的关键因素之一

仅仅停留在终端加大投入已经远远不够，许多厂家已经陷入恶性的渠道竞争。即便返利再高，渠道的不稳定因素依旧存在，经销商是靠不住的：

经销商哗变的前奏是什么？竞品的分销是否更强？如何消化终端高额的费用？这些都需要提早先知。

提升分销渠道的效率，已成为厂家关注渠道建设的当务之急。

白酒厂家对渠道的竞争呈现快速而不断深入趋势。随着终端投入持续加大、管理日益复杂、手段翻新越来越快，白酒分销渠道的建设也日益艰难。

要作好渠道建设，必须解决两大难题：一是如何面对终端高成本问题；二是如何通过提升渠道管理效率来稳定分销渠道。显然，终端的高成本是一个外部因素，在营销准备中只能是按照每年递增的趋势来规划应对。而提升渠道管理效率，则是可控的厂家内部因素，主要途径为通过检核，发现渠道问题，通过改善缺陷来提高渠道分销效率，最终可以消化不断提升的终端成本。

提升分销渠道的效率主要有五个方面的工作，产品、费用、价格、销售队伍、经销商等。通过五项指标的过程检核与结果量化，分析渠道分销效率数值，找出问题点确定为下期工作重点，执行解决对策以提升渠道指标。

第1步：产品巡检

面对白酒产品生命周期缩短、产品概念流行化的趋势，提高产品管理，加快产品开发是白酒产品的主要竞争策略。产品巡检的目的在于，对渠道中的产品销售数据进行分析对比，得出厂家的产品分销效率，以便进行取舍。

动作一，收集产品数据。

主要月度数据包括

1）　各个白酒品项产品销售数据；

2）　各个白酒品项历史销售数据；

3）　经销商销售的白酒品项销售数据；

4）　总体市场白酒品项销售数据；

5）　分渠道数据归类。

动作二，数据分析。

1）　分析对比本品月度销售总体成长幅度；

2）　分析各个白酒品项月度销售总体成长幅度；

3）　分析经销商销售的白酒品项销售数据，当然，是分本品与竞品的分析，以及按客户的分销市场占有率；

4）　分析总体市场占有率；

5）　按照不同的白酒渠道类型分别分析月度销售成长幅度；

动作二，就产品渠道分销的角度得出小结

1）　本月度该市场产品总体的分销成长最大，或出现衰退；

2）　本月度该市场某品项的分销成长最大，某产品品项出现衰退；

3）　本月度该市场经销商总体的分销成长最大，或出现衰退；

4）　本月度该市场酒店、K/A大店、零售店等渠道的总体分销成长最大，或出现衰退；

5）　本月影响产品分销的主要渠道因素。

情景操作：

北方H省新品上市后销售不畅，当地主管抱怨说，新产品不太适合在北方市场销售，希望能够给予品项调换。李经理决定通过过程巡检找出原因。经过实地走访，李经理发现是当地市场的一系列问题，阻碍了新品销售，便对当地主管“新品卖不动”借口进行现场教育：

是新品开拓要素没有做到而导致滞销，具体巡视如下方面

* 经销商有无进货；
* 白酒新品价格体系是否合理；
* 白酒新品的商超、批发、零售（邮差覆盖中）终端表现差强人意；
* 业务主管有无指导、协助、督办经销商的新品铺货；
* 员工奖金政策中有无体现促进新品销售的原则；
* 竞品同类产品在该市场是否也是滞销状态。

上述问题，让当地主管汗颜，便不再寻找借口。经过一段时间的改善，新品销售开始出现起色。

第2步：费用巡检

白酒终端费用的不断攀升，促使整体销售费用加大，逼迫厂家不得不关注销售费用问题。在销售额提升的基础上，有效管控费用，是增收利润的有效手段。费用巡检的目的在于，对市场的销售费用数据进行分析对比，得出本月度销售费用的使用状况、产品利润率，以便实施进一步管控。

动作一，费用使用过程及表现检核。

1）关注区域市场已有费用数据资料，包括：区域市场广告执行计划/进度、费用占比、重点产品广告推进、经销商促销费用、促销案提报及总结情况、费用投入产出比、销售队伍编制/费用状况，最后关注竞品广告投入动，并收集其费用数据。

2）检核前，应熟悉该区域目前正执行的促销政策和上月报销的各项市场费用、当地员工数字、上月提报薪资，带齐凭据以备查核。

3）直达各类白酒分销终端，检核当地K/A店进店/买断费、陈列费、条码费用、酒店开瓶费动态以及服务情况做记录。

动作二，收集费用数据。

主要月度数据包括：

1）省会城市酒店、K/A大店、零售店等渠道直接促销费用数据；

2）二、三级市场促销费用数据；

3）竞品渠道促销费用数据；

4）市场广告费用；

5）市场人员费用；

6）其它费用（略）。

动作三，数据分析。

1） 按照渠道类型，分析出各个渠道月度费用上升情况；

2） 根据本月广告计划，分析广告费用状况；

3） 根据年度、月度促销计划，分析本月促销费用执行状况；

4） 根据分部销售队伍编制，分析人员费用总体使用状况；

5） 汇总竞品广告、促销投放记录数据，分析竞品月广告度费用状况；

6） 按照区域范围，分析省会、二三级市场费用总体使用及变动状况。

动作四，就渠道分销费用使用的角度得出小结。

1） 本月的分销费用的总体构成、广告与促销费用构成、不同渠道分担；

2） 不同渠道类型在本月的分销费用率变动状况；

3） 不同区域渠道总分销费用率变动状况；

4） 与竞品比较之渠道分销费用率高低变动状况；

5） 与去年同期、上月份销费用率比较变动状况；

6） 本月影响分销费用率变动的主要因素。

情景操作：

Q市场一直以来，虽然销售业绩不错，但费用一直居高不下，李经理决定亲自巡检。临行时，手头备齐该区域市场已有数据资料，包括促销案提报及总结情况、费用投入产出比、检核某区域前应、当地员工数字、上月提报薪资等，并决定从广告、促销、人员三个方面着手检核。

单就促销检核而言，集中在目前正在执行的促销及上月报销的市场费用是否切实，包括以下内容：

* 促销产品上堆头、专架等特殊陈列了吗？促销告知海报使用正确吗？

* 陈列符合标准吗？促销道具（围栏、摇摇卡等）使用正确吗？

* 促销赠品补给、捆绑及时吗？赠品流失率高吗？

* 有没有对促销形式、促销时机、赠品选择提出合理的建议？

* 是否有所辖区域商超的销售、回款、费用的记录，能否随时掌握相关指标的进度？

* 批发市场有无铺货、堆箱、POP、条幅等等。

经过核查，李经理将发现的问题记录，并立即与当地主管进行交谈。几个月后，市场费用率稳定下降。

第3步：价格巡检

白酒终端的价格，是与不同类型终端区别管理的。对渠道价格状况进行分析对比，得出本月度价格动态，判断渠道价格对销售的影响程度，以此得出下一步对策。

动作一，市场价格执行检核。

1） 根据所掌握当地各类渠道终端资源店数资料，直达现场检核，对当地K\A店、酒店等终端的条码、本品价格、竞品价格情况做记录；

2） 关注当地市场秩序，检核经销商有无恶意操作，如抬价、砸价等；

3） 根据当月促销执行简报，检核促销品项的价格变动状况。

动作二，收集费用数据。

主要月度数据包括：

1） 当地市场本品各品项价格执行状况；

2） 当地K\A店、酒店等终端的本品价格；

3） 当地竞品各类终端的价格情况；

4） 当地本品、竞品竞争品项之经销商、终端利润数据。

动作三，数据分析。

1） 根据价格统计，分析本品、竞品与上月度比较之价格变动状况；

2） 根据价格标准，分析不同区域本品价格变动状况；

3） 按照不同类型渠道，分析本品价格变动状况；

4） 分析不同渠道、区域本品与竞品利润价格比较。

动作四，就渠道分销价格的角度得出小结。

1） 本月区域市场总体价格、利润及各品项价格、利润状况；

2） 本月区域市场竞品价格、利润总体及品项价格、利润状况；

3） 本月各渠道本品与竞品价格、利润变动状况；

4） 本月影响价格变动的主要因素。

情景操作：

Y市场有经销商抱怨说价格跌穿，李经理决定巡检。其做法为：先掌握各地A类、B类超市、酒店等资源店数，再对当地K\A店、陈列、条码、价格等做检查。

过程中重点关注以下内容：

有无大面积恶性冲货，有没有对冲货采取及时有效的制止措施；

价格体系设计是否合理，通路上有无恶性砸价行为无人管理；

有无控制本品加价率（经销商加价率、商超加价率），使本品与同档次竞品相比，价格至少不处于劣势？

当地有无对采取积极的行为制止通路上的恶意砸价，使通路价格更有序，保证通路层层有钱赚？

产品价格设计是否给每层通路留下利润空间？终端价格是否等于或低于竞品，具有竞争力？

经过核查，李经理将发现的问题记录，并立即与当地主管进行交谈。几个月后，市场价格波动趋于稳定。

第4步：销售队伍巡检

对区域市场销售队伍检核，实际是对渠道分销的管理者与执行者的工作检核，可以了解地方市场销售队伍的工作状态。

动作一，过程检核。

1） 关注已有数据资料，包括当地员工数字、上月提报薪资，在查核中落实，以确定销售队伍稳定状况。

2） 检查行政管理：例如检查办事处有无迟到早退现象，办公室有无张贴管理制度，有无坚持例会，例会内容是否有序有效；

3） 检查表单管理：巡检者要熟练掌握表单内容和识破假表单的技巧，逐级检核各级业务人员表单，杜绝恶性假表现象；

4） 检查人力管理：人员配备的数量是否合适，是否有空岗现象？员工招聘、培训指导质量如何，薪资是否及时准确发放，员工离职数量及原因；

5） 检查市场作业动作：略。

动作二，收集数据。

主要月度数据包括：

1）当地员工、店面促销员数字、本月提报薪资数额，奖金、提成数额；

2）表单填写总数及问题点；

3）当地区域主管数量及稳定状况；

4）当地市场拜访管辖区内客户数量；

5）当地竞品营销人员变动状况数据。

动作三，数据分析。

1）结合当地销售达成计算人均销售贡献额、人均利润贡献额；

2）根据当月销售达成，分析人员费用率变动状况；

3）结合年度同期、上月度编制数据，分析当月人员缺位、稳定状况；

4）查询表单填写状况，分析工作内容、工作状态程度，检核表单的合理性；

5）汇总市场检核数据，分析市场死角数量与人员编制的匹配性；

6）分析竞品销售队伍力量变化，与上月、去年同期比较。

动作四，就销售队伍分销工作状况的角度得出小结。

1）销售队伍工作效率是否有所提升，包括销售贡献率、人员能力的提升；

2）了解区域营销执行状态，及时发现存在问题，包括工作安排、计划和表单的执行等；

3）透过市场管理的工作强度、饱满程度，确定区域市场人员编制的合理性；

4）透过竞品销售队伍的变动，研判竞品的市场策略方向。

情景操作：

李经理到某县级市场检核，主要内容如下：

1、检核当地内部业务管理与执行

a、业代有无迟到早退现象，签到是否正常进行，月会是否正常进行？

b、业代表单填报质量？

c、业代配备的数量是否合适，是否有空岗现象？业代招聘、培训质量是否按公司指导方向执行？

2、检核当地市场秩序

a、当地主管对经销商的拜访频次、经销商的安全库存，当地业代是否掌握经销商库存；

b、有无大面积作业死角、空白区域（如：半个县城、好几个乡镇）经销商不能覆盖；

c、经销商有无恶意操作：抬价、砸价、截留促销资源，当地采取过哪些制止约束手段；

d、经销商配送质量如何，经销商主动出货量如何，经销商意见和抱怨；

e、目前正在执行的促销及上月报销的市场费用是否切实；

f、价格体系设计是否合理；

g、当地业代拜访中线路的终端生动化、铺货率、订单、表单真实程度；

h、商超检核要点：客户档案/条码/排面/异常价格/促销/销量/回款/业务人员拜访频率；

i、酒店检核要点：驻店促销人员配置/条码/排面/促销/销量/回款/业务人员拜访频率等。

3、检核结果小结

a、启发式询问，让当地主管先就检核内容、市场表现之结果提出自己的看法；

b、对当地主管的回答做出补充，双方讨论直至达成共识；

c、就综合检核结果做出奖罚措施；

d、与当地主管共商改进计划、行动步骤，落实到人/地/时/资；

e、检核内容及后期改进计划落实文字　　区域市场检核表。

最后，李经理将检核结果及写明奖罚措施传给当地主管交办。很快，该县市场的促销执行度迅速提高，销售逐渐回升并稳定，销售人员的工作量趋于饱满。

第5步：经销商巡检

检核经销商的目的是准确了解经销商在地方市场的份额、渠道、竞争地位、本品的重要性等指标，特别是重要性，如果白酒品种中心已经转移，则该经销商需要调整了。

动作一，过程检核。

1）关注区域市场已有客户资料，包括经销商数量、分布、渠道类型、市场覆盖范围，经销商销售达成、品项达成等，最后关注竞品的经销商状况；

2）协同当地主管检查经销商拜访状况，透过了解其是否掌握经销商库存，经销商有无全品项安全库存等事件来考察其工作质量；

3）通过渠道拜访，在观察本品销售状况、竞品销售状况的同时，侧面了解经销商有无恶意操作，如抬价、砸价、截留促销资源等，并询问当地主管是否制止约束过；了解经销商配送质量如何，经销商主动出货量如何等；

4）与经销商直接沟通，了解经销商对公司的政策知晓状况，询问本月销售状况，打听竞品本月动态，并听取经销商意见和抱怨。

动作二，收集经销商数据。

1）经销商连续三个月度的销售达成（分品项），以及去年同期达成数据；

2）经销商连续三个月度的下限客户、终端等数量（按区域），以及去年同期达成数据；

3）经销商连续三个月度的竞品销售达成（分品项），以及去年同期达成数据；

4）其它竞品经销商连续三个月度的竞品销售达成（分品项），以及去年同期达成数据；

5）经销商连续三个月度的白酒总体销售达成（分品牌），以及去年同期达成数据。

动作三，数据分析。

1）分析连续三至六个月的销售达成（分品项），与去年同期比较的升幅；

2）分析连续三至六个月的下限客户数量变化，终端数量、类型变化，得出分渠道的分销结构、比率；

3）分析连续三至六个月经销商竞品销售变化，与本品比较状况；

4）分析竞品经销商的连续三至六个月的销售达成，与本经销商进行对比，得出本品经销商的分销能力；

5）分销经销商连续三至六个月白酒的总体达成，与去年同期的比较状况，得出经销商的白酒分销起伏。

动作四，就经销商分销工作状况的角度得出小结。

1） 经销商最近三至六个月白酒的分销能力变化，占白酒市场的份额变化；

2） 经销商分销本品占其全部白酒销售的占有率，显示本品在其生意中的重要程度；

3） 经销商在所有白酒经销商分销量的排名变化；

4） 经销商所有白酒分销终端的数量、类型变化，与本品销售成长的关联性；

5） 竞品经销商分销白酒份额的变化，分销终端的动态。

如果经销商已经出现连续三至六个月内，本品销售不占到其重点份额时，经销商的生意中心将会出现转移，直至产生哗变。

白酒经销商是白酒分销环节中的重要因素，它既是渠道成员，又是一种市场资源。因此，在渠道检核时，应该注重其分销的效率，分销能力，下限客户的变动，以及生意重心是否转移，这些都是产生变化的前奏。通过经销商的数据指标分析，可以预见预防，早做准备。

情景操作：

D市场经销商连续2个月销售异常。因为他感觉到，如果经销商的销售还不正常，可能出现变动。因而李经理决定根据当地本品销售数据，分渠道数据，以及现场走访等方式，展开对主力经销商的检核。在拜访之前，李经理先与当地主管进行了座谈，主要内容如下：

（1）本地销售代表有没有尽可能地对经销商形成周期性拜访？

（2）有无对经销商的破损品、即期品、客诉、费用报销、运补、返利兑现等供应商份内的工作及时解决？

（3）有无及时清晰地将公司的政策传达给经销商？

（4）有无随时掌握经销商的库存，促成其全品项、多规格进货？

（5）有没有熟悉掌握经销商的下线二批网络，经常走访，逐渐建立经销商下线客户档案？

（6）有没有在库存管理、配送管理等方面经常给经销商灌输先进理念，促成经销商进步，成为经销商的生意发展顾问？

（7）有没有调动经销商的资源　增加主动出货量，提升经销商知名度，提升门店自提销量，从而最大限度地使经销商成长？

当地主管回答了以上问题，结合随后对经销商走访得到的信息，经过判断，李经理决定还是要做准备，便开始寻找替补经销商了。

白酒行业的“狼群战术”最近几年来一些区域强势品牌纷纷在自己的势力范围内祭起买断大旗，希望通过大量的开发品牌来维持市场领先地位。这种打法和军事上的“狼群战术”有着异曲同工之处，我们姑且称之为白酒行业的“狼群战术”。

【典型案例】汾酒集团应该是白酒行业运用“狼群战术”的先行者。在1998年前后，为了维持在山西市场的强势地位，汾酒集团开始大力开发买断品牌。据山西太原经销商反映，目前汾酒在山西绝对强势，市场上充斥着各种各样的汾酒系列品牌。厂家起初只是开发杏花村系列，到现在竹叶青、青花瓷汾酒、老白汾等主销品种大部分被买断，品牌开发的步子迈得越来越大。据不完全统计，目前活跃在山西的汾酒品牌有上百个之多，其中杏花村家家酒和老白汾酒成为市场上的佼佼者。

汾酒“狼群战术”的成功给那些割据者们提供了经验。自2000年以来，越来越多的白酒品牌开始在自己领地内采取这种战术，这其中西凤在陕西、伊力特在新疆、富裕老窖在齐齐哈尔的表现比较突出。

2000年以后，外来品牌大举进入陕西市场，逐步蚕食西凤的市场份额，为了应对这种危机，西凤联合当地经销商和其他行业的大公司共同开发了数十个系列品牌（如低档领域的西凤家乐、西凤家宴、西凤特酿等，中高档市场的西凤六年、十五年陈酿酒、铁盒西凤等）对外来品牌进行围剿，这其中好猫酒业代理的西凤十五年销量特别好，已经占据了西安高档白酒市场近一半的份额。西凤依靠这些资源丰富的买断商迅速崛起，重新成为陕西白酒市场的主流。

伊力特作为新疆白酒第一品牌已有数载，它面临的威胁主要来源于肖尔布拉克、白杨等逐年壮大的地产酒。为了应对同门小兄弟的竞争，伊力特从2002年开始大力开发买断品牌。目前，伊力特的开发品牌已由三年前的几个发展到现在的数十个，其中“珍酒”和“金酒”两大系列在乌鲁木齐走势良好。这些买断品牌为伊力特巩固在新疆的龙头地位做了极大的贡献。不过新疆一业内人士认为，肖尔布拉克的快速崛起给伊力特带来了不小的麻烦，伊力特要想形成汾酒那种称霸局面还需在品牌开发上下一番功夫。

富裕老窖也是行业内较早使用“狼群战术”的厂家，不过由于其影响力有限而不为行业所熟知。据了解，富裕老窖已经在齐齐哈尔潜心耕耘了近20年。该酒于1996年进入终端之后，市场操作基本上由品牌买断商掌控，厂家很少参与市场运作。目前富裕老窖在齐齐哈尔的开发品牌将近有20个，年销售额在4000万～5000万元，市场份额在60%左右，其中齐齐哈尔大秋酒业经销的“三套马车”系列和“小农庄”等品种销量最好。另据了解，该酒在大庆和哈尔滨的市场操作过程中也复制这种模式并取得了不错的效果。

【实战中的利与弊】接受本刊调查的经销商普遍认为，“狼群战术”之所以被众多品牌所采用，是因为它可以在短期内使品牌形成规模效益。从各市场反馈的信息来看，“狼群战术”的优势主要体现在以下两个方面：

第一，带动销量，充足厂家资金链。“狼群战术”最立竿见影的效果就是销量的上升。厂家通过品牌开发整合了当地优质的社会资源，使产品迅速进入了原来无法顾及的市场或渠道，销量自然会有大幅的提高。据陕西经销商反映，西凤十五年、六年在陕西市场的销量已经达到1个亿左右，为西凤完成2005年5亿的销售任务做了很大贡献。另据了解，目前买断产品对汾酒销售额的贡献也高达60%～70%，老白汾系列和家家酒这两大主销品种均为买断商在操作。

第二，巩固强势地位，在势力范围内对其他品牌形成阻力。目前采用“狼群战术”的品牌大部分为区域强势品牌，他们的买断品牌也主要是在特定区域内销售。厂家通过和买断商的合力作用把市场保护得密不透风，使其强势地位得到了更好的巩固。另外，“狼群战术”基本上会把当地规模较大的经销商一网打尽，占据他们优质的通路资源，而且通过买断还可以取得买断商的保证金，占据他们大量的资金资源，这就使其他品牌在拓市时不得不选择那些二三流的经销商，拓市成功率也就大打折扣。

“狼群战术”让不少区域强势品牌尝到了甜头，不过随着时间的推移，它的弊端也逐渐暴露出来。

第一，品牌力的透支和品牌形象的负面影响。区域强势品牌一般都在当地有着良好的口碑，品牌认知度比较高，这种品牌力对产品销售的拉力作用特别大。买断商之所以和厂家合作，也正是因为看到这种强大的品牌力，不过由于品牌所有者是厂家，而经销商则以获得高利润为目的，这就导致了买断商在市场操作过程中出现了一些有损品牌形象的行为。厂家开发品牌过于泛滥也是导致品牌力下降的重要原因。纵观采取“狼群战术”的区域强势品牌，汾酒和西凤在这方面表现得比较突出，其中汾酒在山西的买断品牌高达数百个，占到品牌总量的50%以上（西凤的比例则要更高）。这些买断商中不乏追求短期利益者，他们往往两三年就更换一个品牌，市场操作时基本没有长远的品牌规划，也正是这些短期行为对品牌力的透支度最大。

第二，部分企业买断品牌过多，导致主品牌不突出，消费者忠诚度下降。区域强势品牌在初期一般是靠一两款产品（如伊力特的“英雄本色”）树立的品牌形象，经过一段时间的积累，这些产品逐渐成为企业的核心产品，同时也成为维持消费者忠诚度的重要筹码。可是随着买断品牌的大量出现，消费者已经被众多同类产品弄得眼花缭乱，分不清哪个是自己原先喜欢的品牌，这就导致部分消费者品牌忠诚度下降甚至放弃购买。黑龙江一业内人士认为，名称和主品牌过于相似的买断品牌更容易导致品牌形象下降和消费者忠诚度的下降。目前西凤这个问题比较严重，它的主品牌本来就不是很突出，再加上开发的产品大多数叫“某某”西凤，长此以往必然会导致原有消费群体流失。

第三，买断品牌过于集中，导致价格体系混乱。区域买断品牌大多数是就地消化，这就难免在同一个市场出现左右手互搏的局面，这时买断商往往因短期利益的驱使进行低价倾销，从而造成产品价格体系的混乱。在这个问题上还要拿汾酒和西凤说事，虽然不少外地买断商开发汾酒（西凤）的产品并号称在山西（陕西）以外做市场，可大部分产品最终仍然回流到省内市场，这更加剧了价格体系的混乱。

另外还要强调一点，区域买断品牌往往集中了区域内最优质的经销商和渠道资源。可凡事过犹不及，区域买断品牌的泛滥将会导致这种优质资源的浪费。

需注意的两点

“狼群战术”有优势也有弊端，在实际运作时就应该取其精华，去其糟粕。笔者认为应该着重注意以下两个方面：

第一，买断商选择要慎重，厂家要加强对买断商的管控。厂家选择买断商时必须要综合考虑：首先要实力雄厚、渠道广阔。其次还要看经销商以往的诚信记录，避免把自己的品牌放入虎口。“狼群战术”运作过程中出现的弊端和厂家管控力度不足也有很大的关系，这就要求厂家要加强对买断商的管理，严格规范他们的运行机制，明确规定他们应尽的义务。厂家还可以实施一些合理的激励制度，定期发布买断品牌销售配额，确定他们的预期绩效，并依销售额大小排出名次，对表现欠佳的商家予以取消买断资格。黑龙江一位经销商认为，厂家还可以协助买断商做市场，这不但可以分担买断商的运营风险，还可以随时掌握市场行情。

第二，重点培养一两只“头狼”，明确划分买断品牌的层次。头狼在狼群中有着特殊的地位和影响力，区域品牌在采用“狼群战术”时也要培养自己的“头狼”。笔者认为“头狼”最好就是厂家的主品牌，通过把主品牌做大做强来带动买断品牌的良性发展。厂家还要注意买断品牌层次的划分，尽量避免开发和主品牌价格、包装相似的买断产品，同时还要加强和实力强、信用好的买断商的合作，和他们联合运作一些主要的子品牌。

（长龙）

中国葡萄酒企业文化营销模式探究

在商务会客、家庭饮用和礼品赠送等场合的产品和服务消费中，越来越多的消费者会将葡萄酒作为他们的选择目标之一。通过对消费心理的分析，消费者的购买理由可以说是千差万别的。但是究其深层次的原因，在以休闲享受或者健康导向的整个消费购买过程中，葡萄酒购买者或最终消费者其实追求的是诸如时尚的、成功的或者健康的心理诉求的实现。葡萄酒消费过程中随附的是一种“优雅的”或者“追求优雅的”消费文化。现代营销理论也要求企业的一切行为都以消费者需求为中心。因此，对于葡萄酒企业来讲，如何切实将“优雅文化”贯穿并实现于市场行销链条中，成为他们不可回避的话题。文章从营销传播的诸多方面入手，试图搭建一个葡萄酒企业文化营销策略框架平台，以供探讨和参考。

【广告宣传】“一支好酒，来自天籁”，神秘而充满震撼力的广告宣传口号将我们带入了一个独特奇异的遐想世界。在香格里拉·藏密的广告宣传策略中，企业将人们在心底对世外桃源（香格里拉是对英语中“世外桃源，Shangri-La”的音译）生活的向往再度挖掘和提炼，通过赋予产品这一地域文化概念，宣扬消费者可以在一定程度上借助“香格里拉·藏密”与“理想中的生活”实现对接。“传奇品质·百年张裕”，作为中国葡萄酒市场最具文化底蕴的品牌——张裕更是将“酒是陈的香”与自身的百年历史极富创造性地浓缩在这短短的八个汉字当中，让消费在消费张裕产品的同时将自己与历史的厚重与深沉联系在了一起。

葡萄酒企业在向市场受众传播各种讯息时，无非是着力于时尚感、历史感、成功感、亲和感、神秘感、尊贵感或者绿色感等一系列品牌形象。这就要求企业营销人员在广告创意及其随后的媒体选择上始终围绕以上企业想要成就的品牌形象来作出取舍。首先，要求广告创意紧扣品牌形象，而且能够顺畅地被传递或理解；再者，优秀的广告版本需要通过适当的媒体到达合适的受众。简单举例来讲，如果企业想要塑造一种成功的、尊贵的品牌形象，那么以一种过于大众化的沟通语言，然后将之置于区域市场的当地晚报来大量投放，这无异于是一种广告预算的浪费。

【事件营销】在2005年9月2日举办的“成龙上海慈善周末”上，龙徽干红获得了这次慈善义演的冠名权，通过这次冠名，不仅可以扩大龙徽在以上海为龙头长三家地区的品牌知名度，而且社会大众还会将企业的社会责任与龙徽品牌相联系。此外，张裕与上海财富论坛、张裕与法国中国文化周、张裕与世界市长论坛、张裕与博鳌亚洲论坛、龙徽与世界市长论坛、烟台长城与大连国际时装节、华夏长城与山海关老龙头新千年庆典等无不体现了企业品牌与事件特点之间的良好互动关系，成功的、时尚的、喜庆的情感联想成为二者之间的共同诉求。

在行销传播的过程中，企业经常通过赞助一些公众关注度较高的事件来达到宣传企业品牌的目的。在选择赞助事件时，应该把握的原则是所要发生的事件与企业品牌的独特属性之间产生关联，从而催生出最大的宣传效果。事件营销要求企业应用带有新闻传播价值的事件作为载体，然后将事件特性与企业品牌或者产品属性紧密结合，两者之间形成合力共同吸引消费者眼球，最终塑造出企业良好的社会形象。而要将葡萄酒企业的文化营销策略与新闻事件相结合，企业必须事先考察或者创造出新闻事件本身的深厚文化内涵（例如绿色的、负责任的、关注社会的、时尚的等），进而将它揉合、放大并传播出去，为葡萄酒企业品牌注入更深层次的文化内涵。

【包装设计】2004年中秋，张裕推出的一款红葡萄酒套装礼盒（包括正甜红、樱甜红、清甜红和喜甜红各一支）中。在这款礼盒中。公司起用了新的酒标，四支酒标分别采用了1915年巴拿马万国博览会最优等奖状、著名戏剧演员韩兰根代言张裕、上世纪30年代上海市场张裕葡萄酒专柜和张裕早期美女日历等四幅图片作为酒标的背景，非常巧妙地将百年张裕的深厚文化底蕴渗透在了酒标上，无形中让消费者感受到张裕的悠久历史传统。“云南红”的酒标上清纯的傣族少女、翩翩起舞的蝴蝶、带着晨露的葡萄、椰树、大象等等构成了一个美妙奇异的世界，所有这一切渲染出云南浓郁的少数民族风情。

每一个葡萄酒品牌都会承载一定的文化信息，而包装作为品牌文化的外在表现形式，如果应用得当，将让消费者感觉到品牌的文化属性、聆听到品牌的独特故事。葡萄酒产品的包装可以分为纸箱或者木盒外包装和瓶标、软木塞、PVC胶帽与瓶型等内包装。葡萄酒企业要想将自身的品牌文化用一种有形的形式表现出来，包装可以作为一种有效的媒介。包装上除了国家法定须标注的诸如注册商标、生产企业名称、产品成分、存放条件、液体含量、酒精度等必要信息外，包装上的图形、色彩的设计与搭配还可以起到传播企业性格和促进销售的作用。因此，葡萄酒包装不仅要保持消费者对产品本身的知情权，还应对葡萄酒企业的整体品牌文化塑造和传播产生尽可能的正面效应。在包装设计时，既要讲求科学性、牢固性和实用性的同时，还要注重优雅性和艺术性。例如木盒外包装可以彰显品牌所推崇的精致生活及其高贵品质；红色的礼盒包装会增强中国传统节日的喜庆气氛；深绿色、棕色和白色的异形瓶可以突出品牌的活泼、浪漫特征；橡木桶形包装能够诠释出酒的陈酿品位；利乐纸盒包装体现了品牌的大众性；软木塞上的企业LOGO折射出品牌的悉心与周到。所有的葡萄酒产品包装的开发与设计都应该试图“说出”品牌独有的故事。

【产区营销】在平常人的眼中，云南代表了一种根植于红色土地上的浓重而神秘的地域文化。而云南产地的葡萄酒之所以能够突破当时较高的品牌市场进入壁垒，如果在本地市场他们是得益于“天时、地理、人和”的天然优势的话，云南葡萄酒品牌向全国市场的突围更是一种强势地域文化逐渐向产品或者品牌转移甚至增值的过程，而且葡萄酒企业在广告宣传和产品包装上也巧妙而充分地与自己特有的地域和民族文化特色结合起来。从2000年以来，烟台长城利用一年一度的“和平颂”国际青少年文化艺术盛典之际，举办各种葡萄酒论坛、峰会来推广蓬莱产区，2005年8月21日，更是组织举行了“世界七大葡萄海岸发展高峰论坛”，法国波尔多梅多克、意大利托斯卡纳、美国加州纳帕山谷、智利卡萨布兰卡谷、澳大利亚布鲁萨谷、南非开普敦六大葡萄海岸与中国蓬莱南王山谷葡萄海岸筑起了“6+1”格局，七方还联合发表的《蓬莱宣言》，从而奠定了“蓬莱·世界七大葡萄海岸之一”的产区发展格局。

有人认为，将酿酒葡萄地理产区作为企业的营销重点，是在“为他人做嫁衣裳”。其实，在以龙头企业为首的产区营销背景下，受益最多的还是企业自身。目前，不少企业利用“葡萄酒是种出来的”这一口号，来宣扬自己葡萄酒产品与卓越酿酒葡萄产区之间的良好纽带。其实在此过程中，企业也是间接在为自己所处的产区做宣传，最终也为消费者接触、了解葡萄酒文化做出贡献。在中国的酿酒葡萄十大产区中，各个产区并没有优劣之分，只有特色差异。积极宣扬产区特色，无论对企业市场份额还是行业整体份额的扩张都是良性选择。

【工业旅游】张裕集团从1992年开展工业旅游至今，累计接待游客近150万人次。2004年张裕酒文化博物馆已经创下了600万元营业收入的“纪录”，其中门票收入150余万元，其余的收入则来自纪念品、个性化葡萄酒销售以及餐饮业的收入。2005年1—6月，张裕工业旅游接待参观人数近10万人，比去年同期增长近40%，张裕酒文化博物馆实现营业收入400多万元。张裕酒文化博物馆还被定为国家AAA级旅游景区、爱国主义教育基地和全国首批工业旅游示范点之一。葡萄酒工业旅游已经成为张裕集团的新增长点并以其独特的文化魅力扩大了张裕品牌的影响。

葡萄酒工业旅游是伴随着中国葡萄酒市场的逐步成熟而出现的一种新型的企业品牌营销渠道，同时也能为企业带来新的利润来源。但是并不是每个企业都拥有可利用的工业旅游资源，目前表较成功、现实的项目，当数烟台张裕和秦皇岛华夏长城。两个企业应用当地良好的城市旅游资源，将自己纳入整个城市旅游的链条之中，然后开发设计企业特色的旅游增值服务。工业旅游可以说集品牌宣传、葡萄酒文化培育和利润创造为一身，也可以作为企业文化营销的一个新途径。葡萄酒工业旅游可以为企业带来利润，但从目前来看其所肩负的主要功能还是品牌形象塑造和消费文化普及。但是，在旅游者访问的过程中，如何让他们将短时间的旅游体验“带走”进而实现扩大口碑传播效果，这也是营销者应该考虑的话题。例如，在测算成本收益后，旅游者在购买门票的同时，可以免费获得企业的广告礼品（从钥匙扣、圆珠笔等普通带有企业LOGO的纪念品，到酒杯垫、酒杯架、瓶标收藏贴纸、酒瓶套等和葡萄酒相关的装饰品）；免费赠送品牌宣传光碟；增加少许费用获得“葡萄酒文化手册”（从企业直接面对消费的层面来讲，目前还没有一份各方面都比较出色的红酒消费手册），开发葡萄酒饮用辅助工具（酒杯、开瓶器、醒酒瓶、葡萄酒过滤器、软木塞抓取器、冰桶、瓶塞、酒温计等）；而且对于一些消费者在购买后不方便携带的“商品”（如个性化定制酒），企业还可以为其提供免费寄送服务，这样使消费者的购物更容易的同时，也为企业形象增值。

【渠道培训】10年前的一天晚上，一个叫萨姆·费瑟斯通的美国酒商拎了几瓶拉费堡红葡萄酒来到北京的一家卡拉OK吧。一群北京人打开酒瓶，像倒啤酒一样咕咚咕咚倒了大半杯，然后兑上雪碧、西瓜片和橙子片，直到酒杯满得也跟啤酒一样。后来费瑟斯通回忆当时情景说：“我敢肯定，听到这样的事情，那些老牌的顽固的法国葡萄酒酿造者一定会惊得从坟墓里坐起来”。这是1995年的北京。10年后的今天，三里屯或什刹海仍然每天都在重演这一幕，并且，红酒加雪碧还有了一个暧昧的名字，叫“红颜知己”。虽然有人提出，消费者可以选择自己喜欢的方式来饮用葡萄酒，但是总应该遵循起码的饮用规则。作为葡萄酒重度消费城市之一——北京尚且如此，更加凸显中国葡萄酒消费文化普及任重而道远。

葡萄酒作为中国市场新兴的非功能性、非生活必需品，要想让产业健康、快速而又不是畸形的成长，葡萄酒消费文化的培育与普及可以说是最基础也是最重要的市场营销投入。然而，消费者在市场上以一种分散的形式存在，如果要大面积地针对普通消费者来进行葡萄酒文化培育，对于企业来工作量太大，费用也太高。因此，企业可以借助自身分销渠道和社会上一些有代表性的社团组织开展葡萄酒消费文化培育工作，达到以点带面的效果。目前，中国主流的葡萄酒企业大多采用以下的分销模式：葡萄酒企业—一级批发商—二、三级批发商—零售商—消费者。葡萄酒企业可以直接针对一级批发商和部分二、三级批发商开展红酒消费文化培训，而利用经过培训的渠道成员，加之于当地分公司或者办事机构的辅助配合，有步骤地对零售和即饮终端推广红酒消费文化。这些手段可以包括：年度葡萄酒工业旅游、品酒鉴赏、图片展览、免费品尝、侍酒服务、红酒知识有奖竞猜等活动。此外，还可以社会上主打中高端用户的俱乐部、协会等社会团体合作，推出旨在扩大目标消费群体和推广葡萄酒消费文化的活动。这样，既可以增强企业品牌的凝聚力，还可以为行业的健康发展做出积极的贡献。

葡萄酒文化与文化营销，是任何欲在中国市场做大作强的本土葡萄酒企业不可回避的一个重要课题，要想在激烈的市场竞争中树立差异化的品牌形象，挖掘甚至创造出自身的品牌文化特性，还需要我们从整体上考虑、从细节上做起，整合企业所拥有的文化资源，利用社会环境中的文化因子，坚持而坚定，最终搭建起属于自己的企业文化营销平台模式！（唐文龙）

营销五招助力酒类企业

提到低成本营销，对所有企业来说都是极具诱惑力的一句话，尤其是被戏称为“烧钱游戏”的酒类企业。市场上林林总总几千个品种，哪一个不是投入大量的渠道费用、广告费用、终端费用、促销费用？可是结果呢？在市场上成功的产品不足20%。

这样的结果，对低成本营销提出了很大的挑战，酒类企业该如何通过单品的成功上市，带动品牌的建立，进而延伸诸多产品的上市呢？笔者在多年酒类营销实战中，探索出了一套低成本营销模式。

【产品的人性化设计】

产品的人性化设计可以让产品本身与消费者对话，形成无形的销售拉动力。通过对消费者深入研究，找到消费者对产品的潜在需求，然后通过人性化设计，与消费者产生共鸣，得到他们的追捧。

对于酒类企业而言，就是要在进入一个新市场之前，做好相应的口感测试等方面的工作，让所销售的白酒适合当地人的口味，赢得当地消费者的喜爱。比如，同样是浓香型的白酒，但是在入口和回味两个方面却存在一定的差别，有的酒是入口绵软，回味清香，又有的酒是入口绵软，但回味起来却有点甜，这样两种口味肯定会迎合不同人群的喜好，因此，对目标人群口味的研究，在新市场的拓展中就显得重要了。

在包装的设计上同样也能显示出人性化设计的功力，在酒店不难看到，有些白酒在开瓶时很困难，也有些白酒在倒酒的时候给消费者带来不便，对此我们做过专门研究，这两个方面的不便，至少可以影响13%消费者的重复消费。

做好产品的人性化设计，能够使产品在进入市场时节约很大一部分推广成本。

【有效的品牌延伸】

品牌延伸即新产品在市场推广中，借助主品牌的影响力进行低成本推广。但是，必须注意品牌延伸的关键驱动因素——主品牌的价值感和威望。

而酒类企业在市场操作中，主要以副品牌的形式推出新产品，但我们看到的情况是，刚推出的一支产品在市场上尚未做细、做透，又一个系列的产品就接踵而至了，结果可想而知——没有一个系列或单品可以形成强悍的市场地位。

也就是说，企业的主品牌还没有在市场上形成一定的影响力，就将一系列副品牌推向市场，结果导致主品牌在品牌影响力上不能给予副品牌有效支撑，当然也不要指望副品牌对主品牌起到反哺作用了。这样就造成了大量推广成本的浪费，所有营销费用没有有效地为品牌资产的积累做加法。

因此，酒类企业在市场操作时一定要注意，在主品牌的影响力和品牌形象达到一定程度后，再适时地推出与主品牌核心价值及品牌形象相符的副品牌，让主品牌促进副品牌的低成本推广，副品牌的成功入市反哺主品牌，为主品牌的资产积累做加法。

【圆心式营销】

圆心式营销是指让企业所有的营销活动紧紧地围绕以品牌核心价值和个性、文化识别体系展开，形成企业的每一点营销资源均为品牌资产作加法的效果，这样既可在原有投入的基础上，经过整合，起到对品牌促进作用。这种方式在市场的实战中已经成为低成本打造强势品牌的典范。

笔者所在公司曾经操作过的蜀乡门第酒就成功运用了这一营销法则。在针对石家庄市场进行深入细致调查后，为蜀乡门第酒提炼了“书香门第”这一品牌核心，并规划了相应的品牌文化和个性识别体系。在整体的市场推广过程中，紧紧地围绕“书香门第”这一品牌核心和其相应的品牌识别体系展开，比如在酒店终端促销的时候，采取喝酒送名著的方式，既促进了销售，又演绎了品牌核心；另外，在社区活动中展开了“尊师助学”的活动，对品牌核心进行了又一次精彩演绎，这种营销模式使蜀乡门第酒在有限的投入下，取得了可喜的营销战绩，同时也为品牌打造了一个立体化的品牌资产模式，为今后的强势品牌之路做了坚实基础。

【促销攻势】

在销售与品牌运作中，不难发现很多企业存在着两方面误区，一方面是以中低端品牌为代表的销售中心派，他们把更多的资源和精力倾斜到销售上；另一方面是以高端品牌为代表的品牌中心派，面对销售压力、面对。“不做促销等死，做促销找死”的两难境地，硬着头皮做促销。好的情况是，增长了销量，却损害了品牌形象；不好的情况是既没有增加销量，又损害的品牌形象。

因此，同时具有品牌力和销售力的促销活动也称为低成本营销的手段之一，让产品的“畅销”与品牌的“长销”有机结合起来，利用每一次促销活动为品牌资产作加法。

具体方法可在实际的市场运作中，可通过系列促销活动来演绎品牌核心价值。如采用免费赠送、赠券等方式来提升品牌的知名度和尝试率；利用现场兑奖、有奖促销、买赠等方式来提升品牌的忠诚度；运用悬赏、征集、寻找产品特征或品牌文化等方式来增加品牌联想；通过公益活动或是对服务特征、产品特征等方面的活动展示来提升品牌和品质认可度等。

【创造品牌传奇与生动化的故事】

口碑传播无疑是大家公认的低成本营销手段。创造品牌传奇与生动化的故事能够轻易的、有效的将品牌信息、产品信息生动地、惟妙惟肖的传递给消费者，这样传奇的、故事化的信息具有浅显、易懂的特点，适合在消费者中间自然传播，能够大大降低营销成本。

创造品牌传奇与传递生动化故事，必须做到两点才能演变为成功的营销手段。一是传奇或故事能够融入品牌文化，让它成为品牌文化内涵的一种外化，进而通过故事或传奇的传播增加消费者对品牌文化的认同；二是品牌传奇或故事要具有一定的销售力，也就是说在传播的过程中能够起到拉动销售的目的。

依上所述，酒类企业欲操作低成本营销必须先科学地做好品牌战略规划，规划好品牌战略架构和品牌组合，提炼能够触动消费者内心世界的品牌核心价值，并设计能够有效表现品牌核心价值的文化、个性识别体系，使企业的所有营销行为都围绕品牌核心价值和品牌识别体系展开，才是真正的低成本营销。

葡萄酒二三线品牌如何打开区域市场

开发区域市场已经进入实施阶段，这是一个行动的过程，也是将企业的营销战略、营销策略在局部市场付诸实施的过程。俗话说，兵无常道，不同的企业有不同的方式和思路，“八仙过海，各显神通”，“运用之妙，存乎一心”。

【整体部署区域市场】

区域市场无论范围广或狭、规模大或小，一旦确定，就应该建立起“整体一盘棋”的战略思想，从全局出发，合理“谋子布局”，确定可持续开发战略。宏观(整体)上经常采用的3种部署方法。

1）市场分级：

将某一区域市场分成若干块相互关联的“亚区域市场”、每个“亚区域市场”再分成若干个相互呼应的“子区域市场”，各“子区域市场”可以相互连接成线。目的是梳理市场脉络。突出重点、抓住关键、带动全局。

如华东市场可分三大亚区域市场：

1．长江三角洲亚区域市场(呈扇形分布)

市场线：镇江—常州—无锡—苏州(铁路沿线)；

扬州—靖江—张家港—南通(公路沿线)

2．杭嘉湖亚区域市场(呈三角形分布)

市场线：杭州—嘉兴—湖州(公路沿线)

3．长江下游亚区域市场(呈条带形布局)

市场线：安庆—马鞍山—铜陵—芜湖(长江干流沿岸)

2）点面呼应：

各“亚区域市场”的布点尽量以某个城市群(带)中某一中心城市为中心，以物流一日内可达客户的距离为半径进行点面整合。使之形成辐射状、同心圆型、扇形或三角形等市场格局。

如：湖北市场的亚区域市场可以荆沙为中心，北连荆门、南接湘北，东抵仙桃、潜江，两至宜昌，形成辐射状市场格局，或形成宜昌、荆沙、荆门与仙桃、天门、潜江西东一大一小呼应的两个三角形格局。

3）点线呼应：

以亚区域市场内或亚区域市场之间的铁路干线、公路干线、水运干线为主线，将交通枢纽城市贯穿成线，形成纵横交织的网络格局。

如：中原市场可以郑州为中心，以京广线、陇海线为纵横坐标轴，北连新乡、安阳，南抵许昌、漯河、信阳，西起西安、洛阳，东至开封、徐州，形成“十字型”连通的市场格局。

以上是一些部署思路，至于各种策略的具体运用，是属于个案的问题，此处不加赘述。

【有效进入区域市场】

市场的激烈竞争，其实是各种“势”的竞争。而市场竞争的结果，就形成了优势与劣势的局面。当企业在经历一段时间的市场考验后，相互间会有所消长。“消”者失去顾客，市场占有率降低；“长”者增加新客户，市场占有率提升。二者之间的互动关系就是不同势的展开形态。

“势”是一种最佳组合的时机，这种时机难以掌握与控制。因此需要有超人的智慧、长远的眼光和迅速的行动相配合，才能把既有的资源调配到最有利的施控交汇点上。孙子兵法中说：“势者，因利而制权也”。行销的势，就是在市场竞争中，运用本身的最佳资源组合，掌握竞争优势，赢得最后的胜利。

“势”的大小，就是企业经营资源的组合与调配比率（人、财、物）不同而已。总之，企业要努力创造一个优势的竞争环境，使行销人员在该舞台上能以各种行销武器冲锋陷阵、攻城掠地，来达成营销目标。企业因势利导，或者说企业创造了“势”，此“势”也就成为企业未来发展的基石。

在选择进入区域潜在市场的策略中，也必须因“势”而行，方能事半功倍，创造市场佳绩。具体来说，行销的“势”包括造势、攻势、强势、弱势、顺势、逆势六种。

1）“造势”进入

“造势”者，善于活用有利的内部资源和外界系统，或有利的竞争因素，如平地惊雷般地先发制人，促使时机与态势早日来临，从而使竞争对手措手不及，甚至毫无招架之力。以色列的“六日战争”，即利用闪电般的3S战术（奇袭、迅速、优势）在数日之内击溃敌人，令全世界为之哗然，这就是造势。“娃哈哈”集团在其新品牌“非常可乐”上市之际，也是利用世界杯足球赛期间的高密度广告大造其势，一度形成“未见可乐，先闻其声”的浩荡景象，从而一举占领国产可乐市场。

借以造势的工具有多种，如企业形象、产品特色、生产成本等内有资源，也可使用广告、促销、公关、价格、渠道、媒体等外在系统。“造势”者在进入市场前必须考虑以下问题：

所造之势对区域潜在市场的影响力的大小。

造势工具的整合。

竞争者可能的反击或追随。

2）“攻势”进入

“攻势”者，是当市场整体趋势向前迈进时，适时利用竞争优势采取正面攻击策略，占领市场，创造佳绩。采用这种方式进入时，时机的把握非常重要。

1989年，台湾向岛外开放洋酒市场。一时间，世界五大洋酒品牌与数不清的小品牌纷纷涌入台湾市场。台湾市场顿时酒雾弥漫，好不热闹。而美国的菲利普·莫里斯公司凭借其雄厚的财力和渠道优势，先经过一阵“造势”（在市场开放前，岛内报纸每天都在讨论洋酒的可能排名及市场接受速度）后，以雷霆万钧的攻势，在行销整体策略运用之下，除了运用公关手段促使媒体刊登对其有利的新闻报导外，在零售点也大量张贴海报、放置陈列架，以攻击性做法率先占有渠道各据点，激发顾客的购买动机。其秋风扫落叶般的攻势造成“雷声大雨点也大”的强大声势，使其一举夺取台湾洋酒市场第一的宝座。这一连串行销活动就是“攻势”的做法。

采用攻势策略要求企业具有雄厚的实力。有能力组织二次进攻并始终保持优势，否则，一旦对手得以喘息，其强烈的反击会使企业陷入“再而衰，三而竭”的尴尬局面。两届标王“秦池”的遭遇就是一个很好的例子

3）“强势”进入

“强势”策略是可供强势企业或品牌运用的市场进入策略。强势品牌的强处，在于运用优越的资源，包括市场占有率高、企业规模大、产品知名度高、行销人才众多等武器实施总体作战。用浩大的声势扩大打击范围，采用广域作战的方式，从而一举攻克市场。具体来说，可供选择的强势战术包括：

整体销售作战

直接夹击作战

采取间接的渠道作战

正面攻击

分散对手的诱导作战

“强势”者，由于成功运用组织力量与资源而产生相乘效果。因此，在销售上强调发挥组织化、标准化、制度化的总体销售效果，而非个人单兵作战。如长城进入广州就是采用前是进入，最后沾霖、占领了广州的市场并辐射整个广东，这就是“强势”进入策略所创造的令人吃惊的气势。

4）“弱”势进入

“弱势”策略主要适用于弱势品牌。弱势品牌应当集中火力在优势资源上，展现自己的特性和魅力，极力争取一定的市场份额。可以运用战术有：

地区或局部作战；

集中攻击特定目标市场；

一对一作战；

彻底实施一点集中作战；

侧翼攻击，避免正面交锋。

弱势企业是在竞争激烈的环境下寻找市场空隙。因此，应当集中将仅有的资源运用在一点、一个区域、或一个市场上。此时，所谓“集中行销力量”就是发挥最有利的资源调配。弱势品牌的行销策略，应该从区域、商圈、零售点切入。应选择强势品牌较弱的地区或忽略的市场，努力做好区域管理或小市场经营，如此由点连成线，再由线圈成面，一个面完成后，再逐步利用各种推广战略，逐步成为区域强势或蚕食其他品牌的市场，这叫做三角攻击法。在这方面，华夏长城进入云南市场就是一个典范。华夏长城避实就虚战昆明

2004年8月，华夏长城发兵昆明，完成了攻城布局；2005年初，华夏长城将重金打响终端争端战。面对市场占有率高达84.7%的地头蛇云南红，华夏长城的三板斧如何砍下去？

在昆明，云南红几乎就是红酒的代名词。84.7%的市场占有率让云南红在这个市场上唯我独尊。张裕、王朝也不得不黯然撤离。然而2004年末至今，华夏长城针对云南红的市场弱点，在昆明的商超、夜场、酒店大砍“三板斧”。

商超一高一低

华夏长城云南区经理蔡小山告诉记者：“商超是树立品牌的最佳阵地。华夏长城进入昆明市场以后，首先在商超开展了大规模的运作，目前已经取得了一定成果。”

以昆明家乐福世纪店的情况为例，华夏长城在淡季每周能卖80多瓶酒，这个销量虽然不高，不过已令云南红感到了压力。

为此，云南红在商超渠道开发几款中高端新品，包括：价格为150元一瓶的木盒磨砂玻璃装珍酿云南红；价格为108元一瓶的圆桶装老树1968；价格为50元一瓶的国宴玫瑰蜜。据行业人士透露：“云南红的这几款产品，在包装和价位上都有一定的针对性，有效地阻击了华夏长城几款主流产品。”在这种状况下，华夏长城避实就虚，推出了价位在20元–40元的大众产品，包括一品天香、精品葡园、神州风情等非主流产品。蔡小山说：“昆明市场的干酒消费两极分化严重，目前的主流价格一个是30元左右的低端产品，一个就是100元以上的中高端产品。华夏长城的主流产品价格多在100元以上，在没有什么知名度的情况下，与对手在这一价位上竞争，显然没有优势可言，因此，选择了中低价位的产品作为开路先锋。”

夜场一老一新

在昆明，云南红在餐饮、商超、夜场、流通四个渠道的投入比例大致为：40%、30%、10%、20%，也就是说，云南红在夜场的投入较低。云南红负责云南区销售的副总杨坚解释说：“夜场回款周期比较长，单瓶的营销费用过高，在夜场的投入和回报很难成正比。”可以说，夜场就是云南红在

昆明市场的软肋。

云南红负责夜场配送 的一位经销商也承认：在厂家重视程度不够的情况下，云南红在夜场的产品主要是其老产品，即夜场价格在40元左右的2003年份国宴干红。由于更新换代率低，价格透明，在消费者心中，云南红在夜场的心理价位就是40元左右。在这种情况下，云南红的其他高价产品在夜场很难走量。

华夏长城看准了这一点 ，在昆明投入了大量资金 ，买断了大部分夜场店的促销权，并持续进行花样繁多的促销活动。蔡小山表示，选择夜场渠道作为主攻方向，一是看中了云南红在夜场的投入并不大；二，昆明夜场的消费人群年龄结构大概在20岁至40岁之间，这些人对新生事物的接受能力强，对新品牌的认同感也比较强。因此，有针对性地对这一目标消费群进行品牌宣传，对华夏长城在昆明市场的销售状况将起到推动作用。

目前，华夏长城在昆明已经买断20多家夜场的酒水供应权。特别是对钻石年代、金碧辉煌等多家大型夜场，华夏长城分别投入了30万左右的资金买断酒水经营权。现在，华夏长城在多家夜场的销量良好。

餐饮一多一精

昆明各大酒店一直是云南红的重要阵地。据云南红的相关负责人介绍：餐饮渠道的红酒销售收入占到了云南红总收入的60%以上。云南红在餐饮渠道能取得如此好成绩的原因在于，它对大部分餐饮终端都买断专场促销权，并按照区域将整个昆明的餐饮终端交给10多家经销商来运作，实现“广种博收”的规模效益。

而华夏长城在昆明的餐饮酒店运作方面表现得较为谨慎，现将主要的精力放在进入超大型的A类店。当记者问及“为什么没有通过大量买店来控制餐饮终端”时，蔡小山表示：“华夏长城目前在昆明的品牌影响力还比较弱，就算买断了餐饮店的独家供应权，也很难杜绝柜下交易。”

近期，华夏长城对大溶河、石屏会馆等精品餐饮店（包厢最低消费在2400元以上）进行了买断。显然，华夏长城欲以高档酒楼为突破口，抓住社会的金领阶层，实现产品由高到低的品牌渗透。据蔡小山介绍，华夏长城在2005年3月将对餐饮终端发起一轮新的攻势，打算买下一部分普通A类店专场促销权，通过增加A类店的控制数量，提升华夏长城在整个餐饮渠道的占有率。

5）“顺势”进入

当顾客普遍欢迎某种产品或品牌时，表示该产品或品牌有较大的潜在市场需求。此时，企业应顺应这种趋势，适时调配现有资源，努力打开市场。如此，“顺势”即为“借势”，借势而为的企业往往只需极低的成本即可获得较高的市场份额，这也是企业进入新市场最有效的办法。但在“顺势”进入时，如果资源调配不当（如品质太差、服务不好或价格昂贵等）则常常会引起顾客的抱怨或反应，从而使企业失势。如王朝在江阴就是采取顺势进入，最后在江阴市场也占据了老二的地位。

一般来说，采取“老二主义”或局限于区域内的地区性品牌最善于借势使势，顺势而为，别人大成就，自己小成就。无锡市场的张裕就是其中的典范。

6）“逆势”进入

反其道而行之即为“逆势”。独排众议者，虽然可能一时孤独，却因为独具眼光而扭转局势，反败为胜。例如：对于渠道的开拓，传统的方式由上往下逐步拓展，即批发商、中间商、零售店。但最新的渠道开发方式，却反其道而行，即在设定新的渠道之前，事先做周密的调查，明确界定目标顾客，再选择目标顾客最合适的渠道，按零售商、中间商、批发商的顺序逐级而上，如此即能掌握整个市场的真实情况。

但有时也可能因“逆势”而行不通，如大家相信“轻、薄、短、小”的消费需求与市场流行时，你却拼命制作“重、厚、长、大”的产品，除非能出现奇迹，否则难以生存。但有时也有两极化的现象，这正代表两种极端趋势并行，电视尺寸可以小到四寸，也可以大到四、五十寸或一百寸，这也是逆势策略的运用。

由于逆势策略是反传统或者反经验的，因此采用此策略也就具有一定的风险性，但逆势并不时借势，逆势策略的制定也必须从势的规律出发，所以，逆势实际上也是一种造势。

以上为进入潜在市场的六大行销策略，在市场竞争日趋激烈的今天，掌握有利的互动因素，配合TPO（时间、地点、场合），运用本身的资源调配而发展出有效策略，形成、造就或改变某一时机之势，以驾驭市场，成就大业。

进行整合营销传播

将各种传播手段协调使用，即集中运用广告、公关、促销、人员推广等手段，并在此基础上为产品乃至企业创造一个首尾一贯的统一形象，力争在较短的时间内迅速树立品牌形象、刺激分销商和消费者购买产品，从而启动市场。许多公司已经尝到了整合营销传播的甜头。

整合包括两层含义：

第一层含义：营销离不开传播。

但是，传播手段必须多样化，必须使用广告、促销、直销等多种传播手段，并将它们综合利用与协调；

第二层含义：媒体是传播的必要保证，传播手段必须与传播媒体相结合。

区域市场作战方略

区域市场的作战方略是决定地区市场销量的主要因素。在做地区市场作战方略决策时，必须重点考察以下几个方面，通过这些方面的处理可以形成战略处理的方向。

1）分析现状

设定目标之前，应确切地把握所在区域的现状。

首先，应了解本企业在该地区的市场地位（如市场占有率），同时，也必须确实地把握该地区的竞争状况和竞争关系。其次，本企业倒底是强者还是弱者，也必须实现加以确定，因为强者与弱者的作战方法会有很大区别。此外，还应根据本企业的资料做销售分析（如产品销售额、产品毛利、顾客的销售额等）。其他问题如销售费用、运输距离等也应事先作相关关系分析。

2）设定目标

目标是销售团队行动的标的和方向。

目标务必清楚、具体，并铭记在心。同时，还要设法扩大销售、提高毛利、节约销售费用、减少不利的买卖，使销售行动能取得最大的成果。此外，目标设定时应尽可能用数字来说明。

3）制作销售地图

制作并使用销售地图可以使销售活动视觉化。

因地区不同，有时需要地图，有时不需要地图。普通地图因为是彩色，不易阅读，可先将其复印成黑白地图。有了地图，先依据各局部市场占有率的调查数据，以区为单位，用线条划分清楚，各销售地区即一目了然；还可根据市场占有率的数据，将各地区涂上不同的颜色，例如数据最小的用蓝色，最大的用红色，其次是橙色，再次是橙色，再者是绿色、蓝色等，这样一来即可排成一系列的色块，便于阅读；此外，还可根据百分比数分别用不同的颜色表示。例如，40%以上用红色，35%用橙色，30%用黄色，25%用绿色，20%以下用蓝色，把10%以下的用白色分别标记出来。

又如销售据点可以分别用大头针插在地图上。可以把地图摊开贴在至少半寸厚的厚纸板上，周围用胶带贴牢，把公司的据点一个个标示出来，再把顾客分成若干层，现有客户用红色大头针标示，潜在顾客用黄色大头针标示。竞争同行也可依据其性质使用绿针或蓝针标示。这样，全面的战略位置关系便跃然纸上。

使用销售地图时，可把人口、地区面积、人口密度等资料都标在上面。关于销售地图的内容及制作可归纳如下：

销售地图

在黑白地图上填上顾客层分布情形、竞争者的据点分布、交通不便点、重点地区的设定、访问路线、人口、普及率、市场占有率等内容，即成为销售地图。

销售地图制作程序

① 将五张厚纸板重叠起来。

② 摆上黑白地图。

③ 切除地图外围的厚纸板。

④ 用胶带把地图固定起来。

⑤ 准备大头针。

⑥ 标示大头针的颜色，使之具备相应的意义。如：红色表示大客户，橙色表示次要客户，白色表示无关系的客户，蓝色表示冷淡的顾客。

⑦ 把大头针剪成二公分长。

⑧ 把顾客的种类用大头针插在地图上。

⑨ 由“蓝→白→橙→红”的方向努力，开拓再开拓，目标是要使地图上红成一片。

4）市场细分化

为利于销售行动的进行，一般有以下市场细分原则可供参考：

顾客为何购买？这是购买动机细分原则。

顾客在什么时候购买？这是购买时机细分原则。

哪些顾客在购买？这是交易主体细分原则。

顾客购买哪些产品？这是交易客体细分原则。

顾客在哪里购买？这是交易地点细分原则。

顾客用什么方法购买？这是交易方法细分原则。

常见的现象之一是把自己的区域当作单一市场，笼统地一把抓，结果市场的任何一处都无法打入，一无所获。把单一市场依上述层面分为六个层面，把它当作若干个不同的单独市场来处理，这样可以逐步打开市场。

应将交易地点细分原则时刻牢记在心，将所在的地区进行细分，并仔细研究。具体而言，在区域的某一处，哪些客户对本企业的哪些产品有需求？需求量有多大？实际购买量已经有多少？在这些认识的基础上详细拟定作战计划。

5）采取“推进战略”或“上拉战略”

这是古老而又崭新的课题。正常的操作应该是双管齐下，两者不可偏废，视企业实际情况而定。以某食品企业为例，该企业拥有全国性的销售网络，收益在年年增加，发展潜力很大。作为一家制造厂商，该企业认为下列网络状态最为理想（简称状态A）。

状态A：一家批发商拥有60家零售店，每家零售店各拥有60个顾客。

如果产品的效用价值及其它条件一定，但目前的网络状态如下（状态B），该采取何种销售战略呢？

状态B：一家批发商拥有20家零售店，每家零售店各拥有100个顾客。

分析可知，状态B的批发商层次的占有度（与企业来往的店数/总店数）非常低，但是零售店层次的占据率却很高。这意味着在消费者层次，该企业的品牌知名度相当高，但还没有充分销售到大多数零售店中去，也就是说，批发商的力量很脆弱。在这种情形下，无论是制造厂商或批发商，都有必要多雇佣业务员，积极建立销售网络，也就是说，应展开“推进战略”。

又比如，其它条件都一样，而目前显示出来的网络状态如下（状态C），该采取何种销售战略呢？

状态C：一家批发商拥有100家零售店，每家零售店各拥有20个顾客。

分析得知，状态C意味着批发商层次的占有度很高，但是在零售店层次的占据率却很低。这说明过去在流通阶段已经下过功夫，也就是“推进战略”相当积极，但就末端消费者或使用者而言，使他们对产品发生兴趣的“上拉战略”还是做得不够。因此，应该有效地使用电视或其它媒体编列预算，展开“上拉战略”。

6）对付竞争者

市场高速成长时期，由于市场需求的增加，后加入的竞争者也有生意可做。但市场需求总量达到一定的限度后，市场竞争更加激烈，市场进入了弱肉强食的时代，此时，为了提升销售业绩，必须积极去占据弱势企业的市场。

要占据竞争者的市场份额，必须先找出竞争者的弱点。要知道对方的弱点，可以通过跟踪对方的业务员，或把竞争者的产品彻底分解检查，了解其产品的构造与功能。同时要把竞争对手的弱点转变成自己的强项，努力改善自己的产品、经营或服务，将自己的强项推销出去，特别要推销给竞争对手的顾客。

7）努力开发新客户

不去开拓新市场而任其自然松懈下去，市场会难以维持现状，更加谈不上有所发展，开发新顾客是维系企业和地区市场生存的一项日常工作。

8）让业务员知道活动目标

在展开地区市场攻掠作战时，最后的决胜权掌握在业务员手里，他们是真正与竞争对手短兵相接的勇士。所以对业务员的人格、知识、经营、态度、机动力等做过综合评价之后就应把活动目标彻底让他们知道。如销售额目标、毛利目标、每天平均访问客户数、新客户开拓家数、帐款收回率等。

一般给他们五、六项目标。仅仅将活动目标界定为销售额，销售可能会无利可图；目标太多，业务员可能会陷入“坐也不是，立也不是，动也不是”的焦躁状态。给业务员设定五、六个目标后，引导他们去实施，这样，业务员的工作才会更充实，工作质量也会显著提高。

责任辖区的规划和经营

规划并经营“责任辖区”是区域主管的一项重要工作。

1）规划业务员的“责任辖区”

规划每个业务员的责任辖区

某区域市场预计有5位业务人员，如何将区域市场适当地分配给他们呢？必须考虑业务员的工作状态（何种工作）与工作负担能力（巡回辖区的面积、经销商的数量等）。五位业务员的业务多半是负责商品介绍与促销、承接订单、销售服务、信息反馈等工作。由于牵涉到无数次经销商拜访工作，每位业务员在开展工作时，必须对“销售路线”加以管理。

为达到有效经营，区域主管必须对责任辖区、业务员数目、业务员的销售路线三者进行协调。由于业务员的绩效通常跟拜访客户（经销商）成正比关系，所以，在规划业务员责任辖区大小时，要考虑经销商数量、经销商分布的密度、拜访次数、每位业务员当天出勤时间等因素。例如，每人每天拜访6家经销商，每月拜访130家经销商。若经销商数量多，而业务员数量不足，势必无法深耕市场。

除“拜访经销商效率”外，另一重要考虑因素是“配送效率”。由于配送是一种实体运输功能，配送周期与配送距离的相关性很高。例如，30公里是半天的配送范围，那么60公里就得花费一天的时间来处理。如果业务员辖区加大、工作量增加，区域主管就必须调整业务量和业务员的数量。

在台湾餐饮业，另有一套责任辖区管理，被称为“个人式餐桌制度”。就是划分服务人员的服务区域，将整个餐厅的餐桌数目（例如20个餐桌）加以分割成五块，每个服务人员负责一块。从客人进门、倒茶水、点菜、送菜到结帐，完全属于区域范围内的责任。客人有抱怨或餐桌业绩不好，全由区域服务人员负责。相对而言，若业绩达到目标，每月可抽取业绩奖金。

规划业务员责任辖区的销售路线

责任辖区划分到人后，业务员必须有效经营和管理自己辖区内的客户，视客户的重要程度、任务的不同，分别按销售路线进行拜访。所谓销售路线，是指每天或每月对区域内的客户（主要是零售终端），按照一定的路线进行巡回拜访，以便完成每天或每月所订的销售目标。采用“销售路线”的做法可以有以下功能：

① 把握每一零售店的销售态势与销量的变化，进而作为设定未来销售目标的基础。

② 为新品上市、实施促销活动提供选择路线或网点的基础。

③ 为客户提供定期、定点、定时的服务。

④ 可为铺货调查提供依据，能彻底了解客户的存货周转及消化速度。

2）经营责任辖区

绘制“责任辖区地图”

业务员将地图买齐并粘贴成一幅大地图，用透明胶布覆盖在上面，用色笔绘制出业务员本身的“责任辖区图”。再将辖区内的客户一个一个地按实际位置加以标示。这当中包括“竞争对手的客户”（可用黄色标出）和“本企业客户”（可用红色标出）。根据该地图就可以估算、计划出本企业在此辖区内的竞争地位与市场活动战略。

利用“责任辖区地图”检讨销售战略

区域主管、业务员可以经常使用“责任辖区地图”检讨销售战略与行动。如可以对以下几个方面分别进行检核：

① 销商的分布是否适当？

② 特约经销商的服务范围有多大？

③ 从市场占有率来看，本企业在哪些地区势力强？哪些地区势力弱？

④ 哪些地区有发展潜力？

⑤ 是否有进一步增加经销商数量的必要性？

⑥ 检讨相应地区业务员的业绩。

⑦ 检讨配送路线。

⑧ 考虑降低物流成本。

责任辖区的行动顺序

即建立“责任辖区地图”内的行动顺序。业务员在责任辖区内的工作包括拜访、推销、送货、收款、服务等，这些活动应有计划、有效率地加以进行。

① 通过市场开拓、逐家拜访“责任辖区”内的经销商搜集客户资料（地址、负责人、销售内容、类型、业绩、占地面积、进货联系人、结款部门等），并建立客户资料档案。

② 在销售地图上圈出责任辖区地图。

③ 在责任辖区地图上逐一标示客户位置。

④ 整理区域内的客户资料，以便决定拜访顺序和拜访周期（例如，该路线共25家客户，每周巡回一次）。

⑤ 为确保效率和任务的实现，每一条“销售路线”应规划一定的里程数（如50公里以内）。

⑥ 每条销售路线的确定，应以辖区业务员能照顾到为原则，业务员按照既定路线逐一拜访客户。

一个白酒品牌在三、四级市场的突围

A公司是新疆的一家中型白酒生产企业，在新疆市场运作只有短短几年。一直以贴牌或包酒销售为主要经营方式，拥有注册商标近十个，过去A公司自主经营销售的A品牌白酒的销售一直集中在一、二级市场，属于新疆酒类行业的二线品牌，在05年通过企业大力度的市场宣传投入，在新疆乌鲁木齐市等一、二级市场已初露头角，正逐步跨入白酒行业的一线品牌，但对三、四级市场的开发处于一个相对薄弱的环节，在05年九月，A公司决定利用白酒市场旺季的到来进行三、四级市场开拓，并首先选定B市场做为一个试点。

一、三、四级市场的特性

1、市场区域狭小，消费人群分散，并呈现不同消费特性。

2、 费购买力水平较低，平均人均消费量小。

3、 碑传播为重，影响消费趋势，属跟风消费。

4、 对品牌的认知和忠诚度较低，无品牌的消费概念，注重实惠。

5、 终端销售的推动力在市场销售中处于主导地位。

二、市场情况

1、B市场位于乌鲁木齐市东北方六十公里处，属县级市，城镇常住人口6万人左右，农村人口在11万人左右，该县级市下辖6镇18个自然村，同时拥有国家级风景旅游区，每年平均旅游人数近百万。

2、 酒市场强势品牌为：古城、三台、三泉、三粮为主。

3、 品牌众多，竞争手段单一，以买赠和搭送为主要竞争手段。

三、市场突围6大招

第一招：人海战打感情牌

在营销工作中最简单的招数，往往是最有效的方法，市场开发初期，企业调集8名业务精英汇集B市场进行市场拓展工作、对人员的工作要求：

1、进行终端走访，建立终端客户档案，并进行客户分类

2、进行访线路的制定

3、进行产品宣传海报的张贴和产品陈列工作。

4、 与经销商业务一同跟车铺货，推介产品。

5、通过高密度的客户拜访频率，在与终端日常工作中建立客情并最终达到与终端零售店主感情的建立。

通过近1个月的前期工作，每个业务员每天的主要工作主要集中在以上五点，统计下来业务人员对B市终端点A类点访次数不低于30次，B、C类点访次数也达到15次左右，靠着这项简单的工作，在一个月的时间里业务人员不仅与终端点建立了良好的客情关系，通过打感情牌也折服了终端点，一个月后产品市场铺货率达到70%以上。

第二招：价格战做好渠道利润分配

价格战是市场营销中，最厉害也是最致命的武器，在实际工作当中，我们发现竞品①在发货过程中不论何种渠道价格都一致，②竞争品牌的促销力度以30件以上的高基数开展，严重制约二批商发货的热情和终端的进货积极性，同时考虑三、四级市场终端点的销售的推力受利润空间的影响较大的特殊情况，为此对A公司产品价格体系进行调整，采取了提高供货价加大赠送力度的销售方式，同时根据竞品的不足降低促销的基数点以十五和十六件为起点，并对从经销商到二批、餐饮，终端的价差体系进行设计如：

经销商

二批

餐饮

零售终端

A品牌5年

二赠 累计15件加赠一

二赠一分别累计10、15、30、50件赠送不同礼品

二赠一

A品牌8年

三赠一累计16件加赠一

三赠一分别累计10、15、30、50件赠送不同礼品

三赠一

合理的价差不仅保证了二批商的利益，提高了二批商的积极性，同时也保证了零售体系价格的稳定和对产品的推动力。

第三招：渠道战保证渠道畅通：

产品的快速分流需渠道的畅通，为保证渠道的畅通和对渠道的有效利用，对渠道按白酒行业的特点对渠道进行分类：

1、终端点包括便店、商店、超市、卖场

2、餐饮渠道包括酒店，大饭店等

3、特殊渠道包括KTV歌厅，夜总会、迪吧、渡假村

并根据这些渠道性质的不同，将业务人员进行分类为三个小组，每个小组专门跟踪这三个渠道的市场拓展和进货管理工作。

对于二批商的开发工作：对中心市场的二批商在给予合理的价差外，同时协助其进行市场网点的开发。对乡镇市场的二批采取结盟二批的方式将其纳入公司的分销商体系，除保证合理价差外，给予不同程度的销售奖励或小礼品的支持。

此项工作的开展使渠道保持了畅通，A品牌产品在B市的分流速度与面积得以扩大。

第四招：产品战有效对产品品项组合

根据市场竞品的产品价位和突出特点，我们在A市场将公司产品品项进行了组合，在主线产品上以A品牌为基础的高、中、低档三个品项产品的组合，同时又将企业的两个副品牌投放到市场进行独立运作，使H经销商运作一支单品，F经销商运作一品牌，G经销商运作一个单品，并根据单品性质和经销商的长处进行分类的规划，如对H经销商运作的一支单品，由于H经销商有很好的网络关系，其运作单品主要以利润空间保持正常走货，而对于G经销商运作的单品由于属于低档产品，G经销商的配送优势又主要集中在农村，该单品由G经销商单独运作，直插终端底线，而对F经销商运作的A品牌作为公司主线产品则以公司人员主推和协销为主，采取这种分而自治的办法利用企业的知名度相互推动扩大市场的宣传面。

第五招：聚集战不同时期市场的重点突破

聚集战主要指对市场的细分化，通过对细分化市场运作取得产品销售在一个点上的增长，为此进行了二次市场的聚集。

第一次：聚焦婚庆市场开展婚庆市场的促销：

针对婚庆市场这一特定市场，对白酒产生的巨大购买力，我们与B市民政部门进行了一次合作，实施了婚庆促销大行动，活动方案如下：

一、活动时间：2005年10月1日——2006年1月1日

二、活动内容：

1、凡领结婚新人，由民政局处配赠贺卡

2、领证新人凭贺卡可列当地代理商处领取奖品A品牌酒二瓶。

三、促销形式：

1、新人办喜事时，买A品牌酒6件送请柬100张，来宾到薄1本，送厨房叁件套（煎锅、炒、煮）

2、 买A品牌酒10件送请柬200张，来宾到薄1本，送高压锅1只

3、买A品牌酒15件送请柬300张，来宾签到薄1本，奖励一辆轿车婚宴接亲用车

同时为进一步巩固此次活动的效果在婚庆促销活动中，针对终端点和个人也进行了相关联促销，并在B市人流量大的

车站、商业区、小区门口制作30几块宣传牌予以告知：

各终端点和其它人员成功介绍“A品牌系列酒”上婚宴，每联系一家奖励A品牌酒壹件。

此婚庆促销活动的开展，由于赠品选用得当和活动面广，使A品牌酒成功搭上婚宴的快车，A品牌在短期内被很多消费者认识。

第二次聚集：聚焦节假日开展节假日市场的促销

随着节假日的临近，A市场A品牌产品进入市场已三个月，铺货率已达80%。已进入节日前，为抢夺当地竞争品牌的节日市场份额，实现对二批、终端等渠道的压货，借婚庆促销活动带来的效应，实施了“迎双节促销大行动”开展“双节促销大行动”活动方案如下：

一、活动时间：2005年12月25日——2006年1月25日

二、活动内容：订货奖中奖

三、促销形式：凡在此期间订货的商家，在原有政策的基础上可获赠春联并可获赠刮奖卡，刮奖卡价值20－100元。

同时在2005年12月28日开订货会，邀请商家带保证金参加现场订货，举行订货会的现场举行抽奖活动当场奖励，订货会当天订货达7万元，超出预料。

第六招：宣传战借势造势扩大品牌知名度

借订货会的高潮，在节日前A品牌又出重拳开始了双节前的大规模宣传，主要以挂灯笼的形式实施，一改过去只在终端或餐饮渠道挂灯笼的办法，以增添节日气氛，美化城市的名义与城管部门合作，在B市主要两条街道一夜间悬挂写出A品牌名字的红色灯笼1000多个，在B市形成巨大的冲激视觉力，同时引起B市市民的注意和好奇，一时间A品牌成为B市市民街头巷尾议论的话题，对A品牌的再次传播和销售推动起到积极作用，并形成节前的购买热潮。

经过三个月的市场操作，在对市场连续不断的有效宣传推广下，在B市场A公司由过去年销售10万元，增加至月销售10万元，市场呈现快速发展的趋势，A品牌在B市成功突围成为B市的强势品牌。

跨越壕沟，白酒业如何应对竞争升级？

“赶车”与“占位”，白酒竞争升级标志

受白酒市场竞争和税收负担过重的影响，愈来愈多的白酒企业，不得不以“利润”为“壕沟线”，开始寻找市场突破口，包括抢占区域核心市场、建立自我根据地市场，试图找到利润的支撑点；或向高档白酒市场迈进，试图以强行进入高档酒市场，找到利润增长来源；或以多元化突围。意味着白酒市场竞争的升级开始-------！

在新一轮白酒市场竞争升级中，表现最为突出的两个特征就是“赶车”和“占位”。

向高档酒的集体迈进，是白酒业“赶车“最显著的特点。为了提高白酒企业的利润空间，伴随新一轮高档白酒市场消费需求增长趋势，愈来愈多的白酒企业，纷纷投入新品牌开发，推出新的高档酒，以积极调整市场战略和提高牌形象，来达到激活老品牌的目的。其中效果最为明显的有“全兴集团”的“水井坊”、“泸州老窖”的“国窖·1573”、“洋河集团”的“蓝色经典”、“西凤酒”的“陈年（包括10年、15年、30年等等）西凤酒”、“汾酒”的“国藏汾酒”、“双沟集团”的“苏酒”等等。“水井坊”已经成长为中国高档白酒的典型代表，构筑为全兴集团的主要利润来源；而“蓝色经典”创造一月实现单品销售3000万元业绩，表明“蓝色突围”获得成功；“国窖·1573”2004年以来的高增长，化解了泸州老窖集团的利润风险！

OEM热，导致名酒企业集中品牌开发，亦是“赶车”的典型表现。从“五粮液”的第一个OEM品牌“五粮醇”到真正引爆白酒OEM井喷时代的“金六福”，白酒OEM可以说发展到了一个“顶峰时刻”，直到今天，OEM仍然是愈来愈多业外资本进入白酒业，或者是拥有渠道、资本、人力资源优势的强势经销商试图以OEM实现战略转型的主要方式。从目前看，白酒OEM“赶车”现象有三个明显特征：第一，传统优势经销商以OEM转型愈来愈多；第二，OEM愈来愈趋向名酒厂；第三，大区域OEM经营模式的兴起，缓解了原来盲目以全国市场为目标的OEM经营模式，给酒厂和OEM商带来的竞争压力。

而“占位”则表现为白酒“游牧部落”的浮出水面。较“五粮液”、“茅台”等全国性品牌而言，受白酒市场广泛而又缺乏根本性垄断品牌的因素影响，以“游牧部落生存方式”为标志的“区域占位”，则表现的愈来愈明显。从白酒区域市场竞争看，先来者“占位”、后来者“抢位”、强势者“霸位”、弱势者“挪位”已经表现得淋漓尽致。比如说，“口子窖”、“高炉家”、“泰山特曲”、“诸葛酿”、“皖酒王”、“稻花香”等等品牌在市场上的成功经验就在于有效依托自身资源优势的“占位“策略制胜。这种“占位竞争”将在未来相当一段时间内稳定存在，其原因就在于目前白酒市场缺乏真正的“领导者品牌”，市场还处于一个相对分割层面。谁能以最大化资源优势固守某一有着区位优势的市场，成功的机率则很大。就“占位竞争策略表象”而言，主要表现为“区域品牌”与“全国品牌”、“区域品牌”与“区域品牌”之间的“占位竞争”；亦可以是“全国品牌”与“全国品牌”之间的“核心区域占位竞争”。比较明显地是，“贵州茅台”在贵州市场可谓享有“霸位优势”；“五粮液”在四川、江苏等市场亦处于“霸位优势”。但这并没有影响这些品牌进入对方优势“霸位区域”进行“蚕食竞争”。“茅台”在贵州市场2004年的销售额突破7亿元，约占到茅台酒整体销售的15%。“五粮液”自然不愿放弃贵州这个白酒消费大市场，我们可以看到从2004年开始明显加大了对贵州市场的投入；而作为五粮液核心市场之一的四川、江苏、上海、中原、华北、华南、东北等等区域。“茅台”可谓是一点都没有松懈，以“健康”作为战略出发点，站在培育消费群体和逐渐渗透市场竞争的角度，明显地表现出较好的竞争优势，尽管目前不敢说具备了让竞争对手“挪位”的优势，但竞争力明显地表现出来。比如说在河南、广西、山东、上海等市场，2004年贵州茅台有很明显的增长态势。尤其是在政界、军队等高端渠道上，“茅台”已经表现出绝对的“占位优势”。

而“水井坊”的“占位经验”更是高明。它以“中国白

酒第一坊”和“最贵的白酒”，以及时尚与文明的资源整合手段，抢先获得了“高档商务酒市场的占位优势”。“水井坊”是“高档酒”的“颠覆者”，它打破了老百姓认识和接受中国高档白酒的固有观点，而“最贵的”区隔策略，获得是“高贵的心理占位优势”。

同时，“金六福”则是以“文化个性优势”实施“占位”的卓越品牌。中国人传统文化世界观里，幸福、喜庆、好运，一直占领者心理最高境界。没有人不在节日、喜庆的环境中祈祷幸福、好运。“金六福”很好地抓住了消费者这种“心智”，抢先将自已定位在“中国人的福酒”。并以“好日子离不开它——金六福酒”、“奥运福、金六福”、“春节团圆、金六福酒”等等强化幸福、喜庆、好运的“诉求模式”，随时建立品牌兴奋点。

纵观白酒业近五年的理性回归趋势，不难看出整体上其实都在“赶车”与“占位”中进行。但是真正要做到有效“赶车”和“占位”，并非易事。真正具备市场竞争力优势和特别个性化特征的品牌和酒厂，才能在“赶车”和“占位”上获得“先机”。需要指出的是，受“赶车”战略的推动，未来白酒市场竞争的跟随战略将愈来愈明显。但是，“跟随”并非“盲目的跟进”，必须有“跟进的理由和条件”。比如说，OEM经营模式对酒厂来说，不乏为扩大市场覆盖面、提高市场影响力、增加赢利点、增进品牌影响力和节约经营成本的最佳方法。然而需要记住的是，白酒业的OEM经营方式，比起国际上流行的“耐克模式”而言只能是OEM的初级模式。很多OEM商除了看好消费市场的潜力，酒厂在市场竞争中的整体影响力和品牌号召力，才是促进大批OEM商“赶车”的重要理由。那么，这个时候就给酒厂提出了一个严重的问题，即如何管理和控制品牌资源的透支；同时，对OEM商来说，一定要记住进入某名酒贴牌，其实只是拿到了一张通往“罗马帝国”的“通行证”，真正能否获得最大化的“利润”，还取决OEM商的整合竞争力，包括资金实力、团队运作能力、市场营销能力等等。

同样，白酒业“赶车“高档酒市场，仍然是一道“双刃剑”。高档酒，需要有高档商品支撑的理由和条件。包括文化资源、管理资源、技术资源上的“垄断优势”和“个性化竞争力”。如果仅仅是看到“高档酒的利润饕餮”，而发现不到自己的资源优势和竞争力存在，很可能就是“赶车失败”!

当然，“赶车”是顺势消费趋势的一种“跟随战略”。当前白酒市场的理性发展趋势，催生的健康酒消费潮流和高档酒热，其实是白酒消费市场发展的一个趋势。如果一个酒厂已经具备了“赶车”的理由和条件，而缺乏“赶车”的意识和勇气，那样永远已捕获不到“利润大餐的诱惑力”。

理性，跨越白酒壕沟

白酒业，需要过三道“槛”，我们称之为“跨越三道壕沟”。第一道为“税制对白酒利润实现的影响力”；第二道为“品牌竞争力”；第三道为“高档酒”市场集体蹦进。

不管是“税收政策的影响”，还是“向高档酒市场集体蹦进”，其实都是在寻找“逃离利润壕沟”的方向和方法。如何走出当前白酒业“利润率低的壕沟威胁”，笔者以为，最为关键的就要建立品牌竞争力战略体系。

如何建立和提升品牌竞争力？笔者以为，以下几种模式值得借鉴：

第一、基于“占位”基础上的“保龄球道模式”。

典型案例：“茅台酒”，以酱香技术优势，在酱香白酒市场占据绝对领导竞争优势，并以国酒文化为据点，抢占军队、政界等高档消费渠道优势；“口子窖”，以强势掌控终端和区域占位优势，找到诸如西安、南京等最佳优势的特定细分区域市场；“金六福”，以个性化文化屈隔为特征，在特定的消费领域建立最佳竞争优势；“国窖·1573”，以华北、四川市场为主要“保龄球道”，逐渐向相关细分市场推进，采取逐个击倒的策略取得在高端消费领域的初步胜利。

所谓“保龄球道模式”，是选择一个具有绝对优势的细分市场并在其中获得成功，然后再逐个占领相关细分市场。表现在“战术”上，每一个细分市场或者区域市场，好比一个“保龄球”，需要我们集中力量一个个击倒而获得胜利。

第二，基于“掠夺”基础上的“诺曼底登陆”。

典型案例：“金剑南”、“金六福”、“五粮液”、“浏阳河”等品牌，以大规模的营销推广和广告引导，建立起规模轰动效应，从而在短期内建立起高品牌号召力，最终完成最大规模的赢利模式。

这种模式在整个白酒业看来，是最为普遍现象。由于白酒产品本身缺乏个性化的技术优势，因此很多企业在选择赢利模式时，大多选择“规模化赢利”。从“秦池现象”到“山东酒现象”、从“安徽酒”到“四川酒”、从“金六福”到“金剑南”、从“自主品牌推广”到“OEM经营”——白酒业，始终是通过大规模和广告传播和擅长的营销推广，来实现短期规模增长的目的。这种模式要求具备强大的资本和渠道控制力。比如说，安徽酒的“口子窖”、“高炉家”等品牌，就是通过强势掌控终端渠道来完成市场增长效应的目的；

诺曼底登陆，在未来白酒市场竞争还会愈演愈烈，并会保持相对持久的时间。其原因就在于白酒属于快速消费者，对渠道和广告的依赖特别倚重。尤其是近年来广为人们追随的“终端战”，其实就是一场渠道持久争夺战，谁拥有终端，谁就拥有市场；谁掌控终端，谁就掌控市场，这已经是目前白酒市场墨守成规的事情。但受资本的影响力，掌控终端已经愈来愈成为规模酒厂和强势资本的“唯一”。没有资格进入强势终端的酒厂怎么办？基于“诺曼底登陆模式”的成效显著特点，渠道竞争的目标愈来愈细分和下沉，选择适合于自己品牌和产品的优势渠道，成为未来白酒市场“登陆诺曼底市场”的关键所在。

第三，基于“价值”基础上的“品牌竞争”

2004年白酒产量、销售收入和利税集中度继续提高，白酒行业经济效益进一步向优势企业集中，2004年白酒百强企业拥有占全行业76%的资产；完成了全行业61%的产量；占有全行业77%的销售额和创造了全行业86%的利税，呈现出强者恒强，弱者恒弱的“马太效应”。

在这种竞争趋势，未来白酒品牌制胜的关键在于提高品牌价值，建立品牌个性化特征。

按照马斯洛需求的五个层次理论，人们在满足了安全、温饱、健康之后，更多的是追求价值感。白酒本身就是一种精神性产品，即对品牌的精神需求大于对产品的物理需求。

随着高端消费群体不断扩大和生活品质的不断提升，低价位、低品牌价值的产品难以满足消费者的需求了，人们需要一些能够跟他们的生活方式、情感相协调一致的白酒品牌来装点生活，沟通人与人之间的情感，建立并维护自身的身份、地位、品味感。这样就要求企业通过品牌在心理上去建立这样的价值与附加值。

如何看待品牌的竞争力？青岛啤酒总裁金字国先生针对像白酒、啤酒、葡萄酒这样的快速消费品牌的竞争有过这样精彩的描述："基于企业竞争能力的战略中，第一层，是容易模仿的，像现金、商品等；第二层，是能够被模仿的，像规模等；第三层，是难以被模仿的，像品牌忠诚度、员工满意度、公平的声望等；第四层则是不能被模仿，像独特的能力、独特位置、独特资产、独特文化等"。

就品牌的竞争力问题，笔者以为，它是一种资源占位和垄断竞争力，它比起产品、技术而言，具备有绝对的独特价值和个性特征。比如说，"茅台"是"国酒"，"国酒文化"和"国酒文化"赋予"贵州茅台"品牌尊贵、幽雅、稀罕的品牌特征是绝无仅有的，这就构筑成了贵州茅台独特的品牌价值。

品牌竞争力的另一个层面应该是具备有"演化"和"创新"的能力。比起产品和技术创新而言，品牌的创新更多是基于演化基础上的"渐变"，其目的是让品牌在与时俱进的过程中，不断创新品牌的价值和提高品牌含金量。衡量一个品牌的价值到底有多少？我认为，应该是在一个动态评估过程中，由销售额和市场占有率、媒体暴光率、渠道控制力等几个方面的指标共同决定的。因此，要提高和创新品牌的价值，还得从这几方面着力。（万兴贵）

中国葡萄酒高端产品的营销策略

2005年我国葡萄酒销售收入达102.3亿元，比2004年增长42.46%，产量43.43万吨，比上年增长25.40%，利润总额12.56亿元，比上年增长58.68%，上缴税金12.07亿元，比上年增长30.21%据估计，中国葡萄酒行业将继续保持15%左右的年增长幅度。但是，国内主流的红酒企业也面临着对外和对内的双重压力。目前，国外进口葡萄酒占据着中国葡萄酒市场大约5%的份额，而且主要存在于星级酒店、高档会所等高端市场。尤其是在入关后，关税下调，国外葡萄酒企业可以依托其在资本、品牌、技术和营销等方面的优势来对中国高端市场逐渐渗透。而国内，众多业外资本的加入以及新锐品牌的强势出击，使得中低端市场价格竞争愈演愈烈，市场宣传和渠道维护费用飙升，这些因素都促使行业领导者感受到了前所未有的竞争压力。从何处寻求突破，是摆在国产红酒巨头们面前的一个新挑战。文章通过导入近年来中国葡萄酒行业领军品牌的产品高端化的标志性事件，进而引出高端红酒的产品定义，从而试图探讨中国高端葡萄酒产品的营销策略。

1. 中国葡萄酒产品高端化的发展近况

2005年前三季度行业吨酒税前利润3022元/吨，2004年吨酒税前利润2568元/吨，同比提高17.7%。无论是从销售收入的高速增长，还是吨酒利润来看，都能充分说明整个行业保持高速发展状态，而且主流葡萄酒企业的产品利润也在增加。

从2003年以来，中国葡萄酒市场上主流品牌的产品显现出高端化的趋势，从以下具有标志性和代表性的事件中我们可以了解到高端葡萄酒产品的发展近况：

1）2003年，甘肃莫高葡萄酒实业发展股份有限公司与加拿大米兰酒业公司正式签订了合资项目。此次合作，将由双方共同出资，建成中国最大的冰酒生产基地，年生产规模4000吨，专门生产中高档冰酒，其中50%外销国际市场。同年，青岛华东庄园葡萄酒公司推出冰酒新产品"风情"系列，这是该公司继"长相思"后推出的第二款冰酒，在商超的价格为153元／瓶。

2）2004年，张裕公司高档产品酒庄酒、解百纳分别销售了475吨(同比增长76%)和5500吨(同比增长33%)，实现销售收入占比达到近40%。同时，成桶卖的张裕·卡斯特酒庄酒也由2003年40桶增至93桶，VSOP、XO等高档白兰地销售同比增加67%，平均吨酒价格同比增长15%。

3）暨解百纳与卡斯特高档酒取得初步成功之后，张裕从2005年着手在北京揭幕又一新酒庄，进一步夯实和拓展张裕品牌在华北市场的影响力。

4）张裕集团在2005年推出标志性产品XO与VSOP白兰地，其系列产品最高价格600元，主推华南市场，尤其是广州，其销售目标高达1个亿。

5）2004年11月，中粮集团旗下的中粮酒业投资1.3亿元在山东烟台启动"中粮集团·南王山谷"酒庄规划，目标是打造高档葡萄酒生产基地，该酒庄占地面积达66.7万平方米，预计2006年10月完工，届时将拥有年产高档酒庄酒1000吨的生产能力。烟台长城已推出庄园系列酒，包括金色庄园、银色庄园和红色庄园长城干红橡木桶酿制酒3款，终端价格分别为218元、100余元和88元。这些酒已在西南地区销售，并且在成都等中心城市取得不错的销量。

6）2004年，华夏长城推出了华夏的葡园A区，葡园A区的终端价位在400多元。2005年上半年，推出了B区酒。2005年下半年公司重点推广靠海岸小区域S区、坡顶小区域T区等。这样，华夏长城初步构筑起了自己新时期的高端产品架构。

7）2005年1月，王朝在香港成功分拆上市，集资6.75亿港元，将投巨资进一步扩充产能、兴建生产设施和加强市场推广（王朝葡萄酒长期以来的短板）。王朝酒业总经理高孝德表示，集团把年产能由目前的3万吨提升至5万吨，预期于2006年中完成，同时计划兴建新生产线，将年产能进一步增至7万吨。集团目标是2008年抢占内地葡萄酒市场15%的份额。

8）2005年成都春季糖酒会上，通化推出了包括冰酒、婚宴酒、解百纳高级干红、高级干红、1959特制山葡萄酒、精制干红山葡萄酒等在内的6大系列12种新品，均走中高端路线。其中最引人注目的是在其尚未被新华联收购前就开始酝酿的冰白、冰红两款冰酒。这两款酒采用长白山冰山葡萄酿造，由于产量极其有限，采摘、酿造过程中对气候、技术、工艺等要求又极高，故成品价格昂贵，至少在400元以上。

9）2005年5月，华东葡萄酒公司投资1.5亿元建设的第二座高档葡萄酒庄园——华东·百利酒庄（蓬莱）有限公司正式成立。

10）2005年8月，由中法两国合力打造的中法庄园葡萄酒，向市场首次推出了20万瓶由该庄园酿造的葡萄酒。其中，中法庄园的一款天然甜白葡萄酒“小芒森”，出厂价800元。10月的秋季糖酒会上，中法庄园展出了四款代表性的产品混合干白、混合干红、单品种赤霞珠干红和单品种马瑟兰干红。展销价在108－368元不等。

11）新天将自己在新疆拥有的15万亩葡萄基地分为天池、玛河等四部分，并寻找每部分中最宜酿造高档酒的葡萄产品，提出“最小产区”概念，强推以“西域”系列为代表的高档酒，其中最高档的年产限量不超过百瓶，价格高达18888元，而其他的产品也从数百到上千元不等。

12）2005年，白洋河（以甜酒为主打产品挤进全国葡萄酒销量前10名）推出的选用优质原料、纯浓缩酿造、可与冰酒媲美的高档甜葡萄酒——白洋河至纯工艺葡萄酒，一则价格超过了很多干红的价格；二则在口感上更适合单饮，符合中国消费者的饮用方式，也可以维持经销商的利润空间。

通过以上的一系列代表性事件可以看出，中国葡萄酒行业的主流企业在把握和顺应行业发展趋势的基础上，从产品入手，向高端化突围，以期在新一轮的市场竞争中占据有利而主动的竞争地位。

2．探索葡萄酒高端产品的定义

在谈论国产葡萄酒高端产品的营销策略之前，我们有必要对什么样的葡萄酒才可以称之为“高端产品”给出一个范围明确的定义。从普通意义来讲，在任何一个行业，价格贵、高消费被人们称为高端消费，其中的载体就是高端产品或者服务。如果按照这个说法来看，只以酒的价格来划分葡萄酒的中高低端，又显得过于简单化。尤其是随着时间的推移，中国葡萄酒行业发展过程中所存在的问题也被曝光不少（如“九问张裕”、“解百纳商标争议”、“洋垃圾事件”、“通化假酒案”、“长城进口原酒泄漏案”、“十问华夏”、“王朝橡木桶事件”、“年份酒丑闻”和“香格里拉树龄问题”等等），使得市场上的消费者认为“高价格并不代表高品质”，挫伤甚至打破了部分消费者对国产葡萄酒产品的信心。因此，我们试着将高端葡萄酒产品定义为：既能够做到高价格与高质量的和谐统一，还能够渗透品牌文化，葡萄酒消费者在享受到“物有所值”的产品同时，更多的将是去体会产品和品牌所能够带来的精神层面上的愉悦感受。

3．葡萄酒高端产品的营销策略分析

对于中国葡萄酒企业来讲，如何让自己的高端产品成功转化为市场上的销售收入，就需要设计出一套适合于自身的营销策略。我们将试图从以下5个方面，来探讨中国葡萄酒主流企业在推广高端葡萄酒产品过程中应该采取的营销策略。

3.1 概念营销策略

定位的核心是确定其诉求重点，向有效的目标消费者，而不是庞杂的大众展示商品的卖点；同时，对于目标消费者的准确界定，为经营者开展更有效的双向沟通创造了条件，同时降低了广告诉求重点的难度且使之更具针对性，营销效果也因此可以被更准确地预测和把握，做到了“有的放矢”。

为此，企业可以挖掘创造出“概念”来让消费者联想到自己的品牌，通俗点说，可以理解为就是给自己的产品寻找“卖点”。从市场伊始阶段开始，中国红酒品牌巨头就是各种概念的鼓动者和推崇者，这些概念的创造和传播，都为红酒企业的领航品牌在向市场推出高端产品铺路的同时，创造出了一轮又一轮的利润贡献。葡萄酒概念产品的推出可以起到以下几个方面的作用：第一，为自身有效区隔目标市场找到宣传上的USP（独特销售主张）；第二，为企业推出新产品、创造新利润提供了渠道；第三，有意无意地为进一步推广红酒消费文化做出了贡献。在已经出现在市场上的葡萄酒概念中，有的概念是针对酿酒葡萄产区的，例如烟台的“国际葡萄·葡萄酒城”、云南弥勒的“全球第一榨”、蓬莱的“世界七大葡萄海岸”、昌黎的“中国干红葡萄酒城”和怀来 的“中国葡萄之乡”等等；有的概念是针对产品特色的，例如陈酿、窖藏、窖酿、年份酒、庄园酒、酒庄酒、老树葡萄、树龄、橡木桶干红、产区酒和小产区酒等等。

3.2 个性化定制策略

所谓“个性化定制”是指企业在大规模生产的基础上，将每一位顾客都视为一个单独的细分市场，根据个人的特定需求来进行市场营销组合，以满足每位顾客的特定需求。随着经济的快速发展，消费者收入、购买力水平和消费水平的同步提高和消费观念的更新，消费需求呈现向高级阶段发展的趋势。消费者除了要求高质量的商品之外，更要求满足个人高层次的需求与期望，实现差别消费。

目前，葡萄酒生产企业采用的定价方法是“认知价值定价法”，即作为定价的关键，不是卖方的成本，而是买主对价值的认知。认知价值定价法的关键是准确地确定市场对所提供价值的认知。对于目标消费群体来讲，个性化定制酒所具有的不普遍性、不易接触性和稀缺性，加之高端葡萄酒主流消费群是对价格不敏感型，也使得索取较高的价格成为可能。业内个性化定制，始于2003年张裕针对高端市场推出的整桶订购。在该模式下，高端消费者可以在葡萄品种、年份、陈酿时间、外包装以及瓶标设计等方面作出自己喜欢的组合。每桶（300瓶X750ml）售价8万元人民币，张裕至今销量累计已达300桶。2005年3月，张裕·卡斯特VIP俱乐部在广州正式投入运营。通过专业服务、体验消费的个性化定制酒为高端红酒的营销模式开辟了一个新的渠道，对其他红酒企业同样具有参考价值。

3.3 子品牌/副品牌开发策略

一般来说，当企业旗下的产品线类型相关度不是很大，或者企业为了使消费者区分同一品类、不同档次的产品时，可以采用在统一的企业品牌下开发不同的子品牌。如果采取主品牌不变，而在主品牌之后为新产品添加一个新的名称，称为副品牌开发策略。从目前的行业发展来看，由于受到行业规模、企业实力和市场成熟度等因素的影响，了品牌开发不是很现实。所以，副品牌开发策略不失为成熟品牌或大众品牌推出高端新产品、切入高端市场的一种选择。

红酒企业期望向市场受众传播一种时尚的、悠久的、厚重的、成功的、亲和的、神秘的、尊贵的或者绿色的品牌形象，但随着目标消费群体的进一步细化，葡萄酒企业在推出高端产品时，可以用“副品牌”区分不同的消费者群，为不同的消费群体设计一个恰如其分的“品牌”，这样更能满足不同顾客群的心理需求。目前，市场上运作比较成功的副品牌主要有张裕·解百纳、张裕·卡斯特、烟台长城·金色庄园、华夏长城·A区等有主流品牌所开发的高端产品。副品牌的命名往往通俗，听起来顺耳，易于流传。诸如“国色天香”、“出水芙蓉”、“红颜知己”、“月亮老人”、“一见钟情”、“再见钟情”和“今夜无眠”等等富有充分联想空间的名字都可以作为主流葡萄酒品牌的副品牌名称来开发。

3.4 商务/政务宴会推广策略

“零号媒介”的口碑，被营销人视为具有病毒特色的、最廉价的信息传播工具，也是可信度最高的宣传媒介。要实现口碑传播的范围最大化，经济学上有一个概念，叫做消费的示范作用，即对于一些心理价值大于产品本身功能价值的商品而言（如饰品、香水、服装、化妆品、皮包和手表等），其相对应的意见领袖往往是具有一定社会地位的人，包括社会名流、商界/政界成功人士、白领人士等。这样，通过有选择地培养“意见领袖”，让品牌有故事可讲，进而影响到更大范围的目标消费群体。

高生活品位、时尚稳重的政务/商务人士作为高端红酒的重度消费群体，还兼具了“意见领袖”的特征。因此，高端红酒通过赞助商务/政务宴会，既可以通过事件来聚集眼球，又可以培育出自己品牌的“意见领袖”，最终实现最大化的品牌影响力。在此方面的投入和努力上，领军品牌一直是不遗余力。例如，2005年10月，在上海国际顶级私人物品展上，华夏长城葡园B区干红作为“中国礼物”被赠送给国际奢华品的企业名流。此外，在其他一些商务/政务场合的酒宴指定专用酒中，都有长城葡萄酒的频繁曝光，例如APEC财长会议、紫禁城三大男高音演唱会、中国金唱片奖颁奖盛会，《英雄》首发式、中国国际时装周、意大利巴洛克光雕艺术展和东盟博览会等等。而作为行业龙头的张裕公司，近年来也分别赞助了“杰克·韦尔奇与中国企业领袖高峰论坛”、“博鳌亚洲论坛”、“世界市长论坛”和“亚太城市市长峰会”。此外，“王朝”酒被指定为国宴用酒，并且供应231个我国驻外使领馆。北京财富论坛、上海APEC会议、海南博鳌论坛和《神话》首映式，“龙徽”葡萄酒都被选为唯一指定用酒或宴会特别用酒。

3.5 文化营销传播策略

根据荷兰文化协作研究所所长霍夫特德教授的观点，文化是一个环境中人的“共同的心理程序”。文化不是一种个体特征，而是具有相同的教育和生活经验的许多人所共有的心里程序。文化营销是有意识地通过发现、甄别、培养或创造某种核心价值观来达成企业经营目标的一种营销方式。文化营销要求在一定的营销方式中创造一个特定的文化氛围，向目标大众传递产品的文化性格，以文化推动消费对营销主体和产品的认识与认同，使产品成为文化的载体，满足消费者的物质和精神需求、价值认同与社会识别等人文需要，从而在情感上触动消费者，导致购买行为的发生。

葡萄酒作为非功能性产品，消费者在选择红酒时追求的是一种心理舒适和情感满足。因此，葡萄酒企业为了将自己的产品推荐给消费者，就需要赋予产品文化内涵，为其提供附加值。要达到文化营销的目标，葡萄酒企业需要根据自身目标消费群体的“共同的心理程序”，提炼出他们所独有的价值取向，在营销传播中将品牌特质与经过浓缩的价值取向揉合，从而达到企业经营目标与消费者情感满足的“双赢”。对于国内葡萄酒品牌来说，文化营销围绕的中心将是葡萄酒消费文化推广和品牌文化传播，企业在广告宣传、事件营销、包装设计、产区营销、工业旅游和渠道培训等方面有很多文章可做。离我们最近的案例要数2005年10月15日的“张裕·卡斯特酒庄体验之旅”。通过“串串葡萄妙手摘”、“滴滴新酒亲手制”、“酒庄公主娇姿展”和“百年历史回首望”四个环节的活动，张裕既宣传了品牌，又传播了文化。

4. 结语

在日前出版的世界葡萄酒行业最负盛名的2005年度《葡萄酒报告》中，分析认为，到2010年中国对葡萄酒的需求中高档酒将占到50%，中档酒占到40%，而低档酒只占10%。因此，布局高端市场无疑将成为中国国内葡萄酒业领先品牌的共同选择。中国国内葡萄酒品牌要想在新的一轮竞争中取得不俗的业绩，推出高端葡萄酒产品，进而切入高端市场的竞争是一条切实可行的道路。而高端葡萄酒产品能否能够取得企业所预期的目标，就需要营销人员不断寻求、挖掘和探索出一套适合于自身企业高端成长的营销策略，而且这也将是需要中国葡萄酒企业在竞争中坚持、在坚持中改进、在改进中成熟的必由之路。（唐文龙）

攻守兼备赢取2006黄酒市场

对于复兴机缘期待很大的2005年，诸黄酒企业们使出浑身解数拼打了一年，这一年成果究竟怎样，好像除了几个大的企业走出了地域的羁绊，更多的中小厂家自然是按照既定的方向走下来。除了浮华的表面之外，真正的成果我想不会在一年的时间内真正展示出来，因为这个隐性消费的行业要在一年的时间靠一个或者几个厂家的力量难以根本改变。

我们从有限的信息中仅仅得到一些关于市场范围扩大，市场据点建立、销售量上升、销售额增加等等这样一些增长性的信息，而对于其中诸如产销协调、供应链建设与磨合、成本与费用控制、投入资本效益、库存控制、组织建设、客户群活跃度、战略模式设计与协同等方面没有直观的感觉，除了会稽山与古越龙山之间的伯仲之争外，还鲜有披露这些营运质量的情报。所以这也给2006年黄酒行业的具体走势以及行业内企业的发展变化增加了一些不透明和变数。

尽管这样，我们还是可以对2005年一年以来的黄酒行业状况进行大体的成果总结。黄酒毕竟在酒类中属于后起之秀，它在享受白酒、啤酒创立的行销成果的同时，也承担着这些替代行业所带来的消费机会争夺的压力，尽管可能有消费群的交错，但是就目前的市场竞争态势来说，黄酒面临“攻”和“守”两大压力：市场建设和自身实力的积累。

2005年黄酒企业基本上可以用一句话来形容就是“重收拾旧河山”。基本上是在传统黄酒销售消费区域进行稳固，只是将现代的通路和终端理念运用起来，使黄酒的认知有了深入居民日常生活的深度，2006年要从这种区域根据地走出去，通路拓展规划势在必行，但是面临的是对不同地位的市场价值的定位，从一地或者几地，到面对多地，黄酒企业的营运能力是否能够支持？这些都是值得思考的问题。打赢了区域战役，是否就一定说打赢了全局战争，这也值得期待。

面对这个既古老又现代的酒品，我们只能从2005年的影子中去分析最终得到2006年行业趋势的一些要点。

一、2006年展望

2005年可谓破冰练剑之旅，诸企业纷纷按照自己的产业实力进行市场配置，从市场竞争层面上可以看到，大企业对中小企业的压力主要还是在于传播上面，实际的市场冲突并未真正展开，这样宽松的市场状态，让很多小酒厂得到自己的生存空间，这些小酒厂在一定程度上为大酒厂提供了市场教育的基础，这些小厂家的存在也为2006年行业的走向凭添了几许未知。

但是，我们也看到不同的企业对于自身的销售模式的还有些要完善的地方，包括配合销售模式出来新的产品，以及配合新产品出来好的销售模式相适应，但是现在看来，黄酒企业在产品概念和产品形式企划上的进步远比其市场销售模式进步和成熟的多，这种缺式越是在那些中小厂家越是明显，市场短板来源于人才的缺少，尤其是那些对通路有深入了解的人的缺少，销售模式单一，导致企业盈利能力不会太高。

事实上，黄酒行业2006年的问题也主要集中在渠道管理上。行业的几个要点可以归纳如下：

1.专业化程度加强

因为一些中小型厂家在2005年有了比较成功的市场表现，所以，2006年这个行业将会呈现出这样的局面：专门经营城市市场的厂家，专门做批发流通渠道的厂家，专门做招商的企业，专门做超市的厂家，专门做瓶酒的厂家，专门做易拉罐的厂家，也肯定有专门做礼品装或散装的厂家等等。

2.产能利用增强

无论哪个行业在提升价值的开始阶段，都会首先把精力集中在产能的提升上，很多企业都优先把产能的全国布局作为其市场进攻的前提，这样，就有可能在行业扩张初期形成两种不同的行业观点：销售量和产能。销售量可能通过不断的扩大经销网络来完成，而产能的提升则很可能通过一系列的兼并、投资兴建、联合、托管甚至会进行OEM。产能的提升给销售部门带来的压力是很大的，很可能在市场作业中协助经销商采取压货、串货等短期行为，在销售模式的关键部分，销售政策、客户管理、库存管理、投入资本效率等方面出现漏洞。因为销售政策在行业初期发展的时候对业绩的影响力度相当大。从啤酒出现的问题就可以看出来，很多企业在进行扩张的时候先找的是熟悉的好做的市场作为据点，然后向外辐射，对货流走向不管不问，这样就把很多空白市场做成夹生饭，全国市场做到一定程度之后就不可避免出现增长的局面，而且这个过程很可能是以销售量的快速上升为皆大欢喜前提的。最后形成的局面将是前人压货后人遭殃。

因此，对于产能的布局应当在全国市场总布局之战略方案都完成的情况下进行，按照区域定位设置目标量级，然后根据历史数据进行调整，从目标和费用等指标倒推费用以及传播推广的形式策划，政策形式也可以根据不同的市场定位进行改造，针对不同的市场的客户特点进行设置，如果客户以批发为主可能涉及配送、发货、终端开发与管理、累计出货激励等，如果以现代商超为主，则可能涉及市场建设、破损、促销导购等，最后是考核标准，按照以上的战略要求，达到的给予什么奖励，达成一定比例的给以什么样的奖励，在警戒线下的给予什么样的改善办法，给客户的政策的细化是为了引导客户按照我方的意愿来做市场，给业务的考核要求是为了所有战略意图的最终实现。

产能一定是和市场作业阶段充分衔接好的，如若产能和销售脱节那么不光在销售上影响甚大还会对整个战略协同造成历史性的遗留问题。

3.产品品种增加

其实任何一个厂家真正能完全说了算的行销资源就是产品，当然，作为一个还不是很成熟的产业，相当多的黄酒企业的市场模式是渠道模式，就是按照渠道的要求和建议来进行产品结构调整，很可能形成在一个地区有许多经销商同时代理一个厂家的产品，但是他们的产品却在名称上有相当的不同，这和一个市场进入初期，不同客户掌握不同终端这种渠道特点是相适应的，也是对的，但是，这种多产品结构的形成企业一定要有自己的战略管理原则，就是给什么客户什么产品，这些产品的生命周期是怎样的，在城市和乡村各采取什么样的客户标准才能达到终端的交叉覆盖，等等。

多产品结构局面不能持续很久，也不是什么厂家都适合，这是一个无形资产管理的问题，因为产品是品牌价值的载体，一旦多产品变成杂、乱产品，那么对于企业在区域内的品牌贬值以及消费者心目中的负面影响是很大的，相当一些黄酒企业会出现价格越来越低的情况，这种情况是与企业疏于无形资产管理有关，无形资产管理的要点有两个，时间性和分类原则，什么产品怎么卖，给谁卖，买多长时间，如何逐步实现策略目标，这是每年甚至每个月都要从销售数据中分析得到的。

可以预见，2006年黄酒企业的产品还会增加，而且增加的幅度会很大。从产品上出问题的企业也会逐渐出现。

4.新品开发增强

在印度、巴西、中国这样的新兴市场，消费者消费一种使用价值的产品一年里会选择5种以上的厂家的品牌，而同样在欧美这个数字只有不到2种。为了适应新市场的要求，很多企业就会顺应渠道要求推出一些新名称的产品，这些是概念上的变化，变化的可能是酒精度、标型、瓶型、酒体颜色、香型、外箱材质等等，这些是中小厂家的新品开发方向，而大厂则可能会在产品升级上下手，比如跟啤酒的纯生一样，形成产品价值领先的优势。

2006年，黄酒企业的新产品会更多，市场需求也会更有差异性，因此，这就给希望通过广告来整合消费者，建立自己产品标准大企业带来市场整合的难度。

2006年新品的焦点将集中在低价产品的成本、中档产品的标准建立、高档产品的价值地位上。

二、黄酒业需要注意的6个问题

1）产品同质化

2006年黄酒企业面临最大的问题是产品的同质化问题，先前大家各守一片天下，你有你的道道，我有我的特征，但是在2005年全年的传播后，大家对于彼此的特征都进行了研究，那么就存在一个同质化的问题，产品同质带来的是价格的持续走低，但是这种情况又不能根本改善，因此，未来的竞争的困境就集中到了企业的低成本上。

如何在对抗竞争的同时降低企业的生产成本是很多企业2006年的主要课题之一。

2）渠道模式交叉重叠

中国市场的特性主要集中在通路的复杂上面，不象西方成熟市场那样是平面的，企业直接对终端，很可能企业的产销协调就作到连锁卖场的集中采购中心就可以了，而即使同样作为新兴市场的印度，也呈现出某些平面的特征，但是在中国，渠道的特征是相对来说相互独立的蜂窝形状，而且每个蜂窝里面又有一定的深度，市场本身有消费群的自然分层，也有渠道商对不同终端的商业阻隔，因此即使在上海这样的大城市也很难找到一家商业配送机构能够同时覆盖所有终端，这一点和印度以及日本都有不同，在印度存在掌握300万以上终端的经销商，而在日本是商团控制，在中国现在无法找到一种有效的处理通路全面覆盖以及多客户之间串货问题的妙计，这方面，即使是国际性的大公司在北京这样的大城市覆盖率也只能达到60%左右，这已经是他们的极限，而在其他的城市达到40%已经是上帝保佑了。

但是现在通过对客户的分类识别进行产品企划上区隔的办法被认为是可行的。

2006年，很多黄酒企业的问题是在老的传统区域怎么继续保持领先地位，如果把新市场作为一个增长计划的话，那么，对于老市场则是怎么进行精细管理的问题。

3）费用上涨

无论是黄酒还是啤酒或者红酒，大家的操作模式已经没有什么差异化了，怎么保证在市场上的费用节约已经成为很多企业头痛的问题，销售量上去了，但是费用增长也很快。

怎么用不同的模式规避直面的费用是黄酒企业2006年面临的难题，一个是从费用节省上想办法，一个是从渠道之间的生意关系想办法，利用生意关系达到自己的目的。

4）替代品多

替代品可能很多，这就要黄酒企业怎么在自己的品牌核心价值上进行深刻的挖掘，从区域精神、行为、情感、性格上入手，结合产品特点，对自己的品牌价值进行精准设计。

2005年我们针对济南啤酒设计的“真情、真义、真汉子”品牌策划与传播案例是非常成功的。

就象漓泉进攻南宁万力一样，万力的最后希望就是南宁甚至桂南的区域情节，一个是内陆山水文化，一个是开放的省会城市在沿海一线，怎么逾越漓泉的强大成长惯性，在已经深度分销的渠道上已经没有什么空间，南宁只有不到200万消费者的支撑了。

同样的问题也将摆在黄酒的企业身上，无论进攻还是防守区域情节都是死扣。

品牌价值的区隔是战胜替代品的关键。

5）消费习惯

黄酒的消费观念是很不容易改变的，已经延续了几千年了，季节性的存在让厂家的产能呈现出难以调整的矛盾，也是成本高攀的一个致命问题。除了养生就是礼品，作为地方土特产的黄酒目前只能靠礼品走高价路线，但是这条路比较难。

海派黄酒从弱化黄酒的传统形象上入手，重新构建了全新的黄酒标签，以和谐为核心，进入到年轻人的文化意识主流中，改变了黄酒的养生形象，从而改变了上海的黄酒消费习惯。

上海是一个开放性很强的城市，其他城市未必行得通，2006年黄酒企业怎么引导消费者的消费潮流需要重新评估自身实力。

6）运输局限

受产能属地限制，黄酒企业所希望依仗的招商拓展模式遇到了运输的成本问题，怎么处理这个运输问题，是中小型黄酒企业盈利高低的一个障碍。

2006年可能需要进行厂商合作新关系入手解决这个问题。（林文龙）

解读太子奶乳酸菌饮品营销策略

“一杯牛奶强壮一个民族”。科学、健康、均衡地补充营养，保证充分吸收已成为时下消费者关注的焦点。作为“后起之秀”的发酵型乳酸菌奶饮品正成为国内乳制品发展的新趋势，在2006年初的乳品市场，首次出现了与纯牛奶、酸奶三分天下的态势。我国乳品市场这些年一直以纯牛奶、酸牛奶为市场主流产品，直到20世纪90年代中期，随着我国首家乳酸菌奶企业太子奶在国内诞生并快速发展，国内乳酸菌奶饮品行业才开始赢来飞速发展的春天。

据2004年的统计资料，以太子奶为首的中国乳酸菌饮料生产企业已达150多家，年总产量为48.2万吨，其中，太子奶集团以76.2%的市场占有率连续5年荣登中国发酵型乳酸菌饮料业的霸主之位。在过去的2005年，太子奶乳酸菌饮品销售额达15亿元。经过十年发展，湖南太子奶崛起为发酵型乳酸菌乳品行业老大。平心而论，与国内乳业巨头相比，太子奶还存在相当的差距。但它有其独到之处，它好像是站在行业之外，不参与恶性竞争，却挣了行业内企业赚不到的钱。太子奶到底走了怎样的一条特色营销之路？本文试图揭其冰山一角，以期对行业之士有所启发。

【差异化营销策略】所谓“差异化策略”，即企业对乳品行业现在营销策略进行创新、升级或细分，然后集中资源寻求优势的一种营销策略。乳品的市场竞争空前激烈，现有产品的利润空间越来越小，近年来，各大品牌、地方强势品牌以及部分中、小企业竞相实施差异化策略。这也从另一个方面说明乳品行业仍然存在着较大的市场空间，关键是谁能够有独到的眼光，在适当的时机实施正确的差异化。乳品行业的差异化策略很多，包括产品差异化、渠道差异化、包装差异化、区域差异化、目标消费者差异化、营销手段差异化等等。

在乳品行业实施差异化策略成功方面，太子奶不失为典型案例。在产品定位上，太子奶一开始就走了一条差异化的道路，它采用了不透明塑料瓶作乳饮料包装，这种设计使它的主要竞争对手变成了乐百氏、娃哈哈等几个以儿童乳饮料为主的非专业乳品企业，成功避开与伊利、蒙牛等乳业巨头的对碰，甚至和更多的利乐包、百利包企业形成了差异化竞争。在塑料瓶企业中，尽管后来出现的品牌也不少，但太子奶把包装做得非常高贵和醒目，使别的品牌无法跟随：直线的瓶型符合国外流行趋势，纯白的包装在终端陈列效果抢眼。这种差异化包装设计使它在终端陈列和销售时，不用跟乳品企业比拼价格。而与乐百氏、娃哈哈相比，它又具有明显的产品线宽、消费者面广的优势，产品不仅有180ml小瓶装的“排奶”，定位给青少年消费者，还有250ml、500ml等各种不同规格的大瓶装，以及新鲜屋包装。不同包装在销售渠道上有所区分，餐饮渠道主要推广屋顶包，零售及商超渠道主要是塑料瓶。在后继开发上，太子奶不断地细分市场，开发出低糖、高钙、甚至分男、女的功能性产品，消费人群适合不同年龄段、不同功能需求的消费者。随着乐百氏、娃哈哈"排奶"销售的每况愈下，塑料瓶太子奶很快切入市场，并取得主动权。

太子奶产品能够迅速站稳市场并且成长为名牌的最主要的原因是找到了最大卖点——发酵型"乳酸菌"，它强调发酵型乳品，品质比普通乳酸菌更好，宣称拥有国内最大的发酵型乳酸菌研究基地，并且要做乳酸菌市场的老大。这个卖点不仅使太子奶在众多乳饮料企业中脱颖而出，而且保证它获得了丰厚的利润。选择它的商家都这么说：虽然太子奶的销量赶不上蒙牛、伊利的袋奶，但是利润要比它们高得多，这正是他们选择代理的原因。

【建立庞大营销网络 高利润回报】在产品同质化日益严重的今天，越来越多的快速消费品企业把目光放在了终端的促销活动上。曾几何时，早一步依靠终端得以快速成长的企业也曾振臂疾呼："决胜于终端……"，但我们目睹了太多的喧哗甚至火爆的雷同促销场面，当曲终人散时，又有多少企业达到了预期的目的？正是"成也终端败也终端"。因此，科学的建立一支庞大的、能够长期利益共享的营销队伍才算有了保障。

太子奶集团目前已在全国30多个省市设立了100个销售分公司、3000多个一级经销商、10万多个二级批发商、400多万个终端零售商，直接参与太子奶多级营销的人员达400万人，建立起一支庞大的经销网络。太子奶在销售地区采用设立经销商而不是总代理，在找到合适的经销商之后，太子奶并非坐等收钱，而是加强建设营销队伍。营销人员派往市场，按大区制进行管理，实行目标责任制细化考核，大力进行以城市市场占领、酒店市场推广、农村市场招商等为主的网络平台建设，实施精耕细作。

在终端操作上，一般很少看到太子奶像其他乳品一样大搞促销或特价活动，产品价格基本稳定，很少受到冲击。那么它用什么销售策略来带动市场的增长呢？原来太子奶特别侧重保证经销商利润，由于产品利润较好，经销商也能赚到钱。商家积极性高，市场自然做的起来，通过经销商的积极维护和推广，最终达到企业和商家共赢的目的。以前商家政策曾经实行过月返、季返和年返，每过一段时间都要奖励经销商、弥补商家利润。通过重复、频繁地奖励，让大家随时看到诱惑，共同分享利润。这种措施有效刺激了经销商的积极性，但同时由于政策灵活，很容易导致一些价格混乱，去年太子奶在奖励政策上做了改进。

值得一提的是，不少企业深感困惑的资金回笼问题，太子奶集团却并不存在。这既是由于太子奶以其优良的品质和产品独到的功能诉求，吸引了众多经销商和消费者，也是因为公司依靠"控制现金流营销"的先进模式，有效保证了现金的及时回笼。太子奶集团的这种"代理商零风险经营，集团控制现金流营销"策略，被清华EMBA 收录为经典案例。

【软硬结合 着力品牌塑造】现代营销观念已从过去的卖产品提升到卖品牌，以强势品牌形象带动旗下产品的销售，远胜过对单一产品的推广。因此，企业需要站在品牌的高度来做市场，对品牌进行整体规划。在这一方面，太子奶打了一场软硬结合的营销战争。

这里的"软"指的是公益营销。要说起公益营销，我们是比较熟悉的，这种营销模式侧重于整体性，以塑造企业形象、勇于承担社会责任为诉求点。随着社会的进步和发展，人们对社会公益公德方面也越来越注重，因此从企业的角度来说，通过一些有针对性的公益活动可以引起人们的广泛注意，从而树立起良好的企业形象，在消费者心目中加强品牌认知度和美誉度。

在公益营销上，太子奶手中有一张"王牌"，就是"扶贫济困、产业报国"。1996 年发展伊始，太子奶领导就秉此理念，着力打造民族品牌。经过十年的精心耕耘，太子奶集团已完成全国基地的战略布局，累计投资数十亿元，在井冈山革命老区、大别山革命老区、四川革命老区、北京郊区、江苏昆山兴建五大乳酸菌奶饮料研发生产基地。将产业基地布局与产业扶贫紧密结合，实现了企业战略与贫困地区经济的同步发展。太子奶集团基地的建设不仅为在国内乳业细分市场的竞争中获得了非常有利的条件，同时也树立了集团的良好形象。

"硬"即是指广告对产品销售的拉动。在某种程度上讲，太子奶终端拉动主要靠的是央视广告。1998年，太子奶以8888万元竞得中央电视台标王，据传，集团董事长李途纯在夺得标王时，身上所剩无几，公司连续几个月发不下工资，但太子奶产品立马供不应求，极大带动了产品销售，太子奶迅速崛起为全国知名品牌。此后的2001年至2006年，太子奶集团连续五年在一年一度的春节晚会中和全球华人共享健康快乐。2003年~2006年太子奶不惜重金，都投了央视的黄金时段。数年来，太子奶集团共计数亿元投入品牌推广，拥有极高的品牌知名度和美誉度。

【结 语】美国科学家预言21世纪将是乳酸菌的世纪，据中国食品科学技术学会有关数据统计显示，我国的乳酸菌奶饮料行业在过去的五年间已连续以超过25%的速度快速增长，乳酸菌奶行业在整个乳制品行业的市场份额也从20世纪初的不足0.1%发展到去年超过3%。相比之下，在发达国家已高度发达的乳酸菌奶类产品已占到乳品市场的80%，世界乳酸菌奶饮品平均市场占有率也已达到30%。所以，中国的乳酸菌奶饮品市场发展前景十分看好，乳酸菌奶行业被誉为中国乳品行业最后的"黄金地"。如今传统乳品巨头蒙牛、伊利、光明等纷纷染指乳酸菌行业，并已进行了广告宣传。乳品行业资深人士分析认为，国内乳酸菌奶饮料行业将在未来五年内继续超高速发展，并出现中外乳品企业在乳酸菌行业的剧烈竞争趋势。一场乳酸菌饮品营销大战在所难免。太子奶以其十年成长经历，无疑为此提供了很好的教材。

进口葡萄酒的四大业态研究

2006年伊始，卡斯特联手东海鑫业，张裕成立张裕先锋国际酒业，五粮液进军红酒产业等等系列大事件，无不跟进口葡萄酒有直接的关系，中国葡萄酒市场与国际酒业风云际会，将呈现摧枯拉朽的壮观景象。进口葡萄酒在中国市场舞台上的表演开始越来越有引人关注，业内人士由之前"狼来了"的恐惧，到今天的宽容"拥抱"，可以说是在顺应历史潮流，可以预言，国内葡萄酒业大发展的今天，仍然潜藏着有更大变局。笔者在密切关注的同时也认为有必要对目前进口酒的业态进行一个分析整理，希望对行业有所推动。笔者经过分析整理，认为进口葡萄酒市场具体呈现出以下四大形态：

传统代理型

业态：以进口葡萄酒产品代理商形式出现，汇集世界各大葡萄酒产区品种，不进行单一的品牌推广，由于所代理的国外酒商只提供产品和优惠的政策，而不提供资金和其他营销方面的支持，代理商在市场的投入上力度较小，比较注重现实回报和实际利益，品牌和文化推广只是在一个小的范围进行。他们在全国各地发展代理商、分销商网络，由其各地的分销网络将其产品摆在酒店、商场、酒吧等终端，专卖店是其重要的销售与形象载体。代理商与各地经销商签订品牌授权协议，并且提供物流配送与仓储服务，帮助其建设专卖店并进行相应的葡萄酒知识培训，注重举办各类酒会、俱乐部等形式来吸引一些有消费力的人群，成为其中成消费者。

优势：这种业态可以为消费者提供世界上优质产区的葡萄酒，并且以专业的、优质的品质和服务形象吸引了一批较高素质的品酒爱好者，并且人群在逐渐扩大。

劣势：随着进口酒代理商的增加，这种形式有很多代理商进行模仿，会面对越来越多竞争对手的挑战，传统代理型酒商应该在经营上力求做大作强，打造其核心竞争力，注重代理商品牌以及文化和服务附加值的建设。

代表：富隆酒业

富隆酒业是较早的进口葡萄酒代理商，目前代理了来自世界10个葡萄酒生产国的200多个葡萄状元，800多款葡萄酒的经销权。目前，富隆已经在全国建立了90多个城市发展经销商网络，对于经销商，富隆采取加盟分销机制，特约经销商与富隆签订协议，得到富隆所代理品牌的品牌授权以及获得富隆提供的物流配送和仓储服务。2002年底，富隆正式推出全国连锁加盟的的葡萄酒专卖店---富隆酒窖，直接面对消费者，提供专业、个性化的选酒活动，目前全国已经拥有30多个加盟专卖店，富隆酒业于2004年底成立了专业的葡萄酒会员俱乐部-富隆会，为高端消费人群提供一个葡萄酒品鉴与消费的平台。

竞合型

业态：依托企业资金、人才、品牌以及强大的市场营销网络，成立进口酒代理公司，代理世界各地著名酒庄的葡萄酒，并发展全国性经销网络，在帮助国外酒商销售产品的同时实现自身盈利。作为一种合作交换条件，企业借助所代理的世界各地酒庄产品的品牌、技术、资金、市场销售网络，提高企业自身的核心价值，实现自身产品在技术上的升级，利用国外资本来强化自身竞争力，同时利用国外酒商的销售网络实现自身产品向海外的销售扩张。

优势：这种做法一方面可以抓住进口酒在高端市场的优势抢占市场份额，获得高额的利润，另一方面，作为交换条件可以换取国外酒商的核心技术与市场资源，对企业的整体竞争力是一个很大的提升，也为企业的长远发展奠定了基础。

劣势：业界也存在置疑，由于这种交换往往是出于战略性举措，企业往往不会将这一部分作为经营重点，而是作为企业战略的辅助，其经营将受到来自于合作双方的牵制。这种做法目前只适合某些大的具备国际化战略的企业。

代表：张裕先锋国际酒业

2006年初成立，由张裕全资投资，目前主要经营张裕烟台酒庄的桶装酒，同时引进来自法国、英国、西班牙、澳大利亚等世界各地的名酒，包括白兰地、威士忌、葡萄酒、冰酒等品种，主要走高端路线。先锋酒业与张裕品牌在市场上相互配合，正如张裕领导所说："张裕现有的中高端产品，包括酒庄酒和解百纳干红，主要满足主流市场。而先锋国际定位'三高'，高档人群、高档消费、高档产品。这对张裕整体品牌是一个提升和互补。先锋国际可以在一线接触销售数据，这也为张裕产品营销提供最真实的参考数据。先锋国际目标是在未来3到5年内做到5个亿，成为中国最大的洋酒代理公司之一。"先锋国际目前把全国市场分为六个区域，其中上海、江苏两个区域由外籍人士担任大区经理；终端销售锁定五星级酒店等大型客户，采取直销和代理的混合经营模式；后期可能会向酒吧、夜场渗透，直接面对终端消费者。张裕通过与国外酒商的合作，不仅引进了意大利意尔瓦公司的33%股份，同时引进了法国法拉宾的白兰地生产工艺和技术，同时积极利用国外酒商的渠道网络积极发展海外业务。

品牌运营型：

业态：如大多数国产品牌和洋酒品牌的经营手法一致，进口酒商以单一品牌为龙头，以品牌核心价值来统合企业战略、营销组织、产品开发、渠道建设、传播推广等各个方面，并对品牌进行长期的维护与管理，在营销进程中不断的累计品牌资产，同时又转化成营销动能。品牌运营商注重在国内发展经销商网络，利用经销商网络来销售产品，并且获取更多的企业战略性资源，销售渠道主要以酒店、商场、夜场为主，由于生产成本、关税、国际运费、各种渠道费用等原因，价格较高，主要以高端市场为目标。

优势：这种操作模式令进口酒商在生产、销售上有相当的主动权，可以有效驾驭市场的各操作环节，有较丰厚的直接利益回报，同时通过经销商来获取更多的战略性市场资源。

劣势：进口酒商要有强大的生产能力以及资金实力，同时必须要有有效的本土化战略针对中国消费者进行推广。笔者认为，由于进口葡萄酒在中国市场所占据的比例尚小，品牌型进口酒商除了与国产葡萄酒企业争夺市场之外，还要肩负着教育消费者的作用，否则在日益激烈竞争的高端市场将无法释放出如此巨大的产能。

代表：法国卡斯特

早在上世纪90年代，卡斯特已制定了其中国战略，首先在天津合资了"红城堡葡萄酿酒公司"，2001年与张裕合作，开发了张裕.卡斯特品牌，借助张裕的全国市场网络和品牌，使卡斯特品牌在中国高端人群中耳熟能详，但由于双方发展战略出现分歧，去年，张裕将20%股权转让给意大利意尔瓦公司，最终导致年初与张裕合作的破裂。今年4月，卡斯特宣布北京东海鑫业作为其在中国的总代理商，合作期为十年。这种国际酒业、渠道网络和资本的强强联合在中国葡萄酒业引起了不小的震撼，不少的国内实力经销商为之心动，甚至纷纷倒戈。短短几个月，卡斯特已经实现了全国市场的布局，近期，卡斯特宣布投入1000万元冠名"2006亚洲小姐竞选中国赛区总决赛"，这表明卡斯特对品牌的重视程度，这为卡斯特在中国市场的营销网络建设和销售将起到巨大的推动作用。

贴牌销售型：

业态：国内葡萄酒企业的贴牌比较普遍，以前比较盛行的是委托国内企业进行贴牌加工，而近年则流行从国外进行贴牌，委托国外葡萄酒企业贴牌有两种情况，一种是从国外进口葡萄原汁，在中国进行罐装生产；另一种是直接到国外进行贴牌然后原装进口到中国市场，并负责在中国市场进行销售。贴牌企业与国外酒商在签订某种合作协议后，原酒生产商负责产品品质，并保证充足的货源和配送，贴牌方则自己投入资金负责品牌、价格、渠道网络、促销推广等方面的建设。

优势：贴牌方不需要投入大量的资金和人力、时间在种植、酿造、生产甚至长途运输等庞杂繁琐的事务上，可以专心在销售上下功夫。贴牌商由较高的利润空间，拥有自己的品牌使用权，在营销推广中打造品牌的核心价值，并且控制自己的营销网络，具有相当的主动权和灵活性。

劣势：由于贴牌生产而非自身酒庄，不符合葡萄酒种植、酿造、生产、罐装、销售一体的传统庄园酒经营模式，并且在经过国际间长途的运输过程，其酒质会受到不同程度的影响，从而也影响了消费者对品牌的信任度。在葡萄酒市场尚不规范的今天，不会造成太大的冲击，但是当葡萄酒立法越来越规范后，这种做法不免遭到置疑。

代表：五粮液

2006年3月份成都春季糖酒会上，五粮液集团全资子公司宜宾五粮液葡萄酒有限公司推出号称“纯粹欧洲”概念的六款“国邑干红”葡萄酒，五粮液国邑干红打“纯粹欧洲”概念的同时，注重打造“国邑”品牌，五粮液公司从欧洲酒庄进口原酒，运送到中国进行罐装生产。价格走中高端路线，国邑干红在借助五粮液原有的经销商网络销售的同时也积极发展新的经销商。然而，对于国内白酒巨头进军葡萄酒业经历了茅台的经验教训后，业内业有普遍的担心，希望五粮液能够探索出一套有效的红酒之路。

后记：

进口葡萄酒还有其他的业态形式，比如个性化定制模式等等，本文没有记述，其实，进口葡萄酒业态之间也有可能会出现交叉重叠，或者会进一步派生出新的业态，笔者认为，这些都不重要，本文旨在抛砖引玉，希望引发更多的思考并对行业有所推动。 （赵伟良）

啤酒行业渠道壁垒的破解策略

啤酒行业的渠道封锁战近年来有愈演愈烈之势，一些地方经销商为了封锁和垄断当地市场，不惜各种代价，想尽一切办法，不断抬高市场进入门槛，意欲独享市场渠道资源。殊不知，任何市场策略皆有克解之道，再高明的渠道壁垒构建，皆有打破它的方略和方法。那么，啤酒行业存在哪些渠道壁垒呢，作为后来者应该如何来破解它？

现行常用的啤酒渠道有如下几种：一是传统流通渠道，主要是指分销商、批发商、批零商等；二是餐饮终端渠道，主要是指大中小各类餐饮终端、酒店等；三是零售终端，包括KA大卖场在内的现代零售终端以及传统B、C类店、零售店、便利店等；四是夜场，主要是指KTV包厢、夜总会、恋歌房等一些娱乐场所等，因本文所讨论是大众化啤酒产品的渠道壁垒破解工作，所以，作为高端产品进入渠道的夜场本文暂不涉及。针对上面所列的前三项啤酒渠道，我们来分别讨论这些渠道目前存在的壁垒以及破解它的方法与策略。

传统流通渠道壁垒破解策略

传统流通渠道的分销商、批发商等，是啤酒厂家和经销商战略联盟的关键成员之一，正因为如此，所以，分销商和批发商便成为各厂家和经销商争夺的对象，使之成为“香饽饽”，一些啤酒厂家和经销商为了笼络它们，纷纷加大了对他们的各种利诱和刺激，表现在以下几个方面：

1、使之成为1.5批。即将这些分销商演变成厂家的二级经销商，享受与一级经销商相同的待遇，但厂家却给予一级经销商一定补贴或折扣的方式。通过厂家或经销商将批发商、分销商吸纳为战略成员的方式，由于他们身份、职责的转变，因此，会对厂家或经销商更加忠诚，从而为后来者进入设下壁垒和障碍。

2、使之成为厂家或经销商“利益共享者”。近年来，一些啤酒厂家为了封锁渠道，打击和挤压竞争对手，往往采取了最为狠毒但却最为有效的一招，那就是对分销商或批发商采取“封官加爵”的方式，来拉拢和吸引啤酒流通渠道关键成员。他们与二批或分销商签订“利益共享”合同，只要销量达到一定的数额，就可以参与企业的年终股份分红，或兼职担任企业的名誉员工，并辅以具体的分红奖励标准，让人看了眼热心跳，从而能够更加专注地销售本品，为后来者设置较高的屏障。

3、加深客情，使其成为“铁杆”弟兄。有的经销商为了排斥竞争对手，很多时候就采取了努力与分销商结成“亲戚”的这种笼络方式。比如，通过放账的方式，增强他们对自己的依赖度；通过定期座谈会宴请的方式，增强他们的归属感；通过人情礼节，如生日祝福，关键时刻慰问等，强化他们的“弟兄”关系。通过这种方式，借助中国人爱面子的这种特点，从而树立情感壁垒，将陌生品牌拒之门外。

破解策略：以上三种壁垒，可用以下三种方法破解.

1、使之成为特约一批商。对手既然将其列为1.5批，我们就不妨将其进一步发展成为某一特定品项的一级经销商，从而避免了上一级经销商吃其返利或折扣的不合理或不平衡状况，借此抬升其规格，满足其逐利和发展的欲望，使自己的策略高于对手。

?、给予其更现实的物质刺激。成为厂家或经销商的“利益共享者”，固然是好事，但当前的诚信缺失，也使一些分销商对于年终能否兑现这些承诺仍然心存疑问，他们担心的，也是害怕在辛苦了一年后，到头来是“竹篮打水一场空”，针对这种现状，可以通过更量化、更细化、更易于兑现的奖励方式，来促使其回头。比如，签订协议，可以约定月派利、季奖励、年回报三种方式，让这些现实的物质刺激更直观，更易于操作和实现，从而打破对手的长期牵制目的。

3、以利攻情，采取会员制。人心是最难于攻破的，但也是最易于攻破的。因为，作为无利不早起的分销商其最本质的动机仍然是逐利和谋求发展的，从这个意义上来说，再好的客情关系，哪怕是真正的亲弟兄，都没有利益诱惑来的更快，更易于打动人心。因此，对于客情关系较好的分销商，我们就可以通过采取会员制，即销售一定量的产品就成为会员，会员实行销量积分形式，积分可以随时兑现奖励等“诱之以利”的方式，来打破纯客情关系壁垒。当然，也可以通过联谊的方式进一步加深客情，如果再进一步附加有奖销售、有奖陈列、促销等手段，环环相扣，更是可以牢牢牵制分销商，使原渠道壁垒不攻自破。

通过以上三种方式，作为厂家和经销商就可以冲破流通渠道竞争对手所打造的渠道壁垒，让这些渠道分销商为己所用，从而也分市场一杯羹，夺得既定的市场份额。

餐饮终端渠道壁垒破解策略

餐饮终端是啤酒厂家和经销商必须要争夺和占领的“高地”，为什么呢？因为啤酒60%以上的销量都是通过这个渠道实现“从商品到货币这惊险一跳的”。因此，餐饮终端的渠道封锁和壁垒构建更是技高一筹，简直让人不可逾越。突出表现在以下几个方面：

1、买断费用抬高壁垒。占领餐饮终端是啤酒厂商实现产品“变现”，占领消费者心智的最后一块阵地。近年来，一些啤酒厂商为了争抢餐饮终端，尤其是一些换台率高、生意火爆的餐饮终端，纷纷加大进店的费用筹码，一些龙头餐饮企业更是费用高的离谱，甚至冲上了5位数，这无形当中抬高了后来者的进入门槛，使渠道壁垒“牢不可破”。

2、账款赊欠构建壁垒。餐饮终端、酒店赊欠酒款，这是啤酒行业不争的事实，而一些啤酒厂商为了蓄意抬高后来者进入“门槛”，往往不惜采取大量赊欠的方式，形成餐饮终端对其的依赖，以此来构筑防御“堡垒”，让后来者“望店莫及”，“望店兴叹”，从而能够长期占领餐饮终端，独享餐饮渠道所带来的市场利益。

3、售后服务带来难题。经销啤酒是一项不仅劳神，而且劳力的工作。特别是对于餐饮终端，售后服务工作尤其重要，甚至一些啤酒厂商由此也建立了自己的渠道壁垒。比如，有的啤酒厂商与餐饮终端签订协议，承诺打电话回瓶1小时内予以回收，否则，愿意受罚；其次，对于餐饮终端的返利兑现、展示柜要求、服务员瓶盖兑奖等的及时程度等，都可以使渠道的壁垒高筑，让其他厂家以至难忘项背。

破解策略：解铃还需系铃人，餐饮渠道特殊的个性，需要用特别的渠道壁垒破解方法来对待：

1、通过品牌力来冲破壁垒。有些啤酒厂商之所以能出那么高的买断费用，在一定程度上可以表明该品牌不是很强势，因为，真正强势的品牌，是不需要付出较大代价的，因为它是畅销品，品牌认知度和指名购买率都较高。因此，通过提升自己的品牌力，或利用已有的强大的品牌优势，也是厂商与餐饮终端谈判的筹码，因为品牌力较好的产品给餐饮终端带来的好处是显而易见的，比如，可以显示档次和规格，可以带来人气，可以带来稳定的利润等等。一家三星级的酒店因为一啤酒商买断，结果其他啤酒进不去，但来此酒店的消费者却指明购买某著名品牌啤酒，一些消费者甚至没有该品牌啤酒就不乐于消费，该著名啤酒厂家当地办事处人员了解后，及时上门与酒店谈判，结果，仅仅花了极小的代价就轻而易举地打进了该酒店。

2、通过利润刺激化解赊欠。酒店赊欠啤酒款是啤酒经销商共同默认的做法，但也实属无奈之举，但餐饮酒店之所以有如此做法，除了是“行规”外，另外一点就是想利用厂商的资金进行周转，再次，就是啤酒产品的利润相比而言，还是不够丰厚。针对这一点，后来的啤酒厂商可以通过设定优于竞品利润的返利或奖励模式，来进一步吸引餐饮终端现款给予结算。比如，一家知名啤酒品牌厂商就通过设定赊欠以及现款结算两种不同的返利及奖励政策等，以此来吸引餐饮终端来现款结算，从而来打破赊欠的渠道壁垒。当然，如果厂商资金实力雄厚，采取跟随策略，即也进行适量放账的方式，来狙击或挤压竞争对手，也未尝不可，但需要对餐饮酒店进行深入观察和了解，以避免不可预测的风险出现。

3、一站式销售构建大服务。啤酒厂商决胜餐饮终端的关键一环，除了产品、价格、促销之外，就是能否建立较为完善的服务体系了。一些啤酒厂商之所以能够在服务上建立起渠道壁垒，往往就是因为其通过良好的售后服务，取得了餐饮终端的好感与信任，最终建立了良好的客情与人脉。因此，要想打破这个渠道壁垒，后来者也必须“师夷长技以制夷”，建立比其更良好的服务体系。比如，可以建立一站式销售服务模式，即除了限定送货时间、空瓶回收时间等硬性指标外，还要建立为客户发展提供相应的生意咨询，谁负责销售，谁就负责系列化的服务，提倡一票否决制，真正做到顾问式销售，从而领先于竞争对手，打破对手构建的渠道壁垒。一家啤酒企业除做好正常的售后服务外，还针对销量较好的酒店，定期进行相关推介技能、标准话术培训，以及组织服务员到企业现场参观自建的旅游工业园的方式，让服务员亲眼看到啤酒的整个生产过程，增强对企业更高的认同感，从而更好地优于其它产品推荐，打破对手的服务封锁。

餐饮终端是啤酒进入末端消费的关键一环，因此，通过提升品牌力，提高产品的认知度；通过利润加大，从而取悦和吸引客户；通过提供咨询式、顾问式、一站式销售等等，都是打破渠道壁垒与渠道封锁的有效策略与途径。

零售终端壁垒破解策略

零售终端是当前啤酒行业最重要的渠道环节之一，从近年来提出的“做终端是找死，不做终端是等死”的说法上，我们就可以体会出其中的含义。的确，由于竞争激烈，渠道挤压严重，因此，很多啤酒厂家纷纷加大了对零售终端的投入力度，使零售终端的门槛也在不断抬高，意欲“水涨船高”地阻止后来的“入侵者”。

啤酒行业打造的零售终端壁垒表现在以下三个方面：

1、建立利益共同体。有的啤酒厂家近年来为了加强对零售商的控制，率先推出了建立利益共同体的做法。即对市场进行深度分销，通过层层签订协议，确保各级渠道利润，从而通过稳定的获利，达到构建渠道壁垒，阻止竞争者进入的目的。比如，一家啤酒公司推出了“坚壁清野”行动，即在城区的每条街道，都设置一名配送商，这个配送商只对他负责的单个街道负责，厂商与配送商签订协议，明确责权利，配送商再跟本街道的零售商签订销售协议，明确销售价格等，并约定最低售价，并保证在约定范围内操作的零售商，均给予较大的返利或奖励，从而从后来者设置了障碍。

2、炒作卖场进店费。当前，各类卖场的发展突飞猛进，因此，不仅KA卖场是啤酒厂商争夺的对象，各类B、C包括D类店、便利店等零售业态都成了啤酒厂商关注和意欲占领的高地。在此背景下，很多啤酒厂商通过炒作和抬高进店费、条码费、促销费、店庆费等方式，不断抬高零售终端进入门槛，将一些啤酒厂商远远地拒之门外。

3、打造形象样板店。近年来，一些啤酒厂商开始注重形象样板店打造工作，他们通过与零售终端签定专销协议的形式，对他们进行积极改造或改良。比如，通过VI形象视觉识别系统，统一门头，统一内部摆设、统一陈列等，打造自己的形象样板店，从而树立渠道壁垒，让后来者无法进入和跨越。

破解策略：再高明的手段，都是“有懈可击”而可以破解的，针对以上壁垒构建方式，可以采取如下方式应对。

1、各个击破法。针对利益共同体这个渠道壁垒，作为后来者可以采取“以其人之道还治具人之身”的方式来制服对手。要通过“挖墙脚”的方式，不断动摇其利益根基，当然，其前提是，力度或者说“诱饵”一定要比对手有吸引力。比如，一家啤酒经销商针对这种犹如“铜墙铁壁”的渠道壁垒，结合厂家办事处，组织了“飓风行动”，对城区所有零售终端进行了拉网式排查，并采取了各个击破的方式，针对不同终端的不同需求，采取了灵活多变的策略：现实一点的，就给予折返现金，但不立即兑现；喜欢奖品的，就给予实物促销；爱好旅游的，销售一定数量的产品就可以参加组织的旅游等等，最后，终于使渠道壁垒逐渐化解。

2、资源聚焦法。商战中，“伤其十指，不如断其一指”。因此，面对众多的KA卖场、B、C、D类店，与其“撒胡椒面”似的使用资源，不如实施资源聚焦策略，即集中一点，重拳出击，从而使对手的渠道壁垒轰然倒塌。比如，选择销量较大、人流量较大、有代表性和竞争力的各类核心零售终端店，注意，一定是核心零售终端，然后，重点投入人财物等资源，对于实在进不去，或进去了也没有太大价值的KA卖场、B、C类店等，也可以选择客流量大的“黄金路段”或“黄金点”自建啤酒售卖机，虽然投入可能会大一些，但效果却也显而易见，从而即避开了对手锋芒，不容易暴露攻击目标，同时又可以达到进入核心零售终端或即使没有进入相关终端但仍然可以实现销售的目的。

3、建立啤酒坊。既然对手可以建立形象样板店，那么，作为后来者在条件许可的情况下就可以建立自己的啤酒坊。即选择人口多，人流量大的步行街、家属区、社区等建立自己的啤酒坊，啤酒坊只售自己的系列啤酒，不仅可以很好地展示厂商形象和实力，介绍啤酒的营养、健康等，而且还可以采取自酿啤酒的方式，吸引一些好奇的消费者光顾，当然，啤酒坊也可以设置一些其他的相关项目。从而比那些形象样板店、专销店更具有竞争力和卖点，借此曲径通幽，而打破对手建立的渠道壁垒。

总之，魔高一尺，道高一丈。啤酒行业的渠道壁垒再森严，也都有解决它的方法与策略。作为后来者的啤酒厂商只有敢于和勇于打破渠道壁垒这堵“高墙”，瓜分市场这块“蛋糕”的战略构想才不会落空，也才能实现后来者居上的最终竞争目标。 （崔自三）

白酒经销商整合市场的昨天、今天、明天

世上本无路，走的人多了，也就成了路。中国的企业在经济大潮中进步，中国的经销商却在发展中摸索。他们在市场的最前线，也是最底层冲杀，他们建立的区域市场网络，他们创造的销售模式，是最朴素的营销理论，也是最适合中国国情的营销实践模式。面对新经济，新市场，竞争空前激烈，他们的出路在哪里？

昨日往事

一夜暴富神话破灭

“江山代有才人出，各领风骚三五年”是很多经销商用来对自我经营自嘲的话语。经销商往往抱着看天吃饭的心理在经营自己的企业，守着自己的一亩三分地在家门口耕耘。

一大批经销大户经营了几十年，无论资金实力，还是社会关系都十分过硬，可是生意却是一天不如一天？

为什么有的经销商刚刚进入市场，资金实力也不见得雄厚，建立了一支销售队伍就干得有声有色，财源滚滚？

差距在哪里呢？按照目前白酒经销商的实际情况，经销商大致可以划分为以下几种：

按照时代划分：

1、第一代经销商。这批经销商随着改革开放的进程发展起来，以大批发、大商贸为主，在市场物资短缺时代利用脑袋和勤劳积累了财富，他们习惯于大批发，大批进货，大批出货，经营水平比较低下，缺乏现代管理思维和经营能力；

2、第二代经销商。这批经销商诞生在九十年代。他们拥有一定的终端控制能力，同时拥有市场拓展和批发实力，能够依靠自身的力量实现区域市场的网络覆盖；

3、第三代经销商。这批经销商为新型经销商，他们大多学历较高，拥有很多 新的经营理念和经营思路。他们能够 依据现代营销网络建设的要求建立区域市场网络，并在 终端进行细致的管理和拓展工作。

按照经营理念划分：

1、传统型经销商。他们已经有了几十年的经营历史，自己认为经验丰富，找几个下线几可以做市场了，他们不愿意接受新的市场终端管理模式，躺在历史或者过去的辉煌中睡觉；

2、保守型经销商。这类经销商也了解一些市场营销的基本常识，具备了做终端的意识，但是在行动上比较被动。他们十分依赖白酒企业的支持，任何行动或者计划都等待企业作出“表示”，斤斤计较，十分在意自己的风险；

3、积极进取型经销商。这类经销商拥有强大的区域市场网络，具备深度分销的能力和技巧，和当地的大型超市、商场以及大型餐饮酒店都有业务往来，拥有健全的区域市场网络管理体系，知道维护网络，建立客户资料的 重要性

按照管理方式划分：

1、大妻店管理模式。这类经销商大多从个体经营起家，夫妻俩一主外，一主内，管理相对比较混乱，库存、进货凭感觉，缺乏现代经营的理念，缺乏主动出击的精神；

2、个人英雄主义管理模式。这类经销商大多数个人能力十分突出，依靠个人的拼搏和努力创造了基业，事事自己动手，自己既是老板，又是业务员，还是送货员，无论大事小事全部一把抓；

3、现代企业管理模式。这类经销商从 企业管理经营的角度来经营区域市场，麻雀虽小，却五脏俱全。有仓库管理，有促销管理，有销售经理，各种 制度齐全，报表体系严密，重

视管理，重视对人才的使用，一切为了控制终端，维护和客情关系。

看天吃饭的日子已经一去不复返了，一夜暴富的 神话仅仅是一种传说，在激烈的白酒竞争中，白酒经销商只有加强自身经营管理能力的修炼，创新自己的经营管理理念，才能明确自己的方向。

着手今天

商业形态的巨变

白酒行业激烈的竞争 以及大量同质化的产品涌入市场是造成经销商日子难过 的重要原因。在 上个 世纪80年代到九十年代，由于白酒市场仅限于在地产酒和国家级知名品牌的竞争，白酒经销商的日子过的十分 滋润；随着大量白酒品牌的诞生，大量的新品牌涌向市场，涌向终端，导致终端的竞争逐步升级。竞争的最直接的结果是：终端的成本加大，终端日益成为白酒企业的“香饽饽”。而夹在终端和企业之间的经销商们好象成为企业的负担，好象成为 阻碍产品流通的“罪魁祸首”很多白酒企业想越过经销商直接掌控终端，实施密集分销的计划——白酒企业的手越伸越长，经销商可以控制的区域越来越小。一句话，白酒企业到区域市场和经销商抢饭吃来啦！

中国的商业形态发生了巨大的变化。以前的销售主渠道是商场、批发市场以及零售店，而现在，超市、大卖场、酒店等终端的大量出现一个大卖场的出现将导致成千上万家的零售店倒闭超市量贩的出现加剧了批发业的转型在沿海经济发达地区，传统的批发市场已经逐渐消失，小店的老板也开始涉足超市经营。

来自企业的诚信问题制约着白酒经销商的进一步发展。一旦市场做好了，企业就有想法了“过河拆桥、背信弃义”的事情每天都在发生。相对与企业来说，经销商是弱势群体。

一句话，经销商的生存环境急剧恶化，生存和发展的空间越来越小。

放眼明天

资本模式整合经销商资源

浙江商源用资本的形式将其与下游经销商牢固的捆绑在了一起。下游经销商经销浙江商源代理的所有产品，在下级经销商所拥有的网络上进行全方位的拓展。在合作中，浙江商源明确要求控股，原来注册公司是五百万或者一百万，决定注入资本后，他会将下级经销商所有的库存进行盘点，计算出仓库成本和运作成本，然后会注入现金进行控股。但是这些现金都是进了浙江商源经销的货，他们提出的就是让下级经销商成为职业经理人，年终还有分红，当然浙江商源自己也承担着巨大的资本风险，如果下级经销商不赚钱，这种紧密型的捆绑或者发展计划，都不可能得到顺利实施。从2001年开始，商源开始与经销商进行资本合作的尝试，并在2003年成立了中商投资公司。宁波华夏和金华新双友这样的公司正是商源与下游经销商合资而成，商源都是控股方。通过与金华、宁波地区的经销商合作，商源将网络扩展到整个浙江省。2004年，商源又与几家上海经销商达成了合作.

用资本形式整合经销商市场资源已经悄然进行，商源的只是一个典型的案例。此方式利大于弊，并且在不久的将来估计会成为一种趋势。此模式能让牢固的掌控下游经销商，应该说是整合了资源来步调一致的来运做商品。中国目前许多下游经销商运做能力比较差，思维比较落后，运做的产品也比较繁多，什么产品好做做什么的现象比比皆是。这些现象阻止了下游经销商向上发展。此模式可以有效的整合所有经销商的资源，共同运做市场、产品统一发展。用通俗的方法描述：商源是掌心，下游是五根分散的手指，是撒开巴掌在打市场。而此模式运用后是把巴掌握成拳头集中力量来打市场，所以非常有效。

弊端就是，此模式的管理和运用还需要磨合。许多细节只是在尝试当中，但我相信此模式将成为经销商市场明天发展的必然趋势。

目前许多企业对此方式非常感兴趣，并且在酝酿运用此模式与各地经销商合作，形成一个企、商共用的销售链，从而达到产品销售的目的。

大鱼吃小鱼似乎是一个自然界的生态链，但在今天的中国白酒市场何尝不是这样呢？在明天的白酒市场我们将看到两种情况出现：第一，巨型经销商的出现，通过资本整合将垄断部分地区的销售环节。第二，企业与多个经销商整合成庞大的产销链条与巨型经销商共同抢占市场和资源。

“心有多大，舞台就有多广”，资本的运营将重新整合中国白酒市场。这是中国白酒市场一个必然的转变。（周亮）

伊利VS蒙牛：针尖对麦芒式的成长之路

1993年，经内蒙古呼和浩特市体改委批准，伊利集团的前身--呼和浩特市回民奶总厂进行股份制改造，转而成立“内蒙古伊利事业股份有限公司”，至此，伊利开始在中国乳业市场上攻城略地，以席卷之势占据国内奶业市场江山。

目前，伊利实业集团股份有限公司已成为全国乳品行业龙头企业之一，并以强劲的实力领跑中国乳业，成为国家520家重点工业企业和国家八部委首批确定的全国151家农业产业化龙头企业之一，是北京2008年奥运会唯一一家乳制品赞助商，也是中国有史以来第一个赞助奥运会的中国食品品牌。

1999年7月，同样在呼和浩特，蒙牛乳业由自然人出资采取发起设立方式成立，短短六年时间，蒙牛集团增长了200多倍，以“火箭速度”经历了神话般的发展，其主营业务收入在全国乳制品企业中的排名由第1116位上升至第2位，创造了在诞生1000余天里平均一天超越一个乳品企业的营销奇迹，荣列“中国乳品行业竞争力第一名”。

2002年10月19日，“第五届成长企业CEO峰会“在北京人民大会堂召开，在大会表彰的1999-2001年度中国超速成长百强企业中，蒙牛乳业以1947.31%的成长速度名列榜单首位。

伊利和蒙牛，一场精彩纷呈的乳业德比战就此拉开帷幕

“PK台”之营销手段：娱乐营销VS奥运营销

蒙牛：借势“超级女声”的娱乐营销

4亿观众狂热追捧、900万个短信投票、红遍大江南北的平民娱乐秀，再加上电视、网络、报纸、杂志等“海陆空”式传媒的跟踪报道，过去的一年里，蒙牛利用“超级女声、想唱就唱”这一看似简单的电视节目，将娱乐营销的概念运用到了

极致，而借助“超级女声”这一平台，也使蒙牛品牌的市场知名度和其主推“蒙牛酸酸乳”这个产品走进了千家万户。

无论站在哪个角度考量，蒙牛借势“超女”的娱乐营销都可谓是国内厂商营销中的经典之作。

实际上，作为后来崛起的乳业新军，蒙牛最为注重的，就是在广告及宣传方面的投放与效果。在蒙牛的创业初期，蒙牛老总牛根生就大笔一挥，将启动资金的三分之一在央视投放广告，而在去年，蒙牛又一掷重金果断拿下当时并不被看好的湖南卫视标价为300万元的《超级女声》冠名权，同样被业界称为蒙牛的“豪放之举”。

在拿下冠名权后，蒙牛通过选取04年“超级女声”的季军张含韵作为其主推的、以15-25岁的女孩为目标消费群体的蒙牛酸酸乳的形象代言人，并以一首“酸酸甜甜就是我“的歌曲使得张含韵本人与蒙牛一起成为小女生们谈得最多、关心最多的事物。而“酸酸甜甜就是我”的蒙牛广告语也越打越响。

针对蒙牛准备力攻的长沙、郑州、杭州、成都和广州这五个城市，蒙牛将超级女声的赛区就定在这些城市，并在全国“想唱就唱”的一片潮流中，通过几乎没有门槛的选拔，鼓励全民参与，使更多的消费者成为了追逐“超级女声”的“追声族”。其活动的范围和影响力也由此变得越来越大。

在蒙牛主攻的五大市场，也即“超女”活动的五大主赛区，媒体对活动的报道越来越多，加上蒙牛在央视、湖南卫视，以及各地电视台、报纸、网络投放的广告，使蒙牛的品牌知名度和超级女声一起水涨船高，成功地为蒙牛造了势。

在终端方面，蒙牛通过在各大卖场和超市的广告宣传、产品促销等，迅速拉动了蒙牛的产品销售，将活动影响力转化为产品销售力，同样取得了不错的效果。

在接受媒体采访时，虽然蒙牛集团的新闻发言人李女士一直否认蒙牛品牌的飞速成长与“超级女声”有直接关系，但蒙牛集团副总裁孙先红却表示，通过“超级女声”这一娱乐营销，蒙牛酸酸乳在市场的销售量已番了几番，并在增加两条生产线的基础上还呈现出供不应求的销售局面。

可以说，“超级女声”不仅创下了中国传媒史上的奇迹，同时也创造了一个娱乐营销的经典案例。而在这一片热闹之后，尽管蒙牛还没能追赶上他的老大哥伊利，但他的经营业绩由此也突飞猛进，在2005年，其全年销售业绩达到了108亿元，同比增长50%，净利润高达4.5亿元，同比增长了43.7%。

伊利：“赞助之争”赢得奥运营销

今年3月初，有媒体传言，伊利将出资1亿元的天价冠名赞助央视的《梦想中国》栏目，以此与蒙牛的“超级女声“在娱乐营销上决一雌雄。

但后来的事实证明，冠名《梦想中国》，最多只能说是伊利，或者是媒体的炒作而已，在伊利看来，采取“跟风策略”的娱乐营销，“不仅会降低了企业自身档次，同时也难以确保能达到同样出色效果。”

显而易见，伊利娱乐营销的态度应该是鲜明的，借势奥运的体育营销，将成为伊利今后很长一段时间内的主要营销手段。

有趣的是，在为申请成为北京奥运赞助商一事上，伊利和蒙牛之间就已展开了一场较量。

从2004年起，蒙牛就为每一位国家运动员都配置了“牛奶套餐”；2005年，蒙牛将对奥运的营销活动定义为“志愿北京，蒙牛同行”，由蒙牛出任首席合作伙伴的“志愿北京”赞助计划正式启动。此外，蒙牛还为北京申奥捐款1000万元，以期“用亲情化的营销方式拉近消费者与蒙牛的距离，使奥运与蒙牛的乳类产品不至于离得太远，同时也能向奥组委表明自己的决心。”

而伊利恰恰与蒙牛相反。在消费者的投入上，伊利几乎没花一分钱，反而在一开始就利用其企业的身份展开了强大的政府公关能力。2005年，伊利集团出资3000万元支持内蒙古自治区、呼和浩特市文化、体育事业建设，其中，2000万元用于呼和浩特创建文化大市，500万元用于发展自治区文化事业，500万元用于为参加08北京奥运会和下届全运会的内蒙古籍运动员提供补贴、奖励，以及改善自治区体育设施。

而决定最终成为奥运赞助商的拐点出现在2005年10月9日。据蒙牛集团副总裁孙先红介绍，当天，呼和浩特市人民政府召开了市长办公会议，讨论了蒙牛与伊利争相成为奥运赞助商事宜，会上，市委市政府提出，鉴于当地奶农反映蒙牛与伊利在竞争成为奥运赞助商过程中花费太多，将来将变相增加农民负担和波及奶农生计的意见，加上乳品行业原材料涨价、产品降价的实际，市委市政府建议蒙牛和伊利一起退出北京奥运赞助商的申请活动。

随后，政府有关领导与蒙牛总裁牛根生及伊利总裁潘刚分别作了沟通，两家共同确认了当天起草的《关于退出北京奥运合作伙伴申请活动的函》。该函的核心内容为：根据呼和浩特人民政府市长办公会议精神，蒙牛与伊利“思之再三，决定共同退出此次奥运合作伙伴申请活动”。在双方执行者都在场的情况下，蒙牛与伊利的退出申请函被传真的方式发送到了奥组委。

据悉，奥组委在收到两家企业退出申请函之后，又收到伊利再申请赞助商的函，伊利在没有对手的情况下成为了奥运赞助商。

而事后对于蒙牛方面传出的这些赞助失利的说法，我们无法判定谁是谁非，唯一可以肯定的是，伊利奥运赞助权的取得，无疑是一个精彩的案例，在奥运营销之路上，我们也期待着伊利能够创造更多的“为梦想创造可能”。

点评：蒙牛借“超女”东风使其经营业绩突飞猛进，这一点无疑是成功的，但更确切地说，“超级女声”这个传播载体很适合产品的营销而非品牌的营销，也就是说，借助“超级女声”，只能使以酸酸乳为代表的蒙牛产品提高销售分额，而对蒙牛品牌本身的帮助并不是很大；相比于伊利主打的奥运营销，因为奥运会的影响力、知名度和关注度无疑是非常高的，而伊利比附奥运，则给人留下了国际化品牌的印象，因此对于伊利的品牌增值具有非常大的作用。

“PK台”之品牌塑造：领跑VS追逐

伊利：打造乳业第一品牌

伊利集团以生产“纯天然、无污染”的系列优质奶制品而闻名全国，事实上，伊利如今稳坐国内乳业市场的龙头位置，在很大程度上与其一贯的品牌主张也是密不可分的。

伊利集团很早以前就喊出的一个口号是：打造乳业第一品牌。经过20多年的苦心经营，目前，伊利也已经成功地在消费者心中树立起了“中国乳业第一品牌”的地位，在05年度央视《品牌中国》特别节目中，伊利品牌经过权威机构专业数据、资深专家严格评估和数千万消费者的投票等层层验证，名列中国食品业榜首。而在此前的数次权威调查中，伊利的无与伦比的品牌价值与影响力都体现其作为中国食品行业龙头大哥地位的无可争议性。

综观国内乳业乃至整个食品行业，其营销的主要手段不外乎依靠几个爆炸性时间去炒作知名度、通过几个事件营销去推销某个产品等等，而与国内众多的食品行业不同，伊利在塑造品牌的手段和方法上均独树一帜，可圈可点之处甚多，其精华之处就在于塑造品牌的“亲、稳、强”。

“亲”即亲和力。伊利注重用健康品质和亲情诉求去赢得消费者口碑，进而建立自己稳定的消费群体。“纯天然、无污染”的概念很早就被伊利所推广，而“为梦想创造可能”的广告词也对很容易使消费者产生亲近的感觉。此外，伊利广告中的“大草原、蓝天、白云、牧羊”等等，都使生活在都市的消费者产生一种对伊利的向往；

“稳”即稳重、持久。尽管伊利在品牌推广方面提出了“360度”推广的概念，以电视、广告、报纸、网络等一切媒介及各类活动来提高品牌形象，但我们仍然可以发现，伊利推广品牌使仍注重一个“稳”字，利用长期的不间断的推广使其品牌形象逐步深入人心，这也符合伊利作为乳业大集团的形象；

“强”即强势。在品牌消费时代，品牌能赋予消费者某些心理暗示，一个强势的品牌能让消费者感觉这个品牌“就是好”、“就是强”，使用起来会“更放心”，由此，伊利始终坚持以“中国乳业第一品牌”来宣扬自己，而伊利这一战略战术执行得也是非常成功，一个强势的品牌就这样在消费者心里塑造了起来。

作为中国乳业的领跑者，可以说，伊利的品牌塑造和推广是比较成功的，在乳品高度同质化的当今社会，伊利惟有依靠品牌的强势才能使其与竞争对手拉开差距，继续给消费者购买它的信心。

蒙牛：品牌的比附定位

蒙牛很聪明，自其成立那天起，蒙牛就懂得如何运用品牌的比附定位策略来壮大自身品牌，这也是蒙牛创造发展奇迹的主要原因之一。

所谓比附定位，也就是攀附名牌的定位策略。通俗一点来说，就是企业通过各种方法，与某个知名品牌建立一个内在联系，从而使自己的品牌迅速进入消费者的心里，从而达到“借鸡生蛋”的目的。

在刚启动市场时，蒙牛只有区区1300多万元的资金，与伊利、草原兴发这些大企业相比不过是个相当于“指甲盖”大小的小厂，为此，蒙牛将做出了“为别人做广告”的决定，将“为民族争气、向伊利学习”、“争创内蒙乳业第二品牌”、“千里草原腾起伊利集团、蒙牛乳业——我们为内蒙古喝彩”等广告打在产品包装上，事实上，这些广告看似是对伊利的赞赏，同时也使蒙牛和乳业第一巨头伊利并驾齐驱，在消费者心里留下深刻印象。而蒙牛这种“谦虚、实事求是”的态度和宽广的胸襟，同样令人感到尊敬，获得了业界的口碑。

在2000年9月，蒙牛出资100多万元，投放了300多幅主题为《为内蒙古喝彩》的灯箱广告，内容是“千里草原腾起伊利集团、兴发集团、蒙牛乳业；塞外明珠辉照宁城集团、仕奇集团；河套峥嵘蒙古王；高原独秀鄂尔多斯——我们为内蒙古喝彩，让内蒙古腾飞。”

实际上，以蒙牛当时的实力、地位和产业规模，这些品牌都令蒙牛难望项背，但蒙牛通过广告使自己与对方平起平坐，却使消费者感觉蒙牛与这些品牌一样，也是名牌，也是大企业。

借伊利等名牌企业的名气提高自身品牌的影响力，无形中就将蒙牛的品牌打了出去，蒙牛的品牌比附定位也堪称国内企业的经典之作。

当然，除了品牌的比附定位，蒙牛运用机会战略借势提高品牌影响力的做法也有可圈可点之处。在“非典”蔓延全国时，蒙牛率先向国家卫生部捐款100万元，成为国内第一家捐款抗击“非典”的企业；中国首次载人航天飞船“神舟五号”成功落地后仅几小时，蒙牛的相关广告就迅速铺到全国三十多个城市，其电视广告也迅速播放；而去年红极一时的娱乐节目“超级女声”也同样出现了蒙牛的身影，着实让蒙牛火了一把。

点评：领跑与追逐，向来是企业界的一大看点。伊利的“以我为主”打造强势品牌的战略的确很成功，而蒙牛通过品牌的比附效应也使自己的发展达到了一个令人无法企及的速度。但我们更关注的是，在伊利已经取得巨大成就的今天，他还将采取怎样的策略来继续使品牌“增值”，甚至成为世界的“乳业第一品牌”；而蒙牛，通过比附效应使自己迅速窜升到行业老二的地位，此时，他的品牌策略是否会改进？是否有更好的策略来塑造更完美的品牌？所有这些，都是伊利和蒙牛需要思考并解决的问题。

“PK台”之领导者：“钢”少帅VS“牛”老将

伊利：少帅潘刚的激情与自信

1992年，刚刚大学毕业的潘刚加入到了呼和浩特市回民奶食品厂，并在这个厂里做了一名质检员；1993年，食品厂改制成为内蒙古伊利实业股份有限公司；到目前为止，在潘刚的带领下，伊利从一个职工不足200人、企业资产2000多万元、销售收入不足3000万元、利税不足500万元的小厂，成功走向全国乃至世界，成为中国企业500强，国内毫无争议乳业第一巨头。

辉煌的成绩，映衬着潘刚杰出的领导才能与商业运作能力。

在很多人眼里，潘刚有着常人所没有的儒雅、稳健，甚至有些保守，然而，透过潘刚稳健的背后，我们其实更应该看到一个充满激情、自信、活力的年轻的企业领导者。

2002年7月，潘刚被董事会任命为集团公司总裁，成为国内企业中最年轻的大型集团公司总裁，但实际上，潘刚真正开始全面负责伊利集团的企业经营工作，则是到了2004年12月才开始。

我们不妨来看看潘刚在正式负责企业经营工作后的几次精彩亮相：

04年12月，伊利集团召开紧急会议，决定今后集团的日常经营工作继续由潘刚负责；

次年1月，潘刚组织召开伊利集团高层变动后的首次经销商会议；

3月份，潘刚宣布伊利股份第100亿袋利乐包牛奶正式下线的消息，一个新的健康的伊利形象塑造成功；

4月份，伊利公布的第一季度季报显示，伊利股份完成主营业务收入23.55亿元，同比增长34.41%；

6月29日，潘刚以股东投票形式全票当选伊利集团董事长职务。

而在此之后，潘刚开始发力，在重要场合及面对媒体时频频提及“2012年跻身于世界乳业20强的中期目标决不动摇”，并带领伊利向国际化食品品牌看齐，为做国际化食品品牌而努力。

此后，伊利品牌建设的效果逐渐凸显，其市场销售也突飞猛进，不仅巩固了自己中国乳业龙头老大的优势地位，还成功进入国际乳品大户行业，成为中国有史以来最大的乳业巨头。

在描述伊利未来的时候，潘刚曾表示，奥运是伊利腾飞的机会，也将是伊利新营销的起点，今后，伊利将继续追求稳健与快速、宏大与精准的平衡，逐步展开品牌推广计划。

而一个有趣的现象是，在面对同行的强势追赶，潘刚的自信却越来越强，在一公开场合，潘刚曾指出：“品牌建设绝不是一朝一夕的事情，不是靠炒作就能炒起来的，那样的根基是不稳的。我们一定要踏实、务实，让消费者感到伊利的社会责任感，不太想和竞争对手作比较。品牌不是靠声音大，嗓门高喊出来的。品牌一定要真正深入到消费者的心中，而不是说广告投入多就好。伊利广告投入不是最多的，但给国家和社会创造的财富却最多，缴的税最多，是第二名的好几倍。”

蒙牛：“牛”老将的放逸与豪爽

1999年，伊利的原副总裁牛根生带着几个人，拿着伊利给他们的利润分红1000万元，创办了蒙牛，借助在伊利学习的运作经验，牛根生以先建市场后建工厂的独特经营理念，在全国迅速扩张，并以1947.31%的成长速度，成长为“1999–2001年度中国成长企业百强”第一名，成长为仅次于伊利的中国乳业企业第二名，并直逼伊利的冠军宝座。

蒙牛的领导者牛根生有着草原人特有的豪放与开阔的心境。事实上，在蒙牛这几年的超速发展中，如果没有牛根生的个人魅力与开阔胸襟，或许就无法成就蒙牛如今在乳业市场的显赫地位。

长久以来，牛根生对于财富的看法使得人们对他的为人容易产生好感与亲近，在伊利时，牛根生的“散财哲学”就已经相当有名：因业绩突出，牛根生获得了一大笔奖金，而拿到这笔奖金之后，牛根生就直接将其折合成4辆面包车分给部下；在伊利获得的一百多万年薪，牛根生基本上都分给了下面的员工。

“小胜靠智、大胜靠德”，“散财哲学”使得牛根生的身边始终追随着一帮感恩图报的弟兄，以致于当牛根生愤而离开伊利创办蒙牛时，仍有很多员工放弃伊利的高薪转而投入蒙牛的怀抱。

在牛根生白手起家创办蒙牛集团的最初，“老东家”伊利曾对其围追堵截，通过各种手段想使蒙牛的发展受到阻碍，然而，此时的牛根生不仅没有丝毫的报复之意，还喊出了“向伊利学习、为民族工业争气”的口号，并通过公益广告的形式间接宣传伊利。在接受媒体采访时，牛根生也曾多次表示，伊利是蒙牛的老大哥，是蒙牛学习的方向，并始终将蒙牛作为一个弱小的企业来看待。这一系列的做法，不仅使蒙牛避免了成长之初遭人暗算的厄运，同时也使牛根生的个人魅力达到了一个新的高度，使蒙牛的员工对企业产生了更为浓烈的感情。

点评：潘刚与牛根生，尽管都是企业的领导者，但两人身处截然不同的企业环境和发展环境，因此，他们在思想、行动上都有着个性鲜明的个性和特点。可以说，这两位企业家的个人思想，从很大程度上决定了伊利与蒙牛的发展速度和发展方向，毫无疑问的是，作为伊利和蒙牛的当家人，潘刚、牛根生均可谓是中国企业家中的佼佼者。

编后：竞争，让彼此活得更好

在自然界，竞争是促成动物进化和发展的最好动力，而在市场经济条件下，健康有序的竞争也是企业自我发展和提升的动力源泉。

作为行业老大与老二，伊利与蒙牛从来都不缺乏竞争，从原材料争夺到终端市场销售、从产品价格到销售渠道、从营销手段到公关策略，他们的竞争几乎已经渗透到了企业经营中的所有环节。

然而，正是在这样的竞争下，伊利和蒙牛一步步地甩开了其他品牌的竞争者，并始终保持一种旺盛的发展态势，实际上，我们可以发现，从很多时候、很多角度来说，伊利与蒙牛的互相“借力”与“合作”往往是大于分歧，这是因为，他们同处一个行业、同处一个阵营，尽管从表面上看他们是相互敌视的，但是，他们却又都在这种被敌视的现实中相互需求、相互得利。

“一山不能容二虎”的故事注定不能在商界流行，未来的乳业发展将会是品牌引导下的全球竞争，我们衷心期待，伊利与蒙牛这两大中国乳业巨头，能更快更好地成长，为中国乳业在国际上树立品牌而努力。 （徐红明）

名烟名酒店：掀起酒水终端营销的第二次浪潮

或许面对惨烈的终端竞争我们已经无可奈何，或许对终端营销我们已经失去信心，但我们发现，这个时候，也是酒水营销新思想最活跃的时期。这种正在发生的变革，将直接影响我们的思维，改变我们的营销行为。或许酒水营销的精细化时代真正要开始了......

在近一段时间，中国酒水营销界开始把目光集中投向名烟名酒店这一零售终端。许多企业都明确地提出，要把名烟名酒店作为下一阶段营销工作的重心。在市场经济这场大戏中，毫不起眼的名烟名酒店为何会从“跑龙套”升级为“当红小生”？为何会出现这样的渠道重心的转移呢？如何正确评判烟酒零售渠道的价值呢？对于酒水厂家和经销商而言，这是一次商机，还是又一次打击呢？作为酒水生产企业，又该如何运作名烟名酒店这一渠道呢？

【“帮”打天下】

2006年年初，在青海西宁市区，仿佛一夜之间就开张了数百家挂着“名烟名酒”招牌的零售店，几乎覆盖了西宁市区的各条大街小巷，这一盛况着实令人震惊。而这就是名烟名酒零售店的开创者们—— 河南商人的杰作。

分析名烟名酒店，要从河南说起。

王卫甫（别名王小六），河南许昌人，在河南郑州酒圈有很高的影响力。他1994年在河南开了第一家烟酒零售店，之后带动了一批许昌乡亲进入郑州，相继开设400多家名烟名酒店，已经形成小有名气的“许昌帮”。据粗略统计，河南郑州市区现有名烟名酒零售店铺约一千多家。除许昌帮之外，还有“商丘帮”占300多家店，其他散户占300多家店。现在华北、西北及许多地区正在兴起的名烟名酒店多半都是河南商人的势力范围。

据王经理讲，名烟名酒店在河南郑州的鼎盛时期是1998年前后，他们改变了原来各省市糖酒公司一统零售市场的状况，成为了当时酒水销售的重要渠道，许多名烟名酒店的小老板都在这个时期发了财。据不完全统计，当时茅台和五粮液约有70%的销售就是这些名烟名酒零售店完成的。但2000年以后，随着各现代终端大型超市的涌入，名烟名酒店的价值又被弱化了，销量也大大减少。这也是名烟名酒店小老板们最痛苦、最迷惘的时期。于是赔钱、分流、转型，还有连锁、扩张等等都成为这一时期的表现主题。

或许2005年和2006年这两个年头，该是名烟名酒店的又一次发展转折期。渠道关注的视线再一次聚焦在名烟名酒零售店的身上。

【“势”不可挡】

新闻链接：日前，江苏省餐饮行业协会、消费者协会联合公布新规《江苏省餐饮行业经营行为规范》：从2006年5月1日起，饭店不得禁止消费者自带酒水，消费者可以自由带着酒水进出餐馆。此次南京市出台的自带酒水新规无疑具有标志性的意义。

据调查，当前自带酒水的呼声越来越高，而这直接影响了酒水在酒店的销量，酒水终端营销遇到了前所未有的障碍。“酒店基本不卖酒了。”酒店的销量大幅下滑，已经远远无法抵上投入，更谈不上盈利了。由于酒店销售与酒店投入的不成比例，许多买断酒店的经销商都在苦恼中。营销专家王朝成分析，自带酒水的潮流可能会带来两方面影响：一是酒店内部的平价酒水超市可能会越来越多；二是名烟名酒零售店的效能越来越受重视，且其将呈现品牌化发展。

黑土地酒销售公司刘总认为，当前自带酒水的潮流促使整体酒水运作的难度都会加大，尤其新品牌的成长难度就更大。原来只要抓住几个核心酒店，加大投入就可能切入市场，但是现在酒店的效能在降低。搏杀性质的酒店终端投入已经很难启动市场，因为消费者和市场都在走向理性，培育期被无限地延长。在酒店终端启动市场的效能越来越低的时候，我们不得不思考，市场的“发动机”究竟在哪里？思考原来倡导的“盘中盘”营销模式，假如酒店这个小盘的能量不行时，新的小盘又在哪里？

纵观中国酒水整体市场，我们发现，许多厂商的思维依然停留在过去的酒店终端营销的阶段，根本不重视烟酒零售的渠道价值。也许10万/年的酒店进店费他们敢掏，但1000元/年的零售维护费用却不肯出。究竟哪个是真终端，或许我们要认真思考一下了。

业内人士这样预言，未来的两三年内酒店终端将不再是企业的投入重点，而烟酒零售店将可能跃级成为“新终端”。其实烟酒零售店本来就是流通环节的重要组成，只是酒水行业在这个环节总是停留在自然运作层面。而自带酒水在某些区域的盛行，将极大地刺激烟酒零售环节的营销动力。我们必须看到，酒水终端营销的重心将出现新的转移，这正是新时期酒水营销的新特征。

主要经销泸州系列酒的邢台孙建军经理在2004年4月份就进入了烟酒零售店，其邢台蓝马糖酒公司在当地也小有名气，当前已有4家店，1个300多平米，1个100多平米，还有两个40多平米。据其介绍，也就是在2004年下半年，邢台市区一下子铺天盖地出现了许多“名烟名酒”招牌的店，其实有许多都是从原来的商店改成了名烟名酒店。当前在邢台地区较具规模的烟酒零售公司还有汇峰烟酒、中桥烟酒和圣和烟酒等，其销售情况都比较可观。

近两年，许多烟酒零售店的老板在零售生意的同时都开始涉水产品经销，也就是转型为零售与代理的“兼营商”。这些人员构成了酒水经销商的“新群体”。原来主做零售的郑州王卫甫经理在2003年5月份也开始接手金六福酒，负责其郑州市区流通渠道，他也从零售商换身为代理商，完成了自身的转型与提升。对于这一新型的零售代理商，我们要客观分析，他们的优势在于较好的零售终端关系网络，但是如何发挥这一渠道的力量顺利推广产品，或许还需要思考如何与相关渠道开展整体配合。

【商机？打击？】

自带酒水越来越盛行，名烟名酒零售店越来越受重视，对于酒水厂商而言，这是新的商业机会，还是又一次残酷的打击呢？如何顺应这一趋势积极运作呢？这些都是当前必须要思考的问题。当前有许多企业都特别注重团购，专门成立部门进行运作，但是成效并不明显，人们发现团购渠道的运作难度比想象中要大得多。酒水终端营销的思路应该如何调整呢？我们认为，当前酒水营销最缺乏的是复合式渠道运作意识。中国酒水市场的竞争已经进入了新阶段，传统的终端营销思维必须调整。我们要接受这样的变化：市场重心要从几个核心点向若干个核心点转移，从单一渠道向复合式渠道调整，原有的数个大批量走货被分解成单个小量走货。许多厂商认为，这种改变是一次巨大的商机，因为它将改变终端的力量对比，并不是有钱就能做好市场，还需要细致的终端管理，竞争将从资本的较量升级到管理的较量。但对于当前正在投入买断酒店的厂商而言，当前这种趋势无疑就是“雪上加霜”，痛苦不堪。

安徽口子酒业河北区刘经理分析，华北及其他许多地区的酒水销售业态构成正在不断的发展变化中，凡是酒店密集区必然有名烟名酒店的存在。许多消费者也都不愿意到酒店买酒，而习惯到酒店旁的烟酒零售店就近购买，这已经形成消费惯性。面对这一渠道架构与消费行为的变化，生产企业务必要调整思路，倒过来从消费者角度换位思考。需要指出的是，我们生产企业总是沿袭传统思路把酒店与零售分割开来，实施不同的运作，但是对于消费者而言其对产品的认知却是整体性的。在以前的市场运作中，我们过分强调酒店对消费者的影响价值，却忽略了零售对消费者同样存在的影响价值，其实两个终端的价值是相辅相成的，缺一不可。我们需要建立复合式渠道运作思路。

必须看到，中国白酒营销已经进入精细化时代，像做饮料和啤酒一样把白酒做到零售终端，从原来的简单放货转变为细致运作，实现深度分销，这应当是中国酒水营销发展的方向。当前安徽口子窖在石家庄市区也在主攻名烟名酒店。他们专门安排了6～8人左右负责烟酒零售渠道，大约在做200多家烟酒店。他们特别注重售点的维护工作，严格执行经常性拜访。当前该品牌在这一渠道的成效比较明显。

从去年年底开始，安徽古井贡酒也把名烟名酒店作为某些区域的重点渠道进行运作。该公司销售总经理朱仁旺提出，要把名烟名酒零售店当做商超或当做酒店来运作，加大促销推广力度。他认为，烟酒零售店也有其固定的消费群体，究竟是哪些人群则需要我们认真分析与总结。这是我们营销工作的突破口。

一些在名烟名酒零售店起步较早的企业已经尝到了甜头。河北祁卫云经理说，他们从去年开始加大烟酒零售终端的运作，感觉这一渠道的运作比较有成效，而且执行现款现货使得资金压力较小，运营风险较小。当然对于酒店终端他们也没放弃，只是把大部分的酒店终端交由分销商做，自己仅仅把控几个核心店。

【自我“修炼”】

名烟名酒零售店的共性特征：

1.铁打的茅五剑，流水的流行酒；

2.假冒伪劣的名酒较多；

3.帮派林立，帮内连锁；

4.每家店都有自己的特定分销范围；

5.多开设在繁华街道、重要部门及其家属院、高档酒店附近。

就这一渠道自身存在的问题分析。首先就经营者而言，名烟名酒店的老板多数文化素质偏低，其营销思路相对传统，“坐商”意识浓重。其次就产品结构而言，一部分是茅、五、剑等国家名优酒，一部分是当地最流行的畅销酒，另一部分就是包装精美、利润丰厚却毫无名气的小厂品牌。第三就其盈利构成而言，畅销酒利润极薄，小品牌又有利无量，名牌酒走量有限，在部分店铺中假货反而成为其利润的主要来源，而这也直接引发了渠道的信任危机，消费者无法放心消费，这可能是该渠道最致命的发展桎梏。

营销专家王朝成指出，名烟名酒零售店要真正发挥其核心渠道的价值，最根本的就是要解决名烟名酒店自身存在的问题，克服非市场因素的影响。具体办法有二：第一，零售店的品牌化。第二，利润型的产品架构。

总结多年的名烟名酒店运作经验，郑州王卫甫经理提了三个关键点：第一，维住老百姓。这是名烟名酒店的运作核心。这块不赚钱，但可凭借薄利多销赢得口碑。第二，维住老板，也就是抓商务用酒市场。这是盈利点，但这部分消费群对产品的品牌和品质都要求很高。第三，维住官员，也就是抓政务用酒市场。主要就是做好团购，做好办公室用酒。

邢台经销商孙建军经理认为，烟酒零售运作只有在注重产品质量和降低销售费用两方面下功夫，才有可能取得良性的发展。为了保证产品质量，他规定非各省前三名的知名品牌都不进货，虽然有些品牌在邢台当地已经成为畅销酒，但虑及流行酒的短期性，他也没进货。孙建军强调，烟酒零售店的产品规划与选择是运作关键，当然也要在保证信誉的同时，保证自身利润。本身蓝马公司就代理了许多产品，这些从厂家直接进货的产品就是其利润的主要支柱。

我们认为，名烟名酒零售店的运作，当前最重要的是要找到自身的价值。虽然借助市场自带酒水的大潮流，可以帮其找到存在的理由，但是烟酒零售店还要转变运作思路，从坐商转变为行商，积极地开展推广，只有这样才能顺应趋势，把握先机，赢得发展。比如酒店门口的促销拦截，有些企业当前在这方面下了不少的功夫。比如便民配送，也是一个不错的方式。尤其在小区周边的名烟名酒店，可充分利用地源优势，打造自己的“地盘”。如为周边的消费者送货上门，解决货物沉重的便民措施等等。

【冲破阻力】

当然烟酒零售的运作也并不是想象中的容易，可能在某种程度上，它更是对酒水营销人的一种考验。记得有位经销商曾说过一句成功的经验，“把活做细了”，这句话或许在我们运作烟酒零售渠道面前更适用。

当前名烟名酒店在南方地区与北方地区表现各不相同，经济发达地区与不发达地区也表现不同。所以名烟名酒店的运作呈现明显的区域特征。而且，名烟名酒店这一渠道也并不是所有产品都适用，相对而言，传统名优品牌的优势略大一些。

客观来看，当前烟酒零售店运作的难度主要集中在以下几点：一是终端不集中，数量增加，管理难度加大。二是与其他渠道配合的问题。三是赊销的账款管理。

“酒都从旁边小店拿了，我们酒店还怎么卖呀？”河北保定裕庆荣的王经理提到，烟酒零售店在渠道推进中也会遇到来自酒店终端的阻挠。如何解决酒店与零售的矛盾呢？对于刚刚进入市场的新品而言，分渠道运作产品可能会比较得当，也就是零售品种与酒店品种最好分开；而对于已经进入成熟期的品牌而言，零售品种与酒店品种往往无法区分，要保证供货价一致，但之间的终端售价差最好拉近，控制在10元之内。

“蜀乡门第”酒在烟酒零售店做得十分细致。作为该品牌的经销商，石家庄瑞雪恒丰商贸公司王经理深有感触。去年他们集中投入了约100多名业务人员专门运作烟酒零售店，其目的就是形成整体围攻之势，零售与酒店形成市场共振。值得一提的是，该品牌当时全部现金结款，而这给零售店的一些压力，反而调动了零售店老板的销售动力，这也是保证其成功运作的关键点。

解决利润困惑，是烟酒零售运作的核心点。四川郎酒集团河北区王经理说，他们当前在这一渠道主要做了两方面工作：一是零售终端的产品架构，更侧重于零售的利润满足。二是选择核心店设立专柜，并支付专柜费，每店一年1000元。这两方面的工作落实下来，让其在零售终端占尽先机，备受欢迎。

当前烟酒零售店的促销推广主要集中在常规方式上，比如买赠、返利等，有上促销员的但较少，还出现了把营业员反聘为促销员的方式。有些企业在烟酒零售店内已经开始设立品牌专柜，费用极低，有些只是给一部分样品酒。业内人士总结，烟酒零售店的运作关键就是“显眼的货架位置＋店老板的用心推荐＋门口的堆箱陈列”。

营销专家王朝成指出，由于烟酒零售店地理位置分散的特殊性，大面积运作这一渠道并不正确，最理性的做法是分区域推广，分系统推广。也就是展开拉网式“扫街”，一片一片地精耕细作。

综上所述，烟酒零售店的三大运作要点：一、适路的品牌；二、高利润；三、精细化运作。

但是我们也必须看到，当前许多品牌在烟酒零售店的运作成效并不显著。王朝成指出，烟酒零售店的运作缺乏针对性与创新性。烟酒零售店的终端拦截，是不同于以前的酒店终端拦截的。因为其并非一个封闭的环境，零售店老板是什么产品都可能进，消费者可选择的产品很多，而且这个环境下的推力效能也在降低。所以纯粹的酒店终端拦截策略的照搬，并不能有效打开烟酒零售终端市场。所以当前我们的建议是：一方面抓住核心酒店，数量再精减；另一方面启动烟酒零售店，与酒店配合，走复合式渠道运营模式。当然，对消费者方面的品牌宣传要作为重中之重，因为这才是渠道有效运转的前提。

据本刊调查，当前烟酒零售店的运作也良莠不齐，在某些地区由于其数量的快速增长，超过了市场容量，再加上不善运作，许多名烟名酒店的经营出现危机，所以提醒企业在实际运作中要慎重选择。

据了解，当前在某些市场，装修豪华的大型烟酒超市正越来越多。与名烟名酒零售店不同的是，他们更注重企业的品牌化，注重消费者的口碑营造。他们主打三张牌：一是“保真”；二是“货全”；三是“服务”，可送货上门。关于这些烟酒超市的变化，本刊将继续关注。

在这场大规模的自带酒水热潮的影响下，名烟名酒零售终端将会出现蓬勃的规模发展，经销商的构成也将发生改变，而这也将有利于整体酒水行业的变革与净化，开瓶费与进店费将会下降，产品价格与价值偏离的问题也将得以改善，尊重消费者并细致研究消费者购买行为将会成为酒水行业的营销主题。（赵建英）

一个中小企业的低成本突围之道

——庐峰云雾瓶装瀑布水策划纪实

作为一个新企业，而且是一个中小企业，资金、人才没有优势，品牌力、渠道力为零，在这种情况下，怎样才能在竞争已经异常激烈的市场中打开一片天地？这个让很多新企业头疼的问题，被江西庐山毓恬饮品有限公司（以下简称“毓恬公司”）以“庐峰云雾”这一品牌名和“天然饮用瀑布水”这一产品名，以及以技巧性的低成本传播策略所轻易解决。

品牌、产品名与广告诉求——让资源效果最大化

毓恬公司是一个新成立的公司，位于庐山主峰大汉阳峰南面山脚下，离被茶圣陆羽评为“天下第一泉”的谷帘泉只咫尺之遥。公司投资设址于此的初衷就是要利用谷帘泉水生产瓶装水。

相传唐代名人陆羽（公元733-804年），以嗜茶著称，对泡茶的水很有研究。他遍游祖国的名山大川，品尝各地的碧水清泉，按冲出茶水的美味程度，将泉水排了名次，确认庐山的谷帘泉为“天下第一泉”，江苏无锡的惠山泉为“天下第二泉”，湖北蕲水兰溪泉第三……。谷帘泉经陆羽评定，声誉倍增，驰名四海。历代文人墨客接踵而至，纷纷品水题诗。宋代学者王禹在考究了谷帘泉水后，在《谷帘泉序》中说到此泉水：“其味不败，取茶煮之，浮云散雪之状，与井泉绝殊。”宋代名士王安石、朱熹、秦少游、白玉蟾等都饶有兴趣地游览品尝过谷帘泉，并留下了绚丽的诗章。白玉蟾对飞流的谷帘泉及泉区胜景作了如下勾画：“紫岩素瀑展长霓，草木幽深雾雨凄。竹里一蝉闯竹外，溪东双鹭过溪西。步入青红紫翠间，仙翁朝斗有遗坛。竹梢露重书犹湿，松里云深夏亦寒。”

谷帘泉水虽好，但是瓶装水的行业与市场状况并不能让一个新进入的企业乐观。

以解渴、卫生、安全为功能的瓶装水是市场上竞争最为激烈的产品之一。上有娃哈哈、乐百氏、农夫山泉等全国性大品牌，中有康师傅、润田等全国性二线品牌或区域强势品牌，下有立足于两三个省、本省甚至是本市的各地方小企业的小品牌，多年的市场与品牌运作，让它们在市场上建立了强大的市场壁垒。这种壁垒让新品牌很难突破，即使要突破，也要付出相当大的资金、时间和耐心成本。

经过多年激烈的市场竞争，瓶装水的价格已经被打到了最低，1元/瓶成为绝大部分市场的上限价，0.9、0.8、0.7、0.6元/瓶，甚至是0.5元/瓶的价格促销也经常出现，价格战导致的结果就是企业价格空间的大大缩小。对新企业来说，要从零开展树立品牌知名度，建设市场网络，实现产品销售，即使是采取与其它一般企业相同的政策与手段，也会很容易出现无利甚至是亏本的情况，更遑论希望象当年的农夫山泉那样通过一个U.S.P来取得溢价能力，从而以价格上的空间进行强力推广了。

面对市场壁垒和价格空间的障碍，作为一个新企业，必须要有与众不同的手段！

庐山是名扬天下的旅游胜地，庐山的山、水、云、雾、茶、瀑布、宗教、文化等早就通过从幼儿到老年、从课本到日常生活的教育而印下了深深的烙印：

“飞流直下三千尺，疑是银河落九天”的《望庐山瀑布》；

“不识庐山真面目，只缘生在此山中”的《题西林壁》；

“人间四月芳菲尽，山寺桃花始盛开”的《大林寺桃花》；

“乌托邦式”人间仙境的《桃花源记》；

“云海茫茫，波涛起伏”的《庐山的云雾》；

“千呼万唤始出来，犹抱琵琶半遮面”的《琵琶行》

……

这些诗词文赋始终贯穿于从小学到高中的语文课本，还有：如“庐山云雾茶”、蒋介石、宋美龄夫妇的美庐、庐山会议的政治风云，可以说是无人不知无人不晓；茶圣陆羽的“天下第一泉”、李四光的冰川世纪研究以及“世界文化遗产”、“世界地质公园”、“国家4A级景区”、“国家森林公园”等荣誉同样也因媒体的宣传和大量游客到庐山来观光旅游而为世人所熟知。

庐山的可利用资源可谓丰富而深邃，然而，九江市以及庐山风景区附近的县市区有着众多的食品企业，却没有一家真正进行挖掘利用，这无疑是对庐山资源的巨大浪费。

我们为什么不从庐山这些优质资源上着手？因为这些资源已经广为传播，如果我们能够利用这些资源，那么不仅能够拉近与消费者之间的距离，而且我们完全能够借势来达到低成本品牌传播的目的。

庐山给消费者印象最深的是什么？

很多人应当有这样的感受：只要提到庐山，脑海中马上就会出现“日照香炉生紫烟，遥看瀑布挂前川，飞流直下三千尺，疑是银河落九天”的《望庐山瀑布》，“横看成岭侧成峰，远近高低各不同。不识庐山真面目，只缘身在此山中”的《题西林壁》，以及 “人间四月芳菲尽，山寺桃花始盛开，长恨春归无觅处，不知转入此中来”的《大林寺桃花》等等，甚至有一点要念出来的冲动，有的人可能还会直接念出来。

将消费者最熟悉的东西体现在品牌名和产品名中！让品牌名和产品名给消费者一种自然的亲切感，而且拉近与消费者的距离！让他们一看就能够自己记住品牌名和产品名！

庐山、庐峰、庐顶、瀑布、云雾、山泉、天下第一泉、桃花源……，我们将这些词汇，进行分析、提炼与组合，于是，“庐峰云雾天然饮用瀑布水”诞生了！——以“庐峰云雾”为品牌，创造一个“瀑布水”的产品新类别。

将庐山的风景浓缩为“庐山－云雾－瀑布”！

相应地，我们的广告语也几乎是同时产生——畅饮庐山风景！

——消费者只要看到“庐峰云雾天然瀑布水”这几个字，脑海中马上就会浮现出庐山、云雾和瀑布的美景，甚至会有一种念出“飞流直下三千尺，疑是银河落九天”等诗句的冲动。这无疑将会使渠道成员和消费者感到自然而亲切，并马上记住。相应地，铺市和购买的阻力就会大大降低；

——庐山一直就是全国旅游者必到之地，有的人甚至多次来庐山享受这里的风景与文化，这将为我们的“以庐山点，借势传播，拓展全国“低成本传播策略提供了良好的契机与平台；

——既然庐山名扬天下、世人向往，那么，我们完全可以将庐山和庐山的那些耋稚能详的资源作为与消费者沟通、宣传与促销的工具，从而吸引渠道成员和消费者的参与。

——差异化的广告诉求，进一步强化庐山风景这一核心点，同时，与其它品牌的“悠闲、纯净、功能、动感、情感”等诉求之间形成了高度的差异化。

宣传、促销与借名传名——坚持与众不同的低成本传播策略

解决了品牌名、产品名和广告语这三个最为关键的问题之后，包装、宣传品的设计就迎刃而解，包括促销与宣传的问题也有了一个良好的平台。

最后的问题落在了怎样让品牌、产品和广告诉求以最低的成本传播出去的问题了。

作为一个新成立的中小型企业，象大中型企业那样开展大规模的宣传促销是不可能的，一是资金上难以得到保障，二是人员需要一个调整与磨合期。况且我们也不希望企业以那种激进的方式直接去冲击强大的市场壁垒，因为这样的风险实在在太大，而且一旦引起成熟品牌的反击，将会风险更大。我们的原则是：以最低的成本实现最大的效果。

所以，我们决定采取看似低调，但实际上充满技巧性的方式——实际上我们是在创造一种看似无声细雨，实则冲击力强大的低成本传播策略。即充分利用品牌、产品和广告诉求点给予消费者的吸引力，特别强化终端的宣传与展示，并将这种宣传与展示与产品的“自我推销”能力相结合，通过产品展示与“自我推销”能力和终端宣传品之间的互动共振，直接刺激到消费者。这种策略由于没有大规模的广告宣传，将不会引起其它品牌的注意。

1、在终端张贴宣传画。

我们在宣传画的设计上以奇、以特取胜，从而能够从众多的宣传画中凸现出来，以吸引消费者的注意力，进而关注其内容。如底色（底图）与产品形成强烈对比，在尺寸上尽可能地扩大宣传画的面积，采用非常规的正方形，采用类似于老百姓贴福字的方式张贴，尽可能地将产品图像最大化，尽可能地品牌名最大化，以放大镜形式将产品名尽可能地最大化，通过合理的布置、字体和颜色对比将广告语和促销活动主题尽可能突出出来。

2、制作产品展示架（盒、牌）。

产品要实现销售，首先要让产品从其它产品中突出出来吸引消费者的注意，其次是要将产品的信息更明显地传递给消费者，在有些情况下，我们还要让产品更加靠近消费者——这些就是产品的展示与终端货架（柜）宣传问题。于是，我们制作放置于柜台式食品店柜台上的展示架，我们充分利用超市的货架上的档栏栏眉，制作相关的宣传牌，我们通过架市货架上的展示盒来集中展示我们的产品，并对其它品牌具有隔离作用。

3、向终端提供太阳伞的使用权

由于产品主要是在夏季销售，所以太阳伞就成为重要的宣传工具之一。我们在设计太阳伞时，特别强调如下几条：采用底色与产品颜色的最大差异化来突出品牌与产品，将产品、品牌名及广告语尽可能地最大化。

作为一个新企业的新品牌、新产品，纯粹靠品牌、产品和庐山风景来吸引消费者是不现实的，在推广期，我们还应当给予消费以额外的实际利益，同时我们还玩点擦边球，希望能够起到借名传名的效果。

所以，我们特别策划了针对消费者的“免费庐山游＋再来一瓶”促销活动全国性促销活动，即消费者只要购买庐峰云雾瓶装瀑布水一瓶，就有大量的机会中得“再来一瓶”的机会，同时还有机会在每年的“五·一”或“十·一”两个黄金周来庐山免费一游（由我公司承担来路费、住宿费和入山门票）。

在专业设计公司为我们提供标签和终端宣传品设计的同时，我们始终在考虑如何将其作用最大化，怎样才能让标签和终端宣传品创造一个最大的奇迹呢？我们想起两件事：一个是武汉某高档小区项目在推广案中，将该项目比作“房产中的劳斯莱斯”，借劳斯莱斯之名来体现自己的高尚品质与层次，另一个是蒙牛在前期推广遇阻时，大打“向伊利老大哥学习“这张宣传牌，既让伊利不好意思公开打击，还能借伊利之名扬名。我们能不能也在瓶装水上来一个借名扬名？

我们想起了外出旅游者的一个看似普通，实际很有意思的习惯：他们在带上方便面时，肯定会同时带上瓶装水，他们饿了就吃方便面，渴了就喝瓶装水。而且我们注意到，当他们吃完方便面时，肯定是要喝瓶装水的，因为方便面中调料包的味道会让人比较难受，再者，吃完方便面之后会感觉到口渴。也就是说，方便面和瓶装水实际上几乎成了一对形影不离的孪生兄弟——我们完全可以利用这一点，并与方便面行业的某个著名品牌联系起来，起到借名扬名的目的。当然，关于这种方式，我们还有其它方面的考虑，这里就不便透露。

于是，我们与促销活动相结合，将促销主题确定为：饿了吃ｘｘ面，渴了喝瀑布水，免费畅游庐山。同时，在标签及各种终端宣传品上，我们在介绍促销活动时，以此为标题，

并将这其中的“ｘｘ面”、“瀑布水”、“游庐山”以特别的颜色、字体与字号突出出来。

借名扬名的工作就此准备好。

枪已擦亮，子弹已经上膛，让我们拭目以待！（方华明）

品牌根据地——中小企业创建领先品牌的思想武器

做品牌难，做领先品牌更难，中小企业做领先品牌难上加难！

然而，市场在变化，消费在升级，由不得你不做品牌。中小企业要做百年老企，要基业长青，要实现可持续发展，就必须毫无条件的走品牌化道路。近年来，中国中小企业进行了一次又一次的尝试，经历了一次又一次的失败，前仆后继，尉为壮观。久而久之，坊间开始流传开来一句令人悲观的所谓“至理名言”——“不做品牌等死，做品牌找死。”两害相权取其轻，找死不如等死，大多数中小企业于是乎选择了放弃。要知道，做不做品牌，从根本上讲终究是一个长远的战略问题，对于企业短期内的影响并不太大。更何况，中国之大，异乎寻常，龙有龙道，蛇有蛇路，那些做低价倾销，大打价格战，薄利多销，以量取胜的中小企业至少现在看上去活得也挺“滋润”的，相反倒是那些号称倾注资源做品牌的中小企业，反倒是捉襟见肘，资金短缺，日子过得紧巴巴的。一时间，中国中小企业纷纷高挂“品牌免战牌”，风气逐渐漫延全国，日渐成势，中国中小企业创建领先品牌又增加了一道思想“紧箍咒”。

长此以往，中国品牌危矣，中国中小企业危矣，中国危矣。

然而，世事往往福祸相依。虽然说中国的中小企业一没钱、二没人、三没经验、四没资源、五没机会，但也并不能因此就断言领先品牌仅仅是那些跨国公司（或大公司）的专利，中小企业不可以、也不可能创建自己的领先品牌。要知道，那些跨国公司（或大公司）也是从无到有、从小做到大一步一步成长起来的。虽然说当时的环境优于现状，竞争小，求大于供，但同样的当时市场总体含量也小。彼一时，此亦一时，只要中国的中小企业稍微用心，就会发现当前阶段同样也存在着广泛的商机，中小企业依然有着诸多的机会创建属于自己的领先品牌。这里边，关键是看怎么想、怎么做，看能不能做到权衡利弊，能不能做到避重就轻，能不能做到激活资源？

“品牌根据地”理论，就是指导中小企业创建属于自己的领先品牌的理论工具。

所谓“品牌根据地”理论，就是指企业集中优势资源，率先在有竞争优势的区域市场建立属于自己的根据地，获得生存的机会，继而利用“品牌根据地”积蓄力量、训练团队、总结经验，等待机会，逐步扩大“品牌根据地”领域范围，再抓住契机发动较大规模的市场战役，打通“品牌根据地”之间的连接，化被动为主动，变防守为进攻，最终实现全国的胜利，创建全国性的领先品牌。

一.“品牌根据地”理论的核心

“品牌根据地”理论的核心就是“在‘品牌根据地’领域获得竞争优势，成为领先品牌”，中小企业选择的市场区域可以变换，但无论经营哪一个领域的市场，这个核心都不得变更。中小企业只有让品牌在根据地“获得竞争优势，成为领先品牌”，才能有品牌的春天，才能把企业做成百年老企，才能基业长青。

据相关调查，消费者在进行消费时，大脑中往往存在一个“消费菜单”。现代社会是一个资讯爆炸的信息社会，消费者的大脑被千奇百怪的需求、各种各样的资讯轮翻轰炸。信息的杂乱性、多面性以及消费者本身的非专业性，使得消费者最终在消费时盲然不知所措，大多数情况下只能简单的按大脑中的“消费菜单”进行消费。这个“消费菜单”并不长，一般来说只有3-5个品牌，这3-5个品牌，就是“领先品牌”。

据统计，在一些发达国家的成熟行业，市场竞争最终的结果往往是仅仅留下几个、十几个同类竞争品牌，而在这些品牌当中，前3-5名的品牌基本上垄断了50%以上的市场，这3-5个品牌依托影响制定行业规则，获得垄断利润，其它品牌只是被动的遵循规则，获得少些的加工和经营利润。

因而，中小企业要基业长青，要实现可持续发展，就必须成为行业的领先品牌。而要成为行业的领先品牌，中小企业就必须能“获得竞争优势”。“品牌根据地”理论的导入，使中小企业创建自己的“品牌根据地”，在“品牌根据地”领域获得竞争优势成为领先品牌变得可能。

二.“品牌根据地”理论的三个阶段

中小企业依托“品牌根据地”理论创建属于自己的领先品牌，经略全国市场，大致上可以分为三个步骤、三个阶段。

第一个阶段是生存阶段。中小企业应当集中资源建立一批较小区域（如地、市、州、盟）的“品牌根据地”，在“品牌根据地”区域率先成为领先品牌，获得市场竞争优势，积蓄资源，为下一步扩大“品牌根据地”做准备；

第二个阶段是发展阶段。中小企业应当致力于扩大根据地势力范围，促使原先较小区域的“品牌根据地”向外渗透，并通过周密的、系统的小区域营销战役，实现各个“品牌根据地”之间的连接，从而顺利建立较大区域的“品牌根据地”（如全省、省际、大区）；

第三个阶段是全国统一阶段，中小企业应当利用此前的“品牌根据地”资源（发展模式、团队、资金），抓住契机，挖掘全国性资源（如重金投放央视媒体、举行全国性促销活动），发动全国战略，进行大反攻，建立全国范围内的“品牌根据地”，取得最终胜利，实现创建领先品牌的战略目标。

三.“品牌根据地”理论的三个保障策略

中国中小企业借助“品牌根据地”理论实现创建领先品牌的目标，迎来品牌春天，还必须结合适当的策略，才能相互匹配、相得益彰。聚焦策略、蚕食策略及点、线、面策略的深度运用，则为“品牌根据地”理论的实施提供了有效的保障。

1．聚焦策略

如前所述，一个品牌只有成为领先品牌，才能拥有广阔的市场空间。但要成为领先品牌，就必须拥有比竞争对手更多的资源，必须形成足够的竞争优势。

众所周知，中小企业最缺的就是资源——现金资源、模式资源、人才资源、渠道资源、供应链资源等等。没有资源，就谈不上什么竞争优势，更谈不上成为什么领先品牌。但是，如果我们能够运用"聚焦策略"，我们就会发现，中小企业其实也可以变得"资源充沛"。

如果与跨国公司比，中小企业即便是激活其所有的资源可能也不如其1%，以1VS100，自然是无往不败。但是，大公司同样也有势力薄弱的区域，在这些区域，大公司投入的资源极少，市场根基并不扎实，中小企业如果能够集中资源，集中发力的话，是完全可以战胜这些大公司的。

中小企业虽然资源短缺，但如果聚集在一起，作用在一个点上，其威力同样是惊天动地。这个策略，就是"聚焦策略"。

战国时期田忌赛马的故事，其实就是一个典型的运用聚集策略的案例，故事中的田忌就相当于中小企业，而齐威王就相当于大企业。此前田忌与齐威王赛马，因为势力相差悬殊，所以每次都是以田忌败北而终。田忌的食客孙膑则对聚焦策略运用娴熟，借此帮田忌扳回败局。孙膑辅佐田忌以上等马（优势资源）对抗齐威王的中等马（薄弱资源），以中等马（优势资源）对抗齐威王的下等马（薄弱资源），两战两胜，获得竞赛的最终胜利，成为竞赛的赢家。

运用聚集策略，是为了保障中小企业率先在小区域范围内形成竞争优势，使其成为小区域范围内的领先品牌，从而获得积蓄资源的机会，为下一步扩大优势区域范围并在更大区域范围内成为领先品牌做前期准备。

2．蚕食策略

建立小区域范围的"品牌根据地"只是创建中小企业自有领先品牌的第一步，还远远不足以达

到创建领先品牌、实现可持续发展的长远目标。中小企业要在更大区域范围成为领先品牌，要获得发展的机会，还必须有效的实施"蚕食策略"。

所谓蚕食策略，就是指中小企业在已建立的、小区域范围的"品牌根据地"的基础上，积蓄资源、总结经验、训练团队，分析竞争对手的破绽，利用地缘优势，沉着稳健，不求冒进，一步一步的进攻竞争对手边缘化、势力稍弱的市场区域，扭转品牌在这些区域的不利局势，将这部分市场区域颠覆为中小企业新的"品牌根据地"，扩大"品牌根据地"的版图，壮大品牌的力量，为下一步发动全国性市场进攻做铺垫。

蚕食策略选定的蚕食区域必须具备如下之一的前提条件：

一．地缘上最好接近原有的"品牌根据地"，"品牌根据地"的优势此前在这些区域进行了长时间的渗透，已经拥有了一定的品牌基础；

二．市场型态、竞争环境、消费结构上与原有的"品牌根据地"较为相似，"品牌根据地"的产品结构、渠道类型、方式方法、工作团队等作用于这些区域同样有效；

三．具有一定的战略意义的区域。为了获得更大的发展空间，品牌必须不计代价占据那些具有较强辐射能力或是具有重要影响意义的区域。

春秋战国时期，地处西方边陲穷乡僻壤的秦国，正是很好的运用了蚕食策略，先后吞并了韩国、赵国、魏国、楚国、燕国和齐国，终成大业，一统天下。抗日战争时期，日寇也妄图利用蚕食策略消灭中共根据地。蚕食策略给根据地造成一定损伤，但是受到时间的限制和国际战争格局变幻的制约，蚕食策略虽然得当，终究未能达到消灭根据地的目标。

运用蚕食策略，可以淋漓尽致的发挥原有"品牌根据地"的优势，因势利导，一步一步稳健的扩大"品牌根据地"的区域范畴，积蓄资源，为全国性的进攻做准备，为创建全国性领先品牌垫定根基。

3．点、线、面策略

点、线、面策略则是实现创建全国性领先品牌的战略思想和策略保障。

所谓点、线、面策略，就是指中小企业通过"聚焦策略"在早期创建的小区域"品牌根据地"

仅仅是全国性领先品牌目标的一个点，中期通过"蚕食策略"创建的较大区域"品牌根据地"仅仅是全国性领先品牌战略目标的一条线，只有成为目标市场（全国或全球）的领先品牌才是一个面。"点"和"线"的布置和经营在战略上都是为了"面"做铺垫和积累，在时机成熟的时候，以便迅速发动进攻，达到创建全国性领先品牌的目标。"点"和"线"的布置和经营必须有助于"面"的串联，应当是具有战略意义的，而不是随意性的、毫无章法的。

战国后期，秦国灭六国，正是先消耗赵国的实力，把"点"的文章做足，免了后顾之忧，然后转头灭了韩国，之后才灭了赵国，形成一条"线"，使位于中原的魏国陷入孤立状态，轻易的被秦国攻破，秦国把中国这个"面"进行了贯通；此后，秦国再进军南方的楚国，把"面"向南渗透。楚国灭国后，秦国把"面"往北延伸，轻易的攻破燕国，此时，秦国的"面"已经南北贯穿，形成了中部的大"面"，最后再一鼓作气，灭了最后位于东方的齐国，统一全国。

点、线、面策略的运用，可以从战略上保证"聚焦策略"与"蚕食策略"的执行与展开，更可以让中小企业以一种循序渐进的战略步骤，有条不紊的积蓄资源，发展势力，从而最终达成创建全国性领先品牌的目标。

四．"品牌根据地"理论实战案例——脑白金的崛起

近几年家喻户晓的保健品脑白金在竞争异常激烈的保健品市场短期内异军突起，获得空前成功，正是娴熟的运用"品牌根据地"理论的结果。

1998年5月份，脑白金正式问世。因为没有钱，同时也为了避免可能存在的市场风险，脑白金的第一个市场选择在无锡江阴这样一个小县城。在江阴第一次试销前，史玉柱创业队伍对脑白金未来的市场同样心里没底，以为需要至少10年的时间才能创建一个领先品牌。市场测试的成功让史玉柱看到了希望的曙光。经营江阴市场时，史玉柱以技术员的身份和一帮老头老太太聊天，赠送脑白金，询问疗效情况，收集消费信息，最后反馈的效果相当好。试销成功奠定了史玉柱的产品保障。

聚焦策略让史玉柱得到了第一个市场的成功。

第一轮试销做完之后，史玉柱手里就已经没有任何资金了，无奈之下向朋友借了50万元，随后花了10万元在江阴人打广告，由于力度大，很快就产生了异常热烈的市场效应，脑白金成为江阴家喻户晓的保健品。挟江阴成功之势，脑白金的影响通过传播很快的影响到了周边的无锡等地。史玉柱用江阴赚的钱、总结的经验、论证的模式、训练的团队，1998年开始正式启动无锡市场，很快无锡的月销售额过了80万元。随后，史玉柱又用无锡赚的钱启动南京、常州、苏州和吉林四个市场，这四个城市在第二个月就开始赚钱了。

蚕食策略与点、线、面策略让史玉柱纵横全国。

在南京、无锡成为领先品牌、获成功之后，史玉柱因势利导，推行蚕食策略，开始着手启动整个江苏省及紧邻江苏的上海、浙江。依托聚焦策略及蚕食策略，史玉柱用了一年多的时间就把全国市场顺利启动起来。不到一年半的时间，到1999年底，单月回款已经突破1个亿。到了2000年1月份的时候，一个月的销售额已经是2亿多元了。以后每年的一个月回款基本上在2亿左右。随后，依据此前的模式、经验、团队，脑白金迅速扩大市场区域，脑白金的销售额增长曲线缓缓地爬上来了：1997年销售额三、四十万，1998年每月销售额态势：15万、30万、45万、60万、80万、100万、300万、500万......，1999年开始到800万、1000万，直到12月份突破1亿。

从脑白金的操作过程中，我们可以看出来，试销的规模是由小到大的，每一个试点的市场工作，都尽可能做到饱和。对于资源，做到集中、集中、再集中（聚焦策略）。脑白金创业队伍成员陈奇锐在《追随史玉柱的日子》中这样写道：总结脑白金营销言论，得出了一些简单的原则，脑白金的营销理论，非常简单，那就是“集中优势兵力”。脑白金的营销秘诀，其实就只有这几个字。史玉柱本人也感叹说：一个企业资金实力再雄厚，也只能在几个重点行业、重点地区、重点产品上下功夫，如果没有做到重点突出而采取平均用力的话，就必然会失败。在营销手段的使用上也必须有一个重点，必须加大人力、物力、财力，做重点地区。史玉柱还说：做一个产品必须要做第一品牌（领先品牌），否则很难长久，很难做得好。史玉柱甚至认为：做不到第一就不能真正获得成功。很多人一样对脑白金的广告轰炸不屑一顾。但真正对脑白金有研究的人才知道脑白金为什么要那么做--对于脑白金这样的品牌，如果不能保持第一的位置，它就会迅速衰退。也许广告轰炸的代价很大，但是不那么做，代价也许会更大。 （张发松）

节日团购营的细节创新

目前国内节假日为114天，占全年的三分之一。对于快速消费品行业尤其是酒类食品饮料类、保健品类礼品类而言，真正能创造巨额销量的就是春节前后的一个月时间，其中作为送礼消费（亲朋 上下级 单位福利）占节日消费比例的45%左右。据2005年2月16日《中国质量报》报道，不完全统计，仅礼品团购2004年销售额即有1000亿元～1500亿元。然而，销售额上亿元的企业廖廖数家，当然也有不乏优秀者，例如百安居2004年营业额40亿，团购市场占10%比例。团购企业做不大的原因之一是，企业缺少整体的团购系统的运营策略，销售人员观念陈旧、销售队伍素质乏善可陈、销售手段落伍。眼下双节将至，节日营销将成为一个激烈交锋的重要战场，它逐渐引起了营销界的高度重视，同时更多的企业把目光投向了节日营销中80:20中的黄金客户：团购客户！团购也因此成了过剩经济时代的华山论剑：智勇双全者胜。

团购营销的优势真的太多了，让我们简单看一下他的优势和特点：

a) 操作灵活，营销成本低；

b) 市场消化快，渠道半径最小，利润高，不涉及渠道费用问题；

c) 风险小，结算迅捷，资金回笼快，不涉及信用；

d) 时间集中，易于控制；需要人力较少；

e) 采购者心态各异，求品牌、求新、求特等心态复杂，善于开发或是品牌基础好的企业占尽天时地利。总之谁都会有机会。

一句话我们可以概括团购的巨大优势，那就是省时省心省力，同时还拥有高额利润。同时我更应该看到，消费品节日销售潜力巨大，烟酒糖茶饮奶，以及服装、小家电等等都是大显身手的好机会。传统的团购营销模式主要有三种渠道：一是依靠平时积累的人际关系，托朋友找关系，想法设法签下“人情单”；二是依靠人海战术，凭借三寸不烂之舌和跑不断的腿，私缠硬磨签下“辛苦单”；三是依靠“糖衣炮弹”，为单位负责人提供高额贿赂，提心吊胆签下“回扣单”。同时我们也注意到传统团购营销之所以做的混乱，就是因为虽然企业每年都搞，但基本是按照习惯在做事，即不深入研究，更谈不上系统和规范，往往大企业一片繁忙，忙得一团糟糕，想一招鲜，吃遍天，赢者通吃；小企业烦忙，忙得有点心焦！焦头烂额，老虎吃天，无处下嘴．只能拣点残羹冷炙。

让我们先剖析一下传统团购营销的误区，然后我们去总结团购系统的营销策略。

第一，仅仅把团购客户的营销看成是节假日的特殊营销活动，忽视了持续营销和定制服务的重要性。

第二，仅仅把一个团购客户看成一个集体，认为只要与他们领导搞好关系，再有价格的优势就能获得成功，忽视了关注集团中的个体消费需求和创造体验价值。

第二， 加强团购客户营销，仅仅看成是更多地促销商家的商品，忽视了合作开拓市场，为客户创造更多超值服务的重要性。

第三，缺少售后服务理念，只有到节日来临时才想起老客户，去年团购的不满和牢骚今年依然记忆犹新，没有及时解决沟通的遗憾留了一年。

基于市场竞争的愈发激烈，我们很有必要探讨一下团购的新营销策略，使之更加规范和系统，也便于企业融汇参照。笔者有着多年的消费品营销经验，也一直坚持不懈的做团购，成功和失败的案例都很多，总结起来笔者认为，团购成功功夫在平时，成功在于策略，成功在于策略和执行上的创新，每一个细节的创新都可能是成功的关键。

1．功夫在“节”外，贵在坚持，临时抱佛脚，成功机率小。

在我作饮料业代的时候，平时总喜欢和各大厂矿的工会主席或是后勤主任接触，想办法和他们建立沟通的渠道，建立一份真挚的客情，保持长期稳定的联系，因为我对公司每年节庆时候公司的团购激励政策十分感兴趣，但每年临阵磨枪的结局都是功亏一篑。每到节假日、甚至他们的生日、六一节等等都能收到我对他们以及其家人的问候。最成功的一个案例就是我在鞍山作业代的时候，一直对某钢铁集团的庞大规模十分的羡慕，几十万员工的福利团购的诱惑十分的吸引人，因此我一直执著的联系其主管后勤的一位处长，希望能打开缺口能做成一个稳定销量巨大的团购。但对方始终不肯见我，但我逢年过节总是一直给其寄贺卡和年历之类的促销品，终于有一天那位处长同意见我。记得当时他对我说这是国企，因为福利采购量巨大，所以集团投资了一个饮品公司，自己生产冰品和饮料。

闻之我有些失望，但没有因为自己掏腰包请他吃饭而沮丧，淡淡的说如果你们需要更新一下产品的品种的话，请考虑我们的产品，毕竟是知名的品牌。结果当年年底因为他的饮品公司因为质量问题，工人拒绝领取其发放的饮料，这时一个电话我仅仅是补充了一部分的福利份额，我就销售了8万箱产品，创造了320万的销售额。使我们整个分公司当月的任务量，当然我也是收获颇丰，每箱按照公司奖励规定提了0.5元钱。回想起来仍然十分兴奋，也算是功夫不负有人吧，坚持执著是基础，否则谈不上其他的诀窍。

2．情感营销的妙处，动之以情，感动客户，结果很可能双赢。

团购的最大特点就是采购方的灵活和主观性强，因此对其负责人晓之以理是没有用的，他们没有时间也没有心情听你讲大道理，他们本身就是靠整天讲大道理生存的人。所以以情动人往往能收到很好的效果，贵在真诚，贵在合适。笔者在北京任分公司经理时，偶然遇到一位客户说他有个朋友：某大企的副总想给7岁的孩子找个围棋水平很高的辅导老师，提高后送到棋院附属学校，一时间没有合适的。笔者闻之说愿意试试，但每天不能超过2小时，得占用下班时间。于是笔者的业余爱好有了用处，经过我2个月的耐心教导，加上孩子悟性很高，进步很快，家长也十分高兴。临走时那位副总给我4000元，说当时讲好一小时20元，但我没见过这么有爱心和耐心的老师，这点钱你收下吧，你应该得的。我只是很认真的说‘我不是靠家教生活的人，我的职业是饮料的销售，我来教您的孩子是个偶然，这钱我不能收，但如果您想帮我销售饮料的话，我不胜感激，因为那是我的事业，我靠业绩求生存。’ 3个月后正好是中秋节，他的企业一下分了5万箱的饮品，兴奋的我总是自我感觉良好，觉得自己具有高瞻远瞩的目光。

3．合理的价格策略和不得已而为之的折扣策略。

团购的最大妙处在于没有了渠道之间对费用的分割，直接在消费者处予以快速消化，因此我们为了抓住团购，有必要制定合理的有竞争力的价格策略。并灵活应用好价格的策略，考虑客户合理的潜在需求，即操作灵活，又不能触犯法律和法规。一次我的大连区域的经理向我反映一件事情，就是有个远洋货轮对桶装冰淇淋需求量很大，每次出海前都要进5吨货，就是每次都要求发票开的很高，甚至翻番的开票。这类事情真的让厂家苦恼不已。

4．寻找新的渠道和新的突破口。

做营销的不能放过任何一个可能带来增量的机会，批发商、机关、企业、厂矿、监狱、游乐园、学校、甚至大使馆等等。平时多利用各种渠道去接触主管福利团购的人，发放名片以备留存，可能机会就是这么积累的。一旦发现有了新的机会，比如大的公益活动、军队异地演习、哪个企业几年建厂多少年等等机会都要充分利用，抓住每一个可以利用的商机，推销产品，挖掘客户的购买欲望。有一次某军区来瓦房店演习，笔者通过很多曲折见到了军队的一位营长，推销自己的饮品。当时他说演习时一般带大桶净化水，我拿出自己多年营销的功底游说他－尽管我不知道他是否能真的决定。我阐述说部队实弹演习需要注意力集中，饮用带有可卡因的可乐饮料能提高战士的兴奋点，避免溜号而出现失误。令人欣慰的是这位营长不知是真的信服了我的观点，还是被我的执着所感动，后来真的采购了两车的饮品。

5．细节上的智慧不能忽视，深谙其中的技巧，一张贺卡，一封信函，一个电话都可能打开沟通的障碍。

在洽谈或是运作团购的时候，一定要作注意细节，否则随时可能前功尽弃。我认为主要原因是团购的替代性很强，也具有很大的随机性。一旦采购的负责人怀疑你的动机或是不信任你说的话，随时可能放弃这笔业务；同时要掌握合理的拜访技巧，想要面谈一定要预约，不能靠勇气硬闯，单位、家、休闲场所等等谈话场所要斟酌使用。

很多机关或是企业的负责人，由于经常看报和读书，感情往往很细腻，因此合适的表达方式有时十分奏效。可能很长时间的努力就因为你偶然获得其生日后寄去的一张贺卡后，变的突然豁然开朗。这一点我们作sales的一定要牢记，有可能使你的困境突然柳暗花明。

6．重视产品的包装，开发适合习俗以及节日特征的礼品包装。

在运作团购的时候，批发市场的商户往往很重要，他一般推 荐两种产品：一是利润高的；二是容易成功的。我们可以给批发市场团购的特殊政策以解决利润的问题，千万记住不要贪图求多，一锤子买卖，因为团购是产品消化最快的渠道，而且没有高昂的渠道费用；为了更容易成功，我们可以根据目标市场的民俗特征制定喜庆欢快的节庆包装，以利于更好的开发团购销售。

7．重视KA卖场的开发，遇到信用障碍，想到国际卖场。

采购的招标化和透明化，廉政的巨大进步作用，使得卖场的明码标价和团购政策发挥了巨大作用，特别是会员制卖场的诞生如麦德隆更是加速了这一趋势的步伐。很多企业的采购很是谨慎，特别是年轻的采购员更是如此。一旦喜欢你的产品，但忌讳带来采购后的麻烦，犹豫寡断时最好的办法就是引入中介国际卖场比如沃尔玛，卖场有货比较方便即使没有做个临时条码也非难事。这种做法的前提是产品要预留足操作的空间，因为卖场会提取一部分利润。

在此期间我们应该充分重视KA的节日促销，以此带动团购的销售。制定一个符合卖场实际迎合节日氛围的促销方案，力求选择时机时掌握主动，选择黄金地点和位置进行现场促销效果往往明显，选择敏感额商品和让消费者感兴趣的促销方式，同时力争抓住福利采购卡的眼球，把散乱的福利采购集中起来，达到企业促销的深刻目的。

8．不能忽略中国的人脉关系网，让你身边能利用的人都去作你的义务推销员。

传销之所以在中国迅速泛滥坑害了很多人，就是因为中国人复杂的亲情和交 友关系网络，对此我们要挖掘其正面的积极意义。我们作团购销售的，在节庆日即将来临的时候一定要充分动员家族和朋友圈，一旦有销售的机会要及时给予协助，并及时给予谢意，最好赠送他几个我们推销的产品，以加深他推销的热情和印象。同时我们也要把持睿智机敏的头脑，一旦谁提出某某单位要搞福利，一定要马上争取看有无机会，这是一名出色的营销人员必备的职业素质和营销功底之一。

9．终端促销、终端宣传带动团购市场，小店具有便利性，也有自己的关系网加上团 购的价格灵活性，使得终端宣传开发团购也成为必然。很多企业在街路终端小店宣传时，往往送上团购套餐，即进多少货有多少优惠等等，为小店和企业自身带来很多意向不到的机会。终端宣传、ｐｏｐ、挂旗、海报、店招、ｄｍ、路牌、气球等等烘托节日气氛，营造团购氛围，能极大的拉动消费者的指牌购买率，也能将量不大且分散的个人送礼行动整合起来，提高注意此宣传手法的企业的销量。

10．好的商品陈列也能提高团购的成功率。

科学的产品陈列能给企业带来很多直观的销量，对团购的巨大促进作用也是厚积薄发的。对产品的陈列力求高度科学，排面整齐，卫生清洁，中文标识朝外，堆头海报齐备等等，不管你经营什么产品都不妨试试。

笔者一次在超市检查自己KA系统的工作，映入眼帘的是北大荒大米洁白的整齐的大地堆，在强烈视觉冲击的影响下，我想到了即将上市的新品促销，于是拨通了米袋上的电话，购买了２０吨的北大荒大米。

11．巧用公关手法：

在哈尔滨缺水之际，哈尔滨某制药集团赞助哈市政府2万箱纯净水，而哈尔滨市政府把该集团的药品作为哈市首选政府救灾采购药品。

成功的公关没有失败者，双方都收益颇深，不信谁都可以试试。

12．充分利用传播策略，温情广告烘托团购氛围。

利用广告的巨大传播作用，可以极大的提高消费者的购买欲望，特别是诱导性的定位为礼品的产品，在这方面收益颇深，如脑白金的广告“今年过节不收礼，收礼只收脑白金”，每年春节和元旦期间销量都是全面的３０％以上。

13．充分利用新技术，用网络足不出户做团购，利充分用各地团购网。电子商务这两年有燎原之势，但信息量还是很大的，现代营销中网络的作用将越来越显得重要。如联合国的６０％以上的招标是通过网站公布的，信息闭塞的企业是不可能抓住机会的。

14．积极互动各种企业政府的采购招标。

现在的政府逐渐在演变为服务清廉的政府，外向且与市民互动的政府。因此政府的采购招标越来越透明，广告效应也越来越明显。

哈尔滨市税务系统的笔记本采购招标中，联想击败戴尔、IBM、NEC、方正等企业。由于联想优质的产品，卓越的服务和有竞争力的价格，使得本次采购具有了良好的分裂增值作用，现在很多政府机关的采购的笔记本电脑大部分都用联想的产品。

15．重视各级渠道的团购开发，特别是批发市场的零散团购工作以及有团购网络的商户的团购教育。

很多专业的批发市场仍然发挥着货物集散地的作用，批发市场在很长一段时间还将存在，如鞍山新兴市场、哈尔滨的南极市场等等，每年都有众多的企业在此采购大量的福利用品。

16．依靠团购中介求双赢。

这是北京的一个团购广告：

小红帽春节团购商品特刊，订购服务010－67756666－5，团购咨询订货电话010－87702375、010－80608591、13381378777

小红帽公司提供北京城八区五环以内免费送货上门服务，提供个性化的“代客送礼”服务.这也将是团购营销的一个新趋势，值得我们开发和留意。

17．招商订货会的组织和执行；

在节日期间有较大市场需求的企业，适当考虑招商工作的开展；招商工作的有序组 织和完好实施；对新品及时的推广；有诱惑力的营销策略，会使招商工作成效显著，记住为了谨防大客户的盘剥和流失，所有策略要留有会后协商的余地，不能资源用尽，大小客户区别不大，那是尴尬之余会有客户的流失。

18．到会议上寻找客户。业务员在各种展览会、信息交流会、信息发布会、订货 会、技术交流会等会议上，能开发出许多新客户，可能会挖掘到很多潜在的市场需求。

19．打包、个性化方案吸引团购，更要考虑企业间的强强联合。

制定企业自己的打包方案可以使滞销品和畅销品整合出售，也能制定有吸引力的价格，迎合一些对品牌和产品有不同需求的客户。

互补性产品可以与其他做团购的企业合作，共享客户。如龙大花生油经常与做团购的饮料、肉制品、日化等企业合作，组合搭赠互相促进，互相利用对方的客户扩大销量。

20．了解客户厂庆、店庆等特殊纪念日。

低值必须品的采购往往采取方便策略，近水楼台先入为主者往往具有很大的优势。

合资企业华义公司十周年庆典前２个月前，有礼品公司就招到了主管策划此事副总，结果一点也不复杂，公司购买了大量的礼品和礼仪服务，双方皆大欢喜。

21．在客户单位中培养内线，他们会让业务人员及时掌握企业的需求信息。

两军对垒最有效的进攻就是攻心法，达到不战而屈人之兵。团购的最大境界就是在企业培养大量的忠诚效果者，对品牌和产品有着巨大的情结，这时做事就事半功倍了。这些忠诚消费者中高层的作用最大，是我们工作中争取的重点。

我的一个同事曾在雀巢工作过三年，对雀巢有着极大的情感倾向，每年福利或是促销采购时他都极力推荐雀巢的产品，结果是雀巢产品真的总被采购进来。

22．小礼品的巨大作用。

很多采购对上门或是其它方式结识的推销员一般印象都不深，因此我们有必要加深其印象，对自己、对自己推销产品的良好深刻的印象有时会带来意外的惊喜。这时我们可以谨慎的有目的选择一些不太贵重但寓意深刻的小礼品，而且要含蓄的提醒自己的联系方式，以期望对方留下深刻印象。印象越是深刻带来商机的可能和概率越高。

23．提醒一句：不要自相残杀，避免货物流到市场，谨防批发商操作的团购。

在团购的成功后欣欣然数奖金的同时，一定要警惕货物有没有完全在团购渠道消化，是否可能转到批发和终端继续销售。一旦出现最容易引起价格体系的紊乱，因为团购的产品往往价格和折扣都很低，而且厂家通用的介绍信的制约方式效果极差，这就需要我们保持经常的机敏，跟踪产品的去向，及时采取补救措施，特别是通过批发渠道运作的团购，欺诈和虚报数量的可能性很大，建立一套完整的团购监控体系十分必要，避免冲市除了促销别无他法的尴尬局面的出现。介绍信的制约是个儆示，尽管作用有限，但不可小觑，协助到终极客户，即是制约也是优质服务。

麦德隆的困境、普尔斯玛特的失败提醒我们团购巨大潜力的同时也提示我们机会多多，但风险一样不容忽视。洋为中用未必真灵，要走出自己成功的路，特别是每个企业都有自己独到的团购策略和招式，学会别人成功的策略将使自己的企业羽翼倍增。重视节日营销必须重视团购，重视团购就会有更大的销量，心中有招，自然用起来就气定神闲，才能有稳操胜券的可能性。（冯启）

糖果行业突围需要全面的营销提升

一、中国糖果“围城”

杨绛为钱钟书《围城》的序言中写道：城里的人想逃出来，城外的人想冲进去，对婚姻也罢、事业也罢，人生的愿望大都如此。

今日中国的糖果市场恰恰处在这种状态里：传统糖果企业在想方设法进行多元化或产品线延伸解决糖果市场增长缓慢困境，而从福建到华北（天津、山东）、华中（湖南），一批批糖果新军象发现新大陆般兴奋地杀入市场，并依靠价格战迅速膨胀。

糖果这种全世界范围内的传统消费品种，在中国大地上的近20年发生了天翻地覆的变化。糖果已经从过去硬糖、奶糖一统天下发展成了多个细分市场，尤其以巧克力、功能糖的发展最为迅速，两者的销售额已经占据糖果市场总销售额的50%以上，传统糖果（奶糖、硬糖）虽然销售量（吨）仍然占据主导，但销售额比例却呈现下降趋势。

从下面的糖果分化图可以清楚地看到糖果市场的裂变脉络，这是中国糖果近10年来的最大变化————异质细分化：

实际上的市场分裂速度与复杂性比上面的脉络要混乱得多：在几乎每一个产品类别里都在同时出现纵向（细分裂变）与横向（同品类产品线扩张）两种分化路线，加上包装形式、销售渠道的差异化，糖果市场的分裂呈现“团状异质化市场格局”：在这样的市场形态下，同一个名称的含义却天差地别，“糖果”这个词在这样的市场里已经不能指称明确的产品品类或品种，而是需要加上一串定语才可以说得清楚。

随着市场结构的分化，糖果市场被逐步细分，传统糖果也进一步被细分为更小的单元。在这种演变的背后是传统糖果消费群被不断地分流：基于不同细分市场，糖果品牌也空前地得到丰富，不同的细分市场都拥有了不同的品类、规格和消费偏好。

糖果市场全面地进入细分时代，新产品的周期越来越短，大量新产品没有得到消费者认知就无影无踪，注册一个产品名都到了非常困难的程度。新的概念也大量产生，如益牙、健齿、营养、维生素、保健等。

第二个方面也是更加重要的是，糖果市场的异质分化产生强大的“离心力”————传统主流品类在被边缘化、新生细分产品却可能在短时间变成主流品类！这样的尴尬是传统糖果企业所始料不及的巨变：糖果消费热点不仅被新生品类所占据，传统糖果还在日益边缘化，消费者因为“无习惯”未购买糖果的比例，在地级市及省会的受访人群中达到48%！

糖果消费偏好发生了根本变化！在这样的背景下，传统糖果的消费属性发生了根本的改变：从过去的日常随机消费品变成了“情境”消费品，从快速消费品变成了慢速消费品！

第三方面，细分品类里的垄断品牌基本形成。

市场和产品的进一步细分导致的是狭窄空间内的剧烈竞争，糖果业的不同领域已经直面与国外糖果巨头短兵相接，一些新增市场基本被外资品牌垄断，生存与发展的机会越来越小，杂小品牌的生存也越来越艰难。

阿尔卑斯、德芙等外资品牌通过近10年的市场运作，从站稳脚跟到拓展细分领域，直至目前另人窒息的竞品挤压策略，使得目前在糖果的各个细分领域已经产生了各自的领导品牌，市场集中度空前提高。

各个细分领域的领导品牌已经非常明朗化：传统糖果的软奶糖领导品牌是大白兔，金丝猴紧随其后；硬奶糖的领导品牌是阿尔卑斯，来自日本悠哈奶糖发展迅猛，2005年已经在上海销量占据了第一；口香糖的领导品牌为箭牌，益达木糖醇的表现也是一路高歌；薄荷糖的领导品牌是荷氏、渔夫之宝；VC糖以雅客V9为代表；凝胶糖以旺仔QQ为代表；巧克力糖以德芙为代表。

第四、新型渠道品牌异军突起。

以徐福记为代表的新糖果品牌，采取在全国现代零售渠道里实施散装专柜战略，不仅成为糖果市场里的一匹黑马，而且主导了糖果销售的主要售卖形态————散装柜。由于抢先占据现代零售渠道的庞大资源，徐福记甚至改变了消费者的糖果消费习惯：在同一个价格空间里可以满足从糖果到糕点的口味差异，散装糖果消费不仅在变成年节购买的主要形式，也成为捕捉休闲消费的有效手段。

至于功能糖里的咽喉糖、爽口片、口香糖、木糖醇以及巧克力、酥糖等，都在稳步增长销售份额，它们的异质化程度实际已经脱离糖果消费的主要形态，因此，在市场上可以看到，按照传统糖果的手法进行这些品类的运作，都注定会铩羽而归，如医药巨头强生泰诺推出的“甘草怡喉宝”、冠生园推出的“十全草堂”润喉糖，无不在耗费大量推广费用后陷入“瘦狗”型产品的尴尬境地。

二、糖果消费形态的变化

市场格局的变化背后是消费形态在变化：谁在决定购买、消费者购买形态如何、等等。消费者是所有市场难解之题的终极原点。

实际上糖果市场的特殊性的根源就是消费人群的差异性，清醒地识别新市场环境下不同消费群的主要购买动因，从而根据不同细分目标消费群的需求来重新定义销售模式、产品定位、品牌塑造、推广方式，不仅必要，而且紧迫。

通过联纵智达对糖果市场的研究，我们将糖果消费主体划分为常规消费人群与针对性消费人群两大类。所谓常规消费人群即指完全出于休闲、口味及冲动性消费等原因进行购买的人群，所谓针对性消费即只出于某种非常具体的目的而进行购买的人群。不同类型细分人群的具体消费习惯各有不同：

A、常规性消费人群：

1、儿童、学生：儿童和学生是非常具备消费潜力的人群。产品的价格、包装形式、售卖渠道是影响儿童、学生消费的主要因素。0.5元～1.00元的价格；小规格（10G～40G）轻便的包装规格；艳丽生动的包装效果；社区小店、学校店、便利店的售卖渠道是吸引儿童购买的主要因素。

2、青年人：青年人是时尚消费的主流人群。休闲是青年消费群体的主要消费动因，对于时尚和品质的追求，及对价格的相对不敏感造成以休闲为主导需求的青年消费人群，虽然不是销量的主要支撑点，但是品牌塑造的主要着力点。

3、中年人：在常规消费人群中，中年人对于糖果消费相对谨慎（仅仅指休闲消费，中年人替儿女采购喜糖划归为针对性消费人群），传统品牌和风味糖果是主要的消费选择。

4、老年人：老年人由于年龄、身体等原因，糖果消费极其有限。偶尔的消费也主要集中在传统品牌和有特色口味的产品如酥糖、花生牛轧等。

B、针对性消费人群：

1、新婚夫妇：新婚夫妇指专为婚庆准备喜糖的新郎新娘。品牌和包装是购买的主要动因，喜庆、面子是最主要的消费需求。

2、家庭主妇：针对性消费的家庭主妇主要包括三种类型：一是为过年招待需求；二是为儿女置办喜糖；三是其他家庭喜事（如：乔迁，寿诞，建屋上梁等）。

3、保健需求人群：属于特色糖果的消费人群（如：润喉，止咳嗽）。该类人群分布较广。尽管消费者的宣教成本较高，但是实现消费转换后的消费者普遍忠诚度较高，具有稳定的消费规模。

从购买主体看，儿童、学生消费虽然价格便宜，但是由于容量巨大，是糖果消费重要的补充。以休闲及冲动购买为主的消费人群中青年消费人群虽然不是销售与利润的主流，但确是品牌塑造和建立的主要切入口。

针对性的消费人群，特别是新婚和家庭主妇是主流的消费支撑点。而且人群相对集中，消费特征有部分趋同的特征。实际上，作为糖果购买主要消费动机的年节与喜庆两大时机，其购买主体正是家庭主妇。

在购买时机上，糖果消费淡旺季日趋明显，而且旺季大幅度上涨然后急速下跌的趋势显示了糖果消费的旺季周期越来越短，各大品牌纷纷将资源集中于旺季，使得企业突破销售障碍的难度急遽上升。年节的井喷式消费构成消费的“主力军”：五一前一个月、国庆前一个月、尤其是春节的前后2～3个月是消费的集中时段。春节前三个月在年度销售额的比例高达50–60%，糖果正呈现出“月饼化”的趋势，瞬时放量的消费特性日益明显。

从购买用途上看，消费者购买糖果的用途多种多样，有馈赠送礼、有婚庆赠送、有休闲食用、有团购派发等等。但是从各自消费的份额来看，主要购买用途还是集中在年节消费、婚庆消费、休闲消费、其他喜庆消费四类。

年节糖特点：需求量大，且时间集中，市场竞争激烈、对价格、品牌较敏感、购买地点主要是在大超市或是食品批发市场，是糖果消费的主要最用途，市场竞争激烈、糖果的包装喜庆，色彩丰富。

婚庆糖特点：购买的目的是为结婚。包装设计应显示喜庆气氛，场面消费，对品牌是选择的核心因素之一 。

休闲食用糖特点：对糖果质量较为敏感、糖果的品牌、口碑及购物场所的引导对消费者具有重要作用、每次购买量小，购买的频率较高。不同的消费群体（儿童、青年）对休闲食用糖果的购买在包装形态、规格及包装上具有很大的不同

其他喜庆糖：包装喜庆，色彩丰富、价格敏感度较高，质量敏感度低、在价格不太昂贵的前提下，尽量能拥有一定的品牌知名度、糖果包装品类丰富。

从主要购买用途的综合评估来看，年节、婚庆及其他喜庆是主要的购买用途。从产品的角度，年节糖和婚庆糖具有不少相同的特征，特别是在包装和品类方面。然而两种糖果在销售渠道、营销方式上的却具有极大的差异。

从购买渠道来分析：

KA卖场是最主要的购买场所，特别是经济发达的地区，KA是年节时糖果购买最主要的购物场所。

超市：遍布于城区居住圈的连锁超市是继KA后的第二大购买地点，也是日常消费、零散采购的主要通路。

便利店：便利店的销售具有一定的特殊性，小规格的休闲包装、针对儿童的系列产品是主要的销售地点。

路边小店：不是销售的主流但却是小规格包装的销售补充。其中校点店铺是销售及品牌塑造的重要渠道。

糖果店：一般在经济不发达地区或3、4级市场内，是当地消费者消费糖果的渠道，但不是销售的主力。

批发市场：是喜庆糖、散糖的主要销售点，具有相当大的消费潜力，是家庭型消费的理想选择场所。

其他的诸如喜糖专卖店、花嫁喜铺（与婚纱影楼提供配套服务）等正成为经济发达地区迅速崛起的新型渠道，推广方式也与传统糖果营销手法差异很大，对于地方喜糖销售有重要的影响。

从以上四个主要方面对糖果消费形态的分析，糖果消费的特点可以归结为四个化：核心购买人群集中化、销售渠道复杂化、销售旺季高度集中化（“月饼化”）、消费动机分散化。这些特性里存在很多矛盾或错位的地方，如渠道复杂化与核心人群集中化意味着各条渠道的投入产出效益是不相同的，但如果放弃低赢利渠道又未必能保证品牌影响力，甚至给竞争对手留下空隙，而动机分散化使得捕捉消费人群包括核心人群的成本增加，如此等等。这些矛盾都使糖果的营销手段变得复杂，给善于在这些“结构性缝隙”里寻找自己品牌领地的产品提供了机会，当然也正是这些矛盾造就了糖果市场的团状异质化结构。

在消费者的层面进行剖析，无论是消费时机、消费渠道、消费用途、消费主体、消费偏好等各个方面全面了解当今消费者糖果消费的特性，对品牌寻找针对性的突围策略，走出困境具有非常现实的意义。

新市场环境、新主流人群对品牌形象的要求变了，对产品的要求也变了，目标群体细分变了、终端和渠道变了，总之，整个营销模式都发生了根本变化，在这样的市场里胜出，糖果生产企业无论是在产品或是在营销手段上都需要进一步的深化、细化和专业化。

三、在大趋势中确定突围方向

前面从横剖面分析了糖果市场的格局与消费形态，要争胜市场，还需要有对糖果发展“来龙去脉”的把握，才可以

制定准确的营销战略。

回顾一下国内糖果市场的发展历程：

第一阶段是80年代中后期到90年代中期以前，这一阶段是糖果市场的起步时期，主要特点有国有糖果企业占据主导地位、散装糖果占据主导地位、市场供不应求。

第二阶段是从96年到2002年，是国内糖果市场和糖果企业的盘整期，主要的特点有由于市场表现普遍低迷，大量的传统企业经营困难甚至破产、企业盘整资源行业内酝酿着升级、产品、销售手段、市场投入等的变革。

第三阶段是从2003年以后至今，是国内糖果市场繁荣时期，主要特点有：行业保持了8%左右的强劲增速、糖果企业开始重视并开始了糖果品牌的建设，市场投入和广告投入增加、糖果品牌和产品形式得到很大的丰富，消费者面临着非常大的选择余地，需求也可以得到满足、外资品牌大举进入国内市场，抢占一些制高点。

从以上糖果市场的发展历程上来看，国内的糖果市场已经今非昔比，发生了翻天覆地的变化。具体表现如下：

我们把各个阶段的糖果品牌的成功因素和营销要素用图示如下：

通过以上的模型，我们可以清晰的看出：

第一阶段中，只要产品质量好、口味好，就可以畅销大江南北，获得消费者的认同，大白兔、喔喔在这个阶段都获得了空前的发展；

第二阶段后，营销的成功因素变得相对复杂，单一的产品优势已经不能达到占领市场的目的，只有完成了渠道转型并学会开展整合传播的品牌才能获得市场认可，在市场上占有一席之地，阿尔卑斯、金丝猴、德芙、箭牌、荷氏、徐福记等大批新品牌在这个阶段迅速成长，以至于成为当今的领先品牌；

第三阶段中，产品、渠道、促销、品牌、整合传播、营销组织、销售管理与考核等诸多因素的优化组合，并发挥合力才能造就成功的品牌，悠哈、雅客、金冠、乐天等带动新品类市场或新概念产品的异军突起。

在第三阶段里，单一的突破或是简单的营销组合最多可以使一些糖果品牌昙花一现，带来短暂的春天，但注定此类品牌是难以持久发展的。即使是传统的名牌产品，如果长期缺乏有效的营销手段，活力也会逐步减退，销量的大幅下降，勉强自保甚至走向没落。

再仔细观察96年以来形成的市场局势，可以将2002年作为又一个分水岭：在1996---2002年，糖果市场以平均以每年8%的速度增长，增长驱动力主要来自巧克力、功能糖；而到了2003年由于雅客V9的神话般火爆，整个糖果市场再次被激活，从2004年开始，老牌糖果企业纷纷加大营销尤其是大众媒体传播的投入，如大白兔、金丝猴、喔喔、阿尔卑斯等，而悠哈、嗨湫、雅客、上好佳、台尚等也都在不同的区域增加传播投入，传统糖果也成为增长的主要驱动因素，同时巧克力里的德芙、金帝、口香糖里的箭牌、益达的广告攻势也丝毫未减。

联纵智达根据对糖果市场及行业普遍规律的的研究，对正在发生的糖果市场10年“长波”进行了梳理与预测：可以看到，自2002年开始的重生具有鲜明的特性，目前这个重生动因（产品创新、概念创新主导下的传播当量增加）的核心影响正在被市场内争斗的各企业所“熟练而广泛”地运用，这个长波将历经增长、洗牌、成熟的发展周期，消费者需求的驱动因素将经历尝新、感性、价值到最后的价格，市场重新进入相对均衡的结构。

因此，在未来的三年里，糖果市场仍然将在产品创新与概念炒作的双重驱动力下，延续消费群的消费热情。我们预计，糖果市场的热潮会一直延续到2008年奥运会之前，在这个时间里，产品品种及价格空间将完全被竞争品牌填满，在此之后的2-3年里就会出现行业再洗牌，直到新一轮强势品牌地位的最后确立，这个时候整个糖果品类将因为无法进行产品创新与概念创新而不再成为消费热点。

当前糖果市场出现的机会并不对各品牌都会均等，糖果虽然在回归主流消费领域，但消费者的选择性已经比较理性而挑剔，在这个阶段如果不能有效地实施品牌差异化或产品差异化，二线品牌胜出一线品牌的几率并不会太大，而只会呈现消费份额向一线品牌集中的“马太效应”。

2006年的央视招标中，以大白兔奶糖、和酒、蜂蜜为主要产品的冠生园投标10314万元，反映出一线品牌的强大实力；雅客为2916万元，而且投播计划集中在9-10月两个月的天气预报特约收看的黄金时段，可以看出建设品牌的目的并不大（此时段主要投5秒提示广告+15秒品牌告知广告），其媒介策略的目的，是为了解决第一次压货或新品招商推广（8-9月）后的铺货刺激，以便为春节前的井喷压货提供更高的动力。

没有参加央视招标的当然也未必就会没有或减少广告的投放，选择强势卫视或卫视联播为媒介策略的企业也很多，但现在央视招标确实具有象征意义：它是下一年度中国经济的景气指标，也是行业热点的风向标，从一定意义上也可以折射出企业的实力与对未来市场的信心。

联纵智达认为，在糖果这一比较特别的市场里，行业的春天可能是品牌的严冬：团状异质化市场格局主导下的各细分市场，领导品牌的对市场份额的垄断化力量在加强，同时整个行业进入完整营销体系竞争的复杂阶段，关键成功因素的“靶点”已经从一到多，变化越来越快，难度越来越高，木桶原理真实呈现，所以在行业的冬天里能够存活的品牌在行业的春天里反而会拉大与领导品牌的距离！

“驽马十驾、不若骐骥之一跃”----这也是残酷的市场规律！如中国肉制品市场里的领导品牌双汇与雨润，在2002年-2004年的时间里销售额都翻了一番，但两者销售额差距却扩大了一倍（由40亿元扩大到80亿元）。所幸的是两者具有鲜明的品类差异化（双汇是通用型企业、雨润是专业型企业），才不会迅速变成淘汰赛（终极PK）。

我们的观点是，在今天的糖果市场环境下，糖果企业如果只进行战术层面的优化，最多与行业大势保持同步或维持现状；如果敢于在战略上寻求突破，则会超越行业平均增长幅度获得超常规发展；如果能够实施战略突破+战术优化，就必然成为未来的领导品牌！

这就是糖果围城的“真解”！

（史贤龙）

啤酒企业的渠道构建分析

啤酒是快速消费品，在保质期、新鲜度、口味等质量指标上要求很严，和通路建设有着直接密切的关系。因而，构建销售通路，如何快速、方便地将啤酒产品导入市场销售终端，通过提高通路运作效率，最大限度地满足消费者消费需求，是啤酒企业都十分重视的问题，只有构建好市场通路，啤酒企业才能提高市场运作效率，抢夺市场先机，在竞争中处于有利地位。

下面就啤酒企业市场通路如何定位，如何使市场通路方便快捷，如何迅速将啤酒产品导入终端销售，谈两点看法，以供参考。

一、啤酒强势品牌市场通路的定位与运作

强势品牌的啤酒企业在销售通路的选择上，可采用直销模式或改造后的直销模式。

(一)、新市场直销模式的定位与运作

1、直销模式适用范围

直销模式是指啤酒厂家将啤酒产品不通过任何中间环节，直接送到消费者手中消费的一种模式。该种通路模式适用范围是：销售地经济发展滞后，很难找到有一定资金实力、网络实力的经销商；或销售客户比较成熟且目标群体相对集中到某一强势品牌，相对该地区而言本企业啤酒品牌又不是强势品牌，但需要将产品进入这一新市场的情况下，生产厂家所采取的通路模式。

2、直销模式的利与弊

(1) 利处：没有中间环节，可将更多的利益让渡给消费者，消费者容易接受和购买企业的产品，一旦赢得消费者，竞争对手很难抢走消费者。直销模式的重点是消费者，而不是通路的各个环节。

(2) 弊处：前期销售费用高，需要配置更多的销售人员，与之相关的市场投入费、人员工资、交通费、差旅费、通讯费等都将增加。

3、操作方式

(1) 组建销售队伍，选拔优秀销售人员，在市场调研的基础上进行有目的性的培训，利用品牌的影响力，先从终端酒店、商超、便民店、社区、夜场等销售场所做起，并选准酒店为突破口，开展铺货、产品陈列、售后服务等工作；

(2) 针对品牌忠诚度较高，消费者消费目标比较集中，具有排斥性消费的市场，企业营销人员还要在该区域范围内做一些针对品牌的宣传活动，引起消费者的关注；

(3) 把握住消费者中比较关键性的人物，使之了解和认同企业的产品，同时培育终端客户，使之了解运作产品所带来的利润，构建终端网络；

(4) 在市场启动过程中，培育或寻找有一定配送能力的经销商，待市场初步启动后，生产厂家由全方位作市场的方式向指导经销商抓好配送和服务工作方式过渡，构建以生产厂家拥有网络控制力，商家拥有配送能力，厂商共同搞好服务的销售模式。

(二)、老市场直销模式改造的定位与运作

1、直销模式改造适用范围

针对经销商网络较为成熟的市场，啤酒生产厂家要尽可能地摆脱对经销商的依赖性，尽快解决整体市场运作效率偏低，厂家对网络控制力差的问题，提高产品到达终端消费者的运作效率，降低中间环节的费用。

2、改造老市场经销商网络直销模式的做法

(1) 如果原有啤酒一级经销商是通过二批、三批等通路将啤酒产品送达终端消费者的，生产厂家可以成立市场运作分部或市场运作小组（并非办事处，更不是分公司，是虚拟性的组织），选择固定的场所和办公机构，组建自身的业务员队伍，进行本地化市场运作，其目的是在了解一级商市场网络运作的同时，加强对一级经销商所辖二批、三批商网络的指导运作力度，提高网络掌控能力；

(2) 在指导掌握二批、三批商网络运作的前提下，明确一级商与厂家的分工，承担部分市场网络运作维护成本，全额承担并控制市场促销费用（包括促销品、促销员、广告宣传和各种市场投入等），引导一级经销商向配送商转化，提高配送能力；

(3) 针对一级经销商较为松散型的二、三批商网络，厂家可针对条件较为成熟的二批商，采取变二批经销商为一级配送商的做法。市场运作和市场投入一般由厂家负责，设计好合理的利润分配流程，减轻二批商市场投入负担，缩短销售渠道，提高产品达到终端消费者的运作效率；

(4) 通过市场运作分部或市场运作小组把产品、促销品、政策结算、兑奖等厂家的做法向市场一线延伸，实现厂家与市场运作所在地“零距离”的对接，进一步提高市场效率，抢占市场先机。如：在市场运作分部或运作小组所在地以经销商的名义租用仓库，进行必要的产品、促销品的储备，在预算范围之内赋予市场运作分部或运作组收款、结算、兑奖等财务功能，节省经销商往返时间，灵活采取市场应对策略。市场运作组甚至可以针对不同的一级商、二批商、三批商采取不同的灵活促销和政策兑现措施，从而大大提高市场运作效率。

3、改造老市场经销商网络直销模式的利弊

改造后老市场的经销商网络，不再直接由经销商控制，而是由生产厂家控制并指导，这样做，生产厂家前期的投入和维护成本虽然较大，但由于不需要一批、二批商等中间环节的利润补偿，投入重点集中在消费者身上，成本费用并不会增加，反而可能会减少（只要规划和分配好经销商配送的利润），更重要的是由于终端消费者受益，消费者会认同这样的产品，销量会相应提高。

为防范市场运作的风险，加强对市场运作分部或运作组的财务监控，除生产厂家需要完善有关打款发货、政策结算有关制度，赋予运作组一定权责外，重要的是强化审计功能，特别是针对市场潜力较大，需要运作组或运作分部做深、做细、做透的市场，通过财务监控可以达到加强管理的目的，能够防范市场运作风险。

二、啤酒弱势品牌市场通路的定位与运作

啤酒弱势品牌市场通路建设上应考虑经销商代理模式。经销商代理模式的重点是把费用花费在中间商的通路上，而不是花费在消费者身上，这一点是与直销模式的最大区别。

(一)、经销商代理模式的定位

1、适用范围

经销商代理模式是指啤酒生产厂家在一定区域范围内（省、市、县）找一家或两到三家一级经销商（针对经济发展滞后，经销商实力较弱的区域，可以采取密集代理的方式，多找几家），分别分品种或分渠道（终端或批发或夜场）或独家经销啤酒厂家产品，再由该经销商在规定区域市场内寻找二批经销商，再由二级经销商找三批和零售店。该种模式适用啤酒品牌较弱，新开发市场或新投放品牌，消费者对产品认知度不高，每次消费的数量小的产品，对于经济实力较弱的企业采取该种模式也比较适宜。

2、经销商代理模式的利与弊

（1）利处：啤酒厂家可借助经销商的现有网络力、社会关系力、资金实力、仓储和配送服务能力等快速将啤酒产品在区域市场上铺开造势，快速提升啤酒产品在区域市场上的品牌知名度和市场占有率，以弥补弱势品牌知名度不高的缺陷，实现啤酒产品以最小的投入，最快的速度，获取最大市场份额的目的。又由于该种模式下的消费者购买地点方便，啤酒厂家可以分散企业市场投入的风险和负担，联合生产厂家和商家的力量共同与竞争对手抗争，所以，这种模式被大多数啤酒生产企业所采用。

（2）弊处：由于经销商把控销售网络，市场运作的主动权掌握在经销商手中，啤酒厂家对经销商的依赖性很大，经销商强大之后，会以各种理由向厂家索要政策，提出一些不合理的要求，"客大欺主"的现象很难避免。有的经销商经销的品种可能会较多，品牌的忠诚度会受到一定的影响，经销商如果追求短期利益，产品市场秩序会混乱，窜货现象会发生，其他经销商的利益会受到侵害，市场容易出现危机，如果进行市场调整，会有很多阻力，对市场可持续发展产生不利的影响。

由于该种模式是通过一级经销商向二批商，再通过二批商向三批商、零售商配送产品，中间周转环节较多，通路链条较长，如果通路不畅，容易影响通路运作效率，进而影响啤酒产品质量，达不到啤酒产品快速消费的目的，因而在市场运作时应重点考虑市场通路的激励措施，通过激励来加快市场运作的效率，从这一角度而言，市场投入也会相应加大。

（二）经销商代理模式的运作

1、选择经销商是经销商代理模式的基础

选择的思路是：精选一级商，重视二批商，广开三批商，了解零售商。

（1）精选一级商：对目标销售区域的啤酒经销商或白酒或其他饮料销售的经销商进行必要的了解，重点对一级经销商的"五力"，即资金实力、网络辐射力、社会关系力、营销力、配送能力进行考察，可以晓之以利（利益），动之以情，积极主动介绍企业和啤酒产品，洽谈并达成合作意向。

（2）重视二批商：考虑到一级经销商的实际情况和生产厂家的政策，二批商的选择要特别重视，因为在必要的情况下可以发展二批商变为一级商，所以，在选择二批商时，要同样了解其"五力"，同时还要了解二批商与一级商之间的关系，以便判断是经济利益关系，还是有其他的亲情关系，或两者兼而有之。除了一级商原有的二批商要重视之外，啤酒生产厂家还要帮助一级商寻找二批商，即寻找那些拥有较多三批商且比较稳定、有一定资金实力、在固定区域销售、有送货能力的二批商，市内各区选1～2家即可，达成合作意向，作为一级商销售的有力保障点。

（3）广开三批商：重视二批商的目的，主要是弥补一级经销商分销能力上的不足，而广开三批商是为了让产品销量再上一个台阶，使得消费者购买更加方便。三批商的开发，最直接有效的方法就是有奖或实物促销，通过促销吸引三批商前来进货，挤占了竞争产品的货款，达到了完成销售、打击对手的目的。

（4）了解零售商：了解零售商的主要目的是为了明确零售商啤酒产品消化能力、库存情况，进一步分析产品的消费去向和目标消费群体，以便更好地进行产品配送和有针对性地采取促销对策。

2、通路铺货是经销商代理模式的前提

啤酒产品要想在终端销售，企业必须做好三个环节的工作。第一个环节要让消费者看到企业啤酒产品；第二个环节要让啤酒产品能够吸引到消费者购买；第三个环节要让消费者消费啤酒产品。其中第一个环节是关于铺货的问题，第二、三个环节是关于通路激励和市场服务的问题。

做好第一个环节的工作方法有三：一是通过广开三批商，利用他们手中既有渠道逐渐提高铺货率；二是寻找有固定零售点、有意愿并有车送货的二批、三批商，在厂家的协助进行铺货，以便在铺货的同时了解市场铺货情况，了解销售网点；三是厂家和商家分区域铺货，特别要针对空白市场的铺货更适宜采用此种方法。

但无论采取哪一种方法，铺货都应注意以下几个要点：（1）划定铺货区域范围，确定铺货路线图，以能在一周内完成铺货为宜；（2）抽出专人、专车组成小组进行铺货，铺货政策为每户零售点进一箱送两瓶（或其他奖励形式）；（3）批发户随货送上产品价目单及自己的联系方式；（4）对铺货零售点登记，以便厂家检查奖品发放情况和日后及时补货；（5）让铺货点经销商了解产品特性、产品陈列摆放的位置以及产品展示的基本技巧；（6）厂家设计铺货完成后二、三批商的奖励方案，除了提供随货赠品外，还可提供其它奖励；（7）确定铺货后回访人员，检查铺货情况和陈列产品情况，明确下一次补货的基本时间；（8）厂家和商家一起进行铺货的验收。

4、通路激励是经销商代理模式运作的关键

对各环节经销商进行策略性乃至战略性的激励与合作是产品营销要素之一，这使得品牌与通路必须同时得以发展，不要区分谁先谁后。

（1）对一级代理商的要求与促销激励

为减少一级商销售层次，监管产品的流向，提高一级经销商的忠诚度，啤酒厂家对一级经销商要提出建立市场网络的基本要求，并希望一级经销商专注于本品牌的推广，其具体内容包括三个方面：

合作度：主销或专销本企业品牌，不分销竞争产品；在厂家规定的区域内按规范价格销售；协助对消费者开展促销活动和广告宣传，并定期反馈信息；建立负责本产品的销售队伍；货款按信用额度和规定的时间回笼；协助企业打击假冒产品；建议、策划、实行在本区域内的产品促销；致力于零售商的开发，不进行转批，积极与同类竞争品牌开展竞争。

客户服务和产品保管：送货及时，产品摆放明显，安放周到；不强行推销和搭售其他产品给客户；仓库条件及堆放场地符合标准，有一定的运输和搬运能力。

销售完成：销售量或销售额目标达成；品种结构合理；区域内产品覆盖率、市场占有率达到要求；拥有的客户符合质量要求；具有新客户的开发能力。

厂家根据上述三个方面的内容，分别一级经销商建立档案，按项目给予评分，年终时将平时累积得分值加总，评判经销商的综合业绩。对得分较高的一级经销商给予一系列的奖励，包括：年销售目标奖励；阶段性促销奖励；返回一定扣率的实物奖励；扩大销售区域；给予旺季供货的优先权；加强下一年度销售支持的业务奖励；表彰或命名其他荣誉奖励等。

(2) 对二批商的促销激励

厂家为了增强自身在通路上的竞争力，除了对一级经销商设计促销奖励外，还要对二批商进行较为短期的阶段性促销，以加速产品的流通和分销能力。常见的方法有：旺季月度销量达到一定目标和淡季月度销量达到一定目标给予一定的实物奖励或啤酒产品奖励，同时对销售客户数、市场冲货等提出要求；盘点二批商库存产品后所采取的目标销量奖励；针对目标销量的市场投入费用增加的奖励；召开促销会议，根据提货量多少而进行的抽奖奖励；阶段性奖励与年终奖励相结合的方式，根据全年销量多少再进行一定的销售奖励等等。

(3) 对终端零售点的促销奖励

啤酒企业针对消费者的促销活动过多，会引起终端零售点的反感，他们认为损害了自身的销量和利润。终端零售点所希望的是直接对价格进行折让或赞助，以显示零售商在产品推广和展销方面所不可忽略的地位。零售商提出的名目繁多的赞助费用包括：产品进场费、产品展示费、货架费、堆头陈列费、pop张贴费、店庆费、促销费、年终返励等。

(4) 如何掌握“通路激励”的度

关于奖励费用：基本原则是奖项设置最好不要用现金或直接用本企业啤酒产品，以免造成价格混乱，影响中间商的积极性，并使销售受到影响。而对于零售超市的奖励，现金是最具有吸引力的，当然，奖项设置能为商店进一步带来营业额会更受欢迎。

促销评估：促销评估是开展促销激励必不可少的手段，对企业而言越来越重要，其评估的内容包括：要考虑对中间商促销活动的设计能力；要考虑销售人员执行、监控及协助促销的能力；要考虑中间商促销的投资回报率；要考虑促销活动对产品在通路市场上的控制力等。

上述内容仅仅介绍两种啤酒品牌情势下市场通路的定位与运作模式，值得注意的是：任何一个啤酒厂家都不可能单独运用某一种市场通路模式，一般情况下可以某种模式为主，兼顾其他运作模式。啤酒企业根据市场情况不断地变革销售通路，在经销商、业务员通路操作技巧上和运作思路上进行不断地总结和创新，只有变革和创新，企业的市场才有活力，有活力才能有竞争力，啤酒企业才能在市场竞争中处于有利地位。 (杨印宝)

弱势白酒品牌的“盘中盘”操作指南

客观地说，除了功成名就的部分大品牌外，绝大多数选择盘中盘手段操作区域市场的白酒企业均为弱势品牌。而实际上盘中盘理论创立的最初基本上也是为满足弱势白酒品牌进军核心城市市场建立起比较优势的一种策略性手段。弱势品牌选择盘中盘主要考虑自己在一些特定的区域有一些独特的人脉资源优势，白酒企业希望将这种人脉优势转化为市场竞争优势。弱势品牌运用盘中盘操作市场目前有一些比较成型的做法，也形成了一些比较规范或者套路的工具。为了使业界对盘中盘这个神秘的操作系统有一个比较全面的了解，我们将借助弱势品牌盘中盘操作手段全面展示这个系统营销的魅力，当然，我们也会对系统中比较糟粕的部分加以剔出，提出更加符合白酒品牌盘中盘操作方向的新思路。

盘中盘具体到单个酒店操作一般有八个步骤，这八个步骤环环相扣，互为关联，任何一个单独环节的失误都会影响盘中盘操作的效果。因此，我们就单店进行盘中盘操作洞察对于掌握盘中盘操作的关键技巧非常有帮助。

1. 制定政策

与所有的快速消费品新产品进入市场一样，白酒品牌进入酒店终端之前需要对市场进行深入的摸排。并根据摸排的情况确立相应的盘中盘操作的所有技术性环节的相关政策与市场操盘的策略思路。其中特别是对总代理商，二批商，酒店终端，以及服务员等关键环节提出非常具体的政策性方案首先是总代理政策。必须看到，盘中盘的经销商代理政策与盘中盘的酒店渠道终端一样，也是采取一地一策，不会像大流通产品甚至采取全国统一的总代理政策。因为盘中盘市场千变万化，千差万别，各地市场的经销商对于市场的利润预期与各级酒店终端的毛利差别很大！总代理的政策有几个参考标准，如同级别城市对应参考标准，如酒店终端毛利率对经销商的政策影响等。同时总代理政策在形式上与快速消费品并无太大的差异，基本上厂家给予经销商政策也会采取差价性利润与阶段性返点两种手段。

同时，还有一个十分关键的环节就是酒店进店费用。如果酒店进店费用由经销商支付，则厂家给盘中盘经销商政策一般会比较宽松，厂家操作盘中盘相对市场风险也要低很多，如果酒店进店费用由厂家支付，那么经销商的利益空间将会相对压缩。

其次是市场二批政策。二批政策的制定对盘中盘操作成功具有举足轻重的影响。因为盘中盘渠道系统的二批商是最活跃最革命的因素，也正因为如此，二批商也是盘中盘操作中需要强化管理与合理规范的一类群体。制定二批商政策既要保护二批商的积极性，也一定要防止二批商透支市场政策，形成渠道系统大面积窜货。特别是盘中盘突破拐点以后，市场出现迅速放量，需要更加注意二批商不良动机与过度市场投机行为。

二批商的渠道政策上一般执行价格尖刀差策略。由于二批商普遍在资金实力与市场推广能力上比较薄弱，厂家一般更多是利用二批商在当地市场的人脉做市场战略性推广，而二批商也更加关心经营过程中的阶段性利益，因此，厂家为了推动盘中盘产品在短时间内获得大面积市场铺货率，采取短期的利益刺激往往是最好的手段。盘中盘产品新产品上市之初，厂家为了提高铺货的速度与效率会伴随有一定的铺货政策，需要严格控制二批商将厂家铺货政策转化为价格利剑冲击市场。同时，由于新产品在突破拐点后很容易出现市场短暂放量，此时，二批商便会很自然突破酒店渠道进入竞争性的大流通渠道，导致市场节奏上出现混乱！此时也是二批商承浑水摸鱼的关键时期，只要能够渡过这个危险期，二批商的管理与政策执行上就可以做到渐入佳境。

再次，酒店终端的政策制定。盘中盘操作主要费用一般都发生在酒店终端，特别是弱势品牌，由于品牌资本力量比较小，而酒店终端又处于资源稀缺状态，酒店卖方市场的有利地位使得弱势白酒品牌终端费用越来越高。尽管这样，酒店终端的政策制定也还是有很多技巧与方法。

增加软性投入，变现金支付为阶段的软性投入。弱势白酒品牌进入酒店终端最大的风险是现金流的压力，因为市场处于一个很大的不可知状态，尽管操盘时候我们提出了点状财务配合，但是随着渠道系统的国家政策变化，这种并不阳光操作导致的结果可能是厂家吃了闷亏却无处诉说！根据盘中盘政策经验，其实可以与酒店终端采取更加软性的方式来进行双方利益的博弈。比如提供酒店老板更加巨大的利润价差，提供非常诱惑的铺货政策，将现金支付转移成设备性支付，减少酒店终端短期市场行为对盘中盘后续操作的影响。

增加背书投入，变硬性投入为战略性推广支持。很多的白酒企业越来越聪明了，特别是一些弱势白酒品牌采用将外脑投入作为重要的推广性资源，并在实际酒店政策制定上广泛地使用外脑作为自己产品与推广的背书，使得酒店终端相信弱势品牌具备比较好的市场动销能力，还有将媒体作为背书性资源使用等等。背书性资源对重视长远发展的酒店终端比较有诱惑力。

增加政策幅度，变短期投入为长期的政策支持。对于白酒弱势品牌来说，如何做一个美好的，可执行性的商业计划，通过缜密的商业计划给酒店终端可持续发展的战略意识与规划也是实现低成本进入酒店终端十分重要手段！盘中盘要想成为一种可持续发展的营销战略就必须要解决长期战略与短期效应之间的关系，否则盘中盘给业界的就永远只能是战术性手段，而很难上升到战略高度。酒店终端政策制定无论是知名品牌，还是初出茅庐的新品，都应该树立与培养政策幅度与宽度，变短期投入为长期政策性支持，建立酒店终端长期收益的心理预期！

增加情感分值，变简单交易为深厚情感化支持。不同的业务人员去谈酒店终端，得到的结果有时候会是天壤之别！为什么会形成这样的结果，主要是谈判人的情感艺术与长期的客情投入。很多时候，一个比较有人格魅力的业务人员或者是有深厚人脉的业务人员，进入酒店终端的硬性成本会大大降低。

酒店终端进入谈判是一个三方博弈的过程，厂家，经销商，酒店本身都有自己的利益关切，制定酒店终端政策要想获得理想的效果，就必须学会策略性谈判，增加各自的筹码。

最后是一个不能忽视的细节，服务员返利政策制定。作为弱势白酒品牌的新品上市，服务员的暗扣幅度一般会比较高，但同时要注意操作中的隐蔽性与政策制定中可能出现风险。现在，生意好的酒店服务员灰色地带收入已经是公开的秘密，聪明的老板也采取睁一只眼闭一只眼手段处理服务员与厂家之间的这种灰色交易，但有一个前提，酒店老板永远不希望这是一个公开的行情，这很容易使得酒店终端在经营过程中的主体意识遭遇挑战。白酒品牌商家一般都是采取擒贼先擒王的手段，对服务员中的领班或者是服务员的意见领袖进行公关，以达到四两拨千斤的目的。

很多时候，我们会在制定盘中盘操作系统政策过程中对上述要素进行分值处理，通过权重系数来推断盘中盘操作中政策制定的裕度。在关于《盘中盘操作的工具系统》中，我们会提供盘中盘政策制定工具文本。

为了规范盘中盘系统政策制定，从事盘中盘操作的白酒品牌一般都会制定一个非常系统的手册来规范系统平台，如《＊＊＊地区盘中盘渠道系统政策规范管理制度》以及标准合同文本《＊＊＊地区盘中盘渠道系统政策合同文本》，通过制度与合同文本约束多方之间的关系与利益，使得盘中盘市场操作处于一个规范的市场环境中。特别是弱势白酒品牌，由于其地位本身处于一个相对被动的角色，管理与合同的细节更加重要，即使是很多软性的投入也尽量要以规范文件的形式出现。

2．进场谈判

如果说政策制定是一个熟悉市场环境，梳理各种关系的过程，那么进场谈判则是盘中盘非常关键的临门一脚！经过与经销商之间的反复推演，进场谈判成为考验厂家业务执行层以及经销商业务执行层最为重要的标尺。进场谈判火候掌握得好，则酒店终端的进入成本将大幅度降低，酒店终端进场谈判如果煮成夹生饭，那么我们可能将会陷入非常不利的境地。酒店终端进场谈判有几点临时性很管用的手段“察言观色 随机而动”。

所谓“察言”，主要看酒店老板语言。经过对盘中盘渠道系统政策的制定，我们基本上应该对进入各类酒店终端拥有了价格上心理底线，根据A类酒店，B类酒店，C类酒店以及D类酒店的盘点，我们基本上可以对酒店终端有了大的价格上洞察，如何获得最低的价格就看关键的客情以及临场发挥。察言，主要是听酒店老板的口气探测酒店进入的费用门槛。一般情况下，酒店老板普遍属于比较有商业意识的一帮经营者，他们往往会语言上表现出酒店生意好坏与优劣，通过酒店经营的优劣基本上可以盘算出酒店费用，在这个过程中，特别要关注老板娘的语言与谈吐，还有就是服务员的沟通，这些语言构成了整个酒店终端对外基本形象与内容。

所谓“观色”就是用自己的眼睛去审视酒店经营状况。一般情况下，在经济欠发达地区，政府周边的酒店往往是盘中盘需要重点关注的终端形态，而商务旅游城市，游客聚居的地方是我们需要重点关注的地方。

看酒店的成色还可以通过消费高峰期的酒店客人进出量来印证老板的生意情况。选择在消费高峰期去看，但不要选择生意高峰期去谈，这样可以避开酒店老板的锋芒，有利益降低价格上的尖峰时刻。

所谓的“随机而动”就是根据谈判的时机灵活地做出决策。一旦发现谈判的价格非常适合自己心理预期的价格时段，一定要及时做出决策。不要受外界干扰，果断地做出决策。

给大家说一个我自己亲身经历的谈判过程。2005年12月，我们在一个地级市场接触了一家当地非常旺销的酒店终端，老板很显然是刚刚涉足餐饮这个行业，对行业的潜规则知道一些，但远远没有达到深入了解的地步。恰好我们去跟酒店去谈白酒进场问题。当时，同样规模同样生意情况的酒店，我们的进场费无论如何不会少于5—6万元／年，我们在跟客户接触过程中提出用2.4万签一年的进店合同，老板也没有提出任何异议，双方沟通甚欢。当时恰好酒店会计外出办事情，老板已经拟定好合同了。但因为没有合同章不得不选择在第二天签约，我们也没有细想就决定第二天过来签合同，但是恰恰是这个时间段，另外一个白酒品牌也在晚上进入了老板家谈进店，老板立即意识到自己的酒店终端进店费被大大地低估了，通过与酒店同行沟通，酒店老板很快知道了酒店终端费用底价，当我们第二天兴冲冲去准备签约时，老板立即变脸，提出最少的进店费4万元／年。没办法，考虑到这个酒店为当地政府主要消费场所，加上老板本身的人脉关系，我们只能选择4万元／年进店费。仅仅是一夜之间，我们就多付出1.6万元的费用，这就是时机的把握。

从宏观的角度看，酒店终端谈判还取决于对酒店消费环境的深度了解。很多酒店看上去很红火，但实际上潜伏着巨大的经营性危机，或者由于国家政策形势发生变化，或者一个偶然的区域性经济形势发生变化都会导致酒店终端迅速贬值，如果作为谈判者不能够深入的洞察这种局面，很容易导致进店费用打水漂。

一个比较残酷的例子。2002年3月，我们在皖北接触过一家酒店，一直生意很好，但是突然有一天，这个酒店生意一落千丈。调研的结果很简单，全国公安系统正在执行禁酒令，凡是工作期间喝酒的公安干警将自动被停职。这家酒店恰恰就是公安系统长期就餐的酒店。安徽一家白酒企业刚刚从外地白酒品牌手里接盘这家价值不菲的酒店终端，可以想象，白酒企业面对这样的政策环境可以说是欲哭无泪！

弱势白酒品牌进店谈判一般要经历五个步骤：

第一步：了解酒店目前在线销售白酒品牌进店情况与在线销售情况，有的方矢！任何一个酒店终端都有自己的白酒销售生态系统，深刻地了解酒店终端白酒销售与消费生态对于进店谈判成功尤其重要，这一点是进店谈判的基本功之一；

第二步：熟悉老板目前酒店经营状况洞察心理氛围与老板志趣爱好，投其所好！非常简单的一个道理，如果我们业务人员能够洞察老板的性格、心情、志趣，投其所好，相信沟通成本的降低带来的必然的进店壁垒的降低，这是进店谈判的基本之二；

第三步：判断酒店进店心理价格比较平衡三方利益与准确提出要求，击中要害！酒店老板心理价位准确判断对于酒店进店谈判成功十分重要，一般情况下，我们的业务人员要采取抑制性报价，并将我们对于酒店终端经营中的软肋有所表明，这样可以避免酒店终端在价格上对厂家更大的预期；

第四步：保留酒店谈判妥协空间及时增值利益承诺与策略附加要求，寻求双赢。谈判是一个双方妥协的过程。谈判中软硬尺度非常难以把握，弱势品牌妥协一般会比较多，但为了不至于尴尬，或者体面地妥协，白酒品牌企业在妥协的同时一定要利用老板优势心理，提出附加性要求。

第五步：合作协议及时签约保证谈判成果及时兑现与时间换取空间，一锤定音！必须要承认，好的酒店终端现在是越来越少了，而一旦我们经过拉锯战谈定的酒店终端就需要及时进行决策，保证辛辛苦苦的谈判成果不要成为别人的囊中之物。

3．物料制作

酒店终端一旦签约，及时进店与物料的及时配发就非常重要，从签约的当天开始，我们就已经在为酒店终端支付服务费用。一般情况下，白酒品牌企业会有一些通用的物料可以及时调用，但最好也能够针对个案的酒店终端提供比较个性化物料。传统的白酒盘中盘物料主要有如下九种，而这九种基本物料都十分中国，反映了中国白酒品牌在运作盘中盘过程中的中国化思考。

1）大红灯笼高高挂。特别是在一些比较低端市场或者是中国北方市场，为了争夺消费者眼球，营造主场气氛，一般都会选择大红灯笼作为盘中盘推广的核心物料；

2）杯盏碗筷样样全。白酒企业考虑，既然进场费都已经大把花费了，也就不在乎为酒店终端准备一些杯盏碗筷了，因此，很多酒店在开业之初也会主动跟一些准备进店的品牌进行沟通，这样可以节约一笔费用；

3）娱乐游戏齐齐上。扑克牌，麻将杯等等食客们喜欢的各种各样游戏娱乐产品也成为白酒盘中盘企业争夺的焦点。在酒店终端，我们经常可以看到很多白酒品牌品牌故事做成的扑克，别具一番风味。

4）吧台桌面满堂彩。嵌入式广告在酒店终端可以说是运用最为广泛。很多酒店的吧台与桌面成为白酒盘中盘企业争夺的焦点，而且很多富有诗意的创意在这两个地方都有很大程度的运用，雕龙画凤，飞檐走兽等等应有尽有！

5）男女老少都关怀。白酒企业为了讨好消费者，不仅制作了大量的静态展示性物料，而且对消费者的心理关怀也做得十分到位，各种各样的小饰品体现了白酒企业在盘中盘物料中主动性意识。我们在白酒盘中盘酒店终端经常可以见到各种富有民族特色的挂件与饰品，各种消费者都可以找到自己爱不释手的小玩意。

6）唐装旗袍最流行。细心的食客就会发现，盘中盘酒店终端，唐装与旗袍成为一道独特的风景！因为唐装与旗袍最能够代表中国白酒民族化的性格。同样道理，红色成为这种导购服装的基本色，一道道红色旋风使得盘中盘酒店终端变得独具风韵。

7）门头装裱讲究多。如果你足够细心，你会发现很多酒店的门牌装饰上被巧妙地嵌入了白酒品牌的核心思想。比如高炉家酒在很多县级市场的门头上就很巧妙地将徽派民居的建筑风格嵌入其中，既满足了酒店对装修风格的要求，有很好地体现了高炉家品牌思想。还有诸如皖国春秋、迎驾贡酒等等。

8）彩门气球武装快。很多白酒品牌为了营造主场氛围以及推动盘中盘酒店终端市场动销，常常会采取彩门气球形成创造氛围，激活终端。特别是白酒消费旺季，白酒企业更是会集中民族演出队伍，如舞狮队，手号队等特色演出团队进行酒店终端助威。

9）击鼓传花新形态。白酒酒店终端形态与酒店业发展息息相关，为了适应酒店终端发展的需要，白酒终端物料中，用来互动的物料也越来越多。我们在新疆乌鲁木齐塔里木大酒店，云南昆明云南人家大酒店都亲身体验到酒店终端与消费者互动性消费，白酒盘中盘企业也见缝插针地将酒店道具作为终端生活化的物料，使得白酒盘中盘终端出现了崭新的动态物料。

随着白酒市场竞争加剧，盘中盘酒店终端开始启动更加系统的终端生动化与物料系统化战略。很多白酒企业开始深入研究酒店终端消费形态，将白酒文化与品牌思想直接介入到酒店消费过程之中，创造了中国白酒新的终端生动化形态。特别是一些新近崛起的白酒品牌，他们更加注重对目标人群的人文关怀，力争在最短时间里与消费者达成心理上的默契，从而实现对竞争品牌的挤压，获得市场生存的空间。如白酒消费过程中的酒令使用，白酒消费者中的抽签定奖等等。在我们的《盘中盘营销战略新思维》系列文章中，我们将对白酒盘中盘营销中的创造性物料使用以及新营销广泛视角与白酒业者分享！

4．导购培训

导购培训是一项与其他工作并行的基础性工作，从进入目标市场以后，作为企业与经销商就需要对导购员进行物色与培训，一个能征善战的导购员队伍对保证白酒盘中盘成功具有非常重要的作用。盘中盘刚刚启动"小盘"时期对于导购需要并不是很多，但一旦进入大盘操作，导购的培训与管理工作将成为常规性的工作，需要不断充实培训的内容，培养导购对企业的忠诚度。导购员培训分为技术性培训与技能性培训，而通过样板酒店的现场演示是加快促销员队伍成长的一条不可多得的捷径。

情境导购1 、适应酒店生态圈。

导购员情境导购的第一步是要导购员熟悉自己的客户群，根据客户群适应自己的客户导购语言及形式。如商务客户居多的酒店终端于正午场合居多的酒店终端在导购风格上区别就很大。商务场合要保持私密性，政府场合要保持谨慎性，而一旦是文人出没的场合则要保持儒雅性。情境导购就是要熟悉并适应酒店生态圈的主流客户群的导购方式需要。酒店生态圈还包括酒店终端本身的人际关系与各种层级人员的关系处理。

实际上，不要小看酒店终端导购，导购员职业要求非常之高。一个优秀的导购员往往是一个很好的演员，舞台就是自己从业的酒店，什么时候该唱红脸，什么时候该唱白脸都需要很好的判断能力。也正因为如此，很多优秀的导购员在中等城市月薪2000元已经不是稀罕的情形。酒店生态圈适应根据不同规模酒店以及酒店配合程度有一定时间上差异，但一般情况下，需要一周到半个月时间才可能基本适应这种生态圈。

情境导购2、操控白酒专业语。

任何一个产品导购都有自己的专业术语，白酒自然也不例外。白酒除了后面我们要说的白酒品牌文化之外，就是导购白酒的口感以及喝酒以后的身体感觉。操控白酒术语一般会从白酒的十个属性角度去推进。

第一是"绵"，主要是指白酒口感中厚实感。好的白酒品牌一般都会不会出现很刷的感觉，而是很迅速地融入到我们消化系统，成为一团温暖的水，迅速扩散。我们称之为绵；

第二是"甜"，主要针对善饮者而言，我们吃饭的时候会有一个感觉，如果我们一顿饭不给你任何菜蔬，仅仅让你吃饭，不要很长时间，你就可以品尝到米饭实际上还是非常之甜。好的白酒也是这样，如果仅仅是你大口大口喝酒，相信你一定会感觉到白酒也是很甜的感觉。

第三是"净"，主要是不粘口感觉。好的白酒品牌一般都会十分爽滑，具有不粘口的特点，因此很多白酒企业往往会在净上下功夫。

第四是"香"，特别是浓香型白酒品牌，香型对于白酒品质来说具有很重要的影响。香型一般也称为白酒企业纯度指标很重要的参数。

第五是"浓"，酒浓味浓情更浓。酒浓也是很多白酒作为核心卖点的重要指标，浓体现的物质性价值与情感性价值都非常美好，因此，很多白酒导购中会使用这种策略。

第六是"爽"，与净比较相近，主要是针对白酒饮用过程中的心理感受进行引导。

第七是"厚"，厚味宜人，白酒味道的厚薄对于长期喝酒的消费者来说也是很有吸引力的说辞，终端导购要学会针对目标人群的语言沟通技巧，厚味就是酒尾比较厚重，不会出现上头等情况。

第八是"纯"，自从白酒出现用粮食酒与勾兑酒之分后，对于酒的粮食纯度也成为判断白酒品质的一个十分重要的指标。酒纯代表了白酒原料来源的正宗与纯正。

第九是"醇和"，主要是白酒喝后的入口感觉。醇和代表了白酒均匀度比较好，不会出现低档酒的分层等特征。

第十是"正"，主要是描述白酒的口感比较吻合目标人群的心理需求，从而表现出比较正宗，正式的口味等。

上述描述白酒自然属性以及情感属性的典型词在实际的市场使用过程中要有所取舍。关键是我们导购人员要熟悉这种特征，根据不同目标人群的性格特征与喜好，进行推展。

情境导购3、处理各类消费群

灵活及时地处理各种复杂的消费环境与消费意见是考验盘中盘酒店终端另外一个十分重要的指标，因此，成熟的酒店终端导购培训一般都会建立针对酒店终端主流消费群的培训机制。很显然，中国市场的酒店终端消费群已经日趋多元化。过去我们可能十分注重对商务政务人群的目标锁定，而实际情况是在很多经济比较发达的东南沿海，家庭对于酒店终端消费日趋增多。在广州，本地的居民已经很少在家里做饭，到酒店就餐已经成为一种习惯。这里，我们提供一套导购员针对不同人群的心态调整手段与方法。

真诚就是生产力。身处激烈的商业社会，我们可能已经十分习惯虚伪地微笑，商业地微笑，但是，真因为真诚的微笑越来越少，真诚的价值才会越来越大。在处理酒店终端客户与消费者关系时，我们一直秉承着这样的一个原则，真诚地面对消费者，真诚地面对我们的顾客，你一定会受到意想不到的收获。我曾经遇到过一个年龄很小的导购员，家里十分困难，但是对于自己的顾客，她的微笑从来就是真诚地，真诚地为顾客而高兴，真诚地为顾客分担忧愁。有时，顾客在酒店喝醉酒，她会主动地跟其家人联系，有时顾客在外面遇到不顺心的事情，她也会耐性地倾听顾客的唠叨。她的这种真诚深深地感动了消费者，以至于很多常客一进到酒店，就会像老板提起这个导购员，真诚，使得导购成为酒店最为重要的无形资产，而她所推销的白酒品牌几乎在消费者毫不设防的情况下成为消费者首选！

幽默营造好氛围。酒店确实是一个鱼龙混杂的地方，什么样的事情都会发生，消费者层次不同也深刻地影响着酒店白酒品牌消费氛围，适度的幽默可以化解很多消费过程中产生的尴尬。特别是对于酒桌上出现的荤笑话，聪明的导购员常常能够比较巧妙地进行化解，而运用比较幽默调侃的手段不仅可以让说者自己感觉无聊，而且可以有效地规避给品牌带来的影响。

随和创造水性度。水有一个特点，随行而育！而从事酒店导购的促销员何尝又不是如此，如果我们没有水性的灵活就很难适应竞争日趋激烈的酒店终端。在从事导购过程中，我们发现性格比较随和，但不随便的女孩非常有竞争力。我一直认为，白酒导购其实更多是对导购员人格魅力的推销，只要我们能够展现人性中纯真随和的一面，即使没有很多经验的导购员也可以获得巨大的成功。

情境导购4、传递酒品牌文化

在商言商，在酒言酒！目前从事白酒导购的导购员对白酒酒文化传递属于比较薄弱的环节，我们可以看娱乐场所的女孩是如何推销他们的产品的。

首先是对导购的产品十分熟悉。我曾经在很多娱乐场所见到女孩推销啤酒，她们对啤酒品牌的品牌故事可谓是如数家珍。如百威的历史，喜力的风格，力波的上海味道等等。不仅如此，她们还用自己的行动表现出对啤酒本身的理解。如可以配客人疯狂的喝酒，利用娱乐化手段灌客人啤酒等等。当然，白酒消费环境与啤酒有一定的差别，但是，整个中国白酒界都在谈论白酒文化，我们难道就不可以设计创造性的活动来帮助我们的促销员推动白酒消费文化的外显！实际上，我们现在面对的消费者对白酒消费为什么感觉到都一样，因为我们的导购确实太过于乏味，不仅缺少与他们身份相匹配的文化性导购，更不要说巧妙传递白酒品牌文化。

其次是用身体语言对啤酒品牌文化做了很好的诠释。我们发现，啤酒促销的从业人员都比较大胆，她们前卫的意识与语言举止，成为啤酒品牌文化最好的注解。相比较而言，白酒品牌在这方面雷同与保守了许多。

如何传递白酒企业的品牌文化？如何使白酒品牌文化能够从书面语言变成实际操作东西？我们提供几个方向供业界探讨。

第一，从服装道具上体现白酒文化。这是最为直接的语言符号。如果白酒企业能够在导购员戏剧性服装上实现突破性创新，可以实现低成本的品牌文化嫁接。我记得蒙牛乳业在推动其新产品深圳上市过程中，为了强调自己正宗的内蒙牛奶，采用内蒙古自治区少数民族服饰在深圳市场展开大规模的免费赠饮活动，用很低的成本实现了蒙牛来自内蒙古大草原的品牌核心价值诉求。当然，用来体现白酒品牌文化的道具很多，我们可以从品牌核心价值出发进行不断深度挖掘。包括我们所说的瓶型也是一种重要的道具语言。

第二，从行销设计上体现白酒文化。实际上，白酒文化之所以没落了，主要是因为白酒行业对白酒历史的研究仅陷于形式上的研究，远远没有做到真正的深层次的研究。比如中国传统酒令，中国酒诗，促销设计中的白酒品牌思想体现也是非常之少，物欲横流的社会更加助长了这种恶劣的风气。

第三，从现场环境上体现白酒文化。借助一些道具，我们还是很容易设计一些情景式白酒现场活动。比如，现场字画表演就是很好的载体。

情境导购5、融入酒店大系统

酒店小舞台折射的却是丰富大社会。导购人员要学会迅速融入这个酒店终端的舞台。在这一点上，导购员到并不是要成为通吃的什么人物，最重要的是要与基层员工形成比较亲密的同伴式的关系。

导购培训是一项长期的重要的策略性任务，不可能一蹴而就。成熟的白酒企业在这方面有很多比较成型的标准。而且导购作为一支十分庞大的生力军各个行业都存在导购，白酒企业完全可以集百家之长，根据白酒本身的属性，推动盘中盘市场走向成熟。

5. 客情建立

弱势品牌盘中盘客情关系对于保证盘中盘操作稳定性来说具有很重要作用。因为是弱势品牌，我们的操作就不可能像强势品牌那样颐指气使。学会在妥协中争取最佳利益点是我们的根本性立足点。

弱势品牌盘中盘建立要如下几点需要注意：

深度与广度结合。因为是弱势品牌，任何一个无关紧要的建议可能都会导致白酒品牌在终端市场上遭遇滑铁卢，因此，客情上要保持一定的深度与广度，所以关键人物有深度，大众人群有广度，这样才能够保证我们的产品在酒店终端有一个良好的外部环境！

灵活与原则结合。实际上，保持对客情的润滑度还是非常有必要的，但是同时坚守原则底线对系统来说也是非常重要，不要认为无原则的退让就是建立客情，良性的客情关系一定是既有一定的灵活性，但也必须保证强烈的原则性。

短期与长期结合。永远不要用空洞的思想去教育酒店终端，因为酒店终端对眼前的利益还是非常看重的。要不断地用短期利益去刺激我们的酒店终端老板，使得酒店老板保持跟你持续合作下去的兴趣。但也一定不要把酒店老板培养成唯利是图的小业主，这样你会面临老板无尽的纠缠，巧妙地把握客情中的短期与长期利益相结合，对塑造健康的客情关系十分重要，商业利益是双方博弈的结果。

弱势品牌盘中盘白酒客情关系建立还是非常之艰难，主要是因为品牌本身不够强势，说话的底起不足，更多需要个人有很好的交际素质，而且在这个过程中尤其要注意不要做太多的承诺，在实际操作中，很多业务人员为了满足酒店老板需要，不断给酒店以承诺，要知道，酒店终端是欲壑难填，有节制性控制酒店终端对厂家要求，是负责任的业务人员基本要求。

6. 软性传播

弱势品牌进入一个城市市场选择软性传播有两个层面的考虑，第一是资源不是十分充足情况，选择软性方式可以获得四两拨千斤的效果，当然创意本身的对低成本实现传播有很大影响；第二就是考虑到作为一个新产品进入城市市场，不要给当地主要竞争对手形成压力，从而恶化竞争环境。盘中盘确实是一个潜行的策略，而且其营销生态系统非常脆弱，弱势白酒品牌如果大张旗鼓进行大众传播，可以会破坏自己在区域市场运作的节奏，甚至于给竞争对手强势攻击的机会。软性传播手段有十种比较核心的手段，我们在《盘中盘的工具系统》中将提供完整的软性传播手段与策略，这里从略。

7. 系统修正

弱势品牌在区域市场运作盘中盘手段始终处于一个调整过程中，因此，不断地根据市场进展与区域市场变化调整盘中盘策略也是弱势白酒品牌必须熟悉的一个关键环节。很多选择盘中盘操作的白酒企业以及操盘手一直希望发明一个晚年的通用手段，或者寻找一种一劳永逸的方法，这绝对是不现实的臆想。这也是形成现如今对盘中盘两种非常极端态度的根源。一种认为盘中盘就是一种严重透支市场的终端策略，根本不具有可执行性，另外一种就是神话盘中盘，觉得盘中盘是无所不用其极的秘密武器。

盘中盘的系统修正主要从营销的十个要素入手，分别是产品设计，价格制定，渠道策略，促销手段，传播策略，品牌策略，经销商，二批政策，业务管理等。我们在后续盘中盘策略系统构建中，将提供修正方法与修正文本。

8. 规范管理

在对市场进行初步运作中，特别是"小盘"操作中，尤其需要总结"小盘"在样板市场操作的经验，形成规范的管理文本，这样可以为后续整个大盘操作提供经验性素材。在实际操作中，我们一般会形成《盘中盘产品操作手册》，《盘中盘渠道战略》，《盘中盘酒店管理手册》，《盘中盘价格体系》，《盘中盘软性宣传手册》，《盘中盘酒店终端导购手册》等等数十个标准化手册。而一旦形成这些规范的管理手册，也就意味着盘中盘在这个市场操作从技术层面说已经基本上成型，主要操盘手就会撤离现场而有制定性业务人员来负责执行与跟进。很多企业可能错误地认为，我只要拿到了这个标准手册就可以自行复制盘中盘了，其实不然，盘中盘是一种具有一对一营销的点状营销模式，因此，在没有对快速消费品十分了解专家指导下，盘中盘在你的手里可能就完全失去效应，这叫画虎不成反类其犬！（王传才）

中国葡萄酒的文化营销模式探究

在商务会客、家庭饮用和礼品赠送等场合的产品和服务消费中，越来越多的消费者会将葡萄酒作为他们的选择目标之一。通过对消费心理的分析，消费者的购买理由可以说是千差万别的。但是究其深层次的原因，在以休闲享受或者健康导向的整个消费购买过程中，葡萄酒购买者或最终消费者其实追求的是诸如时尚的、成功的或者健康的心理诉求的实现。葡萄酒消费过程中随附的是一种"优雅的"或者"追求优雅的"消费文化。现代营销理论也要求企业的一切行为都以消费者需求为中心。因此，对于葡萄酒企业来讲，如何切实将"优雅文化"贯穿并实现于市场行销链条中，成为他们不可回避的话题。文章从营销传播的诸多方面入手，试图搭建一个葡萄酒企业文化营销策略框架平台，以供探讨和参考。

【广告宣传】"一支好酒，来自天籁"，神秘而充满震撼力的广告宣传口号将我们带入了一个独特奇异的遐想世界。在香格里拉·藏密的广告宣传策略中，企业将人们在心底对世外桃源（香格里拉是对英语中"世外桃源，Shangri-La"的音译）生活的向往再度挖掘和提炼，通过赋予产品这一地域文化概念，直扬消费者可以在一定程度上借助"香格里拉·藏密"与"理想中的生活"实现对接。"传奇品质·百年张裕"，作为中国葡萄酒市场最具文化底蕴的品牌——张裕更是将"酒是陈的香"与自身的百年历史极富创造性地浓缩在这短短的八个汉字当中，让消费在消费张裕产品的同时将自己与历史的厚重与深沉联系在了一起。

葡萄酒企业在向市场受众传播各种讯息时，无非是着力于时尚感、历史感、成功感、亲和感、神秘感、尊贵感或者绿色感等一系列品牌形象。这就要求企业营销人员在广告创意及其随后的媒体选择上始终围绕以上企业想要成就的品牌形象来作出取舍。首先，要求广告创意紧扣品牌形象，而且能够顺畅地被传递或理解；再者，优秀的广告版本需要通过适当的媒体到达合适的受众。简单举例来讲，如果企业想要塑造一种成功的、尊贵的品牌形象，那么以一种过于大众化的沟通语言，然后将之置于区域市场的当地晚报来大量投放，这无异于是一种广告预算的浪费。

【事件营销】在2005年9月2日举办的"成龙上海慈善周末"上，龙徽干红获得了这次慈善义演的冠名权，通过这次冠名，不仅可以扩大龙徽在以上海为龙头长三家地区的品牌知名度，而且社会大众还会将企业的社会责任与龙徽品牌相联系。此外，张裕与上海财富论坛、张裕与法国中国文化周、张裕与世界市长论坛、张裕与博鳌亚洲论坛、龙徽与世界市长论坛、烟台长城与大连国际时装节、华夏长城与山海关老龙头新千年庆典等无不体现了企业品牌与事件特点之间的良好互动关系，成功的、时尚的、喜庆的情感联想成为二者之间的共同诉求。

在行销传播的过程中，企业经常通过赞助一些公众关注度较高的事件来达到宣传企业品牌的目的。在选择赞助事件时，应该把握的原则是所要发生的事件与企业品牌的独特属性之间产生关联，从而催生出最大的宣传效果。事件营销要求企业应用带有新闻传播价值的事件作为载体，然后将事件特性与企业品牌或者产品属性紧密结合，两者之间形成合力共同吸引消费者眼球，最终塑造出企业良好的社会形象。而要将葡萄酒企业的文化营销策略与新闻事件相结合，企业必须事先考察或者创造出新闻事件本身的深厚文化内涵（例如绿色的、负责任的、关注社会的、时尚的等），进而将它揉合、放大并传播出去，为葡萄酒企业品牌注入更深层次的文化内涵。

【包装设计】2004年中秋，张裕推出的一款红葡萄酒套装礼盒（包括正甜红、樱甜红、清甜红和喜甜红各一支）中。在这款礼盒中。公司起用了新的酒标，四支酒标分别采用了1915年巴拿马万国博览会最优等奖状、著名戏剧演员韩兰根代言张裕、上世纪30年代上海市场张裕葡萄酒专柜和张裕早期美女日历等四幅图片作为酒标的背景，非常巧妙地将百年张裕的深厚文化底蕴渗透在了酒标上，无形中让消费者感受到张裕的悠久历史传统。"云南红"的酒标上清纯的傣族少女、翩翩起舞的蝴蝶、带着晨露的葡萄、椰树、大象等等构成了一个美妙奇异的世界，所有这一切渲染出云南浓郁的少数民族风情。

每一个葡萄酒品牌都会承载一定的文化信息，而包装作为品牌文化的外在表现形式，如果应用得当，将让消费者感觉到品牌的文化属性、聆听到品牌的独特故事。葡萄酒产品的包装可以分为纸箱或者木盒外包装和瓶标、软木塞、PVC胶帽与瓶型等内包装。葡萄酒企业要想将自身的品牌文化用一种有形的形式表现出来，包装可以作为一种有效的媒介。包装上除了国家法定须标注的诸如注册商标、生产企业名称、产品成分、存放条件、液体含量、酒精度等必要信息外，包装上的图形、色彩的设计与搭配还可以起到传播企业性格和促进销售的作用。因此，葡萄酒包装不仅要保持消费者对产品本身的知情权，还应对葡萄酒企业的整体品牌文化塑造和传播产生尽可能的正面效应。在包装设计时，既要讲求科学性、牢固性和实用性的同时，还要注重优雅性和艺术性。例如木盒外包装可以彰显品牌所推崇的精致生活及其高贵品质；红色的礼盒包装会增强中国传统节日的喜庆气氛；深绿色、棕色和白色的异形瓶可以突出品牌的活泼、浪漫特征；橡木桶形包装能够诠释出酒的陈酿品位；利乐纸盒包装体现了品牌的大众性；软木塞上的企业LOGO折射出品牌的悉心与周到。所有的葡萄酒产品包装的开发与设计都应该试图“说出”品牌独有的故事。

【产区营销】在平常人的眼中，云南代表了一种根植于红色土地上的浓重而神秘的地域文化。而云南产地的葡萄酒之所以能够突破当时较高的品牌市场进入壁垒，如果在本地市场他们是得益于“天时、地理、人和”的天然优势的话，云南葡萄酒品牌向全国市场的突围更是一种强势地域文化逐渐向产品或者品牌转移甚至增值的过程，而且葡萄酒企业在广告宣传和产品包装上也巧妙而充分地与自己特有的地域和民族文化特色结合起来。从2000年以来，烟台长城利用一年一度的“和平颂”国际青少年文化艺术盛典之际，举办各种葡萄酒论坛、峰会来推广蓬莱产区，2005年8月21日，更是组织举行了“世界七大葡萄海岸发展高峰论坛”，法国波尔多梅多克、意大利托斯卡纳、美国加州纳帕山谷、智利卡萨布兰卡谷、澳大利亚布鲁萨谷、南非开普敦六大葡萄海岸与中国蓬莱南王山谷葡萄海岸筑起了“6+1”格局，七方还联合发表的《蓬莱宣言》，从而奠定了“蓬莱·世界七大葡萄海岸之一”的产区发展格局。

有人认为，将酿酒葡萄地理产区作为企业的营销重点，是在“为他人做嫁衣裳”。其实，在以龙头企业为首的产区营销背景下，受益最多的还是企业自身。目前，不少企业利用“葡萄酒是种出来的”这一口号，来宣扬自己葡萄酒产品与卓越酿酒葡萄产区之间的良好纽带。其实在此过程中，企业也是间接在为自己所处的产区做宣传，最终也为消费者接触、了解葡萄酒文化做出贡献。在中国的酿酒葡萄十大产区中，各个产区并没有优劣之分，只有特色差异。积极宣扬产区特色，无论对企业市场份额还是行业整体份额的扩张都是良性选择。

【工业旅游】张裕集团从1992年开展工业旅游至今，累计接待游客近150万人次。2004年张裕酒文化博物馆已经创下了600万元营业收入的“纪录”，其中门票收入150余万元，其余的收入则来自纪念品、个性化葡萄酒销售以及餐饮业的收入。2005年1—6月，张裕工业旅游接待参观人数近10万人，比去年同期增长近40%，张裕酒文化博物馆实现营业收入400多万元。张裕酒文化博物馆还被定为国家AAA级旅游景区、爱国主义教育基地和全国首批工业旅游示范点之一。葡萄酒工业旅游已经成为张裕集团的新增长点并以其独特的文化魅力扩大了张裕品牌的影响。

葡萄酒工业旅游是伴随着中国葡萄酒市场的逐步成熟而出现的一种新型的企业品牌营销渠道，同时也能为企业带来新的利润来源。但是并不是每个企业都拥有可利用的工业旅游资源，目前表较成功、现实的项目，当数烟台张裕和秦皇岛华夏长城。两个企业应用当地良好的城市旅游资源，将自己纳入整个城市旅游的链条之中，然后开发设计企业特色的旅游增值服务。工业旅游可以说集品牌宣传、葡萄酒文化培育和利润创造为一身，也可以作为企业文化营销的一个新途径。葡萄酒工业旅游可以为企业带来利润，但从目前来看其所肩负的主要功能还是品牌形象塑造和消费文化普及。但是，在旅游者访问的过程中，如何让他们将短时间的旅游体验“带走”进而实现扩大口碑传播效果，这也是营销者应该考虑的话题。例如，在测算成本收益后，旅游者在购买门票的同时，可以免费获得企业的广告礼品（从钥匙扣、圆珠笔等普通带有企业LOGO的纪念品，到酒杯垫、酒杯架、瓶标收藏贴纸、酒瓶套等和葡萄酒相关的装饰品）；免费赠送品牌宣传光碟；增加少许费用获得“葡萄酒文化手册”（从企业直接面对消费的层面来讲，目前还没有一份各方面都比较出色的红酒消费手册）；开发葡萄酒饮用辅助工具（酒杯、开瓶器、醒酒瓶、葡萄酒过滤器、软木塞抓取器、冰桶、瓶塞、酒温计等）；而且对于一些消费者在购买后不方便携带的“商品”（如个性化定制酒），企业还可以为其提供免费寄送服务，这样使消费者的购物更容易的同时，也为企业形象增值。

【渠道培训】10年前的一天晚上，一个叫萨姆·费瑟斯通的美国酒商拎了几瓶拉费堡红葡萄酒来到北京的一家卡拉OK吧。一群北京人打开酒瓶，像倒啤酒一样咕咚咕咚倒了大半杯，然后兑上雪碧、西瓜片和橙子片，直到酒杯满得也跟啤酒一样。后来费瑟斯通回忆当时情景说：“我敢肯定，听到这样的事情，那些老牌的顽固的法国葡萄酒酿造者一定会惊得从坟墓里坐起来”。这是1995年的北京。10年后的今天，三里屯或什刹海仍然每天都在重演这一幕，并且，红酒加雪碧还有了一个暧昧的名字，叫“红颜知己”。虽然有人提出，消费者可以选择自己喜欢的方式来饮用葡萄酒，但是总应该遵循起码的饮用规则。作为葡萄酒重度消费城市之一——北京尚且如此，更加凸显中国葡萄酒消费文化普及任重而道远。

葡萄酒作为中国市场新兴的非功能性、非生活必需品，要想让产业健康、快速而又不是畸形的成长，葡萄酒消费文化的培育与普及可以说是最基础也是最重要的市场营销投入。然而，消费者在市场上以一种分散的形式存在，如果要大面积地针对普通消费者来进行葡萄酒文化培育，对于企业来工作量太大，费用也太高。因此，企业可以借助自身分销渠道和社会上一些有代表性的社团组织开展葡萄酒消费文化培育工作，达到以点带面的效果。目前，中国主流的葡萄酒企业大多采用以下的分销模式：葡萄酒企业—一级批发商—二、三级批发商—零售商—消费者。葡萄酒企业可以直接针对一级批发商和部分二、三级批发商开展红酒消费文化培训，而利用经过培训的渠道成员，加之于当地分公司或者办事机构的辅助配合，有步骤地对零售和即饮终端推广红酒消费文化。这些手段可以包括：年度葡萄酒工业旅游、品酒鉴赏、图片展览、免费品尝、侍酒服务、红酒知识有奖竞猜等活动。此外，还可以社会上主打中高端用户的俱乐部、协会等社会团体合作，推出旨在扩大目标消费群体和推广葡萄酒消费文化的活动。这样，既可以增强企业品牌的凝聚力，还可以为行业的健康发展做出积极的贡献。

葡萄酒文化与文化营销，是任何欲在中国市场做大作强的本土葡萄酒企业不可回避的一个重要课题，要想在激烈的市场竞争中树立差异化的品牌形象，挖掘甚至创造出自身的品牌文化特性，还需要我们从整体上考虑、从细节上做起，整合企业所拥有的文化资源，利用社会环境中的文化因子，坚持而坚定，最终搭建起属于自己的企业文化营销平台模式！

（唐文龙）

中国酒市场终端报告

我国酒类市场主要包括白酒、啤酒、葡萄酒（洋酒）、果酒等多种酒类品种，白酒是中国悠久酿酒文化的结晶，影响也最为广泛，啤酒和葡萄酒都是舶来品，但是近几年来市场发展也极为迅速，果酒的市场影响比较小。考虑到酒类终端的相通性，在本文中，将以白酒和啤酒消费终端为主要研究主体。

第一部分、酒市场终端现状

一、酒市场销售终端基本类型

如图示，按照酒类消费的性质划分，酒市场的终端首先可以分为购买终端和饮用终端，其中购买终端主要是指社区零售终端、商超终端、专卖店、批发终端和特殊渠道（团购）；饮用终端则主要是指餐饮终端和夜场终端。

1、社区零售小店：

出售的商品多为中低档次。

到零售店购酒者多是购买那些正在流行且价位适中(大众价)的酒类商品。

他们不是消费潮流的领导者，而是跟进者，或者是与价格因素有关的随意购买者。

2、商超：

酒市场中，各种规模和类型的饭店与商超是最主要的终端市场，酒企业对饭店这一终端的重视程度非常大，都下了很大的本钱，花费很多的精力去亲自开拓这一市场，而各类商店由于其消费者购买商品存在很大程度的消费非即期性和分散性，使酒企业对它的关注远远低于对饭店的重视。

在对商超的业务中，经销商代理制占了很大一部分。近年来在全国各大中小城市迅速发展起来的大型购物中心特别是连锁超市，以其品种多、价格低、针对性强成为居民选购日用消费品的最主要场所：

一、人流量大、针对性强。超市目前已成为城市居民最主要的生活日用消费品购买场所，人员的流量居所有日用品商店之首，而且针对性强，来往超市的人大部分是以选购日用品为目的的消费者。这对酒类产品来说，目标消费群体比较集中，针对性强，不但来往人员的购买可能性较大，而且还具有很强的宣传性和告知性，起到很好的品牌展示效果。

二、中间环节小，货真价实。对超市的供货，许多酒企业实行直接供货，目前许多实力较强的酒类企业如青岛啤酒、五粮液等在许多城市建立了直销处、销售公司或办事处，这更有利于进行对超市的直供业务，通过直销业务不但保证产品质量，防止假货流入，取得消费者信赖，而且可以尽可能地避开中间商环节，中间费用大大降低，使同一酒类产品在超市的销售价格可以明显地低于经销商代理制的价格，对消费者更有吸引力。

三、厂商关系稳定，经营风险小。一般超市经营者，尤其是一些连锁大型超市规模大、实力强，又是阳光产业，与中小型非专业性的零售店和饭店相比，其经营稳定性更高，一旦双方合作开局顺利，后续合作也不会出现大的波折，而中小型非专业性的零售店和饭店，很可能因经营不善，人去楼空，账款难收。虽有的超市收取价格不菲的进场费用，赊欠额较高，但相比之下经营风险还是比较小的。

就酒类消费品而言，超市正逐渐取代大商场的作用且以令人吃惊的速度和销售绩效瓜分大商场与零售店的销售份额。然而到超市购酒者大都不是直接消费者。家政管理者是超市的主要客户群，此类购买者往往受家庭直接消费者的影响，指明购买某品牌。所以终端渠道领导者不属于超市更不属于商场。

3、专卖店：

烟酒专卖店：

传统的酒类销售模式需要经过一批、二批，甚至有的要经过多级代理商，才能到达小型专卖店、超市或者酒家，然后再卖给消费者。而烟酒专卖的经营理念则是：避开代理商，直接搭建厂家与消费者之间的桥梁。直接从厂家进货，每一批货都要经过省酒类检测中心的检测后才能入店销售，可完全杜绝假酒。

烟酒专卖行直接从厂家进货，并面向终端，今后超市、商场、餐馆等传统销售渠道会受到一定的冲击。但是从其目前的数量和辐射力来看，不会是酒类终端的主流。

品牌专卖店：

建设品牌专卖店，对加强产品宣传、提高品牌信誉、方便消费者购买、稳定产品价格、打击假冒侵权以及扩大市场份额有着重要作用。

以“贵州茅台酒”为例，2001年就着手打造的“国酒茅台专卖店”，经过近3年的精心培育和发展，如今已经构成为“贵州茅台”的核心渠道之一。从第一间“国酒茅台专卖店”登场，到2004年，“贵州茅台”的专卖店全国达到446家，待验收专卖店有55家，有58家正在装修；同时“贵州茅台酒”还借助“定制营销”策略，依托于“集团消费”，逐渐建立比较规范、便捷的个性化“直营渠道”网络体系，比如说为“贵州民航”、“广东电视台”、“中国振华集团”等大特殊消费团体“定制专用酒”，以最低渠道成本完成了渠道布局。

一、专卖店讲究的是品牌的号召力，只有在市场上能够占有一席之地并且具有良好声誉的品牌才能建起一个有潜力的专卖店营销体系。

二、厂家还必须有大把的钞票来烧，专卖店也讲规模经济，达到了一定的规模和量，才能实现整个配送和营运的成本最优化。成本是摆在专卖店模式头上的一把屠刀，只有低于锋线之下，才可以摆脱被砍头的风险，一旦成本线上扬，当刀锋碰到头皮，坐立不安的窘境必定难熬。

4、餐饮：

餐饮渠道是酒类品牌进入市场的必经之路。大部分酒品牌都将餐饮渠道当作进军市场的桥头堡，在区域市场，餐饮渠道的白酒竞争异常激烈。

一、餐饮渠道的酒类品牌能够引导区域市场的消费趋向。一般说来，新品牌进入区域市场，首先是通过餐饮渠道和消费者形成接触，让消费者了解产品，认识品牌。一旦新品牌在餐饮渠道建立起强大的知名度和美誉度，品牌传播就自然形成。从这一点来说，餐饮渠道是酒类消费潮流的领导者；

二、餐饮渠道直接反映区域市场的竞争水平。要了解区域市场白酒的竞争情况，直接调研餐饮渠道能够很直观地得到该市场竞争的强度，竞争的主要品牌以及市场进入的成本；

三、餐饮渠道是区域市场酒类品牌表现的晴雨表，直接反应该市场的品牌分布，销量大小。一般说来，区域市场强势品牌在餐饮渠道中占有绝对的销售优势，这一点是餐饮渠道独特的风景。

餐饮渠道对于白酒品牌区域市场的表现是如此重要，大量的白酒品牌集中在餐饮渠道，餐饮渠道的进入门槛日渐升高——在杭州、苏州等地，A类餐饮店的进场费高到2万到15万之间，B类餐饮店的进场费也不低于1万元；而在全国的省会城市，餐饮的进场费门槛在苏杭餐饮渠道的带动下，A类、B类店的平均进场费达到5000元/店。进场费的门槛让白酒新品牌进入餐饮渠道的投入成本加大，成为新品牌进入新市场最大的市场风险。

"进餐饮找死，不进餐饮等死"的说法被很多企业作为进入餐饮渠道的警戒语。

酒店大多都要求赊销供货，而且多数店信誉不佳，风险较大；

酒店销售恶性竞争：进店费、专销费、开瓶费、促销费、公关费等层层加价，造成产品销售价远远高于本身价值。

利润低。

销售费用高。

5、夜场：

夜场指的是像酒吧、迪厅、KTV、歌舞厅、夜总会等夜间经营时间较长的场所。夜场是酒类经营中很特殊的一个渠道，其销量指标对产品的深度分销有着很重要的标志意义，在夜场啤酒是当之无愧的销售状元，红酒洋酒紧随其后，白酒则基本很少。

一、顾客以中青年人为主，且不同夜场的顾客群体存在一定的差异。

对酒吧来说，情侣或白领顾客较多，年龄在二十五到四十五之间，他们收入较高、思想开放、紧随潮流，并且多是朋友圈里的意见领袖。

迪厅、KT的顾客多为年轻人，年龄段较低，该部分人群以学生、年轻人、白领居多。这个群体收入水平参差不齐，但是重玩乐、追求时尚、喜欢热闹，往往以群体消费的形式出现是他们主要的特点。他们受价格因素及灵活的促销方式影响较大，合理的产品价格往往更具吸引力。

歌舞厅、夜总会的年龄段则较高，覆盖人群基本上从25—55岁。该部分人群以各类企事业单位人员为主，消费目的多以商务应酬为主，公款消费较多，对价格因素关心程度不高，消费决策往往以宴请对象的意见为主。

二、消费以放松、娱乐为主，品牌认同率不高，受非理性因素影响较大。品牌酒有时虽然走量大，但利润反而不如某些低档产品和杂牌子。在石家庄的夜场中，长城、张裕每瓶进价在25~30元左右，意大利、三九的进价在20元左右甚至更低，但它们的售价相差无几。

三、服务人员是终端销售的主力军。服务人员直接与顾客打交道，如顾客是否要葡萄酒、要哪一种葡萄酒，很大程度上取决于他们推荐产品的热心程度，对葡萄酒的认识程度，还有服务人员的销售技巧等；另外，酒吧的陪酒人员，也是葡萄酒销售的主力。

四、夜场的经营者多有特殊社会背景，产品加价率极高，一般都在200%以上。供应商同样需为较有社会背景的人物，否则呆坏账风险较大。

二、酒终端的分布格局

不完全估计，在多种酒类终端中，餐饮终端因其数量多、分布广、销量大等特点成为酒类产品消费的最重要终端。除了容量巨大，餐饮消费还有着极强的示范效应，即人们喝酒的时候，会谈论它，如果喜欢，会在商超买，进而带动商超的销售。其次就是夜场和商场，相比之下，专卖店、社区零售小店等销售终端都处于弱势从属地位，是对其他销售终端形式的一种有益补充。

不同的酒类品种，在终端上的销售比重也不完全相同。

白酒：餐饮渠道约占白酒总销售量的40%，商超占30%，其他总共才30%。

葡萄酒/洋酒：餐饮、夜场、商超比例差不多，均在25%－30%之间。

啤酒：夜场、餐饮分别在30%左右，然后是社区零售小店和便利店占了20%左右。

果酒：多为自饮，购买终端比重占90%以上，餐饮终端极少。

另外：从档次来分，社区零售小店，批发市场以及一些大排挡的销售价格相对较低，低端产品相对走量较大。而一般的酒店，连锁超市、迪厅、歌舞厅等的酒类价格相对中档，中端产品的比重较大。高级酒店、大商场、夜总会的酒类价格极高，畅销的是高档或超高档产品。

第二部分、酒市场销售终端的发展与演变

一、终端的发展阶段

从酒类经销商发展的角度，可以看出酒类终端发展大致经历以下几个阶段。

第一，90年代以前糖酒公司计划供应的"坐商时代"。

在这个阶段，主要表现为以阶梯式的各级糖酒公司（或国营商店）形成的"金字塔结构"，成为酒类产品的主流分销渠道。

一级批发站（省级糖烟酒公司、粮油公司）将产品计划调拨或授权给二级批发站（地市级糖烟酒公司、粮油公司），再逐级往下调拨给三级（县级糖烟酒公司、粮油公司）、四级批发站（乡、镇级供销社），由三、四级批发站将商品批发给零售商。

这个阶段的终端主要是餐饮终端和零售小店，以及部分的百货商场。运作方式是由终端经营者到批发站批发，每级批发价到零售价都有明确规定的价差，这就使商品层次分明、有条有理的在规定的渠道内流通。

第二，90年代初的"行商时代"。

主要表现为，大部分经销商以批发为主，以一个门面坐摊经营，以赚取中间差额利润。

随着商业体制的变革，国营糖酒公司的不景气，商业流通领域陷入混乱年代，计划经济向市场经济转轨，商品由短缺走向过剩，国有糖酒公司主渠道地位被个体批发商和零售商所代替，越来越多的人加入时兴的"代理销售行业"，竞争越来越大。此时，通过"店面时代"发展起来的部分强势批发商开始涌现。于是，这部分"强势批发商"就以独家区域代理的形势与众多酒企合作，成为某一区域市场的独家代理或独家总经销商，以获取更大的利润空间。并逐步实施主动出击二级分销市场，送货上门的营销服务措施，建立自己的分销网络。

终端也开始多样化，餐饮、夜场、烟酒行、百货商场，特别是连锁超市的兴起。

随着改革开放的深入，中国成功加入WTO，外资零售巨头的大量涌入，超市行业得到的前所未有的发展。一方面，各零售巨头四处圈地，大卖场的数量发展迅速。另一方面超市多样化的业态业开始出现，如超大型的MAIL，中型连锁仓储购物，小型连锁便利店等。

商超也成为酒类终端的主要形式之一。

第三，90年代末21世纪初的“店面＋批发＋终端”的综合分销时代。

主要表现为：区域强势经销商凸现，并从纯粹“坐商”或“单纯的行商”走向“营销时代”，集中经营品牌酒，全力打造区域经销商品牌。

部分经销商通过“品牌买断”形式实现从区域经销商向全国经销商的转化，并形成以二级经销商为中心的经销商网络体系，从粗放型经营向集约经营型过度。通过几年的发展，已在全国酒类市场涌现像“四川阿尔泰”、“陕西天驹商贸”、“福建吉马集团”、“浙江商源食品”、“上海捷强”、“深圳齐一品”、“杭州华商”、“北京糖酒”、“河南亿星”、“山东新星名酒”、“江苏盛禾实业”等众多区域性或全国性的专业酒类经销商。标示着酒类经销商的“洗牌时代”的开始。

此时的终端更加多样化，同时终端的重要性也日益凸现，更多的酒企业重视终端，抢占终端。

二、终端的发展趋势

1、终端运作由个体分别操作转向资源整合。

在以往的区域市场的终端操作中，许多不同的渠道操作是很封闭的，企业往往对他们实行个体分别的操作。而今，资源整合成为终端操作的主要转变。

其一就是产品资源的整合，以不同产品在细分渠道中的推广为核心并配合以广告宣传与促销的整合推广。例如餐饮渠道，销售的产品都是中、高端产品，而批发、零售渠道销售的是中低端产品，商场、超市则融合了餐饮、批发零售的精华，销售的是集产品之大成的产品系列。

从分销策略的角度来分析，单一品牌单一渠道的分销，从资源分配与运用的角度上来讲，是一种浪费，从企业经营的角度上来讲，不利于提高竞争的能力；因此，区域市场的经销商应该在做产品组合设计初期，就必须对渠道的互补；渠道的互利以及渠道之间的冲突做全盘考虑。这样经过资源整合，各种渠道与优势互补，一方面提高了分销成功的机会，同时也拓宽了分销渠道，节省了资源，提高了分销效率，实现最大限度的销售。

其二就是终端推广资源的整合。不论是终端物料的布置、展示、终端促销人员的说词，甚至促销小礼品的选择，都是围绕着整个酒品牌的核心进行运作，力争以同一个声音说话。

其三就是社会资源的整合。

由于在终端方面遇到困难，更多的酒商必将在其它方面寻求出路。除了终端费用随着酒商对终端积极性的下降而逐渐下降外，一些社会资源的整合将逐渐出现。

白酒业目前在这方面比较典型的例子很多。比如丝路花雨在这方面就在尝试并取得了很好的效果。花雨酒业与著名大型历史舞剧丝路花雨联合，在一些重点市场进行演出。根据了解，由于丝路花雨舞剧深受欢迎，加上公司人员的努力，在演出的时候，地方的政府机关和社会名流等白酒重点消费群体都欣赏了演出，而花雨公司自然在演出中也穿插进行了酒的宣传和推广。这种资源整合使得白酒的推广阻力大大降低，而且成本也比较低。比起那些以大投入买店占领市场的品牌显然高了一个层次。

2、以促销品为核心的终端竞争转向以营造终端饮酒氛围为核心的竞争。

目前酒店终端的竞争主要集中在两个方面，一个是买店、开瓶费等费用不断上升，二是在促销品上花样不断翻新。到目前为止，费用的上升已经使得大量的品牌在终端进入亏损状态，操作商不堪重负。另外，促销品的竞争也已经枯竭，许多经销商坦言每天都在绞尽脑汁找促销品，但很难找到合适的。促销环节正在面临新的转折。

有业内人士曾经认为，白酒是一种成人的娱乐。目前白酒业的促销竞争虽然惨烈，但多数只是在表面上下功夫。多数品牌只是跟随者，而不明白促销的真正意义所在。白酒作为一种凝聚情感和精神享受的交际用品，饮酒氛围的营造将比单纯的酒水本身和促销品所带来的物质利益的增加更加重要。促销品能够带来意外的惊喜，但如果从营造消费者更加喜欢的氛围来看，促销品只是迎合这种需求的很小的一个方面，促销的形式和空间还将会变得很大，而不是仅仅在促销品本身上动脑筋。比如可以用消费者喜欢的故事、酒令等做促销，也可以用音乐、舞蹈做促销。

随着白酒竞争的深化，白酒的终端促销必将越来越接近白酒所能提供的核心价值层面。适应者将迎来广阔的发展空间，而固守以前的思路必将被市场所淘汰。一旦有成功者诞生，白酒业的促销在榜样的带动下将进入新的阶段。

3、非主流渠道也将成为关注的重点。

酒类业将越来越认识到终端争夺的重点是争夺重点顾客这个本质。而围绕核心顾客的争夺这个重点，酒商的操作视野必将放宽，一些重点顾客经常出现的非主流渠道也将成为酒商关注的重点。

目前白酒业已经有这种情况出现，比如舍得酒尝试和移动公司的金卡高端消费者合作，以及与高尔夫俱乐部等重点顾客出入的机构合作，都是这种趋势的反映。从抓住重点高端消费群体这个角度看，汽车消费渠道、高端服装销售渠道、高端香烟销售渠道、休闲娱乐场所等都是重点顾客出现并消费的重点，白酒业与这些渠道都有进行合作并抓住重点顾客带动整体市场消费的可能。

三、新终端

1、白酒也走夜场

对于白酒来说，在夜场销售一直有些不见起色，从上个世纪的林河XO、贵州醇等酒有意运作夜场，以及古棉纯、泰山特曲等曾在夜场的失利，都曾让诸多的白酒品牌在夜场前叹而观止。而随着在东莞夜场上白酒销售的“风生水起”，夜场突然就象一块新大陆一样再次成为了人们关注的重心。紧接着，白酒在夜场的消费迅速辐射到了广东等其他周边市场上。据了解，现在广州等地的夜场上皖酒王、诸葛酿等酒表现出较好的销售势头，正在被越来越多的消费者所接受。

两个原因。

首先，是消费习惯的原因。众所周知，最先打响“白酒夜场消费”是在东莞，而东莞白酒夜场消费迹象的激增，基本上是随着台商来东莞投资办厂数量的增加而出现的。由于在东莞各地汇聚了大约有20多万台商及其家属，这些台商们又素有在夜场饮用白酒的喜好，因此，东莞白酒夜场消费的盛行和台商的消费习惯有着不可忽视的关系。

其次，消费环境的主导作用。如广州市的刘经理所说，在南方的一些地方，尤其是在广东等部分区域，当地都有过夜生活的习惯,巨大的夜场消费空间给酒水消费提供了较好的场所。而当地的消费者在消费方面又引领时尚、喜欢走在消费前沿。当啤酒、葡萄酒、洋酒等成为了大众化的普通消费时，白酒的适时而入很快满足了相当一部分消费者求异、求新的需求。

从白酒销售渠道上来看，现在市场上销售渠道的扁平化和越来越明显的细分化，已经让众多厂商竭尽所想，在市场运作上也是绞尽脑汁。但是，流通、商超、餐饮包括团购等渠道都被厂商运作到了接近极至。而随着广东市场上白酒在夜场的销量上升，这种白酒走夜场的现象很快就引起了商家的注意。比如杭州的商源公司、安徽的福禄酒业、西安的聚祥酒业等都有意把自己代理的白酒品牌进行夜场运作。

不过，大部分的厂商还是持观望态度，毕竟夜场在部分市场上的俏销和当地特殊环境有着巨大的关联，而当运作本地市场时，还得掂量掂量。但是，作为另一种销售场所，夜场正在对白酒产生较明显的诱惑力。

2、终端也做酒

2005年初始，五粮液集团旗下的“金叶神酒”宣布与中国烟草集团全面合作，将借力“中国烟草集团”分布在全国的“中国烟草专卖网络”，实现“金叶神酒”的渠道专销，并达到有效规范“金叶神酒”渠道分销的目的。据悉，“金叶神酒”首先将借助“汕头烟草”旗下“五叶神”分布在全国的28000家专售店（在广东地区有15000家）实现渠道专卖；

2004年12月12日，武汉中百集团与贵州茅台公司举行了签约仪式，白酒茅台针对武汉中百集团开发的专供酒正式上市。自签约之后，茅台将以专供酒的形式进入中百集团旗下350多个门店。据介绍，这种专供的“五星茅台”酒与普通五星茅台品质、口感完全一样，售价也是288元一瓶，只是在外包装纸盒、瓷制瓶身上加印了“专供武汉中百”的字样和武汉中百的标徽和防伪标志。

三个好处。

首先，这种“新模式”的最大优势是用最低成本实现了销售网络的迅速扩大。从这种操作模式的本质上说，名酒企业相当于在“借网”，利用连锁超市的网络渠道资源迅速扩大了自己产品的市场覆盖面，并且操作成本上实现了最低化。

其次，这种模式对于抵制假酒发挥了相当大的作用，并且成本也相对较低。

再次，“新模式”便于对超市的管理。大型连锁超市（特别是洋超市）依靠灵活的进货渠道使得商品的价格很低，特别是茅台、五粮液等许多名酒品牌，连锁超市的低价冲击一直是这些企业最头疼的问题之一。而茅台这种新的操作模式使厂家可以直接对超市进行控制，防止超市低价销售。

两个要求：

第一是对白酒品牌具有一定的局限性。并不是所有的品牌都适用这种操作手法。对超市来说，只有品牌有影响力，依靠品牌拉力可以自然销售的白酒品牌超市方才愿意与其合作，比如茅台、五粮液、剑南春，不仅可以利用品牌的拉力自然销售，同时也可提高超市的知名度。这就给白酒品牌提出了要求，只有努力提高自己在市场的影响力才有“资本”去和超市谈判。有经销商建议，随着白酒品牌的区域化，一个区域品牌也可以采用这种方式，比如首先可以在当地的餐饮终端强力运作，让市场形成旺销态势，甚至条件允许的话可以对市场实行限量供应，然后再与超市谈判可能就容易许多。

第二是对超市的局限性。只有大型连锁超市才能具备这种操作模式的资格，在网络上不具备优势的超市白酒品牌也不可能与其合作。因为这种“新模式”的本质是白酒品牌利用超市连锁的优势实现低成本大面积铺货、抵制假酒和防止窜货。

第三是对名酒来说，“新模式”对其他渠道比如专卖店可能会产生影响。记者在对武汉几家茅台专卖店的经销商调查时不少经销商认为，茅台的这种做法将会对专卖店等其他渠道产生影响，比如会影响到对其他渠道的供货量。但是从科学的角度分析，只要适合企业发展的方式就是对的。比如专卖店，其在抵制假货和展示形象方面的作用确实很大，但是赢利能力一直是专卖店的软肋。从企业发展的角度讲，不能赢利的操作模式就不是好模式。而茅台的这种做法将是名酒企业的一个有益探索。

第四是超市在品牌专卖上的局限性。一个品牌一般有许多品种，所以一个超市把所有的品种都打成“某某超市专供”可能不太现实。原武汉酒类专卖局副局长董国云表示，在现在的商业流通领域，经销商依然是不可缺少的一个环节，一个超市不可能把一个厂家的产品都采用“专供”形式销售，所以目前厂家不可能将产品全部越过经销商环节来直接做市场。从这一点可以预测，将来市场有可能形成部分品种“超市专供”与经销商代理并存的局面。

第三部分、酒终端业态博弈

一、饮用终端（餐饮、夜场）的重要性引起了酒终端的恶性竞争

酒业对终端的重视应该是从一九九九年左右开始的。小糊涂仙等一批勇于创新的品牌在终端操作的成功带动了无数品牌扑向酒店。初期它们是希望在终端直接要利润，后来逐渐发展到以操作酒店带动整体市场的概念，业内逐渐形成了共识。到现在为止，做市场要先从酒店开始已经成为许多品牌熟悉的套路，也正是因为这一论断，白酒业出现了无论花费多大代价也要抢占餐饮终端的现实，直到演变成现在直接的巨资买店。

从终端的资源上来说终端数量是有限的，而过多的竞争品牌和相对有限的终端市场必然导致激烈的竞争。于是乎，终端竞争日益激烈，各种无序的现象也一一凸现出来。

其一是大打价格战。

因为价格战比较容易使消费者在购买产品时受到吸引。比如，现在很多地方的市场上，许多产品简单的采用你买一赠一、我买一赠二等战术来迂回的降低酒水价格。战火较猛的市场上，价格战就有些趋于白热化程度了。象在安徽的宿州市场上，某酒在当地甚至实行了声势浩大的买酒送菜活动(根据消费此白酒的费用赠送50%的酒菜)，让消费者顿时趋之若鹜。而在内蒙的一些地级市场上，当地酒在酒店里更是力度较大，若是消费者饮用该品牌针对餐饮推出的价值100元左右的系列酒，就赠送价值130元左右的宴席一桌。

其二就是大打促销战。

由于品牌之间竞争的日益激烈，促销战就成为了很多品牌在终端的最有效武器。他们用花样迭出的促销方式和价值

不等的赠品来达到吸引消费者的目的，以求得生存和发展。比如刚开始促销方式以赠送日用品为主，像广告衫、雨伞、雨披、打火机、手表等较为广泛。然后就是以刮奖卡、瓶盖兑奖等方式来吸引消费者。但是随着各品牌在终端促销方式的演进和力度的加大，现在的促销大战也开始升级。有些品牌把刮奖卡换成了现金，换成了美元，而有的品牌就采取消费价值不等的酒水赠送价值不等的食用油、电饭锅等，甚至在合肥等地已经开始赠送健身器材等，包括拉力器、跑步机等价值不菲的促销品。

其三就是多种费用滋生。

随着终端的争夺战日益激烈，餐饮终端中的投入费用节节升高。

酒水渠道三费：进店费、开瓶费和包场费

酒水渠道三费可以说是商品经济繁荣的产物，80年代初，非但没有三费之说，反而是酒店的采购人员到处求神拜佛，求厂家把产品送到酒店去。随着商品经济的发展，激烈的竞争开始出现了。先是一些厂家为了将新产品推向市场，主动打点酒店的相关工作人员，或返点、或给好处费，这一来吊起了酒店的胃口，一开始是进店费，进而衍生出促销费、管理费、展示费、节庆费、店庆费、开店费等，而且价码越来越高。由于销售费用的增高，利润越来越薄，一些小的厂家已不堪重负，他们对酒店简直到了“恨之入骨”的地步。为了把种种终端产生的费用消化掉，为了加快酒店终端货物的销售速度，厂家聘请一些促销小姐或是直接对酒店里的服务员，许诺卖掉一瓶酒会给多少好处，“开瓶费”因此而生。在进店费、开瓶费愈演愈烈的时候，一种酒店终端新的竞争形式出现了——我厂家给你终端一笔钱，你进我的货，其它同类厂家的货就不要进了，我把你这个酒店给包了，这就是所谓的“包场费”。

以下是某知名超市的进店收费标准：

1、咨询服务费：2002年是全年含税进货金额的1%，分别于6月、9月和12月份结账时扣除； 2、无条件扣款：第一年扣掉货款数的4.5%、第二年扣掉货款的2.4%；3、无条件折扣：全年含税进货全额的3.5%，每月从货款中扣除；4、有条件折扣：全年不含税总进货额≥70万元时，扣全年含税进货金额的0.5%；全年含税进货金额≥100万元时，扣全年含税进货金额的1%；5、配货费：每店提取3%； 6、进场费：每店收取15万元，新品交付时缴纳；7、条码费：每个品种收费1000元；8、新品上柜费：每店收取1500元；9、节庆费：1000元／店次，分元旦、春节、五一、中秋和圣诞共5次；10、店庆费：1500元／店次，分国际店庆、中华店庆两次；11、商场海报费：2500元／店次，每年至少一次；12、商场促销堆头费：1500元／店次，每年三次；13、全国推荐产品服务费：含税进货金额的1%，每月账扣；14、老店翻新费：7500元／店，由店铺所在地供货商承担；15、新店开办费：2万元／店，由新开店铺所在地供货商承担；16、违约金：各店只能按合同规定销售X+1个产品，合同外增加或调换一个单品，终止合同并罚款5000元； 如果以该超市只有一家店，某商品在该超市全年的销售额为100万元计算，则供货商需承担以上16项费用共计360000元。而且以上费用全部未含税金，供货商还必须为这360000元再支付61200元增值税税金，合计支付金额将达到421200元以上。

也就是说，供应商即使不考虑自身的利润和费用（利息、办公费、运费、招待费、差旅费等等），也必须要在原购货价的基础上加价72.77%才能顾得上超市所产生的各种费用。这还不包括供应商为了拉拢终端的经理、主管、店长、采购人员等需要支出的费用，也不包括为了提高售货员销售该商品的积极性而需支付给销售员的提成或奖励，而这两项费用通常也不会低于商品价格的20%。另外，终端为了保证自己的利润还必须为商品加价，超市加价一般在15%-20%之间，而酒店的加价则在30%以上，部份商品加价达到100%甚至150%以上。——终端黑幕由此可见一斑。

终端的过量投入，白酒企业虽然部分达到了以量取胜的目的，但是其品牌价值并没有得到相应的提高，而带来的后果是销量上去了，利润反而变薄了。而白酒促销缺乏理性和系统时，也无法建立其品牌个性和提升品牌价值，因此，以牺牲利润的价格战和牺牲顾客价值的促销战，只能使终端陷入更激烈的恶性竞争。

二、终端的恶性竞争导致企业终端经营成本的上升

1、厂家利润下降，甚至亏损

终端刚刚兴起的时候，白酒直接在餐饮终端就能产生利润。随着费用的上升，餐饮终端已经没有利润可言。

目前很多品牌陷入了无谓的资源消耗战之中，越来越感到力不从心。市场上的白酒品牌之间的竞争相当激烈，特别是在中档价位区间的各个产品，在餐饮终端的竞争呈现出短兵相接的肉搏状态。尤其是一些档次、价位接近的产品，往往是策略相似、手段相近，而在投入费用上却是一个赛一个的大手笔。甚至众品牌为了抢占和维护较多的市场份额，大部分已经是获利甚微，甚至是保本经营的状态。有的甚至出现大面积的亏损现象。

从市场反馈的信息表明，终端费用的上涨已经使得白酒出现了从赢利到亏损过度。盈亏平衡点的出现无疑是终端时代转折，品牌溃退的标志。用业内人士的话说就是白酒业将开始逐渐的净化。

2、终端霸道，要求越来越多

由于大量的白酒品牌涌向了终端，终端市场一时成为了众多厂商争抢的香饽饽。很多品牌（尤其是新品牌）在强大的终端面前只能被称为弱势群体，特别是在进店谈判时，不占有主动性，明知费用较高，也得咬紧牙关硬着头皮撑着上。因为你不做，别的品牌也会做，反而会丧失了有限的终端资源。并且，由于众厂商对餐饮终端的高度重视，更加引发了竞争的激烈。目前市场上除了知名度特别高的品牌之外，大部分白酒在酒店终端都是采取的赊销现象。

终端越来越霸道，并且对于众多送货上门的品牌也是要求越发苛刻。众产品除了要交的“买路钱”之外，进店（场）后还要被盘剥各种费用。比如店庆费、赞助费、过年过节时服务员的节日补偿费以及全年销售的返红、返利等费用，让人眼花缭乱、目不暇接。而对于这种名目繁多的费用，众商家虽然无奈但也是忍痛掏出腰包，否则就会感受到来自终端明暗夹击的威慑。因为，终端会根据经营的好坏来考虑资金的分配，不按时结账的现象时有发生，并且得罪终端的结果还有可能就是面临被“扫地出门”。

白酒企业为了既爱又恨的终端不得不满足其贪欲，就这样终端的恶性竞争一步步在企业和终端的不断哄抬中逐渐走

向混乱。

3、从酒店终端开始操作市场，成功的难度越来越大，生存周期缩短，导入周期变长。

以前操作熟练的产品一、两年的时间就能完成从终端到流通的转变，让整个市场旺销。但目前由于操作方式的雷同和费用上升，要想冲出包围从终端脱颖而出难度增加很多，时间也在延长。许多品牌都是经过了四、五年的艰苦作战才形成气候，有些地方则长期陷入混战中，长时间没有主流产品出现。白酒经营者面临的资金压力越来越大，进入门槛增高。都能卖但都卖不好，以及一促就销，一停就死成为反馈最多的信息。许多投资者的操作耐心受挫，中途退场改行的越来越多。

4、恶性竞争使消费者的利益受到损害。

虽然终端的竞争会使产品价格降低，各种促销奖励也使消费者得到了不少实惠。但恶性的终端竞争，一方面越来越多的终端出现的专销某一品牌的形象，消费者自由的选择权被剥夺；另一方面，某些白酒企业在营销成本上升时，为了控制总成本上升，就会非正当地降低生产成本，在酒质上以次充好，导致产品质量不保，直接损害消费者的身心健康。所以恶性的终端竞争，消费者也将成为受害者。

第四部分、终端运作规律

1、主要渠道模式

直销型：厂家→终端

直销适用于大中型城市或公司的主力销售区域。该模式销售力度大，对价格和物流的控制力强，对市场反应的速度非常迅速，对资金的控制也较强。

优点：渠道最短；反应最迅速；服务最及时；价格最稳定；促销最到位；控制最有效。

缺点：局限于交通便利、消费集中的城市，即便如此仍会出现许多销售盲区。人力、物力投入大，费用高，管理难度大。

经销平台型：厂商→经销商→终端

平台式销售适用于密集形消费的大城市，服务细致、交通便利、观念新颖。

优点：责任区域明确而严格；服务半径小（3～5公里）；送货及时、服务周全；网络稳定、基础扎实；受低价窜货影响小；精耕细作、深度分销。

缺点：受区域市场的条件限制性较强，必经厂家直达送货，需要有较多的人员管理配合。厂商对终端的控制力度有限，对市场的反应较慢。

经销网络型：厂家→一级经销商→二级经销商→终端

网络销售适用于大众产品，适用于农村和中小城市市场。

优点：可节省大量的人力物力；销售面广、渗透力强；各级权利义务分明，为共同利益可组成价格链同盟；借他人之力各得其所。

缺点：易造成价格混乱和区域间的冲货，在竞争激烈时反应较迟缓，需有高明的管理者使之密而不乱。厂商无法对终端进行有效的控制，经销商层次过多，价格体系复杂，经销商忠诚度较低。

流通型：厂商→批发市场→二级批发→终端

代表厂商：众多中小企业

批发市场目前总体上看有萎缩的趋势，但在部分经济落后的地区仍呈现较强的生命力。

优点：无规则自由流通；不受行政区域限制；经营灵活、薄利多销；品种繁多、配货方便；辐射力强。

缺点：以松散形式关系为主体，没有固定网络和客户，以价格优势为主要手段吸引顾客，容易导致相互压价、低价冲货，没有深层的服务意识，只做"坐商"。无法掌握货物的流向，对消费者的新需求反应迟钝。

总之，销售模式的选择应根据企业的自身条件，结合区域市场特点和竞争对手的情况进行科学分析，才能选定一种行之有效的销售模式。

二、酒类终端运作要点

1、确定核心渠道

不同渠道具有不同特性。

餐饮渠道偏重于形象塑造，偏重于白酒重度消费者的产品认同率的提高；商超渠道偏重与大众化产品，偏重于旺季以及节庆日的大量销售，面对的消费对象面广，消费频率不高；而批发渠道则偏重于周边市场，偏重于中低端产品，偏重于有相当大利润空间的中低档次产品。

餐饮渠道的销售突破依靠的是口碑传播和气氛营造；商超渠道的销售突破依靠的是卖场气氛、广告促销拉动和消费者指名购买；而批发渠道的销售突破则依靠对分销成员的渠道激励和网络潜力挖掘。

在所有的渠道中，核心渠道是白酒区域市场销量的跳板，犹如足球比赛的中场，是进攻的发动机。而另外的渠道则是两翼，三者缺一不可。因此，如果核心渠道是餐饮，那么商超和批发是两翼；如果核心渠道是商超，那么餐饮和批发是两翼。

区分了核心渠道和侧翼渠道之后，我们就十分清楚，核心渠道是白酒区域市场品牌表现的主战场，在这个战场上，品牌表现必须达到市场排名的前三，才有可能形成战略上的优势，因此，在核心渠道的市场投入上，企业不应该斤斤计较，因为这个渠道的成败关系到品牌的生死存亡；侧翼的渠道则大多数采用战术性促动策略，以巧劲来形成大量的销售。也就是说，核心渠道承担了企业形象、产品出样、品牌口碑以及产品销量等任务。因此，做好核心渠道必须要作到：

1、展示良好的企业形象，包括服务、信誉等；

2、做好产品的出样和维护工作；

3、在核心渠道形成良好的品牌口碑；

4、完成市场推广的基本销量；

例如，你的品牌以商超为核心渠道，那么你就必须在作好产品陈列、终端理货、产品服务、促销服务的同时，兼顾产品种类的分布，与竞争品牌的对抗策略是否到位，品牌在商超渠道的传播是否打动人心，能否按期完成预订的销量。同时，在商超渠道中，所有的服务工作都必须保持一致性和连贯性，否则就很容易被竞争对手趁虚而入。

一般来说，核心渠道形成强势力量后，对于两翼的销售带动是巨大的。从大量的营销实践分析，50元以下，20元以上的白酒中档品牌核心渠道与两翼渠道的销量比为1：4；而20元以下的白酒低档品牌在核心渠道和两翼渠道的销量比例则没有那么大的落差，大约是1：2；超过50元的中高档白酒品牌只有在单一渠道、或者其他消费中占有相当高的比例。也就是说，20元至50元之间价位的白酒品牌最容易在区域市场形成核心渠道强大，两翼渠道齐飞的市场局面。

不同市场定位的产品应该采取不同的核心渠道确定方式，以便在进入市场，起动推广的时候少走弯路。

2、调查终端市场，因地布点

首先对各目标网点更深入细致地调查，关系到市场投入的风险程度和投入产出比。主要应包括以下几个方面。

A、酒店渠道方面

主要是调查其装修档次，包间数和散台数，所处位置和小车泊位数，这些可以看出一个酒店的消费档次，决定了厂家在该店的投放方式（指买断酒水供货权、专场促销、混场促销、包量返利销售、及只是产品进场销售等）。

另外要调查酒店生意状况，即分别在中午和晚上就餐高峰时到该店去看上座率（顾客就餐台位数/所有台位数×100%）及酒类消费能力。上座率比较直观，对于酒类消费能力也有种比较实用的垃圾调查法，即在酒店堆放垃圾的地方去看，统计有多少不同档次的酒瓶子。最后还有一项相当重要的调查工作就是酒店老板的背景和结账信誉，这是确定货款风险程度重要依据。

生意好、结账信誉好的酒店应列为首先开发的网点；把生意一般，结账信誉好的酒店列为第二批开发的酒店；把结账信誉差的酒店列为观察酒店，需作进一步的接触和了解后才可谈判进入。还要注意的是在销售合同中要对结账时间和条件的加以说明、要对违约责任加以约定等（酒店渠道方面酒店方一般都没有固定的合同文本，一般都由供应商起草签订），经销商应充分利用这一点来约束风险较大的酒店。

B、商超渠道方面

知名的大卖场和连锁店如家乐福、沃尔玛、万佳、百佳、好又多等都一般不需要做太多的调查，但对其经营状况和结帐信誉也要有所了解，并不是所有的国际大卖场都可以进。

对于当地的商场，特别是连锁店这一块要多考察一下。进场之前要看一下其店内当地畅销的商品是否都齐备，货架陈列是不是都丰满，高峰时期人流量大不大、以及结帐时期到其财务部了解厂家的反映如何等等。这些都是决定是否经营一个网点的重要信息。

对于小店这一块重点要考查的是小店的位置好不好、经营品项多不多、老板的为人处事好不好、结帐及不及时等。对于小店的经营证件和门面是否租赁也是一项重要的调查内容

其他渠道的调查皆可以此类推，在此就不再 · 述说。需要注意的是每个渠道的调查都不要忽视对竞争对手的市场行为调查：他们的市场费用投入状况、促销状况、人员状况、产品状况等等。我们要根据他们的市场行为而调整自己的行为。必要时，针对个个别特殊的网点制定特殊的应对策略。

在对渠道作了全面调查分析后，还应建立详细的客户资料档案、并把客户按规模、信誉分成不同的档次和级别，然后就可按计划、按步骤开店了。

然后根据不同的渠道以及各渠道网点的具体情况进行网点开发的分配、投放不同档次、规格的产品。

实行80：20法则。

在选择的多家终端中，一定要找到在目标市场终端店中数量上仅占20%却起着80%领导消费潮流的这部分店。同时你需要将80%的精力与资源用在这20%个店上，而将20%的精力与资源用在剩余80%的酒店。

特级和A级销售网点一般都由一级客户直接开发和维护，B/C级网点一般由就近的二级客户开发和管理。这样一来可以更好的做好特级和A级网点的开发、销售维护工作，保证基本的销售收入，还可以为二级客户开发B/C级网点起到示范作用。另外、之所以要把小店交给二级客户去做，是为了利用二级客户的位置优势，加强与小店的人情回访和沟通，提高小店的直送能力，减少对小店的铺货风险等

每个厂家在进入一个市场时大都会确定投放的目标品种，这目标品种一般都是由高中低档几个品种构成的组合。千万不要为争取良好的陈列形象而把所有的品种都投到每一个销售网点，根据每一个网点的消费水平有选择性地投放适合品项，否则大多网点都会因为不良品种的滞销而拖延结帐的时间或退货。

3、终端铺货

1）、成功铺货要解决几个问题

铺货率、铺货量、餐饮店的初步接受、消费者的第一次购买、轰动效应。

铺货率解决的是让消费者能看到、买到产品的问题。

铺货量既指一次铺货的总量，又指一个餐饮终端一次的接货量。没有铺货量，铺货率再高也没有用。铺货率高、铺货量大是铺货的目标。

餐饮店的初步接受是指餐饮店第一次接货时的态度、接货数量、付款情况和向消费者介绍的积极程度。只有餐饮店积极配合，铺货才能进展顺利，否则就会隐藏一定的风险。

消费者的第一次购买是铺货成功的开始。产品只有被消费者尝试，消费者才可能再次购买。消费者的第一次购买取决于餐饮店的积极推荐、随处可见的视觉冲击力、随处可买的便利性和好奇心驱使的购买欲望等。

制造产品轰动效应可以采用广告宣传、产品陈列展示、生动化表现、随处可见的铺货率和调动餐饮店、消费者的积极参与等方法。

从某种程度讲，餐饮店老板和消费者都有一定的盲目性，或叫从众心理，只要看见到处都在卖或都在买，他们就会积极地参与买或卖。制造轰动效应，形成红红火火的销售气氛，就会刺激餐饮店和消费者的积极性。

2）、几种常用的终端铺货策略

（1） 品牌拉动：自身已经是强势品牌，知名度很高。

（2） 消费舆论推动：不时有消费者在终端知名要消费该品牌，迫使终端入货。

（3） 广告带动法：铺货时强调货到广告到，利用广告的投入来打动终端入货。

（4） 免费赠饮法：上市之初，为让终端消费者迅速认识并接受产品，营销员给每个目标餐饮店送一包（6瓶或12瓶）品尝酒，免费让消费者品尝。只要消费者接受产品，餐饮店就会对产品有信心，铺货阻力自然大大减小。

（5） 铺货奖励：用利益激励促进铺货。铺货奖励如定额奖励、进货奖励、开户奖励或提供铺货风险金、促销品支持、免费产品和现金补贴等。如：某企业制定的铺货奖励政策是在终端的门口、吧台处摆放10件产品，每月给予30元奖励。

（6） 避实就虚策略：选择被其他产品所忽视的终端盲点铺货，如社区酒店或是在竞争不激烈的淡季铺货。

（7）样板终端策略：企业先启动并做好一部分重点终端，利用示范效应，让其他终端树立起信心，达到以点的启动拉

动面的铺货目的。

(8) 捆绑式铺货策略：用畅销产品带动新产品的铺货。营销员可选择在市场上占主导地位的品牌或者品种同自己要铺的产品捆绑销售，以促进铺货工作顺利进行。

(9) 适量铺垫货品策略：采用此策略要选择信誉好、实力好的酒店，以避免跑账风险；一次不要铺太多货，少铺勤铺，以降低欠账或退货风险。

3)、铺货组织

铺货包括三个阶段：事前计划准备，事中组织记录，事后回访总结。

(1) 事前计划准备。

完善的铺货计划是成功铺货的前提和基础。铺货计划包括以下内容：

① 产品选择。针对不同类型终端，确定分别铺什么产品。

② 产品价格设计。

③ 促销和宣传设计。

促销必须有针对性，如针对终端老板的促销要解决“进得去”的问题，针对服务员的促销要解决“乐意推荐”的问题，针对消费者的促销要解决“乐意买”的问题。促销必须多样化、新颖化，如一次性进货奖励、累计销量奖励、堆头展示奖励、无赊欠奖励、开盖有奖奖励、瓶盖兑换啤酒奖励等都是酒类企业经常采用的促销方式。

④ 明确目标终端：一是明确数量，即铺货终端的具体数量、单店铺货最低限量，二是明确类别，即按A、B、C分类法，明确各类店的具体数量。

⑤ 铺货时限。明确多长时间完成首次铺货。铺货是抢占市场机会、打击竞争对手的手段，必须强调时效性。铺货要迅速高效，否则引起竞争对手警觉和打压，铺货就很难顺利进行。

⑥ 确定铺货路线。根据市场情况划分几条铺货路线，营销员按路线铺货。每条路线有几个餐饮店、谁是重点、哪条路线是重点都要注明，确保在重点终端铺货成功。

⑦ 物流组织。高效的物流系统是铺货成功的必要硬件。如金星啤酒在城市终端市场运作中，专门成立市场开发处集中车辆对重点终端商铺货进行支持。

⑧ 人员配备。铺货包括开发、维护、配送等内容，企业必须在数量和能力上保证人员到位。铺货前要对营销员进行品牌文化、产品特点、利润空间、服务优势、竞争对手、客户沟通、推销技巧等方面知识培训，以提高铺货成功率。

⑨ 销售服务。包括终端沟通、终端回访、促销奖励兑现、顾客（终端商、消费者）满意度调查、顾客异议处理、空瓶回收（针对啤酒产品来说）等内容。

⑩ 日班计划。铺货是一项紧张且充满挑战的工作，日班计划有约束规范、激励督导营销员的作用。根据每天的工作计划和进度，销售主管要把每天的铺货路线、工作内容、铺货目标明确到人，并严格考核，确保整体计划顺利实施。

问题预案。充分预估铺货中可能会出现的种种问题，如产品断货、物流效率差、竞争对手打击、产品消化迟缓等，制订应对措施。

（2）事中组织记录

铺货时要重点做好以下工作：

①旗开得胜。“头三脚难踢”，如果开始铺货就遇到挫折，容易挫伤员工的士气。因此，铺货应先易后难，如先把门槛较低、对产品信心和兴趣较强的餐饮店列为最先铺货的对象；或是采取特殊政策对重点终端进行铺货。

②做好记录。铺货人员要把每天铺货的终端数量、名称、地点、终端概况、终端反应（拒绝及原因、接受及原因）、进货数量、结账金额、下次进货意向等资料记录下来。这样可掌握第一手资料，为评价铺货效果、明确下步工作方向提供参考依据。铺货记录也是一个很好的销售工具，将铺货记录给那些犹豫或拒绝的客户看：别的餐饮店进了多少货、什么价格、付了多少钱、电话地址等，这是说服餐饮店的有效武器。

③覆盖率与占有率有所侧重。铺货前期为了让消费者能够有更多接触产品的机会、提高品牌信息传播效率、迅速形成浓厚的消费气氛，要迅速提高市场覆盖率。然后再通过周到服务、有效促销等手段，快速提升终端产品的消费量，这样铺进货的终端才是有价值的。同时，消费气氛的迅速提升、忠诚消费者群体不断壮大，又会促进其他终端进货的积极性，覆盖率会进一步得到提高。

④善于观察。观察餐饮店经营规划是否合理、生意好坏、老板对产品的兴趣大小、心情好坏等，判断餐饮店的价值、调整铺货策略、寻找铺货机会。

⑤重视消费者的引导作用。先说服消费者购买，然后用消费者来激发终端商的信心和进货欲望。

⑥树立榜样。重点扶持生意好、规模大、激情高的终端店，使其快速成为销量突出的质量型终端，然后将其作为样板餐饮店广泛传播，激发其他终端的兴趣和积极性。

⑦多人铺货小组。组织2～3人一组进行铺货（司机一名、直销员一至两名），相互配合，以增强说服力。

⑧开好总结会。开好班前、班后会，总结经验、表扬和鼓励先进、分析问题、检讨失败、鞭策后进，以提高铺货人员的意识和能力。

⑨加强考核。科学、严格的考核既可以发现铺货过程中的问题以迅速解决，又能充分调动铺货人员的积极性。

（3）事后总结回访

①总结。每天铺货结束，营销员就要对当天铺货情况进行总结。经验，明天推广；教训，明天避免；策略，不合适的及时调整。遇到困难大家一起想办法解决，这样可鼓舞士气，促进第二天铺货。

②加强对铺货终端的回访。制订详细的回访制度，明确回访人员（是铺货人员兼职，还是安排专门回访人员）、回访内容（终端首次进货数量、销售数量、日均销量、终端商和消费者意见、促销品投放是否到位、价格政策执行情况、是否需要补货、感谢和赞扬终端商）、回访频次（是每天回访、隔天回访还是每周一次回访）、回访时间、回访对象（老板、服务员、消费者）等。时间允许上门回访，时间紧张电话回访。回访要有详细记录，并及时汇报和反馈回访收集的信息（出现的问题、顾客建议和意见、竞争对手动向、销售情况等）。

③对没有进货的餐饮店也可以回访。多次拜访、给客户介绍近几天的铺货情况，可能会感动、刺激客户，促使其改变主意，最终进货。

4)、铺货促销

为了吸引餐饮店进货，铺货时要开展促销活动。铺货促销方式有：

(1).促销品奖励。用促销品吸引餐饮店进货。促销奖励的关键是选择能够吸引人的促销品。促销品要选择实用价值大的产品，如打火机、酒杯、餐具、圆珠笔、开瓶器、台布、饮水机、消毒柜、冰柜、展示柜等。

(2).铺货奖励政策。设定等额或坎级政策，进多少货奖励多少现金、同样产品或其他实物等。如"现款进货20送1"政策等。

(3).陈列奖金。为了突出产品卖相和营造畅销氛围，规定一个陈列标准，达到者给予一定的奖励。陈列的方式有产品店内堆头展示、店内造型堆头展示、吧台展示、展示柜展示、餐桌展示等。如金星果啤铺货时对终端进行户外陈列展示，每店展示堆头不少于10件，金字塔式堆放，连续展示20天（下雨天除外），经公司检查符合要求，就奖励终端5件果啤。

(4).有奖销售。有奖销售不是铺货奖励，而是额外的确定或不确定的奖励。有奖销售的方式有累计销量奖励、抽奖奖励、开盖有奖奖励等。如：金星小麦啤酒终端铺货时向终端商承诺累计销售500件奖励自行车一辆、1000件奖励冰柜一台，2000件奖励北京三日游。

(5).免费赠饮。新产品上市，为了让消费者亲身体验产品品质和口感，可以根据终端进货量，赠送品尝酒，如10送1等。销量积累奖励的产品可以销售，免费赠送的品尝酒必须让消费者免费品尝，终端商不得销售，铺货人员要严格监督终端商的执行情况。

(6).收集包装部件奖励法。为刺激终端进货、销售的积极性，可以采用收集产品包装部件来兑换现金或实物的奖励方法。如某品牌箱装啤酒铺货时，规定在一个月内终端收集的纸箱，每个可兑换2瓶啤酒。

5)、地面助销活动

铺货时开展行之有效的地面助销活动，不仅可以为铺货活动增光添彩，而且可以直接和消费者面对面沟通，让消费者了解企业、品牌、产品信息，激发其消费欲望，同时又可以了解消费者对产品、服务和企业的看法，便于收集第一手资料。

此外，地面助销活动也是对终端商工作的支持和促进，可以增进与终端商的客情关系。地面助销方式主要有路演宣传、有奖销售、免费品尝等。开展地面助销活动时，营销员要认真筹备，尤其要注意地点的选择、方式的设计、道具的准备、人员的组织与分工等。

6)、理货

许多消费者对"畅销"的理解是比较浅显的：到处都在卖就是畅销；终端摆放的多、摆放得显眼就是畅销；到处都有消费者购买就是畅销。消费者身处畅销氛围中，就容易进行首次购买尝试。因此，营销员就要做好理货工作，争取将产品摆放在最好最显眼的位置，如大门入口处、楼梯拐角处、楼梯（电梯）入口处、吧台货架与目平视的居中处，并争取最大的展示空间和最好的展示效果；在每一个餐饮店还要通过市场生动化器材，如海报、吊旗、展架、条幅、看板、样品、资料等营造热卖的氛围。

7)、反馈调整

铺货期存在很多不确定的因素，铺货计划制订后并不是一成不变的。营销员要根据市场环境变化，及时调整铺货计划和铺货策略。一些营销员常犯的错误是做市场时只知道生搬硬套现有方案，用一个套路解决问题，而不知道根据市场反应和变化采取应对措施。

4、促销员管理

促销员是酒类产品终端拦截中最重要的角色。消费者常常会因促销员"一句话改变看法"。

在促销的技法上，促销员应根据面对的顾客类型灵活调整自己的促销策略。

按照顾客购买意向的不同，顾客可分为强购买意向、弱购买意向和零购买意向三种类型。强购买意向顾客在购买之前，就已经对这种品牌情有独钟，促销小姐只需要热情的引导和接待，无须多费口舌，即可达成交易；弱购买意向顾客就需动点心思了，她属于典型的摇摆不定型，促销小姐要表现出极大的耐心和高超的说服力，在说服时，应对竞品和自己的产品的优劣点了如指掌，以便随时做出应对，向顾客极力渲染自己的产品差异点和优势，争取得到顾客的信任；零购买意向顾客就很棘手了，对于这部分人群，促销小姐除了耐心对待，别无他法，如能让她对自己的产品有一个好的印象，促销目的就已达到。

促销员一直是一个高跳槽率的职业，因而在促销员的选择和管理上要讲究一定的技巧，以保持终端促销质量有较好的延续性。

首先，为了尽可能的降低促销成本，可以尝试着请一些时段促销员，这势必要求对当地顾客的购买时段规律了如指掌；

其次，在促销员的薪酬待遇方面，应设计低底薪加高提成的工资结构，因为底薪对促销员的刺激并不大，各家的底薪也差之不多，难显激励色彩，真正能够催动促销员激情的，是高提成，销的越多，自己的回报也越多，很显然，于厂家于她自己，都裨益良深；

再次，促销员在物质利益的满足之外，也冀望在组织中得到情感上的慰藉。企业就要顺应这种需要定期有个促销员的集会培训。培训时可以采用现场演示的方式，自导自演，以求促销技术的精益求精，对表现良好的做出表扬，对表现不好的亲密沟通，帮助进步。当然，也可适当的在组织中有个集体性的娱乐活动，如舞会等，在娱乐中加深彼此间的感情。

5、酒店进场策略

(一)、酒店的进场方式

现在酒店入场销售方式主要有以下几种：

1、只进场销售：把产品铺进酒店销售，只是在店方吧台陈列销售，而不做人员等促销投入。此种方式一般是针对B、C类小店和店方有规定不能上促销的A类和特级店。此进店方式力在追求产品的覆盖率，扩大产品影响力。

2、混场促销方式：即和其他竞品一道在某一酒店开展人员促销活动的入场方式。此入场方式一是针对哪些如果要买专场费用很高，投入产出比算不过来的特级和A级酒店；二是市场费用投入不多，而又想做特级和A级酒店的厂家常采用的入场方式。另外如果自己作某一价位段的产品，与竞品不在一个档次上也可采用此入场方式。

3、买断专场促销方式：即让店方保证同类产品只有自己一家开展人员等促销活动的入场方式。此种入场方式的好处是能最大限度的避免同类竞品在同一家酒店与自己竞争、便于自己更好的推广自己产品和产品文化（因为专场促销酒店一般都允许自己陈列相关宣传品和促销道具）、能为自己在一个城市树立良好的销售形象和销售样板酒店。但这种入场方式费用相当高，稍微好的酒店专场促销买断费都在万元以上，有的甚至高达几十万（笔者负责武汉市场是当地一家酒店的专场促销费就达到三十多万）。所以这种入场方式一般在一个省级城市只选择最有影响力、规模较大的二三十家，并期望以此来带动其他酒店的销售。

4、包量销售方式：即以协议的方式规定酒店在规定的时间内（一般为一年）完成一定的销量，在完成销量指标后厂家一次或分阶段给予店方一定比例或确定的费用的入场方式。此种入场方式按理来说是厂商最愿意和酒店合作的入场方式，因为全面三种入场方式一般在签订协议时厂商就得把相应的费用支付给店方，而店方不会在乎厂商的销售状况的，也不会主动的发动店方人员去协助推销你的产品，保量销售方式是在店方完成销量目标后才按比例支付费用，厂商一可保证合理的利润，二可降低风险、三是一般店方为完成销量都会发动服务人员主动去推销你的产品，会更大限度的提高销量。但是随着市场竞争日益激烈，酒店也如同大卖场一样已被大多厂家宠坏，不太愿意接受这种要完成销量才能得到费用的销售方式了。

5、暗促销方式：此入场方式是针对别人已买了专场，或酒店的促销名额已满不能在上人员促销的酒店，厂商和店方达成协议，为避免引起已买专场促销的厂家注意，由店方指定1－2名服务员协助促销你的产品，在完成每月基本销量任务后，由厂商给店方承担（相当于1－2名促销人员工资）一定名额的店方服务人的工资或其他费用的入场促销方式。

6、买断酒水供应权销售方式：此种方式一般是实力较大，经营品种较全的商家才采用的入场方式。即与酒店签订协议，该酒店销售的所有酒水只能从自己一家进货，而自己保证其充足的货源，并支付一定专供费用的入场方式。这种入场方式对于酒店来说可以降低其进货成本；对于经销商来说可以确保自己的整体销量；对于厂家来说也可和经销商经营其他品种共同分摊费用，是三方都乐意的事，也是现在比较看好的酒店合作方式。

（二）、酒店进场准则事项

1、无论以何种方式入场销售，都必须建立是对酒店的全面了解和分析后作出的决定。

2、如果店方规模较小宜采用只进场或包量销售方式。

3、在作专场促销的一定要把促销物料的陈列一项考虑进去、并明确不准竞争对手以任何的方式在该店作宣传或促销，不要让竞品钻了自己的空子。

4、在签订混场促销时一定要明确店方同类产品的促销不能超过一定的数量，因为现在有的酒店只管收费用，不管厂家的收益，如果超过促销一定的数量，混场促销的效果就相当的差了。

5、包量销售方式一般约束力较小，任务要订得要合理，如果太高，店方完不成得话他们就会把精力转向其他竞品。

6、暗促销人员毕是店方的服务员，一定要找机会给她培训公司及产品的有关知识，让她真正地成为公司促销和宣传员。

7、买断酒水供应权的经销商一定确保自己有满足酒店对不同酒水产品要货的实力，如果你买断了一个酒店的酒水供应权，却不能满别人的要货计划，店方就会另寻货源，你岂不竹篮打水一场空了。一般酒店（特别是高档酒店）经营酒水的品种都不是很多，在签订买断酒水供应权协议是你可以对店方的经营品种作个限定最好。

8、酒店收取入场费用因涉及到费用的税收问题现仍存在较大的争议，所以好多店在收取费用后都不会提供正式的发票，大部分都是收据，有的甚至连收据都不会提供。为了加强费用的监控，涉及到酒店的入场谈判（特别是费用较高的酒店）最好是派2名业务人员共同参与。

9、入场费用的支付方式除直接给现金外还有提供同价值的产品；为酒店提供附带自己产品宣传的店招或其他装修等。

（三）、价格空间控制策略

酒水销售在终端最是在卖“价格空间”（即：产品成本价和零售价之间的差额）。在酒店这个特殊的渠道里，谁能给分销商更大的利润、给服务员更多的开瓶费、给酒店相关人员（大堂经理、领班、库管、吧员）更多的好处，给消费者更多的乐趣（小礼品、抽奖、促销人员现场唱祝酒歌）谁就能获取销量。

建议策略：

1、有条件的话，经销商可通过买断品牌、定牌监制、代加工等方法降低酒水进货成本。

2、产品定价要用“市场倒推法”确定各级价格，一定要保证足够的差价空间去做酒店的开瓶费和促销、公关费

具体步骤如下：

1)准备样品在酒店里做品尝测试，请消费者依据口感、香型、浓度、包装、产地等特点，写出对该品的价格认识：在酒店里可以卖的最低、最高价格及消费者愿意支付的价格。通过统计，能找到产品在酒店零售价的价格上下限及最佳价格。

2)参照竞品价格，设定不同级别酒店的零售建议价。

3)根据零售价减去酒店平均毛利计算出酒店供价。(如有分销商，减去其分销毛利，可得出分销供价)。

4)酒店供价减去开瓶费、再减去大致预估平均到每瓶产品上的酒店公关促销费才是经销商的产品销售净价。

5)销售净价减去自己期望得到的利润、就是该产品的期望进价。以此价为依据、跟厂家商讨供货价。

酒店大多是赊销，而且营销费用越抬越高，单纯靠直营酒店很难赚钱，覆盖酒店渠道，要靠广大的酒水二批商。

6、夜场运作策略

（以啤酒在夜场运作为例）

一、产品策略。

1、单一产品策略。由于夜场产品包装主要集中在330ML瓶装和350ML罐装上，所以进入夜场的品牌相对较单一，如百威、喜力、嘉士伯和科罗娜等。单一品牌有利于品牌视觉形象更加清晰显明，提高强化品牌记忆力。对于新进入夜场市场的品牌，更应坚持单一产品策略，集中营销资源，在最短的时间内在夜场市场站稳脚跟。

2、多元产品策略。消费者的需求是个性化和多样性的，单一产品存在消费者满意度局限性，同时有的品牌现有产品缺乏竞争优势，需要开发新的产品。所以多元产品策略也被一些企业采用，如青岛啤酒在原来330ML小瓶酒基础上开发了330ML青岛冰啤，哈啤330ML小瓶装除了白瓶装哈啤外，还有特制超鲜、小麦王、LIGHT轻一代等品种。多元产品策

略对夜场市场相对成熟，品牌竞争力较强的企业来说是比较适用的，而中小型应当谨慎采用这一策略。

二、价格策略

1、一步到位价策略。企业以较低的价格供货给经销商，经销商利润完全靠顺价销售获得，企业不承担经销商在市场运作中产生的各种营销费用。一步到位价使企业几乎没有任何市场风险，但市场开发能力还能得到最大限度提高，适合于中小型啤酒采用。由于一步到位价较低，经销商利润空间较大，对于有资金实力和终端网络的经销商来说比较适合，但这类经销商往往缺乏品牌意识，更加注重短期利润的最大化。

2、折扣价格策略。企业以稍高但经销商能够接受的价格销售产品给经销商，按经销商销售数量再给经销商一定的折扣，如某品牌采用折扣价格策略，价格为60元/箱，如年度销量低于10000箱，每箱返利10元，10000—20000箱每箱返利11元，20000箱以上每箱返利12元，除此之外还根据经销商执行公司营销政策情况(如是否按公司指导价格销售，是否在公司限定的区域内销售，是否按规定回款等)，对经销商不确定性的奖励。折扣价格策略对企业来说单箱利润较高，而且经销商在一年经营周期内对企业的忠诚度更高，因为谁都想拿到年终返利；对于经销商来说，对市场投资信心更足，经营风险相对降低。

3、参照竞争对手价格策略。为了使自己的产品在价格方面比竞争对手更具优势，企业在认真研究竞争对手价格的基础上，参照竞争对手的价格制订自己的相应价格。国内一些二线品牌紧跟一线品牌价格灵活调整自己的价格，随时保持价格优势，提高了终端的竞争力。如哈啤在与百威和青岛等品牌的竞争中就采用了这一策略。

三、渠道策略。夜场终端的特殊性要求营销渠道必须具备稳定、物流效率高、对终端控制力强的特点，渠道结构一般有三种类型：

1、厂家直销型。这类结构渠道链最短，厂家直接向终端供货，但厂家人员、车辆管理、服务等硬件和软件投入都较大，而且风险没有转嫁的可能性。这类渠道主要适合于资金实力强或品牌竞争力的企业对大城市夜场的开发，如百威对上海、武汉、广州等市场的开发，珠江啤酒对广州的开发等。企业利用资金和品牌优势直接开发终端，企业承担全部的进场费、促销费，甚至直接买断专销权，如百威直接投资50万元买断广州金色年华的年度专销权。

2、经销商代理型。由于企业能力有限，不可能对所有的目标市场都能够实现厂家直供模式，所以对销售半径较长的外埠市场渠道模式主要采用经销商代理型。这种模式由企业向经销商供货，由经销商负责终端市场的开发、服务和维护。如哈啤在全国各地的渠道模式主要以此种模式为主。由于夜场终端的特殊性，经销商很少再通过二级商分销到夜场而是直接做夜场。所以企业要选择资金实力强、有丰富经验的夜场开发人员、有较好夜场网络和社会背景的经销商做区域品牌代理。产品一般采用一步到位价，为了刺激经销商的积极性，还可以年终按销售量给予经销商一定的返利。经销商负责获得夜场终端经销权的进店费、专销费、堆头费、促销费等各种费用，产品加高价后卖出，以保证丰厚毛利能够承担高额的营销费用。如青岛、唐山等地一些专做小瓶酒的一些中小型啤酒厂每年都是在糖酒会上全国招商，以超低价位供货，其它营销费用全部由经销商承担。如出厂价24元/箱的某品牌啤酒经经销商加价后到终端的价格高达90元/箱。因其超低价位、精美包装、高额利润空间受到许多经销商的青睐，这些小厂也赚了个大满贯。

3、厂商合作型。一些大中型啤酒企业志在高档小瓶装和拉罐酒市场有所建树，因而做做好夜场终端作为一个营销战略为抓。完全依靠经销商市场做不透做不细，完全依靠自己心有余而力不足，故而大多采用厂商合作型的渠道模式，充分利用企业市场开发和管理优势，利用经销商的配送优势和社会关系优势，共同开发市场。如某啤酒在郑州市场就运用此模式取得了较为理想的业绩，该啤酒企业在郑州市场选择了几家实力较强有夜场经验的经销商做代理，分区负责，由公司营销人员协助经销商进行市场开发。对有潜力的终端店由双方考察确定后，进店费、专销费厂商按7：3分担。企业负责终端品牌宣传，并派促销员到各终端店进行促销，促销人员工资、提成和促销品费用均由企业承担。经销商负责产品配送和回款，如果出现坏账损失，由企业和经销商按2：8分担。

四、促销策略。促销对于提升当期销量、提升品牌形象都具有非常重要的作用，因而促销是夜场营销最重要的营销方式之一，夜场促销活动要体现：形式多样性、针对性、刺激性的原则。

1、价格促销。价格促销主要是降价促销，为了提高竞争优势，一些品牌采用降低供货价针对经销商和夜场促销，提高其进货积极性；为了提升购买率，还可针对消费者进行降价促销，如某品牌在圣诞节平安夜在指定的夜场中将终端销售价原价10元/瓶降到4元/瓶，而且仅此一晚，让消费者大饱口福，取得了良好的促销效果。

2、赠品促销。赠品可分为两种：一种是赠酒，一种是赠礼品。赠酒是最常用的一种方式，如买10送2活动。赠送礼品，可采用消费不同数量奖励不同价值礼品的方式，如金星啤酒实行销售5瓶奖励发光戒指一个，销售10瓶奖发光棒一支，销售20瓶奖球面电子表一个，当场消费，当场奖励，效果非常好。夜场啤酒促销品不同于餐饮店促销品，在礼品的制作和选择上，其主要特点新异、奇特、艺术性等，适合夜场气氛，突出企业文化内涵，如：闪光戒指，球面电子表，七彩荧光棒让消费者过目不忘，诱导挖动消费及潜在消费，进而展示品牌形象。

3、人员促销。由企业向夜场派促销员进行现场促销，如向消费者推介、组织赠品或其它开工的促销活动、夜场超市导购等。促销人员要选择年龄在18-22周岁具有中专以上学历的气质佳、形象好，充满青春时尚气息的青年，由于女性亲和力更强，最好使用女性促销员，要加强促销员的培训，提高促销员礼仪素养、沟通能力，具有较强的促销技能，促销费要统一着装，服务青春美丽大方，但不能太性感。要加强促销员的管理，制订合理的薪酬和激励机制，充分调动促销员的积极性。

4、幸运奖促销。在夜场现场举行投标积分、掷股子、门票抽奖、刮刮卡等形式产生幸运奖，奖励相应的礼品，目的是刺激消费者消费激情，提升品牌记忆力。

5、节日促销。利用圣诞、元旦节、情人节、愚人节、母亲节等节日在夜场举办相关主题的促销活动，尤其是情人节和圣诞节是夜场最重要的促销节日。如情人节可采取消费指定品牌啤酒赠玫瑰，男士携女士消费，免费赠送女士啤酒等。蓝马啤酒曾在圣诞节邀请部分郑州高校的外国留学生到夜终端共度圣诞，凡消费蓝马啤酒的消费者均可有机会与外国留学生同台表演节目、合影留念，取得了较好的效果。

五、品牌生动化传播策略。夜场消费者具有较强的品牌意识，对品牌有较高的忠诚度和偏好性，故加强夜场终端的品牌生动化传播是非常重要的。

1、POP投放。POP是效果最明显的品牌终端传播形式，常见的POP主要有X展架、吊旗、招贴画、灯箱、微型啤酒桶等。

2、产品展示。产品展示的品牌传播效果更加直观，分吧台展示、堆头展示和展示柜展示几类，吧台是消费者驻目率较高的地方，要展示在吧台上的产品摆放位置要醒目，高度不能低于人眼的平视点，摆放数量较适中，不能过少不醒目；在比较宽敞的大堂可以进行堆头展示让消费者进店后能够在第一时间内接触到这一品牌，提高品牌记忆力和购买率，堆头造型要独特，可以制作如瓶形、螺旋形、阶梯形的专用的展示架放置产品；对一些超市型夜场，可以通过展示柜展示产品，有大型超市的夜场有统一的产品冷藏暗式货柜，具有较强的展示效果，产品一定要摆放整齐，灯光明亮，让啤酒色彩显明的包装和晶莹剔透酒体充分展现出来。

3、人员传播。促销人员造型美观大方、色彩搭配合理醒目的服装也会起到良好的品牌传播；促销人员热情周到的服务和对企业文化的宣传都是对品牌良好形象的塑造和传播；要重视口碑传播，通过开瓶提成等利益方式提高夜场服务员促销积极性，在促销过程中强调服务员对产品品质、口味特色和品牌文化进行着重描述，通过第三方的口碑宣传，提高品牌可信度和忠诚度。

4、礼品展示。百威、嘉士伯等品牌将促销品放置在展示架或展示橱窗里放在夜场大厅明显位置广泛地展示给消费者，刺激消费者的消费欲望。

5、工艺品展示。可制作造型、功能奇特的工艺品放在吧台等醒目位置进行品牌展示，如百威做的电子吸铁石吸住一瓶悬空的百威啤酒的工艺啤放在吧台上引得许多消费才驻足观看并连连称奇，起到了非常好的品牌传播效果。

六、风险控制策略。夜场终端较高的进入门槛和夜场本身的经营风险性都造成啤酒夜场经营存在较高的风险。为此必须加强风险控制，提高经营效益。

1、营销人员管理。夜场营销的复杂性和风险性要求夜专营销人员必须有过硬的专业素质，啤酒企业应该建立专门负责开发夜场的营销部门，选拔有极强沟通、协调能力，胆大心细，能够应付突发事件的营销人员专门开发夜场市场。夜场促销员要是企业促销员队伍中素质最好，待遇最高的，并进行专门培训，专职做夜场。

2、货款账龄管理。全部现金交易在夜场营销中是极不可能的，或多或少都会存在赊销，应收账款的存在造成了许多潜在的经营风险。企业要加强经销商的账龄管理，经销商要加强终端的账龄管理，采取月结、上打下等方式要尽量减少赊欠数额，缩短赊欠期限，要勤于拜访及时发现并预防风险。

3、终端库存管理。要对经销商和夜场终端仓库条件严格监督，做到防潮、防雨、防尘，做好库龄管理工作，要少送勤送，降低库存，发现过期产品及时更换，防止产品口味新鲜度和包装质量下降。

4、渠道稳定性管理。要加强价格管理，要求经销商和夜场严格按照公司的指导价格进行销售，严防倒酒窜货和私自提高或降低价格销售，一方面保证公司市场价格体系的稳定，一方面保证经销商和夜场利润的稳定。要加强经销商和终端的沟通认真听取他们的合理建议和意见，及时发现并解决问题，不断改进工作质量，及时兑现服务员的提成，建立良好的客情关系。

5、社会关系利用。夜场经营者大多都有相当的社会背景，啤酒企业和经销商要充分利用社会关系达产品能够进得去、卖得好，货款能够结得快，收得回。

7、商超运作策略

超市极强的生命力和优势，使许多酒企业日渐把目光转移到超市营销上面来，其竞争激烈程度也日渐白炽化。

一、产品策略：经调查表明，居民在超市采购白酒／啤酒/葡萄酒产品主要用于家庭一般消费和作为礼品赠送宾朋。所以针对消费者的不同选购目的，产品必须系列化，即要有物美价廉的适合居家消费的普通产品，又要有包装华贵送礼上档次的高档产品，同时每个系列又要更加细化，满足不同的消费者。应当引起关注的是来往于超市的消费者人流中，家庭主妇占较大的比例。

二、价格策略：大多数来超市的消费者都是一般收入的普通居民，来超市选购商品的消费者就是图个实惠，对商品的选择决定性因素中，价格是最关键的，而高收入的消费者常是到专卖店选购或就近购买。所以产品价格如果定得比其它商场、饭店里的还要贵，就不能吸引到消费者，价格要比其它地方的价格低，让顾客真正有实惠感，才能引起连续性的消费。

三、促销策略：多开展让消费者感到额外实惠的促销活动，刺激消费者购买欲望，在不加价的情况下，对购买者赠送实用性的小礼品，如精致的酒器、手提袋等，或与超市内其它日用品进行捆绑式销售，如凡购指定品牌酒者可以免费选取场内任何一种指定价格的商品，或选购某种商品可以享受更加优惠的价格选购指定的啤酒产品。眼下全国各地彩票业很火爆，其中大部分彩民就是想一夜暴富，改变命运的普通老百姓，他们中的很大一部分就在超市消费者之中，可以把彩票作为促销品赠给消费者，吸引彩民的注意力。

四、宣传策略：超市人流量大，目标群体集中，宣传效果相对较好，所以现场宣传工作做得如何，直接关系到产品的销售效果。可以制作突出品牌个性，图文并茂，色彩明快，吸引力强的导购板，放于超市进口或店内合适的位置；在结算处可以印刷精美的折页或手册，供消费选取；店内悬挂吊旗要醒目；在超市开业或重大节日，在超市门前布置气球彩带或彩虹门，举行小型的有文娱节目配合的展示活动；门头灯箱广告应由技术水平较高的广告公司制作精美的电脑彩喷稿，档次要高，耐久性强，应当。对于新上市品牌为配合超市的现场宣传，电视广告、报纸广告也应当适当配合，广告内容不但要突出品牌个性，还要有更吸引人的地方，如凭所持报纸广告或在限定的时间内到超市购买该产品可以得到额外的抽奖或赠品等，这种活动对超市也是一个宣传，应取得超市方面的支持，共同举办活动，活动要以情取胜。

五、理货策略：对每个超市都应有专门的理货人员经常性地巡视，及时反馈市场信息，加强货架管理，按照严格、统一的产品陈列要求，争取超市营业人员的支持和配合，做好产品陈列，要注重陈列的层次和主次，在众多的品牌中突出最佳的展示效果。如果啤酒企业实力强，超市出货能力强，可以选派促销员进驻超市，引导消费者选购，同时要与超市管理员、导购员搞好关系，增进感情，使其重视该种啤酒产品的销售。

六、服务策略：业务人员和片区销售主管应经常性地和超市经营者进行沟通和交流，听取对方的意见和建议，改进工作，增进合作。在送货服务、结算方式、价格、返利等方面尽可能地为对方提供更好服务和条件。（廖伟明）

啤酒效应与中国高端白酒营销

营销界有一个很著名的且由来已久的啤酒效应法则。

曾经，麻省理工学院的斯特曼教授做了一个著名的试验——啤酒试验。在这个试验中有四组学生分别代表消费者、零售商、经销商、厂家，由此形成一个简单的供应链。试验要求：任何上、下游企业之间不能交换任何商业资讯，只允许下游企业向上游企业传递订单，消费者只能将订单下给零售商。

结果表明：由于链中各节点企业之间资讯的不对称以及为了追求自身利益的最大化，造成需求资讯在供应链内部传递时失真了。

这不是一个偶然的现象，据调查，即便是在HP、IBM、宝洁这样的知名企业中，同样存在着这一类似的现象。这个现象也造就了一个新名词的产生——供应链。在供应链上，常常存在着如预测不准确、需求不明确，供给不稳定，企业间合作性与协调性差、造成了供应缺乏，生产与运输作业不均衡、库存居高不下，成本过高等现象。

引起这些问题的根源有许多，但主要原因之一是啤酒效应。啤酒效应扭曲了供应链内的需求信息，不同阶段对需求状况有着截然不同的估计，其结果导致供应链失调。

通常客户端10%的市场需求变化会导致供应商订单量200%的变化。这就是可怕的啤酒效应。

这种啤酒效应现象的影响不仅存在于某一个企业，同样存在并影响一个行业的发展。今天，中国的白酒业正同样上演着一场由高端白酒形成的“啤酒效应”泡沫。

不可否认，鉴于经济发展水平的提高及高端白酒的市场价值空间等多种因素，中国白酒的高端之路已是个必然趋势。不仅如此，高端白酒的品牌集中度效应也是越来越强，“品牌家族”的势力越来越集中，马太效应越来越明显。以2004年为例，“贵州茅台”销售额近45亿元，“五粮液酒”本身销量也达到了50亿元，这二者的销量就达到了近100亿元。

但由于商家及厂家对高端白酒市场现象的盲目乐观和错误预测，而产生了一系列的由商家到厂家的高端白酒需求供应链加强的啤酒效应。正是这个啤酒效应导致了每年无数个高端白酒的“换装行动”，从而更进一步地促进了啤酒效应的循环。

目前，白酒市场上，从传统的茅五剑到各地方名酒以及各类贴牌酒，高端系列白酒新品如雨后春笋般，遍地开花，品质也是良莠不齐。据不完全统计，市场价格100元以上的高端白酒品牌有5万多个，仅五粮液的贴牌子品牌中的高端酒系列就有数百个之多，更有茅台、剑南春等为代表的众多贴牌子品牌。

自二十一世纪以来，高端白酒的势头是越来越猛。有一步到位的新锐高端品牌，也有低开高走渐渐地步入高端的老品牌。尽管有如此多的高端品牌，但是，市场中我们所能看到的却并非多数，原因就在于多数高端白酒的已随啤酒泡沫般破灭。

纵观引领高端白酒快速发展的原因，加速高端白酒啤酒效应的动力则来于以下几方面：

一、白酒巨头的引导效应

这之间不仅有白酒大王五粮液的提价影响，更有以水井坊的颠覆式营销所带来的“比茅台五粮液还贵的酒——中国最贵的白酒”的成功典范仿佛一夜间让诸多的酒家茅塞顿开，让更多的低端品牌和社会资本看到了高端白酒的巨大的市场空间和利润空间。从水井坊到国窖1573、金剑南、舍得酒等成了后来者的榜样。

此外，由于五粮液在白酒中的地位以及企业高端品牌的定位，其越来越多的高端子品牌既是五粮液品牌文化的传播者，又是高端酒概念文化的传播者及消费氛围的谛造者。

二、现代商务经济发展的高价值需求

自古商务往来的礼宾宴友都离不开酒，现代商务更是如此。随着中国经济的腾飞所带来的商务往来的高品位需求，礼宾接待用酒的档次也是越来越高，价格也是越来越高，从现在的高端到超高端，价格成了一个衡量尊重水平的重要因素之一。

商务不仅成了一些高端酒的市场生存依据，而且还派生出了以商务用酒为定位的商务类酒，且价格不菲，故而有人说：商务酒是高端酒的代名词。正是由于看中了商务用酒的高品位需求，市场上产生了大量的虚高价位的、以包装见长的所谓高端酒，可谓是“蓝领品质，金领价格”的高暴利，远远脱离了真正商务酒“金领品质，白领价格”的高性价比为核心的诚信品质属性。

三、外来资本的利润最快化需求

中国白酒市场上的外来资本做酒早已不是什么新鲜事，以金六福、小糊涂仙最为典型。而众所周知，白酒的销售需要最大化的渠道和终端的推广渗透，但是，作为外来资本，基本上都没有太多的白酒市场经验也没有成熟的渠道，在无限的终端跟进和最快的利润之间，他们选择的最佳方式就是单瓶酒的利润最大化。

只有这样，才能有利于商家集中目标市场、把控市场，减少市场渠道终端的如进店费等无限的终端投入，从而达到利润回流的最快化。

四、新品酒不透明的价格空间吸引力

越畅销的品牌，中间商的利润越低。正如现在的商家虽然卖可口可乐不赚钱而又不得不进货一样，高端白酒中的成熟名品如茅五剑的市场利润空间已十分透明，对于商家而言，其作用就是吸引客流和靠走量赢利。

在这种情况下，为获取更大的利润空间，寻求新品也正是商家的需求所在。因为，新品高端酒的市场价格空间不透明，且空间很大，是茅五剑利润空间的数倍。试想，有如此多的商家在等待新品，高端新品的开发动力能不大吗？

五、低端市场的切入空间相对较小

这看起来是不合常理，因为作为金字塔的底部，众所周知它的低端市场的量是巨大的；但是，对于新品来说事实却是如此。因为，鉴于市场开发费用的原因，通常二十元以下的低端白酒市场基本上已被地产白酒垄断，外地酒的市场出击基本上都是中端及中高端价位为主。

在既要保证厂家自身的利润空间，又要保证中间商的利润空间和产品品质等的情况下，提高价格则是必然。以产酒大省安徽的省会合肥市为例，十元以下最畅销的“真得味”是真正的“排档王”；而在相邻的煤城淮南市则是蚌埠大曲的天下。

六、中国传统的礼文化的带动

自古中国就有“无酒不成礼”，逢年过节时送酒是一种约定俗成的礼文化表现。而随着生活水平和消费水平的提高，送好酒也已是必然趋势；而何为好酒呢？就白酒而言，对于缺乏白酒专业知识的普通消费者而言，价格则是一个衡量标准。礼是否重、是否有诚意等，价格是最好的说明。

正是鉴于此，一些商家则专门生产用于礼品消费的礼盒装，专攻礼品酒市场，在消费者“面子文化”和巨额利润的带动下，高端白酒带着奢华的面容步步登高。

七、中低端品牌提升形象

高端做形象，低端走量已是酒业中的一个常规。为了提升品牌形象，许多的原本低端品牌都开发了自己的高端系列产品。如徽酒中的安徽双轮酒业从低端的双轮池到现在中高端的高炉家系列就是典型；再如苏酒中的洋河大曲借高端的洋河蓝色经典及超高端的苏源洋河迅速提升了品牌形象和企业实力。

综上所述的种种原因，由于太多的因素引发了高端酒的消费现象，所以其高额的价值空间吸引了零售商、供应商、厂商对于高端酒的关注，更多的商业资本通过厂商联营贴牌定制等在高端获利从而吸引了更多的厂家和商业资本的注入，最终，由于高端酒的销售周期性原因（逢年过节），以及商超终端和批发环节的零散性大宗团购的销售现象的影响，而引发了更上一级的供应商更大的供货量及库存量，而随着季节性的变换，厂家通过压货、抛货、转移库存等营销措施则进一步促进了高端白酒的啤酒效应。

以酒为例，我们可以看出，这种行业信息的扭曲如果和众多企业生产过程中的不确定因素叠加在一起，将会导致巨大经济损失，如包装、流通、人员、推广等。

所以，一个品牌是否进入高端市场，应对生产商的（社会）市场资源、品牌定位、营销渠道等资源等进行战略分析，找准切入点，否则，即使上了“高速公路”也难免“车毁人亡”之灾。

（朱玉增）

中国市场啤酒品牌报告

尽管在100年前，中国便开始了啤酒生产，但真正普及消费的还是近十几年的事。

尽管当今啤酒市场知名品牌“青岛”、“哈尔滨”在100年前就已诞生，但成就其为名牌的过程也是近十几年的发展。

百年老品牌无疑在消费者的心目中多了些许历史的底蕴和信誉的积累，但只有十几二十年历史的新兴品牌如燕京、珠江、蓝剑、重庆、雪花等也掀起中国啤酒市场风云的主力军。

二十年前，啤酒市场的启动是从洋品牌进入开始的，至今洋品牌的市场占有率仅为10%，更多的啤酒消费份额分布于众多的国产品牌，然而区域性国产品牌子都又普遍地面临生存问题。

探索中国啤酒市场的品牌格局，品牌战略和策略，品牌发展趋势对各啤酒企业的市场运作都将产生现实的指导意义。

一、品牌格局

1、品牌发展阶段

第一阶段是洋品牌启动啤酒市场阶段。上世纪80年代前后，啤酒市场的启动是由洋品牌的进入开始的，改革开放之初，在消费产品和生活方式方面，或多或少带进的西方的一些东西，其中啤酒消费是对传统白酒市场及其它饮料市场的一种丰富、一种创新。因为饮用啤酒是属于西方传入的一种方式（西方人称为液体面包），故在当时还属于少数人消费的阶段，未太普及，品牌竞争也不太明显。时至今日，人门还是认为洋啤酒是较为好的啤酒。

第二阶段是国产啤酒主导市场阶段。随着国产啤酒的逐渐兴起，一方面是早期“老字号”——青岛、哈啤借势重出江湖，加快收购重组，快速向全国市场扩张，另一方面是各地方纷纷建厂投入生产地方品牌不断涌现，到了90年代整个市场进入快速成长时期。生产厂家及生产数量逐步增加使产品开始供过于求，这时品牌竞争进入充分发展阶段。区域强势品牌形成，洋品牌被挤压。

第三阶段是多类型品牌并重阶段，经过前段时期的多速发展，近年啤酒市场进入缓慢调整时期。这时的品牌发展呈现多元特征，体现在区域品牌在特定区域市场依然强势，全国性品牌的扩张步伐放缓，外国品牌重新重苏。由于市场竞争的充分，加上口味多样化、消费心理个性化所体现的消费多元化，未来啤酒市场多类品牌并存，多个品牌共生的局面必然存在。

2、品牌特征

特征之一是：品牌覆盖率低，呈现众多品牌瓜分市场的局面。从全国市场品牌渗透率（表a）看出，渗透率达10%以上的品牌廖廖无几，而渗透率在1%以上的品牌却达70多个。渗透率最大的“青岛”为28.95%。还远远低于49.48%的品类渗透率。可见整个啤酒市场的空间较大，市场地位的变数也大。

特征之二是：全国市场的品牌集中度很低，而区域市场的品牌集中度很高，呈现明显的区域特征。从全国市场的品牌有率（表b）和区域市场品牌占有率（表c）的比较发现，全国市场前4位品牌占有率总和只有25.85%，而区域市场前4位品牌的占有率总和普遍达到90%以上。每一个区域市场都有至少一个强势品牌占有绝对大的市场份额，然而大多数都属于单一区域强势品牌，因为这些品牌在其它区域均为弱势品牌，如“珠江”在广州市场占有率近60%，而在其它19个城市，市场占有率均不超过1%，排名进不了前4位。类似的还有上海的“力波”，长沙的“白沙”，杭州的“西湖”，济南的“趵突泉”，武汉的“行吟阁”和西安的“汉斯”等。

特征三是：洋品牌的占有率不高，但市场地位不弱。忠诚度不高但影响力不低。洋品牌的占有率尽和不太高，但在各个区域均有相当市场地位。如百威除在温州市场占有率第一外，在长沙、杭州、无锡占有率第二，在上海、苏州、太原、武汉、西安占有率第三。蓝带除在温州市场占有率第二外，在乌鲁木齐占有率第三，在贵阳、哈尔滨、兰州、南宁、南昌、天津、珠海占有率第四。嘉士佰和喜力在多个区域市场占有率均进入10名之内。洋品牌的忠诚度不高（表d），原因一是啤酒受产地新鲜度因素影响造成消费者较为浓厚的地域情绪和较为固定的口味习惯；二是洋品牌多属高档品牌，价格高，消费者一般只有到酒吧、高级酒家等高档场所才会购买。由此可见，洋品牌占有一定的领导者市场，具有一定的市场影响力。

3、企业并购行为对品牌格局的影响

近几年来，为了追求规模效应，争夺市场资源，企业间的并购，联合成为啤酒行业发展的重要特征。尤以行业三大巨头的表现最为突出，青啤短短几年并购企业近五十家，燕京控股联合企业约二十家，华润本身并非啤酒品牌，但在其麾下品牌达二十多家。由于啤酒巨头们并购其它啤酒企业后基本保留该企业的原有品牌，故整个市场的品牌格局并未改变。对这些被购并的区域品牌有一定影响的可能发生在二个方面，一是被购并企业输入购并企业的技术，管理和资金，实力增强，在产品质量、产品创新，通路运作上将有所进展，品牌的市场形象将有所提高。二是并购企业提供主品牌（如"青岛"）作为被购并区域品牌的背景支持，（主要在包装及广告上体现）这在一定程度上扩大了原区域品牌的影响力。

二、品牌战略和策略

1、品牌发展战略

啤酒企业由于规模发展的需要，在形成了一定的品牌影响，尤其是成为强势品牌之后，一般都要考虑品牌发展问题，主要的品牌发展战略有几种模式：

一是品牌渗透，所谓品牌渗透是指引用品牌影响力，收购地方性企业，同时保留被收购企业的品牌，占领地方市场，收购企业的品牌只是作为一种背景支持。以华润、青啤、燕京为这种模式的典型代表。华润本身不是一个啤酒品牌，完全靠资本运营实施收购兼并。与青啤、燕京多为收购弱势企业不同的是，华润收购的多是具有区域性强势品牌的企业。与青啤、燕京相同的是都保留被购并企业原有的品牌，并利用原有品牌拓展市场。三大巨头无一例外地系用品牌渗透战略，主要原因是由于啤酒的区域性特征明显。区域性品牌拥有销售网络健全，品牌忠诚度高的市场资源，只要注入购并企业的技术、管理和资金，就会有更好的发展，倒是购并企业的主品牌（比如"青岛"、"燕京"）需要警惕其品牌价值不被稀释。

二是品牌扩张，所谓品牌扩张是指强势品牌跨区域拓展，扩强该品牌的覆盖范围，河南"金星"在贵州郸城、山西安阳、漯河、信阳等地独资建厂使用"金星"品牌进行市场扩张是这一模式的代表。系用品牌扩张战略，扩张市场的范围不是铺天盖地式的而是逐步推进式的，拓展市场的速度也比较缓慢，然而它的优点在于单一品牌纵向扩展有利于做成全国性品牌，有利于品牌价值的集中累积，品牌发展后劲较足。

三是品牌联合，国内啤酒企业与国际知名啤酒企业的国际联合形成一股潮流。对于国内企业来说，联合既有保护作用又有发展作用，因为国内企业哪怕是几百万吨产销量的啤酒企来相对于国际前十名啤酒企业都显得弱小。故争取联合一方面可保全自己，另一方面有更多资金实施购并战略，占领更大市场，同时也便于向国际化发展。而对于国际企业来说，可以赚钱且不必担太大的风险，因为中国啤酒市场是一个有空间、有潜力的市场，但同时市场运作的复杂性、地域性使国际企业选择联合方式，主要是与国内知名企业联合，已经联合或正准备联合的如华润与南非SAB集团各技股50%共同注资掀起中国啤酒市场收购神话；青啤与美国AB公司，青啤与日本朝日；珠啤与比利时英特布鲁；重啤与英国纽卡斯特；燕京与日本麒麟等。国内品牌之间的联合如"重庆"与"国人"，主要是为了共享资源，充实实力，合力御敌。它从本质上有别于收购或兼并，更多的是实力、地位相当的品牌争取平等合作的方式。

2．品牌的推广策略

品牌创新策略。如果说近年来主要啤酒企业的市场扩张模式是通过兼并、收购，实施品牌系列化经营，突破地域分割，占领多个区域市场。那么品牌创新模式则是通过市场细分，产品定位实施产品系列化经营达成产品创新从而促进品牌提升。"珠江纯生"的推出使珠啤创造行业利润第一，至今成为纯生的第一品牌。清爽型、干啤等不同口感啤酒推出无不引领消费潮流并引发市场的变革。啤酒产品的创新将成为一种趋势，如各种保健功能啤酒，各种颜色啤酒，各种果蔬味啤酒都在纷纷推出。然而，产品的创新切不可陷入误区。啤酒是一种专属性很强的品类，其专属性包含了口感需要和心理需要二个方面，产品过于泛化会减弱啤酒的专属特征，可以预计：除了像纯生、干啤，淡爽型等，从酿造工艺的不同，以口感为标准细分出新的产品有一定的需求外，其它种类的啤酒将不会有太大的空间。

品牌塑造策略。啤酒的品牌消费特征决定了企业的品牌经营。靠品牌维持的啤酒市场，尽管正受到资本的强烈冲击，但最终的竞争还是品牌的竞争，因此，提高品牌的含金量是决定企业可持续发展的重要前提。

能够结合体现一个啤酒品牌的主要因素中，产品品质是一个重要因素。它包含了酿制原料的如水质、麦芽质量、酿制工艺、流程控制和卫生保障。但好品质只是一个啤酒品牌受欢迎的前提而不是唯一的因素，同质化是啤酒产品的一个重要特征，一个大家比较熟悉的试验是：在没有任何标记情况下同时品尝几种啤酒结果很难辩别清楚。可见没有好的产品品质是不行的，但仅有好的品质是不够的，品质不足以形成啤酒品牌的差异化形象。而产品口感是体现啤酒品牌的另一重要因素，权威调研资料显示，啤酒消费者选择消费时考虑因素中，口感名列第一位。这是无容置疑的，啤酒消费是自主性消费，是享受性消费，是个性化消费，谁会在众多可供选择的啤酒中选择一种不合自己的口味。但是，口味却无所谓好坏，只是视消费者合适，如有人喜欢浓一点；有人喜欢淡一点；有人喜苦一点，有人喜欢清一些。因此，产品的"口感好"不能作为比别的啤酒更好的品牌诉求，啤酒的品牌诉求与其诉求口感不如诉求感觉，与其诉求品质不如诉求品味。

啤酒品牌塑造的要点在其内涵和个性，啤酒品牌塑造的目标在于使消费者得到"体验"。进口品牌中以百威和喜力为代表体现了品牌内涵和气质所带给消费者的非凡魅力，百威啤酒的"蚂蚁广告"体现了坚韧不拨、团结协作的精神内涵和睿智、幽默的个性特征；喜力则针对活力、动感、变化的新一代，高层次群体，塑造其年轻活力、国际化、高品位的品牌形象。

品牌传播策略。广告是品牌传播的主要工具，尤其是对作为快速消费产品、个性消费产品的啤酒来说，广告是品牌传播、产品推广的主要手段。同时，由于啤酒产品自身特点及消费特性，决定了其媒体策略主要几方面特点：一是选择性的大众传播，比如大众传播中以电视广告为主。二是区域性的媒体覆盖。三是季节性的广告投放。

终端表现是品牌传播的另一主要途径，这为众多啤酒品牌所重视。终端表现包括终端营业推广和终端形象宣传，终端形式包括零售终端和使用终端。在使用终端采用营业推广是较为普遍的推广方式，然而较多企业在终端推广上未能处理好品牌形象与产品销售的关系，过分着眼一时的销量而忽略了长期的品牌形象。使用终端既是产品销售的直接场所，又是树立口碑、表现形象、争取忠诚的重要场合，因此在使用终端推广采用"二重"策略值得各品牌重视。"二重"即重度消费者、重要消费场合策略。如此，便于集中有限资源如促销资源、人力资源、形象资源，针对性使用于重度消费群体和重要消费场合，避免由于"寸土必争"而造成推广成本的不划算和"不分场合"、"不择手段"而造成品牌形象的负面影响。

如果说广告和终端表现相对来说属于较常见的品牌传播方式，那么，事件行销相对来说可能更具独占性，更具主动性。喜乐、百威、蓝带等国际品牌在体育行销，娱乐行销方面较为重视，收到的效果也有目共睹。青啤每年一度的啤酒节可谓轰轰烈烈，已经由个别企业行为演变为整体社会活动，遗憾的是带有一定的地域局限性。珠啤地处领风气之先、创造时尚、潮流于前的商业都市广州，"珠江"就是广州的象征、广州的形象，珠啤在借地（地域文化形象）、借势（注意力、关注度）上应该更有作为，以事件行销促进品牌传播，增强品牌活力，提升品牌形象。

三. 品牌发展趋势

1、品牌集中度依然较为分散

青啤总经理金志国说到：未来的中国啤酒业很可能出现5到10家大的企业集团形成一种相对而不是绝对的自然垄断。应该是较为客观的判断，因为从企业集中度来看，市场购并和联合行为的发展可以反映其进一步提高的趋势。然而品牌集中度依然较为分散，这是因为，多品牌共存的局面不会有太大改变，几大巨头占有率的提高大多是通过其购并的原品牌去实现的，而非由单一品牌去实现。因此，对中小企业经营来说，只要维护好自己的品牌偏安一隅是不成问题的，即使被购并也能加重筹码。

2、品牌档次定位趋向模糊

除了国际品牌依然占据高档市场外，国产品牌在档次定位上将趋向模糊，主要是由于规模化的追求，产品线的扩展。比如青啤原属高档次品牌，现逐步向中下档覆盖。表现在一方面，青啤主品牌的产品线在不断扩展，另一方面，虽然中下档的产品由购并企业的品牌去承担，但由于品牌连带关系很明显，不可能不影响消费者对青啤的档次认知。而燕京、珠江等品牌则是在大众化、平民化的中档基础上，逐渐推出高端产品，必将逐步改变其品牌档次定位。

3、区域品牌忠诚度将有所下降

严格得说，现有区域得势品牌较高的忠诚度并非建立在消费者对其内涵和个性特征高度认同的基础上，而是因为啤酒产品的地域特征以及区域强势品牌营销势力。这样，随着消费观念与习惯的某些改变，比如消费者追逐时尚，开始摒弃啤酒消费"从一而终"的传统观念；还有，消费者注重场合的匹配性，即同一群体在不同场合会喝不同的啤酒。随着

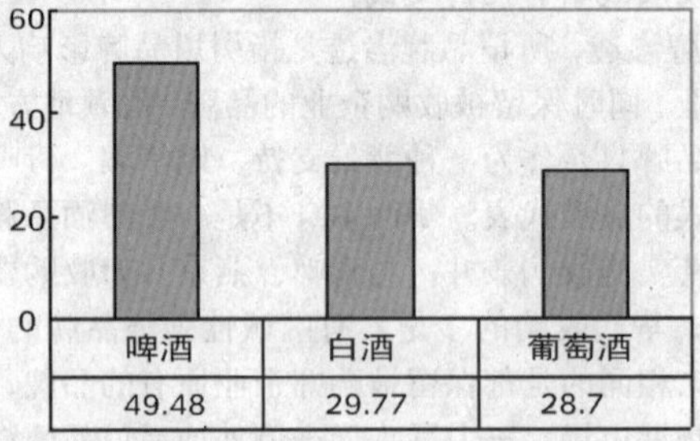

表d

品牌	忠诚度	品牌	忠诚度	品牌	忠诚度	品牌	忠诚度	品牌	忠诚度	品牌	忠诚度
行吟阁	87.95	漓泉	60.14	珠啤	41.34	金龙泉	24.34	大连	13.68	北京	8.35
南昌	85.85	奥克	60.05	雪津	41	黄牌	22.12	豪门	13.36	蓝带	8.17
三九	84.71	汉斯	58.42	趵突泉	40.56	三星	18.61	廉泉	12.71	喜力	8.16
白沙	82.6	五泉	58.23	澜沧江	37.26	百威	18.21	零点	12.11	上海	7.5
迎泽	82.57	绿牌	58.04	万力	30.81	榕城	17.45	青岛（五星）	11.38	世好	7.02
西湖	75.07	燕京	57.77	广氏菠萝啤	29.42	金星王	16.77	圣泉	11.09	克利策	6.96
金陵	72.38	雪花	55.17	KK啤酒	29.1	黑豹	16.43	银城王	11.08	烟台	6.94
新疆啤酒	71.11	力加	55.12	力波	28.67	宝鸡	16.26	光明	11.06	崂山啤酒	5.96
山城	67.01	莱格	55.05	丽都	28.17	金星啤酒	15.88	中华	10.78	嘉士伯	5.27
龙津	64.79	银瀑	52.98	新榕城	26.35	莱克	15.41	生力	10.48	蓝剑	4.73
三得利	63.84	金威啤酒	49.65	珠江纯生	25.77	千麦	15.15	榕城王	10.41	北冰洋	4.44
黑狮	63.67	大理	46.92	乌苏啤酒	25.49	朝日	15.06	太阳啤	9.76	贝克	4.44
哈尔滨啤酒	62.23	华丹	44.26	榛槤岛	24.67	凯龙	14.46	汉莎	9.22	喜宝	4.25
太湖水	60.32	重庆啤酒	43.36	黄河	24.38	钱江	13.88	金士百	8.94	三孔	4.04

表a

品牌	渗透率	品牌	渗透率	品牌	渗透率	品牌	渗透率	品牌	渗透率
青岛	28.95	黄河	4.04	莱克	2.3	上海	1.41	虎啤	0.84
百威	20.42	珠啤	4.03	西湖	2.29	白沙	1.39	百迪	0.81
蓝带	16.07	行吟阁	3.9	三九	2.15	澜沧江	1.34	世好	0.79
燕京	14.59	丽都	3.8	北冰洋	2.13	舒波乐	1.32	麒麟	0.78
三得利	10.28	崂山啤酒	3.78	迎泽	2.02	金星王	1.29	中华	0.77
嘉士伯	9.61	北京	3.56	棒棰岛	1.96	伯士特	1.28	力加	0.74
生力	9.23	山城	3.31	金士百	1.95	烟台	1.27	廉泉	0.72
青岛（五星）	8.78	惠泉啤酒	3.27	漓泉	1.93	宝鸡	1.23	榕城	0.7
雪花	7.42	金星啤酒	3.24	雪津	1.84	琥珀	1.19	蓝马	0.64
贝克	6.75	银瀑	3.06	千麦	1.8	乌苏啤酒	1.15	银城王	0.63
金威啤酒	6.58	重庆啤酒	2.99	金龙泉	1.79	万力	1.14	大连	0.62
哈尔滨啤酒	6.33	三星	2.97	太湖水	1.76	黑豹	1.07	三孔	0.57
力波	6.12	光明	2.94	南昌	1.76	圣泉	1.06	富士达	0.5
珠江纯生	5.86	奥克	2.84	五泉	1.73	钱江	0.96	克利策	0.44
趵突泉	5.84	华丹	2.8	绿牌	1.68	太阳啤	0.91	新榕城	0.37
虎牌	5.31	蓝剑	2.56	新疆啤酒	1.65	喜宝	0.91	金蓝剑	0.36
豪门	5.21	黑狮	2.39	大理	1.61	汉莎	0.9	榕城王	0.27
喜力	4.85	广氏菠萝啤	2.37	零点	1.6	凯龙	0.89	红剑	0.21
莱格	4.75	金陵	2.36	龙津	1.54	黄牌	0.87	云湖	0.13
汉斯	4.08	KK啤酒	2.33	朝日	1.44	蓝妹	0.85	绿叶	0.09

表b

品牌	占有率	品牌	占有率	品牌	占有率	品牌	占有率	品牌	占有率
燕京	8.43	迎泽	1.67	绿牌	0.98	北京	0.31	新榕城	0.1
青岛	6.76	银瀑	1.62	生力	0.97	贝克	0.3	北冰洋	0.09
三得利	6.57	黑狮	1.53	大理	0.75	乌苏啤酒	0.29	廉泉	0.09
雪花	4.09	珠江纯生	1.51	雪津	0.75	千麦	0.27	太阳啤	0.09
哈尔滨啤酒	3.94	南昌	1.51	豪门	0.7	崂山啤酒	0.22	烟台	0.09
百威	3.73	蓝带	1.31	广氏菠萝啤	0.7	金星王	0.22	大连	0.08
行吟阁	3.43	重庆啤酒	1.3	KK啤酒	0.68	宝鸡	0.2	汉莎	0.08
金威啤酒	3.27	惠泉啤酒	1.27	三星	0.55	虎牌	0.2	中华	0.08
莱格	2.62	华丹	1.24	金星啤酒	0.52	零点	0.19	银城王	0.07
汉斯	2.38	新疆啤酒	1.17	嘉士伯	0.51	黄牌	0.19	百迪	0.06
趵突泉	2.37	漓泉	1.16	澜沧江	0.5	黑豹	0.18	世好	0.06
山城	2.22	白沙	1.15	棒棰岛	0.48	金士百	0.17	喜宝	0.04
三九	1.82	丽都	1.07	金龙泉	0.43	钱江	0.14	麒麟	0.03
力波	1.78	太湖水	1.06	力加	0.41	凯龙	0.13	克利策	0.03
西湖	1.73	五泉	1.01	喜力	0.4	榕城	0.12	榕城王	0.03
金陵	1.71	青岛(五星)	1	光明	0.37	蓝剑	0.12	三孔	0.02
奥克	1.7	龙津	1	莱克	0.35	上海	0.12	琥珀	0.02
珠啤	1.67	黄河	0.98	万力	0.35	圣泉	0.12	虎啤	0.02

全国性品牌向区域市场的扩展，会逐渐削弱地方品牌的营销势力，使地方品牌的忠诚度逐步下降。那么，对于地方区域品牌来说，品牌维护的目标是保持较高的品牌忠诚度，同时应做好忠诚度下降的市场准备，比如向其它市场的扩展，以市场广度来补足市场深度。而对全国性品牌来说，创造具有鲜明个性特征的品牌差异分化消费群体，分割市场份额，是对付地方区域品牌高忠诚度的利器。

4、品牌价值的提升将取决于品牌的“文化含量”

啤酒在本质上是一种品牌消费，产品只是一种载体。消费者消费啤酒时的心理需求主要是感受气氛、表现个性、体验生活形态。因此，品牌的文化内涵是否深厚、是否独特，也即文化力的大小将是决定品牌价值的关键要素。

国际品牌在推进中国啤酒市场国际化的同时，带来了先进的经营理念，注重文化的传播，而国内啤酒企业在对品牌的文化塑造和传播上还欠缺重视和技巧，未来啤酒市场的竞争将体现为品牌文化的竞争。

表c

市场	第一位		第二位		第三位		第四位	
	品牌	占有率	品牌	占有率	品牌	占有率	品牌	占有率
北京	燕京	89.46	青岛(五星)	3.35	北京	2.67	青岛	2.19
长沙	白沙	87.4	百威	3.26	青岛	2.11	金威啤酒	1.55
成都	蓝剑	45.74	绿叶	42.71	雪花	3.38	百威	0.83
大连	黑狮	60.46	棒棰岛	18.29	凯龙	4.48	青岛	3.72
福州	惠泉啤酒	47.78	雪津	28.81	榕城	7.81	新榕城	5.83
广州	珠啤	28.78	珠江纯生	28.39	生力	15.89	广氏菠萝啤	13.08
贵阳	漓泉	11.56	金星王	5.16	青岛	5.07	蓝带	4.42
哈尔滨	哈尔滨啤酒	85.88	三星	12.32	雪花	0.75	蓝带	0.26
海口	力加	84.73	奥克	5.4	青岛	4.23	青岛(五星)	1.17
杭州	西湖	83.35	百威	4.3	青岛	3.3	中华	2.46
合肥	龙津	58.81	雪花	13.45	零点	9.38	圣泉	5.85
济南	趵突泉	80.55	青岛	6.07	黑趵	5.6	北冰洋	2.92
昆明	大理	39.35	澜沧江	25.94	百威	10.39	青岛	1.05
南昌	南昌	88.29	百威	3.31	惠泉啤酒	2.56	蓝带	1.85
南京	金陵	62.27	百威	13.5	莱克	9.59	青岛	4.86
南宁	漓泉	65.3	万力	22.47	青岛	3.62	蓝带	3.21
宁波	KK啤酒	54.18	百威	3.58	嘉士伯	2.04	中华	2
青岛	青岛	91.93	崂山啤酒	5.15	青岛(五星)	1.19	钱江	0.41
上海	三得利	57.75	力波	16.5	百威	11.9	青岛	4.37
深圳	金威啤酒	67.78	青岛	13.78	珠江纯生	3.12	喜力	2.81
沈阳	雪花	67.81	绿牌	17.75	青岛	6.23	黄牌	3.29
石家庄	三九	81.85	燕京	3.96	朝日	3.96	青岛	3.43
苏州	三得利	40.49	太湖水	21.52	百威	17.33	青岛	4.14
太原	迎泽	73.49	青岛	8.37	百威	3.1	青岛(五星)	2.68
天津	莱格	34.44	丽都	14.47	豪门	9.01	蓝带	7.17
温州	百威	34.82	蓝带	9.96	百迪	1.08	青岛	1.08
乌鲁木齐	新疆啤酒	76.38	乌苏啤酒	18.83	蓝带	1.01	青岛	0.66
无锡	太湖水	71.65	百威	12.24	青岛	4.69	三得利	4.36
武汉	行吟阁	83.26	金龙泉	10.22	百威	2.44	青岛	1.65
西安	汉斯	83.64	宝鸡	6.35	百威	2.34	汉莎	1.87
厦门	惠泉啤酒	52.11	雪津	32.57	银城王	7.54	百威	2.97
珠海	珠啤	63.06	青岛	9.97	喜力	4.37	蓝带	3.94

市场篇

促进白酒行业健康发展

一年来，我国经济和社会发展取得显著成绩，我国白酒工业也呈现了健康的发展局面，企业活力日益增强，经营理念日趋科学，结构调整取得成效，节能降耗成果突出，产品质量和经济效益稳定提高。下面我就2005年度全国白酒工业经济运行情况和落实科学发展观、促进白酒工业持续健康发展谈一些意见。

一、2005年度白酒工业经济运行情况

2005年，我国经济保持了平稳较快发展的良好势头。根据国家统计局公布的年报，国内生产总值18.23万亿元，比上年增长9.9%；全社会固定资产投资88604亿元，比上年增长25.7%；社会消费品零售总额增长12.9%；进出口总额1.42万亿美元，增长23.2%，其中出口增长28.4%，进口增长17.6%；实际利用外资超过603亿美元；城镇新增就业超过900万人；城镇居民人均可支配收入增长9.6%；农民人均纯收入达3255元，在2004年有较大增长的基础上再增长6.2%。

工业经济继续保持增长态势，表现出经济运行质量稳步提高、煤电油运有所缓解、结构调整步伐加快、产销衔接基本正常、产品价格涨幅回落的特点。规模以上工业增加值增长16.4%；实现利润增长22.6%；工业产品出口交货值增长26.1%；工业产品销售率98.1%。各项经济指标超过年初预期目标。

我国饮料酒制造业和其他工业行业一样，在过去的一年取得了结构改善、技术进步、质量提高、效益增加的好成绩。据统计，2005年全国饮料酒制造业规模以上企业生产白酒（折65度）349.4万千升、啤酒3061.6万千升、葡萄酒43.4万千升、黄酒200万千升，果露酒30万千升，酒精368.1万千升。实现利税400.8亿元，同比增长20.2%。其中利润133.5亿元，同比增长33.4%，税收267.3亿元，同比增长14.5%。

2005年白酒工业经济运行主要呈现以下特点：

一是规模以上企业产量稳定，产销基本平衡。规模以上白酒企业产量349.4万千升，同比增长15%；6个白酒生产大省，产量超过20万千升，增长幅度均实现两位数字。白酒产销率95%，市场销售稳中有升。

二是生产效益同步增长，行业效益较好。规模以上白酒企业实现销售收入722.7亿元，同比增长22.3%；实现利税190.8亿元，其中：税金117.6亿元，利润73.2亿元，分别增长17.6%和25.7%。

三是行业结构进一步优化，骨干企业作用明显。以市场为导向，以技术、资金为纽带的行业结构调整效果进一步显现。行业排名前50家企业，产品销售收入、税金总额和利润总额分别占全行业规模以上企业销售收入、税金和利润的65.4%、71.8%和92.4%。位居前五位企业的销售收入达263.2亿元（茅台、五粮液、剑南春、泸州老窖、汾酒），占全行业的36.4%。

四是科技进步步伐加快，产品质量更趋稳定。企业通过加大科技创新力度和技术进步投入，为白酒质量改善和食品安全提供了保障。国家质检总局对白酒质量监督抽查结果表明：2005年度白酒合格率比2004年度提高了6个百分点。另外，去年中国食品工业协会推出的“纯粮固态白酒”标志工作，对继承、创新和完善传统固态发酵白酒，提高产品质量起到了积极促进作用。

过去的一年，白酒工业取得了显著成绩，同时发展中也存在一些问题。受诸多因素的影响，许多企业争相生产高价位白酒，由于消费市场有限，竞争进入白热化。与此同时，名优酒厂生产的几块钱一瓶的优质低价畅销白酒在市场上越来越少，已影响到广大普通群众的消费需求。行业发展中结构性矛盾和问题突出：一是企业规模化和集约化程度低，企业过多过散；二是部分产品供过于求，结构不合理，市场竞争激烈，不正当竞争现象严重，多数企业处于微利甚至亏损状态；三是部分小酒厂和无照企业制售假冒伪劣产品，假酒中毒事件时有发生；四是少数生产和流通企业瞒报产销量、不开或少开发票，偷税漏税；五是污染环境和资源浪费问题仍然存在；六是管理体制不顺，法律法规不健全不配套。酒类流通中地方保护、限制外地产品流通等问题时有发生。这些问题的存在对白酒工业经济运行已形成了严重制约。

二、促进白酒工业健康发展及2006年的几项重点工作

“十五”期间，我国重化工产业发展非常快。同时也带来投资结构不合理，资源能源消耗大，环境负荷重，部分行业产能过剩日趋突出等问题。为加快转变经济增长方式，推进产业结构调整和优化升级，实现可持续发展和构建和谐社会，中央根据我国经济和社会发展的实际情况，把扩大内需、增加消费放在“十一五“宏观调控政策措施的突出位置。在刚刚结束的十届全国人大四次会议上，温家宝总理在政府工作报告中明确提出“坚持扩大内需的战略方针，重点是扩大消费需求，增强消费对经济发展的拉动作用”。“一是努力增加城乡居民收入；二是稳定居民支出预期，扩大即期消费。三是大力开拓农村消费市场。四是完善消费环境和政策。合理调整消费税，规范和发展消费信贷，抓紧清理、修订现行抑制消费的不合理规定和政策，促进居民消费结构升级”。人大通过的“十一五”规划《纲要》针对轻工业明确提出：“着力打造自主品牌，提高质量，增加品种，满足多样化需要，巩固和提高轻工业竞争力。运用信息、生物、环保等新技术改造轻工业。大力发展食品工业，提高精深加工水平，保障食品安全”。去年底，温家宝总理对轻工行业作出重要批示，要求高度重视对于促进消费和扩大就业有巨大作用的轻工行业的发展。国家“十一五”发展规划对轻工行业的发展以及对扩大内需、增加消费、开拓农村市场、增加城乡居民收入的重视和相关政策的实施，标志着轻工行业，包括酒类行业面临新的巨大的发展机遇。

近两年，白酒工业发展和经济运行中存在的矛盾和问题，引起国务院有关部门的高度重视。2005年国家发展改革委与相关部门针对白酒行业进行了多次调研，先后组织召开了由有关酒类管理部门、行业协会以及部分骨干企业参加的座谈会，提出了促进酒类健康发展的政策建议。有关部门也做了大量加强流通管理及市场秩序整治的工作。2006年，国家发

展改革委经济运行局将按照中央经济工作会议和十届全国人大四次会议精神和有关要求，继续全面落实科学发展观，促进白酒工业健康发展，重点推进以下几项工作：

（一）健全白酒生产经营的法律法规，合理调整白酒消费税政策。一是加快研究和制定全国统一的酒类产销管理法规。在全国统一的酒类产销管理条例出台前，制定《促进酒类行业健康发展的指导意见》，引导行业健康有序发展。目前，制定《指导意见》的工作已与商务、质检、工商、行业协会等部门达成了一致意见，该项工作正在进行中。二是继续推进白酒税收政策的改革工作。围绕白酒消费税改革，我局多次组织调研和协调，向国务院积极反映情况，有关部门也给予了高度重视。经过大家的努力，国家即将出台减少白酒行业负担、降低产品税率的有关政策。有关从量消费税问题，还需要进一步调查研究，争取尽快解决。

（二）严格市场准入机制，优化经营环境。一是严格白酒生产、流通准入，提高市场准入门槛。二是优化产品结构，保障质量安全。三是加强散装白酒生产销售管理，杜绝散装劣质白酒伤人事件。四是继续开展行之有效的专项治理整顿工作。严格分工负责，避免重复检查、交叉执法，减轻企业负担。在切实加强监督管理的同时，积极为企业的生产经营活动提供市场信息，引导企业提高生产经营水平，优化生产经营环境，营造公平的流通市场竞争环境。

（三）促进结构调整，引导白酒行业健康发展。一是促进企业提高竞争力。推进优势企业加快集约化生产，增强企业适应市场的能力，发挥名牌效益，倡导科学健康的饮酒理念，提高产品市场占有率。二是大力提倡科技创新。加快改变生产比较粗放，产品科技含量不高的状况，鼓励企业在保持传统特色的基础上，解放思想，大胆创新。三是注重环保，大力发展循环经济。重视环保、节能降耗和综合利用，运用现代生物技术和科学手段，实现原料节约、废料转化和综合利用，降低污染，改善生态环境，建设生态产业。四是加强行业自律，发挥行业协会作用。加强行业协作和自律，提倡规范生产，诚信经营，自觉抵制低价倾销、抄袭模仿等不正当竞争行为，维护正常的市场秩序。尊重和支持行业协会的工作，积极发挥协会的作用。

白酒作为我国传统产业，既是特殊商品又是大众消费品。白酒行业发展不仅要弘扬传统文化，更要始终把满足人民群众日益增长的物质文化需求作为出发点和落脚点。白酒骨干优势企业不仅要着眼于满足中高档消费群体的需要，也要着眼于满足低收入群体和广大农村对低价优质白酒产品的需求。同时作为中华民族的特有传统产品也要考虑如何在国际市场占有一席之地。我们坚信，在科学发展观统领下，在政府和行业、企业的共同努力下，我国白酒工业将会取得更好的繁荣与发展，为全面建设小康社会做出积极的贡献。

国家发展改革委经济运行局副局长　牛建国

2006年春季全国糖酒商品交易会情况报告

2006年3月24日，2006年春季全国糖酒会圆满落下帷幕，中国糖业酒类集团公司总经理代表主办单位做了大会总结，本届交易会商品成交总额为113.41亿元，比去年同期增长3.27%。本届交易会是全国糖酒会的第74届，也是成都市第18次承办全国糖酒会，一系列新举措的出台与实施，为全国糖酒会注入了新的活力，也为全国糖酒会进一步走向 规范化、立体化、国际化做出了积极的贡献。

本届全国糖酒会商品购进总额为59.07亿元，比去年同期增长3.81%；销售总额为54.34亿元，比去年同期增长2.68%；糖及糖制品成交总额为28.31亿元，比去年同期增长1.54%；酒类成交总额为74.41亿元，比去年同期增长1.18%；罐头类成交总额为10.69亿元，比去年同期增长27.26%。另外，食品机械类成交总额为6700万元。

本届交易会，展出面积达8.5万平方米，比去年同期增长了21%，展位达3500个，参展企业数量比去年同期增长了124%。如果说，展馆宏大的规模与先进的设施是展区火爆的前提，那么，不断强化的管理与服务功能则是展区火爆的有力保证。

此外，本届糖酒会海外军团表现活跃，糖酒会国际影响力进一步增强。本届交易会，大批海外品牌表现活跃，英国、法国、意大利、保加利亚、澳大利亚、韩国、日本、香港、台湾等十多个国家和地区的企业纷纷亮相。尤其值得一提的是，意大利、澳大利亚等国家的知名食品企业分别组团参加，这在糖酒会上尚属首次。

2006年春季全国糖酒会结束了，本届全国糖酒会留给了人们深刻的印象，总结起来有：

1、 各级领导高度重视，相关部门协调一致。

本届交易会得到了各级领导和有关部门的高度重视。中国商业联合会会长何继海、中国华孚贸易发展集团公司总经理谷深、中国糖业酒类集团公司总经理王新国等主办单位领导，四川省省长张中伟、成都市市长葛红林等省市领导出席了开幕式并剪彩。主办单位领导多次赴成都指导和考察工作，省、市两级政府也上下一致，在相关政策、组织管理与配套措施等多个方面给予大力支持。为办好本届糖酒会，省、市主要领导多次召开会议，研究总结承办工作存在的问题和针对性措施，并成立了以市长葛红林为组长、省政府副秘书长杨刚才、副市长何华章为副组长，省市有关部门领导组成的会务工作协调小组，领导小组与各成员单位密切配合，精心设计各项方案，使各项会务工作得以顺利开展。各级领导的高度重视，主办单位与承办城市的共同努力，使本届交易会达到了预期的效果，取得了圆满的成功。

2、 营造公平交易秩序，综合治理工作更进一步。

规范大会交易秩序，营造公平、公正的交易环境，切实保护广大参展、参会客商的根本利益，是全国糖酒会一贯的办会宗旨。几年来，在这一办会宗旨的指导下，全国糖酒会的综合治理工作不断取得新的进展。本届交易会，成都市在认真总结上届春交会经验的基础上，进一步加大了治理力度，在前期宣传、组织程序、工作部署、清理力度上均有创新和突破。今年2月，成都市政府专门下发了《关于进一步规范2006年春季全国糖酒商品交易会秩序的通告》，在交易会开幕前夕，成都市政府有关主管领导亲自部署并督战，各相关职能部门分片包干、协同作战，对多家涉及“会外展”的宾馆、饭店采取集中整治行动，在执法过程中公平公正，措施得力，取得了良好的效果。可以说，这些从糖酒会发展大局着手，立足广大参展厂商根本利益的做法，得到了广大参会客商和社会各界的理解和拥戴，并为今后充分实现糖酒会交易秩序的规范化管理积累了宝贵的经验。

3、展馆功能齐全完善，组织形式推陈出新。

本届交易会，将世纪城·新国际会展中心位作为唯一展区。新展馆规模宏大，设施一流，各项配套设施完善，服务管理措施到位。为便于商家采购洽谈，利用新场馆的布局与规模优势，大会采取了分区布展的方式，按照调味品、酒类、食品、饮料、机械和包装等产品类别规划安排，既方便采购商与经销商的比较与采购，也极大地增强了参展商的展示效果，预示着糖酒会规模化专业性展区的初步形成。同时，为进一步增强集中展区的吸引力与影响力，本届交易会还采取了增加预展期的做法，将布展时间提前至3月17日，并于3月20日和21日进行预展，使参会厂商的有效洽谈时间达到了五天以上，收到了良好的效果。通过这些创新模式的有效实施，本届交易会开辟了现代化展会科学布局的发展方向，再一次印证了糖酒会集中展区的巨大引力，坚定了广大厂商投入集中展区宣传与交易的信心。

4、服务功能不断强化，各路客商参展火爆。

本届交易会，展出面积达8.5万平方米，比去年同期增长了21%，展位达3500个。如果说，展馆宏大的规模与先进的设施是展区火爆的前提，那么，不断强化的管理与服务功能则是展区火爆的有力保证。主展区宽敞的通道面积，有力的消防措施，一流的卫生条件，完备的商务功能，为参展、参会客商提供了安全舒适的交易环境。而大到洽谈区、餐饮区、办公区、休息区的合理规划，小到各分馆的包干管理、甚至是导展指示牌的设立，无不体现了本届交易会展区管理与服务的人文精神。为便于商家往返，交警部门组织了大批警力，采取了一系列有力措施，与各交通部门一道，保障了会期交通的有序畅通。各路客商参展空前踊跃，利用糖酒会提供的平台，各显神通，展台装修异彩纷呈，精品多、档次高。其中，五粮液、水井坊、剑南春、泸州老窖、郎酒、沱牌、叙府、成都红、穆堂香、维珍、保宁醋、大寨等企业的展示设计均给与会客商留下了深刻的印象。水井坊更是将中国传统习俗与品牌的宣传策略巧妙结合，在会场展示的99999朵玫瑰，别具匠心，吸引了众多的眼球。食品机械也延续了几年来的强劲势头，庞大的参展队伍成为整个展区一道独特的风景。根据主办单位的跟踪调查，结合各方面反馈的信息，本届交易会企业成交量大，履约率高，参展、参会企业的收益良好。

5、户外广告规划有序，与会务管理有机结合。

每逢糖酒会期间，各种形式的户外广告争奇斗艳，既满足了参会企业的宣传需要，也极大地烘托了糖酒会的热烈氛围，成为糖酒会的一大传统特色。糖酒会这一传统特色既要保持和发扬，同时也要同整个会务的管理工作衔接起来，使糖酒会的各项工作互相响应，形成合力。本届交易会，随着主会场的南移，为了增强集中展区的影响力与交易氛围，同时与综合治理工作步调一致，会务领导小组对本届交易会的户外广告发布区域进行了重大调整，主要以蜀都大道以南、天府广场、人民南路、天府大道、新国际会展中心和机场路为中轴的城南区域为主。这是将多年来糖酒会传统广告规划与会务管理工作相结合的新的尝试，对本届糖酒会综合治理工作的有效开展起到了积极的作用。从实际效果来看，本届交易会的户外广告，规划整齐、重点突出。尤其是主展馆的户外广告发布量大，布局有序，档次较高，很好地烘托了主会场热烈的交易氛围。

6、海外军团表现活跃，糖酒会国际影响力增强。

本届交易会，大批海外品牌表现活跃，英国、法国、意大利、保加利亚、澳大利亚、韩国、日本、香港、台湾等十多个国家和地区的企业纷纷亮相。尤其值得一提的是，意大利、澳大利亚等国家的知名食品企业分别组团参加，这在糖酒会上尚属首次。其中，意大利商务代表团由意大利对外贸易委员会驻华首席代表率团，携同该国著名的食品工商企业代表，专程考察观摩全国糖酒会，并在会期举行了一系列规格较高的宣传与商务活动，希望借助糖酒会的传播渠道，让他们的知名产品与技术走进中国市场。海外军团在糖酒会上表现出的参展热情，以及在会期举办的各类研讨、宣传活动，充分说明了全国糖酒会国际影响力在不断提升，同时，这些国际知名品牌地积极参与，也有力地促进了糖酒会向现代化、国际化大型展会的方向迈进。

7、各类活动丰富多彩，众多媒体积极参与。

本届交易会，无论是大会组委会，还是各参展参会企业，均组织了大量丰富多彩的活动，并在内容与形式上创新不断，为活跃糖酒会气氛，丰富糖酒会内涵做出了贡献。中国副食流通协会主办的“2005中国食品行业十大创新评选颁奖典礼”、大会组委会组织的《金沙》大型音乐剧、意大利商会组织的“欧洲葡萄酒协会会议”、英国维珍酒业的“英国亿万新娘远嫁中国，掀起你的盖头来”等活动都给与会客商和广大市民留下了深刻印象，也为今后糖酒会的发展提供了新的启示。各路媒体也对本届糖酒会寄予了极大的热忱，配合大会主题进行积极详实的报道，引导厂商与社会关注、关爱糖酒会。另外值得一提的是，作为糖酒会的主流媒体，全国糖酒会官方网站与《全国糖酒会会刊》，积极顺应形势，不断摸索与改进，为广大客商提供时效、权威、实用的展示平台，得到与会代表和社会各届的好评。全国糖酒会官方网站服务功能不断拓展，并派代表与参展厂商积极接触，介绍和推广网站的综合服务，听取并整理大家对工作的反馈意见。《全国糖酒会会刊》在提高设计水平、改进发行渠道的同时，进一步丰富杂志内容，为广大客商提供参会指导，为工商企业经营决策提供借鉴。

本届交易会不仅在展会的举办上取得了一系列突破，而且透过全国糖酒会这个大平台俯瞰整个食品市场，也给人以很大的启示，她反映了食品市场的一些大的趋势。

（1）白酒高端产品市场竞争加剧，年份酒渐成流行趋势，老牌二线名酒酝酿复兴之路。白酒产量相对稳定，企业效益大幅度提高，白酒行业结构调整步态平稳。骨干企业与名优品牌市场地位牢固，以“六朵金花”为代表的川酒表现最为活跃，带动大批“川军”在糖酒会表现抢眼，鲁酒、豫酒、苏酒、皖酒、东北酒也均有不俗表现。去年以来，老牌名酒开始不甘寂寞，纷纷借助改组改制或资源整合之际，酝酿复兴之路，加大品牌营销力度并收效显著。白酒产品投入向中高端倾斜，一些骨干企业通过调整生产工艺、改善酿造条件，使产品风格多样化、差异化。随着国家税收政策的调整，中低档白酒的盈利能力会有所提升。

（2）啤酒品牌升级，葡萄酒竞争激烈，黄酒表现平稳。啤酒将从规模大战升级到品牌大战，从获取资源的竞争升级到整合资源的竞争，淡爽型啤酒渐成主流，产品包装向小型化、多样化发展。葡萄酒高端产品市场潜力巨大，冰酒越来越被市场看好，洋葡萄酒再次进军中国市场，国内葡萄酒市场竞争日趋激烈。受去年葡萄酒原料价格上涨的影响，未来一段时期内葡萄酒的价格或许会有所波动。黄酒表现平衡，效益规模开始突出，骨干企业纷纷加大研发力度开发新品。

（3）饮料市场新包装、新工艺、新概念增多，健康、天然仍是品牌诉求的主题，饮料市场百花齐放、温和盘整。饮料企业参展热情高涨，产品向多元化发展，随着新品的增多，市场格局出现了一定的变化。碳酸饮料和纯水、矿泉水饮料经过多年的市场积累表现稳定，只会在包装容量和瓶型的改变上做些文章。果汁饮料差异化明显，果粒饮料将成为市场新宠。功能性饮料大浪淘沙，营销行为渐趋理性。茶饮料市场份额不减，咖啡饮料悄然兴起。可以预见，2006年，将是饮料市场各类产品百花齐放、温和盘整的一年。

（4）调味品参展规模大、档次高，越来越注重品牌树立及形象宣传。消费者日趋成熟的消费行为大大带动了调味品企业的品牌建设意识，生产企业对产品商标与包装的专业化设计程度空前认知，产品的市场定位愈发精细。调味品企业已走上集团化、规模化的道路，在市场营销、管理模式上更加科学、规范化。产业的快速发展，不仅使调味品成为餐饮业、食品工业的重要原辅料，而且还成为引发方便食品、休闲食品升级换代的主要元素。

（5）糖制品、方便食品、休闲食品生产工艺和技术水平不断创新，罐头类产品生产与销售增长迅猛，随着国内食糖价格居高不下，淀粉糖生产企业开始抢夺食糖市场份额。糖果、糕点、饼干、方便食品、罐头等产量呈强劲增长态势，产品品种日益丰富，市场细分化趋势明显。各类产品不断推陈出新，根据市场导向和消费需求的变化，不断调整产品的市场定位策略，产品呈系列化、多元化方向发展。在本届交易会上，受国内食糖市场长期以来高价位运行的影响，淀粉糖企业参展参会踊跃，对食糖市场的替代影响加大。

（6）乳制品行业整合浪潮不断，行业巨头纷纷发力奶粉市场。乳制品行业的竞争已经进入了白热化阶段，同时也意味着我国的乳业市场已经到了产业整合的临界点。国际和国内乳业巨头的纷纷联手，标志着中国乳业尤其是奶粉业的行业集中度越来越高，竞争格局日益清晰。由于液态奶业务的利润摊薄乃至亏损，奶粉、酸奶、乳酪等利润率相对较高的领域受到青睐，行业巨头尤其发力奶粉的高端市场－婴幼儿配方奶粉，抢占长期以来洋品牌盘据的市场领地。

（7）以食品机械、食品包装为代表的相关行业与食品企业相辅相承，发展趋势良好。在本届交易会上，规模宏大的食品机械展区再次成为一道亮丽的风景线。近年来，食品机械与食品包装企业的参展热情不断提高，在为广大客商提供便利的同时，也大大促进了自身品牌形象的提升和产品技术的提高。机械生产商与食品生产商互动的形式越来越受到欢迎，据有关部门分析，糖酒会已逐渐成为国内食品机械、食品包装企业参与数量最多的行业展会。

（8）食品行业品牌影响力将进一步凸显，高端产品愈加走俏，差异化产品与差异化营销开始得到企业关注。从本届糖酒会上各食品门类的表现来看，白酒、葡萄酒领域“年份酒”的兴起，乳品企业产品结构的转变，纯果汁、果粒饮料市场份额的扩大、调味品包装档次的提升与产品的系列化发展，无不说明了这一点。同时，食品行业并购重组愈演愈烈，海外资本促使市场竞争白热化，如何进一步挖掘与提升品牌价值，寻找产品的差异化与个性化，是今后食品企业共同面临的课题。

2005年，食品行业运行状况良好，消费升级、政策推动、标准重建以及外资涌入、内资合并等诸多因素的影响，使得我国食品行业传统的低集中度现状加速改变，行业并购不断上演，食品行业版块加速整合。食糖市场高开高走，酒类市场良性发展，饮料市场风起云涌，乳品市场结构调整，调味品市场新品不断，罐头市场品牌培育，糖果市场多元变化。2005年，也是食品行业风波不断的一年，针对各种风波，国家食品安全与食品流通政策相继出台，换一个角度讲，过去的一年，也是食品行业秩序不断规范、标准真正确立、诚信重新树立、行业大浪淘沙的一年。可以说，过去的一年，对未来食品行业的健康发展将有着深远的影响。

（1）食糖市场情况。

2004/2005榨季，受连续两年干旱影响，全国共生产食糖917.4万吨(其中，甘蔗糖857.1万吨，甜菜糖60.3万吨)，比上个制糖期下降8.4%（其中甘蔗糖减少9.16%，甜菜糖增加2.67%。）。随着我国糖业结构和区域布局的调整，一部分地区和企业相继退出制糖行业，截止到2005年底，全国共有制糖生产企业（集团）212家，开工糖厂304家。该榨季在运行中体现出以下几个特征：

一是企业重组和整合工作进一步深化，甜菜糖产区现代企业制度建设迈出可喜步伐。糖料种植和食糖生产的集中度进一步提高。二是全国糖业结构进一步优化，生产成本进一步降低，加上糖价的合理回升，全国制糖行业效益再创历史最好水平。三是随着企业规模的不断扩大和经济效益的连续好转，全行业开始密切关注行业发展的战略性问题，特别是加大了对糖料种植的支持，加快了设备更新和技术进步的步伐，并对稳定行业发展等重大问题开始了研究。四是全国食糖销售稳定，食糖价格稳步提高。全国食糖综合平均价格在3300元／吨左右，工业累计销售平均价格为3000元／吨。工商企业克服能源涨价，交通运输紧张的困难，保证了食糖的均衡供应。全国食糖消费量继续维持在较高水平，全年消费为1050万吨。比上制糖期减少50万吨，同比减少4.5%。食糖消费总量中，工业消费比重为69%，民用消费为31%。五是随着全国食糖市场价格稳定提高和企业效益的好转，糖料价格同步提高，每吨糖料价格比上个榨季普遍提高15-20元，糖厂兑付农民糖料款190亿元，同比增加近20亿元。

总之，2004/2005榨季面对供求平衡偏紧的形势，国家的调控力度和方法是有效的，企业整合成效明显，竞争力明显提高，销售心态平稳，糖价基本上在平稳中发展，再次取得了“农民满意、企业满意、商业满意、政府满意、财政满意”五个满意的良好效果。

（2）酒类市场情况。

2005年，全国酿酒行业整体形势良好，速度、效益同步增长，产品质量稳步提高，花色品种不断创新，进出口量快速增长，改组、改造继续深化。全年饮料酒行业完成工业总产值约1700亿元，产品销售收入1600多亿元，实现利税总额近400亿元，分别同比增长20.4%、20.6%和18.8%，同时行业总资产也以7.2%的增长幅度达到了2300多亿元。

白酒：2005年全国规模以上白酒企业940家，总量349.37万千升，同比增长15.03%，实现了自上世纪90年代中期以来的最大增幅。全行业实现利税总额190.77亿元，同比增长20.59%，实现利润总额73.19亿元，同比增长25.69%。白酒产量与销售仍向重点区域和骨干企业集中，产量前10位的骨干企业占全行业的15.27%，销售收入前10位的骨干企业占全行业的43.25%。白酒行业产量和效益的同比增长，主要得益于企业产品结构的调整和市场消费需求的稳定，面对各种不利因素，许多企业加大产品调整力度，加大中高档产品的份额，一些名优酒适当上调了产品价格。2005年白酒工业运行良好，主要表现在基础建设投入使优质原酒生产能力增强，优质中高档白酒供应得以保障；优质中高档新产品受到追捧，市场份额不断增加，企业队伍不断扩大；白酒企业的营销手段趋向理性和务实，重视对区域重点市场的培养与维护。

啤酒：2005年，全国啤酒总产量为3000万千升，比去年同期增长10.4%，工业总产值和产品销售收入均超过700亿元，分别增长16.9%和17.4%，利税总额超过150亿元，增幅达14.1%。啤酒企业集团化、规模化的速度继续加快，产量与利润进一步向龙头企业集中，利税总额超过亿元的27家企业，合计产量和产值占行业比重分别达到66.3%和66.2%。2005年，喧闹一时的"啤酒甲醛风波"，随着国家质检总局抽检公告的发布，宣布告一段落。"甲醛风波"对我国啤酒工业的发展造成了一些影响，但对我国啤酒产业强劲的发展势头影响不大。从全年的各项经济指标分析，过去的一年，是一个产销两旺的一年。目前，我国的啤酒市场仍是区域性很强的格局，而要作大作强，兼并整合则是必由之路。去年以来，国内的啤酒集团呈现了由低成本扩张并购向理性的资源共享和整合之路发展的趋势。从产品结构上看，淡爽型啤酒逐渐成为主流，企业不断改进产品包装，向多样化和小型化发展。

葡萄酒：2005年，全国葡萄酒总产量创下了25.4%的同比增长，达到40多万千升。工业总产值、产品销售收入均过百亿，分别同比增长32.1%和41.5%，明显高于行业的增长。利税总额也以43.6%的行业最高增幅达到25亿元。骨干企业表现突出，带动了整个葡萄酒行业各项经济指标的提升。综合规模最大的6家企业，与上年相比，合计产值、销售收入、利税总额都在以20%的幅度增长，产量也同比增长了12.9%。葡萄酒市场结构逐渐向中高端倾斜，高端葡萄酒发展势头迅猛，冰酒成为高端葡萄酒消费的亮点。2005年，减产造成葡萄酒原料价格上涨一倍，这对今后葡萄酒价格走势也许会造成影响。外资渗透的力度正逐渐加大，跨国巨头的下一步棋将是渗透性地占领市场，培育其品牌的认知度。区别于第一次洋酒浪潮，其价格已经接近于国内葡萄酒品牌的中档产品，国内葡萄酒市场的竞争度加剧。

黄酒：2005年，黄酒行业的工业总产值和产品销售收入均为40多亿元，同比增长了20.7%和18.3%，实现利税近7亿多元，同比增长15.3%。黄酒行业资产总额为80亿元，同比下降了3.4%，是饮料酒各行业中唯一同比下降的，占饮料酒资产总额的比重由3.9%下降到3.5%。从上述经济指标来看，黄酒行业发展形势依然良好，但增速有所放缓。近年来黄酒因其独特的养生性，正逐渐为广大消费者所接受。黄酒生产厂商的营销宣传力度加大，培养整体市场的消费习惯与消费认知，使黄酒的功效逐渐为消费者所熟知。黄酒的消费区域也逐渐北上和南移，进军全国市场，消费年龄结构有年轻化的态势，消费人群逐步由原本的低收入阶层向高收入阶层拓展。。

饮料：2005年，全国累计生产软饮料（不含酒精饮料）3380万吨，同比增加24.08%，其中，含糖饮料1994万吨，同比增加24.31%，罐装水1386万吨，同比增加23.75%。去年的饮料市场，竞争日趋激烈，市场竞争导致饮料价格普遍下滑。经过多年的市场培育，适合东方口味的茶饮料已成为饮料市场的一个亮点，2005年茶饮料的发展延伸到了花草茶等产品。凉茶产品走出南方市场，随着市场形势看好，跟进者为数不少。功能饮料迅猛的势头趋缓，真正具有品牌竞争力的企业地位稳固。果汁在中国已经成为第三大饮料种类，仅次于碳酸饮料和瓶装水，2005年全国销售量接近18亿升，和2004年相比增加了16%。在碳酸饮料行业，市场巨头有新的动作，可口可乐公司借助网络游戏拉开了迄今为止全国最大的市场推广活动，突破了传统的营销模式。在其他饮料扎堆市场的情况下，乳饮料也是新一代健康饮品，乳酸菌奶饮品将引发饮料市场新的变革。

乳品：2005年，城镇市场人均鲜奶消费量继续下滑，其中大中城市市场尤为明显，但城镇市场酸奶消费量同比大增，而且价格仍保持小幅上扬，同时奶粉消费价格上升明显，体现出城镇市场乳品消费结构的转移趋势。奶品价格战力度随行业整合趋势的确立而有所缓和，而以低价策略实施行业整合的乳品巨头在大中城市的市场占有率迅速提高。进口奶粉总量同比大幅下滑，为最近五年来的首次。这一方面反映出国际奶价高企与人民币汇率上升影响，另一方面则与国内原奶供应量持续大幅增长有关。2005年乳品行业规模以上企业销售收入同比增长38%，液态奶产量同比增长42%，体现出行业集中度的快速上升趋势。受此影响，全行业毛利率水平同比跌幅趋缓，税前利润率水平同比回升0.3个百分点。

调味品：2005年，我国调味品、发酵制品实现了较快发展，但各个细分行业的发展表现不一，其中味精制造业有所萎缩，但其它调味品、发酵制品行业增长较快，酱油、食醋及类似制品制造业发展平稳。近年来，随着人民生活水平的提高，调味品的生产和经营呈现出持续增长的局面，成为副食品市场新的经济增长点。随着产量的提高，生产工艺和生产条件也不断改进和完善，产品结构调整取得一定成绩，品种规格增加较快。通过推进名牌战略，已经形成一大批企业集团，国有企业仍占居主渠道，形成了品牌优势和集团优势。

罐头：长期以来，依靠对外出口发展起来的中国罐头产业在内销市场上显示出相对的弱势。但随着市场秩序的好转，有战略眼光的优秀企业倾力开拓国内市场，通过技术开发和技术进步，来适应消费者的需求，不断开发出高品质的罐头产品迎合市场。以出口为主的中国优秀罐头企业开始重视国内罐头市场的开拓，逐步取代原有的杂牌军，成为国内市场的主力。肉类罐头、鱼类罐头、八宝粥罐头和水果罐头等领域都涌现了有代表性的优秀品牌，行业内坚定不移推行品牌战略的企业越来越多。去年，我国罐头出口继续增长，中国产的一些罐头品种已经在国际市场占据绝对优势，整个罐头行业面临着一个快速发展的时机。

中国糖业酒类集团公司总经理 王新国

树立科学发展观 探索白酒行业发展方向

1 白酒行业“十五“计划的执行情况

2001年至2005年是我国经济建设的第十个计划期，五年来我国的政治、经济体制发生了深刻的变化，酿酒行业在中央精神的指引下，经过全行业的共同努力，也取得了巨大的成绩。2004年，我国饮料酒总产量3464.48万千升，比2000年增加370万千升，增长率为11.9%，其中：啤酒2910.05万千升，比2000年增加678.73万千升，增长率为30.40%；葡萄酒36.73万千升，比2000年增加7万千升，增长率为20 %；果露酒20万千升，比2000年增加6万千升，增长率为30 %；黄酒180万千升，比2000年增加50万千升，增长率38.4 %；酒精285.96万千升，比2000年增加80万千升，增长率为38.8 %；白酒311.70万千升，比2000年减少164.41万千升，增长率为－34.6%。

今年1～6月份，饮料酒总产量为1795.76万千升，比去年同期增长14.73 %，预计全年将达到3700万千升以上。其中，啤酒上半年为1445万千升，全年可望达到3000万千升以上，比“十五计划”的2500万千升，增加500万千升；葡萄酒为19万千升，全年将达到50万千升，刚好完成十五计划目标；酒精177.43万千升，比十五计划的200万千升的目标将会有大幅增长；白酒上半年为154.19万千升，预计全年不会低于去年的产量。根据十五计划的安排，白酒产量在前三年应保持－4%的递减速度，后两年应保持－2%的递减速度，到2005年全国白酒产量控制在550万吨左右。但从执行的情况看，由于从量消费税的出台，大中型企业的产量受到了限制，产量由2000年的476万千升下降到300万千升，但小酒厂的产量却大幅增加，致使从2001年以后，全国白酒产量始终都在650万千升以上，比计划增加100万千升以上。

综上所述，我国酿酒行业在十五期间，较好地实现了计划目标，交了一份比较满意的答卷。特别是在经济效益方面，2004年行业利润突破100亿，税金突破200亿。今年上半年，行业利润达67.26亿元，同比增长了12.5%，税金达到123.57亿元，同比增长16.74%，利税合计190.83亿元，同比增长16.74%。实现了时间过半，任务过半。

更令人可喜的是，近几年来广大白酒企业通过企业改革，在班子建设、科研开发、人才培养、改制改组、营销管理、品牌建设等方面都有了长足进步，企业的综合素质有了明显提高。近几年来，尽管在行业内、市场上、社会上风波不断，事件频出，很不平静。但在这些困难和风波面前，我们的大多数骨干企业都能理性正确应对，保证了行业的稳定发展。这说明经过十多年的磨练在我们行业内已经培养和造就了一大批能顺应市场经济的优秀企业家和优秀企业。这是我们在十五期间最大的收获，也是行业能健康发展的财富和基石。

2 运用科学发展观，探索中国白酒的发展方向

白酒行业今后如何发展，这是全行业共同关心的问题，也是讨论了多年的问题。早在20世纪80年代初，康部长分管食品工作时就提出了“四个转变”，即“普通酒向优质酒转变，高度酒向低度酒转变，蒸馏酒向发酵酒转变，粮食酒向水果酒转变”；十五计划期间，我们又提出了“以市场为导向，以节粮、满足消费为目标”，走“优质、低度、多品种、低消耗、少污染、高效益”的道路，“重点发展葡萄酒、水果酒，积极发展黄酒，稳步发展啤酒，控制白酒总量”。20年来我们按照这个目标努力地工作，但并不尽人意，比如白酒的产量1984年占总产量的45%，现在不到10%，烈性酒的比例日趋合理；白酒的降度工作也取得了明显成效，40度以下占总量的36%，40.1～50度以上占50%，50.1度以上高度酒占14%，60度左右的高度酒已很少见；啤酒、黄酒、葡萄酒都有了大幅增长。但是也在一些方面存在一些偏差。比如，在普通酒向优质酒转变方面，在酒的内在质量上下的功夫不如在外包装上下的大。我们许多白酒的外包装无论是材质、工艺、设计，都搞得美仑美奂，完全可以和国外的名牌媲美，大有过度包装之嫌；在品种花色方面，一方面是品牌多到几十万个，特别是品牌买断以来，有些企业连自己的产品也数不清，认不得，一方面又是浓香型酒一统天下的局面长期得不到改变，据统计，目前浓香型酒占总量的69.13%，清香型酒占总量的12.09%（包括小曲清香），兼香型酒占总量的7.14%，米香型酒占总量的5.00%，豉香型酒占总量的2.86%，凤香型酒占总量的1.14%，功能性白酒占总量的0.71%，特型以及老白干各占总量的0.57%，酱香型酒占总量的0.43%，芝麻香型酒占总量的0.36%；在消耗方面，产品成本和销售成本长期居高不下，致使大部分中小企业处于微利和亏损的边缘。但总的来看，过去的方针政策是符合行业实际和社会发展要求的，对今后白酒的发展仍有深刻的指导意义。

党的十六届三中全会指出，“坚持以人为本，树立全面、协调、可持续发展观”，是我们党以邓小平理论和“三个代表”重要思想为指导，从新世纪、新阶段党和国家事业发展全局出发提出的重要战略思想。既是经济工作必须长期坚持的重要指导思想，也是解决当前经济发展中诸多矛盾必须坚持的基本原则。因此，我们在探讨中国白酒今后如何发展的过程中，首先应该深刻理解科学发展观的核心和内涵，用科学发展观回顾总结过去，设计未来。我的体会是：

2.1 坚持以人为本的科学观，进一步端正经营方向

坚持以人为本的科学发展观，就是要克服传统的发展观，摒弃把经济增长作为唯一的尺度，把人作为工具和手段的物本主义倾向，以生产时尚、文化、健康、安全的产品为己任，把满足人民群众日益增长的物质精神文化需要作为我们生产经营的最终目标。最近，国家八部委联合开展“三绿工程”，倡导生产绿色产品，建立绿色通道，提倡绿色消费，这对我们有指导意义。我们的产品是直接饮用的消费品，产品的卫生、安全性和人民的生命健康直接相关。我们要在保持白酒产品原有工艺特征和产品风格的同时，通过科学研究和严格管理使白酒产品更加卫生、安全、有营养，这将是我们今后生产经营、科学研究的首要和永恒的主题。不仅要让老百姓喝得放心，还要让老百姓喝得起。中国白酒要健康发展要有坚实的基础，我们的基础在那里？在广大的工薪阶层和农民之中。所以，我们的产品价格不能只盯着公务消费和商务消

费，要考虑到广大消费者的购买能力。我们总讲要关心“三农问题”，我认为这里不仅包含着如何帮助农村、农业、农民如何发展生产，提高收入的一面，同时还应有如何关心广大农民身心健康的一面。如果为了追求经济效益，把农村市场让给那些规模小、产量低、管理差、产品质量不稳定的小酒厂，将来出了问题，危及的并不仅仅是一个小酒厂的问题，受害的仍然是整个行业。要把宣传酒文化和提倡科学饮用结合起来，不仅要宣传产品，还要教会人民如何消费产品，科学饮酒，把以人为本的思想贯彻到整个生产经营之中。

坚持以人为本的思想，要把人才培养作为企业的首要战略，白酒行业技术门槛低、专利技术少，大部分企业地处农村和城市边缘，生活、生产条件不优越，这都给企业引进和留住人才造成了障碍，成为制约行业、企业健康发展的瓶颈。因此，在人才建设方面，要把改善和提高职工的生产、生活环境，提供充分发挥人的聪明才智的环境上下功夫，做到引得进，留得住。当前，要加快营销人员的引进和培养，改善和提高我们在营销环节中的弱势状态。今后的一切竞争，归根究底还是人才的竞争，只有拥有人才，我们才能立于不败之地。

近几年来，我经常在下面跑，在交谈和接触中有一个感觉，就是我们的一些同志在困难面前，强调外部原因多，从自身找问题少。从客观上讲，近些年来我们白酒行业的经营环境是不宽松，税赋越来越重，食品安全标准要求越来越高，流通环节的费用越来越大。这些问题的形成，一些是国家产业政策和社会进步使然，我们只能遵守和适应。另一方面则是可以通过我们企业的自强和自律来改变，比如近几年来影响和困扰我们发展的广告大战、促销大战、高额进店进场费用、小酒厂死灰复燃等等问题的形成，既有执行国家政策不力、社会风气不正的原因，也有一部分与我们的经营方向和经营作风不无关系。广告大战、促销大战是我们自己挑起来的，高额进店进场费是我们自己交纳的，小酒厂死灰复燃是我们让出市场他们才进入的。企业这样做，也是经营所需要，是不得已而为之。我们协会的成员大部来自于生产领域，在流通环节处于弱势地位，高额进场进店费、拖欠货款等霸王条款已经成为影响企业健康发展和正常经营的主要因素，我们应通过加强自身的自强自律来改变这种状态。许多企业向协会提出，希望协会能牵头，把企业组织起来积极应对，保护企业和行业的利益，我们很愿意为大家服务，但就协会目前的资源来看没有大家的同心协力的支持，特别是特大型企业的支持，很难取得满意的效果。因此，我希望在这次会议上能把这个议题重点议一议，形成一个共识。如果大家有积极性，协会愿把此事作为今后工作的中心，竭诚服务。

2.2 正确理解总量控制和持续发展的关系

白酒是我国独有的蒸馏酒，其固态发酵、固态蒸馏的复杂工艺理论在国际上独树一帜，其独特的工艺和风格深受我国人民喜爱。有人说白酒行业是夕阳产业，我不这么认为，历经几千年不衰，有如此持久不落的夕阳吗？但是，我们也应清醒地看到，白酒产品毕竟是我国人民喜爱的一种嗜好品，而不是生活必需品、身体营养品，其大量消耗粮食，过量饮用会伤身乱性的负面作用，以及创造税收的积极作用，导致了白酒产业从其诞生的那一刻起，从夏禹时代的禁酒，到汉代的榷酒，到后来的专卖，始终被历朝历代的统治者严格管理着。建国以来，党和国家对白酒产业的管理一直实行专卖制度，只是在改革开放以后，由于体制和税制的变化，才使白酒生产失控。现在国家重提控制，是对过去粗放型量的扩张的否定，是对资源和环境及人民身体的保护，本意是扶大限小，扶优限劣，给大中型骨干企业营造一个良好的环境。过去几年里，政府的导向性政策没有得到充分的落实，效果不明显，那只是暂时的现象，随着配套政策的出台，政府执政能力的提高，扶大限小、扶优限劣的政策威力将会逐步显现。作为一个大中型企业的领导者，应该着眼向内挖潜力，向外抓机遇，把国家实行限制政策作为一个机遇而不是桎梏，抓住机遇发展自己。大中型企业要走持续发展的道路，要正确处理速度和结构、质量、效益的关系，实现速度、结构、质量、效益全面发展，要正确处理好当前发展和长远发展的关系，处理好企业发展和社会发展、环境保护的关系，坚持走新型工业化道路。通过持续发展把企业做强做大，通过改制改组，兼并重组提高行业集中度，提高骨干企业在行业中的主导作用和话语权，成为促进行业健康发展的骨干和中坚。

2.3 正确理解“普通酒向优质酒转变”的内涵，寻求新的经济增长方式

从20世纪80年代开始，广大酿酒企业在“四个转变”方针的指引下，努力提高产品质量，改进产品包装，使我国白酒产品的内在质量和包装水平有了大幅提高，改变了改革开放前，白酒产品“高档质量”、“中档包装”、“低档价格”的落后面貌，不仅满足了人民多样化的需求，也提高了企业的经济效益。但从开征从量消费税之后，许多企业为了生存和提高经济效益，竞相生产开发高价酒，把优质产品同高价酒等同起来，把提价、换包装当做调整结构的主要手段，忽视了中档酒，放弃了低档酒。我们认为这种做法不妥，原因有三：

其一，从产品功能的层面讲，白酒主要是日常饮用。作为礼品功能，在20世纪70年代至80年代略有盛行，近几年来，随着经济的发展，人们消费观念的转变，把白酒作为礼品馈赠已明显减少。人们关心的是酒的内在品质，喝的是酒，而不是包装。豪华昂贵的外包装，对消费者来说留着无用，弃之可惜，并对环境也产生影响，同时既浪费了大量的资源，又损害了消费者的利益，不符合适用得体的原则。

其二，从市场空间来看，据统计，2001年规模以上企业的销售收入约为500亿元。据调查，当时50～100元/瓶的酒占总销售收入的2 %，100元/瓶以上的酒占总销售收入的2 %，两个档次的酒的销售收入约为20多亿元。经过4年的发展，2004年白酒规模以上企业的产量减少100万吨，销售收入达600亿元，比2001年增加100亿元，我们把这个现象归结于结构调整的结果，说明高端产品的比例有了大幅增加。假如2001年高端产品的销售收入约为20亿元，那么经过4年的调整，高端产品的销售收入翻了两番还多。但是，我们对2004年销售收入在前11名企业的数据进行了统计，这11家企业既有茅、五、剑三巨头，又有泸州老窖、汾酒、全兴、古井贡、沱牌老名酒，还有口子窖、四特、枝江地方名酒。这11家企业的产量2004年比2001年略有下降，但销售收入却大幅增加，由2001年的174.52亿元增加为2004年的275.18亿元，净增100亿元。可以说，全行业新增的100亿元销售收入，全是这11家企业所为。再进一步看这100亿元的分布：五粮液56.21亿元，茅台15.2亿元，剑南春8.45亿元，泸州

老窖6亿元，汾酒6.62亿元，古井贡5.71亿元，沱牌-0.55亿元，全兴-3.66亿元，口子窖1.74亿元，四特2.3亿元，枝江2.64亿元。茅、五、剑三家占到79.86亿元，这些数字一方面说明结构调整在行业内进行得很不充分，调整结构的路还十分漫长，另一方面也说明高端市场的门槛很高。

高端市场的空间究竟有多大，我们不得而知，假设2001年，50元以上酒的比例是4%，为20亿元，2004年比2001年翻了两番，也仅为不到100亿元。现在仅茅、五、剑三家就近80亿元，高端产品的市场空间有多大可想而知。对于成千家规模以上企业来讲，如果都要进入高端市场，有如千军万马争过独木桥，势必造成恶性竞争，即使进入，竞争取胜，也是“杀敌一千，自损八百”，得不偿失。

其三，从社会和政治层面看，最近，国务院发出《关于做好建设节约型社会近期重点工作的通知》，提出要加快节约资源机制和法制的建设，在全社会形成崇尚节约，合理消费，适度消费的科学消费观。前一段，新闻媒体对月饼的过度包装十分关注，7月28日，商务部组织中国商业联合会等4家行业协会，全国月饼生产企业及相关行业企业发出《联合倡议书》，希望所有会员企业共同制止“天价”月饼、搭售贵重物品和过度包装等不正常现象。据说有关月饼包装的国家标准目前正在制订中，计划于今年10月份出台。最近，“人头马”事件，“啤酒喷泉”事件，又成为大家议论的焦点。相信在中央的倡导下，在新闻媒体的监督下，公务、商务消费中的过度消费的势头会有所收敛，对高价酒的消费会造成影响。此外，现在有些企业有三快一慢的现象，即酒名起得快、包装换得快、价格提得快，酒质提得慢，长期下去将会失去“公信力”，失去消费者，失去市场。

总之，在酒价的提升和结构的布局上应该有个度，过犹不及。同时，我们不能也不应该把结构调整和提高经济的落足点放在单纯地提高酒价上。

2.4 依靠科技进步，促进白酒产业持续发展

白酒如何能全面、协调、持续发展？靠什么？靠科学技术。白酒作为传统产业一方面需要我们去传承，另一方面需要我们用高新技术去改造、完善。首先是传承优秀文化技术内涵。到目前为止，白酒的工艺技术还有很多很多的未知数，比如多种微生物共酵到底对香味成分的形成、对白酒风格的形成起哪些作用？在白酒工业中如何应用现代生物工程技术以及运用纳米技术分析白酒中微量颗粒的组分等，类似这些问题都需要我们不断地去探索和研究 其次要紧紧围绕全面、协调、持续发展这个大课题，开阔我们的科学研究的领域，不仅要在生产、工艺领域继续探索，还要在经营、销售、环保、人才培养、投资决策、改制改组等等方面开展科学研究，把科研的重点转移到这些管理、营销等软科学上来，用先进科学的理论和方法指导我们的工作。8月份中国酿酒工业协会组织和参加了两个会议，一个是组织了凤型白酒-西凤酒高峰论坛，第二个是参加了馥郁型酒鬼酒鉴定会，两个会的共同之处就是开拓创新发展个性化产品。

西凤酒厂近几年来，结合实际，深化企业改革，优化资源配制，提升企业管理水平，大力推行工艺技术创新，全面实施“以凤香型为主导，多香型发展“的科技创新战略，成功研制开发出了新一代西凤酒系列产品。特别是凤兼浓产品，不仅继承了凤香型白酒“清而不淡，浓而不艳”风格特点，也融入了浓香型白酒“入口绵甜、醇厚丰满、回味爽净”的风格特点，它不仅突破了中国传统白酒的香型界限，也使西凤品牌实现了自我超越，为凤香型白酒的发展注入了新的概念。

酒鬼酒股份公司，通过对酒鬼酒生产工艺的查定、总结、提高，制定出新的酒鬼酒生产工艺。酒鬼酒生产工艺简单地说：采取小曲、大曲作糖化、发酵剂，泥池、双轮发酵，分段摘酒、单独存放，长期贮存。其酿造工艺独特，酿造出具有个性化风格的酒鬼酒。

西凤酒、酒鬼酒为其他香型白酒做出了榜样，为行业做出了贡献。白酒香型划分的历史意义和功绩不能否定，白酒香型的发展应适应市场，香型应当有所创新，注重酒体的优良，注重酒品的个性。

中国酿酒工业协会白酒分会每年召开一次总工会议，目的就是为总工们提供一个交流的平台，为白酒行业持续发展起到引导、促进作用。我们目前设想总工们的主要任务有：作为白酒行业科研带头人多设项目，多出成果，这是其一；其二，开展优秀论文评选工作，不但为行业多做些工作，而且主要想请你们，系统掌握白酒行业科研动态，提出主研课题；其三，提供技术服务，提高全行业技术和产品质量水平。白酒分会今年6月2日在梁工的提议下发文：《关于开展为白酒企业提供技术服务的通知》(中酒协白[2005]09号)，白酒分会根据企业要求，组成技术服务小组，开展针对白酒企业所提的需要解决的技术性要求（项目），进行专项鉴评、咨询和研讨，从而以适应白酒企业品牌战略的实施和市场日渐理性消费提出的新挑战。 中国酿酒工业协会理事长 王延才

在科学发展观指导下实现我国白酒工业持续繁荣与发展

2005年，我国食品工业继续保持快速健康发展，主要食品产量和品种显著增加，食品质量和卫生安全水平不断提高，较好地满足了城乡广大人民群众的食物消费需求，为国民经济发展做出了巨大贡献。作为食品工业的重要产业，在2005年，白酒行业努力克服困难，积极创造条件，取得了良好的发展业绩。

1 2005年白酒工业的总体情况

1.1 全国白酒总产量实现近年来历史最好增长水平，白酒主产区和骨干企业产量均同比增长

2005年全国规模以上白酒企业940家，吸纳从业人员30.24万人。

2005年白酒总产量349.37万千升，同比增长15.03 %，实现了自20世纪90年代中期以来最大的增长幅度。同时，全国白酒产量仍然集中在主要产区和骨干企业，白酒产量超过20万千升的省份有6个，总产量225.33万千升，占全国比重为65.50%，数据见表一。

2005年拥有市场知名品牌的白酒骨干企业生产量同比均有所增加，产量较大的10家知名企业产量53.29万千升，占全行业总产量的15.27%，数据见表二。

1.2 白酒行业经济效益实现较大增长

2005年全国规模以上白酒生产企业，累计销售收入722.

65亿元，同比增长22.34%。白酒销售额前5个省、区共计实现产品销售收入499.20亿元，占全行业比重60.08%。其中四川264.89亿元，山东93.97亿元，安徽54.66亿元，贵州48.22亿元，河南37.36亿元，超过去年第5位的江苏省4亿元。

同时，白酒销售收入仍然进一步集中在行业中重点企业，白酒销售额前10位企业实现销售收入占全行业比重为43.25%，前50名企业占全行业比重为65.40%。白酒行业销售收入前10位的企业见表三。

2005年，白酒行业实现利税总额190.77亿元，同比增长20.59%。其中，完成税金117.57亿元，同比增长17.62%；实现利润73.19亿元，同比增长25.69%。白酒行业利税总额前10位的企业见表四。

2005年全国白酒平均每千升售价20682元，比上年增长5.2%；每千升白酒实现利润2095元，比上年增长11.3%，平均利润率约为10.1%；平均每千升白酒实现税收3365元，比上年增长4.8%，平均税率16.3%；2005年白酒利润率略有增加，税负与去年基本持平。

2005年白酒行业产量和经济效益的同比增长，主要源于企业产品结构的调整和市场消费需求稳定。由于白酒行业税收负担过重，原本生产中低档产品微利或亏损，2005年，企业又受到能源、运输和原辅材料价格上涨的压力，为消化涨价因素，企业加大了产品结构调整力度，许多企业新开发了中高档产品投放市场，或加大了原有中高价位产品的营销投入，一些供需旺盛的名优产品也先后调整了出厂价格，剑南春、五粮液、茅台、国窖、水井坊等出厂价先后上调了十几至五、六十元不等，使白酒骨干企业的销售收入和实现利税呈较大幅度增长。

2 2005年白酒工业运行特点

2.1 基础建设投入使优质原酒生产能力增加，优质中高档白酒供应得到保障

2005年白酒行业在上年增加基本建设投入的基础上，继续将扩大改造酿酒、勾储和包装设施列为发展重点，使生产力水平进一步提高。五粮液建成了双开高排新式大型制曲车间和特大型酿酒车间；贵州茅台开始实施第二个万吨工程；杏花村汾酒投资对生产系统进行改造，新增生产能力5000吨；宜宾高洲酒厂投资2亿元开始建设2万吨多粮型原酒生产基地，第一期已经投产；全兴酒厂也开始实施1万吨包装和2.5万吨储酒能力的技术改造；北京牛栏山新建1万吨地缸发酵设施；古井贡投资1.5亿元的15万吨小麦深加工项目前期已经投产，其中优质小麦酒精得到用户认可；稻花香的“151“工程将新增5万吨产能；江苏今世缘、山东扳倒井已分别完成新上6000吨和1.2万吨酿酒车间的征地和项目论证；此外，洋河、双沟、口子酒、西凤、陕西太白、白云边、枝江、古贝春、宋河、衡水老白干、天津津酒、内蒙古百年酒业等都在酿酒、陈储、包装等方面新增了生产能力。五粮液、剑南春、山东景芝、琅琊台、河南赊店等还围绕资源综合利用和环境保护项目，进行大量投资建设。

基本建设投入提高了白酒行业优质原酒生产能力，为企业开发推广新产品提供了支持和保障，使白酒企业新产品附加值较大提升，骨干企业的产品竞争能力有所增加，市场畅销白酒产品的质量安全水平不断提高。

2.2 优秀中高档产品受到追捧，市场份额不断增加

2005年以来，经过几年苦心经营的中高档白酒品牌逐渐受到更多的消费者喜爱，继续扩大市场份额。

五粮液、茅台、剑南春等名酒的市场需求仍然旺盛，水井坊、国窖等高价位产品销售量继续增长。茅台年份酒和五粮液陈年酒等高端产品已被广泛接受。

重点骨干企业去年相继推出了典藏水井坊、国藏汾酒、洋河梦之蓝、双沟珍宝坊、今世缘国缘酒、牛栏山经典二锅头等创新产品，极大丰富了2005年白酒市场高档产品品种，成为企业新的效益增长点。

经过几年的重组、改制、改革和调整，郎酒、宋河粮液、黄鹤楼、西凤、汝阳杜康、江苏汤沟、河北刘伶醉等名优酒企业，相继推出创新产品，开始步入良性发展运行轨道，这些企业依靠其品牌影响力和稳定的产品质量，迅速赢得消费者信任，在2005年以超过30%的增长速度实现了快速发展，并继续保持良好的运行态势。

2.3 营销手段趋向理智和务实，重视对区域市场重点维护

2005年白酒骨干企业冷静面对激烈的市场竞争，在产品推广的营销手段上更趋合理与务实。前几年，一些新品牌靠豪华包装，大量广告投入，大造声势，吸纳经销商进货资金，不惜重金赠送促销礼品和相互攀比支付大额终端促消费的现象已有较大改变。许多产品生产企业和流通企业建立起立足于长远的战略合作关系，相互参股和融资，并统一核算分配生产和流动领域的利润，形成风险共担，利益共享的新机制，共同加强了对市场的调查研究与分析，制定出合理可行的市场开发和运作推广规划，有计划、分步骤地实施产品推广方案，取得了令人满意的经营业绩。

口子窖、白云边、五粮春、河套、伊力特、泰山特曲、开口笑、皖酒王、高炉家等一批畅销产品在各自重点区域市场建立了稳定的根据地，并逐渐扩大销售区域，呈现强劲的增长势头，

2.4 发展环境有待根本改善

2.4.1 税负沉重，苦乐不均的现状仍然没有改变。白酒从量税对行业健康有序发展的制约已有5年，虽经行业协会、相关政府部门、新闻媒体，直至人大代表、政协委员等社会各方面，多方努力，共同呼吁，也已引起国务院和相关政府领导的高度重视，多次调研，反复征求意见，但至今尚未得到实质解决。

2.4.2 多头监管，随意执法，增加企业不合理负担的现象仍然比较突出。2005年，仍然存在一些地方的行政执法部门以种种原因，对白酒企业乱处罚、乱罚款的现象。特别是对名优产品和畅销品牌的随意性处罚比较突出，以罚款为目的执法行为，在一些地方有增无减，干扰了企业正常的生产经营活动。

2.4.3 社会舆论对白酒行业健康发展缺乏正确的引导和支持。在白酒行业积极努力下，近年来，社会上对白酒消耗粮食、影响健康等片面和陈腐的观念有所好转，但还没有得到根本改变。对在我国加入WTO环境下，迫切需要与时俱进的继承、创新和发展民族传统食品发酵技艺，与外来产品和文化渗透进行全方位竞争的重要性认识不清，对白酒工业带动农产品转化升值，化解“三农”问题的积极意义仍不理解。对广大人民群众千百年来食物消费需求的客观存在视而不见，造成白酒产业发展的政策限制，舆论片面，对具有悠久历史和丰富文化的民族传统白酒产业的进一步发展形成桎梏。

2005年全国白酒主产区产量及同比增长水平

表一

地区	产量（万千升）	同比增长(%)
全国	349.37	15.03
山东省	66.34	11.44
四川省	57.83	11.62
河南省	27.71	31.20
辽宁省	26.16	46.80
江苏省	24.85	19.93
安徽省	22.43	11.43

全国10家白酒企业2005年产量及同比增长水平

表二

企业名称	产量(万千升)	同比增长（%）
四川省宜宾五粮液集团有限公司	16.49	22.62
四川剑南春集团有限责任公司	6.00	3.45
泸州老窖集团有限责任公司	5.32	12.77
北京红星股份有限公司	4.74	27.03
湖北枝江酒业股份有限公司	4.47	40.63
山西省杏花村汾酒集团公司	4.39	15.79
北京牛栏山酒厂	3.12	19.23
湖北稻花香集团	3.00	36.36
江苏双沟集团有限公司	2.97	26.92
江苏洋河集团有限公司	2.79	30.99

2005年白酒行业销售收入前10位的企业

表三

企业名称	销售收入（亿元）	同比增长（%）
四川省宜宾五粮液集团有限公司	156.56	13.37
贵州茅台酒厂（集团）有限责任公司	41.90	28.26
泸州老窖集团有限责任公司	23.57	21.05
四川剑南春集团有限责任公司	22.27	9.95
山西省杏花村汾酒集团公司	18.90	23.30
安徽省古井集团有限责任公司	15.54	10.16
四川沱牌集团有限公司	9.90	7.29
湖北枝江酒业股份有限公司	9.32	29.85
湖北稻花香集团	7.48	43.14
安徽金种子集团有限公司	7.00	55.49

白酒行业利税总额前10位企业

表四

企业名称	利税总额（亿元）	同比增长（%）
四川省宜宾五粮液集团有限公司	41.86	9.68
贵州茅台酒厂（集团）有限责任公司	32.09	33.14
四川剑南春集团有限责任公司	9.38	15.65
山西省杏花村汾酒集团公司	6.54	25.32
泸州老窖集团有限责任公司	5.30	28.73
四川全兴股份有限公司	3.48	10.72
北京红星股份有限公司	2.78	19.63
安徽省古井集团有限责任公司	2.43	11.45
安徽口子酒业股份有限公司	2.36	25.31
内蒙古河套酒业集团股份有限公司	2.28	10.33

3　对2006年白酒行业发展的分析

3.1　中高档价位的新产品推出速度放缓，白酒消费将进一步向传统名优企业和名牌产品集中

在较高税负和原材料、能源、运费等价格上涨的影响下，白酒企业生产经营成本不断升高，为增加盈利，近年来，许多白酒企业相继开发投放了众多高价位白酒，特别是一些买断品牌经销商凭借渠道优势和市场运作经验，从生产企业以较低价格买断产品，利用广告招商并投放大量促销费用，抬高产品定价，使中高档白酒市场竞争十分激烈。一些品牌运营商，对品牌和市场的维护很少，大量透支生产企业的无形资产，给生产企业造成较大消极影响。2005年以来，许多白酒骨干企业都在缩减买断品牌数量，与此同时，由于生产优质商品酒需要充裕的优质基础酒和调味酒，需要培养和提高酿酒技术人员的水平，需要相应的分析检测设备作保证，一个货真价实的优质酒产生必须具备各方面条件，因而，生产企业继续推出大量中高价新产品的速度将趋于缓慢，转而投入较大精力和物力来促进传统名优白酒的销量较快增长。在市场上，消费者逐渐认识到一些新产品质量低劣，或性价比不符，逐渐对一些二线品牌失去信任，正在逐步转向选购传统品牌。

3.2　追求产品风格的多样化趋势十分明显

近年来，由于浓香型白酒的风格突出，名优企业数量较多，名牌产品供应量大和市场普及程度高等各方面因素，浓香型白酒始终占据市场主导地位；2005年以来，一些具有相应基础和实力的企业认识到，通过调整生产工艺，改善酿造条件，使产品风格形成多样化、差异化，是提高产品竞争力的有效方法。湖北白云边、安徽口子窖等积极研究深化兼香型白酒生产工艺及改革，努力完善产品质量；兼香型新郎酒也取得较好的市场业绩；衡水老白干对老白干香型进行了改进和完善，使之更受消费者欢迎；甘肃滨河的酱香型白酒香味和风格正趋于成熟；湖南酒鬼酒正在进行新风格的研究；最近，江苏今世缘和山东扳倒井等企业正在积极探索芝麻香与浓香型的融合，创新新的风格流派；未来几年，白酒产品新的风格特点将逐渐形成，风格的多样化将更好地满足不同消费者的需求。

3.3　产业政策不断完善，我国白酒工业将呈现持续健康发展态势

2005年以来，在行业组织和白酒骨干企业的共同努力下，白酒产业得到国家宏观经济调控部门和财政、税务及生产、流通职能部门的充分理解和高度重视，白酒行业宏观政策和行政管理正向积极有力的方向发展。

2005年，中国食品工业协会分别向国家发改委、中财办、财政部、国家税务总局等报送《关于白酒从量消费税亟待改革》的调研报告，组织编写全国人大代表和政协委员提案，并向国务院主要领导同志反映白酒行业税收情况，引起中央有关部门和领导的高度重视，促使国家有关部门多次发文征询白酒税改方案，据了解，有利于白酒行业减轻税负，促进发展的新的税收政策已在研究制定中。

2005年，白酒专业委员会向国家发展改革委提出制定《白酒工业发展的指导意见》的建议，并得到支持。目前，国家发改委有关部门已经组建相关的专家工作机构，并召开专题会议，研究起草文件纲要，《白酒工业发展的指导意见》的出台，将对优化白酒工业发展环境、引导白酒工业科学健康发展、奠定酒类行业纳入法制化管理轨道的基础发挥十分积极的作用。

2005年国家有关部门继续深化和完善对酒类生产流通领域的管理措施，白酒生产许可与食品市场准入体制接轨，《酒类流通管理办法》得到贯彻落实。

为加强行业自律，强化行业规范，建立竞争有序的生产经营秩序，2005年2月，经国务院国资委和国家发改委有关部门同意，中国食品工业协会颁布实施《全国白酒行业纯粮固态发酵白酒行业规范》，推行“纯粮固态发酵白酒标志”，这一举措立即在白酒行业以至全社会引起巨大反响，新华社和中新社播发新闻通稿，中央人民广播电台、中央电视台、经济日报、科技日报等主要新闻媒体以及食品行业专业刊物等都作了广泛报道。

2月底，四川剑南春集团率先提出积极拥护国家鼓励白酒行业继承发展民族传统酿造技艺的政策和措施，并立即组织申报资料，提出剑南春接受《纯粮固态发酵白酒审定规则》的考评，申请使用“纯粮固态发酵白酒标志”。随后，五粮液股份有限公司也提交了经四川省食品工业协会审核同意的6个产品的申报资料。贵州茅台集团主要领导得知此事后，当即指示茅台集团有关部门组织申报材料，并在接受媒体采访时表示，纯粮固态审定是对白酒行业的长远发展利好。此后，中国食协白酒专业委员会陆续接到来自全国20多个省、市的100余份申报资料。

2005年3月起，根据提交申请的先后顺序，按照《纯粮固态发酵白酒审定规则》要求，中国食协白酒专业委员会组织有关专家，科学严谨地开展纯粮固态白酒的评价审核工作，截至目前，已完成对剑南春、五粮液、茅台、泸州老窖、全兴、古井贡酒、洋河、双沟、宋河粮液、郎酒、沱牌曲酒、黄鹤楼酒和杏花村汾酒等13个国家名酒的审核评价，颁发了纯粮固态发酵白酒标志证书。

今后，中国食品工业协会将继续按照申请时间顺序，本着国家优质酒、地方骨干企业的知名品牌，以及照顾区域间发展平衡的原则，积极稳妥地推进这项工作，同时，将在今后一段时间内，在各级政府、行业、企业、新闻界和社会各界的支持下，逐渐加大对纯粮固态发酵白酒标志的宣传力度，使之真正成为在白酒行业和全社会具有崇高公信力和权威性的证明标志，为促进我国白酒工业的持续繁荣与发展，发挥更积极有效的作用。

2005年到2006年间，从国家宏观经济运行调控政策、相关财政税收政策、生产和流通以及行业管理措施等各个方面，都将继续努力为白酒工业创造公平、公正、健康、有序的发展环境，在白酒行业的共同努力和社会各界的大力支持下，我们希望，在“十一五”期间，中国传统白酒产业能够呈现出持续健康发展的新局面。

白酒消费税调整

五角从量税依旧粮食白酒和薯类白酒统一税率为20%

经国务院批准，日前，财政部、国家税务总局联合下发通知，规定自2006年4月1日起，对我国现行消费税的税目、

税率及相关政策进行调整。白酒行业期盼已久的白酒消费税调整问题也有定论，这次进行的税收政策调整，主要是取消了粮食白酒和薯类白酒的差别税率，改为20%的统一税率，而白酒企业一直关注的每斤白酒0.5元的定额税率从量征收没有取消。

财政部有关负责人就消费税政策调整相关问题答记者问时说，按照现行政策规定，对粮食白酒、薯类白酒分别按25%和15%的税率从价计征消费税，同时再按每斤白酒0.5元的定额税率从量征收一道消费税。

白酒属于消费税的传统征税产品。对其征税不仅体现了税收"寓禁于征"、限制其消费和保障人民身体健康的目的，而且具有很强的财政意义。但是近几年来，我国白酒的生产和流通秩序比较混乱，

其问题主要表现在：

(1) 白酒生产和流通的法律法规不健全，税收控管缺乏有效手段，税收流失比较严重。一些企业特别是一些小酒厂偷逃、欠交税收，甚至生产销售假冒伪劣产品。这些企业生产销售的白酒，部分或全部游离于税务机关的控管之外。有些企业采取现金交易、不索取增值税专用发票、隐瞒产量和销售收入以及作假账和转让定价等方式，偷逃或规避消费税。

(2)对粮食白酒和薯类白酒实行差别税率形成税收漏洞，增加了税收控管的难度。因薯类白酒税率低，为企业钻政策空子提供了条件，成为企业避税的一个渠道。

财政部有关负责人指出，解决目前白酒行业中的问题需要综合治理。本次白酒消费税的调整除取消了粮食白酒和薯类白酒的差别税率，改为20%的统一税率外，还将参考国际经验，研究白酒完税贴标等相关税收征管办法，健全和完善关联交易税收政策法规，规范消费税税基，堵塞漏洞。下一步还要配合其他部门健全酒类产品生产流通的法律法规，严格市场准入机制，加强行政执法力度，坚决打击假冒、伪劣产品和偷逃税收等非法行为。

中国食品工业协会白酒分会副会长兼秘书长　马勇

绍兴黄酒入遗主打文化牌

与此次首批国家级非物质文化遗产名录中那些"生僻"遗产相比，绍兴黄酒可谓是"大众"级别，特别是在江浙地区，绍兴黄酒拥有非常庞大的消费群体。业内人士指出，对于绍兴黄酒而言，此次能够列入非物质文化遗产名录，将是其进一步打开市场、扩大影响力的一次绝好机会。

黄酒是世界上最古老的酒类之一，与啤酒、葡萄酒并称世界三大古酒，迄今已有3000多年历史。在《左氏春秋》的"越语"篇中记载，越王为增加国家人口，补充兵力和劳力，曾采用过一系列奖励生育的政策和措施，内中有"生丈夫，二壶酒，一犬；生女子，二壶酒，一豚。"据考证，绍兴正是古越国的都城所在，可见当时绍兴的酿酒技术已经比较成熟了。而在晋代嵇含所著笔记《南方草木状》中，也提到了"女酒"的酿造储藏方法。后经考证，"女酒"也就是绍兴"女儿红"的前身。

绍兴黄酒行业协会秘书长陈祖亮告诉记者，绍兴黄酒的酿造技艺非常复杂，有浸米、蒸饭、摊饭、落缸、发酵、开耙、灌坛、压榨、煎酒等近十道工序，而每一道工序的完成都是一门科学。如在发酵环节中，酿酒师傅就要根据气温、米质、酒酿和麦曲性能等多种因素灵活掌握，及时调整，光是这门手艺没有几十年的经验是掌握不了的。

从酿造时间上说，绍兴黄酒也有着非常独特的传统。一般来说，每年的农历七月制酒药，九月制麦曲，十月制酒酿，大雪前后开始酿酒，到次年立春结束。长达80多天的发酵时间也被认为是绍兴黄酒不同于其他黄酒的特色所在。

随着绍兴黄酒的发展，过去"全手工"的酿造过程也实现了机械化手段，比如，用板框式空气压滤替代繁重的木榨榨酒；用卧式连续蒸饭机代替木桶蒸饭等等。但是，陈祖亮认为，这些机械的使用对传统绍兴黄酒的工艺特色并无损害，因为绍兴黄酒酿造技艺中的三大法宝都被保留了下来。

陈祖亮所说的三大法宝就是：精白度高的糯米、"为酿酒而生"的鉴湖水以及酿酒师傅的经验。前两者尚可肉眼所见，而经验和手艺却只能世代相传，但这也正是绍兴黄酒的核心竞争力所在。因此，培养黄酒酿造人才也就成了保护绍兴黄酒制作技艺的关键所在。陈祖亮遗憾地告诉记者，目前还没有大专院校开设黄酒酿造专业，因此黄酒的酿造技艺只能靠手把手、面对面的传统方式来传授，这在很大程度上限制了绍兴黄酒的发展。他还透露，绍兴市将依托职业学校开设黄酒专业，加快培养黄酒酿造人才的"第二梯队"。

在很长一段时间里，尽管绍兴黄酒名声在外，但是绍兴黄酒的主要市场却一直局限在江浙一带，产销量也多年未有突破，甚至还出现了"一瓶黄酒不如一瓶矿泉水贵"的情况。直到2003年前后，绍兴黄酒突然发力，产量一举突破20万吨大关，开始大规模进入北方市场。而在2005年，绍兴黄酒业更是表现突出，产量突破25万吨，销售额上涨2000万元。陈祖亮把这次突破归功于"找到了绍兴黄酒和黄酒文化的结合点"。他认为，悠久的历史就是绍兴黄酒的"王牌"，传统的工艺是绍兴黄酒独特质量的保证，人们喝黄酒不仅喝的是醇香，还能喝出千古一脉的工艺，喝出历久弥新的质量。无疑，此次列入非物质文化遗产对于绍兴黄酒主打的"历史文化牌"来说，将是一个大大的利好。

三得利"喝"下光明啤酒

三得利国际集团近日收购了上海富仕达酿酒有限公司的全部股份，由此三得利在上海啤酒市场的份额增加到了60%。市酿酒专业协会名誉会长毛照显告诉笔者，原先富仕达在广东、天津、上海设有多家工厂，但是由于业绩不佳，富仕达开始陆续售出各地工厂，只剩下了上海一处"阵地"，但最终这个"阵地"也没有保住。

上海富仕达酿酒有限公司是澳大利亚富仕达集团在上海的全资子公司，主要生产光明牌啤酒，年生产能力达10万吨。上海富仕达酿酒有限公司的前身是1934年英商在上海成立的怡和啤酒厂，1953年怡和啤酒厂改名为上海华光啤酒厂并开始生产光明牌啤酒。光明牌啤酒从其诞生起一直到上世纪80年代末始终是同青岛啤酒齐名的品牌。

市酿酒专业协会名誉会长毛照显表示，去年三得利已经收购了郊区第一品牌"东海啤酒"74%的股权，此次收购光

明牌啤酒后，它将在市区和郊区同时与本市另一大啤酒巨头——力波啤酒展开激烈的竞争。

泸州老窖酒传统酿造技艺当选中国非物质文化遗产

稀有技艺 中国魅力

近日，中国第一批非物质文化遗产名录由国务院正式公布，泸州老窖酒传统酿造技艺榜上有名。至此，泸州老窖成为既拥有物质文化遗产——1573国宝窖池，同时又拥有非物质文化遗产的“双国宝”单位！

据教科文组织世界遗产委员会主席、中国教育部副部长章新胜介绍，保护非物质文化遗产的必要性不言而喻，非物质文化遗产与物质文化遗产一样具有科学价值、文化价值、历史价值，反映了一个民族和国家对自身特性的认同和自豪感以及被世界认可的程度，它不仅是一个国家和民族历史成就的标志，也是反映今天社会文明的标志。

在第一批成功申报的国家级非物质文化遗产中，凭借不可复制的，口传心授430余年的泸州老窖酒传统酿造技艺尤其引人注意。据悉，泸州老窖酒传统酿造技艺，是指泸州老窖依托1573国宝窖池为载体的传统酿造技艺，作为中国浓香型白酒的唯一代表而入选国家级非物质文化遗产。

与其他口头相传的民间音乐、舞蹈、语言等不同，中国白酒的酿酒技艺本身的体系堪称庞大，不仅包括酿酒原料、用水、制曲的选择，酿造过程中的独门绝技更是层出不穷，能将所有技艺精髓持续保持到今天已经是一个奇迹。而炉火纯青的技艺，持续到今天还能不断酿出顶级的白酒，就显得更为不易。

尽管中国白酒历史很长，但中国白酒深厚的文化还有待被世界认知。根据白酒专家介绍，这跟白酒必须持续酿造有着很大的关系，因为持续酿造越久，白酒才越香、酒品才越稀有珍贵。中国历史上就曾经有享誉世界的名酒，但因为历史和社会变动等因素而不得不中断了持续过程，其中最为宝贵的酿造技艺也已失传，而酿造过程的中断对白酒来说，就意味着失去品味的价值。像源自泸州老窖酒传统酿造技艺的中国顶级白酒——国窖1573，不仅将明朝万历年间就开始酿酒的窖池群完好保留到现在，并且将只限于父子师徒间口口相述的酿造技艺也得以传承的，简直就属凤毛麟角，相当稀有。

今天，国窖1573不仅将梅瓣碎粮、打梗摊凉、回马上甑、看花摘酒、手捻酒液等有如中国功夫一样独具魅力的传统技艺完整保留下来，而分层蒸馏、加回减糠、低温入窖、尝评勾调、原酒洞藏等技艺的不断科学改良，更将中国白酒的质量与品味推向了新的高度。正因为430余年不懈的坚持，中国顶级白酒如今被世界酿酒界瞩目。国窖1573秉承之传统酿造技艺是中华文化理念的凝结，更是世界酿酒历史中的不可或缺的组成部分。

保护非物质文化遗产其中一项重要的人文意义，就在于将中国独有的魅力呈现于世界。虽然非物质文化遗产是无形的，但其价值却不可衡量。事实上，一个国家和民族在世界的重要性与话语权，和其国家的传统文化能否作为世界文明历史的重要组成部分有着必然的联系。如今，秉承泸州老窖酒传统酿造技艺酿造的中国顶级白酒——国窖1573，被世界酿酒大师列为是与白兰地、威士忌一起的“世界三大蒸馏酒”之一，中国的白酒文化正在世界飘香，被全世界收藏家所追捧。保护非物质文化遗产，但愿有更多的中国传统技艺像泸州老窖酒传统酿造技艺一样，将中国的稀有技艺展现在世界的舞台，谱写中华民族魅力新的篇章。

老龙口酿酒工艺成为非物质文化遗产

2006年6月10日，是我国首个“文化遗产日”。6月8日，记者从大东区文体局了解到，沈阳老龙口酒厂的传统酿酒工艺，将成为省级非物质文化遗产。

昨日在老龙口博物馆，大东区举行了喜迎首个“文化遗产日”系列活动开幕式，并宣布“老龙口”白酒传统酿造工艺正式被列入省非物质文化遗产。

老龙口酒厂董事长邹长顺告诉记者，“老龙口”白酒造酒工艺所以能够成为省非物质文化遗产项目，主要得益于其300多年的窖池。多年来这处“文物窖池”内的主要微生物没有被破坏变异，如今在原址上进行传统的手工艺酿造，这在全国也是比较罕见的。

据介绍，作为沈阳最早的民族工业之一，“老龙口”在长达343年的历史中，逐步形成了一套北方独到的白酒酿造工艺。“老龙口”始建于公元1662年，即康熙元年。“老龙口”拥有东北建造最早、规模最大、保存最完整、连续烧酒时间最长的老窖池群。据厂史记载，这个窖池群从清初建成至今一直连续使用，从未间断，被称为“关东第一窖”。“老龙口”陈酿系列酒，曾荣获第三十届布鲁塞尔世界精品博览会金奖。据酒厂有关负责人透露，在酿造工艺、配方等许多环节，老龙口白酒都与我国南方酒厂不同，具有独到的北方地域特点。

目前，沈阳老龙口酒厂的传统酿酒工艺已正式申报国家级非物质文化遗产。

张裕将进军世界十强

据透露，我国葡萄酒市场正逐步走向高端化。2005年，上海的酒类消费中葡萄酒首次超过白酒。专家分析，这种趋势首先出现在上海，是因为上海是国际化程度最高的城市。

有关资料显示，葡萄酒代表一种健康的生活方式，需要节制的态度与一定的鉴赏水平，是商务交流的工具。啤酒则通常和嘈杂、混乱联系在一起。2004至2005年间，美国高收入人群喝葡萄酒的人数上升了31%，喝啤酒及烈酒的人数下降了25%。市场专业人士还预测英国近两年内的葡萄酒消费有望增长16%，啤酒消费将每年下降3%。

据了解，国内葡萄酒领军企业张裕集团近日发布了进军世界十强的国际化战略，包括成立世界名酒代销公司，与钓鱼台共同开发国宴级联合品牌，产品“钓鱼台·张裕解百纳”、“钓鱼台·张裕蛇龙珠”已全面上市。此外，由意大利、美国、法国、葡萄牙、中国五国的企业共同投资1亿元的“张裕北京国际酒庄”也将于12月正式开业。

张裕表示，建立北京酒庄是其国际化品牌战略最重要的一步，此前与法国卡斯特合作的张裕烟台酒庄只是战略的开端；基于其国际化合作的成功经验积累，张裕北京国际酒庄的定位与规模都远超张裕烟台酒庄，将成为张裕高端的核心子品牌。国际葡萄酒组织OIV已承诺全力支持该酒庄的建设，使其成为全球酒庄的示范点之一。

据专业人士介绍，近年来，我国有越来越多的人购物时更看重商品能否表现出个性与品位。他们会因自己对葡萄酒的不同偏好而聚在一起，形成各种“小圈子”文化，共同组成“葡萄酒阶层”。

中国酒庄酒：酝酿新型国际竞争力

去年以来，洋酒的快速输入已经成为整个中国葡萄酒业界关注的一大话题。在今年3月的成都糖烟酒订货会上，来自意大利和新西兰等国的葡萄酒厂商组团参会，有业界评论将其视为洋葡萄酒大举入侵的标志。然而，日前访华的国际葡萄与葡萄酒组织（OIV）主席雷纳先生却指出：“随着中国的酒庄葡萄酒产品品质的逐步提高，它们与最优秀的西方葡萄酒之间的距离正在被一步步拉近。”

前不久，OIV高级官员代表团考察了正在建设中的张裕北京国际酒庄。OIV与张裕签署了备忘录，将为张裕北京酒庄提供包括葡萄种植、栽培、酿酒以及酒庄运营、旅游发展和培训在内的全方位官方技术支持，使其成为OIV在全球范围内的酒庄示范基地。这也标志着中国酒庄酒的国际地位首次得到认可。

据了解，从去年开始，我国对于瓶装葡萄酒的进口关税下调2/3，此举激发了洋葡萄酒的进口热潮。行业专家指出，中国人均葡萄酒消费量不到世界平均值的1/10，增长潜力无穷。而且近年来中国葡萄酒市场出现了迅猛的成长势头，对于面临市场饱和压力的国际葡萄酒厂商而言，无疑是一个巨大的诱惑。

在中低端市场已经为中国本土品牌垄断的情况下，高端葡萄酒市场成为洋酒首选的突破口。面对竞争，新兴的酒庄酒成为创新求变的中国本土葡萄酒巨头牢固把握高端市场话语权的一张王牌。市场调查数据表明，国产酒庄酒的销售量近三年来以超过100%的平均速度迅猛增长。拥有提供顶级葡萄酒产品的能力，只是中国酒庄酒业建立国际竞争力的第一步。要在竞争激烈的国际市场上具备不可替代的优势，中国酒庄业还需要建立起新的文化内涵。

“如果要和其它国际巨头竞争，首先就是要紧跟世界葡萄酒业发展的潮流。”在谈到如何构建中国葡萄酒业的核心竞争力时，OIV雷纳主席认为，中国葡萄酒产业通过近十年来的发展，中国企业已经逐步建立起自己的强势，而且发展越来越快。但是目前最重要的问题是弄清中国葡萄酒业发展的目标是什么，市场定位是什么，消费者购买的推动因素是什么……

理解并洞察消费者，引导消费者并传播文化，这是OIV组织给中国葡萄酒业开出的一剂良方。

黄酒进入全国性品牌导入期

2005年是中国黄酒的“分水岭”。2005年之前，黄酒企业解决的是生存问题，2005年后，黄酒企业解决的是发展问题。目前，除江、浙、沪等传统主销区之外，黄酒在北京、成都、广州等中心城市均取得了良好的市场表现，黄酒正在悄然地改变着中国酒业市场的格局，悄然形成与白酒、啤酒三分天下的格局。

随着黄酒企业纷纷通过央视广告、品牌重塑、体制改造的方式以全新的形象出现在全国市场上，黄酒也正在改变传统的地方酒、地域酒和绍兴酒的概念，成为具有全国影响力的品类。2006年对于黄酒行业依然是突破地域，突破发展的一年。

2005年，以古越龙山为代表的高端黄酒品牌的快速提升，带动了整个行业的良性发展，中国黄酒品牌发展战略成为黄酒市场发展的关键词。就全国市场而言，2006年品牌导入依旧是黄酒企业发展的关键。

目前，我国黄酒市场可简单分为导入市场或引导市场、成长市场和成熟市场。成熟市场以浙江、苏南、上海为代表。成长市场以北京、福建、广东、河南、山东为代表，其他地区属于导入市场。成熟市场基本上是全面接受黄酒的各个品种，并且消费者的鉴别能力较强。因此，在这些地区，质量低劣的品种和产品很难站住脚；成长市场中有部分地区消费也较成熟，但是，大部分地区尚处于良莠不齐的黄酒品种纷争的格局，消费者尚有相当一部分不能鉴别黄酒的优劣。

在成长中的市场，领先一步的黄酒品牌，销量的提升不仅依靠先入为主的知名度，更要将品牌知名度变成品牌的可信度，进一步开发符合消费者需求的高档次、时尚化的新型黄酒产品。

中国黄酒春天的到来，正是黄酒品牌将现有的资源优势、技术优势、人才优势、管理优势、营销优势集中转化为品牌竞争力的最好机遇，从而实现“卖得贵、卖得快、卖得多、卖得久”，只有这样才能取得可持续发展。

竞争市场格局初步形成

黄酒市场在2006年将进入全面的竞争阶段，目前行业内销售收入前5位的企业已获得全行业55%左右的收入，但前5位企业的产量规模仅占行业的14%左右。据统计，黄酒行业生产规模在千吨以下的企业占80%，万吨以上的有近30家，4万吨以上的企业只有5家。2004年，黄酒行业规模以上企业的数量增加了11家，伴随新进入者的进入，预计未来两年黄酒行业内企业的竞争将进一步加剧。品牌集中度提升的空间仍然很大，全国性的市场争夺战升级在望。

以古越龙山、会稽山为代表的中国黄酒第一梯队加快做大做强，跨地区联合和资本运作已经展开，成为带动行业整体上升的主导力量，正从地域性品牌步入全国强势品牌，攫取更大的市场份额。

目前国内黄酒市场主要由古越龙山、会稽山、孔乙己、女儿红等品牌分食，但是地方市场崛起的品牌也不可忽视，包括和酒、稽山鉴水、石窟门等品牌在各自销售地区都有不错业绩，其中新品牌稽山鉴水，去年年末三个月在川渝两地就卖掉100多万元，此消息一出之后，多家黄酒行业巨头意欲与之合作。此外，由于这几年黄酒行业的快速发展，很多投机者正试图加入其中，到小黄酒厂那里OEM灌装生产，搞一个新概念新品牌，利用消费者对黄酒行业的不了解分一杯羹。

继续突围，全国性营销升级

在整个中国酒水市场版图中，相对白酒、啤酒等“老大哥”，黄酒是个名副其实的“小兄弟”。以2004年为例：黄酒的总销量(180万吨)还不及啤酒(2738万吨)的十分之一。

其中最重要的是地域障碍。长期以来，黄酒偏居一隅，主要在江南一带流行。江、浙、沪等地的销量占全国的80%左右。江、浙、沪以外的绝大多数中国人不知黄酒、不识黄酒，更很少喝黄酒。

在“酒香也怕巷子深”的时代，黄酒一定要走出去。以古越龙山为代表的黄酒先行品牌，把全国性营销作为黄酒行业成长的催化剂，取得了初步成功，这其中北方市场的渐成气候功不可没。以前多作为炒菜料酒的黄酒更多地出现在北方人的餐桌上。“南黄北白”的区域消费瓶颈已被突破。开掘更广泛的外围市场，取得战略先机，将成为2006年中国黄酒营销的重中之重。

酒业发展的趋势是低度酒流行，黄酒品牌拓展全国市场，亟须进一步将高档化、时尚化的概念融入到产品当中，改变传统黄酒产品保守、刻板的印象，从而吸引了消费潜力较大的年轻消费群体，并将消费群体由原本的低收入阶层向高收入阶层拓展，用更开放、更前瞻的眼光，根据市场需求开发出合适的产品，更好地迎合高端消费群体的口味和心理，满足更多区域市场的不同需求。

喝保健酒 要带GMP标识的

“6000万投入，哪年才能收回啊？”办保健酒厂的施军峰在听到保健酒要通过GMP认证的消息后，起初并没有在意，“以为只是换个批文的事儿”，在一次聚会上，他终于弄清了GMP认证对他意味着什么。琢磨了一个月后，他决定放弃干了多年的保健酒业，辞掉了工人，趁“紧箍咒”没套到自己头上之前，转行做了餐馆生意。

保健酒厂面临洗牌

近期，国家食品药品监督管理局颁布了《保健食品注册管理办法》，要求所有保健酒生产企业今年必须通过GMP认证，之后，才会授予其“国食健字”批号，准许其生产保健酒，只有标着“国食健字”的保健酒才算达标产品。

在施军峰等保健酒商人眼里，保健酒厂要通过GMP认证，无疑是让自己套了个“紧箍咒”。有关业内人士分析，要达到这个标准，一家保健酒厂至少要投入6000万元资金，生产车间、成品库房、厂区环境等硬件设施才能达到GMP的标准。

对于施军峰的转行之举，一位有多年保健品销售经验的李女士认为，这可能是小作坊式保健酒厂的归宿，大额资金投入让众多小酒厂“望标兴叹”，无力参与这场竞争。而几家有实力的大型保健酒企业却开始“大兴土木”，劲酒耗资1.35亿元、历时两年通过了GMP认证；椰岛鹿龟酒为了通过GMP认证，已在软、硬件上投入5000万元，“这一门槛将卡住99%的小酒厂，对于保健酒企业来说，将是一次重新洗牌。”

“国食健字”成身份证

对于消费者来说，购买保健酒时只要看清有“国食健字”标识即可。7月1日起，所有通过GMP认证的保健酒生产企业将被授予此标识。

浙江省食品药品监督管理局食品安全协调监察处卢副处长说，有关规范保健酒生产企业的办法已讨论3年了，去年年底，卫生部、食品药品监督管理局等部门正式下文，全国保健酒生产企业必须通过GMP认证后才能生产和销售，通过认证的企业才被授予“国食健字”批号。

为统一保健酒批号，去年，国家食品药品监督管理局取消了“药健字”批准文号，对卫生部批准的现有批号，国家药监局将重新登记审核，以往两种批准文号“卫食健字”及“国食健字”将被统一规范为“国食健字”。此后，达标的保健酒只有一种身份证了。卢副处长介绍，目前全省有保健酒企业100家左右，达到GMP标准的企业却只有30多家，而最新统计数据表明，全国已拿到“国食健字”批号的保健酒企业也仅有500多家，另外4000多家保健酒企业因拿不到批文被挡在了市场大门外。GMP认证之日即将来临，一场保健酒业的优胜劣汰即将拉开序幕。

链接

GMP认证简要地说，GMP要求食品生产企业应具备良好的生产设备、合理的生产过程、完善的质量管理和严格的检测系统，确保最终产品的质量（包括食品安全卫生）符合法规要求。

怀来10亿元打造中国葡萄酒城

怀来县根据目前国际、国内葡萄产业发展趋势，结合本地实际，积极调整全县葡萄产业布局和发展重点，未来10年将投资10.4亿元在葡萄种植、葡萄酿造加工、葡萄生态旅游、葡萄及葡萄酒市场培育等领域加快建设，从而加速怀来葡萄产业与国际接轨步伐，争取早日把怀来建成葡萄展示园、一流葡萄产区和中国著名葡萄酒城。

近年来，怀来县充分发挥自然资源优势和葡萄种植传统优势，以市场为导向，以科技为支撑，按照多品种种植、多档次开发、多系列加工、多龙头牵动、多层次开拓消费市场的发展思路，突出推进葡萄产业化进程，促进了葡萄主导产业的快速发展，到目前，全县葡萄种植面积已达12万亩，覆盖全县82%的乡镇、48%的街村、38%的农户，建成了葡萄加工企业14家，葡萄酒生产能力达12.5万吨，葡萄主产区农民人均纯收入达到了3800元以上，其中葡萄收入占到80%，葡萄主导产业对全县财政收入的贡献率达到了60%。怀来葡萄产业进入了快速发展的大好时期。

针对葡萄产业发展过程中出现的问题，该县确定了今后10年乃至30年的葡萄产业的总体思路，即坚持多品种种植、多龙头牵动、多系列加工、多元化开拓市场方针，以市场为导向，以创新产业化经营机制为切入点，稳定传统龙眼葡萄种植面积，围绕龙头企业适度发展酿酒葡萄，面向市场积极发展优质鲜食葡萄，瞄准生态旅游大力发展观赏葡萄和园艺葡萄；进一步优化种植结构，提升原产地产品档次，做强做大产区优势。

按照这一规划，该县将投资4亿元新发展葡萄种植8万亩，总面积达到20万亩，酿酒葡萄以东花园、小南辛堡、瑞云观、官厅、桑园、沙城、土木、狼山、东八里、大黄庄、新保安、西八里等乡镇为主要种植区，集中连片开发，逐步形成环官厅湖南北两岸、老君山脚下及京张公路两侧河川区为重点的葡萄种植区。以市场为导向，以中法葡萄示范农场种植技术为示范，大力开发新品种、多层次酿酒葡萄，逐步建立高中档、大众化酿酒葡萄品种规范化、区域化种植模式。

葡萄酿造加工方面，将投资5亿元，至少再引进10家以上大、中型葡萄酒加工企业，使葡萄酒加工企业达到20家以上，开发建成葡萄酒庄（酒堡）50家，品牌葡萄酒生产、销售能力达到10万吨以上，葡萄贮藏能力达2万吨。葡萄生态旅游方面，以葡萄产业为资源，投资2000万元培育怀来葡萄园生态观光旅游和葡萄酒加工、品尝体验旅游。结合葡萄庄园（酒堡）建设开发酿酒葡萄旅游观光，葡萄酒品尝展示，葡萄酒文化展示；结合鲜食葡萄不同季节、不同品种、不同成熟期开展葡萄采摘、观光项目，发展葡萄采摘观光。

为全面提高葡萄产业的发展水平，该县将投资1000万元设立葡萄科研专项经费，成立葡萄科技研究开发中心，加大与中央、省农业科研单位的合作，大力推广葡萄标准化种植技术，建立县、乡、村三级技术网络，提高葡萄种植生产管理水平。同时，大力实施品牌战略，力争在10年内创出5个全国知名品牌。到2015年使全县葡萄产业产值达到10亿元以上，成为全县经济重要的主导产业。

白酒高端市场风起云涌

五粮液涨价，茅台涨价，真正的高端较量在瞬间风起云涌。

通过近几年白酒高端市场的运行，以五粮液、茅台、水井坊、国窖·1573为代表的高档白酒市场的竞争格局初见雏形。可以预想的竞争结果是，谁能在高端站住脚跟，谁就能“笑傲”名酒“江湖”。在不久前的市场上，这几个高档品牌还分布在不同的价格带上，各有空间竞争相对有章可循。但最近一轮的涨价，再次引爆了高端市场的争夺大战，也把名酒市场地位的较量推到了一个新的起点。

400元上下的捉对厮杀

在出厂价涨到308元后，茅台一举跨过了300元大关，按照厂家的要求批发价格应在338元以上。而五粮液出厂价涨到348元后，批发价格也在继续拉升。这种跳跃性增长的势能使它们之间的距离在缩小，同时也拉近了它们与水井坊、国窖·1573在价格上的距离，并与这后两个品牌一起构成了在400元上下捉对厮杀的四大高端名酒。

在白酒行业，水井坊和国窖·1573是两个率先把主销价位拉到400元以上的品牌，尽管后期价格不约而同地出现了回落，但还是继续在这个档次上把持着优势。在很长一段时期内，这两个品牌均把对方视为最重要的竞争对手。如2005年，水井坊在华南这个主力市场表现差强人意，国窖·1573随即趁乱抢占华南。泸州老窖公司高层已放出话来说，从2006年开始广东市场将作为全新的市场进入，为此国窖·1573已经预备了两年的亏损期。

据有关方面统计，虽然水井坊仍维持着良性增长，增长率在10%以上，但较之过往高达70%的增长，其市场锐气已有所收敛。相比之下，从2005年其他市场的反应来看，2006年里国窖·1573有可能形成一股很大的提升力。如以陕西市场为例，据陕西经销商李经理介绍说，2006年国窖·1573将主要在陕西的各个区域，设立专人负责在当地的运作和市场维护，主要精力将放在酒店推广和名烟名酒店的建设开发方面。对于大型的商场和超市，将通过设立专卖柜的方式加大国窖·1573的知名度和品牌力度，各个区域都将量身定做广告宣传计划和陈列展示计划，通过对分销商和终端操作商的大力扶持，在市场上真正提升竞争力。

可是，随着时间的推移，水井坊、国窖·1573已不再是PK的格局，它们愈发感受到高处不胜寒的压力了。最大重量级的对手就是五粮液、茅台。五粮液持续了一年多的保价政策，在2006年初终于显现了初步成效，节前节后五粮液的价格均出现上扬。据了解，由于2005年底五粮液酒厂采取控制发货量以及2006年初开始提价等政策，致使节前五粮液出现货源供应紧张的现象，大部分市场经销商给各商超的供货价大多都超过了350元／瓶（52度），各商超的零售价格一般能在进价基础上加20～30元。如今，以批发价格来比较，五粮液已与水井坊、国窖·1573缩小了价差，如水井坊、国窖·1573约在370元上下。零售价差也不算太大，水井坊、国窖·1573的零售价也不过在400元上下。而茅台在2006年2月通知经销商将零售价控制在358元以上，使这个价格区间的竞争愈显激烈起来。

影响市场的关键词

毫无疑问，品牌和渠道决定着未来发展方向。从名酒自身来讲，目前更多的还是依靠品牌拉力。未来的行业整合中，品牌层面的竞争将成为主要竞争策略。但品牌竞争是一个高屋建瓴的东西，在目前看来，竞争各方均无实质性飞跃。因而在短期内，更强调务实的市场运作中的渠道建设起着决定性的作用。渠道建设包含了诸多因素，其中价格控制、渠道治理和拓展在目前看来最为关键。

一是价格控制。

高档名酒的价格问题一直十分敏感，最让人头痛的无疑就是价格失控造成市场乱价现象。一般在涨价之后，价格上很容易出现混乱。在这一点上，五粮液、茅台、水井坊、国窖·1573都在不同程度地饱受折磨。如五粮液即便在2006年春节期间，个别地区也出现了低于厂价销售的现象，给本来趋向升温的市场泼了几瓢凉水，好在还没有形成很大的气候。

价格混乱不仅将直接影响到厂家利润点设计，也会严重影响和挫伤经销商的积极性。福建三明茅台酒经销商单经理介绍说，一段时期内由于进货渠道混乱，价格体系的无序竞争，直接导致了消费群体的不信任和流失。而经销商对市场上水井坊价格混乱的抱怨更是由来已久。据广东经销商陈浩经理介绍说，从深圳代理商那里拿货价在370元（高度），但市场上很多是350元（外地冲货多是诱因之一）。他希望通过我刊呼吁厂家应拿出切实措施进行价格体系的控制，同时他还建议水井坊不要只在局部地区控制，应做全盘考虑。自

2005年以来，几大品牌都拿出了一些办法，如五粮液的持续断货、茅台封杀麦德隆、国窖·1573的“价格联盟”等，从整体效果来看只能说是有所改良。在与对手此消彼长的竞争中，价格控制仍是一个敏感而又需要常抓不懈的工作。

二是渠道治理和拓展。

现在高档名酒的销售策略，似乎就是希望通过多渠道的销售网络来达到扩大量的倾销，以达到最大的利润值。但问题就出在这里，像价格失控这种情况的根源就在渠道上。所以，渠道治理的重要意义不言而喻。

区别于其他品牌，专卖店是高档名酒销售中一个特有的渠道。但专卖店和流通渠道的冲突由来已久。比较而言，积疾更深的流通渠道治理起来难度非常大，而专卖店的治理相对要容易一些。在2005年，五粮液、茅台都明显加大对专卖店的“帮扶”力度。如从2005年下半年开始，五粮液酒厂加大了对各地专卖店的管理力度，并组织人员对所有专卖店进行了逐一检查、考评，将不合格的专卖店予以清除。同时将五粮液专卖店划分为标准店和旗舰店两种，并对两种店给予不同的政策。但是市场上不利的反馈仍然余音绕梁，几大品牌的经销商还是在呼吁厂家一方面要积极敦促各地经销商专卖店严格按照规定的价格标准来执行；另一方面要通过物流渠道的管理，分地区分片区的来供货，体现各地专卖的真正意义和专卖的优势。在渠道拓展上，水井坊和国窖·1573有相似之处。两者都是利用广告和活动做了前期市场烘托后，通过渠道细分，选择性地对一些公务、商务活动频繁的酒店、会所、俱乐部等进行大力投入，然后经过一定时间的品牌积淀后，以在意见领袖群中建立起的口碑为依托，开始向普通商超、名酒店等常规渠道渗透。在酒店操作上，两者也都比较注重促销。如国窖·1573在北京市场曾推出了“23＋2”活动，即酒店订购52度23箱和60度两箱产品，即可获赠一台笔记本电脑。另外，为了提高酒店的销售热情，国窖·1573和水井坊一般都有50～100元的促销空间。

而这种在终端渠道特别是酒店终端逐步建立起来的优势和操作手法，恰是目前五粮液、茅台所欠缺的。目前五粮液、茅台都发出信号要在酒店加大力度，但办法不多进度也不明显。不过，酒店渠道在未来的竞争必将占据更大的权重。如果五粮液、茅台进度慢，水井坊、国窖·1573仍将保有优势；一旦前两者有实质性突破，竞争必然加剧，从而影响到整个高档名酒的市场格局。

暗战板凳深度

许多种类的球赛都有着一些预备候补选手，也就是所谓的板凳球员。而所谓板凳深度，是指球队替补球员的实力。在这场高端名酒地位的较量中，也同样存在着类似的板凳深度上的比拼，那就是更高端产品的较量。

先来看看茅台，它的板凳深度主要体现在年份酒上。在向更高价位挺进的产品结构调整中，目前茅台在年份酒上已经抢得了一个十分有利的地位。从2006年春节前后的市场反馈来看，其15年、30年、50年、80年的陈年茅台，市场销量非常好，许多市场甚至出现了供不应求的状态。如江苏苏糖烟酒连锁的金汉卿经理介绍说，其茅台酒销量在2005年增长100%，其中年份酒的增长占有很大比重。据悉，目前茅台的年份酒年销售额已经占到其总销售额的10%以上。如今，最低300元的涨价幅度则让茅台年份酒又开拓了一个新的发展空间。

而在高端酒的开发上，五粮液应该说是行动最早的，比如一帆风顺、鹏程万里、精品五粮液、生肖酒等。这些售价平均在600元以上的五粮液高端产品，在很长一段时间内是市场上的亮点。但据经销商反映，近年这些产品的情况似乎并不十分乐观。也许正因为如此，五粮液于是在2005年又开始狠力打造自己的年份酒和五粮液老酒。其中五粮液年份酒有10年、15年、30年、50年、60年等5个品类，专卖店售价略高于茅台年份酒。同样，在2005年，水井坊·典藏系列等高价位新品也成为水井坊的一个进攻点。

分析来看，目前这些非主导的高端产品差不多也是扮演一个探路者的角色。在华南市场运作的一家高档酒企业的黄经理指出，过去的高档酒价格最高达到过300多元，而目前价格位于400元以上的赢利型白酒就有十多种，更多的豪华精品系列酒从300元至2万元之间区分了几个价格带区，每个带区细分了不同品种。郑州金樽酒业马经理也认为，什么价的有市场，什么价的能上量，什么价的能赢利，现在的市场差不多已能给出一个比较标准的答案了。如300～500元的高档酒能够上量，产品的整体赢利性相对较强；500～800元的产品从价格上看是高不成低不就，目前在市场上是最不好卖的；而800元以上可以作为礼品酒来运作，现在一些超高档酒主要集中在这一区间。尽管这些高端产品还不能成为高档市场的主流，但它们向市场证明了高档酒市场的延伸度还很大。

主销价位上不断攀升，应该是这些高端名酒将来发展的一个必然趋势。而在这场板凳深度的较量中，可以说谁率先抢得优势，就可能最终奠定在未来高端格局中的领导地位。

最后，让我们来粗略地对比一下产销量：水井坊的产能目前大约能到2100吨左右，而销量则保持在1000吨左右。国窖·1573的销量基数较低但增长较快，2005年明显放量实际销量约超过了900吨，据称其极限产能在3000～4000吨。这样看来，它们与巨头五粮液、茅台均接近万吨的产销量还有较大距离。但是，竞争能改变一切。2006年的竞争也许是一个新的起点，未来名酒的格局何去何从，让我们拭目以待。

中国白酒业变局

随着国家白酒产业政策的新变和白酒消费税的调整，白酒行业正面临着一场洗牌。

近日，国家质监总局在《关于白酒产品生产许可证到期换证的通知》中要求，在新的《白酒产品生产许可证实施细则》出台之前，对即将到期的661家白酒生产企业组织换证工作，而对于无证新申请的白酒生产企业不予办理生产许可证。而原生产许可证证书有效期均在2006年4月8日前到期。

这似乎显示有关部门将对白酒行业进行大梳理，新企业进入白酒行业的门槛大大提高甚至再无机会跻身白酒业。据中国酿酒工业协会秘书长王延才透露，以后白酒生产许可证有效期为五年一换将改为三年一换。

同时，国家对白酒消费税的调整将使整个行业趋向高端市场竞争。根据财政部、国家税务总局联合下发通知的规定，自2006年4月1日起，白酒行业进行消费税政策调整，取消粮食白酒和薯类白酒的差别税率，改为20%的统一税率，保留每斤白酒0.5元的定额税率从量征收政策。相对于现行政策，粮食白酒从价计征税率下降了5%。

有关专家认为，维持从量税将使大型白酒生产企业进一步收缩低档白酒产能，而从价税的小幅下调也将进一步刺激白酒企业继续高端战略。

市场调查发现，虽然高档酒的总销量还不是很大，但利润空间惊人，是普通白酒的数倍。以茅台为例，2006年出厂价格平均上调15%，利润同比增长40%。

于是酒类企业纷纷进入高端白酒市场，高端市场酒类的涨价已成事实。2005年前10个月共生产白酒305.11万吨，全国白酒平均每吨售价20778元，比2004年提高了5.6%，涨价已成必然趋势。由此将造成白酒的“两极分化”现象，市场竞争的惨烈会使一些实力小的白酒企业在未来五年进入快速淘汰期。

值得注意的是，利润的增高使高价酒充斥市场，但高价酒不等于高档酒。很多企业通过推高价酒品来模糊高档酒的概念。但真正的高档酒品牌需要几十、上百年的悉心营建，不是靠集中一段时间靠漫天广告推广就能速成的，这也是一些品牌“长得快，衰得快”的内因。

由于白酒生产许可证今年起停发，同时国家要进行对全国白酒生产企业的大检查，会关停一批企业。白酒业的洗牌在所难免。目前国内共有各类白酒生产企业约3万家，未来5年内生产企业将会快速减少。

在市场竞争加剧的促进下，当前白酒行业发展的趋势，是市场门槛越来越高，同时市场运作费用也不断增加。在此情况下，首先出局的将是那些技术水平相对落后、不具备做高端品牌实力的生产企业。

外资完成在华啤酒战略布局

日前，全球第一大啤酒巨头比利时英博（InBev）啤酒集团以人民币58.86亿元，收购福建雪津啤酒有限公司净资产6.19亿元的雪津啤酒100%股权，收购溢价率近10倍。业内人士认为，雪津并购案标志着外资基本完成在中国啤酒业的战略布局，啤酒市场将逐步形成外资推动下的寡头竞争格局，新一轮的品牌整合将渐次展开。

业界对于英博高溢价收购雪津给予极大关注。分析人士认为，一方面，目前中国啤酒业可供并购的优质资产所剩不多，另一方面则是英博自身战略布局的需要。英博公司虽然进入中国多年，但是其进展却落后于AB公司。2001年，英博通过收购把赫赫有名的贝克啤酒装入囊中，发展势头迅猛。此后，其战略重点转移到中国，确定了“1／3利润来自中国”的战略目标。

招商证券分析师朱卫华说，英博目前主要在长江沿线和珠江两大区域布局，收购雪津以使福建、江西两大区域市场形成一片，这是比较理想的市场格局。据估计，收购雪津后，英博在福建、广东、河北、湖北、湖南、江苏、江西和浙江等省拥有30个酿酒厂。其在中国的总销量将达约350万千升。

据了解，此前，美国AB（An鄄heuser－Busch）公司曾以人民币约57亿元收购香港联交所上市的哈尔滨啤酒全部股份，溢价率约5倍。哈啤并购案被视为外资在中国啤酒业第二轮并购潮中的标志性事件。雪津并购案之后不久，华润雪花啤酒（中国）有限公司宣布以7200万元收购福建泉州清源啤酒有限公司85%股权。清源啤酒目前年生产能力为11.8万千升，转产华润雪花后产能将扩建至28万千升。至此，作为连接华东和华南市场的重要节点，福建境内啤酒品牌几乎悉数被国内外一线品牌并购。短短三四年，青啤、燕京、英博、华润携资本优势相继完成在福建短兵相接的战略布局。

分析人士指出，国际啤酒市场趋于饱和，近10年增长缓慢，而在中国连年有5%－10%的增长，有很大潜力。中国人均消费量约19升，如果要达到国际中等人均消费水平30余升，中国啤酒产量将超过4000万吨的规模，市场空间巨大。市场目前的供大于求仅是一个较低水平的供大于求，随着啤酒产品结构的改善和西部、农村地区消费需求的进一步挖掘，啤酒市场尤其是中低档啤酒市场的第二春将会来临。中国啤酒市场的巨大空间和成长速度是吸引国际资本介入的主要原因。

但有分析人士提醒，消费增长空间的存在未必等同于实际购买力存在，增长潜力的实现仍需多种前提。中信建投证券分析师郑绮认为，“外资对啤酒企业的估值似乎有点狂热的成分”，外资并购的估值比较高，其投资可能要四五十年才能回收。

“泸州酒”地理标志产品保护申报成功

国家质量监督检验检疫总局日前发出公告，批准对“泸州酒”实施地理标志产品保护。从即日起，泸州市符合条件的酒类生产企业都可申请使用“泸州酒”地理标志产品专用标志。

国家质量监督检验检疫总局的公告指出，“泸州酒”地理标志产品保护范围包括泸州市三区四县，保护的品种包括浓香型白酒和酱香型白酒。公告还对泸州酒的质量技术要求作了详细规定，并指出，从此，各地质检部门将对“泸州酒”实施地理标志产品保护措施。

据介绍，目前泸州有各类白酒生产企业438家，年产量15万吨以上，泸州酒业是泸州经济发展的支柱产业。此次“泸州酒”地理标志产品保护的申报成功，将极大地提高泸州酒的声誉和无形资产价值，同时对防止假冒，增强“泸州酒”的竞争力也将起到重要作用。今后，“泸州酒”地理标志产品保护范围内的生产者，可向泸州质监局提出使用“地理标志产品专用标志”的申请，并接受泸州质监局的严格审查，审查合格者才能上报国家质检总局进行公告批准。

另据悉，“地理标志”是指标示某商品来源于某地区，且该商品的特定质量、信誉或其他特征主要由该地区的自然因素或人文因素所决定的标志。这些特色商品的特殊品质与其产地的水、土、气候等地理环境有紧密联系。地理标志作为地方特色经济的特色品牌，能够为区域品牌产品企业带来核心竞争力和无限商机，同时也对促进地方经济的发展发挥着独特作用。

剑南春酒坊遗址成第六批全国重点文物保护单位

日前，在国务院核定的第六批全国重点文物保护单位中，剑南春作为四川新增"国保"中唯一的酒坊遗址成功入选。

据了解，剑南春"天益老号"酒坊遗址位于绵竹棋盘街传统酿酒街坊区，分布面积约62000平方米，清理出土一大批和白酒酿造工艺有关的遗迹，光是酒窖就有26口，大的酒窖有2米深，窖底的黄土因酒糟长年的侵蚀而变得灰白，展现了从原料浸泡、蒸煮、拌曲发酵、蒸馏酿酒到废弃用水的排放等传统酿酒工艺的完整流程，而且古代街坊酒肆布局规模也活生生地展现出来，千年的酒香仿佛穿越时空扑鼻而来。

遗址整条街"前店后厂"完整清晰，是中国社会由传统的农业社会向近代工业社会过渡这一特定历史"转型期"的典型代表和实物载体。这个酒坊是从距今1500多年前的南齐时期开始历代延承，一直延续到明清时期，生产规模之大、工艺要素之完善、保存之完整在全国十分罕见。有专家指出，剑南春酒坊遗址的入选，为中国数千年源远流长的酒文化增添了一笔浓墨重彩，折射出剑南春自身的深厚文化积淀，掀开了中国考古学重视工业文明研究的崭新篇章。

王朝葡萄酒26华诞 国际化道路又迈新步伐

法国人头马集团今天将一尊象征中法双方紧密合作的纪念雕塑，赠送给中法合营王朝葡萄酿酒有限公司，以庆祝该公司二十六周岁生日。

中共中央政治局委员、天津市委书记张立昌会见了法国人头马集团主席迪伯尔一行，双方就进一步加强合作进行了深入交谈。天津市长戴相龙今天亲临王朝公司祝贺生日。

成立于一九八０年的中法合营王朝葡萄酿酒有限公司，是天津市第一家外商投资企业，其外方合作伙伴是有着三百年葡萄酒酿造历史的法国人头马集团。二十六年来，这个当初总投资仅一百三十多万元人民币的小公司，已发展成为亚洲最大的全汁葡萄酒生产企业，年产量超过四千万瓶，销售额达十亿元。

张立昌说，"王朝"葡萄酒之所以名扬世界，其根本原因在于不断增强科技创新能力，它是中国引进消化吸收世界先进技术再创新的成功范例，是中法双方合作的结晶。

迪伯尔则称，王朝公司是人头马集团"在海外投资最成功的项目"。他表示对天津的发展充满信心，相信王朝公司一定能够成为国际上最有影响的酒业集团。

在今天的生日庆典上，王朝公司与德国麦德龙集团现购自运有限公司、法国圣格安橡木桶公司、意大利巴塔拉索葡萄酒设备制造公司、法国吉赛福股份有限公司，分别签署了长期战略合作协议，这标志着王朝公司在国际化的道路上又迈出了新的步伐。

蒙牛确立近期发展目标：4年内跻身世界乳业20强

6月16日，记者从正在召开的蒙牛乳业集团股东会上获悉，蒙牛乳业集团已确立近期发展目标，力争在2010年主营业务收入跻身世界乳业20强。

在"十一五"开局之年，蒙牛乳业大动作接连不断：具有自主知识产权的产品特仑苏OMP牛奶使得蒙牛获得市场差异化的杀手锏；和香港迪斯尼乐园成功合作，央视挑战主持人、益生菌酸奶全家总动员活动使得产品销售如火如荼；拥有世界一流，集生产、科研、培训为一体的现代化新型工厂六期工程正悄然兴建。

集团新任总裁杨文俊信心十足地表示，要按照集团董事会确定的既定目标，进一步用好用足国家奶业政策。目前要着力抓好几项工作：在奶源建设方面，发展养牛小区，稳固奶源基地，提高奶源质量，保障奶农利益；在产品质量方面，强化质量控制，确保食品安全，加大自主创新，填补市场需求；在发展战略上，加强国际合作，保持合理扩张，加强战略管理，理顺各方关系；在企业建设上，提升团队素质，保证运行效率，正确界定核心业务、核心竞争力、核心产品和核心技术，全面完成集团股东大会和董事会确定的各项生产经营目标，为集团成长为中国乳业领导品牌进一步奠定物质、技术、管理和文化基础。

据了解，蒙牛乳业的股东收益逐年递增。2002年公司引入外资前，注册资本是4598万元，老股东投入约为1亿元，此后再没有追加投资。集团上市后，按当天的市价计算，老股东所持股份的市值达24．6亿元，增值25倍。截至目前，市值已达58亿元，增值58倍；如果加上每年的分红、外资回购及2005年售股所得，回报在70倍左右。在香港上市以后购买蒙牛股票的新股东，获利也非常丰厚。今年4月10日，蒙牛乳业发布了其2005年度财务报告。报告显示，蒙牛乳业总收入顺利跨过百亿大关，增至2005年的人民币108．25亿元，较上年增长50．06%，公司净利润也比去年增长43．63%，达人民币5．53亿元。蒙牛乳业亦被业界称为西部大开发以来"中国最大的造饭碗企业"，去年纳税4．12亿元，直接招收员工万余人，间接创造的就业岗位达数十万个以上。

就在蒙牛乳业年报发布的同时，国际知名的市场调研机构AC尼尔森也发布了其2006年3月市场监测结果，连续28个月保持中国液态奶销量第一的蒙牛乳业，其市场占有率已经上升至30．7%，也就是说，中国消费者每喝三袋奶，其中就有近一袋是蒙牛乳业提供的。

饮料新国标有望近期出台

"《饮料通则》目前已经通报到WTO，等待通过后即可提交国家标准化管理委员会审批。"昨天，中国饮料工业协会内部人士向记者透露。一场针对鱼龙混杂饮料市场的大网终于将要撒开。

即将公布的《饮料通则》将代替原有的国标GB10789-1996《软饮料的分类》，修订新标准的原因是，饮料市场在近10年内发展较快，新的饮料种类不断出现，原有的标准已经不能适合目前的需要。据饮料工业协会有关人士透露，对标准的修订工作早在去年年初就已提上日程，《饮料通则》的报审稿在去年年底就已经形成。据了解，征求过业内专家意见的《饮料通则》草案已经送交国家质检总局等待审批。但饮料工业协会秘书长赵亚利表示，该标准还存在修改的可能性，最后的情况要以国标委的最终公布为准。

在从饮料工业协会获得的《饮料通则》征求意见稿上看到，该标准将把目前市场上售卖的饮料归为11类，分别为碳酸饮料类、果蔬汁类、蛋白饮料类、包装饮用水类、茶饮料类、咖啡饮料类、植物饮料类、风味饮料类、特殊用途饮料类、固体饮料类，以及无法归入前10类的其他饮料类。

《通则》实施以后，目前市场上饮料名称混乱的局面将得到规范。以风头正劲的"功能饮料"为例，《通则》内并无这一分类，较为接近的是"特殊用途饮料"，即"通过调整饮料中营养素的成分和含量，或加入具有特定功能成分的适应某些特殊人群需要的饮料制品。"该饮料囊括了运动饮料、营养素饮料和其他特殊用途饮料，其中营养素饮料指的是"添加适量的食品营养强化剂，以补充某些人群特殊营养需要的饮料"，也就是说，届时诸如"脉动"、"激活"等添加了维生素、矿物质或氨基酸的饮料只能称为营养饮料了。

在《饮料通则》即将出台的同时，茶饮料、碳酸饮料、运动饮料以及植物蛋白饮料的相关单项标准也正在紧锣密鼓地进行。据赵亚利透露，《茶饮料》国家标准文本草案已开始在业内征求意见。记者了解到，这份征求意见稿对茶饮料的茶多酚、咖啡因、蛋白质以及果汁含量等指标都作了具体的规定。

张裕：千吨冰酒项目有望近期推出

吨冰酒项目有望近期推出，北京密云1000吨酒庄酒项目也预计年内完工。

近年来，G张裕（000869）产品的高端化路线越来越清晰。今年，张裕决定将低端的甜葡萄酒停产，取而代之以中高端的甜葡萄酒；而且张裕积极介入的千吨高端冰酒项目也有望于近期推出。同时，张裕的北京密云1000吨酒庄酒项目也预计年内完工，此举将带动张裕酒庄酒的产量翻番。

高端冰酒有望近期推出

冰酒是用采摘时已经冻硬的葡萄酿造的甜白葡萄酒，经过二百多年的发展，冰酒已经成为酒中极品，主要在德国、奥地利和加拿大生产，加拿大安大略省的尼亚加拉地区是目前世界上最著名的冰酒产区。实际上，中国北部也有地区能够生产这种冰酒。

"张裕'觊觎'高端冰酒已久，利用国外成熟的冰酒技术，今年有望推出自己的冰酒产品。"一位葡萄酒业内人士说。据张裕证券事务代表李廷国表示，张裕的冰酒项目是与加拿大冰酒企业合资，利用加拿大企业成熟的冰酒技术与工艺，生产基地设在辽宁，并将于近期向市场推出冰酒产品。并有意将其打造成为全球最大的冰酒生产基地。

中信证券分析师官薄辉称，张裕冰酒生产的协议已经签订，生产环节将会有外资入股，销售仍然以张裕渠道为主。中银国际分析师陈磊对此也表示，张裕的冰酒项目总产能为1000吨，冰酒毛利率预计超过80%，达到酒庄酒的毛利率水平；而且张裕生产的冰酒更适合亚洲人的口味，可能将成为市场热销产品。

密云酒庄预计年底完工

今年3月，张裕董事会会议通过决议，拟投资设立北京张裕酒庄有限公司，注册资本5000万元，其中张裕出资3000万元，占注册资本的60%。该酒庄设计能力为年产1000吨各类高档葡萄酒。

据李廷国介绍，北京酒庄项目设在密云县，包括占地2000亩的葡萄种植园，以及占地300亩的生产基地。该酒庄预计在今年年底前完工。

根据张裕的统计数据，今年前5个月该公司共售出酒庄酒500吨，而去年全年销量仅为658吨。陈磊分析，张裕今年全年销量有望实现956吨，同比增长45%。同时，考虑到该公司北京新酒庄即将于今年底前完工，预计明年该公司酒庄酒的产能有望达到2000吨。

停产低端产品

据了解，为进一步提高毛利率，张裕决定今年停止生产低端甜葡萄酒产品，并推出5-6种中端甜葡萄酒产品，以填补市场空缺。

据李廷国介绍，公司的低端甜葡萄酒主要指出厂价低于10人民币／瓶的产品。2005年，公司这种低端产品约占总销量的19%，但是并未产生盈利贡献。今年，公司新推出的中高端产品零售价格约为35人民币／瓶，是原有产品的3倍之多。研究人士分析，尽管张裕低端产品停产，将导致今年销量无增长，但是预计销售收入和平均售价将分别同比增长近30%。

凉茶入选非物质文化遗产 粤港澳生产企业面临洗牌

凉茶之名或成专用，企业喜忧两重天

5月26日，国务院批准凉茶等518个项目为首批国家级非物质文化遗产，粤港澳的21家凉茶生产企业拥有的18个品牌54个秘方及术语，将受到《世界文化遗产保护公约》及我国有关法律永久性保护。而其它散布街头巷尾的成千上万间凉茶铺将面临着再也不能使用"凉茶"这一名称的危机，凉茶面临重新洗牌。

入选企业 扩大网络开拓市场

一杯小小的凉茶成功进入了非物质文化遗产名录。这对于整个凉茶行业来说，是一个足以决定企业命运的事件。据广东省食品协会有关人士解释，除这21家企业外，分布在城乡的其他凉茶企业和配方，并不在文化遗产保护范围之列，甚至不能再使用"凉茶"这个名称，也不能以凉茶功效术语宣传自己的产品。对此，各方意见不一，入选的21家企业可以名正言顺经营市场，而落选的企业则面临如何竞争如何生存的难题，是继续卖"凉茶"还是卖"草本饮料"？

凉茶申遗成功后，记者采访了多家被列入名单的企业，他们无一例外地表示会借这次机会大规模扩大店面网络全力开拓市场。徐其修凉茶的负责人徐星权表示：今年他们的重点放在广州市场，将会在广州增开200至300家新店。

而同在大佛山起家的健生堂也表示，今年在全省将会增加店铺1000家左右，绝大部分是加盟店，但是在广州将采用直营的方式经营，目标是新开50家店以确保健生堂在广州的影响。事实上，健生堂早已经将广州作为他们的重点区域市场，他们去年就将公司总部从佛山搬至广州。除了传统的店铺经营外，健生堂还将推出易拉罐和其它形式的独立包装产品，以适合市场需求，而且还考虑开拓商超等销售渠道。

春和堂的有关负责人认为，凉茶申遗成功对于入选的企业来说是利好消息，下一步春和堂将考虑在包装上体现成功入选，并以此进军外省市场。

未入选企业 担心生存问题

只有21家入选企业的产品才叫凉茶，这个说法受到众多未入选企业和凉茶铺的质疑。记者在下渡路采访，未入选凉茶铺的店主非常震惊，“那我们这个叫什么？”店主一脸疑惑。如果按照规定，未入选的企业的产品只能叫“植物饮料”或者“植物提取饮料”，他们也不能宣传其有“清热解毒”等功效了。

不愿透露姓名的业内人士称，凉茶市场并非垄断性的市场，如果没有工商部门的介入，现有其它凉茶铺的产品不叫“凉茶”是不现实的。很多企业会打“擦边球”，换包装换概念或者其它的营销手段。让消费者自己选择，自己评判，企业是靠产品竞争，靠口碑竞争，而非奖项或其它。此次未入选的企业将争取进入名录，市场永远在变化，机会属于有准备的企业。

一家未入选企业的代表认为，凉茶保护不能因企业而分类。他打了个比方，京剧、中医也是首批“入遗”项目，如果按照“广东凉茶逻辑”，做得好的一些企业才受保护，是否只有梅兰芳演唱的才能叫京剧，周信芳、北京票友、洋票友唱的就不能叫京剧？他认为这种逻辑说不过去。

消费者 凉茶会否借机升价？

除了凉茶企业本身对申遗极度关注外，消费者担心凉茶价格会因市场洗牌而上涨。喝了30多年凉茶的市民黄先生听说没有“申遗”的凉茶铺有可能不能再称之为凉茶，担心如果凉茶市场被入选的大企业大品牌占领，小凉茶铺没有生存能力之后，凉茶的价格会上涨。

“我觉得凉茶清凉降火，已经成了生活的必需品，我50多岁了，从小喝凉茶，我家人也经常喝。我常喝广州本土的凉茶品牌，价格低于大品牌。如果凉茶只剩下个别大品牌，凉茶是否还能成为低收入人群的日常饮品？”市民李女士亦表示忧虑。

对于市民的担心，有专家认为，申遗对凉茶的价格应该没有影响，涨价的因素应该是原材料涨价、市场需求等。申遗成功的企业应该不会因此让自己的产品涨价。申遗只是对品牌的肯定，树立一个领先的形象并得到保护。

另有业内人士认为，等今年下半年规范凉茶行业的标准出台之后，凉茶市场的格局必然会起一些变化。不符合规定的凉茶铺应该不能叫做凉茶、不能再随便宣称其有治疗疾病的功效。对消费者来说，能喝到更放心、更有效的凉茶，而价格要看市场调节，市场规范以后，劣质低廉的凉茶将被淘汰。

观点

国遗荣誉属于整个行业

广东国际华商会常务副会长、广州黄振龙凉茶公司董事长黄富强说：“国遗”的荣誉，不仅仅只由列出来的21家企业独享，而是属于整个广东凉茶的行业的，因为正是遍地开花的凉茶店，才让专家们认可了广东凉茶。他否认现在流行的一种说法：其他没有列入“国遗“的凉茶不能再称作凉茶，而要改名为“饮料”。“凉茶的名字不用改，只不过国遗明确将严格保护的54种配方分别由专属的品牌独享。”黄富强如是说。

凉茶申遗消费者受益

健生堂高层管理人员认为：做凉茶，最重要的是对身体安全，其次才是功效。申遗的成功，除了保护了消费者的利益外，其实也保护了企业的利益。据其分析，虽然凉茶只是食品，可以随便饮用，但它毕竟是具有药性的中药成分，没有经过药理和毒性试验的凉茶，饮用后可能会对身体产生伤害。而做药理和毒性试验，必须投入相当大的资金，需要长达数年的时间和至少数百例的临床试验，一般凉茶店根本没这个条件。所以规定21家企业外的企业和配方不得使用“凉茶”名称，其实受益最大的是消费者。

记者观察 凉茶申遗起争论映射行业标准缺失

凉茶被列入国家非物质文化遗产保护之后的喜悦被不绝于耳的争议淹没。导火线源自广东省食品协会负责人张俊修称除受文化遗产保护范围的21家企业外，其他凉茶企业和配方，并不在文化遗产保护范围之列，甚至不能再使用“凉茶”这个名称，而只能叫“植物饮料”，并且不能宣传其“清热解毒”等凉茶功效。此话一出质疑声此起彼伏：“这与保护非物质文化遗产的初衷背道而驰”、“如果以非物质文化遗产之名，行种种垄断和贸易壁垒之实，就变得非常荒谬”……凉茶行业持续被关注，炒作凉茶名称的是非并非公众的本意，从中暴露的行业问题却不容忽视。

一些榜上有名的企业虽然因为拥有受保护的机会而高兴，但对一心想把市场做大做规范的他们来说也心存许多疑惑：单用文化遗产保护的措施就可“高枕无忧”？一般来说，濒临灭亡，有可能被遗忘、失传的情况下才采取保护，而时代在飞速发展，凉茶企业积极谋求做大，走出广东，传统与现代无论观念还是形态肯定会发生冲突。如何解决？

在岭南地区流传一千多年的凉茶是与时俱进的。邓老凉茶在2003年上市之初就率先提出“现代凉茶”口号，从传统凉茶中成功突围，短时间内发展成为少数主流的凉茶品种之一。此外，白云山和黄推出的“口炎清“虽然是传统凉茶，但为方便消费者，其无论包装及营销策略都透出现代感。这些现代版的凉茶在发展之初就有了“文化遗产”高贵身份，但从现代发展的思路来看，保护本身是否就是一种矛盾？而且文化遗产规定若秘方拥有80年历史，而且经鉴定为文物的，可依照相关认证继续申报为文化遗产。有人质疑市场上新出现的新产品就不能以凉茶身份在市场上推广？为此，有识之士提出用非遗产保护来区分凉茶有点牵强；用标准来区分或更合适。尽快制定科学的、符合市场发展规律的行业标准呼声显得尤为迫切!

业内人士提出除了文化遗产保护措施外，让法规护航十分有必要。首先，卫生部公布的110种药食同源的草药数量应进一步放宽，按国家规定药食同源的110种中草药才可使用于食品中，但凉茶里所使用的中草药有近200种，应提供合法使用那些不在110种中草药里的草药的法规保障；其次，允许凉茶宣传功效，而不是说不在54个品牌之列的“植物饮料“就不能宣传凉茶功效；其三，凉茶行业应该自律。在凉茶高速增长的同时，一些杂牌凉茶铺为增加功效在凉茶中添加西药等已成为业内公开的秘密，卫生问题是凉茶铺的另一个黑洞，如果抬高行业门槛，淘汰一些资金小、操作不规范的小凉茶铺，提升自身品牌后，消费者对凉茶的信赖度才能进一步提高；最后，凉茶的定义应通过行业标准来界定，而不是通过文化遗产保护的企业、品牌才叫凉茶。值得期待的是，首部凉茶行业标准正在接受广东省质监部门的审批，预计今年下半年正式出台。

行文至此，想起阿尔卑斯山地区的居民。据说他们对当地文化保护与众不同。他们盖新房用的材料、新房表面的形式看起来跟他们的老房子完全一样，但是内在的一切设备都是现代化的。游客问他们为什么还要建成传统老房子的模样，他们认为那是他们的尊严，因为全世界只有他们有这样的房子，所以必须要保留。或许，对于凉茶企业来说，在文化遗产光环笼罩下，创新推出与市场规律相适应的营销手法，才是保护的最高境界。

百事未来3年拟在华投资8.5亿美元

作为最早进入中国的跨国公司，百事公司在投资中国市场二十五周年之际，由百事国际首席执行官白怀民透露，百事公司将进一步加强在中国市场的投资，未来三年投资八点五亿美元。

白怀民是在日前专程访问中国之后作上述表示的。他认为，中国是百事公司全球最重要的市场之一，也是全球最具潜力的市场。百事公司与中国的合作，使双方的强项得以发挥并共同获益。百事公司将一如既往地从资金、管理、市场营销与创新等诸多方面给予合资合作企业强大支持。

白怀民称，百事公司和中国二十五年合作后的今天，不是我们奋斗的终点，而是继续深化合作的开始。百事公司今年在中国上海设立了除美国以外地区的首个饮料研发中心，将开发符合中国消费者口味的独特产品，凸显百事长期投资中国、致力于本土化发展的信心和决心。

今年以来，百事在哈尔滨、长春的工厂已经相继投产，此外，再开工建设三家企业，以满足中国市场的需求。未来三年，百事在中国的投资步伐将进一步加快，投资总额达到八点五亿美元。

据了解，目前中国已经成为百事公司继美国和墨西哥之后的第三大市场，百事在中国的销量增长率排在世界第一位。自一九八一年百事公司进入中国以来，百事在中国的投资总额累计已超过十亿美元。在中国的直接雇员达一万人，间接雇用的人数达十五万人。在中国，百事公司共拥有四十多家合资和全资企业，曾荣获中国“最具影响的跨国企业”称号。

六大名醋“发酵”中国创造

6月10日，“中国六大名醋”企业及国内顶级专家首次聚首醋乡山西，举办了“中国名醋高端论坛”，寻求中国谷物醋工艺传统与现代的结合，寻求中国醋与世界市场的接轨——“东湖”振臂

随着全球化进程的加快，带给中国企业的是机遇和挑战，压力和动力共存的考验。对国内调味品市场而言，全球化的“双刃剑”给企业带来的是希望和恐惧并在。达能、雀巢、亨氏等众多国际品牌开始进军中国调味品市场，或投资或并购，剑峰直指消费量比较大的调味产品——酱油、食醋、鸡精，土洋竞争的格局正在形成。

中国调味品协会资料显示，目前调味品行业中除去“醋”以外的其他调味品都已经和世界市场接轨，和国际知名企业合作。“醋”却迟迟得不到国际巨头青睐和关注。在中国调味品市场乃至世界市场都占有重要地位的“中国醋”发展陷入尴尬境地。尽管拥有年产250——300吨的大市场，中国谷物醋却一直以“小产品”自居。然而标有“MADE IN JAPAN、MADE IN USA”等的洋醋已经开始在中国市场出现。

如何“弘扬中华酿造工艺、发挥名醋名企效应、打造全球谷醋市场”成为中国谷物醋企业必须破解的课题。

山西“东湖”老陈醋素有中国醋中“茅台”美誉，作为东湖老陈醋生产企业，山西老陈醋集团有限公司的掌门人郭俊陆一直在思考“在现在行业品牌分散现象的背后，缺乏强有力且具有国际影响力的品牌、销售网络也非常传统的中国谷物醋行业，怎样才能在不破坏性的使用祖先遗留的技艺，创造性的发挥中国谷物醋在世界上的地位”。郭俊陆深知，一流企业谈合作，二流企业谈竞争和合作，三流企业只是竞争。尽管因为不同地区的企业饮食观念形成了不同口味的醋，但是市场多元化不应该成为阻止中国酿醋企业因素。

中国醋业只有容和才能共赢才能发展，于是山西老陈醋集团有限公司，向山西水塔老陈醋、天津市天立力流老醋、江苏恒顺集团、四川保宁醋有限、北京王级和食品集团发出“英雄帖”，共同商讨中国谷醋行业大计。

“东湖”振臂、群雄响应，2006年6月10日，“中国六大名醋”首次齐聚醋乡山西。中国调味品协会会长卫祥云来了，中国酿造行业99岁高龄的酿造泰斗秦含章教授来了。中国调味品协会专家技术委员会副主任委员黄仲华教授、中国科学院微生物学教授程光胜等也来到山西，南北派顶级专家汇聚一堂。台湾酿造专家卢重镇博士，台湾醋王李锦铭不远万里专程赶来参加这场醋乡“英雄会”。

2006年6月10日将成为中国醋业历史上一个不能忘却的日子。

山西宣言

“北东湖、南恒顺”，在中国醋业“江湖”中，山西“东湖”老陈醋，江苏恒顺醋凭借自身独特工艺、悠久历史成为

中国醋业的泰山北斗。再加上山西水塔老陈醋、天津天立独流老醋、四川保宁醋、北京王致和四家，“中国六大名醋”构建成了中国谷物醋行业的“脊梁”。

“市场竞争日益激烈，产品同质化、生产企业高成本低效益、地方品牌良莠不齐、市场营销意识不强，低价、砸价倾销现象愈演愈烈”，面对醋业市场困扰，中国醋业龙头们会时常感到“隐痛”，天津天立独流老醋股份有限公司张殿瑛董事长把企业经验“全盘托出”，那就是适时扩大生产规模，注重高新技术项目引进，实现终端销量最大化，抓好产品创新，开发多样化、方便化、高档化营养保健化的醋产品。张殿瑛说，要把醋在调味品行业中做大做强、企业就必须经常加强技术交流、互相学习、优势互补。张殿瑛的愿望是把醋行业做成全国调味品行业的老大，做调味品行业支柱产业。

对于中国谷醋行业发展路径，被业内称为“扛着传统大旗拥抱时代”的醋业领军人物，山西老陈醋集团公司董事长郭俊陆提出，中国醋业应当“承启传统工艺、创新醋业发展”。企业要先做大醋蛋糕，然后再分享这块大蛋糕。北京王致和食品集团党委书记穆亮十分赞成这个观点，市场经济要求企业必须走工业化生产的道路，只有对食醋生产传统工艺进行改造才能适应这种要求，但必须保证自身产品的特点，千万不能削足适履或邯郸学步。穆亮还呼吁，中国谷物醋企业还应当“提高知识产权的保护意识，抵御假冒伪劣的冲击”。

中国食醋有几千年历史，在世界上创造了辉煌的业绩，可是目前醋是中国调味品中发展较缓慢行业之一，四川保宁醋有限公司总经理杨勇认为，产品标准不完善，生产许可证标准不规范是其中重要原因之一。而作为食醋研究和生产创造走在世界前列的日本，靠的就是具有专业知识的技术人员、和先进检测设置、科学分析和管理方法值得借鉴。江苏恒顺醋业副总经理王明法说，“中国醋企业要坚持效益优先，占领国际市场，提高附加值，避免同业低水平竞争”。

“中国六大名醋”达成共识，6月10日发表了《中国名牌名企协作组织宣言》，将以培育自主品牌为目标，确保本世纪前十五年争创3--5个国际知名品牌；注重新技术、新材料研发，由被动跟进市场逐步做到领军市场，提高自己创新能力，实现中国制造向“中国创造转变”。

中国醋业叉开的指头捏成了“拳头”。国家质量技术监督总局质量司副司长惠博阳这样评价：“这是件推动中国醋业加强自律，规范行为，提升中华谷物醋总体质量水平的宏伟之举，对于推动中国食品和其他生产行业与世界市场接轨的步伐，开拓全球谷物醋市场具有非常重要的意义”。

领航世界

谷物醋是中华民族五千年农耕文化文明的结晶，是中华民族悠久历史文化的瑰宝，更是中国酿醋行业共同的闪亮名片。谷物醋是真正意义上的中国创造，独特的工艺、深厚历史底蕴使得中国谷物醋在世界市场上拥有着无可替代的地位。

把传统品牌转化为现代品牌，打造成为世界品牌，成为中国制醋精英们的梦想。

“中国六大名醋，山西三分天下”，作为“中国名醋高端论坛”主办方，山西省名牌战略办公室主任、山西省质量技术监督局局长王正喜道出了此次论坛初衷：“弘扬中华酿造工艺和悠久的醋文化、发挥名醋名企的示范带动效应，打造全球谷物食醋大市场。全球市场的快速形成，食醋行业面临难得机遇，产业再造迫在眉睫，醋行业要实现合作与共赢，避免恶性竞争、发挥品牌优势，将是谷物醋品必然选择！”

在4000亿食品工业中我国调味品占据了400亿的份额，这几年醋在调味品产业中异军突起，中国调味品协会会长卫祥云提出，中国醋业不仅要做大，而且要做强。应当进一步提高产业集中度，提高国际合作水平，龙头企业还要积极联合二线品牌。卫祥云坚决反对价格战，反对低价格抢市场。

他山之石，可以攻玉。近几年来中国白酒、酱油行业的发展值得中国谷物醋企业们借鉴。虽然产品存在差异，可是市场经营却是相通的。山西酿酒协会会长沈正祥建议，中国食醋行业应效仿中国白酒行业，“透明行业信息、共享市场信息，定期信息交流”。事实上，中国名酒企业的“容和”，让他们在过去几年中共同做大了市场，规范了行业秩序。中国六大名醋几乎都有自己的“看家工艺”，这种工艺具有独特性、不可取代性，因此也给予了企业“自主定价能力”，从近年茅台、汾酒提价就可以看出自主定价能力的市场意义。沈正祥先生还建议，中国名醋企业要坚持效益优先原则，产品市场定位应于瞄准中高收入人群。

山西老陈醋向来执行业“牛耳”，可是在上海及东南沿海市场却是恒顺醋业一统天下，其实道理很简单消费习惯使然，这种现象也给中国谷物醋企业提出了如何适应市场的课题。台湾著名酿造专家卢重镇博士认为，中国谷物醋要适应国际市场，首先要适应国际口味，现在中国醋产品大部分存在盐份高的问题，应当克服与解决。中国谷物醋要想领航世界，必须有国际视野。

中国科学院微生物研究所程光胜先生充分比较了日本、美国食醋工艺后，提出这样号召：“充分认识中国醋的巨大潜力，以独立民族产品推向国际市场。”

中国调味品协会专家技术委员会副主任委员黄仲华；中国保健食品协会专家委员会顾问索颖两位专家指出，中国谷物醋一定要打好保健牌，人们对食品需要从温饱型转向营养和保健型时，企业要不断开发新产品满足这种需求。“中国六大名醋”在这方面有得天独厚优势，这可以作为中国醋走向国际市场一张很好通行证。“北东湖”、“南恒顺”这两年国际市场销售扩大也充分证明了中国谷物醋走向国际市场的潜力。

“知识产权、自主定价、保健功能”中国谷物醋正在从传统走向现代，从国内走向国际，这是一股带着浓郁民族味道的力量。

2006白酒行业的四大动向

2005年已经永远成为了过去，对白酒厂商来说，究竟这一年是赔是赚，相信大家心里都有谱。

而面对未来，2006年白酒业会有哪些新的动向，能给他们带来哪些机遇，无疑是商家最为关心的话题。

为此，本刊近期进行了广泛深入的调查。

从渠道模式的变化到市场发展重心的下沉，从老名酒的复兴崛起再到高端酒的新趋向。

一部2006年白酒行业的趋势图逐渐展现。

动向一　渠道模式进入探索期

关注指数：9.2

酒店对其他渠道的带动和影响作用勿庸置疑，因此一直是白酒首要进攻的渠道。然而随着酒店竞争的加剧、费用的增高，许多品牌运作商被累得气喘吁吁。此外，目前自带酒水现象的迅速增加也使得酒店投入产出比在下降，酒店的核心作用大大削弱。因此，酒店终端是否继续充当白酒拓市的突破口，成为了今后一段时间大家关注的焦点之一。

从目前的调查来看，一部分人坚持认为，酒店依然是不容忽视的重要渠道。因为，从本质上讲酒店就是一个产生消费的场所，对任何白酒都有机会。但残酷的现实告诉我们，再往酒店下赌注无疑是增加成本和风险，单纯地靠酒店上量以后再往其他渠道放货的做法难度也会更大。较好的一个办法是将酒店作为主攻的一部分，其他渠道多管齐下密切配合。酒店以后最重要的作用应该是展示产品形象，因为白酒的核心消费群依然集中在这里。如果一个品牌的形象展示能在众多品牌中脱颖而出，比如陈列、外包装，起码会吸引一部分消费群体去欣赏一下。能给这部分人留下良好的第一印象就能产生消费的机会。同时，一般酒店的加价率较高，但如果消费者在烟酒店或商超碰见了（这里的价格肯定比酒店低许多），“成交”的几率会大大增加。由此看来，从单纯地做酒店转到多个渠道相互配合，将能产生较好效果。因此要求酒店的终端陈列和商超等渠道的铺货以及广告宣传同时进行。

除了上面讲到的各个渠道密切配合，新渠道也将被进一步重视起来，比如烟酒店。随着自带酒水的增多，烟酒店的量也在继续增加。比如从石家庄市场来看，2005年烟酒店的数量又有大幅度的增长。一方面说明，烟酒店的生存空间依然较大；另一方面说明白酒在烟酒店的量也在增加。而不断增量的烟酒店也为消费者提供了更多的选择机会。重视烟酒店的营销将被更多的白酒厂商所意识到。记者观察到，2005年下半年，正在操作石家庄市场的蜀乡门第就在烟酒店上了身着产品形象服装的促销员。东北第四宝也是几乎在一夜之间，将石家庄所有烟酒店都摆上了自己的灯箱广告。

再比如团购。在酒店终端操作难度加大以后，尝试用团购渠道吸引核心消费群，再用这些核心消费群带动其他渠道也未尝不可。因为从本质上讲，面对团购的很多消费者往往也是餐饮终端的主流消费群，比如企事业单位。做好团购渠道也等于把酒店核心消费群给抓住了。

由于多种原因，酒店终端高额的费用支出在短期内不可能消失，同时由于自带酒水逐渐增多，因此，相信在刚刚到来的2006年当中，将会有更多的白酒厂商去尝试新的渠道操作模式。

动向二　市场重心下沉　县级市场将成竞争

焦点关注指数：9.0

多年以来，由于消费能力强、消费档次高以及强大的辐射能力，城市市场一直是白酒厂商竞争的核心地带。相反，县级市场(这里所说的县级市场包括县以下的乡镇和农村市场)由于消费能力有限，假酒相对猖獗，市场秩序混乱，很多白酒厂商不予重视，特别是大的厂家。而目前，城市市场逐渐由理想中的沂サ赜变成了厂商们的疑诵牡赜：品牌竞争激烈，各种苛捐杂税层出不穷，费用居高不下，竞争形势越来越严峻。记者在对石家庄、广州、南京、北京等地调查时，很多厂商对此感触颇深。如广州一位经销商坦言，广州现在几个新秀品牌如开口笑、东方喜炮虽操作了几年，但收效并不理想，主要原因是广州市场的投入过大导致成本急剧上升，利润不断萎缩。

在城市市场操作难度日益加大的同时，很多白酒厂商开始考虑寻找新的利润增长点。从调查来看，县级市场很有可能成为2006年白酒厂商赢利的新地盘。

2005年下半年开始，本刊对河北、河南、辽宁、江苏等地的县级白酒市场作了连续深入的调查，在读者当中产生了较大反响，很多白酒商家对县级市场有了一个新的认识。首先从销量上看，县级市场的容量其实绝不次于城市市场：比如在2004年，地产品牌皇沟御酒在商丘永城市（县级市）的销售额已经接近7000万元；琅琊台在青岛的胶南县达到6000万元；道光廿五在大连的瓦房店销售额达到2000万元；浏阳河在江苏兴化县销售额超过了1000万元。

在终端和广告投入上，县级市场相对城市市场要低许多。据调查，大部分县级市场的进店费仅有几百元，经济发达的县级市场也只有一千多元。而广告投入上，如果有几十万元的话，恐怕这个县城就是铺天盖地了，但如果将几十万元投入到大的城市，几乎是杯水车薪。在促销上，城市市场许多已经厌烦了的促销品比如打火机，到县级市场依然很具有吸引力。其他促销形式如美元促销等可能魅力更大。

因此，与城市市场相比，县级市场的优势已经显现。

从最近的调查来看，不少白酒厂商在2006年对县级市场也重视有加。浙江商源公司相关人士告诉记者，2006年他们会由原来的二级市场总经销发展县级市场经销商的方式，变成各县直接设总经销。另外，村镇市场他们也派驻业务员来负责，创建村镇经销网络。河北唐山一位做名酒的经销商告诉记者，他新接了一个江苏的品牌，2006年的操作重点将首先是乡镇市场，目的是用较低的费用营造市场氛围。不少白酒新品如土老帽、五粮液长三角等也将在2006年对县级市场有新动作。

但是，由于县级市场假酒的猖獗以及管理不太到位，可能会给白酒厂商带来诸多麻烦。另外，众多白酒品牌齐聚县级市场，估计会抬高这一市场的营销费用。

动向三　老名酒展开复兴大战

关注指数：8.6

2005年，老名酒的复兴已经有了明显的迹象：西凤在换帅之后重新焕发青春，提出了“冲八工程”并实现了树立区域强势品牌的梦想，提前完成了全年5亿元的销售目标；洋河在蓝色经典的带领下在江苏等地销量猛增；汾酒在山西本地的老大地位进一步巩固；郎酒在改制后冲劲十足，2005年一直保持着20%以上的增长速度。

如果说2005年老名酒已经展开了腾飞的翅膀，那么，2006年很可能是老名酒展翅腾飞的一年。据了解，在这一年里许多老名酒都将展开新一轮攻势。

在2005年上半年，全兴开始了品牌整合运动，一部分全兴的买断品牌被相继砍掉，之后全兴在长达几个月的时间没有向市场投放产品，据称这是为全兴的二次发力进一步净化市场。而近期全兴又在一些媒体上给消费者上课，公开发表文章声明哪些酒才是全兴酒厂的产品。据悉全兴将在2006年大力运作全兴大曲，但具体措施可能尚处于保密中。另悉，目前全兴库存老酒多达2～3万吨，有人估计可能会实现3～5亿的销售额。

郎酒在完成改制以后似乎大有后发制人的势头。近期，四川郎酒集团有限责任公司将手上宝光药业3300万股国有法人股作价7029万元，全部转让予天津市集睿科技投资有限公司。郎酒集团董事长汪俊林向记者称，今后他会将所有资源打造郎酒，在白酒界后来居上。这一点在市场动作上可明显看出，目前郎酒在广东、河北等地加大了广告投入，在行业媒体方面也开始了软硬兼施的宣传，并在各地相继成立了郎酒专卖店。据悉2006年郎酒将主打红花郎等高档产品。

西凤在巩固陕西本地市场的基础上将很可能在中原、山东、东北、广东等西凤基础较好的市场重点运作。从目前来看，西凤与不少大的经销商开发了众多子品牌，这些子品牌依靠灵活的经营机制将使西凤在更多的地方开花结果。

此外，洋河的蓝色风暴估计在2006年会刮得更猛，汾酒的老白汾、中华汾酒等重点产品也会在今年有大的突破。

从目前来看，老名酒在复兴的道路上似乎都找到了一条适合自己的路径。有的是依靠大量开发子品牌，如汾酒、西凤，有的是重新打造形象产品，典型的如洋河的蓝色经典，双沟的珍宝坊；也有则是老品牌重塑新形象，如郎酒。就市场环境来说，名酒回归的迹象比较明显，点名购买率在逐步提高。而这必将给老名酒及更多商家在2006年带来更多机遇。

动向四　高档酒的新一轮角逐

关注指数：8.7

在高档酒的群体中，2006年将可能是高档新秀之间的新一轮角逐期，其中最受关注的可能还是水井坊和国窖·1573（以下简称国窖）。因为，目前在高档酒市场能真正掀起风浪的品牌毕竟太有限了。

2005年水井坊销售形势并不如市场预期那样乐观，估计销量与2004年相比基本持平，即保持在1000吨左右，而目前水井坊产能已达到2100吨左右，高档白酒市场的激烈竞争导致水井坊的产能利用率下降，成本负担已开始显现。从调查来看，水井坊在广东、四川等主力市场的表现差强人意，有经销商告诉记者，2005年水井坊在成都的价格较乱，高度产品的价格曾一度跌到了330多元。业内人士分析说，水井坊市场投入的减小与各地经销商实力的参差不齐是导致其不能继续前行的主要原因。而面对2006年，水井坊显然不可能就此罢休，估计一系列的调整会相继出台。

相对来说国窖在2005年要活得滋润些。据悉，2005年国窖的实际销量超过了1000吨，销售收入占公司总收入的比例可能要超过30%。从市场上看，国窖在其重点市场均有不同程度的突破，比如北京，有经销商反映国窖曾超过了表现不错的水井坊。而进入2006年后，国窖大有突飞猛进之势。广东某白酒经销商称，为了得到华南经销商的全力支持，国窖不但对产品的资金支持比“茅五剑”和水井坊都要高，政策也更有利于市场秩序的维护。例如，公司销售人员不直接营销，绝大部分销售都通过经销商来进行，实行本地销售，谁开发谁受益的原则；另一方面，公司还制定了严格的出厂价——超市价——终端价的价格体系，并通过严格的监督，保证经销商进行顺价销售。据悉，2006年国窖仅在广东的投入就达到3000万左右，而其在广州电视塔上的巨型霓虹灯广告就投入了600万。

水井坊和国窖在2006年可能是一种高姿态的竞争，即形象上的竞争。比如国窖投入600万做广州最大的霓虹灯广告，目的就是为了塑造国窖的“高端酒”形象。此外国窖数千万的广告投入也大部分是用来宣传形象。而水井坊虽然还没有明显动作，但据透露其在2006年的广告投入也将是个“不小的数目”。但目前水井坊需要解决的是价格和经销网络的稳定，尤其是四川和广东两地。

也有人认为国窖和水井坊的竞争在某种意义上不是一个层面。国窖更多的带有“国营化”思路，而水井坊则是一种“完全市场化”的运作模式。从这一点来讲，水井坊不管市场调整还是执行速度都要迅速一些。（王正坤）

食糖市场：国内外食糖市场形势分析

一、食糖市场的特点

食糖是关系国计民生的重要商品。在食糖价格出现剧烈波动时，国家会采取经济手段进行调控，如储备糖的收购与抛售以及食粮进出口政策的调整等。

（一）国际食糖市场趋于开放

2005年11月份，欧盟同意改革食糖配额体制，同意在4年内将补贴削减36%。在香港WTO会议上，各国承诺在2013年以前逐步取消农业补贴。总体来看，上述两个事件对国际食糖市场影响深远，食糖市场价格将重新定位价格区间，以往受到各国“严重保护”的食糖市场将趋于开放，生产国和消费国面临重新洗牌。

（二）食糖价格波动性大

由于在食糖国际贸易中普遍采取双边协议的形式来稳定贸易关系，因此形成了食糖商品率高但自由贸易量小的局面。而且，当市场需求量出现增减变化时，食糖价格在短期内会出现暴涨暴跌的格局。相对来讲，食糖价格的波动性大在众多商品中是突出的，国际市场上食糖历史价格的最高和最低点相差约40倍，国内市场食糖价格的最高和最低点相差约三倍。

目前，世界上多数国家对食糖贸易实行“壁垒”，一些发达国家对食糖生产实行出口补贴、进口实行配额，自由贸易量只占到总贸易量的20%，价格比较容易受到人为因素影响。我国是世界上食糖关税最低的国家之一，每年均有一定的进口量，国内食糖价格易受到国际市场价格变化的影响。

白糖现货价格与其它主要农产品现货价格波动对比

（三）食糖价格周期性变化明显

食糖价格存在着较明显的周期性变化，从原糖价格近50年以来的走势分析，其周期性波动比其它商品更为清晰，周期为7–8年，平均大约为7.6年。原糖价格的周期低点明确，高点则不稳定。国内食糖市场价格大约存在着7.6年的波动周期，和国际市场价格波动周期基本吻合。

二、国内食糖市场回顾

自1991年国务院决定改革食糖市场流通体制之后，我国食糖市场逐步放开，食糖行业得到快速发展，但受食糖生产条件和行业特征影响，我国食糖市场运行并不平稳，食糖产量的波动常常会引起价格的大幅波动，进而影响了食糖市场的正常供给。从发展历程来看，上个世纪90年代以来，我国食糖市场经历了3次价格大幅度上涨和4次价格大幅度下跌。

国内食糖价格3次上涨：1992年5月至1995年3月，国内食糖价格从1500元／吨涨至4800元／吨；1999年12月至2001年4月，国内食糖价格从1985元／吨涨至4350元／吨；2003年9月至今，国内食糖价格从2050元／吨涨至4400元／吨。

国内食糖价格4次下跌：1991年至1992年5月，国内食糖价格从2500元／吨跌至1500元／吨；1995年3月至1996年6月，国内食糖价格从4800元／吨跌至3700元／吨；1996年10月至1999年12月，国内食糖价格从4450元／吨跌至1985元/吨；2001年4月至2003年9月，国内食糖价格从4350元／吨跌至2050元／吨。

三、现阶段国内食糖市场形势分析

(一)近3年多以来国内食糖市场出现了新的变化

近3年多时间以来，国内食糖市场变化比较明显的是：2002/2003榨季国内食糖产量达到了历史最高点1060万吨，但在新榨季来临前国内食糖价格却出现了"翘尾"现象；2003/2004榨季，国内食糖产量减少至1002万吨，但在新老榨季交替之时国内食糖价格出现了暴跌；2004/2005榨季国内食糖产量减少至917万吨，供求关系在新老榨季相互交替中基本达到平衡。总体来看，影响食糖价格发生波动的因素很多，如国家食糖市场调控政策的改变，食糖替代品市场的变化、国际市场食糖价格的变动等，其中规律性变化的因素有很多，我们应多加关注。

(二)2004/2005榨季食糖市场回顾

2004/2005榨季食糖市场呈现5个主要特点：第一，食糖产量同比出现了较大幅度下降，由上榨季的1002万吨减少到了917万吨，减产幅度达8%。第二，国内和国际市场食糖价格联袂走高，持续时间长，上涨幅度大，如国内食糖价格从2600元／吨上涨了4400元／吨。第三，大糖厂和大商家引导食糖市场价格走向，两大利益集团利用资金和市场优势，加大了对食糖市场的引导力度，中小糖厂和商家则被动跟从。第四，食糖消费同比略有下降，这是国内食糖市场放开以来很少出现的现象。第五，糖厂利润最大化，商家利润恢复性增长，农民实际收入小步增加。糖厂在整个食糖市场利润中占的份额过大，以及农民所占利润份额过小的现象在本榨季体现的非常明显。估计在新的榨季，双方的矛盾将加剧，糖厂独占"大头"的局面会有所改变。

(三)2005/2006榨季市场焦点将是"两条主线"的博弈

糖厂←→消费者：糖厂能否将生产成本的提高最终转嫁给消费者并获得较高利润。今年是我国政府实施"十一五"规划的开局之年，为促进糖业健康发展，促进农民增收，财政增效，企业增利。各主产区均对新榨季工作做了安排，其中最为重要的一点是提高了甘蔗收购价。北方甜菜产区，受其他农作物比价影响，甜菜价格提高到了250–320元／吨。南方甘蔗主产区，广西根据自治区物价局及各市物价部门制定的2005/2006榨季糖料蔗收购价格政策，每吨糖料蔗收购价格为240元／吨，对应每吨食糖平均含税价格为3700元／吨。广东湛江糖料蔗收购价估计将提高到275元／吨。云南糖料蔗收购价提升了30元／吨，达到了170–180元／吨。以广西为例，以当前的糖料蔗收购价来计算，食糖成本大约为3200元／吨，考虑到糖料蔗收购价和食糖价格的联动关系(食糖价格上涨100元／吨应支付给农民5元／吨)，食糖的成本会更高一些。面对食糖价格上涨，消费终端市场正在发生变化，主要是替代品消费量增加以及最终消费者能否接受高企的食糖价格。

国际市场食糖价格←→国内市场食糖价格：国际市场食糖价格将比以往在更大程度上影响国内市场食糖价格，国际市场食糖价格的高低将决定国内市场食糖价格的走向，并间接影响我国政府食糖市场的调控政策。另外，在国内白糖期货合约推出交易以后，其将对国内食糖现货市场产生较大影响，原有的市场格局将会有所改变，食糖价格波动将更加频繁。

(四)2005/2006榨季食糖产量

中国糖业协会全国食糖产量预测表（见表一）

广西：广西是我国蔗糖的重要生产基地，年产量占全国蔗糖产量的60%以上。

2005/2006榨季，多数糖厂开榨时间有所延迟。2005/2006榨季甘蔗播种前期，桂北地区出现了低温天气，加上2005年春季干旱天气的影响，桂北地区甘蔗长势受到了不同程度的损害，出苗少。另外，桂南地区甘蔗长势相对较好。总体来看，广西甘蔗种植面积略有增加，产量呈现恢复性增长趋势。据广西农调队分析，广西食糖产量估计为580万吨左右。

云南：云南甘蔗种植面积比上个榨季略有减少，当地还出现了严重的干旱天气，主产区临沧、玉溪、红河、保山、思茅等地一半以上的甘蔗受灾，新种植甘蔗受到的影响较大，宿根蔗后期长势及产量也受到了影响，严重的旱情以及种植面积减少将使云南甘蔗产量出现减少。

广东：湛江徐闻地区前期受到了干旱和台风天气影响，估计有4万亩甘蔗旱死、2万亩甘蔗绝收，这将影响食糖产量3万吨左右。但从整个广东地区的情况来看，预计当地食糖产量将有小幅度的增长。

海南：2004年冬季和2005年春季，当地持续出现了干旱天气，估计食糖产量将减少50%以上，减幅接近20万吨。

国内甜菜产区：2005/2006榨季，我国甜菜种植面积有所提高，其中高产甜菜品种的种植面积较大。总体来看，本榨季三大甜菜产区的天气条件较好，甜菜单产有不同程度提高，预计产糖量约在80万吨以上，增产20万吨左右。

从上面的数据我们大体可以测算出，广东地区蔗糖和国内甜菜糖的增产量与海南和云南地区蔗糖的减产量基本持平，其它地区变化不大，因此，广西地区蔗糖产量的增减将直接关系到2005/2006榨季全国食糖的产量。从当前市场情况来看，广西地区食糖增产约30万吨左右，本榨季全国食糖产量比上个榨季增产30万吨接近950万吨。

(五)国内食糖消费量的变化

近几年，国内食糖消费量呈现没有规律性的增减。目前，全国含糖饮料的产量年增长20%以上，但食糖消费量却没有增长这么多，原因是替代品挤占了食糖的市场份额，主要是糖精和淀粉糖的市场份额在不断扩大。

国内食糖消费：近10年来，随着国内经济发展、人民生活水平提高，国内市场食糖消费年均增长5%左右，高于食糖产量年均3.2%的增长幅度，也高于国际市场2%-2.5%的消费增长速度。而且，随着食糖消费总量增长，食糖消费市场结构也在发生变化，工业消费所占比重增加到了70%，民用消费所占比重降至30%。

2005/2006榨季我国食糖消费量预测：第一，糖类消费量增长情况。2003年，我国糖类(包括食糖消费量和淀粉糖折算成食糖的消费量，下同)消费量为1245万吨，较上年增长7.3%；2004年，我国糖类消费量为1330万吨，较上年增长6.8%；2005年，我国糖类消费量为1372万吨，较上年增长3.2%。以此测算，今年我国糖类消费量增长率约为3%-7%。笔者认为随着经济的发展、居民收入的增加、城市化进程的加快、含糖食品生产每年按25%的速度发展等，我国糖类消费量呈现上升趋势是可以确定的。第二，淀粉糖消费量增长情况。2001年至2005年，淀粉糖价格在2100-2300元/吨区间波动，与食糖价格相比具有很强的竞争力，淀粉糖消费增长率也具有很强的稳定性，预测今年淀粉糖的消费增长率将有所提高。1993年我国淀粉糖产量为37万吨，2004年增长到了347万吨，2005年预计产量为450万吨，近三年年均增长25%(淀粉糖折算成食糖按照1:0.75计算)。

四：国际食糖市场展望及对国内食糖市场的影响

(一)近年国际市场食糖价格走高成因

1966年至1974年11月，国际市场食糖价格攀升，价格从1.4美分涨到了66.5美分，上涨了45倍以上。另外，在1981年前后，国际市场食糖价格的涨幅超过了40美分。随后20年时间，食糖价格一直处于熊市。近几年，国际市场食糖价格出现了复苏迹象。由于当前的食糖价格比其最高价低80%，加上石油价格大幅上涨，国际市场食糖主产国巴西酒精价格上涨使其食糖出口量趋减，当前国际市场食糖供求不平衡的格局正在形成，这是近几年来国际市场食糖价格走高的主要原因。

(二)国际市场食糖价格仍具有上涨空间

宏观经济背景：资金庞大的国际商品指数基金通过买入原油等大宗商品期货来对冲通货膨胀风险的投资策略主导了商品价格的走势，并创造了2003年6月以来的国际大宗商品市场大牛市。我们注意到美联储加息做为判断通涨预期的指标之一，在这个过程中起到了推升国际商品价格的风向标作用。自2004年6月美联储首次加息以来，截至目前13次加息已引发了10次原油价格的大福上涨。我们预测，当美联储停止加息时，通货膨胀预期会减弱或消失，以原油为代表的国际大宗商品的超级牛市将结束。目前，美联储加息的余地仍然存在，我们认为商品的牛市格局还将持续。

国际食糖市场基本面因素：2005/2006榨季国际食糖市场供求关系将进一步改善，但食糖价格仍会得到基本面的支持。国际糖业组织(ISO)认为，由于近年来国际食糖市场连续出现供给缺口，国际食糖市场价格将继续得到基本面的支撑。从近几年的市场情况来看，上个世纪90年代后期和本世纪初期积累下来的庞大库存糖已基本被市场消耗。ISO在对2005/2006榨季全球食糖产销前景预测时认为，估计2005/2006榨季全球食糖产量将有所增加，全球食糖消费总量将增长2.11%。另外，由于近年来国际市场能源价格以及各国的政策变

中国糖业协会全国食糖产量预测表

表一　　　　单位：万亩、万吨

省区	糖料种植面积	糖料产量	产糖量
全国合计	1914.3	7424	970
甘蔗糖小计	1621.3	6743	823-873
广东	196	941	107-112
其中：湛江	150	750	85
广西	960	4200	530-560
云南	363	1247	150-165
海南	60	160	19
福建	10.9	55	6
四川	9.4	42	4.6
湖南	8	32	3
其他	14	66	3.4
甜菜糖小计	293	681	84
黑龙江	110	160	20
新疆	110	380	45
内蒙古	52	95	12.5
河北	13	30	4.5
其他	8	16	2

化在国际市场糖价运行过程中发挥的作用越来越大，国际食糖市场价格的变化难以预料，国际市场食糖价格的运行已不再只受制于基本面的因素，后期将更多受到原油价格和国际对冲基金的影响。

(三)国际市场食糖价格走势对国内市场食糖价格的影响

总体来看，国际市场食糖价格与国内市场食糖价格呈现较为显著的正相关关系。以昆明商品交易中心和纽约商品交易所食糖价格作相关性分析，相关系数为81.7%。

我国食品进出口形势分析及展望

伴随国内食品工业的快速发展，行业结构得到了优化，特别是上个世纪90年代以来，我国食品工业每年以10.4%的增长，也带动了我国食品的国际竞争力进一步提升。进入21世纪后，在国内经济发展推动食品消费不断升级以及我国加入世界贸易组织的大背景下，我国食品工业继续保持着蓬勃发展的态势，食品进出口规模也不断扩大，2001年我国食品进出口规模为225.4亿美元，至2005年我国食品进出口规模达到了442.8亿美元，5年间的年均增幅为18.4%。据海关统计，2005年的我国食品进出口规模达到442.8亿美元，比上年(下同)增长9.6%。其中进口速度明显放缓，全年进口200.8亿美元，增速由2004年41.9%转为2005年的下降0.1%；出口速度则明显加快，当年出口242亿美元，增长19.1%，较2004年7.7%的出口增速高出11.4个百分点，贸易顺差由2004年的2.1亿美元迅速扩大至41.2亿美元。2005年我国食品进出口的主要特点如下：

一、2005年我国食品出口的主要特点：

(一)原料性食品出口实现增势良好，加工食品出口遭遇寒冬

2005年国内食品供给能力有了明显提升，国内传统大宗原料食品如水海产品、谷物及谷物粉、蔬菜和鲜、干水果及坚果等在国际市场上具有一定的竞争优势，出口实现不同程度的增长。2005年我国水海产品出口43.5亿美元，增长7.3%，占当年我国食品出口总值的18%；蔬菜出口33亿美元，增长18.7%；谷物及谷物粉出口15.2亿美元，增长83.5%；鲜、干水果及坚果出口9亿美元，增长17.3%。而我国加工食品的竞争优势相对较弱，并受进口国诸多“反倾销”、“绿色壁垒”等不利因素制约，出口出现不同程度的下降。2005年我国烤鳗出口4.2万吨，价值5.8亿美元，分别大幅下降30.3%和20.7%；蘑菇罐头出口2.7亿美元，下降4.7%。

(二)食品出口以一般贸易为主，加工贸易出口保持两位数的增长

2005年我国以一般贸易方式出口食品179.5亿美元，增长20.1%，占我国当年食品出口总值的74.2%；加工贸易方式出口55.5亿美元，增长20.4%，占我国当年食品出口总值的22.9%。

(三)对主要出口市场实现不同程度的增长

2005年我国对日本出口食品73.2亿美元，增长8.4%，占当年我国食品出口总值的三成，继续保持我国食品第一大出口市场的地位。对其他主要出口市场欧盟、韩国、香港和美国分别出口27.9亿美元、26.6亿美元、24.8亿美元和24.7亿美元，分别增长34.1%、36.2%、1%和24.9%。

(四)外商投资企业出口占据主体地位，国有企业和私营企业“一慢一快”

2005年我国外商投资企业出口总值突破百亿美元大关，达到106.2亿美元，增长17.3%，占当年我国食品出口总值43.9%；国有企业出口增长缓慢，全年出口62.3亿美元，增长5.5%；私营企业出口61.8亿美元，增长44.2%，占当年出口总值的25.7%，对当年食品出口增长的贡献率高达48.7%。

(五)山东、广东和浙江等3个食品出口大省占据我国食品出口的半壁江山

2005年山东、广东和浙江分别出口66.3亿美元、33.4亿美元和20.5亿美元，分别增长24.5%、3.2%和9.9%。上述3省合计出口120.2亿美元，占据当年我国食品出口总额的半壁江山。

二、2005年我国食品进口的主要特征

(一)大豆、食糖进口步伐明显加快，小麦进口出现下降

2005年我国进口大豆2659万吨，价值77.8亿美元，分别增长31.4%和11.5%；进口食糖139万吨，价值3.8亿美元，分别增长14.4%和39.1%。而2005年我国粮食总产量达到9680亿斤，比上年增产292亿斤，国内粮食供求矛盾得到缓和，当年小麦进口出现大幅下降。2005年我国进口小麦354万吨，价值7.7亿美元，分别大幅下降51.2%和53.1%。

(二)进口以一般贸易方式为主，加工贸易增长迅速

2005年我国一般贸易方式进口食品153.6亿美元，下降5%，占当年我国食品进口总值的76.5%。以加工贸易方式进口29.7亿美元，增长22.7%。

(三)美国、东盟和阿根廷是我国进口食品的主要来源地

2005年我国从美国进口食品43.1亿美元，下降13.3%，占当年我国食品进口总值的21.5%，是我国第一大进口食品来源地；自东盟进口食品35.2亿美元，下降1.7%；自阿根廷进口29.6亿美元，增长10.8%。

(四)外商投资企业为进口主力，国有企业进口小幅下降

2005年我国外商投资企业进口食品89.6亿美元，增长18.2%，占当年我国食品进口总值的44.6%，是食品进口的绝对主力。国有企业进口68.5亿美元，下降14.1%；私营企业进口33亿美元，与上年持平。

(五)北京、山东和广东等食品主要进口省市进口升降不一

2005年北京、广东分别进口食品35.3亿美元和29.3亿美元，分别下降12.6%和18.7%；山东进口34.3亿美元，增长14%。上述3省市合计进口食品98.9亿美元，占当年我国食品进口总值的49.3%。

三、当前我国食品进出口面临的主要问题

近年来我国食品工业的现代化生产步伐不断加快，国内食品的生产加工能力明显提高，食品生产技术和产品结构得到进一步优化，水海产品、蔬菜、水果等产品的国际竞争力有效提升，食品的进出口规模不断扩大，但仍有一些问题值得关注：

(一)食品安全问题——我国食品出口的硬伤

由于食品是日常生活中的必需品，直接关系到社会公众的健康问题，所以食品安全容易成为人们关注的焦点。近年来我国食品安全虽然得到有效地监管，但一些深层次问题未能得到根本解决，苏丹红、孔雀石绿、劣质奶粉、毒粉丝、陈化粮等等食品安全问题时有发生，食品安全仍然明显影响国内居民的日常生活。食品安全问题制约了国外市场对我国食品的进口需求。如2005年6月发生的“孔雀石绿“药残事件，由此引发药残事件使我国烤鳗出口严重受阻。虽然我国早在2002年5月就将孔雀石绿列入《食品动物禁用的兽药及其化合物清单》中，但由于孔雀石绿价格便宜且治疗水霉病等功效明显，部分养殖者在水产养殖过程中仍偷偷使用。2005年我国出口烤鳗仅4.2万吨，价值5.8亿美元，大幅下降30.3%和20.7%。

（二）“反倾销”——我国食品出口的绊脚石

2005年我国遭遇国外反倾销调查51起，涉案金额17.9亿美元，已连续11年成为全球遭受反倾销调查最多的国家，我国食品行业也未能“独善其身”。早在2003年美国就对我国出口冷冻或罐装暖水虾提出指控，要求对来自我国的进口虾实施反倾销措施。2005年1月，美国裁定除湛江国联获得零关税外，其他虾产品企业对美出口存在倾销行为，被征收27.9%到112.8%不等的反倾销税，使我国对虾产品出口严重受阻，2005年我国对美出口对虾（包括鲜、冷、冻对虾和对虾仁）7627吨，价值3758万美元，分别下降53.5%和55.9%。另外，我国的蘑菇罐头分别被美国、欧盟采取征收反倾销税和实行关税配额限制措施，当年我国蘑菇罐头对美、欧的出口值分别下降了11.5%和7.4%；2005年4月、5月澳大利亚和墨西哥也相继对原产于中国的蘑菇罐头进行反倾销调查。

（三）“绿色壁垒”——我国食品出口的瓶颈

加入WTO之后，虽然关税壁垒等贸易保护措施逐步取消，但部分发达国家为保护国内产业不受冲击，频频利用自身经济优势设立的各种“绿色壁垒”限制外来产品的进入。如欧盟从2005年8月起，对硫丹（具有杀螨作用的有机广谱杀虫剂）在茶叶中的残留限量从30毫克／公斤调整为0.01毫克／公斤，导致2005年我国茶叶对欧盟出口茶叶1.6万吨，价值3359万美元，分别下降24.2%和6.9%。特别值得注意的是，从2006年1月1日欧盟开始实施新的《欧盟食品及饲料安全管理法规》，特别要求进口食品必须符合新食品安全法的标准，否则不准进入欧盟市场。日本在2006年5月份正式施行的《食品中残留农业化学品肯定列表制度》，针对进口食品、农产品中可能出现的734种农药、兽药和饲料添加剂，明确设定了近5万个暂定标准。比如将茶叶农残限量指标增至276（种）类，检测办法也更为苛刻，部分项目将“茶汤检测法”改为“全茶溶剂检测法”，大幅提高了市场准入门槛。这一系列“绿色壁垒”使我国食品走出“国门”的难度不断加大。

（四）国内食品安全体系——我国食品出口的软肋

由于我国食品安全管理权限分属食品药品监督管理、农业、卫生、质检、商务、工商、科技、环保等部门，形成了多部门管理格局，缺乏有效的统一协调机制，这使我国食品安全问题面临着比较严峻的局面。特别是我国食品相关标准由国家标准、行业标准、地方标准、企业标准等4级构成，标准之间的矛盾问题突出，并且实施的食品质量认证标准体系并未同国际标准相接轨，使通过国内质量检查和安全认证的出口食品常常止步于国外的“绿色壁垒”。尽管我国2005年我国出口因质量问题遭遇退运的食品价值比2004年下降22.9%，但仍然高达6246万美元。

（五）市场开放——我国食品行业的隐痛

食品是农产品的重要组成部分，根据入世后农业协议的规定，我国农产品关税水平从2001年的19.9%降至2005年的15.3%，2006年关税税率进一步下调至15.2%，进口配额、许可证等贸易限制措施逐步弱化和取消，导致国际市场上大量廉价的食品涌入国内市场，对国内食品行业的长期发展的冲击不容忽视。2003年10月1日中泰水果实施“零关税”以来，随着中国－东盟“早期收获”计划的逐步实施，我国自东盟进口水果逐年增加，进口量从2003年的77.6万吨逐年增至2005年的90万吨，东盟已成为我国进口水果最大的“果园”，特别是东盟的热带水果成本低、品质好，且成熟期略早于我国，市场竞争优势明显。进口的水果不仅对广东、广西、云南、福建等省区的水果种植户造成巨大压力，同时也挤占了国产热带、亚热带水果的市场份额。

四、2006年1季度我国食品进出口的基本情况及预测

今年1季度我国食品进出口贸易规模达到105.9亿美元，比上年（下同）增长9.3%，占同期我国进出口对外贸易总额的2.9%。其中进口45.4亿美元，增长3.8%；出口60.5亿美元，增长13.9%，实现贸易顺差15.1亿美元。从目前态势来看，全年依然能够食品进出口保持10%左右的增速，仍然呈现“进慢出快”发展势头，贸易顺差比上年有所增长。

针对目前我国食品进出口中存在的问题，我们仍然需要致力于：一是建立健全国内的食品安全体系，积极与国际标准接轨。在努力提高食品安全的同时，应积极借鉴和吸收发达国家在食品安全卫生监控方面的成功经验，加大推行食品安全管理的食品安全和有效控制体系（HACCP），全面提高我国食品安全卫生的质量，特别是加强出口食品安全卫生的监控，促使我国出口食品的生产管理和安全卫生监控与国际接轨。二是鼓励企业积极应诉国外的“反倾销”。反倾销是一种依法进行的行政调查措施，应诉是企业最重要的和最有效的减少损失的办法，企业是胜诉得最直接受益者。所以，积极引导企业提高抗辩意识，加强合作意识，按规则据理力争，保证自身的合法权益不受侵害。三是提升产品的国际竞争力，开拓多元化市场。积极引导企业提高资源的利用率和区域产业竞争力，打造和发挥特色产品的品牌优势，增加产品附加值，拓展食品出口的利润空间。同时发挥政府的服务职能，鼓励有条件的企业“走出去”，有针对性地参加境外食品展销会、博览会，加强对外宣传力度，并引导企业在巩固原有主要出口市场的基础上重点开拓拉美、非洲等市场，形成我国食品多层次、多元化的出口贸易格局。（中国食品工业网）

饮料及饮料酒市场发展快速增长

国家信息中心经济预测部最新完成的饮料制造业分析报

告指出，当前饮料制造业行业景气良好，从产销形势看，国人饮食习惯有所变化，尤其葡萄酒业今年有望保持良好发展势头。

分析报告指出，2005年饮料制造业经济效益良好，全年规模及规模以上工业企业累计实现工业总产值3073.51亿元，增速24.55%；产品销售收入3036.44亿元，增速24.47%，增幅同比分别上升了6%和5%。饮料业和软饮料分别实现利润总额217.33亿元和79.07亿元，均增长三成以上；白酒业利润增长受阻，实现利润73.19亿元，增长25.69%，增幅同比回落了13.1%，同时白酒企业亏损额大幅上升6.15亿元，同比增长66.36%；啤酒业实现利润35.63亿元，同比增长24.99%，但增速不及上年同期水平。葡萄酒业虽是创利小户，利润总额为12.56亿元，但增速第一，全年累计同比增长58.68%，增幅也比上年同期提高了46.65个百分点。

从饮料业的生产格局来看，软饮料、啤酒和白酒生产所占比重最大，三者占整个行业产值的85.1%左右。全年白酒、葡萄酒和软饮料的产销状况较好，同期增长都在20%以上。2005年，全国共生产白酒349.4万吨，同比增长15.04%，增幅同比下降了13个百分点；啤酒产量3061.5万吨，同比增长10.35%，增幅同比上升4.88%；葡萄酒产量累计43.3万吨，同比增长25.42%，增幅下降10.65%。整个饮料行业销售状况良好，全年完成工业销售值3008亿元，同比增长24.29%，增幅同比提高了5.03%。产品销售率也明显好于2004年。葡萄酒工业销售值增长再度领先，增速达37.49%，增幅超过21.8%。

葡萄酒出口增长势头也令人瞩目。整个饮料业累计完成出口交货值106.58亿元，同比增长26.55%，增幅同比提高了16.84。其中，葡萄酒出口产值为1.06亿元，同比增长37.5%，增速同比提高了83.61%。

整个饮料业前10家企业共完成产品销售收入562.9亿元，集中度为18.54%，实现利润总额70.17亿元，占行业比重32.3%。在所属子行业中，葡萄酒制造的产品销售收入和利润集中度最高，销售收入集中度为70.8%，利润集中度高达86.5%。白酒与啤酒销售收入集中度较低，利润集中度相对较高。

报告分析，由于国人饮食习惯已有所变化，预计葡萄酒业今年有望保持良好发展势头，前景继续看好。

洋酒中国行

随着洋酒关税的降低，以及中产阶级和白领阶层的扩大，洋酒在中国市场的销售近年来呈现出明显的增长趋势。

洋酒在中国的发展与整个中国经济的发展变化关系密切。八十年代洋酒的主要消费者是来华的外国人和港商，而在九十年代消费者中多了个体户、私营业主和政府官员。现在中国洋酒市场又开始呈现出四个转变趋势：第一，消费群扩大，中产阶级和白领阶层的比重增加；第二，夜场扩大，消费场所从过去的家中自饮、酒店消费转向酒吧、KTV、夜总会为主；第三，消费地域从过去的沿海发达城市、中心城市向内地城市扩散；第四，洋酒从过去的分众传播（投放高档时尚杂志）开始向现在的大众传播（电视、报纸）转变。

洋酒的销售氛围正越来越浓厚。

十三大品牌构建起中国洋酒市场格局

根据对洋酒市场的近期调查，目前在中国市场形成气候的产品主要有四大类，他们分别是干邑（白兰地）、威士忌、朗姆酒和伏特加。在各类正在快速成长的产品中，又呈现出许多复杂的品牌竞争状况。

白兰地产品中最为知名的是人头马、轩尼诗和马爹利，这三个品牌在中国的干邑市场发展最快，也是被仿冒最严重的品牌。

人头马进入中国市场非常早，它也是世界最有名的白兰地，其产品包括金标、蓝标、白标、人头马X.O、人头马CLUB等。人头马从1993年就开始反复宣传，将其品牌与贵族生活方式联系在一起。“男人最喜的心得”、“人生得意，享受之时”等广告语帮助人头马打开了市场。除此之外，人头马在中国影响最深远的一句广告语是“人头马一开，好事自然来”。但根据业内人士调查资料显示，虽然人头马进入中国比较早，前期市场开发比较成功，但由于市场环境的变化，消费者目前更喜欢尝试新的洋酒品牌，其它洋酒品牌的业绩增长对人头马形成了很大的压力。

白兰地另一巨头马爹利是18世纪初创立的老牌洋酒公司，拥有干邑地区的27万公顷葡萄园，同时还与2500家葡萄园建立合作关系，特约收购其出产的葡萄。现在，马爹利的白兰地产量居全球之冠，占有17.5%的世界市场，马爹利认为，由于中国人的饮用习惯逐渐由白酒向果酒转移，中国先富起来的那部分人消费观念与国际接轨，加上随着改革开放的深入，越来越多的外国企业与旅游者进入中国，中国有可能成为未来第一大洋酒消费国。

轩尼诗作为历史悠久的品牌，近年来更是加大了在中国市场的品牌推广力度。在各类时尚化杂志中，轩尼诗的广告是最为突出的，其在终端市场的销售业绩也非常可观，是目前洋酒中业绩成长良好的主力品牌之一。

除了白兰地外，威士忌是洋酒企业在中国市场布局，并与我国传统白酒厂商展开竞争的主要洋酒品类。根据我刊调查，正在中国市场进行推广的威士忌主要以来自美国的威士忌品牌杰克丹尼、金宾威士忌和来自苏格兰的芝华士、皇家礼炮、尊尼获加、马谛氏、百龄坛和黑牌为主。

由于威士忌以麦芽和谷类为原料，所以具有一些和我国传统工艺白酒相似的特点。有资料介绍说，尽管威士忌有明显的混合威士忌和单一麦芽威士忌的区分，但目前部分国内的消费者并不了解。而与来自美国的威士忌品牌相比，苏格兰威士忌的特殊的泥炭熏烤麦芽工艺的特点也并没有完全在市场销售中体现出来。根据我刊调查，美国的威士忌品牌杰克丹尼、金宾和苏格兰威士忌品牌芝华士、皇家礼炮等销售势头都非常的迅猛。尤其值得关注的是，来自苏格兰的威士忌品牌马谛氏在2004年已经上市，其独一无二的包装，根据中国消费者需求特别调制的口感，以及该品牌操作公司首先引进歌星张学友做品牌形象代言人的举措，都使得马谛氏这一品牌具备了非常具有冲击力的发展潜力，许多经销商正在观望中。有消息透露，马谛氏操作者将在2005年春季糖酒会结束后在北京举行一次大型品牌上市发布会。另外，目前黑牌威士忌尽管基数比较低，但它的增长速度也已经达到两位数。而且，黑牌的广告语“永远向前走“对处于奋斗阶段的中产阶级有极强的煽动性。

伏特加是洋酒品牌在中国市场淘金的又一支重要力量，其中尤其以绝对伏特加的市场销售增长最为明显。值得注意的是伏特加虽然是俄罗斯的主要烈酒种类，但目前中国市场销售最好的伏特加却是来自瑞典的品牌。绝对伏特加的品牌定位正在征服快速成长的年轻、喜欢张扬个性的新兴消费群体。

与上述洋酒品牌相比，百家得朗姆酒则表现非常低调。百家得的产品在市场上远远没有芝华士等品牌那样耀眼。有业内人士表示，朗姆酒如果想突破中国传统酒类以及其它洋酒品牌的封锁线，真正立足于中国市场的长远发展，必须要和芝华士、轩尼诗等品牌一样，加大宣传的力度，让市场目标消费者和销售商尽快熟悉这一产品。

在中国洋酒市场上，品牌的光芒覆盖了一切，而一些洋酒品牌背后的公司却往往不被业内所熟知。所有的操作都以品牌的树立为核心，这也是洋酒商在中国操作市场的一大特点。

根据我刊调查资料显示，国外比较人的洋酒公司基本都已经或者正在准备进入中国市场，其中值得业内关注的有保乐力加、迪亚吉欧、百富门、轩尼诗、马谛氏、绝对伏特加公司等企业。而随着洋酒关税的下调，更多的洋酒巨头正在准备进入。

保乐力加公司对于我国普通的酒商而言也许比较陌生，但其企业实力以及其旗下的品牌却时刻出现在我们身边。总部位于巴黎的保乐力加1975年由保乐和力加两家法国茴香酒公司合并而成，如今已是国际烈酒和葡萄酒业的三强之一，在全球拥有众多著名品牌和72家企业，近年纯利润已达到5亿美元。一般人知之不多的保乐力加，自1975年成立以来，通过兼并收购，已发展成为业内产品门类最齐全的企业之一，全球销售额达42亿美元，在各个国家拥有100多个酒类知名品牌。其中人们最熟悉的是马爹利、芝华士、皇家礼炮等12种，它们不但被当地消费者所钟爱，而且成为世界级的名牌。

保乐力加旗下的美森是酒业市场的又一个亮点，她是澳大利亚澳兰多酒业公司（保乐力加全资子公司）的产品。与烈酒的品牌不同，美森葡萄酒是只有0.2度的但具有馨香酒味的无醇新产品，她的原料采自澳洲巴洛萨山谷的顶级葡萄。根据业内人士介绍，美森无醇葡萄酒极大适应了商务人士的应酬需求，具有很大的发展潜力，目前其推出的市场价在80元和200元的两款产品正在全力开拓市场。

帝亚吉欧公司则是正在中国迅速发展的又一个洋酒巨头。英国的帝亚吉欧公司目前已经成为世界上最具规模的洋酒巨头之一，其旗下的品牌尊尼获加和皇冠伏特加已经进入全球200多个市场，并且声名显赫。它虽然在19世纪就已经悄悄进入中国大陆市场，但真正受到关注并发力就是在最近几年。从2004年12月起，尊尼获加开始在中国大陆的目标市场大量投入新制作的广告片。帝亚吉欧的国际部总裁坦言，希望在两到五年内把尊尼获加做成中国大陆市场的重量级品牌。在中国台湾地区，尊尼获加已经卖了20年，目前已经做到了领导者的位置。

帝亚吉欧公司是在资本对品牌的追逐中形成的。根据有关资料介绍，它最初只是苏格兰Walker家族开办的作坊，1920年，其主打产品Johnnie Walker（尊尼获加）就已向全球120个国家出口。家族生意的第三代经营者乔治则是市场推广的天才，他环游世界建立了一个世界性的销售网络。其品牌标志“行走的绅士“很快就成为第一批全球公认的广告肖像之一。1925年，世界三大威士忌品牌Walkers，Dewar、Buchanans形成了Dis-tillers有限公司。1986年，Distillers有限公司被酿酒业巨头Guinness收购更名为U-nited Distill-ers公司。1997年，Guinness与Grand Metropolitan合并组成帝亚吉欧公司（Diageo）。对于该公司的经营规模，有资料介绍说，每时每刻，总有700多万箱威士忌在帝亚吉欧的酒窖中处在酿造状态，这些储备酒的市场价值超过英国银行里存储的黄金总额。

百富门公司作为另一个影响中国洋酒市场格局的酒业巨头，与其洋酒品牌杰克丹尼紧密联系在一起。百富门洋酒系列中最具代表性的杰克丹尼田纳西州威士忌酒，其全球销量连续十年获得增长，去年六百五十万箱，为世界销量第一之美国威士忌品牌。目前在中国市场增长迅速。百富门公司由George Garvin Brown先生于1870年在美国肯塔基州成立，拥有一百三十年之悠久历史，现在已发展为一所庞大的跨国优质消费品集团，是美国最大的烈酒及葡萄酒制造商之一，在世界各地均设有办事处，员工超过七千四百人，在百多个国家销售多种世界知名的洋酒品牌。

除了以上大举开发中国市场的洋酒巨头外，轩尼诗公司、绝对伏特加公司以及马谛氏等企业也将对中国酒类市场形成重要的影响。来自瑞典的国际顶尖烈酒品牌绝对伏特加在《福布斯》杂志美国奢侈品品牌排行榜中名列榜首，绝对伏特加自1979年首次出口以来即成为最畅销的上等伏特加酒之一，美国是其全球最大的消费市场。但亚洲市场增长最为突出，增长率在2003年就已经达37%。“绝对伏特加”于1998年进入中国市场，由于口味纯正、品质上乘、品牌经典而受到中国消费者的喜爱，酒吧消费更表现出迅猛的势头。中国已经成为“绝对伏特加”在亚洲的第二大市场。

市场调查显示，洋酒与国产烈酒尤其是白酒在市场操作中有着非常明显的区别，洋酒的经营完全以品牌树立为核心，而国产酒则仍然以渠道建设为重心。部分洋酒商对记者表示，他们无论参加糖酒会，还是举行其它产品上市发布会，都以品牌形象的打造为主，这与国内白酒企业频繁招商相比形成了明显的区别。比如马谛氏在参加长春糖酒会时耗资数百万元进行了形象展示，而并非把招商做为重点。

洋酒的成功主要是品牌的成功。

帝亚吉欧公司国际部总裁表示，他们每年将把净销售额的20%投入进行品牌建设，作为首个苏格兰威士忌的国际品牌尊尼获加的操作者，他们要告诉中国的消费者苏格兰威士忌的独特之处在哪里。尊尼获加将自己的消费对象锁定在25岁以上的年轻人群中，并努力试图将自己打造成为一个时尚品牌。该品牌负责人认为，建立起一个品牌，并不是指你具体卖出了多少瓶的酒，而是使每个消费者有切身利益，切身涵义的体会。要使消费者对品牌有这种感情，这是需要花很多时间去投资的，花很大的耐心。

绝对伏特加的负责人认为，他们的品牌目标不是世界最大，也不是赚钱最多，而是最有吸引力。绝对伏特加的形象是表达一种生活态度和生活方式。享用这种酒的人，应该是聪明活跃、诙谐幽默、格调优雅、擅长交友、追求时尚、轻松愉快。这种感受是他们最看中的。该品牌的核心价值是简单、纯净、完美，目前这个品牌的营销推广已经渗透到各种视觉艺术当中，比如时装、音乐、美术等。

轩尼诗在进行品牌推广同时，还时刻牢记进行洋酒文化的推广。轩尼诗调酒艺术会的会员每年都会从法国专门来中国各地做品牌文化的推广，向消费者讲解调配艺术，相关人士介绍说，由于轩尼诗从创立之初就崇尚尊重传统、追求完美两大理念，因此在市场推广中也采取相当稳健的做法，不急于求成，不迅速扩张。轩尼诗从上世纪90年代初中国经济开始腾飞之时真正进入中国市场，到现在为止仅仅开拓了26个城市，没做全国性的推广，就是根据中国不同城市的饮食、文化和经济条件的差异，稳步地将轩尼诗品牌的个性化特点传达给越来越多的中国消费者。

皇家礼炮作为保乐力加旗下的高档威士忌品牌，则以典型的意见领袖营销方式强势树立起了自己的品牌形象。皇家礼炮50年极品苏格兰威士忌是皇家礼炮为纪念其创制五十周年特制的，全球仅有255瓶。用来调和这种产品的每款威士忌都酝酿了50年以上，装瓶后用金银质地瓶盖封存，限量编号发行。其中第218号珍藏版送给了《福布斯》中国首富丁磊，而第99号则献给了中国登顶珠峰第一人王富洲。“为极致成就喝采”是皇家礼炮的广告语，也是其品牌核心价值。皇家礼炮50年在中国市场的赠送活动极大提升了品牌形象。

为了打造品牌，洋酒商还充分尊重不同品牌的特点，以及不同地区的消费文化。比如保乐力加集团的品牌来自不同国家，那么集团将严格的遵循品牌的血统。他们认为，酒类必须保持浓郁的地方特色和文化底蕴。因为佳酿生产受气候、土壤、原料、工艺等各种因素的制约，往往不能移植和复制，只有某地出产的某种酒才最地道。比如说，苏格兰威士忌必须来自苏格兰，而马爹利这类的高档白兰地只能出自法国干邑。突出这些特点，才会对消费者产生足够的吸引力。他们认为，保乐力加就是要让不同的品牌来说自己的话，而不是抹杀它们的独特之处，作为集团公司则主要是打造高效的全球分销网络。

对于不同国家地区的消费文化的差异，帝亚吉欧公司的负责人表示，虽然世界上有不同的文化、不同的种族，但它们的相似之处要远远超过差异性，根据他们在200多个国家建立起来的全球经验，发现其实迥异的文化背景下都有一个共通性。譬如说虽然不同的市场有不同的需求，喝酒的方式以及配的菜肴都是不一样的，但是，人们喝酒的原因却是非常一致的，就是在特定的时刻与家人、朋友欢聚的时候分享酒的醇香。

与洋酒商对品牌的关注不同，我国大部分白酒企业目前主要集中在对渠道的争夺上。洋酒营造的是拉力，而国产白酒的操作更主要是推力。随着洋酒品牌的增加以及推广力度加大，洋酒与白酒的竞争不可避免。

洋酒与白酒的优劣势对比

除了经营重心分别倾向于品牌和渠道外，洋酒与白酒正在各自出现一些不同的趋势。

从产品的生产环节看，国产白酒目前液态法生产的产品比重大量增加，传统的固态发酵工艺的特点正在弱化，这并不是个好趋势。与此相比，洋酒在生产上则非常看重产地和传统的工艺。比如苏格兰威士忌的生产，非常注重年份，其当地特有的泥炭熏烤麦芽的味道也成为其独特的卖点。白兰地则一定要产自法国的干邑地区。笔者认为，今后传统的固态发酵白酒将因为独具特色的优势成为与洋酒竞争的主力。液态法白酒虽然也得到了推广，但其更倾向于伏特加，不具备国产白酒的真正特色优势，只能从品牌打造上进行差异化塑造。

从消费文化的影响看，尽管传统的白酒具有数千年的饮用历史，但这并非意味着国人将因此排斥洋酒品牌。正如洋酒商所言，各类酒的消费都具有家人、亲朋团聚的特点，目前洋酒的消费上升是建立在消费者理性消费的基础上，与第一次洋酒消费热潮有很大不同。随着世博会、奥运会等各种国际交往的增加，洋酒的消费文化将逐渐被国人所熟悉。从这个角度看，国产白酒的地产优势并非能够完全决定竞争的胜负。尤其是在酒类消费时尚化和品牌塑造的方面，国产白酒非常的苍白无力。在国产白酒还在对夜场以及白酒能否时尚化停留在探讨和尝试阶段时，接近白酒特点的威士忌早已经大举进攻夜场并取得了成功，芝华士人生等广告片正在目标市场密集播放，尊尼获加和马谛氏也正在紧追不舍。

目前中国的洋酒销售主要集中在北京、上海、珠三角和厦门等地的一些中心城市，这些地区的销售占据了整个洋酒销售的70%左右，随着经济的发展，洋酒消费正逐渐向其它沿海城市以及内地扩散。有资料显示，洋酒消费目前基本以不低于5%的速度稳定增长，近两年来增长速度加快，尤其是威士忌的增长，由于接近白酒，目前基本以两位数的速度增长，有望在近几年内超越干邑。

为了摸索中国酒类市场操作的特殊性，一些洋酒品牌并没有完全拷贝在其它地方的成功模式，而是尝试与熟悉市场环境的中国酒类代理商合作，这无疑是一个正确的选择。虽然品牌打造并非国产白酒的优势，但洋酒如果只按照自己的思路去注重品牌，而不努力熟悉中国经销商的需求，大量被经销商所分割的渠道资源、资金和终端资源将无法整合，洋酒要大踏步前进也同样会遇到很大的阻力。争夺经销商与打造品牌双管齐下或许才是洋酒在中国成功的必然之路。

随着洋酒广告在大众媒体的频繁播放，洋酒销售渠道与国产白酒的销售渠道逐渐重叠，以及新一代酒类消费群体的成长，洋酒与国产酒类的正面竞争已经为期不远了。

（《糖烟酒周刊》）

法规篇

中华人民共和国食品卫生法

中华人民共和国主席令第五十九号

（1995年10月30日第八届全国人民代表大会常务委员会第十六次会议通过）

第一章 总 则

第一条 为保证食品卫生，防止食品污染和有害因素对人体的危害，保障人民身体健康，增强人民体质，制定本法。

第二条 国家实行食品卫生监督制度。

第三条 国务院卫生行政部门主管全国食品卫生监督管理工作。国务院有关部门在各自的职责范围内负责食品卫生管理工作。

第四条 凡在中华人民共和国领域内从事食品生产经营的，都必须遵守本法。

本法适用于一切食品，食品添加剂，食品容器、包装材料和食品用工具、设备、洗涤剂、消毒剂；也适用于食品的生产经营场所、设施和有关环境。

第五条 国家鼓励和保护社会团体和个人对食品卫生的社会监督。

对违反本法的行为，任何人都有权检举和控告。

第二章 食品的卫生

第六条 食品应当无毒、无害，符合应当有的营养要求，具有相应的色、香、味等感官性状。

第七条 专供婴幼儿的主、辅食品，必须符合国务院卫生行政部门制定的营养、卫生标准。

第八条 食品生产经营过程必须符合下列卫生要求：

（一）保持内外环境整洁，采取消除苍蝇、老鼠、蟑螂和其他有害昆虫及其孳生条件的措施，与有毒、有害场所保持规定的距离；

（二）食品生产经营企业应当有与产品品种、数量相适应的食品原料处理、加工、包装、贮存等厂房或者场所；

（三）应当有相应的消毒、更衣、盥洗、采光、照明、通风、防腐、防尘、防蝇、防鼠、洗涤、污水排放、存放垃圾和废弃物的设施；

（四）设备布局和工艺流程应当合理，防止待加工食品与直接入口食品、原料与成品交叉污染，食品不得接触有毒物、不洁物；

（五）餐具、饮具和盛放直接入口食品的容器，使用前必须洗净、消毒，炊具、用具用后必须洗净，保持清洁；

（六）贮存、运输和装卸食品的容器包装、工具、设备和条件必须安全、无害，保持清洁，防止食品污染；

（七）直接入口的食品应当有小包装或者使用无毒、清洁的包装材料；

（八）食品生产经营人员应当经常保持个人卫生，生产、销售食品时，必须将手洗净，穿戴清洁的工作衣、帽；销售直接入口食品时，必须使用售货工具；

（九）用水必须符合国家规定的城乡生活饮用水卫生标准；

（十）使用的洗涤剂、消毒剂应当对人体安全、无害。

对食品摊贩和城乡集市贸易食品经营者在食品生产经营过程中的卫生要求，由省、自治区、直辖市人民代表大会常务委员会根据本法作出具体规定。

第九条 禁止生产经营下列食品：

（一）腐败变质、油脂酸败、霉变、生虫、污秽不洁、混有异物或者其他感官性状异常，可能对人体健康有害的；

（二）含有毒、有害物质或者被有毒、有害物质污染，可能对人体健康有害的；

（三）含有致病性寄生虫、微生物的，或者微生物毒素含量超过国家限定标准的；

（四）未经兽医卫生检验或者检验不合格的肉类及其制品；

（五）病死、毒死或者死因不明的禽、畜、兽、水产动物等及其制品；

（六）容器包装污秽不洁、严重破损或者运输工具不洁造成污染的；

（七）掺假、掺杂、伪造，影响营养、卫生的；

（八）用非食品原料加工的，加入非食品用化学物质的或者将非食品当作食品的；

（九）超过保质期限的；

（十）为防病等特殊需要，国务院卫生行政部门或者省、自治区、直辖市人民政府专门规定禁止出售的；

（十一）含有未经国务院卫生行政部门批准使用的添加剂的或者农药残留超过国家规定容许量的；

（十二）其他不符合食品卫生标准和卫生要求的。

第十条 食品不得加入药物，但是按照传统既是食品又是药品的作为原料、调料或者营养强化剂加入的除外。

第三章 食品添加剂的卫生

第十一条 生产经营和使用食品添加剂，必须符合食品添加剂使用卫生标准和卫生管理办法的规定；不符合卫生标准和卫生管理办法的食品添加剂，不得经营、使用。

第四章 食品容器、包装材料和食品用工具、设备的卫生

第十二条 食品容器、包装材料和食品用工具、设备必须符合卫生标准和卫生管理办法的规定。

第十三条 食品容器、包装材料和食品用工具、设备的生产必须采用符合卫生要求的原材料。产品应当便于清洗和消毒。

第五章 食品卫生标准的管理办法

第十四条 食品，食品添加剂，食品容器、包装材料，食品用工具、设备，用于清洗食品和食品用工具、设备的洗涤剂、消毒剂以及食品中污染物质、放射性物质容许量的国家卫生标准、卫生管理办法和检验规程，由国务院卫生行政部门制定或者批准颁发。

第十五条 国家未制定卫生标准的食品，省、自治区、直辖市人民政府可以制定地方卫生标准，报国务院卫生行政部

门和国务院标准化行政主管部门备案。

第十六条 食品添加剂的国家产品质量标准中有卫生学意义的指标，必须经国务院卫生行政部门审查同意。

农药、化肥等农用化学物质的安全性评价，必须经国务院卫生行政部门审查同意。

屠宰畜、禽的兽医卫生检验规程，由国务院有关行政部门会同国务院卫生行政部门制定。

第六章 食品卫生管理

第十七条 各级人民政府的食品生产经营管理部门应当加强食品卫生管理工作，并对执行本法情况进行检查。

各级人民政府应当鼓励和支持改进食品加工工艺，促进提高食品卫生质量。

第十八条 食品生产经营企业应当健全本单位的食品卫生管理制度，配备专职或者兼职食品卫生管理人员，加强对所生产经营食品的检验工作。

第十九条 食品生产经营企业的新建、扩建、改建工程的选址和设计应当符合卫生要求，其设计审查和工程验收必须有卫生行政部门参加。

第二十条 利用新资源生产的食品、食品添加剂的新品种，生产经营企业在投入生产前，必须提出该产品卫生评价和营养评价所需的资料；利用新的原材料生产的食品容器、包装材料和食品用工具、设备的新品种，生产经营企业在投入生产前，必须提出该产品卫生评价所需的资料。上述新品种在投入生产前还需提供样品，并按照规定的食品卫生标准审批程序报请审批。

第二十一条 定型包装食品和食品添加剂，必须在包装标识或者产品说明书上根据不同产品分别按照规定标出品名、产地、厂名、生产日期、批号或者代号、规格、配方或者主要成分、保质期限、食用或者使用方法等。食品、食品添加剂的产品说明书，不得有夸大或者虚假的宣传内容。

食品包装标识必须清楚，容易辨识。在国内市场销售的食品，必须有中文标识。

第二十二条 表明具有特定保健功能的食品，其产品及说明书必须报国务院卫生行政部门审查批准，其卫生标准和生产经营管理办法，由国务院卫生行政部门制定。

第二十三条 表明具有特定保健功能的食品，不得有害于人体健康，其产品说明书内容必须真实，该产品的功能和成份必须与说明书相一致，不得有虚假。

第二十四条 食品、食品添加剂和专用于食品的容器、包装材料及其他用具，其生产者必须按照卫生标准和卫生管理办法实施检验合格后，方可出厂或者销售。

第二十五条 食品生产经营者采购食品及其原料，应当按照国家有关规定索取检验合格证或者化验单，销售者应当保证提供。需要索证的范围和种类由省、自治区、直辖市人民政府卫生行政部门规定。

第二十六条 食品生产经营人员每年必须进行健康检查；新参加工作和临时参加工作的食品生产经营人员必须进行健康检查，取得健康证明后方可参加工作。

凡患有痢疾、伤寒、病毒性肝炎等消化道传染病（包括病原携带者），活动性肺结核，化脓性或者渗出性皮肤病以及其他有碍食品卫生的疾病的，不得参加接触直接入口食品的工作。

第二十七条 食品生产经营企业和食品摊贩，必须先取得卫生行政部门发放的卫生许可证方可向工商行政管理部门申请登记。未取得卫生许可证的，不得从事食品生产经营活动。

食品生产经营者不得伪造、涂改、出借卫生许可证。

卫生许可证的发放管理办法由省、自治区、直辖市人民政府卫生行政部门制定。

第二十八条 各类食品市场的举办者应当负责市场内的食品卫生管理工作，并在市场内设置必要的公共卫生设施，保持良好的环境卫生状况。

第二十九条 城乡集市贸易的食品卫生管理工作由工商行政管理部门负责，食品卫生监督检验工作由卫生行政部门负责。

第三十条 进口的食品，食品添加剂，食品容器、包装材料和食品用工具及设备，必须符合国家卫生标准和卫生管理办法的规定。

进口前款所列产品，由口岸进口食品卫生监督检验机构进行卫生监督、检验。检验合格的，方准进口。海关凭检验合格证书放行。

进口单位在申报检验时，应当提供输出国（地区）所使用的农药、添加剂、熏蒸剂等有关资料和检验报告。

进口第一款所列产品，依照国家卫生标准进行检验，尚无国家卫生标准的，进口单位必须提供输出国（地区）的卫生部门或者组织出具的卫生评价资料，经口岸进口食品卫生监督检验机构审查检验并报国务院卫生行政部门批准。

第三十一条 出口食品由国家进出口商品检验部门进行卫生监督、检验。

海关凭国家进出口商品检验部门出具的证书放行。

第七章 食品卫生监督

第三十二条 县级以上地方人民政府卫生行政部门在管辖范围内行使食品卫生监督职责。

铁道、交通行政主管部门设立的食品卫生监督机构，行使国务院卫生行政部门会同国务院有关部门规定的食品卫生监督职责。

第三十三条 食品卫生监督职责是：

（一）进行食品卫生监测、检验和技术指导；

（二）协助培训食品生产经营人员，监督食品生产经营人员的健康检查；

（三）宣传食品卫生、营养知识，进行食品卫生评价，公布食品卫生情况；

（四）对食品生产经营企业的新建、扩建、改建工程的选址和设计进行卫生审查，并参加工程验收；

（五）对食物中毒和食品污染事故进行调查，并采取控制措施；

（六）对违反本法的行为进行巡回监督检查；

（七）对违反本法的行为追查责任，依法进行行政处罚；

（八）负责其他食品卫生监督事项。

第三十四条 县级以上人民政府卫生行政部门设立食品卫生监督员。食品卫生监督员由合格的专业人员担任，由同级卫生行政部门发给证书。

铁道、交通的食品卫生监督员，由其上级主管部门发给证书。

第三十五条 食品卫生监督员执行卫生行政部门交付的任务。

食品卫生监督员必须秉公执法，忠于职守，不得利用职权谋取私利。

食品卫生监督员在执行任务时，可以向食品生产经营者了解情况，索取必要的资料，进入生产经营场所检查，按照规定无偿采样。生产经营者不得拒绝或者隐瞒。

食品卫生监督员对生产经营者提供的技术资料负有保密的义务。

第三十六条 国务院和省、自治区、直辖市人民政府的卫生行政部门，根据需要可以确定具备条件的单位作为食品卫生检验单位，进行食品卫生检验并出具检验报告。

第三十七条 县级以上地方人民政府卫生行政部门对已造成食物中毒事故或者有证据证明可能导致食物中毒事故的，可以对该食品生产经营者采取下列临时控制措施：

（一）封存造成食物中毒或者可能导致食物中毒的食品及其原料；

（二）封存被污染的食品用工具及用具，并责令进行清洗消毒。

经检验，属于被污染的食品，予以销毁，未被污染的食品，予以解封。

第三十八条 发生食物中毒的单位和接收病人进行治疗的单位，除采取抢救措施外，应当根据国家有关规定，及时向所在地卫生行政部门报告。

县级以上地方人民政府卫生行政部门接到报告后，应当及时进行调查处理，并采取控制措施。

第八章 法律责任

第三十九条 违反本法规定，生产经营不符合卫生标准的食品，造成食物中毒事故或者其他食源性疾患的，责令停止生产经营，销毁导致食物中毒或者其他食源性疾患的食品，没收违法所得，并处以违法所得一倍以上五倍以下的罚款；没有违法所得的，处以一千元以上五万元以下的罚款。

违反本法规定，生产经营不符合卫生标准的食品，造成严重食物中毒事故或者其他严重食源性疾患，对人体健康造成严重危害的，或者在生产经营的食品中掺入有毒、有害的非食品原料的，依法追究刑事责任。

有本条所列行为之一的，吊销卫生许可证。

第四十条 违反本法规定，未取得卫生许可证或者伪造卫生许可证从事食品生产经营活动的，予以取缔，没收违法所得，并处以违法所得一倍以上五倍以下的罚款；没有违法所得的，处以五百元以上三万元以下的罚款。涂改、出借卫生许可证的，收缴卫生许可证，没收违法所得，并处以违法所得一倍以上三倍以下的罚款；没有违法所得的，处以五百元以上一万元以下的罚款。

第四十一条 违反本法规定，食品生产经营过程不符合卫生要求的，责令改正，给予警告，可以处以五千元以下的罚款；拒不改正或者有其他严重情节的，吊销卫生许可证。

第四十二条 违反本法规定，生产经营禁止生产经营的食品的，责令停止生产经营，立即公告收回已售出的食品，并销毁该食品，没收违法所得，并处以违法所得一倍以上五倍以下的罚款；没有违法所得的，处以一千元以上五万元以下的罚款。情节严重的，吊销卫生许可证。

第四十三条 违反本法规定，生产经营不符合营养、卫生标准的专供婴幼儿的主、辅食品的，责令停止生产经营，立即公告收回已售出的食品，并销毁该食品，没收违法所得，并处以违法所得一倍以上五倍以下的罚款；没有违法所得的，处以一千元以上五万元以下的罚款。情节严重的，吊销卫生许可证。

第四十四条 违反本法规定，生产经营或者使用不符合卫生标准和卫生管理办法规定的食品添加剂、食品容器、包装材料和食品用工具、设备以及洗涤剂、消毒剂的，责令停止生产或者使用，没收违法所得，并处以违法所得一倍以上三倍以下的罚款；没有违法所得的，处以五千元以下的罚款。

第四十五条 违反本法规定，未经国务院卫生行政部门审查批准而生产经营表明具有特定保健功能的食品的，或者该食品的产品说明书内容虚假的，责令停止生产经营，没收违法所得，并处以违法所得一倍以上五倍以下的罚款；没有违法所得的，处以一千元以上五万元以下的罚款。情节严重的，吊销卫生许可证。

第四十六条 违反本法规定，定型包装食品和食品添加剂的包装标识或者产品说明书上不标明或者虚假标注生产日期、保质期限等规定事项的，或者违反规定不标注中文标识的，责令改正，可以处以五百元以上一万元以下的罚款。

第四十七条 违反本法规定，食品生产经营人员未取得健康证明而从事食品生产经营的，或者对患有疾病不得接触直接入口食品的生产经营人员，不按规定调离的，责令改正，可以处以五千元以下的罚款。

第四十八条 违反本法规定，造成食物中毒事故或者其他食源性疾患的，或者因其他违反本法行为给他人造成损害的，应当依法承担民事赔偿责任。

第四十九条 本法规定的行政处罚由县级以上地方人民政府卫生行政部门决定。本法规定的行使食品卫生监督权的其他机关，在规定的职责范围内，依照本法的规定作出行政处罚决定。

第五十条 当事人对行政处罚决定不服的，可以在接到处罚通知之日起十五日内向作出处罚决定的机关的上一级机关申请复议；当事人也可以在接到处罚通知之日起十五日内直接向人民法院起诉。

复议机关应当在接到复议申请之日起十五日内作出复议决定。当事人对复议决定不服的，可以在接到复议决定之日起十五日内向人民法院起诉。

当事人逾期不申请复议也不向人民法院起诉，又不履行处罚决定的，作出处罚决定的机关可以申请人民法院强制执行。

第五十一条 卫生行政部门违反本法规定，对不符合条件的生产经营者发放卫生许可证的，对直接责任人员给予行政处分；收受贿赂，构成犯罪的，依法追究刑事责任。

第五十二条 食品卫生监督管理人员滥用职权、玩忽职守、营私舞弊，造成重大事故，构成犯罪的，依法追究刑事责任；不构成犯罪的，依法给予行政处分。

第五十三条 以暴力、威胁方法阻碍食品卫生监督管理人员依法执行职务的，依法追究刑事责任；拒绝、阻碍食品卫生监督管理人员依法执行职务未使用暴力、威胁方法的，由公安机关依照治安管理处罚条例的规定处罚。

第九章 附 则

第五十四条 本法下列用语的含义：

食品：指各种供人食用或者饮用的成品和原料以及按照传统既是食品又是药品的物品，但是不包括以治疗为目的的物品。

食品添加剂：指为改善食品品质和色、香、味，以及为防腐和加工工艺的需要而加入食品中的化学合成或者天然物质。

营养强化剂：指为增强营养成分而加入食品中的天然的或者人工合成的属于天然营养素范围的食品添加剂。

食品容器、包装材料：指包装、盛放食品用的纸、竹、木、金属、搪瓷、陶瓷、塑料、橡胶、天然纤维、化学纤维、玻璃等制品和接触食品的涂料。

食品用工具、设备：指食品在生产经营过程中接触食品的机械、管道、传送带、容器、用具、餐具等。

食品生产经营：指一切食品的生产（不包括种植业和养殖业）、采集、收购、加工、贮存、运输、陈列、供应、销售等活动。

食品生产经营者：指一切从事食品生产经营的单位或者个人，包括职工食堂、食品摊贩等。

第五十五条 出口食品的管理办法，由国家进出口商品检验部门会同国务院卫生行政部门和有关行政部门另行制定。

第五十六条 军队专用食品和自供食品的卫生管理办法由中央军事委员会依据本法制定。

第五十七条 本法自公布之日起施行。《中华人民共和国食品卫生法（试行）》同时废止。

中华人民共和国进出口商品检验法

（1989年2月21日第七届全国人民代表大会常务委员会第六次会议通过 根据2002年4月28日第九届全国人民代表大会常务委员会第二十七次会议《关于修改〈中华人民共和国进出口商品检验法〉的决定》修正）

第一章 总 则

第一条 为了加强进出口商品检验工作，规范进出口商品检验行为，维护社会公共利益和进出口贸易有关各方的合法权益，促进对外经济贸易关系的顺利发展，制定本法。

第二条 国务院设立进出口商品检验部门（以下简称国家商检部门），主管全国进出口商品检验工作。国家商检部门设在各地的进出口商品检验机构（以下简称商检机构）管理所辖地区的进出口商品检验工作。

第三条 商检机构和经国家商检部门许可的检验机构，依法对进出口商品实施检验。

第四条 进出口商品检验应当根据保护人类健康和安全、保护动物或者植物的生命和健康、保护环境、防止欺诈行为、维护国家安全的原则，由国家商检部门制定、调整必须实施检验的进出口商品目录（以下简称目录）并公布实施。

第五条 列入目录的进出口商品，由商检机构实施检验。

前款规定的进口商品未经检验的，不准销售、使用；前款规定的出口商品未经检验合格的，不准出口。

本条第一款规定的进出口商品，其中符合国家规定的免予检验条件的，由收货人或者发货人申请，经国家商检部门审查批准，可以免予检验。

第六条 必须实施的进出口商品检验，是指确定列入目录的进出口商品是否符合国家技术规范的强制性要求的合格评定活动。

合格评定程序包括：抽样、检验和检查；评估、验证和合格保证；注册、认可和批准以及各项的组合。

第七条 列入目录的进出口商品，按照国家技术规范的强制性要求进行检验；尚未制定国家技术规范的强制性要求的，应当依法及时制定，未制定之前，可以参照国家商检部门指定的国外有关标准进行检验。

第八条 经国家商检部门许可的检验机构，可以接受对外贸易关系人或者外国检验机构的委托，办理进出口商品检验鉴定业务。

第九条 法律、行政法规规定由其他检验机构实施检验的进出口商品或者检验项目，依照有关法律、行政法规的规定办理。

第十条 国家商检部门和商检机构应当及时收集和向有关方面提供进出口商品检验方面的信息。

国家商检部门和商检机构的工作人员在履行进出口商品检验的职责中，对所知悉的商业秘密负有保密义务。

第二章 进口商品的检验

第十一条 本法规定必须经商检机构检验的进口商品的收货人或者其代理人，应当向报关地的商检机构报检。海关凭商检机构签发的货物通关证明验放。

第十二条 本法规定必须经商检机构检验的进口商品的收货人或者其代理人，应当在商检机构规定的地点和期限内，接受商检机构对进口商品的检验。商检机构应当在国家商检部门统一规定的期限内检验完毕，并出具检验证单。

第十三条 本法规定必须经商检机构检验的进口商品以外的进口商品的收货人，发现进口商品质量不合格或者残损短缺，需要由商检机构出证索赔的，应当向商检机构申请检验出证。

第十四条 对重要的进口商品和大型的成套设备，收货人应当依据对外贸易合同约定在出口国装运前进行预检验、监造或者监装，主管部门应当加强监督；商检机构根据需要可以派出检验人员参加。

第三章 出口商品的检验

第十五条 本法规定必须经商检机构检验的出口商品的发货人或者其代理人，应当在商检机构规定的地点和期限内，向商检机构报检。商检机构应当在国家商检部门统一规定的期限内检验完毕，并出具检验证单。

对本法规定必须实施检验的出口商品，海关凭商检机构签发的货物通关证明验放。

第十六条 经商检机构检验合格发给检验证单的出口商品，应当在商检机构规定的期限内报关出口；超过期限的，应当重新报检。

第十七条 为出口危险货物生产包装容器的企业，必须申请商检机构进行包装容器的性能鉴定。生产出口危险货物的企业，必须申请商检机构进行包装容器的使用鉴定。使用未经鉴定合格的包装容器的危险货物，不准出口。

第十八条 对装运出口易腐烂变质食品的船舱和集装箱，承运人或者装箱单位必须在装货前申请检验。未经检验合格的，不准装运。

第四章 监督管理

第十九条 商检机构对本法规定必须经商检机构检验的进出口商品以外的进出口商品，根据国家规定实施抽查检验。

国家商检部门可以公布抽查检验结果或者向有关部门通报抽查检验情况。

第二十条 商检机构根据便利对外贸易的需要，可以按照国家规定对列入目录的出口商品进行出厂前的质量监督管理和检验。

第二十一条 为进出口货物的收发货人办理报检手续的代理人应当在商检机构进行注册登记，办理报检手续时应当向商检机构提交授权委托书。

第二十二条 国家商检部门可以按照国家有关规定，通过考核，许可符合条件的国内外检验机构承担委托的进出口商品检验鉴定业务。

第二十三条 国家商检部门和商检机构依法对经国家商检部门许可的检验机构的进出口商品检验鉴定业务活动进行监督，可以对其检验的商品抽查检验。

第二十四条 国家商检部门根据国家统一的认证制度，对有关的进出口商品实施认证管理。

第二十五条 商检机构可以根据国家商检部门同外国有关机构签订的协议或者接受外国有关机构的委托进行进出口商品质量认证工作，准许在认证合格的进出口商品上使用质量认证标志。

第二十六条 商检机构依照本法对实施许可制度的进出口商品实行验证管理，查验单证，核对证货是否相符。

第二十七条 商检机构根据需要，对检验合格的进出口商品，可以加施商检标志或者封识。

第二十八条 进出口商品的报检人对商检机构作出的检验结果有异议的，可以向原商检机构或者其上级商检机构以至国家商检部门申请复验，由受理复验的商检机构或者国家商检部门及时作出复验结论。

第二十九条 当事人对商检机构、国家商检部门作出的复验结论不服或者对商检机构作出的处罚决定不服的，可以依法申请行政复议，也可以依法向人民法院提起诉讼。

第三十条 国家商检部门和商检机构履行职责，必须遵守法律，维护国家利益，依照法定职权和法定程序严格执法，接受监督。

国家商检部门和商检机构应当根据依法履行职责的需要，加强队伍建设，使商检工作人员具有良好的政治、业务素质。商检工作人员应当定期接受业务培训和考核，经考核合格，方可上岗执行职务。

商检工作人员必须忠于职守，文明服务，遵守职业道德，不得滥用职权，谋取私利。

第三十一条 国家商检部门和商检机构应当建立健全内部监督制度，对其工作人员的执法活动进行监督检查。

商检机构内部负责受理报检、检验、出证放行等主要岗位的职责权限应当明确，并相互分离、相互制约。

第三十二条 任何单位和个人均有权对国家商检部门、商检机构及其工作人员的违法、违纪行为进行控告、检举。收到控告、检举的机关应当依法按照职责分工及时查处，并为控告人、检举人保密。

第五章 法律责任

第三十三条 违反本法规定，将必须经商检机构检验的进口商品未报经检验而擅自销售或者使用的，或者将必须经商检机构检验的出口商品未报经检验合格而擅自出口的，由商检机构没收违法所得，并处货值金额百分之五以上百分之二十以下的罚款；构成犯罪的，依法追究刑事责任。

第三十四条 违反本法规定，未经国家商检部门许可，擅自从事进出口商品检验鉴定业务的，由商检机构责令停止非法经营，没收违法所得，并处违法所得一倍以上三倍以下的罚款。

第三十五条 进口或者出口属于掺杂掺假、以假充真、以次充好的商品或者以不合格进出口商品冒充合格进出口商品的，由商检机构责令停止进口或者出口，没收违法所得，并处货值金额百分之五十以上三倍以下的罚款；构成犯罪的，依法追究刑事责任。

第三十六条 伪造、变造、买卖或者盗窃商检单证、印章、标志、封识、质量认证标志的，依法追究刑事责任；尚不够刑事处罚的，由商检机构责令改正，没收违法所得，并处货值金额等值以下的罚款。

第三十七条 国家商检部门、商检机构的工作人员违反本法规定，泄露所知悉的商业秘密的，依法给予行政处分，有违法所得的，没收违法所得；构成犯罪的，依法追究刑事责任。

第三十八条 国家商检部门、商检机构的工作人员滥用职权，故意刁难的，徇私舞弊，伪造检验结果的，或者玩忽职守，延误检验出证的，依法给予行政处分；构成犯罪的，依法追究刑事责任。

第六章 附 则

第三十九条 商检机构和其他检验机构依照本法的规定实施检验和办理检验鉴定业务，依照国家有关规定收取费用。

第四十条 国务院根据本法制定实施条例。

第四十一条 本法自1989年8月1日起施行。

进口酒类国内市场管理办法

(1997年9月9日国家经济贸易委员会、国家工商行政管理局、海关总署、国家技术监督局、卫生部、国家进出口商品

检验局发布）

第一章　总则

第一条　为加强进口酒类国内市场管理，维护进口酒类国内市场经营秩序，保护生产者、经营者、消费者的合法权益，制定本办法。

第二条　本办法所称进口酒类，是指啤酒以外的各种进口预包装瓶装酒、进口桶装酒、进口半成品酒（基酒），在我国境内分装、加工后分装的发酵酒（葡萄酒、香槟酒、果酒等），蒸馏酒（威士忌、白兰地、干邑酒、伏特加、朗姆酒、谷物酒等）和配制酒（利口酒、苦艾酒等）。

第三条　国家经贸委、国家工商行政管理局、卫生部、海关总署、国家技术监督局和国家进出口商品检验局按职责分工依法对进口酒类进行管理。

第四条　对进口酒类在国内市场实行下列管理：

（一）海关监管管理。

（二）卫生监督管理，包括口岸卫生监督检验（卫生检疫、“进口食品卫生监督检验标志”和卫生证书管理等）和国内生产、经营卫生监督管理。

（三）质量监督管理。

（四）市场经营行为和市场秩序监督管理。

（五）税收征管管理等。

第五条　凡在中华人民共和国境内从事进口酒类生产加工、流通活动的企业，应遵守本办法。

第二章　进口酒类口岸管理

第六条　口岸进口食品卫生、质量监督检验机构对进入我国境内的进口酒类（包括免税进口酒类）依法进行监督检验。

进口单位应提供进口酒类输出国（地区）产地卫生证明。

进口酒类（不包括免税进口酒类）应根据我国《食品标签通用标准》和有关规定加贴中文标签。

口岸进口食品卫生、质量监督检验机构依照本条规定对进口酒类进行监督检验。对监督检验合格的加贴"进口食品卫生监督检验标志"，签发卫生证书（正本、副本）。监督检验不合格的不准进口。

第七条　海关依法对进口酒类进行监管，征收关税和其他税费，查缉走私。海关凭对外贸易经济主管部门签发的进口货物许可证和口岸进口食品卫生监督检验机构签发的放行通知单并征税后验放。

第三章　进口酒类国内市场流通管理

第八条　进口酒类国内市场流通管理，是指对进口酒类的批发、零售和储运等流通环节的管理。

第九条　从事进口酒类的批发企业，应符合下列条件：

（一）有符合规定的注册资本（金）、经营场所和仓储设施。

（二）有健全的批发企业管理制度。

（三）有熟悉进口酒类知识的专业人员。

（四）有稳定的批发销售网络。

（五）有识别"进口食品卫生监督检验标志"的手段。

（六）有卫生行政部门核发的卫生许可证。

（七）符合国家法律、法规规定的其他条件。

第十条　进口酒类的批发企业的资格认定，属国家工商行政管理局注册登记范围内的企业，由国家工商行政管理局按第九条规定条件审定，并办理企业法人注册登记，遇有问题，由国家经贸委、国家工商行政管理局商有关部门解决；地方批发企业由省、自治区、直辖市工商行政管理局按第九条规定条件审定，并按照登记管辖规定办理企业法人注册登记，遇有问题，由省、自治区、直辖市经贸委（经委、计经委）、工商行政管理局商有关部门解决。

企业经注册登记后，方可开展进口酒类批发业务。

第十一条　从事进口酒类零售业务，由所在地卫生行政部门核发卫生许可证，并由所在地工商行政管理局核准登记。

第十二条　从事进口酒类销售的企业，应遵守以下规定：

（一）持有进口货物许可证（可以是复印件）、海关征税税单（可以是复印件）和卫生证书（正、副本），经销的进口酒类必须贴有第六条第三款规定的“中文标签”和第四款规定的“进口食品卫生监督检验标志”。

（二）不得伪造、变造进口酒类卫生监督检验合格标志、认证标志和中文标签等质量标志。

（三）不得制售假冒伪劣进口酒类。

（四）不得经销走私进口酒类。

（五）接受质量、卫生标准等有关业务的培训指导。

第十三条　经销进口酒类的企业的主管部门及旅游饭店、酒店的主管部门，应按照国家规定的职责，指导建立和规范进口酒类配送中心、连锁经营和代理经营等，建立健全进口酒类流通网络。

第四章　进口酒类生产、加工管理

第十四条　进口的桶装原装酒、半成品酒验收入境，再经小瓶分装、勾兑、过滤、贮存等加工工序后，使用国外品牌并在我国境内销售的，按进口酒类管理。

第十五条　从事进口酒类生产、加工的中外合资、合作企业合同规定有返销比例条款的，应将其产品按合同规定比例返销境外。国家进出口商品检验局及其检验机构依法对其返销境外的酒类按出口食品进行管理和检验。对因故不能反销需留在境内销售的进口酒，应按有关规定办理进口手续。经海关核准后，按一般进口酒办理有关手续。

本《办法》下发前已依法设立的外商投资企业应按合营合同章程规定的经营范围从事进口酒的销售，并凭外经贸部门的批准文件取得在其经营范围内销售本企业自产产品的许可。

第十六条　各地卫生行政部门依法对第十四条、第十五条所列生产加工企业进行卫生监督管理。

第十七条　进口酒类生产、主管部门应建立进口酒生产、加工的技术标准和质量检验标准。

第五章　免税进口酒类管理

第十八条　口岸海关按海关总署有关规定对免税进口酒类进行监督管理。

第十九条　免税进口酒类不得进入国内市场经销。国家禁止任何单位或个人在口岸及其他任何地区从事免税进口酒类的购销业务。

第六章　违法进口酒类的处理

第二十条　根据《中华人民共和国海关法》和《中华人

民共和国海关法行政处罚实施细则》的有关规定，由海关依法对违法进口酒类进行处罚。

第二十一条 根据《投机倒把行政处罚暂行条例》和《投机倒把行政处罚暂行条例实施细则》的有关规定，由工商行政管理机关依法对非法经销走私进口酒类进行查处。

第二十二条 对依法没收的进口酒类，应依据第六条规定，经口岸进口食品卫生监督检验机构检验合格，加贴中文标签、"进口食品卫生监督检验标志"，并补发卫生证书（正、副本）之后，拍卖进入国内市场销售。

第七章 进口酒类市场监督检查管理

第二十三条 各级经贸委（经委、计经委）、工商行政管理、技术监督、卫生行政、商检、税务以及各口岸海关、口岸进口食品卫生监督检验机构等部门，要在各自职责范围内相互配合，协调行动，对本地区进口酒类市场实行统一的、有组织的联合检查，做好进口酒类生产管理和流通管理工作。

第二十四条 消费者有权依法对进口酒类质量、卫生和价格等问题向生产者、经营者提出询问，或向其主管部门投诉。受理询问和投诉单位，应在一个月内作出答复和处理。

第二十五条 任何单位和个人有权依法向有关部门检举违反本办法的行为。对检举有功者，有关部门应当给予表彰和奖励。

第八章 法律责任

第二十六条 对违反本办法规定的经营单位和个人，海关、工商行政管理、技术监督、卫生行政、口岸进口食品卫生监督检验机构、商检机构、税务、公安等有关部门将依有关法律法规对其进行行政处罚，可能构成犯罪的，移送司法机关依法追究刑事责任。

第九章 附则

第二十七条 本办法由国家经贸委负责解释。

第二十八条 本办法自发布之日起实施。

酒类流通管理办法

第一章 总 则

第一条 为规范酒类流通秩序，促进酒类市场有序发展，维护国家利益，保护酒类生产者、经营者和消费者的合法权益，根据国家有关法律、法规，制定本办法。

第二条 本办法所称酒类是指酒精度（乙醇含量）大于0.5%（体积分数）的含酒精饮料，包括发酵酒、蒸馏酒、配制酒、食用酒精以及其他含有酒精成分的饮品。经国家有关行政管理部门依法批准生产的药酒、保健食品酒类除外。

本办法所称酒类流通包括酒类批发、零售、储运等经营活动。

第三条 在中华人民共和国境内从事酒类流通活动，应当遵守本办法。

第四条 酒类流通实行经营者备案登记制度和溯源制度。

第五条 商务部负责全国酒类流通监督管理工作。

县级以上商务主管部门负责本行政区域内酒类流通监督管理工作。

第二章 备案登记

第六条 从事酒类批发、零售的单位或个人（以下统称酒类经营者）应当在取得营业执照后60日内，按属地管理原则，向登记注册地工商行政管理部门的同级商务主管部门办理备案登记。

第七条 酒类经营者备案登记程序如下：

（一）领取《酒类流通备案登记表》（以下简称《登记表》）。《登记表》可以通过商务部政府网站（http://www.mofcom.gov.cn）下载，或到所在地商务主管部门领取。

（二）填写《登记表》。酒类经营者应完整、准确、真实地填写《登记表》；同时认真阅读《登记表》所附条款，并由法定代表人或业主签字、盖章。

（三）向商务主管部门提交下述备案登记材料：

1、 按本办法第七条第(二)项要求填写的《登记表》一式两份；

2、 由法定代表人或业主签字、盖章的营业执照复印件和卫生许可证复印件；

3、 经商务部认可并由省级商务主管部门公示要求提交的其它材料。

第八条 商务主管部门应自收到酒类经营者提交的上述材料之日起5个工作日内办理备案登记手续，在《登记表》上加盖印章。

第九条 商务主管部门应当完整准确地记录和保存酒类经营者的备案登记信息和登记材料，建立备案登记档案，定期向上级主管部门报送，并可向社会公布。

第十条 登记表上的任何登记事项发生变更时，酒类经营者应当自变更之日起30日内（属于工商登记事项的自工商登记变更之日起30日内）向商务主管部门办理变更手续。

商务主管部门收到酒类经营者提交的书面材料后，应当在5个工作日内办理变更手续。

《登记表》自酒类经营者在工商行政管理部门注销登记或被吊销营业执照之日起自动失效。商务主管部门应定期与同级工商行政管理部门核实注销或吊销情况。

第十一条 商务主管部门在办理备案登记或变更备案登记时，仅可收取经当地物价部门核定的工本费，不得收取其它费用。

第十二条 酒类经营者不得伪造、涂改、出租、出借、转让、买卖或骗取《酒类流通备案登记表》。

第三章 经营规则

第十三条 从事酒类批发、零售、储运等经营活动应当依法执行国家或行业有关标准的规定。

第十四条 酒类经营者（供货方）在批发酒类商品时应填制《酒类流通随附单》（以下简称《随附单》），详细记录酒类商品流通信息。《随附单》附随于酒类流通的全过程，单随货走，单货相符，实现酒类商品自出厂到销售终端全过程流通信息的可追溯性。

《随附单》内容应包括售货单位（名称、地址、备案登记号、联系方式）、购货单位名称、销售日期、销售商品（品名、规格、产地、生产批号或生产日期、数量、单位）等内容，并加盖经营者印章。

已建立完善的并符合本办法要求的溯源制度的酒类经营者，经商务部认可，可以使用自行制定的单据，代替本办法规定的《随附单》。

第十五条 酒类经营者采购酒类商品时，应向首次供货方索取其营业执照、卫生许可证、生产许可证（限生产商）、登记表、酒类商品经销授权书（限生产商）等复印件。

酒类经营者对每批购进的酒类商品应索取有效的产品质量检验合格证明复印件以及加盖酒类经营者印章的《随附单》或符合本办法第十四条第二款规定的单据；对进口酒类商品还应索取国家出入境检验检疫部门核发的《进口食品卫生证书》和《进口食品标签审核证书》复印件。

酒类经营者应建立酒类经营购销台帐，保留3年。

第十六条 酒类经营者应当在固定地点贴标销售散装酒，禁止流动销售散装酒。

散装酒盛装容器应符合国家食品卫生要求，粘贴符合国家饮料酒标签标准的标识，并标明开启后的有效销售期、经营者及其联系电话。

第十七条 酒类经营者储运酒类商品时应符合食品卫生管理、防火安全和储运的相关要求。酒类商品应远离高污染、高辐射地区，不得与有毒、有害、污染物(源)、腐蚀性等物品混放。

第十八条 酒类经营者销售酒类商品应明码标价，诚实守信。

第十九条 酒类经营者不得向未成年人销售酒类商品，并应当在经营场所显著位置予以明示。

第二十条 禁止批发、零售、储运以下商品：

（一）使用非食用酒精等有害人体健康物质兑制的酒类商品；

（二）伪造、篡改生产厂名、厂址、生产日期的酒类商品；

（三）侵犯商标专用权等知识产权的酒类商品；

（四）掺杂使假、以次充好、以假充真、超过保质期等的酒类商品和非法进口酒；

（五）其他国家法律法规禁止销售的酒类商品。

第四章 监督管理

第二十一条 县级以上商务主管部门依据国家有关法律、法规和本办法，对本行政区域内酒类流通进行监督管理。

各级商务主管部门不得限制或阻碍合法酒类商品在本地区的流通。

第二十二条 商务主管部门在监督管理时，应出示有效证件，执法人员不得少于两人。在有证据或接到举报等情况下，执法人员可以查阅账册或抽取样品。抽取样品的，应当向当事人出具有效凭证。

商务主管部门有义务为当事人保守商业秘密。

酒类经营者应配合商务主管部门的监督检查，如实提供情况，不得擅自转移、销毁待查受检酒类商品。

第二十三条 商务主管部门应建立酒类流通监测体系，对当地酒类流通情况进行监测分析，建立酒类经营者信用档案，并适时向社会公布。

商务部应用现代信息技术建立酒类流通管理和酒类商品安全信息系统，各级商务主管部门和酒类经营者应及时报送相关信息。

第二十四条 商务主管部门可自行或会同有关部门对本地区销售的酒类商品进行抽样检验，并可向社会公布检验结果。

商务主管部门出具或认可的酒类鉴定结论应以国家法定检测机构检测结果为依据。

第二十五条 鼓励酒类行业组织建立和完善行业自律制度。

第二十六条 任何单位或个人有权向当地商务主管部门、工商行政管理部门或有关部门举报、投诉违反本办法的行为。

第五章 法律责任

第二十七条 违反本办法第六条、第十条第一款规定的，由商务主管部门给予警告，责令其限期改正；逾期拒不改正的，可视情节轻重，对酒类经营者处2000元以下罚款，并可向社会公告。

违反本办法第十二条规定的，可视情节轻重，处10000元以下罚款；违反工商行政管理法律法规的移送工商行政管理机关依法处理；构成犯罪的，依法追究刑事责任。

第二十八条 违反本办法第十四条、第十五条规定的，由商务主管部门予以警告，责令改正，并可向社会公布；拒不改正的，可视情节轻重，处5000元以下罚款，并向社会公告。

第二十九条 违反本办法第十六、十七条规定的，由商务主管部门予以警告、责令改正；情节严重的，可处10000元以下罚款，并可移送工商行政管理机关依法处理；构成犯罪的，依法追究刑事责任。

第三十条 违反本办法第十九条规定的，由商务主管部门或会同有关部门予以警告，责令改正；情节严重的，处2000元以下罚款。

第三十一条 违反本办法第二十条规定的，由商务主管部门或会同有关部门没收非法商品，并可视情节轻重处30000元以下罚款；违反工商行政管理法律法规及侵犯商标专用权的，移送工商行政管理机关依法处理；违反其他法律法规的，移送相关机关依法处理；构成犯罪的，依法追究刑事责任。

第三十二条 违反本办法第二十二条第三款规定的，由商务主管部门予以警告、责令改正；情节严重的，可处10000元以下罚款。

第三十三条 商务主管部门从事酒类流通监督管理违反本办法规定的，依法给予行政处分。

第六章 附 则

第三十四条 已依法实行酒类流通行政许可管理的地区，应继续执行许可证制度，酒类商品流通按本办法实行溯源制度，酒类流通许可证书视同《登记表》。

第三十五条 《登记表》和《随附单》由商务部统一制定，省级商务主管部门负责具体实施。

第三十六条 县级以上商务主管部门可以依法委托相关机构从事酒类流通监督管理工作。

第三十七条 本办法由商务部负责解释。

第三十八条 本办法自2006年1月1日起施行，自施行之日起设立3个月过渡期。在过渡期内，酒类经营者应当按照本办法规定办理备案登记和建立酒类流通溯源制度。

酒类广告管理办法

（中华人民共和国国家工商行政管理局　第39号令　自1996年1月1日起施行）

第一条 为了加强对酒类广告的管理，保护消费者的合法权益，维护社会良好风尚，根据《中华人民共和国广告法》(以下简称《广告法》)、《广告管理条例》及《广告管理条例施行细则》，制定本办法。

第二条 本办法所称酒类广告，是指含有酒类商品名称、商标、包装、制酒企业名称等内容的广告。

第三条 发布酒类广告，应当遵守《广告法》和其他有关法律、行政法规的规定。

第四条 广告主自行或者委托他人设计、制作、发布酒类广告，应当具有或者提供真实、合法、有效的下列证明文件：

(一)营业执照以及其他生产、经营资格的证明文件；

(二)经国家规定或者认可的省辖市以上食品质量检验机构出具的该酒符合质量标准的检验证明；

(三)发布境外生产的酒类商品广告，应当有进口食品卫生监督检验机构批准核发的卫生证书；

(四)确认广告内容真实性的其他证明文件。

任何单位和个人不得伪造、变造上述文件发布广告。

第五条 对内容不实或者证明文件不全的酒类广告，广告经营者不得经营，广告发布者不得发布。

第六条 酒类广告应当符合卫生许可的事项，并不得使用医疗用语或者易与药品相混淆的用语。

经卫生行政部门批准的有医疗作用的酒类商品，其广告依照《药品广告审查办法》和《药品广告审查标准》进行管理。

第七条 酒类广告中不得出现以下内容：

(一)鼓动、倡导、引诱人们饮酒或者宣传无节制饮酒；

(二)饮酒的动作；

(三)未成年人的形象；

(四)表现驾驶车、船、飞机等具有潜在危险的活动；

(五)诸如可以“消除紧张和焦虑”、“增加休力”等不科学的明示或者暗示；

(六)把个人、商业、社会、体育、性生活或者其他方面的成功归因于饮酒的明示或者暗示；

(七)关于酒类商品的各种评优、评奖、评名牌、推荐等评比结果；

(八)不符合社会主义精神文明建设的要求，违背社会良好风尚和不科学、不真实的其他内容。

第八条 在各类临时性广告活动中，以及含有附带赠送礼品的广告中，不得将酒类商品作为奖品或者礼品出现。

第九条 大众传播媒介发布酒类广告，不得违反下列规定：

(一)电视：每套节目每日发布的酒类广告，在特殊时段(19:00- 21:00)不超过二条，普通时段每日不超过十条；

(二)广播：每套节目每小时发布的酒类广告，不得超过二条；

(三)报纸、期刊：每期发布的酒类广告，不得超过二条，并不得在报纸第一版、期刊封面发布。

第十条 违反本办法第四条第二款规定的，依照《广告法》第三十七条规定处罚。

第十一条 违反本办法第五条规定的，依照《广告管理施行细则》第二十七条规定处罚。

第十二条 违反本办法第六条规定的，依照《广告法》第四十一、第四十三条规定处罚。

第十三条 违反本办法第七条、第八条、第九条规定的，依照《广告法》第三十九条规定处罚。

第十四条 本办法由国家工商行政管理局负责解释。

第十五条 本办法自1996年1月1日起施行。

酒类卫生管理办法

(1990年11月20日颁布，卫生部)

第一条　为贯彻执行《中华人民共和国食品卫生法（试行）》，加强对酒类食品卫生的监督管理，制定本办法。

第二条　本办法管理范围系指供饮用的蒸馏酒、发酵酒及配制酒。

第三条　各种酒类必须符合相应的卫生标准。酒类生产厂必须遵守相应的卫生规范。产品经检验合格后方可出厂。

第四条　原料的卫生要求：

（一）不得使用对人体有害，而又不能在酿造过程中去除其有毒成分的物质做酿酒原料、辅料。

（二）酿制酒所用的新菌种须按《新资源食品卫生管理办法》审批后方可投入生产，并在使用中建立切实可行的菌种保管及定期更新的制度。

（三）做配制酒或其它含酒精饮料所用的酒精质量必须符合GB394《酒精》中二级以上的规定。

（四）生产饮用酒用水须符合GB 5749《生活饮用水卫生标准》。

第五条　生产、贮存、运输、销售过程中的卫生要求：

（一）在酿酒过程中产生对人体有害的物质，生产单位应采取措施降低含量，使之符合卫生标准，用高锰酸钾处理过的白酒必须进行蒸馏精制。

（二）生产、贮存、运输、销售过程中与酒接触的容器、管道、蒸馏冷凝器、酒池等所用的材料和涂料必须无毒无害，符合卫生标准和要求，为防止污染，生产发酵酒的工具、管道及酒池、槽车、盛酒容器等须严格杀菌消毒。

（三）各种酒使用的添加剂应符合GB-2760《食品添加剂使用卫生标准》。

（四）在酒类生产经营过程中不得掺假、掺杂，影响卫生质量。

（五）酒类经营销售部门不得经销无卫生检验合格证或化验单的产品。

第六条　食品卫生监督机构对生产经营者应加强经常性卫生监督，根据需要无偿抽取样品进行检验，并给予正式收据。

第七条　违反本办法的，根据《中华人民共和国食品卫生法（试行）》的有关规定追究法律责任。

第八条　本办法由卫生部负责解释。

中华人民共和国进出口食品标签管理办法

第一章 总则

第一条 为加强进出口食品标签管理，保证进出口食品质量，根据《中华人民共和国进出口商品检验法》及其实施条例和《中华人民共和国食品卫生法》的有关规定，制定本办法。

第二条 本办法所称食品标签是指预包装食品容器上的文字、图形、符号，以及一切说明物。

第三条 本办法适用于对进出口预包装食品（以下简称进出口食品）标签的审核、检验管理。

第四条 国家出入境检验检疫局（以下简称国家检验检疫局）主管全国进出口食品标签管理工作，并负责食品标签的审核、批准、发证工作。国家检验检疫局指定的检验检疫机构（以下简称指定检验检疫机构）负责食品标签的初审及检验工作。

第五条 进出口食品标签必须事先经过审核。取得《进出口食品标签审核证书》。

第二章 标签审核

第六条 进出口食品的经营者或其代理人在进出口前，应当向指定检验检疫机构提出食品标签审核申请。

第七条 申请食品标签审核时，须提供下列资料：

㈠ 食品标签审核申请书；

㈡ 食品标签的设计说明及适合使用的证明材料；

㈢ 食品标签所标示内容的说明材料；

㈣ 进口国（地区）对食品标签的有关规定；

㈤ 食品标签的样张六套，难以提供样张的，可提供有效照片；

㈥ 需要提供的其他材料。

第八条 品种及工艺相同、规格或包装形式不同的进出口食品可以合并提出标签审核申请。

第九条 申请食品标签审核时，还须提供相应的检测样品。样品应具有代表性，并能满足标签审核要求。

第十条 指定检验检疫机构负责受理进出口食品标签审核的申请，并按有关规定组织初审。初审后，将申请材料和初审结果报送国家检验检疫局审批。营养成分的检验和功效评价由国家检验检疫局指定的试验室承担。

第十一条 进出口食品标签审核的内容包括：标签的格式、版面以及标注的与质量有关的内容是否真实、准确。进口食品标签必须为正式中文标签。

第十二条 进口食品标签应按我国有关法律、法规及标准要求进行审核；出口食品标签应按进口国法律、法规及标准要求进行审核。

第十三条 经审核符合要求的食品标签，由国家检验检疫局颁发《进出口食品标签审核证书》。取得审核证书的食品标签，由国家检验检疫局统一对外公布。

第三章 标签检验

第十四条 进出口食品的报检人办理报检手续时，必须提供《进出口食品标签审核证书》，否则检验检疫机构不受理报检。

第十五条 检验检疫机构对进出口食品实施检验时，应对食品标签进行检验，并根据食品标签检验结果综合评定食品是否合格。

第十六条 对进出口食品标签检验的内容为：

㈠ 报检的食品标签是否与经审核的食品标签相符；

㈡ 食品标签标注内容是否与食品相符；

㈢ 核定进出口食品标签可否在销售国使用。

第十七条 进出口食品标签未经审核或检验不合格的，进口食品不准销售，出口食品不准出口。

第四章 附则

第十八条 本办法所称预包装食品是指预包装于容器中，以备交付给消费者的食品。

第十九条 违反本办法的，依照有关法律法规的规定予以处罚。

第二十条 本办法由国家检验检疫局负责解释。

第二十一条 本办法自2000年4月1日起施行。原国家商检局、外经贸部1994年5月24日发布的《进出口食品标签管理办法（试行）》（国检检函[1994]158号）和原国家商检局1994年4月21日发布的《进出口食品所附食品标签检验管理规定》（国检检[1994]112号）同时废止。

酒类商品批发经营管理规范

为加强对酒类商品批发企业及其分支机构开业技术条件的管理，保证酒类商品批发交易的合法性与管理的规范性，保证酒类商品在批发交易过程中的质量，保证批发交易信息的真实、完整和可追溯，规范酒类商品市场流通秩序，指导批发企业或产业活动单位不断改进经营管理，特制定本标准。

本标准为首次制定。

本标准由商务部提出、归口。

1.范围

本标准规定了酒类商品批发企业及其分支机构（以下统称批发企业）从事酒类商品批发交易活动应具备的开业技术条件与经营规范。

本标准适应于批发企业开业技术条件的建设和经营管理，也适用于行业管理与市场监督部门对批发企业开业技术条件和经营管理状况的检查。

2.规范性引用文件

下列文件中的条款通过本标准的引用而成为本标准的条款。凡是注明日期的引用文件，其随后所有的修改单（不包括勘误的内容）或修订版均不适用于本标准，然而，鼓励根据本标准达成协议的各方研究是否可使用这些文件的最新版本。凡是不注明日期的引用文件，其最新版本适用于本标准。

GB/T19000-2000质量管理体系基础和术语

GB/T19001-2000质量管理体系要求

GB/T19002-2000质量管理体系业绩改进指南

3.术语和定义

3.1酒类商品

指酒精度（乙醇含量）大于0.5%（体积分数）的酒精饮料，包括各种发酵酒（啤酒、葡萄酒、果酒、黄酒等）、蒸馏酒（白酒、白兰地、威士忌、俄得克等）、配制酒（露酒）、食用酒精以及其他含有酒精成分的饮用品。

3.2酒类商品批发

以转售酒类商品为目的的交易活动方式。包括以零售商或批发商为转售对象的两种交易方式。

3.3酒类商品批发企业开业技术条件

酒类商品批发经营的基本条件，由场地、经营设备、经营服务条件和专业人员等组成。

3.4酒类商品批发经营管理

批发企业为保障酒类商品批发交易行为的合法性、批发交易过程的规范性和质量控制的有效性、批发交易信息的真实性和完整性而采取的控制活动。

4.开业技术条件要求

4.1经营场地

批发企业应具备与经营规模相适应的固定的经营场地，持有房产证或房屋场地租赁契约。

保持经营场地的使用功能，不断完善经营场地环境。

4.1.1选址

批发经营场地选址应符合本地区商业网点规划要求，远离高污染和高辐射地区。

4.1.2交易场所

4.1.2.1交易场所应设于建筑物内，有完整、通透的建筑空间。

4.1.2.2交易场所应满足商品展示、交易洽谈、资金结算的要求，具备相对独立的功能空间，并有明显的标识。

4.1.2.3交易场所应符合食品卫生管理和建筑防火设计要求。

4.1.3仓储场地

4.1.3.1仓储场地应设于远离高污染和高辐射地区，远离热源或采取必要措施使其不受热源的影响。

4.1.3.2仓储场地应设于建筑物内，地面平整，干燥通风。寒冷地区要有必要的防冻措施。

4.1.3.3仓储场地须符合食品卫生管理和建筑防火要求。

4.1.3.4仓储场地应与交易场所相隔离。

4.2经营设备

批发企业应具备满足商品展示、仓储、资金结算的设备系统，并保持设备功能正常。

4.2.1商品展示设备

4.2.1.1应有独立、稳固的商品展示设备，设备能全面展示商品外观，安全展示商品，设备应有良好的照明条件。

4.2.1.2商品展示设备应能清晰展示样品标签。

4.2.2商品仓储设备

应有相对固定的商品仓储设备，确保商品安全有效的搬运和装卸。

4.2.3资金结算设备

应有完整的资金结算设备，包括支票打印和发票打印设备。设备应选用国家许可的产品。

4.2.4经营服务条件

批发企业应具备满足企业自身使用和客户使用的电话通讯、货物运输等经营服务条件，保持经营服务条件功能正常，并不断提高其服务能力。

4.3人员条件

批发企业应有符合要求的管理人员、销售人员和财务人员。这些人员应取得国家规定的职业资格。

5.经营管理要求

5.1采购管理

批发企业应保证采购的商品符合产品质量标准要求，所选择的供货方具备国家规定的经营主体资质条件，采购过程信息记录的完整、真实。

5.1.1采购商品的质量控制

5.1.1.1批发企业应有专门机构负责采购商品的质量控制，对采购的酒类商品的品种、规格、数量、标识、成份、产地、出厂检验证明等进行审核。有鉴别假、冒、伪、劣酒的控制流程，应与有资质的酒类商品质量检测机构建立委托检测业务关系，或自建商品质量检测体系。

5.1.2供应商的管理

5.1.2.1批发企业应保证所选择的供应商具备国家规定的主体资质条件，认真审核其有效的营业执照、生产许可证、批发许可证、食品卫生许可证、产品检验（检疫）合格证等有关证明。并按照国家有关规定进行严格的索证索票。

5.1.2.2对在政府主管或政府指定的企业信用档案管理系统中被列入信用黑名单的企业不应作为供货方。

5.1.3采购过程信息记录的管理

批发企业应建立采购过程信息管理台帐，保证采购过程信息的真实性、完整性和可追溯性。

5.1.3.1采购过程信息管理台帐应记录下述信息：

a.供应商基本信息。包括：企业名称、注册地址、目前办公地址、法人代表、联系电话、产品种类、标准等。

b.采购商品批次与产品质量证明文件的信息。

c.对所采购商品的质量检查或鉴定的信息。

d.“索证索票”状况信息。

e.采购合同的基本信息。包括：供应商名称、注册地、法人代表、采购商品名称、产地、数量、标准、价格、定货日期、到货期限等。

f.采购商品入库保管的相关信息。

5.2批发销售管理

批发企业应保证批发销售的下游客户具备国家规定的经营主体资质条件，所批发销售的商品质量与销售合同所标明的商品质量要求相符，批发销售过程信息记录的完整、真实。

5.2.1客户的管理

5.2.1.1批发企业应保证所选择的下游客户具备国家所规定的经营主体资质条件，认真审核其合法的营业执照、批发许可证、产品检验（检疫）合格证等资质证明，并按照国家有关规定进行严格的索证。

5.2.1.2对在政府主管或政府指定的企业信用档案管理系统中被列入信用黑名单的企业不应作为下游客户。

5.2.2批发销售的商品质量管理

5.2.2.1批发企业应保证向下游客户提供的商品与销售合同规定的质量要求相符，承诺在供货过程中不混入其它商品甚至是假冒伪劣商品，并有明确的流程控制加以保证。

5.2.2.2批发企业应保证向下游客户提供完整、真实的文件，以证明所提供商品来源与质量信息的可信和商品质量的可靠。

5.2.3批发销售过程信息记录的管理

5.2.3.1批发企业应建立向下游客户销售过程信息管理台帐，保护销售过程的真实性、完整性和可追溯性。

5.2.3.2销售过程信息管理台帐应记录下述信息：

a.游客户基本信息；

b.所供应商品批次与产品质量证明文件的信息；

c.“索证索票”状况信息。

d.本企业对下游客户的信用评估信息；

e.销售合同的基本信息；

f.所供应商品在库保管的相关信息。

5.3信用档案管理

批发企业应执行国家有关酒类商品安全流通的信用管理规定并履行其信用责任。

5.3.1信用管理

批发企业应在国家指定的企业信用档案管理系统中完成注册，完整的维护本企业信用信息，真实的向社会披露本企业信用信息，承诺诚信经营义务，履行信用信息行为责任。

5.4人力资源管理

批发企业应完善人力资源管理，加强业务培训，不断提高从业人员素质。

5.4.1主要管理人员应具备相关专业知识，了解批发业务知识，熟悉国家有关规定和有关标准。

5.4.2销售人员应具有从业资格证书，熟悉酒类商品运输、储藏、保管常识，熟悉酒类产品感官、理化、卫生等标准，熟悉酒类商品的标准、标签、国家规定的认证标准，有鉴别假、冒、伪、劣酒的一般常识。

5.4.3从事进口酒经营的企业要有熟悉进口酒相关知识的专门人才。

5.4.4配备经过专业培训，并取得职业资格证书的财务人员。

5.4.5直接接触商品的人员要定期进行健康检查，取得健康证。

5.4.6工作人员应以诚信为本，认真履行岗位职责。

5.5财务管理

5.5.1在银行设有专用帐户。

5.5.2设有总帐、明细帐、商品帐、保管帐。

5.5.3帐目和报表能如实反映企业的经营状况和经营成果。

5.6广告管理

酒类批发企业所做的涉及企业和酒类商品的广告宣传要实事求是，禁止虚假广告。

5.7建设企业质量保障体系的要求

批发企业应按照GB/T19000、GB/T19001、GB/T19002标准的要求建立企业的质量保障体系，并在企业经营活动中逐步改进。

酒类商品零售规范

前 言

为规范酒类商品市场流通秩序，加强对酒类商品零售的管理，保证酒类商品零售交易过程的规范性和经营产品质量的可靠性，保证零售交易信息的真实、完整和可追溯，特制定本标准。本标准由商务部提出、归口。

1.范围

本标准规定了零售与服务企业从事酒类商品零售交易活动时应实施的经营管理规范。

本标准适用于零售与服务企业从事酒类商品零售经营的管理，也适用于行业管理与市场监督部门对酒类商品零售经营活动的检查。

2.规范性引用文件

下列文件中的条款通过本标准的引用而成为本标准的条款。凡是注明日期的引用文件，其随后所有的修改单（不包括勘误的内容）或修订版均不适用于本标准，然而，鼓励根据本标准达成协议的各方研究是否可使用这些文件的最新版本。凡是不注明日期的引用文件，其最新版本适用于本标准。

GB/T19000-2000质量管理体系基础和术语

GB/T19001-2000质量管理体系要求

GB/T19002-2000质量管理体系业绩改进指南

SB/Txxxx-xxxx酒类商品批发经营管理规范

3.术语和定义

3.1酒类商品供应商

指向零售终端商业提供酒类商品的生产厂家、代理商、批发商等企业。

3.2酒类商品零售企业

指将酒类商品直接销售给最终消费者的零售与服务企业，包括商场、超市、购物中心、专业店、专营店、便利店、酒吧、酒楼、餐厅、宾馆等。

3.3商业信用

指企业在运营过程中，通过遵守规则和履行约定而取得的来自于商业伙伴和社会公众的信任。

4.经营条件要求

4.1经营资质

酒类零售企业应具备法律、法规要求的资质条件。

4.1.1酒类零售须取得营业执照、卫生许可证、税务登记证和法定的许可证，实行亮证经营。

4.1.2从事进口酒类商品零售业务的企业应按照国家有关

规定取得相应许可。

4.2经营场地

零售企业要有与经营规模相适应的固定经营场所，持有房屋所有权证明或房屋场地租赁契约。

4.2.1选址

零售经营场地选址应符合本地区商业网点规划要求。

4.2.2销售场所

4.2.2.1销售场所应设于建筑物内，有完整、通透的建筑空间，有良好的照明条件。

4.2.2.2销售场所具有商品展示、交易的功能，具备一定的空间，并有明显的标识。

4.2.2.3销售场所应明亮、整洁、符合食品卫生管理和建筑防火设计要求。

4.2.2.4酒类商品不得与有毒、有害、污染源、腐蚀性物品混放。

4.3经营设备

零售企业应具备满足商品展示、资金结算要求的设备，并保持设备功能的正常。

4.3.1商品展示设备

应有独立、稳固的商品展示货架，有良好的照明条件，能全面、安全的展示商品。

4.3.2资金结算设备

应有电子收款机、发票打印机等设备，设备应选用国家许可证生产的产品。

4.4人员条件

零售企业应有符合要求的管理人员、销售人员和财务人员。这些人员应取得国家规定的职业资格。

5.经营管理要求

5.1采购管理

零售企业应保证采购的商品符合产品质量标准要求，所选择的供应商应具备国家规定的经营主体资质条件，采购过程信息记录完整、真实。

5.1.1采购商品的质量控制

5.1.1.1零售企业在采购商品时须实施质量控制，按要求索要合法的营业执照、生产许可证、批发许可证、食品卫生许可证、产品检验（检疫）合格证等有关证明。

5.1.1.2零售企业应对采购的酒类商品的品种、规格、数量、标识、成份、产地、出厂检验证明等进行审核。

5.1.1.3零售企业应有对假、冒、伪、劣酒进行初步鉴别的控制流程。

5.1.2供应商管理

5.1.2.1零售企业应保证所选择的供应商具备国家规定的主体资质条件，认真审核供应商的资质证明、产品质量证明和产品供应文件，并进行严格的索证索票。

5.1.2.2对在政府主管或政府指定的企业信用档案管理系统中被列入信用黑名单的企业不应作为供货方。

5.1.3采购过程信息记录的管理

5.1.3.1零售企业应建立采购过程信息管理台帐，保证采购过程信息的真实性、完整性和可追溯性。

5.1.3.2采购过程信息管理台帐应记录下述信息：

a.供应商基本信息。包括：企业名称、注册地址、目前办公地址、法人代表、联系电话、产品种类、标准等。

b.采购商品批次与产品质量证明文件的信息。

c.对所采购商品的质量检查或鉴定的信息。

d."索证索票"状况信息。

e.采购合同的基本信息。包括：供应商名称、注册地、法人代表、采购商品名称、产地、数量、标准、价格、定货日期、到货期限等。

f.采购商品入库信息。

5.2销售管理

零售企业应保证所售商品质量与采购合同所标明的商品质量要求相符，承诺在供货过程中不混入其它商品甚至是假冒伪劣商品，并有明确的流程控制加以保证。

5.2.1保证向消费者提供质量合格的商品，销售产品时须向消费者提供销售小票或发票。

5.2.2零售企业对销售的酒类商品应有记录。

5.3信用管理

零售企业应坚持诚信、公平的原则，处理商品进店的收费行为，规范经营合作关系，加强信用管理。

5.3.1零售企业向供应商收取费用要公平合理、公开约定和稳定规范。收取的各种费用应如实入帐，向供应商开具正式发票，并照章纳税。

5.3.2零售企业采取经销、代销、联营等经营方式，应与供应商签定合法有效的经济合约。

5.3.3零售企业应在政府指定的企业信用管理系统中注册，并按要求维护本企业信用信息。

5.4人力资源管理

批发企业应完善人力资源管理，加强业务培训，不断提高从业人员素质。

5.4.1销售人员应具有从业资格证书，熟悉酒类商品运输、储藏、保管常识，熟悉酒类产品感官、理化、卫生等标准、熟悉酒类商品的标准、标签、国家规定的认证标准，有鉴别假、冒、伪、劣酒的一般常识。

5.4.2从事进口酒经营的企业要有熟悉进口酒相关知识的专门人才。

5.4.3配备经过专业培训，并取得职业资格证书的财务人员。

5.4.4直接接触商品的人员要定期进行健康检查，取得健康证。

5.4.5零售企业的工作人员须以诚信为本，认真履行岗位职责。

5.5广告管理

零售商所做的涉及企业和酒类商品的广告宣传要实事求是，禁止虚假广告。

5.6建设企业质量保障体系的要求

零售企业应按照GB/T19000、GB/T19001、GB/T19002标准的要求建立企业的质量保障体系，并在企业经营活动中逐步改进。

食品标签通用标准

1 主题内容与适用范围

本标准规定了食品标签的基本原则、标注内容和标注要求。

本标准适用于在国内销售的预包装食品的标签。

2 引用标准

GB 2760 食品添加剂使用卫生标准

GB 13432 特殊营养食品标签

3 术语

3.1 食品标签

预包装食品容器上的文字、图形、符号，以及一切说明物。

3.2 预包装食品

预先包装于容器中，以备交付给消费者的食品。

3.3 容器

将食品完全或部分包装，以作为交货单元的任何包装形式，也包括包装纸。

3.4 食品添加剂

为改善食品的品质和色、香、味，以及为防腐和加工工艺的需要，加入食品中的化学合成物质或天然物质。

3.5 配料

在制造或加工食品时使用的并存在〔包括以改性形式存在〕于最终产品中的任何物质。包括水和食品添加剂。

3.6 保质期〔最佳食用期〕

指在标签上规定的条件下，保持食品质量〔品质〕的期限。在此期限，食品完全适于销售，并符合标签上或产品标准中规定的质量〔品质〕；超过此期限，在一定时间内食品仍然是可以食用的。

3.7 保存期〔推荐的最终食用期〕

指在标签上规定的条件下，食品可以食用的最终日期；超过此期限，产品质量〔品质〕可能发生变化，因此食品不再适于销售。

3.8 固形物

含有固、液两种物质的食品中的固体部分，不包括可溶性固形物。

4 基本原则

4.1 食品标签的所有内容，不得以错误的、引起误解的或欺骗性的方式描述或介绍食品。

4.2 食品标签的所有内容，不得以直接或间接暗示性的语言、图形、符号导致消费者将食品或食品的某一性质与另一产品混淆。

4.3 食品标签的所有内容，必须符合国家法律和法规的规定，并符合相应产品标准的规定。

4.4 食品标签的所有内容，必须通俗易懂、准确、科学。

5 必须标注内容

5.1 食品名称

5.1.1 必须采用表明食品真实属性的专用名称。

5.1.1.1 当国家标准或行业标准中已规定了某食品的一个或几个名称时，应选用其中的一个。

5.1.1.2 无上述规定的名称时，必须使用不使消费者误解或混淆的常用名称或俗名。

5.1.2 在使用“新创名称”、“奇特名称”、“牌号名称”或“商标名称”时，必须同时使用5.1.1条中规定的任意一个名称。

5.1.3 为避免消费者误解或混淆食品的真实属性、物理状态和制作方法，可以在食品名称前附加或在食品名称后注明相应的词或短语。

5.2 配料表

5.2.1 除单一配料的食品外，食品标签上必须标明配料表。

5.2.1.1 配料表的标题为“配料”或“配料表”。

5.2.1.2 各种配料必须按加入量的递减顺序一一排列。

5.2.1.3 如果某种配料本身是由两种或两种以上的其他配料构成的复合配料，必须在配料表中标明复合配料的名称，再在其后加括号，按加入量的递减顺序一一列出原始配料。当复合配料在国家标准或行业标准中已有规定名称，其加入量小于食品总量的25%时，则不必将原始配料标出，但其中的食品添加剂必须标出。

5.2.2 各种配料必须按5.1条的规定使用具体名称。食品添加剂必须使用GB 2760规定的产品名称或种类名称。

5.2.3 当加工过程中所用的原料已改变为其他成分时〔指发酵产品，如酒、酱油、醋等〕，为了表明产品的本质属性，可用“原料”或“原料与配料”代替“配料”，并按5.2.1.2条的规定标注。

5.3 净含量及固形物含量

5.3.1 必须标明容器中食品的净含量，按以下方式标明：

a. 液态食品，用体积；

b. 固态食品，用质量；

c. 半固态食品，用质量或体积。

5.3.2 容器中含有固、液两相物质的食品，除标明净含量外，还必须标明该食品的固形物含量，用质量或百分数表示。

5.3.3 同一容器中如果含有互相独立且品质相同、形态相近的几件食品时，在标明净含量的同时还必须标明食品的数量。

5.4 制造者、经销者的名称和地址必须标明食品制造、包装、分装或销售单位经依法登记注册的名称和地址。

进口食品必须标明原产国、地区〔指香港、澳门、台湾〕名及总经销者在国内依法登记注册的名称和地址。

5.5 日期标志和贮藏指南

5.5.1 必须标明食品的生产日期、保质期或/和保存期。

5.5.1.1 日期的标注顺序为年、月、日。

5.5.1.2 可以采用下列方式之一标明保质期或保存期：

a.“最好在……之前食用”，或“最好在……之前饮用”〔用于保质期〕；

“……之前食用最佳”，或“……之前饮用最佳”〔用于保质期〕；

“……之前食用”，或“……之前饮用”〔用于保存期〕。

b.“保质期至……”；

"保存期至……"；

c."保质期……个月"。

"保存期……个月"。

5.5.2 如果食品的保质期或保存期与贮藏条件有关，必须标明食品的贮藏方法。

5.6 质量〔品质〕等级

产品标准〔国家标准、行业标准〕中已明确规定质量〔品质〕等级的食品，必须标明食品的质量等级。

5.7 产品标准号

必须标明产品的国家标准、行业标准或企业标准的代号和顺序号。

5.8 特殊标注内容

5.8.1 经电离辐射线或电离能量处理过的食品，必须在食品名称附近标明"辐照食品"。

5.8.2 经电离辐射线或电离能量处理过的任何配料，必须在配料表中加以说明。

6 允许免除标注内容

6.1 当容器的最大表面的面积小于10cm2时，除香辛料和食品添加剂外，可免除5.2和5.5～5.7条的内容。

6.2 产品标准〔国家标准、行业标准〕中已明确规定保质期或保存期在18个月以上的食品，可以免除保质期或保存期。

6.3 进口食品可以免除原制造者的名称、地址和产品标准号。

7 推荐标注内容

7.1 批号

由食品的生产或分装单位自行确定方法，标明食品的生产〔分装〕批号。

7.2 食用方法

为保证食品的正确食用，可以在标签上标明容器的开启方法、食用方法、每日推荐摄入量、烹调再制方法等对消费者有帮助的说明。必要时可以在标签之外单独附加说明。

7.3 热量和营养素

可以按GB 13432的规定，标明热量和营养素的含量。

8 基本要求

8.1 食品标签不得与包装容器分开。

8.2 食品标签的一切内容，不得在流通环节中变得模糊甚至脱落；必须保证消费者购买和食用时醒目、易于辨认和识读。

8.3 食品标签的一切内容，必须清晰、简要、醒目。文字、符号、图形应直观、易懂，背景和底色应采用对比色。

8.4 食品名称必须在标签的醒目位置。食品名称和净含量应排在同一视野内。

8.5 食品标签所用文字必须是规范的汉字。

8.5.1 可以同时使用汉语拼音，但必须拼写正确，不得大于相应的汉字。

8.5.2 可以同时使用少数民族文字或外文，但必须与汉字有严密的对应关系，外文不得大于相应的汉字。

8.6 食品标签所用的计量单位必须以国家法定计量单位为准，如：

质量单位：g或克，kg或千克；

体积单位：ml、l或毫升、升。

附加说明：

本标准由全国食品工业标准化技术委员会提出。

本标准由全国食品工业标准化技术委员会组织的起草工作组负责起草。

本标准主要起草人杜朋、裴山、李志强、李家瑞、陈瑶君、郝烃、李红兵

本标准参照采用FAO/WHO食品法规委员会〔CAc〕CODEX STAN 1-1991《预包装食品标签通用标准》。

饮料酒标签标准

GB 10344-89

1 主题内容与适用范围

本标准规定了饮料酒标签的基本内容与要求。

本标准适用于在国内销售的预包装饮料酒的标签。

2 引用标准

GB 7718 食品标签通用标准

GB 10343 食用酒精

3 术语

3.1 饮料酒

系指供人们饮用且乙醇(酒精)含量在0.5%～65.0%(V/V)的饮料。包括各种发酵酒、蒸馏酒及配制酒。

3.2 发酵酒

系指以粮谷、水果或允许使用的野生植物为原料，经发酵法酿制而成的酒。

3.3 食用酒精

系指以粮谷、薯类、糖蜜为原料，经发酵、蒸馏而制成的，符合GB 10343的食品工业专用酒精。

3.4 蒸馏酒

系指以粮谷、薯类、水果或糖蜜为原料，经发酵法酿造、蒸馏(包括串蒸、浸蒸、提馏)、贮存、勾兑调配而成的酒。

3.5 配制酒(包括露酒)

系指以发酵酒、蒸馏酒或食用酒精为主要酒基，经加工(包括串蒸或浸泡食用动物、植物、中草药)，添加或不添加果汁、食品添加剂调配而成的酒。

3.6 酒精度(乙醇含量)

系指在20℃时，100mL饮料酒中含有乙醇(酒精)的毫升数，即体积(容量)的百分数；或100g饮料酒中含有乙醇(酒精)的克数，即质量百分数。

3.7 配料

同GB 7718中3.5条。

3.8 食品添加剂

同GB 7718中3.4条。

3.9 保质期和保存期

同GB 7718中3.6条和3.7条。

4 总则

4.1 饮料酒标签必须符合我国法律、法规、规章、强制性标准的规定。

4.2 饮料酒标签不得以错误的、易引起误解的或带有欺骗性的方式描述或介绍产品。

4.3 标签应标贴整齐、端正,不得与包装容器分开,不得在流通环节中变得模糊或者脱落。

4.4 标签上所有语言要简明、易懂;图形符号要直观、清晰、正确。

4.5 标签上所用文字必须是合乎规范的汉字,少数民族地区可以标注少数民族文字,还可以同时标注汉语拼音或外文,但必须准确、无误,不得大于汉字,并与汉字有对应关系。

5 标签的基本内容与要求

除了产品标准中规定的具体内容外,应标明下列5.1～5.11条款的内容。

5.1 酒名

5.1.1 必须采用表明饮料酒真实属性的专用名称。

5.1.1.1 当产品标准中规定了几个名称时,可使用其中一个。

5.1.1.2 对于传统酒种,也可使用不会使消费者误解或混淆的常用名或俗名。

5.1.2 在使用新创名称时,为避免误解或混淆,应在酒名后加注酒类名称。

5.1.3 酒名须用宽大或粗体字标记,在整个标签中应最为醒目。

5.2 配料表

5.2.1 饮料酒标签上必须标有配料表。

5.2.2 配料表的标题可以用“原料”或“原料与配料”标注。

如:啤酒 原料:水、麦芽、大米、酒花。

5.2.3 所有配料必须按加入量从多到少顺序列出。

5.2.4 配制酒(包括露酒)必须标注所用酒基、串蒸(或浸泡)的食用动物、植物及国家允许使用的中草药。

5.2.5 酒中所使用的食品添加剂可按国家规定的类别名称列出,如:“甜味剂”、“酸味剂”、“抗凝剂”等,但色素应标明是合成色素还是天然色素。糖精要特别标出。

5.3 酒精度

5.3.1 凡是饮料酒,均须标明酒精度,即乙醇含量。

5.3.2 标明酒精度时,应加“酒精度”一词作为标题。

5.3.3 酒精度标注方式为:啤酒为%(m/m)或换算成%(V/V)表示。其他酒均以%(V/V)表示。

5.4 原汁量

5.4.1 啤酒须标注原麦汁浓度(含量)。

标注方式为:在数字右上角加小圆圈表示“度”,如:12度啤酒应标为“12° 啤酒”。

5.4.2 果酒(包括葡萄酒)须标注原果汁含量。

标注方式为:用百分数加括号表示,如:“苹果酒(50%)”表示含有百分之五十的原果汁。

5.5 净含量

5.5.1 必须在标签上标明每个包装容器(瓶、罐、桶)中酒的净含量。

5.5.2 若同一包装中含有两个或多个品质相同、净含量相等的小包装时,则应在标明单位小包装净含量的同时,还须标出小包装的总数量。

5.5.3 净含量标注方法,用体积表示,单位:用毫升或mL;升或L。

5.6 制造者、经销者的名称和地址

按GB 7718中5.4条执行。

5.7 批号

按GB 7718中7.1条执行。

5.8 生产日期(灌装日期)

5.8.1 标签上必须标明产品的生产日期,日期的标注顺序为年、月、日。

5.8.2 用喷涂、刻划或其他方法标注的生产日期,必须端正、准确、清晰、持久、易于辨认。

5.8.3 用无色透明玻璃瓶包装的无色酒,生产日期可以标注在标签背面,其他酒都必须标在标签的正面。

5.8.4 啤酒生产日期可沿用现行方法,即在标签上边缘印数字1～12表示月份,下边缘用1～31表示日期,用两位数字标出邻近三年的年份,在对应的数字上准确刻出生产日期(年、月、日)。

5.9 保质期(或保存期)

5.9.1 保质期(或保存期)超过18个月的饮料酒(全汁葡萄酒、蒸馏酒或以蒸馏酒为酒基的配制酒)可不标保质期(或保存期),其他酒必须标注保质期(或保存期)。

5.9.2 保质期(或保存期)的标注方式按GB 7718中5.5.1.1条和5.5.1.2条执行。

5.9.3 若保质期(或保存期)与贮存条件有关,在标明保质期(或保存期)的同时,还应标注贮存条件与方法。

5.10 产品标准号与质量等级

5.10.1 必须标明产品的国家标准、行业标准或企业标准的代号和顺序号。

5.10.2 凡产品标准中已分等分级的,还必须标明产品的质量等级。标注方式为:在产品标准的代号和顺序号后,用文字加括号表示,如:GB 10718.1(一级)。

5.11 产品类型(或糖度)

5.11.1 果酒、葡萄酒和黄酒须标注类型(或糖度)。如葡萄酒,类型:半干(或糖度:7.0g/L)。

5.11.2 配制酒中的露酒须标注糖度。

5.11.3 白酒须标注香型。

6 出口酒

出口酒的标签可按合同执行。

附加说明:

本标准由全国食品工业标准化技术委员会和轻工业部提出,由轻工业部食品发酵工业科学研究所归口。

本标准由轻工业部食品发酵工业科学研究所和北京市酿酒总厂负责起草。

本标准主要起草人田栖静、任可达。

注:本文本根据技监国标函(1994)085号国家标准第一号修改单、技监国标函(1994)194号国家标准第二号修改单、(94)技监标便字第061号文、国家技术监督局标准化司修改函和技监国标函(1995)208号文进行修改。

中华人民共和国轻工业部1989-02-22批准,1989-09-01实施。

查处食品标签违法行为规定

第一条　为加强对食品标签的监督管理，保护消费者的利益，维护食品生产者和销售者的合法权益，依据《中华人民共和国标准化法》、《中华人民共和国产品质量法》，制定本规定。

第二条　在中华人民共和国境内生产或者销售的预包装食品的标签必须符合强制性国家标准《食品标签通用标准》（ＧＢ7718）、《饮料酒标签标准》（ＧＢ10344）、《特殊营养食品标签》（ＧＢ13432）的规定，食品标签不符合上述规定的预包装食品不得出厂和销售。

第三条　预包装食品标签有下列情况之一的，限期改正；逾期不改正的，责令停止生产、销售，可处以五百元以上一千元以下罚款或者处以该批食品货值金额百分之十的罚款：

（一）食品标签应当标注而未标注质量等级、产品标准号、"辐照食品"（经电离辐射线或电离能量处理过的食品）字样任何一项的；

（二）食品标签标注的项目内容齐全，但不符合《食品标签通用标准》规定的四条基本原则（注１）的；

（三）食品标签不符合《食品标签通用标准》中规定的六条基本要求之一（注２）的。

第四条　预包装食品标签有下列情况之一的，限期改正，并可通报批评；逾期不改正的，责令停止生产、销售，可处以1000元以上3000元以下的罚款或者处以该批食品货值金额15%的罚款：

（一）食品标签缺少食品名称、净含量及固形物含量、生产（分装）者的名称和地址、生产（分装）日期、以及应当标注而未标注的配料表、保质期或者保存期任何一项的；

（二）特殊营养食品标签缺少食品名称、配料表、热量、营养素、净含量、生产者的名称和地址、生产日期、保质期和保存期、食用方法任何一项的；

（三）饮料酒食品标签缺少酒名、配料表、酒精度、净含量、生产者的名称和地址、生产日期、以及应当标注而未标注的原汁量、保质期、产品类型或者糖度任何一项的；

（四）进入流通领域的进口预包装食品标签缺少中文的食品名称、净含量，原产国或者地区（指香港、澳门、台湾）名，生产（分装）日期，以及应当标注而未标注的配料表、保质期或者保存期任何一项的。

第五条　预包装食品有下列情况之一的，责令停止生产、销售，没收产品和违法销售收入，可处以3000元以上5000元以下罚款或者处以该批食品货值金额15%～20%的罚款：

（一）无食品标签的；

（二）无中文标签的国产或者进口食品。

第六条　预包装食品标签有下列情况之一的，责令停止生产、销售，没收产品和违销售收入，并处5000元罚款或者该批食品货值金额一倍以上三倍以下的罚款；构成犯罪的，移送司法机关追究刑事责任：

（一）伪造、冒用他人食品标签的；

（二）伪造、篡改生产日期、保质期或者保存期的；

（三）利用食品标签弄虚作假的。

第七条　销售超过保存期的预包装食品，责令停止销售，没收食品和违法销售收入，并处5000元罚款或者该批食品货值金额一倍以上五倍以下的罚款；构成犯罪的，移送司法机关追究刑事责任。

第八条　对于超过保质期的预包装食品，应当停止销售，并送法定质量检验机构检验。如食品内在质量合格应当明示销售，未明示销售的，比照本规定第三条给予行政处罚；如食品内在质量不合格或者拒不提供法定质量检验机构出具检验报告的，比照本规定第七条给予行政处罚。

第九条　违反上述第四条的规定，其中预包装食品标签缺少生产日期、保质期或者保存期的，应当提供法定质量检验机构出具的检验报告。如食品内在质量合格，按照本规定第四条给予行政处罚；如食品内在质量不合格或者拒不提供法定质量检验机构出具的检验报告的，比照本规定第七条给予行政处罚。

第十条　县级以上人民政府技术监督行政部门对违反食品标签强制性国家标准的行为，依据本规定予以处罚。

国家技术监督局对查处食品标签违法行为实行统一监督管理。

第十一条　本规定由国家技术监督局负责解释。

第十二条　本规定自1995年10月1日起施行。

注１　基本原则：

1．食品标签的所有内容，不得以错误的、引起误解的或欺骗性的方式描述或介绍食品。

2．食品标签的所有内容，不得以直接或间接暗示性的语言、图形、符号，导致消费者将食品或食品的某一性质与另一产品混淆。

3．食品标签的所有内容，必须符合国家法律和法规的规定，并符合相应产品标准的规定。

4．食品标签的所有内容，必须通俗易懂、准确、科学。

注２　基本要求：

1．食品标签不得与包装容器分开。

2．食品标签的一切内容，不得在流通环节中变得模糊甚至脱落；必须保证消费者购买和食用时醒目、易于辨认和识读。

3．食品标签的一切内容，必须清晰、简要、醒目。文字、符号、图形应直观、易懂，背景和底色应采用对比色。

4．食品名称必须在标签的醒目位置。食品名称和净含量应排在同一视野内。

5．食品标签所用文字必须是规范的汉字。可以同时使用汉语拼音，但必须拼写正确，不得大于相应的汉字。可以同时使用少数民族文字或外文，但必须与汉字有严密的对应关系，外文不得大于相应的汉字。

6．食品标签所用的计量单位必须以国家法定计量单位为准，如：质量单位：ｇ或克，ｋｇ或千克；体积单位：ｍＬ、ｍｌ或毫升，Ｌ或升。

国家税务总局关于酒类产品消费税政策问题的通知

国税发〔2002〕109号

各省、自治区直辖市和计划单列市国家税务局：

近接一些地区反映，基层税务机关在白酒专项检查中发现了一些政策界限不够清晰、处理尺度难以掌握的业务问题，要求总局予以明确。经研究，现明确如下：

一、关于酒类生产企业利用关联企业间关联交易规避消费税问题

根据《中华人民共和国税收征收管理法实施细则》第三十八条规定，纳税人与关联企业之间的购销业务，不按照独立企业之间的业务往来作价的，税务机关可以按照下列方法调整其计税收入额或者所得额，核定其应纳税额：

（一）按照独立企业之间进行相同或者类似业务活动的价格；

（二）按照再销售给无关联关系的第三者的价格所取得的收入和利润水平；

（三）按照成本加合理的费用和利润；

（四）按照其他合理的方法。

对已检查出的酒类生产企业在本次检查年度内发生的利用关联企业关联交易行为规避消费税问题，各省、自治区、直辖市、计划单列市国家税务局可根据本地区被查酒类生产企业与其关联企业间不同的核算方式，选择以上处理方法调整其酒类产品消费税计税收入额，核定应纳税额，补缴消费税。

二、关于粮食白酒的适用税率问题

（一）对以粮食原酒作为基酒与薯类酒精或薯类酒进行勾兑生产的白酒应按粮食白酒的税率征收消费税。

（二）对企业生产的白酒应按照其所用原料确定适用税率。凡是既有外购粮食、或者有自产或外购粮食白酒（包括粮食酒精），又有自产或外购薯类和其他原料酒（包括酒精）的企业其生产的白酒凡所用原料无法分清的，一律按粮食白酒征收消费税。

三、关于"品牌使用费"征税问题

白酒生产企业向商业销售单位收取的"品牌使用费"是随着应税白酒的销售而向购货方收取的，属于应税白酒销售价款的组成部分，因此，不论企业采取何种方式或以何种名义收取价款，均应并入白酒的销售额中缴纳消费税。

四、关于外购应税消费品税款抵扣问题

对企业2001年5月1日以前外购酒精已纳税款无论什么原因造成没有抵扣完毕，2001年5月1日以后均一律不得抵扣。

请遵照执行。

二00二年八月二十六日

上海市酒类商品产销管理条例

(1997年10月21日上海市第十届人民代表大会常务委员会第三十九次会议通过)

第一条 为了加强本市酒类商品的产销管理，保护消费者和经营者的合法权益，根据国家有关法律、法规，结合本市实际情况，制定本条例。

第二条 本条例所称的酒类商品，包括白酒、黄酒、啤酒、果酒以及其他含有乙醇的饮料。

第三条 在本市行政区域内从事酒类商品生产、批发和零售业务活动，应当遵守本条例。

第四条 上海市商业委员会是本市酒类商品产销管理的行政主管部门。

上海市酒类专卖管理局(以下简称市酒类专卖局)在上海市商业委员会的领导下，具体负责本条例的实施。

区、县酒类商品管理部门按照职责分工，在市酒类专卖管理局的指导下，负责本辖区内酒类商品产销管理。

第五条 本市工商行政管理、技术监督、卫生、物价、税务、公安等部门依照法律、法规的有关规定，协同做好本市酒类商品的产销管理工作。

第六条 本市酒类商品的生产、批发和零售、实行许可证制度。

第七条 申领本市酒类商品生产许可证的企业，应当具备符合酒类商品生产规定的注册资本、生产场地、设施、工艺、检测手段和卫生、环保条件，并具有熟悉酒类商品生产的专业技术人员。

第八条 申领本市酒类商品批发许可证的企业，应当具备符合规定的注册资本、经营场所和仓储设施，并具有熟悉酒类商品业务知识的人员。

第九条 申领本市酒类商品生产或者批发许可证的企业，应当向市酒类专卖局提出申请，市酒类专卖局应当在收到申请书之日起三十日内作出书面答复，经审核同意的，发给酒类商品生产或者批发许可证。取得酒类商品生产许可证的企业，可以从事本企业生产的酒类商品的批发业务。

第十条 申领本市酒类商品零售许可证的企业或者个体工商户，应当向其所在地的区、县酒类商品管理部门提出申请，区、县酒类商品管理部门应当按照方便消费、合理布局的原则，在收到申请书之日起十五日内作出书面答复，经审核同意的，发给酒类商品零售许可证。

第十一条 持有本市酒类商品生产、批发或者零售许可证的企业，在取得食品卫生许可证、工商营业执照后，方可从事酒类商品的生产、批发或者零售业务。

持有本市酒类商品零售许可证的个体工商户，在取得食品卫生许可证、工商营业执照后，方可从事酒类商品的零售业务。

第十二条 持有本市酒类商品生产、批发或者零售许可证的企业以及持有本市酒类商品零售许可证的个体工商户，因名称、地址变更或者合并、撤销的，应当向发证单位办理许可证变更、注销手续。

第十三条 禁止涂改、伪造、转借、买卖酒类商品的生产、批发和零售许可证。

第十四条 酒类商品生产企业新开发的酒类商品，应当报

送市酒类专卖局审检，经审检合格的方可投入生产。

第十五条 酒类商品生产企业应当保证产品质量，对其生产的每批酒类商品进行质量检验，检验合格的，出具合格证明，未经检验合格的，不得出厂销售。

第十六条 酒类商品生产企业采购酒类半成品，应当索取并查验生产企业的产品质量标准、产地县级以上质量监督检验机构或者食品卫生监督机构核发的合格证。

酒类商品批发、零售企业和个体工商户采购酒类商品，应当查验合格证明，其包装上标明优质产品的，还应当索取并查验相应的证明文件。

酒类商品批发、零售企业和个体工商户采购进口酒类商品，应当依照国家有关规定，索取并查验有关进口和质量的证明文件。

第十七条 酒类商品生产、批发、零售企业和个体工商户不得生产、批发和零售假冒伪劣或者标识不符合国家规定的酒类商品。

第十八条 酒类商品的质量，由市技术监督部门认可的酒类商品检测机构鉴定。

第十九条 市酒类专卖局和区、县酒类商品管理部门应当加强对本市酒类商品生产、批发、零售企业和个体工商户的监督检查，并定期进行市场抽检。

酒类商品生产、批发、零售企业和个体工商户应当接受市酒类专卖局和区、县酒类商品管理部门的监督检查，如实提供有关资料，不得拒绝、阻挠检查。

第二十条 对酒类商品生产、批发和零售活动中的违法经营行为，消费者可以向市酒类专卖局或者区、县酒类商品管理部门投诉、举报。市酒类专卖局和区、县酒类商品管理部门对消费者或者其他人员的投诉、举报，应当及时调查处理。

第二十一条 酒类商品生产、批发、零售企业和个体工商户违反本条例规定，给消费者造成损害的，应当承担赔偿责任。

第二十二条 违反本条例规定，由市酒类专卖局或者区、县酒类商品管理部门依照下列规定予以处罚：

(一)对无生产许可证生产或者批发酒类商品的，责令其改正，没收违法生产的酒类商品和违法所得，并可处以二万元以下罚款；

(二)对无批发许可证批发酒类商品的，责令其改正，没收违法所得，并可处以二万元以下罚款；

(三)对无零售许可证零售酒类商品的，责令其改正，没收违法所得，并可处以五千元以下罚款；

(四)对未按规定办理酒类商品生产、批发或者零售许可证变更、注销手续的，责令其改正，并可处以五千元以下罚款；

(五)对涂改、伪造、转借、买卖酒类商品生产、批发和零售许可证的，没收违法所得，并可处以二万元以下罚款；

(六)采购进口酒类商品，未按国家有关规定取得相应证明文件的，责令其改正，拒不改正的，并可处以一万元以下罚款；

(七)对生产、批发和零售假冒伪劣酒类商品的，责令其改正，没收违法生产、批发和零售的酒类商品和违法所得，并可处以违法所得一倍以上五倍以下罚款；情节严重的，并可吊销酒类商品生产、批发或者零售许可证；构成犯罪的，依法追究刑事责任；

(八)对生产、批发和零售标识不符合国家规定的酒类商品的，责令其改正，情节严重的，并可处以违法所得百分之十五至百分之二十罚款。

吊销酒类商品生产、批发许可证的处罚，由市酒类专卖局决定。

第二十三条 对违反本条例规定的违法行为，法律、法规对行使行政处罚权的行政机关另有规定的，可由法律、法规规定的行政机关进行处罚。

对当事人的同一个违法行为，不得给予两次以上罚款的行政处罚。

第二十四条 市酒类专卖局和区、县酒类商品管理部门作出行政处罚，应当出具行政处罚决定书。收缴罚款和没收财物时，应当出具市财政部门统一制发的收据。

罚没款全部上缴国库。

第二十五条 当事人对具体行政行为不服的，可以依照《行政复议条例》和《中华人民共和国行政诉讼法》的规定，申请行政复议或者提起行政诉讼。

当事人在法定期限内不申请复议，不提起诉讼，又不履行具体行政行为的，作出具体行政行为的部门可以申请人民法院强制执行。

第二十六条 市酒类专卖局和区、县酒类商品管理部门的工作人员违反本条例，玩忽职守、滥用职权、徇私舞弊的，由其所在单位或者上级主管部门给予行政处分；构成犯罪的，依法追究刑事责任。

第二十七条 本条例的具体应用问题，由上海市商业委员会负责解释。

第二十八条 本条例自1998年1月1日起施行。

广东省酒类专卖管理条例

广东省第九届人民代表大会常务委员会第三次会议通过

自1998年8月1日起施行

第一章 总 则

第一条 为加强我省酒类生产和流通管理，保障人民身体健康，维护生产者、经营者、消费者的合法权益，根据国家有关规定，结合本省实际，制定本条例。

第二条 在本省从事酒类生产和流通活动，应遵守本条例。

第三条 酒类专卖管理的范围是各种白酒、黄酒、啤酒、葡萄酒、果酒、配制酒、食用酒精以及其他含有乙醇的饮料。

第四条 各级人民政府酒类专卖管理部门负责本条例的贯彻实施。

各级工商、技术监督、卫生、工业管理等部门应当各负其责，做好酒类生产和流通的有关监督管理工作。

第五条 酒类的生产、批发、零售实行许可证制度，进口酒的批发、零售实行特种许可证制度。进口酒出省运输实行准运证制度。国家另有规定的，从其规定。

本条例规定的各种许可证、准运证由省酒类专卖管理部门统一印制。

本条例规定的各种许可证每3年换发一次，每年实行年检。生产、经营单位必须亮证生产、经营。

许可证和准运证不得伪造、租借、买卖和涂改。

第六条 酒类生产、销售，禁止下列行为：

（一）伪造或者冒用认证标志、名优标志等质量标志；

（二）伪造产品产地；

（三）伪造或者冒用他人厂名、厂址；

（四）伪造他人注册商标标识或者假冒他人注册商标；

（五）掺杂、掺假、以假充真、以次充好；

（六）以不合格产品冒充合格产品；

（七）销售过期、变质的酒类；

（八）使用非食用酒精、原料或者添加剂配制酒类产品。

第二章 生产管理

第七条 从事酒类生产的企业，必须具备以下条件：

（一）具有与生产规模相适应的生产场地、设备、检测仪器、专车技术人员及质量管理体系；

（二）符合卫生、环保和安全生产的要求；

（三）符合国家规定的粮食消耗指标；

（四）符合法律、法规规定的其他条件。

第八条 从事酒类生产的企业，必须经工业主管部门批准，取得卫生行政部门核发的《卫生许可证》，然后向省酒类专卖管理部门申领《酒类生产许可证》。取得《卫生许可证》、《酒类生产许可证》后，方可向工商行政管理部门申领营业执照。

第九条 省酒类专卖管理部门应当对申请酒类生产企业进行实地考察，并在收到企业申请书之日起三十日内作出书面答复，对符合条件的，发给《酒类生产许可证》。

第十条 酒类生产必须严格执行国家有关标准。产品出厂前必须进行质量检验。禁止不合格的酒类产品出厂销售。

第十一条 配制酒类使用的食用酒精，必须符合国家标准。

第十二条 酒类产品应当使用中文标识，标明厂名、厂址、生产日期、采用的质量标准、主要原料、容量、保质期限、酒精含量，并附有产品质量检验合格证明。使用注册商标的，应当标明“注册商标”字样或R、TM标记。按国家规定应当标明产品有效期限的酒类，应当在明显位置标有。使用优质产品标志的，应当注明获奖的名称、级别、颁奖机关和时间。

第三章 流通管理

第十三条 从事酒类批发业务的企业，应当具备以下条件：

（一）注册资金、经营场所和仓储设施符合有关规定；

（二）有相当的经营规模；

（三）有健全的企业管理制度；

（四）有熟悉酒类知识的专业人员；

（五）符合法律、法规规定的其他条件。

第十四条 从事酒类批发业务的企业，必须先取得卫生行政部门核发的《卫生许可证》，然后向所在地市（地级，下同）以上的酒类专卖管理部门申领《酒类批发许可证》；从事进口酒批发业务的企业，还必须申领《酒类特种批发许可证》。取得《卫生许可证》和酒类批发许可证后，方可向工商行政管理部门申领营业执照。

第十五条 严格控制进口酒批发。除国家规定的进口酒经营部门和县以上的酒类专营公司外，其他经济组织不得从事进口酒的批发业务。

第十六条 从事酒类零售业务，必须先取得卫生行政部门核发的《卫生许可证》，然后向所在地县以上酒类专卖管理部门申领《酒类零售许可证》；从事进口酒零售业务的，还必须申领《酒类特种零售许可证》。取得《卫生许可证》和酒类零售许可证后，方可向工商行政管理部门申领营业执照。

第十七条 酒类专卖管理部门应当在收到申领酒类批发许可证、零售许可证申请书之日起分别于二十日、十日内作出书面答复，经审核同意的，发给相应的许可证。

第十八条 本省酒类生产企业，经营本企业的酒类产品，可免领《酒类批发许可证》和《酒类零售许可证》；经营其他企业的酒类产品，必须按本条例的规定领取相应的酒类经营许可证。

第十九条 酒类生产企业和批发企业不得向无酒类经营许可证的零售经营者批发酒类；酒类批发企业及零售经营者，不得从无生产许可证或无批发许可证的企业购进酒类。

第二十条 酒类批发企业采购酒类时，须同时索取检验合格证；酒类产品包装上标明是优质产品的，应当索取优质产品的证明文件。

第二十一条 进口酒由口岸食品卫生监督检验机构进行卫生监督检验，检验合格方准进口。进入国内市场，由持有特种经营许可证的单位经营。

第二十二条 进口酒运销省外，需持有省酒类专卖管理部门签发的准运证。

严禁持有酒类生产、经营许可证的企业为无证企业代办准运证。

第四章 监督检查

第二十三条 各级酒类专卖管理部门有权对酒类生产和经营单位执行本条例的情况进行监督检查。

第二十四条 进行酒类执法检查时，要有两人以上并持有省人民政府统一印制的行政执法证件。

第二十五条 酒类专卖管理部门应当协同技术监督、卫生以及有关主管部门，对酒类进行定期或不定期的监督检测工作。

第二十六条 酒类专卖管理部门出具或认可的酒类鉴定和结论必须以法定检测机构检测结果为依据。

第二十七条 广播、电视、报刊、杂志等各类媒体以及各类广告公司，不得为无酒类生产、经营许可证的企业制作、发布酒类广告。

第二十八条 境外企业在本省开展酒类咨询、展销、促销、中介、新闻发布会等活动，必须经开展活动所在地市以上酒类专卖管理部门审核，并按国家规定报有关部门审批。

第五章 法律责任

第二十九条 伪造、租借、买卖和涂改本条例规定的各种许可证和准运证的，由酒类专卖管理部门依法没收或吊销其许可证或准运证，没收违法所得，并可处以20000元以下的罚款。

第三十条 无酒类生产、批发、零售许可证，擅自从事酒类生产、经营业务的，由酒类专卖管理部门、工商行政管理部门责令其停止生产、经营，没收其违法所得和违法生产、经营的酒类产品，并视其情节轻重，处以违法生产、经营酒类产品总额一倍以上五倍以下的罚款。

对既无酒类生产许可证又无营业执照的，由酒类专卖管理部门或有关主管部门责令其停止生产，没收其生产设备、违法生产的产品和违法所得，并处以违法生产、经营酒类产品总额一倍以上五倍以下的罚款。涉嫌犯罪的，由司法机关依法处理。

第三十一条 超越许可证范围擅自从事酒类生产、经营业务的，超越部分按无证生产、经营处理；情节严重的，可吊销其生产、经营许可证。

第三十二条 向无酒类经营许可证的企业批发酒类或从无酒类生产或批发许可证的企业购进酒类的，由酒类专卖管理部门责令改正，并处以5000元至30000元的罚款。

第三十三条 酒类生产、经营企业无准运证运输或者托运进口酒出省的，按下列情况分别处理：

（一）无酒类生产、经营许可证的，按本条例第三十一条规定处罚；

（二）已办理酒类生产、经营许可证的，责令其补办准运证并处以该批酒价值10%以下的罚款。

第三十四条 持有酒类生产、经营许可证的企业为无证企业代办准运证的，处以3000元至5000元的罚款，对无证企业依本条例有关规定处理。

第三十五条 违反本条例第六条规定的，由酒类专卖管理部门或有关主管部门依法处理。

（一）有第（一）至第（四）项行为之一的，责令其公开更正，没收侵权商标和直接用于商标侵权的制造工具，没收违法所得，并可处以违法所得一倍以上五倍以下的罚款；

（二）有第（五）、第（六）项行为之一的，责令其停止行为，没收违法所得，并处以违法所得的一倍以上五倍以下的罚款，可以吊销生产、经营许可证并根据国家有关法律法规规定吊销营业执照；

（三）有第（七）项行为的，责令停止销售，没收违法销售的产品和违法所得，并处以违法所得一倍以上五倍以下的罚款，可以吊销经营许可证并根据国家有关法律法规规定吊销营业执照；

（四）有第（八）项行为的，责令其停止生产，没收违法所得，没收生产设备、违法生产的产品和有关原材料，吊销生产许可证，并处以违法所得一倍以上五倍以下的罚款。

违反本条例第六条规定，涉嫌犯罪的，由司法机关依法处理。

第三十六条 为无酒类生产、经营许可证的企业制作、发布酒类广告的，由工商行政管理部门责令停止发布广告，没收广告费收入，并处以该广告费一倍以上五倍以下的罚款；情节严重的，吊销承办单位广告经营许可证。

第三十七条 对违反本条例的同一行为，两个以上行政执法部门都有管辖权的，由先立案的部门查处，其他部门不得重复处罚。罚没财物按有关规定处理。

第三十八条 酒类生产者、经营者拒绝接受酒类专卖管理部门的监督、检查、阻碍检查人员执行公务的，由其所在单位或上级机关给予行政处分；涉嫌犯罪的，由司法机关依法处理。

第三十九条 酒类专卖管理部门和有关行政执法部门的工作人员违反本条例，滥用职权、索贿受贿、玩忽职守的，由所在单位或上级机关给予行政处分；涉嫌犯罪的，由司法机关依法处理。

第四十条 当事人对行政处罚不服的，可以依照法律、法规规定申请复议或者向人民法院起诉。逾期不申请复议或者不起诉，又不履行行政处罚决定的，由作出处罚的机关申请人民法院强制执行。

第六章 附 则

第四十一条 本条例自1998年8月1日起施行。

黄酒生产许可证审查细则

国质检监[2004]557号发布2005年1月1日起施行

一、发证产品范围及申证单元

实施食品生产许可证管理的黄酒产品是指以稻米、黍米、玉米、小米、小麦等为主要原料，经蒸煮、加曲、糖化、发酵、压榨、过滤、煎酒、贮存、勾兑等工艺生产的酿造酒。其酒精含量大于等于8%（v/v）小于24%（v/v）。申证单元为1个，即黄酒。

在食品生产许可证上应当注明获证产品名称即黄酒。只进行黄酒加工灌装，不进行原酒加工的企业，食品生产许可证上注明的产品名称为黄酒（加工灌装）。生产许可证有效期为3年，其产品类别编号为1504。

二、基本生产流程及关键控制环节

（一）基本生产流程。(略)

（二）关键控制环节。

1.发酵过程的时间和温度控制。

2.酒的勾兑配方控制。

3.容器清洗控制。

4.成品酒杀菌温度和杀菌时间的控制。

（三）容易出现的质量安全问题。

1.成品酸败问题。

2.成品感官及主要质量指标不合格。

3.成品中有异物残留。

4.成品微生物超标，以及出现浑浊等问题。

三、必备的生产资源

（一）生产场所。

黄酒生产企业除必须具备必备的生产环境外，还应当有与企业生产能力相适应的原辅料库、生产车间、检验室和成品库。生产区应设置原料处理、制曲（外购曲除外）、糖化发酵、压榨、勾兑、洗瓶（非瓶装酒除外）及灌装间。

制曲间应满足制曲过程中必要的温度、湿度、面积、空间、通风的要求。严格控制培养温、湿度，保证曲种在无污染和良好环境中生长、繁殖。

黄酒企业如有废水、废气排放的，应有废水、废气处理系统，并经常维修，保持良好的工作状态。废水、废气的排放应符合国家排放标准。

黄酒加工灌装企业生产区应设置勾兑、洗瓶（非瓶装酒除外）及灌装间，其他条件应等同于黄酒生产企业要求。

（二）必备的生产设备。

1.制曲设备（外购曲除外）；2.浸米设备；3.蒸煮设备；4.糖化发酵设备；5.固液分离压榨设备；6.过滤设备；7.杀菌设备；8.贮酒设备；9.勾兑配酒设备；10.容器清洗设备（瓶装酒至少具备半自动洗瓶设备及灯检设备）；11.生产瓶（袋）装酒企业还必须具备a.定量灌装、包装设备；b.封口设备；c.生产日期标注设备。

黄酒加工灌装企业必须具备上述6~11的必备生产设备。

四、产品相关标准

GB2758-1981《发酵酒卫生标准》，GB10344-1989《饮料酒标签标准》，GB17946-2000《绍兴酒（绍兴黄酒）》，GB/T13662-2000《黄酒》，备案有效的企业标准。

五、原辅材料的有关要求

生产黄酒的原辅材料必须符合相应的标准和有关规定。生产上使用的主要原料应符合GB2715-1981《粮食卫生标准》的规定；不得使用发霉、变质或含有毒、有害物以及被有毒、有害物污染的原料。酒药、麦曲、麸曲、酒母、包装容器等均应符合相应的标准和有关规定。生产酒药、麦曲、麸曲、酒母以及培菌、制酒、酒母的原料，投产前必须经过检验或筛选处理，不合格者不准投入生产。如使用的原辅材料为实施食品生产许可证管理的产品，应选用获得食品生产许可证企业生产的产品。

六、必备的出厂检验设备

（一）分析天平（0.1mg）；（二）干燥箱；（三）水浴锅；（四）电炉；（五）计量器具；（六）酒精计（分度值0.2）；（七）测酒精度用温度计（分度值0.1℃）；（八）酸度计（精度0.02pH）；（九）灭菌锅；（十）无菌室或超净工作台；（十一）微生物培养箱；（十二）电冰箱。

七、检验项目及判定原则

（一）检验项目。

黄酒的发证检验、监督检验和出厂检验项目按下表中列出的检验项目进行。出厂检验项目中注有“*”标记的，企业应当每年检验2次。

（二）判定原则。

1.符合发证条件

（1）检验项目全部合格。

（2）总糖、氧化钙、β-苯乙醇3项指标中仅有1项不合格，其他检验项目均合格。

2.不符合发证条件

检验项目中除总糖、氧化钙、β-苯乙醇以外的其他项目有1项或1项以上不合格，或3项指标（总糖、氧化钙、β-苯乙醇）中有2项或2项以上不合格。

八、抽样方法

根据企业申请发证产品的品种，随机抽取1种该企业的主导产品进行发证检验。抽取的该种产品的种类按袋装、瓶装、坛装顺序抽取。

对于现场审查合格的企业，核查组在完成必备条件现场审查工作后，在企业的成品库内随机抽取发证检验样品。所抽样品须为相同生产日期、相同质量等级，保质期内的合格产品。

（一）净含量小于2000毫升的产品随机抽取不少于16个包装，且样品总量不少于 3000毫升，抽样样品基数不少于200个包装。

（二）净含量大于等于2000毫升的产品，随机抽取4个包装，抽样样品基数不得少于50个包装。

上述抽样样品分成2份， 1份检验，1份备查。样品确认无误后，由核查组抽样人员与被抽样单位在抽样单上签字、盖章、当场封存样品，并加贴封条。封条上应当有抽样人员签名、抽样单位盖章及封样日期。抽样单中应写明产品类型（或糖分）、质量等级。

酒类（白酒类）生产许可证实施细则

第一章　总　则

第一条　为加强白酒生产企业的质量管理，确保产品质量符合国家标准、行业标准，才艮据国务院发布的《工业产品生产许可证试行条例》和国家经贸委等8个部委《关于严厉打击制售假冒伪劣酒类产品违法行为的通知》（国经贸市(1998]82号)制订本细则。

第二条　本细则适用于我国境内的所有白酒生产企业，只有取得生产许可证，才允许生产和销售白酒产品。

第三条　无生产许可证的企业不得擅自生产和销售以及其他形式的交易，经销单位不得销售无证产品，违者按国家有关规定处理。

第四条　国家轻工业局会同国家质量技术监督局负责白酒生产许可证的发放、监督和管理。

第五条　白酒生产许可证日常办事机构设在国家轻工业局生产许可证办公室，办公地点：北京阜城门外大街乙22

号，邮编：100833，电话：68396552，68396554，传真：68396552。

第六条　白酒产品质量检测由国家食品质量监督检验中心及具备条件的地方检测机构承担(名单另定)。

第二章　申报及获证条件、程序

第七条　企业取得生产许可证条件

一、申请企业必须持有工商行政管理部门核发的营业执照。

二、企业必须取得卫生部门颁发的卫生许可证。

三、企业正常批量生产的产品经指定的检测机构按《白酒产品质量考核方案》(见附件一)考核合格。

四、企业必须具有保证产品质量必备的生产环境、生产条件，检测手段和管理制度，经审查符合《白酒工厂条件审查要求》(见附件二)。

第八条　生产许可证申请与审批程序

一、企业申请。企业必须在规定期限内填写生产许可证申请书(见附件七)附齐有关资料(一式二份)，报省、自治区、直辖市计划单列市轻工业管理部门生产许可证办公室。

二、审查工厂条件及抽封样品。地方轻工业管理部门会同地方工业产品生产许可证办公室选派专家组成审查组(每组2—3人，可酌情吸纳同级内贸主管部门、乡镇企业主管部门的专家参加)，对生产企业进行工厂条件审查，按附件二填写工厂条件审查记录，并填写不合格记录和工厂条件审查结论表(见附件三)。同时抽封样品，填写白酒生产许可证检测样品封样情况登记表(见附件四)。

抽封样品由企业负责寄／送指定检测机构。

三、考核产品质量。由检测机构对样品进行检测，测试报告及时寄申请企业及省市轻工业管理部门生产许可证办公室。

四、汇总上报。省市轻工业管理部门生产许可证办公室对企业工厂条件审查和产品检测结果进行审核，对合格企业的申请书加盖公章连同申报企业审查结果汇总表(见附件八)和计算机软盘报国家轻工业局生产许可证办公室。审查结果汇总表抄报地方工业产品生产许可证办公室及地方经贸委。

五、发证。国家轻工业局会同国家质量技术监督局对合格企业核发证书。

六、公布。国家轻工业局会同国家质量技术监督局公布获证企业名单。

七、整改复查／测。　经工厂审查不符合取证条件或产品测试不合格的企业，限期半年进行整改。整改后由企业向省市轻工业主管部门提出复查／测申请，按第八条第二、三款进行复查/测，符合取证条件的，按程序发给生产许可证。经复查／测仍不合格，五年内取消申请生产许可证资格，

第九条 结束发证后的申请。新投产、新转产的企业必须在投转产半年内申请领证。申请企业投产转产超过半年而未提出申请者，由当地生产许可证办公室根据有关规定查处后，持罚款单及证明材料予以申报办证。

第十条　白酒生产许可证有效期五年。

第十一条　白酒生产许可证编号XK16—030　X X X X

XK：许可

16：国家轻工业局编号

030：白酒编号

X X X X：企业许可证编号

取得生产许可证的企业必须在产品或包装上标明生产许可证标识和编号。

第十二条　经济联合体中的企业，凡有营业执照的，应单独申请生产许可证。联营企业无独立法人地位的由龙头厂统一申请领证。申请生产许可证时需注明各联营企业名称、地址，并分别进行工厂条件审查。

第十三条　国家轻工业局会同国家质量技术监督局对获证企业统一安排监督检测，以保证获证企业的产品质量。

第十四条　企业对审查结果、生产许可证工作有异议，可向国家轻工业局、国家质量技术监督局提出要求复审的报告。

第三章　免予工厂审查、产品检测条件

第十五条　为减轻企业负担，加快工作进度，对以下企业免予工厂条件审查或产品质量检测。

一、由省级地方人大或政府立法已颁发的地方生产许可证，其执行的发证条件与本细则规定的条件相同或相当，经国家轻工业局生产许可证办公室同意免予工厂审查，只进行产品质量检测只交产品测试费及公告费、证书费、资料费。

二、已获国家批准的认证机构发放的产品质量认证证书的企业，由企业附上证明材料，免予产品检测和工厂条件审查及相应费用，只交公告费、证书费、资料费。

第四章　处　罚

第十六条　对取得生产许可证的企业有下列情况之一者，销生产许可证。

一、粗制滥造，降低产品质量。

二、产品监督复查质量不合格，经限期整顿仍不合格。

三、发生重大质量事故。

四、生产许可证转让他人使用。

第十七条　各级参加发放生产许可证的工作人员必须严格遵守国家的廉政规定和生产许可证“工作人员守则”(附件五)违者给予必要处分。

第十八条　企业必须遵守“受检企业须知”(附件六)，凡发现通过送礼、行贿等不正当手段取得生产许可证者，取消其取证资格并通报批评。

第五章　费用和管理

第十九条　根据国务院《工业产品生产许可证试行条例》及国家计委、财政部[1992]价费字-127号《工业产品生产许可证收费管理暂行规定》，本着减轻企业负担的原则，向企业收取生产许可证费用，包括：审查费(含证书费、资料费)、检测费、公告费收取标准按国务院物价管理部门批准的文件执行。

第二十条　费用管理。

一、审查费由地方轻工业管理部门收取，专门用于工厂审查差旅费及许可证工作的其他费用。

二、产品质量检测费由企业寄检测机构。

三、公告费、证书费、资料费由地方轻工业管理部门代

为收取，寄“中国轻工总会机关服务局”开户银行：工商银行阜外分理处，帐号492-249018-44，请注明白酒许可证费。

第六章　附　则

第二十一条　本细则由国家轻工业局生产许可证办公室负责解释。

第二十二条　本细则自国家质量技术监督局批准发布之日起生效。

附件：

一、白酒产品质量考核方案

二、白酒工厂条件审查要求

三、附表1：白酒工厂条件审查结论表

附表2：白酒生产许可证不合格记录表

四、白酒生产许可证检测样品封样情况登记表

五、工作人员守则

六、受检企业须知

七、申请书

八、白酒中报企业审查结果汇总表

附件一

白酒产品质量考核方案

一、受检产品

各种类型的白酒

二、检测、检查依据

1、GB 10781.1-89　　《浓香型白酒》

2、GB 10781.2—89　　《清香型白酒》

3、GB 10781.3-89　　《米香型白酒》

4、GB 11859.1—89　　《低度浓香型白酒》

5、GB 11859.2-89　　《低度清香型白酒》

6、GB 11859.3-89　　《低度米香型白酒》

7、GB／T 14867—94　《凤香型白酒》

8、QB 1498-92《液态法白酒》

9、GB 2757—81　　《蒸馏酒及配制酒卫生标准》

10、GB 10344—89　　《饮料酒标签标准》

11、GB 8951—88　　《白酒厂卫生规范》

12、GB 5009.48—85　《蒸馏酒及配制酒卫生标准的分析方法》

13、GB 2760—1996　《食品添加剂使用卫生标准》

14、QB／T 2305—97　《特香型白酒》

15、GB／T 16289—1996　　《豉香型白酒》

16、QB／T　2187—95《芝麻香型白酒》

17、GB 10343—89　　《食用酒精》

18、GB 10345.1—8—89　　《白酒试验方法》

19、GB 10346-89　　《白酒检验规则》

20、GB／T 349，2—94　　《酒精通用试验方法》

三、抽样

1、　由审查组到工厂一次性现场封样

2、　抽样方法与数量

(1)瓶装酒：从成品库的同一批次产品中随机抽样四箱(每箱取一瓶)，每个品种四瓶(二瓶供检测用，二瓶供复测用)。

(2)散装酒：从成品贮罐抽样时，抽样率为50%，　但最多不超过三罐；从成品贮桶抽样时，抽样率为5%，每罐(桶)抽得样品应取等量均匀混合成一个样品。也可从车间成品暂贮罐中抽取企业已检验合格的样品，抽样率为一罐。抽样数量为每个品种2000毫升，至少分装在四个玻璃瓶中。

(3)抽样品种数的确定：白酒品种在二个以下(含二个)的按实

有品种抽样；品种数在二个以上时，从该厂所生产产品中选择有代表性的二个品种作为抽样对象。散装酒按实有品种数抽样。

(4)抽样品种的定义：抽样品种是指同一企业不同商标的产品种类或同一企业同一商标品牌执行不同产品标准的产品种类。

3、抽样产品说明

抽样产品自封样日期起14天内，由受检企业寄或送至指定检测单位。

4、抽样工作结束后，　由封样人员负责填写白酒生产许可证检测样品封样情况登记表(见附件四)，并加盖封样单位与企业公章后分别交寄有关单位。

四、检测项目

各类白酒产品国家标准(行业标准)中理化指标和卫生指标所规定的项目。

五、产品合格判定

每个抽检产品的各项检测指标均符合该产品相应标准的要求时，定为合格产品；卫生指标与理化指标如有一项不合格，应以另一瓶样品进行复验，并以复验结果为准，若仍有一项指标不合格则判定该产品为不合格。

送检品种中有一个品种不合格，即判该厂样品检测不合格。

“附件二”中审查结果判定。白酒生产企业应具备的条件中，共设有四个条件12项检查项目。其中：重点检查项目6项：一般检查项目6项。

审查结果的判定方法如下：

1、若第1、2、4、5、7、9项6个重点项中有1项不合格，则判该企业质量保证条件为不合格。

2、若6个重点项合格，而6个一般项中有3项(含3项)不合格，则判该企业质量保证条件为不合格审查记录。审查结果记录在白酒工厂条件审查要求一表中的结果一栏，同时将不合格的项目详细记录在生产许可证不合格记录表中(见附件三的附表2)。　最后的审查结论记录在白酒工厂条件审查结论表(附件三的附表1)。

附件五

工作人员守则

一、认真贯彻工业产品生产许可证试行条例、管理办法、实施细则及有关文件的规定。

二、坚持原则，忠于职守。

三、作风正派，秉公办事。

四、不准利用职权、工作条件向申请生产许可证企业索取产品或购买样品、礼品。

五、不准擅自多抽检验样品和违章处理检验样品。

六、不准吃请、受贿和假借公出机会游山玩水。

七、不泄露企业机密。

八、不用公款进高级娱乐场所。

九、对假公济私、弄虚作假者，视情节轻重给予批评教育、行政和组织处分，直至绳之以法。

附件六：

受检企业须知

一、受检企业应如实向检查组反映企业管理和产品质量情况不得弄虚作假。

二、接待检查组时不得铺张浪费，请客送礼、行贿。企业内有食堂的，检查组成员一律在食堂就餐。

三、如果发现企业请客送礼，大吃大喝或弄虚作假时，视情节轻重予以通报批评或取消申请生产许可证的资格。

四、不用公款进高级娱乐场所。

关于白酒产品发放生产许可证工作有关问题补充意见的通知

全国工业产品生产许可证办公室文件各省、自治区、直辖市生产许可证办公室：

全许办(2002)16号

国家质量技术监督局质技监局质发[1999]282号文件《关于白酒产品生产许可证发证工作有关问题的通知》下发以来，在各省、自治区、直辖市许可证办公室和行业部门的共同努力下，白酒产品发放生产许可证的工作已经全面展开。由于我国地域广阔，白酒生产企业众多，企业规模、生产方式和工艺水平各异，给发证工作造成诸多不便。为了加快发证进度，完善工厂条件审查内容，确保发证工作顺利进行，提高白酒质量，有效遏制白酒制假售假的违法行为，让百姓喝上放心酒，现提出补充意见如下：

一、按照国家经贸委第14号令《工商投资领域制止重复建设目录(第一批)》的规定，1999年9月1日以后注册登记的白酒企业，不予受理生产许可证的申请。

二、全国工业产品生产许可证审查中心(简称审查中心)，在全国生产许可证办公室的领导下，具体承办白酒产品发证工作的有关事宜，中国酿酒协会白酒分会(简称白酒分会)协助审查中心做好白酒产品发证工作。地方酿酒(白酒)协会协助各省、自治区、直辖市生产许可证办公室做好白酒产品发证的相关工作。

三、半固态法白酒生产设备，要求有发酵容器(罐、池)、蒸酒机、贮酒容器(池、缸、罐)、灌装机。

四、检测条件按产品标准要求，需要配备检测仪器、玻璃器皿、化学试剂的，必须配备，不得降低标准，不需要配’备的，可不必配备(详见附表)。

五、液态法白酒 (CB／T 17204—1998中，传统液态法白酒、串香白酒、固液勾兑白酒、调香白酒四类)需要配备的生产设备仍然按着《白酒工厂条件审查要求》执行。检测条件按所生产的白酒香型，需要配备的仪器、玻璃器皿、化学试剂，必须配齐(详见附表)。液态法白酒，在生产许可证证书上，加注“液态法”。

六、糖化饲料生成的白酒，暂不列入本次发证范围。

七、只生产散装白酒的企业，不要求有灌装设备，生产许可证证书上加注“散装”；其产品标识，应当按照GB10344《饮料酒标签标准》的规定，在包装物明显位置注明；同时，将生产许可证的标记和编号标注在适当的位置。

各省、自治区、直辖市生产许可证办公室，今后上报白酒材料时，按白酒的种类，相应注明香型、液态法、散装及所用地方标准或企业标准，以便于白酒材料的审核。

抄：全国工业产品生产许可证审查中心

中国酿酒协会白酒分会(简称白酒分会)

省、自治区、直辖市酿酒(白酒)协会

各白酒产品生产许可证检验单位

葡萄酒及果酒生产许可证审查细则

(2004年12月23日，国质检监[2004]557号)

一、发证产品范围及申证单元

实施食品生产许可证管理的葡萄酒、果酒是指以葡萄、各种水果或浆果为原料，经发酵酿制而成的饮料酒。葡萄酒及果酒的申证单元为1个：葡萄酒及果酒。主要品种有葡萄酒、山葡萄酒、苹果酒、山楂酒等。以浸泡或者蒸馏工艺生产的果酒不纳入发证范围。

葡萄酒或果酒的生产企业在生产许可证上注明的获证产品名称：葡萄酒及果酒（原酒、加工灌装）；只进行葡萄酒或果酒原酒加工、不进行灌装的企业，生产许可证上注明产品名称：葡萄酒及果酒（原酒）；只进行葡萄酒或果酒加工灌装、不进行原酒加工的企业（以下简称加工灌装），生产许可证上注明的产品名称：葡萄酒及果酒（加工灌装）。生产许可证有效期为3年，其产品类别编号为：1502。

二、基本生产流程及关键控制环节

（一）基本生产流程。

1.葡萄酒及果酒的基本生产流程

原料→破碎（压榨）→发酵→分离→贮存→澄清处理→调配→除菌→灌装→成品

2.原酒加工的基本生产流程

原料→破碎（压榨）→发酵→分离→贮存（澄清处理）→原酒

3.加工灌装的基本生产流程

原酒→澄清处理→调配→除菌→灌装→成品

（二）关键控制环节。

1.原材料的质量。

2.发酵与贮存过程的控制。

3.稳定性处理。

4.调配。

（三）容易出现的质量安全问题。

1.超范围使用食品添加剂。

2.以调配酒冒充发酵酒。

3.葡萄汁或果汁含量不足。

4.微生物超标。

三、必备的生产资源

（一）生产场所。

生产场所绿化带不宜种植有飞絮和有浓郁气味的植物。葡萄酒及果酒生产企业应具备原料加工、酿酒、贮酒、调酒、灌装、仓库等场所，原酒加工企业应具备原料加工、酿酒、贮酒、仓库等场所，加工灌装企业应具备贮酒、调酒、灌装、仓库等场所。污水排放必须符合国家有关标准的规定，其他条件应满足食品质量市场准入审查通则的相关规定。

（二）必备的生产设备。

葡萄酒、果酒生产企业必备的生产设备有：

1.原料处理设备：破碎机、压榨机、输送泵。

2.发酵设备：控温发酵罐。

3.贮酒设备：贮酒罐、输送泵。

4.过滤设备：硅藻土过滤机、板框过滤机等。

5.冷冻设备：冷冻机、隔热罐或速冻机。

6.杀菌系统：锅炉或其他供热设施。

7.除菌设备：杀菌设备或除菌过滤设备。

8.灌装设备：半自动或自动洗瓶机、自动装酒机。

原酒加工企业必备的生产设备为上述1、2、3条中规定的设备，并具备粗滤设备，如硅藻土过滤机。

加工灌装企业必备的生产设备为上述3、4、5、6、7、8条中规定的设备。

四、产品相关标准

GB10344-1989《饮料酒标签标准》；GB2758-1981《发酵酒卫生标准》；GB/T15037-1994《葡萄酒》；QB/T1982-1994《山葡萄酒》；QB/T1983-1994《山楂酒》；QB/T2027-1994《猕猴桃酒》。

五、原辅材料的有关要求

生产中所使用的原辅材料必须是食用级的产品并符合国家标准或行业标准的规定。如使用的原辅材料为实施生产许可证管理的产品，必须选用获证企业生产的产品。所有采购的原辅材料必须经检验或验证合格后方可投入生产。

酿酒原料葡萄或其他水果应新鲜，无霉变腐烂、无夹杂物、无药害、无病害、无污染。

六、必备的出厂检验设备

（一）葡萄酒及果酒、加工灌装企业必备的出厂检验设备

1.分析天平（0.1mg）；2.干燥箱；3.微生物培养箱；4.消毒锅；5.电冰箱；6.恒温水浴；7.生物显微镜；8.压力测定装置（适用于起泡酒）；9.无菌室或超净工作台。

（二）原酒加工企业必备的出厂检验设备

1.分析天平（0.1mg）；2.干燥箱；3.恒温水浴；4.电冰箱。

七、检验项目及判定原则

（一）检验项目。

葡萄酒及果酒、加工灌装生产企业的发证检验、监督检验、出厂检验分别按表1中所列出的相应检验项目进行，原酒生产企业的发证检验、监督检验、出厂检验分别按表2所列出的检验项目进行。出厂检验项目栏中注明“*”标记的，企业应该进行自检或委托具有法定资格的机构检验，每年不得少于2次。

微生物项目为带“*”标记的项目，生产企业无须对每批产品都进行检验，但企业必须具备检验微生物的能力，能够对产品中的微生物包括酵母菌进行有效的监控。

（二）判定原则。

对于葡萄酒及果酒当检验项目全部合格，或者当酒精度、总糖、滴定酸、游离二氧化硫、铁中仅有1项不符合标准要求时，判定结论为：符合发证条件；当酒精度、总糖、滴定酸、游离二氧化硫、铁项目中超过1项不合格，或者有其他项目不合格时，则判定结论为：不符合发证条件。

对于原酒，判定依据按相应的成品酒标准执行。

八、抽样方法

根据企业申证产品的种类，随机抽取不同类型的主导产品进行发证检验，原则上每个企业抽取2个样品。

葡萄酒及果酒、加工灌装生产企业的抽样应在企业的成品仓库内随机抽取，所抽样品应为同一批次的产品，抽样基数不少于1500瓶（以750ml/瓶计），净含量在750ml/瓶左右的平静葡萄酒随机抽取12瓶，起泡葡萄酒随机抽取18瓶，净含量大于1000mL或小于600ml/瓶的样品应适当减少或增加取样数量，减少时不得少于8瓶，增加时，样品总量应与750ml/瓶的样品总量相当。对于生产原酒的企业，样品应在企业的贮酒罐中抽取，所抽样品应为混合均匀的产品，抽样基数不少于10吨，抽样量为5L。将抽取的样品平均分成2份，1份检验，1份备查，原酒应进行有效的密封。样品确认无误后，由抽样人员与被抽查企业人员在抽样单上盖章、签字。样品当场封存，并加贴封条，封条上应有抽样人员及企业人员的签字及抽样单位盖章。

啤酒生产许可证审查细则

（2004年12月23日，国质检监[2004]557号）

一、发证产品范围及申证单元

实施食品生产许可证管理的啤酒产品包括所有以麦芽（包括特种麦芽）、水为主要原料，加啤酒花（包括酒花制品），经酵母发酵酿制而成的，含有二氧化碳的、起泡的、低酒精度的发酵酒。不包括酒精度含量<0.5%（V/V）的产品。

啤酒的申证单元为1个。

在生产许可证上应当注明获证产品名称即啤酒，并注明生产的产品品种（熟啤酒、生啤酒、鲜啤酒、特种啤酒），

生产许可证有效期为3年。其产品类别编号1503。

二、基本生产流程及关键控制环节

（一）基本生产流程。

糖化→发酵→滤酒→包装

（二）关键控制环节。

1.原辅料的控制。

2.添加剂的控制。

3.清洗剂、杀菌剂的控制。

4.工艺（卫生）要求的控制。

5.啤酒瓶的质量控制。

（三）容易出现的质量安全问题。

1.在原辅料的贮运过程中，出现污染。

2.食品添加剂的超范围使用和添加量超标。

3.清洗剂、杀菌剂等在啤酒中存在残留。

4.在啤酒生产中，清洗过程和杀菌过程不符合要求。

5.啤酒瓶的质量以及啤酒瓶的刷洗过程不符合要求。

三、必备的生产资源

（一）生产场所。

啤酒生产企业应建在地势高、水源充足的地区。厂区应设绿化带，应有良好的排水系统，必须设有废水、废气处理系统。废水、废气的排放应符合国家排放标准。

（二）必备的生产设备。

1.原料粉碎设备；2.糖化设备；3.糊化设备；4.麦汁过滤设备；5.煮沸设备；6.回旋沉淀设备；7.麦汁冷却设备；8.酵母扩培设备；9.发酵罐；10.啤酒澄清设备；11.清酒罐；12.灌装设备；13.杀菌设备（熟啤酒应具备）；14.无菌过滤和无菌包装设备（生啤酒应具备）。

生啤酒的生产还应有全面的生产过程无菌控制。

特种啤酒的生产应有与特种啤酒生产工艺相适应的生产设备，如：冰啤酒的生产应有冰晶化处理设备。

四、产品相关标准

GB4927-2001《啤酒》；GB2758-1981 《发酵酒卫生标准》；GB10344-1989 《饮料酒标签标准》；GB4544-1996《 啤酒瓶》；备案有效的企业标准。

五、原辅材料的有关要求

生产啤酒所用的原辅材料应符合相应的国家标准和行业标准的规定。麦芽应符合QB1686-1993《啤酒麦芽》的规定；大米应符合GB1354-1986《大米》的规定；啤酒花应符合QB/T3770.1-1999《压缩啤酒花及颗粒啤酒花》的规定；啤酒瓶应符合GB4544-1996 《啤酒瓶》的规定；如使用的原辅材料为实施生产许可证管理的产品，必须选用获得生产许可证企业生产的产品。

六、必备的出厂检验设备

（一）分析天平（0.1mg）；（二）浊度计；（三）色度计；（四）秒表；（五）紫外分光光度计；（六）CO2测定仪；（七）灭菌锅；（八）微生物培养箱；（九）生物显微镜；（十）无菌室或超净工作台；（十一）酸度计；（十二）恒温水浴锅：控温精度±5℃。

检验设备中（七）、（八）、（九）、（十）用于生产过程控制中的微生物检验。

七、检验项目及判定原则

（一）检验项目。

啤酒的发证检验、监督检验、出厂检验分别按照下列表格中所列出的相应检验项目进行。出厂检验项目中注有“*”标记的，企业应当每年检验2次。

2.啤酒在标签、附标或外包装上应印有“警示语”——“切勿撞击，防止爆瓶”。

（二）项目分类。

1.缺陷项目：菌落总数、大肠菌群、铅、二氧化硫残留量、黄曲霉毒素B1、N-二甲基亚硝胺。

2.严重瑕疵项目：净含量负偏差、包装、标签、特种啤酒的特征性指标（系指：干啤酒的“真正（实际）发酵度”、冰啤酒的“浊度”）、生啤酒及鲜啤酒的"蔗糖转化酶活性"和双乙酰。

3.一般瑕疵项目：除缺陷项目和严重瑕疵项目以外的其余项目。

（三）判定原则。

1.检验项目全部符合规定的，或只有1项一般瑕疵项目不符合规定且不低于下一个质量等级指标的，判为符合发证条件。

2.其他情况均判为不符合发证条件。

八、抽样方法

根据企业申请取证的产品品种，每类随机抽取1种产品进行发证检验。

在企业的成品库内，从同一规格、同一批次的合格产品中随机抽取样品。所抽每个品种应为企业生产的主导产品。听、瓶装啤酒的抽样基数不得少于200箱。桶装啤酒的抽样基数不得少于100桶。净含量≥500mL的抽样数量为24瓶，净含量＜500mL的抽样数量为32瓶、听。桶装啤酒的抽样数量为2桶。所抽样品1/2用于检验，1/2用于备查。核查组抽样人员与被抽查企业陪同人员确认无误后，双方在抽样单上签字、盖章，并当场加贴封条封存样品后送检验机构。封条上应有抽样人员签名、抽样单位盖章和抽样日期。

九、其他要求

瓶装啤酒外包装应使用符合GB/T6543要求的瓦楞纸箱、符合GB/T5738要求的塑料周转箱，或者使用软塑整体包装。瓶装啤酒不得用绳捆扎销售。

查处食品标签违法行为规定

第一条　为加强对食品标签的监督管理，保护消费者的利益，维护食品生产者和销售者的合法权益，依据《中华人民共和国标准化法》、《中华人民共和国产品质量法》，制定本规定。

第二条　在中华人民共和国境内生产或者销售的预包装食品的标签必须符合强制性国家标准《食品标签通用标准》（GB7718）、《饮料酒标签标准》（GB10344）、《特殊营养食品标签》（GB13432）的规定，食品标签不符合上述规定的预包装食品不得出厂和销售。

第三条　预包装食品标签有下列情况之一的，限期改正；逾期不改正的，责令停止生产、销售，可处以五百元以上一千元以下罚款或者处以该批食品货值金额百分之十的罚款：

（一）食品标签应当标注而未标注质量等级、产品标准号、“辐照食品”（经电离辐射线或电离能量处理过的食品）字样任何一项的；

（二）食品标签标注的项目内容齐全，但不符合《食品标签通用标准》规定的四条基本原则（注1）的；

（三）食品标签不符合《食品标签通用标准》中规定的六条基本要求之一（注2）的。

第四条　预包装食品标签有下列情况之一的，限期改正，并可通报批评；逾期不改正的，责令停止生产、销售，可处以1000元以上3000元以下的罚款或者处以该批食品货值金额15%的罚款：

（一）食品标签缺少食品名称、净含量及固形物含量、生产（分装）者的名称和地址、生产（分装）日期、以及应当标注而未标注的配料表、保质期或者保存期任何一项的；

（二）特殊营养食品标签缺少食品名称、配料表、热量、营养素、净含量、生产者的名称和地址、生产日期、保质期和保存期、食用方法任何一项的；

（三）饮料酒食品标签缺少酒名、配料表、酒精度、净含量、生产者的名称和地址、生产日期、以及应当标注而未标注的原汁量、保质期、产品类型或者糖度任何一项的；

（四）进入流通领域的进口预包装食品标签缺少中文的食品名称、净含量，原产国或者地区（指香港、澳门、台湾）名，生产（分装）日期，以及应当标注而未标注的配料表、保质期或者保存期任何一项的。

第五条　预包装食品有下列情况之一的，责令停止生产、销售，没收产品和违法销售收入，可处以3000元以上5000元以下罚款或者处以该批食品货值金额15%～20%的罚款：

（一）无食品标签的；

（二）无中文标签的国产或者进口食品。

第六条　预包装食品标签有下列情况之一的，责令停止生产、销售，没收产品和违销售收入，并处5000元罚款或者该批食品货值金额一倍以上三倍以下的罚款；构成犯罪的，移送司法机关追究刑事责任：

（一）伪造、冒用他人食品标签的；

（二）伪造、篡改生产日期、保质期或者保存期的；

（三）利用食品标签弄虚作假的。

第七条　销售超过保存期的预包装食品，责令停止销售，没收食品和违法销售收入，并处5000元罚款或者该批食品货值金额一倍以上五倍以下的罚款；构成犯罪的，移送司法机关追究刑事责任。

第八条　对于超过保质期的预包装食品，应当停止销售，并送法定质量检验机构检验。如食品内在质量合格应当明示销售，未明示销售的，比照本规定第三条给予行政处罚；如食品内在质量不合格或者拒不提供法定质量检验机构出具检验报告的，比照本规定第七条给予行政处罚。

第九条　违反上述第四条的规定，其中预包装食品标签缺少生产日期、保质期或者保存期的，应当提供法定质量检验机构出具的检验报告。如食品内在质量合格，按照本规定第四条给予行政处罚；如食品内在质量不合格或者拒不提供法定质量检验机构出具的检验报告的，比照本规定第七条给予行政处罚。

第十条　县级以上人民政府技术监督行政部门对违反食品标签强制性国家标准的行为，依据本规定予以处罚。

国家技术监督局对查处食品标签违法行为实行统一监督管理。

第十一条　本规定由国家技术监督局负责解释。

第十二条　本规定自1995年10月1日起施行。

注1　基本原则：

1.食品标签的所有内容，不得以错误的、引起误解的或欺骗性的方式描述或介绍食品。

2.食品标签的所有内容，不得以直接或间接暗示性的语言、图形、符号，导致消费者将食品或食品的某一性质与另一产品混淆。

3.食品标签的所有内容，必须符合国家法律和法规的规定，并符合相应产品标准的规定。

4食品标签的所有内容，必须通俗易懂、准确、科学。

注2　基本要求：

1.食品标签不得与包装容器分开。

2.食品标签的一切内容，不得在流通环节中变得模糊甚至脱落；必须保证消费者购买和食用时醒目、易于辨认和识读。

3.食品标签的一切内容，必须清晰、简要、醒目。文字、符号、图形应直观、易懂，背景和底色应采用对比色。

4.食品名称必须在标签的醒目位置。食品名称和净含量应排在同一视野内。

5.食品标签所用文字必须是规范的汉字。可以同时使用汉语拼音，但必须拼写正确，不得大于相应的汉字。可以同时使用少数民族文字或外文，但必须与汉字有严密的对应关系，外文不得大于相应的汉字。

6.食品标签所用的计量单位必须以国家法定计量单位为准，如：

质量单位：ｇ或克，ｋｇ或千克；

体积单位：ｍＬ、ｍｌ或毫升，Ｌ或升。

（注：根据（技监局颁发[1997]205号）《关于执行罚款决定与罚款分离制度和正确适用规章有关意见的通知》要求，地方技术监督部门自1998年1月1日起，停止执行《查处食品标签违法行为规定》第五条、第六条中"没收产品"的规定。）

产品或产品包装上加贴标志。